TECHNICAL DICTIONARY
English-Polish
Polish-English

■

SŁOWNIK
TECHNICZNY
angielsko-polski
polsko-angielski

Autor
KARL-HEINZ SEIDEL

Opracowanie haseł polskich:
GRZEGORZ JAŚKIEWICZ, KRZYSZTOF NYCZ

Redakcja: **Justyna Zacharska**
Projekt okładki: **69 – Studio Reklamy**, Olsztyn

© Wydawnictwo REA s.j., Warszawa 2005
na podstawie: Handworterbuch Technik,
autor Karl-Heinz Seidel
© Cornelsen Verlag GmbH & Co., Berlin 1998

Wydanie aktualne, Warszawa 2006

ISBN 83-7141-523-0

Wydawnictwo REA s.j.
01-217 Warszawa, ul. Kolejowa 9/11
Tel. 022 632 69 03, 022 632 68 82
     022 631 94 23
Fax 022 632-21-15
www.rea-sj.pl
e-mail: handlowy@rea-sj.pl

Skład: AW Leprint, Warszawa
Druk i oprawa: ZPW POZKAL, Inowrocław

Słownik techniczny angielsko-polski i polsko-angielski jest adresowany zarówno do specjalistów, jak i do osób nie związanych na co dzień z techniką, ale mających do czynienia z językiem angielskim. W słowniku zawarto aktualną terminologię z różnych dziedzin techniki i nauki, a także słownictwo ogólne.

Niemal połowa terminów pochodzi z takich dziedzin, jak metaloznawstwo, elektrotechnika, elektronika oraz maszynoznawstwo – ogółem uwzględniono około 20 różnych dziedzin techniki i nauki (zob. Objaśnienia sygnatur dziedzinowych). Poza tym publikacja zawiera słownictwo z innych dziedzin, ważnych dla specjalistów: inżynierów i techników.

W nawiasach po haśle podano kursywą objaśnienia haseł głównych, dopowiedzenia, a niekiedy też przykłady użycia. Średnikami oddzielono terminy bliskoznaczne, a przecinkami – synonimy.

Strzałki przy hasłach w nawiasach w części angielsko-polskiej odsyłają do terminów, na które autor pragnie zwrócić uwagę użytkownika.

Redakcja

English-Polish and Polish-English technical dictionary is addressed to both specialists and those who are not necessarily dealing with technology, though using English language. The dictionary contains updated terminology of various technical areas, as well as general vocabulary.

Nearly half of the terminology comes from such areas as physical metallurgy, electrotechnology, electronics and theory of machines – all in all about 20 various areas of technology and science have been taken into account (see Explanatory Chart.) Moreover, this publication contains vocabulary from other areas important for specialists: engineers and technicians.

The headword is followed by the brackets where one can find meanings of the main headword, additional information and examples of usage, all written in italics. Synonymous names and synonyms are separated with semicolons and comas respectively.

Arrows in the English-Polish section, written in brackets next to the headwords, refer to the terms the author wishes to highlight.

KWALIFIKATORY

abc	w powszechnym użyciu
aero.	aerotechnika
akust.	akustyka
bot.	botanika, flora, fauna
bud.	budownictwo, architektura
chem.	chemia, inżynieria chemiczna
ekon.	ekonomia i zarządzanie
el.	elektryka, elektrotechnika
energ.	elektroenergetyka
fiz.	fizyka
geogr.	geografia
geol.	geologia
gleb.	gleboznawstwo
górn.	górnictwo, wydobycie surowców, przetwórstwo surowców
hydr.	hydraulika, hydrologia
inf.	informatyka, komputery
masz.	elementy maszyn, budowa maszyn
mat.	matematyka
med.	medycyna, technika medyczna, ludzkie ciało
met.	metaloznawstwo, metalografia, metalurgia
meteo.	meteorologia
miern.	miernictwo, metrologia
min.	mineralogia
mot.	motoryzacja, pojazdy mechaniczne (samochody, kolej, komunikacja powietrzna)
narz.	narzędzia, obrabiarki
norm.	normy, normy DIN, normowanie, kolory wg RAL
opt.	optyka, przyrządy optyczne, promieniowanie
polit.	polityka
praw.	prawo, ubezpieczenia
rec.	recycling
roln.	rolnictwo
rys.	konstrukcje, rysunek techniczny
telkom.	telekomunikacja
transp.	transport, urządzenia transportowe, transport bliski
tw.	tworzywa, metale
wojsk.	technika wojskowa, technika zbrojeniowa

TECHNICAL DICTIONARY
English-Polish

■

SŁOWNIK
TECHNICZNY
angielsko-polski

A

A* **search** przeszukiwanie A* [inf.]
a.c. prąd zmienny, prąd przemienny [el.]
a.c. voltage napięcie zmienne [el.]
a.o. (*among other things*) m.in. (*między innymi*) [abc]
A/C (*alternating current*) prąd przemienny; prąd zmienny [el.]
AAA (*American Automobile Association*) Amerykański Związek Automobilowy [mot.]
AAR (*Association of American Railroads*) Stowarzyszenie Kolei Amerykańskich [mot.]
AB **wagon** wagon klasy 1 i 2 [mot.]
abacus abakus, liczydło [mat.]
abandon opuszczać, porzucać [mot.]
abatement rabat (*np. frachtowy*) [mot.]
abbreviation skrót [abc]
abbridged version wersja skrócona [abc]
ABC **marking** oznaczenie ABC [mot.]
abdicate podawać się do dymisji, abdykować [polit.]
abend (→ abnormal end) przerwanie i porzucenie (*programu*); zakończenie awaryjne (*programu*); usunięcie, skasowanie (*programu*) [inf.]
abeyance stan niepewności, stan zawieszenia [abc]
abide by przestrzegać (*prawa*) [praw.]
abide by the traffic laws przestrzegać przepisów ruchu drogowego [mot.]
ability to travel under own power *zdolność jezdna dzięki własnej energii* [transp.]
able zdolny, zdatny [abc]

able to negotiate curves zdolny do pokonywania zakrętów, mogący pokonywać zakręty [transp.]
abney level instrument niwelacyjny, niwelator [miern.]
abnormal nienormalny, nieprawidłowy [abc]
abnormal end zakończenie awaryjne; zakończenie przedwczesne [inf.]
abnormal termination zakończenie awaryjne [inf.]
abolish uchylać, unieważniać [abc]
abolished obalony, zniesiony [abc]
abort anulować, skasować [inf.]
above ponad, nad, powyżej; powyższy [abc]
above average ponad przeciętną [mat.]; ponadprzeciętny [abc]
above-floor and underfloor wheel lathe tokarka do zestawów kołowych z napędem górnym i dolnym [transp.]
above-listed wyżej wymieniony [abc]
above sea level nad poziomem morza [geogr.]
above surface nad ziemią [górn.]
abrase ocierać [abc]; zużywać się [transp.]; ścierać się, zużywać się [masz.]
abrasion ścieranie [masz.]; warstwa ścieralna [mot.]
abrasion-free nieścieralny [masz.]
abrasion-resistant wytrzymały na ścieranie [masz.]
abrasion rod warstwa ścieralna [transp.]
abrasion surface powierzchnia ścieralna; ścieralna powierzchnia podłoża [mot.]
abrasive belt taśma szlifierska, taśma ścierna [narz.]
abrasiveness własności ścierne [fiz.]
abrasive paper papier ścierny [narz.]
abrasive power siła ścierania [masz.]

abrasives ścierniwo do obróbki strumieniowo-ściernej [masz.]

abrasive wheel ściernica, tarcza ścierna, krążek ścierny [narz.]

abroad za granicą [abc]

absent nieobecny [abc]

absolute absolutny, bezwzględny [abc]

absolute error błąd bezwzględny [mat.]

absolute humidity wilgotność bezwzględna (*powietrza*) [meteo.]

absolute pressure ciśnienie bezwzględne [fiz.]

absolutely absolutnie, bezwzględnie [abc]

absolutely dry całkowicie suchy [meteo.]

absolutely rigid sztywny, odporny na skręcanie [transp.]

absolve uwalniać [abc]

absorb tłumić, amortyzować; pochłaniać; wchłaniać, absorbować [fiz.]

absorbency chłonność [fiz.]

absorber (→ shock absorber) amortyzator [mot.]

absorption (→ heat absorption) pochłanianie [energ.]; pochłanianie, wchłanianie, absorpcja [fiz.]

absorption capacity zdolność pochłaniania [fiz.]

absorption coefficient współczynnik absorpcji, współczynnik pochłaniania [fiz.]

absorption loss tłumienie absorpcyjne [mot.]

absorption of water absorpcja wody [hydr.]

absorptive capacity zdolność wsysania, wsiąkliwość, absorpcyjność [hydr.]

abstract data type abstrakcyjny typ danych [inf.]

abstract prologue machine maszyna programowana językiem Prolog [inf.]

abstraction unit jednostka abstrakcyjna [inf.]

abundance nadmiar [abc]; wydajność [górn.]

abuse nadużywać [abc]

abuse nadużycie [abc]

abutment wezgłowie; mur oporowy [bud.]

Ac (*austenitizing temperature*) temperatura austenityzowania [masz.]

accelerate przyspieszać [mot.]; rozpędzać [energ.]

accelerating pump pompa przyśpieszająca [mot.]

acceleration przyspieszenie; wzrost prędkości [mot.]

acceleration capability zdolność zrywowa [fiz.]

acceleration tube rura akceleracyjna, rura przyspieszająca [el.]

acceleration voltage napięcie przyspieszające [el.]

accelerator akcelerator, przyspieszacz; przyspiesznik, pedał gazu; dźwignia gazu [mot.]

accelerator cable linka dźwigni gazu [mot.]

accelerator pedal pedał przyspieszenia, pedał przyspiesznika [mot.]

acceptance przyjęcie; odbiór (*wyrobów*); akceptacja [abc]

acceptance certificate (→ approval) świadectwo odbioru [abc]

acceptance drawing rysunek odbiorczy [rys.]

acceptance inspection (→ first off test) badanie przy odbiorze; próba odbiorcza [miern.]

acceptance specification przepis odbiorczy [miern.]

acceptance test test odbiorczy; próba odbiorcza; próba odbiorcza, badanie przy odbiorze [miern.]

acceptance-test minutes protokół próby odbiorczej [miern.]

acceptor akceptor [fiz.]

accept-reject categories klasy segregacji [abc]

access dostęp, dojście [bud.]; dostęp [inf.]; dojście (*np. wysunięcie, stopień, drabinka*) [transp.]; dojście (*pomiędzy powierzchniami grzejnymi*) [energ.]

access door właz (*drzwiczki*) [transp.]

accessibility dostępność, przystępność [abc]

accessible dostępny, przystępny [abc]

access opening właz [transp.]

access road dojazd, ulica dojazdowa, droga dojazdowa [mot.]

access time czas dostępu [inf.]

access to <the> assembly yard dojazd do placu montażowego [transp.]

accessories oprawki; osprzęt gruby [energ.]; akcesoria, osprzęt; wyposażenie dodatkowe [masz.]; akcesoria, wyposażenie dodatkowe; materiały pomocnicze [mot.]

accessory dodatek [abc]

accessory shaft wał napędzający akcesoria [masz.]

accident wypadek [abc]

accident at work wypadek przy pracy [abc]

accident hazard niebezpieczeństwo nieszczęśliwego wypadku [abc]

accident insurance ubezpieczenie od następstw nieszczęśliwych wypadków [praw.]

accident prevention zapobieganie nieszczęśliwym wypadkom [abc]

accidental damage insurance *ubezpieczenie od szkód powstałych wskutek nieprzewidzianego i nagłego uszkodzenia maszyny* [praw.]

accommodate umieszczać [abc]

accommodation zakwaterowanie, mieszkanie [abc]

accompanying sheet dodatek (*w postaci karty, arkusza itp.*) [rys.]

according to zgodnie z; według [abc]

according to delivery specifications zgodnie z warunkami dostawy [abc]

A

according to drawing zgodnie z rysunkiem [rys.]

according to instructions zgodnie z instrukcją postępowania [rys.]

accordion hose przewód giętki falisty [masz.]

accountancy księgowość; rachunkowość [ekon.]

accountant księgowy [ekon.]

account payable rachunek „wierzyciele" [ekon.]

accretion nawarstwianie, nagromadzanie (*osadów*) [hydr.]

accumulation akumulacja, nagromadzenie [abc]

accumulator akumulator [transp.]

accuracy dokładność [abc]

accuracy group grupa dokładności [rys.]

accuracy in fitting dokładność dopasowania [rys.]

accuracy in levelling dokładność niwelowania [transp.]

accurate dokładny; poprawny, właściwy [abc]

accurate to dimension odpowiadający żądanym wymiarom; zgodny z wymiarami [rys.]

accurate to size odpowiadający żądanym wymiarom [rys.]

acetal resin żywica acetalowa [chem.]

acetylene acetylen [chem.]

Ac-field coil uzwojenie prądu zmiennego [el.]

ache ból [med.]

achieve dokonywać, wykonywać [abc]

acid kwas [chem.]; kwaśny [meteo.]; (→ test with hydrochloric acid)

acidal kwaśny; zawierający kwas [chem.]

acid dew point temperatura wystę-

powania korozji niskotemperaturowej [meteo.]

acid-free nie zawierający kwasu
[chem.]

acid number liczba kwasowa [chem.]

acid-proof coating powłoka malarska kwasoodporna [masz.]

acid rain kwaśny deszcz [meteo.]

acid-resistant kwasoodporny [chem.]

acid tanker zbiornikowiec kwasu
[mot.]

acknowledge potwierdzać (*zamówienie*); uznawać [abc]

acknowledged potwierdzony; aprobowany, uznawany [abc]

A-contact zestyk zwierny, zestyk roboczy [el.]

acorn nut nakrętka kołpakowa, nakrętka kapturkowa [masz.]

acoustic akustyczny, dźwiękowy
[akust.]

acoustical absorption pochłanianie dźwięku [akust.]

acoustical absorption coefficient
współczynnik pochłaniania dźwięku [akust.]

acoustical impedance impedancja
akustyczna [akust.]

acoustical resistance oporność
akustyczna [akust.]

acoustical shadow cień akustyczny
[akust.]

acoustic contact kontakt akustyczny (*dźwiękowy*) [fiz.]

acoustic impedance akustyczna
oporność pozorna; impedancja
akustyczna [akust.]

acoustic matching dopasowanie
akustyczne [akust.]

acoustics akustyka [akust.]

acoustic signal sygnał akustyczny
[akust.]

acoustic signal missing brak sygnału dźwięku [akust.]

acoustic tile płyta akustyczna, płyta
dźwiękochłonna [akust.]

acoustic warning ostrzeżenie akustyczne, ostrzeżenie dźwiękowe
[transp.]

acquaint zapoznawać (*z czymś*) [abc]

acquainted obeznany, wdrożony,
zaznajomiony [abc]

acquisition nabycie [abc]; gromadzenie [inf.]

acre (*43560 ft^2 = 4048,93 m^2*) akr
[norm.]; (→ square)

acronym akronim, skrótowiec [abc]

acrylic akrylowy [chem.]

acting działać, postępować [abc]

action time czas działania [masz.]

action-centered control sterowanie operacji [inf.]

activate uruchamiać [abc]; przesuwać [mot.]; aktywować [miern.]

active carbon węgiel aktywny [chem.]

active gas metal arc welding spawanie MAG, spawanie elektrodą
topliwą w osłonie gazów aktywnych [masz.]

activity czynność, działalność, praca
[abc]

actual aktualny; rzeczywisty [abc]

actual indication wskazanie aktualne [miern.]

actual interference wcisk zaobserwowany [rys.]

actually właściwie, faktycznie [abc]

actual value transmitter nadajnik
wartości chwilowej [fiz.]

actual value wartość rzeczywista;
wartość chwilowa [miern.]

actuarial ubezpieczeniowy [mat.]

actuate uruchamiać, wprawiać
w ruch [abc]

actuating uruchomienie, wprawie-
nie w ruch [abc]

actuating control uruchamianie
sterowania [fiz.]

actuator tuleja włącznika [transp.];
człon nastawczy, nastawnik [mot.];
urządzenie uruchamiające [masz.]

adapt dopasowywać, adaptować [el.]

adaptability zdolność do przystosowania, możność przystosowania, przystosowalność [abc]; zdolność przystosowania się [energ.]

adaptable zdolny do przystosowania, przystosowalny [abc]

adapter adapter, przystawka, łącznik; element pasowany wciskany; element pośredniczący; obsada zęba [masz.]; łącznik, złączka, element pośredni, króciec dopasowujący; adapter [el.]

adapter housing obudowa łącznika, korpus łącznika [transp.]

adapter piece kształtka przejściowa [masz.]

adapter pipe złączka rurowa [masz.]

addendum wysokość głowy zęba; wysokość łba (*śruby, nitu*) [masz.]

addendum modification przesunięcie zarysu; korekcja zarysu [masz.]

addendum modification coefficient współczynnik przesunięcia zarysu zębów [masz.]

add dodawać [abc]

adder sumator [masz.]

adder-multiplier net sieć sumująco-mnożnikowa [inf.]

addition for supervision dodatek za nadzór [abc]

additional arrangements układy dodatkowe [abc]

additional brake valve zawór hamulcowy dodatkowy [mot.]

additional counterweight dodatkowy przeciwciężar [mot.]

additional equipment wyposażenie dodatkowe [masz.]

additional force siła dodatkowa [fiz.]

additional gear przekładnia zębata dodatkowa [transp.]

additionally insured współubezpieczony [praw.]; ubezpieczony dodatkowo [abc]

additional moment moment dodatkowy [fiz.]

additional relay przekaźnik dodatkowy [el.]

additional resistance for motor protective device oporność dodatkowa zabezpieczenia silnika [transp.]

additional test próba dodatkowa [miern.]

additional valve zawór pomocniczy, zawór dodatkowy [masz.]

additive dodatek (*uszlachetniający*) [masz.]; substancja biologicznie aktywna [chem.]

address przemawiać (*do kogoś*) [abc]

address adres; przemowa [abc];

addressee adresat, odbiorca [abc]

addresser nadawca [abc]

adequate odpowiedni; stosowny; wystarczający [abc]

adequate dimension wymiar dopasowany [abc]

adhere przylegać, przywierać, przyczepiać się [masz.]

adherent water woda adhezyjna, woda błonkowata [fiz.]

adhesion przyczepność [mot.]; przyleganie, adhezja [fiz.]

adhesive środek adhezyjny, środek klejący, spoiwo, lepiszcze [chem.]; (→ solvent adhesive)

adhesive przyczepny, lepki [fiz.]

adhesive cup gasket pierścień samouszczelniający garnkowy [masz.]

adhesive factor współczynnik przylegania [fiz.]

adhesive strength przyczepność, adhezja [fiz.]

adhesive tape taśma klejąca, taśma klejowa [masz.]

adjacent graniczący, graniczny, ościenny, przyległy, sąsiedni [abc]

adjective przymiotnik [abc]

adjust przystosowywać; nastawiać [abc]; ustawiać; regulować; wyrównywać [miern.]

adjustable nastawny [miern.]

adjustable chain tensioning device naprężacz łańcucha w zwrotnicy przenośnikowej [masz.]

adjustable end cushioning wyściełanie przeciwwstrząsowe położenia krańcowego regulowane [masz.]

adjustable flow rate capacity przepływ masowy nastawny [hydr.]

adjustable fuel gate regulator wysokości warstwy paliwa [miern.]

adjustable input (→ regulated input) wejście nastawne [miern.]

adjustable oil motor serwomotor [masz.]

adjustable pressure range zakres ciśnienia nastawny [fiz.]

adjustable ring pierścień ustalający [masz.]

adjustable spanner klucz nastawny [narz.]

adjustable stand kozioł sterujący, kozioł nastawny [masz.]

adjustable threshold próg przesuwny [miern.]

adjustable valve setting regulacja nastawna zaworu [masz.]

adjustable vane klapa nastawna [masz.]; łopatka nastawna [transp.]

adjustable wrench klucz nastawny [narz.]; (→ monkey wrench)

adjust by flame-cutting podcinać palnikiem [masz.]

adjust cylinder cylinder nastawczy [opt.]

adjuster nastawnik [miern.]

adjusting nastawianie; ustawianie [abc]; regulacja [miern.]

adjusting cylinder (→ on-task cylinder) cylinder nastawczy, cylinder regulujący [miern.]

adjusting device przyrząd nastawczy; urządzenie nastawcze [miern.]

adjusting element przyrząd nastawczy [miern.]

adjusting facility zdolność ustawienia [miern.]

adjusting lever dźwignia wyrównawcza; dźwignia nastawcza [masz.]

adjusting nut nakrętka regulująca [masz.]

adjusting of mouldboard przeregulowanie ustawienia odkładnicy [transp.]

adjusting of the cutting angle przestawienie kąta skrawania [transp.]

adjusting ring pierścień nastawczy [miern.]

adjusting screw śruba ustalająca; śruba nastawcza, śruba regulacyjna [miern.]

adjusting sleeve tuleja nastawcza [miern.]

adjusting spring sprężyna regulacyjna [transp.]

adjustment nastawienie, dopasowanie, regulacja [abc]; nastawienie; regulowanie [miern.]; regulacja hamulców [transp.]; (→ choke adjustment; → classifier adjustment; → coarse adjustment; → fine adjustment)

adjustment of the premium zrównanie składek, wyrównanie składek [praw.]

administration administracja; rząd [polit.]

administration building budynek administracyjny [polit.]

administration of master parts records zarządzanie jednostkami zapisu głównego; zarządzanie kartoteką główną części [rys.]

administrative directive rozporządzenie wykonawcze [praw.]

administrative systems for technical data systemy techniczno-administracyjne [norm.]

administrator administrator, za-

rządca [abc]
admissible emission emisja dopuszczalna [aero.]
admission zasilanie [górn.]; wstęp; wlot; opłata za wstęp; dopuszczenie [abc]; (→ secondary air; → tangential admission)
admission velocity prędkość wlotowa [fiz.]
admit przyznawać (*się do czegoś*); przyjmować [abc]
admittance przewodność pozorna, admitancja [el.]
admittance matrix matryca admitancji [el.]
admixture domieszka [chem.]; domieszka; dodatek [górn]
adobe cegła niewypalona suszona na słońcu [bud.]
adobe block blok gliniany; cegła niewypalona suszona na słońcu [bud.]
adobe brick cegła niewypalona suszona na słońcu [bud.]
adolescent nieletni, młodociany [abc]
advance zaliczka[abc]; posuw [bud.]
advanced zaawansowany [abc]
advance gear przekładnia posuwów [transp.]
advanced cutting edge wyprzedzająca krawędź skrawająca [transp.]
advanced rim obręcz o skośnych barkach [transp.]
advancement rozwój, rozwijanie [transp.]
advancing ripper tooth ząb stalowy wysunięty [transp.]
advancing wheel koło wyprzedzające [mot.]
advantage zaleta; korzyść [abc]
adventure przygoda [abc]
adversary wróg; przeciwnik [abc]
advertised weight ciężar roboczy, ciężar służbowy [transp.]
advertisement ogłoszenie (*w gazecie*) [abc]

advertising reklama [ekon.]
advertising items artykuły reklamowe [ekon.]
advice radzić, doradzać [abc]
advice doradztwo; porada, rada [abc]
advice of delivery zwrotne potwierdzenie odbioru [abc]
advice of dispatch awizo wysyłki [mot.]
advice on corrosion prevention doradztwo odnośnie ochrony antykorozyjnej [masz.]
aerial (GB) antena [abc]
aerial line lina napowietrzna [el.]
aerial platform przesuwnica; samochód z podnoszonym pomostem; platforma (*podwieszona*); pomost [transp.]
aeroplane samolot [mot.]
aerosol aerozol [chem.]
aerosol can pojemnik aerozolowy [chem.]
affidavit oświadczenie pod przysięgą [praw.]
A-frame rama trójkątna; podpora wysięgnika; punkt oparcia [transp.]
AFS-spanner klucz francuski [narz.]
aft na rufie, ku rufie, z tyłu [mot.]
after costs koszty następcze [ekon.]
after-cooled dochłodzony [energ.]
after-cooler schładzacz (*przegrzanej pary*); chłodnica końcowa [energ.]
aftercooler coolant supply zasilanie chłodziwem chłodnicy końcowej [energ.]
aftercooler element element chłodnicy końcowej [energ.]
aftercooler outlet wylot chłodnicy końcowej (*do termostatu*) [energ.]
aftercooling schładzanie końcowe [energ.]
afterglow dożarzać [masz.]; świecić (*z poświatą*) [fiz.]
afterglow tube lampa obrazowa, kineskop [fiz.]

afternoon popołudnie [abc]
after-sales service serwis, obsługa techniczna klientów [ekon.]
after-sales service points placówki serwisu, punkty usługowe [abc]
against nature przeciwny naturze, wbrew naturze [abc]
agate agat [min.]
agate gray szarzeń agatowa [norm.]
age starzeć się [abc]
aged stary [abc]; postarzały; zwietrzały [bud.]; starczy [med.]
age pyramid piramida wiekowa, piramida wieku ludności; struktura wiekowa ludności [abc]
agency biuro, przedstawicielstwo [praw.]
agent czynnik; środek (*czyszczący*) [abc]; agent, makler, przedstawiciel, pośrednik [ekon.]
aggravate pogarszać [abc]
aggregate agregat; kruszywo [masz.]
aggregate limit per year maksymalne świadczenie roczne [abc]
aggregate wagon wagon towarowy (*do przewozu kruszywa*) [mot.]
aggressive-products resistant odporny na działanie substancji żrących [chem.]
agree zgadzać się [abc]
agreed concession dopuszczalne odstępstwo [rys.]
agree on uzgadniać [abc]
agreement ugoda, układ, umowa [praw.]
agreement as to competency of court uzgodnienie stron co do właściwości sądu; klauzula właściwości terytorialnej sądu [praw.]
agricultural rolniczy; rolny, gospodarczy [roln.]
agriculturist rolnik [roln.]
AI (→ artificial intelligence) AI, inteligencja sztuczna [inf.]
AI applications zastosowanie sztucznej inteligencji [inf.]

aid pomoc [abc]
aileron lotka (*samolotu*) [mot.]
aim cel [wojsk.]
aiming gear cover osłona kół zębatych [transp.]
air powietrze [aero.]; (→ atomized air; → cold air; → outside air; → primary air; → primary air)
air actuated uruchamiany pneumatycznie [masz.]
air admission to air heater zasilanie podgrzewacza powietrza [energ.]
air blast circuit breaker wyłącznik suchy, wyłącznik powietrzny [masz.]
air bleed valve zawór odpowietrzający [masz.]
air bleeder zawór odpowietrznika [masz.]
air bleeder spanner klucz do zaworu odpowietrznika [narz.]
air bleeding spanner klucz do zaworu odpowietrzającego [narz.]
airborne powietrzny (*w złożeniach*); zawieszony, w stanie zawieszonym [aero.]; Powietrzny (*np. w nazwie jednostki wojskowej, np. Kawaleria Powietrzna*) [wojsk.]
air brake hamulec pneumatyczny, hamulec aerodynamiczny; hamulec nadciśnieniowy [mot]
air breather zawór napowietrzający; odpowietrznik [aero.]
air-break contactor stycznik suchy [masz.]
air bubble pęcherzyk powietrza [hydr.]
air cell brake cylinder cylinder hamulcowy z zasobnikiem powietrza [mot.]
air chamber komora powietrzna [aero.]
air cleaner filtr powietrza; oczyszczacz powietrza [aero.]; (→ centrifugal air cleaner; → compressed air cleaner; → oil-wetted air cleaner)

air cleaner cartridge wkładka do filtru [aero.]
air cleaner element element filtra powietrza [aero.]
air cleaner mounting zamocowanie filtra [masz.]
air-cleaner oil change wymiana oleju filtra powietrza [aero.]
air cleaner oil level poziom oleju filtra powietrza [aero.]
air cleaner screen sito oczyszczacza powietrza [aero.]
air cleaner tray screen cleaning czyszczenie sita filtracyjnego [aero.]
air cock kurek odpowietrzający [masz.]
air compressor sprężarka, kompresor [transp.]; sprężarka powietrzna [aero.]; pompa powietrzna [narz.]
aircon urządzenie klimatyzacyjne [aero.]
air condition klimatyzator, agregat klimatyzacyjny [aero.]
air-conditioning klimatyzacja [bud.]; urządzenie klimatyzacyjne [aero.]
air condition system urządzenie klimatyzacyjne [mot.]
air-connection podłączenia przewodów powietrznych [aero.]
air-cooled chłodzony powietrzem [energ.]
air-cooled condenser skraplacz powietrzny [energ.]
air-cooling chłodzenie powietrzem [mot.]
air-cooling fan wentylator chłodzący [mot.]
air conveying line przewód powietrzny [aero.]
air cowling osłona kanału powietrznego [transp.]
air cowling base dolna część kanału powietrza [transp.]
aircraft samolot [mot.]

aircraft carrier lotniskowiec [wojsk.]
aircraft industry przemysł lotniczy [ekon.]
air cushion poduszka powietrzna [aero.]
air cylinder cylinder powietrzny; cylinder pneumatyczny [aero.]
air discharge frame komora wywiewna [transp.]
air discharge screw śruba wentylacyjna [masz.]
air discharge valve zawór odpowietrzający; zawór wentylacyjny; zawór upustowy powietrza [masz.]
air-dried wysuszony na powietrzu [abc]
air-duct kanał powietrzny; przewód powietrzny; instalacja powietrzna [aero.]; przepustnica [transp.];
air-duct cover osłona kanału powietrznego; pokrywa kanału powietrznego [transp.]
air-ducting pierścień doprowadzający powietrze [transp.]
air-entraining agent *środek powodujący powstawanie porów w betonie lekkim* [bud.]
air-operated cable brake hamulec cierny linowy sterowany pneumatycznie [transp.]
air-operated hydraulic brake hamulec hydrauliczny uruchamiany pneumatycznie [mot.]
air filter filtr powietrza [aero.]
air flap zawór klapowy powietrzny [transp.]; filtr powietrzny [aero]
air flow dmuchomierz [energ.]; strumień powietrza [mot.]
air force lotnictwo wojskowe [wojsk.]
Air Force General generał wojsk lotniczych [wojsk.]
air governor connection przyłącze regulatora ciśnienia [masz.]
air governor inlet wlot regulatora ciśnienia [masz.]

air guide intake kierowanie krążeniem powietrza chłodzącego [aero.]

air guide plate osłona kanału powietrznego [transp.]

air guide ring pierścień doprowadzający powietrze [transp.]

air heater podgrzewacz powietrza
[energ.]; (→ channel type air
heater; → plate air heater; →
pulveriser air heater; → regenerative air heater; → steam-heated air heater; → tubular air heater)

air heater heating surface powierzchnia grzejna podgrzewacza
powietrza [energ.]

air heater inlet duct kanał wlotowy
podgrzewacza powietrza [energ.]

air heating ogrzewanie powietrzne
[energ.]

air horn fanfara [mot.]

air humidity wilgotność powietrza
[aero.]

air in wlot powietrza [aero.]

air infiltration infiltracja powietrza
[energ.]

air inlet otwór wlotowy powietrza
[aero.]

air intake hose wąż wlotu powietrza [mot.]

air intake manifold kolektor dolotowy, kolektor ssący; rura ssąca
[mot.]

air intake pipe rura powietrzna
ssąca [mot.]

air jet dysza powietrzna [aero.]

airlift most powietrzny [mot.]

air master (US) pompa hamulcowa
[mot.]

air motor silnik wiatrowy [energ.];
silnik pneumatyczny [mot.]

air nozzle dysza powietrzna [aero.]

air operated valve zawór pneumatyczny [masz.]

air-operated linkage brake układ hamulcowy pneumatyczny [transp.]

air pipe przewód wentylacyjny;
przewód powietrzny [masz.]

air-placed concrete beton natryskowy; torkret [bud.]

airplane samolot [mot.]

air plenum chamber komora sprężonego powietrza [energ.]

air pocket pęcherz powietrzny
[aero.]; korek powietrzny [hydr.]

air pollution zanieczyszczenie powietrza [aero.]

air pressure ciśnienie powietrza;
ciśnienie atmosferyczne [meteo.]

air pressure brake hamulec nadciśnieniowy [mot.]

air pressure gauge ciśnieniomierz
[miern.]

air pressure reducing valve zawór
redukcyjny ciśnienia powietrza
[masz.]

air pump sprężarka powietrzna [fiz.]

air raid nalot; bombardowanie
[wojsk.]

air raid shelter schron przeciwlotniczy [wojsk.]

air raid warning alarm przeciwlotniczy [wojsk.]

air receiver zbiornik powietrza
[aero.]

air register zawór regulacyjny powietrza [energ.]

air regulating damper przepustnica [miern.]

air reservoir zbiornik powietrza
[aero.]; zbiornik pomocniczy
[mot.]

air restriction on air cleaner opór
powietrza na filtrze powietrza
[mot.]

air restriction on engine opór powietrza na silniku [mot.]

air separator klasyfikator powietrzny, oddzielacz powietrzny [górn.]

air shaft szyb wentylacyjny [górn.]

air shield tarcza osłonowa [transp.]

air show pokaz lotniczy [wojsk.]

air siphoning zasysanie powietrza [mot.]
air starter rozrusznik powietrzny [mot.]
air strip lądowisko [mot.]
air suctioning zasysanie powietrza [transp.]
airport lotnisko; lądowisko; port lotniczy [mot.]
airport fire engine lotniskowa straż pożarna [mot.]
airport fire truck lotniskowy samochód pożarniczy [mot.]
airport hotel hotel lotniskowy [abc]
airport restaurant restauracja lotniskowa [abc]
airport security policja lotniskowa [abc]
airport shuttle autobus wahadłowy (*lotniskowy*) [mot.]
airport vehicle pojazd lotniskowy [mot.]
airslide przenośnik korytowy powietrzny [górn.]
airspace przestrzeń powietrzna [mot.]
airstrip pas startowy [mot.]
air supply line przewód zasilający, przewód doprowadzający [masz.]
air supremacy suwerenność w przestrzeni powietrznej [wojsk.]
air-swept ball mill młyn kulowy z klasyfikacją powietrzną [górn.]
air-swept grinding plant młyn strumieniowy powietrzny [górn.]
air system układ powietrza [masz.]
air-tight hermetyczny [aero.]
airtight container kontener hermetyczny [abc]
air to engine powietrze do silnika [mot.]
air tool narzędzie pneumatyczne [narz.]
air vehicle statek powietrzny [mot.]
air vent otwór odpowietrzający [aero.]

air vent tube rura wentylacyjna [aero.]
airway bill (AWB) list przewozowy na transport ładunków drogą powietrzną [abc]
air wetting nawilżanie powietrza [fiz.]
alabaster alabaster [min.]
alan cap screw śruba z łbem walcowym [masz.]
alarm (→ smoke density alarm) alarm [abc]
alarm clock budzik [abc]
alarm horn sygnał dźwiękowy ostrzegawczy [abc]
alarm switch przycisk alarmowy [abc]
alarm whistle gwizdek alarmowy, gwizdawka alarmująca, gwizdawka sygnalizacyjna [transp.]
albedo albedo [inf.]
albedo images obrazy albedo [inf.]
alchemist alchemik [chem.]
alcohol alkohol [chem.]
alcove wykusz; alkowa [bud.]
alder olsza [bot.]
alert alarm [abc]
alert rześki; żwawy [abc]
algebraic sign znak algebraiczny [mat.]
algebraic specification specyfikacja algebraiczna [mat.]
algorithm algorytm [abc]
align wyrównywać, justować [abc]; ustawiać w linii, osiować [rys.]; prostować, osiować; wyrównywać [masz.]
aligned osiujący, justujący, regulujący [rys.]; wyrównany, wyprostowany, osiowany; równo, prosto [masz.]
aligning device przyrząd ustawczy [narz.]
aligning mark znak ustawczy [miern.]
aligning telescope celownik optycz-

ny lunetkowy, celownik teleskopowy [wojsk.]

alignment bar wał ustawczy [masz.]

alignment pin kołek pasowany; kołek pasujący [masz.]

alignment wyrównanie, wyregulowanie; ustawienie (*w linii*); wyrównanie [masz.]

alite alit [min.]

alkali cleaning czyszczenie metodą alkaliczną [chem.]

alkali volatility lotność alkaliów [chem.]

alkaline solution (→ lye) roztwór alkaliczny [chem.]

alkalinity alkaliczność [chem.]

alkydal żywica alkidowa [chem.]

all-dry installation obróbka na sucho [górn.]

all-metal aeroplane samolot o konstrukcji całkowicie metalowej [mot.]

all-out operation praca pełna [masz.]

all-refractory furnace palenisko ogniotrwałe, piec ognioodporny [energ.]

all-relay signal box nastawnica przekaźnikowa z planem świetlnym [mot.]

all round weld inside szwy obwodowe wewnętrzne [masz.]

all round weld outside szwy obwodowe zewnętrzne [masz.]

all-sides discharge skip koleba wywrotna pełnoobrotowa [transp.]

all-terrain crane dźwig uniwersalny (*do użytku na każdym terenie*) [transp.]

all threaded rod drążek gwintowany; pręt gwintowany [masz.]

all-weather design escalator schody ruchome zewnętrzne [transp.]

all-weather road droga do użytku w każdych warunkach pogodowych [mot.]

all-welded spawany całkowicie [masz.]

all-weld-test specimen kontrola stopiwa [miern.]

all-wheel drive napęd na cztery koła [mot.]

Allan link motion mechanizm łękowy Allana [mot.]

allegation twierdzenie [abc]

allege twierdzić [abc]

Allen bolt wkręt z łbem z gniazdkiem sześciokątnym [masz.]

Allen screw wkręt z łbem z gniazdkiem sześciokątnym; śruba z łbem walcowym o gnieździe sześciokątnym [masz.]; (→ Allen bolt)

Allen-type wrench klucz do wkrętów z sześciokątnym gniazdkiem; wkrętak do śrub z sześciokątnym gniazdkiem [narz.]

alley uliczka; wąska ulica [mot.]

allied sprzymierzony [abc]

allocate przydzielać [abc]

allocation rozłożenie [ekon.]

allocation of work rozdział obciążenia [fiz.]

alloted przydzielony, wyznaczony [abc]

allow dopuszczać; zezwalać (*na coś*) [abc]

allowable load obciążenie dopuszczalne [fiz.]

allowable stress naprężenie dopuszczalne [fiz.]

allowance naddatek [masz.]

allowing the continuous run-through umożliwianie pracy ciągłej [masz.]

allow oil flow uwalniać obieg oleju, otwierać obieg oleju [transp.]

alloy stapiać [masz.]

alloy stop [masz.]; (→ ferrous alloy)

alloy casting żeliwo stopowe [masz.]

alloyed stopowy [masz.]

alloyed metal składnik stopowy [masz.]

alloyed scrap złom stopowy [masz.]

alloyed steel scrap odpady złomo-

we stopione [masz.]
alloy injection plant instalacja wdmuchiwania składnika stopowego [górn.]
alloy steel stal stopowa [masz.]
ally sojusznik, sprzymierzeniec [abc]
almost [abc] prawie
alpha alfa [abc]
alphabet alfabet [abc]
alpha-beta pruning metoda alfabetyczna [inf.]
alpha-beta search wyszukiwanie alfabetyczne; wyszukiwanie wg kryterium alfabetycznego [inf.]
alphabetical alfabetyczny [abc]
alpha-numeric keyboard klawiatura alfanumeryczna [inf.]
Al-pipe rura aluminiowa, przewód aluminiowy [masz.]
alteration poprawka; zmiana [praw.]
alteration of the premium zmiana wysokości składek [praw.]
alternate zmieniać [abc]
alternate use stosowanie wzajemne [abc]
alternating current (AC) prąd przemienny; prąd zmienny [el.]
alternating current supply zasilanie prądu zmiennego [el.]
alternating stress napięcie zmienne [masz.]; napięcie naprzemienne [el.]
alternating voltage napięcie przemienne [el.]
alternative alternatywa; wariant [abc]
alternator alternator, prądnica prądu przemiennego [el.]
alternator brush kolektor szczotkowy, komutator szczotkowy [el.]
altitude wysokość operacyjna; poziom; wysokość (*ponad punktem zerowym poziomu odniesienia*) [abc]
altitude capability zdolność pracy silnika na wysokości [mot.]

alu (*Aluminium, aluminium*) aluminium [masz.]
alu alloys for general applications stopy na bazie aluminium do zastosowań ogólnych [masz.]
alu alloys for special applications stopy na bazie aluminium do zastosowań specjalistycznych [masz.]
alumina korund [min.]; tlenek glinowy [chem.]
aluminium (GB) aluminium [masz.]
aluminium alloy stop aluminium, stop aluminiowy [masz.]
aluminium shock absorber amortyzator aluminiowy [mot.]
amazed [abc] zdumiony, osłupiały, zaskoczony
ambassador ambasador [abc]
amber gelb [mot.]; bursztyn [geol.]
ambient otaczający [abc]
ambient temperature temperatura otoczenia [abc]
ambiguity wieloznaczność [mat.]
ambulance karetka pogotowia, sanitarka [med.]
ambulance coach wagon sanitarny, wagon do przewozu chorych [mot.]; autobus-szpital [med.]
ambulance train pociąg-szpital [mot.]
Ameise *podnośnik widłowy ręczny elektryczny* [transp.]
American Bureau of Shipping Amerykańskie Biuro Żeglugowe [mot.]
amethyst ametyst [min.]
ammeter amperomierz [miern.]
ammunition amunicja [wojsk.]
ammunitions dump (US) arsenał, skład amunicji [wojsk.]
amperage consumption zużycie prądu [el.]
amphibious tank czołg pływający [wojsk.]
amphibious vehicle amfibia, pojazd wodno-lądowy [mot.]

A

ample wystarczający [abc]
amplification wzmocnienie [el.]
amplifier wzmacniacz [el.]; wzmacniacz [transp.]; (→ buffer amplifier; → carrier amplifier; → differential amplifier; → direct current amplifier; → inverting amplifier; → non-inverting amplifier; → operational amplifier; → preamplifier; → summing amplifier; → video amplifier)
amplifier characteristic charakterystyka wzmacniacza [el.]
amplifier circuit obwód wzmacniający, układ wzmacniający [el.]
amplifier frequency selector przełącznik częstotliwości wzmacniacza [el.]
amplifier relay przekaźnik wzmacniający [el.]
amplitude amplituda [fiz.]; (→ complex amplitude; → shifting amplitude; → shifting pulse amplitude)
amplitude distortion zniekształcenie amplitudowe [el.]
amplitude modulation modulacja amplitudowa [el.]
amplitude of movement amplituda ruchu [fiz.]
amplitude of sound pressure amplituda ciśnienia akustycznego, amplituda ciśnienia dźwięku [akust.]
analogue representation reprezentacja analogowa [inf.]
analogy (→ geometric analogy) analogia, podobieństwo, zgodność, paralela [abc]
analyser (→ gas analyser) analizator; przyrząd pomiarowy [miern.]
analysing dipmeter logs analiza danych upadomierza [inf.]
analysing mass spectrograms analiza spektrogramów masowych [miern.]
analysing subsurface tilt analiza

przydatności podłoża [transp.]
analysis analiza [miern.]; (→ approximate analysis; → dipmeter analysis; → dynamic analysis; → mass spectrogram analysis; → protocol analysis; → proximate analysis; → saleability analyses; → sieve screen analysis; → static analysis; → structural analysis; → traffic analysis; → ultimate analysis; → waste gas analysis)
analysis of mistakes analiza błędów [mat.]
analyst analityk [chem.]
analytic continuation kontynuacja metodą analityczną [chem.]
analytical ascertainment ustalanie metodą analityczną [chem.]
anatomic anatomiczny, anatomicznie [med.]
anatomy anatomia [med.]
ancestor przodek, antenat [abc]
anchor zakotwiczać; rzucać kotwicę [mot.];
anchor kotwica [mot.]; zakotwienie, zamocowanie [bud.]
anchor cable łańcuch kotwiczny [mot.]
anchor chain łańcuch kotwiczny [mot.]
anchor equipment urządzenie kotwiczne [mot.]
anchoring zakotwienie, zamocowanie [bud.]
anchor lamp latarnia kotwiczna, lampa kotwiczna [mot.]
anchor windlass drive winda kotwiczna, kabestan [mot.]
ancillary equipment wyposażenie pomocnicze [ekon.]
AND nodes węzły logiczne [inf.]
anechoic trap pułapka akustyczna [akust.]
angle kątownik; kąt [abc]; kątownik; kąt [transp.]; kątownik [rys.]; kątownik [masz.]; (→ angle brac-

ket; → angle of pressure; → batter angle; → cam angle; → emergent angle; → entrance angle; → exit angle; → groove angle; → helix angle; → incident angle; → landing angle; → mounting angle; → phase angle; → shaft angle; → supporting angles; → suspension angle; → torsion angle)
angle-beam probe próbnik kątowy [miern.]
angle between probes kąt nastawienia sondy [miern.]
angle bracket wspornik kątowy [masz.]
angle check valve zawór zwrotny spychaka nastawnego [transp.]; zawór zwrotny kątowy [mot.]
angle-constant kąt stały [abc]
angled bank blade lemiesz (*pługa do odśnieżania*) o zmiennym kącie ustawienia [transp.]
angled joint przegub kątowy [masz.]
angled lever dźwignia kątowa [masz.]
angled screw coupling złącze śrubowe kątowe [masz.]
angle drive mechanizm napędowy krzywkowy [abc]
angle flange kołnierz kątowy [masz.]
angle grinder szlifierka ręczna z końcówką kątową [narz.]
angle housing osłona kątowa [mot.]
angle of departure krawędź zachodzenia, kąt zejścia [mot.]
angle of friction kąt tarcia [fiz.]
angle of heap zbocze hałdy [gleb.]
angle of incidence kąt padania [opt.]
angle of internal friction kąt tarcia wewnętrznego [fiz.]
angle of landing kąt ustawienia spocznika schodowego [transp.]
angle of pressure kąt przyporu [masz.]
angle of reflection kąt odbicia [opt.]

angle of refraction kąt załamania [opt.]
angle of repose kąt tarcia, kąt spoczynku [fiz.]; kąt otwarcia, kąt rozwarcia [abc]
angle sander szlifierka kątowa [narz.]
angle section kątownik [masz.]
angle thermometer termometr kątowy [miern.]
angle transmission przekładnia kątowa [masz.]
angle transmitter nadajnik kątowy [transp.]
angle valve zawór kątowy [masz.]
angling blade spychak nastawny, lemiesz nastawny; spychak skośny [transp.]
angular kątowy [abc]
angular contact ball bearing łożysko kulkowe skośne [masz.]
angular contact thrust ball bearing łożysko kulkowe poprzeczno wzdłużne [masz.]
angular degree stopień kątowy [abc]
angular frequency częstotliwość kątowa, pulsacja [fiz.]
angular guide plate prowadnica kątowa [transp.]
angular incidence padanie ukośne, padanie pod kątem (*np. promieni*) [el.]
angular radiation promieniowanie ukośne [el.]
anhydride bezwodnik [chem.]
anillo (GB) uszczelka (*typ uszczelki*) [mot.]
animal zwierzę [abc]
animal zwierzęcy [bot.]
animal charcoal węgiel kostny, węgiel zwierzęcy [bot.]
anneal odpuszczać [met]; wyżarzać [masz.]
annealed wyżarzony [masz.]; odpuszczony [tw.]

annealing wyżarzanie [masz.]

annealing and temper-rolling conditions parametry wyżarzania i walcowania wygładzającego [masz.]

annihilate likwidować; niszczyć [abc]

annihilation anihilacja, zniszczenie, wyniszczenie [abc]

anniversary jubileusz [abc]

announcement of a claim zgłoszenie szkody [praw.]

announcement-bid-selection cycle cykl przetarg – oferta – wybór [ekon.]

annual roczny [abc]

annual general meeting walne zgromadzenie [ekon.]

annual premium składka roczna (*ubezpieczenia*) [praw.]

annual report (*roczne*) sprawozdanie z działalności [ekon.]

annual specific heat consumption właściwe roczne zużycie ciepła [energ.]

annulus pierścień kołowy; *obszar wewnątrz pierścienia* [abc]; ścianka boczna tłoczyska; wieniec zewnętrzny; powierzchnia boczna pierścienia [mot.]

annunciator wskaźnik przyzewowy [transp.]

anodic treatment anodyzowanie, utlenianie anodowe, eloksalowanie [masz.]

anodize eloksalować; anodować [masz.]

anodized eloksalowany; anodowany [masz.]

anodized coating powłoka eloksalowana [masz.]

anonymity anonimowość [abc]

anonymous procedures procedury anonimowe [inf.]

anorganic nieorganiczny [chem.]

answer term człon odpowiedzi [inf.]

answering signal sygnalizacja zwrotna [masz.]

Antarctic Circle koło polarne [geogr.]

antecedent-consequent rules reguły poprzedniości i konsekwencji [inf.]

antenna antena [abc]

anthracite antracyt [górn.]

anthracite gray szarzeń antracytowa [norm.]

anti-cavitation valve zawór ssawny, zawór ssący [transp.]; zawór antykawitacyjny [masz.]

anticipated spodziewany, zakładany [abc]

anti-clockwise rotation obrót w kierunku odwrotnym do ruchu wskazówek zegara [abc]

anti-condensation heating ogrzewanie postojowe [mot.]

anti-dazzle position położenie przeciwodblaskowe (*lusterka wstecznego*) [mot.]

antidote odtrutka; antidotum; środek przeciwdziałający [med.]

anti-fatigue bolt śruba sprężynująca [masz.]

anti-freeze środek przeciw zamarzaniu [mot.]

anti-freeze device urządzenie zapobiegające zamarzaniu [mot.]

anti-freeze solution środek przeciw zamarzaniu [mot.]

antifriction bearing łożysko toczne [masz.]

anti-frost thermostat termostat zapobiegający zamarzaniu [mot.]

anti-glare position położenie przeciwodblaskowe lusterka wstecznego [mot.]

anti-interference device przystawka do eliminacji zakłóceń [el.]

anti-kickback snubber amortyzator kierownicy [mot.]

antilog circuit obwód delogarytmiczny [inf.]

anti-magnetic niemagnetyczny [fiz.]

antique (US) przestarzały; antykwaryczny [abc]

antique pink róż antyczny [norm.]

antiresonant circuit obwód antyrezonansowy [transp.]; układ odsprzęgający [el.]

anti-seize paste pasta przeciwzatarciowa [masz.]

anti-seizing paste pasta przeciwzatarciowa [masz.]

anti-skid zabezpieczenie przed poślizgiem [masz.]

anti-skid chain łańcuch przeciwpoślizgowy [transp.]

anti-slip przeciwpoślizgowy [abc]

anti-slip control system antypoślizgowy, sterowanie przeciwpoślizgowe [mot.]

anti-spin pack zabezpieczenie antypoślizgowe [mot.]

anti-static antyelektrostatyczny [fiz.]

anti-vibrating screw śruba przeciwdraganiowa [masz.]

antiwear additives dodatki smarnościowe (*przeciw zacieraniu*) [mot.]

anvil kowadło [narz.]

apartment (US) mieszkanie [bud.]

apartment block (US) dom czynszowy; dom wielorodzinny; blok mieszkalny [bud.]

apartment building dom mieszkalny [bud.]

apartment house (US) dom wielorodzinny; blok mieszkalny [bud.]

apologize przepraszać [abc]

apparatus przyrząd [masz.]

apparent power moc pozorna [el.]

appeal sprzeciw [praw.]

appear występować [abc]

appearance wytwór; (→ shining appearance) wygląd [abc]

appendicitis zapalenie ślepej kiszki [med.]

appendix dodatek, załącznik, aneks, suplement [abc]

appliance przyrząd, urządzenie [abc]

appliances sprzęty; sprzęt AGD; wyposażenie, osprzęt, akcesoria [abc]

application zastosowanie, użycie; wykorzystanie; podanie o pracę [abc]; podanie, wniosek [praw.]; program użytkowy [inf.]; (→ database application)

application engineering technika użytkowa [abc]

application of bearing rozmieszczenie łożyska [masz.]

application program program użytkowy [inf.]

applied zaciągnięty [mot.]

applied chemistry chemia stosowana [chem.]

apply stosować [abc];

appointment mianowanie, nominacja [ekon.]; spotkanie [abc]

appr. (*approx., approximately*) około, ok. [abc]

apprentice początkujący, nowicjusz, debiutant; uczeń; czeladnik [abc]

apprenticeship nauka; szkolenie; warsztat szkoleniowy [abc]

approach przybliżenie; dopływ, wlot [abc]

approach angle główny kąt przystawienia; kąt pochylenia [transp.]

appropriate legislation odpowiednie prawodawstwo [praw.]

appropriate simple structures konstrukcje proste [rys.]

appropriate technology technologia dopasowana [rys.]

approval aprobata; odbiór [abc]

approval certificate certyfikat dopuszczenia [norm.]

approval test test weryfikacyjny, test dopuszczeniowy [transp.]

approve zatwierdzać; dopuszczać; uznawać [abc]

approved zatwierdzony; dopuszczony [abc]

approximate około [abc]

approximate analysis analiza skrócona; analiza techniczna przybliżona [miern.]

approximately około, w przybliżeniu [abc]

approximation przybliżenie, obliczenie przybliżone, aproksymacja [mat.]

approximation polynominal wielomian przybliżony [mat.]

apron fartuch [abc]

apron feeder taśma płytkowa [górn.]

apron feeder drive napęd taśmy płytkowej [transp.]

aquarium akwarium [abc]

aqueduct akwedukt [bud.]

arable uprawny [roln.]

arbitrator arbiter [praw.]

arc łuk (*świetlny*) [masz.]; łuk kołowy [mat.]

arc-air gouging żłobienie łukowe [masz.]

arc furnace piec łukowy [masz.]

arc minute minuta kątowa [mat.]

arc of contact kąt opasania [masz.]

arc pressure welding zgrzewanie łukiem świetlnym [masz.]

arc pressure welding with magnetic moved arc zgrzewanie łukiem świetlnym poruszanym magnesem [masz.]

arc second sekunda kątowa [mat.]

arc stud welding zgrzewanie kołkowe łukiem świetlnym [masz.]

arc stud welding with initiation by collar zgrzewanie kołkowe łukiem świetlnym z zapłonem pierścieniowym [masz.]

arc thickness grubość zęba (*zasadnicza czołowa*) [masz.]

arc type plant urządzenie do ciągłego odlewania [górn.]

arc welding spawanie (*ręczne*) łukiem świetlnym; spawanie łukowe; spawanie łukiem elektrycznym [masz.]

arc welding with spring press electric feed spawanie łukiem elektrycznym o docisku sprężynowym [masz.]

arch zginać, giąć [masz.]; sklepiać [met]

arch mostek [abc]; pałąk, kabłąk; przęsło; łuk [bud.]; (→ furnace arch; → straight arch)

arched bridge most łukowy [bud.]

arched trough bridge most łukowy z zawieszonym pomostem [mot.]

archaeologist archeolog [abc]

archaic pierwotny, przestarzały, staroświecki, archaiczny [abc]

archer łucznik [abc]

architect architekt [bud.]

architecture architektura [bud.]

archiving archiwizacja [abc]

Arctic Arktyka; arktyczny [geogr.]

arduous ciężki, wytężony, intensywny, męczący [abc]

area powierzchnia (*gruntu*) [gleb.]; pole powierzchni; obszar [abc]; (→ area of hypocentre; → bearing area; → borrowing area; → drying area; → earthquake-prone area; → measuring area; → purge area; → residential area)

area code numer kierunkowy [telkom.]

area manager referent regionalny [ekon.]

area of hypocentre obszar ogniska (*trzęsienia ziemi*) [geol.]

area of stagnation obszar kumulacji pojazdów przed skrzyżowaniem [transp.]

area of validity obszar ważności [geogr.]

argon argon [chem.]

arguable sporny, wątpliwy; podlegający dyskusji [abc]

argue argumentować; udowadniać, dowodzić [abc]
argument argument; spór [abc]
arm uzbrajać [wojsk.]
arm ramię [med.]; ramię [masz.]; (→ rocker arm) dźwignia; ramię łyżki koparki; ramię czerpaka koparki; uchwyt; ramię odgięte [transp.]
armament uzbrojenie [wojsk.]
armchair fotel [abc]
arm cylinder siłownik ramienia [transp.]
armed uzbrojony [abc]
armed forces siły zbrojne [wojsk.]
arm pivot punkt obrotu ramienia [transp.]
arm rest oparcie; poręcz krzesła; podłokietnik [abc]
armature armatura, osprzęt [masz.]; twornik; zwornik, kotwiczka [el.]
armature field pole magnetyczne twornika [el.]
armature reaction działanie zwrotne twornika, reakcja twornika [el.]
armature spindle wrzeciono twornika [el.]
armor (US) uzbrojenie [wojsk.]
armor plate tarcza (*np. herbowa*) [wojsk.]
armored opancerzony, pancerny [masz.]
armored chain conveyor opancerzony przenośnik łańcuchowy [transp.]
armored hose wąż zbrojony [masz.]
armored personnel carrier transporter opancerzony [wojsk.]
armored plate płyta osłonowa [masz.]; opancerzenie [transp.]
armored recovery vehicle uzbrojony pojazd holowniczy; czołg górski [wojsk.]
armory arsenał, skład amunicji; opancerzenie [wojsk.]
army armia, wojsko [wojsk.]

Army Department Ministerstwo Sił Zbrojnych [wojsk.]
Army Officers' Training School Szkoła Oficerska [wojsk.]
Army Safe Load Indicator (ASLI) przeciążeniowy przyrząd kontrolno-ostrzegawczy [wojsk.]
around około [abc]
around the clock (US) przez całą dobę [abc]
arranged uporządkowany, ułożony, umieszczony [abc]
arrangement rozmieszczenie, układ, ułożenie, uporządkowanie [abc]; zespół montażowy [masz.]; (→ clip and pin a.; → clip and pin a.; → horizontal shaft a.; → vertical shaft a.; → firing floor level a.)
arrangement drawing schemat, układ połączeń, plan połączeń [rys.]
arrangement in parallel układ równoległy [rys.]
arrangement in series połączenie szeregowe [rys.]
arrangement of oil burners układ palników olejowych, rozmieszczenie palników olejowych [energ.]
arrangement of pumps układ pomp [energ.]
arrangement of tubes układ przewodów rurowych [energ.]
arrangement plan schemat, układ połączeń, plan połączeń [rys.]
array tablica [mat.]
arrears zaległości płatnicze [ekon.]
arrears in payment zaległości (*w płatnościach*) [ekon.]
arrears in the payment of premiums zaległości w płaceniu składki ubezpieczeniowej; zwłoka w wypłacie premii [praw.]
arrest aresztować [praw.]
arrest areszt [praw.]
arrester urządzenie zatrzymujące, zatrzymywacz, chwytacz [masz.]

arresting brake hamulec postojowy [mot.]

arrestor wyłącznik (*np. wagi*) [masz.]; (→ grit arrestor) oddzielacz pyłu lotnego [aero.]

arrival przybycie, przyjazd; przylot; wjazd [mot.]

arrival line tor przyjazdowy [mot.]

arrival siding tor przyjazdowy [mot.]

arrival time czas przyjazdu, czas przybycia [mot.]

arrival track peron przyjazdowy [mot.]

arrive (→ day of arrival) przybywać, przyjeżdżać [abc]

arrive at przybywać do, przyjeżdżać do [abc]

arrow strzałka [rys.]; strzała [abc]

arsenal zbrojownia, arsenał [wojsk.]

arson podpalenie [abc]

arterial communication system środki komunikacji lokalnej [mot.]

arterial pedestrian communication system środki transportu miejscowego (*schody ruchome*) [mot.]

artery tętnica, arteria [med.]

artesian well studnia artezyjska [abc]

artic-frame steering sterowanie ramieniem przegubowym; sterowanie przegubowe [transp.]; (→ articulated)

artic steering sterowanie ramieniem przegubowym [transp.]

articles of the association statut związku [praw.]

articulated przegubowy [transp.]; przegubowy [mot.]

articulated cylinder cylinder przegubowy [transp.]

articulated frame rama przegubowa [transp.]

articulated frame steering sterowanie ramieniem przegubowym [transp.]

articulated pin sworzeń przegubowy [transp.]

articulated railcar wagon przegubowy [mot.]

articulated shaft wał członowy [masz.]

articulated wagon for the carrying of cars przegubowy zestaw transportowy do przewozu samochodów [mot.]

articulation angle kąt zagięcia, kąt załamania [transp.]

artifact artefakt [abc]

artificial sztuczny, nienaturalny, imitowany [abc]

artificial draught ciąg sztuczny [energ.]

artificial fertilizer nawóz sztuczny [chem.]

artificial fill napełnienie sztuczne, wypełnienie sztuczne [gleb.]

artificial flaw wada wzorcowa [masz.]

artificial intelligence (AI) sztuczna inteligencja [inf.]

artificially produced wytworzony sztucznie, wyprodukowany w sposób nienaturalny [abc]

artificial resin żywica sztuczna, żywica syntetyczna [chem.]

artificial respiration sztuczne oddychanie [med.]

artillery artyleria [wojsk.]

artillery piece działo [wojsk.]

artisan rzemieślnik; mechanik [masz.]

ARV (*armoured recovery vehicle*) czołg górski [wojsk.]

ASA (*American Standard Association*) Amerykańskie Stowarzyszenie Standaryzacji [norm.]

ASAP (*as soon as possible*) tak szybko, jak to możliwe [abc]

asbestos azbest [chem.]

asbestos rope sznur azbestowy [masz.]

asbestos sealing uszczelnienie azbestowe [masz.]

ascend wspinaczka [abc]

as-forged nieobrobiony [masz.]

ash jesion [bot.]; popiół; (→ fly ash) popiół lotny, koksik; miał [energ.]

ash bogie wóz żużlowy [energ.]

ash compartment isolating damper przepustnica transportu popiołu [energ.]

ash content zawartość popiołu [energ.]

ash-discharge opening otwór wyjściowy odpopielnika [energ.]

ash disposal odpopielanie; usuwanie popiołu [energ.]

ash extractor odpopielnik [energ.]

ash free bezpopiołowy; bezpopiołowo [miern.]

ash fusion temperature temperatura topnienia żużla [energ.]

ash handling plant instalacja odpopielająca [energ.]

ash hopper lej zgorzelinowy; lej popielnikowy [energ.]

ashlar kamień ciosany, cios [abc]

ashpan popielnik [energ.]

ash pit składowisko popiołów, zbiornik do składowania popiołów [energ.]

ash pump pompa odpopielająca [energ.]

ash removal odpopielanie; (→ liquid ash removal) usuwanie popiołu [energ.]

ash retention wiązanie popiołu [energ.]

ashtray popielniczka [abc]

ash volatilisation ulatnianie się popiołu [energ.]

ask pytać; prosić [abc]

askew skośny, ukośny [abc]

ASLI (*Army Safe Load Indicator*) *przeciążeniowy przyrząd kontrolno-ostrzegawczy* [wojsk.]

aspect aspekt, punkt widzenia [abc]

aspen osika [bot.]

asphalt asfalt [mot.]

asphalt concrete beton asfaltowy,

asfaltobeton [mot.]

asphalt concrete road droga o nawierzchni asfaltobetonowej [mot.]

asphalt-impregnated paper papa dachowa [bud.]

asphalt slabs kora asfaltowa [mot.]

asphalt tanking zbiornik asfaltu [mot.]

asphyxia zamartwica [med.]

aspiration zasysanie, wsysanie [mot.]

ASR (*anti-slip control*) ASR (*system kontroli przeciwpoślizgowej*) [mot.]

as-rolled w stanie walcowanym [masz.]

assassinate zabijać (*w drodze zamachu*) [polit.]

assassination zamach [polit.]

assemble montować; składać [masz.]

assembled zmontowany, złożony [masz.]

assembled in line with umiejscowiony po stronie [rys.]

assembled in works montaż fabryczny; montaż w zakładzie [masz.]

assembler assembler, translator języka symbolicznego [inf.]

assembling montaż [masz.]

assembling device urządzenie montażowe [masz.]

assembling rig urządzenie montażowe [masz.]

assembly montaż, składanie; zespół konstrukcyjny [rys.]; podzespół, wyodrębniona część konstrukcji; montaż; próbka kwalifikacyjna; wmontowanie części wewnętrznych [masz.]

assembly bay stanowisko montażowe [masz.]

assembly break przerwa w montażu, przerwa montażowa [masz.]

assembly crane żuraw montażowy [transp.]

assembly drawing rysunek złożeniowy; rysunek zestawieniowy [rys.]

assembly equipment sprzęt montażowy [masz.]
assembly hall hala montażowa, montownia [masz.]
assembly-hall crane dźwig halowy, żuraw halowy [transp.]
assembly-hall nave nawa hali fabrycznej [abc]
assembly instruction instrukcja montażu; instrukcja montażowa [masz.]
assembly kit zestaw montażowy [masz.]
assembly line linia produkcyjna; taśma montażowa [masz.]
assembly line worker monter, ślusarz na montażu [masz.]
assembly method metoda montażowa, sposób montażu [masz.]
assembly of prefabricated machine parts system konstrukcji z zespołów znormalizowanych [rys.]; system konstrukcji modułowej [masz.]
assembly opening otwór roboczy [transp.]
assembly outfit sprzęt montażowy [masz.]
assembly part zespół montażowy [rys.]
assembly plate płyta montażowa, podstawa [masz.]
assembly process metoda montażowa, sposób montażu [masz.]
assembly pull wciągarka montażowa [masz.]
assembly set komplet montażowy [masz.]
assembly shop hala montażowa, montownia [masz.]
assembly stand (→ assembly bay) stanowisko montażowe [masz.]
assembly system system montażowy [masz.]
assembly transport transport montażowy [masz.]

assembly yard plac montażowy [masz.]
assert twierdzić [abc]
assert in writing dochodzić (*np. roszczeń*) pisemnie [abc]
assessment oszacowanie, wycena [abc]
assessment of the concrete quality ocena jakości betonu [miern.]
assessment principle zasada oceniania [miern.]
asset cenny nabytek, rzecz wartościowa [abc]
assets aktywa [ekon.]
assign przypisywać, przypisać [inf.]; wyznaczać, wyznaczyć; wskazywać, wskazać [abc]
assigned przewidziany [abc]
assignee następca prawny [praw.]
assistance pomoc; wsparcie [abc]
assistant zastępca [abc]
assistant sales manager zastępca kierownika sprzedaży [ekon.]
association związek, zjednoczenie; stowarzyszenie [abc]
Association for the Protection of Animals Stowarzyszenie Ochrony Zwierząt [abc]
Association of American RRs Stowarzyszenie Kolei Amerykańskich [mot.]
associativity of logical connectives łączliwość spójników logicznych [inf.]
assorted sortowany [abc]
assortment asortyment [abc]
assume przyjmować, zakładać [abc]
assumed zakładany, zakładając [abc]
assurance ubezpieczenie [abc]
assure upewniać, przekonywać, zaręczać, zapewniać [abc]
assymetry relay przekaźnik asymetryczny [el.]
astable multivibrator multiwibrator samowzbudny, multiwibrator symetryczny [el.]

ASTM (*American Society f. Testing & Mater*) ASTM (*Amerykańskie Stowarzyszenie Testowania i Materiałów*) [norm.]

astride ground clearance prześwit pod pojazdem, prześwit podłużny [transp.]

astrologer astrolog [abc]

astronaut astronauta, kosmonauta [abc]

astronomer astronom [abc]

astronomy astronomia, nauka o ciałach niebieskich [abc]

astrophysicist astrofizyk [fiz.]

astrophysics astrofizyka [fiz.]

asymmetrical asymetryczny, niesymetryczny [abc]

asymptotic stability stabilność asymptotyczna [el.]

at the face przy przodku, na przodku; na czole przodka [górn.]

athletic field stadion sportowy; stadion [abc]

atlas atlas [abc]

atmosphere atmosfera, nastrój [abc]; atmosfera (*jednostka fizyczna pomiaru ciśnienia powietrza*) [aero.]; (→ oxydizing atmosphere; → reducing atmosphere)

atmospheric atmosferyczny [aero.]

atmospheric conditions warunki atmosferyczne [meteo.]

atmospheric humidity wilgotność powietrza [meteo.]

atmospheric oxygen tlen atmosferyczny [meteo.]

atmospheric pressure ciśnienie powietrza [meteo.]

ATMS (*advanced text management system*) zaawansowany system zarządzania tekstem [abc]

atom atom [chem.]

atomized air powietrze rozpylane [aero.]

atomizer atomizator; rozpylacz [abc]

atomizer nozzle dysza rozpylająca, rozpylacz dyszowy [aero.]

atomizer pressure ciśnienie rozpylania [aero.]

attach mocować, zamocować; przyłączać, przyłączyć [masz.]

attach action in transition nets operacja łączenia w sieciach przesyłowych (*transmisyjnych*) [inf.]

attached połączony przegubowo [transp.]; dołączony, załączony; w załączeniu [abc]

attaching dobudówka [abc]

attaching disk podkładka, przekładka [masz.]

attachment załącznik [abc]; wyposażenie dodatkowe; wyposażenie robocze; osprzęt, akcesoria [masz.]; urządzenie zawieszane, oprzyrządowanie doczepne; osprzęt [transp.]; nasadka klinowa [masz.]

attachment rail listwa mocująca [masz.]

attack atakować [abc]

attemperator schładzacz; ochładzacz [energ.]; (→ drum type surface a.; → interstage a.; → spray a.; → superheated steam a.; → surface a.; → water tube a.; → drum type surface a.; → shell type surface a.; → shell type surface a.)

attemperator connections łączniki rurowe schładzacza, króćce schładzacza [energ.]

attend brać udział [abc]

attendant operator stacji benzynowej, pracownik nadzorujący stacji benzynowej [mot.]

attention-free nie wymagający konserwacji [abc]

attenuation osłabienie, tłumienie [abc]; tłumienność [el.]

attenuation coefficient współczynnik tłumienia [el.]

attenuation equalization korekcja tłumieniowa [el.]

attenuation equalizer korektor tłumieniowy [el.]

attenuation factor stosunek osłabienia (*promieniowania*) [el.]

attenuation law zasada tłumienia [fiz.]

attenuation of sound pochłanianie dźwięku, tłumienie dźwięku [akust.]

attenuator tłumik [transp.]; dzielnik napięcia [el.]

attenuator pad wkładka tłumiąca, tłumik [el.]

attic mansarda [bud.]; góra, strych, poddasze [gleb.]

attitude postawa, stosunek (*do czegoś*) [abc]

attn. na ręce, do rąk (*np. list, pismo*) [abc]

attorney adwokat [praw.]

attorney-at-law adwokat [praw.]

Attorney General (US) Minister Sprawiedliwości [polit.]

attorney in fact prokurent [ekon.]

attraction atrakcyjność, urok, siła przyciągania [abc]

attractive atrakcyjny, pociągający [abc]

attractive force siła przyciągania [fiz.]

attribute atrybut, cecha [abc]

attribute to sprowadzać (*do czegoś*) [abc]

audible słyszalny [mot.]

audible alarm sygnał dźwiękowy, klakson [mot.]

audible alarm device akustyczne urządzenie alarmowe [akust.]

audience publiczność, widownia [abc]

audio cassette kaseta magnetofonowa, kaseta audio [inf.]

audio-frequency częstotliwość słyszalna [akust.]

auditorium audytorium, sala wykładowa [abc]

auger head wrzeciennik wiertarski [narz.]

auger worm ślimak wiertarski [narz.]

augment powiększać, pomnażać [abc]

augmented rule reguła rozszerzona [abc]

augmented transition net (ATN) rozszerzona sieć przejść [el.]

austenite austenit [masz.]

austenitic austenityczny [masz.]

austenitic cast iron żeliwo austenityczne [masz.]

austenitizing temperature austenityzacji [masz.]

Austrian Federal Armed Forces Siły Zbrojne Republiki Austrii [wojsk.]

Austrian Federal Railways Koleje Austriackie [mot.]

authentication identyfikacja, weryfikacja tożsamości [abc]

author autor; pisarz, literat [abc]

authority poważanie, znaczenie, reputacja; ekspert; autorytet [abc]; (→ authorities)

authorized branch office właściwa filia (*firmy*) [praw.]

authorized office właściwy oddział (*firmy*) [praw.]

authorized representative pełnomocnik [ekon.]

authorized to sign upoważniony do podpisu [ekon.]

autobahn autostrada [mot.]

autoclave autoklaw, reaktor ciśnieniowy [chem.]

autodrafting rysowanie automatyczne [rys.]

autogenous hand-cutter palnik ręczny [narz.]

autogenous welder spawacz [masz.]

autogenous welding spawanie acetylenowo-tlenowe [masz.]

automatic automatyczny; samoczynny [abc]

automatically automatycznie [abc]

automatically operated pracujący automatycznie, pracujący samoczynnie [abc]

automatic block system blokada liniowa samoczynna [mot.]

automatic bowl latch automatyczne blokowanie kubła [transp.]

automatic casing drive adapter automatyczny talerz obrotowy [transp.]

automatic chain lubrication automatyczne smarowanie łańcucha [transp.]

automatic circuit breaker wyłącznik samoczynny [el.]

automatic circuit breaker for blower automatyczny wyłącznik dmuchawy [aero.]

automatic circuit breaker for brake automatyczny wyłącznik hamulca [mot.]

automatic circuit breaker for inspection lamp automatyczny wyłącznik lampy montażowej [transp.]

automatic circuit breaker for motor monitor automatyczny wyłącznik czujnika silnika [mot.]

automatic circuit breaker for transformer automatyczny wyłącznik transformatora [el.]

automatic clutch sprzęg samoczynny [mot.]

automatic coal weigher wózek wagowy do węgla [miern.]

automatic coal weighing machine automatyczna waga węglowa [miern.]

automatic control regulacja automatyczna [el.]

automatic control loop pętla sterowania automatyczna [el.]

automatic coupler hak cięgłowy automatyczny [transp.]

automatic coupling stations for purging gas supply automatyczne sprzęgła zasilane gazem płuczącym [masz.]

automatic discharge for tipping-wagon wyładowanie samoczynne wywrotki [transp.]

automatic evaluation system automatyczny system oceny [inf.]

automatic fuse bezpiecznik samoczynny [el.]

automatic gas analyser automatyczny analizator gazu; analizator spalin [energ.]

automatic gearbox automatyczna skrzynia biegów [mot.]

automatic guidance for horizontal bucket automatyczne prowadzenie łyżki poziomej [transp.]

automatic operation praca automatyczna [abc]

automatic process control automatyzacja procesu [abc]

automatic reconnection circuit układ ponownego przygotowania do działania [masz.]; automatyczny układ ponownego włączania [transp.]

automatic scanning przeszukiwanie automatyczne [inf.]

automatic sequence automatyczny układ kolejnego włączania [energ.]

automatic shift valve automatyczny zawór sterujący [masz.]

automatic shovel guidance automatyczne prowadzenie koparki [transp.]

automatic skip latch automatyczne blokowanie kubła [transp.]

automatic starter rozrusznik samoczynny [mot.]

automatic test installation automatyczne urządzenie testujące; urządzenie kontrolne [miern.]

automatic-to-manual selection przełącznik "obsługa manualna" [masz.]

automatic trailer coupling sprzęg przyczepowy samoczynny [mot.]

automatic train brake hamulec automatyczny (*w pociągu*) [mot.]

automatic train stopping device urządzenie automatycznego hamowania pociągu [mot.]

automatic train stopping system układ automatycznego hamowania pociągu [mot.]

automatic winding machine nawijarka automatyczna szybkobieżna [narz.]

automation automatyzacja [abc]; (→ office automation)

automation and systems technology automatyzacja i technika systemów [masz.]

automation and systems engineering automatyzacja i technika systemów [rys.]

automobile samochód osobowy [mot.]

automobile mechanic (→ fitter) mechanik samochodowy [masz.]

automobile radio radio samochodowe [mot.]

automotive body parts części samochodowe [mot.]

automotive industry przemysł motoryzacyjny [mot.]

automotive mechanic mechanik samochodowy [masz.]

autonomous source źródło niezależne [abc]

autorailer (→ car carrier) pociąg do przewozu samochodów; pociąg samochodowy [mot.]

autowalk jezdnia, droga, tor; chodnik ruchomy [transp.]

auxiliaries urządzenia pomocnicze [abc]

auxiliary pomocniczy; dodatkowy [abc]; (→ central auxiliary; → lateral auxiliary)

auxiliary air reservoir zbiornik po-wietrza dodatkowy [masz.]

auxiliary attachment urządzenie pomocnicze [abc]

auxiliary axle oś pomocnicza [transp.]

auxiliary bores otwory wiertnicze pomocnicze, odwierty pomocnicze [górn.]

auxiliary burner palenisko dodatkowe, palenisko pomocnicze [energ.]

auxiliary circuit pomocniczy obwód prądowy, pomocniczy obwód elektryczny [el.]

auxiliary consumer dodatkowe urządzenie odbiorcze [transp.]

auxiliary contactor stycznik pomocniczy; pomocniczy rewizji [el.]

auxiliary contactor for emergency travel socket stycznik pomocniczy gniazda jazdy bezpieczeństwa [el.]

auxiliary contactor for fault indicator test stycznik pomocniczy do usuwania zakłóceń [el.]

auxiliary contactor for handrail throw-off stycznik pomocniczy uskoku (*taśmy*) poręczy [transp.]

auxiliary contactor for heating stycznik pomocniczy ogrzewania [el.]

auxiliary contactor for inspection travel stycznik pomocniczy jazdy kontrolnej [el.]

auxiliary contactor for proximity switch stycznik pomocniczy (wy)łącznika zbliżeniowego [abc]

auxiliary contactor for step run-in stycznik pomocniczy włotu (wielo)stopniowego [el.]

auxiliary contactor for step sag stycznik pomocniczy obniżania stopnia [transp.]

auxiliary contactor for timer stycznik pomocniczy zegara sterującego [el.]

auxiliary control sterowanie pomocnicze [abc]

auxiliary drive napęd pomocniczy [transp.]

auxiliary drive housing osłona napędu pomocniczego [transp.]

auxiliary drive lock blokada napędu pomocniczego [transp.]

auxiliary engine silnik pomocniczy [mot.]

auxiliary equipment sprzęt pomocniczy (*do robót odkrywkowych*) [górn.]

auxiliary firing equipment palenisko dodatkowe, palenisko pomocnicze [energ.]

auxiliary frame rama pomocnicza [rys.]

auxiliary fuel paliwo dodatkowe; paliwo pomocnicze [energ.]

auxiliary fuel line przewód paliwowy pomocniczy [mot.]

auxiliary fuel pump pomocnicza pompa paliwowa [mot.]

auxiliary gate przysłona pomocnicza [masz.]

auxiliary head lamp reflektor pomocniczy [mot.]

auxiliary heating ogrzewanie pomocnicze [mot.]

auxiliary idler shaft oś pomocnicza [rys.]

auxiliary jet dysza pomocnicza [aero.]

auxiliary means urządzenia pomocnicze [masz.]

auxiliary motor silnik pomocniczy [mot.]

auxiliary product przyrząd dodatkowy [abc]

auxiliary remote pressure control wstępne sterowanie ciśnieniowe, pomocnicze sterowanie ciśnieniowe [masz.]

auxiliary reservoir (*dodatkowy*) zbiornik powietrza [mot.]

auxiliary shaft wał pomocniczy

[rys.]; pomocniczy wałek odbioru mocy [masz.]

auxiliary spring resor pomocniczy [masz.]

auxiliary steam heating of the boiler ogrzewanie parą obcą [energ.]

auxiliary switch łącznik pomocniczy [abc]

auxiliary transmission zespół przekładni; przekładnia pomocnicza [masz.]

auxiliary wheel koło zapasowe [masz.]

auxiliary winch wciągarka pomocnicza [transp.]

availability dyspozycyjność [abc]

available rozporządzalny, będący do dyspozycji, dyspozycyjny; istniejący; dostępny [abc]

available space przestrzeń dostępna [rys.]

avalanche lawina [abc]

avalanche breakdown-effect efekt przebicia lawinowego [abc]

average (*wartość*) średnia; przeciętna; przecięcie, przekrój [mat.]; awaria morska [mot]

average przeciętny, średni [abc]

average commissioner komisarz awaryjny [mot.]

average distance średnia odległość, średnia długość drogi [inf.]

average fuel consumption (→ mean fuel consumption) średnie zużycie paliwa [mot.]

average hauling distance średnia odległość przewozowa [mot.]

average power średnia moc wyjściowa [mot.]

average value wartość średnia [mat.]

aviation lotnictwo [mot.]

aviation safety bezpieczeństwo ruchu lotniczego [wojsk.]

avis de reception zwrotne potwierdzenie odbioru [abc]

avoid unikać [abc]
AWB (*airway bill*) list przewozowy lotniczy [abc]
A-welder (→ autogenous welder) spawacz acetylenowo-tlenowy [masz.]
awkward niezręczny [abc]
awning dach przeciwsłoneczny (*daszek płócienny*) [bud.]
AWS (*American Welding Standards*) Amerykańskie Normy Spawania [norm.]
axe siekiera [narz.]
axial osiowy, osiowo [abc]
axial centre crankshaft środek osi wału korbowego [masz.]
axial compensator kompensator osiowy [masz.]
axial compressor sprężarka osiowa [aero.]
axial face seal ring pierścień ślizgowy [masz.]
axial flow fan wentylator osiowy [aero.]
axial gasket uszczelka osiowa [masz.]
axial guidance prowadzenie osiowe [rys.]
axial load obciążenie osiowe [rys.]
axial location położenie osiowe [rys.]
axial packing uszczelnienie osiowe [masz.]
axial piston pump pompa wielotłoczkowa osiowa (*o osiach skośnych*) [masz.]
axial piston regulating pump pompa wielotłoczkowa regulacyjna osiowa [transp.]
axial pitch podziałka osiowa; uszczelnienie osiowe [masz.]
axial thrust nacisk wzdłużny [fiz.]
axial-radial precision roller bearing precyzyjne łożysko wałeczkowe osiowe [masz.]
axial-radial roller bearing łożysko promieniowe osiowe [masz.]
axillary sfera ramienia [med.]

axiom aksjomat [abc]
axis cięciwa [mat.]; oś [rys.]
axis intersection angle kąt przecięcia się osi [rys.]
axis of sound beam oś wiązki dźwiękowej [akust.]
axle oś [mot.]; wał osiowy [transp.]; (→ fork axle; → half-axle; → oscillating axle; → pendulum axle; → rear axle casing; → rear axle flared tube; → steering drive axle; → stub axle; → swing axle; → tandem axle; → tension axle)
axle arch poprzeczka osi [masz.]
axle arrangement układ osi [mot.]
axle ball bearing (→ axle bearing) łożysko osiowe [masz.]
axle base rozstawienie osi [rys.]
axle bearing łożysko osiowe [masz.]
axle body międzypiaście [masz.]
axle box łożysko osiowe [mot.]
axle box arrangement łożyskowanie osi [masz.]
axle bush tuleja łożyska, panew łożyska [masz.]
axle casing obudowa mostu, pochwa mostu napędowego [masz.]
axle entrance otwór osadzenia osi [mot.]
axle floating luz poprzeczny; luz osiowy [mot.]
axle guard osłona osi[masz.]
axle guide stay zamocowanie osi [masz.]
axle journal czop osi [mot.]; czop łożyskowy [masz.]
axle journal collar kołnierz czopa osi [masz.]
axle load nacisk na oś, obciążenie na oś [fiz.]
axle loads front nacisk na osie przednie [transp.]
axle loads rear nacisk na osie tylne [transp.]
axle mounting zamocowanie osi [masz.]

axle nut spanner klucz do piasty koła [narz.]

axle nut wrench klucz do piasty koła [narz.]

axle pivot pin łożysko środkowe osi [mot.]

axle probe defektomierz ultradźwiękowy [miern.]

axle shaft wał osiowy; półoś [masz.]

axle shaft gasket uszczelnienie półosi, uszczelka półosi [masz.]

axle stay podpora osi [masz.]

axle support podpora osi; zamocowanie osi [masz.]

axle support trunnion czop zawieszenia obrotowego osi [masz.]

axle suspension zawieszenie osi [mot.]

axle tube pochwa osi, pochwa mostu napędowego [masz.]

axle weight siła osiowa [mot.]

azure blue błękit azurytowy [norm.]

B

BA (*Bachelor of Arts*) licencjat [abc]

B.C.S. (*Board Control System*) system sterowania pokładowego [inf.]

BSc (*Bachelor of Science*) magister nauk ekonomicznych; magister nauk polityczno-ekonomicznych [abc]

babbitt stop łożyskowy; biały metal [tw.]

Bachelor of Commerce magister nauk handlowych [abc]

Bachelor of Economic Science (→ BSc) magister nauk ekonomicznych [abc]

Bachelor of Engineering magister

inżynier; inżynier dyplomowany [abc]

back popierać [polit.]

back kręgosłup, grzbiet [med.]; strona odwrotna; tył [abc]; stare zroby, zrobiska [górn.]

backacter (→ backhoe) koparka łyżkowa podsiębierna [transp.]

backbone kręgosłup [med.]

backdoor drzwi [bud.]

back end loss spadek ciągu [energ.]

backfill przedmuchiwać (*chodnik*); podsadzać wyrobisko przy użyciu sprężonego powietrza [górn.]

back fire przerwa w zapłonie [mot.]

back flow przepływ wsteczny [mot.]

back gouged wypełniony [bud.]

back haul lina cofająca [transp.]

backhoe czerparka łyżkowa nadpoziomowa; koparka łyżkowa przedsiębierna; łyżka koparki podsiębiernej [transp.]; (→ excavator)

backhoe application użycie koparki łyżkowej podsiębiernej [transp.]

backhoe arm ramię łyżki koparki [transp.]

backhoe attachment wyposażenie do kopania [transp.]

backhoe bucket koparka łyżkowa podsiębierna [transp.]

backhoe equipment wyposażenie koparki podsiębiernej [transp.]

backhoe excavator koparka łyżkowa podsiębierna, czerparka łyżkowa podpoziomowa [transp.]

backhoe stick (US) ramię łyżki koparki [transp.]

backhoe with grab koparka chwytakowa, czerparka chwytakowa; koparka łyżkowa podsiębierna z chwytakiem [transp.]

backhoe with ripper tooth zrywarka [transp.]

backhoe work praca koparki łyżkowej podsiębiernej [transp.]

backing podkładka (*spoiny*) [met.]

backing out punch przebijak [met.]

backing ring podkładka pierścieniowa [met.]

backing strip podkładka płaska spoiny [met.]

backing-up warning signal sygnał ostrzegawczy jazdy do tyłu [mot.]

back kick przerwa w zapłonie; *kopnięcie silnika przy zapuszczaniu* [mot.]

backlash luz [masz.]

backlash adjusting regulacja zazębiania [masz.]

backlash valve zawór wyrównawczy [masz.]

back leakage sump zbiornik ściekowy oleju [mot.]

back load ciężar zwrotny [fiz.]

back of weld lico grani [met.]

back off redukować; zmniejszać [met.]

back-off podcięcie [met.]

back out wyciskać [met.]

back pass kanał zwrotny [energ.]

backplate tarcza hamulcowa, tarcza hamownicza [mot.]; płyta cofająca [masz.]

back pressure przeciwciśnienie; ciśnienie wsteczne [fiz.]

back pressure turbine turbina przeciwprężna [energ.]

back-pressure utilization wykorzystanie ciśnienia wstecznego [transp.]

back-pull wire-drawing ciągnienie drutu z przeciwciągiem [met.]

back scatter promieniowanie zwrotne [abc]

back scattering promieniowanie zwrotne [abc]

backseat siedzenie tylne [mot.]

back spacing podział wzdłużny [energ.]

backstay łańcuch odciągowy [masz.]

back-to-back testing badanie symetryczne, testowanie symetryczne [inf.]

backtracking nawracanie [inf.]; (→ chronological backtracking)

back up jechać do tyłu; odstawiać [mot.]

back-up kopia zapasowa [inf.]

back up alarm sygnał jazdy wstecz [mot.]

back-up lamp światło cofania [mot.]

back up light światło cofania [mot.]

back up ring pierścień oporowy [mot.]

back-up roller popychacz krążkowy [masz.]

back up stock stan zapasów [ekon.]

back up warning światło ostrzegawcze jazdy wstecz [mot.]

back up warning device czujnik urządzenia ostrzegawczego jazdy w tył [mot.]

backwall ściana tylna [transp.]

backwall echo *echo odbite od ściany tylnej*; echo denne [akust.]

backward do tyłu [abc]

backward chaining wnioskowanie wsteczne [inf.]

backward-curved blade łopatka zagięta do tyłu [transp.]

backward/forward adjustable regulowany podłużnie; regulacja podłużna [mot.]

backwards wstecz [abc]

back weld napawać, natapiać; spawać graniowo [met.]

back-welded spawany grzbietowo [met.]

Backus-Naur form notacja Backusa-Naura [inf.]

bacterial infection zakażenie bakteriologiczne, infekcja bakteriologiczna [med.]

bacteriological bakteriologiczny [med.]

bad zły, niedobry, lichy, kiepski, marny [abc]

ball race

baffle odrzutnik oleju [mot.]; płyta odbojowa [masz.]; przegroda; prostownica [energ.]

baffle plate przegroda [mot.]

baffle ring pierścień oddzielający [mot.]

baffle wall przegroda; ekran [energ.]

bag worek; torebka, torba [abc]; (→ plastic bag; → polyethylene bag)

bagasse bagassa [energ.]

bagasse-fired boiler kocioł opalany bagassą [energ.]

baggage bagaż [abc]

baggage car wagon bagażowy; (→ brake, brake van) wózek bagażowy [mot.]

baggage stop zabezpieczenie przed ślizganiem się [mot.]

bagged lime wapno sproszkowane [bud.]

bail pałąk, uchwyt [górn.]; kaucja [prawn.]; (→ crowbar) drąg żelazny [narz.]

bail pull siła zrywania [transp.]

balance upodabniać [abc]; wyważać [mot.]

balance wyważenie, tarowanie; (→ dial balance) ciężar [miern.]; część środkowa, część centralna [rys.]; symetria [abc]; waga [prawn.]; (→ heat balance) bilans [energ.]

balance beam dźwignia wagowa [transp.]

balanced wyważony [mot.]

balanced draught ciąg zrównoważony [energ.]

balanced piston tłok hydraulicznie odciążony [mot.]

balanced piston type relief valve zawór nadmiarowy [masz.]

balance piston tłok wyrównawczy; tłok odciążający [masz.]

balancer wyrównywacz, stabilizator, przeciwciężar, przeciwwaga; wyważarka [mot.]; tłumik drgań,

amortyzator drgań [masz.]

balance section odcinek kompensujący [masz.]

balancer shaft wał mechanizmu różnicującego [mot.]

balance spring sprężyna regulacyjna [transp.]

balance weight przeciwciężar [mot.]

balancing wyważanie [mot.]

balancing network przewód wyrównawczy [abc]

balcony balkon [bud.]

bale bela [abc]

bale clamp skowa (*klamra*) opasująca belę [abc]

bale press prasa do belowania [górn.]

baling hoop taśma opasująca, taśma do paczkowania [masz.]

ball piłka; kula, kulka [abc]; głowica kulowa, głowica czcionkowa, głowica pisząca [mot.]

ball and socket joint przegub kulowy, złącze kulowe [mot.]

ball bearing łożysko kulkowe [masz.]

ball-bearing slewing ring wieniec obrotowy [masz.]; połączenie obrotowe wielorzędowe [transp.]

ball bushing tuleja kulkowa [masz.]

ball cage prowadnica toczna [mot.]

ball charge ładunek kulowy, wsad kulowy [górn.]

ball cock and float valve zawór kulowy i pływakowy [masz.]

ball handle zawór kurkowy z kurkiem kulistym [masz.]

ball joint przegub kulowy, złącze kulowe [masz.]

ball journal sworzeń kulkowy [transp.]; czop kulisty [masz.]

ball mill młyn kulowy [górn.]

ball mug gniazdo kulowe [transp.]

ball pen (US) długopis [abc]; czop kulkowy [transp.]

ball race pierścień ruchomy [masz.]

ball retainer koszyczek łożyska [masz.]

ball retaining ring pierścień o kulistej powierzchni roboczej [mot.]

ball retaining valve zawór kulowy przeciwzwrotny [masz.]

ball rod drążek kulowy [masz.]

ball rod end końcówka drążka kierowniczego [mot.]

ball-shaped kulisty, sferyczny [abc]

ball shot kulowanie, oczyszczanie z popiołu za pomocą kul [energ.]

ball sleeve tuleja kulkowa [masz.]

ball socket gniazdo kulowe; gniazdo kuliste; panewka [masz.]

ball stud sworzeń kulisty, sworzeń kulowy [mot.]

ball valve zawór kulowy [mot.]; zawór kulowy [masz.]

ballast balast; podsypka [mot.]; (→ ballast grab)

ballast grab chwytak kruszywa; chwytak do tłucznia [transp.]

ballast-less bez kruszywa [mot.]

ballast tank zbiornik balastowy [mot.]

balloon (→ hot air balloon) balon [abc]

balloon tire opona balonowa [mot.]

balustrade poręcz, bariera, balustrada [bud.]; (→ inside balustrade)

balustrade bracket wspornik balustrady [transp.]

balustrade end (→ newel) słupek balustrady schodowej [transp.]

balustrade lighting oświetlenie balustrady [transp.]

balustrade newel słupek balustrady schodowej [transp.]

bamboo pole tyczka bambusowa [bot.]

band taśma [abc]; ramiak poziomy [transp.]; wiązar [bud.]

bandage opatrywać, opatrzyć [med.]

bandage opatrunek; okład [med.]; obręcz koła [mot.]

band aid przylepiec, leukoplast [abc]

band-aid kit środki opatrunkowe [med.]

band brake hamulec taśmowy [mot.]

band-clamp zacisk, docisk, szczęka zaciskowa, klamra [masz.]

banded structure struktura pasmowa [abc]

band iron strap taśma stalowa opasująca, bednarka, stal obręczowa [masz.]

band system sieć kolejowa [mot.]

band thickness grubość taśmy [masz.]

bandwidth szerokość pasma [inf.]

band width of the oscillator szerokość pasma oscylatora [el.]

banjo bolt sworzeń drążony, sworzeń otworowy; śruba rurkowa, śruba drążona [masz.]

bank wał, nasyp [bud.]; (→ entry) sztolnia; nadszybie [górn.]; (→ final section) listwa profilowa [transp.]; (→ shell bank) bank [abc]; brzeg [geogr.]

bank trwały, stały [gleb.]

banked fire palenisko sprzężone [energ.]

banksman pomocnik, pomoc [abc]

bank meter metr sześcienny [abc]

bank of valves blok zaworów; zespół zaworów [mot.]; zespół zaworów [transp.]

banquet pobocze [abc]

Banyan network sieci Banyana [inf.]

bar pręt; (→ flat bar) żelazo; belka, dźwigar [masz.]; ramiak poziomy [bud.]; (→ grouser) sztolnia; drążek niosący, cięgno niosące [transp.]; rogatka, zapora [mot.]; suw, skok [abc]; bariera, szlaban [transp.]

bar brickwork budynek w stanie surowym [bud.]

bar chart wykres słupkowy [bud.];

wykres słupkowy [mat.]
bar chart wykres słupkowy, histogram [mat.]
bar inspection testowanie prętów okrągłych [miern.]
bar magnet magnes prętowy [masz.]
bar angle kątownik stalowy [masz.]
bar steel kształtownik stalowy [masz.]
bare goły [mot.]; nieosłonięty [abc]
bare crystal kryształ nieosłonięty [min.]
bare electrode elektroda nieotulona, elektroda goła [el.]
bare thermocouple (BTC) termoelement zwykły [miern.]
bare tube economizer podgrzewacz wody o konstrukcji z rur gładkich [energ.]
bare water wall ściana rury nieosłonięta [energ.]
barge deska szczytowa [bud.]; prom; barka, szkuta [mot.]
barge loading implement urządzenie załadowcze barek [mot.]
barge suction dredger pogłębiarka ssąca barkowa [mot.]
barging wysypywanie, zwałka [rec.]
bark-burning boiler kocioł opalany korą [energ.]
bark kora [bot.]; bark (*typ żaglowca*) [mot.]
barn stodoła; stajnia, obora [roln.]
barometric pressure wskazanie barometru, ciśnienie barometryczne [miern.]
barrack barak [bud.]
barracks koszary [wojsk.]
barred okratowany [abc]
barrel ogrzewek [mot.]; beczka [abc]; lufa [wojsk.]
barrel for the transport of chemicals beczka do transportu substancji chemicznych [chem.]
barrel-shaped distortion zniekształcenie beczkowate [abc]

barren jałowy, nieurodzajny, pusty [geogr.]
barrier bariera, przegroda; rogatka, zapora [transp.]; blokada; tama [abc]; urządzenie zamykające; bariera, szlaban; przegroda [mot.]; urządzenie odcinające [masz.]
barrier chain łańcuch odgradzający, łańcuch blokujący [abc]
barrier monitoring system kontroli szlabanu, system kontroli zapory [mot.]
barrow nosiłki, taczki [transp.]
basal surface powierzchnia podstawowa [rys.]
basalt bazalt [min.]
basalt gray szarzeń bazaltowa [norm.]
base podstawa [rys.]; baza [el.]; gleba, ziemia [gleb.]; dno, spód [transp.]; płyta fundamentowa; warstwa nośna; podstawa [mot.]; podbudowa; podłoże; piedestał [bud.]; spodek [górn.]; baza [wojsk.]; szkielet konstrukcji; płytka podporowa [masz.]; ($\rightarrow$ basetime base) baza [abc]
base abstraction unit jednostka abstrakcyjna podstawowa [inf.]
base a finished level kształtować powierzchnię podłoża, ukształtować powierzchnię podłoża [mot.]
base boom podstawa wysięgnika [transp.]
base boom cylinder cylinder podstawy wysięgnika [transp.]
base column kolumna podstawowa [górn.]
base contact przyłączenie bazy [el.]
base current prąd bazy [el.]
base exchanger wymieniacz jonowy, kationit [chem.]
base frame rama główna [mot.]
base line linia czasu [abc]
base load obciążenie podstawowe [energ.]

baseload power siła napędowa [transp.]

base load station elektrownia podstawowa [energ.]

base material materiał podstawowy [masz.]

basement podziemie, suterena, kondygnacja podziemna; piwnica [bud.]

basement retaining wall ściana oporowa podziemia [bud.]

base metal metal nieszlachetny [masz.]

base of the road koryto drogi; podstawa drogi [mot.]

base plate płyta fundamentowa; płyta główna [masz.]; płyta montażowa [mot.]; płyta podłogowa kabiny kierowcy; platforma kabiny sterowniczej; płyta fundamentowa; płyta podstawowa; nakładka ogniwa gąsienicy [transp.]

base plate of upper carriage płyta podstawowa nadwozia [transp.]

base point (→ inner base point) punkt bazy [abc]

base resistance opór bazy [el.]

base rim wieniec koła podstawowy [mot.]

base scale skala odwzorowania [inf.]

base surface powierzchnia podstawowa [abc]

base tangent length długość pomiarowa [masz.]

base wall masonry mur cokołowy [bud.]

base width szerokość bazy, rozpiętość bazy [el.]

bashful skromny [abc]

basic arithmetic działania podstawowe [mat.]

basic design kształt podstawowy [rys.]

basic electrical accessories akcesoria elektryczne [el.]

basic equipment wyposażenie podstawowe [masz.]

basic frequency częstotliwość główna [el.]

basic handling obróbka podstawowa [met.]

basic idea myśl zasadnicza [abc]

basic load rating nośność [rys.]

basic position pozycja wyjściowa [transp.]

basic refractories wyroby ogniotrwałe [masz.]

basic rule zasada [abc]

basic scheme schemat podstawowy [rys.]

basic slag tomasyna, żużel Thomasa [energ.]

basic tube layout schemat połączeń podstawowych [rys.]

basin (→ continuous basin) zbiornik, basen [hydr.]; (→ settling basin)

basis baza [abc]

basket kosz [abc]; gondola; (→ head basket) kabina [mot.]

basket strainer filtr w formie kosza [chem.]

baste zszywać [abc]

batch dozować; dawkować [abc]

batch szereg; wsad [inf.]; szkoda wielokrotna [prawn.]; odcinek budowy, dystans [transp.]; partia materiału [masz.]

batch annealing wyżarzanie kołpakowe [masz.]

batch clause klauzula występowania szkód wielokrotnych [prawn.]

batching and mixing plant urządzenie dozująco-mieszające [górn.]

batch process proces okresowy [met.]

batch processing przetwarzanie wsadowe [met.]; partiowe przetwarzanie danych [inf.]

bathe zanurzać, maczać [abc]

bathroom szalet [mot.]; łazienka, toaleta [abc]

bath tub wanna kąpielowa [abc]
batten łata; listwa [bud.]
batter skarpa [mot.]
batter angle kąt nachylenia stoku [rys.]
battery akumulator; bateria [el.]
battery box komora akumulatora [el.]
battery cell cover pokrywa baterii akumulatorowej [mot.]
battery cell plug korek ogniwa akumulatora [mot.]
battery charger prostownik do ładowania akumulatorów [el.]
battery checking device próbnik ogniw akumulatorowych [el.]
battery filling agent płyn akumulatorowy, elektrolit w akumulatorze [el.]
battery harness osprzęt akumulatora [abc]
battery module podzespół wsuwany akumulatora [el.]
battery mounting zamocowanie akumulatora, obsada akumulatora [el.]
battery railcar wagon silnikowy akumulatorowy; wózek akumulatorowy, pojazd napędzany silnikiem elektrycznym [mot.]
battery terminal zacisk akumulatora, końcówka baterii [el.]
battery terminal clip klema [el.]
battle of forms wojna papierkowa [ekon.]
battlement blank blanka [bud.]
bauxite boksyt [górn.]
bawl out wyłajać, zbesztać [abc]
bay zatoka [geogr.]; miejsce pracy [ekon.]
bayonet cap zamknięcie bagnetowe [rys.]
bayonet catch (GB) połączenie bagnetowe [rys.]
bayonet holder oprawa bagnetowa, oprawka bagnetowa [rys.]; uchwyt

bagnetowy [masz.]
BCGS (*bogie covered goods steel wagon*) BCGS (*wózek zwrotny stalowego wagonu towarowego krytego*) [mot.]
be in a <certain> condition być w (*jakimś*) stanie [abc]
be on duty pełnić służbę [wojsk.]
be on piecework pracować na akord [abc]
be on the rudder kierować [mot.]
be responsible odpowiadać, ręczyć [abc]
beacon stawa, baken; latarnia kierunkowa; słupek wskaźnikowy; sygnalizacja ostrzegawcza błyskowa [mot.]; światło dookolne [transp.]
bead zawijać (*obwodowo obrzeże blachy*) [met.]
bead zawinięcie obrzeż; ścieg [met.]; uzbrojenie, opancerzenie [masz.]
bead weld spoina wypukła [met.]
beading zawijanie obrzeża; rowek, żłobek, karb [masz.]
beads of weld metal krople stopiwa [met.]
beam promień [abc]; element nośny, element oporowy; belka, dźwigar [bud.]; wiązka promieniowania [fiz.]; (→ long distance beam) wiązka promieniowania [mot.]
beam angle kąt padania wiązki dźwiękowej [akust.]
beam blanking wygaszanie promienia [transp.]
beam concentration wiązka promieni [fiz.]
beam concentration displacement dyslokacja wiązki elektronowej [fiz.]
beam divergence dywergencja wiązki dźwiękowej [akust.]
beam expander ekspander promieni [fiz.]
beam index wskaźnik środka wiązki

dźwiękowej; echo wiązki dźwiękowej [akust.]

beaming direction kierunek (na)promieniowania [abc]

beam rail brake hamulec torowy szczękowy [mot.]

beam search przeszukiwanie strumieniowe [inf.]

beam splitter rozdzielacz strug [masz.]

beam width szerokość wiązki [abc]

bear osadzać; przyziemiać [mot.]

bearable przenośny, nośny [abc]

bearer łożysko oporowe; podciąg [rys.]; okaziciel [abc]

bearing podpora [bud.]; łożysko (*kulkowe osiowe*) [masz.]; łożysko przegubowe; ciśnienie górotworu [transp.]; (→ antifriction bearing; → ball bearing; → clutch release bearing; → deep groove ball bearing; → double-sided bearing; → end bearing; → flanged bearing; → floating bearing; → locating bearing; → magneto bearing; → neck journal bearing; → needle bearing; → non-locating bearing; → roller bearing; → roller bearing; → self-aligning ball bearing; → self-aligning bearing; → spherical plain bearing; → swivel bearing; → taper roller bearing; → spherical roller thrust)

bearing area powierzchnia nośna [masz.]; powierzchnia nacisku [fiz.]

bearing block kozioł łożyskowy [transp.]

bearing bracket kozioł łożyskowy krążka kierowniczego [mot.]

bearing bush tuleja łożyskowa [masz.]

bearing bushing tuleja łożyskowa [masz.]

bearing cage koszyczek łożyska [masz.]

bearing capacity nośność, obciążalność, ładowność, udźwig [transp.]

bearing clearance luz łożyskowy [rys.]

bearing corner radius promień zaokrąglenia naroża [rys.]

bearing cover pokrywa łożyska [masz.]

bearing dimension rozmiar łożyska [rys.]

bearing face powierzchnia czołowa łożyska [rys.]

bearing flange kołnierz łożyska [masz.]

bearing housing osłona łożyska [masz.]

bearing insert wkładka łożyskowa [masz.]

bearing internal clearance luz wewnętrzny łożyska [masz.]

bearing length długość nośna [transp.]

bearing load obciążenie łożyska [rys.]

bearing load resulting from pressure obciążenie łożyska uwarunkowane naciskiem [rys.]

bearing lubricator pompa ssąca nasadzana [transp.]

bearing lug (→ bearing eye) gniazdo łożyska [transp.]

bearing pedestal kozioł łożyskowy [masz.]

bearing plate blok [transp.]; luz łożyskowy [rys.]

bearing ring pierścień smarowy [masz.]

bearing shell panew łożyska [mot.]

bearing size wielkość łożyska [rys.]

bearing sleeve tuleja łożyskowa [masz.]

bearing support kozioł łożyskowy [masz.]

bearing surface powierzchnia nośna łożyska [transp.]; (→ tread) bieżnia łożyska tocznego [mot.]

bearing surface for races powierzchnia osadzenia pierścieni łożyskowych [masz.]

bearing type typ łożyska [transp.]; rodzaje łożysk [rys.]

beat bić, uderzać [wojsk.]

beat zderzak, ogranicznik ruchu [abc]

beater bijak; (→ hinged beater) młotek kruszący [energ.]

beater mill młyn udarowy, młyn młotkowy, młyn bijakowy [energ.]

bed fundament [bud.]; łóżko; grządka, zagon [abc]

bedding uwarstwienie [bud.]

bed plate płyta łożyskowa, płyta podporowa [transp.]

bedside locker nocny stolik [abc]

beech buk [bot.]

beer from the keg piwo z beczki [abc]

beer mat podkładka (*podstawka*) pod kufel [abc]

begin zaczynać, rozpoczynać [abc]

begin bur początek naroża [masz.]

beginning of opening początek otworu [masz.]

beginning of regulation początek regulacji [mot.]

behaviour (→ dynamic behaviour) zachowanie się [rys.]; (→ large signal behaviour) postępowanie [abc]; (→ damping behaviour)

behaviour during application zachowanie podczas operacji [masz.]

behaviour in application zachowanie w czasie działania [masz.]

BEHM's depth sounder sonda mechaniczna BEHM [abc]

beige beżowy [norm.]

beige brown beżowo-brązowy [norm.]

beige gray beżowo-szary [norm.]

beige red beżowo-czerwony [norm.]

belfry dzwonnica [abc]

belicia's beacon sygnalizator świetlny dla pieszych [mot.]

bell zacisk, docisk, szczęka zaciskowa, klamra; dzwonek [mot.]; dzwon [abc]; urządzenie dzwonkowe; tuba, głośnik tubowy [transp.]

bell crank dźwignia kątowa [narz.]

bellcrank linkage (→ Z-geometry) dźwignia kątowa [mot.]

bell founding odlew dzwonu [met.]

bell frame belkowanie do zawieszenia dzwonu [bud.]

bell hammer serce dzwonu; młotek dzwonka budzika [abc]

bell housing osłona dzwonkowa [masz.]; końcówka, zacisk, przyłącze zacisk przyłączeniowy [mot.]

bell mouth rozszerzenie przy końcu obrobionego otworu [masz.]

bell rope lina (*dzwonnicza*); linka, powróz [abc]

bell seam spoina kielichowa, spoina na U [met.]

bell-shaped curve krzywa dzwonowa [fiz.]

bell signal system system ostrzegania [mot.]

bell valve zawór dzwonowy [masz.]

bellow harmonijka, przegub [masz.]

bellows miech; mieszek uszczelniający; mieszek sprężysty; kompensator [masz.]

bellows expansion joint kompensator mieszkowy [masz.]

bellows-type accumulator akumulator przeponowy [masz.]

bellow-type seal uszczelka mieszkowa [masz.]

belly kadłub statku [mot.]; brzuch [med.]

belly plate płyta ochronna silnika [transp.]

belongings własność [abc]

below poniżej [abc]

below average poniżej przeciętnej [abc]

below regulated range przekroczenie dolnej granicy zakresu regulacji [mot.]

below surface podziemny [górn.]

below the dew-point poniżej punktu rosy [aero.]

belt pas [abc]; taśma (*bagażowa na lotnisku*) [mot.]; (→ conveyor belt; → earthquake belt; → transmission belt; → width of belt)

belt conveying transport taśmowy; przenośnik chodnikowy [transp.]

belt conveyor przenośnik taśmowy [transp.]

belt conveyor system taśma przenośnika [górn.]; przenośnik taśmowy [transp.]

belt drive napęd pasowy; przekładnia pasowa [masz.]

belt grinding machine szlifierka taśmowa [narz.]

belt guard osłona pasa napędowego [transp.]

belt joint spinacz pasów pędnych [masz.]

belt off-track limit switch wyłącznik krańcowy (*w przypadku niewłaściwego biegu taśmy*) [transp.]

belt pulley tarcza pasowa; koło pasowe [masz.]

belt speed prędkość pasa [masz.]

belt stacker zwałowarka taśmowa [transp.]

belt tension napięcie pasa [masz.]

belt tightener napinacz pasa [masz.]

belt width szerokość paska [masz.]

bench pokład; warstwa wybierania, wyrobisko wyprzedzające; nadszybie [górn.]; ławka, ława [abc]

bench hutch klatka wyrobiska [górn.]

benching ustęp warstwy wybierania [górn.]

benchmark punkt stały; punkt wysokościowy [abc]

bend giąć; krzywić, zakrzywiać, wyginać, zaginać [met.]; wybrzuszać,

wybaczać [abc]

bend ugięcie; (→ corrugated expansion bend) kształtka rurowa łukowa [masz.]; (→ hairpin bend) zakręt, łuk poziomy; krzywa, krzywizna; (→ sharp bend) krzywa [mot.]

bend connector krzywak rurowy [masz.]

bended pochylony [abc]

bending zgięcie, ugięcie; gięcie, wyginanie; zginanie (*ciśnieniowe*) [met.]; promień gięcia [rys.]; ugięcie [energ.]

bending device urządzenie do gięcia [met.]

bending line linia zagięcia [rys.]

bending machine giętarka; kantownik [narz.]

bending momentum moment zginający, moment gnący [rys.]

bending roll walec do gięcia (*blachy*) [met.]

bending schedule plan zbrojenia [bud.]

bending stress fatigue limit wytrzymałość zmęczeniowa na zginanie [masz.]

bending test próba zginania [miern.]

bending wave wał giętki [masz.]

bending wrench obcęgi (*szczypce*) do gięcia [narz.]

bend-line linia ugięcia [rys.]

bend loss strata na krzywiźnie [energ.]

bend radius promień krzywizny [rys.]

bend test próba zginania [miern.]

bend test specimen próbka do prób zginania [miern.]

benefits for social security wpłaty na rzecz świadczeń socjalnych [abc]

Benson boiler kocioł (*przepływowy*) Bensona [energ.]

bent mocno zginany; wybrzuszony, wyboczony; zgięty, wygięty, zagięty [abc]
bent axis oś poprzeczna, oś ukośna [masz.]
bent characteristic charakterystyka zginania [el.]
bent-characteristic amplifier wzmacniacz charakterystyki zginania [el.]
bent lug link plate łubek kątowy [masz.]
bent tube rura zakrzywiona [masz.]
bent tube boiler kocioł stromorurowy [energ.]
benzine benzyna (*do prania chemicznego*) [chem.]
berth koja [mot]; kuszetka [mot.]; miejsce postoju statku [mot.]
beside obok [abc]
besides poza; obok [abc]
Bessemer bulb konwertor Bessemera, konwertor bessemerowski [górn.]
best possible optymalny [abc]
best possible criteria kryterium optymalności [abc]
best possible use optymalne wykorzystanie [abc]
best-first search przeszukiwanie według (*kryterium*) jakości, przeszukiwanie od najlepszego (*do najgorszego*) [inf.]
Beta rating wartość znamionowa beta [masz.]
betonite suspension zawiesina betonitowa [górn.]
between między, pomiędzy, pośrodku, w środku [abc]
bevel fazować; ścinać (*krawędzie*) [met.]
bevel skos [masz.]
bevel drive gear napęd za pomocą przekładni stożkowej [masz.]
bevel drive pinion napęd za pomocą przekładni stożkowej [masz.]

beveled cięty [met.]
bevel gear koło zębate stożkowe; przekładnia zębata stożkowa, przekładnia zębata kątowa; wieniec koła zębatego stożkowego; koło zębate tarczowe, zębatka pierścieniowa [masz.]
bevel gear casing obudowa przekładni zębatej stożkowej [mot.]
bevel gear pinion zębnik stożkowy; koło zębate stożkowe [masz.]
bevel gear shaft wał przekładni zębatej stożkowej [masz.]
bevel gear wheel napęd za pomocą przekładni zębatej stożkowej [masz.]
bevelled kanciasty, graniasty [abc]
bevel pinion zębnik stożkowy; koło zębate stożkowe małe [masz.]
bevel seam spoina na ½ V, spoina stożkowa [met.]
bevel spur gear koło zębate walcowe stożkowe, koło zębate czołowe stożkowe [masz.]
beyond poza, poza obrębem [abc]
beyond repair nie nadający się do naprawy [masz.]
biannual dwuletni [abc]
bias odchylenie; naprężenie wstępne, naprężenie montażowe [masz.]
biasing ustawienie punktu pracy [abc]
bi-colour water gauge wodowskaz dwubarwny [energ.]
bicycle pojazd dwukołowy; rower [mot.]
bicycle industry przemysł produkcji jednośladów [mot.]
bi-drum boiler kocioł dwuwalczakowy [energ.]
big duży [abc]
big bag duży pokrowiec [abc]
big rubber mats artykuły gumowe wielkopowierzchniowe [masz.]
bike rower [mot.]
BIKON locking assembly zespół mocujący BIKON [mot.]

B

bilateral wzajemny [abc]
bilateral bearing ułożyskowanie dwustronne [masz.]
bilge zęza [mot.]
bilge pump pompa zęzowa [mot.]
bill of lading konosament, list przewozowy [mot.]
bill of materials (BOM) wykaz części [abc]
bill of quantities przedmiar robót [bud.]
billboard tablica reklamowa [abc];
billet kęsisko płaskie; kęs [masz.]
billet probe holder głowica uchwytowa (*maszyny wytrzymałościowej*) [masz.]
billet test installation urządzenie do badania wytrzymałości kęsów [miern.]
bi-metal stop; bimetal [masz.]
bi-metal relay przekaźnik termobimetaliczny [el.]
bi-metal spring sprężyna bimetalowa [masz.]
bin skrzynia [masz.]; silos; zasobnik, zbiornik [górn.]; (→ fly ash storage bin) zasobnik, zbiornik [energ.]
bin-and-feeder system bunkrowanie pośrednie [energ.]
binary dwójkowy, binarny [mat.]
binary image obraz binarny [inf.]
binary signal sygnał dwójkowy, sygnał binarny [inf.]
binary stage stopień binarny, poziom binarny [abc]
bind sterowanie ciśnieniowe, regulacja ciśnienia [mot.]
binder środek uszczelniający; środek wiążący; farba wiążąca, spoiwo, lepiszcze; metal podłoża [masz.]; teczka [abc]; spoiwo, lepiszcze, środek wiążący [mot.]; połączenie [inf.]
binding material środek uszczelniający [masz.]
binocular stereo problem problem

stereoskopowy [fiz.]
biological biologiczny [bot.]
biological stereo stereo biologiczne, biologiczny efekt stereo [inf.]
biological vision system system biologicznej obróbki obrazu [inf.]
biosketch (US) biogram [abc]
biotope biotop [bot.]
bipolar semi-conductor element półprzewodnikowy bipolarny (*dwubiegunowy*) [el.]
birch bark kora brzozowa [bot.]
birch tree brzoza [bot.]
bird's eye *małe ogniska występowania antracytu* [górn.]
bird's view rzut poziomy główny [rys.]
biro (GB) długopis [abc]
bismuth bizmut [chem.]
bisulphite wodorosiarczyn, kwaśny siarczyn [chem.]
bit ostrze, krawędź tnąca, krawędź skrawająca [masz.]; bit [inf.]
bit string łańcuch bitów [inf.]
bite gryźć, kąsać [abc]
bite ukąszenie [abc]
bituminous bitumiczny, zawierający smołę [chem.]
bituminous aggregate żwir bitumiczny [bud.]
bituminous coal węgiel kamienny [górn.]
biweekly dwutygodniowy [abc]
black blue granatowy [norm.]
black bolt śruba [masz.]
black box black box [mot.]; czarna skrzynka [abc]
black brown ciemnobrunatny [norm.]
black cotton glina czarna [gleb.]
black cotton soil czarnoziem [gleb.]
black green ciemnozielony [norm.]
black gray ciemnoszary [norm.]
Black Hole czarna dziura [geogr.]
black ice gołoledź [meteo.]

black lacquered lakierowany na czarno, polakierowany na czarno; pokryty lakierem asfaltowym, pokryty lakierem bitumicznym [abc]

black liquor recovery boiler kocioł regeneracyjny ługu czarnego [energ.]

black liquor recovery unit kocioł regeneracyjny ługu czarnego [energ.]

black olive ciemnooliwkowy [norm.]

black plate blacha bardzo cienka [masz.]

black powder proch [wojsk.]

black red ciemnoczerwony [norm.]

black top nawierzchnia jezdni [mot.]

black top material asfalt, mieszanka bitumiczna [mot.]

blackboard method metoda tablicowa [abc]

blackiron metallurgy metalurgia żelaza [masz.]

black-out zaciemnienie; zamroczenie [abc]; przerwa w dopływie energii elektrycznej [el.]

blacksmith kowal [met.]

blacksmith's hammer młot kuźniczy, młot maszynowy, młot mechaniczny [narz.]

blacktop smołowa warstwa ścieralna nawierzni; nawierzchnia tłuczniowa smołowana; nawierzchnia bitumiczna, nawierzchnia czarna [mot.]

blacktop material asfalt, mieszanka bitumiczna [mot.]

bladder pęcherz [med.]

bladder type accumulator akumulator ciśnienia przeponowy [mot.]

blade control sterowanie radlicą, sterowanie ostrzem radlicy [transp.]

blade cylinder walec nożowy [transp.]

blade extension przedłużenie radlicy [transp.]

blade lift arm ramię podnośnika le-miesza [transp.]

blade ring wieniec wirnikowy [transp.]

blade spychak; lemiesz; znak drogowy, tablica informacyjna [transp.]; ostrze, brzeszczot [masz.]

blade support frame rama spychaka [transp.]

blade wing skrzydło spychaka [transp.]

blading układ łopatek [energ.]

blading station pozycja łopatek [transp.]

blading station for turbine rotors pozycja łopatek wirnika turbiny [energ.]

blank opróżniać, wyciągać [masz.]; **blank** wykrojka; kształtka surowa [met.]

blank lśniący, świecący, błyszczący [met.]

blank cartridge nabój ślepy [wojsk.]

blank hardening hartować ślepo [met.]

blank key klawisz odstępów [inf.]

blank no. półfabrykat nr. [met.]

blank off zasłaniać, zaślepiać [met.]

blank-off flange kołnierz ślepy, kołnierz zaślepiający [masz.]

blank-out wygaszanie [inf.]

blanket *opis schodów ruchomych przeznaczony dla architekta* [bud.]; koc (*wełniany*), kołdra, obrus [abc]

blanking wygaszanie (*elementów obrazu*) [inf.]; element tłoczony [masz.]

blanking control wygaszanie plamki [inf.]

blanking plug korek zaślepiający [masz.]

blast rozsadzać; wysadzenie w powietrze [górn.]

blasted material materiał wysadzony [górn.]

blast-furnace slag żużel wielkopiecowy [masz.]

B

blasting prace minerskie [górn.]
blasting agent materiał wybuchowy [górn.]
blasting cap spłonka detonująca [wojsk.]
blasting charge amunicja strzelnicza [wojsk.]
blasting-equipment sprzęt strzelniczy [wojsk.]
blasting fuse lont (*detonujący*) [wojsk.]
blast pipe dysza [masz.]
blast table spreader ruszt narzutowy [energ.]
bldg (*building*) budynek [bud.]
bleach wybielać, odbarwiać [chem.]
bleb nadlew, pęcherz (*na odlewie*) [masz.]
bled steam para upustowa [energ.]
bled steam feedwater heating rozgrzanie wstępne wody zasilającej parą upustową [energ.]
bled steam tapping point punkt upuszczania pary [energ.]
bleed wietrzyć; opadać [mot]; spuszczać; upuszczać [abc]
bleeder odpowietrznik; zawór upustowy; (→ brake bleeder) wentylator [mot.]
bleeder pipe kanał spalinowy [energ.]
bleeder screw śruba wentylacyjna [masz.]
bleeding krwawy, zakrwawiony [med.]; wietrzenie [abc]; upust pary [energ.]
bleeding valve zawór upustowy [mot.]
bleed off upuszczać, spuszczać [energ.]
bleed oil olej wyciekowy [mot.]
bleed pipe przewód upustowy [mot.]
bleed port otwór odpowietrzający [masz.]
bleeper beeper; odbiornik kieszonkowy [telkom.]
blend mieszać [górn.]

blender mikser [abc]
blending homogenizacja [transp.]
blending bed urządzenie ze złożem mieszanym [górn.]
blending equipment urządzenie do mieszania, mieszarka [górn.]
blending reclaimer regenerator mieszanki [górn.]
blind przesłona [bud.]; niewidomy, ślepy [med.]
blind flange kołnierz ślepy, kołnierz zaślepiający [masz.]
blind flight ślepy pilotaż, lot bez widoczności zewnętrznej [mot.]
blindfold oślepiać, zaślepiać [abc]
blinding concrete warstwa betonowa posypana tłuczniem [bud.]
blind plate płytka zaślepiająca, zaślepka [transp.]
blind rivet nit jednostronnie zamykany [masz.]
blinds żaluzja, roleta [bud.]
blind shaft wał ślepy [mot.]
blizzard burza śnieżna, zamieć śnieżna [meteo.]
block kłoda, kloc; blok (*mieszkaniowy*) [bud.]; zderzak, ogranicznik ruchu; kozioł; blok [transp.]; blok (*cylindrowy*); klin drewniany, klocek; korpus, bryła; prowadnik [mot.]; zablokowanie; wielokrążek [masz.]
blockage (→ clogging) zapchanie, zatkanie [abc]
block brake hamulec klockowy; klocek hamulcowy, szczęka hamulcowa [transp.]
block braked zahamowany klockowo, zatrzymany hamulcem klockowym [transp.]
block clamp chwytak do skał [transp.]
block clamp arm ramię chwytaka do skał [transp.]
block clamp attachment osprzęt chwytaka do skał [transp.]

block clearance luz klocków hamulcowych; luz tarcz hamulcowych; luz klockowy [mot.]
block diagram schemat [rys.]
blocked zablokowany [abc]
blocked center of valve spool położenie neutralne zaworu z zablokowanym przepływem [mot.]
blocking listwa wzmacniająca [rys.]
blocking oscillator generator samodławny [abc]
blocking the readout blokada odczytu wskazań przyrządu [abc]
block leveller strugarka [narz.]
block load siła hamowania klocka [mot.]
block of flats (GB) dom czynszowy; (GB) dom wielorodzinny; (GB) blok mieszkalny; (GB) dom czynszowy [bud.]
block operation praca w bloku [górn.]
block post nastawnia [mot.]
block radiator chłodnica blokowa [mot.]
block section odstęp blokowy [mot.]
block signal semafor odstępowy [mot.]
block system blokada samoczynna (*liniowa*) [mot.]
block tackle pasterka [bud.]
block train pociąg blokowy [mot.]
block tyre opona blokowa [mot.]
block size rozmiar bloku [inf.]
blondin kolej linowa napowietrzna [mot.]
blood krew [med.]
blood infection infekcja krwi [med.]
bloom blok; wlewek do walcowania [met.]
bloomed zgnieciony, zwalcowany [met.]
blow dmuchać, dąć [abc]
blow uderzenie [fiz.]; styk [met.]
blow bar element udarowy [transp.]
blowdown (→ boiler water blow-

down) przedmuchiwanie kotła [energ.]
blowdown valve zawór wydmuchowy [energ.]
blower dmuchawa; wentylator [aero.]; dmuchawa; dmuchacz [energ.] (→ cold end blower)
blower fan wentylator nawiewny, wentylator tłoczący [aero.]
blow folding press prasa uderzeniowa do matrycowania [met.]
blow-in wdmuchiwać [energ.]
blowing-in device urządzenie wdmuchujące [energ.]
blow-off valve zawór wydmuchowy [mot.]
blow lamp lampa lutownicza [narz.]
blow out rozrywać, rozsadzać [masz.]; pękać, wybuchać [abc]; wydmuchiwać [energ.]
blow out wybuchanie [abc]
blow-out coil cewka wydmuchowa [masz.]
blow pipe dysza wylotowa, dyszak [energ.]
blowtorch lampa lutownicza [narz.]
blow up wybuchać [abc]
blue niebieski [abc]
blued farbkowany [met.]
blue green niebiesko-zielony [norm.]
blue gray niebiesko-szary [norm.]
blue lilac niebiesko-liliowy [norm.]
blue-line print niebieska kopia kalki światłoczułej [rys.]
blueprint kopia; rysunek; światłokopia [rys.]
blue print paper kalka światłoczuła [abc]
blunt nieostry [abc]
blunt angle kąt rozwarty [abc]
bluntness nieostrość [abc]
blurred nieostry [abc]
BM (*basic material*) materiał podstawowy [masz.]
board (*gruba*) deska [transp.]; tektura; (→ switchboard) tablica, ta-

bela; gremium [abc]; (→ fibre board) płyta (*nośna*); (→ formwork board) deska [bud.]

board and lodging mieszkanie i wyżywienie [abc]

board circular okólnik wydany przez zarząd [ekon.]

board control sterowanie pokładowe [transp.]

board of directors rada nadzorcza [ekon.]

board of management kierownictwo przedsiębiorstwa [ekon.]

board of managers zarząd [ekon.]

board ring pierścień obrzeżnikowy [masz.]

board transformer transformator pokładowy [transp.]

boardwalk chodnik (*z desek*) [bud.]

board wall ścianka szczelna z bali; ściana sumikowo-łątkowa [bud.]

boatsman bosman [mot.]

boat trailer przyczepa do przewozu łodzi [mot.]

bob wielowarstwowa płócienna tarcza polerska [narz.]

bobbin szpula do nawijania, bęben do nawijania; korpus cewki [abc]

Bode plot wykres Bodego [el.]

bodily injury szkoda na zdrowiu lub życiu [prawn.]

body nadwozie; konstrukcja; karoseria [mot.]; kadłub [abc]; zwłoki, ciało [med.]; kolebka wywrotki; układ; nadwozie samowyładowcze; skrzynia [transp.]; (→ double-seated valve body) korpus, bryła [masz.]

body-bonnet joint połączenie (*uszczelnienie*) pomiędzy kadłubem i pokrywą jarzmową zaworu [masz.]

body-bound rivet nit rozprężny [masz.]

body canopy protective extension

and deflector daszek chroniący przed uderzeniami kamieni [transp.]

body extension podwyższenie ścianek skrzyni ładunkowej (*samochodu ciężarowego*) [mot.]

body guard ochrona osobista [abc]

body making przygotowywanie karoserii w stanie surowym [mot.]

body manufacturing produkcja nadwozi samowyładowczych [transp.]

body of wagon skrzynia [mot.]

body plan owręgowanie teoretyczne [rys.]

body steps drabinka [transp.]

body support podpora teleskopowa skrzyni [transp.]

BOF steel stal konwertorowa tlenowa [masz.]

bog miska olejowa [gleb.]

bog down grzęznąć [abc]; utknąć [mot.]

bog removal wydobywać grunt koparką [transp.]

bogged down ugrzązł (*w błocie*) [mot.]

bogie wózek zwrotny; wózek skrętny [transp.]

bogie beam belka wahadła [transp.]

bogie-bearing cup pierścień poślizgowy; wkładka łożyska skrętowego [mot.]

bogie-bearing pad (→ sliding plate) płyta ślizgowa [mot.]

bogie for goods wagon wózek zwrotny wagonu towarowego [mot.]

bogie for passenger car wózek zwrotny wagonu osobowego [mot.]

bogie frame ostoja wózka, rama wózka [transp.]

bogie goods wagon wagon towarowy czteroosiowy [mot.]

bogie high-sided open wagon wagon niekryty czteroosiowy [mot.]

bogie pin czop obrotowy [masz.]

bogie refrigerator wagon czteroosiowy wagon-chłodnia [mot.]
bogie rotational performance wydajność obrotowa wózka zwrotnego [mot.]
bogie sideframe ostoja boczna wózka, rama boczna wózka [mot.]
bogie tank wagon czteroosiowy, wagon-cysterna [mot.]
bogie-type tandem axles mechanizm kierowniczy ławy pokrętnej [mot.]
bogie unit wózek zwrotny [mot.]
boil gotować [energ.]
boiler kocioł [mot.]; kocioł [energ.] (→ b. with natural draught; → bagasse-fired b.; → bark-burning b.; → Benson b.; → bent tube b.; → bi-drum b.; → black liquor recovery b.; → integral furnace b.; → b. with stationary grate; → bottom-supported b.; → brown coal fired b.; → centre line of b.; → close the b.; → cold face of the b.; → converter waste heat b.; → corner tube b.; → corrugated-furnace b.; → cross-drum b.; → cyclone fired b.; → fire tube b.; → forced circulation b.; → front-fired b.; → giant b.; → header type b.; → heat storage b.; → high pressure b.; → high-duty b.; → hot face of the b.; → inner wall of b.; → longitudinal drum b.; → longitudinal type b.; → marine b.; → medium-sized b.; → multi-pass b.; → multiple-pass b.; → natural draught b.; → once-through b.; → outer wall of b.; → packaged b.; → pendant b.; → port side b.; → power station b.; → pulverised-coal fired b.; → radiant b.; → rear wall of b. house→ rear-fired b.; → recovery b.; → residual oil fired b.; → sectional header b.; → single-furnace b.; → single-pass b.; → slag-tap b.; →

small b.; → standby b.; → starboard b.; → stationary b.; → steam b.; → stoker-fired b.; → suction fired b.; → Sulzer b.; → Sulzer monotube b.; → three gas pass b.; → top supported b.; → twin-b.; → twin-furnace b.; → two-pass b.; → vertical tube b.; → waste heat b.; → water tube b.; → wet bottom b.; → once-through forced-flow b.)
boiler air valve zawór odpowietrzający, zawór do usuwania pary [energ.]
boiler arrangement drawing rysunek kotła [energ.]
boiler availability rozporządzalność, dyspozycyjność; wydajność robocza [energ.]
boiler band opaska kotłowa [energ.]
boiler barrel dzwono płaszcza kotła, pierściono płaszcza kotła [energ.]
boiler blow-down tank zbiornik odmulania kotła [energ.]
boiler brickwork obmurowanie kotła [energ.]
boiler calculation obliczanie wydajności kotła; obliczenie termotechniczne [energ.]
boiler capacity wydajność kotła [energ.]
boiler casing poszycie kotła, opancerzenie kotła [energ.]
boiler cleansing compound środek zapobiegający tworzeniu się kamienia kotłowego [energ.]
boiler column base plate baza kolumny kotła [energ.]
boiler components części kotła [energ.]
boiler control board tablica sterownicza kotła, tablica kontrolna kotła [energ.]
boiler control room nastawnia [energ.]
boiler data dane techniczne kotła [energ.]

B

boiler dimension wymiary kotła [energ.]

boiler division dział kotłów [energ.]

boiler drain valve zawór spustowy kotła [energ.]

boiler drawing rysunek kotła [energ.]

boiler efficiency sprawność kotła [energ.]

boiler feed pump pompa zasilająca kocioł, pompa kotłowa [energ.]

boiler feed water woda zasilająca kocioł, woda kotłowa [mot.]; woda zasilająca kocioł [energ.]

boiler fittings osprzęt kotła, armatura kotła [energ.]

boiler foundation wieniec dolny stojaka [energ.]

boiler furnace roof pokrywa kotła [energ.]

boiler heating surface powierzchnia ogrzewalna kotła [energ.]

boiler house kotłownia [energ.]

boiler inspector kontroler kotła [energ.]

boiler instruments panel tablica przyrządów kotłowych [energ.]

boiler lagging otulina kotła [mot.]

boiler making plant kotlarnia, warsztat kotlarski [energ.]

boiler manufacturer kotlarz [energ.]

boiler name plate tabliczka znamionowa na kotle [energ.]

boiler panel tablica przyrządów pomiarowo-kontrolnych kotła [energ.]

boiler panel instruments tablica przyrządów pomiarowo-kontrolnych kotła [energ.]

boiler patcher łatacz kotłów, łaciarz [energ.]

boiler plant urządzenie kotłowe, instalacja kotłowa [energ.]

boiler plate blacha kotłowa [masz.]

boiler preservation konserwacja kotła [energ.]

boiler pressure ciśnienie w kotle [energ.]

boiler-pressure gauge manometr kotłowy [miern.]

boiler rating obciążenie kotła, wydajność znamionowa kotła [energ.]

boiler ring poszycie kotła, opancerzenie kotła [energ.]; pierścień kotłowy [mot.]

boiler room floor level pomost roboczy palacza [energ.]

boiler routine inspection rewizja kotła [energ.]

boiler running hours czas pracy kotła [energ.]

boiler scale kamień kotłowy [energ.]; kamień kotłowy [mot.]

boiler scale-forming particles cząstki tworzące kamień kotłowy [energ.]

boiler shell (→ boiler barrel) dzwono płaszcza kotła, pierściono płaszcza kotła [mot.]

boiler shut-down zatrzymanie kotła, wstrzymanie pracy kotła [energ.]

boiler steel stal konstrukcyjna kotłowa [energ.]

boiler steel structure konstrukcja stalowa kotła [energ.]

boiler steel-work column nośna kolumna stalowa kotła [energ.]

boiler support steel work stalowa konstrukcja nośna kotła [energ.]

boiler support zawieszenie kotła, podwieszenie kotła [energ.]

boiler test próba gwarancyjna kotła [energ.]

boiler test instrument przyrząd doświadczalny, instrument doświadczalny [miern.]

boiler top casing pokrywa kotła [energ.]

boiler tube rura kotłowa [energ.]

boiler-tube section (→ boiler

barrel) dzwono płaszcza kotła, pierściono płaszcza kotła [transp.]
boiler unit zespół kotłów; urządzenie, instalacja [energ.]
boiler wash-out płukanie kotła; przepłukiwanie [energ.]
boiler water blowdown (→ blowdown) przedmuchiwanie kotła [energ.]
boiler water sampling point punkt poboru prób wody kotłowej [energ.]
boiler welding spawanie kotłowe [met.]
boiler with a stationary grate kocioł z rusztem płaskim [energ.]
boiler with forced circulation kocioł z obiegiem wymuszonym [energ.]
boiler with integral furnace kocioł integralny [energ.]
boiler with natural draught kocioł o obiegu naturalnym [energ.]
boiler with pressurised furnace ciśnieniowy spalinowy kocioł, ciśnieniowa spalinowa wytwornica pary [energ.]
boiler with slag-tap furnace kocioł do topienia [energ.]
boiling (→ film boiling) parowanie, wyparowywanie, odparowywanie [energ.]; (→ nucleate boiling)
boiling point temperatura wrzenia [fiz.]
boiling temperature temperatura wrzenia [fiz.]
boiling test próba gotowania [miern.]
boil out wywarzać, wygotowywać [energ.]
bollard pachołek [mot.]
bolster poprzecznica, balka poprzeczna [mot.]
bolt łączyć śrubami [met.]
bolt zasuwa; kołek, palec; sworzeń, trzpień; śruba [masz.]; (→ rod

bolt; → cotter bolt; → hex head machine bolt; → hex shoulder bolt; → hexagon fit bolt , → hexagonal head bolt; → screw-down bolt; → shoulder bolt; → spring bolt; → stud-bolt; → tee head bolt; → readed bolt; → wheel mounting bolt; → wrench head bolt)
bolt circle diameter średnica osi otworów [rys.]
bolt cutter szczypce przegubowe do prętów [narz.]
bolted connection połączenie śrubowe, połączenie gwintowe, złącze śrubowe [masz.]
bolted connection broken połączenie śrubowe urwane [masz.]
bolted connection loose połączenie śrubowe luźne [masz.]
bolted connection overwound połączenie śrubowe z zerwanym gwintem [masz.]
bolt head łeb śruby [masz.]
bolt hole otwór na śrubę [masz.]
bolt-hole crack pęknięcie w otworze na śrubę [masz.]
bolt on dokręcać; przymocowywać śrubą, przykręcać, przyśrubowywać [met.]
bolt-on przyśrubowany, połączony śrubami [met.]
bolt-on teeth ząb śruby [masz.]
bolt pocket wydrążenie na śruby [masz.]
BOM (→ bill of materials) wykaz materiałów [rys.]
bomb kula do strzelania rozszczepkowego [transp.]; bomba [wojsk.]
bombardment ostrzelanie [wojsk.]
bomb cluster wiązka bomb [wojsk.]
bomber bombowiec; samolot bombowy [wojsk.]
bomb fuse zapalnik bombowy [wojsk.]

bond wiązać, łączyć, spajać [bud.]
bond poręczenie [prawn.]; wiązanie muru; przyczepność; długość spoiwa [bud.]
bonding wiązanie, łączenie, spajanie [masz.]
bond of mortar przyczepność zaprawy [bud.]
bondstone kamień kotwiący [bud.]
bone kość [med.]
bone dry suchy jak pieprz [abc]
bonehard twardy jak kość [abc]
bones kościec [med.]
boning rod łata do niwelacji wzrokowej [masz.]
bonnet pokrywa [masz.]; (GB) osłona silnika, maska silnika [mot.]
bonnet hinge zawiasa maski [mot.]
bonnet lock zamek w masce [mot.]
bonnet stay podpora maski, wspornik maski [mot.]
bonnet truck tractor ciągnik kołpakowy [mot.]
book rezerwować [abc]
book książka [abc]
book cover okładka [abc]
book keeper księgowy [ekon.]
book printing druk typograficzny [abc]
book store księgarnia [abc]
booking service rezerwacja biletów [abc]
boom wysięgnik masztu kratowego; maszt, wysięgnik [transp.]
boom adjusting cylinder cylinder nastawczy [transp.]
boom angle kąt rozwarcia wysięgnika [transp.]
boom crowd force siła stłaczania wysięgnika [transp.]
boom cylinder cylinder wysięgnika [transp.]
boom extension przedłużenie wysięgnika [transp.]
boom foot pin kołek wysięgnika [transp.]

boom gantry wspornik wysięgnika [transp.]
boom head dziób wysięgnika [transp.]
boom length długość wysięgu [transp.]
boom lowering opuszczanie wysięgnika [transp.]
boom moment moment udźwigu [transp.]
boom pivot (→ A-frame) podstawa wysięgnika [transp.]
boom position położenie wysięgnika [transp.]
boom telescoping składanie teleskopowe wysięgnika [transp.]
boom with extension bom ładunkowy z wydłużonym wysięgnikiem [transp.]
boom-foot pivot point podstawa wysięgnika [transp.]
boost wzmacniać; wzmagać; zwiększać; wspierać [abc]
booster serwomechanizm; buster; napęd dodatkowy [mot.]; urządzenie wspomagające zapalnik [wojsk.]
booster charge ładunek pobudzający [wojsk.]
booster cylinder cylinder pomocniczy, cylinder wspomagający; serwocylinder [mot.]
booster fan dmuchawa wspomagająca [energ.]
booster locomotive lokomotywa wspomagająca [mot.]
booster pump pompa wspomagająca [mot.]; pompa wspomagająca [masz.]
boot pogłębianie czołowe; tuleja [masz.]; but [abc]; (GB) bagażnik [mot.]
boot floor dno bagażnika [mot.]
boot lid pokrywa bagażnika [mot.]
boot lid handle uchwyt pokrywy (*bagażnika*) [mot.]

boot lid lock zamek pokrywy (*bagażnika*) [mot.]

boot lid support wspornik pokrywy (*bagażnika*) [mot.]

boot plate kryza [masz.]

booth stoisko wystawiennicze; stragan [abc]; kabina w lokalu wyborczym [polit.]

border granica [polit.]; rama [abc]

border line ograniczenie [abc]

bore wiercić [met.]

bore otwór wiercony [met.]; otwór wiertniczy, odwiert [górn.]; przewód lufy, kanał lufy [wojsk.]; otwór zaworowy [masz.]

bored all through otwór przelotowy [rys.]

bore diagram for support and holding ring schemat wiercenia dla pierścienia nośnego i mocującego [rys.]

bore diameter średnica otworu [rys.]

bore fit otwór [transp.]; otwór wiercony [masz.]

borefit for dowel otwór dokładny pod kołek [rys.]

bore hole otwór wiertniczy, odwiert [bud.]

bore hole diameter średnica wierconego otworu [rys.]

bore pattern układ wierconych otworów [rys.]

boreal północny [geogr.]

boring machine maszyna wiertnicza, wiertnica [narz.]

boring mill wytaczarka, wiertarkofrezarka [narz.]

boring socket uchwyt wiertarski [narz.]

borrow pożyczanie [abc]

borrowed workforce pracownik użyczony [abc]

borrowing area powierzchnia urabiania [bud.]

bosom pierś, biust [abc]

boss pogłębianie czołowe; piasta; wypust [masz.]; wybrzuszenie, zgrubienie; zgrubienie [energ.]; (→ fixing boss on arm for ejector) kozioł łożyskowy [transp.]

boss plate dziurownica kowalska [masz.]

bothie barak, budka [bud.]

both-to-blame collision clause klauzula zderzenia się statków przy obopólnym zawinieniu (*w ubezpieczeniach morskich*) [prawn.]

bottle butelka [abc]

bottle green zieleń butelkowa [norm.]

bottleneck uszko igielne [abc]; wąskie gardło [mot.]

bottle stop korek [abc]

bottom dno, spód [abc]; podstawa [transp.]; spąg [górn] trzon [masz.]; dno (*morskie*) [geol.]; (→ furnace bottom) pokład [energ.]; (→ keel <of a boat>) kil; zęza [mot.]

bottom air duct kanał podwiewowy dolny [energ.]

bottom centre discharge wagon wagon dennozsypowy [mot.]

bottom chord pas dolny [transp.]

bottom-discharge wagon wagon dennozsypowy, wagon dennozsypny [mot.]

bottom dump opróżnianie denne, spust denny [mot.]

bottom dump shovel czerpak z klapą denną; czerpak dennozsypowy (*koparki lub czerparki*) [transp.]

bottom echo echo denne [akust.]

bottom face of the plate spód blachy, spodnia strona blachy [transp.]

bottom-fired unit palenisko z dolnym nagrzewem [energ.]

bottom flange pas dolny [masz.]

bottom layer najniższe położenie [transp.]

bottom of dial tło tarczy zegarowej [abc]

B

bottom of furnace dno paleniska [energ.]

bottom of the sea dno morskie [geol.]

bottom plate płyta dna, płyta podłogowa [transp.]

bottom reinforcement zbrojenie dolne [bud.]

bottom roller wałek dolny [masz.]

bottom tank dolna część chłodnicy [mot.]

bottom-up parsing analiza składniowa oddolna [inf.]

bottom view widok od dołu, rzut pomocniczy poziomy [rys.]

bottom width szerokość dolna [masz.]; szerokość dna [bud.]

boulder rozszczepiać [górn.]

boulder blok; głaz [górn.]

boulder clay glina morenowa [gleb.]

boulders otoczaki [górn.]

boulder window *okno odporne na uderzenia odłamków skalnych* [górn.]

bounce połączenie stykowe [mot.]

bouncer portier [abc]

bound variable zmienna wiązana [mat.]

boundary ograniczenie [abc]; granica [polit.]

boundary conditions warunki graniczne [mat.]

boundary echo echo graniczne [akust.]

boundary effect efekt brzegowy [abc]

boundary layer warstwa graniczna, warstwa przyścienna [abc]

boundary layer waves fale warstwy granicznej [el.]

boundary monument kamień graniczny [abc

boundary stone kamień graniczny [abc]

boundary surface (→ interface) powierzchnia brzegowa [inf.]

boundary surface waves fale po-

wierzchni brzegowej [el.]

bow wygięcie; skręt, zakręt [bud.]; dziób [mot.]; pałąk; ugięcie [masz.]; skrzywienie, zakrzywienie, zagięcie [abc]

bowed pochylony [abc]

bowed section krzywak rurowy [masz.]

bow girder dźwigar hamulcowy [mot.]

bow heat shield osłona cieplna przednia [masz.]

bow propeller dziobowa śruba napędowa [mot.]

bow screw śruba kabłąkowa [masz.]

bow sprit bukszpryt [mot.]

bow wave fala dziobowa [mot.]

bowden cable cięgło Bowdena [mot.]

bowden control cięgło Bowdena, cięgło elastyczne opancerzone [mot.]

bowden line linka Bowdena [mot.]

bowl misa, czasza [masz.]; kubeł, wiadro [transp.]; muszla (*klozetowa*) [abc]

bowl brake valve zawór hamulcowy kubła [masz.]

bowl mill młyn misowy [górn.]

bowline cuma [mot.]

bowser samochód–cysterna; cysterna samochodowa benzynowa [mot.]

box nacięcie; obudowa [transp.]; nadwozie; skrzynia; pudło, pudełko [abc]; (→ branch box; → counterweight-box; → dirt collection box; → distribution box; → fuse box; → gauge box; → gear box; → junction box; → junction box; → link box; → power box; → soot blower wall box; → stuffing box; → terminal box; → terminal box)

box-and-arrow notation zapis w formie kratki i strzałki [inf.]

box body nadwozie [mot.]

boxcar wagon (*towarowy kryty*) [mot.]

box design konstrukcja skrzyniowa; konstrukcja z dźwigarów skrzynkowych [transp.]

boxed *spoina przedłużona* [masz.]

boxed-in section (→ box section) przekrój skrzynkowy [masz.]

box end wrench (→ box spanner) klucz nasadowy [narz.]

boxing *przedłużenie spoiny pachwinowej nakładki poza narożniki jako dalszy ciąg spoiny obliczeniowej* [met.]

box nut nakrętka kołpakowa, nakrętka kapturkowa [masz.]

box pile ściana szczelna z profili skrzynkowych [masz.]

boxpok wheel koło parowozu typu boxpok [mot.]

box section casting odlew profilu skrzynkowego [masz.]

box-section frame rama skrzynkowa [transp.]

box spanner klucz nasadowy; klucz kołkowy sześciokątny; klucz kołkowy [narz.]

box wagon (GB) furgon [mot.]

box wrench klucz oczkowy [narz.]

box-type frame rama [transp.]

brace korba do świdrów, ręczna wiertarka korbowa; świder ręczny [narz.]; wspornik; usztywnienie krzyżulcami; rozpórka [masz.]

bracing usztywnianie [bud.]

bracing plate blacha usztywniająca [mot.]

bracket zamocowanie, przytwierdzenie; wspornik; ustalenie, podparcie; konsola; zacisk, docisk, szczęka zaciskowa, klamra [transp.]; kozioł łożyskowy; podkładka; wspornik; nośnik [masz.]; ułożyskowanie [mot.]

bracket clip nakładka środnika [mot.]

bracket plate płyta wspornikowa, płyta konsolowa [energ.]

brackets nawiasy [abc]

braid oplatać [met.]

braid tresa [masz.]

braided hose wąż zbrojony [masz.]

brake hamować, wyhamować [mot.]

brake hamulec dźwignicy [transp.]; (GB) wagon bagażowy; hamować [mot.]; (→ air b.; → air pressure b.; → air-operated hydraulic b.; → band b.; → b.; assembly→ b.; lever→ cable b.; → clutch b.; → cotter b.; → disc b.; → duplex b.; → foot b.; → four wheel b.; → front wheel b.; → hand b.; → hydraulic b.; → hydraulic slewing b.; → inside band b.; → inside shoe b.; → internal expanding b.; → linkage b.; → magnetic b.; → oil-hydraulic b.; → oil-pressure b.; → outside band b.; → outside shoe b.; → rear wheel b.; → service b.; → servo b.; → simplex b.; → slewing b.; → transmission b.; → vacuum servo b.; → wheel b.)

brake actuator dźwignia hamulcowa [transp.]

brake anchor plate płyta kotwowa hamulc(ow)a; tarcza nośna hamulca bębnowego [mot.]

brake assembly hamulec główny, hamulec eksploatacyjny [transp]

brake band taśma hamulcowa [mot.]

brake bleeder zwalniak hamulca, luzownik hamulca [transp.]

brake bleeder switch wyłącznik zwalniaka hamulca [transp.]

brake block klocek hamulcowy [mot.]

brake block load siła hamowania klocka [mot.]

brake block plate tarcza klocka hamulcowego [mot.]

brake block shoe klocek hamulcowy; płóz hamulcowy [mot.]

brake body siodło hamulca, korpus hamulca [mot.]

B

brake buffer zderzak hamujący [mot.]

brake cable linka hamulca [mot.]

brake cable assembly napięcie linki hamulcowej; linka hamulcowa [mot.]

brake calculation obliczenie hamulców [transp.]

brake cam rozpieracz krzywkowy szczęk hamulca [mot.]

brake cam bushing łożysko rozpieracza krzywkowego [mot.]

brake cam lever dźwignia rozpieracza krzywkowego; wał rozpieracza krzywkowego [mot.]

brake circuit obwód prądu hamowania [el.]

brake-compensating lever dźwignia wyrównująca działanie hamulców [mot.]

brake-compensating shaft wał wyrównujący działanie hamulców [mot.]

brake compensator wyrównanie działania hamulców (*na poszczególne koła*) [mot.]

brake connector rod dźwignia hamulcowa, drążek hamulcowy [transp.]

brake coupling hose sprzęg hamulcowy [mot.]

brake cylinder (B.C.) cylinder hamulca [mot.]; (→ spring brake cylinder)

brake-cylinder pressure gauge ciśnieniomierz cylindra hamulca [mot.]

brake data hamowność, intensywność hamowania [transp.]

brake disk tarcza hamulcowa [mot.]

brake drum bęben hamulcowy [mot.]

brake drum hub piasta bębna hamulcowego [mot.]

brake-ended passenger coach wagon osobowy z pomieszczeniem bagażowym [mot.]

brake energizer hamulec ze wspomaganiem, serwohamulec [mot.]

brake fluid płyn hamulcowy [mot.]

brake-fluid container zbiornik rozprężny [mot.]

brake form formularz hamulcowy, karta hamulcowa [mot.]

brakegear układ hamulcowy [transp.]

brake hose wąż hamulcowy, przewód hamulcowy elastyczny [mot.]

brake hose coupling sprzęg węża hamulcowego [transp.]

brake HP moc na wale [energ.]

brake hub piasta hamująca [mot.]

brake indicator wskaźnik hamowania [transp.]

brake information sheet karta kontrolna hamulców [transp.]

brake lever dźwignia hamulcowa [transp.]

brake light światło hamowania; światło stop [mot.]

brakelight switch wyłącznik światła stop [mot.]

brake line przewód hamulcowy; okładzina szczęk hamulcowych, okładzina hamulcowa [mot.]

brake line coupling główka sprzęgu [mot.]

brake lining okładzina szczęk hamulcowych, okładzina hamulcowa [mot.]

brake linkage przekładnia hamulcowa [mot.]

brake linkage bush tuleja przekładni hamulcowej [transp.]

brake magnet elektromagnes hamujący [transp.]

brake pad szczęka hamulcowa; klocek hamulcowy [mot.]; szczęka hamulcowa [transp.]

brake pedal pedał hamulca [mot.]

brake pipe pressure gauge miernik ciśnienia w przewodzie hamulcowym [mot.]

brake pipe stowage hook obsada przewodu hamulcowego; hak mocujący przewód hamulcowy [mot.]

brake pressure regulator ogranicznik ciśnienia hamowania [mot.]

brake pull rod cięgło hamulca [mot.]

brake pulley koło hamulcowe [mot.]

brake release zwalnianie hamulca [mot.]

brake retardation opóźnienie przy hamowaniu [mot.]

brake rigging układ dźwigni hamulcowych [transp.]

brake shaft wał hamulcowy [transp.]

brake shoe szczęka hamulcowa; płóz hamulcowy; (→ brake block) klocek hamulcowy [mot.]

brake shoe pin bushing łożysko szczęki hamulcowej [mot.]

brake shoe sole podłoże klocka hamulcowego [transp.]

brake spanner klucz maszynowy hamulcowy [narz.]

brake subplate osłona hamulca [transp.]

brake switch wyłącznik hamulca [mot.]

brake system układ hamulcowy [mot.]

brake valve zawór hamulcowy [mot.]; (→ tractor brake v.; → tractor-trailer brake v. → trailer brake v.)

brake van wagon bagażowo-samochodowy [mot.]

brake wear-limit switch wyłącznik krańcowy podnoszenia dźwigni hamulcowej [mot.]

brake weight ciężar hamujący [transp.]

braking couple moment hamujący [mot.]

braking distance droga zatrzymania; droga hamowania [mot.]

braking motor silnik hamujący [mot.]

braking time czas hamowania [mot.]

branch gałąź [bot.]; branża [abc]

branch joint złączka odgałęźna [el.]

branch line tor kołowy, orbita kołowa [mot.]

branch pipe rura odgałęziona [masz.]

branch removal usuwanie gałęzi [bud.]

branch-and-bound rozgałęziaj i ograniczaj [inf.]

branch-and-bound search przeszukiwanie metodą podziału i ograniczeń [inf.]

branched crack pęknięcie rozgałęzione [masz.]

branching factor współczynnik rozgałęzienia [inf.]

brand żeton, liczman, znaczek [abc]

brand-name nazwa firmowa [abc]

brand-name product artykuł firmowy, towar gatunkowy, towar dobrej marki [abc]

brass mosiądz [tw.]

braze lutować, zlutować [met.]

brazed lutowany lutem twardym [met.]

breadth-first search przeszukiwanie metodą rozszerzania [inf.]

break załamywać, łamać [met.]; tłuc, rozbijać [abc]

break przerwa [abc]; odstęp między stykami [el.]

breakage pęknięcie, przełom [abc]

break contact zestyk rozwierny [el.]

break down sortowanie, układanie [rys.]

breakdown przerwa, przestój [energ.]; załamanie się nawierzchni [transp.]; przebicie [el.]; uszkodzenie [mot.]; awaria [abc]

breakdown voltage napięcie przebicia [el.]

breaker łamacz, kruszarka; młotek; młot pneumatyczny [narz.]; przerywacz; (→ circuit breaker) łącznik, przełącznik, rozłącznik [el.]

breaker attachment wyposażenie kruszarki [narz.]

breaker hammer młotek mechaniczny, młotek pneumatyczny [narz.]

breaker lever dźwignia przerywacza [el.]

breakfast śniadanie [abc]

breakfast break przerwa śniadaniowa [abc]

breaking capacity zdolność wyłączania [el.]

breaking current prąd wyłączeniowy [el.]

breaking test próba przełomu [masz.]

break-in period czas dotarcia się [mot.]

break off przerywać [wojsk.]

break out luzować [transp.]

breakout przerywać (*formę*), łamać [transp.]

breakout force siła rozrywająca; siła łamania, siła kruszenia [transp]

breakthrough wyłom, otwór, wycięcie [abc]

breakwater falochron [geol.]

breast pierś [med.]

breather zawór napowietrzający [aero.]; odpowietrznik; otwór odpowietrzający; zawór napowietrzający; zawór [mot.]

breather cap zaślepka odpowietrznika; kołpak odpowietrznika [mot.]

breather pipe króciec odpowietrznika [mot.]

breathing odpowietrzanie [masz.]

breeches pipe rura rozwidlona; trójnik rurowy w kształcie litery Y; rozdzielacz dwudrogowy [energ.]

breed hodowla [bot.]

breeder reaktor powielający [abc]

breeding hodowla, chów [abc]

breeze (→ coke breeze) miał koksowy, koksik [masz.]

brew warzyć [abc]

brew browar; piwiarnia [abc]

brewer piwowar [abc]

brewer's copper kocioł brzeczkowy [abc]

brewery browar; piwowarstwo, browarnictwo [abc]

brewery effluent ścieki browarne [hydr.]

brewing business browarnictwo, piwowarstwo [abc]

brewing liquor woda browarniana [hydr.]

brewing technology technologia warzenia piwa [abc]

bribe przekupywać [abc]

bribery łapownictwo, przekupstwo [abc]

brick cegła [bud.]; (→ adobe b.; → burnt b.; → cavity b.; → fire b.; → mud b.; → refractory b.)

brick baffle ekran [energ.]

brick grapple chwytak kamieni [transp.]

brick kiln piec do wypalania cegły [bud.]

bricklayer murarz [met.]

brickmaker ceglarz, cegielnik, strycharz [met.]

bricksetting obmurowanie kotła [energ.]; mur [bud.]

brick wall mur ceglany [bud.]

brickwork roboty murarskie; mur [bud.]; (→ facing b.; → high-stress b.; → refractory b.)

brickwork bond wiązanie muru [bud.]

brickwork joint spoina (*w murze*) [bud.]

brickwork setting obmurowanie [bud.]

brickyard cegielnia [bud.]

bridge most [mot.]; mostek [transp.]; wiadukt [abc]; mostek [bud.]

bridge belt taśma mostu (*np. przerzutowego*) [transp.]

bridge circuit of probe układ mostkowy sondy (*próbnika*) [el.]

bridge crane suwnica mostowa, suwnica pomostowa [transp.]

bridge girder dźwigar mostowy [bud.]

bridgehead przyczółek mostowy [wojsk.]

bridge pier filar mostowy [bud.]

bridge plate most przeładunkowy [mot.]

bridge reclaimer zgarniak mostowy (*pomostowy*) [górn.]

bridge sleeper (GB) mostownica [mot.]

bridge span rozpiętość mostu [mot.]

bridge spreader rozkładarka pomostowa; zwałowarka mostowa [transp.]

bridge tie (US) mostownica [mot.]

bridge type bucket wheel reclaimer czerparka most(k)owa z kołem czerpakowym [górn.]

bridge-type crane suwnica mostowa, suwnica pomostowa [transp.]

bridge-type reclaimer regenerator hałd mieszanych [górn.]

bridging zawisanie wsadu (*w wielkim piecu*) [energ.]

bridle bridge most łukowy [bud.]

brief wprowadzać [abc]

briefing pouczenie; odprawa [abc]; instruktaż, zalecenia [bud.]

bright lśniący, świecący, błyszczący [masz.]; jasny, żywy; obeznany [abc]

bright drawn ciągniony na zimno [masz.]

bright key steel płaskownik klinowy (*ciągniony i szlifowany lub polerowany*) [masz.]

bright machine parts nieosłonięte części maszyny [masz.]

brightness jasność, światło, blask [meteo.]; jaskrawość obrazu [inf.]

brightness constraint zawężenie jasności [inf.]

brightness control regulator jaskrawości [abc]

bright red orange pomarańczowy jasnoczerwony [norm.]

brillant blue jasnoniebieski [norm.]

brilliance jasność, jaskrawość [abc]; jasność obrazu [inf.]

Brinell hardness twardość (*według*) Brinella [masz.]

bring close to zbliżać, nadjeżdżać, podjeżdżać [abc]

bring in zbierać plony [roln.]

bring out wysuwać, wypuszczać (*np. podwozie samolotu*) [abc]

bring suit against a person wytaczać powództwo (*przeciw komuś*) [prawn.]

bring up przyspieszać [energ.]

British citizen Brytyjczyk [geogr.]

British Railways (→ BR) Koleje Brytyjskie [mot.]

British Standards (BS) Normy Brytyjskie [norm.]

brittle łamliwy; kruchy [abc]

brittleness łamliwość, kruchość [masz.]

broach przeciągać, przeciągnąć [masz.]

broach szydło, sztylet zecerski; (→ internal broach) przeciągacz [narz.]

broaching operation przeciąganie [masz.]

broaching pass przejście przy przeciąganiu [met.]

broad band pasmo szerokie [telkom.]

broadcast nadawać, nadać; transmitować [telkom.]

broadcasting program program radiowy [telkom.]

broadcasting tower wieża radiowa [telkom.]

broadening powiększenie [bud.]

broad-section V-belt pas klinowy szeroki [masz.]

brochure zeszyt; prospekt; broszura [abc]

broken chain device urządzenie zabezpieczające pękanie łańcucha [transp.]

broken step złamanie stopnia [transp.]

broken step device zabezpieczenie opuszczania podnóżka [transp.]

broken step switch wyłącznik działający przy złamaniu stopnia [transp.]

broker pośrednik; reprezentant, przedstawiciel [prawn.]

bromine brom [chem.]

bronze brąz [masz.]

brook (GB) strumień, potok [abc]

broom stick kij od miotły [abc]

broom yellow żółcień janowcowa [norm.]

brown coal węgiel brunatny [górn.]

brown coal fired boiler kocioł opalany węglem brunatnym [energ.]

brown coal mill młyn węgla brunatnego [energ.]

brown green brązowo-zielony [norm.]

brown gray brązowo-szary [norm.]

brown paper papier pakunkowy [abc]

brown red brązowo-czerwony [norm.]

browse obchodzić, przechodzić, przeglądać; biegać naokoło, łazić, chodzić; przewertować [abc]

brush szczotkować, czyścić [el.]

brush szczotka [abc]; zamiatarka (*szczotka na wale*) [transp.]; szczotka węglowa [el.]; (→ paint brush) pędzel malarski [narz.]

brush block blok szczotkowy [el.]

brush fire pożar buszu [abc]

brush for screw szczotka ślimakowa (*do czyszczenia śrub*) [narz.]

brush plate płyta szczotkowa [transp.]

brush shifting mechanism napęd o przesuwnych szczotkach [el.]

brush switch zabezpieczenie wlotu poręczy; wyłącznik szczotkowy [transp.]

brush technique metoda szczotkowa [el.]

BS (*British Standards*) BS (*Norma Brytyjska*) [norm.]

BSI (*British Standards Institution*) BSI (*Brytyjski Instytut Normalizacji*) [norm.]

bubble bąbel [abc]; pęcherz wodny [hydr.]; (→ steam bubbles) pęcherz powietrzny [energ.]

bubble up kipieć; burzyć się [masz.]

buck kozioł, podpora, wspornik [bot.]

buckeye coupling sprzęg samoczynny, sprzęg automatyczny [transp.]

buckling naprężenie wyboczeniowe, naprężenie krytyczne przy wyboczeniu [masz.]

bucksaw piła ramowa; piła kabłąkowa ręczna [narz.]

buckshot nabój [wojsk.]

buckstay zasuwa; dźwigar [energ.]

bucket kubek, czerpak; skip; łyżka pogłębiarki; naczynie; kubeł [transp.]; czerpak, kubeł [mot.]; kubeł, wiadro [abc]

bucket arm ramię łyżki koparki; ramię czerpaka [transp.]

bucket capacity pojemność czerpaka; zawartość łyżki koparki [transp.]

bucket chain conveyor przenośnik kubełkowy [transp.]

bucket chain excavator koparka czerpakowa łańcuchowa; pogłębiarka kubłowa lądowa [transp.]

bucket contents zawartość łyżki [transp.]

bucket control sterowanie czerpakami [transp.]

bucket cylinder cylinder skipowy;

cylinder łyżki koparki; siłownik czerpaka [transp.]

bucket discharging device urządzenie wyładowcze czerpaka [mot.]

bucket dredger koparka łańcuchowo-kubełkowa [transp.]

bucket elevator przenośnik kubełkowy [transp.]

bucket excavator koparka łyżkowa [transp.]

bucket hinge sworzeń połączenia przegubowego; połączenie przegubowe łyżki (*koparki*) [transp.]

bucket hydraulics instalacja hydrauliczna czerpaka [transp.]

bucket ladder rama koparki wielonaczyniowej [transp.]

bucket lip krawędź czerpaka [transp.]

bucket pin podparcie łyżki [transp.]

bucket pivot oś przegubu łyżki [transp.]

bucket positioner automatyczne ustawianie kubła (*czerpaka*) [transp.]

bucket safety bar uchwyt łyżki [transp.]

bucket tooth ząb czerpaka [transp.]

bucket wheel koło czerpakowe [transp.]

bucket wheel discharge chute rynna zsypowa z kołem czerpakowym [transp.]

bucket wheel excavator (BWE) czerparka z kołem czerpakowym [transp.]

bucket wheel gear przekładnia koła czerpakowego [transp.]

bucket wheel loader ładowarka wielonaczyniowa [transp.]

bucket wheel reclaimer odbierak wielokołowy [transp.]

bucket with discharge zbiornik z otworem spustowym [transp.]

bucket with hydraulic controlled discharge zbiornik ze spustem

hydraulicznym [transp.]

bud pączek [bot.]

buddy seat siedzenie pasażera [transp.]

budget budżet (*państwa*) [polit.]

buffer wyzwalacz [masz.]; pamięć pośrednia; bufor [inf.]; zderzak hydrauliczny [mot.]; bufor [inf.]; bufor [transp.]

buffer amplifier wzmacniacz oddzielający, wzmacniacz separacyjny, separator [el.]

buffer beam czołownica; belka zderzakowa [mot.]

buffer coupling sprzęg buforowy [mot.]

buffer disk talerz zderzakowy, talerz zderzaka, tarcza zderzaka [mot.]

buffer head popychacz buforowy z talerzem zderzakowym [mot.]

bufferless wagon wagon bez buforów [mot.]

buffer on glass panel listwa profilowa do mocowania szyby [mot.]

buffer plate płyta buforowa, płyta oporowa [masz.]

buffer stop bufor [mot.]

buffer with volutre spring zderzak tulejowy ze sprężyną śrubową stożkową [mot.]

buffet car wagon restauracyjny [mot.]

build in wbudowywać [abc]

build up wytwarzać [abc]; napawać, natapiać [met.]

builder (GB) przedsiębiorca budowlany, wykonawca robót [bud.]

builder's hoist wyciąg budowlany [bud.]

building budynek; budownictwo nadziemne [bud.]

building berth pochylnia [mot.]

building carcass budynek w stanie surowym [bud.]

building demolition material *ma-*

teriał pochodzący z rozbiórki bu-dynku [rec.]
building industry budownictwo, przemysł budowlany [bud.]
building load obciążenie budynku [bud.]
building material materiał budowlany [bud.]; (→ local b. mat.)
building material processing obróbka materiałów budowlanych [rec.]
building material recycling powtórne użycie materiałów budowlanych [rec.]
building of a dam budowa zapory (*tamy*) [bud.]
building owner właściciel budowy [bud.]
building permit zezwolenie na budowę [bud.]
building pit wykop budowlany [bud.]
building-project plan budowlany [bud.]
building rubbish gruz budowlany, odpady budowlane [rec.]
building site plac budowy, teren budowy; budowa [bud.]
building society (GB) firma budowlana [bud.]
building space teren pod budowę [energ.]
building system system budowy, sposób budowania [abc]
building-up time czas narastania [el.]; czas wznoszenia [abc]
build-up welding napawanie [met.]
built-in osadzony [bud.]; wbudowany [el.]
built-in direction indicator kierunkowskaz do zabudowy [mot.]
built-in furniture meble wbudowane [bud.]
built-in kitchen kuchnia obudowana [bud.]
built-in part element montażowy [bud.]

built-up material spoiwo [met.]
bulb żarówka [el.]; zbiornik termostatu [abc]; cebula (*cebulka*) kwiatu [bot.]
bulb plate blacha o żeberkach owalnych, blacha łebkowa [masz.]
bulb-tee stal; teownik łebkowy [bud.]
bulge pęcznieć, nabrzmiewać, wybrzuszać się [met.]
bulge wybrzuszenie, wypukłość [energ.]; zęza [mot.]; (→ tube bulge)
bulging wybrzuszenie; wybrzuszenie, wypukłość [abc]; pęcznienie, spęczanie, wydymanie [bud.]
bulk duża ilość, masa, mnóstwo; luźny [bud.]; wyrób masowy, produkt masowy; ładunek masowy, masówka [abc]
bulk cargo ładunek sypki, materiał sypki [abc]
bulk carrier masowiec [mot.]
bulked spulchniony, rozluźniony [abc]
bulker masowiec [mot.]
bulk excavation wydobywanie gruntu, wykopywanie [bud.]
bulk goods towary masowe [masz.]; towary masowe [transp.]; towary masowe [mot.]
bulk goods rehandling plant urządzenie przeładunkowe towarów masowych [transp.]
bulkhead ściana czołowa; przegroda, gródź, wręga wzmocniona [mot.]
bulking spulchnianie, rozluźnianie [abc]; rozszerzenie objętości, ekspansja objętości [bud.]
bulk material (→ bulk cargo) materiał sypki, wyrób sypki, ciało sypkie [abc]
bulky *trudny do manipulacji* (*np. przedmiot obrabiany*) [transp.]
bull clam kubeł dennozsypny [narz.]
bulldozer buldożer; gąsienica [transp]

bulldozer blade lemiesz spycharki [transp.]

bull gear (→ swing gear) przekładnia uchylna, przekładnia z kołem uchylnym [mot.]

bullpress refuse collection vehicle śmieciarka samochodowa [mot.]

bullet pocisk [wojsk.]

bullet proof kuloodporny, odporny na pociski [wojsk.]

bullet-proof glass szkło pancerne [wojsk.]

bulwark wał [bud.]

bump wybój [transp.]

bumped wysadzony (*w celu rozluźnienia materiału*) [górn.]

bumper amortyzator; zderzak [mot.]

bumper support zamocowanie zderzaka [mot.]

bumper to bumper zderzak w zderzak [mot.]

bumping strzelanie (*w celu rozluźnienia materiału*) [górn.]

bumping plane płyta odbojowa [mot.]

bump shock tąpnięcie [bud.]

bump stop ogranicznik ruchu [transp.]

bumpy wyboisty [mot.]

bumpy grounds nierówny teren [transp.]

buna bellows miech z buny [masz.]

bund wał ochronny [wojsk.]

bunk koja [mot.]

bunker zabunkrować, przyjmować paliwo [mot.]

bunker bunkier [wojsk.]; (→ coal bunker) zasobnik, zbiornik [górn.]

bunker coal gate zasuwa zamykająca zasobnik węgla [energ.]

bunker extractor urządzenie wyładowcze zasobni [energ.]

bunker outlet otwór wylotowy zasobni [energ.]

bunker slope skos bunkra, nachylenie bunkra [energ.]

bunker vibrator wstrząsarka zasobni [energ.]

buoy boja [mot.]

buoyancy wypór, siła wyporu, siła nośna [fiz.]

buoyant nośny [mot.]

bur usuwać zadziory [met.]

bur zadzior [masz.]

burglar włamywacz [abc]

burglar alarm urządzenie alarmowe, instalacja alarmowa [el.]; alarm przeciwwłamaniowy [abc]

burglaring włamywać się [abc]

burn palić; spalać [chem.]; oparzyć [energ.]

burn oparzenie, miejsce oparzenia [med.]

burn down spłonąć [bud.]

burned wypalony [abc]

burner palnik [energ.] (→ combined b.; → corner b.; → downshot b.; → dual-fuel b.; → flare type b.; → furnace with roof b.s; → gas b. port; → gas b.; → gas lighting-up b.; → lighting-up b.; → low-load carrying b.; → movable b.; → muffle b.; → multi-fuel type b.; → oil b.; → pressure type oil b.; → pulverised fuel b.]; → rich gas b.; → roof b.; → swivel b.; → tilting b.; → turbulent b.; → vortex b.; → Y-jet b.; → Y-jet type oil b.)

burner adjustment regulacja palnika [energ.]

burner element can koszulka elementu paliwowego [energ.]

burner level stanowisko (*pomost, platforma*) obsługi palnika [energ]

burner mouth dysza płomieniowa, dziób; gardziel palnika [energ.]

burner out palnik wyłączony [energ.]

burner throat gardziel palnika [energ.]

burner throat brick kształtka ogniotrwała do budowy palnika;

B

wylotowa nasadka ceramiczna palnika [energ.]
burning spalanie, wypalanie [energ.]
burning in suspension spalanie w zawieszeniu [energ.]
burning velocity szybkość spalania paliwa stałego [energ.]
burn off upuszczać, spuszczać [energ.]
burn out wypalać [abc]
burnish zwijać; (→ more „burnish") nagniatać, dogniatać, wykańczać przez nagniatanie [met.]
burnish dogniatanie, nagniatanie [met.]
burnished zawijany; rolkowany [masz.]
burnt brick cegła wypalana [bud.]
burnt lime wapno palone [bud.]
burnt out wypalony [bud.]
burn-up rate stopień wypalenia się materiału (*np. w reaktorze*) [energ.]
burr ostra krawędź [masz.]; zadzior, rąbek [met.]
bursting pressure ciśnienie rozrywające [fiz.]
bus autobus [mot.]
busbar szyna zbiorcza, układ szyn zbiorczych [el.]
bush gniazdo, gniazdko; tuleja, tulejka, panew skrzynia [masz.]; tuleja cylindrowa; tuleja zwrotnicowa [mot]; krzak [bot.]; (→ bearing b.; → end b.; → guide b.; → locking b.;→ spacing b.; → sprung b.; → steel b.)
bush chain łańcuch (*drabinkowo*) panwiowy [masz.]
bushed transporting chain przenośnik łańcuchowy panwiowy [masz.]
bushing gniazdo, gniazdko; tuleja cylindrowa; zakończenie rury; tuleja łożyskowa [masz.]; izolator przepustowy, przepust izolowany [bud.]; pierścień odległościowy,

pierścień rozstawczy, pierścień rozpierający; część odległościowa, rozpórka, przekładka [masz.] (→ ball b.; → bearing ring; → brake cam b.; → bush; → collar b.; → coupling; → reverse idler gear b.; → slide b.; → small end b.; → spacer b.; → spring b.; → suction valve b.)
bushing-type bearing łożysko ślizgowe [masz.]
bushing with collar tuleja z wieńcem [masz.]
business sklep [ekon.]
business card wizytówka [abc]
business dinner kolacja służbowa [abc]
business economist ekonomista, magister ekonomii [ekon.]
business form formularz biurowy; formularz handlowy [ekon.]
business lunch lunch [abc]
business room (→ premises, office) pomieszczenie biurowe [ekon.]
business trip podróż służbowa; wyjazd służbowy, delegacja [abc]
busy ruchliwy [mot.]
busy line linia zajęta [telkom.]
butcher's saw piła rzeźnicka [narz.]
butt styk [met.]
buttered zgrzewany [met.]
butt contact zestyk dociskowy [el.]
butt joint spoina czołowa [met.]
butt-strap nakładka [masz.]
butt weld spoina czołowa; zgrzewanie doczołowe [met.]
butterfly valve przepustnica [energ.]; zawór dławiący [mot.]
button guzik [abc]; (→ emergency stop b.; → horn b.; → probe; → push b.; → reset b.; → starter b.; → stop b.; → stop b.; → stop switch; → up-down b.)
buttoned zapięty (*na guziki*) [abc]
button-type defect błąd typu guzikowego [el.]
butylen butylen, buten [chem.]

buxom spin [abc]
buzzer syrena, buczek [mot.]; brzęczek [el.]
BV stream degassing odgazowywanie strumieniowe BV [masz.]
bypass obchodzić, omijać [mot.]
bypass przewód bocznikowy; objazd [mot.]; przewód obejściowy [el.]
by-pass damper zasuwa obejścia [energ.]
by-pass filter filtr bocznikowy [mot.]
bypass line przewód obejściowy [el.]
bypass oil filter filtr oleju obejściowy [mot.]
by-pass oil filter element changing wymiana obejściowego filtra oleju [mot.]
by-pass return przewód powrotny [mot.]
by-pass tube bocznik [transp.]; zawór obejściowy; zawór przelewowy [mot.]; zawór bezpieczeństwa przelewowy [masz.]
bypass valve zawór przelewowy [mot.]
by-passing the stockpile doprowadzenie zasobów awaryjnych [transp.]
by-product produkt uboczny [chem.]; produkt odpadowy [rec.]
byte bajt [inf.]
grown beige brązowo-beżowy [norm.]

C

c.o.d. (*collect on delivery*) za zaliczeniem [abc]
C.V. (*cavalli vapore* = *horsepower*) KM; koń mechaniczny [mot.]
c/o pod adresem [abc]
cab kabina kierowcy, kabina operatora; stanowisko maszynisty; budka maszynisty; taksówka [mot.]

CAB and CAS processes and units procesy i urządzenia CAB i CAS [tw.]
cab floor podłoga kabiny (*kierowcy, operatora*), podłoga budki maszynisty, podłoga przedziału maszynisty [mot.]
cab heater (→ cab heating system) grzejnik kabiny (*kierowcy, operatora*) [mot.]
cab heating system system ogrzewania kabiny (*kierowcy, operatora*) [mot.]
cabin barak, szopa [bud.]
cabinet szafka [bud.]
cable kabel przewodzący [el.]; cięgło Bowdena, linka Bowdena [mot.]; kabel [tw.]; (→ brake c.; → connection c.; → delay c.; → distribution c.; → light c.; → power supply c.; → remote station control; → rubber c.; → starter c.; → suspension c.; → test plug; → wire c.)
cable adapter adapter kablowy [el.]
cable and reel lina stalowa ze szpulą [tw.]
cable basket pończocha kablowa [transp.]
cable brake hamulec cierny linowy [mot.]
cable bushing przepust izolowany kabla [el.]
cable car kolej linowa (*naziemna*); kolej linowa terenowa; kolejka linowa napowietrzna; kolej linowa wisząca [mot.]
cable chain łańcuch drabinkowy wielokrotny [tw.]
cable clamp zacisk kablowy, uchwyt kablowy [el.]
cable clip nakładka ustalająca; zacisk linowy, wprzęgło; hamulec linowy [mot.]
cable conduit kanał kablowy, rura kablowa, rurkowanie, rurka izolacyjna [mot.]

cable connection złącze kablowe; łącznik wtykowy [el.]

cable coupler złącze kablowe rozłączne; mufa kablowa [el.]

cable crane (→ telpher) wciągnik przejezdny elektryczny, elektrowciąg [transp.]

cable cross-section przekrój kabla [el.]

cable cutter stropnica linowa [tw.]

cable designation oznaczenie kabla [mot.]

cable diagram plan okablowania [rys.]

cable drum bęben linowy, bęben kablowy [transp.]

cable duct kanał kablowy [tw.]; kanał kablowy, osłona kablowa [el.]

cable excavator koparka linowa [transp.]

cable fitting złącze kablowe, połączenie kablowe [el.]

cable gallow kozioł do naciągania kabla, kozioł kablowy [transp.]

cable guide prowadnica kablowa; prowadzenie kabla [transp.]

cable guide arrangement prowadzenie kabla po rusztowaniu [transp.]

cable harness pancerz kabla, opancerzenie kabla; wiązka kablowa [el.]

cable inlet wpust kabla, izolator wejściowy kabla [el.]

cable loop wiązka kablowa [el.]

cable marker oznaczenie kabla [el.]

cable-mounted zawieszony (*na drucie*) [tw.]

cable-mounted bucket przenośnik podwieszony [górn.]

cable net cooling tower chłodnia kominowa z ciągiem naturalnym [energ.]

cable passage korytarz kablowy, kanał kablowy, tunel kablowy [el.]

cable pull napęd linowy [transp.]

cable railway kolej linowa [transp.]

cable reel bęben do nawijania kabla, bęben kablowy [transp.]; bęben linowy [el.]

cable reel car wózek do przewozu bębnów kablowych [el.]; pojazd (*wózek*) do przewozu bębnów kablowych [transp.]

cable reel car on rails pojazd szynowy do przewozu bębnów kablowych [transp.]

cable reel car on tracks pojazd gąsienicowy do przewozu bębnów kablowych [transp.]

cable saddle łoże do transportu kabli [transp.]

cable set zespół przewodów [el.]

cable sheath powłoka kabla, płaszcz kabla [el.]

cable sheave krążek zwrotny linowy [transp.]

cable shovel koparka linowa [górn.]

cable socket zacisk przewodu (*do łączenia z czopem biegunowym akumulatora*) [el.]

cable speed prędkość przesuwu liny [mot.]

cable television telewizja kablowa [telkom.]

cable thimble zacisk przewodu (*do łączenia z czopem biegunowym akumulatora)* [el.]

cable through panel płytka kanału kablowego [el.]

cable tunnel korytarz kablowy, kanał kablowy, tunel kablowy [el.]

cable winch kołowrót kablowy, kołowrót linowy [mot.]

cable wiring kabel, drut [transp.]

cableway kolej linowa [mot.]

cableway bucket przenośnik linomostowy [górn.]

cabling odrutowanie, okablowanie, przewody instalacji elektrycznej [el.]

CaCl₂ (*calcium-chloride salt*) CaCl₂ [chem.]

CAD (*computer aided design*) CAD (*projektowanie wspomagane komputerowo*) [rys.]

CAD/CAM system network sieć systemowa CAD/CAM [rys.]

CAD work-station stanowisko robocze CAD [rys.]

cadmium plated kadmowany [tw.]

cadmium yellow żółcień kadmowa [norm.]

caffeine kofeina, teina [chem.]

cage obudowa [tw.]; klatka [bud.]; klatka szybowa [górn.]; (→ flat c.)

cage decking equipment urządzenie do deskowania klatki szybu [górn.]

cage screen osłona ścienna [energ.]

cake of cement paste placek z zaczynu cementowego [bud.]

caking coal węgiel koksujący, węgiel spiekający się [energ.]

CAL (*computer-aided loading*) CAL (*uczenie wspomagane komputerowo*) [inf.]

calcareous encrustation skorupa wapienna [bud.]

calcinate kalcynować [tw.]

calcining kalcynowanie [tw.]

calculated przeliczony [abc]

calculation obliczenie, kalkulacja [ekon.]; (→ boiler c.)

calculator kalkulator [abc]; (→ pocket calculator)

calendar period okres kalendarzowy [abc]

calendar year rok kalendarzowy [abc]

calf łydka [med.]

calibrate cechować, klasyfikować, normować, wzorcować [miern.]

calibrated skalibrowany [tw.]

calibrated gain control regulacja wzmocnienia dB [akust.]

calibration wzorcowanie; kalibrowanie [miern.]

calibration block wzorzec miar [miern.]

calibration voltage napięcie wzorcowania [el.]

calibrator sprawdzian, wzorzec [miern.]

calk przerysowywać, kopiować [rys.]

call wołać; dzwonić; zwoływać [abc]

call rozmowa telefoniczna [telkom.]

call in wprowadzać do akcji [wojsk.]

calling of the inventory counting sheets wywołanie jednostek remanentowych [abc]

calliper sprawdzian szczękowy [miern.]

calliper face spanner klucz czołowy (*do nakrętek z otworami na powierzchni czołowej*) [narz.]

calls wywoływania [inf.]

calm osadzać [górn.]

calm spokojny, cichy [meteo.]

calorie kaloria [energ.]

calorific value wartość opałowa [energ.]; (→ lower cal. value; → upper cal. value)

calorimetric test badanie kalorymetryczne [energ.]

calotte kalota, sklepienie tunelowe [bud.]; sklepienie tunelowe [górn.]

CAM (*computer aided manufacturing*) CAM (*komputerowe kierowanie produkcją i czuwanie nad nią*) [inf.]

cam kciuk [med.]; knaga, podpórka kątowa [bud.]; krzywka [tw.]; krzywka [mot.]

cam and stop plate krzywka rozdzielacza zapłonu [mot.]

cam angle ustawienie tarczy krzywkowej [mot.]; kąt działania krzywki [tw.]

cam contour krzywka mimośrodowa [mot.]

cam follower popychacz [tw.]; popychacz (*zaworowy*) [mot.]

C

cam ground oszlifowany owalnie [met.]

cam lever dźwignia krzywki [mot.]

cam mechanism mechanizm krzywkowy [mot.]

cam operation sterowanie krzywkowe [mot.]

cam plate tarcza krzywkowa [mot.]

cam ring pierścień krzywkowy [mot.]

cam roller krążek bieżny [tw.]

cam shaft seal uszczelnienie wału krzywkowego [mot.]

cam valve zawór krzywkowy popychacza; zawór pilotowy [mot.]

camber (→ superelevation) przekrój poprzeczny, profil poprzeczny; (→ superelevation) profil drogi; pochyłość [bud.]

camberboard sprawdzian pochyłości [miern.]

camouflage maskowanie, kamuflaż [wojsk.]

camp obóz (mieszkalny) [bud.]; (→ main labor c.) obóz [wojsk.]

camp layout and construction projektowanie i budowa mieszkań [bud.]

campbell campbell [transp.]

camshaft wał krzywkowy, wał rozrządczy [mot.]

camshaft bearing łożysko wału krzywkowego [mot.]

camshaft cover pokrywa wału krzywkowego [mot.]

camshaft drive napęd wału rozrządu [mot.]

camshaft grinding machine szlifierka do wałów rozrządu [narz.]

camshaft timing gear koło napędowe wału krzywkowego [mot.]

camshaft timing gear wheel wał krzywkowy rozrządu [mot.]

cam-shaped piston tłok zowalizowany [tw.]

can dzbanek; konserwa; puszka [abc]; (→ jerry can) kanister [mot.]

can opener (US) otwieracz do konserw [abc]

Canadian Standards Association Kanadyjskie Stowarzyszenie Standaryzacji [norm.]

canal kanał [mot.]

cancel stornować [ekon.]; wycofywać; skreślać [abc]; anulować, skasować [inf.]

cancel anulowanie zadania, anuluj (komenda użyta przez operatora przerywająca pracę programu) [inf.]

cancellation storno [ekon.]; skracanie, znikanie [el.]

cancer rak; nowotwór złośliwy [med.]

candle świeca [abc]

candle stick świecznik [abc]

canned food (US) konserwy (jedzenie w konserwach) [abc]

canopy kabina odkryta z daszkiem [mot.]; daszek, baldachim; osłona przeciwsłoneczna kabiny [transp.]

canopy curtain zasłona przeciwdeszczowa [mot.]

cant fazować; ukosować; zaginać krawędź [met.]

canted pochylony [transp.]

canted steel base plate podkładka pochylona [transp.]

canter cwał [abc]

cantilever wspornik [bud.]

cantilevering wspierający [bud.]

cantilever platform płyta wspornikowa [bud.]

can-time żywotność, dopuszczalny okres użytkowania [tw.]

canting ukosowanie krawędzi, fazowanie [met.]

canvas (→ denim) opończa; plandeka; brezent impregnowany [mot.]; brezent; płótno lniane [abc]

canvas cover opończa [mot.]; plandeka [transp.]

canvas top opończa, plandeka [mot.]

CAP (computer aided planning)

CAP (*planowanie wspomagane komputerowo*) [inf.]

CAP (*computer aided profiling*) CAP (*profilowanie wspomagane komputerowo*) [inf.]

cap kołpak, zaślepka [transp.]; nasadka, końcówka [tw.]; pokrywa, kołpak, kaptur, nakrywka, nasadka [mot.]; pokrywa, kołpak, kaptur, nakrywka, nasadka, zaślepka; czapka [abc]; nakrywka, kołpak [tw.]; (→ bayonet c., → breather c.; → filler c.; → screw c.)

cap. (*capacity*) pojemność [masz.]

cap nut nakrętka ślepa, nakrętka kołpakowa [tw.]; nakrętka złączkowa [masz.]

cap screw śruba z łbem; wkręt z łbem [masz.]

capacitance kapacytancja, reaktancja pojemnościowa [el.] (→ compensation cap.; → diffusion cap.; → gate drain cap.; → junction cap.; → nonlinear cap.)

capacities możliwości [abc]

capacitive pojemnościowy [el.]

capacitive voltage napięcie pojemnościowe [el.]

capacitor kondensator [el.] (→ ceramic cap.; → coupling cap.)

capacitor unit jednostka kondensatorowa [el.]

capacity pojemność [tw.]; wydajność zasilania [transp.]; wydajność pompy [mot.]; pojemność [górn.]; wydajność transportu osobowego [transp.]; nośność; ładowność [mot.]; zdolność produkcyjna, moc produkcyjna; pojemność [abc]; przepustowość [transp.]; zawartość [górn.]; pojemność [mot.]; moc wyjściowa [energ.] (→ boiler cap.; → furnace cap.; → small cap.)

capacity current prąd pojemnościowy [abc]

capacity factor współczynnik obciążenia, stopień obciążenia [energ.]

capacity of the motor pojemność skokowa silnika [mot.]

capacity range zakres wydajności [mot.]

capacity time czas przewozu, czas przenoszenia [transp.]

capillarity kapilarność, włoskowatość [bud.]

capillary tubing rurka włoskowata, kapilara, rurka kapilarna [tw.]

capital głowica, kapitel [bud.]

capital cost koszty środków trwałych, koszty nakładowe, koszty inwestycyjne [ekon.]

capital goods dobra inwestycyjne [ekon.]

capital letters duże litery; wersaliki [abc]

capitalize akumulować, kapitalizować [ekon.]

capri blue błękit capri [norm.]

capsize przewracać się (*do góry dnem*) [mot.]

capstan winda kotwiczna, kabestan [mot.]

capstan screw śruba z łbem otworowym [masz.]

capsule kapsułka [abc]

captain kapitan [mot.]

Captain's Commissioning patent kapitański [mot.]

caption board tabliczka informacyjna o urządzeniu [abc]

captive dispenser wyrzutnia [wojsk.]

captive dispensing charge ładunek wyrzutni; ładunek wybuchowy [wojsk.]

captive nut nakrętka uwięziona [masz.]

CAQ (*computer aided quality assurance*) CAQ (*wspomagane komputerowo zapewnienie wysokiej jakości*) [inf.]

car samochód; pojazd; wóz [mot.]; kabina (*windy*); klatka [transp.]

car body karoseria, nadwozie [mot.]

car body pressing wytłaczanie elementów nadwozia [mot.]

car carrier pociąg do przewozu samochodów [mot.]

car ferry prom samochodowy [mot.]

car jack podnośnik samochodowy [mot.]

car navigation nawigacja samochodowa [mot.]

car position indicator *oznaczenie miejsca zatrzymywania się wagonów* [mot.]

car rental company wypożyczalnia samochodów [mot.]

car theft kradzież samochodu [mot.]

car tippler wywrotnica [górn.]

car wing błotnik [mot.]

carat karat [miern.]

caravan przyczepa kempingowa; przyczepa mieszkalna [mot.]

caravan park kemping; miejsce kempingowe [abc]

caravel karawela [mot.]

carbody (US) *środkowa część nadwozia*; rama podwozia [transp.]

carbon węgiel, C [chem.]; (→ fixed c.)

carbon-arc welding spawanie łukowe elektrodą węglową, spawanie łukiem węglowym [met.]

carbon brush szczotka węglowa; szczotka szlifierska [el.]

carbon brush set zespół szczotek węglowych, urządzenie szczotkowe [el.]

carbon deposit osad węglowy, nagar [górn.]; nagar olejowy, osad węglowy [tw.]

carbon face seal uszczelnienie warstwą węglową [tw.]

carbon fiber włókno węglowe [tw.]

carbon-fiber element element z włókna węglowego [tw.]

carbonic contents zawartość węgla [chem.]

carboniferous zawierający węgiel, węglowy [chem.]

carbonize zwęglać [chem.]; (→ case-harden) utwardzać powierzchniowo metodą obróbki cieplno-chemicznej [met.]

carbonized (→ case-hardened) utwardzony powierzchniowo metodą obróbki cieplno-chemicznej [met.]

carbon monoxide tlenek węgla, czad [chem.]

carbon-reinforced plastics tworzywa sztuczne wzmacniane węglem [tw.]

carburettor gaźnik [mot.]

carburettor control regulator karburatora [mot.]

carburetted hydrogen węglowodór [chem.]

carburettor control linkage zespół dźwigni gaźnika [mot.]

carburettor flange króciec podłączeniowy gaźnika [mot.]

carburettor main body korpus gaźnika [mot.]

carburizing nawęglanie [chem.]

carcass karkas, szkielet, osnowa [mot.]

card karta [abc]

card deck stos kart [inf.]

card reader czytnik kart dziurkowanych [inf.]

cardan joint przegub Cardana [mot.]

cardan shaft wał Cardana, wał przegubowy [mot.]

cardboard karton; tektura (*szara*) [tw.]

cardigan (GB) sweter dziany [abc]

cardinal number liczba kardynalna [mat.]

career kariera; awans [abc]; (→ women's careers)

careful staranny; ostrożny [abc]

cargo ładunek [mot.]

cargo gear urządzenie ładunkowe [mot.]

cargo handling equipment wyposażenie do przeładunku towarów [mot.]

cargo insurance ubezpieczenie transportowe [praw.]

carmine red karminowo-czerwony [norm.]

Carnot cycle obieg Carnota; cykl Carnota [energ.]

carpenter (→ joiner) cieśla [met.]

carpet dywan, kobierzec [abc]

carpet carrying ram trzpień nośny dywanika [mot.]

carpeting okładziny [bud.]

carriage mechanizm jezdny; sanie wzdłużne; sanie rolkowe; wagon pasażerski [mot.]; sanie transportowe [transp.]

carriage of cars transport samochodów, przewóz samochodów [mot.]

carriage return powrót karetki [inf.]

carriage siding stacja odstawcza, stacja postojowa [mot.]

carriageway jezdnia [bud.]

carriage width szerokość jezdni [mot.]

carrick bend węzeł cumowniczy [mot.]

carried przewożony, przewieziony, transportowany, przetransportowany [mot.]

carrier przewoźnik; nośnik; spedycja; spedytor; pomocniczy przewoźnik kolejowy [mot.]; środek transportowy; podwozie; nośnik [transp.]; lotniskowiec [wojsk.]

carrier amplifier wzmacniacz częstotliwości nośnej [el.]

carrier bolt kołek zabierakowy [transp.]

carrier bolt bushing tuleja kołka zabierakowego [transp.]

carrier cell komora nośna [transp.]

carrier cell design konstrukcja komorowa nośna [transp.]

carrier engine silnik trakcyjny [mot.]

carrier plate płyta nośna, płyta oporowa [tw.]

carrier rail szyna nośna [tw.]

carrier roller krążek prowadzący [transp.]

carrier roller bracket wspornik wałka prowadzącego [transp.]

carry przewozić, transportować [mot.]

carry idler przenośnik chodnikowy duży [transp.]

carry out wykonywać [abc]

carrying air powietrze pierwsze, powietrze pierwotne [energ.]

carrying gas gaz nośny [energ.]

carrying handle rączka do noszenia, uchwyt nośny [tw.]

carrying out wykonanie [tw.]

carrying ram trzpień nośny, sworzeń nośny [mot.]

cartridge ładunek bojowy [wojsk.]; wkład filtru [aero.]; ładunek miotający; nabój; zapalnik [wojsk.]

cartridge fuse link wkładka bezpiecznikowa [wojsk.]

cartridge insert for struts wkład amortyzatora teleskopowego [mot.]

cartridge kit element wymienny [mot.]

cartridge primer spłonka [wojsk.]

carve rzeźbić, ryć, wycinać [met.]

carving knife wycinak nożowy, ośnik [narz.]

CAS (→ Computer-Aided Selling) CAS (*sprzedaż wspomagana komputerowo*) [inf.]

cascade kaskada [abc]; użebrowanie rurowe z zaworami [transp.]

cascade connection połączenie łańcuchowe [mot.]; kaskada, układ kaskadowy [el.]

cascade multiplier kaskada powielacza [el.]

C

cascade stage stopień kaskady [fiz.]

cascading kaskadowe rozprzestrzenianie się zjawiska [tw.]

case obudowa [tw.]; przypadek [abc]

cased orurowany [tw.]

case depth grubość warstwy utwardzonej [tw.]

case-harden utwardzać powierzchniowo metodą obróbki powierzchniowo-chemicznej [met.]

case hardened utwardzony; utwardzany powierzchniowo, hartowany powierzchniowo [tw.]

case hardening utwardzanie dyfuzyjne [tw.]

case hardening steel stal do nawęglania [tw.]

case of fault wypadek szkodowy [praw.] (→ occurrence)

casing obudowa, osłona [tw.]; obudowa [transp.]; obudowa, okapturzenie, osłona; wykładzina, okładzina [mot.]; odeskowanie [bud.]; otoczkowanie [energ.]; osłona [tw.]; (→ axle c.; → bevel gear c.; → boiler c.; → burner element can; → fan c.; → fan c.; → gearbox c.; → metal c.; → skin c.; → steel c.)

casing diameter średnica rury wiertniczej, średnica rury okładzinowej [rys.]

casing pipe rura okładzinowa [masz.]

cassette (→ tape; Put this tape on) kaseta [el.]

cassette radio radio-magnetofon [el.]

cast rozlewać, przelewać; odlewać [met.]

cast rozlany, przelany, zalany [met.]

cast alloy stop odlewniczy [tw.]

cast bearing ułożyskowanie lane [tw.]

cast brass odlew mosiężny [tw.]

cast bronze brąz odlewniczy [tw.]

cast concrete beton lany [bud.]

cast design konstrukcja lana [tw.]

cast iron tubingi; żeliwo (*szare*) [tw.]

cast iron disc wheel koło zębate tarczowe z żeliwa szarego [mot.]

cast iron economizer ekonomizer żeliwny [energ.]

cast iron scrap złom odlewniczy [praw.]

cast iron spooked wheel koło ramieniowe z żeliwa szarego [mot.]

cast iron with vermicular graphite żeliwo z grafitem wermikulitowym [tw.]

cast metal odlew metalowy [tw.]

cast on przylany [tw.]

cast steel staliwo; odlew staliwny; stal zlewna; stal lana [tw.]

cast steel disc wheel koło staliwne tarczowe [mot.]

cast steel spoked wheel koło staliwne szprychowe lane [mot.]

cast structure struktura pierwotna odlewu [tw.]

cast welding zgrzewanie odlewnicze [met.]

castable refractories masa wykładzinowa [energ.]

castellated roof dach zębato zwieńczony [bud.]

casting odlew; odlew wysokociśnieniowy; odlewanie [met.]

casting box (GB) forma odlewnicza [tw.]

casting general tolerance tolerancja wymiaru odlewu (GTB) [rys.]

casting number numer odlewu [tw.]

casting test próba odlewnicza [miern.]

casting untoleranced dimension wymiar nietolerowany odlewu [norm.]

casting for hydraulic applications odlew hydrauliczny [tw.]

castle twierdza, forteca, warownia;

kasztel; zamek warowny, gród; pałac, zamek [bud.]

castle nut nakrętka koronowa [masz.]

castle-tower wieża zamkowa, baszta zamkowa, donżon [bud.]

castor wyprzedzanie sworznia zwrotnicy [mot.]

cat wire lina nośna [mot.]

catalogue katalog [abc]

catalyst (→ catylizer) katalizator [chem.]

catalytic converter (→ catylizer) katalizator [chem.]

catch łapać; wychwytywać, przechwytywać [abc]

catch zatrzask, zapadka [bud.]; zaczep; zatrzask, zapadka [tw.]

catching zaraźliwy [abc]

catching loop potrzask, sidła, sieci [transp.]

catchment area zlewnia, powierzchnia spływu [meteo.]

catchment basin zlewnia powierzchniowa, powierzchnia spływu [meteo.]

categorize klasyfikować; porządkować; grupować [abc]

category (→ semantic category) kategoria [inf.]; kategoria [abc]

catenary wire (GB) lina nośna; przewód jezdny, przewód ślizgowy [mot.]

catenary wire yoke jarzmo liny nośnej (*sieci trakcyjnej*) [mot.]

caterpillar gąsienica [bot.]

caterpillar tractor (→ crawler tractor) ciągnik gąsienicowy [transp.]

cathedral katedra [bud.]

cathode follower transformator impedancji; wtórnik katodowy [el.]

cathode ray tube lampa elektronopromieniowa; lampa Brauna; lampa oscyloskopowa [el.]

cation exchange wymiana kationowa [chem.]

cat's eye kocie oko, szkło odblaskowe [mot.]

cattail trzcina [bot.]

cattle bydło [bot.]

cattle drive spęd [roln.]

catwalk pomost (*roboczy*) [mot.]

caulk doszczelniać [energ.]

cause powodować, sprawiać [abc]

cause przyczyna, motyw, pobudka [abc]

cause of death przyczyna śmierci, przyczyna zgonu [med.]

cause of derailment przyczyna wykolejenia [mot.]

cause relation związek przyczynowy [inf.]

cause structure struktura przyczynowa [inf.]

causeway grobla; droga na grobli [bud.]

caustic embrittlement kruchość ługowa [chem.]

cauterant środek wytrawiający, środek trawiący [chem.]

CAUTION UWAGA [mot.]

cautious ostrożny, przezorny, rozważny, roztropny [abc]

cave grota, jaskinia, pieczara [geol.]

cavern grota, jaskinia, pieczara [geol.]

cavernous jamisty [geol.]

caving zawał; podsadzanie; podsadzka [górn.]

caving shield tarcza tylna, osłona tylna [górn.]

cavit sprężyna powrotna [transp.]

cavitation kawitacja [mot.]; kawitacja [tw.]

cavity wgłębienie, wnęka, jama [geol.]; komora; jama [tw.]; wgłębienie, wnęka [tw.]

cavity brick cegła dziurawka [bud.]

cavity void pustka, pusta przestrzeń, luka [fiz.]

CAW (*computer-aided worker*) CAW (*pracownik wspomagany komputerowo*) [inf.]

cc (*cubic centimeters*) centymetr sześcienny [mot.]

CCC (*Customs Cooperation Council*) CCC (*Rada Współpracy Celnej*) [abc] (→ Cube Connected Cycles)

C-core magnetowód taśmowy przecinany, magnetowód zwijany przecinany [abc]

ccw (*counter-clockwise*) przeciwnie do ruchu wskazówek zegara [abc]

CD ROM CD-ROM [inf.]

cease fire przerywać ogień; przerwanie ognia [wojsk.]

cedar cedr [bot.]

ceiling (→ solid ceiling) sufit, strop; *strop dźwigający tylko sufit* [bud.]

ceiling lamp lampa sufitowa [bud.]

ceiling rings uchwyty sufitowe, zaczepy sufitowy [transp.]

ceiling slab płyta stropowa [bud.]

cell ogniwo akumulatorowe [el.]; cela [bud.]

cellar piwnica [bud.]

cellular radiator chłodnica płytka [mot.]

Celsius Celsjusz; stopień Celsjusza [fiz.]

cement cement [bud.]; klej; spoiwo, środek klejący [chem.]

cement and gypsum factory cementownia [górn.]

cement clinker klinkier cementowy [bud.]

cement gray szarzeń cementu [norm.]

cement industry przemysł cementowy [górn.]

cement kiln piec cementowy [bud.]

cement mortar lining wykładzina z zaprawy cementowej, wyłożenie z zaprawy cementowej [bud.]

cement plant cementownia [górn.]

cement plant and processing equipment cementownia i sprzęt do przetwarzania [górn.]

cement tailing grysik cementowy [górn.]

cementation kitowanie, zalepianie [bud.]

cemented z płytkami (*ostrzami, wkładkami*) z węglików spiekanych [tw.]

cementing capacity zdolność wiązania (*np. kleju*) [bud.]

cementitious material spoiwo, lepiszcze, środek wiążący [bud.]

cemetary cmentarz [bud.]

centane number liczba cetanowa [mot.]

center (US; → centre) ośrodek, centrum [abc]

Centigrade stopień Celsjusza [fiz.]

central centralny, środkowy [rys.]

central articulated steering sterowanie centralne ramieniem przegubowym [mot.]

central automatic coupler sprzęgło automatyczne centralne [mot.]

central auxiliary drive napęd dodatkowy osiowy [mot.]

central brake rod przekładnia hamulcowa środkowa [mot.]

central cartridge nabój centralny [wojsk.]

central computer komputer główny, komputer centralny, komputer macierzysty [inf.]

central control room centralne stanowisko dyspozytorskie; nastawnia; centralne stanowisko rozrządcze [energ.]

central dispatch kierownictwo operacji [polit.]

Central European Time czas środkowoeuropejski [abc]

central fire ignition zapłon centralny [wojsk.]

central lubrication smarowanie centralne [mot.]

central lubrication system układ

smarowania centralnego [mot.]

central part of the air brake część środkowa hamulca pneumatycznego nadciśnieniowego [mot.]

central point środek ciężkości [mot.]

central position położenie centralne, pozycja centralna [abc]

central power station elektrownia dużej mocy [energ.]

central power take-off napęd centralny osiowy [mot.]

central processing unit (CPU) jednostka centralna, procesor centralny [inf.]

central self-discharging wagon wagon dennozsypowy samowyładowczy [mot.]

central tube frame rama rurowa centralna [mot.]

central writing pismo średniej wielkości [abc]

centralisation osiowanie, środkowanie, centrowanie [mot.]

centre (→ center) środek, centrum [rys.]; element pośredni, element wypełniający [abc]

centre body część środkowa, część centralna [transp.]

centre bore nakiełek; wiercenie nakiełków [rys.]

centre bushing pierścień środkujący, pierścień centrujący [mot.]

centre cutting edge nóż środkowy [tw.]

centre distance rozstaw ogniw [transp.]

centre-fire ignition zapalanie centralne [energ.]

centre frame (*US: carbody*) rama podwozia [transp.]

centre gangway coach wagon osobowy z przejściem środkowym [mot.]

centre housing obudowa środkowa [mot.]

centre key kamień zwornikowy,

zwornik, kamień wieńczący [bud.]

centre lathe tokarka kłowa [narz.]

centreless grinding szlifowanie bezkłowe [tw.]

centre line flaw wada rdzenia, wada rdzeniowa [tw.]

centre line of boiler oś kotła [energ.]

centreline of drum oś bębna [energ.]

centre of gravity siła przyciągania; środek ciężkości, środek masy, środek bezwładności [fiz.]

centre of hand rail środek poręczy [transp.]

centre of mesh środek oczka [tw.]

centre of vehicle środek pojazdu [rys.]

centre part poprzecznica, belka poprzeczna, belka nośna, trawersa [transp.]

centre pin sworzeń ławy pokrętnej; czop główny; wałek napędu rozrządu, wałek królewski [transp.]

centre pivot łożysko skrętowe [mot.]

centre-pivot insert pierścień poślizgowy [mot.]

centre point punkt środkowy [tw.]

centre post połączenie obrotowe [transp.]

centre ring pierścień środkujący, pierścień centrujący [mot.]

centre section element pośredni, element wypełniający [transp.]

centre shift urządzenie środkujące [mot.]

centre support podpora środkowa [transp.]

centre tank zbiornik środkowy [mot.]

centre tapping zaczep środkowy, wyprowadzenie środkowe [transp.]

centrifugal air cleaner filtr powietrzny odśrodkowy [mot.]

centrifugal casting odlewanie odśrodkowe (*w formach wirujących*); odlew odśrodkowy [met.]

centrifugal disc tarcza odrzutowa, tarcza rozpryskowa [tw.]

centrifugal dredge pump pompa wirnikowa (*odśrodkowa*) pogłębiarki [transp.]

centrifugal governor regulator odśrodkowy [mot.]

centrifugal pump pompa odśrodkowa, pompa wirnikowa [energ.]

centrifuge wirować [abc]

centring osiowanie, środkowanie, centrowanie [mot.]

centring roll krążek środkujący, krążek centrujący, krążek osiujący [mot.]

century wiek [abc]

cerametallic clutch sprzęgło cierne tarczowe ceramiczne [tw.]

ceramic backing na podkładzie ceramicznym; podkładka ceramiczna (*spoiny*) [met.]

ceramic burner palnik ceramiczny [energ.]

ceramic capacitor kondensator ceramiczny [el.]

ceramic mould forma ceramiczna [tw.]

ceramic ring pierścień ceramiczny [tw.]

ceramics ceramika [fiz.]

certain pewny [abc]

certainty ratio stosunek pewności [inf.]

certificate świadectwo [abc]

certificate of acceptance protokół odbioru [abc]

certificate of approval for tank containers for the transport of dangerous goods certyfikat dopuszczający zbiornik do przewozu materiałów niebezpiecznych [tw.]

certificate of disability zaświadczenie o niezdolności do pracy [abc]

certificate of origin świadectwo pochodzenia [abc]

certification for welding świadectwo dopuszczenia do spawania [met.]

certified engineer inżynier dyplomowany [abc]

certified welder kwalifikowany spawacz ręczny, spawacz z uprawnieniami [met.]

certify zatwierdzać, potwierdzać [abc]

C-Frame ramka C [el.]

cgi (*coverage general liability*) zabezpieczenie obowiązku ponoszenia odpowiedzialności cywilnej [praw.]

chadded paper tape dziurkowana taśma papierowa [inf.]

chaff ścierać, skrobać [met.]

chaff sieczka [roln.]; plewy; wióry [rec.]; *paski folii metalowej* [abc]

chain łańcuch; gąsienica; taśma łańcuchowa [tw.]; łańcuch (*gąsienicowy*) [transp.]; łańcuch (*dźwigowy*) [mot.]; (→ bush ch.; → bushed transporting ch.; → cable ch.; → conveyor ch.; → double-pitch roller ch.; → duplex roller ch.; → high-capacity ch.; → hinged-slat ch.; → hollow-pin ch.; → leaf ch.; → process ch.; → roller chain; → simplex roller chain; → single roller ch.; → sleeve type ch.; → toothed ch.; → triple roller ch.; → triplex roller ch.)

chain adjuster naprężacz łańcucha [tw.]

chain band cięgno łańcuchowe, cięgno łańcucha [transp.]

chain break zerwanie się łańcucha [transp.]

chain casing osłona łańcucha, obudowa łańcucha [tw.]

chain conveyor przenośnik łańcuchowy [górn.]

chain drive napęd łańcuchowy [energ.]; przekładnia łańcuchowa; gąsienica [mot.]

chain drive wheel koło łańcuchowe [transp.]

chained przykuty, przymocowany łańcuchem [mot.]

chain elevator przenośnik kubełkowy łańcuchowy [górn.]

chain for agricultural machines łańcuch do maszyn rolniczych [roln.]

chain fracture pęknięcie łańcucha [transp.]

chain grate ruszt łańcuchowy [energ.]

chain grate stoker palenisko z rusztem łańcuchowym [energ.]

chain guide prowadnica łańcucha [transp.]

chain guide shoe prowadnik łańcucha [transp.]

chain guide system układ prowadnic łańcucha [transp.]

chain hoist wciągnik łańcuchowy [górn.]

chain latch kotwica łańcucha [mot.]

chain length długość łańcucha [rys.]

chain link ogniwo łańcuchowe, płytka łańcuchowa [transp.]; ogniwo łańcucha; ogniwo stożkowe [tw.]

chain link support zawieszenie ogniwa łańcucha [mot.]

chain loading obciążenie łańcucha [transp.]

chain mat mata łańcuchowa [transp.]

chain matrix macierz łańcuchowa (*czwórnika*) [mot.]

chain mounting zamocowanie łańcucha [tw.]

chain of photocells łańcuch fotokomórek [transp.]

chain open łańcuch luźny [tw.]

chain pitch podziałka łańcucha [tw.]

chain pull napęd łańcuchowy [transp.]

chain reaction reakcja łańcuchowa [chem.]

chain reduction gear przekładnia łańcuchowa odboczkowa [tw.]

chain retainer guide prowadnica ustalająca [transp.]

chain reversing guide prowadnica nawrotna [transp.]

chain roller krążek łańcuchowy (*gładki*) [transp.]

chain scraper zgrzebło łańcuchowe, zgarniak łańcuchowy; przenośnik łańcuchowy zgrzebłowy, przenośnik łańcuchowy zgarniakowy [górn.]

chain shaft wał łańcuchowy [transp.]

chain side bar nakładka ogniwa gąsienicy [transp.]

chain slack zwis łańcucha [transp.]

chain speed prędkość łańcucha [tw.]

chain sprocket koło łańcuchowe; krążek łańcuchowy (*gładki*) [transp.]

chain stretching wydłużenie łańcucha [transp.]

chain stud sworzeń do łańcuchów [transp.]

chain suspension zawieszenie łańcuchowe [transp.]

chain suspension tackle zawieszenie łańcuchowe [transp.]

chain tension carriage urządzenie napinające [transp.]

chain tension control kontrola napięcia łańcucha, regulacja napięcia łańcucha [transp.]

chain tension device urządzenie napinające łańcuch, napinacz łańcucha [transp.]

chain tension switch zestyk napinacza łańcucha [transp.]

chain tensioner napinak [energ.]; urządzenie napinające łańcuch, napinacz łańcucha [transp.]

chain tensioning napięcie gąsienicy; napięcie łańcucha [transp.]

chain tensioning station stacja napinająca łańcuch [górn.]

C

chain wheel (→ sprocket) koło łańcuchowe [transp.]

chain wrench klucz łańcuchowy (*do rur*) [narz.]

chaining pomiar długości [miern.]; (→ backward ch.; → forward ch.)

chair krzesło [bud.]; (→ folding stool)

chairman przewodniczący [ekon.]

chairman of the board przewodniczący zarządu [ekon.]

chairman's committee prezydium [ekon.]

chalk kreda [górn.]

challenge wyzwanie [abc]

chamber komora wstępna [mot.]; (→ combustion chamber) komora paleniskowa [energ.]

Chamber of Commerce izba handlowa [ekon.]

chamber of the probe block komora bloku kontrolnego [met.]

chamfer fazować, ukosować [met.]

chamfer skos, ścięcie, ukos, faza [met.]

chamfered ukosowany, fazowany [tw.]

chamfer start depth głębokość nacięcia [tw.]

champignon rail szyna szerokostopowa, szyna Vignoles'a [mot.]

chance szansa abc]

Chancellor kanclerz [polit.]

change zmieniać [rys.]; zmieniać, przebierać [abc]; przemieniać [met.]; zmieniać [mot.]; wymieniać [transp.]

change zmiana [mot.]; przebudowa [tw.]

changeable zmienny, dający się zmienić [abc]

changeable wear plate wymienna wykładzina wideł maźnicy [energ.]

change in gain zmiana w natężeniu [el.]

change in section zmiana przekroju [rys.]; (→ gradual c.i.s.; sudden c.i.s.)

change location przestawiać, przestawić [transp.]

change no. poprawka numer [rys.]

change of addendum zmiana wysokości głowy zęba (*koła zębatego*) [tw.]

change of attachment przezbrajanie [transp.]

change of shift zmiana robotników, zmiana pracowników [abc]

change over przełączać [el.]

change-over switch przełącznik [el.]

change speed gearbox przekładnia zębata zmianowa; skrzynka biegów [mot.]

changing zmienny [meteo.]

changing construction zmiana konstrukcyjna [rys.]

channel kanał transmisji danych [inf.]; belka poprzeczna [tw.]; kanał [el.]; ceownik (*stalowy*) [tw.]; (→ two-channel)

channel buckstay dźwigar pionowy ceownikowy stalowy [energ.]

channel switch selector przełącznik kanałów; selektor kanału kontrolnego [el.]

channel type air heater skrzynkowy podgrzewacz powietrza [energ.]

chapel kaplica, kapliczka, kościółek [bud.]

chapter rozdział [abc]

character symbol; znak; osobowość, figura; litera [abc]

character set repertuar znaków, zasób znaków [inf.]

characteristic cecha, znak, znamię [abc]; (→ delivery charac.) cecha charakterystyczna [tw.]; (→ saturation charac.) charakterystyka [el.]

characteristic curve charakterystyka wykreślna, krzywa charakterystyczna [el.]

characteristic curve of spring charakterystyka sprężyny [tw.]

characteristic equation równanie charakterystyczne [mat.]

characteristic function funkcja własna [mat.]

characteristic impedance oporność falowa [el.]

characteristic polynomial wielomian charakterystyczny [mat.]

characteristic value wartość własna, wartość charakterystyczna [mat.]

characteristics właściwości; parametry [abc]

charcoal węgiel drzewny [abc]

charcoal kiln (GB) mielerz [bud.]

charge zasilać [tw.]; doprowadzać [mot.]; ładować [el.]; skarżyć, pozywać, wnosić skargę; obwiniać [praw.]

charge ładowanie [el.]; akt oskarżenia [praw.]; wsad [górn.]; (→ priming charge) ładunek [transp.]

charge air cooler chłodnica powietrza doładowującego [mot.]

charge air cooling chłodzenie powietrza doładowującego [mot.]

charge air pipe przewód powietrza doładowującego [mot.]

charge control kontrolka ładowania [el.]

charge control lamp lampa kontrolna prądu ładowania [el.]

charge no. (*charge number*) numer ładunku [transp.]

charge period czas wsadu [tw.]

charge pressure ciśnienie zasilania [mot.]

charge pump sprężarka doładowująca; pompa zasilająca [mot.]

charger wsadzarka [górn.]

charging ładowanie, napełnianie [górn.]

charging and discharging device (HMFD) urządzenie wsadowo-spustowe [tw.]

charging box koryto wsadowe [tw.]

charging device urządzenie załadowcze [transp.]

charging rectifier prostownik do ładowania [el.]

charging roller samotok doprowadzający [tw.]

charging roller conveyer przenośnik wałkowy załadowczy [tw.]; przenośnik wałkowy doprowadzający [mot.]

charging spoon łyżka załadowcza [tw.]

chariot wóz, rydwan [abc]

charity dobroczynność [abc]

chart (→ bar chart) wykres [rys.]; diagram; tabela; wykres; przegląd [abc]; tabela [mot.]; (→ bar chart)

chart design model wykresu, budowa wykresu [abc]

chart flow sieć działań [inf.]

charterer czarterujący [mot.]

chassis podstawa montażowa; podwozie; rama (*podwozia*) [mot.]

chassis cross number podłużnica podłogowa [mot.]

chassis frame rama podwozia [transp.]

chassis unit mechanizm jezdny [tw.]

chatter drgać [mot.]

chatterfree bez karbów [tw.]

cheat oszukiwać, oszukać [abc]

check kontrolować, skontrolować [miern.]

check kontrola, sprawdzanie [miern.] (→ operational ch.; → test; → examination)

check for damage kontrola uszkodzeń [abc]

check for laminations sprawdzać pod kątem rozwarstwień [tw.]

check list wykaz czynności kontrolnych [abc]

check nut przeciwnakrętka; nakrętka zabezpieczająca [masz.]

C

check oil level sprawdzać poziom oleju [mot.]

check oil level of smoke limiter sprawdzać poziom oleju ogranicznika dymu [mot.]

check plate ogranicznik ruchu [mot.]

check rail szyna ochronna; odbojnica [mot.]

check sheet lista kontrolna, wykaz czynności kontrolnych [abc]

check valve zawór zwrotny, zawór jednokierunkowy [tw.]; zawór probierczy [energ.]

check weighman wagowy [abc]

check zero kontrola punktu zerowego [miern.]

checker and floor plate blacha ryflowana i żeberkowa [tw.]

checkered skontrolowany [abc]

checkered plate blacha z żeberkami okrągłymi [transp.]

checking device przyrząd mierniczy, przyrząd pomiarowy [miern.]

checking of hoses kontrola przewodów gumowych [miern.]

checking of the water level kontrola poziomu wody [miern.]

checking personnel personel rewizyjny, personel kontrolny [miern.]

checking staff personel rewizyjny, personel kontrolny [miern.]

checking tap otwór kontrolny [mot.]

checking tool narzędzie probiercze [narz.]

check-in-time czas zgłoszenia (*pasażerów do odlotu*) [mot.]

checklist wykaz czynności kontrolnych [mot.]; lista kontrolna [abc]

check-up time praca kontrolna [energ.]

cheek policzek [med.]

cheek casting zderzak, ogranicznik ruchu [tw.]

chemical and petrochemical industries przemysł chemiczny i petrochemiczny [chem.]

chemical-climatic influences wpływy chemiczno-klimatyczne [meteo.]

chemical industry przemysł chemiczny [chem.]

chemical processing plant fabryka chemiczna [chem.]

chemical properties właściwości chemiczne [chem.]

chemicals chemikalia [chem.]

chemicals dosing plant dozownik, dozator [chem.]

chemicals proportioning plant dozownik, dozator [energ.]

chemical tanker chemikaliowiec [mot.]

chequer plate (→ checker plate) blacha żeberkowa, blacha falista [tw.]

chequered plate blacha ryflowana [energ.]

chequered plate top casing sklepienie z blachy ryflowanej [energ.]

chest pierś; klatka piersiowa [med.]; skrzynka [bud.]

chestnut kasztan jadalny [bot.]

chestnut brown kasztanowaty [norm.]

chestnut tree kasztanowiec [bot.]

chevron szewron [wojsk.]

chevron packing pierścień skórzany samouszczelniający [tw.]

chevron piston packing dławikowe uszczelnienie tłoka [tw.]

chick kurczę, kurczątko, pisklę [bot.]

chief engineer inżynier naczelny [ekon.]

chief erector nadzór montażowy [ekon.]

chief flying instructor (CFI) kierownik lotów [ekon.]

chief programmer główny programista [inf.]

child node wierzchołek potomny (*drzewa*) [inf.]

chill casting odlew kokilowy, odlew utwardzony; żeliwo zabielone, żeliwo utwardzone, odlew utwardzony [tw.]

chilled cast iron żeliwo utwardzone, żeliwo zabielone [tw.]

chilled slag żużel granulowany [energ.]

chime kurant [abc]

chime bells kuranty, gra dzwonów, carillon [abc]

chimney komin [bud.]; kanał dymowy [energ.]; kanał dymowy [bud.]; kanał dymowy lokomotywy [mot.]; (→ lined steel ch.; → self-supporting ch.; → steel ch.)

chimney discharge emisja kominowa [energ.]

chimney draught ciąg kominowy, ciąg naturalny [energ.]

chimney emission emisja kominowa [energ.]

chimney sweep kominiarz [abc]

chimney with guy ropes komin z linami odciągowymi [energ.]

Chinese counting board liczydło chińskie [mat.]

chip wycinać przecinakiem [met.]

chip odłamek, odprysk, drzazga [abc]

chip board płyta wiórowa [bud.]

chip control wyłącznik kontrolny wiórów [abc]

chip detector wykrywacz wiórów [mot.]

chip off (*come off*, *corrode*) odpryskiwać [tw.]

chip planning planowanie układu scalonego [inf.]

chippings grys, żwir, żwirek [bud.]

chisel paca [bud.]; przecinak, dłuto [narz.]

chisel point docisk klinowy [narz.]

chlorinated rubber chlorokauczuk; kauczuk chlorowany [chem.]

chlorinated rubber enamel emalia chlorokauczukowa [chem.]

chlorine chlor [chem.]

chock klin drewniany, klocek; podstawka klinowa (*np. pod koła*); hamulec klinowy (*np. pod koło*) [mot.]; (→ wheel ch.)

chocolate brown brąz czekoladowy [norm.]

choice wybór [abc]

choice box pole wyboru [inf.]

choke zatykać, zapychać, zakorkować [mot.]; dusić, dławić [energ.]

choke dławik, przepustnica [tw.]; przepustnica rozruchowa powietrza [mot.]; (→ contraction choke) zasysacz; przegroda powietrzna ruchoma [mot.]

choke adjustment regulacja dławieniowa [mot.]

choke coil dławik, cewka dławikowa [tw.]

choke control dławik; kabel dławiący; zespół dźwigni zasysacza; gałka sterowania zasysacza [mot.]

choke control knob gałka sterowania zasysacza [mot.]

choke plate płytka dławiąca; przegroda powietrzna ruchoma [mot.]

choke valve (→ relief valve) zawór nadmiarowy dławiący [mot.]

choking resistance oporność dławienia [mot.]

choose wybierać [abc]

chopper tasak [narz.]

chopping current prąd przerywany [el.]

chopping current for the setting of magnetic valves prąd przerywany ustawiania zaworów elektromagnetycznych [el.]

chopping knife topór rzeźniczy; nóż kołyskowy [narz.]

chord pas [tw.]

chord member pas górny [transp.]

chord plate płyta pasowa [górn.]

chordal pitch podziałka pomiarowa koła zębatego [masz.]

chordal tooth thickness pomiarowa grubość zęba (*mierzona wzdłuż cięciwy koła pomiarowego*) [tw.]

chrome (→ chromium) chrom [tw.]

chrome green zieleń chromowa [norm.]

chrome ore ruda chromowa [górn.]

chrome yellow żółcień chromowa [norm.]

chromium chrom [tw.]

chromium-plated chromowany [tw.]; chromowany [mot.]

chromium-plated to size chromowany galwanicznie na wymiar [transp.]

chronological backtracking nawracanie chronologiczne [inf.]

church kościół [bud.]

church holidays święta kościelne [abc]

church steeple wieża kościelna [bud.]

church tower wieża kościelna [bud.]

churchyard cmentarz przykościelny [bud.]

chute zsuwnia [górn.]; koryto doprowadzające [transp.]; drzwiczki denne, klapa denna [górn.]

CICS (*Customer Inform and Control System*) CICS (*system sterowania informacją użytkownika*) [inf.]

cif (*cost insurance freight*) cif (*klauzula stosowana w handlu zagr. – koszty załadunku, ubezpieczenia i przewozu towaru do portu przeznaczenia obciążają sprzedawcę*) [praw.]

cigar lighter zapalniczka do cygar [mot.]

cigarette lighter zapalniczka [mot.]

cigarette machine automat sprzedający papierosy [abc]

CIM (*computer-integrated manufacturing*) CIM (*wytwarzanie zintegrowane komputerowo*) [inf.]

cinder wypalać [tw.]; wyżarzać [met.]

cinder żużel [min.]; zgorzelina [tw.]

cinder hopper lej zgorzelinowy; lej popielnikowy [energ.]

cinder return zawracanie żwiru do obiegu [energ.]

cink rich o dużej zawartości cynku [tw.]

circle koło skrętu [transp.]; koło, okrąg [mat.]; koło osi otworów [rys.]; balkon [bud.]

circle bogie (US) wieniec obrotowy łożyska wałeczkowego; (US) wieniec obrotowy radlicy [transp.]

circle centreshift przestawienie poziome radlicy [transp.]

circle reverse control kontrola zmiany kierunku [mot.]

circle sideshift przesuw poziomy wieńca obrotnicy; przestawienie boczne, przesuw boczny [transp.]

circle swing assembly (US) połączenie obrotowe [mot.]

circlip (→ Seeger ring) pierścień osadczy sprężynujący, pierścień Seegera; (→ snap ring) pierścień sprężynujący zabezpieczający [masz.]

circlip pliers kleszcze z nasuwką zabezpieczającą [narz.]

circuit obwód, układ (*połączeń*); obwód prądowy; droga prądu; połączenie [el.]; obieg [energ.]; obwód hydrauliczny [tw.]; obieg zamknięty, krążenie [mot.]; układ połączeń [transp.]; (→ amplifier c.; → brake c.; → common-collector-c.; → common-emitter c.; → control c.; → Darlington c.; → dividing c.; → heating c.; → integrated c.; → lighting c.; → log c.; → motor c.; → multiplying c.; → paradox compound c.; → Pi equivalent c.; → pump c.; (→ push-pull c.; → Schmitt-Trigger-c.; → square-root c.; → subtracting c.; → twin-T-c.)

circuit amplifier wzmacniacz przekaźnikowy [el.]

circuit board płytka obwodu drukowanego; schemat połączeń; płytka drukowana układu [el.]

circuit breaker odłącznik (*mocy*); wyłącznik (*prądu*); wyłącznik automatyczny [el.]; automatyczny rozłącznik obciążenia [transp.]; (→ cut-out; → low-voltage c.b.; → high-voltage c. b.)

circuit capacity przepustowość obwodu [el.]

circuit diagram schemat zasadniczy połączeń; plan instalacji przewodowej [el.]

circuit logic logika obwodu elektrycznego [el.]

circuit of pulse transmitter układ nadajnika impulsów [el.]

circuit stage położenie nastawnika jazdy [el.]

circuit water system gospodarka wodna o obiegu zamkniętym [bud.]

circuitry technika oprzewodowania, technika okablowania [el.]

circular okólnik [abc]

circular arch obudowa pierścieniowa [górn.]

circular arc type plant urządzenie kołowe do odlewania ciągłego [tw.]

circular blending bed złoże mieszane [górn.]

circular list lista kołowa, lista pierścieniowa [inf.]

circular milling machine frezarka ze stołem obrotowym [tw.]

circular mudbrick building okrągła budowla z gliny [bud.]

circular pitch podziałka obwodowa koła zębatego [masz.]

circular potentiometer potencjometr pierścieniowy [miern.]

circular saw piła tarczowa [narz.]

circular stockpile with bridge reclaimer zasoby awaryjne w stosach ze zgarniakiem mostowym [górn.]

circular thickness grubość zęba zasadnicza czołowa [masz.]

circulating air heating centralne ogrzewanie powietrzem obiegowym [mot.]

circulation krążenie, obieg, cyrkulacja [tw.]; nakład [abc]

circulation pump pompa obiegowa [mot.]

circulation tube rura recyrkulacyjna ekranu [energ.]

circumference obwód [rys.]; peryferie [abc]

circumferential arrangement of cyclone tubing obwodowe ułożenie instalacji oddzielacza cyklonowego [energ.]

circumferential echo echo obwodowe [el.]

circumferential rib żebro usztywniające obwodowe [transp.]

circumferential speed prędkość obwodowa, szybkość obwodowa [fiz.]

circumferential weld spoina obwodowa; zgrzewanie obwodowe [met.]

citadel cytadela [bud.]

citation pochwała [wojsk.]; cytat [abc]; wezwanie sądowe [praw.]

citizen band radio CB-Radio [telkom.]

city (*wielkie*) miasto, metropolia [bud.]

city bus autobus miejski [mot.]

city corporation (GB) zarząd miejski [polit.]

city hall ratusz [bud.]

city wall mury miejskie [bud.]

C

city-low-noise package pakiet dźwiękochłonny [transp.]

Citypress prasa zgniatająca śmieci [praw.]

Citypress garbage truck (US) śmieciarka z prasą zgniatającą [mot.]

civil defense obrona przeciwlotnicza (OPL) [wojsk.]

civil engineering inżynieria budowlana; budownictwo przemysłowe, budowla inżynierska; inżynieria lądowa i wodna [bud.]

civil engineering construction prace budowlane inżynierskie [bud.]

civil engineering structures konstrukcje budowlane inżynierskie [bud.]

civil law (US) prawo cywilne [praw.]

civilian osoba cywilna [abc]

civilian life sfera życia cywilnego [abc]

civilization cywilizacja [abc]

civilized cywilizowany; w sposób cywilizowany [abc]

cladded girder belka obudowana, belka osłonięta; dźwigar (*obudowany*) [energ.]

cladding wyłożenie, okładzina [transp.]; koszulka [górn.]; (→ outside cladding) oblicówka, licowanie [transp.]

claim żądać, rościć [praw.]

claim roszczenie (*o odszkodowanie*); reklamacja [praw.]

claims-made basis zasada wnoszenia roszczeń [praw.]

claims resulting from civil law roszczenia natury prywatnoprawnej [praw.]

claims to compensation żądanie odszkodowania [praw.]

clam chwytak dwuszczękowy, chwytak łupinowy (*koparki*) [transp.]

clam shell łupina chwytaka [transp.]

clamp zaciskać; klamrować [el.]

clamp mocnik [transp.]; zacisk, docisk, skowa, klamra; spinacz; szczęka zaciskowa [tw.]; zacisk [transp.]; zacisk, przyłącze [mot.]; (→ half c.; → hose c.)

clamp bolt śruba zaciskowa [tw.]; śruba napinająca [masz.]

clamped zaciśnięty [tw.]; zczepiony (*klamrą*), spięty (*klamrą*) [el.]

clamp fitting montaż zacisku, montaż klamry [tw.]

clamp for cellulose bales spinacz bali celulozy [transp.]

clamp for fuse element pałąk mocujący bezpiecznika [el.]

clamp for waste material spinacz bali surowca [mot.]

clamp lock rygiel zacisku [mot.]

clamp number numer zacisku, numer końcówki [el.]

clamp ring pierścień zaciskowy [mot.]

clamping urządzenie mocujące, uchwyt [górn.]

clamping collar kołnierz zaciskowy [tw.]

clamping device urządzenie mocujące [tw.]

clamping fixture urządzenie mocujące, uchwyt [tw.]

clamping jaw szczęka mocująca [tw.]

clamping lever dźwignia zaciskowa [mot.]

clamping piece element napinający [tw.]

clamping plate płytka zaciskowa, płytka przyciskowa [tw.]; płyta przyciskowa [transp.]

clamping range obszar zaciskania [tw.]

clamping ring pierścień zaciskowy [narz.]

clamping sleeve tuleja zaciskowa [tw.]

clamshell chwytak; łupina chwytaka; chwytak łupinowy (*koparki*), chwytak dwuszczękowy [transp.]

clamshell bucket chwytak dwuszczękowy, chwytak łupinowy [transp.]

clamshell cylinder cylinder chwytaka koparki [transp.]

clamshell equipment wyposażenie chwytaka [transp.]

clamshell<cylinder>valve zawór chwytaka [transp.]

clap together uderzać o siebie [fiz.]

Claret violet bordowo-fioletowy [norm.]

clashing szczękanie [transp.]

clasp brake hamulec klockowy [mot.]

clasp braked zahamowany klockowo, zatrzymany hamulcem klockowym [mot.]

clasp brake shoe szczęka hamulcowa [mot.]

clasp-pattern brake hamulec klockowy [mot.]

class klasa; seria produkcyjna [mot.]; klasa jakości [energ.]

class A operation klasa A wzmocnienia [el.]

class-based inheritance dziedziczenie oparte na klasach [inf.]

class B operation klasa B wzmocnienia [el.]

class of coach klasa wagonu [mot.]

class of excavator klasa koparki [transp.]

class of insulation klasa materiału izolacyjnego [el.]

class of performance klasa wydajności [abc]

class of soil klasa gruntu [gleb.]

class of strength klasa wytrzymałości [fiz.]

class of wagon kategoria wagonu (*np. wagon towarowy*) [mot.]

classification klasyfikacja [abc]; zdolność klasyfikacji produktu [górn.]

classification of rocks klasyfikacja skał [górn.]

classification of soils klasyfikacja luźnych skał klastycznych [górn.]

classification of structure klasa budynku, klasa budowli [bud.]

classification problem solving diagnostyczne rozwiązywanie problemów [inf.]

classification society towarzystwo klasyfikacyjne [abc]

classification work sprawdzian, praca kontrolna [abc]

classified tajne, poufne; ogłoszenia różne [abc]

classifier klasyfikator, sortownik [górn.]

classifier adjustment ustawienie sortownika [górn.]

classifier beater mill młyn bijakowy z klasyfikacją produktu [górn.]

classifier vanes łopatki sortownika [górn.]

classifier volume pojemność klasyfikatora [górn.]

classify klasyfikować [abc]; sortować [górn.]; klasyfikować [miern.]

classifying screen przesiewacz klasyfikacyjny [górn.]

clause warunek, klauzula [inf.]; klauzula, zastrzeżenie [praw.]

clause form format klauzuli [inf.]

claw pazur, szpon [tw.]; łapa [bot.]; kieł, pazur; łapa dociskowa, docisk [narz.]; kieł [transp.]

claw coupling sprzęgło kłowe [mot.]; sprzęgło kłowe dwukierunkowe [transp.]

claw pole generator generator biegunowy kłowy [el.]

claw spanner klucz kłowy, klucz szponowy [narz.]

claw wrench łapa do wyciągania

C

gwoździ; wyciągacz gwoździ; klucz [narz.]

clay ił, glina [bud.]; (→ rammed clay)

clay brown brąz ilasty [norm.]

clay bucket łyżka do (*wybierania*) gliny, czerpak do gliny [transp.]

clay pit glinianka [bud.]

clay surface powierzchnia gliniasta [abc]

Clean Air Act Ustawa o Ochronie Czystości Powietrza [praw.]

clean czyścić; oczyszczać [abc]

clean czysty [abc]

clean gas gaz oczyszczony [aero.]

cleaned metallically blank wyczyszczony do metalicznego połysku [tw.]

cleaner nóż gładzący [narz.]; oczyszczacz [met.]

cleaner bar zgarniarka [abc]

cleaning czyszczenie [abc]; (→ external c.; → internal c.)

cleaning agent środek czyszczący; oczyszczalnik [chem.]

cleaning device urządzenie czyszczące [narz.]

cleaning door drzwiczki włazowe; drzwiczki wycierowe [energ.]

cleaning flap klapa do oczyszczania [energ.]

cleaning powder proszek do czyszczenia [chem.]

cleaning tool narzędzia do czyszczenia [narz.]

cleaning woman sprzątaczka [met.]

cleanliness czystość [abc]

cleanliness factor współczynnik zanieczyszczenia [energ.]

cleanly cut edges krawędzie skrawające starannie obrobione [tw.]

cleanout plates on both ends of tank przykrywki otworów rewizyjnych po obydwu stronach zbiornika oleju [mot.]

clear sprzątać, uprzątać [abc]

clear wyraźny, jasny, zrozumiały [abc]

clear dimension wymiar w świetle [rys.]

clear opening średnica otworu w świetle [rys.]

clear through customs clić [praw.]

clearance właz; otwór przejściowy minimalny; prześwit [transp.]; luz [mot.]; luz wierzchołkowy [tw.]; wielkość prześwitu; luz; wymiar w świetle [rys.]

clearance compensation wyrównywanie luzu [mot.]

clearance height wysokość w świetle [rys.]; wysokość przejazdu [mot.]

clearance indicator wskaźnik odstępu izolacyjnego [el.]

clearance investigation badanie luzu [bud.]

clearance width szerokość przejazdu [mot.]; szerokość oczyszczania (*samochód do sprzątania ulic*) [transp.]

clearing worm ślimak zgarniaka [transp.]

clearly visible przejrzysty [abc]

cleat klin [narz.]

cleated riser przednóżek żeberkowy [transp.]

cleaver topór rzeźniczy [narz.]

clevis pałąk mocujący [tw.]

clevis coupler hak pociągowy strzemiączkowy [mot.]

clevis eye łącznik uchowo-widlasty [el.]

clevis foot sworzeń łożyska [mot.]

clevis pin *sworzeń z łbem płaskim i otworem na zawleczkę* [mot.]

clevis pin without head sworzeń bez łba [tw.]

client inwestor; klient [bud.]; mandant [praw.]

climatic chamber komora klimatyzacyjna [meteo.]

climatic load obciążenia klimatyczne [meteo.]

climax punkt kulminacyjny; najwyższy poziom; szczyt [abc]

climb wspinać się, wspiąć się [abc]

climbing gradient pochylenie miarodajne [mot.]

clincher band ochraniacz dętki [mot.]

clincher rim wieniec dętki [mot.]

clincher tyre opona ze stopką [mot.]

clinic klinika [abc]

clinker klinkier, klinkier cementowy [bud.]; żużel [energ.]

clinker brick cegła klinkierowa [bud.]

clinker crusher kruszarka żużla, łamacz żużla [energ.]

clinkering coal węgiel koksujący, węgiel spiekający się [energ.]

clip zacisk; zacisk sprężynowy; docisk, płyta dociskowa; opaska nośna rury [tw.]; skowa, klamra [transp.]; (→ clamp; → clip plate; → spring clip)

clip and pin arrangement układ sprężyn mocujących, układ sprężyn wspornika, położenie sprężyny mocującej, położenie sprężyny wspornika; układ dźwigienek zaworowych [mot.]

clip board schowek [inf.]

clipbolt śruba zaciskowa [mot.]

clip lock bottle butelka z zamknięciem dźwigniowym [abc]

clip plate łapka, żabka [mot.]

clip point locking device zamknięcie nastawcze suwakowe (*zwrotnicy*) [mot.]

clipper ogranicznik [tw.]

cloakroom garderoba, szatnia [bud.]

cloakroom attendant (GB) szatniarz [abc]

cloakroom hook hak do zawieszania w garderobie [abc]

clock zegar [abc]

clock hour godzina zegarowa [abc]

clock relay zegar sterujący, zegar programowy [miern.]

clock spring sprężyna skręcana, sprężyna skrętowa [tw.]

clock valve zawór klapowy [tw.]

clockwise (cw) zgodny z kierunkiem ruchu wskazówek zegara [abc]

clockwise direction kierunek ruchu wskazówek zegara [abc]

clockwise rotation obrót w kierunku ruchu wskazówek zegara [abc]

clod bryła, gruda [bud.]

clog zatykać [bud.]; blokować [tw.]

clogged zatkany, zapchany [abc]

clogging zapchanie, zatkanie [bud.]

clogging of coal zawisanie węgla [górn.]

clogging point miejsce dyslokacji [mot.]

cloister krużganek; klasztor [bud.]

close zamykać, blokować, tarasować [mot.]

close coupled sprzęgnięty krótko [mot.]

close coupling sprzęg krótki [mot.]

close the boiler zamykać kocioł [energ.]

close tolerance tolerancja zaostrzona [rys.]

close twisting kręt, spin, moment pędu [fiz.]

closed zablokowany [mot.]; zamknięty [abc]

closed circuit obwód (*prądowy*) zamknięty [el.]

closed-circuit grinding plant młyn elewatorowy o obiegu zamkniętym [transp.]

closed-cycle gas turbine turbina gazowa o obiegu zamkniętym [energ.]

closed dead-centre position położenie środkowe zamknięte [mot.]

closed hydraulic system układ hydrauliczny zamknięty [mot.]

C

closed nodes węzły zamknięte [inf.]

closed square pressure gas welding zgrzewanie gazowe zamknięte [met.]

closed system system zamknięty [energ.]

close-grained iron żelazo drobnoziarniste [tw.]

closely coupled systems sprzężenie bliskie [inf.]

closet szafa [bud.]

closing blokada; zamknięcie [transp.]

closing address przemówienie końcowe [abc]

closing coil zezwój zwierający; cewka [el.]

closing contact zestyk zwierny, zestyk roboczy [el.]

closing sheet wieczko [tw.]

closing switch przełącznik zamykania [el.]

closing time czas zamykania [transp.]

closure zamknięcie [energ.]

cloth (→ fabric) sukno, tkanina [abc]

cloth filter filtr tkaninowy [aero.]

clothes garderoba [abc]

clothes line sznur do bielizny [abc]

clothes pin klamerka do bielizny (*prania*) [abc]

cloud chmura [meteo.]

cloud white biały jak chmury [norm.]

cloudburst oberwanie chmury [meteo.]

clove hitch węzeł goździkowy [mot.]

clover koniczyna [bot.]

cloverleaf junction *skrzyżowanie w kształcie liścia koniczyny* [mot.]

clue wskazówka; słowo kluczowe [abc]

cluster grupa, wiązka, zespół [tw.]

cluster of pores wiązka porów [met.]

cluster porosity skupisko porów; wiązka porów [met.]

clutch sprzęgło (*wielowypustowe*); sprzęgło tulejowe [transp.]; sprzęgło (*przegubowe*) [mot.]; (→

automatic cl.; → driving cl.; → safety cl.; → slipping cl.)

clutch adjusting nut nakrętka regulująca sprzęgu, nakrętka nastawcza sprzęgu [mot.]

clutch brake hamulec sprzęgłowy [mot.]

clutch collar tuleja przesuwna sprzęgła, przesuwka [mot.]

clutch control zespół dźwigni sprzęgła; pedał sprzęgła [mot.]

clutch cover pokrywa sprzęgła [mot.]

clutch disc tarcza sprzęgła [mot.]

clutch drive plate tarcza napędzająca sprzęgła [mot.]

clutch driving ring pierścień napędowy sprzęgła [mot.]

clutch fork widełki wyłączające sprzęgła [mot.]

clutch guide bearing łożysko toczne wzdłużne dwukierunkowe sprzęgła [mot.]

clutch housing obudowa sprzęgła [mot.]

clutch hub piasta sprzęgła [mot.]

clutch lining okładzina sprzęgła [mot.]

clutch linkage przegub sprzęgła [mot.]

clutch pedal pedał sprzęgła [mot.]

clutch plate tarcza sprzęgła [mot.]

clutch pressure plate tarcza dociskowa sprzęgła [mot.]

clutch release bearing łożysko wyłączające [mot.]

clutch release lever dźwignia wyłączająca [mot.]

clutch release plate tarcza wyprzęgnika [mot.]

clutch release shaft wałek wyprzęgnika [mot.]

clutch release sleeve pierścień wyprzęgnika [mot.]

clutch release yoke widełki wyłączające sprzęgła [mot.]

clutch shaft wałek sprzęgłowy [mot.]

clutch spring sprężyna sprzęgła [mot.]

clutch thrust bearing łożysko wzdłużne sprzęgła, łożysko oporowe sprzęgła [mot.]

clutch thrust spring sprężyna dociskowa sprzęgła [mot.]

CNC (*computerized numerical control*) CNC (*skomputeryzowane sterowanie numeryczne*) [el.]

CO$_2$ degassing plant urządzenie dekarbonizujące [hydr.]

CO$_2$-content zawartość kwasu węglowego [hydr.]

CO$_2$-shielded metal-arc welding spawanie łukiem metalowym w osłonie dwutlenku węgla [met.]

CO$_2$-welding spawanie łukowe w osłonie dwutlenku węgla [met.]

coach autobus; wagon osobowy; powóz [mot.]

coachman furman, woźnica [abc]

coach part element wagonu osobowego [mot.]

coach screw wkręt szynowy [transp.]

coach station dworzec autobusowy [mot.]

coach with side doors wagon osobowy z przedziałami [mot.]

coal węgiel [górn.]; (→ bituminous c.; → caking c.; → clinkering c.; → crushed c.; → gassing c.; → high volatile bituminous c.; → high-moisture c.; → low volatile bituminous c.; → mineral c.; → mud c.; → non-gassing c.; → nut-c.; → open burning c.; → pea c.; → pulverized c.; → pure c.; → raw c.; → run-of-the-mine c.; → sampling of c.; → short flaming c.; → small c.; → medium volatile bituminous c.)

coal briquet brykiet [energ.]

coal car węglarka; tender [mot.]

coal chute zsuwnia węgla, rynna do zsypu węgla [energ.]

coal dump hałda węgla, zwał węgla [rec.]

coal dust pył węglowy [energ.]

coal face przodek węglowy [górn.]

coal feed spout rynna do zsypu węgla [energ.]

coal feeder spout rynna podajnika węgla [energ.]

coal fired opalany węglem [mot.]

coal gate warstwownica [energ.]

coal gate supporting rollers warstwownica wsparta na wałkach [energ.]

coal grab chwytak czerparki węglowej [transp.]

coal handling plant urządzenie do nawęglania [energ.]

coal hopper lej nasypowy [energ.]

coal mine kopalnia węgla [górn.]

coal power station elektrownia opalana węglem, elektrownia węglowa [energ.]

coal preparation mechaniczna przeróbka węgla, sortowanie węgla [energ.]

coal reserves złoże węgla [górn.]

coal sample próbka węgla, próbka węglowa [miern.]

coal scale waga do węgla [miern.]

coal screen przesiewacz węgla, sito węglowe [energ.]

coal seam pokład węgla (*cienki*) [górn.]

coal segregation segregacja węgla, rozdzielanie węgla [energ.]

coal silo silos węglowy [energ.]

coal sizing ziarnistość, uziarnienie, wielkość ziarna [energ.]

coal slurry węgiel półpłynny [górn.]

coal slurry grab chwytak czerpakowy do węgla półpłynnego [transp.]

coal storing składowanie węgla w bunkrach [energ.]

coal train pociąg do przewozu węgla [mot.]

C

coal wagon węglarka [mot.]

coal washing plant płuczka węglowa [górn.]

coal with high moisture content węgiel o wysokiej wilgotności [energ.]

coaling plant urządzenie do nawęglania [energ.]

coaling track tor węglowy [mot.]

coarse adjustment nastawienie zgrubne [miern.]

coarse and fine pulse delay control regulacja zgrubna i dokładna przesunięcia impulsu [el.]

coarse balance kompensacja zgrubna [transp.]

coarse clay mułek [min.]

coarse crushing rozdrabnianie grube [górn.]

coarse crushing plant kruszarka do rozdrabniania wstępnego [górn.]

coarse distributing rozścielanie zgrubne [transp.]

coarse dust pył gruboziarnisty [aero.]

coarse feed posuw zgrubny [transp.]

coarse feed machining obróbka zgrubna [tw.]

coarse-grain annealing wyżarzanie gruboziarniste [met.]

coarse grain content zawartość grubych ziaren [bud.]

coarse grained gruboziarnisty [górn.]

coarse-grained ore ruda gruba [górn.]

coarse metal sheet (→ thick plate) arkusz blachy grubej [tw.]

coarse ore ruda w kęsach [górn.]

coarse-ore wagon wózek na rudę w kęsach [mot.]

coarse particles return zawracanie żwirku do obiegu [energ.]

coarse screening przesiewanie zgrubne [energ.]

coarse slag inclusion wtrącenie żużlowe gruboziarniste [tw.]

coarse tuning strojenie zgrubne [el.]

coast brzeg morski, wybrzeże [abc]

coaster podkładka (*podstawka*) pod kufel [abc]

coat powlekać [tw.]

coat powłoka, warstwa [tw.]; powłoka; płaszcz; warstwa tynku [bud.]; powłoka specjalna [transp.]; licowanie [bud.]; powłoka (*malarska*) [abc]; (→ finishing c.; → limewash paint c.; → priming c.; → slurry paint c.)

coated laminowany; uszlachetniony powierzchniowo [tw.]

coated electrode elektroda otulona [el.]

coated potentiometer potencjometr warstwowy [el.]

coated sheet blacha powlekana [tw.]

coating powłoka (*np. malarska*); pokrycie [tw.]; powłoka; okładziny [energ.]; powlekanie; uszlachetnianie [met.]

coating line powlekarka [tw.]

coating line for particle boards powlekarka płyt nośnych [tw.]

coating of zinc powłoka cynkowa [tw.]

coat of paint powłoka malarska [tw.]

coat stand wieszak na ubrania [abc]

coat thickness grubość warstwy farby; grubość powłoki [tw.]

coat thickness measuring pomiar grubości warstwy [miern.]

coaxial cable kabel koncentryczny, kabel współosiowy, kabel szerokopasmowy [el.]

cobalt alloy stop kobaltu, stop o podstawie kobaltowej [tw.]

cobalt blue błękit kobaltowy, błękit Thenarda [norm.]

cobble stone kamień brukowy [bud.]

cock odbezpieczać [wojsk.]; skośnie ustawiać, wychylać z pionu, przechylać [met.]

cock kurek, zawór kurkowy [bud.]; (→ cut-off c.; → drain c.; → drain c.; → purge c.; → 3-way fuel c.)

cock support kurkowy zawór bezpieczeństwa [mot.]

cockpit ambona, pulpit; kabina pilota [mot.]

cocoon poczwarka, kokon [bot.]

code kod; szyfr [abc]; wytyczna [norm.]

code converting przetwarzanie kodu [inf.]

code number numer kodowy [abc]

code numbers liczba kodowa [wojsk.]

code of practice pouczenie, instrukcja, kartka informacyjna [abc]

co-defendant współoskarżony [praw.]

coding disc dysk kodowania [abc]

coding switch przełącznik kodowy [el.]

coefficient współczynnik [fiz.]; (→ contraction c.) liczba [energ.]

coefficient of expansion współczynnik sprężystości, współczynnik rozszerzalności [tw.]

coefficient of friction współczynnik tarcia [fiz.]

coefficient of radiation współczynnik promieniowania [energ.]

coefficient of thermal conductivity współczynnik przewodzenia ciepła [energ.]

cofactor dopełnienie algebraiczne [mat.]

coffee maker ekspres do kawy [abc]

coffee whitener śmietanka do kawy [abc]

coffin rod drążek boczny (*obejściowy*) hamulca; oprowadzenie cięgła hamulca [mot.]

CoG (*centre of gravity*) środek ciężkości, środek masy, środek bezwładności [fiz.]

cog zazębiać się, współpracować [mot.]; przycinać, nacinać [met.]

cog (→ cog railway) ząb koła zębatego [masz.]; ząb [tw.]; koło zębate [mot.]

cog railway kolej zębata, kolejka zębatkowa, wyciąg zębatkowy [mot.]

cog wheel koło zębate [masz.]

coherent spójny [inf.]

cohesion spójność, kohezja [fiz.]

cohesive lepki, lepiący się [gleb.]; spoisty [bud.]

cohesive clay glina zwięzła, glina spoista [gleb.]

cohesive soils grunty miękkie, spoiste [gleb.]

C-oil fuel zbiornik węglowo-olejowy [energ.]

coil spirala; zwój [tw.]; (→ heating coil) wężownica grzejna; zwój [energ.]; szpula; zwój taśmy stalowej [tw.]; uzwojenie [el.]

coil base zamocowanie szpuli [el.]

coil diameter średnica zwoju [rys.]

coiler zwijarka; zwijak [tw.]

coil frame zamocowanie szpuli [el.]

coiling line przewijarka [tw.]

coiling ratio współczynnik kątowy [tw.]

coil processing line linia technologiczna taśmowa [tw.]

coil spring sprężyna śrubowa, sprężyna zwojowa; sprężyna ściskana śrubowa [masz.]

coil-spring pressure hamulec sprężynowy [tw.]

coil spring set zespół sprężyn śrubowych [tw.]

coil stock materiał walcowany w kręgach [tw.]

coil valve zawór powietrzny wygięty [mot.]

coil weight ciężar właściwy zwoju [tw.]

coil winder nawijarka [el.]

coin wybijać, wytłaczać [met.]

C

coincidence zbieg okoliczności [abc]
coke koks [górn.]
coke breeze miał koksowy, koksik [górn.]
coke button próbka koksu [miern.]
coke grab chwytak do koksu [górn.]
coke oven gas gaz koksowniczy [energ.]
coke plant koksownia [górn.]
coking test próbka koksu [miern.]
cold przeziębienie [med.]; zimno [fiz.]
cold zimny [abc]; przeziębiony
cold air zimne powietrze [meteo.]
cold drawn ciągniony na zimno [tw.]
cold end blower dmuchawa dodatkowego podgrzewacza powietrza [energ.]
cold face of the boiler ściana zewnętrzna kotła [energ.]
cold forming obróbka plastyczna na zimno [met.]
cold-gas air preheater podgrzewacz powietrza gazowy (*na gaz ochłodzony*) [energ.]
coldness chłód, zimno [meteo.]
cold pressure extrusion welding spajanie metali na zimno [met.]
cold pressure upset welding zgrzewanie oporowe doczołowe na zimno [met.]
cold pressure welding zgrzewanie na zimno [met.]
cold pull up naprężenie własne, naprężenie pierwotne [tw.]
cold roll walcować na zimno [met.]
cold rolled pre-coated sheet steel blacha cienka walcowana na zimno z powłoką metaliczną [tw.]
cold rolled pre-coated steel sheet blacha cienka wstępnie powlekana (*z uszlachetnioną powierzchnią*) [tw.]
cold rolled section profil gięty (*z blachy*) [tw.]
cold rolled steel stal walcowana na zimno [tw.]

cold rolled steel strip bednarka ciągniona na zimno, stal taśmowa ciągniona na zimno [tw.]
cold rolled strip taśma walcowana na zimno [tw.]
cold rolled strip in special qualities taśma stalowa specjalna [tw.]
cold rolled strip with coated surface taśma walcowana na zimno powlekana [tw.]
cold rolled uncoated sheet steel blacha cienka niemodyfikowana [tw.]
cold rolling walcowanie na zimno [met.]
cold rolling plant walcownia zimna, walcownia do walcowania na zimno [met.]
cold saw piła tarczowa do cięcia metalu na zimno [narz.]
cold start rozruch na zimno [mot.]
cold start aid urządzenie ułatwiające rozruch na zimno [mot.]
cold start equipment urządzenie rozruchowe (*w gaźniku*) [mot.]
cold start-up rozruch na zimno [energ.]
cold-weather-conditions steel stal ciągliwa w niskich temperaturach [tw.]
cold-weather kit zestaw pogodowy [transp.]
cold-weather package zestaw pogodowy [transp.]
cold weather protection ochrona przed niepogodą [meteo.]
collaboration współpraca [abc]
collapse załamywać się, załamać się [bud.]
collapse zawalenie się [abc]
collapsible składany [abc]
collapsible steering rod kolumna kierownicy składana [transp.]
collar kołnierz; pierścień; tulejka [tw.]; kołnierz; pierścień [mot.]

collar bone obojczyk [med.]
collar bushing tuleja z wieńcem; tuleja kołnierzowa [tw.]
collar nut nakrętka wieńcowa [masz.]
collar screw śruba z łbem kołnierzowym [masz.]
collateral daleko idący [wojsk.]
collect zbierać, gromadzić [bud.]; gromadzić [inf.]; inkasować (*pobierać należności*) [abc]
collect on delivery (c.o.d.) odbiór za zaliczeniem [abc]
collect the premium pobierać składkę, ściągać składkę [praw.]
collecting electrode elektroda zbiorcza [aero.]
collecting flask zbiornik cieczy [energ.]
collecting function funkcja zbiorcza [abc]
collecting lens soczewka skupiająca [fiz.]
collective brochure prospekt zbiorczy [abc]
collective fault indicator sygnalizacja zakłóceń [transp.]
collective fault indicator relay przekaźnik sygnalizacji zbiorczej zakłóceń [transp.]
collector kolektor wydechowy [mot.]; kolektor; komutator; zbieracz prądu [el.]; zbieracz, przewód zbiorczy [abc]; (→ light c.)
collector card karta zbiorcza [el.]
collector current prąd kolektora [el.]
collector diode dioda kolektorowa [el.]
collector efficiency stopień filtracji [aero.]
collector quiescent current prąd spoczynkowy kolektora [el.]
colli koli (*sztuka towaru*) [abc]; koli (*jednostka ładunkowa*) [mot.]
collie specification (→ packing list) specyfikacja wysyłkowa [transp.]

collision kolizja, karambol, zderzenie [mot.]
colloquial potoczny [abc]
colon dwukropek [abc]
color (US; → colour) barwa, kolor [abc]
colour kolorować, malować [abc]
colour (→ change in colour) barwa [fiz.]
colour chart trójkąt kolorów, trójkąt barw, wykres chromatyczności [norm.]
colour coating powłoka malarska, błona malarska, pokrycie malarskie [bud.]
colour of wire kolor przewodu [el.]
colourful kolorowy, barwny [abc]
colouring barwienie, farbowanie [abc]
colourless bezbarwny [abc]
column kolumna (*np. w książce*); szpalta [abc]; słup powietrza [aero.]; słup (*wody*) [hydr.]; kolumna [mat.]; kolumna [wojsk.]; kolumienka [bud.]; kolumna kierownicy [transp.]
column footing baza kolumny kotła [energ.]
comb grzebień (*stopnia*) [transp.]
comb carrier (→ comb plate) płyta grzebieniowa [transp.]
comb light oświetlenie grzebienia [transp.]; (→ comb lighting)
comb plate płyta grzebieniowa; płyta krawędziowa [transp.]
comb plate finish okładzina grzebienia, pokrycie grzebienia; powierzchnia płyty grzebieniowej [transp.]
comb plate lighting oświetlenie grzebienia (*płyty grzebieniowej*) [transp.]
comb plate with safety device and limit switch grzebień z urządzeniem zabezpieczającym i wyłącznikiem krańcowym [transp.]

C

comb plate with safety device grzebień z urządzeniem zabezpieczającym [transp.]

comb protection device urządzenie zabezpieczające ruch schodów [transp.]

comb safety switch wyłącznik bezpieczeństwa stopni [transp.]

comb segment segment grzebienia, odcinek grzebienia; ząb grzebienia [transp.]

combat zwalczać; walczyć (*przeciw*); toczyć walkę (*przeciw*) [wojsk.]

combat modeling symulacje walki [wojsk.]

combination kombinacja, układ [abc]

combination end spanner (GB) klucz kombinowany; klucz szczękowo-oczkowy [narz.]

combination end wrench (US) klucz kombinowany; klucz szczękowo-oczkowy [narz.]

combination pliers szczypce uniwersalne płaskie [narz.]

combination wrench klucz kombinowany [narz.]

combine kombinować; łączyć [abc]; zespalać [tw.]

combine kombajn zbożowy [roln.]

combined burner palnik kombinowany [energ.]

combined drying and pulverising mielenie połączone z suszeniem [energ.]

combined firing palenisko kombinowane [energ.]

combined flasher and tail lamp lampa migowo-pozycyjna [mot.]

combined flow zasilanie podwójne [mot.]

combined grinding and drying kruszarko-suszarka [energ.]

combined harvester kombajn zbożowy [energ.]

combined instrument narzędzie zespolone [narz.]

combined power station and district heating station elektrociepłownia [energ.]

combined single limit ryczałtowy [praw.]

combined stacker reclaimer ładowarka kołowa kombinowana; zwałowarka kombinowana [górn.]

combined stop and tail lamp zespolone światło tylne i hamowania [mot.]

combined stop-tail-license plate lamp zespolone światło tylne, hamowania i oświetlenia tablicy rejestracyjnej [mot.]

combined stop-tail-number plate lamp zespolone światło tylne, hamowania i oświetlenia tablicy rejestracyjnej [mot.]

combo drobnicowiec [mot.]

combustible matter in residues pozostałości (*resztki*) substancji palnej [energ.]

combustibles materiał palny, substancja palna [energ.]

combustion spalanie [energ.]; (→ complete c.; → incomplete c.; → poor c.; → pulsating c.; → retarded c.; → spontaneous c.)

combustion calculation obliczenie cieplne (*procesu spalania*) [energ.]

combustion chamber komora spalania [mot.]; komora paleniskowa [energ.]

combustion chart wykres (*składu*) spalin [energ.]

combustion engine silnik spalinowy [mot.]

combustion temperature temperatura spalania [energ.]

combustion time czas spalania [energ.]

come to a standstill zatrzymywać się [mot.]

comet kometa [abc]

comfort pocieszać [abc]

comfort komfort, wygoda; pociecha, pocieszenie [abc]

comfortable wygodny [mot.]

coming in podejście do lądowania [mot.]

coming-off odpryskiwanie [transp.]

comma przecinek [abc]

command polecenie, instrukcja, rozkaz, komenda [inf.]; impuls [el.]

command line wiersz polecenia [inf.]

commence zaczynać, rozpoczynać [abc]

commendment nakaz [abc]

comment ustosunkowanie się (*komentarz*) [abc]

comments uwagi, adnotacje [abc]

commercial handlowy [ekon.]

commercial airline linia komunikacyjna lotnicza [mot.]

commercial airport port lotniczy handlowy [mot.]

commercial floor kondygnacja handlowo-usługowa [mot.]

commercial vehicle pojazd użytkowy [mot.]

commercially approved przyjęty w handlu, stosowany w handlu; jak przyjęto w handlu [ekon.]

commission inaugurować [abc]

commission przekazanie statku kapitanowi [mot.]

commission a boiler przygotować do działania [energ.]

commissioning otwarcie; odbiór techniczny; uroczyste przekazanie do użytkowania; uroczystość otwarcia nowego zakładu przemysłowego [abc]; (→ commission) uruchomienie [mot.]; rozruch urządzenia [transp.]

commissioning of machines rozruch maszyn [tw.]

commissure rzaz [tw.]

commit <an act of> sabotage dopuszczać się sabotażu; sabotować [wojsk.]

committee komisja; komitet [abc]

committee on group level zespół roboczy koncernu [abc]

commodities dobra konsumpcyjne [abc]

common powszechny, pospolity; powszechnie znany [abc]; pospolity [bot.]; (→ c. way of switching)

common base circuit układ tranzystorowy o wspólnej bazie [el.]

common-collector-circuit układ o podstawie kolektorowej [el.]

common crossing skrzyżowanie ukośne torów [mot.]

common-emitter circuit układ o wspólnym emiterze [el.]

common ground punkt gwiazdowy [tw.]

common-mode gain wzmocnienie napięcia równoległego [el.]

common-mode rejection ratio tłumienie napięć równoległych [el.]

commonness of rocks częstotliwość (*występowania*) poszczególnych skał [bud.]

commonsense reasoning wnioskowanie logiczne [inf.]

common switching połączenie oboczne [transp.]

common to the region powszechny w regionie [abc]

common way of switching połączony równolegle [transp.]

communicate rationality użytkowość urządzeń i komunikacji [inf.]

communication komunikacja, łączność, połączenie [telkom.]; (→ interprocess c.; → process c.)

communication mechanism mechanizm komunikacyjny, mechanizm łącznościowy [inf.]

communication method metoda

C

komunikacji, metoda łączności [inf.]

communication system system komunikacji, system łączności [inf.]

community gmina, komuna [polit.]

commutator przełącznik biegunów; komutator [el.]

commuter *człowiek dojeżdżający do pracy* [mot.]

commuter traffic komunikacja lokalna [mot.]

compact zagęszczać [rec.]; ubijać [gleb.]; zagęszczać [transp.]

compact zwarty, zbity, ścisły; kompaktowy [abc]

compact bucket wheel excavator koparka wielonaczyniowa kołowa zespołowa [transp.]

compact design budowa zwarta, konstrukcja zwarta [mot.]

compacted soil grunt zagęszczony [gleb.]

compact engine maszyna zespołowa [mot.]

compact excavator koparka zespołowa [transp.]

compact gear przekładnia kompaktowa [transp.]

compact soils grunty spoiste [gleb.]

compaction (→ including compaction) zagęszczanie [gleb.]

compaction by vibration and tamping sprężanie przez wibrowanie i ubijanie [bud.]

compaction of soil zagęszczanie gruntu [bud.]

compaction system system sprężania [bud.]

compaction work praca sprężania [bud.]

compactness zwartość, spoistość [górn.]

compactor sprężarka, kompresor [transp.]

Compagnie Internationale des Wagons-Lits et des Grands

Express Europeen Międzynarodowa Kompania Przewoźników Wagonami Sypialnymi [mot.]

company firma; spółka; przedsiębiorstwo [ekon.]; drużyna strażacka [polit.]

company car samochód służbowy; samochód firmowy; samochód zakładowy [mot.]

company certificate atest jakości; atest zakładu; certyfikat zakładu [abc]

company code kod firmy [inf.]

company policy polityka przedsiębiorstwa [ekon.]

company references wykaz firm [abc]

comparable równowartościowy; porównywalny, dający się porównać [abc]

comparator komparator; układ porównujący [el.]

compare with porównywać z [abc]

compared to porównany z [abc]

compartment przedział [mot.]

compartment coach (GB) wagon z przedziałami [mot.]

compartment door drzwi do przedziału [mot.]

compartment pressure nacisk strefowy, napór strefowy [energ.]

compass kompas, busola [fiz.]; cyrkiel [rys.]

compass needle igła kompasu [fiz.]

compass saw otwornica, lisica [narz.]

compatibility wymienność, współzastępowalność, kompatybilność [inf.]

compatible zgodny, ustępliwy, spokojny [abc]; zgodny, kompatybilny [inf.]

compatible with codes zgodny z przepisami [mot.]

compensating control regulacja mechanizmu różnicującego [mot.]

compensating jet dysza kompensacyjna [mot.]

compensating valve zawór wyrównawczy [mot.]

compensation kompensacja; wyrównanie [el.]; (→ universal c.)

compensation capacitance pojemność kompensacyjna [el.]

compensator wyrównywacz, kompensator [energ.]

compensator control regulacja kompensatora [energ.]

compensator pipe kompensator, rura kompensacyjna [mot.]

compensator reservoir zbiornik wyrównawczy [mot.]

competence kompetencja (*np. językowa*) [abc]

competency zdolność; kompetencja [abc]

competency of court właściwość terytorialna sądu [praw.]

competent to pass resolution zdolny do podjęcia uchwały [polit.]

competition konkurs [abc]

competitive konkurencyjny [ekon.]

competitiveness konkurencyjność [ekon.]

competitor konkurent [ekon.]

compile zbierać [bud.]; kompilować [inf.]

compiler kompilator; program kompilujący [inf.]

complain skarżyć się [abc]

complement uzupełnienie [abc]

complementary uzupełniający [abc]

complementary Darlington circuit komplementarny układ Darlingtona [el.]

complementing uzupełnienie [inf.]

complete uzupełniać; całkowity, pełny [abc]

complete combustion spalanie całkowite, spalanie zupełne [energ.]

complete demineralisation demineralizacja całkowita, demineralizacja zupełna [energ.]

complete joint penetration groove spoina pełna [met.]

completely całkowicie [fiz.]

complete maintenance konserwacja kompletna [met.]

complete package zestaw pełny [transp.]

complete plant fabryka pod klucz [abc]

complete steel konstrukcja całkowicie stalowa [tw.]

complete strategy strategia kompletna [inf.]

complete train pociąg towarowy jednogrupowy [mot.]

completing uzupełniający [abc]

completion uzupełnienie; wykończenie; zakończenie [abc]

complex kompleksowy, zespolony, zespołowy [abc]

complex amplitude amplituda zespolona [el.]

complex frequency częstotliwość zespolona [el.]

complex function of time funkcja zespolona czasu [el.]

complex power moc (*pozorna*) zespolona [el.]

complex quantity wielkość zespolona [el.]

complexity design precyzja (*konstrukcji*) [tw.]

compliance przestrzeganie [abc]

compliant motion ruch podatny [inf.]

complicated skomplikowany [abc]

comply with przestrzegać, spełniać (*np. warunki*) [praw.]

component element [tw.]; składnik [bud.]; część składowa; część gotowa [tw.]; podzespół [narz.]; podzespół [mot.]; element konstrukcyjny [transp.]; (→ boiler c.; → major c.)

component parts części składowe [tw.]; oprzyrządowanie [masz.]

C

components and spare parts części składowe i części zamienne [ekon.]

compose składać; zestawiać [abc]

composite casting wytwarzanie odlewów warstwowych [met.]; odlew warstwowy [tw.]

composite coach wagon osobowy złożony [mot.]

composite design konstrukcja złożona [bud.]

composite spring sprężyna wielopłytkowa, resor [tw.]

composite structure konstrukcja złożona [bud.]

composition masa wykładzinowa [energ.]; wypracowanie [abc]

compost kompost [gleb.]

compound data type złożony typ danych [inf.]

compound locomotive lokomotywa o silnikach sprzężonych [mot.]

compound material tworzywo wielowarstwowe, materiał wielowarstwowy, laminat [tw.]

compound tool-sets przyrządy złożone, tłoczniki wielozabiegowe [tw.]

compound type transistor tranzystor zespolony [el.]

compound walking mechanism mechanizm kroczący złożony [górn.]

compoveyor chodnik ruchomy [transp.]

comprehensible zrozumiały [abc]

comprehensive obszerny, wyczerpujący [abc]

comprehensive general liability insurance (CGL) *ubezpieczenie od obowiązku odpowiedzialności cywilnej za szkody powstałe w związku z wadliwością produktu* [praw.]

comprehensive insurance *ubezpieczenie od szkód powstałych wskutek nieprzewidzianego i nagłego uszkodzenia maszyny* [praw.]

comprehensive line (*obszerny*) program produkcyjny [abc]

compress sprężać [aero.]

compressed sprasowany, skompresowany [abc]

compressed air powietrze sprężone [aero.]

compressed air cleaner filtr ciśnieniowy; oczyszczacz ciśnieniowy [aero.]

compressed air distributor rozdzielacz pneumatyczny [aero.]

compressed air filter filtr ciśnieniowy [aero.]

compressed air hose przewód giętki ciśnieniowy [aero.]

compressed air line przewód ciśnieniowy [aero.]

compressed air reservoir zbiornik sprężonego powietrza [aero.]

compressed air shift cylinder cylinder pneumatyczny przełączający [aero.]

compressed bale bela sprasowana [tw.]

compressed cotton bawełna prasowana [tw.]

compression kompresja, pakowanie, sprężanie [tw.]; sprężanie, zagęszczanie [aero.]

compressional wave fala kompresyjna, fala zagęszczeń, fala dylatacyjna [mot.]

compression gland dławnica [tw.]

compression molding technology prasowanie i formierstwo [met.]

compression ratio stopień sprężania; stosunek sprężania [mot.]

compression release lever dźwignia dekompresji [mot.]

compression ring pierścień tłokowy uszczelniający [mot.]

compression rivet nit rurkowy, nit drążony [tw.]

compression spring sprężyna ścis-

kana [mot.]
compression stroke suw sprężania [mot.]
compression wave fala uderzeniowa [wojsk.]
compressive strength wytrzymałość na ściskanie [tw.]
compressive yield stress naprężenie ściskające [tw.]
compressor sprężarka, kompresor; pompa powietrzna [aero.]
compressor casing korpus sprężarki [aero.]
compressor inlet otwór wlotowy dmuchawy [aero.]
compressor wheel wirnik silnika sprężarki [aero.]
computability obliczalność [inf.]
computational linguistics lingwistyka komputerowa [inf.]
computer komputer; maszyna licząca; pierścień naciskowy [inf.]; (→ parallel computer)
computer aided (→ CAD, CAL) wspomagany komputerowo [inf.]
computer aided design (CAD) projektowanie wspomagane komputerowo [rys.]
computer aided loading (CAL) wprowadzanie danych wspomagane komputerowo [inf.]
computer control sterowanie komputerowe [inf.]
computer graphics grafika komputerowa [inf.]
computer network sieć komputerowa [inf.]
computer print wydruk komputerowy [inf.]
computer science informatyka [inf.]
computer system system komputerowy [inf.]
computer tomography tomografia komputerowa [miern.]
computer topology topologia kom-

puterowa [inf.]
Computer-Aided Selling (CAS) sprzedaż wspomagana komputerowo (CAS) [ekon.]
computer-integrated systems for factory automation zintegrowane systemy komputerowe sterowania produkcją [inf.]
computerized skomputeryzowany [inf.]
computing centre centrum obliczeniowe, ośrodek obliczeniowy [inf.]
computing error błąd obliczeniowy [inf.]
computing machine maszyna licząca; komputer [inf.]
concave wklęsły [abc]
concave fillet weld spoina pachwinowa z licem wklęsłym, spoina wklęsła [tw.]
concave mirror zwierciadło wklęsłe, lustro wklęsłe [fiz.]
conceal ukrywać [abc]
concealed skryty, ukryty, utajony [abc]
conceive wyobrażać sobie; ułożony, pomyślany [abc]
concentrated force (→ force) siła skupiona [fiz.]
concentrated load (→ load) obciążenie skupione [fiz.]
concentrating mirror zwierciadło wklęsłe, zwierciadło skupiające [fiz.]
concentration koncentracja [górn.]; koncentracja [abc]; (→ load concentration) skupienie, zgromadzenie [bud.]
concentration of a beam skupianie wiązki promieni [fiz.]
concentration of mixture stężenie mieszanki [transp.]
concentricity requirement dokładność biegu [mot.]
conceptual knowledge model koncepcyjny model wiedzy [inf.]

C

conceptual schema schemat koncepcyjny [inf.]

concertina clash zderzenie (*czołowe*); karambol [mot.]

conchoid wapień muszlowy, muszlowiec [górn.]

conclude kończyć [abc]

concluded zawarty (*np. układ*) [praw.]

concluding terms przepisy końcowe [praw.]

conclusion of business zamknięcie biura (*likwidacja*) [ekon.]

conclusion wniosek; konkluzja; regulacja [abc]

concourse hala (*np. dworcowa*) [bud.]

concrete beton [bud.]; (→ airplaced c.; → cast c.; → facing c.; → light-weight c.; → lightweight c.; → lime c.; → normal c.; → pre-stressed c.; → reinforced-c. core)

concrete blocks bloki betonowe [bud.]

concrete body wanna betonowa [bud.]

concrete bucket kubeł do masy betonowej [bud.]

concrete buggy japonka (*wózek dwukołowy do masy betonowej*) [transp.]

concrete cover pokrywa betonowa; obłożenie betonem [bud.]

concrete curbstone krawężnik betonowy [bud.]

concrete filling wypełnienie betonowe [bud.]

concrete gray szarzeń betonowa [norm.]

concrete pipe rura betonowa [bud.]

concrete skip kubeł do masy betonowej [transp.]

concrete skip attachment wyposażenie w kubły do masy betonowej [transp.]

concrete slab płyta betonowa [bud.]; nawierzchnia betonowa [mot.]

concrete sleeper (GB) podkład kolejowy betonowy [mot.]

concrete testing próba betonu [miern.]

concrete tie (US) podkład kolejowy betonowy [mot.]

concrete transport transport betonu [transp.]

concrete transport system system przewożenia betonu [górn.]

concrete wall ściana betonowa [bud.]

concur with dotrzymywać, dotrzymać [praw.]

concurrency control synchronizacja [el.]

concurrency logic logika współzbieżności [abc]

condemn skazywać, zasądzać [praw.]

condensate pump pompa skroplinowa [energ.]

condensate return recyrkulacja kondensatu, recyrkulacja skroplin [energ.]

condensate storage vessel naczynie odwadniające zbiorcze [energ.]

condensator kondensator [el.]

condensed water skropliny, woda kondensacyjna [energ.]

condenser kondensator [mot.]; (→ air-cooled condenser) kondensator [aero.]

condenser-discharged arc stud welding zgrzewanie kołkowe łukiem świetlnym zgrzewarką kondensatorową /elektrostatyczną [met.]

condenser hot well zasobnik gorącej wody [energ.]

condensing turbine turbina kondensacyjna [energ.]

condition stan; warunek [abc]; (→ health c.; → local c.; → operating c.; → reference c.)

condition of aggregation stan skupienia [fiz.]

condition of hardness stan twardości (*utwardzenia*) [fiz.]

condition of the site stan budowy [transp.]

condition of truncation warunek odcięcia [inf.]

conditional form (wy)druk warunkowy [inf.]

conditional stability stabilność warunkowa [el.]

conditions warunki, okoliczności [bud.]

conditions of contract warunki umowy [praw.]

conditions of payment warunki płatności [ekon.]

condo (*condominium*) kondominium, mieszkanie własnościowe [bud.]

condominium kondominium, mieszkanie własnościowe [bud.]

conduct przewodzić [el.]

conduct dowodzenie [wojsk.]

conductance konduktancja [el.]

conductive przewodzący [el.]

conductive copper miedź przewodowa [el.]

conductivity przewodnictwo [el.]

conductor przewodnik; przewód dalekosiężny; drut przewodowy [el.]; kontroler; konduktor [mot.]

conduct pipe kabel przewodzący [el.]

conduit rura kablowa; kanał; przewód; doprowadzenie prądu [el.]; rura ochronna, rura płaszczowa; przewód rurowy [tw.]; przewód, kanał [energ.]

conduit coupling mufka (*instalacyjna*) [tw.]

conduit elbow kątnik (*instalacyjny*) [tw.]

cone stożek [rys.]; obły wierzchołek, zakończenie kształtowe [tw.];

szyszka [bot.]; (→ internal c.; → pressure valve c.; → pyrometric c.; → suction valve c.; → valve c.)

cone crusher kruszarka stożkowa, łamacz stożkowy, kruszarka obrotowa [górn.]

cone defect wada stożkowa [tw.]

cone gauge sprawdzian stożkowy [abc]

cone packing uszczelka stożkowa [tw.]

conference konferencja [abc]

conference centre centrum konferencyjne [bud.]

conference hall sale konferencyjne [bud.]

conference line linia konferencyjna [mot.]; ciąg konferencji [abc]

conference room sala konferencyjna, pomieszczenie konferencyjne [bud.]

confidence index indeks ufności [inf.]

configuration forma [mot.]; konfiguracja, zestawienie [abc]; układ [transp.]

configuration space przestrzeń konfiguracyjna [inf.]

configuration system system konfiguracyjny [inf.]

confirmation data potwierdzenie [inf.]

confiscate rekwirować [wojsk.]; konfiskować [polit.]

confiscated skonfiskowany [polit.]

conflagration pożar [abc]

conflat wagon kontenerowy; wagon-platforma do przewozu kontenerów [mot.]

conflict-resolution strategy strategia rozwiązywania konfliktów (*awarii*) [inf.]

conformity zgodność (*z prawem*) [górn.]

congestion zator drogowy, korek [mot.]

conglomerate konglomerat, zlepieniec [górn.]

congruence zgodność [abc]

conic bearing łożysko ślizgowe poprzeczne stożkowe [tw.]

conical stożkowy [rys.]

conical chain link ogniwo łańcucha stożkowe [tw.]

conical pin kołek zbieżny, kołek stożkowy [tw.]

conical piston tłok stożkowy [tw.]

conical spring sprężyna śrubowa stożkowa [tw.]

conical spring washer tarcza naprężająca [tw.]

conical valve zawór stożkowy, zawór z grzybkiem stożkowym [tw.]

conjunction koniunkcja, iloczyn logiczny [inf.]

connect włączać, podłączać [el.]; wiązać, spajać, łączyć [met.]

connected load moc przyłączowa, moc odbioru [el.]

connecting łączący, łącznikowy [abc]

connecting block łączówka [tw.]

connecting bridge kładka dla pieszych [abc]

connecting chart tabela podłączeń [abc]

connecting clamp zacisk przyłączeniowy [mot.]

connecting hose wąż łączący, przewód łączący giętki [mot.]

connecting parts elementy podłączeniowe [el.]

connecting parts for twin filter elementy podłączeniowe filtra podwójnego [tw.]

connecting pipe łącznik rurowy, króciec [tw.]

connecting piping przewód rurowy łączący [tw.]

connecting plate węzłówka, płyta węzłowa [bud.]

connecting ring pierścień łączący [tw.]

connecting rod *mechanizm złożony z dźwigni i łączników*; korbowód; łącznik (*np. przy lokomotywie*) [mot.]; wodzidło wahacza [transp.]

connecting rod bearing łożysko korbowe, łożysko korbowodu [mot.]

connecting rod bearing cap pokrywa łba korbowodu [mot.]

connecting rod bearing shell panew łożyska korbowodu [mot.]

connecting rod bolt śruba korbowodu [mot.]

connecting rod drilling machine wiertarka korbowa [narz.]

connecting rod shank trzon korbowodu [mot.]

connecting sleeve kielich rury [energ.]

connecting surface powierzchnia łączenia; powierzchnia stykowa, powierzchnia przylegania; powłoka czołowa; powierzchnia osadzenia [tw.]; (→ contact surface) powierzchnia stykowa [met.]

connect in series łączyć szeregowo [transp.]

connection połączenie, przyłączenie [tw.]; złącze; powiązanie, związek [abc]; króciec przyłączeniowy [energ.]; (→ attemperator c.; → bolted c.; → ferrous oxide c.; → loop c.; → slewing ring c.)

connection cable kabel instalacyjny; kabel łączeniowy [el.]

connection component element złączny [rys.]

connection for power supply przyłącze zasilania [el.]

connection for test cock podłącze kurka probierczego [miern.]

connection interchanged połączenie zamienione [el.]

connection nut nakrętka złączkowa [masz.]

connection plate płytka przyłączowa [tw.]

connection tube tuleja przyłączeniowa [tw.]

connection undercarriage-bogie połączenie podwozie-wózek [mot.]

connectionism konekcjonizm [inf.]

connector sprzężenie, połączenie, złączka; sprzęgło tulejowe; łącznik; nakładka stykowa [transp.]; wtyczka przyrządowa; złączka wtykowa; (→ outlet) gniazdo wtyczkowe [el.]; łącznik, połączenie, złącze, złączka; rozdzielacz, urządzenie rozdzielcze [mot.]

connector bar szyna łącząca [mot.]

connector chain łańcuch drabinkowy [transp.]

connector end of a probe element wtykowy próbnika [tw.]

connector flange tarcza sprzęgła [mot.]

connectors zaciski przyłączowe [el.]

conscious świadomy [abc]

consecutive kolejny, następny [transp.]

consecutive no. (*number*) numer bieżący, numer porządkowy [abc]

consecutive translating tłumaczenie konsekutywne [abc]

consecutive translator tłumacz konsekutywny [abc]

consequent loading załadunek kolejny [abc]

consequential damage szkoda następcza, szkoda będąca następstwem zdarzenia losowego [praw.]

consider brać pod uwagę; zastanawiać się; rozpatrywać; rozważać [abc]

considerate przemyślany, rozważony [abc]

considered przemyślany [abc]

consist of składać się z [abc]

consistence konsystencja [bud.]

consistency konsystencja [bud.]

consistent stały, zgodny [abc]

console pulpit operacyjny [el.]; konsola sterownicza [transp.]; konsola, stolik przyścienny [bud.]

consolidated rock skała lita; skała zwięzła [min.]

constant stały, ciągły, trwały [abc]

constant committee stały komitet roboczy, stały zespół roboczy [abc]

constant delivery stała wydajność przepływu; stałe natężenie przepływu [górn.]

constant displacement pump pompa o stałym natężeniu przepływu [mot.]

constant feed regulating valve zawór regulacyjny natężenia przepływu, zawór regulacji (*natężenia*) przepływu [mot.]

constant flow rate control regulacja stałego natężenia przepływu [mot.]

constant inertia inercja stała; energia spoczynkowa [fiz.]

constant load obciążenie stałe [tw.]

constant mesh koła w stałym zazębieniu [tw.]

constant mesh gear skrzynka przekładniowa z kołami w stałym zazębieniu [mot.]

constant tension tube hanger zawieszenie rurociągu o równomiernym naprężeniu [energ.]

constant-velocity joint przegub podwójny [mot.]

constant volume objętość stała [bud.]

constant volume pressure stała moc tłoczenia [mot.]

constipated wywołujący zaparcie [med.]

constipation zaparcie [med.]

constitute ustanawiać, zakładać, tworzyć [abc]; stanowić, wyznaczać; zakładać [bud.]; tworzyć [polit.]

constraint ograniczenie techniczne, warunek techniczny [tw.]; (→ illumination c.) ograniczenie, zawężenie [inf.]

constraint-based sentence analy-sis analiza syntaktyczna ograni-czająca [inf.]

constraint exposing description ograniczony opis ekspozycji [inf.]

constraint propagation propagacja ograniczeń [inf.]

constraint propagation net sieć propagacji ograniczeń [inf.]

constraint transfer przesyłanie ograniczeń, transfer ograniczeń [inf.]

constricted wąski, zwężony [abc]

constriction przewężenie [tw.]

construct budować; konstruować [abc]

construction budowa, konstrukcja [transp.]; rodzaj budownictwa [energ.]; budowa [bud.]; (→ single boiler c.; → single turbine c.; → unit c.; → welded c.)

construction body korpus kon-strukcji [transp.]

construction company (GB) przed-siębiorstwo budowlane [bud.]

construction cost koszty budowy [energ.]

construction crane żuraw budow-lany [bud.]

construction industry przemysł budowlany [bud.]; budownictwo [abc]

construction machine maszyna budowlana [transp.]

construction of dam usypywanie wału [bud.]

construction progress postęp w przebiegu budowy [bud.]

construction schedule terminarz wykonania robót budowlanych; plan prac; harmonogram pracy [abc]

construction site budowa [bud.]

construction site lantern light la-tarnia na placu budowy, oświetle-nie na placu budowy [bud.]

consult radzić [abc]

consultancy firma konsultacyjna [abc]

consultation konsultacja, porada (*prawna*) [abc]

consulting engineer inżynier do-radca, doradca techniczny, kon-sultant [abc]

consulting engineering company doradztwo techniczne [abc]

consumable spoiwo, materiał do-datkowy zużywający się (*też: topli-wy*) [met.]

consumable welding material (→ consumables) spoiwo, materiał dodatkowy topliwy [met.]

consumables materiały pomocni-cze, substancje pomocnicze; arty-kuły konsumpcyjne [mot.]; mate-riały drobne [tw.]

consume zużywać, konsumować [abc]

consumer goods dobra konsump-cyjne [ekon.]

consumption zużycie [mot.]; zużycie [tw.]; (→ power c.; → proper c.)

consumption of petrol zużycie benzyny [mot.]

consumption rate wielkość kon-sumpcji, wielkość zużycia [abc]

consumptionsly annealed cold-rolled sheet blacha cienka wy-żarzana w wyżarzalni o ruchu ciągłym [tw.]

contact nawiązywać kontakt, kon-taktować się [inf.]

contact kontakt, masa kontaktowa [tw.]; stycznik; złączenie, połą-czenie, łączność [el.]; (→ broken step switch; → chain tension switch; → footplate lift switch; → handrail inlet switch; → handrail safety switch; → line contactor; → step return switch; → step sag switch; → handrail throw-off switch)

contact breaker przerywacz [mot.]

contact breaker cam krzywka rozdzielacza zapłonu [mot.]

contact breaker point styk przerywacza [mot.]

contact face of radiator powierzchnia stykowa promiennika [fiz.]

contact mat mata kontaktowa, mata stykowa [transp.]

contact mat piloting sterowanie matą stykową [transp.]

contact mat steering sterowanie matą stykową [transp.]

contact mat switch włącznik maty kontaktowej, wyłącznik maty kontaktowej [transp.]

contact mat time relay przekaźnik zwłoczny maty kontaktowej [el.]

contact point punkt zetknięcia [tw.]; stycznik; przerywacz [el.]

contact rail szyna prądowa [el.]

contact ratio stopień pokrycia [masz.]

contact scanning badanie dotykowe, badanie kontaktowe; kontrola stykowa [miern.]

contact surface powierzchnia stykowa [tw.]

contact travel droga styku [mot.]

contactor styczka; stycznik [transp.]; zderzak sterujący; stycznik [el.]; (→ line contactor)

contactor equipment sterowanie stycznikowe, rozrząd stycznikowy [transp.]

contactor for pump zasuwa pompy [transp.]

contain zawierać [mot.]; mieścić w sobie [abc]

container pojemnik, naczynie [tw.]; kontener [mot.]; (→ airtight c.; → brake-fluid c.; → reservoir)

container carrier *przewoźnik wyspecjalizowany w transporcie kontenerów* [mot.]

container cell komora kontenerowa [el.]

container depot (US) terminal kontenerowy [mot.]

container jigger pin (→ hinged) czop nasadzania kontenera [mot.]

container multi-purpose carrier frachtowiec wielozadaniowy kontenerowy [mot.]

container terminal (GB) terminal kontenerowy [mot.]

container-vessel kontenerowiec [mot.]

container wagon wagon-platforma do przewozu kontenerów; wagon kontenerowy [mot.]

containment obudowa bezpieczeństwa (*reaktora nuklearnego*); kopuła reaktora [energ.]

contaminate zanieczyszczać [abc]

contamination zanieczyszczenie [energ.]; zabrudzenie [abc]

contemplate przypatrywać się, obserwować; rozważać; zastawiać się [abc]

contemplation obserwacja [abc]

content zawartość [energ.]; (→ ash c.; → coarse grain c.)

contents pojemność [górn.]; spis treści [abc]

contents of transport container objętość naczynia wyciągowego [mot.]

context-free grammar gramatyka bezkontekstowa [inf.]

context-free rule zasada bezkontekstowa [inf.]

continuation kontynuacja [praw.]; (→ analytic c.)

continuation of production tok produkcji [met.]

continued fraction expansion rozwinięcie ułamka łańcuchowego [mot.]

continuous ciągły, nieprzerwany [abc]

continuous annealing line wyżarzanie ciągłe [tw.]

continuous annealing line for cold-rolled sheet wyżarzanie ciągłe blach cienkich walcowanych na zimno [tw.]

continuous automatic train running control sterowanie automatyczne ciągłe ruchu pociągów [mot.]

continuous band clamping zacisk taśmowy [tw.]

continuous band clamping system system taśmy dociskowej ciągłej [tw.]

continuous basin zbiornik przepływowy [tw.]

continuous caster urządzenie do ciągłego odlewania [tw.]

continuous casting odlewanie ciągłe; wlewek ciągły [tw.]

continuous casting of slabs odlewanie ciągłe półfabrykatów [tw.]

continuous chain mesh siatka na oponę (*do jazdy m.in. po śniegu*) [mot.]

continuous fatigue test próba zmęczeniowa ciągła [miern.]

continuous girder dźwigar ciągły [tw.]

continuous guidance prowadzenie ciągłe [abc]

continuous handling praca ciągła [górn.]

continuous line wyżarzanie ciągłe [tw.]

continuous load obciążenie stałe, obciążenie ciągłe [tw.]

continuous loop wężownica [energ.]

continuous loop tube construction instalacja wężownicowa [energ.]

continuous loop tube evaporator parownik wężownicowy wstępny [energ.]

continuous loop tube steaming economizer parownik wężownicowy wstępny [energ.]

continuous measurement pomiar ciągły [miern.]

continuous mining wydobycie ciągłe [górn.]

continuous operation ruch ciągły, praca ciągła [mot.]

continuous rating wydajność stała [mot.]; obciążenie stałe, obciążenie trwałe [górn.]

continuous recording zapis (*ciągły*); zapis bieżący [energ.]

continuous ship unloader wyładowarka okrętowa do pracy ciągłej [mot.]

continuous signal transmitter nadajnik fali ciągłej, nadajnik radaru doplerowskiego [telkom.]

continuous stream crusher łamacz strumieniowy ciągły [narz.]

continuous systems układy ciągłe [górn.]

continuous wave fala ciągła [mot.]

continuous wave generator generator fal ciągłych [akust.]

continuous wave modulation modulacja fali ciągłej [el.]

continuous weld spoina ciągła [met.]

continuous wire feed ciągły posuw drutu, ciągłe podawanie drutu, ciągłe prowadzenie drutu (*w spawaniu łukowym*) [met.]

continuously ciągle [górn.]

continuously annealed controlled sheet blacha cienka wyżarzana w wyżarzalni o ruchu ciągłym [tw.]

continuously variable setting ustawienie bezstopniowe [mot.]

contour kontur, obrys, zarys [mot.]; forma; powłoka, osłona; obwód [tw.]

contour echo echo kształtu [akust.]

contour farming uprawa konturowa [roln.]

contour of defect obrys wady, kontury wady [tw.]

contract skurczać [met.]; zwężać; ścieśniać [mot.]; ściągać [tw.]

contract porozumienie [abc]
contracted time-base sweep podstawa czasu zwężona [el.]
contracting kontrakcja [el.]
contraction ściągnięcie; przewężenie; zmniejszenie [energ.]; (→ gradual c.)
contraction cavity jama skurczowa, jama usadowa [tw.]
contraction choke przepustnica [mot.]; rurka piętrząca, rurka spiętrzająca [miern.]
contraction joint spoina skurczowa, szczelina skurczowa [bud.]
contract of affreightment umowa frachtowa [mot.]
contractor (US) przedsiębiorca budowlany, wykonawca robót [bud.]; (→ sub-contractor)
contradiction sprzeciw, zaprzeczenie [abc]
contrary flexure turnout rozjazd łukowy zewnętrzny [mot.]
contribution wkład, udział [abc]
contributions and allowances udział pracodawcy w składkach na ubezpieczenie społeczne [ekon.]
control sterować [inf.]
control sterowanie, regulacja; kontrola (np. wejść i wyjść) [el.]; sterowanie, regulacja; urządzenie sterownicze; regulowanie [mot.]; sterowanie; obsługiwanie [transp.]; (→ action-centered c.; → automatic c.; → auxiliary c.; → auxiliary remote pressure c.; → compensating c.; → cylinder c.; → directional c.; → feed c.; → float c.; → flow c. throttle; → flow c.; → object-centered c.; → process c.; → project c.; → push-button c.; → quality c.; → remote c.; → request-centered c.; → robot c.; → steam temperature c.; → three element c.; → three term c.; → threshold value c.)

control air powietrze sterujące [mot.]
control block blok sterowniczy (poczwórny) [mot.]; blok sterowniczy (podwójny) [el.]
control box skrzynka kontrolna [el.]; skrzynka sterownicza [tw.]
control bush tuleja sterownicza [tw.]
control cabin kabina sterownicza [tw.]
control cabinet szafa sterownicza [el.]
control cable linka sterowa [mot.]
control centre stanowisko kierownicze (np. w koparce) [transp.]
control circuit obwód sterowniczy [mot.]
control circuit breaker przerywacz prądu sterowniczego [transp.]
control circuitry cabinet szafa sterownicza [el.]
control column drążek sterowy, kolumna sterownicy [mot.]; kolumna sterowa [el.]
control console pulpit sterowniczy [mot.]
control contactor stycznik sterowniczy [el.]
control current prąd sterowniczy [mot.]
control current cutout przerywacz prądu sterowniczego [transp.]
control cylinder cylinder sterowniczy [mot.]
control desk pulpit sterowniczy; konsola operatora [mot.]; tablica sterownicza [energ.]
control device urządzenie sterujące, urządzenie uruchamiające; przycisk włączający [transp.]; regulator; element sterujący; urządzenie sterownicze [mot.]; urządzenie sterujące; mechanizm sterowania [energ.]
control edge krawędź sterująca [tw.]

C

control element człon regulacyjny [mot.]

control forces siły sterujące [tw.]

control frequency częstotliwość sterownicza [el.]

control gear mechanizm sterowania, urządzenie sterujące [mot.]

control knob gałka sterowania [mot.]

control lamp lampa kontrolna [mot.]

control lever dźwignia sterująca [transp.]; dźwignia zmiany biegów; drążek sterujący [mot.]

control lever with adjustable full-load stop dźwignia sterująca z nastawnym ogranicznikiem maksymalnej dawki paliwa [mot.]

control logic logika sterowania [transp.]

control of carburettor regulator karburatora [mot.]

control of gear shift mechanizm zmiany biegów [mot.]

control of goods processing kontrola rozchodu towarowego [ekon.]

control of goods withdrawal kontrola rozchodu towarowego [ekon.]

control panel panel sterowania [tw.]; tablica przyrządów (*pomiarowo-kontrolnych kotła*) [energ.]; pulpit sterowniczy; tablica sterownicza [mot.]; tablica kontrolna [transp.]

control plate powierzchnia steru [tw.]; tarcza sterownicza [mot.]; płyta sterownicza [abc]

control position położenie kontrolne [mot.]

control pressure ciśnienie regulowane; ciśnienie sterownicze [mot.]

control rack drążek regulacyjny [mot.]

control range zakres regulacji [mot.]

control relay przekaźnik kontrolny [el.]

control reservoir zbiornik powiet-

rza sterującego [mot.]

control signal for marking sygnał sterujący znakowania [el.]

control signal for sorting sygnał sterujący sortowania [el.]

control spindle wrzeciono regulacyjne [mot.]

control spool drążek sterujący; drążek suwaka, trzon suwaka [mot.]

control station stanowisko kierownicze [górn.]

control structure struktura sterująca [inf.]

control switch łącznik pomocniczy [el.]; sterownik [transp.]

control system urządzenie sterujące [el.]; układ sterowania [inf.]

control theory teoria sterowania [inf.]

control three-way valve kurek trójdrogowy kontrolny, kurek trójprzewodowy kontrolny, kurek trójdrożny kontrolny [energ.]

control trailer wagon sterowniczy [mot.]

control transformer transformator regulacyjny sterowniczy [el.]

control transmitter transformator regulacyjny [el.]

control unit przyrząd sterujący, człon sterujący [inf.]; rozdzielnia; jednostka sterująca [el.]; jednostka sterująca [inf.]

control valve zawór regulacyjny; blok sterowniczy; zawór sterowniczy; zawór serwosterowania [mot.]

control valve arm cylinder zawór sterowania siłownika ramienia [mot.]

control valve boom cylinder zawór sterowania siłownika masztu [mot.]

control valve bucket cylinder zawór sterowania siłownika kubła [mot.]

control voltage napięcie sterujące [el.]

controlled regulowany [tw.]; kontrolowany [abc]

controlled discharging rozładowanie kontrolowane [el.]

controlled source źródło regulowane [el.]

controlled tipping przechylanie kontrolowane [mot.]

controller urządzenie sterujące [el.]; sterownik; urządzenie sterowe [transp.]; regulator; kontroler (*ruchu lotniczego*) [mot.]; (→ proportional c.; → remote liquid level c.)

controls urządzenia sterowania, regulowania i uruchamiania; mechanizm sterowniczy [mot.]

conurbation konurbacja, obszar zmasowania, aglomeracja [abc]

convection heating surface powierzchnia ogrzewalna konwekcyjna [energ.]

convection tube bank wiązka rur konwekcyjnych [energ.]

convenience store sklepik [abc]

convenient dogodny, korzystny [abc]

conventional utarty, tradycyjny, konwencjonalny [abc]

converse przebudowywać; modyfikować [transp.]

conversion zmiana; przebudowa [transp.]; przekształcenie [energ.]

conversion group zespół modyfikacji [transp.]

conversion kit komplet części służących do zmiany wyposażenia; komplet do przebudowy [transp.]

conversion set zestaw do przebudowy; komplet części służących do zmiany wyposażenia [transp.]

conversion table tabela przeliczeniowa [mot.]

conversion temperature temperatura przemiany [tw.]

convert zmieniać, przebrajać [transp.]; nawracać [abc]

convert into a capital sum kapitalizować [ekon.]

converter gear przekładnia przemiennikowa [mot.]

converter przemiennik [transp.]; konwertor [tw.]; przemiennik [el.]; konwertor [mot.]

converter waste heat boiler kocioł przetwarzający, kocioł konwertor [energ.]

convertible kabriolet [mot.]; przemienny [transp.]

convex contour szew wypukły [met.]

convex wypukły [rys.]

convey doprowadzać, doprowadzić [energ.]; przenosić, przenieść [górn.]

conveying and storage systems systemy transportu i składowania [górn.]

conveying line wydajność zasilania [energ.]

conveying machinery urządzenie podnoszące, urządzenie wciągające [transp.]

conveying pipe instalacja przenośnikowa [górn.]

conveying rack urządzenie transportowe [transp.]

conveying system system transportowy [mot.]

conveying worm przenośnik ślimakowy, przenośnik śrubowy [mot.]

conveyor taśmociąg; przenośnik taśmowy; urządzenie transportowe [górn.]; przenośnik (*wałkowy*) [tw.]

conveyor belt przenośnik taśmowy [górn.]

conveyor belt housing przykrycie dachowe przenośnika [energ.]

conveyor <belt> station stanowisko przenośnika [transp.]

conveyor bridge most przeładunkowy [transp.]

conveyor bridge for open-pit min-

C

ing przenośnik mostowy w kopalniach odkrywkowych [transp.]

conveyor chain łańcuch przenośnika [tw.]

conveyor sized przystosowany (*zdatny*) do transportu przenośnikiem [transp.]

convolution splot; składanie, zginanie, łamanie [inf.]

convoy kolumna [mot.]

cool chłodzić [abc]

cool chłodny [meteo.]

cool-air ducting odprowadzenie powietrza chłodzącego, przewód odprowadzający powietrze chłodzące [aero.]

coolant ciecz chłodząca, chłodziwo; czynnik chłodzący; woda chłodząca [mot.]

coolant around liners woda chłodząca na tulejach cylindrowych [mot.]

coolant flow przepływ chłodziwa [mot.]

coolant in V-block przestrzeń wodna pomiędzy rzędami cylindrów [mot.]

coolant inlet dopływ chłodziwa [mot.]

coolant passages in heads kanały cieczy chłodzącej w głowicach cylindrowych [mot.]

coolant testing device przyrząd kontrolny wody chłodzącej [miern.]

coolant transfer tube przewód transmisyjny [tw.]

cool down chłodzić [abc]

cooler wentylator; chłodnica, ochładzacz, element chłodzący; schładzacz [mot.]; (→ nest of tubes for cooler) schładzacz (*przegrzanej pary*) [energ.]; (→ tube bank for c.)

cooling chłodzenie, oziębianie, stygnięcie [tw.]; (→ afterc.; → fantype air c.; → hydrogen c.; → thermo-syphon c.)

cooling air blower wentylator chłodzący [mot.]

cooling air duct kanał powietrza chłodzącego [mot.]

cooling air thermostat termostat powietrza chłodzącego [mot.]

cooling and process water woda chłodząca przemysłowa [tw.]

cooling fan wentylator chłodzący [mot.]

cooling flaps klapki regulujące chłodzenie [mot.]

cooling in furnace studzenie w piecu [tw.]

cooling pallets palety chłodzące [tw.]

cooling rate szybkość ochładzania [tw.]

cooling screen ekran [energ.]

cooling surface powierzchnia chłodząca [tw.]

cooling system urządzenie chłodnicze, instalacja chłodnicza [abc]

cooling tower chłodnia kominowa, wieża chłodnicza [el.]

cooling water dodatek do chłodziwa [mot.]

cooling water additive dodatek do chłodziwa [mot.]

cooling water pipe przewód wody chłodzącej [mot.]

cooling water piping przewód wody chłodzącej [mot.]

cooling water pump pompa wody chłodzącej [mot.]

cooling water thermometer termometr wody chłodzącej [mot.]

cooling water thermostat termostat wody chłodzącej [mot.]

cool off studzić [tw.]

cooperation współpraca; kooperacja [abc]

coordination koordynacja [abc]; przyporządkowanie [bud.]

coordination flame cutting machine maszyna współrzędnościo-

wa do cięcia gazowego [narz.]
copper miedź [tw.]
copper alloy stop o podstawie miedziowej, stop miedzi [tw.]
copper asbestos gasket uszczelka miedziano-azbestowa [tw.]
copper brown brąz miedziany [norm.]
copper mandrel trzpień miedziany [tw.]
copper pot bańka miedziana, dzbanek miedziany [abc]
copper seal uszczelka miedziana [tw.]
copy zapisywać; kopiować [inf.]
copy egzemplarz; kopia [abc]
coral limestone wapień koralowy [bud.]
coral red czerwień koralowa [norm.]
cord przewód przyłączowy [el.]; sznur do wieszania bielizny, lina [abc]
corduroy okrąglak [bud.]
corduroy road chodnik wyłożony okrąglakami [bud.]
core jądro [energ.]; dusza (*liny*), rdzeń (*liny*); wkładka zaworu [tw.]; rdzeń chłodnicy [mot.]
core component sercówka [transp.]
core crack pęknięcie, rysa [tw.]
core cutter wiertło rurowe, wiertło trepanacyjne [narz.]
core diameter średnica rdzenia (*wiertniczego*) [rys.]
core flaw wada rdzenia, wada rdzeniowa [tw.]
core removing hole średnica otworu pod gwint [tw.]
core sand masa rdzeniowa [tw.]
core strength nośność rdzenia; wytrzymałość rdzenia [tw.]
Coriolis forces siły Coriolisa [fiz.]
cork korek; zatyczka [abc]
cork-faced clutch plate tarcza sprzęgła o okładzinie korkowej [mot.]

cork plug korek zwykły [tw.]
cork screw korkociąg [narz.]
corn kukurydza [bot.]
corner róg; krawędź; narożnik [bud.]
corner bench ława narożna [bud.]
corner bit ostrze narożne; nóż boczny [transp.]
corner bumper amortyzator narożny [mot.]
corner burner palnik narożny [energ.]
corner jack dźwignik (*na rogach wagonu*) [mot.]
corner joint złącze narożne [met.]
corner post słup narożny [bud.]
corner shoe (→ corner bit) ostrze narożne [transp.]
corner stone kamień narożny; narożnik kamienny [bud.]
corner suite ława narożna [bud.]
corner tooth ząb kątowy [transp.]
corner tube boiler kocioł rurowy narożny [energ.]
cornucopia róg obfitości [abc]
corporation firma [ekon.]
corpse (→ body) zwłoki [med.]
corpulent otyły, korpulentny [abc]
correct poprawiać, korygować; ulepszać, udoskonalać, usprawniać [abc]
correct poprawny [abc]
correction (→ emergent stem correction) korekcja [energ.]
correctness poprawność [abc]; poprawność [inf.]
corrector korektor [el.]
correlation współzależność [miern.]
corridor korytarz [bud.]
corridor connection harmonijka; przegub (*międzywagonowy*) [mot.]
corrode korodować [tw.]
corroded zwietrzały [tw.]
corroded wall skorodowana ściana [górn.]
corrodible korodujący [tw.]
corrosion korozja [tw.]

C

corrosion cracks pęknięcia korozyjne, pęknięcia sezonowe (*mosiądzu*) [tw.]

corrosion free odporny na starzenie [tw.]

corrosion-protected zabezpieczony przed korozją [tw.]

corrosion-resistant odporny na korozję [mot.]

corrosion-resistant cast iron żeliwo odporne na korozję [tw.]

corrosion scars wżery korozyjne [tw.]

corrosive korozyjny [tw.]

corrugate fałdować się [met.]

corrugated pofałdowany [tw.]

corrugated cardboard tektura falista [tw.]

corrugated expansion bend kolanko rurowe faliste [energ.]

corrugated-furnace boiler kocioł z płomienicą falistą [energ.]

corrugated iron blacha falista [tw.]

corrugated iron pipe rura z blachy stalowej falistej [tw.]

corrugated packing ring uszczelnienie labiryntowe [energ.]

corrugated scrubbers oddzielacz cyklonowy pary fałdowany [energ.]

corrugated sheet blacha falista [tw.]

corrugated sheeting blacha falista [tw.]

corrugation żłobkowanie; rowkowanie [tw.]

corrupting korumpowanie, przekupianie [polit.]

corundum korund [tw.]

corvette korweta [wojsk.]

cost accounting kosztorys, kalkulacja wstępna kosztów [ekon.]

cost estimation kosztorysowanie [ekon.]

cost model plan kosztów własnych [ekon.]

cost of living koszty utrzymania [ekon.]

cost of material koszty materiałowe [ekon.]

cost study kalkulacja kosztów, kosztorys [ekon.]

cotter klin poprzeczny [transp.]

cotter bolt przetyczka, kołek luźny [mot.]

cotter brake hamulec klinowy [transp.]

cotter handrail poręcz klinowa [transp.]

cotter pin sworzeń rozprężny; zawleczka; przetyczka [tw.]

cotter pin drive wybijak zawleczek [narz.]

cotton bawełna; wata [tw.]

cottonseed tar smoła (*dziegieć*) z oleju bawełnianego [bud.]

couchette coach wagon z miejscami do leżenia [mot.]

cough kaszel [med.]

councelling doradczy [abc]

councellor doradca; tajny radca [abc]

councellor for the defense obrońca [praw.]

council rada [polit.]

council meeting posiedzenie rady [polit.]

count liczyć, policzyć [abc]

countdown odliczanie wsteczne [mot.]

counter kasa; lada [bud.]; licznik [inf.]; mechanizm liczący [el.]; (→ Geiger c.; → hour c.; → impulse c.; → real power c.; → revolution c.)

counterbalance valve zawór proporcjonalny [mot.]

counterbore pogłębiać czołowo [met.]

counterbore pogłębienie [tw.]

counterbored pogłębiony; wpuszczany, zagłębiony [tw.]

counter-clockwise (ccw) przeciwnie do ruchu wskazówek zegara [abc]; lewoskrętny [rys.]

counter-clockwise rotation obrót w kierunku odwrotnym do ruchu wskazówek zegara [abc]

counter-current przeciwprąd [energ.]

counter-current cooling schładzanie przeciwprądowe [tw.]

counter-current heat-exchanger przeciwprądowy wymiennik ciepła [tw.]

counter die przeciwwykrojnik [met.]

counterflange kołnierz współpracujący [tw.]

counter flow przepływ przeciwprądowy [energ.]

counter gear koło zębate na wale pośrednim [mot.]

counter-hold (→ hold) podtrzymywać [transp.]

counternut przeciwnakrętka; nakrętka zabezpieczająca [masz.]

counter-nut a bolt kontrować śrubę [met.]

counterpart odpowiednik [abc]

counterpiece część współpracująca [tw.]

counter pressure przeciwciśnienie [mot.]

counter profile przeciwkształtownik [tw.]

counter rotate kontrować [met.]

counter-rotating przeciwbieżny [transp.]; przeciwbieżność [tw.]

counter-rotating chains łańcuchy przeciwbieżne [tw.]

counter rotation ruch przeciwbieżny [transp.]

counter shaft wał pośredni; wałek napędowy pośredni [mot.]; wał pośredni (przekładni zębatej) [tw.]

counter shaft drive gear koło napędowe wału pośredniego [mot.]

counter-sign kontrasygnować [abc]

counter sink obrabiać pogłębienia cylindryczne [met.]

countersink for countersunk head screws zagłębienie pod śruby z łbem stożkowym [met.]

counter slew obracać się przeciwbieżnie [transp.]

counter store pamięć licznika [el.]

countersunk wpuszczany, zagłębiony [met.]

counter-sunk bolt śruba z łbem płaskim, śruba z łbem wpuszczanym; wkręt z łbem stożkowym płaskim [masz.]

countersunk diameter średnica łba (np. śruby, wkręta) [rys.]

countersunk head grooved pin nitokołek z łbem stożkowym płaskim [tw.]

countersunk head rivet nit płaski [tw.]

countersunk head tapping screw wkręt do blach z łbem stożkowym płaskim [masz.]

counter-sunk nut nakrętka wpuszczana, nakrętka płaska [masz.]

counter-sunk screw śruba z łbem wpuszczanym [masz.]

countersunk socket screw śruba z łbem stożkowym płaskim i gniazdem sześciokątnym [masz.]

counter weight przeciwciężar, przeciwwaga [tw.]

counter wheel przeciwkoło [tw.]

counting method metoda zliczania [miern.]

count interference blanking wygaszanie zakłóceń zliczania [el.]

counting unit jednostka zliczania [el.]

country of origin kraj pochodzenia [abc]

country road droga wiejska [bud.]

county hrabstwo; powiat, obwód [abc]

coupled sprzężony [transp.]

coupled inductance indukcyjność sprzężona [el.]

coupler (→ quick-coupler) sprzęg [mot.]

coupling (→ quick coupling) sprzężenie, połączenie; sprzęg przyczepowy [mot.]; złączka rurowa nakrętna; łącznik; sprzęg; sprzęganie [transp.]; część przegubowa; złączka nakrętna; tarcza sprzęgła [tw.]; złączka rurowa [energ.]; (→ claw c.; → clutch; → draw bar c.; → flexible c.; → fluid c.; → grease c.; → hydraulic c.; → magnetic c.; → screw c.; → threaded c.)

coupling capacitor kondensator sprzęgający [el.]

coupling cock zawór kurkowy sprzęgający [mot.]

coupling half półsprzęgło, połowa układu sprzęgła [mot.]

coupling hook hak cięgłowy, sprzęg [mot.]

coupling pin kołek zabezpieczający, przetyczka zabezpieczająca, zawleczka [mot.]

coupling rod wiązar lokomotywy [mot.]

coupling sleeve mankiet przegubowy [mot.]

coupling triangle widełki sprzęgowe [mot.]

coupling with internal valve główka sprzęgu z zaworem [mot.]

coupling with pin główka sprzęgu z kołkiem wyciskowym [mot.]

coupling-pin ring pierścień sworznia łączącego, pierścień sworznia sprzęgającego [mot.]

course warstwa [bud.]; kurs [abc]

court fee koszta sądowe [praw.]

court hearing proces (*sądowy*) [praw.]

court president przewodniczący izby sądu [praw.]

court trial termin rozprawy sądowej [praw.]

courtyard dziedziniec, podwórze [bud.]

covenant pakt, porozumienie, ugoda [abc]

cover kryć, pokrywać [abc]; dławić [wojsk.]

cover pokrycie, przykrycie, okrycie; pokrywa, wieczko; nakładka; przykrywa, klapa, zawór klapowy; okrycie brezentowe; zamknięcie [transp.]; okładka [abc]; plandeka [mot.]; kołpak [tw.]; (→ battery cell c.; → bearing c.; → clutch c.; → c. lid; → end c.; → end c.; → filling c.; → flange c.; → front end c.; → fuel pump c.; → gear shift c.; → gearbox c.; → glove box c.; → hub c.; → inspection c.; → inspection hole c.; → manhole c.; → oil pump c.; → rear axle housing c.; → rear end c.; → sealing c.; → water pump c.)

coverage pokrycie [praw.]; ujęcie [abc]; (→ damage)

cover bar listwa kryjąca styki [transp.]

cover for hand hole pokrywa otworu szlamnikowego [transp.]

cover lid pokrywa, wieczko [mot.]

cover plate pokrywa; płyta nakrywająca, płyta pokrywająca; nakładka; osłona [transp.]; osłona przeciwpyłowa [energ.]

covered zadaszony; przykryty [bud.]; okryty, przykryty, osłonięty [mot.]

covered wagon wagon kryty oplandeczony; wagon towarowy (*kryty*) [mot.]

covered bogie wagon wagon kryty czteroosiowy [mot.]

covered electrode elektroda otulona [met.]

covered-over welding splatter osłonięte odpryski spawalnicze [met.]

covered up zakryty, osłonięty [abc]

covering przykrycie [transp.]; przykrycie [tw.]; pokrycie [mot.]; (→ cover)

covering contribution above own costs *suma, jaką wnosi poszczególny dział przedsiębiorstwa na pokrycie kosztów stałych oraz na uzyskanie dochodu* [ekon.]

cover-strip listwa kryjąca styki [transp.]

cover tube rura ochronna, rura płaszczowa [tw.]

cover up pokrywać, okrywać [bud.]

cover with idler pulley pokrywa z krążkiem naprężającym [tw.]

cow catcher *rodzaj zderzaka na przodzie dawnych lokomotyw amerykańskich* [mot.]

cow dung nawóz krowi [roln.]

cow puncher pastuch [abc]

cowl osłona; okładzina [mot.]

cowling osłona, maska, okapotowanie (*silnika*) [mot.]

cowl support wspornik ściany przedniej [mot.]

co-worker (US) kolega (*współpracownik*) [abc]

cowper nagrzewnica [tw.]

cox sternik [mot.]

CPS (*cycles per second*) herc, Hz [el.]

CPU (*central processing unit*) jednostka centralna [inf.]

crack załamywać, łamać [met.]

crack wżer; pęknięcie [tw.]; kolumna [inf.]; pęknięcie [górn.]; (→ longitudinal crack)

cracked załamany [mot.]

cracking pressure ciśnienie otwarcia zaworu [mot.]

crack starting point początek pęknięcia [tw.]

crack test badanie skłonności do pękania [miern.]

crack unit grupa uderzeniowa [wojsk.]

crackling trzeszczenie [el.]

cradle kołyska [abc]

craft rzemiosło, rękodzielnictwo [bud.]

crane żuraw, suwnica [tw.]; (→ electric c.; → various c. types)

crane boom wysięgnik obrotowy [mot.]; wysięgnik żurawia [tw.]; wysięgnik dźwigu [transp.]

crane capacity wydajność dźwigu [mot.]

crane carrier podwozie żurawia wagonowego [mot.]

crane crab wózek suwnicowy [tw.]

crane crawler unit mechanizm jezdny dźwigu [mot.]

crane engine silnik dźwigowy [mot.]

crane jib (→ crane boom) wysięgnik żurawia [mot.]

crane load ładunek żurawia [mot.]

crane roller krążek kierowniczy żurawia, krążek biegowy żurawia [mot.]

crane test area stanowisko kontrolne (*badawcze*) żurawia [mot.]

crane tower wieża dźwigu, wieża żurawia [mot.]

crane undercarriage mechanizm jezdny dźwigu [mot.]

crank zapuszczać, uruchamiać korbą; pokręcać [mot.]

crank korba ręczna [mot.]; (→ starting crank)

crank case skrzynia korbowa, karter [mot.]

crankcase bottom half dolna część skrzyni korbowej [mot.]

crank case guard osłona skrzyni korbowej [mot.]

crankcase top half górna część skrzyni korbowej [mot.]

cranked wygięty [bud.]; wykorbiony [met.]

cranked axle oś wykorbiona [mot.]

cranked chain link ogniwo wygięte łańcucha [tw.]

C

cranked flange kryza wykorbiona [tw.]

cranked link ogniwo wygięte [tw.]

cranked off zagięty, wygięty [met.]

cranking motor silnik rozruchowy [mot.]

cranking power moc rozruchowa; obciążenie rozrusznika [mot.]

crank operated window szyba opuszczana (*przez pokręcanie korbą*) [mot.]

crank pin czop korbowy [mot.]

crankshaft (→ starting crankshaft) wał korbowy, wał wykorbiony [mot.]

crankshaft bearing łożysko główne; łożysko wału korbowego [mot.]

crankshaft bearing cap pokrywa łożyska wału korbowego [mot.]

crankshaft bearing shell panewka łożyska wału korbowego [mot.]

crankshaft drive mechanizm korbowy, mechanizm dźwigniowy [mot.]

crankshaft gear koło zębate wału korbowego [mot.]

crankshaft grinding machine szlifierka do wałów korbowych [narz.]

crankshaft oil seal uszczelnienie wału korbowego w kadłubie; uszczelka promieniowa wału korbowego w kadłubie [mot.]

crash roztrzaskać się [mot.]

crash landing lądowanie z uszkodzeniem [mot.]

crate skrzynia [tw.]; przepierzenie, przegroda [mot.]

crater krater [met.]

crater at end of weld pass krater krańcowy [met.]

crater crack pęknięcie kraterowe [met.]

crater plate blacha kraterowa [met.]

crater plate at end of weld pass blacha kraterowa krańcowa [met.]

crawfish rak [bot.]

crawler base rama podwozia [transp.]

crawler bearing length długość nośna gąsienicy, element nośny gąsienicy [transp.]

crawler chain łańcuch gąsienicowy [transp.]; (→ track, crawler track)

crawler chain link ogniwo gąsienicy [transp.]

crawler-chain link pin sworzeń łańcucha gąsienicowego [transp.]

crawler chassis mechanizm jezdny ciągnika [mot.]

crawler excavator koparka gąsienicowa, koparka na podwoziu gąsienicowym; sprzęt jezdny na podwoziu gąsienicowym (*np. koparki, spycharki*) [transp.]

crawler-mounted front-end loader ładowarka gąsienicowa [mot.]

crawler support podłużnica (*ramy*) [transp.]

crawler track podwozie gąsienicowe [górn.]; łańcuch gąsienicowy, gąsienica [transp.]

crawler traction napęd łańcuchowy-gąsienicowy; siła pociągowa gąsienicy [transp.]

crawler tractive force siła pociągowa gąsienicy [transp.]

crawler tractor ciągnik gąsienicowy; mechanizm biegowy [mot.]

crawler tread belt łańcuch gąsienicowy, gąsienica [transp.]

crawler undercarriage podwozie gąsienicowe [transp.]

crawler unit mechanizm napędowy koparki; napęd (*gąsienicowy*); podwozie (*gąsienicowe*); zespół jezdny [transp.]; (→ track frame)

cream biel kremowa [norm.]

crease fałda, zmarszczka [abc]

creasing zawinięcie obrzeża [met.]

creek strumień, potok [abc]

creep przeciekać [mot.]; pełzać,

czołgać się, skradać się [abc]
creep przepuszczalność niska [mot.]
creeping kaskadowe rozprzestrzenianie się zjawiska [tw.]; pełzanie [mot.]
creeping oil olej pełzający [mot.]
creep-resistant żarowytrzymały [tw.]
creep strength wytrzymałość trwała, granica pełzania [energ.]
crescent sierp księżyca [abc]
crest grzbiet [górn.]; wierzchołek [tw.]
crest meter miernik wartości szczytowej [miern.]
crevasse distance rozpiętość szczeliny [górn.]
crevasse formation szczelina, pęknięcie [górn.]
crevice szczelina, szpara [bud.]
crew załoga, obsada [mot.]
crib room kabina [transp.]
crimp żłobkować [met.]
crimped <steel> sheet blacha stalowa karbowana [tw.]
crisis kryzys [abc]
criss cross układ krzyżowy; układ nożycowy [transp.]
criss-cross arrangement ułożenie krzyżowe [transp.]
criteria for success kryteria powodzenia [inf.]
criterion (→ Nyquist criterion) kryterium, liczba kryterialna [el.]
critic krytyk [abc]
critical angle kąt krytyczny [rys.]
critical path droga krytyczna, ścieżka krytyczna przedsięwzięcia [bud.]
critical range zakres niepewności [el.]
critical value wartość graniczna [abc]
criticism krytyka [abc]
CrMo (*chrome molybdenum*) CrMo [tw.]
crockery naczynia [abc]
crooked krzywy [tw.]; nieszczery; nieuczciwy [abc]

crop out odsłaniać się [górn.]
cropping przycinanie, obcinanie [roln.]
cross krzyż [abc]; skrzyżowanie [transp.]
cross na krzyż, w poprzek, poprzecznie [tw.]
crossarm wysięgnica [transp.]
crossbar belka poprzeczna, poprzeczka, poprzecznica [tw.]
crossbond wiązanie krzyżowe, wiązanie weneckie [energ.]
cross butt joint złącze krzyżowe, styk krzyżowy [met.]
cross country bieg przełajowy [abc]
cross country tyre opona terenowa [mot.]
cross country vehicle (GB) pojazd terenowy; samochód terenowy [mot.]
cross-cut chisel wycinak, przecinak [narz.]
crosscut saw piła (*dwuchwytowa*) poprzeczna, poprzecznica; piła taśmowa, taśmówka [narz.]
cross-drum boiler kocioł z walczakiem poprzecznym [energ.]
crossed drive napęd skrzyżowany [masz.]
cross flow przepływ krzyżowy [energ.]
cross flow calcining kalcynacja gazem nośnym [górn.]
cross grind szlif krzyżowy [transp.]
cross-hair sight krzyż nitek, siatka nitek [wojsk.]
crosshead wodzik, krzyżulec [mot.]
cross-heading przecinka, przekop; chodnik poprzeczny [górn.]
crossing rozjazd krzyżowy, rozjazd angielski [mot.]; (→ common c.)
crossing keeper dróżnik kolejowy [mot.]
crossing with LH or RH turnout skrzyżowanie z rozjazdem prawo- lub lewostronnym [mot.]

cross-levelling device mechanizm ustawiania poprzecznego [transp.]

cross link połączenie poprzeczne [tw.]

cross member poprzecznica; belka poprzeczna [tw.]

cross-noise method metoda dwugłowicowa dwupromieniowa [akust.]

crossover ruch suwaka; stawidło suwakowe nawrotne; przewód łączący; (→ LH or RH turnout) rozjazd krzyżowy, rozjazd angielski [mot.]

crossover valve zawór obejściowy [tw.]

cross piece krzyżak [tw.]; czwórnik [energ.]

cross pin czop krzyżowy [tw.]; krzyżak [transp.]

cross pit conveyor zwałowarka krzyżowa [transp.]

cross pit dumping zwałowanie krzyżowe [transp.]

cross recessed countersunk head screw śruba z łbem stożkowym płaskim i wgłębieniem krzyżowym [masz.]

cross reference lista odsyłaczy [abc]

cross saddle sanie poprzeczne [tw.]

cross section przekrój poprzeczny, profil poprzeczny [bud.]; magnetowód taśmowy przecinany, magnetowód zwijany przecinany [abc]

cross sectional area pole przekroju poprzecznego [energ.]

cross sectional area ratio stosunek powierzchni przekroju [rys.]

cross sectional efficiency efektywność przekroju poprzecznego [transp.]

cross-sectional picture obraz przekroju poprzecznego [abc]

cross-section of sound beam przekrój wiązki dźwiękowej [akust.]

cross-section recorder rejestrator przekroju [abc]

cross-slope spadek poprzeczny [bud.]

cross shaft półoś [mot.]

cross slot bolt wkręt z rowkiem [masz.]

cross stop zderzak poprzeczny, ogranicznik poprzeczny [tw.]

cross stream separator przeciwprądowy przesiewacz powietrzny [górn.]

cross talk attenuation tłumienność przenikowa [telkom.]

cross talk przesłuch [telkom.]

cross-talk echo echo przenikowe [akust.]

cross tie poprzecznica; podkład kolejowy [mot.]

cross tube rura poprzeczna, rura Gallowaya, garłacz [tw.]

cross-wall junction połączenie prostopadłe ścian [bud.]

crosswise na krzyż, w poprzek, poprzecznie [abc]; krzyżowo (*np. malowanie krzyżowe*) [met.]

crow wrona [bot.]

crow's feet kurze łapki [met.]

crowbar łom stalowy [narz.]

crowd przeć naprzód; wnikać; wysuwać naprzód [transp.]

crowd back podbierać [transp.]

crowd-back position położenie podbierakowe [transp.]

crowd distance tor posuwu [transp.]

crowd force (*posuwowa*) siła skrawania [transp.]

crowd length długość posuwu [transp.]

crown korona [abc]

crowning (→ width crowning) beczkowatość, beczułkowatość [tw.]

crown wheel koło zębate tarczowe, zębatka pierścieniowa [mot.]

CRT module moduł ekranowy [el.]

CRT screen monitor [inf.]

CRT-screen scale skala ekranu fluoryzującego [inf.]

crucible type furnace piec tyglowy [energ.]

crude surowy, nieobrobiony [bud.]

crude oil olej nieoczyszczony; ropa naftowa [górn.]

crude steel stal surowa [masz.]

crude water woda nieuzdatniona [hydr.]

cruise podróż morska [mot.]

cruise boat parowiec wycieczkowy; statek wycieczkowy [mot.]

cruiser krążownik [wojsk.]

crumble kruszyć, drobić [bud.]; rozcierać; mleć [transp.]

crumbly kruchy, łamliwy [bud.]

crunch zgrzytać, skrzypieć, trzeszczeć, chrzęścić [bud.]

crush kruszyć; rozdrabniać; mleć, zemleć zgrubnie [górn.]; rozdrabniać wstępnie [energ.]

crush rozdrabnianie, kruszenie [górn.]

crushability of rock łamliwość skał [górn.]

crushed coal węgiel łamany [energ.]

crusher kruszarka, łamacz, rozdrabniarka, gniotownik [górn.]; (→ slag c.)

crusher chamber komora łamacza [górn.]

crusher discharge belt taśma wyładowcza kruszarki [górn.]

crusher plant łamacz, kruszarka [górn.]

crusher speed prędkość obrotowa łamacza [górn.]

crusher work praca łamacza [górn.]

crushing kruszenie, zgniatanie [górn.]

crushing installation kruszarka do kamienia, łamacz kamienia [górn.]

crushing machine rozdrabniarka, drobiarka, kruszarka [górn.]

crushing plant kruszarnia; zakład rozdrabniania wstępnego [górn.]

crust of the earth skorupa ziemska [geol.]

crutch kula [abc]

crystal kryształ [chem.]

crystal backing podłoże krystaliczne [met.]

crystallization krystalizacja [chem.]

crystal mosaic oscylator mozaikowy [el.]

crystal mounting obsada kryształu [tw.]

CS (*cross sensing*) CS [transp.]

C-scan obraz c [el.]

cube (→ test cube) sześcian [miern.]

cubic regularny [górn.]

cubical regularny [bud.]

cubical-shaped sześcienny [rys.]

cubic foot stopa sześcienna [abc]

cubic meter metr sześcienny [abc]

cubic yard jard sześcienny [abc]

cuff pierścień uszczelniający [abc]

cuff-link spinka do mankietów [abc]

cul-de-sac ślepa uliczka [mot.]

culpable winny, karygodny, zasługujący na karę [praw.]

culvert przepust, przejście [bud.]

cunning chytry, cwany, przebiegły [abc]

cup kalota, sklepienie tunelowe [górn.]; czarka; (fayance, → porcelain) filiżanka; miseczka [abc]; pierścień łożyska wałeczkowego [mot.]

cupboard szafka kuchenna; kredens [bud.]

cup head nib bolt wkręt z łbem półkulistym z noskiem [tw.]

cup holder obsadka na filiżankę, uchwyt filiżanki [abc]

cup nib bolt wkręt z łbem półkulistym z noskiem [masz.]

cup ring ucho kubka [abc]

cup spring sprężyna talerzowa, sprężyna krążkowa [transp.]

C

cup square bolt śruba z łbem płaskim czworokątnym [masz.]

cup square neck bolt śruba z łbem płaskim czworokątnym [masz.]

cup washer podładka pierścieniowa sprężysta [tw.]; podkładka pierścieniowa sprężysta [masz.]

cupola kopuła [mot.]

cupric oxide śniedź [chem.]

curb krawężnik; kamień krawężnikowy [bud.]

curbstone kamień krawężnikowy [bud.]; (→ curb)

curbstone blade zgarniarka [bud.]

curbstone mouldboard zgarniarka [bud.]

cure leczyć; kurować [med.]

Curie point temperatura Curie [tw.]

curing utwardzanie [bud.]

curling zawijanie obwodowe [met.]

currency okres ważności [praw.]

current waluta [abc]; prąd [el.]; (→ alternating c.; → base c.; → collector c.; → collector quiescent c.; → c.-on-breaking; → direct c.; → emitter c.; → offset-c.; → power, electricity → rated c.; → saturation c.; → signal c.; → starting c.; → threephase c.; → quiescent c.)

current collector zbieracz prądu [el.]; (→ pantograph)

current consumption prąd pobierany; zużycie energii [transp.]

current divider dzielnik prądu [el.]

current environment środowisko aktualne [inf.]

current gain zwarciowy współczynnik wzmocnienia prądowego [el.]

current limiter ogranicznik prądu [el.]

current mirror źródło prądu zwierciadlanego [el.]

current-on-breaking prąd wyłączeniowy [energ.]

current source źródło prądu [el.]; (→ equivalent c. s.; → real c. s.)

current supply zasilanie prądem [energ.]; zaopatrywanie w energię [el.]

current-to-voltage converter przemiennik prądowo-napięciowy [el.]

current transformer przekładnik prądowy [el.]

currently obecnie [abc]

curriculum program nauczania [abc]

curriculum vitae życiorys [abc]

curry żółcień curry [norm.]

cursor kursor [inf.]

curtain zasłona [bud.]

curvature zgięcie, wygięcie [tw.]; krzywizna [abc]; promień krzywizny; krzywa [rys.]

curve naroże, wierzchołek [tw.]; linia; zaokrąglenie [bud.]; zakręt [mot.]; (→ grading c.; → guide c.; → guide c.; → load-settlement c.)

curve radius promień skrętu [mot.]

curve rating promień skrętu [mot.]

curve resistance opór ruchu na łuku [mot.]

curved (*silnie*) zakrzywiony; wygięty; zaokrąglony; sklepiony [mot.]

curved crossing skrzyżowanie łukowe torów [mot.]

curved crystal promień zakrzywiony [el.]

curved slip rozjazd łukowy [mot.]

curved spring lock washer podkładka pierścieniowa wygięta zabezpieczająca [tw.]

curved spring washer podkładka pierścieniowa wygięta [tw.]

curved surface powierzchnia łukowa [tw.]

cushion poduszka, podkładka miękka [abc]; wezgłowie [bud.]

cushioned amortyzowany [transp.]

cushioned seat siedzenie tapicerowane [mot.]; siedzenie amortyzowane [transp.]

cushioning amortyzacja [mot.]

cushioning effect tłumienie [mot.]

cushioning insert wkładka amortyzacyjna [tw.]

cushion-mounted osadzony na poduszce [mot.]

cushion push block resorowany blok popychaczy [tw.]

cushion seat siedzenie tapicerowane [transp.]

cushion-type (wysoko)elastyczny, kauczukopodobny [mot.]

cushion tyre opony (wysoko)elastyczne [mot.]

custom zwyczaj, obyczaj [bud.]

customary powszechny, zwyczajowy [tw.]

custom-built *wybudowany zgodnie z wolą klienta* [mot.]

customer design podana konstrukcja [tw.]

customer-made nastawiony na obsługę klienta [tw.]

customer-provided dostarczony przez klienta [abc]

customers klienci niestali [abc]

customer-specified zgodnie z wolą klienta [abc]

customs-cleared oclony [praw.]

customs regulations przepisy celne [praw.]

cut ciąć, odcinać [met.]; wykopywać; kopać [transp.]

cut szczelina [abc]; cięcie, nacięcie, rzaz [met.]

cutaway rysunek przekrojowy [rys.]

cutaway diagram częściowy przekrój perspektywiczny [rys.]

cutaway view częściowy przekrój perspektywiczny [energ.]

cut a roadside ditch kopać rów [transp.]

cut a side slope ścinać skarpę [transp.]

cut an embankment ścinać nasyp [transp.]

cut dimension stone kamień ciosany, cios [bud.]

cut edges krawędzie skrawające [tw.]

cut from hot-rolled wide strip cięty z taśm szerokich walcowanych na gorąco [tw.]

cut into length obrabiać ma określoną długość [energ.]

cutlery sztućce [abc]

cut off odłączać [el.]

cut off cock kurek zamykający, kurek odcinający, kurek zaporowy (*np. rurociągu*) [mot.]

cut-off current prąd wyłączenia [el.]

cut-off delay opóźnienie odłączenia [el.]

cut-off frequency częstotliwość krytyczna [el.]

cut-off gear podziałka sterownicza [mot.]

cut-off gear wheel koło ręczne sterownicze [mot.]

cut-out (→ circuit breaker) wyłącznik [energ.]; wyłącznik zwrotny [mot.]

cut perpendicularly obcinać prostopadle [transp.]

cut-pliers (US) szczypce uniwersalne płaskie; kombinerki [narz.]

cut soil kopać ziemię [transp.]

cutspike (US) szyniak, hak szynowy [mot.]

cut teeth nacinać zęby [met.]

cut the base of a road zgarniać grunt [transp.]

cut the length przycinać na określoną długość [met.]

cut wire pellets śrut cięty z drutu [tw.]

cutter (→ side cutter) nóż, obcinak [narz.]

cutter bar belka nożowa [tw.]

cutterhead głowica tnąca [mot.]

cutter head ladder ciąg łańcuchowy głowic tnących [transp.]

cutter head suction dredger pogłębiarka ssąca ze spulchniaczem [mot.]

cutting wykop, wcięcie, przekop [mot.]; wykrojka [met.]

cutting a trench kopanie rowu [bud.]

cutting allowance naddatek na cięcie [tw.]

cutting angle kąt skrawania, kąt klina, kąt ostrza [tw.]

cutting change zmiana kierunku cięcia, zmiana kierunku skrawania [tw.]

cutting depth głębokość skrawania [tw.]

cutting device narzędzie skrawające, wykrojnik [tw.]

cutting disc tarcza tnąca [tw.]

cutting drum bęben tnący [górn.]

cutting edge krawędź skrawająca; krawędź tnąca czerpaka [transp.]; ostrze, krawędź tnąca, krawędź skrawająca; nóż (*nożyc gilotynowych*) [tw.]

cutting height grubość materiału przecinanego [abc]

cutting lip krawędź tnąca, krawędź skrawająca [tw.]

cutting of banks and ditch walls ścinanie skarp, ścinanie nasypu [transp.]

cutting-off wheel ściernica do cięcia, przecinak ścierny [narz.]

cutting oil olej wiertarski, ciecz chłodząco-smarująca; olej chłodząco-smarujący [tw.]

cutting position pozycja freza; pozycja cięcia, pozycja skrawania [met.]

cutting resistance opór urabiania [transp.]; opór skrawania [met.]

cutting ridge ostra krawędź [met.]

cutting ring pierścień tnący [bud.]; pierścień zaciskowy dwustożkowy, stożek zaciskowy podwójny [tw.]

cutting scrap (→ scrap) zrzyny, odpady, złom [tw.]

cutting test obróbka próbna [bud.]

cutting to length ciąć na długość [met.]

cutting-to-length line rozcinak taśmy walcowanej na zimno [tw.]

cutting to width ciąć na szerokość [met.]

cutting tool narzędzie skrawające [narz.]

cutting torch palnik do cięcia, przecinak gazowy [narz.]

cutting wheel nóż dłutowniczy Fellowsa, dłutak [narz.]

cutting width szerokość skrawania, szerokość cięcia [transp.]

cw (*clockwise*) kierunek ruchu wskazówek zegara [abc]

cybernetic cybernetyczny [abc]

cybernetics cybernetyka [abc]

cycle przebieg pracy; takt [abc]; bieg roboczy; cykl pracy [mot.]; częstotliwość [fiz.]; cykl [bud.]; obieg [energ.]; cykl roboczy [transp.]

cycle changeover zmiana częstotliwości [el.]

cycle duration długość cyklu [el.]

cycle time czas cyklu; czas jednostkowy [transp.]

cycle timing ustawianie czasu jednostkowego [abc]

cycles per second (cps) Hz (*herc*) [fiz.]

cyclic running ruch obrotowy [mot.]

cycloidal toothing zazębienie cykloidalne [masz.]

cyclone oddzielacz cyklonowy [górn.]; (→ fly ash slag-tap c.)

cyclone air separator klasyfikator powietrza obiegowego odpylacza cyklonowego [górn.]

cyclone fired boiler kocioł ogrzewany wirowo, kocioł cyklonowy [energ.]

cyclone firing palenisko wirowe, palenisko cyklonowe [energ.]

cyclone precipitator oddzielacz

cyklonowy, oddzielacz odśrodkowy [energ.]

cyclone separator oddzielacz cyklonowy, oddzielacz odśrodkowy [energ.]

cyclone steam separator oddzielacz cyklonowy pary [energ.]

cyclone throat kołnierz; wylot oddzielacza cyklonowego [energ.]

cyclone tube rurka wirowa [abc]

cylinder cylinder [tw.]; bęben; siłownik; prasa [mot.]; ($\rightarrow$ air c.; $\rightarrow$ arm c.; $\rightarrow$ blade c.; $\rightarrow$ booster c.; $\rightarrow$ booster c.; $\rightarrow$ door lock c.; $\rightarrow$ door operating c.; $\rightarrow$ double-acting c.; $\rightarrow$ generalized c.; $\rightarrow$ hydraulic cushioning c.; $\rightarrow$ jib / boom c.; $\rightarrow$ locking c.; $\rightarrow$ main brake c.; $\rightarrow$ main c.; $\rightarrow$ master c.; $\rightarrow$ multiple stroke c.; $\rightarrow$ pneumatic c.; $\rightarrow$ pressure c.; $\rightarrow$ pump c.; $\rightarrow$ single-acting c.; $\rightarrow$ solid c.; $\rightarrow$ steering c.; $\rightarrow$ tandem c.; $\rightarrow$ track adjustment c.; $\rightarrow$ vacuum shift c.; $\rightarrow$ water stabilizing c.; $\rightarrow$ wheel c.)

cylinder barrel rura cylindrowa [mot.]

cylinder bearing łożysko cylindra [mot.]

cylinder block blok cylindrów [mot.]

cylinder block drilling machine wytaczarka do cylindrów [met.]

cylinder bore średnica cylindra [rys.]

cylinder control sterowanie cylindryczne [mot.]

cylinder controlled sterowany cylindrycznie [mot.]

cylinder cover pokrywa cylindra [mot.]

cylinder guard osłona cylindra [mot.]

cylinder head głowica cylindra [mot.]

cylinder head cover pokrywa głowicy [mot.]

cylinder head gasket uszczelnienie głowicy cylindra [mot.]

cylinder head screw śruba z łbem

walcowym [masz.]

cylinder hookup połączenie przegubowe [transp.]

cylinder liner tuleja cylindrowa; tuleja cylindra [mot.]; ($\rightarrow$ dry c. l.; $\rightarrow$ wet c. l.)

cylinder liner boring machine wytaczarka do tulei cylindra [tw.]

cylinder liner turning machine tokarka do wytaczania tulei cylindra [met.]

cylinder lock zamek bębenkowy [mot.]

cylinder mounting *zamocowanie cylindra od strony skrzyni korbowej* [mot.]

cylinder piston tłok cylindra [mot.]

cylinder rod trzon tłokowy, drąg tłokowy, tłoczysko [mot.]

cylinder rod compartment wgłębienie na tłoczysko [mot.]

cylinder sleeve tuleja cylindrowa [mot.]; ($\rightarrow$ dry c. s.; $\rightarrow$ wet c. s.)

cylinder stroke skok cylindra [transp.]; ($\rightarrow$ piston stroke)

cylinder support kozioł, podpora, wspornik [transp.]

cylinder wall ścianka cylindryczna [mot.]

cylindrical mirror zwierciadło cylindryczne [mot.]

cylindrical reflector reflektor cylindryczny [el.]

cylindrical roller wałeczek walcowy [tw.]

cylindrical roller bearing łożysko wałeczkowe walcowe [tw.]

cylindrical surface grinder szlifierka do wałków [met.]

cylindrical valve zawór tłoczkowy [mot.]

cylindrical wave fala cylindryczna [mot.]

cylone tube rura oddzielacza cyklonowego [górn.]

cypress cyprys [bot.]

C

D

d.c. (*dead centre*) punkt zwrotny, martwy punkt, martwe położenie [mot.]

D.C. converter przetwornica prądu stałego [el.]

D.C. motor (*direct current motor*) silnik prądu stałego [el.]

d.c. voltage napięcie prądu stałego [el.]

d.c. voltage signal sygnał napięcia prądu stałego [el.]

D.O.S. (*disk operating system*) D.O.S., system operacyjny DOS [inf.]

D.S.R. (*daily service report*) raport dzienny montera, sprawozdanie dzienne montera [abc]

daily codzienny [abc]

daily consumption zapotrzebowanie dzienne [energ.]

daily output wydajność dzienna [transp.]

daily report raport dzienny, sprawozdanie dzienne [abc]

daily service tank zasobnik dobowy paliwa [energ.]

dam nasyp; grobla; zapora [bud.]

dam construction budowa zapory [bud.]

dam toe stopa skarpy [bud.]

damage uszkadzać [mot.]

damage szkoda [abc]; uszkodzenie [tw.]

damage adjustment likwidacja szkody [prawn.]

damage handling rozpatrywanie roszczeń odszkodowawczych [prawn.]

damage prevention zapobieganie szkodom [prawn.]

damp wilgotny [abc]

damped oscillation drganie tłumione [fiz.]

damped wave fala gasnąca [fiz.]

damped wave train tłumiony ciąg fal [fiz.]

dampen tłumić, amortyzować [el.]

dampener tłumik (*drgań*), amortyzator [transp.]

damper klapa obrotowa [energ.]; przetwornik ciśnienia; sprzęgło sprężyste gumowe [mot.]; pokrywa, przykrywa, klapa, zawór klapowy; zderzak okrągły; zasuwa, zawór zasuwowy [tw.]; amortyzator [el.]; tłumik drgań, amortyzator drgań [mot.]

damper-controlled gas pass kanał spalinowy regulacyjny [energ.]

damper gear uruchomienie klapy [tw.]

damper plastic insert wkładka amortyzacyjna [transp.]

damping amortyzacja; tłumienie (*drgań*) [mot.]; tłumienność [el.]

damping behaviour własności tłumiące [tw.]

damping body element tłumiący [tw.]

damping capacity zdolność tłumienia [tw.]

damping coefficient współczynnik tłumienia [el.]

damping diode dioda tłumiąca [el.]

damping factor współczynnik drgań, współczynnik tłumienia [tw.]

damping method metoda tłumienia [tw.]

damp-proof odporny na wilgoć [transp.]

damp-proof cable przewód kablowy w izolacji odpornej na wilgoć [transp.]

dandruff łupież [abc]

danger niebezpieczeństwo [tw.]; ryzyko [abc]; groźba wypadku [transp.]

dangerous niebezpieczny [tw.]

dark trace CR tube lampa z ekranem tenebrescencyjnym, skiatron [inf.]

darkened zaciemniony [mot.]

Darlington circuit układ Darlingtona [el.]

dash tablica rozdzielcza [mot.]

dashboard tablica przyrządów; pulpit sterowniczy [mot.]; pulpit operacyjny [el.]

dashboard lamp oświetlenie deski rozdzielczej [mot.]

dashboard light oświetlenie tablicy wskaźników [mot.]

dashed line linia kreskowa [rys.]

dash light oświetlenie tablicy rozdzielczej [mot.]

data parametry; dokumentacja; dane [abc]; (→ design data)

data abstraction abstrahowanie danych [inf.]

data acquisition gromadzenie danych [inf.]

data administration zarządzanie danymi [inf.]

data allocation alokacja danych, przydział danych [inf.]

data bank bank danych [inf.]

database baza danych [inf.]

database application aplikacja baz danych [inf.]

database query zapytanie bazy danych [inf.]

database system system zarządzania bazą danych [inf.]

data block blok danych [inf.]

data category kategoria danych [inf.]

data centre centrum obliczeniowe [inf.]

data coding unit koder danych [inf.]

data collecting gromadzenie danych [inf.]

Data Definiton Language (DDL) język definiowania danych [inf.]

data dictionary (DD) słownik danych [inf.]

data element administration administrowanie elementami danych [inf.]

data element element danych [inf.]

data element standard standard elementów danych [inf.]

data evaluation ocena danych [inf.]

data field pole danych [inf.]; (→ protected data field)

data flow przepływ danych [inf.]; (→ incoming d.f.; → outgoing d.f.)

data flow architecture architektura przepływu danych [inf.]

data flow chart plan (*tabela*) przepływu danych [inf.]

data flow diagram (DFD) wykres przepływu danych [inf.]

data flow testing kontrola przepływu danych [inf.]

data gathering gromadzenie danych [inf.]

data interface interfejs danych [inf.]

data logging zapisywanie danych [inf.]

data medium nośnik danych [inf.]

data migration migracja danych [inf.]

data model model danych [inf.]

data modeling modelowanie danych [inf.]

data of lifting capacity wartość siły nośnej, wartość udźwigu [transp.]

data on machining dane skrawania [tw.]

data plate tabliczka znamionowa, tabliczka identyfikacyjna [abc]

data processing przetwarzanie danych [inf.]

data processing equipment urządzenie do przetwarzania danych [inf.]

data processor procesor [inf.]

data protection ochrona danych [inf.]

Data Protection Act (GB) Ustawa o Ochronie Danych [inf.]

D

data reduction method metoda redukcji danych [inf.]

data sampling system system próbkowania danych [inf.]

data set plik, zbiór danych [inf.]

data sheet dane techniczne [inf.]; karta informacyjna, karta danych [transp.]

data signal sygnał wyjściowy [inf.]

data sorting sortowanie danych [inf.]

data storage przechowywanie danych [inf.]

data storage unit pamięć (*do przechowywania*) danych [inf.]

data translator konwerter danych [inf.]

data transmission transmisja danych, teledacja [inf.]

data type typ danych, rodzaj danych [inf.]; (→ abstract d. t.; → compound d.t.)

date data [abc]; (→ purge d.)

date of expiration termin ważności [prawn.]

date of payment (→ payday) dzień płatności [abc]

daub narzut gliny [bud.]

dawn świt, brzask [abc]

daylight światło dzienne, światło naturalne [abc]

day shift zmiana dzienna [abc]

day-work praca na dniówki [abc]

DB manufacturing control nadzór budowlany sprawowany przez kolej [mot.]

DC (*direct current*) prąd stały [el.]; komunikacja (*dialog*) danych; transmisja danych [inf.]

dc-field coil uzwojenie prądu stałego [el.]

dc-signal impuls prądu stałego [el.]

DDL (→ Data Definition Language) DDL (*język programowania opisu danych*) [inf.]

DDP (*Distributed Data Processing*)

DDP (*przetwarzanie danych rozproszonych*) [inf.]

dead centre usytuowany centralnie [rys.]

dead-centre point punkt zwrotny, martwy punkt, martwe położenie [mot.]

dead centre position położenie środkowe [mot.]

dead corner ślepy róg [mot.]

dead-end street ślepa uliczka [mot.]

deadline termin końcowy, termin ostateczny [abc]

dead load ciężar własny [transp.]

deadlock blokada systemu, zakleszczenie [inf.]

dead man's control urządzenie czuwakowe (*powodujące zatrzymanie maszyny w razie zasłabnięcia operatora*) [mot.]

dead man's device urządzenie czuwakowe [mot.]

dead man's handle włącznik czuwaka [mot.]

dead sheathing deskowanie tracone [bud.]

dead spot punkt zwrotny, martwy punkt, martwe położenie [mot.]

dead weight balast; (→ service weight) masa własna [mot.]

dead weight safety valve zawór bezpieczeństwa ciężarowy o bezpośrednim obciążeniu [energ.]

dead zone uskok, strefa uskokowa, strefa ciszy, strefa milczenia, strefa nieczułości (*regulatora*) [abc]

de-aerating plant urządzenie odgazowujące [energ.]

deaerator odpowietrznik [energ.]

deaf głuchy [med.]

deafmute głuchoniemy [med.]

dealer handlowiec, przedstawiciel (*firmy*), sprzedawca [mot.]

death śmierć, zgon [med.]

debranching usuwanie gałęzi [bud.]

debris odpad, resztka; gruz; śmieci

[rec.]; ciało obce [aero]
debug wykrywać i usuwać błędy w programie komputerowym [inf.]
debugger program uruchomieniowy; debuger (*system wyszukujący błędy w programie*) [inf.]
deburing usuwanie rąbków, stępianie ostrych krawędzi [met.]
deca- deka- [abc]
decade dekada [abc]
decade code system system dziesiętny, układ dziesiętny [mat.]
decade connection połączenie dekadowe [el.]
decade counter tube dekatron, lampa elektronowa zliczająca [miern.]
decade pulse generator generator impulsów dekadowy [el.]
decalcomania dekalkomania, kalkomania [abc]
decarbonizer urządzenie dekarbonizujące [energ.]
decay niszczeć, rozpadać się, zapadać się, upadać; gnić, rozkładać się [bud.]
decay wietrzenie; rozpad, rozkład [bud.]
decaying stęchły, zbutwiały [bud.]
decay process proces zaniku [el.]
decay rate rozpad [abc]
decay time okres rozpadu promieniotwórczego [abc]; czas zaniku (*sygnału*) [el.]
decelerate hamować; zwalniać, spowalniać; opóźniać [mot.]
deceleration opóźnienie, przyspieszenie ujemne [energ.]
deceleration valve zawór opóźniający, zawór zwłoczny [mot.]
decent porządny, przyzwoity [abc]
decentralized zdecentralizowany [polit.]
decibel decybel, dB [abc]
deciduous tree drzewo liściaste [bot.]

deciduous wood drewno drzew liściastych [bot.]
decimetric wave fala decymetrowa [el.]
decinder usuwać zgorzelinę [met.]
decindering plant urządzenie do usuwania zgorzeliny [met.]
decipher odcyfrowywać; rozszyfrowywać [abc]
decision tree dendryt decyzyjny [inf.]
decisive decydujący [abc]
deck osłona [transp.]; pokład; kratownica [mot.]; talia kart [abc]
deck area szerokość chwytaka [transp.]
deck cover osłona pomostu [transp.]
deck crane dźwig pokładowy [mot.]
deck edge krawędź pokładu [mot.]
decking odeskowanie pomostu; zadaszenie [transp.]; (→ inner decking)
decking width szerokość pokładu [transp.]
deck of cards plik kart dziurkowanych [inf.]
declaration deklaracja [abc]; wyjaśnienie [polit.]
declare obwoływać, proklamować; oświadczać [polit.]; clić (*deklarować w deklaracji celnej*) [abc]
declare the intention deklarować intencję [prawn.]
declined shaft szyb pochyły [górn.]
decline in output spadek mocy [bud.]
decode dekodować [inf.]; dekodować [abc]
decoding dekodowanie [abc]
de-coiling reel bęben do rozwijania [transp.]
decompressor odprężnik, dekompresor [mot.]
decorative laminate laminat dekoracyjny [tw.]
decouple odsprzęgać [mot.]

D

decoy wabik [abc]
decrease zmniejszać, pomniejszać, redukować [abc]
decrease zmniejszenie, redukcja; spadek [energ.]
decrease in load odbiór ciężaru; obniżanie ciężaru [energ.]
decreasing length of tooth tip malejąca wysokość wierzchołka zęba [rys.]
decrement zmniejszenie, spadek [abc]
dedendum wysokość stopy zęba [rys.]
dedicated line łącze stałe [inf.]
deduct odejmować, odliczać; odejmować [mat.]
deductible podlegający potrąceniu [prawn.]
deduction system system dedukcyjny [inf.]
deductive database dedukcyjna baza danych [inf.]
de-energized bezprądowy [mot.]
deep głęboki, wnikliwy [abc]
deep cut wybieranie czerparką podsiębierną [transp.]
deep drawable carbon steel stal węglowa do głębokiego ciągnienia, stal węglowa do głębokiego tłoczenia [tw.]
deep-drawn part część głębokotłoczna, część do głębokiego tłoczenia [tw.]
deep earthquake trzęsienie ziemi głębinowe [geol.]
deep foundation fundament głęboki [bud.]
deep groove ball bearing łożysko kulkowe zwykłe [masz.]
deep-hole boring machine wiertarka do głębokich otworów [met.]
deep mining eksploatacja podziemna [górn.]
deep mining operation eksploatacja podziemna [górn.]

deep-reaching sięgający głęboko [bud.]
deep ripper ząb stalowy długi, ząb stalowy łyżki koparki [transp.]
deep-ripper tooth ząb stalowy długi, ząb stalowy łyżki koparki [transp.]
deep sea tug holownik dalekomorski [mot.]
deep vibration wibrator wgłębny, perwibrator, wibrator pogrążalny [bud.]
deep well studnia głębinowa [bud.]
default opuszczenie, niestawienie się, przeoczenie, zaniedbanie, opieszałość [abc]; wartość domyślna; wartość standardowa [inf.]
default inheritance procedure domyślna procedura dziedziczenia [inf.]
defaults ustawienia domyślne [inf.]
defaults on production wada produktu [tw.]
defect awaria, uszkodzenie, defekt; wada [abc]
defect in design błąd konstrukcyjny [rys.]
defect in manufacturing wada produkcyjna [prawn.]
defective uszkodzony, wadliwy; błędny; zepsuty [abc]
defective area miejsce uszkodzenia [tw.]
defective spot-area miejsce uszkodzenia [tw.]
defective welding wadliwe spawanie, wadliwe zgrzewanie [met.]
defence obrona [abc]
Defence Standard (GB) Norma Ministerstwa Obrony [norm.]
defend bronić [polit.]; bronić [wojsk.]
defendant oskarżony [prawn.]
defense work prace fortyfikacyjne [wojsk.]
deferring recursion opóźnianie rekursji [inf.]
deficiency usterka urządzenia [mot.]

defined ostry, pikantny [abc]
definite time-lag opóźniony niezależnie [el.]
definitely necessary wymagany ko-
niecznie, niezbędny [abc]
definition definicja, określenie
[inf.]; ostrość, dokładność, precyzja [abc]; (→ requirements d.)
definition environment środowisko definicji [inf.]
definition problem problem definiowania [inf.]
deflection odchylenie [el.]; odchylenie [fiz.]; zwis [transp.]
deflection coefficient współczynnik odchylenia [fiz.]
deflection voltage napięcie odchylania, napięcie odchylające [el.]
deflector deflektor; ochrona olejowa, osłona olejowa [tw.]; deflektor
[transp.]; wiatrownica, odchylacz
dymu; blacha kierunkowa; wiatrownica [mot.]; (→ smoke deflector)
deflector guide przegroda kierująca [mot.]
deflector pin kolec [transp.]
deflector plate osłona przeciwbryzgowa [mot.]
deform (→ distort) odkształcać
[met.]
deformability odkształcalność, formowalność, podatność na formowanie [tw.]
deformable odkształcalny, podatny
na odkształcenie [bud.]
deformation odkształcenie, deformacja [transp.]
deformation energy energia odkształcenia [bud.]
deformation point temperatura
topliwości popiołu [energ.]
deforming deformujący [bud.]
defrost odszraniać, odmrażać [mot.]
defroster odmrażacz [mot.]
defrosting thermostat termostat

rozmrażania [mot.]
deg stopień [abc]
degas odgazowywać [tw.]
degassing odgazowywanie [tw.];
odgazowywanie [energ.]
degrease odtłuszczać, odtłuścić [tw.]
degree stopień [meteo.]; (level, →
stage) poziom [abc]; stopień [fiz.]
dehydrated odwodniony [mot.]
deion circuit-breaker wyłącznik automatyczny dejonizacyjny [energ.]
delamination wyjście, wylot, wlot,
właz [met.]
delay opóźniać [el.]; zatrzymywać
(*się*) [inf.]
delay czas wiązania, czas łączenia
[fiz.]; opóźnienie, zwłoka [transp.]
delay angle kąt opóźniania [mot.]
delay cable kabel opóźniający
[transp.]
delay cartridge ładunek woreczkowy czasowy [wojsk.]
delayed erase wymazywać z opóźnieniem [el.]
delayed time opóźniona podstawa
czasu [el.]
delayed time-base sweep opóźniona podstawa czasu [el.]
delayed trigger wyzwalanie opóźnione [transp.]
delaying element element zwłoczny [wojsk.]
delaying sweep opóźniona podstawa [transp.]
delay line linia opóźniająca, tor
opóźniający [transp.]
delay store pamięć cykliczna [el.]
delay time czas hamowania, czas
zwalniania, czas opóźniania
[transp.]
delegate delegat [abc]
delegate office biuro delegatów [tw.]
delete usuwać, usunąć [abc]
deleterious szkodliwy [bud.]
deliberate dokonany z premedytacją [prawn.]

D

deliberation rozmyślnie, z premedytacją [prawn.]

delimitate rozgraniczać [abc]

delivered at site dostawa na budowę [bud.]

delivery przewóz, transport [transp.]; natężenie przepływu; przenoszenie, przesyłanie, transport [mot.]; dostawa; odkupienie [abc]

delivery cell ogniwo zasilające [mot.]

delivery characteristics charakterystyka pompy wtryskowej, charakterystyka dawkowania paliwa [mot.]

delivery order zlecenie dostawy [wojsk.]

delivery plunger tłok tłoczący, tłok zasilający [mot.]

delivery pump pompa tłocząca [mot.]

delivery rate natężenie przepływu [mot.]

delivery rating of a pump wydajność pompy [mot.]

delivery schedule plan dostaw [abc]; (→ scope of supply)

delivery specification specyfikacja dostawy [abc]

delivery test kontrola dostawy [tw.]

delivery time termin dostawy [transp.]; czas dostawy [abc]; szybkość przelotowa [tw.]

delivery valve zawór tłoczny [transp.]; zawór ciśnieniowy [mot.]; zawór tłoczny [tw.]

delta contactor stycznik trójkątny [el.]

delta ferrite steel stal ferrytowa [tw.]

delta star control przełączanie trójkąt-gwiazda [el.]

delta star gwiazda-trójkąt [el.]

deluxe cab *kabina kierowcy luksusowo wyposażona* [mot.]

demagnetisation odmagnesowywanie [el.]

demand żądać, domagać się, dopo-

minać się [abc]

demand zapotrzebowanie [wojsk.]; (→ steam demand)

demand planning planowanie popytu [abc]

demineralization plant instalacja do demineralizacji, urządzenie do odsalania [energ.]

democracy demokracja [polit.]

demodulate demodulować [el.]

demodulation demodulacja [el.]

demolish burzyć [bud.]

demolition rozbiórka [bud.]

demolition device maszyna burząca [wojsk.]

demolition equipment sprzęt do rozbiórki [transp.]

demolition hook hak rozbiórkowy [transp.]

demolition site miejsce rozbiórki [górn.]

demonstrate pokazywać, prezentować [mot.]

demonstration przedstawienie, demonstracja [abc]; demonstracja [polit.]; prezentacja, pokaz [mot.]

demoulding *wyjmowanie wypraski z formy* [bud.]

demurrage przestój (*np. wagonu na kolei, statku w porcie*); postojowe [mot.]

denim brezent impregnowany; płótno żaglowe [abc]

denomination wyznanie [abc]; (→ description); liczba mianowana [mat.]

denote znaczyć [bud.]

dense gęsty, zwarty, ścisły; o strukturze zwartej [tw.]; gęsty, ścisły, zwarty [abc]

densely populated gęsto zaludniony [bud.]

density zwartość, spoistość; gęstość warstw [bud.]; (→ mixture density)

dent wgniatać [mot.]

dent wgniecenie; garb, karb, wgniecenie [tw.]; wgniecenie [mot.]

dentist dentysta [med.]

denture proteza (*zębowa*) [med.]

denturist technik dentystyczny [med.]

deny zaprzeczać, odmawiać [abc]

deny zaprzeczenie, odmowa [abc]

depart odjeżdżać [abc] (→ day of departure)

departable rozdzielny, rozłączny, dający się rozdzielić, dający się oddzielić; rozdzielnie, rozłącznie [mot.]

department referat, dział [mot.]; dział [ekon.]; (→ insulation d.; → structural d.; → time-study d.)

department manager kierownik działu [ekon.]

Department of Public Safety Urząd Bezpieczeństwa Publicznego [polit.]

Department of Transport Ministerstwo Transportu [mot.]

department store dom towarowy, dom handlowy [bud.]

departure odjazd; odejście, wyjście [abc]; odjazd, wyjazd; odlot [mot.]; odwrót [wojsk.]

departure angle kąt pochylenia [mot.]

departure siding tor odjazdowy [mot.]

departure sign sygnał do odjazdu, znak do odjazdu [mot.]

departure terminal hala odlotów [abc]

departure time czas (*godzina*) odjazdu [abc]

departure track peron odjazdowy [abc]

dependant variable zmienna zależna [mat.]

dependence dobudówka, oficyna [bud.]; (→ frequency dependence) zależność [el.]

dependency-directed backtracking nawracanie uzależnione od

okoliczności [inf.]

dependent on zależny od [abc]

dependents krewny, powinowaty [abc]

depleted wypalony [energ.]

depletion type typ zubożony [el.]

depletion type field-effect-transistor tranzystor polowy z kanałem zubożonym [el.]

deploy rozmieszczać; wprowadzać do akcji; ustanawiać, tworzyć [wojsk.]

deposit osadzać, osadzić (*się*) [hydr.]

deposit odkład [rec.]; osad, złoże, odkład [gleb.]; osad, odkład; zawiesina osadzająca się [hydr.]; złoże, pokład; złoże [górn.]; odkład [transp.] (→ unconsolidated deposit)

deposit of boiler scale osad kamienia kotłowego [mot.]

deposit premium przedpłata, zaliczka [prawn.]

deposit welding spawanie powierzchniowe [met.]

depositing area wysypisko śmieci [rec.]

deposit-water woda opadowa [hydr.]

depth głębokość, głębia, wnikliwość [abc]; grubość, miąższość [geol.] (→ depth of penetration; → depth of hypocentre)

depth bolt śruba dwustronna, kołek gwintowany [tw.]

depth extension rozszerzalność wgłębna [abc]

depth-first search przeszukiwanie wgłąb, przeszukiwanie zstępujące [inf.]

depth qauge głębokościomierz, sprawdzian głębokości [abc]

depth range zakres [el.]; zasięg głębokości [transp.]

depth scale podziałka głębokości [abc]

D

depth scan sonda głębinowa [miern.]

depth scanning kontrola grubości [miern.]

deputy zastępca; delegat, przedstawiciel [abc]

deputy member zastępca członka [ekon.]

deputy minister sekretarz stanu [polit.]

deputy surveyor asystent mierniczego górniczego [górn.]

derail wykolejać się [mot.]

derailment guard szyna ochronna [mot.]

derate dławić, dusić; obniżać moc [mot.]

derivation tree drzewo wyprowadzenia [inf.]

derived unit jednostka pochodna, jednostka wtórna [abc]

derive from wyprowadzać, derywować; pochodzić od, wywodzić się z [abc]

deriving from wywodzący się od [abc]

derrick bom; wysięgnik [mot.]

derust odrdzewiać, odrdzewić [tw.]

desalinate odsalać, odsolić [energ.]

descend zjeżdżać [górn.]

descendant potomek [inf.]

describe-and-match opis i porównanie [inf.]

description opis; określenie, oznaczenie; przedstawienie, demonstracja [abc]; opis, charakterystyka; opisanie rysunku [rys.]

descriptive semantics semantyka opisowa [inf.]

desert dezerterować, przechodzić na stronę nieprzyjaciela [wojsk.]; pustynia [geol.]

desiderata wymagania [inf.]

design konstruować; obliczać, oszacowywać; kalkulować [rys.]

design konstrukcja, projekt; system budowy, sposób budowania [abc];

konstrukcja maszyny [mot.]; kształtowanie, formowanie; wzór konstrukcyjny; szkic, projekt; planowanie; rozplanowanie, rozmieszczenie [rys.]; obliczenie [bud.]; (→ software design)

design characteristics cecha konstrukcyjna [rys.]

design data dane projektowe [rys.]

design description opis projektu, opis konstrukcji [rys.]

design dossier dokumentacja konstrukcyjna [rys.]

design draft rysunek projektowy [rys.]

design drawing rysunek konstrukcyjny [rys.]

designed rozplanowany; zaprojektowany, skonstruowany [rys.]

design engineer inżynier konstruktor, inżynier projektant [rys.]; inżynier mechanik [abc]

design engineering projektowanie, konstruowanie [rys.]

design feature cecha konstrukcyjna [rys.]

design load obciążenie obliczeniowe [bud.]

design of the mouldboard ułożenie radlicy [transp.]

design of the roof typ dachu [bud.]

design pressure ciśnienie obliczeniowe; ciśnienie koncesyjne [energ.]

design size rozmiar, wielkość, format [rys.]

design speed szybkość podstawowa ruchu (*do obliczeń projektowych*) [bud.]

design standard norma ustalająca wytyczne projektowania [transp.]

designate nazywać, nazwać (*nadać nazwę*) [abc]; (→ mark)

desintegration wietrzenie [bud.]

desk pulpit; biurko [abc];

desk calendar terminarz biurkowy [abc]

desk lamp lampa biurkowa [el.]

desk top publishing (DTP) mała poligrafia [inf.]; wydawnictwo podręczne [abc]

deslagging equipment urządzenie odżużlające [tw.]

deslagging hammer do odbijania żużla, dziobak [narz.]

despite mimo to, jednak; mimo, pomimo [abc]

destination przeznaczenie, cel; miejsce przeznaczenia [mot.]

destination board tablica kierunkowa (*na wagonie*) [mot.]

destination button przełącznik łączenia bezpośredniego [mot.]

destination disc dysk docelowy [inf.]

destiny przeznaczenie [abc]

destroy niszczyć, burzyć [abc]

destroyer niszczyciel [wojsk.]

destroy tectonically przemieszczać się [gleb.]

destruction zniszczenie, zburzenie, rozpad, rozkład [bud.]

destructive niszczący, niszczycielski [tw.]

destructive verification kontrola powtórna; próba rozciągania, próba na rozerwanie [abc]

desuperheater schładzacz; chłodnica, ochładzacz, element chłodzący (*pary przegrzanej*) [energ.]

detach wyodrębniać, odłączać (*się*) [abc]

detachable rim zdejmowany wieniec koła [mot.]

detachable wheel koło zdejmowane [mot.]

detachment odłączenie (*się*), oderwanie (*się*) [abc]

detail podanie, oświadczenie; detal, szczegół [abc]; szczegół [transp.]

detail drawing rysunek dokładny (*części z całości*) [rys.]

detailed parts list szczegółowy wykaz części [rys.]

detailed schematic diagram schemat obwodowy [el.]

detailed study studium szczegółowe [abc]

detain zatrzymywać, zatrzymać [polit.]

detect rozpoznawać, rozpoznać [abc]

detecting śledztwo [polit.]

detection wykrywanie [abc]

detective detektyw [abc]

detective story historia kryminalna; powieść kryminalna [abc]

detent zapadka; zaczep; podkładka ustalająca [mot.]; zwalniacz, wyzwalacz element ustalający [tw.]

detergent środek piorący [abc]

deteriorate pogarszać, pogorszyć (*się*) [abc]

deteriorated podniesiony, wyższy [tw.]

determination ustalenie [abc]; (→ d. of hardness) przeznaczenie [miern.]

determine unieruchamiać; wyznaczać; postanawiać, decydować, uchwalać [abc]

detonate wyzwalać [transp.]

detonating agent equipment wyposażenie w materiały wybuchowe [wojsk.]

detonating agent materiał wybuchowy [górn.]

detonating fuse (→ fuse) lont detonujący [górn.]

detonating primer zapłonnik [górn.]

detonation odpalenie; detonacja [wojsk.]; spłonka detonująca [górn.]; (→ electric detonator)

detonator cap detonator [wojsk.]

detour objazd [mot.]

detrimental niekorzystny [tw.]; szkodliwy [chem.]

detrital rumowisko; rumowisko skalne [geol.]

D

develop rozwijać [abc]; zagospodarowywać [bud.]

developed rozwinięty ułożony, pomyślany [abc]

developing rozbudowa [abc]

developing company *firma opracowująca nowe konstrukcje, produkty, modele itp.* [abc]

development (→ software development) rozwój [inf.]

development cost koszt uzbrojenia (*np. terenu*) [bud.]

development environment środowisko programowania [inf.]

development of pressure zwiększanie ciśnienia [mot.]

development productivity wydajność wytwarzania [inf.]

deviate from różnić się od, odbiegać od [abc]

deviation modyfikacja [tw.]

deviation of dimension odchyłka wymiarowa, tolerancja [bud.]

device przyrząd [mot.]; jednostka [inf.]; przyrząd urządzenie, aparat [abc]; (→ blowing-in d.; → broken chain d.; → control d.; → control d.; → controller; → d. for handwinding; → fixture; → tensioning d.; → warning d.)

device for handwinding urządzenie obrotowe ręczne [transp.]

devonian dewoński [geol.]

dew rosa [meteo.]

dewatering osuszać, drenować [górn.]

dewatering odwadnianie [hydr.]

dewpoint punkt rosy, temperatura rosy [met.]

dewpoint corrosion korozja punktu rosy [tw.]

dextrose dekstroza, cukier gronowy [bot.]

DF (→ data flow) DF (*przepływ danych*) [inf.]

DFD (→ data flow diagram) DFD

(*diagram przepływu danych*) [inf.]

dia średnica [rys.]

diabase diabaz [bud.]

diabetic beer piwo dla diabetyków [abc]

diagnosis (→ differential diagnosis) diagnoza [miern.]

diagnosis system system diagnostyczny [abc]

diagnostics diagnostyka [inf.]

diagonal poprzeczny; poprzecznie [abc]; (→ soffit diagonal members)

diagonal cut gate shears nożyce gilotynowe o krawędziach ustawionych pod kątem [met.]

diagonal cutting pliers nóż boczny [narz.]

diagonal tension failure przełom poślizgowy, przełom plastyczny [bud.]

diagonal tyre (US) opona diagonalna [mot.]

diagram wykres [abc]; (→ data flow diagram) diagram [inf.]; (→ hydraulics d.;→ Mollier d.; → start-up graph; → wiring d.; → Iron-Carbon-equilibrium d.; → wiring d.; → spring d.)

diagram plate tarcza wykresu, wykres tarczowy [abc]

dial wybierać (*numer*) [telkom.]

dial podkładka nastawcza; tarcza [mot.]; podziałka; tarcza zegarowa [abc]; tarcza numerowa [telkom.]; tarcza z podziałką, podzielnia tarczowa, podziałówka tarczowa, skala tarczowa [inf.]

dial balance waga z tarczą numerową [miern.]

dial count stan licznika [el.]

dial gauge czujnik zegarowy [miern.]

dial recording stan licznika [el.]

dial-up line linia wybierania [inf.]

diameter średnica [rys.]; (→ bore

d.; → coil d.; → countersunk d.; → external d.; → hub d.; → hydraulic d.; → inside coil d.; → internal d.; → mean coil d.; → outer d.; → outside coil d.;; outside d.; → pin d.; → piston d.; → pitch d.; → roller d.; → root d.; → shaft d.; → thread-d.; → wire d.)

diameter of wheel średnica koła [mot.]

diameter range obszar średnicowy [rys.]

diamond diament [chem.]; brylant; karo [abc]

diamond crossing (→ common crossing) skrzyżowanie ukośne torów [mot.]

diamond grinding szlifiernia diamentów [abc]

diamond mine kopalnia diamentów [górn.]

diamond soil piasek diamentonośny [górn.]

diamond soil deposit złoże diamentonośne [górn.]

diaphragm przepona, diafragma, membrana [fiz.]; ściana szczelinowa; tarcza ścienna [bud.]

diaphragm pump pompa przeponowa, pompa membranowa [energ.]

diaphragm wall ściana szczelinowa [bud.]

diapositive slide pool szuflada z przezroczami (*w przeglądarce*) [abc]

dicharge end końcówka wylotowa [transp.]

dictation dyktando, dyktat [abc]

dictation set dyktafon [abc]

dictionary słownik [abc]

die tłoczyć [met.]; umierać [abc]

die narzynka, matryca [masz.]

die-away time czas pogłosu [el.]

die cast odlew ciśnieniowy; odlewanie ciśnieniowe [met.]

die casting odlewanie ciśnieniowe [met.]

die forged kuty w matrycy [met.]

dielectric dielektryk; dielektryczny [el.]

dielectric constant przenikalność dielektryczna, stała dielektryczna [el.]

dielectricity dielektryczność [el.]

diesel silnik wysokoprężny, silnik z zapłonem samoczynnym, silnik Diesla; olej napędowy [mot.]

D

diesel drive napęd silnikiem wysokoprężnym, napęd dieslowski [mot.]

diesel-driven generator zespół prądotwórczy z silnikiem wysokoprężnym [mot.]

diesel-electric spalinowo-elektryczny [mot.]

diesel engine silnik wysokoprężny, silnik z zapłonem samoczynnym, silnik Diesla; lokomotywa spalinowa [mot.]

diesel loco (GB) lokomotywa spalinowa [mot.]

diesel locomotive (GB) lokomotywa spalinowa [mot.]

diesel motor coach autobus z silnikiem wysokoprężnym [mot.]

diesel oil olej napędowy [mot.]

diesel railcar wagon spalinowy z silnikiem wysokoprężnym [mot.]

diesel roller walec spalinowy [mot.]

dif lock (→ differential lock) blokowanie mechanizmu różnicowego [mot.]

diff mechanizm różnicowy, dyferencjał [mot.]

difference różnica [abc]

difference amplifier wzmacniacz różnicowy [mot.]

difference-procedure table tabela procedur różnicowania [inf.]

different różny, rozmaity, różnorodny [abc]

differential mechanizm różnicowy, dyferencjał [mot.]

differential amplifier wzmacniacz różnicowy [el.]

differential bevel gear koło zębate stożkowe mechanizmu różniczkowego [mot.]

differential bevel pinion koło zębate stożkowe przekładni różnicowej [mot.]

differential case obudowa mechanizmu różnicowego [mot.]

differential diagnosis diagnoza różnicowa [inf.]

differential draught ciąg różnicowy [energ.]

differential equation równanie różniczkowe [mat.]; (→ homogeneous d.e.; → linear d.e.; → ordinary d.e.)

differential gear mechanizm różnicowy, dyferencjał [mot.]

differential gear unit mechanizm różnicowy [mot.]

differential housing obudowa mechanizmu różnicowego [mot.]

differential lock blokowanie mechanizmu różnicowego [mot.]

differential pinion shaft oś koła obiegowego przekładni różnicowej [mot.]

differential piston tłok różnicowy [mot.]

differential pressure regulator regulator różnicy ciśnień [energ.]

differential pulley block wielokrążek różnicowy [energ.]

differential side gear koronka półosi tylnego mostu [mot.]

differential spider krzyżak mechanizmu różnicującego [mot.]

differential spur gear koło zębate czołowe mechanizmu różnicującego [mot.]

differentiator układ różniczkujący [el.]

differently colored odsadzony [abc]

difficult trudny [abc]

difficulty trudność [abc]

diffraction sound field dyfrakcyjne pole akustyczne [akust.]

diffuse dyfundować, rozpraszać [fiz.]

diffuse dyfuzyjny, rozproszony, rozmyty [fiz.]

diffuser aparat kierujący [mot.]

diffuse reflection odbicie rozproszone [fiz.]

diffuser plate koło pasowe luźne [el.]; przekładka z blachy [mot.]

diffuser type pump pompa typu dyfuzorowego [mot.]

diffusion capacitance pojemność dyfuzyjna [el.]

diffusion welding zgrzewanie dyfuzyjne [met.]

dig rozbierać, demontować, burzyć; kopać [bud.]; wykopywać [górn.]; rozłączać [met.]

diggable rozpuszczalny [górn.]

diggable grounds grunty kopne [transp.]

digging usuwanie, demontaż, rozbiórka [górn.]

digging arc krzywizna czerpaka [transp.]

digging depth głębokość kopania [bud.]

digging diagram schemat robót ziemnych [bud.]

digging force siła kopania [bud.]

digging grab chwytak dwuszczękowy; łyżka drenarska [transp.]

digging height głębokość kopania; zasięg kopania [transp.]

digging resistance opór urabiania [transp.]

digging shovel chwytak przedsiębierny [transp.]

digging width szerokość kopania [transp.]

digit sign znak liczby [mat.]

digital-analog converter konwerter cyfrowo-analogowy [el.]

digital circuit układ cyfrowy [el.]

digital data storage przechowywanie danych cyfrowych, zapamiętywanie danych cyfrowych [inf.]

digital display wskaźnik cyfrowy [miern.]

digital display unit wskaźnik cyfrowy [el.]

digital image processing cyfrowe przetwarzanie obrazów [inf.]

digital r.p.m. regulator selsyn cyfrowy [el.]

digital readout odczyt cyfrowy [el.]

digital road map mapa cyfrowa [geogr.]

dike tama, wał, grobla [bud.]

dike rock skała żyłowa [geol.]

dilapidated zniszczony, w opłakanym stanie, walący się, w ruinie; zrujnowany [abc]

dilapidation ruina, zniszczenie, upadek [bud.]

dilatational wave fala dylatacyjna [el.]

diluent środek rozcieńczający, rozcieńczalnik [chem.]

dilute rozcieńczać, rozrzedzać [met.]; upłynniać (się) [abc]

dim zasłaniać, zaślepiać; ściemniać [abc]

dimension rozmiar; wielkość; miara; wymiar tolerowany; obwód [rys.]; rząd wielkości [energ.] (→ bearing d.; → boiler d.)

dimensional accuracy dokładność wymiarów [rys.]

dimensioned wymiarowany [rys.]

dimension outside boiler wymiar zewnętrzny [rys.]

dimension sheet arkusz wymiarowy, arkusz wymiarów [rys.]

dimension sketch szkic wymiarowy [rys.]

dimension table tabela wymiarów [rys.]

dimensions outside boiler wymiary zewnętrzne kotła [energ.]

dimensions prior to turning wymiary wstępne [masz.]

diminish zmniejszać, pomniejszać; redukować [abc]; zmniejszać [wojsk.]

dimmed light światło mijania [mot.]

dimmed position położenie przeciwodblaskowe lusterka wstecznego [mot.]

dimmer switch przełącznik świateł przy mijaniu [mot.]

DIN norma DIN [norm.]

diner wagon restauracyjny [mot.]

dining car wagon bufetowy [mot.]

dining room suite umeblowanie jadalni [bud.]

dinky lokomotywa manewrowa [mot.]

dinner podwieczorek; kolacja [abc]

DIN-Standard norma DIN [norm.]

diode dioda [el.]; (→ collector d.; → emitter d.; → junction d.; → Schottky d.; → Zener d.)

diode characteristic charakterystyka diodowa [el.]

diode-current starting point punkt wyjścia prądu diodowego [el.]

diode gate circuit diodowy układ bramkowy [el.]

diode load resistance opór obciążenia diody [el.]

diorite dioryt [[bud.]

dip zanurzać (się) [tw.]; zanurzać, maczać [met.]

dip zagłębienie, obniżenie, depresja [bud.]; wybój [transp.]; podział wsadu [tw.]; spadek [mot.]

dip switch przełącznik świateł przy mijaniu [mot.]

diploma dyplom [abc]

dipmeter analysis upadomierz [el.]

dipmeter log rejestr upadomierza [el.]

dipper czerpak; łyżka koparki; ładowarka szuflowa [transp.]

dipper arm ramię czerpaka; (US) drążek łyżki koparki [transp.]

dipper capacity pojemność łyżki koparki [transp.]

dipper contents zawartość łyżki koparki [transp.]

dipper handle ramię łyżki koparki [transp.]

dipper stick drążek; (US) drążek łyżki koparki [transp.]

dipstick przymiar długościowy; prętowy wskaźnik poziomu [mot.]; trzonek [transp.]

direct prosty, bezpośredni [abc]

direct competition współzawodnictwo bezpośrednie, konkurencja [abc]

direct current (D.C.) prąd stały [el.]

direct current amplifier wzmacniacz napięcia stałego [el.]

direct current recording rejestracja prądu stałego [el.]

direct drive napęd bezpośredni [mot.]

direct fire ogień bezpośredni [chem.]

direct firing mill młyn wdmuchujący bezpośrednio pył do paleniska [energ.]

direct firing system system zasilania bezpośredniego [energ.]

direct indication wskazanie bezpośrednie [el.]

direct injection wtryskiwacz (*paliwa*) bezpośredni; bezpośredni wtrysk (*paliwa*) [mot.]

direct injector wtryskiwacz (*paliwa*) bezpośredni [mot.]

direct labour robocizna bezpośrednia [abc]

direct overthrow przesunięcie bezpośrednie [transp.]

direct recorder rejestrator bezpośredni [el.]

direct recording instrument przyrząd rejestrujący [abc]

direct scan wskazanie bezpośred-

nie [el.]

direct scanning indication bezpośrednie wskazanie impulsu nadawczego [abc]

direct voltage napięcie stałe [el.]

direct wage costs suma wynagrodzeń (*w określonym czasie*) [ekon.]

directing-stand driver operator stanowiska dyspozytorskiego [mot.]

direction tendencja, skłonność [abc]; kierunek lampa migowa, kierunkowskaz migowy, kierunkowskaz świetlny [mot.]

directional characteristic charakterystyka kierunkowości [abc]

directional control valve zawór regulacyjny [mot.]

directional indicator kierunkowskaz migowy [mot.]; kierunkowskaz [mot.]

directional sensitivity skuteczność kierunkowa [el.]

directional start switch włącznik kierunkowy [transp.]

direction indicator control lamp lampka kontrolna kierunkowskazu migowego [mot.]

direction indicator lamp lampa migowa, kierunkowskaz migowy, kierunkowskaz świetlny [mot.]

direction indicator light lampka sygnalizacyjna kierunkowskazu [mot.]

directioning ustawianie kierunku [mot.]

direction of coil orientacja zwoju; kierunek nawinięcia [el.]

directive dyrektywa [abc]

directivity function funkcja kierunkowa [abc]

directly operated sterowany bezpośrednio [mot.]

director dyrektor [ekon.]

director general (GB) dyrektor naczelny [ekon.]

directorate of standardization

kolegium normalizacji [norm.]

directory spis telefonów, książka telefoniczna [telkom.]; indeks [inf.]

dirt collection box zbiornik mułu, komora młowa [transp.]

dirt nieczystości [rec.]; ziemia [bud.]

dirt skimmer zgarniarka [transp.]; pierścień tłokowy zgarniający [mot.]

dirt stacking stertowanie odpadów [transp.]

dirty zabrudzać, zanieczyszczać [abc]

dirty brudny, zabłocony; błotnisty [abc]

disability inwalidztwo, ułomność, kalectwo [med.]

disabled kaleki, ułomny [med.]; ciężko uszkodzony [abc]

disabled person inwalida [abc]

disassemble rozbierać, demontować [met.]

disassembly usuwać, zdejmować [met.]

disaster katastrofa, nieszczęśliwy wypadek, klęska [abc]

disaster service ochrona przed katastrofami [polit.]

disc krążek [abc] (→ brake d.; → clutch d.; → disk; → end d.; → starting d.)

disc brake hamulec tarczowy, hamulec talerzowy [mot.]

disc carrier przenośnik płytowy [energ.]

disc joint przegub tarczowy [mot.]

disc spring sprężyna talerzowa, sprężyna krążkowa [tw.]

disc wheel koło (*jezdne*) tarczowe [mot.]

discard wyłączać [el.]

discharge rozładowywać [transp.]; zwalniać [wojsk.]; wyładowywać [mot.]; zwalniać, oddawać do dyspozycji; wypełniać [abc]

discharge upływ; wylot, ujście; strona wylotowa [mot.]; wyładowanie

[el.]; wypromieniowanie [energ.]; (→ drain) wypływ, przepływ [transp.]

discharge belt taśma zwałowa, taśma wyładowcza [górn.]

discharge boom length długość wysięgnika zrzutowego [transp.]

discharge boom wysięgnik zrzutowy (*do wyładunku*); wysięgnik taśmowy wysypowy [transp.]

discharge bridge mostowiec, most przeładunkowy, mostownica [transp.]

discharge chute wyjście, wylot [mot.]; rynna zsypowa [górn.]

discharge coefficient współczynnik przepływu [energ.]

discharge coil dławik uziemiający [el.]

discharge conveyor taśma wyładowcza; przenośnik wyładowczy [górn.]; taśma wysypowa [transp.]

discharge current prąd wyładowczy; prąd wyładowania [el.]

discharged material sortyment wydobyty [górn.]

discharge end koniec wyładunku [transp.]

discharge flap klapa wyładowcza [mot.]

discharge funnel lej zrzutowy [górn.]

discharge funnel with pre-screen lej zrzutowy z przesiewem wstępnym [górn.]

discharge height wysokość zwału; wysokość załadowcza [transp.]

discharge outlet otwór wypływowy [mot.]

discharge position pozycja wyładowcza [mot.]

discharge pulley bęben zrzutowy [transp.]

discharge time przepustowość [transp.]

discharge to atmosphere odprowadzenie do atmosfery [energ.]

D

discharge valve zawór spustowy; zawór regulacji ciśnienia; zawór wyrównawczy [mot.]

discharge velocity prędkość wylotowa [energ.]

discharge volume przekazane natężenie przepływu; natężenie przepływu [mot.]

discharge wall ściana wydobywcza [górn.]

discharging wyładowanie [mot.]

discharging device urządzenie rozładowcze [mot.]

discharging resistor opornik wyładowczy; rezystancja uziemienia [el.]

disconnect wyprzęgać; rozłączać [mot.]; odłączać, rozłączać [abc]; odłączać zasilanie [el.]

disconnecting switch odłącznik; wyłącznik (*automatyczny*) [el.]

disconnection wyłączenie, rozłączenie, odłączenie [el.]

discontinuation zerwanie [polit.]; wstrzymanie [abc]

discontinue ułamywać, odłamywać [abc]; zdejmować (*z anteny*) [el.]

discontinuity of weld seam nieciągłość spoiny, przerwanie spoiny [met.]

discontinuous nieciągły, przerywany [górn.]

discontinuous handling metoda pracy przerywanej [met.]

discontinuous system system nieciągły, system przerywany [górn.]

discover odkrywać; wynaleźć [abc]

discovered odkryty [abc]

discrete event simulation symulacja dyskretna [inf.]

disc-shaped fissure pęknięcie tarczowe, pęknięcie w kształcie tarczy [mech.]

disc-shaped reflector reflektor tarczowy [el.]

discussion obrady, narada, konfe-

rencja; konsultacja [abc]

disease choroba; uszczerbek na zdrowiu [med.]

disembark wyokrętować [mot.]

disembarkation wyokrętowanie [mot.]

disengage odwieszać słuchawkę [telkom.]; wysprzęgać [el.]; wyprzęgać; rozłączać; rozłączać [mot.]

disengagement zwalnianie; rozłączanie [mot.]; rozłączanie, wysprzęganie, wyzębianie [mot.]

disengaging tank zbiornik kulisty [energ.]

dished drum end grunt, podłoże; dno zakuwane [energ.]

dished head dno wypukłe [energ.]

dished tank bottom dno wypukłe [mot.]

dishonest nierzetelny, nieuczciwy [abc]

disinfectant środek dezynfekujący [med.]

disintegrate rozpadać się, rozkładać się [bud.]

disjunction suma logiczna, alternatywa, dysjunkcja [inf.]

disk napęd dyskowy; dysk [inf.]; płytka [mot.]; tarcza [abc]

disk brake hamulec tarczowy [mot.]; hamulec talerzowy [transp.]

disk clutch sprzęgło cierne tarczowe [mot.]

disk copy kopiowanie dyskietki [inf.]

disk drive napęd dysku; dysk [inf.]

disk operating system (D.O.S.) system operacyjny DOS [inf.]

disk valve zawór talerzowy [mot.]

diskette dyskietka [inf.]

dislocation przesunięcie, przemieszczenie; dyslokacja [fiz.]

dislodge wywichnąć, zwichnąć [med.]

dismantable odejmowany, wymienny [met.]

dismantle demontować, rozbierać [masz.]

dismantling rozbiórka, demontaż [masz.]

dismantling equipment urządzenie demontujące [masz.]

dismiss uusuwać (*z posady*) [polit.]

dismissal for exceptional reasons wypowiedzenie nadzwyczajne [ekon.]

dismountable rozkładany, składany, rozbieralny, rozłączalny [met.]

disorderly nieporządny; nieporządnie [abc]

disparity niewspółmierność, różnica [inf.]

dispatch przewóz, transport; wysyłka, ekspedycja [abc]

dispatch note awizo wysyłki [abc]

dispatch procedure procedura rozdzielania [inf.]

dispatch table tablica wysyłkowa [inf.]

dispensary poradnia, przychodnia [med.]

dispense rezygnować, zaniechać, zrzec się [abc]

dispersing lens soczewka rozpraszająca, soczewka wklęsła [fiz.]

dispersing mirror lustro rozpraszające, lustro wklęsłe [fiz.]

dispersive medium środowisko dyspersyjne [el]

displacement natężenie przepływu [el.]; objętość skokowa; przepływność, przelotność; wypór hydrostatyczny; zmienne natężenie przepływu; stałe natężenie przepływu; pojemność skokowa; skok tłoka; przesunięcie [mot.]

displacing przesunięcie, przemieszczenie [mot.]

display wskazywać [el.]; przedstawiać; opisywać [abc]

display ekran; pokaz, zobrazowanie; wskaźnik [inf.]; wskazanie wyników pomiaru [miern.]; wyświetlacz [el.]; (→ screen)

display cycle cykl odświeżania (*obrazu*) [inf.]

display goods (→ fair goods) eksponaty targowe [abc]

display method metoda zobrazowania [el.]

display model model pokazowy [mot.]

disposal usuwanie [rec.]

disposal car wóz żużlowy [rec.]

dispose of usuwać odpady [rec.]

disposition usposobienie, skłonność, predyspozycja [med.]

disregard lekceważyć [abc]

dissent niezadowolenie [tw.]

dissimilar różnogatunkowy [bot.]

dissipated energy moc stracona, strata mocy [el.]

dissipation moc stracona, strata mocy [el.]

dissipation factor współczynnik strat [el.]

dissipation hyperbola krzywa rozproszenia [fiz.]

dissolve rozpuszczać [tw.]; rozpadać się, rozkładać się [bud.]; rozpuszczać się, roztapiać się, rozpływać się [chem.]

dissolved oxygen tlen rozpuszczony [chem.]

distance odległość, odstęp [rys.]; odległość; odcinek drogi, szlak między stacjami [geogr.]; (→ centre d.; → haulage d.; → shaft centre d.)

distance bushing tuleja odległościowa, tuleja rozstawcza [tw.]

distance determination oznaczenie odległości [inf.]

distance law reguła Titiusa-Bodego; prawo zależności od kwadratu odległości [fiz.]

distance piece tuleja odległościowa [mech.]

D

distance pin pierścień odległościowy, pierścień rozpierający [mot.]

distance ring odległościowy, pierścień rozpierający [mot.]

distance scale podziałka [rys.]

distance through hub długość piasty [mech.]

distant signal (GB) tarcza ostrzegawcza, sygnał ostrzegawczy [mot.]

distill destylować [chem.]

distillation zone strefa suszenia [energ.]

distilling destylacja [chem.]

distinctive wyraźny, jasny, zrozumiały [abc]

distort krzywić się, paczyć się [mot.]; wykręcać, przekręcać [abc]

distortion zniekształcenie, odkształcenie, dystorsja [el.]; nierównomierny rozkład temperatury, nierównomierne nagrzanie [energ.]; odkształcenie, deformacja; zwichrzenie, zwichrowanie [tw.]; pochylenie, położenie ukośne; zniekształcenie [energ.]; (→ non-linear d.)

distraction odwrócenie [abc]

distress at sea niebezpieczeństwo na morzu, niebezpieczeństwo zatonięcia statku [mot.]

distribute rozdzielać, rozdawać, rozprowadzać [abc]; rozgałęziać [el.]

Distributed Data Processing (DDP) przetwarzanie danych rozproszonych [inf.]

distributed file system system plików rozproszony [inf.]

distributed parameter parametr rozłożony [mat.]

distributed processing rozproszone przetwarzanie danych [inf.]

distributed simulation symulacja rozproszona [inf.]

distributed system rozproszony system komputerowy [inf.]

distributing valve zawór regulacyjny [mot.]

distribution rozgałęzienie, rozwidlenie; rozkład, rozdział, rozmieszczenie [el.]; (→ geographic d.; → load d.)

distribution box puszka rozgałęźna; skrzynka rozdzielcza, skrzynka rozgałęźna [el.]

distribution cable kabel rozdzielczy [el.]

distributivity dystrybucja [inf.]

distributor rozdzielacz [energ.]; skrzynka rozdzielcza, skrzynka rozgałęźna [el.]; króciec rozdzielczy (*rurociągu*) [mot.]; rozdzielacz wtórny [transp.]; rozdzielacz, urządzenie rozdzielcze [mot.]; (→ ignition d.; → rotary d.)

distributor bank przewód rozgałęziony, przewód rozgałęźny [mot.]

distributor body korpus rozdzielacza [mot.]

distributor book wykaz handlowców, katalog przedstawicieli handlowych [ekon.]

distributor box skrzynka rozdzielcza, skrzynka rozgałęźna [el.]

distributor conference konferencja handlowców, obrady handlowców [ekon.]

district heating power station elektrociepłownia [energ.]

disturb burzyć, przeszkadzać, zakłócać [abc]

disturbance zakłócenie, zaburzenie [abc]

disturbed zaburzony [bud.]

ditch rów; rynna okop [bud.]; zarys rowu [transp.]; (→ draining d.; → intercepting d.; → side d.)

ditchbank skarpa wykopu [roln.]

ditch-cleaning bucket łyżka do kopania rowów; czerpak do oczyszczania koryta [transp.]

ditch cutting kopanie rowów [transp.]

ditchmill (→ trench cutter, trencher) gryzarka do kopania rowów [narz.]

ditch profile zarys rowu; kształt rowu [transp.]

ditch wall stok płaski [bud.]

dive zanurzać, maczać [abc]

dive under przejście podziemne [mot.]

diverge wykazywać rozbieżności [prawn.]

diversification zróżnicowanie, urozmaicenie [abc]

diverter valve (US) zawór sterujący kierunkowy [mot.]

divide dzielić [mat.]; dzielić, rozdzielać [abc]

divide dział wodny [hydr.]

divided axle oś dzielona [mot.]

divided support bar próg ładunkowy dzielony [mot.]

divided dzielna [mat.]; dywidenda [ekon.]

divider dzielnik [abc]; rozdzielacz, urządzenie rozdzielcze [mot.]

dividers cyrkiel warsztatowy [miern.]

dividing circuit obwód dzielący [el.]

dividing input wejście dzielone [el.]

dividing point przerwa bezpieczna, przerwa odłącznikowa [transp.]

dividing rate stosunek dzielenia [el.]

dividing switch włącznik dzielnika [el.]

dividing valve (→ flow divider) zawór rozdzielczy, zawór rozgałęźny [mot.]

dividing wall przegroda, ściana działowa, ścianka rozdzielcza [energ.]

division klasa przedsiębiorstwa; asortyment wyrobów; dział produkcji [abc]; dywizja [wojsk.]

divisional organisation działowa struktura organizacji [abc]

divorce rozwód [abc]

DL (*driver's license*) prawo jazdy [mot.]

do wykonywać; robić, dokonywać [abc]

do up restaurować [bud.]; składać [masz.]

dock łączyć (*na orbicie*) [mot.]

dock dok [mot.]

docking dokowanie [mot.]

dock railway szyna rowkowa [mot.]

dockside crane żuraw portowy [mot.]

dockyard stocznia [mot.]

doctor lekarz [abc]

document dokument; podstawa [bud.]; (→ tender d.)

documentation protokół, notatka; dokumentacja [abc]

document dissemination rozpowszechnianie (*dystrybucja*) dokumentów [inf.]

document editor edytor dokumentów [inf.]

document management zarządzanie dokumentami [inf.]

document processing przetwarzanie dokumentów [inf.]

dog clutch shaft wał sprzęgła kłowego [masz.]

doll lalka [abc]

dolly *wózek jednoosiowy podpierający naczepę* [mot.]

dolomite dolomit [min.]

dolomite flour mączka dolomitowa [górn.]

dolomite sinter dolomit prażony [tw.]

dolomite split grys dolomitowy [górn.]

dolomite stone dolomitówka, cegła dolomitowa [górn.]

dolphin delfin [abc]; pal stalowy [masz.]

domain (→ time domain) zakres [inf.]

dome kopuła [bud.]; kołpak parowy [mot.]

D

dome car wagon otwarty [mot.]
dome heat ciepło nagromadzone [mot.]
dome light oświetlenie wewnętrzne [mot.]
domestic krajowy [abc]
domestic flight lot krajowy [mot.]
domestic market Europe (→ Single M.) europejski rynek wewnętrzny [polit.]
domestic sales sprzedaż krajowa [abc]
dominant pole biegun dominujący [el.]
donate oddawać [abc]
donor dawca [abc]
Doomsday clause *klauzula występowania szkód wielokrotnych* [prawn.]
door pokrywa, przykrywa, klapa, zawór klapowy [mot.]; zasuwa [transp.]; luk [energ.]; drzwi [abc]; (→ access d.; → explosion d.; → folding d.; → inspection d.; → rear d.; → revolving d.; → side d.; → sliding d.)
door closing device automat do zamykania drzwi [mot.]
door guide prowadnica drzwiowa [mot.]
door handle klamka [bud.]
door hinge zawiasa drzwiowa [mot.]; (→ hinge hook)
door hinge bolt sworzeń zawiasy [mot.]
door hinge pillar słupek drzwi [mot.]
door holder odrzwia, ościeżnica drzwiowa [bud.]
door knob klamka [bud.]
door latch zasuwa drzwiowa; blokada drzwi [mot.]; zasuwa drzwiowa [energ.]
door leaf skrzydło drzwiowe, płyta drzwiowa [bud.]
door lock zamek drzwiowy [bud.]
door lock pillar słupek drzwi [mot.]

doorman portier [abc]
door nail trzpień zawiasy [masz.]
door operating cylinder siłownik otwierania drzwi [mot.]
door pull handle klamka drzwiowa [mot.]
door wedge buffer odbijak drzwiowy [transp.]
door window okno sięgające do podłogi [mot.]
Doppler effect zjawisko Dopplera [fiz.]
dose dozować [abc]
dosing pump pompa dozująca [energ.]
dossier dossier, akta sprawy [abc]
dot punkt; kropka [abc]
dot recording pismo Braille'a, druk wytłaczany (*dla niewidomych*) [abc]
dotted line linia kropkowana [abc]
dotted pair para punktowa [inf.]
double dwoić, podwajać, zdwajać [abc]
double kopia, duplikat (*dokumentu*) [abc]
double dwukrotny; podwójny, dwoisty [abc]
double acting obustronnego działania, podwójnego działania [masz.]
double-acting cylinder cylinder podwójnego działania [mot.]
double-acting multi-stage hydraulic cylinder prasa hydrauliczna wielostopniowa i podwójnego działania [masz.]
double bevel spoina na ½ Y, spoina na K; spoina na ½ V [met.]
double bevel seam spoina na ½ V [met.]
double bind zależność wzajemna; opały [abc]
double binding wiązanie podwójne [chem.]
double block brake hamulec dwuklockowy [mot.]

double bounce reflection odbicie dwukrotne [el.]

double branch pipes orurowanie dwuobwodowe [mot.]

double butterfly valve zawór mieszający [energ.]

double carrick bend węzeł cumowniczy [mot.]

double clip nakładka podwójna [mot.]

double crossover skrzyżowanie z rozjazdem prawo- lub lewostronnym [mot.]

double-crystal method metoda bikryształowa [el.]

double cyclone arrangement kocioł dwucyklonowy [energ.]

double-deck bridge most dwupoziomowy [mot.]

double deck coach wagon piętrowy [mot.]

double-decker autobus piętrowy, autobus dwupokładowy [górn.]; dwupoziomowy, piętrowy, dwupokładowy [mot.]

double decker wagon wagon dwupoziomowy [mot.]

double-deck vibrating screen przesiewacz wibracyjny dwupokładowy [górn.]

double disc clutch sprzęgło dwutarczowe [mot.]

double disc dry clutch sprzęgło suche dwutarczowe [mot.]

double-dished wheel disc tarcza koła wklęsła obustronnie [mot.]

double-ended ring-spanner klucz oczkowy dwustronny [narz.]

double-ended spanner klucz maszynowy płaski dwustronny [narz.]

double end stud śruba z dwustronnym gwintem [masz.]

double filament bulb żarówka dwuwłóknowa [mot.]

double fillet spoina pachwinowa obustronna [masz.]

double flange wkładka [transp.]

double-flange hub piasta dwukołnierzowa [mot.]

double-flanged seam spoina brzeżna [met.]

double flap valve zawór klapowy podwójny [masz.]

double flow zasilanie podwójne [transp.]

double-flow dwustrumieniowy [energ.]

double-flow superheater przegrzewacz dwustrumieniowy [energ.]

double-flow turbine turbina dwustrumieniowa [energ.]

double four-point contact bearing łożysko kulkowe czteropunktowe podwójne [transp.]

double-guided luffing system system wypadowy czteroczłonowy [mot.]

double hose wąż podwójny [masz.]

double joint człon podwójny, ogniwo podwójne [masz.]

double-joint deck crane dźwig pokładowy przegubowy [mot.]

double junction (US) skrzyżowanie z rozjazdem prawo- lub lewostronnym [mot.]

double ladder drabina rozstawna [bud.]

double monitor monitor podwójny [el.]

double monitor module podzespół wsuwany monitora podwójnego [el.]

double nibble złączka wkrętna podwójna [mot.]

double non-return valve samoczynny zawór trójdrogowy [mot.]

double open ended wrench klucz dwustronny; klucz maszynowy płaski dwustronny [masz.]

double passage przebieg (*programu*) [transp.]; przebieg dwukrotny [abc]

D

double-pitch roller chain długo-ogniwowy łańcuch drabinkowy tulejkowy [masz.]

double plate clutch sprzęgło dwutarczowe [mot.]

double-probe reflection method metoda odbiciowa dwugłowicowa [el.]

double-probe reflection system metoda odbiciowa dwugłowicowa [el.]

double-probe through-trans-mission technique metoda defektoskopii ultradźwiękowej dwugłowicowej [el.]

double propeller shaft for front-wheel-drive wał napędowy z podwójnymi przegubami napędu przedniego [mot.]

double pump pompa bliźniacza [masz.]

double reduced podwójnie zredukowany [masz.]

double refraction załamanie podwójne [el.]

double reheat podwójne międzystopniowe przegrzanie pary [energ.]

double reheat cycle podwójne międzystopniowe przegrzanie pary [energ.]

double retaining segment segment ustalający podwójny [masz.]

double return valve samoczynny zawór trójdrogowy [mot.]

double-roll crusher kruszarka dwuwalcowa, rozdrabniarka dwuwalcowa [narz.]

double roller chain łańcuch drabinkowy tulejkowy podwójny [mot.]

double room pokój dwuosobowy [bud.]

double rotary drive module wiercenie dwugłowicowe [transp.]

double row dwurzędowy [masz.]

double row ball-bearing slewing ring połączenie obrotowo-kulkowe dwurzędowe [transp.]

double-seated valve body zawór dwugniazdowy, zawór dwusiedzeniowy [energ.]

double-shaft hammer crusher kruszarka młotowa dwuwałowa [narz.]

double shank elastic rail spike hak sprężysty z podwójnym trzonem [mot.]

double shielding osłona podwójna [masz.]

double-sided obustronny, dwustronny [abc]

double side shifting device suwak dwustronny [mot.]

double-stage superheater przegrzewacz dwustopniowy [energ.]

double thread gwint dwuzwojowy [masz.]

double-T beam belka dwuteowa [masz.]

double T-iron kształtownik stalowy walcowany [mot.]

double toggle jaw crusher kruszarka szczękowa kolankowa podwójna [górn.]

double-tracked autowalk chodnik ruchomy równoległy (*dwutorowy*) [transp.]

double-tracked escalator schody ruchome równoległe; schody ruchome dwutorowe [transp.]

double traction linia dwutorowa [mot.]

double transceiver technique technika podwójnego transceivera [mot.]

double U spoina na podwójne U [met.]

double V spoina na X [met.]

double V-belt pas dwuklinowy [masz.]

double V groove-weld spoina na podwójne V [met.]

double V seam spoina na podwójne V; spoina na X [met.]

double vacuum gauge manometr podwójny [energ.]

double-wall elbow kolanko rurowe dwuścienne [mot.]

double-wall pipe rura dwuścienna, rura podwójna [mot.]

doubtful wątpliwy [abc]

doubtless niewątpliwy [abc]

dove cote chimney szopa, owczarnia, kurnik, gołębnik [mot.]

dowel kołek (*pasowany*); dybel [masz.]; (→ spring d.)

dowel pin kołek ustalający; kołek rozprężny [masz.]

down w dół [abc]

downcoiling unit zwijarka podpodłogowa [met.]

downcomer rura spustowa, rura spadowa; przewód odprowadzający; przewód opadowy [energ.]; (→ unheated d.)

downcomer header zbieracz, przewód zbiorczy [energ.]

down-draught carburetter gaźnik opadowy, gaźnik dolnossący [mot.]

down-draught combustion chamber komora paleniskowa z ciągiem odwrotnym [energ.]

down-flow strumień opadający, przepływ opadający [energ.]

downgrade poniżać [abc];

downhand położenie podolne [met.]

downhand welding spoina pionowa [met.]

downhill z góry, na dół [abc]

down line rura spustowa górna, rura opadowa górna [energ.]

downline dołączony, przyłączony [mot.]

download pobierać z sieci [inf.]

down-shot burner palnik sufitowy (*umieszczony w stropie komory*) [energ.]

downstream w dół rzeki [mot.];

z prądem [abc]; końcówka wylotowa; strefa wylotu [energ.]

downstream switching dołączać (*poniżej danego punktu*) [mot.]

downstream switching dołączenie (*poniżej danego punktu*) [mot.]

downtake tube przewód opadowy; przewód odprowadzający [energ.]

down-to-earth rdzenny, rodzimy autochtoniczny [abc]

downtown śródmieście [abc]

downward gas passage ciąg powietrza wznoszący; ciąg (*powietrza*) pionowy w dół; kanał opadający; kanał dymowy, przewód dymowy [energ.]

downward inclination pochylenie [mot.]

downward travel kierunek ruchu zstępujący [mot.]

dowser różdżkarz [abc]; (→ dowser's rod)

dowser's rod różdżka [abc]

doze spychać [transp.]

dozer spycharka [transp.]

dozer blade lemiesz spycharki; spychak; tarcza spychacza; spychacz [transp.]; lemiesz czołowy przedni [mot.]

dozer blade stabilizer stabilizator lemiesza spycharki [transp.]

dozer spreader work rozkładanie masy betonowej [transp.]

dozing capacity wydajność spychania [transp.]

dozing distributing work praca rozdzielacza podłużnego [transp.]

DP (*Data Processing*) elektroniczne przetwarzanie danych [inf.]

DP Centre centrum obliczeniowe [inf.]

draft pochylenie odlewnicze [masz.]; zanurzenie [mot.]; manuskrypt, rękopis; zarys; szkic; ciąg powietrza, przeciąg [abc]; (→ forge d.)

D

draft gear urządzenie cięgłowe, urządzenie sprzęgowe [mot.]

drafting machine aparat kreślarski [abc]

draftsman kreślarz [abc]

drag rozciąganie, ściskanie; opór [masz.]; ciąg powietrza, przeciąg [abc]

drag chain łańcuch zagarniający [masz.]

drag link drążek kierowniczy wzdłużny [górn.]

drag link conveyor przenośnik zgarniakowy łańcuchowy, przenośnik korytowy łańcuchowy [masz.]

drag link conveyor chain łańcuch drabinkowy [masz.]

dragline koparka (*linowa*) zgarniakowa; koparka zbierakowa; zgarniak, czerpak zbierakowy [transp.]

dragline operation eksploatacja koparki

dragline bucket koparka zgarniakowa, koparka zbierakowa [transp.]

dragline fairlead prowadnica liny zgarniaka; praca koparki zgarniakowej [transp.]

drag-shoe płóz hamulcowy [mot.]

drain wypompowywać; odwadniać [abc]; odwadniać (*zbiornik paliwa*); osuszać, drenować [mot.]

drain przelew [mot.]; dren [el.]; drenaż [transp.]; (→ rain d.; → superheater d.)

drainable dający się odwodnić [energ.]

drainage drenaż, drenowanie [masz.]; odprowadzanie wody powierzchniowej, odwadnianie [górn.]; odpływ wody; przebieg; system odwadniający [bud.]

drainage bucket łyżka drenarska [transp.]

drainage ditch rów odwadniający [bud.]

drainage grab chwytak drenarski

drainage holes otwory odwadniające, otwory drenarskie [bud.]

drainage pipe rura odpływowa, rura spustowa [bud.]

drainage pump pompa odwadniająca [masz.]

drain cock kurek spustowy [masz.]

drain cup pojemnik ściekowy; zbiornik ściekowy, skapnik [mot.]

drained odprowadzony, zdrenowany [bud.]; odwodniony [roln.]

drain elbow kolanko spustowe [masz.]

draining ściekanie, spływanie [bud.]

draining ditch rów odwadniający [bud.]

drain line podłączenie ściekowe [mot.]

drain pipe przewód odpływowy; rura ściekowa [mot.]; rura spustowa [energ.]; odpływ wody [bud.]

drain tubing przewód spustowy [bud.]

drain valve zawór tłoczny [transp.]; zawór ściekowy [bud.]

draught ciąg powietrza, przeciąg [abc]; pochylenie odlewnicze [masz.]; (→ balanced d.; → draft)

draught beer piwo z beczki [abc]

draught regulation regulacja ciągu [energ.]

draughtsman rysownik, kreślarz [abc]

draw rysować, kreślić; ciągnąć, szarpać; targać [abc]

drawback wada, usterka, skaza, defekt, błąd [abc]

drawbar hak cięgłowy, sprzęg, dyszel; wiązar lokomotywy [mot.]; hak pociągowy [masz.]

drawbar coupling sprzęg holowniczy, zaczep holowniczy [mot.]

draw bead próg ciągowy [met.]

draw-cable clamp zacisk liny holowniczej [mot.]

drawer lada; szuflada [bud.]

draw floor pomost wyładowczy [górn.]

draw gear urządzenie cięgłowe [mot]

draw hook hak cięgłowy [mot.]

drawhook guide prowadnica haka cięgłowego [mot.]

drawing wykres, diagram; rysunek schematyczny [abc]; (→ arrangement d.; → boiler d.; → detail d.; (→ erection d.; → illegal line d.; → job d.; → line-d.; → reinforcement d.; → sectional d.; → shop d.; → → tender d.; → work d.; → working d.)

drawing board deska kreślarska, deska rysunkowa, rysownica [abc]

drawing compass cyrkiel kreślarski [abc]

drawing floor pomost wyładowczy [górn.]

drawing in wciąganie [transp.]

drawing instruments przybory rysunkowe [abc]

drawing machine aparat kreślarski [abc]

drawing no. numer rysunku [abc]

drawing table stół kreślarski [abc]

drawing title tabliczka rysunkowa [abc]

drawn ciągniony [met.]

drawn offset narysowany w niewłaściwym położeniu [rys.]

drawn part wyrób tłoczony, wytłoczka [masz.]

drawn tube rura ciągniona [masz.]

drawn wire drut ciągniony [masz.]

draw off wysysać, wyssać [abc]

draw shackle łącznik cięgłowy [mot.]

draw spring sprężyna naciągowa, sprężyna cięgłowa [mot.]

dredge pogłębiać; wydobywać grunt koparką [transp.]

dredge koparka; (US) pogłębiarka [transp.]

dredgemaster mistrz pogłębiarski [transp.]

dredge pump impeller wirnik napędzający pogłębiarki ssącej [transp.]

dredger technology technika pogłębiania (*pogłębiarką*) [mot.]

dredging depth głębokość urabiania czerparką; głębokość pogłębiania; głębokość urabiania koparką zgarniakową [transp.]

dredging slide valve zawór zasuwowy pogłębiarki ssącej [transp.]

dredging task praca koparki; czyszczenie dna, pogłębianie [transp.]

dredging technology techniki pogłębiania [transp.]

dress rehearsal próba generalna [abc]

dressing table toaletka (*mebel*) [abc]

dress shirt koszula wierzchnia [abc]

dried out wysuszony, suchy [abc]

dried out wash wysuszone koryto rzeki [geol.]

drift dobijak do gwoździ; wybijak [masz.]; chodnik [górn.]

drift off dryf, znos [mot.]

drift punch przebijak [masz.]

drill wiercić, świdrować, borować [abc]

drill wiertło, świder; wiertarka [narz.]; urządzenie wiertnicze, wiertnica; wieża wiertnicza [masz.]; otwór wiertniczy, odwiert [abc]; (→ powered hand d.;→ tap d.; → well drilling)

drilled during assembly wywiercony podczas montażu [masz.]

drilled hole otwór wiertniczy, odwiert [masz.]

drill hole otwór gwintowany [masz.]

drilling wiercenie [bud.]; wiertnictwo [masz.]

drilling attachment wyposażenie wiertnicy [górn.]

drilling core rdzeń wiertniczy [górn.]

D

drilling depth głębokość odwiertu [transp.]

drilling device for tap-hole przebijarka otworu spustowego [masz.]

drilling head głowica wiertarska [masz.]

drilling machine wiertarka, maszyna wiertnicza, wiertnica [masz.]

drilling mud płuczka wiertnicza [bud.]

drilling pattern raster wiertniczy [masz.]

drilling platform platforma wiertnicza [górn.]

drilling profile profil wiertniczy [masz.]

drilling rig (→ drilling platform) pomost wiertniczy (*do eksploatacji złoża na pełnym morzu*) [mot.]

drilling work roboty wiertnicze [masz.]

drill plan (→ bore diagram) plan wiercenia [masz.]

drill rod rura płuczkowa, żerdź wiertnicza [masz.]

drink pić [abc]

drip kapać, ciec, sączyć się [abc]

drip faseta [bud.]

drip lubricator smarownica igiełkowa, smarownica kroplowa, olejarka kroplowa [masz.]

drip lubricator relay przekaźnik zwłoczny smarownicy igiełkowej [el.]

drip-proof kroploszczelny [abc]

drive wbijać [bud.]; jechać; napędzać [mot.]; (→ belt d.; → chain d.; → d.rive unit; → fan d.; → fluid d.; → four wheel d.; → front wheel d.; → hydraulic d.; → rear axle d.; → worm gear d.)

drive napęd [abc]; przebijak [narz.]

drive assembly jednostka napędowa [transp.]

drive axle oś napędowa, oś czynna [mot.]

drive battery akumulator napędowy [el.]

drive belt pas napędowy [mot.]

drive device mechanizm napędowy, napęd [mot.]

drive engine urządzenie napędowe [mot.]

drive flange kryza napędowa [mot.]

drive gear zębnik, koło napędzające [mot.]

drive in wjeżdżać [mot.]

drive light światło drogowe [mot.]

drive motor zasilacz sieciowy; silnik napędowy [el.]; silnik [mot.]

driven end końcówka napędzana [mot.]

driven pulley koło pasowe napędzane [masz.]

drive nut nakrętka napędowa [mot.]

driven wheel koło łańcuchowe napędzane (*bierne*) [masz.]

drive off wybijać, wybić [energ.]

driver kierowca [abc]; (→ cam)

drive roll wałek napędowy [mot.]

drive roller rolka naciskowa [transp.]

driver's cab stanowisko maszynisty [mot.]

driver's license prawo jazdy [mot.]

driver's seat siedzenie operatora [mot.]

driver's train-brake valve zawór hamulcowy maszynisty [mot.]

driver wheel koło zabierakowe, koło napędzające, koło pędne [transp.]

drive screw wkrętak udarowy, wkrętarka udarowa [narz.]

drive shaft oś napędowa, oś czynna; wał napędowy; wałek wyciskowy [mot.]; wał napędowy [transp.]; (→ main s.)

drive shaft stub czop końcowy wału napędowego [mot.]

drive shaft tube rura wału przegubowego [mot.]

drive station jednostka napędowa, stanowisko napędowe [transp.]

drive technology technika napędowa [mot.]

drive torus zespół napędzający przekładni hydraulicznej [masz.]

drive truck (→ four-wheel drive t.) samochód ciężarowy [mot.]

drive unit zespół napędowy [transp.]; układ pędny zblokowany [mot.]; (→ drive assembly)

drive wheel koło napędowe [mot.]

driving chain łańcuch napędowy [masz.]

driving force siła napędowa [masz.]

driving gear mechanizm napędowy [masz.]

driving instructor instruktor jazdy [mot.]

driving link ogniwo łańcucha napędowego [energ.]

driving lug łapa (*do prowadzenia*) [masz.]

driving motor silnik napędowy [mot.]

driving pulley koło pasowe napędzające [masz.]

driving ring pierścień napędowy [energ.]

driving rods *mechanizm prowadnikowy kafara* [bud.]

driving shaft wał napędowy [masz.]

driving speed prędkość obrotowa [mot.]

driving test *sondowanie przez wbijanie sondy do gruntu* [bud.]

driving unit jednostka napędowa, zespół napędowy [rys.]

driving wheel koło łańcuchowe napędzające (*czynne*) [masz.]

drop spadać [abc]; spadać, obniżać (*się*) [transp.]

drop odpad, resztka; spadek; kropla [abc]; spadek, upadek, spadzistość [bud.]; zapadlisko [energ.]; uskok [geol.]

drop anchor zakotwiczać, rzucać kotwicę [mot.]

drop a perpendicular spuszczać prostopadłą [abc]

drop arm dźwignia zwrotnicy przekładni kierowniczej; dźwignia przekładni kierowniczej [mot.]

drop away odpadać [abc]

drop ball kula do strzelania rozszczepkowego [transp.]

drop-bottom bucket kubeł z klapami dennymi [mot.]

drop centre rim obręcz koła o wgłębionym profilu [mot.]

drop feed smarowanie kroplowe, olejenie kroplowe [masz.]

drop forging kucie matrycowe [met.]; odkuwka matrycowa [masz.]

drop frame rama dolna [mot.]

drop-head coupe kabriolet [mot.]

drop resistance opornik wstępny, opornik szeregowy, posobnik opornościowy [el.]

drop side opuszczany bok skrzyni ładunkowej [mot.]

drown topić [abc]

drug lekarstwo, lek [med.]

drum bęben (*linowy*); beczka [abc]; walec [masz.]; (→ brake d.; → cable d.; → cutting d.; → feeding d.; → grinding d.; → longitudinal d.; → lower d.; → rear idler d.; → steam take-off d.; → steam-and-water d.; → steel d.; → water d.)

drum axle oś bębna [mot.]

drum body płaszcz bębna [górn.]

drum brake hamulec bębnowy [mot.]

drum brake lining okładzina szczęk hamulca [mot.]

drum clamp klamra bębnowa [mot.]

drum connecting tube łączący przewód rurowy walczaka [energ.]

drum controller łącznik walcowy [masz.]

drum encased okapslowany [mot.]

drum feed piping przewód zasilający [energ.]

drum jacket płaszcz bębna linowego, osłona bębna linowego [transp.]

drum plotter ploter bębnowy, pisak bębnowy [inf.]

drum pressure ciśnienie w walczaku [energ.]

drum pump pompa rotacyjna [transp.]

drum reclaimer przyrząd mocujący bęben [górn.]

drum saddle podpora bębna [energ.]

drum shaft wał bębna [mot.]

drum stub złączka bębnowa [energ.]

drum test próba bębnowa [enrg.]

drum tilting clamp klamra bębnowa przechylna [mot.]

drum type surface attemperator regulator wewnętrzny typu bębnowego [energ.]

drum water (→ expansion of the d. w.) woda kotłowa [energ.]

drum with removable head zbiornik z pokrywą zdejmowaną [masz.]

drum-mixer (→ non-tilt drum-mixer) mieszarka bębnowa [mot.]

drum-type idler koło kierownicze tarczowe, kierownica tarczowa [masz.]

dry suszyć, schnąć, wysychać [abc]

dry ash removal odpopielanie; odprowadzanie żużla w stanie stałym [energ.]

dry batching dozowanie suche dozowanie suche [bud.]

dry-bottom boiler palenisko pyłowe z trzonem suchym [energ.]

dry bottom furnace palenisko z trzonem suchym [energ.]

dry-bulb thermometer (→ wet-bulb th.) termometr wzorcowy [abc]

dry cleaning oczyszczenie chemiczne [abc]

dry cylinder liner tuleja (*cylindrowa*) sucha [masz.]; tuleja cylindrowa sucha [mot.]

dry cylinder sleeve tuleja cylindrowa sucha [mot.]

dry-disc joint połączenie suche [mot.]

dryer suszarka, suszarnia [abc]

drying suszenie, schnięcie [abc]; (→ steam d.)

drying area miejsce do suszenia/suszarnicze [bud.]

drying bay miejsce do suszenia/suszarnicze [bud.]

drying nozzle dysza osuszająca [mot.]

drying-out the refractory setting suszenie komory spalania [energ.]

drying plant urządzenie suszarnicze, suszarnia [górn.]

dry masonry mur układany na sucho, mur suchy (*bez zaprawy*) [bud.]

dry out suszyć [abc]

dry run przebieg próbny [abc]; praca przy niedostatecznym smarowaniu [mot.]

dry strength test próba wytrzymałości na sucho [bud.]

drying time okres suszy [abc]

DS (*delivery specifications*) specyfikacja dostawy [abc]

dual podwójny, dwoisty [abc]

dual-beam promień podwójny [el.]

dual carriageway (GB) droga [bud.]

dual charger ładowarka podwójna [el.]

dual circuit obwód podwójny [mot.]

dual circuit disk brake hamulec tarczowy dwuzakresowy [mot.]

dual circuit oil circulation obieg oleju podwójny [mot.]

dual-circuit oil disc brake hamulec tarczowy olejowy dwuzakresowy [mot.]

dual control sterowanie podwójne [abc]; sterowanie podwójne [el.]

dual-fuel burner palnik wielopaliwowy [energ.]

dual language dwujęzyczny [inf.]

dual print druk podwójny [abc]
dual pump pompa bliźniacza [mot.]
dual-purpose unit urządzenie podwójnego przeznaczenia
dual-trace promień podwójny [transp.]
dub podkładać dźwięk, dubbingować [abc]; kopiować (*np. nagrania*) [inf.]
dubbing podkładać dźwięk [abc]; kopiowanie taśm magnetycznych [inf.]
dubious range zakres niepewności [el.]
ducket kopuła [mot.]
duct sztolnia [górn.]; kanał; przewód [energ.]; rura [abc]; (→ hot air d.; → primary air inlet d.)
ductile elastyczny [masz.]
ductile cast iron żeliwo sferoidalne; żeliwo z grafitem sferoidalnym [tw.]; (→ spheroidal d.c.i.)
ductility możliwość kształtowania; rozciągliwość, wydłużalność [masz.]
due to wskutek [abc]
dumb barge szkuta; barka (*motorowa*) [mot.]
dumb waiter wyciąg kuchenny pionowy [transp.]
dummy manekin [abc]
dummy cylinder cylinder sterowniczy [mot.]
dummy panel płytka zaślepiająca, zaślepka [masz.]
dummy rivet nit lotniczy kołpakowy z otworkiem, zamykany trzpieniem [masz.]
dump wysypywać [górn.]; wysypywać, zwalać na usypisko [mot.]; zrzucać [inf.]
dump usypisko, hałda, zwał; zwałka, odkład, odwał [górn.]; kąt zwałowania [mot.]; składowisko śmieci [abc]
dump body nadwozie samowyładowcze [transp.]
dumped material materiał nasypowy [górn.]
dumper samochód-wywrotka, wywrotka samochodowa; wagon samowyładowczy, wagon samozsypny; wywrotka kolebkowa [mot.]
dump height (→ discharge height) wysokość zwału [transp.]
dumping wysypywanie, zwałka [transp.]
dumping body urządzenie do przechylania, urządzenie do wywracania [mot.]
dumping clearance wysokość przechyłu [mot.]
dumping door klapa wywrotna [energ.]
dumping equipment sprzęt do zwałowania [transp.]
dumping grate ruszt do wypalania [energ.]
dumping ground plac zwałowy, zwałowisko [transp.]
dumping height wysokość wychylenia; wysokość warstwy nasypanej [mot.]; wysokość zwałowania [transp.]
dumping lorry samochód wywrotka [mot.]
dump pit wysypisko śmieci, składowisko śmieci [rec.]
dump side (→ spoil side) strona zwałowania [transp.]
dump truck ciężarówka do przewozu ładunków ciężkich; samochód-wywrotka, wywrotka samochodowa; wywrotka kolebowa, koleba [mot.]
dune wydma [abc]
dung nawóz, gnój [abc]
dunnage materiały sztauerskie [mot.]
duo-cone seal uszczelnienie pierścieniem ślizgowym [masz.]
duo-cone seal ring pierścień uszczelniający ślizgowy [masz.]

duplex dupleks [masz.]

duplex brake hamulec dupleks [mot.]

duplex cable kabel podwójny [el.]

duplex-chain łańcuch dwurzędowy [transp.]

duplex roller chain łańcuch drabinkowy tulejkowy zespolony [masz.]

duplex-system system dupleks, system podwójny [masz.]

duplex wheel cylinder cylinder hamulcowy koła podwójny [mot.]

durability trwałość [bud.]; trwałość, wytrzymałość; nośność [masz.]; długość życia [abc]

durable wytrzymały; długotrwały [abc]

durable sheet material folia plastikowa; torba z plastyku [abc]

duration of combustion czas trwania spalania [energ.]

duration of the boiler test czas trwania doświadczenia [energ.]

duro plastic plastik twardy, duroplastik [tw.]

dusk zmrok, zmierzch [meteo.]

dust okurzać, opylać, zapylać [abc]

dust kurz [abc]; (→ coarse d.)

dust bin skrzynia na śmieci, śmietnik [bud.]

dust boot osłona przeciwpyłowa [mot.]

dust bowl odpylnik szklany [mot.]

dust brush pędzel do okurzania [mot.]

dust cap pokrywa pyłowa [mot.]

dust carbide pył karbidowy [met.]

dust chamber komora pyłowa, komora odpylająca [energ.]

dust collector oddzielacz pyłu [transp.]; odpylacz; kolektor pyłów [mot.]

dust collector efficiency stopień filtracji [energ.]

dust concentration koncentracja pyłu [mot.]

dust content zawartość pyłu [energ.]

dust cover pokrywa ochronna [transp.]

dust formation powstawanie pyłu [transp.]; tworzenie się pyłu [bud.]

dust-free bezpyłowy; bezpyłowo [abc]

dust hood osłona przeciwpyłowa [energ.]

dusting napylanie [abc]

dust loading stopień zapylenia [energ.]

dust pan szufelka, śmietniczka [abc]

dust particle cząstka pyłu [abc]

dust particle size frakcja pyłu [energ.]

dust piping przewody odkurzacza [energ.]

dust precipitator rozdzielacz [abc]

dust protection ochrona przeciwpyłowa [bud.]

dust removing plant instalacja odpylająca [masz.]

dust sampler pobranie próbki pyłowej [miern.]

dust separator filtr; odpylacz mechaniczny [abc]; odpylacz [transp.]

dust separator precipitator odpylacz [energ.]

dust shield osłona od kurzu [mot.]

dust-shield collar kołnierz przeciwpyłowy [mot.]

dust-tight pyłoszczelny [abc]

dusty pylisty [abc]

dusty gray szarzeń pyłowa [norm.]

duty obowiązek [abc]

duty at the fair obsługa targów [abc]

duty cycle czas włączenia, czas pracy [el.]; cykl kontrolny [abc]

duty stroke suw maszyny, skok maszyny [masz.]

dwarf karzeł [abc]

dye barwić, zabarwić [abc]

dye kolor, barwa [abc]

dyelines światłokopia [abc]

dying away proces zaniku [el.]
dyke (→ dike) tama, wał, grobla [roln.]
dynamic analysis analiza dynamiczna [inf.]
dynamic balance test odwirowywanie wirników [abc]
dynamic load rating nośność dynamiczna [masz.]
dynamic pressure nacisk dynamiczny [energ.]
dynamic programming programowanie dynamiczne [inf.]
dynamics dynamika [abc]
dynamic testing technique dynamiczna technika badania [masz.]
dynamo prądnica samochodowa [mot.]
dynamo battery ignition dynamostarter [mot.]
dynamo machine generator; prądnica prądu stałego [el.]
dynamo magneto ignition iskrownik, prądnica [el.]
dynamo sheet blacha (*stalowa*) prądnicowa [el.]
dynamometer dynamometr, siłomierz [el.]
dysentery czerwonka [med.]

E

E loco (*electric locomotive*) elektrowóz [mot.]
E module (*electric module*) moduł elektryczny [transp.]
e.g. (*for instance*) np. [abc]
eagle orzeł [bot.]
ear ucho (*igielne*) [abc]
ear muff nauszniki [abc]
earphone słuchawka [abc]
early wczesny [abc]
early retirement wcześniejsze prze-

niesienie w stan spoczynku, przejście na wcześniejszą emeryturę [abc]
early-warning system system wczesnego ostrzegania, system ostrzegawczy, system sygnalizacji ostrzegawczej [el.]
earth (→ world) ziemia [geogr.]; (→ crust of the e.; → interior of e.; → mantle of the e.)
earth auger drive napęd wiertła krętego do wiercenia w ziemi [transp.]
earth cable kabel do masy; przewód uziomowy, przewód odgromowy [el.]
earth clamp (*PE clamp*) zacisk uziomowy [el.]
earth connection (→ PF) uziemienie [el.]
earthed uziemiony [el.]
earthenware wyroby ceramiczne, fajans [min.]
earth fault zwarcie doziemne [el.]
earth fault monitoring sygnalizacja ostrzegawcza zwarcia doziemnego [el.]
earth fault protection zabezpieczenie ziemnozwarciowe [el.]
earthing cable kabel z uziemieniem; kabel uziemiający [mot.]
earthing hook hak z uziemieniem; hak uziemiający [el.]
earthing key (GB) przycisk uziemiający [el.]
earthing resistor rezystor uziemiający [el.]
earthing socket gniazdo z uziemieniem [el.]
earthing strap taśma uziemiająca [el.]
earthmoving transport ziemi [mot.]
earthmoving application zastosowanie maszyn do transportu ziemi [mot.]
earth-moving machine maszyna do robót ziemnych; urządzenie do transportu ziemi [mot.]

E

earthmoving unit urządzenie do transportu ziemi [mot.]

earthquake trzęsienie ziemi [geol.] (→ deep e.; → medium-deep e.; → shallow e.; → strong e.; → strong e.; → tectonic e.; → vulcanic e.)

earthquake belt pas wzmożonej aktywności tektonicznej [geol.]

earthquake danger sejsmiczność; niebezpieczeństwo trzęsienia ziemi [geol.]

earthquake-forces siły tektoniczne [geol.]

earthquake hazard sejsmiczność, aktywność sejsmiczna [geol.]

earthquake-prone area teren o wzmożonej aktywności tektonicznej [geol.]

earthquake proof odporny na trzęsienie ziemi [bud.]

earthquake wave fala sejsmiczna [geol.]

earth road pas startowy [bud.]

earth's core rdzeń Ziemi [geol.]

earth's radius promień ziemski [geol.]

earth terminal zacisk do masy; zacisk uziomowy; zacisk uziemiający [el.]

earthwork roboty ziemne [bud.]

ease zwolnić, rozluźnić [abc]

easing luzowanie [transp.]

east wschód [abc]

eastern longitude długości geograficznej wschodniej [abc]

eastward w kierunku wschodnim [abc]

easy łatwy; prosty [abc]

easy access łatwy dostęp [abc]

easy to service łatwy w obsłudze; łatwy w konserwacji [mot.]

eat jeść [abc]

eating jedzenie [bot.]

ebullient cooling chłodzenie gorącej wody [energ.]; chłodzenie termosyfonowe, chłodzenie o obiegu samoczynnym [abc]

eccentric motion ruch mimośrodowy [mot.]

eccentric shaft and adjusting lever wał krzywkowy z dźwignią przestawną [mot.]

echo echo [el.]; (→ circumferential e.; → front-surface e.; → intermediate e.; → travelling e.)

echo method metoda echa [el.]

economical energooszczędny [transp.]

economist ekonomista [abc]

economizer (→ gilled tube econom.) ekonomizer; podgrzewacz wody [energ.]; (→ cast iron e.; → fin tube e.)

economizer connecting bend krzywak rurowy połączeniowy ekonomizera [energ.]

economizer gas pass kanał gazowy ekonomizera; kanał spalinowy ekonomizera [energ.]

economizer jet oszczędzacz [mot.]

economy range klasa ekonomiczności [mot.]

ecosystem ekosystem; system ekologiczny; współżycie [abc]

ecosystem model model ekosystemu [inf.]

EDC *(electronic drive control)* EDC [transp.]

eddy current test kontrola prądu wirowego [abc]

edge róg; krawędź, ostrze [abc]; (→ striking-off e.)

edge-bending machine giętarka; kantownik [narz.]

edge clamp docisk krawędziowy [masz.]

edge detection detekcja krawędziowa [inf.]

edge echo echo krawędziowe [met.]

edge effect zjawisko krawędziowe [el.]

edge indentation uzębienie krawędzi [bud.]

edge protection ochrona krawędzi, ochrona brzegów [mot.]

edge protection tube ochraniacz krawędzi [transp.]

edge sealing ring pierścień uszczelniający krawędziowy [masz.]

edge-type filter element element filtra szczelinowego [masz.]

edgeways kantem, bokiem [abc]

edge weld spoina grzbietowa w złączu przylgowym [met.]

edgewise na kant, wzdłuż krawędzi [abc]

edge-zone hardened hartowany w warstwie brzegowej [met.]

edge-zone hardening hartowanie warstwy brzegowej [met.]

edging kantowanie [met.]

edifice gmach [abc]

edit key klawisz edycji [inf.]

editorial artykuł wstępny [abc]

editorial redaktorski [abc]

education wykształcenie, edukacja; wychowanie [abc]

educational institution instytucja kształcenia ustawicznego, instytucja doskonalenia zawodowego; instytut naukowy [abc]

EEC (European Economic Communities) EWG (Europejska Wspólnota Gospodarcza) [polit.]

effect skutek [abc]; (→ aseismic e.; → horizon e.; → Miller e.)

effectiveness skuteczność [abc]

effectiveness factor wskaźnik chłodzenia [energ.]

effect of cutting efekt skrawania, skutek skrawania [met.]

effect of the lateral wall efekt ściany bocznej [mot.]

effective ważny; skuteczny [abc]

effective cold heating surface powierzchnia zimna skuteczna [energ.]

effective diameter średnica robocza [abc]

effective hardening depth głębokość utwardzania [met.]

effective power moc czynna [el.]

effective stroke suw efektywny [transp.]

efficiency wydajność; zdolność [abc]; współczynnik sprawności [el.]; (→ boiler e.; → fan e.; → operating e.; → precipitator e.; → test e.)

efficiency proof dowód sprawności [mot.]

efficiency test próba wydajności (mocy) [energ.]

efficient skuteczny; solidny; wydajny [abc]

effluent wyciek, odciek; wypływ [bud.]; ściek, odpływ [hydr.]

effort nakład [transp.]; wysiłek, stres [med.]

effortless łatwy, bez trudu [abc]

effusive rock skała wulkaniczna [min.]

egress wyjście [bud.]

eigenfunction funkcja własna [el.]

eigenvalue wartość własna [el.]

eigenvector wektor własny [el.]

eight-to-the-bar sygnał dźwiękowy przy rogatce [mot.]

ejection wyrzut [mot.]; wypych [transp.]; wyrzut, odrzut [wojsk.]

ejector wyrzutnik [wojsk.]; wypychacz [transp.]

ejector cylinder cylinder wypychacza [mot.]

ejector flap zawór klapowy wypychacza [transp.]

ejector floor podłoga zwałowa [mot.]; podłoże ruchome [masz.]

ejector lift arm ramię podnośnika podłoga zwałowej [mot.]

ejector line linia wypychacza [masz.]

ejector valve zawór wypychacza [mot.]

EL kolej nadziemna [mot.]

elastic elastyczny [abc]

elastic oscillation drganie elastyczne [fiz.]

elastic rail clip opaska resoru; opaska sprężyny wielopłytkowej [mot.]

elastic rail spike hak szynowy sprężysty [mot.]

elastic wave fala sprężysta [fiz.]

Elastomer elastomer [transp.]

elbow kolanko [energ.]; łokieć [med.]; kształtka rurowa łukowa; kolanko rurowe; kolanko [masz.]; krzywak [mot.]

elbow cock kurek spustowy [mot.]

elbow connector łącznik kolankowy [mot.]

elbow fitting złącze śrubowe obrotowe [masz.]

elbow ingot wlewnica kolankowa [met.]

elect wybierać [polit.]

election elekcja, wybory [polit.]

electoral (→ electoral votes) wyborca [polit.]

electric elektryczny [el.]

electric appliance urządzenie elektryczne [el.]

electric arc furnace piec łukowy [met.]

electric arc welding spawanie łukiem elektrycznym [met.]

electric circuit tester woltomierz [el.]

electric crane dźwig elektryczny [abc]

electric detonator zapłon elektryczny [el.]

electric discharge wyładowanie elektryczne [el.]

electric drive napęd elektryczny [mot.]

electric excavator koparka z napędem elektrycznym [transp.]

electric flash-weld zgrzewać iskrowo, zgrzewać doczołowo [met.]

electric furnace piec elektryczny [met.]

electric installation instalacja elektryczna [el.]

electric hand forklift truck podnośnik widłowy ręczny elektryczny [transp.]

electric hoist wciągarka elektryczna [met.]; dźwignik elektryczny [mot.]

electric locomotive lokomotywa elektryczna [mot.]

electric magnet elektromagnes [el.]

electric mining shovel (US) koparka linowa [transp.]

electric module moduł elektryczny [transp.]

electric motor silnik elektryczny [el.]

electric motor data dane silnika elektrycznego [el.]

electric quality jakość elektryczna [el.]

electric railcar wagon silnikowy elektryczny [mot.]

electric range kuchnia elektryczna [el.]

electric resistance thermometer termometr oporowy [miern.]

electric resistance welding (E.R.W.) zgrzewanie oporowe elektryczne [met.]

electric starter rozrusznik elektryczny [el.]

electric supply zaopatrzenie w energię elektryczną [el.]

electric typewriter maszyna do pisania elektryczna [abc]

electric welding spawanie łukowe; spawanie łukiem elektrycznym; spawanie elektryczne [met.]

electric winch dźwignik elektryczny [met.]

electrical conductivity test próba przewodności elektrycznej [el.]

electrical engineering elektrotechnika [el.]

electrical equipment elektryka [transp.]; urządzenie elektryczne [mot.]; wyposażenie elektryczne [el.]

electrical excavator koparka z napędem elektrycznym [transp.]; ($\rightarrow$ field switch)

electrically-assisted full-lift torsion bar safety valve uruchamiany elektrycznie zawór bezpieczeństwa drążka skrętnego pełnoskokowego [el.]

electrical receiving voltage elektryczne napięcie odbiorcze; napięcie odbioru [el.]

electrical sheet and strip taśma elektryczna; blacha elektrotechniczna [tw.]

electrical socket gniazdo elektryczne, gniazdko elektryczne [el.]

electrician elektryk [el.]

electricity elektryczność [el.]

electrics elektrotechnika; elektryka [el.]

electrification elektryfikacja [el.]; elektryfikacja [mot.]

electrifice elektryfikować [el.]

electric circuit diagram schemat obwodów elektrycznych [el.]

electric heating ogrzewanie elektryczne [el.]

electro-acoustical converter przetwornik elektroakustyczny [el.]

electro-acoustical transducer przetwornik elektroakustyczny [el.]

electro-erosive method metoda elektroiskrowa [el.]

electro-galvanized zabezpieczony przed korozją; cynkowany elektrolitycznie [met.]

electrogas elektrogaz [met.]

electrogas welding (EGW) spawanie elektrogazowe [met.]

electro-hydraulic elektrohydrauliczny [el.]

electro-hydraulic lift podnośnik elektrohydrauliczny [mot.]

electro-motive elektromotoryczny [el.]

electro-sensitivity skuteczność elektryczna [el.]

electroslag welding spawanie elektrożużlowe [met.]

electrostatic precipitator elektrofiltr; filtr elektrostatyczny [energ.]

electro weld spawać elektrycznie; spawać łukowo [met.]

electrode elektroda [el.]; ($\rightarrow$ bare e.; $\rightarrow$ coated e.; $\rightarrow$ mild steel e.)

electrode group zespół elektrod [el.]

electrode group designation oznaczenie zespołu elektrod [el.]

electrode quiver kołczan na elektrody [met.]

electrolyte elektrolit [mot.]

electrolytic capacitor kondensator elektrolityczny [el.]

electrolytic condenser kondensator elektrolityczny [el.]

electrolytic galvanizing cynkowanie elektrolitycznie [met.]

electrolytic leading ołowiowanie elektrolitycznie [met.]

electrolytic tin plate blacha biała ocynowana elektrolitycznie [tw.]

electrolytic tin-coated strip taśma cynowana elektrolitycznie [tw.]

electron affinity raca wyjścia elektronu [el.]

electron beam welding spawanie elektronowe, spawanie wiązką elektronów [met.]

electronic elektroniczny [inf.]

electronically adjustable damping tłumienie regulowane elektronicznie [mot.]

electronic circuit analysis analiza układów elektronicznych [inf.]

electronic control sterowanie elektroniczne [inf.]

Electronic Data Processing (EDP) elektroniczne przetwarzanie danych (EPD) [inf.]

E

electronic drive control elektroniczne sterowanie jazdą [transp.]

electronic equipment urządzenie elektroniczne [transp.]

electronic oscillation frequencies częstotliwości drgań [el.]

electronic power limit control elektroniczny sterownik programowalny [mot.]

electronic publishing komputerowy skład tekstu [inf.]

electronics elektronika [inf.]

electronic switch unit elektroniczny moduł przełączania [inf.]

electronic worksheet elektroniczny arkusz kalkulacyjny [inf.]

element element [abc]; element wsadowy; wkładka [mot.]

elementary wave fala elementarna [fiz.]

eletrical measuring instrument przyrząd pomiarowy elektryczny [el.]

elevate podnosić [transp.]

elevated railway kolej nadziemna [mot.]

elevated tank zbiornik górny, zbiornik tłoczny, zbiornik ciśnieniowy [bud.]

elevating adjustment nastawienie wysokości, regulacja wysokości [abc]

elevating conveyor przenośnik taśmowy [górn.]

elevating device mechanizm podnoszący [mot.]

elevating grader ładowarka przenośnikowa [mot.]

elevating platform pomost wiertniczy na pełnym morzu [mot.]

elevating spindle wałek z gwintem [masz.]

elevating spindle guide bushing złączka nakrętno-wkrętna [masz.]

elevating transporter wózek niskiego podnoszenia [mot.]

elevation widok z góry, widok z lotu ptaka [abc]; wzniesienie [energ.]; (→ side e.)

elevator winda; dźwig, wyciąg [bud.]

elevator cab kabina (*dźwigu*) [bud.]

elevator scraper łopata mechaniczna zgarniarki samoładująca [mot.]

eliminate niszczyć [abc]

elimination of a deficiency usunięcie usterki [abc]

elliptical pre-classification screen przesiewacz klasyfikacyjny eliptyczny [górn.]

E-loco elektrowóz; lokomotywa elektryczna [mot.]

elongation wydłużenie, przedłużenie [transp.]

eloquence elokwencja [abc]

EM (*earthmoving machine*) urządzenie do transportu ziemi [mot.]

embanking budowa zapory (tamy) [bud.]

embankment nasyp kolejowy [mot.]; skarpa, nasyp [transp.]

embankment work budowa nasypu [bud.]

embargo embargo [wojsk.]

embark zaokrętować [mot.]

embarkation zaokrętowanie [mot.]

embassy ambasada [polit.]

embedded wbudowany [energ.]; zawarty [górn.]

embezzle sprzeniewierzać [abc]

embodied wbudowany, włączony [górn.]

emboss wytłaczać [met.]

embrittlement utrata elastyczności, wzrost łamliwości [tw.]

embroider haftować [abc]

embroidery haft [abc]

emerald szmaragd [min.]

emerald green zieleń szmaragdowa; szmaragdowy [norm.]

emergence wystąpienie (*czegoś*); uwydatnienie się (*czegoś*) [bud.]

emergency nagła potrzeba; wywołanie alarmowe, sygnał alarmowy [abc]

emergency switch wyłącznik awaryjny [transp.]

emergency brake hamulec bezpieczeństwa [mot.]

emergency brake control valve zawór regulacyjny hamulca bezpieczeństwa [mot.]

emergency braking hamowanie awaryjne [mot.]

emergency button przycisk bezpieczeństwa [energ.]

emergency cord lina awaryjna [transp.]

emergency cord switch włącznik liny awaryjnej [transp.]

emergency exit wyjście ewakuacyjne [abc]

emergency fuel tank zapasowy zbiornik paliwa [mot.]

emergency hammer młotek awaryjny [mot.]

emergency landing lądowanie przymusowe [mot.]

emergency-out wyłącznik awaryjny [transp.]

emergency relay valve zawór hamulcowy bezpieczeństwa [mot.]

emergency rope-down device droga awaryjna [mot.]

emergency service ochrona przed katastrofami; służba ratownicza [polit.]

emergency-steering pump awaryjne sterowanie pompą [mot.]

emergency stop wyłącznik bezpieczeństwa; wyłącznik awaryjny [abc]; zatrzymanie awaryjne [transp.]

emergency stop button przycisk bezpieczeństwa; przycisk zatrzymywania awaryjnego; przycisk STOP [transp.]

emergency stop valve zasuwa zamykająca awaryjna [energ.]

emergency switch wyłącznik bezpieczeństwa [el.]; wyłącznik awaryjny; awaryjny wyłącznik pociągany [transp.]

emergency travel socket gniazdo awaryjne ruchu [transp.]

emergent angle kąt bezpieczeństwa [inf.]

emergent stem correction poprawka na wystający słupek rtęci [miern.]

emery ścierać (*szlifować, polerować*) szmerglem [met.]

emery szmergiel [met.]

emery paper papier szmerglowy, papier ścierny [met.]

emery stick pilnik szmerglowy [met.]

emigrant emigrant, wychodźca [polit.]

emigration emigracja [polit.]

emigration authority urząd emigracyjny [polit.]

emigration permit pozwolenie na wyjazd z kraju [polit.]

emission emisja; wypływ [abc]; wypromieniowanie [energ.]

emission level poziom emisji [miern.]

emission protection zabezpieczenie przed emisją [abc]

emit emitować [polit.]

emitter emiter; źródło promieniowania [el.]

emitter contact emiter [el.]

emitter current prąd od emitera [el.]

emitter diode dioda emitera [el.]

emitter follower wtórnik emiterowy [el.]

emitter-to-gate spacing rozstaw bramek emitera [el.]

emphasis akcent, uwypuklenie [abc]

empirical doświadczalny, empiryczny [abc]

employ zatrudniać, angażować; używać, stosować, wykorzystywać [abc]

employ zatrudnienie [abc]

employed on a daily basis pracować na dniówki [abc]

employee pracobiorca; pracownik [abc]

employer pracodawca [abc]; inwestor [bud.]; zleceniodawca [transp.]

employer's liability odpowiedzialność cywilna pracodawcy [praw.]; stowarzyszenie zawodowe [polit.]

employment zatrudnienie, zaangażowanie; zajęcie; stosunek pracy [abc]

employment contract umowa o pracę [abc]

empty opróżniać [mot]

empty bez ładunku; pusty [mot.]

empty/load changeover pozycja pusty/załadowany [mot.]

emulsify (GB) emulgować, tworzyć emulsję [met.]

emulsion resistant (GB) odporny na zmydlanie [met.]

enamel emaliować [met.]

enamel emalia [transp.]; szkliwo [tw.]

encased obudowany [met.]

enclosed dołączony, załączony; w załączeniu [abc]; zamknięty [transp.]

enclosed cylinder cylinder zamknięty [masz.]

enclosed drive napęd własny [transp.]

enclosed type zabudowa zwarta [masz.]

enclosure załącznik [abc]

encode kodować [el.]

encompass zawierać [abc]

encounter zastawać, spotykać (*kogoś*) [abc]

encourage dodawać odwagi [abc]

encouraging dodający odwagi, dodając odwagi [abc]

encryption kod, szyfr [inf.]

end zakończenie, koniec; powierzchnia czołowa; koniec [abc]

end bit ząb narożny [transp.]

end bush tuleja zaciskowa [mot.]

end cap wieko nasadzane [masz.]

end clearance luz osiowy [mot.]

end collar kołnierz skrajny [transp.]

end cover pokrywa, wieczko [mot.]

end cushioning wytłumienie drgań w położeniu krańcowym [mot.]

end deformation odkształcenie końcowe [met.]

end disc tarcza krańcowa [transp.]

end door drzwi czołowe [mot.]

end eye (GB, → bearing eye) oczko łożyska [transp.]

end frame zakończenie ramy [masz.]; górna część kadłuba łożyska [transp.]

endless chain conveyor przenośnik łańcuchowy zamknięty [górn.]

endless conveyor przenośnik okrężny, przenośnik obiegowy [górn.]

endless V-belt pasek klinowy ciągły [masz.]

end main pressure inlet przyłącznie do przewodu ciśnieniowego głównego, połączenie z przewodem ciśnieniowym głównym [mot.]

end of quote koniec cytatu [abc]

end of the belt *odcinek pasa pomiędzy kołami* [masz.]; koniec doświadczenia [energ.]

end pin sworzeń zamykający [masz.]

end plate płyta zaślepiająca; pokrywa łożyska [masz.]; tarcza krańcowa; końcówka [transp.]; most przeładunkowy; zawór klapowy ściany czołowej [mot.]

end position pozycja krańcowa [transp.]; położenie krańcowe; (→ block) zderzak, ogranicznik ruchu [abc]

end shaping formowanie końcowe [met.]

end shield pokrywa łożyska [masz.]

end stanchion kłonica narożna [mot.]

end stopper zatyczka [mot.]
end thrust ściskanie podłużne [masz.]; (→ axial thrust) nacisk osiowy [mot.]
end-to-end advance przebieg sukcesywny [mot.]
end wagon wagon końcowy [mot.]
end wall ściana czołowa [mot.]; ściana szczytowa [bud.]
endorsement umowa dodatkowa [praw.]
endurance trwałość [abc]
endurance limit wytrzymałość zmęczeniowa [tw.]
energization wzbudzenie [mot.]
energize a solenoid pobudzać magnes; wzbudzać magnes [mot.]
energizing pobudzenie [el.]
energizing circuit obwód energetyczny [el.]
energy energia [energ.]; (→ deformation e.; → driving e.; → internal e.)
energy consumption zużycie energii [mot.]
energy cost koszty czynników energetycznych [mot.]
energy demand zapotrzebowanie energetyczne [energ.]
energy distribution rozdział energii [mot.]
energy law prawo zachowania energii [mot.]
energy loss strata energetyczna [mot.]
energy reduction oszczędzanie energii [transp.]
energy retrieving odzyskiwanie energii [mot.]
energy saving oszczędzający energię [abc]; oszczędzanie energii [mot.]
energy-saving switching układ oszczędnościowy energii [transp.]
energy supply zasilanie energią [mot.]
enforce wymuszać [abc]
enforced wymuszony [abc]; przymu-

sowy [mot.]
enforcement wykonanie, realizacja; wprowadzenie w życie; narzucanie [abc]
engage zapadać (*np. o zapadce*) [abc]; zaczepiać [mot.]
engaged zardzewiały; zaczepiony [mot.]; zazębiony [masz.]; zajęty [telkom.]; wsunięty [abc]
engaged phone zajęty telefon [telkom.]
engagement nut złączka sprzęgająca [masz.]
engaging zapadający [masz.]
engine silnik; silnik spalinowy; silnik elektryczny; motopompa; lokomotywa [mot.]; (→ combustion e.; → four cycle e.; → gas turbine e.; → motor boat e.; → opposed cylinder type e.; → otto-cycle-e.; → twin e.; → two cycle e.; → V-type e.; → vehicle e.)
engine base fundament silnika (*głównego*) [mot.]
engine bearer łoże silnika [mot.]
engine block zespół cylindrów, blok cylindrów [mot.]
engine bonnet osłona silnika, maska silnika [mot.]
engine brake hamulec silnikowy; hamulec górski [mot.]
engine breathing system układ odpowietrzania silnika; układ wymiany spalin; odpowietrznik silnika [mot.]
engine compartment maszynownia; osłona silnika, obudowa silnika [mot.]
engine control room maszynownia, siłownia [abc]
engine coupling sprzęgło silnikowe [mot.]
engine cross krzyżak (*silnika*) [mot.]
engined turboodrzutowy [mot.]
engine-driven o napędzie silnikowym [mot.]

E

engine driver (→ engineer; US) maszynista [mot.]

engine front support przednie zawieszenie silnika [mot.]

engine fuel transfer pump pompa paliwowa zasilająca [mot.]

engine guard plate osłona blaszana silnika [mot.]

engine hood osłona silnika, maska silnika [mot.]

engine lubrication smarowanie silnika [mot.]

engine mounting zawieszenie silnika; łoże silnika [mot.]

engine mounting base zawieszenie silnika [mot.]

engine oil olej silnikowy (*smarowy*) [mot.]

engine plate osłona silnika [mot.]

engine rating pojemność skokowa silnika [mot.]

engine repair naprawa maszyn, naprawa silników [masz.]; naprawa silnika, remont silnika [mot.]

engine rev return redukcja prędkości obrotowej silnika [mot.]

engine revolution prędkość obrotowa silnika [mot.]

engine revolutions (r.p.m.) liczba obrotów silnika [mot.]

engine room maszynownia [mot.]

engine speed prędkość obrotowa silnika; liczba obrotów silnika [mot.]

engine-speed reduction redukcja prędkości obrotowej silnika [mot.]

engine support bracket zawieszenie silnika [mot.]

engine suspension zawieszenie silnika [mot.]

engine tachometer obrotomierz, licznik obrotów silnika [mot.]

engine temperature gauge termometr zdalny [miern.]

engine tilt angle pochylenie silnika, położenie ukośne silnika [mot.]

engine timing układ sterowania silnika [mot.]

engine unit silnik do wbudowania [mot.]

engine variation wersja silnika; rodzaj silnika [mot.]

engine version wersja silnika; rodzaj silnika [mot.]

engineer inżynier doradca, doradca techniczny, konsultant; inżynier [abc]; maszynista [mot.]; (→ consulting e.; → design e.; → maintenance e.; → sales e.; → test e.)

engineer directing the trial kierownik prac doświadczalnych [abc]

engineer equipment (GB) wyposażenie saperskie [wojsk.]

engineer`s pliers szczypce uniwersalne płaskie; kombinerki [narz.]

Engineer-in-Chief inżynier naczelny [mot.]

engineering produkcja urządzeń, konstruowanie urządzeń [masz.]; inżynieria; technika [abc]

engineering change or release note komunikat o zmianach w dokumentacji technicznej [abc]

engineering department biuro techniczne [abc]

engineering insurance ubezpieczenie od szkód powstałych wskutek nieprzewidzianego i nagłego uszkodzenia maszyny [praw.]

engineering manager dyrektor techniczny [abc]; (→ mine manager)

English interface złącze angielskie [inf.]

engrave grawerować [met.]

engraved boiler diagram schemat połączeń kotła wygrawerowany na pulpicie sterowniczym [energ.]

engraving grawerowanie [met.]

enhance podnosić; ulepszać; optymalizować [abc]

enhancement podwyższenie [abc]

enhancement type typ wzbogacania, rodzaj wzbogacania [el.]

enhancement type field-effect-transistor tranzystor wzbogacany, tranzystor polowy o kanale wzbogaconym [el.]

enhancing ulepszenie, udoskonalenie [abc]

enlarge powiększać [abc]

enlargement powiększenie [energ.]

enquiry zapytanie [abc]

enrich wzbogacać, nasycać [górn.]

enrichment akumulacja, nagromadzenie [górn.]

enrollment test egzamin wstępny [abc]

enslave wyzyskiwać; uczynić niewolnikiem [abc]

ensure zabezpieczać [abc]

enter wchodzić; wpisywać [abc]; wlatywać [wojsk.];

enter and seize zajmować i konfiskować [mot.]

entertainer gospodarz; artysta estradowy [abc]

entertainment rozrywka [abc]

enthalpy zawartość ciepła; entalpia [energ.]

enthalpy of steam at superheater outlet entalpia pary przegrzanej przy poborze [energ.]

entire installation instalacja całkowita [abc]

entrance wjazd [transp.]; wejście [abc]

entrance angle kąt wejścia; kąt wlotu [energ.]

entrance examination egzamin wstępny [abc]

entrance loss strata wlotowa [energ.]

entrance of the axle otwór osadzenia osi [mot.]

entrance of the rear axle wejście (*wlot*) pomostu tylnego [mot.]

entrust with powierzać, zlecać (*komuś określone zadanie*) [abc]

entry zapis [abc]; dostęp, dojście [transp.]; korytarz; tunel [górn.]

entry point wejście (*na schody ruchome*) [transp.]; punkt wejścia [el.]

entry steam cock kurek wlotowy [mot.]

envelope koperta; powłoka [abc]

enveloping body odkuwka [masz.]

environment środowisko; otoczenie [abc]; środowisko [inf.]; gęstość urządzeń [el.]; (→ current e.; → definition e.; → rum time e.)

environmental control ochrona środowiska [mot.]

environmental protection ochrona środowiska [abc]

Environmental Protection Agency (US) Urząd Ochrony Środowiska [polit.]

environmental technology technologie nieszkodliwe dla środowiska [mot.]; procesy technologiczne nieszkodliwe dla środowiska [abc]

envision przedstawiać [abc]

envoy wysłannik; poseł [polit.]

EPA (*Environmental Protection Agency*) Urząd Ochrony Środowiska [polit.]

epaulette (GB) naramiennik, epolet, szlifa [wojsk.]

epicentre epicentrum [abc]

epitaph epitafium; (→ tombstone) napis, inskrypcja [abc]

EPO (*European Patent Office*) EPA (*Europejskie Biuro Patentowe*) [polit.]

epoch epoka [mot.]

epoxy epoksyd [tw.]

equalization wyrównanie; korekta [el.]

equalize wyrównywać [el.]

equalizer korektor; wyrównawczy [el.]

equalizer bar poprzecznica, belka poprzeczna [masz.]

equalizer spring wahacz sprężysty [masz.]

E

equalizing bar szyna wyrównawcza; ramię dźwigni [masz.]

equalizing resistor opór wyrównawczy, oporność wyrównawcza [el.]

equalizing valve zawór wyrównawczy ciśnienia [mot.]

equation równanie [mat.]; (→ characteristic e.)

equator równik [geogr.]

equatorial równikowy [geogr.]

equidistant jednakowo odległy; jednakowo odlegle [mot.]

equilibrium stan równowagi [abc]; równowaga [chem.]

equip zaopatrywać, zasilać [abc]

equipment urządzenie kotłowe, instalacja kotłowa [energ.]; ekwipunek; przyrząd; sprzęt; urządzenie robocze [abc]; wyposażenie [mot.]; (→ electrical e.; → firing e.; → fuel gas e.; → lighting e.; → materials handling e.; → refuse firing e.; → remote handling e.; → special e.; → ultrasonic e.)

equipment cabinet szafka na narzędzia [bud.]

equipment package komplet wyposażenia [mot.]

equivalence semantics semantyka równoważności [inf.]

equivalent current source zastępcze źródło zasilania energią, zastępcze źródło prądu [el.]

equivalent flaw błąd zastąpienia [el.]

equivalent matrix conversion równoważne przetwarzanie macierzy [el.]

erase wycierać (*gumką*) [abc]

eraser head głowica kasująca [el.]

erecting crane żuraw masztowy, derik [energ.]; żuraw montażowy [met.]

erecting field office biuro montażowo-budowlane [abc]

erection montaż [met.]

erection and assembly insurance ubezpieczenie robót budowlanych, ubezpieczenie usług budowlanych; ubezpieczenie montażu [praw.]

erection cost koszty budowy; koszty montażowe [abc]

erection department wydział montażowy [abc]

erection drawing rysunek montażowy [rys.]

erection plot działka montażowa [abc]

erection time okres montażu [met.]; czas montażu [transp.]

erection works prace montażowe [met.]

ergonomic ergonomiczny [med.]

ergonomics ergonomia [med.]

ermeto coupling złącze śrubowe typu ermeto [masz.]; pierścień zaciskowy dwustożkowy [narz.]

eremite pustelnik [abc]

erode erodować [met.]

eroded by heat wypalony [meteo.]

erosion erozja [energ.]; (→ fly ash e.; → tube e.)

erosion-resistant odporny na erozję [energ.]

erratic block głaz narzutowy; narzutnik; narzutowiec; eratyk [min.]

error pomyłka; błąd [abc]; (→ absolute e.)

eruption erupcja, wybuch [abc]

ESA (*European Space Agency*) ESA (*Europejska Agencja Kosmiczna*) [polit.]

escalate eskalować [abc]

escalation eskalacja [abc]

escalator schody ruchome [transp.]; (→ truss, newel, balustrade)

escalator arresting-device urządzenie zatrzymujące pracę wyciągu, urządzenie hamujące prace wyciągu [bud.]

escalator behaviour zachowanie się schodów ruchomych [transp.]

escalator entrance wejście na schody ruchome [transp.]
escalator gearbox mechanizm napędowy schodów ruchomych [transp.]
escalator landing podest schodów ruchomych [transp.]
escalator machine zespół napędowy [transp.]
escalator step (→ step) stopień schodów ruchomych [transp.]
escalator width szerokość schodów ruchomych [transp.]
escape ulatniać się [mot.]; wydzielać, emanować [abc]
essential podstawowy, zasadniczy, kardynalny, niezbędny, kapitalny, rdzenny [abc]
establish ustalać [energ.]; ustanawiać, tworzyć [abc]
established ustanowiony [abc]
estimate kosztorys, wartość oferty; kalkulacja; ocena rozważanie [abc]
estimate oceniać; szacować; rozważać; zliczać [abc]
estimated data wartość zakładana [abc]
estimating rozważenie [abc]
estimation ocena, oszacowanie [abc]
estimation of productivity data ocena zdolności produkcyjnych [abc]
estuary ujście (*rzeki*) [hydr.]
ETA-automatic cut-off wyłącznik ETA (*o przewidywanym czasie*) [met.]
etc. (*et cetera*) itd. [abc]
etch trawić, wytrawiać [met.]
etch primer podkład do trawienia [met.]
etching trawienie, wytrawianie [met.]; ukłucie [abc]
eternit eternit [tw.]
ether eter [chem.]
ether discharger rozpylacz eteru [mot.]

ether start rozruch eterowy [mot.]
ether starting aid pomocnicze urządzenie rozruchowe eterowe [mot.]
ethyl silicate ortokrzemian etylowy [chem.]
european europejski [abc]
European Single Market rynek wewnętrzny Europy, europejski rynek wewnętrzny [polit.]
eutectic eutektyczny [tw.]
evacuate site ewakuować z terenu budowy, usuwać z terenu budowy [bud.]
evaluated C-scan ewaluowany obraz C [el.]
evaluation wyznaczanie wartości, ocena, ewaluacja [inf.]
evaluation system przyrząd oprcowujący zmierzone wartości [miern.]
evaporate parować, ulatniać się [abc]
evaporating coil wężownica wyparna [mot.]
evaporating cooler chłodnica wyparna [mot.]
evaporation parowanie, wyparowywanie, odparowywanie [mot.]; parowanie dyfuzyjne, ulatnianie się [abc]
evaporator (→ final evaporator) wyparka, aparat wyparny [energ.]
even poziomy [abc]
even number liczba parzysta [mat.]
event wydarzenie; zajście, zdarzenie [abc]; (→ positive e.)
event-oriented simulation symulacja zorientowana zdarzeniowo [inf.]
evidence dowód [abc]
evolution rozwinięcie; rozwój [abc]
evolutionary prototyping prototypowanie ewolucyjne [inf.]
evolved rozwinięty [abc]
E-welder spawacz elektryczny [met.]
examination badanie [abc]; (→ radiographic e.) testowanie [energ.]

E

examine egzaminować; badać; kontrolować; przesłuchiwać, badać [abc]

example wzór; przykład [abc]

example of installation przykład montażowy [mot.]

excavate wykopywać; rozluźniać; wydobywać grunt koparką [transp.]

excavated material urobek [transp.]; ukop [górn.]

excavating wykopywanie [transp.]

excavating blade (→ curbstone plate) zgarniarka [transp.]

excavating depth głębokość wykopu [transp.]

excavation wykop; wykonanie wykopu [transp.]

excavation material urobek, ukop [transp.]

excavation work wykopywanie; wykop [gleb.]

excavator koparka, czerparka [transp.]

excavator axle oś koparki, oś czerparki [transp.]

excavator bucket czerpak, chwytak, łyżka koparki [transp.]

excavator design konstrukcja urządzenia [transp.]

excavator engineering technika pracy koparką [transp.]

excavator manufacture budowa koparki, budowa czerparki [transp.]

excavator monitoring kontrola pracy koparki [el.]

excavator study studium dotyczące koparek, projekt nowej koparki [transp.]

excavator work czyszczenie dna, pogłębianie [transp.]

Excavators and Handling Equipment koparki i urządzenia transportu bliskiego [transp.]

exception wyjątek [abc]

exception agreement zezwolenie specjalne [transp.]

exceptional wyjątkowy, nadzwyczajny [abc]

excess nadmierny; zbędny [abc]

excess air nadmiar powietrza [energ.]

excess air coefficient współczynnik nadmiaru powietrza [energ.]

excess capacity pojemność zbędna [abc]

excess liability ubezpieczenie akscedencyjne od odpowiedzialności cywilnej [praw.]

excess liability insurance akscedencja [praw.]

excess pressure valve zawór nadciśnieniowy [mot.]

excess temperature of coolant nadwyżka temperatury cieczy chłodzącej [mot.]

excessive nadmierny [mot.]

excessive reinforcement nadmierna warstwa zbrojeniowa [met.]

excessive root penetration nadmierny przetop w grani [met.]

exchange zamieniać, wymieniać [energ.]

exchange obracanie [transp.]; wymiana [abc]; (→ cation e.)

exchangeability wymienność [mot.]

exchangeable wymienny; zamienny [masz.]

exchangeable container kontener wymienny [mot.]

exchangeable gland dławik wymienny [mot.]

exchangeable packing dławik wymienny [mot.]

exchange part zespół wymienny; część zamienna [masz.]

exchanger wymiennik [abc]; (→ ion e.)

excitation wzbudzanie, pobudzanie [el.]; (→ sinusoidal e.)

excitation voltage napięcie wzbudzenia [el.]

excite pobudzać [abc]

excited zdenerwowany, nerwowy; pobudzony [abc]; wzbudzony [el.]

excitement podniecenie, emocja, zdenerwowanie [abc]

exciter wzbudnica [mot.]; transformator regulacyjny [el.]

exciting pasjonujący, emocjonujący, pobudzający, denerwujący [abc]

exciting electricity prąd wzbudzenia [el.]

exclamation mark wykrzyknik; znak wykrzyknienia [abc]

exclusion wyłączenie [praw.]

exclusive jurisdiction właściwość terytorialna [polit.]

excrescence zgrubienie [met.]

excursion wędrówka; wycieczka [abc]

excuse usprawiedliwiać [abc]

excuse wybieg, wykręt; wymówka [abc]

execute załatwiać; wykonywać [abc]

execution wykonanie; realizacja; przeprowadzenie [abc]

executive manager, dyrektor wielkiego przedsiębiorstwa [abc]

exempt oprócz [abc]

exercise ćwiczenie [abc]; manewry [wojsk.]

exhaust wysysać [mot.]; wyczerpywać [abc]

exhaust wydech; wylot [mot.]

exhaust air bend kolektor powietrza zużytego [mot.]

exhaust air flap przepustnica powietrza zużytego [mot.]

exhaust brake hamulec silnikowy [mot.]

exhaust cleaner katalizator spalin [mot.]

exhaust duct wyciąg, okap [górn.]

exhausted eksploatowany [transp.]; wyczerpany; zmęczony [abc]

exhaust elbow rura wydechowa, kolektor wydechowy [mot.]

exhauster odpowietrznik [mot.]

exhaust flame damper tłumik płomienia [wojsk.]

exhaust flap brake hamulec silnikowy [mot.]

exhaust gas spaliny [mot.]

exhaust gas burner instalacja spalania gazów odlotowych [aero.]

exhaust gas heated ogrzewany gazami odlotowymi [mot.]

exhaust gas heated intake manifold przewód wlotowy rozgałęziony ogrzewany gazami odlotowymi [mot.]

exhaust gas heated intake pipe przewód ssący ogrzewany gazami odlotowymi [mot.]

exhaust-gas thermostat termostat spalinowy [mot.]

exhaust gas turbine turbina spalinowa [mot.]

exhaust gases conditioner klimatyzator gazów odlotowych [mot.]

exhaust in wlot spalin; wdech [mot.]

exhaustion zmęczenie (*materiału*) [tw.]; zużycie [mot.]

exhaustion of the limit wyczerpanie sumy na zabezpieczenie [praw.]

exhaust manifold kolektor wydechowy [mot.]

exhaust manifold connection łącznik kolektora wydechowego [mot.]

exhaust-operated air heating ogrzewanie gazami odlotowymi [mot.]

exhaust out wylot spalin; wydech [mot.]

exhaust pipe przewód odprowadzający gazy spalinowe; instalacja wydechowa; rura wydechowa [mot.]

exhaust pressure ciśnienie wydechu [mot.]

exhaust silencer tłumik dźwięków (*w rurze wydechowej*) [mot.]

exhaust steam para odlotowa [energ.]

E

exhaust steam oil separator odolejacz pary odlotowej [energ.]

exhaust steam utilisation wykorzystanie pary odlotowej [energ.]

exhaust stroke suw wydechu [mot.]

exhaust system układ wydechowy [mot.]

exhaust turbo charger turbosprężarka doładowująca napędzana gazami spalinowymi [mot.]

exhaust turbo-supercharger turbosprężarka doładowująca napędzana gazami spalinowymi [mot.]

exhaust valve zawór wydechowy, zawór wylotowy; odcinacz wydechu [mot.]

exhaust valve cap połączenie gwintowe zawory wydechowego, połączenie gwintowe zaworu wylotowego [mot.]

exhaust valve seat gniazdo zaworu wydechowego, gniazdo zaworu wylotowego [mot.]

exhaust valve spring sprężyna zaworu wydechowego, sprężyna zaworu wylotowego [mot.]

exhibit wystawiać [abc]

exhibit eksponat [abc]

exhibit booth stoisko wystawiennicze [abc]

exhibition (→ fair) wystawa [abc]

exhibition ground teren targów; tereny wystawowe [abc]

exhibition space stoisko wystawiennicze [abc]

exhibitor wystawca [abc]

exist istnieć, egzystować [abc]

existential quantifier kwantyfikator szczegółowy [inf.]

exit zjazd, wyjazd [mot.]; wyjście [abc]

exit angle kąt wyjścia [energ.]

exit gas spaliny [mot.]

exit gas fan dmuchawa spalinowa, miech spalinowy [transp.]

exit gas temperature temperatura gazów odlotowych [energ.]

exit loss strata wylotowa [energ.]

exit poll ankieta po głosowaniu [polit.]

expand wzbogacać, nasycać [energ.]; dodatkowo wyposażać; naprzód; atakować [abc]; rozwalcowywać; zwiększać średnicę [met.]

expanded clay gliniec, keramzyt [tw.]

expanded metal siatka metalowa rozciągana [masz.]

expanded metal walkway powłoka z siatki metalowej rozciąganej [energ.]

expanded tube joint połączenie rurowe walcowane [energ.]

expander ekspander [met.]

expanding input wejście rozszerzenia [mot.]

expansion rozszerzanie (się) (*np. ciał*) [abc]; wyposażenie dodatkowe [transp.]; rozszerzanie [energ.]

expansion joint złącze kompensacyjne [energ.]

expansion kit zestaw dodatkowego wyposażenia [transp.]

expansion of the drum water spiętrzenie wody wirowej [energ.]

expansion of the port rozbudowa portu [mot.]

expansion switch złącze kompensacyjne [mot.]

expansion tank zbiornik wyrównawczy [masz.]

expect oczekiwać; mieć nadzieję, spodziewać się [abc]

expectancy range zakres oczekiwania [el.]

expected time czas zadany [abc]

expedient solution rozwiązanie tymczasowe (*z konieczności*) [transp.]

expedite pośpieszać [abc]

expendable jednorazowego użytku [abc]

experience doświadczenie; przeżycie [abc]

experimental process proces doświadczalny [miern.]

experimental stress analysis badanie własności mechanicznych [miern.]

expert rzeczoznawca [transp.]; ekspert; specjalista; fachowiec [abc]

expert fachowy [abc]

expert engineer inżynier specjalista [abc]

expert language język fachowy [inf.]

expert opinion ekspertyza, orzeczenie, opinia, ocena (*biegłego*) [abc]

expert problem solving rozwiązywanie problemów przez eksperta [inf.]

expert system system doradczy [inf.]; (→ large e.s.; → rule-based s.)

expiration upływ [abc]

expiration policy polisa odpisowa [praw.]

expire upływać [praw.]

expired przedawniony [praw.]

explain wyjaśniać [abc]

explanation wyjaśnienie [polit.]

explode detonować [górn.]; wysadzać w powietrze [wojsk.]

exploit eksploatować, wyzyskiwać, wykorzystywać [górn.]; użytkować [abc]

exploited eksploatowany [górn.]; wyzyskiwany [abc]

exploratory drilling wiercenia badawcze [górn.]

explosion detonacja, wybuch; eksplozja; wysadzenie w powietrze [górn.]; wybuch [mot.]

explosion diaphragm folia rozrywana [energ.]

explosion door drzwiczki eksplozyjne [energ.]

explosion of coal dust wybuch pyłu węglowego [górn.]

explosion pressure ciśnienie wybuchu [górn.]

explosion-proof przeciwwybuchowy [górn.]

explosion train fala uderzeniowa wybuchu [górn.]

explosion welding zgrzewanie wybuchowe metali [met.]

explosive agents materiały wybuchowe [wojsk.]

explosive bolt sworzeń ścinany wybuchowo [wojsk.]

explosive bomb bomba burząca [wojsk.]

explosive capsule spłonka [wojsk.]

explosive capsule igniter zapalnik [wojsk.]

explosive charge ładunek wybuchowy [wojsk.]

explosive cutter obcinak wybuchowy [wojsk.]

explosive equipment wyposażenie w materiały wybuchowe [wojsk.]

explosive hand grenade granat ręczny odłamkowo-burzący [wojsk.]

explosive rifle grenade granat karabinowy odłamkowo-burzący [wojsk.]

explosives ładunek wybuchowy; środki zapłonowe [wojsk.]

explosive shell pocisk odłamkowo-burzący [wojsk.]

explosive stud welding zgrzewanie kołkowe wybuchowe [met.]

explosive welding zgrzewanie wybuchowe [met.]

exponential wykładniczy [mat.]

exponential function funkcja wykładnicza [mat.]

exponential smoothing wygładzanie wykładnicze [mat.]

export sales sprzedaż zagraniczna [abc]

exposed odkryty [bud.]

exposed aggregate concrete beton płuczkowy [bud.]

exposed concrete beton elewacyjny [bud.]

express coach wagon pociągu pospiesznego [mot.]

E

express railcar wagon motorowy pospieszny [mot.]

express train pociąg pospieszny [mot.]

expression wyrażenie [inf.]

expressway autostrada [mot.]

expropriated wywłaszczony [polit.]

extend rozciągać; wysuwać [transp.]; rozciągać; rozszerzać; zwiększać; przedłużać, wydłużać [abc]

extended cutting edge nóż obiegowy [mot.]

extended length rozciągnięty, rozszerzony [transp.]

extended sound path błąd obejścia [el.]

extended time for payment promocja zbytu [abc]

extended time-base deflection rozszerzone odchylenie podstawy czasu [el.]

extended time-base sweep rozszerzone odchylenie podstawy czasu [el.]

extending design typ konstrukcji rozszerzony [transp.]

extending table stół rozsuwany [bud.]

extensible elastyczny [abc]

extension rozszerzenie [transp.]; wydłużka [masz.]; rozbudowa [energ.]; rozszerzenie [abc]; (→ final stage of e. → preliminary stage of e.)

extension of coverage rozszerzenie pokrycia [praw.]

extension sleeve tuleja kompensacyjna, tuleja wydłużająca [transp.]

extension trench-lining plate płyta do deskowania ścian wykopu [transp.]

extensive program obszerny program, bogaty program [abc]

extent rozmiar, wymiar; zakres [abc]; rozpiętość [bud.]

extent of validity zakres ważności; termin ważności [abc]

exterior admission zasilany zewnętrznie, zasilany z zewnątrz [mot.]

exterior valve zawór sterujący zewnętrzny [masz.]

exterminate niszczyć, niweczyć, unicestwiać [abc]

exterminator tępiciel szkodników [abc]

external zewnątrz, na zewnątrz; zewnętrzny; obcy [abc]

external band brake hamulec taśmowy zewnętrzny [mot.]

external cleaning czyszczenie zewnętrzne [abc]

external connection wypływ oleju wyciekowego na zewnątrz [mot.]

external diameter średnica zewnętrzna [abc]

external flaw uszkodzenie powierzchni [masz.]

external gear koło zębate zewnętrzne [masz.]

external geared wheel koło zębate zewnętrzne [mot.]

external gearing zazębienie zewnętrzne [transp.]

external longitudinal flaw uszkodzenie wzdłużne powierzchni [masz.]

external mounting housing obudowa zawieszana [transp.]

external order zlecenie zewnętrzne [abc]

external panelling okładzina zewnętrzna [transp.]

external plant urządzenie zewnętrzne [transp.]

external rendering tynk zewnętrzny [bud.]

external rotor type wirnik zewnętrzny [transp.]

external synchronization synchronizacja zewnętrzna [abc]

external teething (→ extern-gear-

ing) uzębienie zewnętrzne [masz.]
external toothing uzębienie zewnętrzne [masz.]
external welding spawanie zewnętrzne [met.]
extinction wymarcie [abc]
extinguish gasić, wygaszać [abc]
extra low voltage napięcie małe, napięcie obniżone [el.]
extra weight masa dodatkowa [mot.]
extraction device urządzenie wybierające [górn.]
extraction steam para upustowa [energ.]
extraction steam line przewód spustowy [energ.]
extraction steam preheater podgrzewacz pary upustowej [energ.]
extractor wyciągacz, ściągacz, wyrzutni; ściągacz [mot.]
extractor device urządzenie odpowietrzające [górn.]
extracurricular poza planem nauki; pozaszkolny [abc]
extraneous information meldunek zewnętrzny [transp.]
extraordinary nadzwyczajny [abc]
extras edycje, wydania, emisje; wydatki specjalne [abc]
extraterrestrial pozaziemski, kosmiczny [transp.]; eksterytorialny [polit.]
extreme-in position of a lever położenie krańcowe dźwigni [mot.]
extreme limit switch połączenie krańcowe [transp.]
extreme-out position of a lever położenie wyjściowe dźwigni [mot.]
extreme service shoe płyta posadzkowa dla ciężkiego sprzętu [transp.]
extremely skrajnie [abc]
extrinsic base resistance opór toru bazy, opór toru bazowego (*podstawowego*) [el.]
extrinsic resistance opór zewnętrzny [el.]

extruded opening otwór z kołnierzem wywiniętym [energ.]
extruding axis oś profilowana [abc]
extrusion wytłaczanie, wyciskanie [energ.]; wyciskanie, prasowanie wypływowe [mot.]; łata wytłaczana [transp.]
extrusion plant wytłaczarka ślimakowa [narz.]
exude wydzielać; emanować [abc]
eye oko; uszko; ucho, uchwyt; pętla, szlufka, kluczka [abc]; oczko [energ.]; ucho do podnoszenia [transp.] (→ ear; eye of a needle; → lifting e.)
eyebolt śruba oczkowa [masz.]
eye geometry geometria oka [inf.]
eyelet oczko [transp.] (→ bearing eye)
eye rod pręt z uchem, drążek z uchwytem [masz.]
eye-sight wzrok [med.]

F

F. C. (→ fixed carbon) węgiel związany [chem.]
F. D. (*Fire Department*) straż pożarna [abc]
F. D. fan (→ forced draught fan) wentylator ciągu sztucznego [aero]
fabric tkanina; materiał; sukno [abc]
fabrication wytwarzanie, produkcja [abc]
fabricator fabrykant; producent, wytwórca [abc]
fabric belt pas obciążeniowy [mot.]
fabric belt tyre opona radialna tkaninowa [mot.]
fabric lining okładzina tkaninowa [mot.]
fabric reinforcement stalowa siat-

ka zbrojeniowa; bandaż (*kabla*) [bud.]

fabric reinforcing wzmacnianie tkaniną [tw.]

face oblicówka [bud.]; przodek, czoło przodka [górn.]; róg; brzeg, kant; strona przednia, strona czołowa; powierzchnia czołowa [abc]; (→ long wall)

face bend test próba zginania z rozciąganiem lica [met.]

face grind szlifować czoło [masz.]

face mounting montaż czołowy [masz.]

face plate tarcza tokarska [masz.]

face pressure docisk [masz.]

face shield tarcza spawacza [masz.]

face shovel czerpak skalny (*koparki lub czerparki*); chwytak przedsiębierny; łyżka koparki; łyżka pogłębiarki [transp.]

face side powierzchnia czołowa [abc]

facet faseta [fiz.]

facilitate ułatwiać; popierać, wspomagać; upraszczać [abc]

facilities podłącza [bud.]

facility urządzenie [bud.]; (→ recreational f.)

facing oblicówka, okładzina [tw.]

facing brickwork obmurze [bud.]

facing concrete beton licowy [bud.]

facsimile faksymila [telekom.]

factor czynnik, współczynnik [abc]; (→ dissipation f.; → saturation f.)

factory fabryka; produkcja [abc]

factory approval odbiór techniczny w zakładzie [abc]

factory floor wytwarzanie, produkcja; zakład [abc]

factory floor management system system zarządzania przedsiębiorstwem [inf.]

factory owner fabrykant, właściciel fabryki [abc]

factory parts record rejestr stanu

warsztatu; zapis rejestrowy stanu rezerw warsztatu [inf.]

factory preset ustawienie fabryczne zaworu [mot.]

factory railway kolej przemysłowa [mot.]

factual faktyczny, rzeczywisty [abc]

factual mobility wysokość prześwitu [transp.]

fade out wyciszać, wygaszać [el.]

fading of colour zmiana odcienia barwy [met.]

fading out zanikanie [el.]

fail ulegać uszkodzeniu, awarii [abc]

failed stracony; nieudany; oblany (*np. egzamin*) [abc]

failure awaria, uszkodzenie; niepowodzenie; defekt; wada; przestój [abc]; rozerwanie, pęknięcie; zerwanie, przerwanie [transp.]; (→ diagonal tension f.; → surface of f.; → tube f.)

failure mode symptom uszkodzenia [tw.]

failure zone strefa przełomu, strefa pęknięcia [tw.]

faint mdleć [med.]

fair nakładać owiewkę [masz.]

fair targi; wystawa [abc]

fair bus autobus dowożący do terenu targów [abc]

faired oprofilowany [masz.]; (→ streamlined; rounded)

faired steel frame structure konstrukcja stalowa obudowana [masz.]

fair goods eksponaty targowe [abc]

fair ground teren targów; teren wystawowy [abc]

fair hall hala targowa; hala wystawowa [abc]

fairlead prowadnica liny [transp.]

fair-lead sheave krążkowa prowadnica liny [mot.]

fair stand stoisko wystawiennicze; stoisko targowe [abc]

fair store magazyn targów [abc]
fairway (→ channel) tor wodny; far-water [mot.]
fall padać, upadać, spadać [abc]
fall upadek [abc]
fall apart rozpadać się, rozkładać się [abc]
falling flank zstępująca powierzchnia boczna [masz.]
falling gradient spadek niwelacyjny [bud.]
fall plate mostek tendrowy; mostek między lokomotywą a tenderem [mot.]
fall plate stanchion kłonica przednia [mot.]
fall short of nie przekraczać górnej granicy [abc]
fall through spełznąć na niczym, nie powieść się [abc]
fall time czas opadania [inf.]
false alarm fałszywy alarm [polit.]
false indication wskazanie wadliwe, wskazanie błędne [abc]
FALSE values fałsz [inf.]
falsework rusztowanie [bud.]
family accommodation mieszkania rodzinne [bud.]
family name nazwisko [abc]
family tree drzewo genealogiczne [abc]
fan zwolennik [abc]; dmuchawa; wentylator; łopatka wentylatora [aero]; (→ air-cooling f.; → axial flow f.; → booster f.; → forced draught f.; → heater f.; → high pressure f.; → induced draught f.; → mill f.; → radial flow f.; → recirculation f.; → seal air f.; → sealing air f.; → secondary air f.; → suction f.)
fan baffle blacha kierunkowa wentylatora [aero]
fan belt pas klinowy wentylatora [mot.]
fan belt idler rolka napinająca pas-

ka wentylatora [aero]
fan blade łopatka wentylatora [aero]
fan blast deflector deflektor kierujący, owiewek kierujący (*w silnikach chłodzonych powietrzem*) [aero]
fan bracket wspornik wentylatora [mot.]
fan casing obudowa wentylatora [aero]
fan cowl osłona wentylatora [mot.]
fan drive napęd dmuchawy [aero]
fan drive shaft wał czynny wentylatora [mot.]
fan driving pulley koło pasowe (*napędowe*) wentylatora [mot.]
fan efficiency wydajność wentylatora [aero]
fan fixed shaft oś wentylatora [aero]
fan grill siatka ochronna wentylatora [aero]
fan guard osłona wentylatora [aero]
fan heater wentylator podgrzewający [aero]
fan hub piasta wentylatora [mot.]
fan hub inspection kontrola piasty wentylatora [mot.]
fan in obciążalność wejściowa (*bramki logicznej*) [inf.]
fan margin zapas ciągu powietrza [aero]
fan-out obciążalność wyjściowa [inf.]
fan pulley koło pasowe wentylatora [mot.]
fan pulley mounting oprawa koła pasowego wentylatora [mot.]
fan-shaped wachlarzowaty [górn.]
fan-shaped washer podkładka wachlarzowata [masz.]
fan shroud tarcza ochronna wentylatora [mot.]
fan-type air cooling chłodzenie powietrzne wentylatora [mot.]
fan wheel wirnik wentylatora [mot.]
far daleki [abc]

F

far end cross talk przenik zdalny, przesłuch zdalny [telkom.]

far-sighted dalekowzroczny [abc]

fare-dodger pasażer bez biletu [mot.]

fare-dodging jechać bez biletu, jechać "na gapę" [mot.]

farm farma rolnicza; zagroda chłopska [roln.]

farm and forestry road maintenance utrzymanie dróg polnych i leśnych [transp.]

farm house dom wiejski [roln.]

farmer chłop; rolnik [roln.]

farming rolnictwo [roln.]

farming and forestry road droga leśno-polna [roln.]

farming tractor ciągnik rolniczy [roln.]

fashion moda [abc]

fashionable modny [abc]

fast szybki [abc]

fast acting szybkodziałający (*np. przekaźnik*) [energ.]

fast breeder reaktor powielający prędki, reaktor powielający na neutronach prędkich [energ.]

fast-effect szybko działający, szybkiego działania [abc]

fast fall device mechanizm szybkiego opuszczania [transp.]

fast fuelling system urządzenie do napełniania zbiorników paliwem pod ciśnieniem; system szybkiego tankowania, instalacja szybkiego tankowania [mot.]

fast-lowering device mechanizm szybkiego obniżania [transp.]

fast-moving part część zamienna (*szybko zużywająca się*) [masz.]

fast passage szybki przejazd [abc]

fast railcar wagon motorowy pospieszny [mot.]

fast revolving wirnik szybkobieżny [mot.]

fast train pociąg pośpieszny [mot.]

fast wear part część szybko zużywalna, część podlegająca szybkiemu zużyciu [met.]

fasten mocować, osadzać, przybijać, przybić [met.]

fastener łącznik, element złączny [met.]; łącznik mechaniczny; pierścień gwintowany łączący [masz.]

fastening zamocowanie, przytwierdzenie [masz.]

fastening bore otwór mocujący, otwór łączący [masz.]

fastening part część mocująca, wspornik mocujący [masz.]

fastenings połączenia, złącza [mot.]; (→ clamps, flexible spike)

fastening system system łączenia [mot.]

fastening with noise abatement mocowanie z wytłumieniem szumów [mot.]

fat tłusty [abc]; otyły [med.]

fatigue zmęczenie [tw.]

fatigue crack pęknięcie zmęczeniowe [tw.]

fatigue fracture pęknięcie zmęczeniowe, przełom zmęczeniowy [tw.]

fatigue free wytrzymały [tw.]

fatigue limit wytrzymałość zmęczeniowa; wytrzymałość (*np. na rozciąganie*) [tw.]

fatigue strength wytrzymałość zmęczeniowa [tw.]

faucet zawór kurkowy czerpalny [hydr.]; kurek [abc]

fault błąd, wada; uszkodzenie; skaza; defekt; zakłócenie [abc]

fault clearance eliminacja zakłóceń [abc]

fault current protection switch wyłącznik ochronny prądowy, wyłącznik ochronny różnicowy [transp.]

fault detecting equipment urządzenie do wyszukiwania błędów [abc]

fault finding wykrywanie uszkodzeń, lokalizacja uszkodzeń [abc]

fault indicator relay przekaźnik sygnalizacyjny awarii [transp.]

fault information sygnalizacja usterki [mot.]

faulting zaburzenie uskokowe [geol.]

faultless bezusterkowy, bezbłędny [abc]

faults uskoki [geol.]

fault tolerance tolerancja błędu [abc]

faulty installation wada montażowa [met.]

faulty measurement wskazanie błędne [abc]

favor sprzyjać [med.]

favor uprzejmość; życzliwość

favorite popularny, lubiany; ulubiony [abc]

fawn brown brąz płowy [norm.]

fayance fajans [met.]

FD bucket kubeł samoopróżniający się, kubeł wywrotny [transp.]

FD shovel koparka wywrotna (*samoopróżniająca się*) [transp.]

fear bać się, obawiać się [abc]

feasibility report *raport o technicznych i ekonomicznych możliwościach realizacji*; studium wykonalności przedsięwzięcia [ekon.]

feat obciążenie [abc]

feather pióro [bot.]

feature właściwość, cecha indywidualna; cecha, znak, znamię; charakterystyka [abc]; cecha, właściwość [inf.]; cecha konstrukcyjna; zaleta konstrukcyjna [masz.]

feature space przestrzeń cechowa [inf.]

federal authorities władze federalne [polit.]

federal highway (→ autobahn) droga krajowa [mot.]

feed zasilać; doprowadzać; napełniać [mot.]; karmić [abc]

feed zasilanie; podawanie; dopływ, wlot [mot.]; przemieszczenie materiału do przodu; podawanie, doprowadzanie, zasilanie; posuw (*zgrubny*); posuw stopniowy [met.]

feedback (→ positive feedback) sprzężenie zwrotne [el.]; mechanizm zwrotny [mot.]

feedback loop pętla sprzężenia zwrotnego [el.]

feedback network sieć sprzężenia zwrotnego [el.]

feedback value wartość rzeczywista [el.]

feed chute koryto zasypowe, rynna zasypowa [górn.]

feed control regulacja posuwu, regulacja zasilania [mot.]

feed control pump pompa sterująca posuwem [mot.]

feed control valve zawór kontrolny zasilający [mot.]

feed conveyor taśma zasilająca [transp.]; przenośnik zasilający [górn.]

feed cylinder cylinder wtryskarki [masz.]

feed device urządzenie zasilające [górn.]

feeder dozownik, podajnik, zasilacz; doprowadzalnik [masz.]; (→ feeder line) kanał zasilający [mot.]; zasilacz, podajnik, dozownik [górn.]

feeder chute szyb zasypowy [masz.]

feeder grate krata zasilająca [masz.]

feeder line linia lokalna; kolej wąskotorowa; tor wąski; linia zasilająca; kolejka, kolej dojazdowa; kolej drugorzędna, kolej dowozowa [mot.]

feeder-line rolling stock tabor kolejowy (*kolejki wąskotorowej*) [mot.]

F

feeder road ulica dojazdowa, droga dojazdowa [mot.]

feed hopper lej zasilający [górn.]; zasobnik [masz.]

feed in zasilać [górn.]

feeding podawanie [masz.]; doprowadzanie [mot.]; ładowanie, napełnianie [górn.]

feeding chute koryto zasypowe, rynna zasypowa [górn.]

feeding drum walczak górny [masz.]

feeding hopper lej zasypowy [masz.]

feeding line przewód zasilania [mot.]

feeding rack ruszt zasilający [masz.]

feeding valve zawór zasilania [mot.]

feed inlet otwór wsypowy [masz.]

feed line przewód doprowadzający [mot.]

feed opening wielkość gardzieli, rozwarcie gardzieli [górn.]

feed opening inlet otwór wlotowy nadawy [górn.]

feedover kontynuacja heurystyczna [inf.]

feed pipe rura zasilająca [mot.]

feed pump pompa zasilająca [mot.]

feed rate szybkość posuwu [mot.]

feed rod wałek pociągowy [masz.]

feed roll rolka podająca, podajnik walcowy [masz.]

feed roller samotok doprowadzający [masz.]

feed size długość krawędzi (*kamieni przed kruszeniem i wsadem*) [górn.]

feed terminal przyłącze zasilające [transp.]

feed valve zawór zasilający [hydr.]

feed water woda zasilająca [hydr.]

feed water alarm instrument urządzenie alarmowe wody zasilającej kocioł [hydr.]

feed water flow meter przepływomierz [hydr.]

feedwater heater podgrzewacz wody zasilającej [hydr.]

feed water heating podgrzewanie

wody zasilającej [hydr.]

feed water meter miernik wody zasilającej [hydr.]

feed water piping rurociąg wody zasilającej [hydr.]

feed water preheater podgrzewacz wstępny wody zasilającej [hydr.]

feed-water pressure gauge manometr pompy zasilającej [mot.]

feed-water pump valve zawór pompy zasilającej wody [mot.]

feed water regulator regulator zasilania kotła wodą [hydr.]

feedwater softening zmiękczanie wody zasilającej [hydr.]

feedwater softening plant urządzenie do zmiękczania wody zasilającej [hydr.]

feed water storage tank zbiornik zasobnikowy wody zasilającej [hydr.]

feed water tank zbiornik wody zasilającej [hydr.]

feed water temperature temperatura wody zasilającej [hydr.]

feed water treatment plant instalacja przygotowania wody zasilającej [hydr.]

feed winch wciągarka zasilająca [transp.]

feeler gauge szczelinomierz; czujnik termometryczny [miern.]

feeling uczucie [abc]

fee opłata [prawn.]

felicity condition warunek sukcesu [inf.]

fell ścinać [abc]

feller attachment urządzenie do ścinania drzew [masz.]

feller buncher mechaniczna piła do ścinki [masz.]

feller delimber equipment urządzenie do ścinania i okrzesywania drzew; piła do ścinania gałęzi [masz.]

feller head głowica piły [masz.]

fellow worker kolega z pracy (*współpracownik*) [abc]
felt filc, pilśń, wojłok; psucie się, rozkład, korupcja [abc]
felt filter filtr filcowy [mot.]
felt packing uszczelka filcowa [mot.]
felt washer filcowy pierścień uszczelniający [mot.]
female socket gniazdo, oprawa [masz.]
female thread gwint wewnętrzny [masz.]
female union złączka rurowa z gwintem wewnętrznym [masz.]
feminist computer science informatyka feministyczna [inf.]
fence płot, ogrodzenie, parkan [abc]
fence pole słup parkanu, żerdź płotu [abc]
fender ochraniacz, osłona zabezpieczająca, zderzak; błotnik; odbijacz [mot.]; osłona zabezpieczająca [transp.]; (→ deflector)
fender bender zagięcie blachy (*wskutek wypadku samochodowego*); stłuczka [mot.]; kolizja, karambol, zderzenie [prawn.]
FEP (*Front End Processor*) procesor czołowy, procesor wysunięty [inf.]
ferment fermentować [bio.]
fermentation fermentacja [bio.]
fermenting vat fermentor; kadź fermentacyjna [bio.]
fern green zieleń paproci [norm.]
ferriferous zawierający żelazo; żelazisty [min.]
ferrite ferryt, żelazo [met.]
ferritic ferrytyczny [met.]
ferritic high-temperature cast steel staliwo żarowytrzymałe ferrytyczne [met.]
ferroalloy żelazostop [met.]
ferrotron ferrotron [met.]
ferrous alloy stal stopowa [met.]
ferrous compound związek żelaza [met.]

ferrous metallurgy metalurgia żelaza [górn.]
ferrous oxide connection związek tlenku żelaza [chem.]
ferrule nasadka pierścieniowa [masz.]; króciec [narz.]
ferry prom [mot.]
ferry barge barka promowa [mot.]
ferry ticket bilet na prom [mot.]
fertilizer nawóz sztuczny; obornik [roln.]
fertilizer industry przemysł nawozów sztucznych [roln.]
fertilizer wagon wagon do przewozu nawozów [roln.]
fester ropieć, jątrzyć się [med.]
festoon bulb żarówka festonowa [bud.]; oświetlenie sufitowe w pojeździe [mot.]
fettle track orientować [mot.]
fibre włókno; fibra [bot.]; tekstura [tw.]
fibre board płyta pilśniowa twarda [tw.]
fibreglass włókno szklane [tw.]
fibre-reinforced wzmocniony włóknami [tw.]
fibrous fracture przełom włóknisty, przełom drzewiasty [tw.]
field pole, grunt, rola [roln.]; pole [inf.]; teren; branża, dziedzina, pole, specjalność; sektor, oddział; obszar [abc]; (→ armature field)
field-effect-transistor tranzystor polowy [el.]
field erection job prefabrykacja elementów budowlanych na terenie budowy [met.]
field investigation badanie terenowe [abc]
fieldistor tranzystor polowy [el.]
field of application obszar stosowalności, zakres zastosowań [abc]
field of tolerance pole tolerancji [abc]
field office biuro polowe [met.]

F

field painting malowanie (*utrwalanie powierzchniowe*) prefabrykatów [abc]

field report (→ field service report) raport z prac monterskich [abc]

field rheostat regulator wzbudzenia, nastawnik oporowy wzbudzenia [el.]

field service report raport z prac monterskich [abc]

field switch stacja przesyłowa; rozdzielnia przesyłowa [górn.]

field weld spawanie montażowe, spawanie na montażu [met.]

fifth wheeler pięciokołowiec [mot.]

fifth wheel load obciążenie siodła (*naczepy*) [mot.]

fight bitwa, bój; walka [wojsk.]

fighting vehicle pojazd bojowy [wojsk.]

figure cyfra; obraz [abc]

figurehead figura dziobowa [mot.]

figure-of-eight knot węzeł ósemkowy [abc]

figure skating jazda figurowa na lodzie [abc]

file handle uchwyt pilnika [narz.]

file piłować; wygładzać [met.]; odkładać; przechowywać w aktach, składać do akt [abc]

file plik; informacja [inf.]; szereg [wojsk.]; dokument, akta (*sprawy*); kartoteka, skoroszyt, segregator [abc]; (→ flat file; → half-round file) pilnik [narz.]

file system system plików [inf.]

fill wypełniać [mot.]; napełniać; szpachlować [bud.]; (→ artificial f.)

filled (→ struck for bucket filling) wypełniony [transp.]

filled-in wypełniony (*np. szkielet ściany*) [tw.]

filler króciec wlewowy; króciec wlewu oleju; wlew [mot.]; masa zacierowa; szpachlówka [tw.]

filler cap zamknięcie wlewu; zamknięcie nakładane, zamknięcie nasadzane, kołpak gwintowany [mot.]

filler cap assembly króciec wlewowy wraz z pokrywą [mot.]

filler profile przekrój poprzeczny wypełniacza, profil wypełniacza [transp.]

fillet spoina pachwinowa [met.]

fillet weld spoina pachwinowa, spoina wklęsła [met.]

fillet weld test specimen próbka spoiny pachwinowej [met.]

fill in wypełniać [abc]; kłaść [transp.]

filling wypełnienie, napełnienie [bud.]; zlewanie, butelkowanie [abc]

filling cover pokrywa wlewu [transp.]

filling degree stopień wypełnienia, stopień napełnienia [mot.]

filling nipple gniazdo smarowe, smarownica ciśnieniowa [mot.]

filling plant rozlewnia [abc]

fillings skała płonna [min.]

filling sheet blacha wypełniająca [bud.]

fill toe stopa zapory, podstawa zapory [bud.]

fill up dopełniać; napełniać [mot.]

film film; warstwa, błona [abc]

film archive filmoteka [abc]

film boiling wrzenie warstewkowe; wrzenie błonowe [energ.]

film capacitor kondensator zwijkowy, kondensator foliowy [el.]

film laminar depot skład materiałów do warstwowania [met.]

film resistor opornik warstwowy [el.]

film technology technika cienkowarstwowa, technologia warstw cienkich [el.]

filter filtr [el.]; (→ air f.; → cloth f.; → fuel f.; → full flow f.; → gap f.;

→ gauze f.; → hydraulic oil f.; →
magnetic f.; → paper f.; → partial-
flow f.; → pipe f.; → suction f.)
filter bracket wspornik filtru [mot.]
filter cartridge wkład filtru [mot.]
filter element wkład filtru [mot.]
filter housing obudowa filtru;
osłona filtru [mot.]
filter insert wkład filtru [mot.]
filter mounting zamocowanie filtru
[mot.]
filter poppet filtr tarczowy [mot.]
filter screen sito filtracyjne [mot.]
filter technology technika filtrowania [mot.]
filter wool wełna filtracyjna [mot.]
filtration filtracja, filtrowanie [abc]
fin blaszka; plaster; żebro chłodzące
[mot.]
fin tube economizer podgrzewacz
z ruru żebrowych [energ.]
final końcowy [abc]
final account rozliczenie ostateczne,
rozliczenie końcowe, rachunek
końcowy [bud.]
final assembly montaż ostateczny
[abc]
final certificate of acceptance
świadectwo odbiorcze [abc]
final contour kontur końcowy [met.]
final damping (→ end of stroke)
tłumienie końcowe [transp.]
final drive przekładnia główna (napędowa) [mot.]
final drive reduction redukcja
przekładni głównej [mot.]
final erection montaż ostateczny
[abc]
final evaporator parownik końcowy [energ.]
final extension obudowa stała
[energ.]
final inspection kontrola ostateczna [abc]
final inspection report protokół
kontroli ostatecznej [abc]

final payment zapłata końcowa
[abc]
final position pozycja końcowa,
położenie krańcowe [masz.]
final section listwa profilowa; sekcja końcowa [transp.]
final steam temperature temperatura przegrzania [energ.]
final superheater przegrzewacz
końcowy [energ.]
finalize finalizować; wykańczać
[bud.]
finally ostatecznie [abc]
financial analysis analiza finansowa [inf.]
find out wykrywać [abc]
fine grzywna; mandat [prawn.]
fine adjustment nastawienie precyzyjne [met.]
fine aggregate kruszywo drobnoziarniste [min.]
fine control sterowania dokładne,
regulacja dokładna [abc]
fine crushing rozdrabnianie miałkie, kruszenie miałkie [górn.]
fine cutting quality jakość przetarcia [tw.]
fine feed mały posuw [masz.]
fine-grain developer wywoływacz
drobnoziarnisty [abc]
fine-grain film film drobnoziarnisty [abc]
fine-grained iron żelazo drobnoziarniste [met.]
fine-grained ore ruda drobno zmielona [min.]
**fine-grained steel for structural
use** stal konstrukcyjna drobnoziarnista [met.]
fine gravel żwir; żwirek [min.]
fine level ścieralna powierzchnia
podłoża [transp.]
fineness czystość, próba; stopień
zmielenia, jakość przemiału [met.]
fine regulation regulacja precyzyjna, regulacja dokładna [górn.]

F

fines przesiew, produkt podsitowy, ziarno drobne, podziarno; części precyzyjne [met.]; popiół lotny [energ.]

fines content zawartość miału; zawartość ziaren drobnych [energ.]

fine screening przesiewanie przez sito gęste [górn.]

fine thread gwint drobnozwojny, gwint dokładny [masz.]

fine-tuned dostrojony, zestrojony [el.]

finger palec; czop czołowy, trzpień, sworzeń [masz.]; palec [med.]

finger guard osłona palców [abc]

fingernail paznokieć [med.]

fingerprint odcisk palca [abc]

finger protection device urządzenie zabezpieczające palce [abc]; (→ f. guard)

finger protection extrusion listwa ochronna poręczy [transp.]

fingertip easy *nie wymagający użyścia dużej siły*; łatwy [abc]

finish kończyć, wykańczać [abc]; lakierować [bud.]

finish wykończenie; powłoka kryjąca [abc]; wykończenie lakiernicze; wykończenie powierzchni [met.]

finish broaching przeciąganie wygładzające [met.]

finish coat powłoka wykończeniowa [transp.]

finished dimension wymiar końcowy, wymiar ostateczny [rys.]

finished goods wyroby gotowe [met.]

finishing wykończenie, obróbka wykańczająca [abc]

finishing coat farba nawierzchniowa, farba kryjąca [abc]

finishing lathe tokarka wykańczająca [narz.]

finishing rolled steel uszlachetnianie stali walcowanej [met.]

finishing tool nóż wykańczak [narz.]

finished material materiał obrobiony [met.]; materiał obrobiony [górn.]

finished material size uziarnienie materiału, ziarnistość materiału [met.]

finished newel słupek końcowy balustrady schodowej [transp.]

finished product wyrób gotowy [abc]

finished product bin skrzynia na wyrób gotowy [abc]

finish floor wysokość podłogi [transp.]

finish machine wygładzać [met.]

finish machined obrobiony ostatecznie, wykończony ostatecznie [met.]

finite element method (FEM) metoda elementów skończonych [inf.]

finned tube rura płetwowa; rura żebrowana [energ.]

finned tubular radiator chłodnica z rurkami użebrowanymi [energ.]

fir green zieleń jodłowa, zieleń jodły [norm.]

fire ogień; ognisko [abc]; (→ banked f.)

fire alarm box sygnalizator pożarowy [el.]

fire alarm contact zestyk sygnalizacyjny przeciwpożarowy [el.]

fire alarm system pożarnicza instalacja sygnalizacyjna [abc]

fire bomb bomba zapalająca [wojsk.]

firebox skrzynia paleniskowa; skrzynia ogniowa [transp.]

fire brick cegła ogniotrwała [bud.]

fire brigade straż pożarna [abc]

fireclay szamota [tw.]

fire clay lining wykładzina ogniotrwała, wyłożenie ogniotrwałe [energ.]

fire-cracker welding spawanie elektrodą leżącą [met.]

fired wyprażony [met.]
fire department straż pożarna [abc]
fire door drzwi pożarowe [abc]
fire engine samochód pożarniczy [mot.]
fire extinguisher gaśnica [abc]
fire extinguisher cartridge ładunek woreczkowy gaśniczy [wojsk.]
fire extinguishing equipment sprzęt gaśniczy [abc]
fire extinguishing system instalacja przeciwpożarowa [mot.]
fire fighter strażak [abc]
fire-fighting vehicle samochód pożarniczy [mot.]
fire-hole door otwór drzwiczkowy paleniska [transp.]
fire hose wąż strażacki [abc]
fire hydrant hydrant przeciwpożarowy [bud.]
fireless locomotive parowóz bezpaleniskowy [mot.]
fireman strażak [abc]; palacz [mot.]
fireplace kominek [bud.]
fire proof ognioodporny [abc]
fire pump pompa pożarnicza [mot.]
fire pump engine mechanizm napędowy pompy pożarniczej [mot.]
fire-resistant ognioodporny, ogniotrwały [abc]
fire shell pocisk zapalający [wojsk.]
fire ship latarniowiec [mot.]
fire shutter kurtyna pożarowa; przegroda ogniowa [transp.]
fireside kominek [bud.]
fire station stacja pożarowa [bud.]
fire tender samochód strażacki [mot.]
fire tube boiler kocioł płomieniówkowy [energ.]
firewood drewno opałowe [abc]
fireworks ognie sztuczne [abc]
firing palenisko [energ.]; (→ combined f.; → direct f. system; → mechanical f. equipment; → multiple-fuel f.; → pressure f.; → pulverised coal f.)

firing cartridge ładunek inicjujący [wojsk.]
firing chamber komora paleniskowa, komora spalania [bud.]
firing equipment osprzęt paleniska [energ.]
firing floor pomost roboczy palacza [energ.]
firing floor level arrangement układ stanowiska pracy palacza [energ.]
firing order kolejność zapłonu [mot.]
firing point moment zapłonu [mot.]
firing sequence kolejność zapłonu [mot.]
firm firma [abc]; (→ company; → Consulting Engineering Firm)
firm mocny, zbity, twardy [abc]
firmness postój [mot.]
first pierwszy [abc]
first aid pierwsza pomoc [med.]
first aid ward punkt pierwszej pomocy [med.]
first cost koszty nakładowe, koszty inwestycyjne [abc]
first name imię [abc]
first off pierwszy odbiór; test przy pierwszym odbiorze [abc]
first order predicate calculus rachunek predykatów pierwszego rzędu [inf.]
fish nakładka stykowa [transp.]
fish bellied wybrzuszony, wypukły [mot.]
fish bellied girder dźwigar wypukły [mot.]
fish-belly girder dźwigar wybrzuszony [mot.]
fishbolt śruba łubkowa [mot.]
fisherman's knot węzeł rybacki [abc]
fishery industry przemysł rybny [abc]
fishery protection vessel okręt ochrony rybołówstwa [mot.]

F

fishing rod wędka, wędzisko [abc]
fish plate nakładka stykowa [mot.];
 łubek [transp.]
fish-plate connection połączenie
 stykowe [mot.]
fissure szczelina lodowcowa [abc]
fissured pęknięty; popękany, spękany [górn.]
fissure water woda szczelinowa
 [bud.]
fit przytwierdzać; montować; wpasowywać; zestawiać; wypełniać;
 dobudowywać [met.]; pasować
 [abc]
fitted nasadzony; wbudowany [mot.]
fitter monter, ślusarz (*na montażu*)
 [abc]
fitting łącznik; oprawa; montaż;
 śrubunek; opaska zaciskowa
 [met.]; złączka [transp.]; pasowanie [masz.]; dwuzłączka rurowa;
 armatura okrętowa, wyposażenie
 statku [mot.]; łącznik rurowy
 [energ.]; (→ cable f.; → flare type
 f.; → straight f.)
fitting banjo (→ pipe clamp) spinacz rury [transp.]
fitting bolt śruba dopasowująca
 [masz.]
fitting frame rama nakładana, rama mocująca [masz.]
fitting key klin pasowany [masz.]
fitting-out berth nabrzeże wyposażeniowe [mot.]
fittings okucia; meble wbudowane
 [bud.]; materiał mocujący [met.];
 opaski [mot.]; (→ valves and f.)
fitting surface powierzchnia dopasowana [masz.]
fitting tolerance tolerancja montażowa [masz.]
fitting tool narzędzie montażowe
 [met.]
fitting wedge klin nastawny [masz.]
fix układać [bud.]; namierzać
 [wojsk.]

fixed bearing podpora ustalająca
 [masz.]
fixed bearing ring pierścień podpory stałej [masz.]
fixed carbon (F.C.) węgiel związany
 [chem.]
fixed displacement pump pompa
 wyporowa stała [mot.]
fixed hub piasta stała [mot.]
fixed length długość stała [abc]
fixed point punkt stały [abc]
fixed position pozycja stała, pozycja ustalona [abc]
fixed-position sampler próbnik
 pozycyjny [energ.]
fixed premium składka stała
 [prawn.]
fixed price cena stała [abc]
fixed propeller śruba zastosowana
 [mot.]
fixed rim obręcz koła stała [mot.]
fixed spanner (→ open ended
 wrench) klucz maszynowy płaski
 [narz.]
fixed wheel koło stałe [mot.]
fixing bath kąpiel utrwalająca [met.]
fixing boss kozioł łożyskowy [transp.]
fixing pin kołek pasujący [masz.]
fixing screw śruba mocująca, śruba
 łącząca, śruba ustalająca [masz.]
fixity zamocowanie [met.]
fixture uchwyt mocujący [bud.];
 uchwyt [met.]; (→ jig)
flag flaga; chorągiew [polit.]
flagpole drzewiec flagowy [abc]
flagstaff drzewiec flagi [mot.];
 maszt flagi [abc]
flake-graphite cast iron żeliwo
 z grafitem płatkowym [met.]
flaking ścieranie [mot.]; łuszczenie
 [met.]; (→ shape of flame)
flame cut ciąć gazem, przeciąć gazem [met.]
flame-cut edge *krawędź powstała wskutek cięcia gazowego* [met.]
flame impingement uderzenie pło-

mienia [energ.]

flame-in płomień włączony [energ.]

flame monitor detektor zaniku płomienia [energ.]

flame-out płomień wyłączony [energ.]

flame pipe płomienica [energ.]

flame red ognistoczerwony [norm.]

flame-type heater-plug podgrzewacz płomieniowy [mot.]

flame-type kit instalacja żarowa płomieniowa [mot.]

flange kołnierz uszczelniający, wianuszek uszczelniający [mot.]; kołnierz; kryza [masz.]; (→ angle f.; → blank-off f.; → bottom f.; → connector f.; → drive f.; → gearbox f.; → heat f.; → integrally cast f.; → integrally forged f.; → orifice f.; → pipe f.; → screwed-on f.; → steering gear case f.; → swivel f.; → test f.; → three-armed f.; → top f.; → tube f.; → two-armed f.; → welded-on f.; → welding neck f.; → wheel f.)

flange bushing tuleja z wieńcem [masz.]

flange connected połączenie (*rurowe*) kołnierzowe [mot.]; złącze kołnierzowe [transp.]

flange coupling tarcza z kołnierzem [transp.]

flange cover zaślepka, zatyczka [transp.]

flange cracks pęknięcie kołnierzowe [masz.]

flanged bearing łożysko niedzielone ścienne [mot.]

flanged block osłona kołnierzowa [mot.]

flanged connection połączenie (*rurowe*) kołnierzowe [mot.]

flanged edge joint złącze doczołowe [met.]

flanged joint złącze kołnierzowe [masz.]

flange double joint przegub podwójny kołnierzowy [mot.]

flanged pressure hose przewód ciśnieniowy giętki kołnierzowy [mot.]

flanged pulley tarcza obrzeżnikowa [met.]

flange housing tuleja kołnierzowa [masz.]

flange hub piasta z kołnierzem [mot.]

flange joint połączenie kołnierzowe; złącze kołnierzowe [mot.]

flange mount łożysko kołnierzowe [masz.]

flange-mounted motor silnik kołnierzowy [mot.]

flange mounting zamocowanie kołnierzowe; złącze kołnierzowe [mot.]

flange ring pierścień kołnierzowy [mot.]

flange sealing groove rowek pod pierścień uszczelniający [energ.]

flange system sposób wywijania kołnierza [mot.]

flange thickness grubość kołnierza [met.]

flange union złącze kołnierzowe; połączenie kołnierzowe [mot.]

flapper-type rain cap pokrywa rury wydechowej [mot.]

flap valve zawór klapowy [mot.]

flare rozszerzać (*np. rurę u wylotu*) [energ.]

flare bomba oświetlająca, flara [wojsk.]

flare type burner palnik gazowy płaski [energ.]

flare type fitting połączenie przez zawinięcie obrzeża [mot.]

flared tube lej osiowy [mot.]

flash back odbijanie się [energ.]

flash box rozprężacz [energ.]

flash charge ładunek rozbłyskowy [wojsk.]

F

flasher unit kierunkowskaz migowy [mot.]

flash point temperatura zapłonu [abc]

flash pressure ciśnienie odprężania [energ.]

flash smoke bomb ładunek rozbłyskowo-dymny [wojsk.]

flash tank reduktor ciśnienia [energ.]

flat równina [geol.]; (US) mieszkanie [bud.]

flat płaski, powierzchniowy [met.]; płaski [geol.]; równy [transp.]

flat-base rim obręcz z płaską wnęką [mot.]

flatbed car (→ warflat) wagon-platforma [mot.]

flat belt conveyor przenośnik taśmowy płaski [masz.]

flat-body side-discharging wagon wagon płaskodenny z wyładowaniem bocznym [mot.]

flat bogie wagon wagon platforma na wózkach zwrotnych [mot.]

flat-bottom ditch rów płaskodenny [transp.]

flat bottomed hole otwór płaskodenny [mot.]

flat bottom rail (→ champignon rail) szyna szerokostopowa, szyna Vignoles'a [mot.]

flat cage klatka płaska [met.]

flat chisel dłuto płaskie [narz.]

flat countersunk head rivet nit z łbem wpuszczanym [masz.]

flat data entry wprowadzenie danych jednorodnych [inf.]

flat data entry technology technologia wprowadzania danych jednorodnych [inf.]

flat file pilnik płaski [narz.]

flat gib key klin płaski noskowy [masz.]

flat glass szkło płaskie [tw.]

flat head machine screw wkręt z łbem stożkowym płaskim [masz.]

flat head screw śruba z łbem wpuszczanym [masz.]

flat length *długość w rozwinięciu* [miern.]

flat-nosed and cutting nippers szczypce uniwersalne płaskie; kombinerki [narz.]

flat position pozycja podolna (*spoiny*) [met.]

flat premium składka stała [prawn.]

flat protective switch wyłącznik ochronny płaski [el.]

flat rail (→ champignon rail) szyna szerokostopowa, szyna Vignoles'a [mot.]

flat roof dach płaski; dach tarasowy [bud.]

flats wyroby walcowane płaskie; płaskowniki stalowe [masz.]; (→ flat steel)

flat shoe nakładka płaska (*ogniwa gąsienicy*) [masz.]

flat spiral spring sprężyna spiralna płaska [masz.]

flat steel płaskownik stalowy [masz.]

flat steel base plate podkładka szynowa stalowa płaska [masz.]

flatten płaszczyć; równać; spłaszczać [met.]

flat wagon wagon–platforma [mot.]

flat wagon with swivel bolster wagon z ławą pokrętną [mot.]

flat web section przekrój poprzeczny płaski [masz.]

flaw wada fabryczna; rysa; skaza, wada [met.]

flaw combination zestawienie błędów [miern.]

flaw depth głębokość skazy [miern.]

flaw detectability wykrywalność wad materiałowych; wykrywalność błędu [miern.]

flaw detection sensitivity czułość wykrywalności błędu [miern.]

flaw dislocation rozkład wad, rozmieszczenie wad, dystrybucja wad [miern.]

flaw echo echo błędu [miern.]

flaw extension rozmiar błędu, zakres błędu [miern.]

flaw indication wskazanie błędu [miern.]

flaw input błąd danych wejściowych [inf.]

flawless bez wad [abc]

flaw location lokalizacja błędu, lokalizacja uszkodzeń [miern.]

flaw location scale skala lokalizacji błędu [miern.]

flaw signal wskazanie błędu; sygnalizator błędu [miern.]

flaw signal diagnosis ocena sygnalizowanych błędów [miern.]

flaw signal release zwolnienie sygnału błędu [miern.]

flaw signal store pamięć sygnału błędu [el.]

flaw size wielkość błędu [el.]

flaw size determination określanie wielkości błędu [miern.]

flaw size measurement pomiar wielkości błędu [miern.]

fleet flota; tabor [abc]

fleet of freight cars (US) tabor towarowy [mot.]

fleet of goods wagons (GB) tabor towarowy [mot.]

flexibility zdolność przystosowania się [energ.]; swoboda [abc]

flexible giętki; elastyczny; podatny, gibki [abc]

flexible bellows joint złącze kompensacyjne mieszkowe [energ.]

flexible coupling sprzęgło sprężyste [mot.]

flexible drive shaft wał napędowy giętki [mot.]

flexible line przewód giętki [mot.]; przewód oponowy [mot.]

flexible-material element element roboczy elastyczny [transp.]

flexible mounting zderzak bimetalowy [met.]

flexible offset joint złącze kompensacyjne [energ.]

flexible part część giętka [masz.]

flexible shaft wał napędowy giętki [masz.]

flexible spike hak sprężysty [mot.]

flexible spring sprężyna zginana [masz.]

flexible tube przewód giętki [met.]

flexible-wedge gate valve zawór z elastyczną zasuwą klinową [energ.]

flexibly mounted osadzony elastycznie [masz.]

flexibly suspended zawieszony w sposób niestały [masz.]

flexi-time (GB) ruchomy czas pracy [abc]

flight consignment *list przewozowy na transport ładunków drogą powietrzną* [abc]

flight number numer lotu [abc]

flight plan plan lotów [abc]

flight ticket bilet lotniczy [abc]

flimsy cienki, lichy, marny, wytarty [met.]

flint krzemień [górn.]

flipchart tablica z arkuszami papieru odwijanymi do góry [abc]

flip-flop flip-flop, przerzutnik, multiwibrator bistabilny [el.]

flip-type switch przełącznik przerzutowy [mot.]

float szybować, latać, unosić się (*w powietrzu*) [abc]

float zaprawa (*murarska*) [bud.]; zapas czasu, czas buforowany [abc]; (→ plunger)

floatable pływający [mot.]

floatation zdolność poruszania się w terenie grząskim [transp.]

float chamber komora pływakowa (*gaźnika*) [mot.]

float control sterowanie astatyczne [mot.]

F

floating bearing łożysko pływające (*hydrauliczne*), łożysko z tuleją pływającą; łożysko swobodne; łożysko nieustalone [masz.]

floating bearing side strona łożyska swobodnego [masz.]

floating booster pump station pompownia pływająca [mot.]

floating crane żuraw pływający [mot.]

floating dock dok pływający [mot.]

floating pillow block łożysko kulkowe wahliwe [masz.]

floating pin trzpień osadzony luźno [masz.]

float needle iglica pływaka [mot.]

float switch włącznik pływakowy [mot.]

float valve zawór pływakowy [mot.]

float valve section tłok pływający zaworu [mot.]

flood zalew; powódź [abc]

flooding zalanie, zatopienie [abc]

flood lamp reflektor szerokostrumieniowy [el.]

flood light oświetlenie projektorowe, naświetlenie powierzchni [abc]; reflektor poszukiwawczy [wojsk.]

flood water level stan wody powodziowej, poziom wody powodziowej [abc]

floor podłoga; piętro [bud.]; poziom [górn.]; materiał leżący [transp.]; piętro [abc]; pomost [energ.]; (→ firing f.; → inserted f.; → upper f.)

floor conveyors (→ forklift trucks) urządzenie do transportu poziomego [mot.]

floor covering wykładzina podłogowa [bud.]; (→ floor plate)

floor frame rama podwozia [mot.]

floor height wysokość kondygnacji [transp.]

flooring materiał na podłogi [energ.]

floor level kondygnacja [bud.]

floor material wykładzina podłogowa [bud.]

floor opening otwór podłogowy [bud.]; przepust dachowy [transp.]

floor plate płyta denna, płyta podwlewnicowa [energ.]; blacha podłogowa [transp.]

floorplate finish wykładzina podłogowa [transp.]

floor-rupture załamanie się nawierzchni [transp.]

flotilla flotylla [mot.]

floury mączysty, jak mąka [abc]

flow płynąć [abc]

flow przepływ; strumień [abc]; obieg (*oleju*) [mot.]; dopływ [met.]; ilość [transp.]; (→ back f.; → counter f.; → cross f.; → gas f.; → mass f.; → parallel f.)

flow away wypływać, wyciekać [mot.]

flow capacity natężenie przepływu [mot.]

flow control regulacja natężenia przepływu, regulacja ilościowa [mot.]

flow control throttle regulacja dławieniowa [mot.]

flow control valve zawór regulacyjny natężenia przepływu, zawór regulacji (*natężenie*) przepływu [mot.]; czujnik przepływu [masz.]

flow deviation odchylenie promieni [energ.]

flow diagram schemat przepływu [górn.]

flow divider zawór rozdzielczy, zawór rozgałęźny [masz.]

flow meter przepływomierz [miern.]

flowmetering pomiar ilości przepływu [miern.]

flow monitor czujnik przepływowy [mot.]; wskaźnik przepływu [energ.]

flow off (→ drain) drenaż [bud.]

flow on demand control sterowanie uzależnione od zapotrzebowania [mot.]

flow path kierunek przepływu [mot.]; droga przepływu [energ.]
flow rate natężenie przepływu [mot.]
flow rate capacity (→ adjustable f.) natężenie przepływu [mot.]
flow rate control regulowanie natężenia przepływu [mot.]
flow rate value transmitter przetwornik natężenia przepływu [mot.]
flow traverse pomiar spiętrzenia [energ.]
flow velocity prędkość przepływu [energ.]
flowing soil grunty płynne [gleb.]
flowing water couplant przyłączenie bieżącej wody [bud.]
fluctuating load obciążenie przemienne [energ.]
fluctuation fluktuacja; niestałość; wahanie [abc]
flue kanał spalinowy [energ.]
flue cross sectional area przekrój poprzeczny kanału spalinowego [energ.]
flue gas gazy spalinowe; gazy odlotowe, spaliny [energ.]
flue gas analysis analiza spalin [energ.]
flue gas by-pass damper zasuwa obejściowa gazów spalinowych [energ.]
flue gas canal kanał spalinowy [energ.]
flue gas damper przepustnica gazów spalinowych [energ.]
flue gas desulphurization odsiarczanie gazów spalinowych [energ.]
flue gas loss strata odlotowa [energ.]
flue gas outlet wylot spalin [energ.]
flue gas outlet damper zasuwa spalinowa [energ.]
flue gas quantity ilość gazów spalinowych [energ.]
flue gas recirculation zasysanie zwrotne gazów spalinowych [energ.]

flue gas recirculation duct kanał zawracania gazów spalinowych [energ.]
flue gas sample próbka gazów spalinowych [energ.]
flue-gas-swept omiatany gazami spalinowymi [energ.]
flue gas temperature temperatura spalin [energ.]
flue gas velocity prędkość gazów spalinowych [energ.]
flue gas withdrawal recyrkulacja spalin; zawracanie gazów spalinowych [energ.]
flue gross cross sectional area przekrój poprzeczny kanału spalinowego brutto [energ.]
flue net cross sectional area swobodny przekrój kanału spalinowego [energ.]
fluent płynny [abc]
fluid płyn [abc]
fluid płynny, ciekły [abc]
fluid container zbiornik cieczy [mot.]
fluid coupling sprzęgło hydrauliczne [mot.]
fluid distributor rozdzielacz cieczy [mot.]
fluid drive napęd hydrauliczny [mot.]
fluid element struga elementarna [energ.]
fluid flow przepływ płynu [mot.]
fluid jet strumień cieczy, struga [mot.]
fluid level indicator olejowskaz, poziomowskaz oleju [mot.]
fluid level measurement pomiar poziomu [abc]
fluid motor silnik hydrauliczny olejowy [mot.]
fluid pressure ciśnienie cieczy [mot.]
fluid transmission przekładnia hydrodynamiczna [mot.]
fluid-vapor oscillograph oscylograf parowania cieczy [mot.]
fluorescent lamp świetlówka [el.]

fluorescent paint farba fluory-zująca [abc]

fluorescent tube rura jarzeniowa [el.]

fluorescent tube transformer transformator rury jarzeniowej [el.]

fluorine fluor [chem.]

flush spłukiwać [bud.]

flush wpuszczony (*np. nit, śruba*); *leżący na tej samej linii lub płaszczyźnie* [masz.]

flush bushing tuleja z wieńcem [masz.]

flush contour szew płaski [masz.]

flushing oil olej do przepłukiwania [masz.]

flush type fluid indicator poziomowskaz pływakowy, poziomomierz pływakowy [mot.]

flush valve blok płuczący [mot.]

flute żłobek [met.]

fluting rowkowanie [met.]

flux topnik [met.]

flux-cored arc welding zgrzewanie elektrodą rdzeniową [met.]

flux-cored metal arc welding spawanie łukowe elektrodą rdzeniową [met.]

fluxes topnik; proszek do spawania [met.]

fly latać [abc]

fly ash koksik; miał [energ.]

fly ash coarse particles pył gruboziarnisty; grys [energ.]

fly ash erosion erozja popiołu lotnego [energ.]

fly ash hopper lej zsypowy popiołu lotnego [energ.]

fly ash refiring ponowne zasilenie paleniska popiołem lotnym [energ.]

fly ash retention wiązanie popiołu lotnego [energ.]

fly ash return zawracanie żwiru do obiegu [energ.]

fly ash separator oddzielacz cyklonowy popiołu lotnego [energ.]

fly ash slag tapping topienie koksiku [energ.]

fly ash slag-tap cyclone oddzielacz cyklonowy (*z odprowadzaniem ciekłego żużla*) [energ.]

fly ash storage bin komora zbiorcza popiołu lotnego [energ.]

fly cutter frez jednoostrzowy, frez jednozębny [narz.]

flying boat wodnosamolot; hydroplan [mot.]

flyover przejazd dwupoziomowy [mot.]

flying trainee pilot-stażysta [mot.]

fly pump pompa łopatkowa [mot.]

fly weight ciężar wirujący [mot.]

flywheel clutch sprzęgło koła zamachowego [masz.]

flywheel clutch control dźwignia sprzęgła koła zamachowego [masz.]

flywheel starter-generator ignition prądnica-iskrownik w kole zamachowym [masz.]

foam piana [abc]

foaming pienienie się, szumowanie [energ.]

foam rubber guma piankowa, guma gąbczasta, guma porowata, pianoguma; pianka, tworzywo piankowe [tw.]

foam rubber component część z gumy piankowej, element z gumy piankowej [tw.]

FOB (*free on board*) na burcie statku [ekon.]

focal distance (*odległość*) ogniskowa [abc]

focal point ognisko [abc]

focus hipocentrum, ognisko trzęsienia ziemi; ostrość [abc]; centrum, środek [bud.]

fog mgła; zadymienie [abc]

fog agents masa mgłotwórcza [wojsk.]

fog charge ładunek dymny [wojsk.]

fog container pocisk dymny [wojsk.]
fog lamp reflektor przeciwmgłowy [mot.]
fog light światło przeciwmgielne [mot.]
fog shell pocisk dymny [wojsk.]
foil folia [bud.]
foil coating powłoka foliowa [met.]
fold składać, zginać [abc]
fold zakładka, rąbek, zagięcie [met.]; fałda [abc]; (→ cant)
folder teczka z folii przezroczystej, skoroszyt z folii przezroczystej [abc]
folding bench stół do krawędziowania [narz.]
folding bow pałąk opończy składany [met.]
folding chair krzesełko składane [abc]; stołek składany [bud.]
folding door drzwi przesuwno-składane [mot.]
folding down device urządzenie przekładkowe [transp.]
folding leaf folder składany [abc]
folding machine krawędziarka [masz.]
folding press prasa krawędziowa [masz.]
folding roof dach opuszczany [mot.]
folding stool stołek składany; krzesło składane [bud.]
folding top pokrycie, pokrywa, plandeka, opończa [mot.]
folding top base łożysko składania opończy [mot.]
folding top bow pałąk opończy [mot.]
folding top clamp zamek dachu, zamknięcie dachu, rygiel dachu (składanego) [mot.]
folding top cover okrycie składane [mot.]
folding top frame rama plandeki, rama dachu składanego [mot.]
folding top structure rama plandeki, rama dachu składanego [mot.]

foliage listowie [bot.]
follow current prąd następczy [el.]
follower podtrzymka ruchoma [met.]; człon bierny [masz.]; szczęka prowadząca; popychacz; regulator nadążny [mot.]; (→ cam)
follow through ścigać, prześladować [abc]
font czcionka, krój pisma [inf.]; prowiant [abc]
food żywność; artykuły spożywcze [abc]
food industry przemysł spożywczy [abc]
food store sklep spożywczy [abc]
foolproof control system *układ regulacji zabezpieczony przed niewłaściwą obsługą* [energ.]
foot stopa [abc]; dno, spód [transp.]; stopka szyny [mot.]; (→ acre)
footboard pedał napędowy [mot.]
foot brake hamulec nożny [mot.]
footbridge kładka [bud.]
foot control obsługa nożna, sterowanie nożne [mot.]
foot dip switch przełącznik nożny świateł mijania [mot.]
foot-hill przedgórze, pogórze [geol.]
footing podstawa fundamentowa [bud.]
foot mounting łączenie nożne, mocowanie nożne [mot.]
footnote stopka [abc]
foot-operated pump pompa nożna [mot.]
foot operated valve zawór stopowy [mot.]
footpath chodnik z desek [bud.]
foot pedal dźwignia nożna; pedał nożny [mot.]
foot pedal valve zawór stopowy [mot.]
footplate pomost lokomotywy; stanowisko maszynisty [mot.]
footplate man (→ locomotive driver) maszynista [mot.]

F

footplate lift switch włącznik podnoszenia palet [mot.]

foot rail (→ champignon rail) szyna szerokostopowa, szyna Vignoles'a [mot.]

foot rest podnóżek [mot.]

footsteps drabinka do pomieszczenia maszynisty; schodki do kabiny maszynisty [mot.]

foot starter switch rozrusznik nożny [mot.]

foot-sure przeciwpoślizgowy [abc]

foot wall spąg, spód [górn.]

footway chodnik; ciąg pieszy [bud.]

footway bracket wspornik chodnikowy [bud.]

footway railing poręcz chodnika, balustrada chodnika [bud.]

footwear obuwie [abc]

for rent do wynajęcia [abc]

force siła [abc]; moc [mot.]; (→ centrifugal f.; → centripetal f.; → earthquake-f.; → f. of sectioning; → peripheral f.; → sealing f.; → shear f.; → spring f.; → transverse f.)

forced circulation obieg wymuszony [energ.]

forced circulation boiler kocioł z obiegiem wymuszonym; kocioł La Monta [energ.]

forced draught compartment przedział podwiewu [energ.]

forced draught compartment-traveling grate stoker ruszt ruchomy z przedziałem podwiewu [energ.]

forced draught fan (F.D. fan) wentylator podmuchu; dmuchawa ciągu sztucznego [energ.]

forced-feed lubrication smarowanie obiegowe pod ciśnieniem [mot.]

forced lubrication smarowanie ciśnieniowe; smarowanie wymuszone [energ.]

forced oscillation drganie wymuszone [el.]

forced vibration drgania wymuszone [fiz.]

forceful silny, mocny [abc]

forcing bolt trzpień naciskowy [masz.]

forcing function funkcja zakłócająca [el.]

ford (→ paved ford) bród, mielizna [bud.]

fore przód statku [mot.]

forehead czoło [mot.]

forehead joint styk czołowy [met.]

foreman zawiadowca stacji [mot.]; majster; brygadzista [met.]; mistrz szybowy [górn.]; (→ site agent)

foresail fok [mot.]

foreship część dziobowa statku [mot.]

foreword przedmowa [abc]

foreign matter ciało obce [abc]

Foreign Office (GB) Ministerstwo Spraw Zagranicznych [polit.]

foreigner obcy, cudzoziemiec [abc]

forest las [bot.]

forester leśniczy [bot.]

forge kuć [met.]

forge kuźnia [met.]

forged on przykuty [met.]

forge draft skos matrycowy [met.]

forged ring pierścień kuty [met.]

forge welding zgrzewanie kuźnicze; zgrzewanie kowalskie [met.]

forging odkuwka [met.]

forging blank odkuwka surowa [met.]

forging bur nosek kuźniczy [met.]

forging crack pęknięcie przy kuciu [met.]

forging die matryca kuźnicza [narz.]

forging hammer młot kowalski ręczny; młot kuźniczy, młot maszynowy, młot mechaniczny [narz.]

forging of aluminium odkuwka aluminiowa [met.]

forging press prasa kuźnicza [masz.]

forging test próba odkuwek [miern.]

forging construction konstrukcja kuto-spawana [masz.]

forget zapominać, wychodzić z wprawy [abc]

fork widelec; łącznik; odgałęzienie [transp.]; (→ front axle f.; → selector f.; → tang)

fork adjusting device urządzenie nastawcze zębów [met.]

fork axle *oś przednia z końcówkami rozwidlonymi* [mot.]

fork carriage nośnik widełek [mot.]

fork clamp docisk widlasty [mot.]

fork clamp with turnable forks klamra widłowa z obracalnymi widełkami [mot.]

forked box type wrench klucz oczkowy rozwidlony [narz.]

forked gooseneck grab arm rozwidlone i zagięte ramię chwytaka [transp.]

forked grab arm rozwidlone ramię chwytaka [transp.]

forked open jaw wrench klucz widełkowy [narz.]

fork joint przegub widełkowy [mot.]

fork lever dźwignia widlasta [mot.]

fork lever shaft wałek dźwigni widlastej [mot.]

fork-lift roller krążek podnośnika widłowego, wałek podnośnika widłowego [mot.]

fork off odgałęziać, rozgałęziać [el.]

fork rod (→ connecting rod) wodzidło wahacza [transp.]

fork-sprocket chain łańcuch drabinkowy widlasty [mot.]

fork tappet uchwyt widełkowy [mot.]

form formować, kształtować [abc]

form druk, formularz [abc]; formularz [inf.]

form of tender formularz ofertowy [abc]

formal specification specyfikacja formalna [inf.]

format format [inf.]

formation podtorze; zestaw [mot.]; twór, formacja [chem.]; formacja, system [geol.]; wytwór [abc]; struktura [górn.]

form-closed kształtowy [masz.]

formed leaf spring sprężyna płytkowa kształtowa; resor piórowy kształtowy [masz.]

former dawny; były [abc]

formerly dawniej, wcześniej [abc]

forming kształtowanie, formowanie [met.]

forming fixture urządzenie do kształtowania [narz.]

forming roller unit walcarka formatowa [narz.]

formula formuła, wzór, przepis, prawidło; recepta [abc]; (→ orifice f.)

formwork deskowania, oszalowanie [bud.]; (→ system f.; → step f.)

formwork board deska do deskowania, deska okorkowa, okorek, licówka, szalówka [bud.]

formwork panel płyta do deskowania [bud.]

fort fort (*budowla obronna*) [wojsk.]

fortnightly czternastodniowy [abc]

fortress twierdza, forteca, warownia [wojsk.]

forty foot container kontener czterdziestostopowy; kontener dwunastometrowy [mot.]

forward awansować (*kogoś*) [polit.]; przekazywać dalej; dosyłać; przesyłać [abc]

forward naprzód [abc]

forward-active region zakres aktywny progresywny [el.]

forward-biased kierunek przewodzenia [el.]

forward chaining wnioskowanie od faktu do celu, wnioskowanie uprzedzające [inf.]

forward-control truck tractor ciągnik z silnikiem w kabinie kie-

F

rowcy; pojazd z silnikiem w kabinie kierowcy [mot.]

forward discharge skip koleba wywrotna z wywracaniem do przodu [mot.]

forward gear bieg (*do jazdy*) w przód [mot.]

forwarding company przedsiębiorstwo spedycyjne [mot.]

forward oil przepływ oleju do przodu [mot.]

forward speed bieg (*do jazdy*) w przód [mot.]

forward travel path linia posuwu przedniego [energ.]

fouling zanieczyszczenie; zakleszczenie [transp.]

found podmurowywać [bud.]; zakładać [abc]

foundation obmurze podstawowe [bud.]; założenie [abc]; (→ boiler f.; → mat f.)

foundation bolt śruba fundamentowa, śruba kotwiąca [bud.]

foundation column słup fundamentu słupowego, filar fundamentu słupowego [bud.]

foundation exploration in-situ badanie (*penetracja*) gruntu w miejscu budowy [bud.]

foundation stone kamień węgielny [bud.]

foundation work fundamentowanie [bud.]

foundry odlewnia [met.]

foundry auxiliary material zapotrzebowanie odlewni i stalowni [met.]

foundry cement cement hutniczy [górn.]

foundry technology technologia odlewnicza [górn.]

four axle czteroosiowy [mot.]

four-axle bogie wagon na wózkach zwrotnych czteroosiowy [mot.]

four cycle engine silnik czterotak-

towy, silnik czterosuwowy, czterosuw [mot.]

four cycle motor silnik czterotaktowy, silnik czterosuwowy, czterosuw [mot.]

four-engined plane samolot czterosilnikowy [mot.]

four-pole czwórnik [el.]

four speed shift transmission przekładnia czterostopniowa, skrzynka biegów czterobiegowa [mot.]

four speed shift przekładnia czterostopniowa, skrzynka biegów czterobiegowa [mot.]

four-stroke-two valve zawór rozdzielczy 4/2 [mot.]

four-way connector czwórnik, krzyżak [mot.]

four-way valve zawór czterodrogowy [mot.]

four-way wheel brace (→ Phillips) śrubokręt krzyżowy [narz.]

four-wheel bogie wahacz dwuosiowy [transp.]

four wheel brake hamulec na cztery koła [mot.]

four-wheel drive truck samochód ciężarowy z napędem na wszystkie osie [mot.]

four wheel steering kierowanie dwuosiowe [mot.]

Fourier polynomial wielomian Fouriera [mat.]

Fourier series szereg Fouriera [mat.]

fraction ułamek [mat.]

fractional horsepower drive napęd silnikiem ułamkowym [mot.]

fracture pęknięcie, złamanie [med.]

fracture face powierzchnia pęknięcia [tw.]

fracture of set piston pęknięcie tłoka nastawczego [mot.]

fragile kruchy, łamliwy [abc]

fragility siła rozrywająca [masz.]; kruchość, łamliwość [abc]

fragmented rozdrobniony [min.]

fragrance zapach, aromat [abc]
frame oprawiać w ramy; obramować [abc]
frame rama [abc]; ostojnica; wręga; wręg [mot.]; (→ act f.; → auxiliary f.; → box-section f.; → drop f.; → elevated f.; → floor f.; → folding top f.; → main f.; → partition panel f.; → rear panel f.; → roof f.; → side panel f.; → welded f.; → window f.; → windscreen f.)
frame angle kąt owręgowania [mot.]
frame articulation połączenie przegubowe ramy; przegub ramy [mot.]
frame centre rest podtrzymka ramy, okular ramy [mot.]
frame end skrajnia pomostu [transp.]
frame extension przedłużenie ramy [mot.]
frame fork widelec ramy [mot.]
frames ramki [inf.]
frame screen kratownica [met.]
frame side member (→ main frame) podłużnica ramy [transp.]
frame trussing podciąg ramy [mot.]
framework kadłub; korpus; usztywnienie krzyżulcami [masz.]; kratownica [bud.]
framework arrangement rusztowanie [transp.]; szkielet konstrukcji [bud.]
framework construction konstrukcja szkieletowa [transp.]
framing owrężenie; szkielet konstrukcji [mot.]
fraud oszustwo [abc]
free wolny, niezależny [abc]
free air space in grate wolna komora powietrzna rusztu, wolna powierzchnia rusztu [energ.]
free boundary ściana wolna, ściana swobodna [abc]
free cutting steel stal automatowa [met.]
free fall spadanie swobodne [transp.]
free flow outlet swobodny wypływ

oleju; spust oleju [mot.]
free lift podniesienie swobodne, wznios swobodny [mot.]
free on board (FOB) odbiór ze statku (*kupionego towaru*) [mot.]
free oscillation drgania nietłumione; drgania swobodne [fiz.]
free piston pump pompa bezkorbowa [masz.]
free port port wolnocłowy, strefa wolnocłowa portu [mot.]
free storage list wykaz wolnej pamięci [inf.]
free swelling index wskaźnik wolnego wydymania (*węgla*) [energ.]
free swing spust jałowy, zrzut jałowy [transp.]
free tube length pełna długość rury [energ.]
free variable zmienna wolna [inf.]
free vibration drgania nietłumione; drgania swobodne [fiz.]
free wheel mechanizm wolnego biegu, wolne koło [mot.]
free wheel brake roller krążek zaciskowy wolnego koła [mot.]
free wheel brake roller cage koszyczek krążka zaciskowego wolnego koła [mot.]
free wheel change zmiana wolnego koła [mot.]
free wheel housing obudowa koła wolnego, osłona koła wolnego [mot.]
free wheeling napęd z zastosowaniem sprzęgła jednokierunkowego [mot.]
free wheeling hub piasta rowerowa z wolnym kołem, torpedo [mot.]
free wheel inner ring pierścień wewnętrzny wolnego koła [mot.]
free wheel lock blokada wolnego koła [mot.]
free wheel outer ring pierścień zewnętrzny wolnego koła [mot.]
freedom wolność [abc]

F

free-lance osoba wykonująca wolny zawód [abc]

freestone kamień ciosany, cios [bud.]

free-view mast słup wózka podnośnikowego [mot.]

freeway autostrada bezpłatna [mot.]

freeze zamrażać [abc]

freezing point temperatura zamarzania [energ.]

freezing point bath *metoda kąpieli w temperaturze zamarzania* [energ.]

freight ładunek, przesyłka towarowa [abc]

freight car wagon towarowy [mot.]

freight depot dworzec towarowy [mot.]

freight forwarder (→ forwarding co.) agent przewozowy [mot.]

freight from-to *przewoźne za dowóz do portu bazowego lub załadunku* [mot.]

freight traffic ruch towarowy; obrót towarowy [mot.]

freight train pociąg towarowy [mot.]

freight wagon brake hamulec wagonu towarowego [mot.]

freight yard dworzec towarowy [mot.]

freighter frachtujący (*osoba wynajmująca statek na przewóz ładunków*); frachtowiec, statek towarowy [mot.]

frequency częstotliwość [el.]; (→ angular f.; → complex f.; → cutoff f.; → edge f.; → switching rate; → transit f.)

frequency analysis analiza częstotliwościowa [miern.]

frequency axis oś częstotliwości [el.]

frequency change selector łącznik wybierakowy częstotliwości; przełącznik częstotliwości [el.]

frequency dependence zależność częstotliwościowa [el.]

frequency dependency of attenuation zależność częstotliwościowa osłabiania [el.]

frequency divider dzielnik częstotliwości [el.]

frequency drift migracja częstotliwości [el.]

frequency modulation modulacja częstotliwości [el.]

frequency modulation method sposób modulacji częstotliwości, metoda modulacji częstotliwości [el.]

frequency multiplier mnożnik częstotliwości, powielacz częstotliwości [el.]

frequency range zakres częstotliwości [el.]

frequency response odpowiedź częstotliwościowa [el.]

frequency response curve charakterystyka przepustowa filtru [el.]

frequency selectivity selektywność częstotliwościowa [el.]

frequency selector łącznik wybierakowy częstotliwości; przełącznik częstotliwości [el.]

frequency swing przesuw częstotliwości, wahanie częstotliwości [el.]

fresh świeży [abc]

fresh air świeże powietrze [abc]

fresh air heating ogrzewanie świeżym powietrzem [mot.]

fresh water woda pitna; woda słodka [abc]

fresh water pipe przewód wody pitnej [hydr.]

freshly rolled material materiał nowowalcowany [met.]

fretsaw piła wyrzynarka [narz.]

fretting (US) tarcie, ścieranie [met.]; zacieranie się [masz.]

fretting corrosion korozja cierna [masz.]

fretting failure uszkodzenie powstałe wskutek ścierania [masz.]

friable kruchy [bud.]

friable structure budowa gruzełkowata [bud.]

friction tarcie; efekt tarcia [fiz.]; (→ angle of f.; → angle of internal f.; → coefficient of f.)

frictional connection zamknięcie siłowe, zamknięcie zewnętrzne, połączenie dociskowe [masz.]

frictional corrosion korozja cierna [masz.]

frictional data współczynnik tarcia [masz.]

friction clutch sprzęgło cierne [mot.]

friction damper amortyzator cierny [masz.]

friction disc tarcza cierna [mot.]; tarcza piły ciernej [narz.]

friction drive napęd cierny [masz.]

friction factor współczynnik tarcia [fiz.]

friction-free bez tarcia [abc]

frictionless beztarciowy [abc]

friction loss strata tarciowa [fiz.]

friction roller popychacz krążkowy [transp.]

friction roller drive koło napędowe cierne [narz.]

friction roller station stacja kół ciernych [górn.]

friction shock absorber amortyzator cierny [mot.]

friction stud welding zgrzewanie kołkowo-tarciowe [met.]

friction surface powierzchnia tarcia [abc]

friction test próba tarcia [miern.]

friction-type differential mechanizm różnicowy blokujący [mot.]

friction welding zgrzewanie tarciowe [met.]

friction wheel koło cierne [masz.]

fringe flaw wada obrzeża [met.]

fringe radiation promieniowanie brzegowe [met.]

front fasada, front, przód, czoło [abc]

front przedni, frontowy, z przodu [abc]

front arch sklepienie zawieszone przednie [energ.]

front attachment wyposażenie czołowe [mot.]

front axle oś przednia [mot.]

front axle beam belka osi przedniej [mot.]

front axle fork widełki osi przedniej [mot.]

front axle shaft wał osiowy przedni [mot.]

front blade lemiesz (*czołowy*) [masz.]; spychacz [mot.]

front blade attachment wyposażenie lemiesza czołowego [masz.]

front brake limiter switch wyłącznik hamulca osi przedniej [mot.]

front bumper zderzak przedni [mot.]

front cap pokrywa ochronna przednia, osłona przednia [mot.]

front cover pokrywa przednia [mot.]

front discharge wyładunek do przodu, rozładunek w przód [mot.]

frontdoor key klucz od domu [bud.]

front drive napęd na przednie koła [mot.]

front dump bucket kubeł samoopróżniający się, kubeł wywrotny [transp.]

front dumper wywrotka kolebkowa [transp.]

fronted skonfrontowany [prawn.]

front edge krawędź natarcia [masz.]

front elevation rzut pionowy główny [rys.]

front end attachment wyposażenie załadowcze [górn.]

front end cover pokrywa przednia [mot.]

front end processor procesor wysunięty [inf.]

front-fired boiler kocioł z palnikami w ścianie czołowej [energ.]

front frame head czoło ramy [transp.]

F

front guard krata ochronna przednia, krata ochronna frontowa, osłona przednia [transp.]; osłona przednia, zabezpieczenie przednie [mot.]

front idler koło napinające (*napędu gąsienicowego*) przednie; koło pasowe [transp.]

front lip ściana przednia; przednia część, przód [transp.]

front-mounted winch kołowrót kablowy, kołowrót linowy [mot.]

front outrigger wysięgnik; podparcie przednie, podpora przednia [transp.]

front panel panel czołowy, przednia ścianka, płyta czołowa [inf.]; ściana przednia [mot.]

front panel frame rama ściany przedniej [mot.]

front-panel mounting wmontowanie tablicy czołowej (*przedniej*) [mot.]

front-panel mounting design sposób wmontowania tablicy czołowej (*przedniej*) [mot.]

front part przednia część, przód [abc]

front pull hook hak pociągowy przedni [mot.]

front ripper widły przednie (*podnośnika*) [masz.]

front ripper attachment wyposażenie wideł przednich [masz.]

front seat siedzenie przednie [mot.]

front shock absorber amortyzator przedni [mot.]

front spring hanger wspornik resoru przedniego, koziołek zawieszenia resoru przedniego [mot.]

front spring support wspornik resoru przedniego, koziołek zawieszenia resoru przedniego [mot.]

front stay plate płyta stalowa stojąca przednia [met.]

front-surface echo echo powierzchni czołowej [el.]

front tipping line przednia krawędź przechyłu [mot.]

front wall ściana czołowa [mot.]; ściana przednia [energ.]

front wall downcomer przewód opadowy (*w ścianie przedniej pieca*) [energ.]

front wall drain odwadnianie ściany przedniej [energ.]

front wall header kolektor (*w ścianie przedniej pieca*) [energ.]

front wall riser rura wznośna (*w ścianie przedniej pieca*) [energ.]

front wheel koło przednie [mot.]

front wheel brake hamulec kół przednich [mot.]

front wheel drive napęd na przednie koła, napęd przedni [mot.]

front wheel hub piasta koła przedniego [mot.]

front wheel stub axle zwrotnica osi przedniej [mot.]

front wheel suspension zawieszenie kół przednich [mot.]

front window szyba przednia [mot.]

frost mróz; zimno; szron [abc]

frost-free bez mrozu, wolny od mrozu, wolny od przemarzania [abc]

frosty mroźny [abc]

fuel olej opałowy, mazut [bud.]; paliwo, materiał pędny, paliwo silnikowe, materiał pędny, materiał napędowy [mot.]; (→ auxiliary f.;→ → gaseous f.; → guarantee f.; → high grade f.; → liquid f.; → main f. line; → main f. tank; → net quantity of f. supplied; → reserve f. tank; → solid f.; → 3-way f. cock; → gross quantity of f. supplied)

fuel bed controller regulator wysokości warstwy paliwa [energ.]

fuel bed regulator regulator wysokości warstwy paliwa [energ.]

fuel bed thickness wysokość warstwy paliwa (*na ruszcie*) [energ.]

fuel blending elevator przenośnik mieszanki paliwowej [energ.]

fuel bowl komora pływakowa (*gaźnika*) [mot.]

fuel can kanister, pojemnik na paliwo [mot.]

fuel consumption zużycie paliwa [mot.]

fuel consumption indicator wskaźnik zużycia paliwa, miernik zużycia paliwa [mot.]

fuel consumption rate zużycie paliwa [mot.]

fuel cut-off zawór zasuwowy (*regulujący dopływ paliwa*) [energ.]

fuel demand zapotrzebowanie paliwa [energ.]

fuel dip stick prętowy wskaźnik poziomu paliwa (*w zbiorniku*) [mot.]

fuel dust pył spalinowy [mot.]

fuel economy oszczędność paliwa [energ.]; oszczędność paliwa [mot.]

fuel efficient zużywający mało paliwa, ekonomiczny (*pod względem zużycia paliwa*) [mot.]

fuel feeder podajnik paliwa [energ.]

fuel feed pipe przewód paliwowy [mot.]

fuel feed pump pompa doprowadzania paliwa [mot.]

fuel filler neck szyjka wlewu (*zbiornika*) [mot.]

fuel-filling tankowanie zbiornika, napełnienie zbiornika [mot.]

fuel-filling device urządzenie tankujące [mot.]

fuel filter filtr paliwa [mot.]

fuel fired per square foot of grate obciążenie rusztu paliwem [energ.]

fuel gas paliwo gazowe [mot.]

fuel gas equipment instalacja na gaz napędowy ciekły [mot.]

fuel gasification zgazowanie paliwa [energ.]

fuel gate zawór zasuwowy (*regulujący dopływ paliwa*) [energ.]

fuel gauge paliwomierz, wskaźnik ilości paliwa [mot.]

fuel heating ogrzewanie paliwowe [mot.]

fuel injection system zespół wtryskowy [mot.]

fuel injection valve zawór wtrysku paliwa; dysza wtryskiwacza paliwa [mot.]

fuel-laden air powietrze zapylone [energ.]

fuel laden vapours para, opary paliwa [energ.]

fuel leak przeciek paliwa [mot.]

fuel lever plunger prętowy wskaźnik poziomu paliwa (*w zbiorniku*) [mot.]

fuel line przewód paliwowy [mot.]

fuel miser paliwooszczędny, wersja ekonomiczna [mot.]

fuel oil olej opałowy, mazut; olej napędowy [mot.]

fuel oil additive dodatki uszlachetniające do oleju napędowego [mot.]

fuel oil heater podgrzewacz oleju napędowego [mot.]

fuel oil storage tank zbiornik oleju (*napędowego*) [mot.]

fuel pedal pedał przepustnicy gaźnika, przyspiesznik, pedał gazu [mot.]

fuel pipe przewód paliwowy [mot.]

fuel pre-filter filtr paliwa wstępny [mot.]

fuel pump pompa paliwowa (zasilająca) [mot.]; (→ auxiliary f. p.; → f. p. electric)

fuel pump body kadłub pompy paliwowej [mot.]

fuel pump control żerdź pompy paliwowej [mot.]

fuel pump cover pokrywa pompy paliwowej [mot.]

fuel pump diaphragm membrana pompy paliwowej, przepona pompy paliwowej [mot.]

F

fuel pump drive napęd pompy paliwowej [mot.]

fuel pump electric elektryczna pompa paliwowa [mot.]

fuel pump housing kadłub pompy paliwowej [mot.]

fuel pump screen sito pompy paliwowej [mot.]

fuel pump tappet popychacz pompy paliwowej [mot.]

fuel rack zębatka regulacyjna [mot.]

fuel ratio control regulator proporcji dozowania paliwa [mot.]

fuel return line przewód paliwowy powrotny [mot.]

fuel saving version wersja ekonomiczna [mot.]

fuel screen sito paliwowe [mot.]

fuel sender miernik poziomu, czujnik poziomu [mot.]

fuel sensor czujnik paliwowy [mot.]

fuel shut-off zawór odcinający (*zamykający*) dopływ paliwa [mot.]

fuel storage bunkrowanie paliwa [energ.]

fuel strainer sito paliwowe [mot.]

fuel supply zasilanie paliwem [mot.]

fuel system układ paliwowy [mot.]

fuel tank zbiornik paliwa; bak [mot.]

fuel tank filler cap korek wlewu paliwa [mot.]

fuel transfer pump pompa paliwowa tłocząca [mot.]

fuel type range ruszt taśmowy (*paleniska*); taśma rusztu łańcuchowego [energ.]; (→ narrow f.t.r.; → wide f.t.r.)

fuel valve kurek paliwa, kranik paliwa [mot.]

fulcrum oś obrotu [mot.]; punkt zawieszenia [abc]

fulfilled spełniony [abc]

full zajęty [mot.]; (→ struck) pełny [transp.]

full floating axle oś odciążona całkowicie [mot.]

full floating pin sworzeń pływający [mot.]

full flow filter filtr pełnego przepływu [mot.]

full flow filtered lubrication smarowanie obiegowe pod ciśnieniem filtrowane [mot.]

full flow oil filter filtr olejowy pełnego przepływu [mot.]

full free-view mast maszt widokowy [mot.]

full-grained pełnoziarnisty [bud.]

full lift safety valve pełnoskokowy zawór bezpieczeństwa [energ.]

full line linia ciągła [rys.]

full load obciążenie pełne, obciążenie całkowite; ciężar całkowity [mot.]

full load needle wskazówka obciążenia całkowitego [mot.]

full load power shift przekładnia zmianowa stopniowa o pełnym obciążeniu [mot.]

full load torque moment obrotowy przy pełnym obciążeniu [mot.]

full match torque converter w pełni dopasowany przemiennik momentu obrotowego [mot.]

full motor protection ochrona całkowita silnika, ochrona pełna silnika [transp.]

full-mould casting metoda pełnej formy, odlewanie do pełnej formy [met.]

full penetration pełny przetop [met.]

full-portal reclaimer skrobak bramowy, skrobak portalowy [górn.]

full power moc maksymalna [mot.]

full power control regulacja mocy maksymalnej [mot.]

full power shift przekładnia zmianowa stopniowa o pełnym obciążeniu [mot.]

full-rigged ship fregata [mot.]

full speed ahead cała naprzód [mot.]

full stop kropka [abc]
full view precleaner filtr wstępny w obudowie przezroczystej [mot.]
full-wave rectifier prostownik pełnookresowy [el.]
fully automatic całkowicie zautomatyzowany, pełnoautomatyczny [abc]
fully automatic machine maszyna automatyczna, maszyna całkowicie zautomatyzowana [abc]
fully deoxydized cast odlew beztlenowy [met.]
fully hydraulic pełnohydrauliczny [mot.]
fully loaded obciążony całkowicie [mot.]
fully pneumatic całkowicie pneumatyczny [abc]
fully protected pipework rury zaślepione [transp.]
fully saturated nasycony całkowicie [chem.]
fully swept omiatana całkowicie (*powierzchnia*) [energ.]
fulminic charge ładunek spłonki pobudzającej [wojsk.]
fumes dymy, opary, wyziewy; para; (*gęsty*) dym [abc]
fumigate gazować, odymiać [abc]
function funkcja [el.]; działanie [abc]; (→ characteristic f.; → forcing f.; → periodic f.; → proper f.; → rational f.; → transfer f.)
function key klawisz funkcyjny [inf.]
function of time funkcja czasu [el.]; (→ complex f.o.t.; → real f.o.t.)
functional overview opis działania [mot.]
functional programming oprogramowanie funkcjonalne [inf.]
functional requirement wymaganie użytkowe [transp.]
functional testing testowanie funkcji [inf.]

functioning guarantee gwarancja działania [abc]
fundamental frequency częstotliwość podstawowa [fiz.]
fundamental mode drganie zasadnicze [fiz.]
funeral pogrzeb [abc]
funicular railway kolej linowa naziemna [mot.]
funnel rura wyciągowa, rura odpowietrzająca, komin [górn.]; lej, lejek [abc]; komin [bud.]
funnel-shaped lejkowaty; w kształcie lejka [abc]
funnel wagon wagon dennozsypny, chopper [mot.]
furnace piec; komora spalania [energ.]; (→ flame hardened; → pressurized f.; → supercharged f.)
furnace arch łuk (*w piecu łukowym*); sklepienie wiszące [energ.]
furnace bottom spód paleniska; dno paleniska [energ.]
furnace capacity wydajność pieca [energ.]
furnace charge wsad [energ.]
furnace cooling tube rura ekranowa komory spalania; rura chłodząca; rura ścienna [energ.]
furnace floor dno paleniska; spód paleniska [energ.]
furnace gas outlet temperature temperatura wyjściowa spalin piecowych [energ.]
furnace hardened hartowany płomieniowo [met.]
furnace heat liberation wydzielanie ciepła w komorze paleniskowej [energ.]
furnace heating surface powierzchnia ogrzewalna komory paleniskowej; powierzchnia ogrzewalna opromieniowana [energ.]
furnace hopper lej (*zsypowy*) komory paleniskowej [energ.]

F

furnace roof sklepienie pieca [energ.]

furnace volume pojemność komory spalania [energ.]

furnish zaopatrywać, wyposażać [abc]

furrow bruzda, zmarszczka [abc]; wyżłobienie płaskie [transp.]

fuse stapiać [met.]; topić, topnieć [abc]; zabezpieczać [el.]

fuse zabezpieczenie; bezpiecznik topikowy [transp.]; bezpiecznik topikowy [met.]; lont zapalający [górn.]; zapalnik [wojsk.]; bezpiecznik [el.]; (→ heating f.; → main f.; → safety f.)

fuse block zespół bezpieczników; skrzynka bezpiecznikowa; podstawa bezpiecznika [el.]

fuse booster urządzenie wspomagające zapalnik [wojsk.]

fuse box skrzynka bezpiecznikowa [el.]

fuse element wkładka topikowa; topik, element topikowy (*bezpiecznika*) [el.]

fuse holder główka bezpiecznika [el.]

fuse intensifier wzmacniacz zapalnika [wojsk.]

fuse link wkładka topikowa (*bezpiecznika*) [el.]

fuse link block zestaw montażowy elementów topikowych [el.]

fuse panel ochronnik liniowy [el.]

fuse-protect zabezpieczać [el.]

fuse-protected zabezpieczony bezpiecznikiem [el.]

fuse socket podstawa bezpiecznika [el.]

fuse tongs kleszcze bezpiecznikowe [el.]

fusion point temperatura topnienia [energ.]

fusion welding spawanie [met.]

G

G. C. V. (→ gross calorific value) ciepło spalania, wartość opałowa górna [energ.]

G. L. W. (*gross loaded wagon*; GB) ciężar całkowity wagonu [mot.]

G. P. O. (*General Post Office*; GB) poczta główna [polit.]; (*general power outlet*) gniazdo wtyczkowe [el.]

gable szczyt [bud.]

gabled roof dach szczytowy, dach dwuspadkowy [bud.]

gage *zob.* gauge

gain przybierać (*na wadze itp.*) [abc]

gain control regulacja wzmocnienia; nastawnik wzmocności, regulator wzmocności [el.]

gain reserve zapas wzmocności [el.]

Galfan Galfan [met.]

galled zatarty [mot.]

galleon galeon [żeg.]

gallery (GB) sztolnia [górn.]; pomost [energ.]

galley zmywalnia, pomywalnia [abc]; kuchnia okrętowa [żeg.]

galling zacieranie się; zatarcie [masz.]

gallon galon [mot.]

gallop galop [abc]

gallows wysięgnik (*np. mikrofonowy*) [el.]

Galvalume Galvalume [met.]

galvanic plating powłoka galwaniczna [met.]

galvanic protection ochrona galwaniczna [energ.]

galvanize galwanizować; cynkować [met.]

galvanized galwanizowany; cynkowany [met.]

galvanizing galwanizowanie, cynkowanie; ocynkowanie [met.]

gamma-ray promienie gamma [el.]

gamma-ray-equipment emiter promieni gamma [el.]

gangleader brygadzista, drużynowy [abc]

gang switch łącznik wielorzędowy [inf.]

gangway przejście [abc]; furta wejściowa; schodnia [żeg.]

gantry suwnica bramowa [transp.]

gantry crane suwnica bramowa, brama [transp.]

gap szczelina, szpara; luka [abc]

gap covers okładzina międzyszczelinowa [transp.]

gap filter filtr szczelinowy [mot.]

gap scanning badanie bezdotykowe [masz.]

garage garaż [bud.]; warsztat naprawczy [mot.]

garbage (US) śmieci, odpady; nieczystości [rec.]

garbage can pojemnik na śmieci [rec.]

garbage collection czyszczenie pamięci [inf.]

garbage disposal wywóz śmieci [rec.]

garbage incineration plant spalarnia śmieci [rec.]

garbageman (US) śmieciarz [mot.]

garbage pit wysypisko śmieci [rec.]

garbage sorting grab chwytak sortujący śmieci [rec.]

garbage truck samochód-śmieciarka [mot.]

garden ogród [bot.]

garden dwarf krasnal ogrodowy [abc]

garden hut altana [bud.]

gardening and landscaping kształtowanie krajobrazu [roln.]

garden shed altana; ganek [bud.]

garrison miejsce stałego stacjonowania [wojsk.]

garter spring sprężyna [masz.]

gas gaz [abc]; (US) benzyna [mot.];

(→ carrying g.; → clean g.; → coke oven g.; → flue g.; → generator g.; → lean g.; → producer g.; → refinery g.; → rich g.; → town g.; → unburned g; → washed g.)

gas accumulator akumulator przeponowy; akumulator azotowy [transp.]

gas analyzer analizator spalin [energ.]

gas baffle przegroda, deflektor [energ.]

gas balloon balon gazowy [mot.]

gas black sadza gazowa [energ.]

gas bottle butla gazowa [energ.]

gas burner port otwór do palnika gazowego [energ.]

gas-carburized nawęglony [met.]

gas-carburizing nawęglanie gazowe [met.]

gas carburizing procedure metoda nawęglania gazowego [met.]

gas cylinder butla gazowa [mot.]

gas damper przepustnica gazów spalinowych [energ.]

gas drive (US) napęd benzynowy [mot.]

gas dump (US) magazyn paliwa [wojsk.]; (US) zbiornik magazynowy benzyny, rezerwa benzyny [mot.]

gaseous fuel paliwo gazowe [energ.]

gaseous mixture mieszanina gazów [energ.]

gaseous state stan skupienia gazowy [energ.]

gas flow przepływ gazu [energ.]

gas gangrene zgorzel gazowa [med.]

gas generator wytwornica gazu [mot.]

gas hardening hartowanie płomieniowe [met.]

gas-heated reheater przegrzewacz pary międzystopniowej ogrzewany spalinami [energ.]

gas ignitor palnik zapłonowy [energ.]

G

gas inclusion inkluzja gazowa [tw.]

gas lighting-up burner palnik zapłonowy [energ.]

gas mask maska przeciwgazowa [wojsk.]

gas metal arc welding (GMAW) spawanie łukowe w osłonie gazów ochronnych [met.]

gas-mixture shielded metal-arc weld spawanie łukowe w osłonie gazów mieszających [met.]

gas oil olej gazowy (*napędowy*) [mot.]

gasoline starter engine benzynowy silnik rozruchowy [mot.]

gas pass kanał spalinowy [energ.]

gas pedal pedał przepustnicy gaźnika, przyspiesznik, pedał gazu; przepustnica [mot.]

gas pipe rura gazowa [bud.]

gas pocket pęcherz gazowy [górn.]

gas-powder welding spawanie pyłem gazowym [met.]

gas-pressure ciśnienie gazu [mot.]

gas-pressurized spring sprężynka gazowa [mot.]

gas pump dystrybutor paliwa, kolumna rozdzielcza benzyny [mot.]

gas sampling hose przewód giętki do spalin [energ.]

gas-shielded welding spawanie łukowe w osłonie gazów obojętnych [met.]

gas-shielded tungsten-arc welding spawanie łukowe w osłonie gazów ochronnych [met.]

gas side po stronie spalinowej [energ.]

gas side tube erosion erozja rury [energ.]

gas-side tube fault uszkodzenie rury po stronie spalinowej [energ.]

gassing coal węgiel gazowo-płomienny [energ.]

gas spring gazowy element sprężysty [transp.]

gas sweeping opływanie powierzch-

ni grzejnych przez gaz [energ.]

gas tank zbiornik gazu [energ.]

gas tanker gazowiec [żeg.]

gas tempering recyrkulacja spalin [energ.]

gas tempering duct kanał recyrkulacyjny spalin [energ.]

gas-tight gazoszczelny [energ.]

gas turbine turbina gazowa [mot.]

gas turbine engine silnik gazoturbinowy [mot.]

gas valves zawory gazowe [mot.]

gas weld spoina gazowa [met.]

gas welding spawanie gazowe [met.]

gas-works gazownia [bud.]

gasket uszczelka, podkładka regulująca [transp.]; uszczelnienie, uszczelka, szczeliwo; pierścień uszczelniający; uszczelnienie płaskie [masz.]; (→ axle shaft g; → metallic g.)

gasket set komplet uszczelek [masz.]

gate bramka [el.]; brama, wrota [bud.]; płyta przeddworcowa [mot.]; przesłona [el.]; (→ CMOS g.; → logic gate)

gate amplifier wzmacniacz bramkowy [el.]

gate area obszar bramki [el.]

gate circuit układ bramki, bramka, układ bramkowy [el.]

gate drain capacitance pojemność bramka-dren [el.]

gated region of the monitor obszar kluczowany monitora [el.]

gate monitoring kontrola bramki [el.]

gate position card plan rozmieszczenia bramek [el.]

gate shears nożyce gilotynowe [narz.]

gate start początek bramki [el.]

gate start control nastawnik bramki [el.]

gate valve zawór odcinający [mot.]; suwak [energ.]

gate valve operating mechanism

uruchamianie zaworu suwakowego [energ.]

gate width szerokość bramki [el.]

gathering zebranie; spotkanie [abc]

gating bramkowanie [el.]

gauge grubość (*drutu*) [masz.]; przyrząd mierniczy, przyrząd pomiarowy; miernik; czujnik zegarowy; sprawdzian mierniczy; narzędzie miernicze, narzędzie pomiarowe [miern.]; wodowskaz [mot.]; prześwit (*np. toru*), szerokość (*np. toru*) [transp.]; (→ g. changing device)

gauge box *skrzynka z instrumentami pomiarowymi* [bud.]

gauge changing device urządzenie do zmiany szerokości toru [mot.]

gauge cock zawór zaporowy ciśnieniomierza [mot.]; zawór; kurek probierczy [energ.]

gauge configuration ustawienie szerokości toru [mot.]

gauge-glass lamp lampka podświetlająca wodowskazu [mot.]

gauge-glass safety light rurka wodowskazowa [mot.]

gauge-glass test cock kurek probierczy poziomu wody [mot.]

gauge pressure ciśnienie manometryczne [mot.]; nadciśnienie [energ.]

gauging pomiar, mierzenie, kontrola wymiarowa [miern.]

gauging station stacja pomiarowa [bud.]

Gaussian filtering filtrowanie Gaussa [inf.]

gauze siatka z cienkiego drutu [masz.]

gauze filter filtr sitowy [mot.]

gavelock łom [narz.]

gear nacinać zęby, obrabiać koła zębate, zazębiać (*się*) [masz.]

gear przekładnia; koło zębate czołowe [mot.]; przekładnia [masz.]; bieg [mot.]; koło zębate (*o zębach wstawianych*) [masz.]; ząb [mot.]; (→ automatic g. box; → bevel g.; → control g.; → converter g.; → differential g.; → helical g.; → hill g.; → planetary g.; → reducing g.; → remote-action; → series g.; → slewing g.; → spur g.; → standard g. box; → steering g.; → synchronous g.; → worm g.)

gear body tarcza koła [mot.]

gear box skrzynka przekładniowa [masz.]; osłona skrzynki przekładniowej [mot.]

gear case skrzynia biegów; skrzynia przekładniowa; wrzeciennik [mot.]

gearbox case cap kołpak kadłuba skrzynki przekładniowej [mot.]

gearbox casing obudowa skrzynki przekładniowej [mot.]

gearbox cover osłona skrzynki przekładniowej [mot.]

gearbox flange kryza skrzynki przekładniowej [mot.]

gear change przełączanie, włączanie, wyłączanie [mot.]

gear change arrangement układ skrzyni biegów [mot.]

gear change box przekładnia zębata zmianowa [mot.]

gear change rod drążek włącznika, drążek wyprzęgnika, drążek sterowniczy [mot.]

gear clearance luz [masz.]

gear clutch sprzęgło zębate [mot.]

gear cover pokrywa przekładni [mot.]

gear cutter frez modułowy krążkowy [narz.]

gear cutting frezowanie kół zębatych [met.]

gear cutting hob frez ślimakowy do kół zębatych [met.]

gear drive napęd za pomocą przekładni zębatej; napęd zębaty [mot.]

gear hobbing machine frezarka odwiedniowa do kół zębatych [narz.]

gear housing skrzynka przekładniowa [mot.]

gear hub piasta koła [mot.]; piasta zębata [masz.]

gearing zazębienie [masz.]

gear lock blokada dźwigni zmiany biegów [mot.]

gear manufacturing budowa przekładni [mot.]

gear motor silnik przekładniowy [el.]

gear oil change wymiana oleju przekładniowego [transp.]

gear pinion koło zębate trzpieniowe [mot.]

gear pump pompa zębata [masz.]

gear rack zębatka, listwa zębata [mot.]

gear ratio wielkość przełożenia [mot.]

gear rim wieniec koła zębatego, wieniec zębaty [mot.]

gear ring wieniec koła zębatego, wieniec zębaty [masz.]

gear ring thickness wieniec nakładany koła zębatego, obręcz nakładana koła zębatego [mot.]

gear rod drążek skrzynki przekładniowej [mot.]

gear segment wycinek zębaty, segment zębaty [masz.]

gear selector lever dźwignia zmiany biegów; dźwignia nastawcza biegów [mot.]

gear shaft wał zębaty [masz.]

gear shift column and gear shift lever stojak zmiany biegów i dźwignia [mot.]

gear shift control zespół dźwigni sterujących, zespół dźwigni włączających [mot.]

gear shift cover osłona zmiany biegów [mot.]

gear shift dome drążek sterowy, kolumna sterownicy [mot.]

gear shifter fork widełki zmiany biegów [mot.]

gear shift fork widełki zmiany biegów [mot.]

gearshift housing obudowa przekładni [mot.]

gear shifting zmiana biegu [mot.]

gear-shifting lock blokada mechanizmu zmiany biegów [mot.]; blokada przekładni [masz.]

gear shift lever dźwignia zmiany biegów [mot.]

gearshift lever shaft wałek palca włączania biegów [mot.]

gear shift lug uchwyt zmiany biegów [mot.]

gearshift mechanism mechanizm zmiany biegów [mot.]

gear shift rail zwrotnica [mot.]

gear thickness (→ gear ring thickness) wieniec nakładany, obręcz nakładana (*na koło*) [mot.]

gear tooth ząb [masz.]

gear train przekładnia zębata, układ kinematyczny kół zębatych [masz.]; napęd [mot.]

gear transmission skrzynia przekładniowa, skrzynia biegów [mot.]

gear-type pump pompa zębata [mot.] (→ gear pump)

gear wheel koło zębate [mot.] (→ oil pump g. w.)

gear wheel pump (→ gear pump)

gear with dog clutch koło zębate z kłami [mot.]

Geiger counter licznik Geigera [el.]

gelatinized incendiary materials dostarczony materiał zapalający [wojsk.]

Gemini crane żuraw dwupokładowy [mot.]

general generał [wojsk.]; powszechny, ogólny [abc]

general application zastosowanie ogólne [abc]

general arrangement rysunek orientacyjny [rys.]

general cargo drobnica [żeg.]

general conditions warunki ramowe [abc]

general contractor generalny wykonawca robót [transp.]

general counsel (US) kierownik działu prawnego [prawn.]

general drawing rysunek złożeniowy, rysunek zestawieniowy; zestawienie [rys.]

general extension of coverage ogólne rozszerzenie zabezpieczenia [prawn.]

general foreman kierownik budowy, mistrz budowlany [bud.]

generalized cylinder cylinder ogólny, cylinder uniwersalny [masz.]

generalized procedure procedura uniwersalna [inf.]

general jurisdiction właściwość terytorialna [prawn.]

general layout schemat [abc]

general ledger rejestr [el.]

general liability insurance powszechne ubezpieczenie przedsiębiorstwa od obowiązku odpowiedzialności cywilnej; zakładowe ubezpieczenie od obowiązku odpowiedzialności cywilnej; ubezpieczenie obowiązkowe od odpowiedzialności cywilnej zakładu pracy [prawn.]

general liability policy umowa ubezpieczenia od odpowiedzialności cywilnej w zakładzie pracy; umowa o odpowiedzialności cywilnej [prawn.]

general management dyrekcja naczelna [abc]

general power outlet (G.P.O.) gniazdo wtykowe [el.]

general purpose bucket czerpak ogólnego zastosowania [abc]; łyżka ogólnego zastosowania [transp.]

general purpose unit przyrząd ogólnego zastosowania [abc]

general remarks uwagi ogólne [abc]

general safety lever (→ safety lever) główna dźwignia bezpieczeństwa [transp.]

general suppositions założenia ogólne [prawn.]

general tolerance tolerancja ogólna [masz.]

general type approval ogólne świadectwo homologacji [mot.]

general view widok ogólny [abc]

generate wytwarzać, generować [masz.]

generate-and-test systems systemy generująco-testujące [inf.]

generation (→ wave generation) wytwarzanie [el.]

generator generator; ładowarka; prądnica prądu stałego; prądnica [el.]; generator [inf.]; (→ sweep g.; → tacho g.; → threephase alternator;→ ultrasonic g.)

generator cooling chłodzenie generatora [inf.]

generator drive coupling sprzęgło napędowe prądnicy samochodowej [mot.]

generator gas gaz generatorowy [energ.]

generator lamp lampka kontrolki ładowania [el.]

generator ring kaptur ochronny induktora [el.]

generic packages pakiety generyczne [inf.]

generic primitives podstawowe procedury rodzajowe [inf.]

generous wspaniałomyślny [abc]

genset zespół prądotwórczy [energ.]

genuine prawidłowy; prawdziwy [abc]

genuine parts oryginalne części zamienne [abc]

geochemics geochemia [geol.]

geographical geograficzny [geol.]

G

geographic distribution rozkład geograficzny [geol.]

geographic level wysokość geograficzna [geol.]

geographical conditions warunki geograficzne [geol.]

geological geologiczny [geol.]

geology geologia [geol.]

geometrical data transfer geometryczne przesyłanie danych [inf.]

geometric analogy analogia geometryczna [inf.]

geometric modeling modelowanie geometryczne [inf.]

geometric ultra sonic optics geometryczna optyka ultradźwięków [el.]

geometry geometria [mat.]; kinematyka [mot.]

geometry of the eyes geometria oczu [inf.]

geophysics geofizyka [fiz.]

German Industrial Standard niemiecka norma przemysłowa, DIN [norm.]

get zdobywać, uzyskiwać [abc.]

giant olbrzym [abc]

giant boiler kocioł wielkopojemnościowy; kocioł olbrzym [energ.]

giant bucket wheel excavator czerparka ciężka z kołem czerpakowym [transp.]

giant equipment urządzenie ciężkie [transp.]

giant excavator koparka olbrzym [transp.]

giant mining equipment sprzęt wydobywczy ciężkie [górn.]

giant spreader zwałowarka ciężka [transp.]

giant stacker układarka ciężka [transp.]

gib key klin noskowy [masz.]

gigantic gigantyczny [abc]

gilled pipe heating surface ogrzewanie żeberkowe [transp.]

gilled tube rura żeberkowa [energ.]

gilled tube economizer podgrzewacz wody z rurkami żeberkowymi [energ.]

gilt edged pozłacany [met.]

gimlet świder ręczny [narz.]

girder podciąg; belka, dźwigar; element nośny, element oporowy [bud.]

girder bridge most kratowy [bud.]; most belkowy [mot.]

girder construction konstrukcja kratowa [bud.]

girder mast maszt kratowy [mot.]

girder-type spreader zwałowarka wspornikowa, zwałowarka konsolowa [transp.]

give off emitować [mot.]

glacier lodowiec [geol.]

gland dławnica; śruba [energ.]; dławnica; zaślepka, przepona [masz.]

gland housing tuleja prowadząca [transp.]

glass szkło [abc]

glass szklany, ze szkła [abc]

glass balustrade balustrada szklana [transp.]

glass brick cegła szklana [bud.]

glass cutter maszynka do przekrawania szkła [narz.]

glass factory huta szkła [górn.]

glass fibre włókno szklane [bud.]

glass-fibre reinforced zbrojony [mot.]; wzmocniony włóknem szklanym [bud.]

glass-fibre reinforced plastics tworzywo sztuczne wzmocnione włóknem szklanym [tw.]

glass for boulder work szkło bezpieczne [transp.]

glass pane szyba [bud.]

glass panel tafla okienna [transp.]

glass recycling stłuczka szklana, odzysk stłuczki szklanej [rec.]

glass sight gauge wziernik [abc]; wziernik, okienko kontrolne [mot.]

glass wool wata szklana [bud.]
glasses okulary [abc]
glaze połysk; szkliwo [met.]
glazier szklarz [bud.]
glider szybowiec [lot.]
global consistency zgodność globalna [inf.]
glove box schowek (*w tablicy rozdzielczej*) [mot.]
glove box cover pokrywa schowka [mot.]
glove box fastener zamknięcie schowka [mot.]
glove box hinge zawiasa schowka [mot.]
glove compartment schowek (*w tablicy rozdzielczej*) [mot.]
glow żarzyć [met.]
glow lamp jarzeniówka [el.]
glow out wypalać [met.]
glow plug świeca żarowa [el.]
glow plug harness zespół przewodów świec żarowych [el.]
glue przylepiać, przyklejać [abc]
glue (→ liner glue) klej [transp.]
glue-brushed powleczony, posmarowany [met.]
glued on przyklejony [met.]
glued surface powierzchnia klejona [abc]
gluey lepki, lepiący się [abc]
gluing kleisty [abc]
GLW (*gross load weight*) ciężar całkowity; maksymalny ciężar całkowity, maksymalny ciężar brutto [mot.]
gneiss gnejs [górn.]
goal cel, obiekt [inf.]
goal-reduction redukcja celu [inf.]
goal state stan końcowy [inf.]
goal tree drzewo celów, dendryt celów [inf.]
goggles okulary ochronne [abc]
gold złoto [tw.]
golden yellow żółcień złota [norm.]
golf ball głowica kulowa, głowica

czcionkowa, głowica pisząca [abc]
golf-ball-type typewriter maszyna do pisania z głowicą kulową [abc]
gondola gondola [mot.]
gone rozproszony, rozwiany, rozsypany [abc]
good aging behaviour odporny na starzenie [abc]
good/bad signal sygnał dobry-zły [abc]
goods brake (GB) hamulec pociągu towarowego [mot.]
goods structure rodzaj ładunku [mot.]
goods traffic (GB) ruch towarowy [mot.]
goods train (GB) pociąg towarowy [mot.]
goods van wagon towarowy zamknięty [mot.]
goods wagon wagon towarowy [mot.]
gooseneck szyjka płuczkowa [masz.]; wahacz; wysięgnik pojedynczy [transp.]
gooseneck-type arm ramię odgięte [transp.]
gorge kar, cyrk lodowcowy [geol.]
gouge wyrabiać, żłobić; spoinować [met.]; wypychać [górn.]; wypychać, wyrzucać [masz.]
gouging symbol symbol spoiny [met.]
governed speed prędkość obrotowa regulowana [masz.]
governing body federalna rada zarządzająca [abc]
government rząd [polit.]
government authorities zleceniodawca publiczny [abc]
government authority urząd [polit.]
government legislation rozporządzenie, zarządzenie, dekret, przepis [prawn.]
government order polecenie, nakaz [polit.]; przepis, dyrektywa [prawn.]

G

government support (US) zapomoga dla bezrobotnych nie ubezpieczonych [abc]

governor regulator; sterownik [mot.]

governor balance weight ciężar wyważający regulatora [mot.]

governor bearing łożysko regulatora [mot.]

governor collar tuleja regulatora [mot.]

governor cone stożek regulatora [mot.]

governor control układ przenoszący regulatora [mot.]

governor control lever przepustnica [mot.]

governor control linkage mechanizm sterowniczy regulatora [mot.]

governor cover pokrywa regulatora [mot.]

governor drive gear koło zębate napędu regulatora [mot.]

governor housing obudowa regulatora [mot.]

governor lever dźwignia sterowania [mot.]

governor setting nastawa regulatora [energ.]

governor spring sprężyna regulatora [mot.]

governor switch włącznik regulatora [mot.]

governor weight ciężar wirujący [mot.]

governor wheel koło zębate napędu regulatora [mot.]

grab chwytać, brać, łapać [mot.]; obracać chwytak [transp.]

grab chwytak [transp.]

grab arm ramię chwytaka [transp.]

grab attachment wyposażenie chwytaka [transp.]

grab cutting edges szczęki chwytaka [transp.]

grab dredger koparka chwytakowa [mot.]

grab extension wydłużenie chwytaka [transp.]

grab guide prowadnica chwytaka [transp.]

grab head głowica chwytaka [transp.]

grab-rotating equipment serwomechanizm obrotowy [transp.]

grab-rotating motor silnik wirujący, silnik obrotowy [transp.]

grab safety bar uchwyt bezpieczeństwa chwytaka [transp.]

grab saw piła chwytakowa [transp.]

grab section przekrój poprzeczny [transp.]

grab shell łupina chwytaka [transp.]

grab slewing device obrotnik chwytaka [transp.]

grab slewing equipment element obrotowy, element wirujący; chwytak [transp.]

grab swing brake hamulec nawrotny [transp.]

grab swivel połączenie obrotowe chwytaka [transp.]

grab swivel device mechanizm obrotu chwytaka [transp.]

grab swivel motor silnik wirujący, silnik obrotowy; silnik obrotowy chwytaka [transp.]

grab upper section część górna chwytaka [transp.]

grab yoke jarzmo chwytaka [transp.]

gradability zdolność pokonywania wzniesień [mot.]

gradable zdolny do pokonywania wzniesień [mot.]

grade klasyfikować [abc]; równać [transp.]

grade stopień [abc]; wzniesienie [mot.]; powierzchnia podłoża [bud.]

grade resistance opór wzniesienia [fiz.]

graded stopniowy [bud.]

grader równiarka [transp.]

grader scraper łopata zgarniarki doczepianej, naczynie zgarniarki doczepianej [mot.]

grader work prace niwelacyjne [transp.]

gradient wzniesienie [mot.]

gradient post oznaczenie wzniesienia [mot.]

grading curve krzywa analizy granulometrycznej; krzywa przesiewu [bud.]

grading reference size normalne porównawcze grup uziarnienia [bud.]

grading work roboty wyrównawcze [transp.]

graduable release automatic brake hamulec automatyczny zwalniany stopniowo [mot.]

gradual brake release zwalniak hamulca stopniowy, luzownik hamulca stopniowy [mot.]

gradual change in section zmiana przekroju stopniowa [energ.]

gradual contraction skurcz stopniowy [energ.]

graduate promowany (*posiadający stopień akademicki*) [abc]

graduated application stopniowe dociąganie hamulca [mot.]

graduated brake application hamowanie stopniowe [mot.]

graduated brake release stopniowe puszczanie hamulca [mot.]

graduation of the screen podział rastra ekranu monitora [abc]

graduation tolerance tolerancja podziałki [abc]

graduator stopniomierz [abc]

grain ziarno pojedyncze [abc]; zboże; ziarno [roln.]; ziarnistość, uziarnienie, wielkość ziarna [górn.]

grain boundaries granice ziarna [tw.]

grain farming uprawa zbóż [roln.]

grain hardness twardość ziarna [bud.]

graining licowanie [abc]; ziarnis-

tość, uziarnienie, wielkość ziarna [górn.]

grain oriented teksturowany, teksturowy [masz.]

grain particle cząstka ziarnista [bud.]

grain-refined construction steel stal konstrukcyjna drobnoziarnista [tw.]

grain-refined steel stal drobnoziarnista, stal odporna na przegrzanie [tw.]

grain silo silos zbożowy [bud.]

grain size ziarnistość, uziarnienie, wielkość ziarna [tw.]

grain-size ranges klasy ziarnowe [bud.]

grammar gramatyka [abc] (→ context-free g.)

grammar rule reguła gramatyczna [abc]

gramophone (phonograph) gramofon [abc]

granite granit [min.]

granite gray szarzeń granitowa [norm.]

granted leave prawo do urlopu [abc]

granular ziarnisty, granulowany [górn.]

granular range strefa ziarnista [górn.]

granulate granulować [górn.]

granulate granulat [górn.]

granulated slag żużel ziarnisty [energ.]

granulation plant granularka [narz.]

graph wykres, diagram [abc]; diagram [energ.]; (→ start-up d.)

graph recorder rejestrator, pisak [abc]

graphical kernel system (GKS) graficzny system jądra [inf.]

graphical user interface (GUI) graficzny interfejs użytkownika [inf.]

G

graphics standards normy graficzne [inf.]

graphite grafit [min.]

graphite base jointing compound masa uszczelniająca olejowo-grafitowa [energ.]

graphite black czerń grafitowa [norm.]

graphite grease smar grafitowy [górn.]

graphite gray szarzeń grafitowa [norm.]

graphite oil olej grafitowany [górn.]

grapples kleszcze chwytaka; chwytak wieloszczękowy [transp.]; kleszcze stężające [narz.]

grass trawa (*na ekranie*) [el.]

grass green zieleń grafitowa [norm.]

grass panelling płyta, tafla, arkusz [bud.]

grass sod darnina, darń [abc]

grate mleć [met.]

grate krata [masz.]; ruszt [energ.]; (→ chain g.; → dumping g.; → inclined g.; → stationary g.; → travelling g.; → trough g.)

grate area powierzchnia rusztu [energ.]

grate basket trolley *wózek z koszem do wyciągania rusztu* [górn.]

grate cleaning device urządzenie oczyszczające ruszt [energ.]

grate cooler element chłodzący ruszt [górn.]

grate link rusztowina [energ.]

grate opening szczelina rusztowa [energ.]

grating pokrycie kratowe; ruszt kratowy [masz.]; kratownica [mot.]; krata [bud.]

grave nagrobek [abc]

gravel piryt, iskrzyk [min.]; żwir [bud.]; (→ loamy g.)

gravel grab chwytak do żwiru [górn.]

gravel path droga tłuczniowa, szosa tłuczniowa [bud.]

gravel pit kopalnia żwiru, żwirownia [górn.]

gravel/sand granulate pospółka, spółka [górn.]

gravel surfacing nawierzchnia żwirowa [bud.]

graveyard cmentarz [abc]

gravity siła ciężkości [fiz.]

gravity arc welding with covered electrode spawanie łukowe grawitacyjne [met.]

gravity die casting wytwarzanie odlewów kokilowych [met.]

gravity forces on batter opór wzniesienia [transp.]

gravity roller przenośnik rolkowy grawitacyjny [masz.]

gravity-type dust ejector grawitacyjny wyrzutnik/wypychacz pyłu [masz.]

gray (US, GB: grey) szary, szaro [norm.]; doświadczony [abc]

gray area *szara strefa* [abc]

gray cast (→ cast iron) odlew szary [tw.]

gray aluminium aluminium szare [norm.]

gray beige beż szary [norm.]

gray blue błękit szary [norm.]

grayboard tektura szara [abc]

gray brown brąz szary [norm.]

gray experience wieloletnie doświadczenie [abc]

gray olive oliwka szara [norm.]

graywacke (GB: *greywacke*) szaro-głaz [górn.]

gray white biel szara [norm.]

grease natłuszczać, smarować [mot.]; natłuszczać [met.]

grease smar stały [abc]; smar stały, towot; smar stały do smarowania łożysk tocznych [masz.]

grease cartridge nabój smarowy [mot.]

grease chamber komora smarowa [transp.]

grease conduit kanał smarowy [masz.]

grease conduit with free exit kanał smarowy z wolnym wylotem [masz.]

grease coupling sprzęgło tulejowe [transp.]

grease cup smarownica kapturowa [mot.]; smarownica, smarownica kapturowa, maźnica, olejarka [masz.]

grease fitting gniazdo smarowe zaworowe kulkowe [masz.]

grease gun smarownica tłokowa, smarownica ciśnieniowa ręczna [mot.]; smarownica tłokowa, smarownica ciśnieniowa (*ręczna*); tłocznica do smaru, smarownica tłokowa [narz.]

grease gun adaptor smarownica tłokowa z nasadką [mot.]

grease lubrication smarowanie smarami stałymi [mot.]

grease lubrication system urządzenie smarownicze [transp.]

grease nipple smarownica ciśnieniowa z zaworem kulkowym i końcówką stożkową, zawór smarowy kulkowy sprężynowy z końcówką stożkową, gniazdo smarowe zaworowe kulkowe z końcówką stożkową [mot.]; gniazdo smarowe zaworowe kulkowe [masz.] gniazdo smarowe zaworowe kulkowe, smarownica ciśnieniowa z zaworem kulkowym [mot.]

grease pistol tłocznica do smaru, smarownica tłokowa [narz.]; (→ grase gun)

grease relief valve zawór smarowy nadciśnieniowy [mot.]

grease-resistant tłuszczoodporny [abc]

grease tight olejoszczelny, roposzczelny [abc]

greasing natłuszczanie [abc]; smarowanie, olejenie [transp.];

greasing system system smarowania, układ smarowania [masz.]

green zieleń [norm.]

green beige beż zielony [norm.]

green blue błękit zielony [norm.]

green brown brąz zielony [norm.]

green gray szarzeń zielona [norm.]

greenhouse szklarnia [bot.]

grenade pocisk [wojsk.]

grid *siatka otaczająca pastwisko* [abc]; oznaczenie startu (*flaga w kratkę*); ustawienie rozruchowe [mot.]

grid board płyta siatkowa [masz.]

grid system system rastrowy [masz.]

grill kratownica [mot.]

grille krata ozdobna; krata drzwiowa, okratowanie drzwi [bud.]; (→ protection g.)

grind szlifować; rozdrabniać; mleć; szlifować; gładzić; ostrzyć na osełce; przeszlifować [met.]

grindability index kruszność (*skały*); zdolność przemiałowa (*materiału mielonego*); ścieralność [energ.]

grind down zeszlifowany [met.]

grinder szlifierka [narz.]

grinding szlifowanie; mielenie [met.]; zacieranie się [masz.]

grinding carriage suport szlifierski [masz.]

grinding diameter wymiar szlifierski [masz.]

grinding dimensions rozmiar freza [masz.]

grinding disk ściernica, tarcza ścierna, krążek ścierny [narz.]

grinding drum bęben mielący [energ.]

grinding elements części mielące [energ.]

grinding lathe szlifierka [narz.]

grinding machine szlifierka [narz.]; kruszarka [masz.]

grinding marker urządzenie cechujące szlifierskie [masz.]

G

grinding mill młyn [narz.]
grinding paste pasta ścierna [masz.]
grinding plant kruszarka [górn.]
grinding ring pierścień mielący [energ.]
grinding technology technologia mielenia [abc]
grinding tool narzędzie ścierne [masz.]
grinding wheel ściernica, tarcza ścierna [masz.]
grinding work mielenie [energ.]
grinding zone strefa mielenia [energ.]
grind undercuts szlifować nacięcia [met.]
grip chwytać, mocować, zaciskać [abc]
grip chwyt [abc]; uchwyt, rękojeść (*dla pasażera*) [transp.]; zacisk, końcówka, przyłącze [el.]; zacisk, docisk, płyta dociskowa [mot.]
gripping device szyna ochronna, odbojnica [mot.]
grist mill śrutownik [masz.]
grit posypywać, rozsypywać [abc]
grit sól do posypywania [transp.]; piasek do posypywania [mot.]; popiół lotny gruboziarnisty; pył gruboziarnisty [energ.]
grit arrestor oddzielacz popiołu lotnego; oddzielacz cyklonowy, oddzielacz odśrodkowy [energ.]
grit hopper lej zsypowy popiołu lotnego [energ.]
grit refiring zawracanie żwiru do obiegu [energ.]
grit retention wiązanie popiołu lotnego [energ.]
grits żwirek [energ.]
gritted posypany [abc]
groats gruby przemiał [abc]
groin pachwina [med.]; żebro sklepienia krzyżowego [bud.]
grommet przelotka [mot.]; pierścień ochronny; pierścień uszczel-

niający; oczko ochronne, przelotka; tulejka rurki [masz.]; sercówka, chomątko, wkładka sercowa (*liny*) [bud.]
groove wykonywać rowek [met.]
groove wytoczenie; rowek; blizna; rowek, żłobek, bruzda; wpust [masz.]; rowek [met.]; bruzda [mot.]; rowek, żłobek [bud.]
groove angle kąt zarysu rowka [masz.]
groove pin nitokołek; kołek karbowy [masz.]
groove weld spoina czołowa [masz.]
groove width szerokość paska [masz.]
grooved ball bearing łożysko kulkowe zwykłe [masz.]
grooved dowel pin kołek karbowy [masz.]
grooved flats powierzchnie rowkowane [masz.]
grooved pulley for narrow V-belts koło pasowe rowkowe do wąskich pasów klinowych [masz.]
grooved rail szyna tramwajowa zwykła [mot.]
grooved ring pierścień rowkowany [masz.]
grooved shaft wałek rowkowy [mot.]
gross calorific value (G.C.V.) ciepło spalania, wartość opałowa górna [energ.]
gross load weight (GLW) maksymalny ciężar całkowity, maksymalny ciężar brutto [mot.]
gross quantity of fuel supplied dostarczona ilość paliwa brutto [energ.]
gross vehicle weight (GVW) ciężar samochodu brutto [mot.]
gross weight ciężar brutto, waga brutto [abc]
ground gleba, ziemia; grunt [gleb.]; podłoże; poziom kopalniany [górn.]; masa; (→ virtual ground)

masa [el.]; szlifowany; wyostrzony, wyszlifowany [met.]; (US) zwarcie z masą [transp.]

ground area powierzchnia gruntu [górn.]

ground bearing capacity nośność gruntu, nośność podłoża [górn.]

ground-bearing pressure ciśnienie górotworu [abc]

ground breaking wykonanie wykopu [energ.]; rozpoczęcie wykopów [gleb.]

ground circuit obwód elektryczny uziemiony [el.]

ground clearance prześwit pod pojazdem [transp.]

ground condition warunki glebowe [gleb.]

ground floor parter [bud.]; parter [transp.]

ground level podkład [górn.]

ground line podłoże [górn.]

ground metallically blank szlifowany do metalicznego połysku [norm.]

ground plan zarys [bud.]

ground position pozycja względem ziemi [mot.]

ground potential napięcie podstawowe [el.]

ground stewardess stewardessa lotniskowa [mot.]

ground surface powierzchnia terenu [geol.]

ground tackle urządzenie kotwiczne [mot.]

ground to be metallically blank szlifowany do metalicznego połysku [met.]

ground water woda gruntowa [hydr.]

ground water table zwierciadło wody gruntowej [hydr.]

ground wire przewód uziomowy, przewód odgromowy [el.]

Ground Zero punkt zerowy [wojsk.]

grounding uziemienie [el.]

group dzielić; grupować [abc]

group grupa (*przedsiębiorstw*); gromada, oddział, drużyna [abc]

grouping podział; zespół [abc]

group of companies grupa przedsiębiorstw [abc]

Group of Managers zespół kierowniczy, kadra kierownicza [abc]

group of tolerances szereg tolerancji [masz.]

group rate bilet grupowy [mot.]

group velocity prędkość grupowa [el.]

grouser ostroga przeciwślizgowa [transp.]; hacel [transp.]

grout tynkować spoiny; zalewać zaprawą, rozprowadzać zaprawę, rozcierać zaprawę [bud.]

grout zaprawa (*murarska*) [bud.]

growler pływająca bryła lodu [mot.]

groyne ostroga, tama poprzeczna [abc]

grub screw wkręt dociskowy [masz.]

gruelling service duże obciążenie [mot.]

grumble łożysko przegubowe [mot.]

guarantee gwarancja [abc]

guarantee fuel paliwo gwarantowane [energ.]

guarantee insurance (→ warranty i.) ubezpieczenie gwarancyjne [prawn.]

guarantee test próba gwarancyjna [abc.]

guard strzec [wojsk.]

guard osłona, zabezpieczenie [abc]; konduktor; drużyna pociągowa; osłona [mot.]; ochraniacz, osłona zabezpieczająca, zderzak; przysłona uszczelniająca [masz.]; łęk, kulisa [transp.]; strażnik [polit.]; straż; ochrona, osłona, obrona; stanowisko [wojsk.]; (→ check rail; → rock g.)

guard for boom cylinder osłona cylindra wysięgnika [transp.]

guard rail poręcz zabezpieczają-

G

ca, bariera ochronna; ogrodzenie [bud.]

guard ring pierścień ochronny [mot.]

guards gwardia; straż [wojsk.]

gudgeon pin sworzeń tłokowy [mot.]

gudgeon pin bushing tuleja tłoka [mot.]

gudgeon pin retainer zamek sworznia tłokowego [mot.]

guidance informacja, polecenie, wskazówka; linia; prowadzenie, przewodnictwo [abc]; (→ axial g.)

guidance for horizontal bucket prowadzenie łyżki poziomej [transp.]

guide oprowadzać; prowadzić; kierować [abc]

guide prowadnica, prowadnik [transp.]; drużyna pociągowa [mot.]

guide bush tulejka prowadząca [masz.]; tuleja sterownicza [masz.]

guide concentrically prowadzić (współ)osiowo [mot.]

guide curve łuk prowadzący [transp.]

guided missile pocisk zdalnie sterowany [wojsk.]

guide fork widełki prowadnicy [transp.]

guide funnel kroplochwyt [masz.]

guide housing powłoka kapsułki, zbiornik kapsułki [mot.]

guide in dead-centre prowadzić (współ)osiowo [mot.]

guideline dane orientacyjne [abc]

guide piece element prowadzący, prowadnik [masz.]; kamień ślizgowy [transp.]

guide pipe rura prowadząca, prowadnica rurowa [masz.]

guide plate płyta ślizgowa [mot.]

guide rail szyna ochronna, odbojnica [transp.]; poręcz drogowa; prowadnica nakładana [mot.]

guide ring kierownica (*maszyny przepływowej*) [mot.]

guide roller prowadnica rolkowa liny [masz.]

guide shoe widelec styczny [transp.]

guide-shoe wear surface wieniec obrotowy szczęk ślizgowych [transp.]

guide sled sanie prowadzące [transp.]

guide sleeve (→ guide bush) tulejka prowadząca [masz.]

guide strip prowadnica nakładana [transp.]

guide track prowadnica [transp.]

guide tube rura prowadząca, prowadnica rurowa [masz.]

guide wedge klin prowadzący, klin ustalający [masz.]

guiding accuracy dokładność prowadzenia [masz.]

guiding assembly urządzenie prowadzące [masz.]

guiding bushing tulejka prowadząca, tulejka ustalająca [masz.]

guiding data dane orientacyjne [masz.]

guiding insert gwiazda prowadząca [transp.]

guiding mechanism urządzenie prowadzące, urządzenie sterujące [masz.]

guiding pin kołek prowadzący, palec prowadzący, sworzeń ustalający [masz.]

guiding sleeve housing osłona prowadnicy kulkowej [masz.]

guiding system system zarządzania, system kierowania [mot.]

guiding value dane orientacyjne [abc]

guillotine nożyce wibracyjne [narz.]

guillotine shears nożyce gilotynowe [narz.]

guilt wina [abc]

gun praska smarowa [mot.]; armata, działo artyleryjskie [wojsk.]; pistolet natryskowy [met.]

gun boat kanonierka [wojsk.]

gunning of refractory natryskiwanie masy szamotowej [met.]

gusset płyta węzłowa, węzłówka [bud.]; blacha węzłowa narożna; płyta węzłowa, węzłówka (*w kratownicy*) [masz.]

gusset shoe nasadka płaska [masz.]; płoza ślizgowa [masz.]

gut pustoszyć, niszczyć, dewastować [abc]

gutter rynna; rura deszczowa; ściek uliczny [bud.]

guy odciąg [abc]

guyed tent namiot zakotwiony [abc]

gvw (*gross vehicle weight*) ciężar brutto, waga brutto [mot.]

gymnasium sala gimnastyczna [abc]

gym shoes tenisówki; buty gimnastyczne [abc]

gypsum gips [tw.]

gypsum plant zakład produkcji gipsu [górn.]

gypsum plaster tynk gipsowy [bud.]

gypsum type gipsowy [abc]

gyrating mass masa wirująca [transp.]

gyrator żyrator [el.]

gyratory crusher kruszarka stożkowa, łamacz stożkowy [masz.]

gyro compass żyrokompas, kompas żyroskopowy [mot.]

h.o.c (*height of centres*) wznios kłów [masz.]

H. F. nodes (*high frequency*) węzły wielkiej częstotliwości [el.]

h. t. (*heat treated*) ulepszony cieplnie [met.]; wysokie napięcie [el.]

hacksaw piłka do metali [narz.]

hafnium hafn [chem.]

hail grad [meteo.]

hailstorm gradobicie [meteo.]

hair owłosienie; włos [abc]

hair crack pęknięcie włosowate, mikropęknięcie, rysa włosowata [tw.]

hair hygrometer wilgotnościomierz; higrometr [miern.]

hairline fracture pęknięcie włosowate, mikropęknięcie, rysa włosowata [tw.]

hairpin bend ostry zakręt (*o 180°*) [bud.]

half połowiczny, częściowy, niezupełny; połowa, połówka [abc]

half-axle półoś [mot.]

half-brick wall mur z połówek (*cegły*) [bud.]

half hitch półwęzeł [mot.]

half length reserve taper grooved dowel pin kołek karbowany [masz.]

half-open single seam spoina pachwinowa wzdłużna półotwarta [met.]

half round nit z łbem półkulistym [masz.]

half-round file pilnik półokrągły [narz.]

half sealing strip połowa listwy uszczelniającej [masz.]

half shaft półoś napędowa [mot.]

half-timbered construction mur pruski, kratownica, konstrukcja ryglowa, szkielet drewniany [bud.]

half-timbered house budynek z muru pruskiego [bud.]

half twist napęd skrzyżowany [masz.]

half-value depth tolerance luz wgłębny połówkowy [abc]

half-value method metoda połówkowa [abc]

half-value of depth rozszerzalność głębokościowa (*wgłębna*) połówkowa [abc]

half-value of length rozszerzalność liniowa połówkowa [masz.]

H

half-value of width rozszerzalność poprzeczna połówkowa [masz.]

half-wave rectifier prostownik półokresowy [el.]

half-yearly (→ semi annually) półroczny; co pół roku [abc]

hall hall [transp.]; hala; korytarz; sala [bud.]; (→ sports h.)

Hall Generator generator Halla [el.]

hall stand wieszak na ubrania [abc]

hall stand hock wieszak na ubrania [abc]

halogen chlorowiec [chem.]

halon halon [met.]

halt przystanek [mot.]

halting problem problem stopu, problem zatrzymania [inf.]

hammer klepać, kuć, bić młotkiem [met.]

hammer młotek; młotek ślusarski; bijak [narz.]; (→ blacksmith's h.; → deslagging h.)

hammer axle extraction device mechanizm wysuwania osi młota [górn.]

hammer axle trolley wózek wysuwania osi młota [masz.]

hammer changing device mechanizm wymiany młota [narz.]

hammer crusher młyn młotkowy; kruszarka młotowa, łamacz młotkowy [narz.]

hammer drive wiertło udarowe [narz.]

hammer-head machine screw śruba hakowa, śruba z łbem hakowym [masz.]

hammer mill młyn młotkowy [narz.]

hampered utrudniony [abc]

hand ręka, dłoń [med.]

hand-auger świder ręczny; wiertło [narz.]

hand brake hamulec ręczny; hamulec postojowy [mot.]

hand brake handle uchwyt hamulca ręcznego [mot.]

hand-brake indicator wskaźnik hamulca ręcznego [mot.]

hand brake lever dźwignia hamulca ręcznego [mot.]

hand brake position położenie hamulca ręcznego [mot.]

hand-brush zmiotka [abc]

hand cable winch wciągarka linowa ręczna [mot.]

hand cart wózek ręczny [mot.]

hand drill wiertarka ręczna [transp.]

handfiring ładowanie ręczne, zasyp ręczny, narzucanie ręczne [energ.]

hand flame cartridge ręczny pocisk zapalający [wojsk.]

hand forklift truck wózek niskiego podnoszenia [mot.]; podnośnik widłowy ręczny [transp.]

hand hole otwór szlamnikowy; otwór wyczystkowy [transp.]

hand-hole closure zamknięcie otworu szlamnikowego [energ.]

hand hole cover pokrywa otworu szlamnikowego [transp.]

hand-hole fitting zamknięcie otworu szlamnikowego [energ.]

hand-hole seat scraper wygładzak siedzeniowy otworu szlamnikowego [energ.]

hand hydraulic lift hydrauliczny ręczny [mot.]

handicapped upośledzony [abc]

handicraft rzemiosło [abc]

handiness zwrotność [żegl]

hand lamp lampa ręczna, oprawa ręczna [el.]

hand lever dźwignia ręczna [mot.]

hand lever cross shaft półoś z dźwignią ręczną [mot.]

hand lever valve zawór z dźwignią ręczną [mot.]

hand lift wózek podnośny [mot.]

hand mould forma ręczna, forma zdejmowana [masz.]

hand of helix kierunek obrotu [masz.]

hand-operated uruchamiany ręcznie; sterowany ręcznie [energ.]

hand-operated chain drive napęd łańcuchowy sterowany ręcznie [energ.]

hand operation napęd ręczny, obsługa ręczna [mot.]

hand operation/manual control obsługa ręczna [mot.]

hand over wydawać, wręczać [abc]

hand-over przekazanie, wydanie; uroczyste przekazanie do użytkowania [abc]

hand-over ceremony ceremonia przekazania [mot.]

hand primer pompka zastrzykowa ręczna [mot.]

hand pump pompa ręczna [mot.]

handrail listwa ochronna poręczy; poręcz; prowadnica poręczy [transp.]

handrail clamping device zacisk poręczy [transp.]

handrail dimensions wymiary poręczy [transp.]

handrail drive napęd poręczy [transp.]

handrail drive contactor stycznik napędu poręczy [transp.]

handrail drive sheave koło pasowe klinowe poręczy [transp.]

handrail drive sheave covering okładzina koła napędowego poręczy [transp.]

handrail drive wheel koło napędowe poręczy [transp.]; (→ sheave)

handrail drop device zabezpieczenie uskoku poręczy [transp.]

handrail gearing mechanizm poręczy, przekładnia poręczy [transp.]

handrail guide prowadnica poręczy [transp.]

handrail guide assembly prowadnica zwrotna poręczy [transp.]

handrail idler krążek nośny poręczy, wałek podpierający poręczy [transp.]

handrail inlet wlot poręczy [transp.]

handrail inlet device zabezpieczenie wlotu poręczy [transp.]

handrail inlet guard zabezpieczenie wlotu poręczy [transp.]

handrail inlet monitor kontrola wlotu poręczy, monitorowanie wlotu poręczy [transp.]

handrail inlet switch wyłącznik bezpieczeństwa poręczy [transp.]

handrail length długość poręczy [transp.]

handrail lighting oświetlenie poręczy [transp.]

handrail lighting switch wyłącznik oświetlenia poręczy [transp.]

handrail return station prowadnica zwrotna poręczy [transp.]

handrail return urządzenie powrotne poręczy [transp.]

handrail return wheel koło zwrotne prowadnicy [transp.]

handrail roller krążek (*rolka*) poręczy [transp.]

handrail safety switch zestyk wlotowy poręczy, wyłącznik bezpieczeństwa poręczy [transp.]

handrail speed prędkość przesuwania się poręczy [transp.]

handrail weight ciężar poręczy [transp.]

handrail winding device urządzenie zwrotne poręczy [transp.]

handsaw piła rozpłatnica [narz.]

hand screen tarcza spawacza [met.]

hand-set pitching podkład kamienny [bud.]

hand shield tarcza spawacza [met.]

hand signal znak (*dany ręką*) [abc]

hand slide valve zawór suwakowy ręczny [mot.]

hand tamper ubijak ręczny [narz.]

hand throttle ręczna dźwignia przyspieszacza [mot.]

hand-tight ręcznie dokręcony [masz.]

hand vice imadło ręczne [masz.]

hand wheel koło ręczne, kółko ręczne, pokrętło [mot.]

hand-wheel brake mechanism mechanizm hamulca ręcznego [mot.]

hand winder zwijarka ręczna [narz.]

hand winding device urządzenie obrotowe ręczne [transp.]

handy praktyczny [abc]

handle posługiwać się (*czymś*), manipulować, władać, używać (*czegoś*), korzystać (*z czegoś*) [abc]

handle uchwyt [inf.]; suwak obrotowy; uchwyt, rękojeść (*dla pasażera*) [mot.]; uchwyt, rączka [masz.]; rączka ucho [abc]; trzonek łopaty, rękojeść łopaty [narz.]; (→ boot lid h.; → door pull h.; → file h.; → hand break h.; → inside door h.; → manual brake release h.; → outside door h.; → ratchet h.; → starting crank h.)

handle bar uchwyt [abc]; kierownica [mot.]

handle type probe holder oprawa ręczna, podpora, zamocowanie [abc]

handling przenoszenie, transport [mot.]

handling equipment urządzenie transportu bliskiego [górn.]

handling plant urządzenie podawcze [górn.]

handling systems urządzenia sterowane [masz.]

hang wisieć; wieszać [abc]

hang glider lotnia [mot.]

hangar hala [bud.]; hangar [mot.]

hangers zawieszenie [energ.] (→ spring h.)

hanging apparatus aparat zawieszający [transp.]

hanging rod tyczka miernicza [masz.]; strop [górn.]

hang-up zawisanie wsadu (*w wielkim piecu*) [energ.]

harbour port; przystań [żegl.]

harbour light latarnia portowa [żegl.]

hard twardy, ciężki, trudny, srogi, okrutny [abc]

hard board płyta pilśniowa twarda [tw.]

hard-chromium-plated chromowany na twardo [met.]

hard-chromium-plated to size chromowany na twardo na wymiar [met.]

hardcopy wydruk [inf.]

hard disc dysk twardy [inf.]

hard drawn wire drut ciągniony na zimno [met.]

harden twardnieć [abc]; hartować, utwardzać [met.]

hardened hartowany [met.]

hardened steel stal hartowana [tw.]

hardener utwardzacz, środek utwardzający [transp.]

hardening twardnienie [bud.]; hartowanie [energ.]; utwardzenie [met.] (→ gas h.; → inductive h.)

hardening depth głębokość utwardzania; grubość warstwy utwardzonej [met.]; (→ case depth)

hardening shop hartownia [met.]

hardening time czas twardnienia [met.]

hard facing napawanie utwardzające; natapianie utwardzające; spawanie powierzchniowe [met.]

hard hat kask ochronny, hełm ochronny [abc]

hard heading chodnik [górn.]

hard labour praca przymusowa [abc]

hard lead shell pocisk z ołowiu twardego [wojsk.]

hard metal plate płyta z żeliwa utwardzonego [masz.]

hard metals stopy twarde, spieki węglikowe, spieki twarde [masz.]

hard plastic foil folia z winiduru, folia z twardego polichlorku winylu [tw.]

hard rock skała zwięzła [min.]

hard rubber ebonit [tw.]

hard soldered lutowany lutem twardym [met.]

hardly ledwo, ledwie, zaledwie, prawie nie [abc]

hardly inflammable trudno zapalny [abc]

hardness twardość [masz.]; (→ determination of h.; → loss of h.; → surface h.)

hardness components komponenty twardości [masz.]

hardness gap miejsce poślizgu [transp.]

hardness of the coat twardość powłoki malarskiej [met.]

hardness penetration depth głębokość zahartowania [met.]

hardness spreading rozłożenie (*przebieg*) warstwy utwardzonej [masz.]

hardness test pomiar twardości, próba twardości [masz.]

hardness testing device twardościomierz [miern.]

hard-to-burn fuel paliwo trudno palne; paliwo niskogatunkowe [energ.]

hardtop hardtop (*twardy, sztywny dach kabrioletu*) [mot.]

hardware sprzęt; hardware [inf.]

hardwood drewno drzew liściastych, drewno twarde [transp.]

harmonic distortion zniekształcenie harmoniczne [el.]

harness uprząż [abc]; podparcie, zamocowanie [masz.]; (→ rein, bridle) uzda [abc]

harrow brona (*nożowa*) [roln.]

harvest zwozić (*zboże*) [roln.]

harvest season żniwa [roln.]

harvester kombajn zrębowy [transp.]

harvesting time żniwa [roln.]

hasp wrzeciądz (*zamka*) [masz.]

hat stand wieszak na kapelusze [abc]

hatch właz [mot.]; wyląg [abc]

hatch cover pokrywa włazu [mot.]

hatched kreskowany, szrafowany [con]

hatchet topór, siekierka [narz.]

hatching kreskowanie, szrafowanie [con]

haul transportować; holować; nosić, nieść, dźwigać; ciągnąć; transportować [mot.]; przenosić [górn.]

haulage distance odległość przewozowa [mot.]

haulage layout system przewozowy [górn.]

hauling by wheelbarrow transport taczkami [mot.]

hauling distance odległość przenoszenia, droga przenoszenia [mot.]

haul road chodnik przewozowy [mot.]

haul truck pojazd użytkowy [górn.]

haul way (→ haul road) chodnik przewozowy [mot.]

haunt ścigać, prześladować [abc]

havoc zniszczenie [mot.]

hay-bob widły do siana [roln.]

hay-bob tine ząb wideł do siana [masz.]

hay wagon wóz na siano [roln.]

hazard ryzyko [praw.]; niebezpieczeństwo [abc]

hazard flasher urządzenie ostrzegawcze błyskające; migacz ostrzegawczy [mot.]

hazardous niebezpieczny [abc]

hazard switch włącznik migacza ostrzegawczego [mot.]

H-beam dźwigar szerokostopowy [masz.]

HD balustrade balustrada solidna [transp.]

HDT backhoe łyżka typu HDT [transp.]

head głowica [masz.]; wysokość prze-

H

świtu, wysokość skrajni [transp.]; głowa [med.]; (→ cylinder h.)

head basket kosz do noszenia na głowie [abc]

head bushing puszka zamykająca [masz.]

head clearance wysokość prześwitu, wysokość skrajni [transp.]

head crash uszkodzenie płyty [inf.]

head cushion podgłówek, zagłówek, oparcie dla głowy [mot.]

header rura rozgałęźna [masz.]; rura zbiorcza, kolektor [mot.]; (→ downcomer h.; → inlet h.; → outlet h.)

header handhole otwór szlamnikowy; otwór wyczystkowy [energ.]

header opening otwór szlamnikowy; otwór wyczystkowy [energ.]

header type boiler kocioł sekcyjny [energ.]

headframe rusztowanie wyciągowe [górn.]

head gasket (→ cylinder h. g.) uszczelnienie głowicy cylindra; uszczelka pod głowicę cylindra [mot.]

head gate chodnik nadścianowy [górn.]

head gear wieża szybowa [górn.]

head guard odbój [mot.]

head-hunt odciągać (*pracownika od jednej firmy na rzecz drugiej*), kaperować [abc]

heading chodnik [górn.]

head lamp światło główne [mot.]

headlamp socket gniazdo reflektora, oprawa reflektora [mot.]

headless screw wkręt bez łba [masz.]

headlight światło główne; reflektor [mot.]; reflektor [el.]

headlight frame rama reflektora [masz.]

headlight guard osłona reflektora, ochrona reflektora [mot.]

head loss characteristics charakterystyka spadku ciśnienia [energ.]

headmaster dyrektor [abc]

head of bolt łeb śruby [masz.]

head of product management kierownik działu zarządzania produktem [abc]

head of train czoło pociągu, przód pociągu [mot.]

head office siedziba; biuro centralne; główne biuro; centrala, dyrekcja [abc]

head piece głowica [masz.]

headphone słuchawka [abc]

headquarters kwatera główna [wojsk.]

head ramp rampa czołowa [mot.]

head rest podgłówek, zagłówek, oparcie dla głowy [mot.]

head restraint podgłówek, zagłówek, oparcie dla głowy [mot.]

head room wysokość prześwitu, wysokość skrajni [transp.]

head shaft wał główny [transp.]

head shunt manewrować, przetaczać [mot.]

head stanchions kłonice czołowe [mot.]

head station stacja czołowa [transp.]

head to head distance odległość, odstęp [transp.]

headway wysokość sklepienia [transp.]

headwheel pulley koło linowe, krążek linowy, tarcza linowa [górn.]

Health and Safety at Work Act Ustawa o Bezpieczeństwie i Higienie Pracy [polit.]

health condition stan zdrowia [med.]

health department wydział zdrowia [med.]

health fund ubezpieczenie zdrowotne [med.]

health treatment leczenie, kuracja [med.]

healthy zdrowy [med.]

heap zwał, hałda; nagromadzenie

się; stos [transp.]; dzierżawa, najem [abc]

heaped nasypany [transp.]

heaping nagromadzenie się [transp.]

hearable słyszalny [abc]

hearing słuch [med.]

hearing impediment wada słuchu; przytępienie słuchu, upośledzenie słuchu [med.]

hear wave velocity prędkość fal poprzecznych [el.]

hearse karawan [mot.]

heart serce [med.]

heartache ból serca [med.]

heat nagrzewać [abc]

heat upał, skwar, gorąco [abc]; ciepło; wsad [masz.]; (→ latent h.; → specific h.)

heatable ogrzewalny [abc]

heat absorbing surface powierzchnia pochłaniająca ciepło [energ.]

heat added for vaporisation at constant temperature ciepło parowania w stałej temperaturze [energ.]

heat-affected zone strefa wpływu ciepła [met.]

heat-and-power station elektrociepłownia [energ.]

heated ogrzany; ogrzewany [abc]

heated and formed to shape formowany w matrycy [met.]

heated bucket back rozgrzany grzbiet czerpaka, rozgrzany grzbiet łyżki [transp.]

heated tool welding zgrzewanie elementem grzejnym [met.]

heated wedge pressure welding zgrzewanie gorącym klinem [met.]

heat emission emisja ciepła [energ.]

heater element grzejny, grzejnik, ogrzewacz; piec grzewczy, ogrzewanie, nagrzewanie [bud.]

heater box skrzynka grzejna [mot.]

heater contactor stycznik grzejny [transp.]

heater control regulator ogrzewania [mot.]

heater fan dmuchawa grzejna [mot.]

heater flap klapa grzejna [mot.]

heater lever dźwignia ogrzewania [masz.]

heater plug świeca żarowa [mot.]

heater plug control kontrolka świec żarowych [mot.]

heater plug indicator wskaźnik świec żarowych [miern.]

heater plug installation instalacja żarowa [masz.]

heater plug resistor opór świec żarowych [mot.]

heater plug switch włącznik świec żarowych [mot.]

heater starter switch włącznik instalacji żarowej [mot.]

heater switch włącznik termiczny [mot.]

heater trunk przewód giętki ciepłego powietrza [mot.]

heater warning light kontrolka świec żarowych [mot.]

heater wire drut grzejny [el.]

heat exchanger wymiennik ciepła [energ.]

heat exchanger tube rura kotłowa; rura wymiennika ciepła [energ.]; (→ boiler tube)

heat flow przepływ ciepła [energ.]

heat indicator wskaźnik temperatury [abc]

heating ogrzewanie; nagrzewanie [abc]; (→ air h.; → circulating air h.; → fresh air h.; → fuel h.; → hot-air h.; → steam h.; → water h.)

heating and ventilating system instalacja ogrzewczo-wentylacyjna [mot.]

heating circuit obwód prądu grzejnego, obwód grzejny [transp.]

heating coil wężownica grzejna [mot.]; skrętka grzejna [energ.]

H

heating element element grzejny [transp.]

heating fuse bezpiecznik termiczny [transp.]

heating stage stopień grzewczy [transp.]

heating surface powierzchnia grzejna, powierzchnia ogrzewalna [energ.]

heating thermostat termostat ogrzewania [transp.]

heating up rozgrzewanie [abc]

heating-up period czas rozgrzewania [energ.]

heat input doprowadzanie ciepła [energ.]

heat-insulating facades elewacje termoizolacyjne [bud.]

heat liberation wyzwalanie ciepła; wydzielanie ciepła [energ.]

heat loss in liquid slag strata cieplna w żużlu ciekłym [energ.]

heat of combustion ciepło spalania [energ.]

heat release wydzielanie ciepła [energ.]

heat resistant żaroodporny, odporny na wysoką temperaturę [abc]

heat-resistant cast iron żeliwo żaroodporne [tw.]

heat-resistant cast steel staliwo żaroodporne [tw.]

heat-resistant probe czujnik temperatury [masz.]

heat resisting steel stal żaroodporna; stal żarowytrzymała [tw.]

heat shield osłona ciepłochronna (*chroniąca kabinę kosmiczną przy wejściu w atmosferę*) [mot.]

heat storage boiler kocioł cieplny [energ.]

heat stress obciążenie cieplne [masz.]

heat supplied doprowadzanie ciepła [energ.]

heat switch włącznik termiczny [el.]

heat transfer by conduction przechodzenie ciepła przez przewodzenie [energ.]

heat transfer by convection przechodzenie ciepła przez konwekcję [energ.]

heat transfer by radiation przechodzenie ciepła przez promieniowanie [energ.]

heat transfer coefficient wartość k; współczynnik przenikania ciepła [energ.]

heat transfer przechodzenie ciepła [energ.]

heat transmission przenoszenie ciepła [energ.]

heat-treatable cast steel stal do ulepszania cieplnego [tw.]

heat treated obrabiany cieplnie; ulepszony cieplnie [met.]

heat treatment ulepszanie cieplne; obróbka cieplna [met.]

heat up podgrzewać; rozgrzewać, rozgrzać [abc]

heat value wartość opałowa [energ.]

heat wave fala ciepła [abc]

heat wire włókno żarowe; drut grzejny [el.]

heather violet fiolet wrzosowy [norm.]

heaven niebo, sklepienie niebieskie [abc]

heavy ciężki [abc]

heavy and flame-cut plates blachy grube, cięte na wymiar [masz.]

heavy duty wysokowydajny; wzmocniony [abc]; duża wydajność [transp.]

heavy-duty bridge crane suwnica mostowa o dużym udźwigu [mot.]

heavy-duty compact gear przekładnia kompaktowa wysokosprawna [transp.]

heavy-duty crane żuraw obrotowy o dużym udźwigu [mot.]

heavy-duty escalator (→ HD-escalator) schody ruchome o dużej nośności [transp.]

heavy-duty roller chain łańcuch o zwiększonej wytrzymałości; łańcuch drabinkowy tulejkowy o zwiększonej wytrzymałości; łańcuch wysokonapięciowy [transp.]

heavy-duty tractor ciągnik do przewozu dużych ciężarów [mot.]

heavy-duty truck tractor ciągnik siodłowy do przewozu dużych ciężarów [mot.]

heavy-duty use zastosowanie przy dużym obciążeniu [masz.]

heavy equipment urządzenia ciężkie [masz.]

heavy fuel olej ciężki [mot.]

heavy handling systems ciężkie urządzenia transportu bliskiego [masz.]

heavy load duży ciężar [mot.]

heavy load transport crawlers gąsienice do transportu ładunków ciężkich [masz.]

heavy machinery budowa maszyn ciężkich [masz.]

heavy metal metal ciężki [masz.]

heavy section mill walcownia duża, walcownia kształtowników ciężkich [masz.]

heavy snowfall burza śnieżna, zamieć śnieżna [meteo.]

heavy soil gleba ciężka [transp.]

heavy spar baryt, szpat ciężki [tw.]

heavy traffic duży ruch [mot.]

heavy transport vehicle samochód z platformą do przewożenia ładunków ciężkich; pojazd przewozowy ciężki [mot.]

heavy-walled grubościenny [abc]

hectare hektar, ha [abc]

hedge żywopłot [bot.]

hedge trimmer nożyce do przycinania żywopłotu [narz.]

heel obcas [abc]; przechył boczny statku [mot.]

heeling przechylający, przechyłowy [mot.]

heel of dam stopa zapory, podstawa zapory [bud.]

heel plate płyta poślizgowa [mot.]; płyta krawędziowa [masz.]

height wysokość [abc]; zakres wysterowania [el.]; poziom [abc]; wysokość [bud.]

height adjustment plate płytka regulacji wysokości [mot.]

height gauge wysokościomierz, sprawdzian wysokości [miern.]

height of centres wysokość kłów [masz.]

height of construction wysokość budowlana; wysokość budynku [bud.]

height of drop wysokość spadania [abc]

height of head wysokość łba (*śruby*, *nitu*) [masz.]

height of link plates wysokość płytek [masz.]

height over all wysokość całkowita [mot.]

height regulator regulator wysokości [mot.]

held up umocniony [bud.]

helical gear koło (*zębate*) śrubowe, koło (*zębate*) walcowe skośne; koło zębate walcowe z zębami śrubowymi; koło o zębach śrubowych, koło o zębach skośnych [mot.]; napęd śrubowy, napęd kołem o zębach śrubowych; koło zębate o uzębieniu śrubowym [masz.]

helical gearing uzębienie śrubowe, uzębienie skośne [masz.]

helical gear with helical splines koło (*zębate*) śrubowe ze skośnymi żłobkami [mot.]

helical scanning path ścieżka wybierania śrubowego, ścieżka zapisu ukośnego [el.]

H

helical spring sprężyna zwojowa; sprężyna śrubowa [masz.]; (→ coil spring)

helicopter śmigłowiec; helikopter [mot.]

helicopter airport heliport, lotnisko dla śmigłowców [mot.]

helicopter carrier śmigłowcowiec [wojsk.]

helicopter cautioning ostrzeżenie z helikoptera [mot.]

helium hel [mot.]

helium tank zbiornik helu [mot.]

helix angle współczynnik skoku żłobka [abc]; kąt pochylenia linii śrubowej [masz.]

helix recorder rejestrator przebiegu linii śrubowej [abc]

helm koło sterowe [mot.]; (→ helmsman)

helmet hełm; kask stalowy [wojsk.]

helmet lining wyłożenie hełmu [wojsk.]

helmsman sternik [mot.]

help pomagać [abc]

help pomoc, wsparcie [abc]

hemispherical półkolisty [abc]

hereditary dziedziczny [abc]

hermeneutics hermeneutyka [inf.]

hermetical hermetyczny, szczelny [abc]

herringbone gearing zazębienie strzałkowe [masz.]

heterogeneous różnorodny, niejednorodny, heterogeniczny [abc]

heuristic classification klasyfikacja heurystyczna [inf.]

heuristic continuation kontynuacja heurystyczna [inf.]

heuristic pruning obcięcie heurystyczne [inf.]

heuristics heurystyka [inf.]

Heusinger link motion sterowanie Heusingera [mot.]

hex castle nut nakrętka sześciokątna [transp.]

hex head screw śruba z łbem sześciokątnym [masz.]

hexagon sześciokąt [abc]

hexagonal bolt śruba z łbem sześciokątnym [masz.]

hexagonal head machine bolt śruba maszynowa z łbem sześciokątnym [mot.]

hexagonal head screw śruba z łbem sześciokątnym [masz.]

hexagonal insert wkładka sześciokątna [masz.]

hexagonal nut nakrętka sześciokątna [masz.]

hexagonal shape sześciokątny [masz.]

hexagonal shoulder bolt śruba pasowana z łbem sześciokątnym [masz.]

hexagonal socket spanner klucz nasadowy sześciokątny [narz.]

hexagonal spanner klucz oczkowy sześciokątny; klucz kołkowy sześciokątny [narz.]

hexagonal wrench klucz oczkowy sześciokątny; klucz kołkowy sześciokątny [narz.]

hexagon domed cap nut nakrętka kołpakowa sześciokątna [masz.]

hexagon fit bolt śruba pasowana z łbem sześciokątnym [masz.]

hexagon flange bolt śruba z łbem sześciokątnym z kołnierzem [masz.]

hexagon head bolt śruba z łbem sześciokątnym [masz.]

hexagon head tapping screw wkręt do blach z łbem sześciokątnym [masz.]

hexagon head wood screw wkręt do drewna z łbem sześciokątnym [masz.]

hexagon slotted nut nakrętka koronowa [masz.]

hexagon socket wkręt z łbem z gniazdkiem sześciokątnym; śru-

ba z łbem walcowym o gnieździe sześciokątnym [masz.]
hexagon socket countersunk head screw śruba z łbem stożkowym płaskim i gniazdem sześciokątnym [masz.]
hexagon socket head cap screw śruba z łbem walcowym z gniazdem sześciokątnym [masz.]
hexagon socket screw śruba z łbem sześciokątnym; śruba z łbem okrągłym o gnieździe sześciokątnym [masz.]
hexagon socket set screw wkręt dociskowy z łbem walcowym o gnieździe sześciokątnym [masz.]
hexagon thin nut nakrętka sześciokątna niska [masz.]
hexagon weld nut nakrętka do zgrzewania sześciokątna [masz.]
HFI-welded line pipe rura przewodowa zgrzewana metodą HFI [met.]
H-frame poprzecznica; środkowa część nadwozia [transp.]
hidden skryty, ukryty, utajony [abc]; ukryty, schowany [masz.]
hide kaszerować [masz.]; ukrywać, chować [abc]
hideaway kryjówka, skrytka [abc]
hierarchy hierarchia [abc]
high wysoki [abc]
high-alloyed wysokostopowy, wysokoprocentowy [met.]
high-alloyed <steel> grades gatunki stali wysokostopowej [masz.]
high altitude duża wysokość [abc]
high altitude operation praca na dużej wysokości [abc]
high beam indicator lamp lampka kontrolna światła drogowego [mot.]
highboard kredens [bud.]
high boot but z cholewą [abc]
high build warstwa gruba [transp.]
high capacity duża wydajność [górn.]

high capacity battery akumulator o dużej pojemności [transp.]
high-capacity chain łańcuch o dużej nośności [masz.]
high capacity elevator przenośnik kubełkowy wysokowydajny [górn.]
high class dobrej jakości [abc]
high cut wybieranie czerparką nadsiębierną [transp.]
high degree of fineness wysoki stopień rozdrobnienia [górn.]
high discharge skip koleba wywrotnicy wieżowej [mot.]
high duty wysokowydajny, wysokosprawnościowy [abc]
high-duty boiler kocioł o dużej wydajności [energ.]
high-duty section of superheater ostatni stopień przegrzewacza [energ.]
high-duty structural part elementy konstrukcyjne o dużej wytrzymałości [masz.]
high-duty structural parts elementy konstrukcyjne o dużej wytrzymałości [masz.]
high-efficiency narrow-section V-belt pas wąskoklinowy wysokosprawny [masz.]
high-electro wysokoindukcyjny [el.]
highest najwyższy, maksymalny [abc]
highest position poziom maksymalny [abc]
highest strength sheet steel blacha stalowa o najwyższej wytrzymałości [masz.]
high flotation tire opona niskociśnieniowa [mot.]
high flow szybki przepływ [mot.]
high frequency filter filtr wielkiej częstotliwości [el.]
high frequency indication wskaźnik wielkiej częstotliwości [el.]
high-frequency induction welding spawanie indukcyjne dielektrycz-

H

ne, zgrzewanie indukcyjne dielektryczne [el.]

high frequency node węzeł wielkiej częstotliwości [el.]

high-frequency welding spawanie dielektryczne, zgrzewanie dielektryczne, spawanie oporowe (*prądami wielkiej częstotliwości*) [met.]

high grade fuel paliwo wysokowzbogacone [energ.]

high idle wysokie obroty biegu jałowego [mot.]

high idle speed maksymalna prędkość obrotowa biegu jałowego [mot.]

high-impact proof wysokoudarowy [abc]

high impedant wielkooporowy [el.]

high lift stacker wózek wysokiego podnoszenia [mot.]

highlight punkt kulminacyjny, szczyt; atrakcja [abc]

high/low lever dźwignia przełącznika stopniowego [mot.]

high-low water level alarm urządzenie alarmowe podwyższenia poziomu wody [energ.]

highly explosive agents środki wybuchowe [wojsk.]

highly mobile ruchliwy, ruchomy [abc]

highly stressed mocno obciążony [abc]

high-moisture coal węgiel o wysokiej wilgotności [energ.]

high of pile wysokość stosu [bud.]

high performance wysokosprawny [abc]

high pitched wysoki [abc]

high power dużej mocy; duża moc [abc]

high-placed body koleba wysokopołożona [mot.]

high pressure wysokie ciśnienie [mot.]

high pressure boiler kocioł wyso-

koprężny [energ.]

high pressure fan dmuchawa wspomagająca [energ.]

high-pressure filter filtr wysokociśnieniowy [mot.]

high-pressure flushing vehicle spłukiwarka wysokociśnieniowa [mot.]

high pressure founding odlew wysokociśnieniowy [transp.]

high pressure hose wąż wysokociśnieniowy [mot.]

high pressure lubrication smarowanie wysokociśnieniowe [mot.]

high pressure preheater podgrzewacz wysokociśnieniowy [energ.]

high pressure rotor wirnik wysokoprężny [energ.]

high pressure stage stopień wysokiego ciśnienia [energ.]

high pressure tyre opona wysokociśnieniowa [mot.]

high priority duże znaczenie, doniosłość, priorytet [abc]

high quality and high grade steel stal wysokogatunkowa i szlachetna [masz.]

high-quality plastic roller rolka z materiału wysokiej jakości [transp.]

high-quality steel stal wyższej jakości [tw.]

high range nadbieg [mot.]

high resistive wielkooporowy [el.]

high revolution rate duża prędkość obrotowa [mot.]

high rupture fuse ochronnik przepięciowy [el.]

high sea pełne morze [mot.]

high-sided open wagon wagon niekryty [mot.]

high speed szybkobieżny, wysokoobrotowy [mot.]

high speed breaking wyłączenie awaryjne, wyłączenie zagrożeniowe [el.]

high speed circuit breaker wyłącznik szybki [el.]
high speed line odcinek szybkiego ruchu [mot.]
high speed steel (HSS) stal szybkotnąca [tw.]
high speed switch wyłącznik szybki [el.]
high strength o dużej wytrzymałości [masz.]
high-strength aluminium alloys stopy na bazie aluminium o dużej wytrzymałości [tw.]
high-strength bolt śruba wysokiej wytrzymałości [masz.]
high strength sheet steel blacha stalowa cienka o dużej wytrzymałości [masz.]
high-strength steel stal o dużej wytrzymałości [tw.]
high-stress brickwork mur o dużym obciążeniu [bud.]
high tech technologia zaawansowana, high tech [abc]
high tech nowoczesny, uwzględniający najnowsze zdobycze techniki [abc]
high temperature corrosion korozja wysokotemperaturowa, korozja gazowa [energ.]
high temperature tensile strength żarowytrzymałość [masz.]
high tensile stabilny o dużej wytrzymałości na rozciąganie [masz.]
high traction duża siła pociągowa [transp.]
high velocity thermocouple pirometr wysokoprędkościowy [energ.]
high volatile bituminous coal węgiel bitumiczny o dużej zawartości części lotnych [energ.]
high voltage wysokie napięcie [el.]
high voltage circuit breaker wyłącznik wysokiego napięcia; odłącznik wysokiego napięcia [el.]

high voltage power pack zasilacz sieciowy wysokonapięciowy [el.]
high voltage switchboard rozdzielnia wysokiego napięcia [el.]
high water level najwyższy poziom wody, maksymalny poziom wody [energ.]
high wear-resistant odporny na zużycie, odporny na ścieranie [górn.]
high-temperature limit of elasticity granica plastyczności w podwyższonej temperaturze [met.]
high-tensile stabilny, o dużej wytrzymałości na rozciąganie [abc]
high-tensile bolt śruba wysokiej wytrzymałości [masz.]
high-tensile steel stal o dużej wytrzymałości [tw.]
high-torque rotary actuator napęd obrotowy [energ.]
high-vacuum casting odlewanie w wysokiej próżni [met.]
high-voltage cable przewód wysokiego napięcia [el.]
high-voltage cables łącze międzymiastowe, łącze dalekosiężne [telkom.]
highway magistrala samochodowa; autostrada; szosa; droga krajowa [mot.]
highway bridge (US) most drogowy [mot.]
hike wędrować [abc]
hike wędrówka [abc]
hill wzgórze, pagórek [geol.]
hill climbing wspinaczka górska [abc]
hill climbing search znajdywanie maksimum funkcji [mat.]
hill gear przekładnia z biegiem górskim [mot.]
hillside road droga stokowa [abc]
hillside slide obsuwanie się zbocza [abc]
hilly pagórkowaty [abc]

H

hi-lo signal alarm sygnał alarmowy wysokiego i niskiego poziomu wody [energ.]

hilt rękojeść [narz.]

hinge przegub; zawiasa [masz.]; (→ bonnet h.; → boot lid h.; → door h.; → glove box h.)

hinge block gniazdo łożyska [transp.]

hinge bracket wspornik czopa obrotowego [transp.]

hinged ustawialny, odchylny [abc]; odchylny, przegubowy [mot.]

hinged beater bijak podwieszony [energ.]

hinged container jigger pin czop nasadzania kontenera składany [mot.]

hinged door klapa okna roboczego pieca [transp.]

hinged fairleader prowadnica rolkowa [mot.]

hinged front window szyba przednia uchylna [mot.]

hinged window szyba obrotowa drzwi przednich [mot.]

hinge hook zawiasa wpuszczana; zawiasa drzwiowa [bud.]

hinge support podpora zawiasy [masz.]

hint wskazówka [abc]

hip biodro [med.]

hip height początek zmiany pochylenia ściany bocznej [mot.]

hip roof dach czterospadowy [bud.]

hire najmować [abc]

hire machine maszyna używana tymczasowo [abc]

hired labour praca najemna [praw.]

hiss syczeć; szumieć [abc]

historical historyczny [abc]

history historia [abc]

history of science historia nauki [abc]

hit and run ucieczka z miejsca wypadku [mot.]

hitch urządzenie cięgłowe, przyrząd cięgłowy [masz.]; zaczep (*złączka, przyrząd cięgłowy*) [abc]

hitch a ride jechać autostopem [mot.]

hitchhike jechać autostopem [mot.]

hitherto dotychczas, dotąd [abc]

hoard<-ing> płot, parkan [abc]

hoarse ochrypły, zachrypnięty [med.]

hoarseness ochrypłość, zachrypnięcie, chrypka [med.]

hock wrench klucz do nakrętek okrągłych z wcięciami [masz.]

hoe motyka [narz.]

hoe dipper łyżka koparki podsiębiernej [transp.]

hog fuel paliwo ekologiczne pozyskiwane ze spalanych odpadów [energ.]

hog fuel firing spalanie odpadów, spalanie śmieci [energ.]

hoist podnosić; unosić [abc]; wciągać, hisować [mot.]

hoist podnoszenie [abc]; żuraw; podnośnik, wyciąg, dźwignik; wciągarka [masz.]; (→ electric h.) winda [masz.]

hoist chain łańcuch dźwigowy [mot.]

hoist cylinder cylinder pompy tłokowej [mot.]

hoisting drum bęben linowy [mot.]

hoisting equipment mechanizm wyciągowy [masz.]

hoisting gear mechanizm podnoszący, urządzenie do podnoszenia [mot.]

hoisting-gear drum bęben wyciągarki [transp.]

hoisting height wysokość podnoszenia [mot.]

hoisting winch wciągarka, maszyna wyciągowa [transp.]

hoist kick-out maksymalna pozycja podnoszenia [mot.]

hoist limiter ogranicznik skoku, ogranicznik posuwu [mot.]

hoist limiting ograniczenie skoku, ograniczenie posuwu [mot.]
hoist limiting valve zawór krańcowy podnoszenia [mot.]
hoist time czas podnoszenia [mot.]
hold zatrzymywać [mot.]; podtrzymywać [transp.]
hold-down bracket wspornik [masz.]
hold ładownia [mot.]; (→ hopper)
holder obsada, podpora [transp.]; wspornik [masz.]; uchwyt, strzemiączko [transp.]
holding wspornik [transp.]
holding brake hamulec zatrzymujący, hamulec przytrzymujący [mot.]
holding clamp klamra przytrzymująca [mot.]
holding fixture urządzenie dociskowe (*np. przy spawaniu*) [met.]
holding rope lina podpierająca [transp.]
holding temperature temperatura ustalona [masz.]
holding time czas utrzymywania (*np. temperatury*) [masz.]
hold out against opierać się [wojsk.]
hold the line nie rozłączać się [telkom.]
hold up podtrzymywać [bud.]
hole otwór [masz.]; (→ bore h.; → manh.; → slotted h.; → tapped h.; → thread h.; → tube h.)
hole pattern szablon do otworów [masz.]
hollow pusty, wydrążony, wklęsły [abc]
hollow axle oś pusta lokomotywy [mot.]
hollow axle probe przycisk kontrolny osi pustej [miern.]
hollow brick cegła pustakowa [bud.]
hollow charge ładunek wydrążony, ładunek kumulacyjny [wojsk.]
hollow-core bolt (→ banjo bolt) śruba rurkowa, śruba drążona [masz.]

hollow cylinder cylinder pusty, cylinder drążony [masz.]
hollow head plug wkręt z łbem z gniazdkiem sześciokątnym; czop z zagłębionym gniazdem [masz.]
hollow key klin wzdłużny wklęsły [masz.]
hollow-pin chain łańcuch ze sworzni otworowych [masz.]
hollow profile (→ hollow section) profil wydrążony, przekrój wydrążony [transp.]
hollow root brak przetopu w grani [masz.]
hollows profile wydrążone [masz.]
hollow sealing ring pierścień uszczelniający wklęsły [mot.]
hollow section profil wydrążony [masz.]
hollow shaft wał pusty, wał drążony, wał przewiercony [masz.]
hollow spot pustka, pusta przestrzeń, luka [abc]
hollow wheel koło zębate wewnętrzne (*o uzębieniu wewnętrznym*) [mot.]
hollow-unit filled with reinforced concrete element łupinowy (*skorupowy*) wypełniony żelbetonem [bud.]
home dom [abc]
home computer (→ personal computer) komputer domowy (*osobisty*) [inf.]
home position położenie spoczynkowe [abc]
home signal semafor wjazdowy [mot.]
homing lot docelowy [mot.]
homogeneous jednorodny, jednolity [abc]
homogeneous differential equation równanie różniczkowe jednorodne [mat.]
homogeneous lead coating pokrywanie ołowiem homogenicz-

H

ne, ołowiowanie homogeniczne [masz.]

homogeneous solution roztwór jednorodny [chem.]

homogenization homogenizacja, ujednorodnianie [transp.]

homogenize homogenizować, ujednoradniać [abc]

hone wygładzać, honować, osełkować [met.]

honed (→ hone, honing) naostrzony [met.]

honey yellow miodowy [norm.]

honeycomb structures struktury plastra pszczelego [masz.]

honing gładzenie, osełkowanie [met.]

honk dawać sygnał, trąbić [mot.]

honorary member członek honorowy [abc]

hood kaptur, kapuza [abc]; kaptur, kołpak; plandeka; pokrycie, pokrywa; osłona, maska, okapotowanie (*silnika*) [mot.]; (→ roof ventilation h.; → ventilation h.; → weather h.)

hood cable linka Bowdena do maski silnika; cięgno Bowdena osłony silnika [mot.]

hood catch zaczep; uchwyt maski, zacisk maski [mot.]

hood covering pokrycie, pokrywa; osłona silnika, obudowa silnika [mot.]

hood door osłona silnika, obudowa silnika [mot.]

hood fastener obsada osłony silnika, uchwyt osłony silnika; zamknięcie maski silnika [mot.]

hood shock amortyzator osłony silnika [mot.]

hook zahaczać, utykać w miejscu [energ.]; (→ crane h.; → snap h.; → steel h).

hook bolt śruba hakowa, śruba z łbem hakowym [mot.]

hook bottom block zblocze dolne, zblocze hakowe [transp.]

hook height wysokość haka [mot.]

hook nail trzpień hakowy, kołek hakowy [masz.]

hook position położenie haka, pozycja haka [transp.]

hook spanner klucz hakowy [masz.]

hook stick wodzik widełek zmiany biegów [mot.]

hook yoke jarzmo haka [transp.]

hoop obręcz płaska [transp.]

hoop guard obejma zabezpieczająca, opaska zabezpieczająca [transp.]

hoop-steel (→ steel strip) taśma stalowa, bednarka; stal obręczowa [masz.]

hopper lej wsypowy, lej zasypowy, lej zasilający [masz.]; zasobnik paliwa; lej doprowadzający, kosz doprowadzający; lej samowyładowczy, kosz samowyładowczy [mot.]; lej, lejek [energ.]; (→ ash h.; → cinder h.; → coal h.; → fly ash h.; → furnace h.; → grit h.; → riddlings h.; → rotary h.; → slag h.)

hopper barges szalandy [transp.]

hopper car wagon dennozsypny, chopper [transp.]

hopper car on rails wózek natorowy dennozsypny [mot.]

hopper car on tracks wózek dennozsypny gąsienicowy [transp.]

hopper discharge conveyor przenośnik odprowadzający (*obsługujący bunkier*) [górn.]

hopper gate valve zasuwa płaska [energ.]

hopper suction dredger pogłębiarka ssąca z pomieszczeniem na urobek [mot.]

hopper wagon wagon samozsypowy; wagon samowyładowczy z dnem siodłowym [mot.]

hopper-type container kontener

typu silosowego [masz.]

horizon horyzont, widnokrąg [abc]

horizontal horyzontalny, poziomy [abc]; poziomy [górn.]

horizontal boring mill wytaczarka pozioma [narz.]

horizontal draught carburetor gaźnik poziomy [mot.]

horizontal drilling mill wytaczarka (*wiertarko-frezarka*) pozioma [narz.]

horizontal guidance prowadnica pozioma [transp.]

horizontal length długość pozioma [transp.]

horizontal line reverser nawrotnik poziomy [transp.]

horizontal rotary grinder szlifierka pozioma [narz.]

horizontal shaft arrangement układ z wałem leżącym [energ.]

horizontal steps schody poziome [transp.]

horizontal superheater przegrzewacz poziomy [energ.]

horizontal type regenerative air preheater regeneracyjny podgrzewacz powietrza, stojący [energ.]

horizontally opposed engine silnik dwurzędowy o cylindrach przeciwległych; silnik w układzie bokser [mot.]

horn klakson; róg [abc]; sygnał talerzowy; sygnał dźwiękowy [mot.]

horn button przycisk klaksonu [mot.]

horn cheek prowadnica łożyska osiowego; szczęka ślizgowa; płoza ślizgowa prowadnicy łożyska osiowego [mot.]

horn parabolic mirror zwierciadło tubowo-praboliczne [telkom.]

horn relay przekaźnik sygnału dźwiękowego [transp.]

horn reset button przycisk zwalniający klakson [transp.]

horn ring pierścień rogu [mot.]

horse koń [bot.]

horse box wóz stajenny [mot.]

horse cart wózek konny [mot.]

horse drawn ciągnięty przez konie [mot.]

horse-drawn wagon pojazd konny [mot.]

horse drive napęd konny [abc]

horseman jeździec [abc]

horsepower koń mechaniczny; KM [mot.]

horse race course tor wyścigów konnych; murawa, na której odbywają się wyścigi koni [abc]

horse railway tramwaj konny [mot.]

horseshoe podkowa [abc]

hose polewać z węża [masz.]

hose wąż, przewód giętki [transp.]; wąż, przewód giętki [masz.]; (→ air intake h.; → armoured h.; → BTR h.; → compressed air h.; → high pressure h.; → hydraulic h.; → medium pressure h.; → PVC-h.; → rubber h.; → special tank h.; → universal pressure h.)

hose assembly układ przewodów giętkich [masz.]

hose clamp opaska zaciskowa węża, zaciskacz do węża [masz.]

hose connector łącznik do przewodu giętkiego, złącze węża [masz.]

hose coupling łącznik do przewodu giętkiego [masz.]

hose diagram schemat (*montażowy*) połączeń przewodów giętkich [masz.]

hose fitting opaska zaciskowa, zacisk [masz.]; sprzęg węża [mot.]

hose fixture osprzęt do węża, armatura do węża; łącznik do przewodu giętkiego, złącze węża [masz.]

hose guide via drum prowadzenie węża przez bęben [mot.]

hose line wąż, przewód giętki [masz.]

H

hose nipple końcówka przewodu giętkiego [mot.]

hose recoiler nawijarka przewodu giętkiego [masz.]

hose socket końcówka przewodu giętkiego [masz.]

hose stowage bracket wspornik sprzęgu hamulcowego [mot.]

hose trough korytko do układania przewodów giętkich [masz.]

hospital szpital [med.]

hospital ship okręt szpitalny [mot.]

hospital ward oddział szpitalny [med.]

host komputer główny, komputer centralny, komputer macierzysty [inf.]

hostage zakładnik [polit.]

hostile nieprzyjacielski, wrogi [abc]

hot gorący [abc]; wysoko aktywny [el.]

hot air current termika [mot.]

hot-air balloon (→ basket) balon na ogrzane powietrze [mot.]

hot air duct kanał ciepłego powietrza, przewód ciepłego powietrza [energ.]

hot-air heating ogrzewanie ciepłym powietrzem [mot.]

hot-air hose przewód giętki ciepłego powietrza [energ.]

hot bearing grease smar łożyskowy stosowany na gorąco [masz.]

hot blast stove nagrzewnica dmuchu [energ.]

hot charging rate wielkość wsadu gorącego [abc]

hot-dip aluminized aluminiowany ogniowo [met.]

hot-dip galvanize cynkować ogniowo; cynkować na gorąco [met.]

hot-dip galvanized cynkowany ogniowo; cynkowany na gorąco [met.]

hot-dip galvanized finished products made of steel prefabrykaty

cynkowane ogniowo [masz.]

hot-dip galvanizing cynkowanie ogniowe; cynkowanie na gorąco [met.]

hot-dip leaded ołowiowany ogniowo [met.]

hot-dip tin-coated strip taśma ocynowana [masz.]

hot-dip zinc-coated cynkowany ogniowo; cynkowany na gorąco [met.]

hot-dip zinc-coated sheet steel blacha ocynkowana na gorąco [masz.]

hot extruded wyciskany na gorąco [met.]

hot face of the boiler ściana wewnętrzna kotła; obmurze kotła [energ.]

hot-formed kształtowany na gorąco [met.]

hot-formed product wyrób odkształcony na gorąco [masz.]

hot galvanized cynkowany ogniowo; cynkowany na gorąco [met.]

hot metal processing equipment urządzenia do obróbki surówki [met.]

hot pressure welding zgrzewanie matrycowe [met.]

hot pull up obciążenie wstępne [energ.]

hot rolled walcowany na gorąco [met.]

hot rolled coils zwoje walcowane na gorąco [masz.]

hot rolled flat bars płaskowniki stalowe walcowane na gorąco [masz.]

hot rolled hollow sections profile wydrążone walcowane na gorąco [masz.]

hot rolled long products wyroby długie walcowane na ciepło [masz.]

hot rolled wide strip taśma szeroka walcowana na gorąco [masz.]

hot strip mill walcownia taśm na gorąco [masz.]
hot treatment obróbka cieplna [met.]
hot-water storage gromadzenie gorącej wody [energ.]
hot well zbiornik skroplin [energ.]
hotel hotel [abc]
hotel platform platforma-hotel [abc]
hot-rolled sheet and plate blacha (*cienka lub gruba*) walcowana na gorąco [masz.]
hot-rolling plant walcownia gorąca [masz.]
hour godzina [abc]; (→ man-hour)
hour counter licznik roboczogodzin [transp.]
hour meter licznik roboczogodzin [abc]; licznik godzin (*pracy*) [transp.]
hourly co godzinę [abc]
hourly paid staff siła robocza wynagradzana od przepracowanego czasu [abc]
hourly wage płaca godzinowa [abc]
house dom [bud.]; (→ boiler house)
house boat barka mieszkalna, koszarka [żegl.]
house flag flaga armatora [mot.]
household gospodarstwo domowe [abc]
household and industrial appliances urządzenia o zastosowaniu domowym i przemysłowym [inf.]
household appliances *całość urządzeń gospodarstwa domowego* [abc]
housing zakwaterowanie, mieszkanie [abc]; osłona; ulokowanie [masz.]; obudowa [energ.]; (→ angle h.; → auxiliary drive h.; → differential h.; → free wheel h.; → gearshift h.; → guide h.; → injection pump h.; → inlet h.; → oil pump h.; → pulverizer h.; → rear axle h.; → spiral h.; → transmission h.; → universal joint h.)

housing development osiedlanie się [abc]
housing locating collar łożysko oporowe śrubowe [masz.]
housing shoulder odsadzenie obudowy [masz.]
housing tolerance tolerancja osłony [masz.]
housing width szerokość zewnętrzna [masz.]
hover szybować, latać, unosić się (*w powietrzu*) [abc]
HP (*high pressure*) wysokie ciśnienie [mot.]; (*hire purchase*) urządzenie użyczone [abc]
h-p rotor (→ high pressure rotor) tłok obrotowy wysokociśnieniowy [masz.]
h-p stage (→ high pressure stage) stopień wysokiego ciśnienia [masz.]
HSE (GB: *Health and Safety Executive*) *stowarzyszenie przedsiębiorstw danej branży działające jako firma ubezpieczeniowa w zakresie ustawowo przepisanego ubezpieczenia od następstw nieszczęśliwych wypadków* [polit.]
hub piasta; piasta kształtowa; piasta koła [mot.]; gniazdo łożyska [transp.]
hub bolt (GB) sworzeń gniazda łożyska [transp.]
hubcap kołpak koła [mot.]
hub cover kołpak koła [mot.]
hub diameter średnica piasty [masz.]
hub flange kołnierz piasty [mot.]
hub puller ściągacz piasty koła [mot.]
hub sleeve tulejka piasty [mot.]
hub with clutch cam piasta z krzywką sprzęgłową [mot.]
huge gigantyczny [abc]
hull kadłub statku [żegl.]; powłoka [mot.]
hum mruczeć, brzęczeć, warczeć [abc]

H

human ludzki, człowieczy, humanitarny [abc]
human factor czynnik ludzkie [abc]
humid wilgotny [abc]
humidity wilgotność; wilgotność powietrza [meteo.]; (→ air humidity)
humid room lamp lampka wilgocioodporna [transp.]
hump (GB) górka rozrządowa [mot.]
hump shunting signal sygnał rozrządzania siłą ciężkości [mot.]
humus content zawartość humusu [gleb.]
humus topsoil humus, próchnica, czarnoziem [gleb.]
hungry boards podwyższenie ścianek skrzyni ładunkowej (*samochodu ciężarowego*) [mot.]
hunter myśliwy [abc]
hunting knife nóż myśliwski [wojsk.]
hunting weapon broń myśliwska [wojsk.]
hurdle płot, płotek [abc]
hurt sprawiać ból [abc]
hush kit tłumik szumów [mot.]
hut barak; schronisko, szałas [bud.]
hutments baraki, zespół baraków [bud.]
hybrid matrix macierz hybrydowa, matryca hybrydowa [el.]
hybrid technology technologia hybrydowa [el.]
hydrate wiązać, zestalać się, tężeć (*np. cement*) [abc]
hydration uwodnienie, hydratacja [chem.]
hydraulic hydrauliczny [abc]
hydraulic adjusting nastawianie hydrauliczne, regulacja hydrauliczna [masz.]
hydraulic backhoe koparka z hydraulicznym napędem elementów roboczych [masz.]; koparka łyżkowa podsiębierna z hydraulicznym napędem elementów roboczych, czerparka łyżkowa podpoziomowa z hydraulicznym napędem elementów roboczych [transp.]
hydraulic brake hamulec hydrauliczny [masz.]
hydraulic breaker kruszarka młotowa hydrauliczna [narz.]
hydraulic bucket czerpak hydrauliczny [narz.]
hydraulic buffer zderzak hydrauliczny [transp.]
hydraulic circuit obwód hydrauliczny [mot.]
hydraulic clutch sprzęgło hydrauliczne [mot.]; (→ h. circuit) obwód hydrauliczny [masz.]
hydraulic control sterowanie hydrauliczne [masz.]
hydraulic control valve zawór sterujący hydrauliczny [masz.]
hydraulic coupling sprzęgło hydrauliczne [mot.]
hydraulic crane żuraw hydrauliczny, dźwig hydrauliczny [transp.]
hydraulic crawler backhoe koparka gąsienicowa z hydraulicznym napędem elementów roboczych [transp.]
hydraulic crawler shovel koparka gąsienicowa z hydraulicznym napędem elementów roboczych [transp.]
hydraulic cushioning cylinder cylinder hydrauliczny z dławikiem [mot.]
hydraulic diameter średnica hydrauliczna [mot.]
hydraulic drive napęd hydrauliczny [mot.]
hydraulic excavator koparka z hydraulicznym napędem elementów roboczych [transp.]
hydraulic fill<-ing> of the dike podsadzanie wału; napełnianie

wału [bud.]

hydraulic gear change hydrauliczne przełączanie biegów, hydrauliczna zmiana biegów [mot.]

hydraulic governor regulator hydrauliczny [masz.]

hydraulic hose przewód giętki hydrauliczny [mot.]

hydraulic impact vibrator wibrator udarowy hydrauliczny [masz.]

hydraulic jack dźwignik hydrauliczny; podnośnik hydrauliczny [mot.]

hydraulic jack lead przewód podnośnika hydraulicznego [mot.]

hydraulic jack pump pompa podnośnika hydraulicznego [mot.]

hydraulic lock blokada hydrauliczna [masz.]

hydraulic locking blokada hydrauliczna, zamknięcie hydrauliczne [masz.]

hydraulic mining shovel ładowarka szuflowa z hydraulicznym napędem elementów roboczych [masz.]; koparka hydrauliczna [górn.]

hydraulic motor silnik hydrauliczny [masz.]; silnik wodny [mot.]

hydraulic multi daylight press prasa hydrauliczna wielopłytowa, prasa hydrauliczna wieloprześwitowa [narz.]

hydraulic oil olej hydrauliczny [mot.]

hydraulic oil filter filtr oleju hydraulicznego [mot.]

hydraulic oil tank zbiornik oleju hydraulicznego [mot.]

hydraulic output moc hydrauliczna [masz.]

hydraulic power moc hydrauliczna [masz.]

hydraulic press prasa hydrauliczna [masz.]

hydraulic pressure ciśnienie hydrauliczne; ciśnienie hydrauliczne; ciśnienie hydrauliczne [masz.]

hydraulic proportional hand control system sterowanie ręczne hydraulicznie zrównoważone [masz.]

hydraulic proportional salvage and hand control system towing cranes hydraulicznie zrównoważone ratownicze dźwigi awaryjny ręcznie sterowane [transp.]

hydraulic pump pompa hydrauliczna, pompa wyporowa [masz.]

hydraulic regulating unit nastawnik hydrauliczny [masz.]

hydraulic servo control serwosterowanie (*hydrauliczne*) [mot.]

hydraulic servo line przewód serwosterowania [mot.]

hydraulic shock absorber amortyzator hydrauliczny [mot.]

hydraulic shovel ładowarka szuflowa z hydraulicznym napędem elementów roboczych; koparka hydrauliczna; koparka z hydraulicznym napędem elementów roboczych [transp.]

hydraulic slewing brake hamulec hydrauliczny mechanizmu obrotu żurawia [mot.]

hydraulic stabilizer stabilizator hydrauliczny [mot.]

hydraulic stop light switch wyłącznik hydrauliczny olejowy światła stop [mot.]

hydraulic structure konstrukcja hydrotechniczna [bud.]

hydraulic system instalacja hydrauliczna, układ hydrauliczny; schemat układu hydraulicznego [masz.]

hydraulic tank zbiornik hydrauliczny [masz.]

hydraulic test próba wodna (*ciśnieniem*) [energ.]

hydraulic torque converter przekładnia hydrokinetyczna, przekładnia hydrauliczna [mot.]

H

hydraulic track adjuster hydrauliczny nastawiacz gąsienicy [mot.]

hydraulic transmission przekładnia hydrauliczna [mot.]

hydraulic unit jednostka hydrauliczna [masz.]

hydraulically balanced hydraulicznie odciążony, hydraulicznie zrównoważony; z hydraulicznym wyrównywaniem ciśnienia [mot.]

hydraulically operated relief valve zawór zwrotny podwójnie rozprężny [mot.]

hydraulics hydraulika; instalacja hydrauliczna [masz.]

hydraulics diagram schemat układu hydraulicznego [mot.]

hydrocarbon węglowodór [chem.]

hydrochloric acid kwas solny [chem.]

hydrodynamic brake hamulec hydrodynamiczny [mot.]

hydrodynamichydraulic pressure ciśnienie hydrodynamiczne [masz.]

hydro-electric power station elektrownia wodna [energ.]

hydrofoil wodolot [żegl.]

hydrogen wodór [chem.]

hydrogen cooling chłodzenie wodorowe [energ.]

hydrogen embrittlement kruchość wodorowa [tw.]

hydrogen sulphide siarkowodór [chem.]

hydro-pneumatic hydropneumatyczny [masz.]

hydrostatic hydrostatyczny [mot.]

hydrostatic test próba wodna [energ.]

hydrotilt nibbler nożyca złomowa [transp.]

hyperbola (→ dissipation hyperbola) hiperbola [mat.]

hyperbola regulation regulacja hiperboliczna [mot.]

hypereutectic nadeutektyczny [tw.]

hypoeutectic podeutektyczny [tw.]

I

I. D. (→ internal diameter) średnica wewnętrzna [abc]

i. d. (US: *inside diameter*) średnica wewnętrzna [abc]

I. D. fan (→ induced draught fan) wentylator wyciągowy [energ.]

i. e. (*id est*) tzn. (*to znaczy*) [abc]

ice chłodzić lodem, studzić lodem [abc]

ice lód [abc]

ice breaker lodołamacz [żegl.]

iceberg góra lodowa [mot.]

ice-cold lodowaty; lodowy [abc]

icefall lodowiec [geol.]

icicle sopel lodu [abc]

icy lodowaty; oblodzony [abc]

ID card dowód osobisty [abc]

ideal curve zakręt doskonały [mot.]

ideal diode dioda idealna [el.]

ideal operational amplifier wzmacniacz operacyjny idealny [el.]

ideal source źródło doskonałe [el.]

ideal transformer transformator doskonały [el.]

identical to identyczny z [abc]

identification identyfikacja; znakowanie; wyznaczanie parametrów [abc]

identification procedure procedura identyfikacji [inf.]

identification using generate-and-test identyfikacja za pomocą generowania i testowania [inf.]

identity plate tabliczka identyfikacyjna [mot.]

idle bieg jałowy; luz [mot.]

idle adjusting screw śruba nastawcza przepustnicy biegu jałowego [mot.]

idle air adjusting screw śruba regulacyjna przepustnicy biegu jałowego [mot.]

idle gear bieg jałowy [mot.]; (→ neutral)

idle jet dysza biegu jałowego [mot.]

idle motion ruch jałowy [mot.]

idle power moc bierna [el.]

idler koło pasowe luźne, koło pasowe jałowe; rolka prowadząca; koło pasowe luźne; wielokątne koło prowadzące; koło zębate pośredniczące [transp.]; koło pasowe pośredniczące; koło łańcuchowe drabinkowe; koło zębate pośrednie [mot.]; koło napinające; naprężacz pasa [masz.];

idler arm dźwignia zwrotnicy pośrednicząca [mot.]

idler boom girlanda [transp.]

idler gear bearing ułożyskowanie koła zębatego pośredniczącego [mot.]

idler <guide> wheel koło pośredniczące [transp.]

idle roller bed przenośnik wałkowy bez własnego napędu [mot.]

idler pulley tarcza dociskowa [masz.]

idler quick release dźwigar girlandy [transp.]

idler shaft oś pośrednicząca [mot.]

idler slide ślizgacz [masz.]

idler tumbler koło pasowe luźne [transp.]

idle running bieg jałowy [mot.]

idler yoke jarzmo koła pasowego [masz.]

idle speed prędkość obrotowa [mot.]

if-needed procedures procedury warunkowe [inf.]

if-then rules reguły warunkowe [inf.]

ignitable zapalny [energ.]

igniter zapłonnik [wojsk.]; (→ gas i.) zapalnik [energ.]

igniter squib spłonka [wojsk.]

igniter time czas zapalenia [abc]

igniting composition mieszanka zapalająca [wojsk.]

ignition zapłon [mot.]

ignition burner palnik zapłonowy [energ.]

ignition cable kabel zapłonowy [mot.]; przewód zapłonowy [wojsk.]

ignition cam krzywka zapłonowa [mot.]

ignition coil cewka zapłonowa [mot.]

ignition control regulacja wyprzedzenia zapłonu [mot.]

ignition distributor rozdzielacz zapłonu [mot.]

ignition distributor shaft wałek rozdzielacza zapłonu [mot.]

ignition key kluczyk zapłonu; kluczyk zapłonowy [mot.]

ignition lock zamek zapłonu [mot.]

ignition switch włącznik zapłonu [mot.]

ignition temperature temperatura zapłonu [energ.]

ignition test próba rozruchowa, próba zapalenia [energ.]

ill chory [med.]

ill adviced źle poinformowany [abc]

illegal line drawings niedopuszczalny rysunek liniowy [inf.]

illegible nieczytelny [abc]

illuminate oświetlać [mot.]

illuminated podświetlony; oświetlony [mot.]

illumination iluminacja [el.]; iluminowanie, oświetlenie [inf.]

illumination constraint zawężenie oświetlenia [inf.]

illustrate ilustrować; przedstawiać na rysunku [abc]

illustration ilustracja [inf.]

illustration in the text rysunek w tekście [abc]

image obraz [el.]

image converter przetwornik obrazowy [el.]

image defect zniekształcenie obrazu [el.]

image drift przesuwanie się obrazu [el.]

image point punkt obrazowy [el.]

image processing przetwarzanie obrazu [inf.]

image storing tube lampa pamięciowa [el.]

image understanding rozpoznawanie obrazów [inf.]

imaginary angle of incidence urojony kąt padania [el.]

imaginary axis oś urojona [mat.]

imaginary number liczba urojona [mat.]

imaginary part część urojona [mat.]

imagination wyobrażenie [abc]

immaculate bezbłędny, bez błędów; nieskazitelny; nie splamiony [abc]

immatriculation przyjęcie; immatrykulacja [abc]

immediately natychmiast [abc]

immerse zanurzać [met.]

immersion bell dzwon nurkowy [hydr.]

immersion tank prasa alkalizacyjna, prasa merceryzacyjna [masz.]

immersion technique technika zanurzeniowa [masz.]

immersion technique probe sonda w technice zanurzeniowej [miern.]

immersion testing testowanie w zanurzeniu [masz.]

immigrant imigrant [polit.]

immigration imigracja [polit.]

Immigration and Naturalizaton Office (US) Biuro Imigracyjne [polit.]

immigration department wydział do spraw imigracji [polit.]

immigration officer urzędnik imigracyjny [polit.]

immigration visa wiza imigracyjna [polit.]

immission models modele imisji [inf.]

immittance inmitancja [el.]

immoral niemoralny [abc]

immortal nieśmiertelny [abc]

impact uderzenie, zderzenie, udar [masz.]; uderzenie [abc]

impact catenary idler przenośnik zasilający łańcuchowy [transp.]

impact crusher kruszarka udarowa; młyn udarowy [narz.]

impact fatigue limit wytrzymałość na zmęczenie udarowe [tw.]

impact force siła zderzenia, siła uderzenia; obciążenie przy uderzeniu [mot.]

impact loss strata wlotowa [energ.]

impact-notch proof odporny na uderzenie, wysokoudarowy [masz.]

impact proof odporny na uderzenie, wysokoudarowy [masz.]

impact pulverizer rozdrabniarka młotkowa [narz.]

impact spanner klucz udarowy [narz.]

impact strength udarność, odporność na uderzenia [tw.]

impact stress obciążenie uderzeniowe [abc]

impact-test próba udarności [miern.]

impact work praca uderzenia [masz.]

impartial bezstronny; neutralny [abc]

impassable nie do przebycia [abc]

impeachment wotum nieufności [prawn.]

impedance impedancja, opór pozorny [el.]; (→ characteristic i.; → surge i.; → transfer i.)

impedance bond dławik szynowy [mot.]

impedance coil dławik [el.]

impedance matrix macierz impedancji [el.]

impedance mismatch niedopasowanie falowania [el.]

impediment inwalidztwo, ułomność, kalectwo [med.]

impeller wirnik; wirnik skrzydełkowy; wirnik napędzany [mot.]

impeller shaft wał wirnika [mot.]

imperial red czerwień żelazowa [norm.]

impermeable nieprzepuszczalny [abc]

impingement attack korozja udarowa [met.]

impingement corrosion korozja udarowa [met.]

implant test próba kołkowa [met.]

implement urządzenie [abc]; narzędzie [narz.]; (→ attachment) osprzęt [transp.]

implement circuit obieg narzędzia [transp.]

implementation implementacja, wdrażanie [inf.]; zastosowanie; realizacja programu [abc]

implementation period czas implementacji, okres implementacji [inf.]

implied zawarty [abc]

imponderabilities rzeczy nieuchwytne [abc]

important istotny; ważny [abc]

impregnate impregnować [met.]

impressed pod wrażeniem [abc]

impressed voltage napięcie doprowadzone [el.]

impressum metryczka [abc]

improve ulepszać, udoskonalać, usprawniać; zwiększać [abc]

improved ulepszony, udoskonalony [abc]; podniesiony, wyższy [masz.]

improved manufacturing opportunities polepszone możliwości produkcji [masz.]

improved wood drewno ulepszone [tw.]

improvement ulepszenie, udoskonalenie [abc]

improvement by hired labour obrót uszlachetniający [prawn.]

improving udoskonalanie, ulepszanie [abc]

impulse impuls prądowy [el.]

impulse counter licznik impulsów [transp.]

impulse coupling sprzęgło zapadkowe [mot.]

impulse current prąd udarowy [el.]

impulser nadajnik impulsów, generator impulsów [transp.]

impulse relay przekaźnik impulsowy [transp.]

impulse voltage napięcie udarowe [el.]

impulse welding spawanie impulsowe [met.]

impurification zabrudzenie; zanieczyszczenie [abc]

impurified brudny; zanieczyszczony; zabrudzony [abc]

in accordance with stosownie do [abc]

in action w akcji [wojsk.]

in case of rain wystąpienie deszczu [abc]

in comparison with w porównaniu z; w zgodności z [abc]

in concert with wspólnie z [abc]

in conjunction with w połączeniu z [abc]

in correspondence with <the> drawing zgodny z rysunkiem [rys.]

in drawing na rysunku [rys.]

in every shape of design klasa kształtu [masz.]

in front z przodu, na przedzie [abc]

in idle na biegu jałowym; na luzie [mot.]

in idle position w położeniu spoczynkowym [mot.]

in lieu of zamiast [polit.]

in light of local conditions w obliczu miejscowych warunków [abc]

in line *leżący na tej samej linii lub płaszczyźnie* [abc]

in loops w wiązkach kabli [el.]

in person osobiście [polit.]

in power przy władzy [polit.]; prawomocny [prawn.]

in proper working condition gotowy do działania [abc]

in reflected image w obrazie odbitym [abc]

in relation to wobec [abc]

in sight na widoku [mot.]

in situ na miejscu [abc]; in situ, w naturalnym miejscu, w pierwotnym położeniu [bud.]; występujący (*na powierzchni*), wystający, otwarty; rodzimy [górn.]

in situ repair naprawa na miejscu [transp.]

in step synchronicznie [abc]; równym krokiem [wojsk.]

in store skład, magazyn [abc]

in the course of w ramach [prawn.]

in the downward direction opadająco [bud.]; do dołu [abc]

in the drawing na rysunku [abc]

in the field w praktyce; praktycznie [abc]; w terenie, na zewnątrz [transp.]

in the illustration przedstawiony obrazowo [abc]

in the line of duty poległy na służbie [polit.]

in the name of w imieniu [abc]

in the roads stać na redzie [mot.]

in the upward direction wznosząco; do góry [abc]

in this way w ten sposób [abc]

in unison równocześnie z [abc]

in writing pisemnie [abc]

inaccurate marking błędne znakowanie [abc]

inalienable nieprzenośny [abc]

inboard bearing łożysko wewnętrzne [mot.]

incandescent plate płyta rozżarzona [masz.]

incapacitation for work niezdolność do pracy [med.]

incendiaries materiał zapalający [wojsk.]

incendiary shell pocisk zapalający [wojsk.]

incense kadzidło [abc]

inch rule calówka [abc]

inches of mercury słupek rtęci, słup rtęci [energ.]

inching powolne przesuwanie małymi skokami; ruch pełzający [mot.]; (→ precision gear)

inching gear napęd pomocniczy do powolnego przesuwania małymi skokami [mot.]

incidence padanie [el.]

incident zajście, zdarzenie, wypadek, incydent [abc]

incident angle kąt padania [inf.]

incident angle of sound kąt padania wiązki dźwiękowej [el.]

incident energy energia akustyczna przypadkowa [el.]

incident report raport policyjny [polit.]

incident wave fala wędrowna przychodząca [el.]

incineration firing spalanie odpadów, spalanie śmieci [energ.]

incineration furnace palenisko na odpady [energ.]

incineration plant spalarnia śmieci [energ.]

incipient crack rysa, zarysowanie [masz.]

incipient crack in thread pęknięcie powierzchniowe gwintu [masz.]

incision nacięcie [transp.]

inclination kąt nachylenia; pochylenie [transp.]; nachylenie [energ.]; (→ incline)

inclination regulator regulator pochylenia [mot.]

incline skłaniać się; pochylać (*się*) [abc]

incline spadek; równia pochyła [mot.]; pochyłość [geol.]; pochylenie [transp.]

inclined pochyły, nachylony ukośny, na ukos; pochylony [abc]; nachylony [geol.]

inclined gauge ciągomierz różnicowy [energ.]; limimetr, minimetr [mot.]

inclined grate ruszt pochyły [energ.]

inclined ramp zrzutnia pochyła, pochylnia [bud.]

inclined reflection odbicie ukośne [el.]

inclined shaft szyb pochyły [górn.]

inclined track pad nakładka skośna (*ogniwa gąsienicy*) [transp.]

include zawierać [abc]; włączać [mot.]; otaczać [masz.]

including compaction łącznie z uszczelnieniem [bud.]

inclusions wtrącenia [min.]

incoming data flow przepływ danych wejściowych [inf.]

incoming supply doprowadzenie [el.]

incomplete combustion spalanie niezupełne [energ.]

incomplete fusion niedostateczne wtopienie [met.]

incomplete joint penetration przetop niepełny [met.]

incomplete penetration niewłaściwy wtop, niewłaściwy przetop [met.]

incomprehensible niezrozumiały; niepojęty [abc]

incorporation włączenie; stowarzyszenie, związek, zrzeszenie, organizacja, korporacja [abc]

incorrect błędny; nieprawidłowy [abc]

incorrectly fitted nieprawidłowo zamontowany [met.]

increase podnosić [abc]

increase przyrost [abc]; zwiększenie; podniesienie; wzrost [energ.]; wznios [transp.]

increased by powiększony o [abc]

increased demand zwiększone obciążenie [transp.]

increase diameter zwiększać średnicę [energ.]

increased-power rated o zwiększonej wydajności [abc]; zwiększanie mocy [mot.]

increased pressure lift zwiększona siła nośna [mot.]

increased pressure lift circuit wzmacniacz siły nośnej, wzmacniacz siły udźwigu, wzmacniacz siły wyciągowej; regulacja wzmocnienia siły nośnej, regulacja wzmocnienia siły udźwigu, regulacja wzmocnienia siły wyciągowej [transp.]

increasing rosnący [abc]

incremental model model przyrostowy [el.]

incremental system development przyrostowe rozbudowywanie systemu [inf.]

incriminate obciążać [polit.]

indefinite admittance matrix nieokreślona macierz admitancji [el.]

indent number numer serii [abc]

independent samodzielny; niezależny [abc]

independent circuit układ niezależny [masz.]

independent division niezależny dział w przedsiębiorstwie [abc]

independent suspension niezależne zawieszenie kół [mot.]

index indeks; spis treści; liczba znamionowa, liczba charakterystyczna, wskaźnik; indeks rzeczowy, skorowidz rzeczowy [abc]

India rubber kauczuk naturalny [abc]

Indian ink tusz [abc]

indicant wave fala bieżąca [el.]

indicate wskazywać [el.]; dawać sygnał kierunkowskazem [mot.];

wskazywać na, zwracać uwagę na [abc]
indicated wskazany, podany; pokazany, wyświetlony [abc]
indicating label znak informacyjny [abc]
indicating measuring instrument wskaźnikowy przyrząd pomiarowy [miern.]
indicating thermometer termometr wskaźnikowy [miern.]
indication wskazówka [abc]; wskazanie [el.]
indicative pouczający, instruktywny, ciekawy; wymowny; charakterystyczny [abc]
indicator przyrząd wskazujący, wskaźnik, czujnik; wskaźnik stały [el.]; miernik wskazówkowy, przyrząd wskazujący [miern.]; kierunkowskaz migowy, kierunkowskaz świetlny; wskazówka, strzałka [mot.]; kierunkowskaz; sygnalizator optyczno-akustyczny [transp.]; (→ liquid meter i.; → remote liquid level i.; → weighing i.; turn i.)
indicator arm ramię wskaźnika [abc]
indicator board tablica rozdzielcza, pulpit operatora [abc]
indicator instrument przyrząd wskazujący, wskaźnik [el.]
indicator lamp lampka kontrolna [mot.]; (→ oil pressure i. l.)
indicator light in fault indicator tableau wskaźnik świetlny na tablicy sygnalizującej zakłócenia, wskaźnik świetlny na pulpicie sterowniczym [transp.]
indicator light lampka sygnalizacyjna, lampka wskaźnikowa; wskaźnik świetlny [el.]; lampa sygnalizacyjna [transp.]
indicator panel tablica wskaźników [abc]
indicator test czujnik [transp.]

indictment oskarżenie [polit.]
indigenization udział w produkcji [abc]
indigenous lokalny; krajowy [abc]
indigenous construction methods miejscowy rodzaj zabudowy, lokalny rodzaj zabudowy [bud.]
indirect lighting oświetlenie pośrednie [el.]
indispensable niezbędny [abc]
individual colour coat painting powłoki malarskie dzielone [mot.]
individual control sterowanie jednostkowe [mot.]
individual drive napęd jednostkowy [mot.]
individual legal liability osobista ustawowa odpowiedzialność cywilna [prawn.]
individual load obciążenie skupione [transp.]
individual part część pojedyncza [abc]
individual plan plan indywidualny [abc]
individual pressure regulation regulacja indywidualna ciśnienia [mot.]
individual task zadanie pojedyncze [abc]
indoor escalator schody ruchome wewnętrzne [transp.]
indoor installation instalacja wewnętrzna [energ.]
indoor swimming pool pływalnia kryta [abc]
indoor unit instalacja wewnętrzna [energ.]
induced draught fan wentylator wyciągowy [energ.]
inductance indukcyjność [el.]; (→ coupled i.)
induction coil cewka indukcyjna [mot.]
induction hardened hartowany indukcyjnie [met.]

induction heuristic heurystyka indukcyjna [inf.]
inductive indukcyjny [el.]
inductive distance recorder indukcyjny rejestrator odległości [miern.]
inductive hardening hartowanie indukcyjne [masz.]
inductive tyre heater podgrzewacz indukcyjny [masz.]
inductively hardened hartowany indukcyjnie [met.]
indusi indukcyjne hamowanie pociągu [mot.]
industrial and motor-cycle shock absorber amortyzator przemysłowy i motocyklowy [mot.]
industrial automation automatyzacja przemysłowa [masz.]
industrial demolition rozbiórka (*zakładu przemysłowego*) [bud.]
industrial law prawo pracy [prawn.]
industrial machines maszyny przemysłowe [masz.]
industrial products produkty przemysłowe [abc]
industrial pump pompa przemysłowa [masz.]
industrial railway kolej zakładowa; kolej wewnętrzzakładowa [mot.]
industrial robot robot przemysłowy [el.]
industrial rubber guma przemysłowa [tw.]
industrial waste odpady przemysłowe [rec.]
inert bezwładny [abc]
inert-gas metal-arc welding spawanie elektrodą topliwą w osłonie gazów obojętnych [met.]
inertia bezwładność, inercja [abc]
inertia welding zgrzewanie (*tarciowe*) inercyjne [met.]
inevitable nieunikniony [abc]
infantry piechota [wojsk.]
infection infekcja [med.] (→ bacte-

rial i.; → blood i.)
infectious zaraźliwy, zaraźliwy [med.]
inference net sieć wnioskowań [inf.]
inferences wnioskowanie [inf.]
inferior niskowartościowy, małowartościowy, gorszej jakości, gorszy [abc]
inferiority niższość [abc]
inferiority complex kompleks niższości [med.]
infight zwarcie [abc]
infinitely variable bezstopniowy [abc]
infinitely variable change-speed gear przekładnia bezstopniowa [masz.]
infinitely variable speed regulation regulacja ciągła prędkości obrotowej [energ.]
inflame rozgorzeć [abc]
inflammable zapalny [met.]; palny [wojsk.]; łatwopalny [abc]
inflatable nadmuchiwany [abc]
inflate nadmuchiwać, napełniać gazem [abc]
influence wpływ [abc]
informatics nauki informatyczne; informatyka [inf.]
information informacja; wyjaśnienie; dane [abc]; (→ technical i.)
information manager kierownik działu przetwarzania danych [inf.]
information resource management zarządzanie bazami danych [inf.]
information technology technika informacyjna [telkom.]
infrastructure infrastruktura [abc]
ingeneous rock skały magmowe [min.]
ingot wlewek; kokila, forma metalowa [masz.]
ingot casting odlewanie wlewków [masz.]
ingredient składnik [abc]
ingress wnikać [abc]

I

ingress wnikanie [abc]
inhabited zamieszkały [abc]
inherent moisture wilgoć własna; zawartość wilgoci własnej [energ.]
inherent resistance oporność właściwa [masz.]
inherent time czas własny [masz.]
inherent vice wadliwy [prawn.]
inheritance dziedziczenie [inf.]
inhibitor inhibitor [chem.]
inhibitor mixture mieszanka inhibicyjna [chem.]
inhomogeneous materials materiały niejednorodne [tw.]
inhomogeneous wave fala poprzeczna gasnąca [masz.]
in-house wewnętrzny [abc]
in-house escalator (→ indoor escalator) schody ruchome wewnętrzne [transp.]
inhouse network lokalna sieć komputerowa [inf.]
initial casting odlewać próbnie [masz.]
initial cast specimen próbka pierwszego odlewu [masz.]
initial data dane źródłowe, dane początkowe [abc]
initial digging position pozycja wyjściowa do kopania [transp.]
initial investment koszty środków trwałych, koszty nakładowe, koszty inwestycyjne [energ.]
initial position położenie zerowe [energ.]; pozycja wyjściowa [transp.]
initial pressure ciśnienie początkowe [energ.]
initial pulse impuls nadawczy [el.]
initial pulse indication wskazanie impulsu nadawczego [el.]
initial stressing naprężenie wstępne, naprężenie początkowe [masz.]
initial torque moment dokręcający początkowy, moment dociągający początkowy [tw.]
initiate powodować, sprawiać [abc]

initiator czujnik bezdotykowy [transp.]; inicjator; sprawca [abc]
inject wtryskiwać [mot.]
injection control housing osłona przestawiacza wtrysku [mot.]
injection control hub piasta przestawiacza wtrysku [mot.]
injection engine silnik z wtryskiem paliwa [mot.]
injection moulding formowanie wtryskowe [masz.]
injection nozzle dysza wtryskowa [abc]; dysza wtryskowa [mot.]
injection pipes instalacja wtryskowa [mot.]
injection pump pompa wtryskowa [mot.]
injection pump barrel korpus pompy wtryskowej [mot.]
injection pump housing osłona pompy wtryskowej [mot.]
injection pump plunger tłok pompy wtryskowej [mot.]
injection pump upper housing górna osłona pompy wtryskowej [mot.]
injection system urządzenie wtryskowe; układ wtryskowy [mot.]
injection timing collar nasuwka przestawiacza wtrysku [mot.]
injection timing mechanism przestawiacz wtrysku [mot.]
injection valve zawór wtryskowy; zawór wtrysku paliwa [mot.]
injection valve body obsada wtryskiwacza; wtryskiwacz [mot.]
injector wtryskiwacz [masz.]; dysza paliwa [mot.]
injector push tube dźwignia popychacza wtryskiwacza [mot.]
injector rocker lever dźwignia zaworowa wtryskiwacza [mot.]
injector valve zawór wtryskiwacza, zawór iniektora [mot.]
injury uszkodzenie [abc]
ink tusz [abc]
inking ribbon taśma barwiąca [abc]

inlaid work intarsja; inkrustacja [abc]
inland waterway śródlądowa droga
  wodna [mot.]
inland waterway transportation
  transport wodami śródlądowymi,
  transport śródlądowy [mot.]
inlet wlot, otwór wlotowy [mot.];
  otwór wlotowy [masz.]; wejście;
  strona ssąca; króciec ssący, króciec
  ssawny; (→ handrail i.)
inlet and exit losses straty wlotowe
  i straty wylotowe [energ.]
inlet bell stożek wlotowy [aero.]
inlet camshaft wał krzywkowy wlotu [mot.]
inlet connection króciec wlotowy
  [mot.]
inlet guide vane łopatka kierownicza [mot.]
inlet guiding cone stożek wlotowy
  [masz.]
inlet header kolektor wejściowy
  [energ.]
inlet housing osłona wlotu [mot.]
inlet pipe extension przedłużenie
  rury ssącej, przedłużenie rury
  ssawnej [mot.]
inlet port wlot [masz.]
inlet relief valve zawór nadmiarowy wlotowy [mot.]
inlet side strona wlotowa lub wylotowa w pompach [mot.]; króciec
  ssący, króciec ssawny [energ.]
inlet valve zawór wlotowy [mot.]
inlet valve cap zamknięcie gwintowe zaworu wlotowego [mot.]
in-line połączony szeregowo [el.]
in-line check valve zawór zwrotny
  prosty [mot.]
in-line engine silnik jednorzędowy
  [mot.]
in-line switching połączony szeregowo [mot.]
inner base point punkt bazowy wewnętrzny [el.]
inner courtyard dziedziniec [transp.]

inner cover dętka [mot.]
inner decking pokrycie wewnętrzne; listwa zakrywająca wewnętrzna
  [transp.]; uzębienie wewnętrzne
  [mot.]
inner link ogniwo wewnętrzne
  [masz.]
inner plate nakładka wewnętrzna
  [masz.]
inner race pierścień obrotowy wewnętrzny [mot.]; pierścień wewnętrzny wolnego koła [masz.]
inner resistance opór wewnętrzny
  [el.]
inner resistor opornik wbudowany
  [el.]
inner ring pierścień wewnętrzny
  [masz.]; (→ free wheel i. r.)
inner track roller frame bearing
  podpora ramy mechanizmu napędowego [masz.]
inner tube dętka; dętka opony
  [mot.]
inner tube valve fitting poprzeczka
  zaworu powietrznego dętki; wkładka zaworu powietrznego dętki
  [mot.]
inner tube valve with dust cap zawór powietrzny dętki z pokrywą
  przeciwpyłową [mot.]
inner valve spring wewnętrzna
  sprężyna zaworowa [mot.]
inner wall of boiler ściana wewnętrzna kotła, obmurze kotła [energ.]
inner wall of boiler brickwork
  ściana wewnętrzna obmurza kotła [energ.]
inner yard plac wewnątrz; dziedziniec [transp.]
innovation innowacja; nowość [abc]
innovative innowacyjny [abc]
input wprowadzanie danych; wprowadzenie [inf.]; wejście [mot.]; pobór (*mocy*) [el.]; (→ dividing i.)
input components części składowe
  wejścia [masz.]

I

input connection połączenie wlotowe [mot.]
input filter filtr wejściowy [mot.]
input gear przekładnia zębata wejścia [mot.]
input layout maska wprowadzania [inf.]
input memory pamięć wejściowa [inf.]
input/output damping tłumienność przesyłania [masz.]
input/output voltage napięcie wejściowe/wyjściowe; napięcie na wejściu/wyjściu, napięcie wejścia/wyjścia [el.]
input queue kolejka wejściowa [inf.]
input shaft extension czop końcowy wału napędowego [mot.]
input shaft wał wejściowy [mot.]
input stage stopień wejściowy [mot.]
input voltage napięcie wejściowe [el.]
inquire again dopytywać się [abc]
inquiries informacja telefoniczna [telkom.]
inquiry zapytanie [abc]
inscription inskrypcja [abc]; opis [bud.]
inscription as provision against new hazards ubezpieczenie prewencyjne [prawn.]
in-seat starting uruchamianie z fotela kierowcy [mot.]
insect damage szkoda wyrządzona przez szkodniki [bot.]
insecticide środek owadobójczy [bot.]
insert wkładać; wprowadzać [abc]; wstawiać [inf.]
insert wkładka [abc]; wkładka [el.]; (→ straight i.)
insertable panels blachy stalowe wtykane [masz.]
inserted floor strop zwykły ze ślepym pułapem; strop listwowy [bud.]

inserting tooth (→ socket-type tooth) ząb wstawiany [transp.]
insertion zamieszczenie ogłoszenia [abc]; udzielenie zlecenia [prawn.]; wsunięcie [energ.]
insertion of subcontractors and truck lines udzielenie zlecenia podwykonawcom i przewoźnikom (*spedytorom*) [prawn.]
inside wewnątrz [abc]; wewnątrz [energ.]
inside access wejście wewnątrz [mot.]
inside balustrade balustrada wewnętrzna [transp.]
inside balustrade lighting oświetlenie balustrady wewnętrznej [transp.]
inside band brake hamulec taśmowy wewnętrzny [mot.]
inside calipers macki wewnętrzne [energ.]
inside coating powłoka lakiernicza wewnętrzna [mot.]
inside coil diameter średnica wewnętrzna kręgu [masz.]
inside cone gniazdo stożkowe [masz.]
inside diameter przekrój poprzeczny; średnica wewnętrzna (*rury*) [masz.]
inside door handle klamka wewnętrzna [mot.]
inside door panel płyta drzwiowa wewnętrzna, płat drzwiowy wewnętrzny [mot.]
inside length długość wewnętrzna [masz.]
inside of the turn wewnętrzna strona zakrętu [mot.]
inside panel blacha wewnętrzna [mot.]
inside roof lining podsufitka [mot.]
inside round weld spoina wewnętrzna okrągła [met.]
inside shoe brake hamulec szczę-

kowy wewnętrzny [mot.]

inside slope pochylenie wewnętrzne [masz.]

inside surface of pipe powierzchnia wewnętrzna rury [masz.]

inside temperature temperatura wnętrza [masz.]

inside threading gwintowanie wewnętrzne [masz.]

inside uncoated wewnątrz nieobrobiony [masz.]

insisting nieustępliwy [abc]

insoluble nierozpuszczalny [abc]

inspect dokonać przeglądu; doglądać [abc]; kontrolować; sprawdzać [energ.]

inspection kontrola [transp.]; obchód kontrolny dozoru [energ.]; inspekcja [abc]; kontrola [bud.]; (→ boiler routine i.; → routine i.; → rudimentary i.; → visual i.)

inspection bay pomieszczenie warsztatowe [abc]

inspection control panel tablica kontrolna [transp.]

inspection control switchbox skrzynka kontrolna [transp.]

inspection cover pokrywa wziernika [transp.]

inspection door drzwiczki kontrolne [energ.]

inspection engine lokomotywa inspekcyjna [mot.]

inspection glass wziernik [energ.]

inspection hole cover pokrywa wziernika [mot.]

inspection lamp lampa (*samochodowa*) przenośna [mot.]

inspection of semi-finished products kontrola półwyrobów, sprawdzanie półwyrobów [masz.]

inspection of welds kontrola spoin, kontrola złączy spawnych [met.]

inspection port wziernik [abc]

inspection reliability rzetelność kontroli [masz.]

inspection run bieg kontrolny [transp.]

inspection-run cable kabel kontrolny przenośny [transp.]

inspection run operating mechanism przyrząd sterowniczy kontroli ruchu [transp.]

inspection switch przełącznik kontrolny [transp.]

inspection travel jazda kontrolna [transp.]

inspection travel relay przekaźnik jazdy kontrolnej [transp.]

inspection trolley wózek kontrolny [bud.]

install instalować [mot.]

installation instalacja; montaż; zainstalowanie [met.]; ponowne wprowadzenie [energ.]; (→ example of i.; → faulty i.)

installation and functional section zakres montażowy i czynnościowy [abc]

installation condition warunek montażu [mot.]

installation dimension rozmiar montażowy [transp.]

installation guide instrukcja montażu [met.]

installation instruction instrukcja montażu [met.]

installation length długość wbudowania [masz.]

installation of bearing montaż łożyska [mot.]

installation place miejsce instalacji [transp.]

installation point punkt montażu [transp.]

installation position pozycja montażowa [mot.]

installation section zakres montażu [met.]

installation site stanowisko montażowe [met.]

installed zainstalowany [met.]

install facilities montować podłączenia [abc]

install utilities montować podłączenia [abc]; uzbrajać (*np. działkę*) [bud.]

instance egzemplarz; tworzyć nowy egzemplarz; tworzyć nowy obiekt [inf.]

instance variable egzemplarz zmienny [inf.]

instantaneous chwilowy [abc]

instantaneous frequency częstotliwość chwilowa [el.]

instantaneous power moc chwilowa; wartość rzeczywista mocy [el.]

instantaneous tripping wyzwalanie natychmiastowe, wyzwalanie bezzwłoczne [el.]

instantaneous value wartość chwilowa, wartość rzeczywista [el.]

instruct instruować [abc]

instruction instrukcja; wytyczna [abc]; (→ operating i.) instrukcja [energ.]

instructional purposes cele instruktażowe [abc]

instructions for manufacture cancelled wytyczne produkcji anulowane [abc]

instructions for treatment sposób obróbki [abc]

instructor instruktor [abc]

instrument instrument [abc]; przyrząd [masz.]; (→ recording strip i.)

instrument cabinet earthing uziemienie szafy rozdzielczej [el.]

instrument cabinet level poziom szafy rozdzielczej [el.]

instrument housing osłona skrzynki z wyposażeniem [el.]

instrument panel skrzynka przyrządów (*pomiarowo-kontrolnych*); tablica przyrządów (*pomiarowo-kontrolnych*) [abc]; deska rozdzielcza; tablica przyrządów; tablica rozdzielcza [mot.]

instrument panel equipment wyposażenie tablicy przyrządów [mot.]

instrument panel guard osłona tablicy rozdzielczej; osłona przyrządów [mot.]

instrument panel lamp lampa tablicy przyrządów [mot.]

instrument panel support podpórka deski rozdzielczej [mot.]

instrument tapping point stanowisko pomiarowe [mot.]

insufficient length niedomiar długości [abc]

insufficient thickness *spoina o niewystarczającej grubości* [masz.]

insulate tamować, tłumić, izolować [bud.]

insulated izolowany [masz.]

insulated pliers szczypce izolacyjne [narz.]

insulating izolowanie [masz.]

insulating insert wkładka izolacyjna [mot.]

insulating material materiał izolacyjny [bud.]

insulation izolacja [bud.]; izolowanie [el.]; izolowanie [masz.]

insulation cladding osłona izolacyjna [energ.]

insulation group grupa izolacji [transp.]

insulation jacketing koszulka izolacyjna [energ.]

insulation monitoring kontrolowanie izolacji [el.]

insulation tape taśma izolacyjna [el.]

insulation tile płytka izolacyjna [mot.]

insulator izolator; nieprzewodnik; dielektryk [el.]

insulted obrażony [abc]

insurance ubezpieczenie [prawn.]

insurance agreement umowa ubezpieczenia [prawn.]

insurance as provision against new hazards ubezpieczenie prewencyjne na wypadek nowego ryzyka [prawn.]

insurance broker agent ubezpieczeniowy [prawn.]

insurance business działalność ubezpieczeniowa [prawn.]

insurance claims roszczenia z tytułu ubezpieczenia [prawn.]

insurance department oddział towarzystwa ubezpieczeniowego [prawn.]

insurance fees koszty ubezpieczenia [prawn.]

insurance policy polisa ubezpieczeniowa [prawn.]

insurance-policy number numer polisy ubezpieczeniowej [prawn.]

insurance premium składka ubezpieczeniowa [prawn.]

insurance-protection ochrona ubezpieczeniowa [prawn.]

insurance tax podatek od ubezpieczeń [prawn.]

insured ubezpieczony [prawn.]

insurer ubezpieczyciel (*podmiot ubezpieczenia*) [prawn.]

intake wlot, otwór wlotowy [mot.]; strona ssąca, ssanie; króciec ssący, króciec ssawny [energ.]

intake air crossover przewód wlotowy [mot.]

intake and exhaust manifold kolektor ssący i wydechowy [mot.]

intake crossover przewód łączący wlotowy [mot.]

intake guide lej wlotowy [masz.]

intake line przewód doprowadzający [masz.]

intake manifold kolektor dolotowy, kolektor ssący; przewód wlotowy rozgałęziony [mot.]

intake pipe rura ssąca, rura ssawna [mot.]

intake port kanał zasysania; otwór wlotowy [mot.]

intake side strona wlotowa [masz.]

intake silencer tłumik hałasu na wlocie [mot.]

intake stroke suw ssania [mot.]

intake valve zawór wlotowy [mot.]

intake valve seat gniazdo zaworu wlotowego [masz.]

intake valve spring sprężyna zaworu wlotowego [masz.]

integral fan mill młyn udarowy wirnikowy [energ.]; rozdrabniarka młotkowa [energ.]

integral oiler układ smarowania centralnego [transp.]

integral thread gwint [mot.]

integrally cast flange kołnierz przylany, kołnierz zintegrowany, połączenie kołnierzowe przylane [masz.]

integrally forged flange kołnierz przykuty, połączenie kołnierzowe kute [masz.]

integrated zintegrowany [abc]

integrated circuit obwód scalony [el.]

integrated data processing zintegrowane przetwarzanie danych [inf.]

integrated software development zintegrowane udoskonalanie oprogramowania [inf.]

integrated temporary staff robotnik użyczony zintegrowany [prawn.]

integrated tooth shank zintegrowany uchwyt zęba [mot.]

integration integracja [polit.]

integration method metoda integracyjna [abc]

integrator integrator [el.]

integrity constraint warunki niepodzielności [inf.]

intelligence test test na inteligencję [inf.]

intelligent wykształcony; rozumny [abc]

intensity jaskrawość obrazu [inf.]; natężenie [fiz.]

intensity method system gęstościowy zapisywania [el.]

intensity modulation modulacja natężenia [el.]

intensity of illumination natężenie oświetlenia [transp.]

intensive (→ labour-intensive) intensywny [abc]

intensive care oddział intensywnej terapii [med.]

intent zamiar, premedytacja [prawn.]

intentional umyślny, rozmyślny, celowy [abc]

inter office communication komunikacja biurowa [inf.]

interaction wzajemne oddziaływanie [masz.]

interaction techniques techniki interakcji [inf.]

interburden przerost płonny; międzywarstwa [górn.]

intercalation przerost płonny [górn.]

intercept przechwytywać [el.]

intercepting ditches rowy odwadniające [bud.]

interchangeability zamienność [energ.]

interchangeable zamienny, wymienny [masz.]

interchangeable high-sided/flat waggon wagon towarowy uniwersalny, wagon towarowy wieloprzeznaczeniowy [mot.]

inter-company order zamówienie wewnętrzne; zlecenie wewnętrzne [abc]

interconnect łączyć wzajemnie [mot.]

intercooler chłodnica międzystopniowa [mot.]

interdiction nakaz; znak zakazu [transp.]

interdiction plate znak nakazu [transp.]

interest groups grupy interesów [inf.]

interest in ore mining companies udziały w spółkach wydobywających rudę [ekon.]

interface złącze standardowe, interfejs [inf.]; (→ data i.; → English i.; → user i.)

interface signal sygnał sprzężenia [inf.]

interfere ingerować [abc]

interference zakłócenie [el.]

interference blanking wyciszanie zakłóceń z sygnału [mot.]

interference factor czynnik interferencyjny [el.]

interference fringes wzór taśmy [masz.]

interference pattern obraz interferencyjny [el.]

interference suppression eliminacja zakłóceń [el.]

interference suppressor eliminator zakłóceń [mot.]

interfering wave fala zakłóceniowa [el.]

interferometer interferometr [el.]

interim machine maszyna tymczasowa [abc]

interim piece przekładka [transp.]

interim position położenie pośrednie [mot.]

interim storing przechowywanie tymczasowe [abc]

interim transportation transport pośredniczący [mot.]

interior wyposażenie wnętrza; urządzenie wnętrza [mot.]; strefa środkowa, wnętrze [masz.]

interior canals przestrzeń wewnętrzna [masz.]

interior lit oświetlony wewnętrznie [transp.]

interior of earth wnętrze ziemi [min.]

interior panel balustrada wewnętrzna [transp.]

interlock blokować, ryglować [energ.]; nacinać zęby, obrabiać

koła zębate, zazębiać (*się*) [masz.]
interlock ball kulka rygla [mot.]
interlock device urządzenie ryglujące [mot.]
interlocking naciąganie, napinanie, naprężanie, mocowanie [masz.]
interlock plug zatyczka rygla [mot.]
interlock spring sprężyna rygla [mot.]
intermediate balustrade balustrada pośrednia [transp.]
intermediate conveyor car wózek pośredni przenośnika [transp.]
intermediate cooling chłodzenie pośrednie [transp.]
intermediate decking pokrycie pośrednie [transp.]
intermediate echo of semi-maximum amplitude echo pośrednie o połowie amplitudy maksymalnej [el.]
intermediate exhaust flap klapa wylotowa pośrednicząca [mot.]
intermediate flange tarcza pośrednicząca [mot.]
intermediate gear koło zębate pośredniczące [mot.]
intermediate gearing przekładnia zębata międzystopniowa [mot.]
intermediate support stabilizator pośredni [transp.]
intermediate timing gear koło zębate pośredniczące [mot.]
intermediate train zespół walcarek pośrednich [abc]
intermittent przerywany; o nieciągłym działaniu [transp.]
intermittent assembly line ciąg produkcyjny, ciąg technologiczny [masz.]
intermittent contact styk chwiejny; styk przerywany [el.]
intermittent operation praca przerywana [transp.]
internal wewnętrzny [abc]
internal and external <surface>

flaw wada wewnętrzna i zewnętrzna [masz.]
internal band brake hamulec taśmowy wewnętrzny [mot.]
internal broach przeciągacz [narz.]
internal cleaning czyszczenie wnętrza [energ.]
internal combustion engine silnik spalinowy wewnętrznego spalania [mot.]
internal cone stożek wewnętrzny [mot.]
internal cone pin wewnętrzny czop stożkowy [transp.]; trzpień stożkowy [masz.]
internal designation plate drogowskaz wewnętrzny [abc]
internal diameter średnica wewnętrzna [abc]
internal energy energia wewnętrzna [energ.]
internal expanding brake hamulec sprzęgowy wewnętrzny [transp.]
internal frequency częstotliwość wewnętrzna [fiz.]
internal gear uzębienie wewnętrzne [masz.]; koło o uzębieniu wewnętrznym [mot.]
internal geared wheel koło zębate wewnętrzne (*o uzębieniu wewnętrznym*) [mot.]
internal gearing uzębienie wewnętrzne [mot.]
internal grinding szlifowanie otworów [mot.]
internal lipped ring wewnętrzna uszczelka wargowa [mot.]; pierścień samouszczelniający wargowy [masz.]
internal logistics logistyka wewnątrzzakładowa [abc]
internal longitudinal flaw wada wzdłużna wewnętrzna [met.]
internally geared wheel koło zębate o uzębieniu wewnętrznym [mot.]

I

internally toothed hub piasta o uzębieniu wewnętrznym [masz.]

Internal Market (→ Single Market) rynek wewnętrzny Europy, europejski rynek wewnętrzny [polit.]

internal measuring gauge mikrometr wewnętrzny [miern.]

internal motor drive wirnik w silniku Wankla [transp.]

internal plant urządzenie wewnętrzne [transp.]

internal ring pierścień wewnętrzny [masz.]

internal sorting sortowanie wewnętrzne [inf.]

internal structure struktura wewnętrzna [rys.]

internal thread gwint wewnętrzny; gwint nakrętki [masz.]

internal toothing uzębienie wewnętrzne [mot.]

international międzynarodowy [abc]

International Chamber of Commerce Międzynarodowa Izba Handlowa [ekon.]

international flight lot międzynarodowy [mot.]

international loading gauge międzynarodowa skrajnia ładunkowa [mot.]

International Organization for Standardization (ISO) Międzynarodowa Organizacja Normalizacyjna [mot.]

international sourcing umiędzynarodowienie zakupów [abc]

International Standardizing Association (I.S.A.) Międzynarodowe Stowarzyszenie Normalizacyjne [mot.]

international standards normy międzynarodowe [inf.]

international standing uznanie międzynarodowe [abc]

interpass temperature temperatura warstw pośrednich [met.]

interphase stadium pośrednie [abc]

interpose wstawiać [energ.]; łączyć wzajemnie [mot.]

interpret interpretować, tłumaczyć, objaśniać [abc]

interpretation interpretacja, wykładnia; tłumaczenie [abc]; interpretacja [inf.]

interpreter program interpretujący; interpreter [inf.]; tłumacz [abc]

interpreter's certificate dyplom tłumacza [abc]

interpreter's examination egzamin na tłumacza [abc]

interprocess communication komunikacja międzyprocesowa [inf.]

interrogate zapytywać [telkom.]; przesłuchiwać, badać [polit.]; żądać [inf.]

interrogating head głowica zapytująca [el.]

interrogation przesłuchanie [polit.]

interrogative pronoun zaimek pytający [abc]

interrupt przerywać [mot.]

interrupt przerwanie [inf.]

interrupter przerywacz [abc]

interrupting time czas trwania wyłączenia [el.]

interruption przerwa [transp.]; skrzyżowanie [mot.]

intersection of axes przecięcie się osi [transp.]

intersection point punkt skrzyżowania, punkt węzłowy [bud.]

intersolid radiation promieniowanie wzajemne [energ.]

interstage attemperator schładzacz międzystopniowy [energ.]

Interstate (US) autostrada międzystanowa [mot.]

interstice of the grate szczelina rusztowa [energ.]

inter-track angle of interference prześwit pod pojazdem [transp.]

interval odstęp [transp.]; odstęp [mot.]
intervene interweniować [polit.]
intervertebral disc chrząstka międzykręgowa [abc]
interwaste przerost płonny górn.]
inter-weaving połączenie [masz.]
intramural wewnętrzny [abc]
intransparent nieprzezroczysty [abc]
intricacy of design precyzja konstrukcji [masz.]
intrinsic images obrazy wewnętrzne [inf.]
introduce wprowadzać [abc]; włączać [mot.]
introduction wprowadzenie [abc]
introverted introwertyczny [abc]
intruder intruz [inf.]
intrusion of carbonic acid intruzja kwasu węglowego [górn.]
intrusion of CO2 intruzja dwutlenku węgla [górn.]
intumescent paint powłoka malarska przeciwogniowa [met.]
invalid nieważny [abc]
invalidity nieważność [abc]
inventory zapas [abc]; rezerwa [inf.]
inventory counting sheet zestawienie rezerw [inf.]
inventory file plik rezerw [inf.]
inventory file record layout struktura zapisu pliku zbiorów [inf.]
inventory processing przetwarzanie rezerw [inf.]
inverse voltage prąd wsteczny [el.]
invertebrate animal bezkręgowiec [bot.]
inverted commas/quotation marks znak cytowania, cudzysłów [abc]
inverting amplifier wzmacniacz przemienny [el.]
investigation badanie, dochodzenie [abc]; (→ field i.; → preliminary i.)
investigation of fault oszacowanie szkody [abc]
investigation of mechanical pro-

perties of soil badanie własności mechanicznych (*własności wytrzymałościowych*) gruntu [gleb.]
investment casting odlewanie precyzyjne [masz.]
investment goods dobra inwestycyjne [mot.]
invoke wywoływać [inf.]
involute gear wheel koło o zębach ewolwentnych [mot.]
involute geared zazębiony ewolwentowo [mot.]
involute gearing zazębiony ewolwentowo [masz.]; zazębienie ewolwentowe [mot.]; wałek ewolwentowy [masz.]
involute spline wałek wielowypustowy ewolwentowy, wielowypust ewolwentowy [masz.]
involute toothing uzębienie ewolwentowe [masz.]
involve ingerować [abc]
inward facing side strona wewnętrzna [transp.]
iodine jod [chem.]
ion exchanger wymieniacz jonowy [energ.]
iota jota [abc]
iron prasować [abc]; żelazny, z żelaza [masz.]
iron żelazo [masz.]; (→ angle i.; → cast i.; → wrought i.)
iron and steel industry przemysł hutniczy, hutnictwo [masz.]
iron and steel works zakłady hutnicze, huta [masz.]
iron core rdzeń żelazny [masz.]
iron gray szarość żelazowa [norm.]
iron mica mika żelazna [tw.]
iron ore ruda żelaza [min.]
iron salt sól żelazowa [tw.]
iron shot kulowanie, oczyszczanie z popiołu za pomocą kul [energ.]
iron works huta [masz.]
iron-base alloy stop na osnowie żelaza [tw.]

I

iron-carbon-equilibrium diagram wykres żelazo-węgiel; wykres Fe-C [tw.]

ironwood drewno drzew liściastych, drewno twarde [transp.]

ironworker monter konstrukcji stalowych [masz.]

irrespective niezależny; bez względu [abc]

irresponsible nieodpowiedzialny [abc]

irrigate irygować [hydr.]

irrigation irygacja, nawadnianie [hydr.]

irrigation project projekt irygacji, projekt nawadniania [hydr.]

irritant agent substancja drażniąca [wojsk.]

irritant agent hand grenade granat ręczny ze środkiem drażniącym [wojsk.]

irritants substancje drażniące [wojsk.]

isobrightness lines linie tej samej jasności [inf.]

isolate izolować, oddzielać [el.]

isolating cock kurek odcinający, kurek odłączający [mot.]

isolating device dozownik kulek paliwowych [mot.]

isolation izolacja [abc]

isolation switch wyłącznik (*automatyczny*) [el.]

isolator odłącznik [el.]

isometric view widok perspektywiczny [rys.]

issue wydawać [wojsk.]

issue pobranie materiału; wydanie [abc]

item pozycja [rys.]; pozycja (*w spisie*); pozycja; punkt [abc]

item number numer pozycji (*w spisie*) [abc]

item to be fabricated laterally reversed pozycję sporządzić w odwróceniu pełnym [abc]

itinerary plan podróży; marszruta [abc]

ivory kość słoniowa [norm.]

ivory tower wieża z kości słoniowej [abc]

ivy bluszcz pospolity [bot.]

J

jack dźwignik, podnośnik samochodowy; podnośnik [mot.]; wciągnik hydrauliczny [masz.] (→ hydraulic j.; → mechanical j.; → rack- and pinion j.; → scissors type j.; → screwing j.)

jacked podniesiony [mot.]

jacked up podniesiony; podniesiony dźwignikiem [mot.]

jack head głowica dźwigara [mot.]

jack up podnosić dźwignikiem [mot.]

jacket kurtka, marynarka, żakiet [abc]; płaszcz chłodzący, koszulka wodna [mot.]; osłona, koszulka, pancerz [masz.]

jacketed girder dźwigar; belka obudowana, belka osłonięta; dźwigar obudowany, dźwigar osłonięty [energ.]

jacking position miejsce przyłożenia dźwignika, punkt przyłożenia podnośnika [mot.]

jack-knife scyzoryk [wojsk.]; nóż składany [narz.]

jackshaft wałek sprzęgłowy; wałek napędowy pośredni [mot.]

jack slip podnośnik do drewna [masz.]

jacuzzi jacuzzi; wirówka [abc]

jam ściskać, zgniatać; tłoczyć [masz.]; zakleszczać, zaciskać [mot.]

jam nut przeciwnakrętka [masz.]

jamb wall ścianka kolankowa [bud.]

jammed clutch sprzęgło ustalające [mot.]

jamming of amplifier zagłuszanie wzmacniacza, zakłócanie odbioru wzmacniacza [el.]

Japanese Industrial Standards (JIS) Japońska Norma Przemysłowa [mot.]

jar słój; dzban [abc]

jargon żargon (*język środowiskowy*) [abc]

jaw szczęka; kieł; pałąk zaciskowy, obejma zaciskowa [masz.]

jaw clutch lock blokowanie mechanizmu różnicowego [mot.]

jaw crusher kruszarka szczękowa [narz.]

jaw setting szerokość szczeliny [masz.]

jerk szarpać [abc]

jerk uderzenie; szarpnięcie [mot.]; wstrząs [abc]

jerry can kanister [mot.]

jet płukać (*strumieniem*) [bud.]

jet dysza [wojsk.]; dysza gaźnika [mot.]

jet aircraft samolot odrzutowy [aero.]

jet black czerń głęboka, czerń intensywna [norm.]

jet carrier obsada dyszy [masz.]

jet fighter myśliwiec odrzutowy [wojsk.]

jet plane samolot odrzutowy, odrzutowiec [wojsk.]

jet pump pompa strumieniowa [masz.]

jettison wyrzucać [wojsk.]

jewel kamień szlachetny [min.]

jewelry klejnoty [abc]

jewels biżuteria, klejnoty [abc]

jib wysięgnik [mot.]; podstawa wysięgnika; górna część wysięgnika [transp.]; kliwer [żegl.]

jib boom stenga dziobnika [mot.]

jib/boom cylinder wciągnik hydrau-

liczny [mot.]

jib bearing ostojnica [mot.]

jib cylinder siłownik wysięgnika [transp.]

jib drum bęben wysięgnika [transp.]

jib head dziób wysięgnika [transp.]

jib winch wciągarka [transp.]

jib-lower-section dolna część wysięgnika [transp.]

jib-upper section górna część wysięgnika [transp.]

jig przyrząd, urządzenie, mechanizm, aparat; przyrząd obróbkowy (*ciężki*) [masz.]

jig manufacturing wyrobisko przygotowawcze [masz.]

jigger pin czop nasadzany [mot.]

jigsaw piła taśmowa, taśmówka; piła ramowa [narz.]

jig-saw puzzle puzzle, układanka (*mozaikowa*) [abc]

JIS (*Japanese Industrial Standards*) Japońska Norma Przemysłowa [mot.]

JIT dostawa "na czas" [abc]

job stanowisko; praca [abc]; zadanie [inf.]

job design kształtowanie warunków pracy [abc]

job drawing rysunek roboczy [abc]

jobless bezrobotny [abc]

job number numer zlecenia, numer zamówienia [abc]

job planning planowanie pracy [abc]

job rotation zmiana stanowisk w obrębie przedsiębiorstwa [abc]

job scheduling organizacja procesu produkcyjnego [abc]

job site plac budowy, teren budowy [abc]

job site inventory magazyn części zamiennych [masz.]

job-site service obsługa klientów na placu budowy [abc]

jockey wheel kółko napinające [transp.]

J

joggle nacinać zęby, obrabiać koła zębate, zazębiać (*się*) [masz.]

join przyłączać (*się*) [abc]; łączyć [met.]

joiner stolarz [abc]

joining rod drążek przegubu [transp.]

joint łącznik, element łączący [transp.]; przegub; spoina termoelementu, łącznik, element złączny [masz.]; łącznik, złączka [mot.]; styk [met.]; (→ angled j.; → ball and socket j.; → bellows expansion j.; → butt weld; → cardan j.; → constant-velocity j.; → disc j.; → dry-disc j.; → expansion j.; → flanged j.; → keyed j.; → knuckle j.; → rivet j.; → rubber universal j.; → shackle j.; → slip universal j.; → steering j.; → toggle j.; → torque tube ball j.; → universal j.)

joint area obszar łączenia, obszar spawny [met.]

joint bearing (→ spherical bearing) łożysko przegubowe [mot.]

joint connection węzeł komunikacyjny, punkt węzłowy [mot.]

joint locomotive lokomotywa członowa [mot.]

joint plate kryza [masz.]

joint ring pierścień uszczelniający [energ.]

joint sample próbka [met.]

joint shaft wał przegubowy [masz.]

joint shaft assembly zespół wału przegubowego [masz.]

joint shaft guard osłona wału przegubowego [masz.]

joint triangle wahacz trójkątny [transp.]

joint venture zespół roboczy; joint venture (*międzynarodowa spółka handlowa*); współpraca między firmami [abc]

jointing compound środek uszczelniający [energ.]

joist belka stropowa; legar podłogowy; belka dwuteowa [bud.]

journal czasopismo fachowe, czasopismo specjalistyczne [abc]; czop; bieżnia łożyska tocznego [mot.]

journal bearing łożysko poprzeczne, łożysko promieniowe, łożysko czopa łożyskowego wału [mot.]; łożysko środkowe, łożysko pośrednie [górn.]; łożysko czopa łożyskowego wału korbowego; tarcie w łożysku [mot.]

journal diameter średnica czopa wału [mot.]

journal friction tarcie czopowe, tarcie obrotowe [energ.]

journalist dziennikarz [abc]

joystick drążek sterujący; joystick, manipulator drążkowy, drążek; drążek sterowy [transp.]

joystick control sterowanie dźwigniowe; krzyżowy układ połączeń; sterowanie drążkowe [transp.]

judge sędzia [polit.]

judgement sąd, wyrok, orzeczenie [praw.]

jug dzbanek gliniany [abc]

juice sok [abc]

juicy soczysty [abc]

jump-start facility podłączenie do obcej stacji rozruchowej; rozrusznik zewnętrzny, starter zewnętrzny [transp.]

junction łącznica kolejowa; skrzyżowanie torów; skrzyżowanie [mot.]

junction box skrzynka przyłączowa, puszka połączeniowa [mot.]; skrzynka połączeniowa, puszka połączeniowa [el.]

junction capacitance pojemność złącza [el.]

junction diode dioda złączowa [el.]

junction field-effect-transistor tranzystor polowy złączowy [el.]

junction label znacznik złącza, cecha złącza [inf.]

junction transistor tranzystor złączowy, tranzystor warstwowy [el.]

jungle dżungla [bot.]
jungle-type dżunglowy [abc]
junk dżonka [mot.]; odpadki; (→ refuse; garbage, waste) śmieci [abc]
junk dealer handlarz złomem, właściciel składowiska złomu [rec.]
junk yard złomowanie samochodów; składowisko złomu [rec.]
juridical days dni rozpraw [polit.]
jurisdiction jurysdykcja; władza sądownicza [praw.]
jurisdiction clause klauzula właściwości terytorialnej sądu [praw.]
just as well równie dobrze [abc]
justification link łącze wyrównywania [inf.]
juvenile nieletni, młodociany [abc]
J-weld spoina na J [met.]

K

kaolin mine kopalnia glinki kaolinowej [górn.]
keel stępka; kil [mot.]
keel block blok stępkowy, klatka stępkowa [mot.]
keenness ostrość [abc]
keep posted informować (*kogoś*) na bieżąco [abc]
keep closed utrzymywać zamknięte [abc]
keep company przestawać (*z kimś*) [abc]
keep dry *przechowywać w suchym miejscu* [mot.]
keeper 1. zwora magnesu [el.]; 2. występ wideł maźniczych [mot.]; 3. jarzmo [masz.]; 4. przytrzymywacz; ustalacz [masz]; 5. wodzidło zasuwy drzwiowej [bud]
keeping posiadanie[abc]
keep in reserve trzymać w zapasie [abc]

keep within the limits spełniać wartości graniczne [abc]
keg beczka na piwo; beczka [abc]
keg for the transport of glues beczka do transportu środka klejącego [masz.]
keg production wytwarzanie beczek na piwo [masz.]
kelly bar graniatka, kwadratówka [transp.]
kerbstone krawężnik [bud.]
kerosene nafta [abc]; nafta świetlna [mot.]
kerosene lamp (US) lampa naftowa [abc]
kettle kocioł [abc]
kettledrum kocioł (*instrument muzyczny*)[abc]
key wybijać takt, podawać takt [abc]
key klucz; klawisz [abc]; klin dopasowany [transp.]; wpust; klin wzdłużny, wpust, ząb [masz.]; (→ bright k. steel; → fitting k.; → flat gib k.; → gib k.; → hollow k.; → k. way; → spring k.; → saddle k.; → tangent k.; → tangent keyway; → tightening k.; → woodruff k.)
keyboard klawiatura [inf.]; klawiatura [abc]
keyboard component elementy klawiatury [inf.]
key bolt sworzeń zabezpieczony kołkiem [masz.]
key brick cegła klinowa [bud.]
key course klucz sklepienia [bud.]
key cut-out switch wyłącznik kluczykowy [transp.]
keyed joint połączenie klinowe, złącze klinowe [masz.]
key groove rowek klinowy, rowek wpustowy [masz.]
keyhole saw otwornica, lisica [narz.]
keyhole surround osłona zamka [abc]
keyhole welding spawanie z oczkiem [met.]

K

key in wprowadzać [inf.]
keying time czas impulsowania [el.]
key number symbol klucza [inf.]
keypad blok klawiszy [inf.]
key ring breloczek do klucza, przywieszka do klucza, wisiorek [abc]
key seat rowek klinowy [masz.]
key section klinownik, płaskownik
kliniasty [masz.]
key steel stal do wyrobu kluczy
[masz.]
keystone kamień zwornikowy, kamień wieńczący, zwornik [bud.]
key switch wyłącznik kluczykowy,
przełącznik kluczykowy [el.]
key way rowek klinowy [mot.]
keyword hasło [abc]
khaki gray khaki, koloru khaki
[norm.]
kick current rzut prądu [el.]
kick plate blacha zabezpieczająca
[mot.]
kickstarter component element
rozrusznika nożnego [mot.]
kiddy car wózek dziecięcy [transp.]
kidney-shaped nerkowy [abc]
kidney-shaped bore-fit odwiert
wiertniczy nerkowy [transp.]
kill zabijać [abc]
kill przerwanie i porzucenie (*programu*) [inf.]; uspokajać [masz.];
przerywać [inf.]; (→ abort, cancel)
killed uspokojony; walcowany
wygładzająco [met.]
kiln suszarnia [abc]; piec [energ.];
(→ cement k.; → rotary k.)
kilometer post słupek kilometrowy
[mot.]
kind rodzaj [abc]
kind of load rodzaj ładunku [energ.]
kind of protection rodzaj osłony,
rodzaj ochrony, rodzaj zabezpieczenia [transp.]
kinematics kinematyka [inf.]
king bolt czop obrotowy; czop skrętu [transp.]

king pin sworzeń zwrotnicy [mot.];
czop osi [transp.]
king post wał mechanizmu jezdnego; wał mechanizmu jezdnego
pionowy [mot.]
kit komplet (*montażowy*) [masz.];
(→ protective k.) ekwipunek
[abc]; wyposażenie [wojsk.]
kitbag (→ knapsack) plecak [abc]
knag krzywka [bud.]
knapsack plecak [abc]
knead gnieść, mieszać, miesić,
ugniatać [abc]
kneading ugniatanie [abc]
knead test próba na gniecenie, próba gniecenia [bud.]
knife nóż [narz.]; (→ cutting edge)
krawędź tnąca, krawędź skrawająca [masz.]
knifing filler (→ filler) masa zacierowa [masz.]
knit dziać [abc]
knob gałka do nastawiania [mot.];
guzik; gałka; klamka; gałka obrotowa [abc]; guzik [masz.]; gałka,
pokrętło [mot.]
knock pukać, stukać [mot.]
knock stukanie, stuk [mot.]
knock down walić [abc]
knock off odbijać, utrącać [met.]
knot węzeł [masz.]; (→ various names of knots) węzeł [mot.]
knotted węzłowy [mot.]
knotted link chain łańcuch węzłowy [mot.]
knotty guzowaty, sękaty [abc]
knowledge wiedza, znajomość; wykształcenie [abc]
knowledgeable uczony, wykształcony [abc]
knowledge acquisition gromadzenie wiedzy [inf.]
knowledge representation przedstawienie wiedzy [inf.]
known znany; obecny [abc]
known features znane cechy [abc]

knuckle przegub [mot.]; staw [med.]; pachwina łuku, żagielek kopuły [masz.]
knuckle joint połączenie przegubowe [masz.]; przegub Cardana, przegub krzyżowy [mot.]; połączenie sworzniowe [masz.]
knurl radełkować; rowkować [met.]
knurled radełkowany [met.]
knurled head screw śruba radełkowana, śruba z łbem radełkowanym [masz.]
knurled knob przycisk radełkowy [mot.]
knurled nut nakrętka radełkowana [masz.]
knurled thumb nut nakrętka radełkowa [masz.]
knurled thumb screw śruba radełkowana, śruba z łbem radełkowanym [masz.]
knurled wheel molet [masz.]
knurling radełko skośne [masz.]
Krämer mill type firing equipment palenisko młynowe Krämera [energ.]
Krueger flap klapa Kruegera [mot.]
K-value wartość k; współczynnik przenikania ciepła [energ.]
kyanite dysten, cyjanit [min.]

L

l. d. c. (*lower dead centre*) niższy punkt martwy [mot.]
L. H. side panel lewa strona tablicy sterowniczej [el.]
l.h. (*left handed*) po lewej, z lewej; lewostronny [abc]
lab (→ laboratory) laboratorium [abc]
label etykieta; znak firmowy; naklejka, nalepka [abc]; określenie, oznaczenie [transp.]

label clip zacisk etykiet [mot.]
label holder uchwyt karty informacyjnej [mot.]
labor (GB: *labour*) praca; (→ l. force) robotnicy [abc]
laboratory laboratorium [abc]
laboratory sample próba laboratoryjna [abc]
laboratory test doświadczenie laboratoryjne [abc]
labor charges koszty montażowe [met.]
labor constant stała nakładu pracy [abc]
labor contract umowa o pracę [abc]
labor exchange urząd pracy [abc]
labor force robotnicy; siła robocza [abc]
labor included łącznie z montażem [met.]
labor law prawo pracy [prawn.]
labor office urząd zatrudnienia [abc]
labor shortage niedobór siły roboczej [abc]
labyrinth groove wyżłobienie labiryntowe [masz.]
labyrinth ring pierścień labiryntowy [masz.]
labyrinth seal uszczelnienie labiryntowe [energ.]
lack of fusion (→ incomplete fusion) brak wtopu [met.]
lack of oxygen brak tlenu, głód tlenowy [energ.]
lack of root fusion brak przetopu w grani [masz.]
lack of side-fusion brak wtopu wzdłużnego [met.]
lacquered lakierowany [met.]
ladder drabinka, stopień, podnóżek, podest; drabina składana o płaskich szczeblach; górna powierzchnia podnóżka [transp.]; ciąg łańcuchowy czerpaków [mot.]
ladle warząchew, chochla [abc]; kadź [masz.]

ladle car wózek do kadzi lejniczej; kadź surówkowa wagonowa [mot.]

ladle degassing odgazowywanie kadzi [masz.]

ladle furnace piec do podgrzewania kadzi [masz.]

ladle treatment of liquid steel obróbka stali ciekłej [met.]

lag screw wkręt szynowy [mot.]

lagging oklepkowanie [górn.]

laid down ustalony; utrwalony [abc]

laid down in writing ustalony pisemnie, wyznaczony pisemnie [abc]

laitance mleko wapienne [górn.]

lake jezioro; sadzawka [abc]

lambertian surfaces powierzchnia lambertiańska [inf.]

laminar flow przepływ uwarstwiony [energ.]

laminate sklejać kilka warstw, zdwajać; laminować [masz.]

laminate laminat [masz.]

laminated laminowany [tw.]; wielowarstwowy; płytowy [bud.]; laminowany [met.]

laminated fabric laminat tkaninowy, tkanina utwardzona żywicą [tw.]

laminated glass szkło wielowarstwowe, szkło klejone [tw.]

laminated spring sprężyna wielopłytkowa [masz.]

laminated suspension spring sprężyna nośna piórowa, resor piórowy [mot.]

lamination laminowanie, formowanie laminatów; segregacja, likwacja [abc]; tworzywo powlekane [tw.]; rozwarstwienie blachy [met.]

lamp lampka wilgocioodporna [transp.]; lampa [el.]; (→ auxiliary head l.; → back-up l.; → charge control l.; → combined stop and tail l.; → control l.; → fog l.; → hand l.; → high beam indicator l.; → humid room l.; → inspection l.; → instrument panel l.; → masked headlamp; → parking l.; → reading l.; → roof l.; → side-marker l.; → signal l.; → spot l. bulb; → stop l.; → street l.; → wing l.; → parking l.; → combined flasher and tail l.)

lamp bracket kinkiet [el.]

lamp holder oprawka lampowa [el.]

lance (→ thermic lance) lanca [met.]

lance port otwór na lance tlenowe [energ.]

land lądować [mot.]

land kraj [abc]

landfill składowisko śmieci; wysypisko śmieci [rec.]; *wyrównywanie wgłębień terenu przez zasypywanie ich nawiezionym materiałem* [gleb.]

landing podest; spocznik międzypiętrowy [bud.]

landing angle kąt ustawienia spocznika schodowego [transp.]

landing bridge pomost do lądowania [mot.]

landing gear podwozie samolotu [mot.]

landing on the moon lądowanie na księżycu [mot.]

landing strip pas startowy; lądowisko [mot.]

landlady gospodyni domu [abc]

landlord gospodarz domu [abc]

landmark kamień graniczny [abc]

landscaping gardener architekt ogrodowy [roln.]

lane pas drogi; pas ruchu, pas jezdni [mot.]

lane drifting zmiana pasa ruchu [mot.]

lane straddling zmiana pasa ruchu [mot.]

language język [abc]

language construct konstrukcja języka [inf.]

language course lekcja języka [abc]

language understanding rozumienie języka [inf.]

lantern latarnia [mot.]
lap docierać [met.]
lap joint złącze zakładkowe [met.]
lapped dotarty [masz.]
lap-sash seat belt pas bezpieczeństwa biodrowy [mot.]
laptop laptop (*mały komputer przenośny*) [inf.]
lard smalec; tłuszcz [abc]
large duży; rozległy [abc]
large anti-friction bearing łożysko toczne duże [masz.]
large capacity boiler kocioł wielkopojemnościowy [energ.]
large diameter anti-friction slewing ring łożysko toczne wielkośrednicowe [masz.]
large diameter flange kołnierz wielkośrednicowy [masz.]
large diameter rotary drill rig narzędzie wiertnicze obrotowe ciężkie [transp.]
large equipment urządzenia wydobywcze ciężkie [górn.]
large excavator koparka ciężka [transp.]
large expert system system ekspertowy duży [inf.]
large front idler koło napinające duże [transp.]
large gear unit zespół przekładni [transp.]
large hydraulic excavator koparka ciężka z hydraulicznym napędem elementów roboczych [transp.]
large mining equipment sprzęt wydobywczy ciężki [górn.]
large scale wielkoseryjny [transp.]
large-scale dimensioned wielkowymiarowy [transp.]
large-scale plant *duży powierzchniowo zakład przemysłowy* [górn.]
large-signal sygnał duży [el.]; (→ static large-s.)
large-sized driver's cab kabina kierowcy wielkoprzestrzenna [mot.]

large surface clamp zacisk do powierzchni dużych [mot.]
large wheel duże koło łańcuchowe [masz.]
large wheel loader ładowarka kołowa ciężka [masz.]
large-body tipping wagon wywrotka jednostronna [mot.]
large-diameter pipe rura wielkowymiarowa [masz.]
Laser (*Light Amplification by Stimulated Emission of Radiation*) laser [el.]
laser-beam welded special steel pipe rura ze stali szlachetnej spawana laserem [masz.]
laser receiver odbiornik laserowy [transp.]
laser transmitter nadajnik laserowy [transp.]
laser welded zgrzewany laserem [met.]
laser welding zgrzewanie laserowe; zgrzewanie wiązką lasera [met.]
lash mocować linami [mot.]
lash ring przewiąz; *krótka lina do mocowania* [mot.]
lashing cleat zacisk linowy [mot.]
last trwać [abc]
last digit ostatnia cyfra [abc]
last name nazwisko [polit.]
latch zaczep; zamek wyłącznika; zapadka; zatrzask [masz.]
late ignition zapłon opóźniony [mot.]
latent heat ciepło utajone [energ.]
latent heat of vaporisation utajone ciepło parowania [energ.]
lateral boczny, poprzeczny [mot.]
lateral auxiliary drive napęd dodatkowy boczny, napęd równoległy boczny [mot.]
lateral distribution podział poprzeczny [transp.]
lateral extension rozszerzenie poprzeczne, wydłużenie poprzeczne [mot.]

L

lateral gas pass międzyciąg, kanał przejściowy, kanał poprzeczny [energ.]

lateral guide plate płyta prowadząca poprzeczna [mot.]

laterally adjustable przestawny w poziomie, przesuwny w poziomie [mot.]

laterally reversed w obrazie odbitym [abc]

lateral length długość boczna [bud.]

lateral movement ruch poprzeczny [energ.]

lateral power take-off napęd dodatkowy boczny, napęd równoległy boczny [mot.]

lateral section drawing rysunek w przekroju poprzecznym [transp.]

lateral slotted screen sito szczelinowe poprzeczne, przesiewacz szczelinowy poprzeczny [masz.]

lateral stabilizer podpora boczna, suport boczny [mot.]

lateral thrust parcie boczne, ciśnienie boczne [masz.]

lateral ties pręty rozciągane poprzeczne [bud.]

laterite lateryt [bud.]

latest najnowszy; aktualny, ostatni [abc]

latest state of the art *aktualny stan rozwoju techniki* [abc]

latest technology najnowsza technologia [abc]

lath listwa; łata [abc]

lathe tokarka [transp.]; (→ turret l.)

latitude szerokość [mot.]; szerokość geograficzna [meteo.]

latrine pit dół na nieczystości [abc]

lattice construction konstrukcja kratowa [masz.]

lattice framework konstrukcja szkieletowa [transp.]

lattice mast maszt kratowy [mot.]

launch rozpoczynać, wszczynać; schodzić z pochylni, spływać na

wodę [bud.]; uruchamiać, rozpoczynać [inf.]

launch szalupa [mot.]

launcher granatnik; wyrzutnia rakiet [wojsk.]

launching wodowanie [mot.]

launching equipment granatnik; wyrzutnia rakiet [wojsk.]

laundry pralnia [abc]

lava lawa [min.]

lava flow strumień lawy [min.]

lavatory klozet, ubikacja, WC [mot.]; toaleta [abc]

law (→ machine protection l.) zasada [transp.]; prawo [polit.]

law and order prawo i porządek [polit.]

law applying to public bodies (US) prawo publiczne [prawn.]

law of refraction prawo załamania [fiz.]

law of the lever prawo dźwigni, reguła dźwigni, reguła odcinków [fiz.]

lawn mower kosiarka gazonowa [abc]

lawn-mower engine silnik kosiarki [mot.]

lawn sprinkler opryskiwacz do trawników [abc]

lawyer adwokat; prawnik [prawn.]

lawyer's fee honorarium adwokackie [prawn.]

lay kłaść [abc]

lay down in writing ustalać pisemnie, wyznaczać pisemnie [abc]

layer warstwa [transp.]; pokład; odkład [min.]; pozycja spoiny [met.]; (→ boundary l.)

layer of material warstwa materiału [masz.]

laying down położenie stępki [mot.]

laying of the foundation stone położenie kamienia węgielnego [bud.]

laying of the road base położenie podstawy drogi [transp.]

lay off zwalniać [abc]
lay out rozplanowywać, wytyczać [abc]
lay shaft wał pośredni [mot.]
layout układ, rozmieszczenie, rozplanowanie (*ogólne*), plan; plan orientacyjny; makieta [abc]; układ; rozmieszczenie [masz.]; rozkład, układ [mot.]
layout plan plan sytuacyjny [abc]; plan orientacyjny [bud.]
layshaft przekładnia odboczkowa; wałek napędowy pośredni; przystawka (*napędu*) [mot.]
layshaft gear koło zębate na wale pośrednim [mot.]
layshaft gear claster zespół kół zębatych współosiowych na wale pośrednim [mot.]
LCD (*liquid crystal display*) LCD (*wyświetlacz na ciekłych kryształach, wyświetlacz ciekłokrystaliczny*) [inf.]
LCD display (→ screen) wyświetlacz na ciekłych kryształach, wyświetlacz ciekłokrystaliczny [inf.]
leached out wyługowany [min.]
lead kierować [abc]; przewodzić (*np. prąd*) [el.]; przewodzić (*np. partii politycznej*) [polit.]
lead prowadzenie, przewodnictwo; kierownictwo [abc]; ołów [tw.]; (→ cable, wire) przewód [el.]
lead alloy stop o podstawie ołowiowej [masz.]
lead battery bateria akumulatorów ołowiowych [el.]
lead cable kabel ołowiany [el.]
lead coating powłoka ołowiana [masz.]
leaded pokryty ołowiem, ołowiowany [masz.]
leading and trailing end of mouldboard przedni i tylny koniec odkładnicy [transp.]
leading end of the mouldboard przedni koniec odkładnicy; przedni koniec radlicy [transp.]
leading position wiodąca pozycja (*na rynku*); pozycja przewodnia, czołowe miejsce [abc]
lead into temptation wodzić na pokuszenie, kusić [abc]
lead meta-niobate metaniobian ołowiu [el.]
lead pipe rura przewodowa [mot.]
lead seal plomba [abc]
lead-seal pliers plombownica [abc]
lead-sealing pliers kleszcze plombownicze [abc]
lead sheathed cable kabel w płaszczu ołowianym [el.]
leaf kartkować, wertować strony [abc]
leaf kartka (*np. papieru*) [abc]; pióro resoru [masz.]; liść [bot.]
leaf and tapered leaf springs sprężyny płytkowo-stożkowe [masz.]
leaf chain łańcuch drabinkowy wielokrotny [masz.]
leaf green zieleń chromowa tlenkowa [norm.]
leaf spring sprężyna płytkowa; resor piórowy [mot.]
leaflet ulotka (*informacyjna*); gazetka [abc]
leaflet missile pocisk do rozrzucania ulotek [wojsk.]
leaf-type spring (→ leaf spring) sprężyna płytkowa (*o płytkach trapezowych*) [mot.]
leak wyciek [energ.]; nieszczelność [masz.]; przeciek [mot.]
leak-off pipe rura przelewowa [mot.]
leak oil olej wyciekowy [mot.]
leak oil loss strata oleju [mot.]
leak oil pipe instalacja przelewowa oleju [mot.]
leak oil return przewód olejowy powrotny [mot.]

L

leak proof szczelny [abc]
leakage przeciekanie; przeciek, lekaż [mot.]; miejsce przeciekania; nieszczelność [energ.]; ubytek (*przez wyciekanie*) [masz.]
leakage field interference zakłócenie pola rozproszenia [el.]
leakage pipe przewód przeciekowy [mot.]
lean chylić [mot.]
lean chudy, nietłusty, szczupły [abc]; o małej wartości opałowej, ubogi [mot.]
lean gas gaz ubogi, gaz niskokaloryczny, gaz słaby [energ.]
leaning pochyły; ukośny; krzywy [abc]
leaning smokestack komin pochyły, komin krzywy [bud.]
lean mixture mieszanina uboga [energ.]
learned wykształcony [abc]
learner uczeń, praktykant [mot.]
learning by analogy uczenie się poprzez analogię [inf.]
learning by precedents uczenie się poprzez przypadki precedensowe [inf.]
learning from examples uczenie się z przykładów [inf.]
leased line łącze dzierżawione [inf.]
leash smycz [abc]
least resistance najmniejszy opór [abc]
leather skóra [abc]
leather skórzany [abc]
leather apron fartuch skórzany [abc]
leather cuff pierścień skórzany uszczelniający [abc]
leather design licowanie skórzane [abc]
leather packing and jointing uszczelnienie skórzane [mot.]
leaves liście [bot.]
leaving the site of an accident

(US) ucieczka z miejsca wypadku [prawn.]
lecture wykład [abc]
lecturer wykładowca [abc]
ledger podłużnica rusztowania [bud.]
LED-indicator light wskazanie diody świecącej [mot.]
lee strona zawietrzna [żeg.]
leeway dryf, znos [mot.]
left lewy [abc]
left hand construction konstrukcja lewostronna [masz.]
left hand crawler gąsienica lewoskrętna [transp.]
left handed leworęczny [abc]
left-hand design projekt lewostronny [transp.]
left-hand thread gwint lewoskrętny [masz.]
left-hand traffic ruch lewostronny [mot.]
left-over resztka; pozostałość [abc]
left-turning lewoskrętny [masz.]
legal ustawowy; prawny [prawn.]
legal claims of the insured deriving in the context of the company described roszczenia ustawowe ubezpieczonego od odpowiedzialności cywilnej [prawn.]
legal claims resulting from civil law roszczenia ustawowe z tytułu odpowiedzialności cywilnej z zakresu prawa prywatnego [prawn.]
legal department dział prawny [prawn.]
legal holidays dni ustawowo wolne od pracy [prawn.]
legal liability odpowiedzialność cywilna [prawn.]
legal position stanowisko prawne; status prawny [prawn.]
legal representative przedstawiciel ustawowy ubezpieczonego [prawn.]
legal status stan prawny [prawn.]
legend legenda [abc]

legislation ustawodawstwo [polit.]
leisure czas wolny [abc]
lemon yellow żółcień cynkowa, żółcień cytrynowa [norm.]
length trwanie, czas trwania, okres; odległość [abc]; długość [transp.]; sążeń [miern.]; długość spoiwa; długość [bud.]; (→ chain l.; → inside l.; → lateral l.; → mean l.; → outside l.; → pit l.; → spring l.; → stroke l.; → total track l.)
length between centres rozstaw kłów [masz.]
lengthen przedłużać, wydłużać [abc]
length measuring device długościomierz [abc]
length of connecting pin długość sworznia łączącego [masz.]
length of grate długość rusztu [energ.]
length of pin długość sworznia [masz.]
length of play długość nagrania [abc]
length of roller conveyor długość przenośnika wałkowego [mot.]
length of route długość drogi [bud.]
length of thread długość wkręcenia [masz.]
length of truck and trailer długość pociągu drogowego [mot.]
length over all długość całkowita [abc]
length over buffers długość całkowita (*wraz z buforami*) [mot.]
lens soczewka [abc]; szkło [mot.]
lens head screw śruba z łbem soczewkowym [masz.]
lentil soczewica [bot.]
lentil head sheet metal screw blachowkręt samogwintujący z łbem stożkowym soczewkowym [transp.]
let go zwalniać (*np. przycisk*) [abc]
letter list; litera [abc]
lettering nanoszenie liter; nadruk; oznakowanie [abc]; tablica informacyjna [transp.]

lettering and marking oznakowanie, ustawienie tablic informacyjnych (*lub znaków drogowych*); oznakowanie [abc]
lettering and marking kit zestaw przyborów kreślarskich [abc]
letter of application podanie o pracę [abc]
letter of condolence pismo kondolencyjne [abc]
letterman (→ postman) listonosz [polit.]
level wyrównywać [bud.]; równać [transp.]
level hierarchia; znak (*zanurzenia*); poziom [abc]; poziomnica [mot.]; instrument niwelacyjny [bud.]; poziom [górn.]; płaszczyzna [transp.]; spąg [transp.]; wartość odczytu [miern.]; (→ noise l.; → reference l.; → spirit l.)
level równy [abc]
level adjustment regulacja poziomu; przestawienie pionowe, przesunięcie pionowe [abc]
level and finish wyrównywać i wykańczać [transp.]
level compensation device with side shift urządzenie do wyrównywania poziomu z przesuwem bocznym [mot.]
level compensation wyrównanie poziomów [mot.]
level crossing skrzyżowanie; przejazd kolejowy; rogatka, zapora; przejazd (*kolejowy*); skrzyżowanie z koleją (*w poziomie*) [mot.]; (→ crossing keeper)
level crossing flashing light install urządzenie sygnalizacyjne ze światłem migowym (*na przejazdach kolejowych*) [mot.]
level drop osiadanie gruntu [górn.]
level gauge (→ dipstick) poziomowskaz; poziomowskaz szklany [mot.]

L

level indicator poziomowskaz, wskaźnik poziomu [mot.]

levelled poziomowany [masz.]

levelling wyrównywanie; niwelowanie [transp.]

levelling and loading machines plantownice i ładowarki [abc]

levelling bottle aparat Orsata [energ.]

levelling bucket łyżka równiarki [transp.]

levelling instrument instrument niwelacyjny [bud.]

levelling the shoulders poziomowanie pobocza, wyrównywanie pobocza [transp.]

levelling work prace niwelacyjne; prace plantacyjne [transp.]

level of decision close to markets poziom decyzyjny bliski rynkowi [abc]

level of gear oil poziom oleju przekładniowego [transp.]

level plug sprawdzian tłoczkowy poziomu oleju [masz.]

level switch miernik poziomu, czujnik poziomu [transp.]

lever ramię dźwigni [abc]; pedał przyspieszenia, pedał gazu; dźwignia mocująca, dźwignia zaciskowa [mot.]; dźwignia [narz.]; dźwignia wahliwa, wahacz [masz.]; (→ adjusting l.; → angled l.; → brake cam l.; → brake-compensating l.; → breaker l.; → clamping l.; → clutch release l.; → control l.; → fork l.; → hand break l.; → pump piston l.; → speed l.; → steering l.; → tappet actuating l.; → throttle control l.; → valve l.; → valve with roller l.)

leverage force siła wypychania, siła przełożenia [masz.]

leverage ratio stosunek ramion dźwigni, położenie dźwigni [fiz.]

lever arm ramię dźwigni [masz.]

lever distances wychylenie dźwigni, odchylenie dźwigni [abc]

lever limit switch łącznik krańcowy dźwigniowy [mot.]

lever-set mechanizm dźwigniowy; układ dźwigni [mot.]

lever support podpora dźwigni [transp.]

lever-type grease gun smarownica tłokowa dźwigniowa, smarownica ciśnieniowa dźwigniowa [mot.]

lexical closure zamknięcie leksykalne [inf.]

LH (*left hand*) lewy, lewostronny [abc]

LH-thread gwint lewoskrętny, gwint lewy [masz.]

liability odpowiedzialność; odpowiedzialność cywilna w miejscu pracy [prawn.]

liability after expiration of contract odpowiedzialność po wygaśnięciu umowy [prawn.]

liability hazard ryzyko odpowiedzialności cywilnej [prawn.]

liability insurance obowiązkowe ubezpieczenie od odpowiedzialności cywilnej [prawn.]

liability policy for damage done to waterways ubezpieczenie od odpowiedzialności cywilnej za szkody poczynione na akwenach [prawn.]

liberty wolność [abc]

library biblioteka [abc]

license plate znak rejestracyjny, tablica rejestracyjna (US) [mot.]

license plate bracket obsada tablic rejestracyjnych, zamocowanie tablic rejestracyjnych [mot.]

license pressure ciśnienie koncesyjne [abc]

licensing seal pieczęć dopuszczająca (*np. do eksploatacji*) [abc]

lid pokrywa, wieko [masz.]

lie at anchor stać na redzie, stać na kotwicy [mot.]

lie detector wykrywacz kłamstw, wariograf [abc]
life życie [abc]
lifeboat łódź ratownicza [mot.]
life-cycle validation atestacja, zatwierdzenie, sprawdzanie poprawności [inf.]
life expectancy średnia długość życia [abc]
life power take-off wałek odbioru mocy z napędem trwałym [mot.]
lifesaver koło ratunkowe [mot.]
lifetime okres istnienia (*trwałość*) [masz.]
lifetime lubrication smarowanie trwałe [mot.]
lifetime roller krążek stały [mot.]
lifetime-lubricated trwale nasmarowany [masz.]; smarowany trwale [mot.]
lifetime-lubricated roller krążek smarowany na czas użytkowania [transp.]
lifetime-lubrication samosmarowanie [masz.]
lift podnosić, unosić; wyciągać (*do góry*) [abc]; ściągać [transp.]; podnosić [masz.]
lift wysokość podnoszenia; winda; wyciąg, dźwig [bud.]; palec, pazur; podniesienie, wznios [mot.]
liftable podnośny, podnoszony [mot.]
lift arm ramię ładunkowe [masz.]; ramię dźwigu, ramię podnośnika [mot.]
lift arm extension przedłużenie ramienia podnośnika [mot.]
lift capacity udźwig, nośność [abc]
lift chain łańcuch dźwigowy [mot.]
lift cylinder wciągnik hydrauliczny [transp.]
lift cylinder trunnion czop obrotowy wciągnika hydraulicznego [mot.]
lifter podnośnik, dźwignik [masz.]; popychacz [mot.]; (→ window l.)

lifter adjusting spacer pierścień odległościowy popychacza [mot.]
lifter arm ramię dźwigu, ramię podnośnika [mot.]
lifter screw śruba popychacza [mot.]
lifter spring sprężyna popychacza [mot.]
lift eye oczko ochronne, przelotka [masz.]; ucho do podnoszenia [transp.]
lift fork widelec; widełki wyorywacza buraków; widły wózka podnośnego [mot.]
lift frame słup wózka podnośnikowego, prowadnica słupowa wózka podnośnikowego; rama podnośnika; mechanizm podnoszący [mot.]
lift height wysokość podnoszenia [mot.]
lifting podnoszenie [transp.]; podniesienie, wznios [mot.]
lifting and tipping device mechanizm podnoszący i zsypujący [mot.]
lifting arc krzywa wzniosu [transp.]
lifting beam belka nośna, trawersa [mot.]
lifting capacity udźwig, nośność; siła nośna, siła udźwigu, siła wyciągowa [mot.]; obciążenie dopuszczalne [masz.]
lifting chart wykres wzniosu [mot.]
lifting device mechanizm podnoszący, urządzenie do podnoszenia [mot.]
lifting eye ucho do podnoszenia [transp.]
lifting eye nut nakrętka oczkowa; nakrętka z uchem [masz.]
lifting force siła udźwigu [mot.]
lifting fork widełki wyorywacza buraków [mot.]
lifting frame (→ lift frame) słup wózka podnośnikowego, prowadnica słupowa wózka podnośnikowego [mot.]

L

lifting gear urządzenie do podnoszenia [transp.]; mechanizm podnoszący [mot.]

lifting jack dźwignik śrubowy zespołowy [mot.]

lifting-magnet-type crane suwnica z chwytakiem elektromagnetycznym [abc]

lifting speed szybkość podnoszenia, szybkość przesuwania [mot.]

lift limiter ogranicznik skoku, ogranicznik posuwu [mot.]

lift moment moment podnoszenia [masz.]; moment skokowy, moment podniesienia [transp.]

lift pole słup wózka podnośnikowego, prowadnica słupowa wózka podnośnikowego [mot.]

lift pole attachment wyposażenie słupa podnośnikowego [mot.]

lift truck wózek podnośnikowy [górn.]

light zapalać, rozpalać [abc]

light światło; iluminacja [el.]; lont zapalający [górn.]; (→ comb l.; → dayl.; → indicator l.; → step demarcation l.; → strip-l.; → tail l.; → warning l.)

light jasny, widny; lekki; świecący [abc]

light alloy disc wheel koło tarczowe z metalu lekkiego [mot.]

light alloy spoked wheel koło szprychowe z metalu lekkiego [mot.]

light barrier przegroda świetlna [el.]

light barrier sensor czujnik przegrody świetlnej [el.]

light beam wiązka światła [transp.]

light blue błękit świetlisty [norm.]

light bulb żarówka [mot.]

light cable kabel oświetleniowy [el.]

light collector odbierak światła [el.]

lighted push-button przełącznik wciskowy z lampką sygnalizacyjną [el.]

lighter lichtuga; prom [mot.]

light-fast światłotrwały [abc]

light gray szarzeń świetlista [norm.]

light green zieleń świetlista [norm.]

lighthouse latarnia morska [mot.]

light indicator wskazówka świetlna [el.]

lighting błyskawica [abc]; oświetlenie [transp.]; instalacja oświetleniowa [mot.]; (→ handrail l.; → inside balustrade l.)

lighting circuit obwód oświetleniowy [transp.]

lighting equipment oświetlenie [abc]; instalacja oświetleniowa [el.]

lighting system instalacja oświetleniowa [mot.]

lighting-up burner palnik zapłonowy; palnik rozpałkowy olejowy [energ.]

lighting-up cartridge ładunek rozruchowy [energ.]

lighting-up firing equipment urządzenie zapłonowe rozruchowe [energ.]

lighting-up lance lanca zapłonowa [energ.]

light ivory kremowy, koloru kości słoniowej [norm.]

light material bucket czerpak do materiału lekkiego [transp.]

light metal metal lekki [tw.]

light-metal design konstrukcja z materiałów lekkich [masz.]

light metal rerailing equipment podnośnik taboru wykolejonego w konstrukcji z metalu lekkiego [mot.]

light pink jasny róż [norm.]

light push switch włącznik przesuwowy światła [mot.]

light radiation welding spawanie promieniem świetlnym [met.]

light railroad track tor wąski [mot.]

light railway kolej wąskotorowa [mot.]

light-resistant światłoodporny, światłotrwały [abc]
light sensor komórka fotoelektryczna; fotokomórka; czujnik świetlny [el.]
light speed prędkość światła [fiz.]
light spindle switch przełącznik obrotowy światła [el.]
light switch wyłącznik oświetlenia [el.]
light timber grab chwytak drewna krótkiego [transp.]
light up zapalać; wzniecać ogień [energ.]
light weight construction plate płyta budowlana lekka [transp.]
light weight design konstrukcja lekka [masz.]
light weight express <train> coach wagon pociągu pospiesznego lekkiej konstrukcji [mot.]
light weight material bucket czerpak do materiału lekkiego [transp.]
light-weight and panel sections profile cienkościenne i taflowe [masz.]
light-weight build budownictwo z lekkich materiałów [masz.]
lightweight concrete beton lekki [bud.]
lightweight construction konstrukcja lekka [masz.]
lignite węgiel brunatny; lignit [górn.]
lignite-fired-power station (US) elektrownia opalana węglem brunatnym [energ.]
lignite mill młyn lignitowy [górn.]
LIL (*low ignition limit*) dolna granica zapłonu [mot.]
lime wapno [górn.]; (→ bagged l.; → slaked l.)
lime concrete beton wapienny [bud.]
lime crust skorupa wapienna [bud.]
lime mortar zaprawa wapienna [bud.]
lime rock wapień, wapniak [górn.]

limestone kamień wapienny [górn.]; wapień [bud.]
limestone quarry kamieniołom kamienia wapiennego [górn.]
limewash paint coat powłoka malarska farby wapiennej [norm.]
limit ograniczać [abc]
limit granica [abc]; zmaksymalizowany [prawn.]
limit boxes pola wartości granicznych [inf.]
limited complete penetration wtop niezupełny [met.]
limited slip differential mechanizm różnicowy z ograniczeniem poślizgu [mot.]
limiter ogranicznik [transp.]
limit gauge sprawdzian graniczny; sprawdzian szczękowy [masz.]
limit hardness twardość graniczna [masz.]
limiting parts części ograniczające [transp.]
limiting speed prędkość graniczna [mot.]
limiting value wartość graniczna [abc]
limit of adhesion granica przyczepności [mot.]
limit of liability suma pokrycia [prawn.]
limit of liability paid once suma pokrycia płatna jednorazowo [prawn.]
limit of liability paid twice suma pokrycia płatna w dwóch transzach [prawn.]
limit stop (→ go on block) ogranicznik [masz.]
limit switch sterownik, nastawnik sterowniczy [transp.]; wyłącznik krańcowy [mot.]; łącznik krańcowy [el.]
limit value of use wartość graniczna zużycia [bud.]
limit value stage stopień wartości granicznych [el.]

L

linchpin przetyczka [mot.]
line liniować [abc]; wykładać [energ.]
line linia produkcyjna; program; linia [abc]; przewód [bud.]; tor; linia (*np. kolejowa*) [mot.]; program produkcyjny [masz.]; szereg [wojsk.]; wiersz, wers [inf.]; (→ air supply l.; → auxiliary fuel l.; → base l.; → brake l.; →compressed air l.; → delay l.; → extraction steam l.; → feed l.; → feeding l.; → flexible l.; → fuel l.; → main fuel l.; → main steam l.; → overflow oil l.; → pressure l.; → sash l.; → utility service l.; →vacuum l.)
linear linearny, liniowy [transp.]
linear differential equation równanie różniczkowe liniowe [mat.]
linearity liniowość [mat.]
linear porosity łańcuch pęcherzy [met.]
linear transformation przekształcenie liniowe [mat.]
line assembly montaż taśmowy [met.]
line assembly work produkcja taśmowa [met.]
line boring machine wytaczarka pozioma [narz.]
line contactor stycznik liniowy [transp.]
lined obłożony, wyłożony [masz.]; wyłożony [mot.]
lined steel chimney odsłonięty komin blaszany [energ.]
line-drawing rysowanie linii [inf.]
line-drawing analysis analiza rysunku liniowego [inf.]
line for hot-rolled sheet walcownia taśm cienkich [masz.]
line label znacznik linii [inf.]
linen płótno [abc]
linen goods bielizna [abc]
line of welding spoina [met.]
line pipe rura przewodowa [bud.]
line printer drukarka wierszowa [inf.]

liner wyłożenie [masz.]; tuleja cylindrowa [mot.]
liner flange kołnierz wkładki [masz.]
liner plate płyta pancerna [górn.]
liners wkładki [górn.]
line shaft (→ main shaft) wał pędniany, wał transmisyjny [transp.]
line throwing rocket rakieta do przenoszenia linki ratunkowej [wojsk.]
line-up terminals końcówki szeregowe [el.]
line voltage napięcie sieci [el.]
line with plastic refractories obudowywać masą plastyczną ogniotrwałą [energ.]
lining opinka, opierzenie; okładzina; pancerz; płyta pancerna [górn.]; okładzina; izolacja [masz.]; okładzina hamulcowa; okładzina sprzęgła; pokrycie, przykrycie [mot.]; obmurze [energ.]
lining material wyłożenie robocze [energ.]
lining of the brake okładzina hamulca [mot.]
lining service group zespół okładzin hamulcowych [mot.]
link łącznik, człon, ogniwo [masz.]; połączenie, złącze [mot.]; wiązanie [inf.]; (→ cause l.; → chain l.; → cranked l.; → inner l.; → outer l.; → spring clip connecting l.; → wire fastener connecting l.)
linkage połączenie, związek [abc]; *mechanizm złożony z dźwigni i łączników*; układ przenoszący [mot.]; układ dźwigni i łączników [transp.]
linkage brake hamulec mechaniczny [mot.]
link assembly pas łańcuchowy, łańcuch [masz.]
link box szafka rozdzielcza [el.]
link configuration konfiguracja wiązań [inf.]

linked połączony [abc]
link joint (→ fork joint) przegub widełkowy [mot.]
link motion mechanizm łękowy, mechanizm kulisowy [mot.]
link pin sworzeń do łańcuchów [transp.]
lintel beam belka nadproża [bud.]
lip warga [med.]; brzeg, obrzeże [masz.]; przednia część, przód; warga; część przednia kubła dennozsypnego, część przednia chwytaka dwuszczękowego [transp.]
lip actuating uruchomienie klapy [transp.]
lip cylinder (US) siłownik regulowania klapą [transp.]
lipped ring pierścień wargowy [masz.]
lip shroud nakładka ochronna [transp.]
lip-type seal pierścień samouszczelniający wargowy [masz.]
lip valve zawór klapowy [transp.]
liquation likwacja, segregacja [abc]
liquefying upłynnianie, skraplanie [abc]
liquid ciecz [abc]
liquid skroplony; płynny, ciekły [abc]
liquid-annealed ulepszony cieplnie w cieczy [masz.]
liquid ash removal odpopielanie mokre [energ.]
liquid fuel paliwo ciekłe, paliwo płynne [energ.]
liquid gas gaz ciekły [mot.]
liquid hydrogen ciekły wodór [mot.]
liquid-in-glass thermometer termometr cieczowy [abc]
liquid intake wchłanianie cieczy, pobieranie cieczy [masz.]
liquid level monitor wskaźnik kontrolny poziomu wody [energ.]
liquid level switch włącznik pływakowy [mot.]

liquid metal metal ciekły [masz.]
liquid meter indicator cieczomierz wskaźnikowy [el.]
liquid oxygen ciekły tlen [mot.]
liquid penetration and magnetic particle test badanie penetracyjne i defektoskopia magnetyczna proszkowa [norm.]
liquid penetration test badanie penetracyjne, wykrywanie szczelin płynami o dużej przenikliwości [norm.]
liquid petrol gas (→ fuel gas) gaz napędowy ciekły [mot.]
liquid propellant paliwo ciekłe [wojsk.]
liquid slag removal usuwanie żużla w stanie ciekłym [energ.]
liquid slag żużel ciekły, żużel w stanie ciekłym [energ.]
liquid steel stal ciekła [tw.]
liquid-type damper tłumik cieczowy; tłumik hydrauliczny [mot.]
liquor recovery unit kocioł ługowy [energ.]
liquors spirytualia; napoje alkoholowe [abc]
liquor spray nozzle rozpylacz ługowy [energ.]
list wykaz; spis, lista [abc]; przechył boczny statku [mot.]; (→ circular l.; → cutting l.; → free storage l.)
list of attendants lista obecności [abc]
list surgery manipulowanie listą [inf.]
listed <historic> building budynek znajdujący się na liście zabytków, będący pod ochroną [abc]
listener słuchacz [abc]
listing listowanie [inf.]
lit oświetlony [abc]
literals stałe znakowe [inf.]
literature druki; materiał informacyjny; literatura [abc]

L

literature rack (→ rack) regał z prospektami [abc]

literature stand stojak z prospektami, stojak z materiałami informacyjnymi [abc]

litre litr [fiz.]

little wall murek [bud.]

live przewodzący [el.]; on-line, bezpośredni [inf.]

live ring bieżnia pierścieniowa [mot.]

live roller bed łoże przenośnika wałkowego [mot.]

live steam para świeża [energ.]

live steam pressure ciśnienie pary świeżej, ciśnienie pary dolotowej [energ.]

live steam temperature temperatura pary pierwotnej [energ.]

live wire przewód pod napięciem; przewód, kabel [el.]

livery powłoka malarska; powłoka lakierowa [mot.]

load ładować; zasilać [abc]; ładować [inf.]

load obciążenie; obciążenie stałe, obciążenie trwałe [mot.]; ciężar; obciążenie odcinkowe [transp.]; obciążenie [bud.]; (→ axial l.; → back l.; → bearing l.; → building l.; → design l.; → normal l.; → part l.; → peak l.; → radial l.; → stationary l.)

loadability obciążalność [transp.]

load arm widelec; bom ładunkowy [mot.]

load backrest *siatka rozdzielająca kabinę pasażerską od części ładunkowej pojazdu* [mot.]

load balancing zrównoważenie ciężaru [abc]

load balancing lever dźwignia równoważenia ciężaru [masz.]

load break switch rozłącznik obciążenia [mot.]; wyłącznik przeciążeniowy [el.]

load capacity ładowność; obciążalność; nośność; udźwig [mot.]

load carrier żebro wzmacniające [mot.]; element nośny [bud.]

load carrying burners moc palników [energ.]

load cell dynamometr puszkowy, silnik puszkowy [miern.]

load centre line linia środka ciężkości obciążenia [mot.]

load concentration koncentracja obciążenia [bud.]

load cycle zmiana obciążenia [masz.]

load deck pomost załadunkowy [mot.]

load deck height wysokość pomostu załadunkowego [mot.]

load deck mounting ladder drabinka do pomostu załadunkowego [mot.]

load deck surface powierzchnia pomostu załadunkowego; powierzchnia ładunkowa (*wagonu*) [mot.]

load depending uzależniony od ciężaru [abc]

load depending brake force siła hamowania uzależniona od ciężaru [mot.]

load disconnecting switch rozłącznik obciążenia [mot.]

load distance odstęp między ładunkiem [mot.]

load distribution rozkład obciążenia [transp.]

loader urządzenie ładujące; ładowarka [mot.]; (→ wheel l.; → front end l.)

loader clearance cycle promień obrotu ładowarki [mot.]

load fluctation wahanie obciążenia [energ.]

load height wysokość załadowcza [transp.]

load hock yoke jarzmo haka ładunkowego [transp.]

load hook (→ safety l. h.) hak ładunkowy [transp.]

load indicator ciężarowskaz, wskaźnik obciążenia; wskaźnik ładowania [abc]

load indicator lamp wskaźnik ładowania; lampka wskaźnikowa ładowania [abc]

loading załadunek, ładunek [transp.]; (→ consequent loading)

loading and discharge side tracks bocznica za- i wyładowcza [mot.]

loading bridge most przeładunkowy, most ładowczy [transp.]

loading bucket kubeł do materiału sypkiego, czerpak do materiału sypkiego, łyżka do materiału sypkiego [mot.]

loading capacity pojemność załadunkowa; nośność, ładowność [abc]

loading dimension obrysie ładunkowe wagonu [mot.]

loading gauge skrajnia ładunkowa; obrysie ładunkowe wagonu; skrajnia ładunku [mot.]

loading length długość załadunkowa [mot.]

loading performance wydajność załadunkowa [mot.]

loading place miejsce załadunku [górn.]

loading platform powierzchnia ładunkowa; podstawka ładunkowa [mot.]

loading ramp rampa załadowcza [mot.]

loading resistor rezystor obciążenia [masz.]

loading shovel łyżka załadowcza [transp.]

loading shovel bucket łyżka załadowcza [transp.]

loading site miejsce załadunku [abc]

loading time czas ładowania [abc]

loading unit urządzenie załadowcze [masz.]

load-levelling control system układ sterowania poziomu załadunku [mot.]

load limit granica obciążenia [abc]

load limit knob gałka regulacji ograniczenia ciężaru [mot.]

load line linia operacyjna; prosta oporu [el.]

load magnet chwytnik elektromagnetyczny [mot.]

load moment moment obciążenia [mot.]

load range zakres obciążenia [energ.]

load rating obciążalność [masz.]

load rating chart tabela wartości obciążalności [abc]

load reaction oddziaływanie obciążania; reakcja na obciążanie [transp.]

load requirement obciążenie wymagane, ładunek wymagany [transp.]

load rheostat regulator obciążenia [el.]

load securing ring pierścień zabezpieczający ładowanie [masz.]

load sensing wyczuwanie obciążenia [mot.]

load-settlement curve krzywa osiadania [bud.]

load stabilizer with/without side shift stabilizator ładunku z/bez możliwością przesuwu bocznego [mot.]

load stabilizing jack wspornik stabilizatora ładunku [mot.]

load unit jednostka ładunkowa [mot.]

loam glina [min.]

loamy gliniasty [abc]

loamy gravel żwir gliniasty [min.]

loan pożyczka [abc]

loan machine maszyna tymczasowa, maszyna zastępcza (*wypożyczona*) [abc]

L

lobe tłok krzywkowy [mot.]

local area network lokalna sieć komputerowa; wewnętrzna sieć komputerowa [inf.]

local building material krajowy materiał budowlany [bud.]

local computation obliczanie lokalne [inf.]

local conditions warunki lokalne, warunki miejscowe [abc]

local court sąd rejonowy [polit.]

local inspection obchód [abc]

localize umiejscawiać, lokalizować, ustalać położenie [transp.]

localized zlokalizowany, miejscowy [abc]

locally available lokalnie dostępny, miejscowo dostępny [abc]

local network sieć lokalna [inf.]

local operating manager dyżurny ruchu [mot.]

local tools *narzędzia stosowane w danym miejscu pracy* [narz.]

local track linia lokalna [mot.]

local train pociąg podmiejski; kolej lokalna [mot.]; ciuchcia [abc]

locate umieszczać; ustalać położenie [abc]

locating bearing podpora bazowa [masz.]

location miejsce montażu [transp.]; lokalizacja; położenie; siedziba, stanowisko [abc]; miejsce [bud.]; lokalizacja [mot.]

location accuracy dokładność lokalizacji [abc]

location reporting położenie określone [abc]

locator lokalizator [abc]

lock zamykać (*na klucz*) [abc]; unieruchamiać [transp.]

lock ustalenie, zablokowanie; ogranicznik wahadła; zamknięcie, zamek [transp.]; zamek [bud.]; blokada; zamknięcie; zatrzask; wyłącznik (*np. wagi*) [masz.]; zasuwa;

zatrzask [mot.]; (→ bonnet l.; → boot lid l.; → ignition l.; → slewing l.; → tooth l.)

lockable zamykany, dający się zamknąć; do zamykania [abc]

lock-bolt holes otwory śrub ustalających [masz.]

lock bushing puszka zamykająca [masz.]

locked unieruchomiony, zablokowany, zamknięty [mot.]

locked away zamknięty [abc]

locked position pozycja zamknięcia [mot.]

locker schowek [abc]

locker room przebieralnia; umywalnia [abc]

lock in zamykać [polit.]

locking blokada, ryglowanie, zaryglowanie [transp.]; unieruchomienie [masz.]; blokowanie [mot.]

locking and holding brake hamulec postojowy [transp.]

locking assembly zespół ryglujący [masz.]

locking brake hamulec przytrzymujący [transp.]

locking bush tuleja zaciskowa [mot.]

locking cylinder cylinder blokujący [transp.]

locking device urządzenie zamykające; ustalacz [transp.]; zabezpieczenie [mot.]; ustalacz, zatrzask [masz.]

locking handle przetyczka, knebel [masz.]

locking lever kołek zabezpieczający, przetyczka zabezpieczająca [mot.]

locking mechanism mechanizm blokujący [mot.]

locking notch rowek zabezpieczający, wpust ustalający [masz.]

locking nut nakrętka zabezpieczająca [masz.]

locking part element blokujący [masz.]

locking peg kołek blokujący [mot.]

locking piece element zamykający, korek [abc]

locking pin kołek zabezpieczający, zawleczka; kołek ustalający [masz.]

locking plate płytka ustalająca [transp.]

locking ring pierścień zabezpieczający [masz.]; pierścień zaciskowy [mot.]

locking shim podkładka zabezpieczająca; podkładka ustalająca [transp.]

locking sleeve tuleja rozprężna zaciskana [mot.]

locking valve zawór zaporowy [masz.]

locking washer podkładka ustalająca [masz.]

locknut przeciwnakrętka; nakrętka zabezpieczająca [masz.]

lock on nut zabezpieczenie nakrętki [masz.]

lockout lokaut [prawn.]

lock pin sworzeń zamykający; blokada [transp.]; kołek zabezpieczający [masz.]; rygiel [mot.]

lock ring pierścień sprężynujący zabezpieczający; pierścień osadczy rozprężny; pierścień zamykający [mot.]

lock-schematic diagram schemat montażowy połączeń [masz.]

locksmith ślusarz [abc]

lock-up blokada [transp.]

lock valve zawór odcinający [masz.]

lock valve of <the> boom zawór zaporowy wysięgnika [transp.]

lock washer (→ spring lock washer) podkładka sprężysta; podkładka zabezpieczająca [masz.]

lockwire drut topikowy [masz.]

loco lokomotywa [mot.]; w miejscu [abc]

loco driver maszynista [mot.]

locomotive lokomotywa [mot.]

locomotive bell dzwonek lokomotywy [mot.]

locomotive brake valve zawór hamulcowy lokomotywy [mot.]

locomotive cart wózek za lokomotywą [mot.]

locomotive driver maszynista [mot.]

locomotive trolley lokomotywa manewrowa [mot.]

loco number numer lokomotywy [mot.]

loco shed warsztat naprawczy; lokomotywownia, parowozownia, elektrowozownia [mot.]

loctite Loctite (*środek ułatwiający mocowanie*) [abc]

locus krzywa miejscowa, charakterystyka amplitudowo-fazowa, hodograf [masz.]

lodge wnosić [polit.]

lodging zakwaterowanie, mieszkanie [abc]

loess less [abc]

log rejestrować [mot.]

log kłoda, kloc; polano, łupka [abc]; belka, dźwigar [bud.]

log and lumber fork podnośnik widełkowy do okrąglaków i tarcicy [mot.]

logbook dziennik pokładowy, dziennik okrętowy [mot.]

log circuit układ logarytmiczny [el.]

log clamp klamra ciesielska [mot.]

loggia balkon cofnięty; loggia [bud.]

logging rejestracja; wycinanie lasu; pozyskiwanie drewna; przemysł drzewny [abc]

logging attachment sprzęt do wycinki [mot.]

log grab chwytak drewna krótkiego; chwytak drewna [transp.]

log grapple attachment osprzęt chwytaka do drewna [mot.]; wyposażenie do podnoszenia dłużyc [transp.]

L

log grapple szczypce do drewna; chwytak (*do dłużyc*) [transp.]
log sheets rejestr zapisów [energ.]
logic logika [inf.]; (→ nonmonotonic l.; → predicate l.)
logical logiczny [abc]
logical connective łącznik logiczny [inf.]
logic-based planning planowanie na bazie układu logicznego [inf.]
logic family rodzina układów logicznych [el.]
logic gate bramka logiczna [el.]
logic programming programowanie logiczne [inf.]
logic variable zmienna logiczna [el.]
logistics logistyka [wojsk.]
logo szyld, wywieszka, tabliczka [transp.]; logo; znaczek firmowy [mot.]
logo plate znak firmowy [mot.]
lonesome samotny [abc]
long-blade switch zwrotnica z iglicami sprężystymi [masz.]
long boiler walczak kotła [mot.]
long-boiler locomotive parowóz kotłowy [mot.]
long crawler podwozie długie [transp.]
long distance beam reflektor długodystansowy [mot.]
long distance call rozmowa zamiejscowa, rozmowa międzymiastowa, rozmowa międzynarodowa [tel]
long distance railway kolej dalekobieżna [mot.]
long-distance steam line przewód parowy dalekosiężny, rurociąg parowy dalekosiężny [energ.]
long handle o długim trzonie [masz.]
longitude stopień długości geograficznej [meteo.]
longitudinal axis oś podłużna [mot.]
longitudinal blending bed złoże wzdłużne [górn.]

longitudinal compensator sensor czujnik kompensatora wzdłużnego [abc]
longitudinal control arm wahacz podłużny [mot.]
longitudinal crack pęknięcie podłużne [met.]
longitudinal direction kierunek wzdłużny [abc]
longitudinal drum bęben podłużny [energ.]
longitudinal drum boiler kocioł podłużny [energ.]
longitudinal extension wydłużenie podłużne [abc]
longitudinal girder dźwigar podłużny; żebro poprzeczne [mot.]
longitudinal girder of frame dźwigar wzdłużny ramy [mot.]
longitudinal pipe rura o szwie wzdłużnym [masz.]
longitudinal section przekrój podłużny [bud.]
longitudinal spacing rozmieszczenie podłużne [energ.]
longitudinal type boiler kocioł podłużny [energ.]
longitudinal wave fala podłużna [fiz.]
longitudinal wave probe sonda fali podłużnych [el.]
longitudinal wave spread prędkość fali podłużnej [fiz.]
longitudinal wave velocity rozszerzanie się fali podłużnej [fiz.]
longitudinal weld spoina podłużna [met.]
long lance type soot blower zdmuchiwacz sadzy (*o długim ciągu*) [energ.]
long products wyroby długie [masz.]
long ripper tooth ząb stalowy długi, ząb stalowy łyżki koparki [transp.]
longshore man doker [mot.]; robotnik portowy [abc]
long stroke długi skok [mot.]

long-stroke shock absorber amortyzator o długim skoku [mot.]

long tailed wood dłużyca [abc]

long-term loan depozyt stały, depozyt długoterminowy [mot.]

long-term lubrication smarowanie długotrwałe [mot.]

long-term memory pamięć długotrwała [inf.]

long-term work użycie długoterminowe [mot.]

long timber dłużyca [abc]

long-time test próba długotrwała [abc]

long wall mining wybieranie ścianowe [górn.]

long wood dłużyca [abc]

longevity trwałość; długowieczność [abc]

look at patrzeć (*na*) [abc]

loom krosno [abc]

loop pętla [energ.]; pętla; pętelka, węzeł [masz.]; obwód prądowy zamknięty [el.]; tor mijankowy; bocznica [mot.]; (→ continuous l.; → feedback l.)

loop connection połączenie pętlowe [bud.]

loop gain wzmocnienie pętli [el.]

loose łatwo rozpuszczalny; luźny; sypki [abc]; luźny [gleb.]

loose connection złącze luźne [el.]

loose contact styk luźny [el.]

loosen luzować, poluzować [abc]; rozluźniać [górn.]

loosened poluzowany [masz.]

loosening of soil rozpuszczanie gruntu [mot.]

loose material materiał sypki [tw.]

loose point punkt luźny [bud.]

loose rock skała łatwo rozpuszczalna [min.]

loose scale zgorzelina niespoista [masz.]

loose soil grunt spoisty; grunty małospoiste [gleb.]

loose weight ciężar nasypowy, ciężar materiału nasypanego [abc]

lop off obcinać; odrąbywać [abc]

lorry (GB) ciężarówka; samochód ciężarowy [mot.]; (→ dumping l.)

lorry-hauled holowany przez ciężarówkę [mot.]

lorry loading and unloading station stanowisko załadowcze i wyładowcze ciężarówek [mot.]

lorry tippler (GB) samochód ciężarowy wywrotka [mot.]

lose tracić; przegrywać [abc]

lose weight tracić na wadze [abc]

loss tłumienność [el.]; strata [energ.]; (→ back end l.; → entrance l.; → exit l.; → flue gas l.; → friction l.; → inlet and exit l.; → l. due to carbon in fly ash; → l due to carbon in ash; → l. of hardness; → pressure l.; → radiation l.; → riddlings l.; → unaccounted l.; → unknown l.)

loss due to carbon in ash strata w żużlu [energ.]

loss due to carbon in fly ash strata popiołu lotnego [energ.]

loss due to unburnt gases strata przez gazy palne [energ.]

loss of hardness utrata twardości [bud.]

loss of ignition przerwanie zapłonu [energ.]

loss of pressure spadek ciśnienia [mot.]

loss of strength spadek wytrzymałości [bud.]

loss of water strata wody [bud.]

losses in idle straty biegu jałowego [mot.]

lost and found office biuro rzeczy znalezionych [abc]

lost motion luz, ruch jałowy [mot.]

lost pay utrata zarobku [polit.]

lot partia; całość [abc]; parcela budowlana, działka budowlana [bud.]

L

loud głośny [abc]
loudspeaker głośnik [abc]
loudspeaker system urządzenie głośnikowe; szafa głośnikowa (*z głośnikami*) [abc]
lounge hol, poczekalnia; świetlica [abc]
louvre odpowietrznik, otwór wentylacyjny; szczelina wentylacyjna [mot.]; otwór wentylacyjny w dachu [energ.]
low niski [abc]; niski [mot.]; niż [meteo.]
low alloy steel stal niskostopowa [tw.]
low bed pojazd niskopodwoziowy [mot.]
low bed trailer przyczepa z obniżonym pomostem [mot.]; przyczepa niskopodwoziowa [transp.]
low bowl scraper płaska łopata mechaniczna zgarniarki [mot.]
low deck odeskowanie wewnętrzne [transp.]
low-down niski; podły [abc]
low-duty section of superheater przegrzewacz wstępny [energ.]
lower obniżać, zmniejszać [abc]; luzować [transp.]; opuszczać [bud.]; spuszczać; spuszczać (*np. linę*) [energ.]; opuszczać [mot.]
lower dolny; niższy [abc]
lower calorific value dolna wartość opałowa [energ.]
lower catenary idler *przenośnik z dolną taśmą nośną* [transp.]
lower chain tension switch dolny włącznik napięcia łańcucha [transp.]
lower cutting edge krawędź dolna [transp.]
lower drum walczak dolny [energ.]
lower handrail inlet switch zestyk ochronny poręczy dolnej [transp.]
lowering spuszczanie [abc]; opuszczanie [transp.]; obniżanie, redu-

kowanie [masz.]
lower part of boom dolna część wysięgnicy [transp.]
lower portion of housing dolna część korpusu [masz.]
lower rear left hand side panel dolna tylna lewa strona tablicy sterowniczej [el.]
lower side wall header dolna komora zbiorcza ściany bocznej [energ.]
lower socket-inspection travel gniazdo wtykowe jazdy kontrolnej dolne [transp.]
lower stop button przycisk bezpieczeństwa dolny [transp.]
lowest najniższy [abc]
lowest nominal voltage napięcie najniższe nominalne [el.]
low-explosive detonating agents środki zapłonowe niewybuchowe [wojsk.]
low-fat o niskiej zawartości tłuszczu [abc]
low gear najniższy bieg; pierwszy bieg [mot.]
low grade fuel paliwo niskogatunkowe [energ.]
low idle bieg jałowy niski [mot.]
low idle speed obroty biegu jałowego [mot.]
low inflation niskie ciśnienie powietrza [mot.]
low-intensity tube lampa oscyloskopowa z długą poświatą [el.]
lowland nizina [abc]
low-level railway kolej podziemna głęboka [mot.]
low-level station dworzec podziemny, stacja podziemna [mot.]
low-load carrying burner palnik o niskim obciążeniu [energ.]
low loader pojazd niskopodwoziowy [mot.]
low overall height niska wysokość konstrukcyjna [transp.]
low-pass filtr dolnoprzepustowy [el.]

low-placed body niecka nisko osadzona [mot.]

low potential napięcie niskie [el.]

low pressure niskie ciśnienie; podciśnienie [mot.]

low-pressure gasholder niskociśnieniowy zbiornik gazu [mot.]

low-pressure gravity die casting niskociśnieniowe wytwarzanie odlewów kokilowych [masz.]

low-pressure oversized tyre niskociśnieniowa opona nadwymiarowa [mot.]

low pressure stage element niskociśnieniowy [energ.]

low pressure turbine turbina niskociśnieniowa [energ.]

low pressure tyre opona balonowa [mot.]

low pressure tyre with high flotation opona niskociśnieniowa o wysokiej flotacji [mot.]

low pressure valve zawór niskoprężny [mot.]

low profile niski; niskoprofilowy [wojsk.]

low-profile module rama płaska [mot.]

low resistance małoomowy, małooporowy [el.]

low-sided open wagon wagon niskoburtowy; wagon niekryty [mot.]

low-sill window okno; szyba boczna [transp.]

low speed niska prędkość obrotowa; bieg wolny; wolnobieżny [mot.]

low speed pulveriser młyn kulowy wolnobieżny [narz.]

low-temperature carbonisation charge ładunek wytlewny [wojsk.]

low-temperature cast steel staliwo mrozoodporne [masz.]

low-temperature corrosion korozja niskotemperaturowa [energ.]

low vibration słabowibracyjny [transp.]

low volatile bitumious coal węgiel chudy [energ.]

low voltage niskie napięcie [el.]

low voltage breaker switch odłącznik niskiego napięcia [el.]

low voltage circuit breaker odłącznik niskiego napięcia w obwodzie [el.]

low voltage switchboard rozdzielnica niskiego napięcia [el.]

low water level niski stan wody [energ.]

low-wear odporny na ścieranie, odporny na zużycie [masz.]

LOX (*liquid oxygen*) ciekły tlen [mot.]

LS system (*load-sensing system*) system mocy granicznej [mot.]

lube (*lubricate*) smarować [masz.]

lube cost koszty smarowania [masz.]

lube oil filter filtr olejowy [masz.]

lube oil pump pompa smarowa, pompa smarownicza, pompa do smarowania pod ciśnieniem [masz.]

lube requirements (→ lubrication) wymagania smarowania [masz.]

lubricant smar; środek smarowy [masz.]

lubricant fitting smarowniczka [masz.]

lubricant recommendation smar zalecany [abc]

lubricate smarować; natłuszczać; oleić [masz.]

lubricating film warstewka smaru [masz.]

lubricating grease smar stały, towot [masz.]

lubricating hole otwór smarowniczy, otwór smarowy [masz.]

lubricating oil olej smarowy, smar płynny [masz.]

lubricating-oil cooler chłodnica oleju [masz.]

lubricating oil film warstewka smaru [masz.]

L

lubricating oil flow przepływ oleju smarowego [masz.]

lubricating-oil inlet dopływ oleju, otwór wlotowy oleju, zawór wlotowy oleju [masz.]

lubricating oil line przewód smarowy [masz.]

lubricating oil pump pompa olejowa silnika, pompa smarowa silnika [mot.]

lubricating point punkt smarowania [masz.]

lubrication smarowanie, olejenie [transp.] (→ central l.; → engine l.; → forced l.; → high pressure l.; → pressure l.; → self-l.)

lubrication bore otwór smarowniczy, otwór smarowy [masz.]

lubrication chart wykaz okresów smarowania; tabela okresów smarowania [abc]

lubrication device smarownica [transp.]

lubrication groove rowek smarowy, rowek smarujący [masz.]

lubricationing instructions instrukcja smarowania [transp.]

lubrication interval okres smarowania [transp.]

lubrication nipple gniazdo smarowe zaworowe kulkowe [masz.]

lubrication-oil cooler chłodnica oleju smarowego [masz.]

lubrication requirements wymagania smarowania [mot.]

lubrication system układ smarowania, układ olejowy; system olejenia [masz.]

lubricator smarownica, olejarka; smarownica parowa, lubrykator [mot.]; smarownica [transp.]; smarownica [masz.]

lubricator nipple smarownica [masz.]

lubricator nozzle końcówka wylotowa smarownicy [mot.]

luff nawietrzny [mot.]

luff and lee nawietrzna i zawietrzna [mot.]

luffing *ruch wysięgnika żurawia w płaszczyźnie pionowej* [mot.]

luffing and slewing crane żuraw wychylno-obrotowy [mot.]

luffing crane żuraw wypadowy [transp.]

luffing gear mechanizm wypadu [mot.]

luffing mechanism mechanizm wypadu [mot.]

luffing rope lina wypadowa [mot.]

lug ucho, łapa; występ, nadlew [masz.]

luggage bagaż [mot.]

luggage boot bagażnik [mot.]

luggage dump schowek na bagaż [mot.]

luggage net siatka na bagaż [mot.]

luggage van wagon bagażowy [mot.]

lugging capability siła nośna [mot.]

lukewarm letni, ciepławy [abc]

lumber tarcica; surowiec drzewny [abc]

lumber car (US) pojazd do transportu dłużycy [mot.]

lumber grapple chwytak do dłużycy [mot.]

lumber industry przemysł drzewny [transp.]

lumberjack drwal [abc]

lumbermill tartak [narz.]

lumber truck ciężarówka do transportu dłużycy [mot.]

luminous bright orange pomarańcz jasny fluoryzujący [norm.]

luminous bright red czerwień jasna fluoryzująca [norm.]

luminous dial lighting oświetlenie luminescencyjne tablicy wskaźników [el.]

luminous flame radiation promieniowanie promienia świecącego [energ.]

luminous light orange pomarańcz jasny fluoryzujący [mot.]
luminous light red czerwień jasna fluoryzująca [mot.]
luminous orange pomarańcz fluoryzujący [norm.]
luminous push-button przycisk fluorescencyjny [el.]
luminous red czerwień fluoryzująca [norm.]
luminous yellow żółcień fluoryzujący [norm.]
lump bryła, gruda [bud.]
lump hammer młotek dwuobuchowy, pobijak ręczny; bijak, młotek kruszący [narz.]
lumped elements elementy skupione [el.]
lumps kostka [energ.]
lumpy nierówny, wyboisty, chropowaty [abc]
lunar księżycowy [abc]
lunar landing craft lądownik księżycowy załogowy [mot.]
lunar orbit orbita okołoksiężycowa [mot.]
lunch lunch [abc]
lunch break przerwa obiadowa [abc]
luncheon kolacja służbowa, lunch [polit.]
lye ług [chem.]

M

MAC (→ mandatory access control) obowiązkowa kontrola dostępu [inf.]
machete maczeta [abc]
machinability skrawalność, obrabialność skrawaniem [masz.]
machine obrabiać skrawaniem [masz.]
machine urządzenie [abc]; maszyna

budowlana [transp.]; maszyna; maszyna robocza, maszyna produkcyjna [masz.]; (→ construction m.; → drafting m.; → grinding m.; → m. tool; → plate-cutting m.)
machine availability dyspozycyjność urządzenia [mot.]; rozporządzalność [masz.]
machine construction konstrukcja, budowa maszyny [mot.]
machined obrobiony [met.]; maszynowy [masz.]
machined area powierzchnia obrobiona [masz.]
machined together obrabiany wspólnie [met.]
machined washer podkładka obrobiona [masz.]
machine gun karabin maszynowy [wojsk.]
machine if needed obrabiać jeśli konieczne [rys.]
machine in store urządzenie magazynowe [masz.]
machine maintenance konserwacja maszyn [masz.]
machine number numer urządzenia [mot.]
machine operator operator urządzenia [mot.]
machine population stan ilościowy maszyn [abc]
machine protection law ustawa o zabezpieczeniach maszyn [transp.]
machine record card metryka maszyny [masz.]
machinery breakage uszkodzenie maszyny [masz.]
machinery breakage insurance ubezpieczenie od szkód powstałych wskutek nieprzewidzianego i nagłego uszkodzenia maszyny [praw.]
machinery breakdown insurance ubezpieczenie od szkód powsta-

M

łych wskutek nieprzewidzianego i nagłego uszkodzenia maszyny [praw.]

machinery divisions podział urządzeń; budowa maszyn [masz.]

machinery platform pomost maszyny, platforma maszyny [masz.]

machine screw wkręt do części metalowych, wkręt z rowkiem [masz.]; śruba dwustronna, kołek gwintowany [transp.]

machine's mains sieć zasilająca (*urządzenie*) [el.]

machines on stock przyrządy w magazynie [abc]

machine shop warsztat mechaniczny [abc]

machine tool obrabiarka [masz.]

machine-tool software and robotics oprogramowanie obrabiarek sterowanych numerycznie [inf.]

machine translation przekład maszynowy [inf.]

machine travels <in> reverse urządzenie cofa się [mot.]

machine travels forward urządzenie posuwa się do przodu [mot.]

machining obróbka wiórowa; obróbka maszynowa, obróbka mechaniczna [met.]

machining allowance naddatek na obróbkę [masz.]

machining data dane obróbkowe [met.]

machining operation obrabianie materiału [met.]

machining tolerance tolerancja obróbki [met.]; naddatek [masz.]

mackintosh płaszcz nieprzemakalny; płaszcz przeciwdeszczowy [abc]

macro structure budowa makroskopowa; makrostruktura [tw.]

magazine magazyn (*kolorowe czasopismo*) [abc]

maglev lewitacja magnetyczna [mot.]

magnesite magnezyt, giobertyt [tw.]

magnet magnes [abc]

magnet coil uzwojenie wzbudzenia; cewka elektromagnesu [el.]; cewka zapłonowa [mot.]

magnetic brake hamulec elektromagnetyczny [el.]

magnetic coupling sprzężenie magnetyczne, sprzęgło magnetyczne [el.]

magnetic filter filtr magnetyczny [mot.]

magnetic head głowica magnetyczna [el.]

magnetic method defektoskopia magnetyczna proszkowa [met.]

magnetic moulding formowanie magnetyczne [met.]

magnetic part stojak magnetyczny [masz.]

magnetic particle and eddy current testing badanie magnetyczne proszkowe materiałów [miern.]

magnetic particle inspection badanie magnetyczne proszkowe [masz.]; defektoskopia magnetyczna proszkowa [met.]

magnetic plate (→ magnet plate) dysk magnetyczny [masz.]

magnetic pole biegun magnetyczny, biegun magnesu [fiz.]

magnetic pulse welding zgrzewanie impulsowe magnetyczne [met.]

magnetic screw śruba magnetyczna [masz.]

magnetic separator oddzielacz magnetyczny; separator magnetyczny [energ.]

magnetic support stojak magnetyczny [masz.]

magnetic switch wyłącznik elektromagnetyczny, przełącznik elektromagnetyczny [el.]

magnetic tape store pamięć magnetyczna taśmowa [inf.]

magnetic trigger nadajnik magnetyczny, generator magnetyczny [el.]

magnetism magnetyzm [fiz.]
magnet impulse coupling sprzęganie impulsowe magnetyczne [el.]
magnet plate dysk magnetyczny [masz.]
magneto iskrownik; induktor; magneto [mot.]
magneto-optical disk dysk magnetooptyczny [inf.]
magneto switch wyłącznik elektromagnetyczny, przełącznik elektromagnetyczny [el.]
magnitude rozmiar, wielkość [energ.]
magnum flaszka dwukwartowa [abc]
mahogany brown brąz mahoniowy [norm.]
mail wysyłać [abc]
mail (→ post, → postal service) poczta [abc]
mail aeroplane samolot do przewozu poczty [abc]
mailbox skrzynka pocztowa [polit.]
mail coach wagon pocztowy [mot.]; dyliżans pocztowy [abc]
mail steamer parowiec pocztowy [polit.]
mailman (→ postman) listonosz; posłaniec pocztowy [abc]
main główny [abc]
main air reservoir główny zbiornik powietrza [mot.]
main air tank główny zbiornik powietrza (*cysterna*) [mot.]
main air-pipes przewód powietrzny główny [mot.]
main assembly główny podzespół, główny zespół montażowy [transp.]
main axis oś główna [rys.]
main axle oś główna (*pojazdu*) [mot.]
main beam rama główna [transp.]
main bearing łożysko główne [mot.]
main belt conveyor taśmociąg główny [górn.]
main-blade lemiesz główny [transp.]
main block valve główny zawór odcinający [mot.]

main brake cylinder pompa hamulcowa [mot.]
main breaker wyłącznik główny [el.]
main circuit obwód główny, tor główny [el.]
main circuit breaker wyłącznik główny [transp.]
main contractor główny dostawca [abc]
main control panel tablica sterownicza główna; płyta sterująca główna [el.]
main cutterhead bearing łożysko główne ciągu łańcuchowego głowic tnących [mot.]
main cutting edge główna krawędź skrawająca [transp.]
main cylinder cylinder główny [mot.]
main data dane główne [abc]
main deck pokład główny [mot.]
main-design drawing główny rysunek projektowy [rys.]
main dimension wymiar główny [mot.]
main direction of stress główny kierunek obciążenia [masz.]
main distributor rozdzielacz główny [mot.]
main drive napęd główny [mot.]
main drive motor silnik główny napędowy [transp.]
main floor dennik główny [mot.]
main frame komputer główny [inf.]; podstawka montażowa [el.]; podłużnica podłogowa; rama główna [mot.]; podłużnica główna [transp.]; podwozie [masz.]; (DP: → mainframe) procesor centralny [inf.]
main frame of the uppercarriage płyta montażowa nadwozia [transp.]
main fuel line przewód paliwowy główny [mot.]
main fuel pump pompa paliwowa główna [mot.]

M

main fuel tank zbiornik paliwowy główny [mot.]

main fuse zabezpieczenie główne, bezpiecznik główny [transp.]

main gear przekładnia główna [transp.]

main group feature cecha grupy głównej [praw.]

main hall hol dworca [mot.]

main hatch właz główny, luk główny [mot.]

main head lamp reflektor główny [mot.]

main hoist podnośnik główny [mot.]

main input przyłącze główne [el.]

main jet dysza główna [masz.]

main labour camp główny obóz pracy [abc]

main language język główny, język obowiązujący [abc]

main light switch wyłącznik oświetleniowy główny [mot.]

main line magistrala kolejowa; linia kolejowa główna [mot.]

main line station dworzec kolejowy główny [mot.]

main mast grotmaszt [mot.]

main maximum maksimum główne [mat.]

main objective główny cel [abc]

main oil passage główny kanał olejowy [mot.]

main oil rifle przewód główny olejowy [abc]

main pipe przewód parowy główny, parociąg główny [mot.]

main pump pompa główna, pompa robocza [transp.]

main quantities ilości główne [abc]

main reinforcement wzmocnienie, zbrojenie [transp.]

main relief ciśnienie główne [mot.]

main revision kontrola główna, badanie główne [mot.]

main rocket motor silnik rakietowy główny [mot.]

main safety interlock główna blokada zabezpieczająca [energ.]

main shaft wał wielowypustowy, wał wieloklinowy [masz.]; wał główny (*napędowy*) [transp.]

mainshaft with helical splines wał główny z wieloklinem śrubowym [mot.]

main shut-off cock główny zawór odcinający [mot.]

main signal sygnał ramienny, sygnał główny [mot.]

main silencer tłumik dźwięków główny [mot.]

main slewing gear przekładnia uchylna główna, przekładnia główna z kołem uchylnym [transp.]

main speaker główny mówca, najważniejszy mówca [abc]

main station dworzec główny [mot.]

main steam line przewód odprowadzający parę [energ.]

main stop valve główna zasuwa zamykająca, główna zasuwa odcinająca [energ.]

main switch wyłącznik główny [el.]

main transport level główny poziom transportowy; chodnik główny [górn.]

main valve spool suwak główny [mot.]

main water supply główny przewód wodny, wodociąg główny, magistrala wodna [bud.]

main winch wciągarka główna, dźwignik główny, podnośnik główny [transp.]

mains sieć zasilająca [el.]

mains circuit breaker wyłącznik sieci [el.]

mains fuse zabezpieczenie sieci [el.]

mains outlet połączenie sieciowe [el.]

mains plug wtyczka sieciowa [transp.]

maintain zachowywać, utrzymywać

[mot.]; utrzymywać w dobrym stanie; konserwować; utrzymać, zachowywać [masz.]

maintain steady load utrzymywać stałą wartość [energ.]

maintain the competitive edge zachowywać konkurencyjność [abc]

maintenance konserwacja [masz.]; konserwacja [energ.]; konserwacja, pielęgnacja, utrzymanie [inf.]; utrzymywanie w dobrym stanie [transp.]

maintaining utrzymanie [bud.]

maintenance and inspection instruction instrukcje konserwacyjne i kontrolne [abc]

maintenance book książka obsługi [abc]

maintenance cost koszta utrzymania [transp.]

maintenance engineer inżynier warsztatowy, inżynier technolog [abc]

maintenance-free nie wymagający konserwacji [energ.]; bezobsługowy [abc]

maintenance-free operation operacja bezobsługowe [energ.]

maintenance instruction instrukcja konserwacyjna; instrukcje konserwacyjne [abc]

maintenance instruction drawing rysunek instrukcyjny konserwacji [abc]

maintenance interval częstotliwość konserwacji, częstotliwość smarowania [mot.]

maintenance manual podręcznik napraw okresowych [abc]; lista czynności konserwacyjnych [mot.]

maintenance of dirt and gravel road utrzymanie dróg gruntowych [transp.]

maintenance of dirt roads *prace wyrównawcze na drogach gruntowych* [transp.]

maintenance schedule plan robót konserwacyjnych [abc]

maintenance side door drzwi wejściowe dla konserwatorów [mot.]

maintenance stop wstrzymanie pracy urządzenia [transp.]

maintenance tools narzędzia konserwacji [narz.]

maintenance wagon wagon służbowy, wagon roboczy [mot.]

maize yellow żółcień kukurydziana [norm.]

major assembly montaż główny [met.]

major components części podstawowe [mot.]

majority większość [polit.]

make robić, wytwarzać, produkować [abc]; wnosić, składać [polit.]

make wyrób; produkt; marka [abc]

make a dry run próbować "na sucho", przećwiczyć "na sucho" [mot.]

make a speech wygłaszać przemówienie; przemawiać [abc]

make an impact bombardować, uderzać [górn.]

make-break time czas włączenia – wyłączenia [el.]

make easier ułatwiać [abc]

make of car marka samochodu [mot.]

makes of excavators marki koparek, typy koparek [transp.]

make subject to poddawać (*np. testom*) [abc]

make-up szminkować [abc]

make-up water woda uzupełniająca [energ.]

make-up water storage tank zbiornik zasobnikowy wody uzupełniającej [energ.]

make way ustępować miejsca [abc]

making a road base przygotowywanie podłoża drogi [bud.]

making by hand wytwarzanie ręczne, produkcja ręczna [abc]

M

making by machine produkcja maszynowa [masz.]

making of a level wytwarzanie powierzchni podłoża [transp.]

male thread gwint zewnętrzny [masz.]

male union złączka rurowa z gwintem zewnętrznym [masz.]

malinformation kaczka dziennikarska [abc]

mall pasaż handlowy; centrum handlowe; pasaż [abc]

mall coach wagon pocztowy [mot.]

malleable cast iron żeliwo ciągliwe; żeliwo kowalne [tw.]

malleable cast iron spoked wheel koło szprychowe z żeliwa ciągliwego [mot.]

malleable iron żeliwo kowalne [tw.]

malt słód browar(nia)ny [abc]

malting barley jęczmień browar(nia)ny [bot.]

man obsadzać (*np. załogą*) [abc]

manage zarządzać, kierować; rządzić, gospodarować [abc]

manageable poręczny [abc]

management kierownictwo przedsiębiorstwa [abc]; (→ window management) zarządzanie [inf.]

management development rozwój kadr kierowniczych [abc]

management of the company kierownictwo przedsiębiorstwa [praw.]

management organization organizacja kierownicza [abc]

management system system kierowania [mot.]

manager kierownik, dyrektor [abc]

managerial organization organizacja kierownicza [abc]

managerial staff personel kierowniczy, kadra kierownicza [abc]

managerial structure struktura zarządzania [abc]

manager of the legal department kierownik działu prawnego [praw.]

managers' meeting obrady zespołu kierowniczego, spotkanie zespołu kierowniczego [abc]

managing zarządzanie przedsiębiorstwem, ekonomika przedsiębiorstwa [abc]

mandatory obowiązkowy [abc]

mandatory access control obowiązkowa kontrola dostępu [inf.]

mandatory schooling obowiązek szkolny [abc]

man-days worked przepracowane dniówki [abc]

mandrel (→ mandril, drive) trzpień [abc]

mandril (→ mandrel) trzpień [narz.]

mandril gauge sprawdzian trzpieniowy [narz.]

mandril screwing plug trzpień do zwijania drutów [narz.]

mandril screwspindle śruba podnośna [narz.]

maneuvre manewrować [mot.]

maneuvreability zdolność manewrowa; zwrotność [mot.]

manganese mangan, Mn [tw.]

manganese nodule grudka manganu [min.]

manganese nodule collector kolektor grudek manganu [masz.]

manganese steel stal manganowa; stal manganowa nieścieralna, stal Hadfielda [tw.]

manhole właz; otwór roboczy [mot.]; otwór włazowy [met.]; otwór włazowy [hydr.]

manhole cover pokrywa włazu; pokrywa włazu, pokrywa otworu włazowego [mot.]

manhole cover stud kołek gwintowany pokrywy włazu [energ.]

manhole cross bar rączka do otwierania włazu [energ.]

manhour godzina robocza [abc]

manifold przewód rurowy rozgałęźny, rura rozgałęźna; przewód

zbiorczy, kolektor; przewód rozgałęziony [mot.]
manipulation manipulacja [inf.]
manipulator manipulator [masz.]
mankind ludzkość, rodzaj ludzki [abc]
man-made canal sztuczny kanał [abc]
man-made fibre włókno chemiczne [tw.]
manned z załogą [abc]; zajęty [telkom.]
mannetic resonance tomography tomografia jądrowa [inf.]
manoeuvrability zdolność manewrowa; sterowność, zwrotność [mot.]
manoeuvrable zwrotny [mot.]
manoeuvre manewrować [mot.]
manometer manometr; ciśnieniomierz [energ.]
man-power siła robocza; załoga [abc]
manriding przewóz załogi; transport załogi [górn.]
mantle of the earth płaszcz Ziemi [abc]
manual ręczny; podręcznik [abc]
manual arc welding with covered electrode spawanie ręczne elektrodą otuloną [met.]
manual brake release handle dźwignia zwalniaka hamulca, zwalniak ręczny (*hamulca*) [transp.]
manual control sterowanie ręczne [abc]
manual drive device urządzenie obrotowe ręczne [transp.]
manual labour praca ręczna; (→ attitude towards m.) robótka ręczna [abc]
manually-operated uruchamiany ręcznie, sterowany ręcznie [abc]
manual method metoda ręczna, technika ręczna [abc]
manual operation napęd ręczny, obsługa ręczna [abc]; obsługa ręczna [mot.]

manual scanning sprawdzanie metodą stykową [abc]
manual shielded metal arc welding spawanie łukowe ręczne [met.]
manual shift przełączanie ręczne, łączenie ręczne [mot.]
manual spool suwak sterujący obsługiwany ręcznie [mot.]
manual testing badanie ręczne, testowanie ręczne [abc]
manual work praca ręczna [abc]
manufacture sporządzać, produkować, wytwarzać [abc]
manufacture wytwarzanie, wyrób, produkcja, fabrykacja [abc]; budowa, konstrukcja [transp.]
manufacturer producent, wytwórca; fabrykant [abc]; (→ boiler m.)
manufacturer's marking znak producenta, logo producenta [abc]
manufacturer's works zakład wytwórczy [abc]
manufacturing wytwarzanie [transp.]
manufacturing cell blok produkcyjny [masz.]
manufacturing chain łańcuch produkcyjny [masz.]
manufacturing control nadzór produkcyjny, kontrola produkcji [mot.]
manufacturing drawing rysunek warsztatowy [masz.]
manufacturing equipment urządzenia produkcyjne [masz.]
manufacturing hours roboczogodziny, godziny produkcyjne [abc]
manufacturing inspection plan plan nadzoru nad produkcją [abc]
manufacturing line program produkcyjny [masz.]; (→ manufacturing range) asortyment produkcyjny [transp.]
manufacturing number numer produkcyjny, numer fabryczny [abc]

M

manufacturing operation operacja robocza [inf.]; dalsza obróbka [masz.]

manufacturing operations dalsze prace obróbkowe [masz.]

manufacturing order processing przetwarzanie zlecenia [abc]

manufacturing planning planowanie pracy [abc]

manufacturing plant zakład produkcyjny [abc]

manufacturing program program produkcyjny; program dostaw [abc]

manufacturing range program produkcyjny [transp.]

manufacturing receipts pobranie materiału; towar otrzymany [masz.]

manufacturing report sprawozdanie robocze [abc]

manufacturing strategics strategie produkcyjne [masz.]

manufacturing technology technologia procesów przetwórczych, technika procesów przetwórczych [abc]

manufacturing tolerance tolerancja wykonawcza [mot.]

manure nawóz, gnój, obornik [abc]

manuscript manuskrypt, rękopis [abc]

man-way właz [energ.]

map odwzorowywać [inf.]

map szkic [abc]; mapa; plan [geogr.]

map of the city plan miasta [geogr.]

map out zaplanować (*szczegółowo*); kartować [abc]

mapping odwzorowywanie, mapowanie [inf.]

map traversal przeglądanie mapy [inf.]

marble marmur [min.]

marginal stability stabilność marginesowa [el.]

marina basen jachtowy [mot.]

marine boiler kocioł parowy okrętowy [energ.]

marine contractor wykonawca robót podwodnych [mot.]

marine engineering technika morska [mot.]

marine engine silnik okrętowy [mot.]

maritime disaster katastrofa morska [mot.]

maritime industry przemysł okrętowy i przemysł stoczniowy [mot.]

maritime mining górnictwo morskie [górn.]

mark znakować; oznaczać; cechować, znakować [abc]; zaznaczać [masz.]

mark ocena, stopień (*np. w szkole*); znak; oznaka, oznaczenie [abc]

marked wrysowany; oznaczony; trasowany; zaznaczony (*krzyżykiem*) [abc]

mark-setting wskazujący kierunek [abc]

mark true-to-length zaznaczać zgodnie z długością [abc]

marker wskaźnik; znacznik, marker [abc]

market rynek, targ, plac targowy [ekon.]

market and competition analysis analizy rynku i współzawodnictwa (*konkurencji*) [ekon.]

marketing promocja sprzedaży; marketing [abc]

marketing joint venture spółka handlowa joint-venture [abc]

marketing networks/marketing levels sieć dystrybucyjna/poziomy dystrybucji [inf.]

marketing strategies strategie sprzedaży, strategie marketingowe [ekon.]

market leader lider (*na*) rynku [abc]

market-leading wiodący na rynku [abc]

marking oznaczanie; znakowanie; cechowanie; oznaczanie [abc]; poziome oznakowanie jezdni; ozna-

czenie [mot.]
marking accuracy dokładność znakowania [abc]
marking device traser, urządzenie do znakowania [narz.]
marking line linia znakująca, linia znakowania [masz.]
marking of dimension wymiar trasowany [masz.]
marking point miejsce znakowania [transp.]
marking system inertia inercja układu znacznikującego [abc]
marl margiel [min.]
marly till glina zwałowa marglista [bud.]
married unaccompanied żonaty, pozostający sam w gospodarstwie domowym [wojsk.]
marshal zestawiać [mot.]
marshalling yard stacja rozrządowa [mot.]
mash zacier [abc]
mash filter filtr zacierny [abc]
mash tub kadź zacierna [abc]
masked headlamp reflektor zaciemniony [mot.]
mason murarz [bud.]
masonry murarstwo; prace murarskie [bud.]; ($\rightarrow$ base wall m.; $\rightarrow$ dry m.; $\rightarrow$ dry m.; $\rightarrow$ natural stone m.; $\rightarrow$ plinth m.)
masonry saw piła kamieniarska [narz.]
mass-balancing gear ciężarek wyważający [abc]
mass distribution rozdział mas, rozkład mas [abc]
mass flow masowe natężenie przepływu, strumień masy [energ.]
mass of enveloping body masa korpusu okalającego [masz.]
mass of forging ciężar odkuwki [masz.]
mass spectrogram analysis analiza spektrogramu masowego [inf.]

mass spectrogram spektrogram masowy, spektrogram mas [inf.]
mass type soot blower zdmuchiwacz sadzy typu masowego [energ.]
massif masyw (*górski*) [geol.]
massive balustrade balustrada pełnościenna [transp.]
massive type of construction masywny typ konstrukcji, masywny typ budowy [bud.]
mast słup wózka podnośnikowego, prowadnica słupowa wózka podnośnikowego; maszt [mot.]; maszt linii dalekosiężnej [el.]; ($\rightarrow$ pylon) słup sieci trakcyjnej [mot.]
mast of the catenary wire słup kratowy sieci trakcyjnej [mot.]
mast of the overhead wiring słup sieci trakcyjnej [mot.]
mast rail szyna masztu [mot.]
master mistrz [abc]
Master magister [abc]
master amplifier wzmacniak przewodowy, wzmacniak główny, wzmacniacz sieci głównej [el.]
master bill of materials wykaz części [abc]
master BOM wykaz części [abc]
master brewer mistrz browarniczy [abc]
master bricklayer mistrz murarski [bud.]
master control wyłącznik główny; sterownik [el.]
master cylinder cylinder główny [mot.]
master gauge przeciwsprawdzian [miern.]
master gauge for holes przeciwsprawdzian do otworów [miern.]
master generator-pulse główny impuls generatora [el.]
master link ogniwo zamykające gąsienicy [masz.]
master panel tablica sterownicza główna; płyta sterująca [el.]

M

master parts book główny katalog części zamiennych [abc]

master parts record dane kartoteki głównej części zamiennych [inf.]

master parts record unit moduł kartoteki głównej części zamiennych [inf.]

master pin trzpień zamykający łańcucha drabinkowego [masz.]

master spring leaf pióro główne resoru [masz.]

master trigger unit płytka sprężysta [masz.]; generator wzbudzający [el.]

master trigger unit voltage napięcie generatora wzbudzającego [el.]

master unit urządzenie główne, urządzenie centralne, urządzenie-wzorzec [el.]

mat mata [bud.]; (→ contact m.; → straw m.)

mat foundation fundament płytowy [bud.]

match dopasowywać, dobierać [abc]

match zapałka; dobór [abc]

matchbox pudełko zapałek [abc]

matching dopasowanie; porównywanie [inf.]

matching connection cable kabel instalacyjny [el.]

matching impedance impedancja oporowa; dopasowanie oporowe [el.]

matching in semantic nets porównywanie w sieciach semantycznych [inf.]

matching in stereo vision porównywanie w widoku stereoskopowym [inf.]

matching probe cable kabel probierczy do dopasowania [el.]

mate pokrywać (*klacz*) [bot.]

mate specimen element współpracujący; próbka elementu współpracującego [masz.]

material masa; materiał [abc]; surowiec w hałdach, urobek w hałdach [górn.]; tworzywo; niezbędne materiały [tw.]; (→ excavation m.; → other m.)

material <to be> fed in nadawa [górn.]

material at hand ilość materiału [transp.]

material charge nadawa [górn.]

material control gospodarka materiałowa [el.]

material costs koszta materiałowe [masz.]

material dug out urobek, ukop [transp.]

material feed ładowanie, zasilanie, nadawa [górn.]

material flow przepływ materiału, potok materiału [abc]

material loaded ładunek; materiał załadowany [mot.]

material no. tworzywo nr [masz.]

material on the shop floor stan materiałowy wydziału produkcyjnego [abc]

material properties and tensile strength of structural components właściwości materiałowe i wytrzymałość na rozciąganie elementów konstrukcyjnych [masz.]

Material Requirement Planning (MRP) planowanie potrzeb materiałowych [inf.]

material requisition zapotrzebowanie materiałowe [abc]

material standard norma materiałowa [norm.]

material test badanie materiałów [miern.]

material test certificate świadectwo kontroli warsztatowej [abc]

material testing machine maszyna wytrzymałościowa, maszyna do badań wytrzymałościowych [miern.]

material testing upon arrival kontrola towaru przed jego przyjęciem [abc]

material transfer przekazanie materiału [transp.]

material trip wydobywanie materiału [górn.]

material usage (US) zużycie materiałów; użycie towaru, zastosowanie materiału [abc]

material used for products supplied materiały użyte [abc]

materialize materializować (się) [abc]

materials and construction consulting doradztwo materiałowe i konstrukcyjne [abc]

materials and design consulting doradztwo materiałowe i konstrukcyjne [abc]

materials handling transport bliski i przeładunek materiałów [abc]; transport materiału bliski [górn.]; przeładunek towarów [mot.]

materials handling equipment urządzenie transportowe [abc]; urządzenia transportu bliskiego, przenośniki, transportery [górn.]

materials handling plants and systems urządzenia i narzędzia transportu bliskiego [górn.]

materials preparation plant zakład wzbogacania [górn.]

materials preparation technology technologia wzbogacania [górn.]

materials testing badanie materiałów [miern.]

maternity ward oddział położniczy [med.]

mathematical discovery odkrycia matematyczne [abc]

mating surface powierzchnia dopasowana [masz.]

matress materac [abc]

matrix matryca [inf.]; macierz [mat.]; (→ admittance m.; → chain m.; → hybrid m.; → impedance m.; → indefinite admittance m.; → scat-

tering m.; → transfer m.)

matrix diagonalization diagonalizacja macierzy [mat.]

matrix exponential function funkcja wykładnicza macierzy [mat.]

matrix striking press prasa uderzeniowa do matrycowania [masz.]

matt matowy, bez połysku [abc]

matter materia; sprawa, rzecz [abc]

matter of insurance przedmiot ubezpieczenia [praw.]

matting (→ wall-to-wall) wykładzina z maty; gruba szorstka tkanina [abc]

mattock motyka szeroka, kilof płaski [narz.]

matured zaawansowany; dojrzały; ustały, wystały [abc]

mausoleum mauzoleum [abc]

mauve różowoliliowy [abc]

max. "+ –" vibration napięcie zmienne [el.]

max. HP requirement maksymalne zapotrzebowanie mocy w KM [mot.]

maximum największy, maksymalny [abc]

maximum capacity wydajność maksymalna [masz.]

maximum coefficient współczynnik maksymalny [górn.]

maximum depth głębokość maksymalna [górn.]

maximum dumping angle maksymalny kąt wychylenia [mot.]

maximum efficiency wydajność maksymalna [med.]

maximum load obciążenie maksymalne [abc]

maximum/minimum thermometer termometr maksymalno-minimalny [miern.]

maximum output moc wyjściowa maksymalna [mot.]

maximum performance osiągi maksymalne [mot.]

M

maximum pre-set value maksymalna wielkość zadana [abc]

maximum pressure ciśnienie najwyższe [mot.]

maximum pull maksymalna zdolność uciągu pojazdu [mot.]

maximum radius wysięg maksymalny [masz.]

maximum speed prędkość maksymalna [mot.]

maximum speed travelling prędkość maksymalna jazdy [mot.]

maximum volume delivery maksymalna objętość dostawy [abc]

maximum weight ciężar maksymalny [abc]

may differ może się zmieniać [abc]

may green zieleń majowa [norm.]

may mieć pozwolenie, móc [abc]

mayor burmistrz [polit.]

MB (*mouldboard*) lemiesz; odkładnica [transp.]

mbp measurement-control system and control engineering technology technika pomiarowa, sterowania i technika regulacji [miern.]

meadow łąka [bot.]

meal danie [abc]

mean wartość średnia [abc]; napęd przeciętnej wielkości [górn.]

mean znaczyć [abc]

mean average średni, przeciętny [abc]

mean average consumption średnie zużycie [abc]

mean average of crevasse distance średnia wartość rozwarstwienia [górn.]

mean coil diameter średnia średnica zwoju [masz.]

mean fuel consumption średnie zużycie paliwa [mot.]

meaning znaczenie [abc]

meaning-selection constraint zawężenie wyboru znaczeniowego [inf.]

mean length średnia długość [masz.]

mean motor rating (→ average) moc silnika [mot.]

means-ends analysis analiza środków i celów [inf.]

means of heat transfer wartości średnie wymiany ciepła [met.]

means of production środki produkcji [abc]

means of transport środki transportu, środki przewozu [mot.]

mean specific heat ciepło właściwe średnie [abc]

mean temperature średnia temperatura [abc]

mean value of tests wartość średnia testów [masz.]

measure mierzyć [abc]; mierzyć, odmierzać [geol.]

measure miara [abc]; jednostka miary [fiz.]

measured contract *umowa budowlana w oparciu o wykaz robót budowlanych* [bud.]

measured quantity wielkość zmierzona [abc]

measurement (→ continuous m.) pomiar; miara [abc]

measurement hole luk kontrolny, otwór kontrolny, otwór pomiarowy [mot.]

measurement in chequerboard fashion pomiar sieciowy [energ.]

measurement of attenuation pomiar osłabienia, pomiar tłumienia [el.]

measurement of case depth pomiar grubości strefy zahartowanej [miern.]

measurement traverse pomiar sieciowy [energ.]

measures <that were> undertaken zastosowane środki zaradcze [abc]

measuring pomiar [abc]

measuring area powierzchnia pomiarowa; pole rastrowe [transp.]

measuring cable kabel kontrolny, kabel pomiarowy, kabel sygnalizacyjny [el.]

measuring device przyrząd mierniczy, przyrząd pomiarowy; urządzenie pomiarowe, urządzenie miernicze [miern.]

measuring hole otwór kontrolny, otwór pomiarowy [mot.]

measuring instrument przyrząd mierniczy, przyrząd pomiarowy [miern.]; (→ electrical m. i.); (→ indicating m. i.)

measuring instrument tapping point punkt pomiaru (*technicznego ogólnego*) [abc]

measuring kit zestaw mierniczy [miern.]

measuring of wall thickness pomiar grubości ścianki [miern.]

measuring range monitor przyrząd kontrolny zakresu pomiarowego [el.]

measuring tool (→ gauge) narzędzie miernicze, narzędzie pomiarowe [narz.]

measuring transformer przekładnik, transformator mierniczy [el.]

meat mięso [abc]

mechanic mechanik [abc]; ślusarz [met.]; (→ fitter)

mechanic mechaniczny [abc]

mechanical mechaniczny [masz.]

mechanical brake hamulec mechaniczny [mot.]

mechanical clutch lock-up mechaniczna blokada sprzęgła [mot.]

mechanical condition of a machine stan techniczny maszyny [mot.]

mechanical contact mat mata kontaktowa mechaniczna, mata stykowa mechaniczna [transp.]

mechanical dust separator odpylacz mechaniczny [energ.]

mechanical efficiency współczynnik sprawności mechanicznej, sprawność mechaniczna [abc]

mechanical engineer mechanik, pracownik produkcyjny przemysłu maszynowego [masz.]

mechanical engineer in hydraulics inżynier instalacji hydraulicznych [masz.]

mechanical engineering budowa maszyn [masz.]

mechanical firing equipment palenisko mechaniczne [energ.]

mechanical follow-up zespół dźwigni mechanicznych [mot.]

mechanical hand łapka mechaniczna [inf.]

mechanical jack dźwignik samochodowy mechaniczny, podnośnik samochodowy mechaniczny [abc]

mechanically powered napędzany maszynowo [mot.]

mechanical machining obróbka maszynowa, obróbka mechaniczna [met.]

mechanical materials handling equipment mechaniczne urządzenie transportowe [mot.]

mechanical mould forma maszynowa [masz.]

mechanical parts for electrical equipment instalacja elektryczna [transp.]

mechanical precipitator odpylacz mechaniczny; filtr mechaniczny [abc]

mechanical rig and control unit urządzenie kontrolne i sterownicze [miern.]

mechanical steel tube rura stalowa precyzyjna [masz.]

mechanical stress naprężenie mechaniczne, obciążenie mechaniczne [abc]

mechanical tube (US) rura stalowa precyzyjna [masz.]

M

mechanical wire travel podajnik drutu [masz.]

mechanism mechanizm [mot.]

mechanizing mechanizacja [mot.]

media media [abc]

medic sanitariusz [wojsk.]

medical classification diagnostyka medyczna [inf.]

medical science medycyna; nauki medyczne [med.]

medical <therapy> equipment sprzęt medyczny <do naświetlania> [med.]

medicine lekarstwo, lek, środek leczniczy [med.]

medium medium; środek [abc]; (→ working m.)

medium and big diameter tubes rury o średniej i dużej średnicy [masz.]

medium carbon steel stal średniowęglowa [tw.]

medium-deep earthquake trzęsienie ziemi średniej głębokości [abc]

medium hard średniej twardości, średniotwardy, półtwardy [abc]

medium-hard rock skała półtwarda [min.]

medium-hard rock-crushing rozdrabnianie skał półtwardych, kruszenie skał półtwardych [górn.]

medium pressure hose wąż średniociśnieniowy [mot.]

medium-pressure hydraulics układ hydrauliczny średniociśnieniowy [mot.]

medium-sized and large pipes rury o średniej i dużej średnicy [met.]

medium-sized boiler kocioł średniej wielkości [energ.]

medium steel sheet blacha stalowa średnia [abc]

medium volatile bituminous coal węgiel koksowy średniolotny [górn.]

medium voltage napięcie średniowysokie [el.]

medley wiązanka melodii, potpourri [abc]

meet krzyżować, przecinać, spotykać [mot.]

meeting posiedzenie; spotkanie, zjazd [abc]

meeting place miejsce konferencji (*zjazdu, sesji, obrad*) [abc]

megawattmeter megawatomierz [el.]

melon yellow żółcień melonowa [norm.]

melt topić; topnieć [abc]

melting behaviour właściwości topnienia [energ.]

melting point temperatura topnienia, temperatura krzepnięcia [fiz.]

melting pot tygiel do topienia [masz.]

melting time czas zadziałania [el.]

member element konstrukcji, człon konstrukcji; człon; element nośny [masz.]; członek [abc]; (→ component)

member nation państwo członkowskie [abc]

member of the board członek zarządu [abc]

member of the board of directors członek zarządu [abc]

member of the board of managers członek zarządu [abc]

member of the divisional board członek kierownictwa przedsiębiorstwa [abc]

member of the supervisory board członek rady nadzorczej [abc]

membrane przepona, diafragma, membrana; folia ochronna [masz.]; (→ seal m.)

membrane keyboard klawiatura membranowa [inf.]

membrane pump pompa przeponowa, pompa membranowa [energ.]

membrane-type cylinder cylinder

przeponowy, cylinder membranowy [masz.]

membrane wall ściana membranowa [energ.]

memorandum notatka w aktach, zapisek w aktach, adnotacja w aktach; memorandum; informacja [abc]

memorize zapisywać w pamięci, zachowywać w pamięci; wprowadzać do pamięci [inf.]

memory pamięć [inf.]

memory cycle cykl pamięci [inf.]

memory locations lokacje pamięci [inf.]

memory module moduł pamięci [inf.]

memory output wydruk zawartości pamięci [inf.]

men at work plac budowy, teren budowy; roboty drogowe [mot.]

menace groźba, zagrożenie [polit.]

meningitis zapalenie opon mózgowych [med.]

men's room toaleta męska [abc]

mental home szpital psychiatryczny [med.]

mentally retarded niedorozwinięty, opóźniony w rozwoju umysłowym [med.]

mentally unbalanced umysłowo chory [med.]

mental state stan psychiczny [med.]

merchant bar stal prętowa; kształtownik stalowy [masz.]

merchant navy marynarka handlowa [mot.]

mercury rtęć [chem.]

mercury manometer ciśnieniomierz rtęciowy [miern.]

mercury switch wyłącznik rtęciowy [el.]

mercury thermometer termometr rtęciowy [miern.]

mercury-in-glass thermometer termometr rtęciowy [miern.]

merely po prostu; jedynie, tylko [abc]

merger łączyć, scalać, komasować [abc]

merry-go-round (→ merry-g.-r. system) karuzela [abc]

merry-go-round system (→ rotary-d.) urządzenie wyładowcze pełnoobrotowe [mot.]

mesh zazębiać; zaczepiać [masz.]; współpracować; zazębiać się [mot.]

mesh zazębienie; oczko sita [masz.]

meshing przypór, zazębienie (*kół zębatych*) [masz.]; zazębiając się [mot.]

meshing of the teeth zazębienie [transp.]

mesh pattern roller walec kratowy [masz.]

mesh width wielkość oczka [transp.]

mesh wire sieve insert wkładka filtracyjna w formie kosza [mot.]

mesmerized zahipnotyzowany; sparaliżowany [abc]

message wiadomość [inf.]; wiadomość [abc]

message and codes komunikat i kody [inf.]

message passing przekazywanie komunikatów [inf.]

messenger łącznik, goniec, kurier [wojsk.]

metal metal [tw.]; (→ expanded m.); (→ non-ferrous m.)

metal arc welding spawanie łukowe elektrodą metalową, spawanie łukiem metalowym [met.]

metal braid tresa metalowa, oplot metalowy [masz.]

metal casing obudowa metalowa [energ.]

metal circular saw piła tarczowa [narz.]

metal flooring pokrycie pomostu [energ.]

metal forming obróbka plastyczna [met.]

M

metallic gasket uszczelka metalowa [masz.]

metallic packing uszczelka metalowa [masz.]

metallically blank metalicznie czysty [abc]

metalliferous zawierający metal, metalonośny [met.]

metallize metalizować [met.]

metallurgy division wydział metalurgiczny [tw.]

metal-mesh reinforced blanket mata izolacyjna z płaszczem zbrojonym [energ.]

metal parts części metalowe kształtowe [masz.]

metal penetration wżarcie [masz.]

metal pipe rura metalowa [masz.]

metal processing dalsza przeróbka stalowa [met.]

metal protective tube rura ochronna metalowa, rura płaszczowa metalowa [masz.]

metal rod pręt metalowy, drążek metalowy [masz.]

metal saw piła do metali [transp.]

metal scrap and raw metals odpadki metalowe i metale pierwotne [tw.]

metal scrap and virgin metals złom metalowy i metale nieprzetapiane [tw.]

metal sheet pipe rura z blachy stalowej [bud.]

metal spray metalizować; powlekać metalami [met.]

metal spraying metalizacja natryskowa [met.]

metal tube rura metalowa [masz.]

metal tube scaff rusztowanie z rur stalowych [bud.]

metalurgical metalurgiczny [tw.]

metal valve zawór metalowy [mot.]

metamorphic metamorficzny, przeobrażony [abc]

metamorphic rock skała metamor-ficzna, skała przeobrażona [min.]

metamorphose metamorfoza, przeobrażenie [abc]

meteorite meteoryt [abc]

meteorological meteorologiczny [abc]

meteorology meteorologia [abc]

meter licznik [abc]; przyrząd mierniczy, przyrząd pomiarowy [miern.]; miernik [transp.]; czujnik zegarowy [mot.]; metr [fiz.]; ($\rightarrow$ flow m.; $\rightarrow$ vacuom.)

meter switch wyłącznik pomiarowy [transp.]

meter-gauge railway kolejka wąskotorowa [mot.]

metering orifice kryza miernicza, zwężka pomiarowa; przysłona miernicza [miern.]

metering roller rolka miernicza, krążek mierniczy [miern.]

method metoda, sposób [abc]; ($\rightarrow$ double-crystal m.; $\rightarrow$ echo m.; $\rightarrow$ further m. of investigation; $\rightarrow$ loop m.; $\rightarrow$ manual m.; $\rightarrow$ party--line m.; $\rightarrow$ pulse m.; $\rightarrow$ pulse m.; $\rightarrow$ reflection m.; $\rightarrow$ resonance m.; $\rightarrow$ technically feasible m.; $\rightarrow$ two-frequency m.)

method of flanging sposób wywijania kołnierza; sposób zaginania obrzeża [masz.]

method of planning metoda planowania [abc]

method of producing draught wytwarzanie ciągu [energ.]

methods engineer inżynier organizacji procesu produkcyjnego [abc]

method studies analizy metod pracy [abc]

metier zawód, rzemiosło, zajęcie [abc]

metre gauge jednometrowa szerokość toru [mot.]

metric metryczny [transp.]

metrology technika pomiarowa

[inf.]; metrologia, nauka o pomiarach [fiz.]

metronome metronom, taktomierz [abc]

metropolitan railway system szybka kolej miejska [mot.]

metropolitan transit system szybka kolej miejska [mot.]

mica mika [tw.]

mica plug świeca zapłonowa żarowa z izolacją mikową [el.]

mica schist łupek mikowy [min.]

mica sheet płytka mikowa [energ.]

microcomputer use zastosowanie mikrokomputera [inf.]

microfiche mikrofiszka, mikrokarta [inf.]

microfilm mikrofilm, mikrofotokopia [inf.]; mikrofiltr [mot.]

microfilm card karta mikrofilmowa; mikrokarta [inf.]

microprocessor mikroprocesor [inf.]

microswitch wyłącznik krańcowy [transp.]; mikrowłącznik [el.]

microvalve mikrozawór [el.]

micrograp mikrografia, fotomikrografia [inf.]

micrometer depth gauge głębokościomierz mikrometryczny [miern.]

micrometer gauge mikrometr kabłąkowy [miern.]

micrometer screw śruba mikrometryczna, mikrometr [miern.]

microphone mikrofon [abc]

micro-pressure gauge limimetr, minimetr [mot.]

microscope mikroskop [miern.]; (→ ultrasonic m.)

middle średni, środkowy, przeciętny; środek, centrum [abc]

middle seat siedzenie środkowe [mot.]

middle section element pośredni [mot.]

middle-sized company przedsię-

biorstwo średniej wielkości [abc]

middle weight klasa średnia [transp.]

middle wire przewód zerowy [el.]

midship śródokręcie [mot.]

midwife akuszerka, położna [abc]

migration migracja [abc]

migration of weld wędrówka spoin [met.]

MIG-welding spawanie elektrodą topliwą w osłonie gazów obojętnych; spawanie metodą MIG [met.]

mike mikrofon [abc]

mild steel stal miękka [masz.]

mild steel covered electrode elektroda otulona ze stali miękkiej [met.]

mild steel electrode elektroda ze stali miękkiej [met.]

mild steel quality jakość stali miękkiej [masz.]

mileage odległość w milach, ilość przebytych mil, stan licznika mil [mot.]

mileage recorder licznik mil [mot.]

milestone kamień milowy, znak milowy [mot.]

military wojsko [wojsk.]

military aircraft samolot wojskowy [wojsk.]

military area teren wojskowy [wojsk.]

military hospital lazaret; szpital wojskowy [wojsk.]

military plane samolot wojskowy [wojsk.]

military police (MP) żandarmeria wojskowa [wojsk.]

Milky Way Droga Mleczna [abc]

mill frezować; radełkować; rozdrabniać, kruszyć [met.]; mleć [abc]

mill młyn; walcownia; zakład produkcyjny [abc]; frez [narz.]; (→ ball m.; → beater m.; → bowl m.; → brown coal m.; → classifier beater m.; → direct firing m.; → hammer m.; → integral fan m.; →

M

lignite m.; → reserve m.; → stand-by m.; → tube m.)

mill chamber komora mieląca [abc]

mill drive napęd młyna [masz.]

mill drying suszenie w młynie [energ.]

milled slot rowek frezowany [masz.]

mill fan wentylator młynowy [aero.]

mill feeder level podajnik przenośnika Redlera [masz.]

mill-fitted (→ factory provided) produkowany w zakładzie [abc]

milling ridge zadzior [masz.]

mill recirculation recyrkulacja grysu [masz.]

mill room pomieszczenie młyna [abc]

millenium tysiąclecie, millennium [abc]

Miller effect efekt Millera [el.]

millimeter page papier milimetrowy [abc]

milli-second blasting odpalanie krótkozwłoczne, odpalanie mikrozwłoczne, odpalanie milisekundowe [górn.]

mimic diagram board schemat reaktancyjny, schemat synoptyczny [el.]

mimic diagram wykres, diagram [abc]; schemat połączeń kotła [energ.]

mimic panel schemat połączeń kotła; symboliczny schemat obwodu [energ.]

minable urabialny; zdatny do eksploatacji (*np. złoże*) [górn.]

mine urabiać, wybierać; eksploatować [górn.]

mine kopalnia [górn.]; mina [wojsk.]

mine cage klatka szybowa, klatka wyciągowa [górn.]

mine car circuit obieg wozów kopalnianych [górn.]

mine clearance trałowanie [wojsk.]

mine development roboty przygotowawcze [górn.]

mine entrance dojazd do kopalni [górn.]

mine grader równiarka [mot.]

mine manager dyrektor kopalni [górn.]

mine prop stempel; drewno kopalniane [górn.]

miner rębacz [górn.]

mine railway kolej kopalniana [mot.]

miners' association bractwo górnicze, gwarectwo [górn.]

mine support systems konstrukcja stalowa wyrobiska [górn.]

mine sweeper trałowiec, poławiacz min [mot.]

mineral minerał [min.]

mineral coal węgiel kamienny [górn.]

mineral constituent część składowa minerału [abc]

mineral matter free bez substancji mineralnych [energ.]

mineral mixture kruszywo mineralne [górn.]

mineralogy mineralogia [min.]

mineral oil olej mineralny; ropa naftowa [górn.]

mineral raw material surowiec mineralny [górn.]

mineral resources bogactwa naturalne ziemi [abc]

mineral salt sól mineralna [górn.]

mineral soil gleba mineralna [abc]

mineral water woda mineralna [abc]

mineral wool wełna żużlowa, wata żużlowa [energ.]

mineral wool blanket mata z wełny żużlowej [energ.]

mini planner miniterminarz, mały terminarz [abc]

miniature angle-beam probe miniaturowy przyrząd do sprawdzania kątów [miern.]

miniature bulb lampa miniaturowa [mot.]

miniature fuse bezpiecznik czuły [el.]

minicheck minipunkt kontrolny [mot.]

minicheck point minipunkt kontrolny [mot.]

minimize zmniejszać, pomniejszać [abc]

minimized wear minimalizacja zużycia [mot.]

minimizing of abrasion minimalizacja zużycia [mot.]

minimum coat thickness minimalna grubość warstwy, minimalna grubość powłoki [met.]

minimum displacement setting przestawienie minimalne, zmiana minimalna [mot.]

minimum fusing current prąd graniczny [el.]

minimum interval odstęp minimalny [abc]

minimum length długość minimalna, długość najmniejsza [abc]

minimum level of coolant minimalny poziom wody chłodzącej [mot.]

minimum lot nakład [abc]

minimum outside radius najmniejszy promień zewnętrzny, minimalny promień zewnętrzny [masz.]

minimum premium składka minimalna, składka najmniejsza [praw.]

minimum pre-set value minimalna wartość nastawcza [abc]

minimum pressure ciśnienie minimalne [mot.]

minimum vertical rise wysokość minimalna [transp.]

minimum volume delivery minimalna pojemność dostarczana [abc]

minimum width szerokość minimalna [transp.]

mining eksploatacja górnicza; wydobywanie; górnictwo [górn.]

mining engineer inżynier górniczy [górn.]

mining equipment sprzęt górniczy, urządzenia górnicze [górn.]

mining field pole eksploatacyjne, pole wybierakowe [górn.]

mining in consolidated rock kopalnia odkrywkowa skał litych [górn.]

mining industry przemysł górniczo-hutniczy [górn.]

mining method metoda wybierania, metoda urabiania [górn.]

mining operation praca kopalni [górn.]

mining shovel koparka linowa (*o napędzie elektrycznym*); koparka z hydraulicznym napędem elementów roboczych [górn.]

mini-specification specyfikacja przekształcenia, specyfikacja transformacji [inf.]

minister minister [polit.]; duchowny; pastor [abc]

Minister for Foreign Affairs Minister Spraw Zagranicznych [polit.]

minority mniejszość [abc]

minority representation przedstawicielstwo mniejszości [polit.]

minor sub-division mała kreska podziałowa, mała kreska podziałki (*skali*) [abc]

mint green zieleń mięty; zieleń policyjna [norm.]

minus value wartość ujemna [el.]

minute minuta (*kątowa*) [abc]

minutes protokół [abc]

minutes of acceptance test protokół próby odbiorczej [abc]

mirror lustro; zwierciadło [abc]

mirror-inverted odwrócony; odbity w zwierciadle, lustrzany; w odbiciu lustrzanym [abc]

mirror symmetrical lustrzany [transp.]

misaligned niewspółosiowy [abc]

misalignment niewłaściwe zainstalowanie [masz.]; niewspółosiowość, nieprostoliniowość [transp.]

M

miscellaneous różnorodny, rozmaity; mieszany [abc]

miscellaneous items rozmaitości, rzeczy różne [abc]

mismatch; niedopasowanie [abc]; niedopasowanie; wzajemne przesunięcie, wzajemne przestawienie [masz.]

misplace niewłaściwie układać [abc]

misplan niewłaściwie zaplanować [abc]

missile engine silnik rakietowy [wojsk.]

missing in action zaginiony (*w akcji*) [wojsk.]

missing parts brakujące części [abc]

missing seams brakujące spoiny, brakujące szwy [met.]

mist mgła [abc]

mistake mylić [abc]

mistaken pomylony, źle obliczony [abc]

misty mglisty [abc]

mitre box saw piła do wycinania uciosów [narz.]

mitre ucios [masz.]

mix mieszać [abc]

mix mieszanka, mieszanina [górn.]

mixed przemieszany [abc]

mixed-bed demineralizer aparat do odsalania wody ze złożem mieszanym, demineralizator ze złożem mieszanym [energ.]

mixed-bed ion exchanger wymieniacz jonowy ze złożem mieszanym [energ.]

mixed building structures zabudowa mieszana [bud.]

mixed manure kompost [bot.]

mixed train *pociąg towarowy z możliwością przewozu ludzi* [mot.]

mixer mieszarka, mieszalnik [abc]

mixing mieszany, wieloskładnikowy, mieszalny [abc]

mixing chamber komora mieszania [górn.]

mixing header kolektor mieszalny, mieszalnik [energ.]

mixing plant urządzenie mieszające, mieszarka [bud.]

mixing proportion stosunek składników mieszanki [transp.]

mixing tee trójnik mieszalny [energ.]

mixing valve zawór mieszający [energ.]

mixing work mieszanie [górn.]

mixture mieszanka [abc]; mieszanina [mot.]; ($\rightarrow$ gaseous m.)

mixture density ciężar właściwy mieszanki [energ.]

mixture pipe rurka mieszalna [górn.]

mizzen bezan [żeg.]

mizzen mast bezanmaszt [mot.]

Mm free ($\rightarrow$ mineral matter free) bez substancji mineralnych [energ.]

moan narzekać, lamentować, skarżyć się [abc]

mobile przejezdny, ruchomy [abc]; przenośny; przewoźny, ruchomy, przesuwny [mot.]

mobile crusher <plant> kruszarka kołowa [górn.]

mobile crushing unit jednostka krusząca jezdna [górn.]

mobile dewatering system urządzenie odwadniające przewoźne [górn.]

mobile equipment pojazd mechaniczny; maszyna robocza samobieżna, maszyna produkcyjna samobieżna [mot.]

mobile holder zamocowanie ruchome [masz.]

mobile home dom ruchomy [bud.]

mobile hydraulic excavator koparka kołowa z hydraulicznym napędem elementów roboczych [transp.]

mock up makieta; symulacja [abc]

mock up of the carrier cells filling degree symulacja stopnia na-

pełniania komór nośnych [górn.]
mode zakres [inf.]; tryb [el.]; sposób [mech.]
model model [inf.]; rodzaj konstrukcji; typ [abc]; (→ conceptual knowledge m.; → cost m.; → data m.; → display m.; → ecosystem m.; → immission m.; → incremental m.; → nomenclature; → phase m.; → semantic data m.)
model-based classification diagnostyka oparta na modelach [inf.]
modeling odwzorowywanie; modelowanie [inf.]; (→ cognitive m.; → data m.; → geometric m.)
modeling human thinking modelowanie ludzkiego myślenia [inf.]
modeling process proces modelowania [inf.]
model of crane model żurawia, typ żurawia [mot.]
model quality class klasa jakości wzorca, klasa jakości modelu [abc]
model railroad kolejka modelowa, model kolejki, makieta kolejki [mot.]
model railway kolejka modelowa, model kolejki, makieta kolejki [mot.]
mode of application sposób zastosowania [abc]
mode of process metoda postępowania, tryb postępowania [abc]
mode transformation przekształtnik rodzaju fal; przekształcanie rodzaju fali [el.]
moderate umiarkowany [abc]
moderate climatic zone strefa klimatyczna umiarkowana [meteo.]
moderator moderator, spowalniacz [inf.]
modern (→ state of the art) nowoczesny [abc]
modernisation modernizacja [abc]
modernisation of existing plants

modernizacja istniejących urządzeń [abc]
modes of working formy pracy [abc]
modification modyfikacja; odmiana [abc]; przeróbka, poprawka [transp.]
modification of primary insurance zmiana zasadniczej umowy ubezpieczenia [praw.]
modification of underlying insurance zmiana zasadniczej umowy ubezpieczenia [praw.]
modify zmieniać, przeobrażać; modyfikować [abc]; modyfikować [transp.]
modular concept plan modularny, koncept modularny, szkic modularny [transp.]
modular control sterowanie modularne [transp.]
modular design konstrukcja modularna [transp.]
modular principle zasada konstrukcji modułowej, zasada konstrukcji zespołowej; system konstrukcji modułowej [masz.]
modulated modulowany [masz.]
modulation wysterowanie [el.]
modulation range zakres regulacji [el.]
modulator electrode cylinder Wehnelta [el.]
module moduł, zespół znormalizowany zamienny [el.]; jednostka funkcyjna, jednostka funkcjonalna, zespół funkcjonalny [transp.]; zespół znormalizowany; moduł koła zębatego; liczba stosunkowa [masz.]
modulus (→ modulus of elasticity) moduł [masz.]
modulus of deformation moduł odkształcenia [masz.]
moil chisel nóż krążkowy [narz.]
moist wilgotny [abc]
moisten zwilżać, nawilżać [abc]

M

moistening agent środek zwilżający [abc]

moist place izolacja wilgocioodporna [el.]

moist place light lampka wilgocioodporna [el.]

moist room insulation izolacja odporna na wilgoć [el.]

moisture wilgoć [abc]; zawartość wilgoci [energ.]; wilgotność gruntu [geol.]; (→ inherent m.; → surface m.)

moisture and ash free bezwodny i bezpopiołowy [energ.]

moisture carryover porywanie wody [energ.]

moisture content wilgotność [abc]

moisture guard ochrona przed wilgocią [masz.]

moisture in fuel wilgotność paliwa [energ.]

moisture proof odporność na zawilgocenie [abc]

moisture sensitive wrażliwy na wilgoć [abc]

Mollier diagram wykres Molliera, wykres pary h-s [energ.]

molybdenium molibden [tw.]

molybdenum molibden [tw.]

moment moment [fiz.]; (→ bending m.)

momentary chwilowy [abc]

moment of inertia moment bezwładności [fiz.]

moment of resistance wskaźnik wytrzymałości przekroju [transp.]

moment of effective inertia moment bezwładności efektywnej [inf.]

momentum pęd; pęd, ilość ruchu [mot.]; impet; impuls [abc]

monitor monitor [inf.]; czujnik [miern.]; (→ flame m.; → flow m.; → liquid level m.; → pH-m.; → temperature m.)

monitor constantly kontrolować ciągle [abc]

monitoring kontrola [miern.]; monitorowanie [el.]

monitoring wire przewód kontrolny [el.]

monitor supplement przyrząd uzupełniający monitora, przyrząd dodatkowy monitora [inf.]

monitor-text assembly monitor ekranowy [inf.]

monkey wrench francuz, klucz francuski [abc]; klucz nastawny; klucz rozsuwalny pojedynczy [narz.]

monobloc monoblok [transp.]

mono-boom attachment urządzenie wysięgnikowe pojedyncze [transp.]

mono boom for industries przemysłowy wysięgnik pojedynczy [transp.]

monocast part odlew kształtowy, odlew fasonowy [masz.]

mono grouser track pad podkładka gąsienicy z pojedynczą ostrogą przeciwślizgową [transp.]

monolith monolit [min.]

monomast maszt pojedynczy; monomaszt [mot.]

monorail kolej jednoszynowa; kolej podwieszana [mot.]

monostable multivibrator multiwibrator jednostabilny, multiwibrator monostabilny, uniwibrator [el.]

monotonicity monotoniczność [inf.]

monoway valve zawór jednodrogowy [energ.]

monsoon monsun [meteo.]

month miesiąc [abc]

monthly miesięczny; co miesiąc [abc]

monthly statement zestawienie miesięczne [abc]

monument pomnik; pomnik (*ku czci poległych*) [abc]

monumental monumentalny; pomnikowy [abc]

moon księżyc [abc]

moon landing craft (→ Apollo) lądownik księżycowy załogowy [mot.]

moor bagno, torfowisko [geol.]

mooring cumowanie [mot.]

mooring pipe kluza kotwiczna [mot.]

mooring post dalba, pachołek cumowniczy [mot.]

mooring winch winda cumownicza [mot.]

moose test "test łosia" [mot.]

more efficient wydajniejszy, wydajniej [abc]

more flexible elastyczniejszy, o ulepszonej elastyczności [abc]

moreover ponadto [abc]

morning glow zorza poranna, jutrzenka [abc]

morning hour godzina (po)ranna [abc]

morning report raport poranny [wojsk.]

morning shift poranna zmiana, pierwsza zmiana [abc]

mortar kielnia; zaprawa (*murarska*) [bud.]; moździerz [wojsk.]; (→ lime m.; → mud m.)

mortar board zgarniarka (*do zaprawy*) [bud.]

mortar-mix utwardzać [bud.]

mortar-mix stabilizacja, utwardzenie [bud.]

mosaic mozaika [abc]

moss mech [bot.]

moss green zieleń mchu [norm.]

mostly required steel quality właściwa jakość stali [masz.]

mot bike motorower [mot.]

motel motel [abc]

mother matka [abc]

motherboard płyta główna [inf.]

mother country kraj ojczysty [abc]

motif motyw [abc]

motion ruch [transp.]; (→ eccentric m.; → stroke)

motion of the arm mechanizm poruszania ramieniem koparki [transp.]

motion picture theater kino [abc]

motivation motywacja [abc]

motor silnik [mot.]; jednostka napędowa [transp.]; (→ A.C. m.; → air m.; → alterna-tive m.; → D.C. m.; → drive m.; → driving m.; → flange-mounted m.; → flasher m.; → fluid m.; → gear m.; → hydraulic m.; → Otto, Diesel; → pneumatic m.; → slewing m.; → squirrel-cage induction m.; → squirrel-cage m.; → synchronous m.; → three-phase m.; → track m.)

motor barge barka motorowa; barka, szkuta [mot.]

motor bicycle (US) motorower [mot.]

motorbike (→ motorcycle) motocykl [mot.]

motor boat engine silnik łodziowy [mot.]

motorcar boom koniunktura w przemyśle motoryzacyjnym [mot.]

motorcar industry (→ automotive industry) przemysł motoryzacyjny; przemysł samochodowy [mot.]

motor <chain> saw piła łańcuchowa leśna (*z silnikiem benzynowym*) [narz.]

motor circuit obwód elektryczny silnika [transp.]

motor compartment maszynownia; pomieszczenie silnikowe [mot.]

motorcycle motocykl [mot.]

motor fuel gas storage zbiornik gazu sprężonego [mot.]

motor grader równiarka motorowa; równiarka samochodowa, plantowarka samochodowa [transp.]

motor home wóz mieszkalny, przyczepa mieszkalna [mot.]

motorist kierowca samochodowy [mot.]

motorized zmotoryzowany [mot.]

motor lubrication smarowanie silnika [transp.]

M

motor monitoring kontrola silnika; monitorowanie pracy silnika [mot.]

motor mount łoże silnika [transp.]

motor of the external rotor type silnik o zewnętrznym wirniku [transp.]

motor oil olej silnikowy (*smarowy*) [mot.]

motor overload protector przeciążeniowy wyłącznik samoczynny silnika [mot.]

motor pool tabor samochodowy [mot.]

motor protection ochrona silnika [transp.]; osłona silnika [mot.]

motor protection device urządzenie zabezpieczeniowe silnika [transp.]

motor protection relay przekaźnik ochronny silnika, przekaźnik zabezpieczeniowy silnika [transp.]

motor protection switch wyłącznik samoczynny silnika [mot.]

motor protection switch lubrication wyłącznik samoczynny smarowania silnika [transp.]

motor protection switch oil cooler wyłącznik samoczynny chłodnicy oleju silnika [transp.]

motor rating moc nominalna silnika; pojemność skokowa silnika [mot.]

motor scooter skuter [mot.]

motor speed prędkość obrotowa silnika [mot.]

motor speed transmitter nadajnik obrotów [mot.]

motor torque moment obrotowy silnika [transp.]

motor vehicle pojazd mechaniczny [mot.]

motorway autostrada [mot.]

motorway restaurant zajazd (*przy autostradzie*); restauracja (*przy autostradzie*) [mot.]

motor winding uzwojenie silnika [transp.]

mottle plamistość; ziarnistość, granulacja; zakłócenie kwantowe [el.]

mould form [abc]; forma odlewnicza; (chill; → ingot) kokila, forma metalowa [masz.]

mouldboard odkładnica (*pługa*) [transp.]

mouldboard circle dźwigar radlicy [transp.]

mouldboard control sterowanie radlicą, sterowanie ostrzem radlicy [transp.]

mouldboard drawbar dyszel lemiesza [transp.]

mouldboard extension przedłużenie radlicy [transp.]

mouldboard position położenie radlicy [transp.]

mouldboard rotating przestawienie radlicy [transp.]

mouldboard side plate płyta boczna lemiesza [transp.]

mouldboard sideshift przesuw poziomy radlicy [transp.]

mouldboard support zawieszenie radlicy; obsada radlicy [transp.]

mould draft pochylenie (*odlewnicze*); pochylenie wewnętrzne; pochylenie odlewnicze zewnętrzne [masz.]

moulded blank półfabrykat [masz.]

moulded laminates laminat tkaninowy, tkanina utwardzona żywicą [masz.]

moulded rubber part forma gumowa [mot.]

moulding listwa (*profilowa*) [transp.]; profil sztukatorski [bud.]; listwa ozdobna [mot.]

mould parting line linia podziału [masz.]

moulding pin szpilka formierska [masz.]

mount osadzać, zawieszać [mot.]; montować [met.]

mount góra, szczyt [abc]; zamoco-

wanie [mot.]
mountain góra, szczyt [abc]
mountainous górzysty [abc]
mountain railroad kolejka górska [mot.]
mountain railway kolejka górska [mot.]
mountain range pasmo górskie [geol.]
mountain ridge grzbiet górski [geol.]
mounted osadzony [masz.]; zamontowany, zamocowany [met.]
mounted direction indicator kierunkowskaz osadzany (*nakładany*) [mot.]
mounted on bearings ułożyskowany [abc]
mounting podpora, punkt oparcia, oparcie [abc]; wspornik, konsola [transp.]; montaż [mot.]; (→ face m.)
mounting angle kąt montażu [transp.]
mounting bracket wspornik mocujący, wspornik podpierający; część mocująca [masz.]
mounting device urządzenie montażowe [masz.]
mounting fixture urządzenie montażowe [masz.]
mounting frame rama nakładana, rama mocująca [transp.]
mounting hole otwór mocujący, otwór łączący [masz.]
mounting location lokalizacja montażu [transp.]
mounting part część montażowa, część do montażu [transp.]
mounting plate płyta montażowa, podstawa [transp.]
mountings oprawki [energ.]
mounting set zespół mocujący [mot.]
mouse mysz [bot.]
mouse gray mysiego koloru, w kolorze mysim [abc]; szarzeń mysia [norm.]

mouth ujście [abc]
mouthpiece organ [abc]
movability ruchliwość [mot.]
movable obrotowy; przestawny, przesuwny [abc]; przenośny; ruchomy, przesuwny [mot.]
movable bearing łożysko swobodne [masz.]
movable burner palnik pochylny, palnik uchylny [energ.]
movable element część ruchoma [abc]
move odchodzić; przemieszczać [abc]; przesuwać się; poruszać się; poruszać, jeździć [mot.]
moveability ruchliwość [mot.]
moveable probe sonda przesuwna [el.]
move a machine (→ tram, tramming) przemieszczać maszynę [mot.]
movement ruch [abc]
move out wycofywać [wojsk.]
moves too heavy ciężkie ruchy, o ciężkim ruchu [abc]
move the fuel bed odżużlowywać [energ.]
movie film [abc]
movie theater kino [abc]
moving ruchomy; napędowy, napędzający [mot.]
moving-coil instrument przyrząd magnetoelektryczny (*o ruchomej cewce*) [el.]
moving part część ruchoma [abc]
moving sidewalk chodnik ruchomy [transp.]
moving staircase (→ escalator) schody ruchome [transp.]
moving van samochód do przewozu mebli, meblowóz, samochód meblowy [mot.]
moving walk chodnik ruchomy [transp.]
moving walkway chodnik ruchomy [transp.]

M

mow kosić, żąć, siec [bot.]

mowing bucket kosz kosiarki (*na skoszoną trawę*) [transp.]

mowing machine kosiarka [masz.]

muck humus, próchnica, czarnoziem [geol.]

mud nawóz; szlam, muł, namuł [abc]; brud; błoto [transp.]

mud brick cegła surowa [bud.]

mud brick building (→ circular m. b.) budownictwo z gliny [bud.]

mud coal węgiel półpłynny [energ.]

mud drum błotnik, walczak dolny [energ.]

muddy szlamowaty, szlamisty, mulisty, błotnisty; brudny; zamulony [abc]

mud flap fartuch błotnika [mot.]

mud flat łacha, mielizna [abc]

mudguard błotnik [mot.]

mud hole door pokrywa szlamnika [mot.]

mud mortar zaprawa gliniana [bud.]

muffle burner palnik muflowy [energ.]

muffler tłumik wydechowy; tłumik dźwięków [mot.]

muffler and exhaust pipes tłumik dźwięków wraz z instalacją wydechową [mot.]

muffler cut-out zawór wydechowy [mot.]

mulch okrywać mierzwą [abc]

mulcher mulczarka, maszyna do wytwarzania mulczu [mot.]

mulching przykrywanie ściółką [mot.]

mule muł [bot.]

multi-axle wieloosiowy [mot.]

multi-axle power unit zespół napędowy wieloosiowy [mot.]

multi-axle tractive unit pojazd trakcyjny wieloosiowy [mot.]

multibladed circular clam chwy-

tak wielołupinowy, chwytak czaszowy [transp.]

multi-cellular mechanical dust separator odpylacz mechaniczny wielodrożny [energ.]

multi-cellular mechanical precipitator odpylacz mechaniczny wielodrożny [energ.]

multi-channel recorder rejestrator wieloobwodowy [inf.]

multi-claw grab chwytak wielołupinowy, chwytak czaszowy [transp.]

multi-colour coated wielobarwnie polakierowany [met.]

multi-colour recorder przyrząd rejestrujący wielobarwny [inf.]

multi daylight press prasa wielopłytowa, prasa wieloprześwitowa [masz.]

multi-disc brake hamulec cierny wielopłytkowy [mot.]

multi-disc clutch sprzęgło cierne wielopłytkowe [mot.]

multi-disc differential dyferencjał międzypłytkowy [mot.]

multi-disc self-locking differential dyferencjał międzypłytkowy samoryglujący [mot.]

multi-emitter transistor tranzystor wieloemiterowy [el.]

multi-equipment carrier nośnik narzędzi [transp.]

multiform surface powierzchnia wielopostaciowa [abc]

multi-fuel type burner palnik wielopaliwowy [energ.]

multigrade oil olej uniwersalny, olej wielosezonowy [mot.]

multi-groove wieloprofilowy, wielowrębowy [masz.]

multi-jet element type soot-blower zdmuchiwacz sadzy wielodyszowy [energ.]

multi-nozzle blower zdmuchiwacz sadzy wielodyszowy [energ.]

multi-nozzle soot blower zdmuchi-wacz sadzy wielodyszowy (*o długim przewodzie rurowym*) [energ.]

multi-pass boiler kocioł wieloka-nałowy, kocioł wielociągowy [energ.]

multi-pass weld połączenie spawne wielowarstwowe, spaw wielowar-stwowe [met.]

multi-pass welding łączenie spaw-ne wielowarstwowe, spawanie wielowarstwowy [met.]

multi-plate clutch sprzęgło cierne wielopłytkowe [mot.]

multiple disc brake hamulec cier-ny wielopłytkowy [mot.]

multiple disc clutch (→ multiple disc brake) sprzęgło cierne wielo-płytkowe [mot.]

multiple pin strip listwa z gniazda-mi wtykowymi [el.]

multiple position shifting attach-ment urządzenie suwakowe wie-lopozycyjne [mot.]

multiple stroke cylinder cylinder wielostopniowy [mot.]

multiple tandem control valve blok zaworów sterujących [masz.]

multiple-fuel firing palenisko wie-lopaliwowe [energ.]

multiple-loop feedback sprzężenie zwrotne wielokrotne [el.]

multiple-pass boiler kocioł wielo-kanałowy, kocioł wielociągowy [energ.]

multiple-scale image analysis ana-liza obrazu w zwiększonej rozdziel-czości [inf.]

multiple-shield high velocity ther-mocouple termoogniwo wysoko-prędkościowe z ochroną przed promieniowaniem [energ.]

multiple-sound alarm device urzą-dzenie alarmowe wielotonowe [el.]

multiplier powielacz, krotnik [transp.]

multiply mnożyć [mat.]

multi-ply wielowarstwowy [abc]

multiply by mnożyć przez [mat.]

multiplying circuit układ mnożący [el.]

multi-point continuous-roll chart recorder rejestrator wieloobwodo-wy z ruchomą taśma rejestrującą [inf.]

multi-point recorder rejestrator wielopunktowy [inf.]

multiport swivel połączenie obro-towe [mot.]

multi-purpose bucket czerpak uni-wersalny, chwytak uniwersalny [transp.]

multi-purpose carrier transporto-wiec wielozadaniowy [mot.]

multi-purpose freight ship fracht-towiec wielozadaniowy [mot.]

multi-purpose hall hala wielofunk-cyjna [abc]

multi-purpose machine maszyna wielozadaniowa [mot.]; obra-biarka ogólnego przeznaczenia [masz.]

multi-purpose ship statek towaro-wo-pasażerski; statek wielozada-niowy [żeg.]

multi-row ball-bearing slew <ing>ring połączenie obrotowe wielorzędowe [transp.]

multi-run welding połączenie spaw-ne wielowarstwowe, spaw wielo-warstwowy [met.]

multi-seam wielopokładowy [górn.]

multi-section edge nóż nożyc gilo-tynowych wieloczęściowy [mot.]

multi-setting (→ multi-stage) wie-lostopniowy [mot.]

multi-shank ripper zrywarka wie-lozębowa [transp.]

multi-spline <involute> profile wielowypust, zarys wielowypustowy [masz.]

multi-spline joint połączenie wie-

M

lowypustowe, połączenie wieloklinowe [masz.]
multi-spline shaft wał wielowypustowy, wał wieloklinowy [masz.]
multi-stage wielostopniowy [mot.]
multi-stage feed water heating podgrzewacz wieloobiegowy [energ.]
multi-stage lift cylinder wciągnik
hydrauliczny wielostopniowy [mot.]
multi-tip pulverised fuel burner
palnik pyłowy wielopłomieniowy
[energ.]
multitrace oscilloscope oscyloskop wielośladowy [transp.]
multivibrator przerzutnik, multiwibrator [el.]; (→ astable m.; →
monostable m.)
multi-way valve zawór wielodrogowy [energ.]
multi-wire wielożyłowy [el.]
municipal komunalny, miejski
[abc]
municipal theater teatr miejski
[abc]
municipal vehicle pojazd komunalny [mot.]
muscle mięsień, muskuł [med.]
muscle strain ból mięśnia, skurcz
mięśnia [med.]
muscular muskularny [med.]
mushroom head rivet nit z łbem
soczewkowym [masz.]
mushroom head square neck bolt
śruba z łbem płaskim czworokątnym [masz.]
mushroom tappet popychacz talerzykowy [mot.]
mushroom type retainer zabezpieczenie grzybkowe [mot.]
music muzyka [abc]
musical instrument instrument
muzyczny [abc]
mute niemy [abc]; wyciszony [el.]
mutual wzajemny [praw.]
mutual conductance przewodność
czynna wzajemna [el.]

**mutual society insurance compa-
ny** towarzystwo ubezpieczeń wzajemnych [praw.]
mutual use stosowanie wzajemne
[transp.]

N

n. a. (*naturally aspirated*) samozasysający [mot.]
N. C. V. (→ net calorific value) dolna wartość opałowa [energ.]
nail przybijać gwoździami [narz.]
nail gwóźdź [narz.]
nail drawer łapa do wyciągania
gwoździ; wyciągacz gwoździ [narz.]
nail for light weight building slabs
gwóźdź do mocowania płyt budowlanych lekkich [narz.]
nail head główka gwoździa [narz.]
nail puller łapa do wyciągania
gwoździ; wyciągacz gwoździ [narz.]
name badge tabliczka znamionowa,
znak firmowy [abc]
name board tablica z nazwą (*np.
okrętu*) [mot.]
name plate znak firmowy; tabliczka
z nazwiskiem [abc]; tabliczka znamionowa, tabliczka identyfikacyjna [transp.]
name socket tuleja znamionowa
[masz.]
napkin pieluszka; serwetka [abc]
napkin ring pierścień na serwetkę
[abc]
narcotics środek odurzający; nar-
kotyk [med.]
narrow wąski, szczupły [bud.]
narrow fuel type range ruszt taśmowy wąski [energ.]
narrow-gap welding spawanie wąskoszczelinowe [met.]
narrow gauge tor wąski; wąskoto-

rowy [mot.]

narrow gauge engine lokomotywa wąskotorowa [mot.]

narrow gauge railroad kolej wąskotorowa [mot.]

narrow-gauge rolling stock tabor kolejowy (*kolejki wąskotorowej*) [mot.]

narrow gauge track tor wąski [mot.]

narrow-leaf cattail trzcina [bot.]

narrow mesh oczko drobne; o małych oczkach [abc]

narrow passage wąskie przejście [abc]

narrow-section V-belt pas klinowy wąski [mot.]

narrow spacing wąski podział [energ.]

narrow street uliczka; wąska ulica [bud.]

narrow strip (→ steel strip) taśma stalowa, bednarka [tw.]

narrow V-belt pas klinowy wąski [mot.]

NASA (*National Aviation and Space Administration*) NASA, Narodowa Agencja do Spraw Aeronautyki i Przestrzeni Kosmicznej (*w USA*) [mot.]

national holiday święto narodowe [polit.]

nationality plate znak przynależności państwowej; nalepka ze znakiem przynależności państwowej [mot.]

nation-wide na skalę federacji, w całym kraju [polit.]

native matrix przeciwwykrojnik [met.]

NATO (*North Atlantic Treaty Organisation*) NATO, Pakt Północnoatlantycki [wojsk.]

natural naturalny [abc]

natural aspiration zasysanie naturalne [mot.]

natural circulation obieg naturalny [energ.]

natural draught ciąg naturalny [energ.]

natural draught boiler kocioł o ciągu naturalnym [energ.]

natural face ściana pierwotna; powierzchnia czołowa naturalna [górn.]

natural frequency częstotliwość własna [fiz.]

natural gas gaz ziemny [energ.]

natural language interface sprzężenie z językiem naturalnym [inf.]

natural language processing przetwarzanie języka naturalnego [inf.]

naturally aspirated zasilany swobodnie [mot.]

natural period okres drgań własnych [fiz.]

natural resonance drganie własne; drganie swobodne [fiz.]

natural rock skała naturalna [min.]

natural soil grunt rodzimy, grunt nienaruszony [geol.]

natural stone masonry mur z kamienia łamanego [górn.]

natural vibration drganie własne; drganie swobodne [fiz.]

nature of powder-shaped material rodzaj materiału sproszkowanego [górn.]

naught zero [mat.]; zero [abc]

naval vessel okręt marynarki, okręt wojenny [wojsk.]

navigation żegluga [mot.]

navigation bridge mostek nawigacyjny, mostek kapitański [mot.]

navy marynarka [wojsk.]

navy-yard reja; stocznia remontowa [mot.]

N

NC borer wiertarko-frezarka sterowana numerycznie [narz.]

NC drill wiertarka sterowana numerycznie [narz.]

NC drilling machine wiertarka sterowana numerycznie [narz.]

NC programming programowanie sterowania numerycznego [narz.]

NC tool machine obrabiarka/tokarka sterowana numerycznie [narz.]

NC turning lathe tokarka sterowana numerycznie [narz.]

n-channel field-effect-transistor tranzystor polowy z kanałem typu n [el.]

NDT próba nieniszcząca [miern.]; próba NDT, próba kafarowa Pelliniego [met.]

NDT-testing lines maszyna badawcza nieniszcząca, maszyna do badań nieniszcząca [miern.]

near-earth bliski ziemi [mot.]

nearest najbliższy [mot.]

near-sighted krótkowzroczny [med.]

near to the surface bliski powierzchni [bud.]

neat porządny, solidny; czysty, bez domieszek [abc]

necessary potrzebny; przymusowy; konieczny, wymagany [abc]

necking przewężenie [tw.]

neck journal bearing łożysko poprzeczne szyjkowe, łożysko siodłowe [górn.]

need potrzebować [abc]

need brak; potrzeba, zapotrzebowanie [abc]

needle iglica dyszy [masz.]; igła, iglica [mot.]; igła (*do szycia*) [abc]; (→ nozzle n.; → part load n.)

needle bearing łożysko igiełkowe [masz.]

needle cage tuleja igiełkowa; koszyczek igiełkowy (*łożyska*) [masz.]

needle control regulacja iglicy [mot.]

needle diagram diagram igiełkowy [inf.]

needle roller bearing łożysko igiełkowe [masz.]

needle roller bearing with inner ring łożysko igiełkowe z pierścieniem wewnętrznym [masz.]

needle roller bearing without inner ring łożysko igiełkowe bez pierścienia wewnętrznego [masz.]

needle sleeve wałeczek igiełkowy; tuleja igiełkowa [masz.]

needle valve zawór iglicowy [mot.]

negative negatyw [abc]; negatywny [med.]

negative conductor przewodnik ujemny [el.]

negative critical defect wada krytyczna negatywna [met.]

negative events wydarzenia negatywne [inf.]

negative feedback sprzężenie zwrotne ujemne [el.]

negative pole biegun ujemny [el.]

negative report meldunek negatywny [abc]

negative samples przykłady negatywne [inf.]

negotiate brać zakręt, wpisywać się w łuki [mot.]

negotiation rokowania, pertraktacje, rozmowy [abc]

nep (nub; → knob) guzik [masz.]

nervous zdenerwowany [abc]; roztargniony, roztrzepany [med.]

nervous breakdown załamanie nerwowe [med.]

nest of tubes for cooler pęczek rur aparatu chłodzącego; wężownica chłodnicza [energ.]

nesting pozycjonować [tw.]

net łączyć w sieć [inf.]

net siatka [bot.]; (→ adder-multiplier n.; → arcs in n.; → augmented transition n.; → inference n.; → semantic n.; → similarity n.; → transition n.)

net sieciowy [inf.]

net calorific value (N.C.V.) dolna wartość opałowa [energ.]

net quantity of fuel supplied wartość netto zużytej dawki paliwa [energ.]

network sieć; sieć komputerowa [inf.]; (→ feedback n.; → local area n.; → local n.; → public communication n.; → threephase n.; → wide area n.)

network application zastosowanie sieci [inf.]

network model (→ static n. m.) model sieci [el.]

network partitions partycjonowanie sieci; dzielenie sieci [inf.]

network plan planowanie sieci [transp.]

neural network sieć neuronowa [inf.]

neutral neutralny [polit.]; przewód zerowy; punkt zerowy [el.]; ruch neutralny [mot.]

neutral axis włókno obojętne [tw.]

neutral conductor przewód zerowy [transp.]

neutral earthing uziemienie punktu gwiazdowego [el.]

neutralizer valve zawór neutralizujący [masz.]

neutral position położenie zerowe; położenie obojętne [mot.]

neutral zone strefa obojętna [tw.]

new nowy, świeży [abc]

new built house nowa budowla [bud.]

new machine nowe urządzenie [abc]

new paint finish nowa powłoka malarska [abc]

new parts nowe części [mot.]

news agency agencja informacyjna; agencja prasowa [abc]

news blockage blokada informacji [abc]

news magazine audycja informacyjna; program informacyjny [abc]

newsprint papier gazetowy [abc]

newsprint in reels papier gazetowy w belach [abc]

newsreel (→ reel) kronika filmowa [abc]

newel głowica, część wieńcząca; słupek balustrady schodowej [transp.]

next door przylegający, ościenny, sąsiedni, sąsiadujący [bud.]

next of kin najbliższy krewny; krewny; najbliższy członek rodziny [abc]

next to obok [met.]

NHS (*National Health Service*) Narodowa Służba Zdrowia [polit.]

nibble ciąć na wycinarce młoteczkowej [masz.]

nibbler nożyce wibracyjne; nożyce skokowe [narz.]

nibbling machine wycinarka młoteczkowa [narz.]

nick nacinać [narz.]

nick wcięcie; nacięcie, karb, wrąb; wpust, rowek, żłobek [met.]

nicked nacięty; karbowany [met.]

nickel nikiel [tw.]

nickel alloys stopy o podstawie niklowej [tw.]

nickel-plated niklowany [tw.]

night blue błękit nocny [norm.]

night school szkoła wieczorowa [abc]

night shift praca nocna; zmiana nocna [abc]

nightwork zmiana nocna [abc]

nil nic [abc]

nimble zwinny, szybki [abc]

nipper pliers szczypce, kleszcze; obcęgi do gwoździ [narz.]

nipple głowica smarowa [masz.]; złączka wkrętna [mech.]; (→ lubrication n.; → pipe n.; → reducing n.)

nitrided azotowany [tw.]

nitriding <hardness> **depth** głębokość azotowania [tw.]

nitrogen azot [chem.]

nitrogen accumulator akumulator przeponowy; akumulator azotowy

N

[narz.]; akumulator ciśnienia przeponowy [transp.]

nitrogen charging apparatus urządzenie do ładowania azotem [narz.]

nitrogen oxide tlenek azotu [chem.]

NMOS gate bramka MOS z kanałem typu n [el.]

NMOS-transistor tranzystor MOS z kanałem n [el.]

no. nr [abc]

no. of probe block revolutions liczba obrotów bloku kontrolnego [narz.]

no-altering principle zasada nie dokonywania zmian [inf.]

no defaults bez wad [abc]

no go gauge sprawdzian nieprzechodni [abc]

no smoking palenie wzbronione [abc]

no trespassing zakaz wstępu [abc]

nodal analysis analiza węzłowa [el.]

node węzeł [fiz.]

nodes in nets and trees węzły w sieciach i drzewach [inf.]

nodes in trees węzły w drzewach [inf.]

nodular cast iron żeliwo z grafitem sferoidalnym; żeliwo sferoidalne [tw.]

nodular graphite grafit sferoidalny, grafit kulkowy [tw.]

nodular spheroid żeliwo sferoidalne [tw.]

nodule bryłka, kulka [abc]; guzik [masz.]

noise szum; hałas [akust.]; (→ white n.) szum [el.]

noise abatement ochrona przed hałasem [akust.]

noise abating steel stal o właściwościach tłumienia hałasu [tw.]

noise absorbing package zespół pochłaniania dźwięków; pakiet dźwiękochłonny, warstwa dźwię-

kochłonna [transp.]

noise absorption pochłanianie dźwięków [mot.]

noise attenuation dźwiękochłonność; tłumienie hałasów [mot.]

noise component część składowa hałasu [akust.]

noise control element element chroniący przed hałasem [akust.]

noise echo echo [el.]

noise <emission> level poziom ciśnienia akustycznego [mot.]

noise generator generator szumu [mot.]

noise level wytwarzanie dźwięku; poziom szumó; poziom ciśnienia akustycznego [mot.]; poziom szumów [akust.]

noise level at operator's seat poziom szumów na miejscu operatora [mot.]

noise pattern obraz hałasu [abc]

noise reduction tłumienie hałasu [akust.]

noise suppression ochrona przeciwzakłóceniowa [akust.]

noise suppression assembly zestaw do tłumienia zakłóceń [el.]

noise suppression facility tłumik hałasu [mot.]

noisy (loud) głośny [akust.]

no-load operation bieg jałowy [mot.]

nominal bore średnica znamionowa [rys.]

nominal consumption pobór nominalny [el.]

nominal curve zakręt nominalny [abc]

nominal data wartość nominalna [masz.]

nominal heaped/struck capacity wartość znamionowa pojemności [transp.]

nominal line krzywa charakterystyczna [el.]

nominal output nominalna wydajność [mot.]; znamionowa moc wyjściowa [el.]

nominal power zasilanie znamionowe [el.]

nominal pressure ciśnienie nominalne [fiz.]

nominal situation położenie nominalne [rys.]

nominal size wymiar znamionowy [mot.]

nominal speed prędkość obrotowa znamionowa [masz.]

nominal stroke suw nominalny; skok nominalny [mot.]

nominal thread wartość nominalna gwintu [masz.]

nominal voltage napięcie znamionowe; napięcie nominalne [el.]

nominal volume pojemność nominalna [abc]

nominal wall thickness nominalna grubość ścianki [abc]

nonagon dziewięciokątowy [abc]

nonalcoholic beer piwo bezalkoholowe [abc]

non-bounce change-over przełączanie bezudarowe [el.]

non caking niespiekający się [energ.]

nonchronological backtracking nawracanie niechronologiczne [inf.]

non-cohesive niespójny [abc]; sypki [geol.]

non-conductor izolator; nieprzewodnik [el.]

non-consolidated nieumocniony [abc]

non-contact scanning badanie bezdotykowe [miern.]

noncorrosive obojętny [chem.]

non-destructive materials testing nieniszczące badanie materiałów [miern.]

non-destructive testing próba nieniszcząca; badanie materiałów nieniszczące, badanie tworzyw nieniszczące [miern.]

non-dimensional bezwymiarowy [mat.]

non-explosive training ammunition niewybuchowa amunicja ćwiczebna [wojsk.]

non-ferrous metal metal nieżelazny, metal kolorowy [tw.]

non-ferrous metal industry przemysł metali nieżelaznych, przemysł metali kolorowych [tw.]

non-ferrous metallurgy metalurgia metali nieżelaznych, metalurgia metali kolorowych [tw.]

non-ferrous scrap metal złom nieżelazny [tw.]

non-ferrous semis półfabrykaty z metali nieżelaznych [tw.]

non-fibre bez włókien [abc]

nonfluid oil smar stały [masz.]

non-galvanized nieocynkowany [tw.]

non-gangwayed compartment coach wagon z przedziałami bez przejść [mot.]

non-gaseous coal węgiel niegazowany [energ.]

non-immigration visa wiza wjazdowa [polit.]

non-insulated nieizolowany [el.]

non-insured hazards ryzyka nieubezpieczone [prawn.]

non-inverting amplifier wzmacniacz nieprzemieniający [el.]

nonlinear capacitance pojemność nieliniowa [el.]

nonlinear distortion zniekształcenie nieliniowe [el.]

nonlinearity nieliniowość [el.]

non-locating bearing łożysko nieustalone [masz.]

non-luminous radiation promieniowanie nieświecące [opt.]

nonmagnetizable cast steel staliwo niemagnetyczne [tw.]

N

non-manufacturing work czynności pomocnicze [abc]
non-member nie-członek [abc]
non-metallic niemetaliczny [tw.]
non-metallic mineral processing przeróbka minerałów niemetalicznych [górn.]
non-metallic strapping taśma opakowaniowa niemetalowa, taśma opakowaniowa z tworzywa sztucznego [abc]
nonmonotonic logic logika niemonotoniczna [inf.]
non-payment niewypłacenie [prawn.]
non-pressure valve zawór ruchu jałowego [mot.]
non-return valve zawór zwrotny, zawór jednokierunkowy [masz.]
non-reversing device zacisk nienawrotny [transp.]
non-rotating nieodkrętny, beznapięciowy [masz.]
non-rotational bezwirowy [mot.]
non-saponifiable niezmydlający się [masz.]
non-segregating coal distributor podajnik węgla niesegregowanego [energ.]
non-self-propelled floating crane niesamobieżny żuraw pływający [mot.]
non silcon-graded electrical strip taśma elektryczna niekrzemowana [el.]
non-skid przeciwślizgowy [abc]
non-skid chain łańcuch przeciwśnieżny [mot.]
non-slip bez poślizgu [mot.]
non-spinning nieodkrętny [masz.]
non-spinning rope lina beznapięciowa, lina nieodkrętna [masz.]
non-surge bezuderzeniowy; gładki; bezudarowy [mot.]
non-tilt drum-mixer betoniarka z mieszalnikiem wywrotnym [mot.]

nontransferable nieprzenoszalny [abc]
non-twisting nieodkrętny [masz.]
non-uniform excitation wzbudzenie niejednorodne [el.]
non-wearing nieścieralny [masz.]
non-working time czas wolny [abc]
normal normalny [abc]
normal aspect położenie normalne [mot.]
normal-beam probe sonda probiercza zwykła [miern.]
normal concrete beton zwykły [bud.]
normal incidence padanie prostopadłe [el.]
normalize (→ normalized steel) normalizować [tw.]
normal language tekst niezaszyfrowany [abc]
normal load obciążenie nominalne; ciężar normatywny [transp.]
normal output moc nominalna silnika [transp.]
normal steam para wodna zwykła [energ.]
normal tooth thickness grubość zęba zasadnicza czołowa [masz.]
normal-type freight car wagon towarowy standardowy [mot.]
normal-type wagon wagon towarowy zwykły [mot.]
normal writing tekst niezaszyfrowany [abc]
normetta opaska zaciskowa z naciągiem [masz.]
NOR-stage stopień NIE-LUB [el.]
north północ [geogr.]
northern północny [geogr.]
northern latitude szerokość geograficzna północna [geogr.]
northward na północ [geogr.]
nose dziób [mot.]; nos [med.]; nosek, występ, nadlew, zgrubienie [masz.]
nose ring pierścień nadlewu; kółko

nosowe [masz.]
nose wheel koło przednie [mot.]
not automatic trailer coupling niesamoczynny sprzęg przyczepy [mot.]
not deburred z zalewkami, bez usuwania rąbków [masz.]
not deliberately nieumyślnie [abc]
not documented nieudokumentowany; nie poświadczony dokumentem [prawn.]
not earthed nie uziemiony [el.]
not grain oriented nieteksturowany [met.]
not human nieludzki [abc]
not in charge of a section bez resortu, bez teki [transp.]
not laid down in writing nieudokumentowany; nie poświadczony dokumentem [prawn.]
not movable nie nadający się do jazdy [mot.]
not ready for operation niezdolny do ruchu; niezdolny do użytku [mot.]
not serviceable niezdolny do użytku [mot.]
non stop nonstop [mot.]
not terminated bezterminowy [prawn.]
not tightened to specification nie dokręcony zgodnie z instrukcją [masz.]
not unduly intruding the environment nieszkodliwy dla środowiska, przyjazny dla środowiska [abc]
notary notariusz [prawn.]
notary public notariusz; adwokat i notariusz [prawn.]
notch karbować, nacinać karby; nacinać zęby; przycinać [tw.]
notch wycinanie, wyzębianie; wydrążenie; karb, nacięcie karbu, wrąb, wycięcie [tw.]; szczerbinka [wojsk.]

notch and bead sights szczerbinka i muszka [wojsk.]
notch bar impact value udarność, odporność na uderzenia [miern.]
notch bend test próba zginania z karbem [met.]
notched grubo karbowany [tw.]
notched bar impact bending test udarowa próba zginania [miern.]
notched bar impact test próba udarności z karbem [miern.]
notch impact praca uderzenia [miern.]
notching nacinanie zębów [tw.]
notching machine przycinak [narz.]
notch-rupture strength rozdzieralność, wytrzymałość na rozdzieranie [miern.]
notch tension naprężenie wywołane karbem [transp.]
notes wskazówki [abc]
nothing nic [abc]
notice zauważać [abc]
notice notatka [abc]
noticeable dostrzegalny, widoczny, zauważalny; rozpoznawalny; znaczny [abc]
novelty (→ innovation) nowość [abc]
novice początkujący, nowicjusz, debiutant [abc]
nozzle dysza [masz.]; nasadka, ustnik [mot.]; dzióbek, końcówka [masz.]; (→ secondary air n.)
nozzle box skrzynia dyszowa (*turbiny parowej*) [masz.]
nozzle flap klapa strumieniowa [masz.]
nozzle-holder with flange mounting obsada wtryskiwacza z kołnierzem mocującym [mot.]
nozzle needle iglica dyszy [mot.]
nozzle nut nakrętka dyszy [masz.]
nozzle opening ratio otwór względny [energ.]
nozzle propeller dysza napędowa [mot.]

nozzle ring pierścień dyszowy; wieniec kierujący [masz.]

nozzle shut-off device urządzenie zamykające dyszy [masz.]

nozzle spring sprężyna dyszy [mot.]

NPH (*net production hour*) godzina produkcji czystej [abc]

n-port wielowrotnik [el.]

nuclear atomowy, jądrowy; nuklearny [fiz.]; napędzany energią jądrową [mot.]

nuclear catastrophe katastrofa nuklearna, katastrofa jądrowa [abc]

nuclear driven napędzany energią jądrową [mot.]

nuclear engineering technika jądrowa [fiz.]

nuclear power drive napęd jądrowy, napęd nuklearny [fiz.]

nuclear power plant elektrownia atomowa [energ.]

nuclear power station elektrownia jądrowa; elektrownia atomowa [energ.]

nuclear war wojna atomowa [wojsk.]

nuclear waste odpady nuklearne [prawn.]

nucleate boiling wrzenie pęcherzykowe [energ.]

null zero [abc]

number liczba, ilość; numer; cyfra [abc]; (→ even n.; → subject index n.)

numbering numerowanie [abc]

number of liczba (*czegoś*) [abc]

number of axles liczba osi [mot.]

number of blows współczynnik skrętu (*kabla*) [abc]

number of coils liczba zwojów [masz.]

number of cycles częstość łączeń [el.]

number of employees liczba zatrudnionych, liczba pracowników [abc]

number of items liczba sztuk [abc]

number of pitches liczba członów [masz.]

number of probe block revolutions liczba obrotów bloku kontrolnego [miern.]

number of resilient coils liczba zwojów sprężynujących [masz.]

number of staff ill liczba chorych, stan chorych [med.]

number of teeth liczba zębów, ilość zębów [masz.]

number of teeth for testing ilość zębów do pomiaru [masz.]

number of threads ilość skrętów; ilość zwojów [masz.]

number of uses częstotliwość zastosowania [abc]

number plate tablica rejestracyjna [mot.]

numerically controlled (NC) sterowany numerycznie [narz.]

numerically recorded ujęty liczbowo, ujęty w liczbach [abc]

numeric constraint propagation in arrays propagacja ograniczeń numerycznych w matrycach [inf.]

numerous liczny [abc]

nursery szkółka drzewek [bot.]

nursing home dom starców; dom późnej starości, dom spokojnej starości; dom seniora [abc]

nut nakrętka [masz.]; orzech [bot.]; (→ adjusting n.; → check n.; → hex castle n.; → hex n.; → hexagon domed cap n.; → hexagon slotted n.; → hexagon thin n.; → hexagon weld n.; → hexagonal n.; → jam n.; → knurled thumb n.; → lifting eye n.; → lock n.; → pipe n.; → readjustable n.; → ring n.; → self-locking n.; → shaft n.; → slotted round n.; → special foundation n.; → square n.; → square weld n.; → steering n.; → union n.; → wheel mounting n.; → wing n.)

nut brown brąz orzechowy [norm.]
nut-coal orzech [górn.]
nutcracker effect efekt dziadka do orzechów [transp.]
nut engaging surface powierzchnia przyłożenia nakrętki [masz.]
nuts (→ nutcoal) orzech [górn.]
nutshell łupina orzecha [mot.]
nut torque moment dociągający nakrętki [masz.]
nut wrench klucz do kół [mot.]
nylon ring pierścień nylonowy [transp.]
Nyquist criterion kryterium Nyquista [el.]

O

o. d. (*outside diameter*) średnica zewnętrzna [abc]
O. D. (→ outer diameter) średnica zewnętrzna [abc]
O. H. process (*open hearth process*) proces martenowski [masz.]
O. T. -boiler (→ once-through boiler) kocioł przepływowy [energ.]
oak dąb [bot.]
oar wiosło [mot.]
oarsman wioślarz [mot.]
oath przysięga [polit.]
oats owies [bot.]
obelisk obelisk [abc]
object przedmiot, obiekt [inf.]
object-centred control kontrola obiektowa [inf.]
objectionable niepożądany [abc]
objective obiektyw [opt.]
object-oriented obiektowy [inf.]
object-oriented problem solving obiektowe rozwiązywanie problemów [inf.]
object type typ obiektów, rodzaj obiektów [inf.]

object types and relationships rodzaje obiektów i zależności [inf.]
oblique ukośny, skośny [abc]
oblique mark kreska ukośna, kreska ułamkowa [abc]
obscure ciemny, mętny, pochmurny, ponury, posępny [abc]
obsequies zwyczaje pogrzebowe [abc]
observation car wagon widokowy [mot.]
observation carriage pojazd widokowy [mot.]
observatory obserwatorium astronomiczne [opt.]
observe obserwować [polit.]; przestrzegać [mot.]
observer obserwator; chronometrażysta [abc]
observing przestrzeganie [prawn.]
obsolete description określenie przestarzałe [abc]
obstacle przeszkoda [mot.]
obstacle-avoidance problem problem unikania przeszkód [inf.]
obstruct hamować [abc]
obtain otrzymywać [abc]
obtaining raw materials wydobywanie surowca [górn.]
obvious oczywisty [abc]
occupational risk ryzyko zawodowe [prawn.]
occupied zajęty [wojsk.]
occupy zajmować, okupować [wojsk.]
occur występować; wydarzać się; zachodzić, zdarzać się [abc]
occurrence wystąpienie (*szkody*); zdarzenie powodujące szkodę; zdarzenie przewidziane umową ubezpieczeniową [prawn.]
occurrence basis zasada zdarzeń [prawn.]
ocean ocean [abc]
ocean blue błękit oceaniczny [norm.]
ocean-dumping wysypywanie, zwałka [abc]

O

ochre brown brąz ochrowy [norm.]
ochre yellow żółcień ochrowa [norm.]
octagon ośmiokąt [mot.]
ocular okular [opt.]
odd nieparzysty [abc]
odd no. liczba nieparzysta [abc]
odometer dalmierz; hodometr [mot.]
OECD countries kraje grupy OECD; kraje-członkowie Organizacji Współpracy Gospodarczej i Rozwoju [polit.]
of course naturalnie, oczywiście [abc]
of iron z żelaza [tw.]
of the delivery z dostawy [abc]
of the same size tej samej wielkości; w tym samym rozmiarze [abc]
of wood z drewna [abc]
off zamknięty; wyłączony [el.]
off-centre mimoosiowy, mimośrodowy [abc]
offcuts ścinki, złom, odpady [met.]
off-highway bezdroże [mot.]
off-highway crane dźwig terenowy (*przeznaczony do pracy w trudnym terenie*) [mot.]
off-highway truck samochód terenowy [mot.]
office biuro; urząd [abc]; (→ head o.)
office automation automatyzacja prac administracyjno-biurowych [inf.]
office building budynek biurowy, biurowiec [abc]
office communication komunikacja biurowa [inf.]
office document architecture architektura dokumentów biurowych [inf.]
office document interchange format format wymienny dokumentów biurowych [inf.]
office hours godziny urzędowania [abc]

office information system system informacji biurowej [inf.]
office supplies artykuły biurowe [abc]
office title nazwa urzędu, nazwa biura [abc]
office worker pracownik umysłowy, pracownik biurowy [ekon.]
Officer Commanding oficer przełożony; komendant [wojsk.]
officer with statutory authority prokurent [ekon.]
officers' mess mesa oficerska [wojsk.]
official urzędowy, oficjalny [polit.]
official channels droga służbowa [ekon.]
offline off-line, rozłącznie [inf.]
off-peak periods okresy niskiego obciążenia [el.]
offroad bezdroże [mot.]
offroad gear bieg terenowy [mot.]
offroad truck pojazd do wielkogabarytowych ładunków specjalnych [mot.]
off-road vehicle (US) pojazd ciężarowy terenowy [mot.]
offset przesuwać (*poprzecznie*) [transp.]
offset przesunięcie (*poprzeczne*) [transp.]; przesunięcie poprzeczne, offset [el.]; wzajemne przesunięcie, wzajemne przestawienie [masz.]
offset asymetryczny, niesymetryczny; przesunięty; (→ cranked) wykorbiony [transp.]
offset-current prąd niezrównoważenia [el.]
offset cylinder cylinder o komorze spalania umieszczonej z boku [transp.]
offset deviation odchylenie przesunięcia [transp.]
offset from centre przesunięcie, niewspółśrodkowość [rys.]

off-set profiling przesunięcie zarysu [masz.]

offset track shoe mimośrodowa nakładka (*ogniwa gąsienicy*) [masz.]

offset variation wariacja przesunięcia [transp.]

offset-voltage napięcie niezrównoważenia [el.]

offset working pracujący w przesunięciu [transp.]

offset-working attachment osprzęt do przesuwania [transp.]

off shore z morza, od morza [mot.]

offshore przybrzeżno-morski (*o złożu*) [geol.]

offshore crane żuraw przybrzeżny [mot.]

offshore drilling platform platforma wiertnicza na szelfie kontynentalnym [masz.]

offshore technology technologia eksploatacji (*np. ropy lub gazu*) spod dna morskiego [mot.]

off-steam para zużyta [mot.]

off the road poza drogą; wykolejony [mot.]

off-white biel szara; szarzeń biała [norm.]

Ohmic resistance rezystancja, opór czynny [el.]

OIL górna granica zapłonu [mot.]

oil oliwić; oleić; smarować smarem ciekłym [abc]

oil olej [abc]; (→ bleed o.; → heavy o.; → hydraulic o.; → lubricating o.; → residual o.)

oil additive dodatek olejowy [mot.]

oil and gas plants instalacje ropy naftowej i gazu ziemnego [energ.]

oil baffle odrzutnik oleju [mot.]

oil bath kąpiel olejowa; łaźnia olejowa [masz.]

oil bath air cleaner filtr powietrza olejowy, filtr powietrza mokry, filtr powietrza z kąpielą olejową [masz.]

oil by-pass valve zawór obejściowy olejowy [mot.]

oil can kanister na olej; bańka na olej [abc]

oil catcher łapacz oleju, odoliwiacz, odrzutnik oleju [masz.]

oil change wymiana oleju [masz.]

oil circuit obieg oleju [masz.]

oil cleaner filtr oleju; urządzenie do oczyszczania oleju, aparat do regeneracji oleju [masz.]

oil clutch sprzęgło olejowe, sprzęgło mokre [masz.]

oil collector sump miska olejowa, wanna olejowa, studzienka oleju [transp.]

oil conduit przewód olejowy, kanalik smarowy [masz.]

oil control ring pierścień tłokowy zgarniający [masz.]

oil cooler chłodnica oleju [masz.]; chłodnica oleju [transp.]

oil cooler blower wentylator chłodnicy oleju [transp.]

oil cooler element element chłodnicy oleju [masz.]

oil country pole naftowe (*obszar, na którym wydobywa się ropę*) [masz.]

oil country tubular goods rurociągi do transportu ropy na polu naftowym [masz.]

oil delivery pipe przewód olejowy tłoczny [masz.]

oil dilution rozcieńczanie oleju [masz.]

oil dipstick prętowy wskaźnik poziomu oleju [masz.]

oil disc brake hamulec hydrauliczny cierny wielopłytkowy [masz.]

oil drain spust oleju [masz.]

oil drain cock kurek spustowy oleju [mot.]

oil drain plug śruba spustowa oleju, korek spustowy oleju [mot.]

oiler smarownica, olejarka [masz.]

O

oil feed pump pompa olejowa zasilająca [mot.]

oil field pole naftowe [abc]

oilfield truck wóz wiertniczy [mot.]

oilfield vehicle wóz wiertniczy [mot.]

oil filler króciec wlewu oleju [masz.]

oil filler cap zamknięcie wlewu oleju [mot.]

oilfiller neck króciec wlewu oleju [mot.]

oil filler pipe rura olejowa wlewowa [masz.]

oil filler screen sito wlewu oleju [masz.]

oil filter filtr oleju, filtr olejowy [masz.]

oil filter elbow krzywak filtru olejowego, kolanko filtru olejowego [masz.]

oil filter element changing wymiana wkładu filtru olejowego [masz.]

oil filter wrench klucz do filtra olejowego [masz.]

oil fired opalany paliwem olejowym [mot.]

Oil Firing Department Dział Opalania Olejem [energ.]

oil firing equipment palenisko na ropę, palenisko na paliwo ciekłe [energ.]

oil flow strumień oleju [masz.]

oil-fog lubricator smarownica mgłą olejową [mot.]

oil-free bezolejowy [energ.]

oil from cooler olej chłodniczy; olej z chłodnicy (*oleju*) [masz.]

oil gauge fitting wskaźnik poziomu oleju [miern.]

oil gauge glass wziernik poziomu oleju [mot.]

oil groove rowek olejowy, rowek smarowy; rowek smarujący [masz.]

oil guard ochrona olejowa, osłona olejowa [masz.]

oil hole otwór smarowy [masz.]

oil-hydraulic hydrauliczny (*olejowy*) [mot.]

oil-hydraulic brake hamulec hydrauliczny olejowy [mot.]

oil-hydraulics instalacja hydrauliczna olejowa [mot.]

oil-hydraulic track clearing equipment sprzęt do czyszczenia olejowo-hydraulicznego [mot.]

oil industry przemysł naftowy [abc]

oiling smarowanie, oliwienie, olejenie [transp.]

oil inlet dopływ oleju, otwór wlotowy oleju, zawór wlotowy oleju [masz.]

oil lamp lampa naftowa [abc]

oil level poziom oleju [masz]

oil-level check kontrola poziomu oleju, sprawdzanie poziomu oleju [masz.]

oil-level check plug sprawdzian tłoczkowy poziomu oleju [masz.]

oil level gauge wskaźnik poziomu oleju [masz.]

oil level indicator wskaźnik poziomu oleju [mot.]

oil level plug sprawdzian tłoczkowy poziomu oleju [masz.]

oil line przewód olejowy [masz.]

oil lines rurociąg olejowy [masz.]

oil make-up device urządzenie ciśnieniowo-wyrównawcze poziom oleju [masz.]

oil manifold przewód olejowy rozdzielczy [masz.]

oil motor silnik wysokoprężny, silnik Diesla, silnik z zapłonem samoczynnym [masz.]

oil motor for swing-gear silnik wysokoprężny do przekładni uchylnej [mot.]

oil motor for undercarriage shift transmission silnik wysokoprężny do przekładni zmianowej stopniowej [mot.]

oil nitrogen accumulator zasobnik olejowo-azotowy [masz.]

oil out ruch powrotny oleju [masz.]
oil pan miska olejowa; wanna olejowa, studzienka olejowa [masz.]
oil pan drain cock kurek spustowy oleju [masz.]
oil pan gasket uszczelnienie miski olejowej [masz.]
oil pipe przewód olejowy [mot.]
oil pocket kieszeń smarowa, kieszeń olejowa [masz.]
oil pressure ciśnienie oleju [masz.]
oil-pressure brake hamulec hydrauliczny olejowy [mot.]
oil pressure checking kontrola ciśnienia oleju [mot.]
oil pressure gauge manometr olejowy [masz.]; wskaźnik ciśnienia oleju [mot.]
oil pressure governor regulator hydrauliczny olejowy [mot.]
oil pressure indicator lamp lampka kontrolna ciśnienia oleju [mot.]
oil pressure pump pompa olejowa [mot.]
oil pressure relief valve zawór olejowy nadciśnieniowy [mot.]
oil pressure switch czujnik ciśnienia oleju [masz.]
oil pump pompa olejowa [mot.]
oil pump cover pokrywa pompy olejowej [mot.]
oil pump gear wheel koło zębate pompy olejowej [mot.]
oil pump housing kadłub pompy olejowej [mot.]
oil pump screen sito pompy olejowej [mot.]
oil regulating valve zawór regulacyjny olejowy [mot.]
oil relief valve zawór olejowy przelewowy [mot.]
oil reservoir zbiornik oleju; zbiornik ropy [masz.]
oil resistant olejoodporny [masz.]
oil return line przewód powrotny olejowy [masz.]

oil ring pierścień tłokowy zgarniający; pierścień smarowy łożyska, pierścień smarujący łożyska [masz.]
oil sample próbka olejowa [masz.]
oil sand piasek roponośny [masz.]
oil screen sito olejowe [mot.]
oil seal uszczelka olejowa; pierścień uszczelniający olejowy [mot.]; pierścień uszczelniający typu Simmera [masz.]; uszczelnienie olejowe [mot.]; pierścień uszczelniający [masz.]
oil seal assembly komplet uszczelek promieniowych [masz.]
oil seal plate uszczelka, podkładka regulująca [masz.]
oil seal sleeve tuleja uszczelniająca; uszczelnienie olejowe [masz.]
oil separator odolejacz; oddzielacz oleju [masz.]
oil slag żużel olejowy [masz.]
oil-soaked piece of cloth szmata nasycona olejem, ścierka nasycona olejem [transp.]
oilstone osełka [masz.]
oil strainer filtr olejowy [masz.]
oil suction pipe przewód olejowy ssący [masz.]
oil suction tube przewód ssawny olejowy [masz.]
oil sump miska olejowa [masz.]
oil sump gasket uszczelnienie miski olejowej [masz.]
oil supply przewód olejowy; zasilanie olejem; doprowadzanie oleju [masz.]
oil supply tube przewód olejowy zasilający; rura zasilająca [masz.]
oil tank zbiornik oleju; zbiornik ropy [masz.]
oil temperature gauge termometr zdalny do pomiaru temperatury oleju [mot.]
oil thermometer termometr olejowy [masz.]

O

oil thermostat termostat olejowy; regulator temperatury oleju [masz.]

oil thrower ring odrzutnik pierścieniowy oleju [mot.]

oil to cooler olej chłodniczy; olej do chłodnicy [masz.]

oil tower wieża wiertnicza [górn.]

oil tray (→ oil sump) miska olejowa [transp.]

oil type air cleaner filtr powietrza mokry, filtr powietrza olejowy, filtr powietrza z kąpielą olejową [masz.]

oil volume poziom oleju, ilość oleju [mot.]

oil-resistant olejoodporny [masz.]

oilshale łupek bitumiczny [masz.]

oil-well log interpretation interpretacja rejestrów odwiertów naftowych [inf.]

oil-wetted air cleaner filtr powietrza mokry [masz.]

old stary [abc]

old age home (→ nursing home) dom starców; dom późnej starości, dom spokojnej starości [med.]

old-age pension insurance ubezpieczenie rentowe [prawn.]

old-fashioned staromodny, niemodny, staroświecki [abc]

old metals złom [tw.]

olive pierścień tnący [masz.]

olive brown brąz oliwkowy [norm.]

olive drab oliwkowo-brązowy [norm.]

olive green zieleń oliwkowa [norm.]

olive gray szarzeń oliwkowa [norm.]

olive yellow żółcień oliwkowa [norm.]

omission of duties naruszenie obowiązków [prawn.]

omit mijać, wymijać [mot.]

Omnifit *nazwa pasty przeciwzacierowej do śrub* [mot.]

on otwarty; włączony [el.]

on account ze względu na [abc]

on base side po stronie podpierającej, na stronie podparcia [transp.]

on behalf of w imieniu [abc]

on both sides po obu stronach [abc]

on crawlers na podwoziu gąsienicowym, na gąsienicach [transp.]

on edge kantem, bokiem [abc]

on hand dany, istniejący, wspomniany [abc]

ON-OFF switch włącznik [el.]

On-Off-Control regulacja dwustanowa [el.]

on official business służbowy [abc]

on purpose dokonany z premedytacją [prawn.]; umyślny, rozmyślny, celowy [abc]

on request na żądanie [abc]

on schedule planowy, planowo [abc]

on site na miejscu [abc]; na placu budowy [transp.]

on-site traffic ruch pojazdów na terenie budowy [mot.]

on smooth profile ripper na gładkim ramieniu zrywarki [masz.]

on target dokładnie do celu [wojsk.]

on-task attachment sprzęt przestawiający, sprzęt sterujący [transp.]

on-task device urządzenie przestawiające, urządzenie sterujące [transp.]

on the basis of na podstawie (*czegoś*) [abc]

on the face side czołowy [masz.]

on the left po lewej, z lewej [abc]

on the occasion of z okazji [abc]

on the premises na miejscu [abc]

on the premises of the insured w zakładzie ubezpieczonego [prawn.]

on the right z prawej, po prawej [abc]

on the spot na miejscu [abc]

ON/OFF switch przycisk włączania i wyłączania [inf.]

once-through boiler kocioł przepływowy; kocioł (*przepływowy*) Bensona [energ.]

once-through forced flow przepływ

wymuszony [energ.]

once-through forced-flow boiler kocioł o przepływie wymuszonym [energ.]

one axle jednoosiowy [mot.]

one-axle trailer przyczepa jednoosiowa [mot.]

one cylinder engine silnik jednocylindrowy [mot.]

one-headed rail (→ champignon rail) szyna szerokostopowa, szyna Vignolesa [mot.]

one layer jednowarstwowy [tw.]

one layer winding uzwojenie jednowarstwowe [tw.]

one-level bill of materials wykaz (*spis*) elementów modułowych [abc]

one-level <modular> principle system zabudowy modułowy [abc]

one-man control obsługa jednoosobowa [transp.]

one of a kind jedyny (*w swoim rodzaju*) [abc]

one off unikat [abc]

one-off part część pojedyncza [mot.]

one- or multicolour painted lakierowany jedno- lub wielokolorowo [abc]

one-pane safety glass szkło bezpieczne bezodpryskowe jednowarstwowe [transp.]

one-piece jednoczęściowy; z jednej części [abc]

one-piece hose clip opaska zaciskowa jednolita [masz.]

one piece step stopień jednolity [transp.]

one ply jednowarstwowy [abc]

one-room apartment mieszkanie jednopokojowe; kawalerka [bud.]

one set of stabilizers stabilizator dwupunktowy [transp.]

one-shift operation zakład pracujący w systemie jednozmianowym [ekon.]

one-shot rozciągnięcie jednorazowe [transp.]

one strang step chain unit człon łańcucha stopni [transp.]

one-way check valve zawór odcinający jednokierunkowy [masz.]

onlookers gapie [abc]

only once tylko raz [abc]

onyx onyks [min.]

op. h. godzina robocza [masz.]

opacity przenikalność [el.]

opacity factor współczynnik przenikalności [el.]

opacity technique metoda Wilsona [el.]

opal green zieleń opalowa [norm.]

opaque nieprzezroczysty [transp.]

opaqueness nieprzejrzystość [transp.]

OPEC (*Organisation of Petroleum Exporting Countries*) OPEC, Organizacja Krajów Eksporterów Ropy Naftowej [polit.]

open otwarty; otwierać [abc]

open-air escalator (→ outdoor escalator) schody ruchome zewnętrzne [transp.]

open-air exhibition-ground tereny targowe na wolnym powietrzu [abc]

open air <fair> ground stanowisko zewnętrzne, stanowisko na wolnym powietrzu [abc]

open burning coal węgiel gazowopłomienny [górn.]

open car samochód osobowy otwarty [mot.]

open casing łuska otwarta [wojsk.]

open cast mining eksploatacja odkrywkowa, roboty odkrywkowe, górnictwo odkrywkowe [górn.]

open cast mining system sprzęt do robót odkrywkowych [górn.]

open-centered otwarty w położeniu centralnym [transp.]

open centre valve system układ roz-

O

dzielaczy z przepływem otwartym w położeniu neutralnym [mot.]

open coach wagon osobowy o dużej pojemności [mot.]

open cut wyrobisko odkrywkowe, odkrywka [górn.]

open cut mining eksploatacja odkrywkowa; wyrobisko odkrywkowe, odkrywka [górn.]

open cut project projekt kopalni odkrywkowej [energ.]

open cyclone arrangement oddzielacz cyklonowy otwarty; kocioł ogrzewany wirowo otwarty [energ.]

open-cycle gas turbine turbina gazowa o obiegu otwartym [energ.]

open-door design konstrukcja z możliwością przeprowadzenia przeróbek [rys.]

open-ended spanner klucz szczękowy jednostronny [narz.]

open-end spanner klucz maszynowy płaski dwustronny; klucz maszynowy płaski [narz.]

open furnace arrangement rozmieszczenie palenisk otwartych [energ.]

open-hearth (O. H.) piec martenowski [tw.]

open-house meeting dzień otwartych drzwi [abc]

opening otwarcie [masz.]; otwór; szczelina [abc]; dostęp, dojście; wyłom, otwór [transp.]; otwarcie [mot.]; (→ extruded o.; → shaft o.; → wellway o.)

opening address przemówienie inauguracyjne [abc]

opening cut wcięcie odkrywkowe, wcięcie rozpoznające złoże [górn.]

opening day dzień otwarcia [transp.]

opening for rope otwór przelotowy na linę [mot.]

opening pressure ciśnienie otwarcia, ciśnienie zadziałania [masz.]

opening roof dach otwierany [masz.]

openings for loading and discharging otwory za- i wyładunkowe [mot.]

opening time czas otwarcia [el.]; czas otwarcia [mot.]

opening-up device urządzenie odsłaniające [górn.]

opening-up device for impact wall urządzenie odsłaniające do ścian udarowych [górn.]

opening width szerokość otwarcia, szerokość rozwarcia [masz.]

open jaw wrench klucz szczękowy otwarty [narz.]

open-link chain łańcuch pierścieniowy [masz.]

open-loop gain wzmocnienie przy otwartej pętli sprzężenia zwrotnego [el.]

open nodes węzły otwarte [inf.]

open pit kopalnia odkrywkowa, odkrywka [górn.]

open pit mining wybieranie odkrywkowe, eksploatacja odkrywkowa; odkrywka [górn.]

open-pit mining operation roboty odkrywkowe [górn.]

open pit mining system sprzęt do robót odkrywkowych [górn.]

OPEN-SHUT indication wskazanie otwórz zamknij [energ.]

open single V szew otwarty prosty na V [met.]

open square pressure gas welding zgrzewanie gazowe łukiem odkrytym [met.]

open wire fuse bezpiecznik nieosłonięty [el.]

opera opera [abc]

opera house opera [abc]

operate internationally działać międzynarodowo [transp.]

operate uruchamiać [el.]; manipulować [masz.]; sterować [mot.];

eksploatować [energ.]; działać, pracować [abc]; obsługiwać; włączać [transp.]
operate with large number of vibrations pracować przy dużym natężeniu wstrząsów [abc]
operating obsługa [masz.]
operating and travelling direction kierunek sterowania i przesuwu [transp.]
operating behaviour charakterystyka robocza (*urządzenia*) [transp.]
operating behaviour of pump zachowanie robocze pompy [mot.]
operating condition warunki eksploatacji; warunki pracy [masz.]
operating console pulpit sterowniczy [energ.]
operating contact zestyk zwierny, zestyk roboczy [el.]
operating controls elementy sterujące [mot.]
operating cylinder cylinder sterujący [mot.]
operating data dane eksploatacyjne; charakterystyka działania [abc]
operating delay opóźnienie rozdzielenia styków [mot.]
operating device włącznik, urządzenie uruchamiające, urządzenie sterujące [wojsk.]
operating direction kierunek sterowania [abc]
operating disc tarcza sprzęgła [mot.]
operating efficiency wydajność robocza; sprawność kotła [energ.]
operating element element obsługi [transp.]
operating floor pomost roboczy palacza [mot.]
operating handle for roof ventilator dźwignia nastawcza wywietrznika dachowego [mot.]
operating hour roboczogodzina (*urządzenia*) [transp.]

operating instruction instrukcja obsługi [abc]
operating life trwałość; trwałość użytkowania [abc]; żywotność [mot.]
operating manual instrukcja obsługi [abc]
operating panel pulpit operacyjny [el.]; tablica sterownicza; tablica operacyjna [abc]
operating platform stanowisko obsługi, stanowisko sterownicze [transp.]
operating pole contact member styk, styczka drążka izolacyjnego [el.]
operating position położenie robocze [mot.]
operating power pack zasilacz sieciowy roboczy [el.]
operating pressure ciśnienie ruchowe, ciśnienie robocze [transp.]
operating range zakres działania, zakres roboczy [mot.]
operating speed robocza prędkość obrotowa [mot.]
operating staff personel obsługujący, obsługa [transp.]
operating stress naprężenie robocze [transp.]
operating switch wyłącznik główny, przełącznik roboczy [transp.]
operating system system operacyjny [inf.]
operating theatre sala operacyjna [med.]
operating time czas pracy [abc]; okres trwałości [masz.]
operating voltage napięcie robocze [el.]
operating weight ciężar roboczy, ciężar służbowy [transp.]; (→ service weight) ciężar własny [mot.]
operation praca; ruch; eksploatacja; operacja (*np. technologiczna*) [abc]; (→ automatic o.; → final o.

o

conditions; → maintenance-free o.; → one-shift o.; → remote controlled o.; → remote o.; → sequential o.; → warm-up o.)

operational altitude wysokość robocza, wysokość operacyjna [mot.]

operational amplifier wzmacniacz operacyjny [el.]; (→ ideal o.)

operational check kontrola w ruchu [abc]; działania [mot.]

operational speed robocza prędkość obrotowa [mot.]

operational staff personel operacyjny (*pracuje poza siedzibą firmy*) [mot.]

operational weight (→ operating weight) waga operacyjna [transp.]

operation & maintenance manual (O&M) instrukcja obsługi i konserwacji [masz.]

operation condition warunek eksploatacji [masz.]

operation in tandem and/or multiple units praca w tandemie i/lub układzie ukrotnionym [mot.]

operation instruction instrukcja działania [masz.]

operation point punkt pracy, punkt roboczy [el.]

operation requirement wymaganie eksploatacyjne [transp.]

operation rule zasada eksploatacji [mot.]

operations control computer system komputerowy system sterowania [inf.]

operations manager inspektor techniczny [abc]

operation temperature temperatura robocza [mot.]; temperatura działania [masz.]

operation theater sala operacyjna [med.]

operative (→ unpractised operative) robotnik [abc]

operator operator (*koparki*)

[transp.]; kierowca, dźwigowy, maszynista [mot.]; operator [mat.]; pracownik obsługujący system komputerowy; operator [inf.]

operator controlled prowadzony pod kontrolą [abc]

operator manual instrukcja obsługi [abc]

operator position położenie operatora, pozycja operatora, stanowisko operatora [mot.]

operator position hoop poręcz kabiny operatora [mot.]

operator's cab kabina operatora koparki, kabina kierowcy [transp.]; budka maszynisty (*parowozu*) [mot.]

operator's comfort komfort jazdy; (→ ease and convenience) wygoda operatora [mot.]

operator's ease and convenience (US) udogodnienia w pracy operatora, komfort pracy [mot.]

operator's environment (US) ergonomika [mot.]

operator's handbook instrukcja obsługi [mot.]

operator's manual instrukcja obsługi [mot.]

operator's seat siedzenie operatora [mot.]

operator's stress wysiłek kierowcy [mot.]

operators' training course kurs szkoleniowy operatorów koparek [transp.]

opinion opinia, zdanie; pogląd, sąd [abc]

opinion poll ankieta [polit.]

O-position (*"Zero-position"*) położenie zerowe [abc]

opposed przeciwny [polit.]

opposed cylinder type engine silnik dwurzędowy o cylindrach przeciwległych; silnik w układzie bokser [mot.]

opposite przeciwny; przeciwległy [abc]
opposition opozycja [polit.]
oppression ucisk [polit.]
optical optyczny [opt.]
optical disk dysk optyczny [inf.]
optical industry przemysł optyczny [opt.]
optical pyrometer pirometr optyczny [miern.]
optically aligned to a tolerance of (*nastawiony*) z dokładnością do [opt.]
optimism optymizm, nadzieja [abc]
optimize optymalizować [abc]
optimized carrier cell design konstrukcja nośna komorowa zoptymalizowana [górn.]
optimum optymalny [transp.]
option możliwość, ewentualność [abc]
optional opcjonalny [mot.]
option rating wielkość nastawiana [mot.]
OR nodes węzły LUB [inf.]
orange pomarańczowy [abc]
orange brown brąz pomarańczowy [norm.]
orange-peel grab chwytak wielołupinowy, chwytak czaszowy [transp.]
orbit orbita [mot.]; orbita zamknięta; obieg [abc]
Orbital Manoeuvering System (OMS) orbitalny system manewrowy [abc]
orbital railway kolej obwodowa [mot.]
orbital system system orbitalny [mot.]
orbitrol zawór sterujący hydrauliczny; zawór sterowniczy; serwosterowanie [mot.]
orbitual speed prędkość obrotowa [abc]
orchard sad (*owocowy*) [bot.]

orchestra orkiestra [abc]
order kolejność, następstwo; zarządzenie, rozporządzenie, instrukcja; (→ turn-key-order) zadanie, zlecenie, zamówienie [abc]
order cards karty zamówień [abc]
orderly łącznik, goniec, kurier [wojsk.]
orderly room kancelaria [wojsk.]
order number numer zlecenia, numer zamówienia [abc]
order to proceed polecenie odjazdu [mot.]
ordinal number liczba porządkowa [mat.]
ordinary differential equation równanie różniczkowe zwyczajne [mat.]
ordnance zaopatrzenie (*wojskowe*); składnica (*np. uzbrojenia*) [wojsk.]
ore ruda [górn.]
ore body złoże rudy; żyła rudy [górn.]
ore-mud suction dredge sprzęt górniczy do wydobywania rudy z namułów [górn.]
organization organizacja [ekon.]
organizational problem kwestia organizacyjna, problem organizacyjny [abc]
organization and data processing organizacja i elektroniczne przetwarzanie danych [inf.]
organization of test przebieg doświadczenia [miern.]
organizational diagram (GB) schemat organizacyjny [abc]
orifice kanał wylotowy [abc]; zwężenie, przewężenie, gardziel [mot.]
orifice disk kryza miernicza, przysłona miernicza, zwężka pomiarowa [miern.]
orifice flange kołnierz przysłony [miern.]
orifice formula równanie przysłony; wzór przepływu, równanie przepływu [miern.]

O

orifice nozzle wtryskiwacz otworkowy [mot.]

orifice welding spawanie dyszowe [met.]

origin geneza; pochodzenie [abc]

original bill of materials wykaz oryginalnych materiałów [abc]

original thickness grubość wyjściowa materiału [tw.]

O-ring pierścień samouszczelniający o przekroju okrągłym; o-ring [masz.]; (→ seal, gasket) pierścień uszczelniający [transp.]

O-ring seal pierścień samouszczelniający o przekroju okrągłym [masz.]

ornament ornament, ozdoba [abc]

ornamental ornamentowy, ozdobny, zdobniczy [abc]

ornamental disc tarcza ozdobna [mot.]

ornamental disc ring tarcza dekoracyjna [mot.]

ornamental hub cap pokrywa ozdobna [mot.]

ornamental ring pierścień ozdobny [mot.]

Orsat gas analyser aparat Orsata [miern.]

oscillate wahać się [masz.]; drgać, wahać się [fiz.]

oscillating axle oś zawieszenia wahadła [transp.]; oś wahliwa [mot.]

oscillating bearing element nośny wahliwy [mot.]

oscillating direction indicator kierunkowskaz ramieniowy wahliwy [mot.]

oscillating grate spreader ruszt potrząsalny, ruszt drgawkowy [energ.]

oscillating raking device brona zgarniająca wahliwa, brona zgarniająca wibracyjna [górn.]

oscillating suspended zawieszony wahliwie [transp.]

oscillating tandem wheels koła napędowe wahliwe [transp.]

oscillation drganie akumulatora, oscylacja akumulatora [el.]; wahanie [mot.]; drganie, oscylacja [fiz.]

oscillation lock blokada wahania; wychylak osi łamanej [mot.]

oscillations plane płaszczyzna drgań [fiz.]

oscillator oscylator [fiz.]; generator drgań [met.]

oscillator diameter średnica oscylatora [met.]

oscillograph oscylograf [miern.]

oscilloscope oscyloskop [el.]; (→ multitrace o.) oscyloskop [transp.]

other inny, drugi, pozostały [abc]

other material pozostałe materiały [abc]

others pozostali [abc]

other than drawing inaczej niż na rysunku [rys.]

Otto-cycle-engine silnik o obiegu Otto [mot.]

Otto-engine silnik o obiegu Otto [mot.]

outage przestój; czas przestoju [abc]

outboard bearing łożysko zewnętrzne [mot.]

outcropping wychodnia, odsłonięcie [górn.]

outdoor escalator schody ruchome zewnętrzne [transp.]

outdoor installation instalacja zewnętrzna; urządzenie zewnętrzne; urządzenie napowietrzne, rozdzielnia napowietrzna [abc]

outdoor plant urządzenie zewnętrzne [abc]

outdoor unit urządzenie zewnętrzne [abc]

outer brake hub zewnętrzna piasta hamulca [mot.]

outer casing osłona zewnętrzna [mot.]

outer cladding okładzina zewnętrz-

na [transp.]
outer decking osłona zewnętrzna; zewnętrzna strona dachu [transp.]
outer diameter (O.D.) średnica zewnętrzna [abc]
outer diameter of the tubes średnica zewnętrzna rury [masz.]
outer firebox palenisko zewnętrzne [mot.]
outer frame rama zewnętrzna [mot.]
outer link ogniwo zewnętrzne [transp.]
outer plate nakładka zewnętrzna [transp.]
outer race pierścień zewnętrzny [masz.]; pierścień zewnętrzny [abc]
outer ring pierścień zewnętrzny [masz.]; (→ free wheel o. r.)
outer thread (→ outside threading) gwint zewnętrzny [masz.]
outer upright maszt zewnętrzny [mot.]
outer valve spring sprężyna zewnętrzna zaworu [mot.]
outer wall of the boiler ściana zewnętrzna kotła [energ.]
outfit wyposażać [mot.]
outfit wyposażenie [mot.]
outfitting quay nabrzeże wyposażeniowe [mot.]
outgoing data flow przepływ danych wyjściowych [inf.]
outlet gniazdo; wyjście [el.]; wyjście [mot.]; wylot, wydech [masz.]; wylot [abc]; otwór wylotowy [mot.]; (→ discharge o.; → flue gas o.)
outlet chute rynna do opróżniania [energ.]
outlet connection króciec wypływowy, króciec wylotowy [mot.]
outlet end końcówka wylotowa [masz.]
outlet header kolektor wylotowy [energ.]
outlet side króciec tłoczny [masz.]

outline kształt [mot.]; kontur [abc]; obrys [rys.]
outlined zarysowany [abc]
out-of-range indicator wskaźnik przelewowy [mot.]
out-of-roundness nieokrągłość [masz.]
out of shape zgięty, wygięty, zagięty [abc]
output wydajność [mot.]; wyjście [inf.]; moc wyjściowa [mot.]; oddawanie mocy [el.]; wyprowadzanie danych, wydawanie informacji; wydanie wydruku [inf.]; (→ pump flow) moc tłoczenia; ilość nosiwa, wydajność pompy [mot.]
output connection złącze wyjściowe [mot.]
output controller regulator mocy [el.]
output data dane wyjścia [el.]
output d. c. voltage napięcie stałe wyjściowe [el.]
output distributor rozdzielacz krańcowy [el.]
output drive gear koło zębate napędu [mot.]
output factor moment napędowy [transp.]
output figures oznaczenie mocy wyjściowej [miern.]
output layout układ wyjść [inf.]
output queue kolejka wyjściowa [inf.]
output-regulated regulowany według wydajności [mot.]
output shaft wałek odbioru mocy, wał wyjściowy [mot.]
outreach wysięg czerparki, zasięg [transp.]
outrigger łapa wspornikowa; wysięgnik [transp.]; wysięgnica [mot.]
outrigger crane żuraw z wysięgnikiem [mot.]
outrigger stabilizer łapa wspornikowa [transp.]

o

outriggers lateral wysuwnica poprzeczna [mot.]

outriggers longitudinal wysuwnica wzdłużna [mot.]

outrigging wspierający [transp.]

outside zewnętrzny; strona zewnętrzna [abc]

outside air atmosfera zewnętrzna [abc]

outside area stanowisko zewnętrzne, stanowisko na wolnym powietrzu [mot.]

outside balustrade balustrada zewnętrzna [transp.]

outside band brake hamulec taśmowy zewnętrzny [mot.]

outside bucket corner clearance circle promień zasięgu kubła czerpaka; koło skrętu ładowarki [mot.]

outside cladding okładzina zewnętrzna; obudowa, osłona [transp.]

outside coil diameter średnica zewnętrzna zwoju [masz.]

outside cone stożek zewnętrzny [masz.]

outside control sterowanie zewnętrzne [transp.]

outside court pozasądowy [prawn.]

outside deck głowica zewnętrzna [transp.]

outside diameter średnica zewnętrzna; przekrój poprzeczny; [masz.]

outside diamond crossing with single slip rozjazd krzyżowy łukowy dwustronny [mot.]

outside door handle klamka zewnętrzna [mot.]

outside door panel płyta drzwiowa zewnętrzna, płat drzwiowy zewnętrzny [mot.]

outside downcomer rura spustowa zewnętrzna [energ.]

outside dump zwał zewnętrzny nadkładu [górn.]

outside escalator schody ruchome zewnętrzne [transp.]

outside length długość zewnętrzna [masz.]

outside mechanical force siła zewnętrzna [abc]

outside newel bracket wspornik słupowy zewnętrzny [transp.]

outside newel section głowica zewnętrzna [transp.]

outside noise test pomiar hałasu na zewnątrz [mot.]

outside of the turn zewnętrzna strona zakrętu [mot.]

outside one- or multicolour painted strona zewnętrzna pomalowana jedno- lub wielobarwnie [abc]

outside panel płyta zewnętrzna [mot.]

outside round weld spoina zewnętrzna okrągła [met.]

outside shoe brake hamulec klockowy zewnętrzny [mot.]

outside slope pochylenie zewnętrzne [transp.]

outside temperature temperatura zewnętrzna [transp.]

outside the tubes poza rurami, na zewnątrz rur [masz.]

outside threading gwint zewnętrzny [masz.]

outstanding wystający, sterczący [abc]

outward facing na zewnątrz [abc]

outwear oporządzenie; odzież [abc]

oval kształtownik stalowy owalny [tw.]

oval owalny [abc]

oval flat owalno-płaski [mot.]

oval flat-top pattern buffer talerz zderzaka owalno-płaski [mot.]

overall kombinezon [abc]

overall dimensions wymiary gabarytowe [rys.]

overall drawing rysunek złożeniowy; rysunek zestawieniowy [rys.]

overall height wysokość całkowita konstrukcji [transp.]

overall length długość całkowita [mot.]

over-all thermal efficiency ogólna sprawność cieplna [energ.]

overall width szerokość całkowita [mot.]

overburden nadkład, warstwa odsłonięta [górn.]

overburden removing bridge most przerzutowy nadkładu [transp.]

overburden stockpile zasoby nadkładowe, hałdy nadkładowe [górn.]

overcharge przeciążenie, przeładowanie [mot.]

overcharging przeciążanie, przeładowanie [mot.]

overcoming pokonywanie (*trudności*), przezwyciężanie (*trudności*) [transp.]

overcurrent relay przekaźnik nadmiarowo-prądowy [el.]

overcurrent release wyzwalacz nadmiarowo-prądowy [el.]

overdrive nadbieg; przekładnia przyspieszająca [mot.]

over-employment nadmiernie zatrudnienie [abc]

over-fire air powietrze górne; powietrze wtórne [energ.]

overflow przepełnienie [abc]

overflow oil line instalacja przelewowa oleju [mot.]

overflow oil line connection połączenie instalacji przelewowej oleju [mot.]

overflow pipe rura przelewowa [mot.]

overflow tap otwór przelewowy [masz.]

overflow valve zawór przelewowy [masz.]

overgrate air powietrze górne [energ.]

over hand weld spawanie pułapowe [met.]

overhang wystawać, zwisać [mot.]

overhaul remontować [abc]; naprawiać [mot.]

overhaul przegląd; remont [mot.]

overhead pułapowy [met.]

overhead camshaft wałek rozrządczy główny [mot.]

overhead conductor przewód napowietrzny [el.]

overhead cool bunker zasobnik węglowy nadziemny [górn.]

overhead crane suwnica [masz.]

overhead film folia (*do rzutnika*) [abc]

overhead position pozycja sufitowa [met.]

overhead power supply linia dalekosiężna, linia przesyłowa; przewód napowietrzny; linia energetyczna nadziemna [el.]

overhead projector rzutnik; rzutnik do przezroczy [abc]

overhead transmission line linia przesyłowa napowietrzna [el.]

overhead valve zawór górny [masz.]

overhead weld spoina pułapowa [met.]

overhead wiring (→ catenary wire) przewody instalacji elektrycznej napowietrzne [mot.]

overheat zagrzewać [abc]; przegrzewać [energ.]

overheating protection ochrona przed przegrzaniem [masz.]

overinflation zbyt wysokie ciśnienie w oponie; nadciśnienie; podwyższone ciśnienie w oponie; nadmierne napompowanie ogumienia [mot.]

overland coach dyliżans [mot.]

overland line linia energetyczna nadziemna [el.]

overlap nakładać (*się*) [abc]; zachodzić na siebie [met.]

O

overlap bridge path most zakładkowy [mot.]

overlapping nakładanie [abc]

overlapping ring pierścień nakładkowy [mot.]

overleaf na odwrocie [abc]

overload przeładowywać, przeciążać; zadusić [mot.]

overload przeładowanie, przeciążenie [mot.]; (→ thermal o.) bezpiecznik przeciążeniowy [transp.]

overloading zaduszenie (*silnika*) [mot.]

overload protection bezpiecznik przeciążeniowy [transp.]

overload radius dynamiczny promień opony [mot.]

overload relay bezpiecznik przeciążeniowy [transp.]; przekaźnik nadmiarowy [el.]

overload safety switch włącznik zabezpieczenia nadmiarowo-prądowego [el.]

overload spring sprężyna dodatkowa [mot.]

overload switch wyłącznik przeciążeniowy [el.]

over-night load zasilanie energią w porze nocnej [el.]

overnight shutdown wyłączanie w porze nocnej [el.]

over outside bucket corner ponad krawędź zewnętrzną łyżki; na zewnątrz ponad krawędzią łopatki [mot.]

overpaid nadpłacony; przepłacony [abc]

overpass przejazd górą, przejście górą [mot.]

override zastępować (*np. przy sterowaniu ręcznym kasującym ustawienia automatyczne urządzenia*); przełączać; przejmować sygnał sterujący [transp.]; zastępować [inf.]

override clutch gear change zmia-

na biegu sprzęgłem przeciążeniowym [mot.]

overriding najeżdżanie [mot.]

overrun przejeżdżać [mot.]

over-running brake hamulec najazdowy [mot.]

over-running speed prędkość najazdowa [mot.]

overseas kraje zamorskie [geogr.]

overseas call rozmowa transkontynentalna [abc]

overshoot przeskakiwać [transp.]

oversize nadwymiarowy [abc]

oversize nadwymiar [abc]; nadmiar [mot.]

oversized przewymiarowany [transp.]

oversized rock głaz [górn.]

over-sized truck samochód ciężarowy do przewozu dużych ciężarów [mot.]

overspeed shut-off urządzenie zatrzymujące (*zabezpieczenie przed rozbieganiem silnika*) [mot.]

overspray of paint aparat do malowania natryskowego [norm.]

oversquare skok krótki; silnik krótkoskokowy [mot.]

overstrain przeciążać [abc]

overstressed przeciążony [abc]

overtake wyprzedzać [mot.]

overtaken wyprzedzony [mot.]

overtaking wyprzedzanie [mot.]

overtaking line mijanka [mot.]

overtime nadgodziny [abc]

overtorque przekręcać [masz.]

overtorqued przekręcony [masz.]

over travel switch wyłącznik krańcowy [el.]

over-voltage release wyzwalacz nadnapięciowy [el.]

overwind przekręcać [masz.]

over worked wzmocniony, umocniony [bud.]

overwound przekręcony [masz.]

owl sowa [bot.]

own własny; należący do (*np. zakła-*

du przemysłowego) [abc]
owner właściciel budowy, inwestor [bud.]; posiadacz pojazdu, właściciel pojazdu; właściciel [prawn.]
oxidation utlenianie [chem.]
oxide red czerwień żelazowa [norm.]
oxidize utleniać (*się*) [chem.]
oxydation utlenianie [chem.]
oxydation method metoda siatki tlenków (*ujawnianie umownego ziarna austenitu*) [chem.]
oxyde tlenek [chem.]
oxydized utleniony [chem.]
oxydizing atmosphere atmosfera utleniająca [chem.]
oxygen tlen, O [chem.]
oxygen cutting machine maszyna do cięcia gazowego [met.]
oxygen steel plant stalownia konwertorowo-tlenowa [tw.]
oyster white biel perłowa [norm.]

P

P.I.V. gearing przekładnia pojedyncza cięgnowa o zmiennym przełożeniu wolna od poślizgu [mot.]
P.S. (*Post scriptum*) P.S. [abc]
P.T.O. (*please turn <page> over*) proszę odwrócić, verte [abc]
pace setter stymulator pracy serca [med.]
pack uszczelniać [masz.]
pack sfora, stado [bot.]
package pakiet [mot.]
packaged boiler kocioł mały (*o małej powierzchni ogrzewalnej*); kocioł znormalizowany [energ.]
packet paczka [abc]
packet seal komplet uszczelek; uszczelnienie, uszczelka [masz.]
packing szczeliwo [masz.]; pakowanie [abc]; opakowanie; szczeliwo,

uszczelka, uszczelnienie; uszczelnienie pierścieniem ślizgowym [mot.]; (→ axial p.; → radial p.; → slide ring p.; → soft p.)
packing and loading of coils pakowanie i załadunek kręgów drutu [masz.]
packing and loading of sheets pakowanie i załadunek arkuszy blachy [abc]
packing box komora dławnicy; komora dławikowa [masz.]
packing compound masa uszczelniająca [masz.]
packing drum beczka (*do transportu materiałów*) [abc]
packing for steering gear housing uszczelka obudowy przekładni kierownicy [mot.]
packing list lista towarów; specyfikacja (*wysyłkowa*) [transp.]
packing ring pierścień uszczelniający [mot.]
packing set pakunek, szczeliwo [masz.]
packing slip dowód dostawy [abc]
packing specification specyfikacja (*wysyłkowa*) [transp.]
packing surface powierzchnia uszczelniająca, powierzchnia uszczelnienia, przylga [masz.]
pad podkładka (*miękka*); blok (*rysunkowy*); poduszka; bloczek do pisania, notatnik [abc]; stopa ogniwa gąsienicy, nakładka ogniwa gąsienicy [transp.]; stopka opony [mot.]
pad bolt sworzeń ogniwa gąsienicy [transp.]
pad clearance luz klocków hamulcowych [mot.]
paddle plate płyta poślizgowa [mot.]
paddle wheel koło łopatkowe [mot.]
paddle wheel ship parowiec kołowy, kołowiec [mot.]
paddle wheel steamer parowiec kołowy [mot.]

P

pad lock kłódka [abc]
pads wzdęcia (*np. na oponie*) [mot.]
pad saw otwornica [narz.]
pad-type thermocouple termoelement napawany [miern.]
page wywoływać [abc]
page proof korekta po łamaniu [abc]
page somebody przywoływać, wywoływać, wyczytywać kogoś (*np. w hotelu*) [abc]
paging zastępowanie (*stron pamięci*); stronicowanie [inf.]
paging system system przywoływania [abc]
pail (→ bucket) kubeł [transp.]
paint malować [abc]
paint powłoka malarska [bud.]; farba [norm.]; wykończenie lakiernicze [abc]
paint brush pędzel malarski [norm.]
paint coating powłoka malarska, błona malarska, pokrycie malarskie [norm.]
painted polakierowany [met.]
painted ceiling podsufitka lakierowana [transp.]
painter malarz; lakiernik natryskowy [abc]
paint finish powłoka malarska [norm.]; powłoka lakierowa [abc]; warstwa lakiernicza zewnętrzna [mot.]
painting malowanie; powłoka malarska [norm.]; malowanie [transp.]; (→ field p.; → primed)
painting and lettering malowanie i opis [mot.]
paint run zaciek (*ze ściekającej farby*) [norm.]
paint shop kabina natryskowa (*malarska*) [abc]; malarnia, lakiernia [mot.]
paint splatter aparat do malowania natryskowego [norm.]
paint spraying malowanie natryskowe [norm.]

paint structure struktura farby [norm.]
pair of lids para pokryw [masz.]
pair of pincers obcążki specjalistyczne [narz.]
pair of transport rolls para rolek podających [masz.]
paired skręcony [el.]
pale blady; wyblakły [abc]
pale brown bladobrązowy [norm.]
pale green bladozielony [norm.]
pallet paleta [mot.]; paleta ładunkowa; paleta chodnika ruchomego; podstawka (*do wózków dźwignikowych*) [transp.]
pallet-band taśma do zabezpieczania palet [transp.]
pallet-bandlocking blokowanie palet [transp.]
pallet chain łańcuch palety [transp.]
pallet chain roller krążek łańcuchowy palety [transp.]
pallet-depth wysokość palety [transp.]
pallet lowering protection kontrola obsuwania się palet [transp.]
pallet truck wózek podnośny widłowy; wózek jezdniowy paletowy [mot.]
pallet-width szerokość palety [transp.]
palm dłoń [med.]
palm-type coupling tarcza sprzęgła ogumowana [mot.]
pan pantograf; miska olejowa [mot.]; kadź [abc]
pan head screw śruba z łbem stożkowym ściętym [masz.]
pan head tapping screw wkręt samogwintujący z łbem walcowym [masz.]
pan sheet blacha panwiowa [masz.]
pane szyba szklana [bud.]; tafla okienna [abc]
panel tablica przyrządów [abc]; panel [bud.]; tablica rozdzielcza [el.];

tablica sterownicza [abc]; boazeria [transp.]; kolegium; tablica rozdzielcza, pulpit operatora [abc]; boazeria [bud.]; (→ control p.; → formwork p.)

panel instrument przyrząd tablicy rozdzielczej, przyrząd tablicy dyspozytorskiej [energ.]

panel instruments tablica przyrządów z osprzętem [mot.]

panel point (US) węzeł komunikacyjny, punkt węzłowy [transp.]

panel talk dyskusja panelowa [abc]

panelled wykładany boazerią [bud.]

panelled steel frame structure konstrukcja stalowa obudowana [masz.]

panelled wall ściana wykładana boazerią [bud.]

panelling wykładanie płytami, obicie ścian i sufitów drewnem [bud.]; poszycie [transp.]

panic button przycisk alarmowy [el.]

panic switch wyłącznik bezpieczeństwa [el.]

pannier <tank> loco parowóz tendrzak, lokomotywa kusa [mot.]

panorama view widok panoramiczny [mot.]

pantograph pantograf [masz.]; zbieracz prądu [mot.]

pantograph drawing rysunek pantografem [masz.]

pantry spiżarnia [bud.]

pants (US) spodnie; kalesony [abc]

paper papier; gazeta; referat, abstrakt; odczyt, prelekcja [abc]; (→ translucent p.)

paperbag worek papierowy [abc]

paper clip spinacz biurowy [abc]

paper filter filtr papierowy [mot.]

paper hanger tapeciarz [abc]

paperhanging tapetowanie [abc]

paper recycling odzysk makulatury [abc]

paper seal uszczelnienie papierowe [masz.]

paper weight przycisk (*na biurku*) [abc]

papyrus white biel papirusowa [norm.]

par paragraf [abc]

para (paragraph; → clause) paragraf, punkt (*umowy*) [abc]

parabel spring sprężyna paraboliczna [masz.]

parabolic paraboliczny [masz.]

parabolic mirror zwierciadło paraboliczne [telkom.]

parachute spadochron (*otwierany zaworem parabolicznym*) [mot.]

parachute valve zawór spadochronowy; zawór spadochronu [mot.]

parachutist spadochroniarz; skoczek spadochronowy [mot.]

parade parada, defilada [wojsk.]; pochód [abc]

paradox compound circuit układ połączeń paradoksowy [el.]

paraffined parafinowany [masz.]

parallax paralaksa [opt.]

parallel równoległy [abc]

parallel adjustment wyrównanie równoległe [mot.]

parallel computer komputer o architekturze równoległej [inf.]

parallel connected połączony równolegle [mot.]

parallel cross-bit chisel wycinak, przecinak [narz.]

parallel escalator schody ruchome równoległe [transp.]

parallel flow współprąd [el.]

parallel geometry kinematyka równoległa [transp.]

parallel guidance prowadzenie równoległe [transp.]

parallel guide prowadnica równoległa [transp.]

parallel laminated ułożenie równoległe [transp.]

parallel pin kołek wyrównujący [masz.]

P

parallel processes procesy równoległe [inf.]

parallel processing przetwarzanie równoległe [inf.]

parallel programming programowanie równoległe [inf.]

parallel simulation symulacja równoległa [inf.]

parallel-slide valve zawór zasuwowy równoległy [energ.]

parallel switching połączenie równoległe [el.]

parallel windscreen wiper (→ vertical) wycieraczka szyby równoległa [mot.]

parallel windshield wiper (GB) wycieraczka szyby równoległa [mot.]

parallelogram równoległobok [mat.]

paralyze paraliżować [abc]

paralyzed sparaliżowany [med.]

parameter parametr [abc]; (→ distributed p.; → two-port p.)

paramount najważniejszy, główny [abc]

parasol parasolka [abc]

parcel paczka [abc]

parent material materiał macierzysty, materiał wyjściowy; materiał podstawowy [masz.]

parent node wierzchołek macierzysty [inf.]

parentage pochodzenie [abc]

parenthesis nawias okrągły [abc]

parents rodzice [inf.]

park wstawiać, parkować [mot.]

park park; planty [abc]

parked zaparkowany [mot.]

parking brake hamulec postojowy [mot.]

parking lamp światło postojowe [mot.]

parking light światło postojowe [mot.]

parking lot miejsce do parkowania [mot.]

parking ticket bilet parkingowy [mot.]; mandat karny (*za złe parkowanie*) [mot.]

parks and gardens tereny zielony [abc]

parks and lawns planty [abc]

parkway aleja [mot.]

parser analizator syntaktyczny [inf.]

parse trees drzewa składniowe [inf.]

parsing sentences analiza składniowa zdań [inf.]

parson proboszcz, pastor [abc]

part oddzielać [masz.]

part część (*zapasowa*); część zamienna [abc]; (→ movable element; → moving p.; → pressure p.; → reversing p.)

part and full load obciążenie częściowe i obciążenie pełne (*całkowite*) [mot.]

part drawing rysunek części (*maszynowej*), rysunek detalu [masz.]

part groove powierzchnia podziału matrycy [met.]; podziałka [masz.]

partial delivery dostawa częściowa [abc]

partial-flow filter filtr bocznikowy; filtr obejściowy [mot.]

partial fraction expansion rozkład na ułamki proste [mat.]

partial joint spoina częściowa [met.]

partial joint penetration groove spoina o niepełnym przetopie [masz.]

partial joint penetration test specimen próbka o niepełnym przetopie [met.]

partial penetration niewłaściwy wtop, niewłaściwy przetop [met.]

partial pressure ciśnienie cząstkowe [energ.]

partial reflection odbicie częściowe [fiz.]

partial shipment dostawa częściowa [abc]; wysyłka częściowa [mot.]

partial view widok cząstkowy, rzut cząstkowy [abc]
partial waves fale cząstkowe, fale elementarne [fiz.]
partially enclosed częściowo osłonięty [abc]
part load obciążenie częściowe [masz.]
part load needle iglica obciążenia częściowego [mot.]
part-load traffic przewóz drobnicowy [mot.]
partly trapped częściowo dosunięty, częściowo zasunięty, częściowo przysunięty [górn.]
part number numer części [abc]
part of chain cięgno łańcuchowe, cięgno łańcucha [masz.]
part of town dzielnica (*miasta*); część miasta [abc]
part shipment partia towaru [abc]; dostawa częściowa [mot.]
part to be provided from own sources dostawa własna części [abc]
participant uczestnik [abc]
participle and eddy current testing badanie cząstkowe indukcyjne [miern.]
particle board płyta wiórowa [tw.]
particle size ziarnistość, uziarnienie, wielkość ziarna [bud.]; (→ grain)
particular attention szczególna uwaga [abc]
particular solution rozwiązanie szczególne [mat.]
particulates cząstki; cząstki stałe zawieszone w gazie, nagar [mot.]
parting przerost [górn.]
parting line linia podziału [masz.]
parting sand drobny piasek [masz.]
partition ścianka działowa [bud.]; podział [abc]
partition panel przegroda, ściana działowa, ścianka rozdzielcza [mot.]

partition panel frame rama ściany działowej [mot.]
partition panel lining okładzina ściany działowej [mot.]
partition panel window okno przegrody, okno ściany działowej [mot.]
partitions przegródki [bud.]
parts osprzęt, akcesoria; wyposażenie; części zamienne [abc]
parts availability rozporządzalność, dyspozycyjność, dostępność (*części*) [abc]
parts centre skład części [abc]
parts depot skład części; magazyn części (*zamiennych*) [abc]
parts from suppliers części dostarczane (*przez dostawców*) [abc]
parts list wykaz części zamiennych [mot.]; lista części [abc]
parts logistic logistyka części [inf.]
parts replacement wymiana części [masz.]
party partia [polit.]
party line wspólna linia, telefon towarzyski, przyłącze główne z telefonem wewnętrznym [telkom.]
party-line method metoda komunikacji grupowej [inf.]
pass wyprzedzać [mot.]; przechodzić [górn.]; zdawać [abc]
pass przejście; podawanie, doprowadzanie, zasilanie [abc]; przepływ [mot.]; pozycja spoiny [met.]; kanał [masz.]
passage przebieg (*programu*) [masz.]; korytarz, kanał [bud.]; przejazd [transp.]; przelot, otwór przelotowy [bud.]; bieg roboczy [transp.]
passage height wysokość przejazdu [mot.]
passage width szerokość przejazdu [mot.]
passband pasmo przepustowe [el.]
passed zdany (*np. egzamin*) [abc]; (US) wyprzedzony [mot.]

Passe Partout bilet okresowy; szablon, wzornik [abc]

passenger pasażer [mot.]

passenger car wagon osobowy [mot.]

passenger circulating area hala dworcowa; budynek dworcowy [mot.]

passenger conveyor chodnik ruchomy [transp.]

passenger seat siedzenie pasażera [mot.]

passenger train pociąg osobowy [mot.]

passenger transport band przenośnik taśmowy do przewozu ludzi [transp.]

passing mijanie, wymijanie [mot.]

passing place mijanka [mot.]

passing signal indicator sygnalizator wyprzedzania [mot.]

passport paszport [abc]

password hasło [inf.]; wyraz hasłowy [wojsk.]

paste pasta, klajster, papka [abc]

paste-like papkowaty [abc]

pastel green zieleń pastelowa [norm.]

pastel orange pomarańczowy pastelowy [norm.]

pasture pastwisko [bot.]

pasture harrow brona nożowa [narz.]

pasty papkowaty [abc]

patch łata [abc]

patched łatany [abc]

patent patent [praw.]

patent anchor kotwica patentowa [mot.]

patent application zgłoszenie patentowe [praw.]

patented opatentowany [praw.]

patent fastener press button przycisk guzikowy [transp.]

patent fastener push button przycisk guzikowy [transp.]

patent office urząd patentowy [polit.]

patent pending patent zgłoszony [praw.]

patent specification opis patentowy [praw.]

path ścieżka [inf.]; droga, tor [masz.]; bieżnia [mot.] (→ critical p.)

pathfinding automatyczne odnajdywanie ścieżki dostępu [inf.]

path length długość ścieżki [inf.]

path of the central beam przebieg wiązki promieniowej centralnej [el.]

path pulse generator impulsator drogowy [el.]

path-way method metoda prowadzenia [mot.]

patience cierpliwość [abc]

patina green zieleń patynowa [norm.]

pattern model; wzór; wzorzec [masz.]; wzór; szablon; wykrój; przykład [abc]

patterned plate blacha wzorzysta [masz.]

pattern maker modelarz [abc]

pattern-making modelarstwo [masz.]

pattern matching dopasowywanie wzorca [inf.]

pattern number numer modelu [abc]

pattern quality jakość wzorca, jakość modelu [masz.]

paved ford mielizna brukowana [bud.]

pavement droga [mot.]; (GB) chodnik; bruk [bud.]

paving brukowanie [bud.]

pawl zapadka; kieł, pazur; element ustalający; (→ ratchet) mechanizm zapadkowy [masz.]

payday dzień wypłaty [abc]

payload ciężar ładunku; ładunek; ciężar użyteczny [mot.]; nośność [abc]

payment płatność [mot.]

payout time okres amortyzacji [abc]

payroll lista płac [abc]

p-channel field-effect-transistor tranzystor polowy z kanałem typu p [el.]

PD (*Police Department*) policja [polit.]

PD circuit obwód równoległy [transp.]

pdi (*pre-delivery inspection*) kontrola końcowa; kontrola wydania [abc]

PE polietylen [tw.]; uziemienie [el.]

PE cable kabel z uziemieniem; kabel uziemiający [mot.]

pea coal groszek (*sortyment węgla*) [energ.]

peace pokój [abc]

peace movement ruch pokojowy, ruch obrońców pokoju [polit.]

peace treaty traktat pokojowy [polit.]

peacock's-tail design wzór w kształcie pawich oczek [mot.]

peak szczyt [abc]; moc szczytowa [mot.]

peak load obciążenie szczytowe [el.]

peak nominal voltage napięcie górne nominalne [el.]

peak ramp angle prześwit pod pojazdem [mot.]

peak recording powierzchniowy zapis dźwięku (*metodą optyczną*) [miern.]

peak-to-peak voltage napięcie szczytowe [transp.]

peak torque szczytowa wartość momentu obrotowego [mot.]

peak-to-valley height wysokość nierówności [masz.]

peak value wartość maksymalna; wartość szczytowa [el.]

peak value meter miernik wartości szczytowej [miern.]

peat torf [gleb.]

peat firing equipment palenisko torfowe [energ.]

peat soil gleba torfowa [gleb.]

pebble ziarno, pestka [abc]

pebble gray szarzeń krzemowa [norm.]

pebbles otoczaki [abc]

peculiar znamienny, charakterystyczny; [abc]

pedal pedał (*nożny*); stopka pedału; podnóżek [mot.]; ($\rightarrow$ accelerator p.; $\rightarrow$ brake p.; $\rightarrow$ clutch p.)

pedal pivot shaft oś przegubu pedału [mot.]

pedal shaft wałek pedałów [mot.]

pedestal piedestał; cokół; podstawa [bud.]

pedestal and stand podstawa kolumnowa, stojak kolumnowy [bud.]

pedestrian pieszy [mot.]

pedestrian-controlled sterowany ręcznie [mot.]

pedestrian controlled high lift stacker wózek dyszlowy ręczny wysokiego podnoszenia [mot.]

pedestrian precinct (GB) strefa dla pieszych, strefa ruchu pieszego [abc]

pedestrians' bridge kładka dla pieszych [bud.]

pedestrians' tunnel przejście podziemne (*dla pieszych*) [mot.]

peel łuszczyć, obierać, obłupywać; ściągać, usuwać (*np. skórkę*) [abc]

peel łupina, skórka [abc]

peeled odarty, obrany, złuszczony [abc]

peeled off złuszczony [abc]

peeling łuszczenie się, odwarstwianie; obieranie, ściąganie (*wierzchniej warstwy*) [abc]

peeling device narzędzie do obierania; korowarka, korowaczka, korownik [narz.]

peeling off of grass sods ściąganie darni [transp.]

peeling work obieranie, łuskanie, wyłuskiwanie, korowanie, skórowanie [abc]

peel off a shoulder zrywać pobocze [transp.]

P

peel off grass sods ściągać darń [transp.]

peel soil ściągać ziemię; kopać ziemię [transp.]

peen opukiwać [masz.]

peen rąb młotka [masz.]

peep hole wziernik, szkło (*kontrolne*) wzierne [mot.]

peg kołek [abc]

pegged back odsunięty [transp.]

PE-hook hak z uziemieniem; hak uziemiający [el.]

pellet grudka [abc]; ziarno [chem.]

pelletizing plant instalacja grudkowania [energ.]

pelvis miednica [med.]

penal code kodeks karny [polit.]

penal law prawo karne [polit.]

pencil ołówek [abc]; (→ propelling p.)

pencil sharpener temperówka [abc]

pendant boiler kocioł zawieszony, kocioł wiszący [energ.]

pendant continuous loop wężownica wisząca [energ.]

pendant superheater przegrzewacz zawieszony, przegrzewacz wiszący [energ.]

pendulum wahadło [abc]

pendulum axle oś łamana [transp.]

pendulum ball tarcza sterująca w korpusie pompy [transp.]

penetrate przenikać, przepełniać; przebijać, wykuwać [abc]; przetapiać (*spoinę*) [met.]; przeciekać, przesiąkać [abc]; wbijać [masz.]; przenikać [górn.]

penetrating przenikliwy [abc]

penetration przenikanie [transp.]; wbijanie [masz.]

penetration cut podcięcie [met.]

penetration into the root wtopienie [met.]

pennant proporczyk [polit.]; wimpel [abc]

pension <or retirement> benefits świadczenia rentowe (*lub emerytalne*) [abc]

pension fund fundusz emerytalny [abc]

pentagon pięciokąt [abc]

per na; á [abc]

perceive zauważać, spostrzegać [abc]

percentage of <total> air through air heater procentowa wartość powietrza w podgrzewaczu [energ.]

percentage of burnable materials in residues procentowa zawartość substancji palnych w pozostałościach [energ.]

perch bolt kołek sprężyny wielopłytkowej [masz.]

percussion welding zgrzewanie (*oporowe*) udarowe [met.]

perennial wieczny, wieloletni; trwały [bot.]

perfect perfekcyjny, doskonały, nienaganny [abc]

perfection perfekcja, doskonałość [abc]

perforated sheet blacha perforowana [masz.]

perforation perforacja [abc]

perform wykonywać, realizować [bud.]; funkcjonować, działać, pracować [mot.]; dokonywać; robić [abc]

performance występ [abc]; osiągi i wydajność [transp.]; działanie [mot.]; wykonanie [inf.]

performance control kontrola działania [abc]

performance data dane eksploatacyjne; charakterystyka działania [energ.]

performance rating moc nominalna [abc]

performance specification specyfikacja pracy [transp.]

performance valve zawór regulacji ciśnienia; zawór serwosterowania [mot.]

pergola altana, pergola [bud.]
perimeter obwód [energ.]
period okres; czas trwania; (US) kropka [abc]; → pressure raising p.; → pressure reducing p.; → shut-down p.; → start-up p.; → warm-up p.)
periodic function funkcja okresowa [mat.]
period of amortization okres amortyzacji [abc]
period of application czas zastosowania [transp.]
period of bad weather okres niepogody, okres złej pogody [meteo.]
period of operation okres produkcyjny, czas pracy maszyny [abc]
period of use okres użycia [transp.]
peripheral area obszar peryferyjny [bud.]
peripheral force siła obwodowa [fiz.]
peripheral speed prędkość obwodowa [fiz.]
peripheral velocity prędkość obwodowa [fiz.]
periphery obrzeże; peryferia [abc]
periscope luneta nożycowa, lorneta nożycowa [abc]; peryskop [mot.]
permafrost wieczna zmarzlina [abc]
permanent trwały, ciągły, stały [abc]
permanent brake hamulec ciągłego działania [mot.]
permanent connection połączenie stałe [masz.]
permanent grease lubrication trwałe smarowanie smarami stałymi [transp.]
permanent loan depozyt stały, depozyt długoterminowy [mot.]
permanent lubrication smarowanie trwałe [mot.]
permanent magnet magnes trwały [fiz.]
permanent mould forma trwała [masz.]

permanent tine ząb stały [masz.]
permanent way nawierzchnia kolejowa [mot.]
permanent way department dział odpowiedzialny za utrzymanie stanu technicznego nawierzchni kolejowej [mot.]
permanent way department manager kierownik działu odpowiedzialnego za stan techniczny nawierzchni kolejowej [mot.]
permanent way fastening system system mocowania nawierzchni kolejowej [mot.]
permanent way length man dróżnik kolejowy (obchodowy) [mot.]
permanent way material materiał nawierzchniowy; nawierzchnia kolejowa [mot.]
permeability przepuszczalność, przenikalność [masz.]
permeability factor współczynnik przenikalności [el.]
permissible dozwolony; dopuszczalny [abc]
permissible bending radius dopuszczalny promień gięcia [masz.]
permissible deviation dopuszczalne odchylenie [rys.]
permissible engine tilt-angle dopuszczalny kąt pochylenia silnika [mot.]
permissible speed dopuszczalna prędkość [mot.]
permissible stress naprężenie dopuszczalne [masz.]
permit dopuszczać, zezwalać, zgadzać się [polit.]
permit zezwolenie [polit.]
permittivity przenikalność elektryczna (absolutna) [el.]
perpendicular prostopadły [abc]
perpetual inventory nieustająca rezerwa [inf.]
persistence poświata [el.]
persistent time czas opadania [el.]

P

person in a wheelchair osoba na wózku inwalidzkim [transp.]

person of trust osoba zaufana [abc]

person on hourly wage pobierający płacę godzinową [abc]

person to contact osoba kontaktowa [abc]

personal and social affairs gospodarowanie personelem; zarządzanie personelem [abc]

personal computer komputer osobisty [inf.]; (→ home computer)

personal conveyor przenośnik osobowy [transp.]

personnel personel [abc]

personnel department dział kadr [abc]

personnel expenses koszta personalne [abc]

personnel management zarządzanie personelem [abc]

personnel meeting zebranie kadry; zebranie personelu [abc]

personnel service for managers wspieranie pracowników na stanowiskach kierowniczych [abc]

persons also insured osoby współubezpieczone [praw.]

perspective perspektywa [inf.]; (→ viewer-centred p.)

perspective view widok perspektywiczny; rzut perspektywiczny [rys.]

perspex pleksiglas [masz.]

perspex insert wkładka pleksiglasowa [masz.]

perspex sole podstawa pleksiglasowa [masz.]

pertinent instruction odpowiednia instrukcja [abc]

PE-socket gniazdo z uziemieniem; gniazdo uziemiające [el.]

pest szkodnik [bot.]

pest control operator tępiciel szkodników (*szczurów*); szczurołap [abc]

pet cock kurek dekompresyjny, ku-

rek odprężający; mały kurek (*spustowy, odpowietrzający*) [masz.]

PE-terminal zacisk uziemiający; zacisk uziomowy [el.]

petrified skamieniały [abc]

petrifying petryfikacja, kamienienie; skamieniałość, skamielina [abc]

petrography petrografia [min.]

petrol (GB) benzyna [mot.]

petrol drive (GB) napęd benzynowy [mot.]

petroleum ether benzyna do prania chemicznego [mot.]

petroleum jelly petrolatum [górn.]; wazelina [abc]

pharmaceutical products farmaceutyki [med.]

phase koordynować, synchronizować [abc]

phase faza [abc]; stan [energ.]

phase advancer przesuwnik fazowy [el.]

phase angle kąt fazowy [el.]

phase jump skokowa zmiana fazy [el.]

phase model model fazowy [inf.]

phase monitoring kontrola faz; czujnik fazy [el.]

phase of design faza projektu [rys.]

phase out upływać, kończyć (*się*); kończyć stopniowo [abc]

phase out zakończenie (*spoiny*) [met.]

phase out of action zakańczanie działania [transp.]

phase reserve rezerwa fazy [el.]

phase reversal odwracanie fazy [el.]

phase sequence monitoring kontrola kierunku wirowania pola, kontrola następstwa faz [el.]

phase sequence protection zabezpieczenie kolejności faz [transp.]

phase sequence relay przekaźnik kolejności faz [transp.]

phase shift przesunięcie fazowe [el.]

phase velocity prędkość fazowa [el.]

Phillips screw *śruba z łbem z gniazd-kiem krzyżowym* [masz.]

Phillips screw-driver śrubokręt krzyżowy [narz.]

philosophy filozofia; zdanie, mnie-manie, pogląd, sąd, opinia; postę-powanie, metoda [inf.]

pH-monitor pehametr [miern.]

phone call rozmowa telefoniczna [telkom.]

phosphate fosforan [chem.]

phosphate coating fosforanowanie [masz.]

phosphated fosforanowany [masz.]

phosphoric acid kwas fosforowy [chem.]

phosphorus fosfor [chem.]

photo copy (US) fotokopia [abc]

photocell fotokomórka [transp.] (→ reconnect)

photo-conductive cell komórka fo-toelektryczna przewodnościowa, fotorezystor [el.]

photo-electric cell komórka foto-elektryczna, fotokomórka [el.]

photo-electric cell selector switch przełącznik wybierakowy komórki fotoelektrycznej [el.]

photo-electric eyes fotokomórka [transp.]

photograph robić zdjęcie, fotogra-fować [abc]

photograph zdjęcie, fotografia [abc]

photography fotografia [abc]

pH-value wartość pH [chem.]

physical fizyczny [med.]

physical impediment upośledzenie fizyczne [med.]

physical quantity wielkość wyjścio-wa, wielkość fizyczna [abc]

physical stress wysiłek fizyczny [med.]

physician lekarz [med.]

physicist fizyk [fiz.]

physics fizyka [fiz.]

physiological fizjologiczny [med.]

physiology fizjologia [med.]

Pi equivalent circuit układ zastęp-czy Pi [el.]

pick oskard, kilof [narz.]

pickaxe oskard [narz.]

picker chwytak [narz.]

pick up ujmować [mot.]; podnosić [abc]

pick up podjęcie, podniesienie [abc]

pickle trawić, dekapować [met.]

pickled trawiony [met.]; marynowa-ny (*np. ogórek*) [abc]

pickup mały samochód osobowo-ciężarowy; pikup [mot.]

pick-up service serwis pocztowy (*odbiera przesyłki u klienta*) [abc]

picture obraz, zobrazowanie [inf.]

picture postcard widokówka, pocz-tówka, kartka [abc]

piece of art dzieło sztuki, arcydzie-ło [abc]

piece of equipment część wyposa-żenia [transp.]

piece together łatać [abc]

piecework praca akordowa, praca na akord [abc]

pieceworker pracownik akordowy, robotnik akordowy [abc]

pier pirs, molo [mot.]

pierce przedziurawiać; przebijać [abc]

pierced przebity [abc]

pig iron surówka [tw.]

pig iron for steel works and found-ries surówka stalownicza i odlew-nicza; surówka dla stalowni i od-lewni [tw.]

pig-iron ladle car wagon z kadzią surówkową [mot.]

pigeon blue błękit gołębi [norm.]

pigeon fancier miłośnik gołębi, ho-dowca gołębi [abc]

pile zwał, hałda [górn.]; kupa, ster-ta, stos [bud.]; usyp, zwał [górn.]; (→ sheet piling) pal [abc]

P

pile driver młot kafara, baba kafara [bud.]

pile driving wbijanie pali, pogrążanie pali [abc]

pile foundation fundament palowy [bud.]

pile of sleepers stos podkładów [mot.]

piling accessories wyposażenie ścianki szczelnej [masz.]

piling equipment urządzenie do formowania nasypów [górn.]

piling pipe rura wbijana [masz.]

pill lekarstwo, lek; tabletka, pastylka; pigułka [med.]

pillar słup; kolumna, słupek; filar [bud.]

pillow poduszka [abc]

pillow block łożysko ślizgowe dzielone [masz.]; łożysko ślizgowe dzielone [mot.]; (→ bearing eye) gniazdo łożyska [transp.]

pillow block housing obudowa łożyska ślizgowego [transp.]

pilot prowadnik; pilot [mot.]; prowadzenie [masz.]

pilot bearing łożysko toczne wzdłużne dwukierunkowe [transp.]

pilot firm rodzima firma partnerska [abc]

pilot flame płomień zapalający [energ.]

pilot-heading chodnik kierunkowy [górn.]

piloting sterowanie mata kontaktową [transp.]

pilot jet dysza paliwowa dodatkowa [mot.]

pilot lamp lampka sygnalizacyjna; lampa punktowa [el.]

pilot-operated regulator regulator impulsowy [energ.]

pilot-operated relief valve zawór ciśnieniowy serwosterowania [mot.]

pilot operated valve zawór (*pneumatyczny*) impulsowy [mot.]

pilot plant aparatura doświadczalna [abc]; zakład doświadczalny [energ.]

pilot pressure ciśnienie sterownicze [mot.]

pilot production (US: pilot run) seria pilotowa [abc]

pilot pump pompa pilotowa [mot.]

pilot run seria pilotowa [abc]

pilot training szkolenie pilotów [mot.]

pilot valve zawór sterujący, zawór pilotowy [masz.]; zawór popychacza; zawór krzywkowy [mot.]

pin palec; igiełka [masz.]; broszka; szpilka [abc]; przetyczka [mot.]; kołek wtykowy; sworzeń; trzpień obrotowy [masz.]; sworzeń łożyska; połączenie przegubowe łyżki; sworzeń połączenia przegubowego; połączenie przegubowe łyżki koparki; sworzeń osadzony [transp.]; (→ alignment p.; → conical p.; → countersunk head grooved p.; → dowel p.; → fixing p.; → grooved dowel p.; → grooved p.; → gudgeon p.; → moulding p.; → parallel p.; → rivet p.; → selecting p.; → spiral p.; → spring p.; → step-mounting p.; → taper grooved dowel p.; → taper p.)

pin connector łącznik sprężysty [masz.]

pin diameter średnica sworznia [masz.]

pin diaphragm przesłona otworowa [masz.]

pin extractor wyciągacz kołków, wyciągacz sworzni [narz.]

pin insulator izolator wsporczy [el.]

pin lock sworzeń, czop, przetyczka [transp.]

pin lock key kołek łączący [masz.]

pin pusher trzpień naciskowy; palec naciskowy [masz.]

pin retainer kołek (*sworzeń*) zabez-

pieczający, kołek (*sworzeń*) ustalający [masz.]
pin rod kołek prowadzący, sworzeń ustalający [masz.]
pin spanner klucz kołkowy [masz.]
pin terminal zacisk wtykowy [el.]
pincers szczypce (*drewniane*); obcęgi do gwoździ; kleszcze; pinceta [narz.]; (→ special p.)
pine green zieleń sosnowa [norm.]
pine tree sosna; jodła [bot.]
pinion zębnik mechanizmu obrotowego [transp.]; koło obiegowe; zębnik; pinion [mot.]
pinion box osłona komorowa zębnika [mot.]
pinion drive shaft wał zakończony zębnikiem [mot.]
pinion gear koło zębate trzpieniowe mechanizmu obrotowego [transp.]
pinion shaft wałek przekładni obiegowej; oś z zębnikiem; wał zakończony zębnikiem [mot.]
pink różowy [abc]
pintle czop skrętny [masz.]
pintle-type nozzle rozpylacz czopikowy [mot.]
pioneer pionier [abc]
pioneering pionierstwo [abc]
pipe gwizdać, świstać [mot.]; grać na fujarce [abc]
pipe przewód [mot.]; rura; rurka [masz.]; przewód rurowy [mot.]; zakończenie rury [transp.]; (→ air intake p.; → air p.; → bleed p.; → breeches p.; → connecting p.; → cooling water p.; → cooling water p.; → corrugated iron p.; → distance piece; → drain p.; → dust p.; → exhaust p.; → exhaust p.; → fuel p.; → intake p.; → lead p.; → leak oil p.; → leak-off p.; → metal sheet p.; → oil p.; → plastic p.; → precipitator p.; → pressure p.; → protective p.; → return p.; → rub-

ber-lined p.; → spacer; → spill p.; → superheated steam p.; → tank p.; → water p.; → work p.)
pipe anti-burst device urządzenie do zabezpieczania rur przed pękaniem [transp.]
pipe bend krzywak rurowy [masz.]
pipe bending machine giętarka do rur [narz.]
pipe bracket wspornik przewodu [mot.]
pipe-break protection zabezpieczenie przed pękaniem rur [transp.]
pipe branch rozgałęzienie [energ.]
pipe burst uszkodzenie rury, pęknięcie rury [masz.]
pipe clamp klamra zaciskowa (*do mocowania rury*) [mot.]; zacisk rurowy [energ.]
pipe clamping jaw szczęka mocująca rurę [masz.]
pipe clip opaska nośna rury [transp.]
pipe coating otulanie rury, izolowanie rury [masz.]
pipe conduit kanał rurowy; rurociąg [masz.]
pipe connection złącze rurowe [masz.]
piped orurowany [masz.]
piped braking system (GB) układ hamulcowy orurowany [mot.]
pipe diagram schemat zasadniczy połączeń rurowych [masz.]
pipe filter filtr rurowy [mot.]
pipe fitting kształtka rurowa; złącze rurowe śrubowe [masz.]
pipe flange kołnierz rury; kryza rury [masz.]
pipe fracture pęknięcie rurociągu [energ.]
pipe hanger wieszak rurociągu [masz.]
pipe layer instalator rurociągów [mot.]
pipeline rurociąg [górn.]; instalacja rurowa [masz.]

P

pipeline bridge most rurociągu [masz.]

pipeline element element instalacji rurowej [masz.]

pipe manufacturing produkcja rur [masz.]

pipe mill walcownia rur [masz.]; rurownia [abc]

pipe mill engineering technologia walcowania rur [masz.]

pipe nipple złączka rurowa [mot.]

pipe nut nakrętka kołpakowa [masz.]

pipe reducer kształtka rurowa redukcyjna [masz.]

pipe retaining clip obejma zabezpieczająca, obejma mocująca, opaska zabezpieczająca [masz.]

pipe roll stand krążkowe podparcie rury [energ.]

pipe spanner klucz hakowy do rur [narz.]

pipe system system przewodów rurowych [masz.]

pipe thread gwint rurowy [masz.]

pipe thread of Whitworth form gwint Whitwortha [masz.]

pipe transporter przenośnik rur [mot.]

pipe trench wykop dla rurociągu [bud.]

pipe union dwuzłączka rurowa [masz.]

pipe work orurowanie, układ rurociągów [masz.]

pipe wrench klucz do rur [narz.]

pipework department dział ds. układu rurociągów [energ.]

pipework fitter monter instalacji rurowych [energ.]

piping jama usadowa [tw.]; przewód rurowy [mot.]; instalacja rurowa [masz.]; układanie rur [abc]; taśma uszczelniająca [mot.]

piping diagram schemat systemu hamulcowego Knorra [mot.]

pistol pistolet [wojsk.]

piston tłok [mot.]; (→ balanced p.; → differential p.; → forward movement of a p.)

piston area powierzchnia prowadząca tłoka [mot.]

piston clearance luz tłoka [mot.]

piston cooling jet dysza tłokowa chłodząca [mot.]

piston cooling rifle otwory chłodzące tłoka [mot.]

piston cup for brake cylinder pierścień tłokowy uszczelniający cylindra hamulcowego [mot.]

piston diameter średnica tłoka [mot.]

piston displacement objętość skokowa (*cylindra*) [mot.]

piston drum cylinder tłoka [mot.]

piston guide prowadnica tłokowa, prowadzenie tłokowe [mot.]

piston pin sworzeń tłokowy [mot.]

piston pump pompa tłokowa [mot.]

piston ring pierścień tłokowy [mot.]

piston rod trzon tłokowy, drąg tłokowy, tłoczysko [mot.]

piston rod compartment przedział tłoczyskowy [mot.]

piston rod extends trzon tłokowy wysuwa się [mot.]

piston rod retracts trzon tłokowy cofa się (*chowa się*) [mot.]

piston seizure zatarcie tłoków [mot.]

piston side powierzchnia prowadząca tłoka; powierzchnia boczna tłoka [mot.]

piston skirt część prowadząca tłoka [mot.]

piston squeezing zatarcie tłoków [mot.]

piston stroke skok tłoka [mot.]

pit wykop [bud.]; wyrobisko; kopalnia [górn.]; (→ latrine p.)

pit length długość wykopu [transp.]

pit opening otwór wyrobiskowy [górn.]

pit stop kontrola; (US) inspekcja

konserwatorska [mot.]
pit support structure obudowa wyrobiska [górn.]
pit waste kamień kopalniany; odpadki [górn.]
pit width szerokość wykopu [transp.]
pitch spadek; kąt; podziałka (*łańcucha*); pochyłość [masz.]; upadek [mot.]
pitch arm ramię nastawcze; drążek nastawczy [mot.]
pitch black czerń smolista [abc]
pitchblend blenda smolista [górn.]
pitch circle koło odtaczające; koło toczne; okrąg toczny (*koła ślimakowego*) [masz.]
pitch diameter średnica podziałowa [masz.]; średnica podziałowa [mot.]
pitched roof dach spadowy [bud.]
pitcher dzban [abc]; kamień brukowy [bud.]
pitch fan skrzydło wentylatora z przestawnymi łopatkami; wentylator łopatkowy z regulowanymi łopatkami [mot.]
pitch length wartość podziałki [masz.]
pitch of chain podziałka łańcucha [masz.]; rozstaw ogniw łańcucha [transp.]
pitch of scanning helix skok spirali testowej [el.]
pitch of screw skok gwintu [masz.]
pitch of weld podziałka szwu spawanego [met.]
pitman arm ramię przekładni kierowniczej; ramię zwrotnicy osi przedniej; dźwignia przekładni kierowniczej [mot.]
Pitot tube rurka Pitota [energ.]
pit-store with bridge excavator magazyn kopalniany z koparką mostową [górn.]
pitted zatarty [masz.]
pitting wżer korozyjny [masz.]

pit-type traverser (→ traverser) przesuwnica parterowa [mot.]
pit-wet wilgotny (*jak w wyrobisku*) [górn.]
pivot podpierać obrotowo [masz.]
pivot czop obrotowy [transp.]; czop czołowy [mot.]; oś przegubu [masz.]
pivotally arranged ułożony obrotowo [masz.]
pivot area obszar połączenia przegubowego [transp.]
pivot arm dźwignia zmiany kierunku [mot.]
pivot bar belka podnośna [masz.]
pivot bearing łożysko czopu czołowego; podpora obrotowa; łożysko przegubowe, podpora przegubowa [masz.]
pivoted table stół obrotowy podziałowy [abc]
pivoting bearing łożysko przegubowe, łożysko wahliwe [masz.]
pivoting cylinder cylinder wahadłowy [transp.]
pivot joint housing pierścień zewnętrzny łożyska stożkowego [masz.]
pivot point miejsce połączenia przegubowego; połączenie przegubowe; punkt obrotu [transp.]
place umieszczać; sytuować [abc]
place miejsce [abc]
place in operation przygotować do działania [abc]
placement on site montaż na miejscu [abc]
place of business budynek biurowy, biurowiec [bud.]
place of installation miejsce montażu; miejsce instalacji [transp.]
place of manufacturing lokalizacja produkcji [polit.]
placing montaż [abc]
plain równina [geol.]
plain grind szlifować na płasko [met.]

P

plain grinding szlifowanie na płasko [met.]

plain suction dredger pogłębiarka ssąca podstawowa [mot.]

plan planować; dysponować; rozplanowywać [abc]

plan plan [abc]; (→ arrangement p.; → ground p.; → lay-out p.; → preliminary p.; → reinforcement p.)

plan elevation rzut pionowy [bud.]

plan view rzut poziomy [bud.]

planar reflector reflektor planarny; reflektor płaski [el.]

plane płaszczyzna; poziom; strug [narz.]; samolot [mot.]

plane bearing łożysko płaskie [mot.]

plane flaw defekt płaski, defekt powierzchniowy [masz.]

plane parallelism równoległość płaska [abc]

plane surface powierzchnia płaska [bud.]

plane table stolik mierniczy, stolik geodezyjny, stolik topograficzny [abc]

plane wave fala płaska [mot.]

planet planeta [geogr.]

planetarium planetarium [abc]

planetary axle oś obiegowa [mot.]

planetary cooler chłodnica planetarna [górn.]

planetary drive napęd planetowy [mot.]

planetary gear przekładnia obiegowa; przekładnia planetarna; napęd planetarny [mot.]

planetary hub stopień końcowy przekładni obiegowej [mot.]

planetary reduction przełożenie redukujące przekładni obiegowej [mot.]

planetary stage stopień przekładni obiegowej [mot.]

planetary transmission przekładnia obiegowa; przekładnia planetarna; napęd planetarny [mot.]

planetary wheel (→ sun wheel) koło centralne, koło słoneczne [mot.]

planet carrier jarzmo przekładni obiegowej [mot.]

planet gear przekładnia planetarna [mot.]

planet wheel koło obiegowe; satelita [mot.]

plank bal [transp.]; bal, brus [mot.]; (→ timber planks) podstawka nośna [bud.]

planned planowany [abc]

planned preventive maintenance (PPM) naprawy okresowe [abc]

planning planowanie [abc]; projektowanie [bud.]; rozplanowanie; dyspozycja, polecenie [abc]; (→ logic-based p.)

planning a site planowanie zagospodarowania przestrzennego terenu budowlanego [bud.]

planning accurate to dimension projektowanie zgodne z (żądanymi) wymiarami [abc]

planning and decision support system system wspomagający planowanie i wypracowanie decyzji [inf.]

planning and execution of a site planowanie i przeprowadzenie robót budowlanych [bud.]

planning of demand planowanie popytu [abc]

planning result rezultat planowania [abc]

plant fabryka [abc]; urządzenie [masz.]; urządzenie (*kotłowe*), instalacja (*kotłowa*) [energ.]; linia produkcyjna [masz.]; maszyny budowlane [transp.]; roślina [bot.]; (→ ash handling p.; → batching and mixing p.; → chemicals dosing p.; → coal handling p.; → coaling p; → CO_2 degassing p.; → de-aerating p.; → demineralisation p.; → external p.; → feedwater softening p.; → incineration p.; → internal p.; → outdoor p.; → pelletising p.; → pickling p.; → pilot p.; → pulverizer p.; → semi-outdoor p.; → sewage treatment p.; → sugar p.; → turnkey p.)

plantation plantacja [bot.]

plant equipment wyposażenie fabryki [abc]

plant hire wynajmowanie urządzeń [transp.]

plant manager kierownik zakładu [abc]

plant manufacturing produkcja urządzeń, konstruowanie urządzeń [masz.]

plant with primary reduction urządzenie z rozdrabnianiem wstępnym [masz.]

plaque płytka, tablica [abc]

plasma-metal G-welding spawanie plazmowe [met.]

plasma-underwater-flame-cutting machine maszyna do cięcia podwodnego plazmowego [masz.]

plaster zaprawa do tynków [abc]; tynk [bud.]

plaster base podkład pod tynk [bud.]

plasters tynk szlachetny [bud.]

plastic tworzywo sztuczne, tworzywo syntetyczne, masa plastyczna [tw.]; plastyczny [abc]

plastic bag worek plastikowy [abc]

plastic blind rivet nit jednostronnie zamykany plastikowy [mot.]

plastic brush szczotka z tworzywa sztucznego [mot.]

plastic coated powleczony tworzywem sztucznym [met.]

plastic coated tubes and sections rury i profile pokryte tworzywem sztucznym [met.]

plastic coating powłoka z tworzywa sztucznego [met.]

plastic cover osłona plastikowa

[transp.]; osłona z tworzywa sztucznego [mot.]

plastic cup insert wkładka miseczkowa z tworzywa sztucznego [abc]

plastic cushion poduszka z tworzywa sztucznego, podkładka miękka z tworzywa sztucznego [transp.]

plastic dowel kołek plastikowy, dybel plastikowy [mot.]

plastic foil folia PCW [abc]

plastic hose wąż z tworzywa sztucznego; wąż plastikowy [abc]

plastic insert wkładka z tworzywa sztucznego [abc]

plasticizing plastyfikacja [abc]

plastic laminated on one or both sides powleczony jedno- lub obustronnie tworzywem sztucznym [met.]

plastic laminated powleczony tworzywem sztucznym [met.]; laminowany [tw.]

plastic material tworzywo sztuczne [tw.]

plastic package zestaw elementów plastikowych [transp.]

plastic pad nakładka plastykowa (*ogniwa gąsienicy*) [transp.]; podkładka miękka [mot.]

plastic piping przewód z tworzywa sztucznego, przewód plastikowy [mot.]

plastics tworzywa sztuczne [tw.]

plastic sliding insert wkładka ślizgowa z tworzywa sztucznego [mot.]

plastic-steel brush zamiatarka z tworzywa sztucznego i stali [mot.]

plastic strapping taśma opakowaniowa z tworzywa sztucznego [abc]

plastic trackpad plastykowa płyta nośna [transp.]

plastic treated paper filter filtr papierowy impregnowany plastikiem [mot.]

plastic treated paper filter cartridge wkładka do filtru z tworzy-

P

wa sztucznego impregnowanego [masz.]
plastic yielding odkształcenie plastyczne materiału [masz.]
plate blacha gruba [masz.]; okładzina kondensatora [el.]; płyta montażowa, podstawa [transp.]; nakładka; płyta; tarcza stalowa [masz.]; płyta, tafla, arkusz [bud.]; talerz, tarcza [masz.]; płyta nośna [transp.]; płytka [el.]; pokrywa [transp.]; szyld, wywieszka, tabliczka; klisza drukarska [abc]; (→ baffle p.; → base p.; → bed p.; → bracket p.; → brake anchor p.; → brake subp.; → brush p.; → brush p.; → changeable wear p.; → chequered p.; → choke p.; → clutch release p.; → cover p.; → end p.; → floor p.; → guide p.; → hard metal p.; → mounting p.; → nozzle p.; → protection p.; → radiator baffle p.; → running p.; → sealing cover; → soffit p.; → spring p.; → spring tension p.; → swash p.; → tread p.; → tube p.; → wear p.)
plate air heater płytowy podgrzewacz powietrza [energ.]
plate cooler chłodnica płytowa [abc]
plate crack pęknięcie tarczy, pęknięcie talerza [masz.]
plate-cutting machine nożyce do blachy, nożyce blacharskie [narz.]
plated platerowany [met.]
plate edge krawędź blachy [masz.]
plate-edge test installation maszyna do kontroli krawędzi blachy [miern.]
plate feeder podajnik talerzowy [masz.]
plate-loading test próba na ściskanie płyt [miern.]
plate repair naprawa płyty [masz.]
plate shears nożyce do blachy, nożyce blacharskie [narz.]

plate spring sprężyna płytkowa [mot.]
plate testing kontrola blachy [miern.]
plate testing probe holder uchwyt do próbek z blachy, uchwyt probierczy [miern.]
plate transmittance przepuszczalność płyt [masz.]
plate wave fala płytowa [el.]
plate wheel koło tarczowe [masz.]
platform platforma; podest; pomost; peron [abc]
platform clock zegar na peronie [mot.]
platform frame member platforma kabiny sterowniczej [transp.]
platform inspector kontroler (*np. biletów*) [mot.]
platform outrigger wysięgnik platformy [mot.]
platform supervisor kontroler (*np. biletów*) [mot.]
plating pokrywanie płytami [górn.]; platerowanie [mot.]
platinum platyna [tw.]
platinum gray szarość platynowa [norm.]
platten-type superheater przegrzewacz grodziowy [energ.]
play luz [energ.]
play per side długość nagrania (*na stronie*) [abc]
pleasant przyjemny, miły [abc]
pliable giętki [abc]
pliers szczypce, kleszcze; obcęgi [narz.]; (→ circlip p.; → combination p.; → lead sealing p.; → water-pump p.)
pliers for seeger rings kleszcze do pierścieni Seegera [narz.]
plinth cokół [masz.]
plinth masonry mur cokołowy [bud.]
plot nanosić [bud.]
plot nieruchomość gruntowa [bud.]; obwód, układ (*połączeń*) [masz.]; wykres, diagram [abc]

plotted nakreślony [abc]
plotting nakreślanie [abc]; kreślenie [inf.]
plough (GB) pług [roln.]
plough bolt śruba pługa; śruba z łbem stożkowym płaskim i noskiem [masz.]
plough shifter pługoprzesuwarka [roln.]
plow orać [roln.]
plow bolt śruba pługa; śruba z łbem stożkowym płaskim i noskiem [masz.]
plow mining wybieranie (*eksploatacja*) przy użyciu urządzenia strugowego [górn.]
plow strug [narz.]; (US) pług [roln.]
plug włączać, podłączać [el.]; zaślepiać [mot.]
plug zaślepka [transp.]; świeca [mot.]; zatyczka (*ochronna*), korek ochronny [transp.]; złączka wtykowa [el.]; przysłona wsuwana [masz.]; wtyczka; zestyk wtykowy [el.]; korek [masz.]; śruba zamykająca, korek gwintowy [mot.]; korek wpustowy oleju [masz.]; wtyczka przyrządowa; gniazdo wtyczkowe [el.]; (→ battery cell p.; → blanking p.; → drain p.; → heater p.; → special p.)
plug and socket connection połączenie wtykowe; złącze wtykowe [el.]
plug adapter wtyczka redukcyjna [el.]
plug compatible zgodny wtykowo [el.]
plug device urządzenie wtykowe [el.]
plugged zaślepiony [mot.]
plug in wsadzać; włączać urządzenie [abc]
plug-in amplifier wzmacniacz wsuwany [el.]
plug-in antenna antena wtykowa [el.]

plug-in connection połączenie wtykowe [el.]
plug-in element człon wtykowy [masz.]
plug-in relay przekaźnik wtykowy [el.]
plug-in unit zespół wsuwany [transp.]
plug relay stycznik wtykowy [el.]
plug socket gniazdo wtyczkowe [mot.]
plug-type neck króciec zamykający [mot.]
plug weld spoina otworowa; zgrzewanie otworowe; spoina kołkowa [met.]
plumb pionowy [transp.]
plumber instalator, hydraulik [bud.]
plumbiferous zawierający ołów, ołowiowy [mot.]
plummer block obudowa łożyska stojakowego [masz.]
plunge zanurzać [abc]; zatapiać [masz.]
plunger nurnik; popychacz buforowy bez talerza zderzakowego; tłok regulatora; pływak; popychacz zaworowy [mot.]
plunger block rygiel [mot.]
plunger free travel skok tłoka wtryskiwacza [mot.]
plunger rod trzpień naciskowy, drążek naciskowy [mot.]
plunger spring sprężyna tłokowa [mot.]
plunger spring plate sprężyna tłokowa jednotalerzowa [mot.]
pluralistic system system pluralistyczny [inf.]
plus (+) plus, dodać [mat.]
plus and minus limit tolerancja plusowo-minusowa [energ.]
plus value wskazanie plusowe, wskazanie dodatnie [energ.]
ply uwarstwienie, warstwowanie, rozwarstwienie [inf.]
ply rating wytrzymałość opony;

P

warstwy osnowy opony; liczba PR [mot.]

plywood sklejka [bud.]

PM (*preventive maintenance*) konserwacja profilaktyczna [mot.]

pn junction złącze elektronowodziurowe [el.]

pneumatic pneumatyczny [mot.]

pneumatical contact mat pneumatyczna mata stykowa [transp.]

pneumatic and hydraulic cylinders cylindry pneumatyczne i hydrauliczne [masz.]

pneumatic brake hamulec pneumatyczny; hamulec powietrzny [mot.]

pneumatic breaker młot pneumatyczny; młot powietrzny [narz.]

pneumatic change sterowanie pneumatyczne [mot.]

pneumatic chisel przecinak pneumatyczny [narz.]

pneumatic coal antibridging device pneumatyczne urządzenie strzelnicze [energ.]

pneumatic contact mat pneumatyczna mata stykowa [transp.]

pneumatic cylinder cylinder pneumatyczny; cylinder pneumatyczny [mot.]

pneumatic hose przewód sprężonego powietrza [abc]

pneumatic motor silnik pneumatyczny [mot.]

pneumatic oil suspension tłumik olejowy [masz.]

pneumatic pressure ciśnienie powietrza [abc]

pneumatic spring amortyzator pneumatyczny [mot.]

pneumatic system instalacja pneumatyczna; układ pneumatyczny [mot.]

pneumatic time delay valve pneumatyczny zawór opóźniania [mot.]

pneumatic tube poczta pneumatyczna [abc]

pneumatic tube sample transport przesył pocztą pneumatyczną [abc]

pneumatic tyre opona pneumatyczna [mot.]

pneumatic tyre travelling mechanism mechanizm przesuwu opony pneumatycznej [górn.]

pneumatic tyres ogumienie pneumatyczne [mot.]

pneumatic valve zawór pneumatyczny [mot.]

pneumatics pneumatyka [mot.]

pocket kieszeń [abc]

pocket calculator kalkulator kieszonkowy, minikalkulator [abc]

pocketing przebijanie [mot.]

pocket knife scyzoryk [abc]

pockets zagłębienia, gniazda [bud.]

pocket umbrella parasolka kieszonkowa, parasol składany [abc]

pocket watch zegarek kieszonkowy [abc]

point punkt [masz.]; (→ bled steam tapping p.; → chisel p.; → deformation p.; → flash p.; → fusion p.; → intersection p.; → melting p.; → setting p.; → softening p.; → suction p.; → tangent p.; → tooth tip; → transition p.); stopień [mot.]

pointed pliers szczypce ze zwężonymi końcami [narz.]

pointed tooth ząb trójkątny pochylony [transp.]

pointer wskaźnik [abc]

point-focused probe sonda punktowa [miern.]

point heater podgrzewacz zwrotnicowy [mot.]

point of discussion punkt w dyskusji [abc]

point of ignition chwila zapłonu [mot.]

point pressure ciśnienie szczytowe [bud.]

points zwrotnica [mot.]

pointsman (GB) zwrotniczy [mot.]

point-spread functions odpowiedź impulsowa [inf.]

point welding zgrzewanie punktowe; spawanie punktowe [met.]

poison trucizna [abc]

poisonous trujący [abc]

poisonous substances substancje toksyczne; toksyny [abc]

polar axis oś biegunowa [geogr.]

polarisation polaryzacja [fiz.]

polarised ultrasonic wave spolaryzowana fala ultradźwiękowa [el.]

polarity biegunowość [el.]

polarity sign znak biegunowości [fiz.]

pole żerdziować [el.]

pole maszt [wojsk.]; słupek [bud.]; biegun [el.]; słup [wojsk.]; dyszel [mot.]; (→ bamboo p.; → dominant p.; → two-p.)

pole-changeable zmiennobiegunowy [transp.]

pole changing zmiennobiegunowy [el.]

pole changing starter przełącznik liczby biegunów [el.]

poledrain ściek poprzeczny [bud.]

pole position pozycja startowa [mot.]

pole shoe nabiegunnik [el.]

pole terminal zacisk biegunowy [el.]

police policja [polit.]

police boat łódź policyjna [mot.]

police chopper helikopter policyjny; śmigłowiec policyjny [mot.]

police siren syrena policyjna [polit.]

police white biel policyjna [norm.]

policy polisa [praw.]

policy period okres ubezpieczenia [praw.]

policy target wyznaczenie celu [abc]

polish polerować [abc]; szlifować [met.]

polish politura [abc]

polished polerowany [abc]; szlifowany [met.]

political decision decyzja polityczna [polit.]

political questions problemy polityczne [polit.]

politics polityka [polit.]

pollutant emission emisja substancji szkodliwych [mot.]

pollution emisja zanieczyszczeń [rec.]; zanieczyszczenie, zabrudzenie [abc]; (→ air p.)

polyamide poliamid [tw.]

polyester poliester [tw.]

polyethylene polietylen [tw.]

polyethylene-coated powlekany polietylenem [met.]

polygraph wykrywacz kłamstw, wariograf [abc]

polygraph test test na wykrywaczu kłamstw [abc]

polynomial wielomian [mat.]; (→ characteristic p.; → denominator p.; → Hurwitz p.)

polypropylene polipropylen [tw.]

polytechnic wyższa szkoła zawodowa [abc]

polythene bag worek z polietylenu [abc]

polyurethane poliuretan [mot.]

polyvinyl poliwinyl [tw.]

pond basen, sadzawka [abc]

ponder on rozważać, rozmyślać [abc]

pontoon ponton [mot.]

pontoon ferry prom pontonowy [mot.]

pontoon steering sterowanie pontonem [mot.]

pool tabor, park samochodowy; flota samochodów [mot.]; staw [bot.]

poor biedny [abc]

poor combustion słabe spalanie [energ.]

pop rivet nit lotniczy kołpakowy z otworkiem, zamykany trzpieniem [masz.]

pop rivet nut nakrętka kołpakowa, nakrętka kapturkowa [masz.]

poppet valve zawór grzybkowy [energ.]

P

poppy red czerwień maku [transp.]
popular popularny [abc]
popular vote wybór bezpośredni [polit.]
populate zasiedlać [abc]
populated zasiedlony; zaludniony [abc]
population ludność; mieszkańcy; liczba mieszkańców; rozpowszechnianie, rozprzestrzenianie się; liczba, ilość; liczba urządzeń; stan [abc]
porcelain porcelana [abc]
porcelain blue błękit porcelanowy [transp.]
porcelain testing probe próbnik porcelany [miern.]
porch weranda [bud.]
pore por pojedynczy [abc]; por [masz.]
pore water woda szczelinowa [bud.]
porosity porowatość [bud.]; porowatość [met.]
porous hose wąż porowaty [mot.]
porous porowaty [met.]
porphyry porfir [bud.]
port port [mot.]; otwór przelotowy [bud.]; szczelina [mot.]; korytarz, kanał [bud.]
portable przenośny; ruchomy, przewoźny [mot.]; przenośny [transp.]
portable crusher kruszarka przewoźna [górn.]
portable crushing installation kruszarka przewoźna [górn.]
portable lighter lanca zapłonowa; zapalniczka przenośna [energ.]
portal (→ stiffening p.) portal [bud.]
portal axle oś tylna bramowa [mot.]
portal crane żuraw bramowy [mot.]
portal-type wheel lathe tokarka do zestawów kołowych typu bramowego [masz.]
port cover pokrywa pyłowa [masz.]
port crane żuraw portowy; dźwig portowy [mot.]

portfire knot [wojsk.]
port handling plant portowe urządzenie przeładunkowe [mot.]
port of destination port przeznaczenia, port docelowy [mot.]
port of embarkation port zaokrętowania [mot.]
port operation praca portu [mot.]
port resistance opór bramki [el.]
port side lewa burta [mot.]
port side boiler kocioł na lewej burcie [energ.]
porter bagażowy [mot.]
portion of sound beam udział wiązki dźwiękowej [fiz.]
position położenie, pozycja [abc]
position for installation położenie montażowe [abc]
position generator generator pozycji [el.]
positioning ustalanie położenia, pozycjonowanie [transp.]; układanie [bud.]; przesunięcie obrazu [transp.]
positioning accuracy dokładność nastawienia [abc]
position of welding pozycja spawania [met.]
positive pewny, przekonany [abc]
positive action hydraulic scraper zgarniarka hydrauliczna o działaniu wymuszonym [mot.]
positive control sterowanie wymuszone [transp.]
positive critical defect błąd krytyczny dodatni [el.]
positive event zdarzenie pozytywne [inf.]
positive feedback dodatnie sprzężenie zwrotne [el.]
positive guide prowadnica ustalająca [mot.]
positive-infinitely variable gear box (P.I.V. gear box) przekładnia pojedyncza o zmiennym przełożeniu, wolna od poślizgu [energ.]

positively actuated uruchomiony bez poślizgu [transp.]

positively detectable defect *błąd, który na pewno zostanie wykryty* [abc]

positive pole biegun dodatni [el.]

positive sample przykład pozytywny [inf.]

possibilities to position możliwość regulacji [abc]

possibility możliwość [abc]

possible możliwy [praw.]; ewentualny [abc]

post słup; stojak [abc]; stanowisko [wojsk.]; maszt (*namiotu*) [bud.]

postage meter maszyna do frankowania [abc]

postage stamp znaczek pocztowy [polit.]

postal service poczta; usługi pocztowe [polit.]

postal telephone office pocztowa centrala telefoniczna [polit.]

postcard pocztówka, widokówka [abc]

post-edit redagować ponownie [abc]

poster plakat; poster [abc]

postillon pocztylion [polit.]

postman listonosz [polit.]

Postmaster General (US) Minister ds. Poczty [polit.]

post office urząd pocztowy [polit.]

pot garnek, garnuszek; czajnik [abc]

potassium potas, K [chem.]

pot-bellied stove piecyk żelazny [mot.]

potential potencjał [el.]

potential danger potencjalne niebezpieczeństwo [abc]

potential divider dzielnik napięcia [el.]

potential shift przesunięcie potencjałów [el.]

potentiometer potencjometr [el.]

potentiometer-type resistor dzielnik napięcia ohmowy [el.]

pothole wybój [mot.]

potholed road wyboista droga [mot.]

pouch worek; torebka, torba [abc]

pound funt [abc]

pour lać, zalewać [abc]

pour point temperatura mięknienia; temperatura spływania; temperatura krzepnięcia [masz.]

powder proch [wojsk.]; topnik do spawania, proszek do spawania [met.]

powder-coated powlekany proszkowo [met.]

powder-dry suchy jak proch [abc]

powdered sproszkowany [abc]

powder gas gaz proszkowy [wojsk.]

powder horn róg z prochem [wojsk.]

powder room toaleta, ubikacja, klozet [abc]

powder-shaped material materiał sproszkowany [tw.]

power siła [abc]; prąd [el.]; władza [polit.]; potęga, wykładnik potęgi; moc wyjściowa [mot.]; potęga [polit.]; (→ apparent p; → complex p.; → cranking p.; → effective p.; → full p.; → instantaneous p.; → man-p.; → output; → reactive p.; → real p.)

power amplifier wzmacniacza mocy [el.]

power assisted steering kierowanie ze wspomaganiem, mechanizm kierowniczy ze wspomaganiem [mot.]

power balance chart bilans mocy [transp.]

power box skrzynka zasilacza sieciowego [el.]

power brake hamulec ze wspomaganiem, serwohamulec [mot.]

power car wagon silnikowy, wagon motorowy [mot.]

power consumption pobór mocy

P

[mot.]; pobór z sieci [abc]; moc pobierana, moc wejściowa [mot.]

power control regulacja mocy [mot.]; sterowanie radlicą, sterowanie ostrzem radlicy [transp.]

power current prąd energetyczny [el.]

power current distribution rozdział prądu energetycznego [el.]

power driven construction urządzenie o napędzie silnikowym [transp.]

powered graphite and kerosene mixture masa uszczelniająca olejowo-grafitowa [energ.]

powered hand drill wiertarka ręczna [transp.]

power engine silnik spalinowy [mot.]

power equipment zespół napędowy [mot.]

power factor współczynnik mocy [energ.]

power failure przerwa w dopływie energii elektrycznej [el.]

power feed doprowadzenie mocy [mot.]

power flow doprowadzenie mocy, napęd [transp.]

power formula wzór mocy [abc]

powerful mocny [abc]; wydajny [inf.]; silny, potężny, ogromny, olbrzymi [mot.]

power gain wzmocnienie mocy [el.]

power generation wytwarzanie mocy [mot.]

power increase wzmocnienie mocy; wzmocnienie siły [mot.]

power inlet moc pobierana, moc wejściowa [mot.]

power input pobór mocy [el.]

power limit control regulacja obciążenia granicznego [mot.]

power limit control valve zawór regulacyjny obciążenia granicznego [mot.]

power line linia elektroenergetyczna [energ.]; linia energetyczna na-

powietrzna [el.]

power line connection przyłączenie do sieci [el.]

power loss strata mocy [mot.]; moc stracona [el.]

power metering regulator regulator mocy granicznej [mot.]

power of traction siła pociągowa [masz.]

power output moc oddawana [mot.]; oddawanie mocy [el.]

power pack zasilacz sieciowy [mot.]; zaopatrywanie w energię [el.]; urządzenie napędowe [mot.]

power plant siłownia; elektrownia [energ.]

power range zakres mocy (*mierzonej w koniach mechanicznych*) [mot.]

power regulation regulacja mocy [mot.]

power requirement zapotrzebowanie mocy, zapotrzebowanie energii [mot.]

power shift gear przekładnia nawrotna [mot.]

power shift transmission przekładnia nawrotna; przekładnia przełączalna [mot.]

power station elektrownia [el.]; siłownia [abc]; (→ base load p. s.; → central p. s.; → district heating power; → heat-and-p. s.; → storage p. s.)

power station boiler kocioł energetyczny [energ.]

power steering kierowanie ze wspomaganiem, mechanizm kierowniczy ze wspomaganiem; serwosterowanie [mot.]

power stroke suw rozprężenia; suw pracy, suw roboczy [mot.]

power supplier wtyczka do sieci [el.]

power supply zasilanie (*np. energią*); zaopatrzenie w energię; zasilanie sieciowe; doprowadzanie energii; rodzaj prądu [el.]

power supply cable przewód zasilania energią [el.]

power supply during the night zasilanie energią w porze nocnej [el.]

power supply plug gniazdo sieciowe [el.]

power take off wałek odbioru mocy; napęd równoległy; (*główny*) wałek odbioru napędu [mot.]; (→ lateral power take-off)

power take-off gear for pumps przekładnia różnicowa pompy [transp.]

power take-off group zespół wałków odbioru napędu, zespół wałków odbioru mocy [mot.]

power take-up pobór mocy [abc]

power to give instructions *prawo wydawania poleceń pracownikowi przez pracodawcę* [abc]

power train mechanizm napędowy zębaty; przenoszenie energii; przebieg napędu [mot.]

power transformer transformator sieciowy [transp.]

power transmission strumień sił, strumień indukcji; przenoszenie energii [mot.]; (→ transmission)

power triangle trójkąt sił [transp.]

power unit mechanizm napędowy; jednostka napędowa; zasilacz [transp.]; pojazd trakcyjny [mot.]

PPM (*planned preventive maintenance*) naprawy okresowe; konserwacja profilaktyczna [masz.]

PPS (*product planning <control> system*) system przetwarzania problemowego [inf.]

PR work (*public relations*) public relations [abc]

practicability użyteczność, przydatność [abc]

practicable możliwy, wykonalny [abc]

practical możliwy (*do zrealizowania*) [abc]

practise stosować; wykonywać [abc]

practise praktyka; działanie [abc]

practise round głowica ćwiczebna [wojsk.]

pragmatic pragmatyczny [abc]

praise chwalić [abc]

pram wózek dziecięcy [abc]

preach głosić kazanie [abc]

preamble preambuła [praw.]

preamplifier przedwzmacniacz, wzmacniacz wstępny [transp.]

pre-assembled zamontowany wstępnie [met.]

precalcination kalcynowanie wstępne, wyprażanie wstępne [górn.]

precast prefabrykowany [bud.]

precautions środki ostrożności [abc]

precedence pierwszeństwo [inf.]

preceding sign znak, oznaka, omen, wróżba [abc]

precipice przepaść [abc]

precipitate osiadać; wytrącać, strącać (*się*) [energ.]

precipitating agent koagulant, odczynnik strącający [energ.]

precipitation opad atmosferyczny [meteo.]

precipitation water woda opadowa [meteo.]

precipitator oddzielacz; odpylacz; pochłaniacz; elektrofiltr [górn.]

precipitator efficiency stopień filtracji, stopień odpylania; stopień rozdzielania mechanicznego; wydajność odpylacza; sprawność filtrowania [górn.]

precipitator piping przewody odpylacza [górn.]

precise parallel guidance prowadzenie paralelne precyzyjne [transp.]

precision precyzja; stopień dokładności [abc]

precision bearing łożysko precyzyjne [masz.]

P

precision control sterowanie dokładne, regulacja dokładna [transp.]

precision gear przekładnia pełzająca [mot.]

precision gear shifting zmiana biegu przekładni pełzającej [mot.]

precision mechanics mechanika precyzyjna [masz.]

precision rectifier prostownik precyzyjny [el.]

precision steel pipe rura stalowa precyzyjna [masz.]

pre-classification screen przesiewacz klasyfikacyjny [narz.]

precleaner odpylacz wstępny, oddzielacz wstępny [mot.]; filtr wstępny [masz.]

precombustion chamber komora wstępna [mot.]

pre-commissioning check rozruch próbny [energ.]

preconditions warunki wstępne [abc]

preconsolidation umocnienie wstępne, wzmocnienie wstępne [bud.]

predecessor poprzednik [abc]

pre-delivery check kontrola wstępna [abc]

pre-delivery inspection kontrola końcowa [abc]

predetermined break point strefa kontrolowanych pęknięć [mot.]

pre-dialing code numer kierunkowy [telkom.]

pre-edit redagować wstępnie [abc]

pre-evaporator wyparka wstępna; podgrzewacz wody odparowujący [energ.]

pre-evaporator header kolektor odparowującego podgrzewacza wody [energ.]

pre-evaporator heating surface powierzchnia grzejna odparowującego podgrzewacza wody [energ.]

pre-evaporator tube rura odparowującego podgrzewacza wody [energ.]

pre-expansion chamber komora tłumienia dźwięków [mot.]

prefab girder dźwigar prefabrykowany [masz.]; (→ prefabricated girder)

prefabricated prefabrykowany [bud.]

pre-fabricated block element prefabrykowany, prefabrykat [energ.]

prefabricated girder dźwigar prefabrykowany [bud.]; (→ prefab girder)

prefabrication prefabrykacja [masz.]

prefecture prefektura [polit.]

preferably szczególnie, przede wszystkim, przeważnie [abc]

pre-filter filtr wstępny [mot.]

prefix input wejście wstępne [el.]

preforming mould forma odlewnicza [masz.]

pre-glow żarzyć wstępnie [met.]

pregrind mleć wstępne [met.]

pregrinding mielenie wstępne; obszar mielenia wstępnego [met.]

preheat rozgrzewać wstępnie; podgrzewać [masz.]

preheated podgrzany, rozgrzany; podgrzewany, ogrzewany wstępnie [met.]

preheated combustion air podgrzewane powietrze do spalania [energ.]

preheater podgrzewacz [energ.]; (→ extraction steam p.)

preheater resistor opór świec żarowych [el.]

preheat indicator regulator świec żarowych [mot.]

preheating podgrzewany, ogrzewany wstępnie [masz.]

preheating valve zawór klapowy podgrzewczy [mot.]

prehistoric prehistoryczny [abc]

pre-ignite żarzyć wstępnie, rozżarzać [met.]

pre-ignition zapłon przedwczesny [mot.]

pre-investment study szkic projektowy; studium wstępne [abc]

preliminary air tank zbiornik powietrza zasilającego [mot.]

preliminary investigation śledztwo wstępne, badanie wstępne [abc]

preliminary plan plan tymczasowy, plan wstępny [abc]

preliminary projection projektowanie wstępne [transp.]

preliminary report sprawozdanie częściowe okresowe [abc]

preliminary result wynik pośredni [abc]

preliminary stage of extension obudowa tymczasowa, obudowa doraźna, obudowa pomocnicza [energ.]

preliminary test próba przydatności [bud.]; odbiór wstepny [mech.]

preliminary work roboty wstępne, roboty przygotowawcze [bud.]

preload obciążać wstępnie [masz.]

preload obciążanie wstępne, obciążanie montażowe [masz.]

preload spring sprężyna napinająca [masz.]

preloading naprężenie wstępne, naprężenie montażowe [masz.]

pre-magnetization magnesowanie wstępne, podmagnesowanie [el.]

premature przedwczesny [abc]

premises zabudowania; posesja [abc]

premises hazard ryzyko w miejscu pracy [praw.]

premium premia; składka ubezpieczeniowa [praw.]

premium computation wymiar składek [praw.]

pre-moistening system system nawilżania wstępnego [bud.]

pre-painted lakierowany wstępnie [met.]

preparation of welds przygotowanie spoin, przygotowanie złączy spawnych [met.]

preparation plant zakład rozdrabniania wstępnego [narz.]

prepare wypracowywać; przygotowywać; wykonywać [abc]

preparing przygotowawczy, wstępny [abc]

prepositional phrase attachment połączenie fraz przyimkowych [inf.]

pre-pressed tłoczony wstępnie [met.]

preprocessing przetwarzanie wstępne [inf.]

preprocessor preprocesor [inf.]

pre-production produkcja próbna [inf.]

preprogrammed zaprogramowany automatycznie, zaprogramowany wstępnie [inf.]

prerequisite condition warunek wstępny, warunek zasadniczy [inf.]

prerogative przywilej, prerogatywa [praw.]

pre-scalping oddzielanie wstępne, odpylanie wstępne [górn.]

prescreener odpylacz wstępny, oddzielacz wstępny [mot.]

pre-sealing (→ stepseal) uszczelnienie wstępne [mot.]

preselection preselekcja; wybieranie wstępne [abc]

preselection change włączanie preselekcyjne (*biegów*) [mot.]

preselection counter licznik nastawny, licznik z wstępnym nastawieniem [el.]

preselector gearbox preselekcyjna skrzynka biegów [masz.]

presence obecność [abc]

presence in the market obecność na rynku [abc]

present obecny [abc]

P

presentation prezentacja; przedstawienie, demonstracja; pokaz [abc]
preservation konserwowanie, konserwacja [mot.]
preservation agent środek konserwujący [abc]
preserve rezerwat (*przyrody*) [abc]
preserve konserwować [abc]
preserves konserwy [abc]
preset nastawiać, ustawiać [abc]; nastawiony, ustawiony, zaprogramowany [mot.]; ustawiony [masz.]
preset counter licznik nastawny, licznik z wstępnym nastawieniem [el.]
preset gas pressure wartość zadana ciśnienia gazu [transp.]
preset oil pressure wartość zadana ciśnienia oleju [masz.]
presetting nastawienie wstępne [abc]
preset value wartość zadana; wielkość ustawiona [abc]
press prasować, tłoczyć [met.]
press prasa [abc]; tłocznia [masz.]; prasa (*np. gazety*) [abc]
press and shears operation operacja prasowania i ścinania [met.]
press centre centrum prasowe [abc]
press charges wnosić skargę [polit.]
press down obniżać [abc]
pressed ściśnięty; sprasowany [abc]
pressed on wtłoczony [masz.]
pressed steel body korpus stalowy wytłaczany [masz.]
pressed steel frame rama stalowa wytłaczana [masz.]
press fit wtłaczać [met.]
press fit prasowanie wtłaczane (*dokładne*) [masz.]
press in wciskać [met.]
pressing (→ pressed part) wypraska [mot.]
press media prasa; media prasowe [abc]
press office biuro prasowe [abc]

press officer kierownik biura prasowego [abc]
press on nasadzać (*za pomocą prasy*) [masz.]
press out wyciskać, wytłaczać [abc]
press power nacisk prasy [masz.]
press release sprawozdanie prasowe; publikacja prasowa [abc]
press report krótka informacja prasowa [abc]
press switch wyłącznik ciśnieniowy [el.]
press vehicle śmieciarka z prasą zgniatającą [mot.]
pressiometric tests badania parcia bocznego, badania ciśnienia bocznego [bud.]
pressure ciśnienie [abc]; siła nacisku, siła ściskająca [masz.]; (→ absolute p.; → against the p.; → air p.; → back p.; → bursting p.; → control p.; → counter p.; → design p.; → drum p.; → dynamic p.; → finger p.; → flash p.; → fluid p.; → gauge p.; → high p.; → licence p.; → live steam p.; → low p.; → operating p.; → partial p.; → point p.; → radial p.; → static p.; → steam p.; → steam p. at superheater outlet; → sub-critical p.; → supercritical p.; → superheater outlet p.; → total p.; → unchanged p.; → working p)
pressure adjusting wyrównanie ciśnienia [mot.]
pressure admission zasilanie ciśnieniowe [transp.]
pressure air-brake installation układ hamulcowy pneumatyczny [mot.]
pressure blow uderzenie hydrauliczne, uderzenie fali ciśnienia [masz.]
pressure carrier klisza powielacza, matryca [masz.]
pressure chamber komora ciśnieniowa [mot.]

pressure container zbiornik ciśnieniowy [mot.]

pressure control valve zawór nadmiarowy ciśnieniowy; zawór regulacji ciśnienia; reduktor ciśnienia, zawór redukcyjny [mot.]

pressure cut-off przerwanie dopływu ciśnienia; odcięcie dopływu ciśnienia [mot.]

pressure cylinder cylinder naciskowy, cylinder dociskowy [mot.]

pressure differential valve zawór różnicowy [mot.]

pressure drop spadek ciśnienia [energ.]

pressure firing palenisko ciśnieniowe [energ.]

pressure gas welding zgrzewanie gazowe [met.]

pressure gauge ciśnieniomierz; manometr [mot.]; (→ oil p. g.; → U-tube p. g.)

pressure hose przewód giętki ciśnieniowy [abc]

pressure indicator wskaźnik ciśnienia [mot.]

pressure line przewód ciśnieniowy, przewód naporowy, przewód tłoczny [mot.]

pressure loss strata ciśnienia, spadek ciśnienia [mot.]

pressure lubrication smarowanie wymuszone [energ.]; smarowanie ciśnieniowe [mot.]

pressure make-up valve zawór uzupełniania ciśnienia [masz.]

pressure modulating valve zawór modulacji ciśnienia [mot.]

pressure oil pipe przewód olejowy ciśnieniowy [mot.]

pressure on bearing area nacisk na powierzchnię nośną [masz.]

pressure parts części ciśnieniowe (kotła) [energ.]

pressure per unit of area nacisk jednostkowy [transp.]

pressure piece element dociskowy, element naciskowy [masz.]; przewód ciśnieniowy, przewód naporowy, przewód tłoczny [mot.]

pressure pipe tube króciec tłoczny [mot.]

pressure plate płyta naciskowa [masz.]; tarcza dociskowa [mot.]

pressure pulley tarcza dociskowa, wałek dociskowy [transp.]

pressure raising period czas uruchamiania [energ.]

pressure range zakres ciśnienia [mot.]; przedział ciśnienia [energ.]; (→ adjustable pressure)

pressure reducing period czas redukcji ciśnienia [energ.]

pressure reducing station stacja redukcyjna (ciśnienia); stacja redukcyjno-schładzająca [energ.]

pressure reducing valve zawór redukcyjny [energ.]

pressure regulation regulacja ciśnienia [mot.]

pressure regulator regulator ciśnienia [mot.]

pressure relief obniżanie ciśnienia (przez upuszczanie) [mot.]

pressure relief valve zawór nadmiarowy ciśnieniowy; zawór upustowy [mot.]; zawór nadmiarowy ciśnieniowy [energ.]

pressure ring pierścień uszczelniający [mot.]

pressure rise wzrost ciśnienia [energ.]

pressure roller tarcza dociskowa, wałek dociskowy; krążek dociskowy [transp.]

pressure roller block blok tarcz dociskowych, zespół dociskowy [masz.]

pressure safeguard czujnik ciśnieniowy [miern.]

pressure sensor czujnik ciśnieniowy [mot.]

P

pressure sensor and indicator czujnik manometryczny [mot.]

pressure shock uderzenia ciśnienia (*nagły wzrost*) [mot.]

pressure spring sprężyna naciskowa [masz.]

pressure stiffener usztywniacz ciśnieniowy [masz.]

pressure switch wyłącznik ciśnieniowy (*przeponowy*), presostat przeponowy [el.]

pressure tap otwór piezometryczny (*do odbioru ciśnienia*) [energ.]

pressure tapping points punkty pomiaru ciśnienia [energ.]

pressure test próba na ciśnienie [energ.]

pressure transducer przetwornik pomiarowy ciśnienia [abc]

pressure transmitter przełącznik ciśnienia, przekładnik prężności [masz.]

pressure tube rura ciśnieniowa, rura tłoczna [mot.]

pressure type oil burner palnik olejowy ciśnieniowy [energ.]

pressure valve zawór ciśnieniowy [mot.]

pressure valve cone stożek zaworu ciśnieniowego [mot.]

pressure valve spring sprężyna zaworu ciśnieniowego [mot.]

pressure vessel naczynie ciśnieniowe; zbiornik ciśnieniowy [mot.]

pressure water activated suction-head woda pod ciśnieniem przy głowicy ssącej [mot.]

pressure water ash removal odpopielanie ciśnieniowe; odpopielanie mokre [energ.]

pressure wave switch przełącznik falowy ciśnieniowy [transp.]

pressure welded zgrzany dociskowo [met.]

pressure welding zgrzewanie (*dociskowe*) [met.]

pressure-free bezciśnieniowy [transp.]

pressure-gauge bracket obsada manometru [masz.]

pressure-gauge calibration set manometr wzorcowy [miern.]

pressureless bezciśnieniowy [mot.]

pressureless circulation obieg bezciśnieniowy, krążenie bezciśnieniowe [mot.]

pressure-regulator pipe przewód napowietrzający [transp.]

pressure-test threading gwint odciskowy [masz.]

pressure-tight szczelny [abc]

pressure-type hose wąż wysokociśnieniowy, wąż wysokoprężny [abc]

pressure-welding with thermochemical energy zgrzewanie odlewnicze [met.]

pressurization zwiększanie ciśnienia [mot.]; utrzymywanie zwiększonego ciśnienia [energ.]

pressurize sprężać [energ.]

pressurized sprężony [mot.]; pod ciśnieniem [abc]

pressurized furnace palenisko ciśnieniowe [energ.]

pressurized oil olej pod ciśnieniem, olej hamulcowy [mot.]

pressurized receiver zbiornik ciśnieniowy [mot.]

pressurized water ash removal odpopielanie mokre [energ.]

pressurizing zasilanie ciśnieniowe [mot.]

pressurizing cylinder cylinder sprężający [mot.]

prestressed sprężony [mot.]

prestressed concrete (→ reinforced) beton sprężony [bud.]

prestressed concrete bridge most z betonu sprężonego [bud.]

prestressed spring sprężyna naprężona wstępnie [masz.]

pre-superheater przegrzewacz wstępny [energ.]

presuppose zakładać, przypuszczać [abc]

presupposition założenie, przypuszczenie, przesłanka [praw.]

pretension naprężenie wstępne, naprężenie montażowe [masz.]

pretensioning tool uchwyt do mocowania [narz.]

pretty-printing *druk pierwszej strony arkusza, drukowanie strukturalne programu* [inf.]

preturn (→ rough turn; on lathe) obrabiać wstępnie [met.]

preturned toczony wstępnie, toczony zgrubnie [met.]

prevent zapobiegać [mot.]

prevention zapobieganie [mot.]

prevention of the damage zapobieganie wystąpieniu szkody [praw.]

preventive zapobiegawczy [abc]

preventive maintenance konserwacja profilaktyczna [mot.]

previous poprzedni, poprzedzający; wcześniejszy [abc]

previous insurance ubezpieczenie poprzednie [praw.]

previous insurer ubezpieczyciel poprzedni [praw.]

previously wcześniej [abc]

pre-wetting zwilżanie wstępne [masz.]

prick punch punktak (*o cienkim ostrzu*) [narz.]; punktak, kieł centrujący [masz.]

prick-punch locked zabezpieczony przed uderzeniem punktaka [masz.]

primal sketch szkic pierwotny [inf.]

primary air powietrze dolne; powietrze pierwotne [aero.]

primary air duct kanał powietrza świeżego [energ.]

primary air heater podgrzewacz powietrza pierwotnego [energ.]

primary air inlet duct kanał dopływowy powietrza pierwotnego [aero.]

primary <before excess> contract umowa ubezpieczenia podstawowa [praw.]

primary carrier ubezpieczyciel podstawowy [praw.]

primary cause of death główna przyczyna śmierci [abc]

primary chamber komora paleniskowa; komora spalania [energ.]

primary circuit obwód główny, obwód prądu głównego [el.]

primary coil uzwojenie pierwotne [abc]

primary crusher łamacz wstępny, kruszarka wstępna [narz.]

primary current prąd pierwotny [el.]

primary element element filtracyjny główny [mot.]; czujnik pomiarowy, przetwornik pomiarowy [miern.]

primary grind mleć wstępne [górn.]

primary grinding mielenie wstępne [górn.]

primary insurance umowa podstawowa o odpowiedzialności cywilnej [praw.]

primary layer podwarstwa [masz.]

primary reduction rozdrabnianie grube, rozdrabnianie wstępne [górn.]

primary relief (US) rzeźba pierwotna (*np. opony*) [mot.]

primary screening przesiewanie wstępne, odsiewanie wstępne [górn.]

primary spring suspension zawieszenie sprężynowe pierwotne [masz.]

primary steam temperature przegrzewanie wstępne [energ.]

primary superheater przegrzewacz wstępny [energ.]

P

primary voltage napięcie pierwotne [el.]

prime wspomagać rozruch [mot.]; gruntować [norm.]; zasysać; tłoczyć [mot.]

prime grunt, powłoka gruntowa [norm.]

prime choice pierwszy wybór; pierwszorzędny [abc]

prime mover silnik napędzający; zespół maszynowy napędzający [mot.]

primed zagruntowany [met.]

primer podkład malarski [met.]; odpowietrznik; (→ prime) pompa zastrzykowa [mot.]

priming farba podkładowa [norm.]; zastrzykiwanie paliwa; odpowietrzanie [mot.]

priming charge ładunek główny [transp.]

priming coat powłoka gruntowa [transp.]

priming device urządzenie gruntujące [norm.]

priming point otwór załadowczy [mot.]

priming pump pompa wtryskowa; pompa zastrzykowa [mot.]

primitive act działanie pierwotne [inf.]

primitive <primary> rocks prastare pokłady kamienne [min.]

principal office główna siedziba (firmy) [abc]

principle zasada [abc]

principle of least commitment zasada najmniejszego zobowiązania [inf.]

print drukować [inf.]; drukować [abc]

print wydruk komputerowy; drukowanie [inf.]

printed zadrukowany; wydrukowany [abc]

printed circuit board płytka dru-

kowana; tablica połączeń, tablica programowa [el.]; płytka obwodu drukowanego [transp.]

printed<circuit> card karta drukowana [el.]

printed matter druki [abc]

printed press gazety, czasopisma [abc]

printer drukarka [inf.]; (→ line p.)

printer's ink czerń drukarska; atrament do drukarki [abc]

printing druk [abc]

printing industry drukarstwo, przemysł drukarski [abc]

printing machine wyświetlarka [abc]

printing plate płyta drukowa, klisza drukarska [abc]

prior to przed (czymś) [abc]

prior to manufacture przed rozpoczęciem produkcji [abc]

priority priorytet [inf.]

priority system sterowanie priorytetem wykonywania operacji [transp.]

prism graniastosłup [mat.]; pryzmat [opt.]

prismatic pryzmatyczny [abc]

prismatic guide prowadnica pryzmatyczna [masz.]

prison sentence kara [polit.]

private railway kolej prywatna [mot.]

private rooms pomieszczenia klubowe; sale konferencyjne [abc]

private scope of life sfera życia prywatnego [praw.]

private-line method metoda łączy prywatnych [inf.]

privately owned freight wagon (GB) wagon towarowy prywatny [mot.]

pro and con za i przeciw [abc]

probabilistic reasoning wnioskowanie probabilistyczne [inf.]

probability calculation obliczanie prawdopodobieństwa [mat.]

probability of occurrence prawdo-podobieństwo wystąpienia (*zjawi-ska*) [mat.]

probationary time okres próbny [abc]

probationer praktykant [praw.]

probe sonda [transp.]; (→ moveable p.) sonda [miern.]; sonda [met.]

probe adapter układ dopasowujący sondy [met.]

probe block rotation obrót głowicy przeszukiwawczej [abc]

probe cable kabel probierczy [miern.]

probe cable connection box skrzyn-ka rozdzielcza probiercza [abc]

probe cable distribution box skrzynka rozdzielcza przewodów probierczych [el.]

probe cable switch selector prze-łącznik kontrolny [el.]

probe clamp klamra zaciskowa son-dy [met.]

probe clamping ring pierścień za-ciskowy elementu przeszukiwaw-czego [el.]

probe clip strzemiączko sondy [met.]

probe device prowadnica sondy [met.]

probe diameter średnica sondy [met.]

probe eccentricity mimośrodowość elementu przeszukiwawczego [el.]

probe holder uchwyt sondy [met.]

probe index wskaźnik pojawienia się sygnału [el.]

probe insert wkładka elementu przeszukiwawczego [el.]

probe motion ruch sondy [met.]

probe mount zawieszenie sondy [met.]

probe shoe prowadnica sondy [met.]; osłona elementu przeszukiwawcze-go [el.]

problem problem; trudność; kwes-tia [abc]; (→ binocular stereo p.; → definition p.; → halting p.)

problem-behaviour graph wykres zachowania problemowego [inf.]

procedure metoda (*pracy*); postę-powanie; sposób; sposób postępo-wania; proces; przebieg [abc]; przebieg doświadczenia [miern.]; procedura [inf.]; (→ anonymous p.; → default inheritance p.; → dispatch p.; → identification p.; → recursive p.; → role-filling p.; → specialize p.)

procedure body treść procedury [inf.]

procedure test badanie technolo-giczne [met.]

proceed postępować, zachodzić; przebiegać [abc]

proceeding sprawozdanie z posie-dzenia [abc]

process przetwarzać [inf.]; przera-biać, przetwarzać [abc]

process proces [abc]; (→ experi-mental p.; → modeling p.; → pa-rallel p.)

process chain łańcuch procesów [inf.]

process communication komuni-kacja procesowa [inf.]

process computer komputer ste-rujący procesem [inf.]

process control procesowe prze-twarzanie danych; sterowanie pro-cesami [inf.]

processed and finished steel pro-duct wyrób końcowy przeróbki stali; produkt przeróbki stali [masz.]

process industry przemysł prze-twórczy [abc]

process of production proces pro-dukcyjny [abc]

process parameter parametr pro-cesowy [inf.]

process plant construction pro-dukcja urządzeń, konstruowanie urządzeń [masz.]

P

process quality jakość przetwarzania [inf.]

process water woda przemysłowa [hydr.]

processing przetwarzanie [inf.]; obróbka, proces technologiczny [met.]; obrabianie, obróbka, przetwarzanie, przerób; wzbogacanie [górn.]

processing and industrial technology technologia obróbki przemysłowej [abc]

processing control sterowanie programowe [inf.]

processing system system przetwarzania [górn.]

processing technology technologia przetwarzania [górn.]

procession procesja, pochód [abc]

processor procesor [el.]

Proctor compaction test metoda zagęszczania Proctora [bud.]

procure zaopatrywać; pokazywać [abc]; wyposażać; dostarczać [mot.]

procurement zaopatrzenie [mot.]

procurement executive jednostka zaopatrzenia [wojsk.]

produce wykonywać, wytwarzać; przynosić; dostarczać, sprowadzać [abc]

producer wytwórca [abc]; producent [transp.]

producer gas gaz generatorowy; gaz czadnicowy [energ.]

product produkt [abc]; (→ by-p.; → waste p.)

product development faza rozwojowa nowego produktu [abc]

product information informacja o produkcie [abc]

product line linia produkcyjna [abc]

product of combustion produkt spalania [energ.]

product quality jakość produktu [inf.]

product range asortyment wyrobów [abc]

product reference wskazówka konsumencka; *świadectwo o produkcie* [abc]

product specification wykaz wyrobów [abc]

product structure processing opracowanie wykazu części [abc]

product support promocja zbytu [abc]

production produkcja; wytwarzanie [abc]; (→ manufacturing)

production area powierzchnia produkcyjna [transp.]

production control sterowanie produkcją [inf.]

production control system (PCS) układ sterowania produkcją [inf.]

production controlling sterowanie produkcją [miern.]

production director dyrektor produkcji, dyrektor zakładu, dyrektor przedsiębiorstwa [abc]

production management organizacja produkcji [inf.]

production nomograph nomogram wydajności [abc]

production of conveyor belts wytwarzanie przenośników taśmowych [masz.]

production of laminates wytwarzanie laminatów; produkcja laminatu [abc]

production planning and control system planowanie potrzeb materiałowych i organizacji produkcji [inf.]

production plant zakład produkcyjny, wytwórnia [abc]

production range zakres produkcji [abc]

production schedule program produkcyjny [abc]

production sequence przebieg produkcji [abc]

production sheet plan pracy, plan roboczy [abc]

production site miejsce produkcji [abc]

production surface powierzchnia produkcyjna [transp.]

production systems systemy produkcji [inf.]

production testing kontrola przebiegu produkcji [abc]

production tolerance tolerancja wykonawcza [abc]

productivity produkcyjność, wydajność; osiągnięcia [abc]

productivity data for operatives wartości wydajności dla siły roboczej [abc]

productivity estimates for labour oszacowanie wydajności pracy [abc]

productivity factor czynnik produktywności [inf.]

products and completed operations liability insurance ubezpieczenie od obowiązku odpowiedzialności cywilnej za szkody powstałe w związku z wadliwością produktu [praw.]

products hazard *ryzyko związane z wprowadzeniem nowego produktu na rynek* [praw.]

products of steel-relevant treatment wyroby przetwórstwa i obróbki stali [masz.]

products of the steel division wyroby stalowe [masz.]

profession zawód [abc]

professional profesjonalista, zawodowiec; zawodowy, profesjonalny, fachowy [abc]

professional responsibility odpowiedzialność z tytułu wykonywanego zawodu, odpowiedzialność zawodowa [abc]

profilated fire brick cegła kształtówka, cegła fasonowa [energ.]

profile profilować (*docinając*) [transp.]

profile widok z boku [abc]; profil [masz.]; obróbka kształtowa [transp.]; (→ soil p.; → V-belt p.)

profile backhoe łyżka profilowana [transp.]

profile bucket łyżka profilowana [transp.]

profile clamp obejma profilowa [masz.]

profile correction przesunięcie zarysu, korekcja zarysu [masz.]

profile grab chwytak profilowany [transp.]

profile of the crawler unit kształt zespołu jezdnego [transp.]

profile reference line linia odniesienia profilu [abc]

profile section przekrój [transp.]

profiling profilowanie [transp.]

profiling bucket łyżka profilowana [transp.]

profiling of a road profilowanie drogi [transp.]

profound sięgający głęboko, zasadniczy [abc]

profoundness głębokość, głębia [abc]

prognosis prognoza [abc]

prognosticate prognozować [abc]

program program [abc]; (→ AM p.; → training p.)

programmer's apprentice programista-praktykant [inf.]

programming programowanie [inf.]; (→ dynamic p.; → functional p.; → logic p.; → NC p.; → parallel p.; → robot p.)

programming environment środowisko programowe [inf.]

programming language język programowania [inf.]

programming methodology metodologia programowania [inf.]

programming panel tablica programowania [inf.]

P

programming system system programowania [inf.]

program testing testowanie programu [inf.]

program to assist the steel industry program pomocowy dla przemysłu stalowego [polit.]

program transformation transformacja programu [inf.]

program verification weryfikacja programu [inf.]

progress postęp [transp.]; (→ construction p.)

progress of drilling postęp wiercenia [bud.]

progressed zaawansowany [abc]

progressive postępujący; postępowy [abc]

progressive deepening pogłębianie postępujące [inf.]

progressive die sets tłoczniki wielotaktowe [narz.]

prohibition zakaz [transp.]

project projekt [abc]; przedsięwzięcie budowlane, zamierzenie budowlane [bud.]; (→ irrigation p.)

project activities projektowanie [abc]

project control kontrola projektu [inf.]

project department dział projektowania [abc]

projecting rzutowanie [transp.]; (→ design) projektowanie [rys.]

projecting of an open-cut mine projektowanie kopalni odkrywkowej [górn.]

projection distance odległość rzutowania [abc]

projection weld zgrzewanie garbowe [met.]

project management zarządzanie projektem [inf.]

project management system system zarządzania projektem [inf.]

projector-base podstawa projektora [abc]

project questionnaire kwestionariusz do projektu [abc]

prolongation przedłużenie, prolongata [transp.]

promote awansować (*kogoś*) [abc]

prone to wear podatny na ścieranie, podatny na zużywanie się [transp.]

proof dowód [abc]; sprawdzenie [mat.]; odporny, wytrzymały; chroniony [masz.]

proof by constraint propagation dowód poprzez propagację ograniczeń [inf.]

proof stress granica plastyczności [masz.]

prop podpora; stempel [górn.]

prop shaft (*propulsion shaft*; US) wał napędowy [mot.]

prop valve zawór proporcjonalny [mot.]

propaganda propaganda [polit.]

propagate rozchodzić się, rozprzestrzeniać (się) [abc]

propagation rozprzestrzenianie się, rozchodzenie się; propagacja [abc]

propagation coefficient współczynnik rozchodzenia się [mat.]

propagation speed prędkość propagacji [abc]

propane gas propan (*w instalacjach gazowych w samochodach*) [mot.]

propel drive przekładnia główna [mot.]

propellant igniter zapalnik ładunku miotającego [wojsk.]

propellants ładunek miotający [wojsk.]

propeller śmigło; śruba napędowa [mot.]

propeller shaft wał napędzający [mot.]

propeller steamer (→ steamer) śrubowiec parowy [mot.]

propelling pencil ołówek automatyczny [abc]

proper właściwy; porządny [abc]

proper consumption zużycie własne [energ.]

proper function funkcja własna, funkcja charakterystyczna [mat.]

proper measurement pomiar właściwy [miern.]

proper measurement signal sygnał właściwy pomiaru [miern.]

proper value wartość własna [mat.]

property właściwość [abc]

property damage szkoda materialna [praw.]

property damage resulting from sewage szkoda materialna spowodowana przez ścieki [praw.]

proportiante wkład proporcjonalny [praw.]

proportion stosunek, proporcja [abc]

proportional proporcjonalny [abc]

proportional controller regulator proporcjonalny [energ.]

proportional valve zawór proporcjonalny [mot.]

proportioning pump pompa dozująca [energ.]

proportioning valve zawór dozujący; zawór dawkujący; zawór trójdrogowy [energ.]

proportion of weight proporcja ciężaru [bud.]

proposal propozycja, projekt, wniosek [abc]

propositional calculus rachunek zdań [inf.]

propositional representation reprezentacja proporcjonalna [inf.]

proprietary zastrzeżony, chroniony [praw.]

props drewno kopalniane [górn.]

propshaft (*propulsion shaft*; US) wał napędowy [mot.]

propulsion shaft wał napędowy [mot.]

propulsion system system napędowy; zespół napędowy [mot.]

propulsion unit jednostka napędowa [wojsk.]

prosecutor oskarżyciel sądowy, prokurator [polit.]

prospect perspektywa, widok [abc]

prospector poszukiwacz [górn.]

prosthesis proteza [med.]

prosthetic device proteza, sztuczna kończyna [med.]

protect zabezpieczać [abc]; zachowywać [inf.]

protect a file zapisywać plik, zachowywać plik, zabezpieczać plik [inf.]

protect by fuses zabezpieczać bezpiecznikiem [transp.]

protected zabezpieczony; chroniony [abc]

protected crystal kryształ chroniony [masz.]

protected data field chronione pole danych [inf.]

protected location chroniona komórka pamięci; chroniona pozycja w pamięci [inf.]

protected memory area chroniony obszar pamięci [inf.]

protect from moisture chronić przed wilgocią [abc]

protecting agent środek ochronny, substancja ochronna [masz.]

protecting box skrzynia ochronna [transp.]

protecting clothes ubranie ochronne, odzież ochronna [abc]

protecting goggles okulary ochronne [abc]

protecting plate osłona blaszana [transp.]

protecting strip pas ochronny, ława ochronna [mot.]

protection ochrona; zabezpieczenie; osłona [abc]; (→ galvanic p.; → pipe-break p.)

protection against accidental contact zabezpieczenie przed do-

P

tykiem, ochrona przed dotykiem [el.]

protection against errors ochrona przed błędami [inf.]

protection cover powłoka ochronna, pokrycie ochronne, osłona [masz.]

protection earth (PE) uziemiać (*w celu zabezpieczenia*) [el.]

protection earthing (PE) uziemianie; uziemienie (*ochronne*) [el.]

protection from obrona (*ochrona, zabezpieczenie*) przed (*czymś*) [abc]

protection layer warstwa ochronna, powłoka ochronna [masz.]

protection of the environment ochrona środowiska [abc]

protection plate osłona blaszana [transp.]

protection size wielkość osłony [el.]

protection switch wyłącznik zabezpieczający, wyłącznik ochronny [el.]

protective bund (→ bund; around house) wał ochronny [wojsk.]

protective cap kołpak ochronny, nasadka ochraniająca, kapturek ochronny, osłona kołpakowa [abc]

protective capacitor kondensator ochronny [el.]

protective clothing odzież ochronna robocza [abc]

protective coating powłoka ochronna, pokrycie ochronne [energ.]

protective conducting wire żyła przewodu ochronnego [el.]

protective conductor przewód ochronny (*uziemiający*) [transp.]

protective conduit rura ochronna [el.]

protective face warstwa ochronna, powłoka ochronna [masz.]

protective gap iskiernik koordynacyjny, iskiernik ochronny [el.]

protective kit wyposażenie ochronne [abc]

protective pipe rura ochronna, rura płaszczowa [transp.]

protective plug zatyczka ochronna, korek ochronny [masz.]

protective quartz kwarc ochronny [masz.]

protective resistor opornik wstępny, opornik szeregowy, posobnik opornościowy [el.]

protective safety handrail poręcz zabezpieczająca, bariera ochronna [transp.]

protective screen ekran ochronny [el.]

protective switch heater element grzejny wyłączający ochronny [transp.]

protective switch wyłącznik zabezpieczający, wyłącznik ochronny [el.]

protective system system zabezpieczający [el.]

protective valve zawór ochronny [mot.]

protector urządzenie ochronne [masz.]; osłona [mot.]; ochrona [abc]

protocol analysis analiza protokołów [inf.]

prototype prototyp [inf.]

prototype wagon wagon prototypowy, pojazd prototypowy [mot.]

protractor kątomierz [mat.]

protuberance protuberancja [masz.]

protuberance rotary grinder frez protuberancyjny [narz.]

proven wypróbowany, sprawdzony, niezawodny [abc]

provide wyposażać; zaopatrywać [abc]

provided przewidziany [abc]

provided with zaopatrzony [abc]

provide with wyposażać w (*coś*) [abc]

provincial government rząd prowincji [polit.]

provision punkt [abc]; dyspozycja, zarządzenie [polit.]; zaopatrzenie; przepis, instrukcja, dyrektywa [abc]
provisional connection plate nakładka prowizoryczna, łącznik prowizoryczny [transp.]
provision for old occurrence-claims odpowiedzialność po wygaśnięciu umowy [praw.]
provisions warunki ubezpieczeń [praw.]
proximate analysis analiza skrócona [miern.]
proximity bliskość [mat.]
proximity switch włącznik zbliżeniowy [mot.]; czujnik zbliżeniowy [transp.]; włącznik zbliżeniowy [el.]
proxy osoba upoważniona [abc]
PR-shifting sterowanie paralelne [mot.]
prt n. pozycja nr; numer części [abc]
pruning ociosywać [met.]
psychological psychologiczny [med.]
psychologist psycholog [med.]
psychology psychologia [med.]
PTC-resistor (*Positive Temperature Coefficient*) opornik o oporności właściwej rosnącej wraz z temperaturą [transp.]
PTO (*power take off*) wał odbioru mocy [mot.]
p-type rheostat rezystor nastawny [el.]
pub pub, knajpa [abc]
public opinia publiczna, jawność; publiczny, otwarty, jawny [abc]
public address system (PA-system) instalacja nagłaśniająca [abc]
public advertising reklama publiczna [abc]
public communication network sieć telekomunikacyjna [inf.]
public company przedsiębiorstwo zaopatrzeniowe [energ.]

public library biblioteka publiczna; biblioteka miejska [abc]
public relations public relations [abc]
publication publikacja [abc]
publicity article artykuł reklamowy [ekon.]; reklamówka [abc]
publish publikować; wydawać [abc]
publisher wydawca [abc]
publishing house wydawnictwo [abc]
puffy taboret, stołek [bud.]
pull ciągnąć [abc]; wyciągać [masz.]
pull siła pociągowa; (→ pulley) rozciąganie, ciągnienie [masz.]
pull down zwalniać; spowalniać [mot.]
puller ściągacz [mot.]; wyciągacz [narz.]
puller bar ściągacz [mot.]
puller screw śruba ściągacza; śruba ściągająca [mot.]
pulley koło pasowe; krążek [masz.]; wielokrążek; krążek (*napędowy*) [mot.]; stacja napinająca [transp.]; (→ belt p.; → driven p.; → driving p.; → flanged p.; → V-belt p.)
pulley block (→ differential p. b.) zblocze [masz.]
pulley head główka krążka linowego [transp.]
pulling force siła pociągowa [transp.]
pull list lista pobrania [abc]
pull nut nakrętka napinająca, nakrętka rzymska, ściągacz [mot.]
pull off odciągać [abc]
pull out wyciągać, wyjmować [abc]
pull switch wyłącznik pociągany [mot.]
pull up podjeżdżać; podciągać [mot.]
pulp ścier drzewny; masa włóknista [tw.]; papka [abc]
pulpboard tektura celulozowa [tw.]
pulp-coloured barwiony w masie [met.]

P

pulp drier suszarnia ścieru drzewnego [masz.]

pulp manufacture wytwarzanie masy celulozowej [abc]

pulp wood fork widły ładunkowe do papierówki [mot.]

pulpit kabina pilota [abc]; pulpit sterowniczy; pulpit sterowniczy w walcowni [masz.]; ambona, pulpit [abc]

pulpy papkowaty [abc]

pulsating combustion spalanie pulsacyjne [energ.]

pulsating panel wibrator płytowy [energ.]

pulsator test próba pulsacyjna [abc]

pulse impuls [abc]; (→ rectangular p.) impuls [transp.]

pulse amplitude amplituda impulsu [el.]

pulse amplitude ratio stosunek amplitudy impulsów [el.]

pulse count reducer licznik dzielnika [el.]

pulse diagram wykres impulsów; diagram impulsowy [el.]

pulse distortion zniekształcenie impulsu [el.]

pulse duration czas trwania impulsu [el.]

pulse echo instrument urządzenie wytwarzania echa [el.]

pulse-echo method metoda echa [el.]

pulse energy energia impulsu [el.]

pulse excitation wzbudzenie impulsu [el.]

pulse generator generator impulsów [el.]

pulse indication wskazanie impulsu [el.]

pulse intensity natężenie impulsów [el.]

pulse lubrication wygładzanie impulsów [el.]

pulse method metoda impulsowa [el.]

pulse modulation modulacja impulsowa [el.]

pulse output voltage napięcie wyjściowe impulsu [el.]

pulse recording rejestrowanie impulsów [el.]

pulse repetition ciąg impulsów [el.]

pulse repetition frequency częstotliwość powtarzania impulsów [el.]

pulse resonance method metoda rezonansu impulsów [el.]

pulse shape kształt impulsu [el.]

pulse shaper układ kształtowania impulsów [el.]

pulse shift przesuwanie impulsów [el.]

pulse shift control regulator przesuwania impulsów [el.]

pulse stretching wydłużanie impulsu [el.]

pulse system układ impulsowy [el.]

pulse transit-time method metoda czasu przelotu impulsu [el.]

pulse transmission przesyłanie impulsu [el.]

pulse trigger nadajnik impulsów [el.]

pulse width czas trwania impulsu, długość impulsu; szerokość impulsu [el.]

pulverized-coal paliwo pyłowe; pył węglowy [energ.]

pulverized-coal fired boiler kocioł opalany pyłem węglowym [energ.]

pulverized-coal firing palenisko na pył węglowy, palenisko pyłowe [energ.]

pulverized-coal firing with liquid ash removal palenisko pyłowe z odpopielaniem mokrym [energ.]

pulverized-coal firing with melting table palenisko pyłowe ze stołem do topienia [energ.]

pulverized-coal piping instalacja pyłowa [energ.]

pulverized-coal storage bunker zasobnik pośredni pyłu [energ.]

pulverized-fuel bunker zasobnik paliwa pyłowego [energ.]

pulverized-fuel burner palnik pyłowy [energ.]

pulverized-fuel feeder dozownik paliwa pyłowego [energ.]

pulverized-fuel feeding equipment zasilanie paliwem pyłowym [energ.]

pulverized-fuel sample próbka pyłowa [energ.]

pulverized-fuel sampler zgłębnik do pobierania próbek paliwa pyłowego [energ.]

pulverized-fuel start-up firing equipment zasilanie paleniska zapłonowo-pyłowe [energ.]

pulverizer młyn, młynek [narz.]

pulverizer air duct przewód powietrzny młynowy [energ.]

pulverizer air heater podgrzewacz powietrza młynowy [energ.]

pulverizer drive napęd młyna [masz.]

pulverizer housing osłona/obudowa młyna pyłowego [masz.]

pulverizer outlet temperature temperatura na wyjściu z młyna [energ.]

pulverizer output wydajność młyna [abc]

pulverizer plant młyn pyłowy [narz.]

pulverizing proszkować [górn.]

pumice stone pumeks [bud.]

pumice stone industry przemysł pumeksowy [abc]

pump pompować [abc]; pompować zęzę [mot.]

pump pompa [abc]; (→ accelerating p.; → boiler feed p.; → charge p.; → condensate p.; → constant displacement p.; → cooling water p.; → delivery p.; → delivery rating of a p.; → diagraphm p.; → diffuser type p.; → diffuser type p.; → dosing p.; → dual p.; → feed control p.; → foot-operated p.; → fuel p.; → geartype p.; → hand p.; → hydraulic jack p.; → injection p.; → main fuel p.; → membrane p.; → oil feed p.; → oil pressure p.; → oil p.; → piston p.; → proportioning p.; → radial piston p.; → raw water p.; → recirculating p.; → regulating p.; → scavenge p.; → screw p.; → self-regulating p.; → standby p.; → static p.; → suction p.; → tyre p.; → vacuum p.; → water p. body)

pump accumulator zbiornik pompy [mot.]

pump barrel korpus pompy [mot.]

pump-bay pompownia; stacja pomp [abc]

pump blocking blokowanie pompy [mot.]

pump bracket konsola pompy [mot.]

pump cartridge wsad pompy [mot.]

pump circuit obieg cieczy w pompie [transp.]

pump circulated cooling chłodzenie obiegowe [mot.]

pump cylinder cylinder pompy [mot.]

pump diaphragm membrana pompy [mot.]

pump drive napęd pompy [mot.]

pump element element pompy [mot.]

pump flow zdolność przepustowa pompy; przepływ pompy [mot.]

pump housing kadłub pompy [mot.]

pump inlet check valve zawór kontrolny ssący [mot.]

pump inlet side strona ssawna, ssanie, strona podciśnieniowa [energ.]

pump inlet valve zawór wlotowy pompy [mot.]

P

pump jet dysza pompy [mot.]
pump lubrication smarowanie ciśnieniowe [mot.]
pump managing system system zarządzania pompami [mot.]
pump nozzle dysza pompy [mot.]
pump outlet relief valve zawór nadmiarowy wylotowy pompy; zawór nadmiarowy wydechowy pompy [mot.]
pump outlet side króciec tłoczący pompy [energ.]
pump outlet valve zawór wylotowy pompy; zawór wydechowy pompy [mot.]
pump pinion koło napędowe pompy; zębnik pompy [mot.]
pump piston tłok pompy [mot.]
pump piston lever żerdź pompowa [mot.]
pump plunger tłok pompy [mot.]
pump relief ciśnienie pompy [mot.]
pump rod żerdź pompowa [mot.]
pump set agregat pompowy [transp.]
pump shaft seal uszczelnienie wału pompy [mot.]
pump station pompownia, stacja pomp [abc]
pump transfer gear przekładnia różnicowa pompy [mot.]
pump valve zawór pompy [mot.]
pump wheel koło napędzające pompy [mot.]
punch dziurkować [abc]
punch przebijak; dziurkacz [abc]; znacznik; przebijak [narz.]
punch and die stempel i matryca [narz.]
punch card (→ punched card) karta dziurkowana [inf.]
punch drift przebijak; dobijak do gwoździ [narz.]
punched card karta dziurkowana [inf.]
punched disc tarcza z otworami [masz.]

punched from above tłoczony z góry, dziurkowany z góry [met.]
punched sheet blacha dziurkowana, blacha perforowana [masz.]
punched tape taśma dziurkowana, dziurawka [el.]; dziurkowana taśma papierowa [inf.]
puncher dziurkarka kart automatyczna [inf.]
punch mark punktak [transp.]
punishment kara [polit.]
punt prom, barka płaskodenna [mot.]
purchasing dokonywanie zakupów [abc]
purchasing department dział zaopatrzenia [abc]
pure coal (pc) czysty węgiel [energ.]
pure orange oranż czysty [norm.]
pure supposition czyste domniemanie [abc]
pure white biel czysta [norm.]
purge oczyszczać [abc]; kasować [inf.]; usuwać [abc]
purge area obszar do skasowania [inf.]
purge cock kurek spustowy cylindra [masz.]
purge date data usunięcia; data upływu terminu ważności (*danych*) [inf.]
purging and alloy addition plant stanowisko przeczyszczania i pokrywania stopami [masz.]
purging gas coupling <station> łącza gazu płuczącego [masz.]
purification plant oczyszczalnia ścieków [hydr.]
purify oczyszczać [hydr.]
purity czystość [abc]; (→ steam p.)
purple pupurowy [abc]
purple red czerwień purpurowa [norm.]
purple violet fiolet purpurowy [norm.]
purpose zamiar, intencja; cel, obiekt [abc]

push naciskać; popychać [abc]
push szarpnięcie; ciąg [mot.]
push boat pchacz [mot.]
push broach przepychacz [narz.]
push button przycisk guzikowy [mot.]; przycisk, klawisz [inf.]; przycisk przełącznika, guzik przyciskowy przełącznika; klawisz [el.]
push-button control sterowanie przyciskowe [mot.]
push-button switch wyłącznik przyciskowy [el.]
push button valve zawór przyciskowy [mot.]
push cup spychacz wodowaniowy [abc]
push design urządzenie zderzakowe [mot.]
push design technology technologia wytwarzania urządzeń zderzakowych [mot.]
push down/pull up force siła rozciągająca [transp.]
pusher wypychacz [el.]
pusher delay opóźnienie wypychacza [el.]
pusher fork widełki przesuwne [mot.]
push handle element przesuwny, element ślizgowy [masz.]
pushing boat pchacz [mot.]
pushing device zsuwak (*urządzenie hydrauliczne do zsuwania nosiwa z taśmy*) [mot.]
pushing fork widełki przesuwne [mot.]
push loading ładowanie "na pych" [mot.]
push open otwierać pchnięciem [abc]
push-pull przeciwsobny [el.]
push-pull circuit układ przeciwsobny [el.]
push-pull combination kombinacja push-pull, kombinacja przeciwsobna, kombinacja nacisku i odciągania [mot.]

push-pull device mechanizm push-pull [mot.]; (→ control trailer) ruch wahadłowy [mot.]
push-pull emitter follower wtórnik emiterowy przeciwsobny [el.]
push-pull operation eksploatacja pociągów wahadłowych; ruch wahadłowy [mot.]
push-pull stage stopień (*nadajnika*) w układzie przeciwsobnym [masz.]
push-pull traffic ruch wahadłowy pociągów [mot.]
push rod popychacz wyciskowy; laska popychacza; popychacz [mot.]
push rod cover osłona laski popychacza [mot.]
push rod valve popychacz zaworowy [mot.]
push roller krążek napędowy [mot.]
push spool suwak [mot.]
push tube popychacz [mot.]
put in wkładać [mot.]; (→ key in) wprowadzać [inf.]
put into service oddawać do eksploatacji [energ.]
put on podawać; zakładać, ubierać [abc]
put on the line przyłączać; włączać [energ.]
put out gasić [abc]
put through łączyć; przełączać [telkom.]
putting into service oddanie do eksploatacji [energ.]; uruchomienie [abc]
putting on the line włączać do sieci [energ.]
putrescent gnijący, rozkładający się [abc]
putty kitować, zalepiać [bud.]
putty kit, szpachlówka; kitowanie, zalepianie [bud.]
putty knife nóż do kitowania [narz.]
puzzle zagadka [abc]
PVC-hose wąż z PCW [mot.]
pylon słup stalowy [mot.]; słup sta-

P

lowy kratowy (*linii przesyłowej napowietrznej*) [el.]; słup sieci trakcyjnej [mot.]; maszt [el.]
pyramid piramida [abc]
pyrites trap oddzielacz ciał obcych [energ.]
pyrometer pirometr [abc]; (→ optical p.; → radiation p.; → suction p.)
pyrometric cone stożek pirometryczny Seegera [energ.]
pyrosis zgaga [med.]
pyrotechnical detonating compositions wybuchowe ładunki pirotechniczne [wojsk.]
pyrotechnics ognie sztuczne [abc]
PZT ceramics ceramika przemysłowa (*tygle porcelanowe*) [tw.]

Q

Q max sterowanie maksymalne [mot.]
Q min sterowanie minimalne [mot.]
Q-card karta porównawcza [abc]
quadrant wycinek przy pompie wtryskowej [masz.]
quadriliteral czworoboczny, czterostronny; czworokątny [abc]
quadruple telescopic Kelly bar poczwórny teleskopowy drążek Kelly'ego [transp.]
qualifications kwalifikacje [abc]
qualify kwalifikować (*się*) [abc]
qualitative jakościowy [abc]
quality jakość [abc]; jakość wykonania [masz.]
quality assurance ocena jakościowa; zapewnienie jakości; system zapewnienia jakości, program zapewnienia jakości; kontrola jakości [ekon.]; (→ q. control)
quality assurance authority (GB) urząd kontroli jakości [norm.]

quality assurance requirements wymagania jakościowe [ekon.]
quality assurance system system zapewnienia jakości [ekon.]
quality class klasa jakości [ekon.]
quality control zapewnienie jakości; kontrola jakości; kontrola jakości [ekon.]
quality demand wymagania jakościowe [ekon.]
quality goals cele jakościowe [ekon.]
quality improvement poprawa jakości [ekon.]
quality measures parametry jakości [ekon.]
quality of forging jakość kucia [masz.]
quality of surface jakość powierzchni [masz.]
quality of the level jakość podłoża [transp.]
quality planning planowanie jakości [abc]
quality policy polityka jakościowa [ekon.]
quality requirement wymagania jakościowe [masz.]
quality standard norma jakościowa [norm.]
quality test badanie jakości [miern.]
quantitative ilościowy [abc]
quantities dane ilościowe, dane wielkościowe [abc]
quantity ilość; wielkość [abc]; (→ complex q.)
quantity in stock stan magazynu [abc]
quantity of overburden objętość nadkładu [górn.]
quantity planned postulowana ilość sztuk towaru [abc]
quantity surveyor kosztorysant [abc]
quantum jump przejście kwantowe [fiz.]
quarry urabiać (*skały*) [górn.]
quarry kamieniołom [górn.]

quarry bucket czerpak kamienia [górn.]

quarter elliptic spring resor ćwierćeliptyczny, resor wspornikowy [mot.]

quarterly kwartalny [abc]

quarterpole żerdź ćwiartkowa [abc]

quarters pomieszczenia [abc]

quarter-turn fastener (US) połączenie bagnetowe [masz.]

quarter twist napęd półskrzyżowany [masz.]

quarter wave length layer długość warstwy ćwierćfali [masz.]

quartz kwarc [min.]

quartz gray szarzeń kwarcowa [norm.]

quartz sand piasek kwarcowy [min.]

quartzite kwarcyt [min.]

quasi arc-welding elektroda w osłonie azbestowej [el.]

quasi complementary power amplifier wzmacniacz mocy quasi dopełniający [el.]

quay nabrzeże [mot.]

quay-mounted and deck cranes żurawie nabrzeżne i pokładowe [mot.]

quay-mounted unit sprzęt nabrzeżny [mot.]

quench oziębiać; szybko schładzać, hartować [tw.]

quench and temper oziębiać i odpuszczać (*ulepszać przez obróbkę cieplną*) [tw.]

quenched and tempered zahartowany (*ulepszony przez obróbkę cieplną*) [tw.]

quenching crack pęknięcie hartownicze [tw.]

quenching oil olej hartowniczy [tw.]

query pytać; zapytywać [abc]

query zapytanie, kwerenda; pytajnik, znak zapytania [abc]

question pytanie [abc]

questionable wątpliwy, niepewny [abc]

question answering odpowiadanie na pytania [abc]

question answering in deduction systems odpowiadanie na pytania w systemach dedukcyjnych [inf.]

question mark pytajnik, znak zapytania [abc]

questionnaire kwestionariusz, ankieta [abc]

queue kolejka [abc]

queue stawać w kolejce; ustawiać się w kolejce [abc]

quick prędki; szybki [abc]

quick-acting szybko działający [abc]

quick-acting gate valve zawór zasuwowy szybko działający [masz.]

quick acting valve zawór szybko działający [masz.]

quick change pin kołek sprężysty rozszczepiony [masz.]

quick closing valve zawór szybko zamykający [masz.]

quick-coupler sprzęgło szybkodziałające [masz.]

quick coupling sprzęgło szybkodziałające [masz.]

quick exhaust valve zawór szybko odpowietrzający, zawór szybkiego odpowietrzania [masz.]

quick hitch urządzenie do szybkiej wymiany [masz.]

quick lock szybkie zamykanie [masz.]

quick-lock coupling złącze rurowe do szybkiego montażu [masz.]

quick release szybkie mocowanie; szybka wymiana, szybka zmiana [masz.]

quick release bracket (QR-bracket) adapter szybkozmienny [masz.]

quick release clamp zacisk szybko rozłączalny [masz.]

quick-release coupling sprzęgło szybko włączalne [masz.]

Q

quick release cover pokrywa szybko zwalniająca [masz.]

quick release system (QR) urządzenie do szybkiej wymiany [masz.]

quicksand kurzawka [abc]

quick-steaming unit wytwornica pary prędka, wytwarzacz pary prędki [energ.]

quick ventilation valve zawór szybko odpowietrzający, zawór szybkiego odpowietrzania [masz.]

quiescent current prąd spoczynkowy [el.]

quiet uspokajać [abc]

quiet running praca spokojna [masz.]; bieg spokojny [mot.]

quill of a feather dudka (*u pióra*) [bot.]

quill sleeve tuleja wrzecionowa [narz.]

quilt kołdra pikowana [abc]

quilted jacket kurtka pikowana [abc]

quiver kołczan, sajdak [abc]

quorum kworum; zdolność do podjęcia uchwały [abc]

quotation cytat; kwotowanie [abc]

quotation marks/ inverted commas (" ") cudzysłów [abc]

quote cytować [abc]

quotient iloraz [mat.]; iloraz, stosunek [inf.]

R

R (*moment of resistance of material*) wskaźnik wytrzymałości przekroju [masz.]

R&D (*research and development*) badanie i rozwój [abc]

r&i (*remove and install*; US) demontować i instalować [met.]

r&r (*remove and replace*) demontować i zastępować [met.]

R.H. side panel prawa strona tablicy sterowniczej [el.]

r.p.m. (*revolutions per minute*) obroty na minutę [masz.]

R.P.M. obroty na minutę [masz.]

r+l prawo i lewo [met.]

race tor wyścigowy; wyścigi [abc]

race face pierścień nasadowy bieżni łożyska tocznego [masz.]

race pulverizer kruszarka kulowa bębnowa [górn.]

raceway bieżnia [masz.]

raceway radial runout bicie poprzeczne [masz.]

racing car samochód rajdowy, samochód wyścigowy [mot.]

rack kartoteka, skoroszyt, segregator [abc]; drążek regulatora; stojak na bagaż; zębatka [mot.]

rack and pinion jack dźwignik zębatkowy [mot.]

rack bumper zderzak zębatkowy [mot.]

rack centre groove środkowy żłobek zęba na drążku regulatora [mot.]

rack gear przekładnia zębatkowa [mot.]

rack railway kolej zębata, kolejka zębatkowa, wyciąg zębatkowy [mot.]

rack setting gauge sprawdzian ustawienia zębatki [masz.]

rack soot blower lancetowy zdmuchiwacz sadzy [energ.]

rack type soot blower zdmuchiwacz sadzy (*o długim przewodzie rurowym*) [energ.]

rad chłodnica [mot.]

radar radar [el.]

radar screen ekran radaru [el.]

radar station stacja radarowa [el.]

radar waves fale radiolokacyjne [el.]

radial promieniowy, radialny [abc]

radial blowing-in wdmuchiwanie promieniowe [energ.]

radial clearance luz promieniowy łożyska [masz.]

radial compressor dmuchawa promieniowa, wentylator promieniowy [masz.]

radial cross section diagram wykres przedstawiający przekrój poprzeczny [rys.]

radial escalator schody ruchome radialne [transp.]

radial flow fan dmuchawa promieniowa, wentylator promieniowy [masz.]

radial load obciążenie promieniowe [masz.]

radial oscillation wahania poprzeczne [fiz.]

radial packing uszczelnienie promieniowe [masz.]; (→ packing)

radial piston pump pompa wielotłokowa promieniowa [masz.]

radial pressure ciśnienie promieniowe [fiz.]

radial seal pierścień uszczelniający typu Simmera [masz.]

radial seal for rotating shaft pierścień uszczelniający wałka obrotowego [masz.]

radial teeth uzębienie promieniowe [masz.]

radial thrust ciśnienie promieniowe [masz.]

radial tyre opona radialna [mot.]

radial waves fale promieniowe [masz.]

radiant boiler kocioł promieniowy [energ.]

radiant superheater przegrzewacz opromieniowany [energ.]

radiating system emitter promiennik [el.]

radiation promieniowanie [energ.]; (→ intersolid r.)

radiation cavity wnęka radiacyjna [energ.]

radiation chamber komora radia-

cyjna [energ.]

radiation loss strata przez promieniowanie [energ.]

radiation pyrometer pirometr promieniowania [miern.]

radiation reflection odbicie promieniowania [energ.]

radiation resistance oporność promieniowania [el.]

radiation shield ochrona przed promieniowaniem [energ.]

radiator promiennik [energ.]; promiennik tarczowy, radiator (*tarczowy*) [el.]; (→ cellular r.) chłodnica, ochładzacz, element chłodzący [mot.]

radiator baffle plate osłona przeciwbryzgowa chłodnicy [mot.]

radiator block zespół chłodnicy; rdzeń chłodnicy [mot.]

radiator bonnet osłona chłodnicy [mot.]

radiator cap korek chłodnicy [mot.]

radiator core rdzeń chłodnicy [mot.]

radiator core fin rurka użebrowana chłodnicy [mot.]

radiator cowl osłona chłodnicy [mot.]

radiator cowling osłona chłodnicy [mot.]

radiator element element chłodnicy [mot.]

radiator fan wentylator chłodnicy [mot.]

radiator fastening strap taśma mocująca chłodnicy [mot.]

radiator filler tube króciec wlewowy chłodnicy [mot.]

radiator frame obudowa chłodnicy [mot.]

radiator grill okratowanie wlotu chłodnicy; osłona chłodnicy [mot.]

radiator guard osłona chłodnicy [mot.]

radiator hose wąż łączący chłodnicę [mot.]

R

radiator inlet connection króciec wlotowy chłodnicy [mot.]

radiator jointing material materiał uszczelniający chłodnicy [mot.]

radiator mounting obsada chłodnicy, wspornik chłodnicy [mot.]

radiator outlet connection króciec wylotowy chłodnicy, króciec wypływowy chłodnicy [mot.]

radiator safety ring pierścień ochronny chłodnicy [mot.]

radiator shutter zasłona chłodnicy, przesłona chłodnicy, żaluzja chłodnicy [mot.]

radiator strut podpora ukośna chłodnicy [mot.]

radiator tank zbiornik chłodnicy; zbiornik wody [mot.]

radiator tube rurka chłodnicy [mot.]

radiator upper tank zbiornik górny chłodnicy [mot.]; zbiornik główny chłodnicy [bud.]

radiator water inlet króciec wlotowy chłodnicy [mot.]

radiator water outlet króciec wylotowy chłodnicy, króciec wypływowy chłodnicy [mot.]

radical pierwiastkowy [abc]

radii promienie [rys.]

radii without dimensions promienie niezwymiarowane [rys.]

radio radio [el.]; (→ automobile r.)

radio-active radioaktywny [fiz.]

radioactive waste odpady promieniotwórcze [rec.]

radioactivity radioaktywność [fiz.]; promieniotwórczość [opt.]

radio aerial antena radia samochodowego [el.]

radiographic examination badanie radiograficzne [miern.]

radiography badanie radiologiczne [miern.]

radio installation montaż radia [abc]

radio interference echo interferencja radiowa [akust.]

radio interference field-intensity natężenie pola zakłóceniowego [akust.]

radio-interferency zakłócenie radiowe [el.]

radio program program radiowy [abc]

radio room radiostacja [el.]; pokój radiowy [abc]

radio shielding eliminacja zakłóceń [el.]

radio telescope radioteleskop [miern.]

radius promień (*koła*) [rys.]; (→ bend r.; → earth's r.; → minimum outside r.; → r. of bend)

radius of bend promień gięcia [rys.]

raft tratwa [mot.]

rafter belka wiązania dachowego; krokiew [bud.]

rag szmata (*do czyszczenia*); ścierka [abc]; reling [mot.]; balustrada; poręcz [abc]

rail ramiak poziomy; łańcuch gąsienicowy, gąsienica [transp.]; (→ guard r.) poręcz [abc]; tor; szyna [mot.]; podłużnica rusztowania [bud.]

rail anchor kotwica szynowa [mot.]

rail base stopka szyny [mot.]

rail-bound travelling mechanism mechanizm jezdny szynowy [mot.]

rail brake hamulec torowy [mot.]

railbus autobus szynowy [mot.]

railcar wagon silnikowy, wagon motorowy [mot.]

railcar trailer wagon doczepny [mot.]

rail clamp klamra szynowa, hak szynowy [mot.]

rail creep pełzanie szyn [mot.]

rail end zakończenie toru [mot.]

railface wierzch główki szyny, powierzchnia toczna szyny [mot.]

rail fastening material materiał nawierzchniowy [mot.]

railfoot stopka szyny [mot.]
rail groove rowek szyny dla przejścia obrzeży kół [mot.]
rail guide prowadnica szynowa [mot.]
railhead główka szyny [mot.]
railing bariera ochronna [mot.]; (→ footway r.) poręcz [bud.]
rail inspection stick pałeczka kontrolna szyn [mot.]
rail profile przekrój poprzeczny szyny [mot.]
railroad kolej [mot.]
railroad authorities władze kolei [mot.]
railroad bridge most kolejowy [mot.]
railroad crossing rogatka, zapora [mot.]
railroad engine lokomotywa [mot.]
railroad equipment sprzęt kolejowy [mot.]
railroad ferry prom kolejowy [mot.]
railroad line tor kolejowy; linia kolejowa [mot.]
railroad siding bocznica, tor bocznicowy; łącznica kolejowa [mot.]
railroad station dworzec kolejowy; stacja kolejowa [mot.]
railroad track linia kolejowa [mot.]
railroad train (US) pociąg [mot.]
rail scrubber car wagon czyszczący [mot.]
rail surface powierzchnia toczna szyny [mot.]
rail test car wagon pomiarowy do badania stanu toru; wagon kontrolny [mot.]
rail testing assembly stanowisko kontrolne szyn [mot.]
rail-testing instrument przyrząd do kontroli szyn [mot.]
rail testing probe urządzenie do kontroli szyn [mot.]
rail tongs kleszcze do przenoszenia szyn, chwytak do szyn, kleszcze szynowe [mot.]
rail triangle (→ Wye) trójkąt do obracania taboru [mot.]
railway (GB) kolej (*żelazna*) [mot.]
railway administration zarząd kolei [mot.]
railway authorities władze kolei [mot.]
railway bridge most kolejowy [mot.]
railway cars for freight traffic wagon kolejowy do transportu towarowego [mot.]
railway company spółka kolejowa [mot.]
railway construction and operating regulation przepisy dot. budowy i eksploatacji kolei [mot.]
railway crossing skrzyżowanie torów [mot.]
railway electrification elektryfikacja kolei [mot.]
railway equipment sprzęt kolejowy [mot.]
railway line linia kolejowa; tor kolejowy; szyna kolejowa [mot.]
railway locomotive lokomotywa [mot.]
railway official urzędnik kolejowy [mot.]
railway operating rules przepisy handlowo-przewozowe (EVO); przepisy przewozowe kolei [mot.]
railway police policja kolejowa; służba ochrony kolei [mot.]
railway postal coach wagon pocztowy [mot.]
railway power unit pojazd trakcyjny [mot.]
railway property własność kolei [mot.]
railway radio system system kolejowej komunikacji radiowej [mot.]
railway right-of-way teren kolei [mot.]

R

railway siding podłączenie toru; bocznica, tor bocznicowy; połączenie kolejowe; urządzenie torowe [mot.]

railway signal rules przepisy sygnalizacji kolejowej (ESO) [mot.]

railway station dworzec; stacja kolejowa [mot.]

railway superstructure nawierzchnia kolejowa [mot.]

railway system sieć kolejowa [mot.]

railway test car wagon pomiarowy, wagon kontrolny [mot.]

railway ticket bilet kolejowy [mot.]

railway track tor kolejowy; odcinek toru kolejowego [mot.]

railway track material materiał nawierzchniowy [mot.]

railway traction vehicle pojazd trakcyjny [mot.]

railway tractive unit pojazd trakcyjny [mot.]

railway train (GB) pociąg [mot.]

railway vehicle manufacturing produkcja pojazdów szynowych [mot.]

railway voltage napięcie w sieci trakcyjnej [mot.]

railway wagon wagon kolejowy [mot.]

railway workshop warsztat naprawczy, zakład naprawczy [mot.]

rain deszcz [meteo.]

rain cloud chmura deszczowa [meteo.]

rain coat płaszcz nieprzemakalny; płaszcz przeciwdeszczowy [abc]

rain drain rura ściekowa [mot.]; rura deszczowa; rynna dachowa [abc]

raindrop kropla deszczu [meteo.]

rainfall opad deszczu [meteo.]

rain pipe rynna dachowa [abc]

raintrap zbiornik na deszcz [meteo.]

rainy deszczowy [meteo.]

rainy season pora deszczowa, pora monsunowa [meteo.]

raise podnosić [abc]

raisable odchylny, rozkładany [abc]

raise a claim zgłaszać pretensję, wysuwać roszczenia; zgłaszać reklamację [praw.]

raised wypukły [tw.]

raised countersunk head tapping screw blachowkręt samogwintujący z łbem stożkowym soczewkowym [tw.]

raise/lower adjustment nastawienie wysokości, regulacja wysokości [abc]

raise the premium podnosić składkę [praw.]

raising of the premium podniesienie wysokości składki [praw.]

rake grabie; skrobak, skrobaczka, zgarniacz [narz.]; skład (*pociągu*) [mot.]

raking device zgarniak [narz.]

rally rajd [abc]; zjazd [polit.]

ram suwak [masz.]; młot kafara, baba kafara [bud.]

RAM (*random access memory*) pamięć operacyjna RAM [narz.]

rammed clay glina ubita [abc]

ramp (→ inclined r.) pochylnia [abc]

rampart blank; szaniec [bud.]

ranch gospodarstwo hodowlane bydła; farma bydła [abc]

random rozmieszczony losowo; przypadkowy, przypadkowo [mat.]

random access dostęp swobodny, dostęp bezpośredni [mat.]

random noise zakłócenie przypadkowe [masz.]

range przetaczać; szeregować, porządkować [abc]

range zakres [abc]; ognisko, palenisko, kuchenka [bud.]; zakres pomiarowy, obszar pomiarowy [miern.]; (→ capacity r.; → critical r.; → operating r.; → scope r.

of use; → speed r.)
range carrier stopniowe jarzmo przekładni obiegowej [transp.]; (→ planet carrier)
range master czujnik urządzenia ostrzegawczego jazdy w tył [el.]
range of analyses zakres analizy, rozpiętość analizy [miern.]
range of application zakres zastosowania [abc]
range of audibility zakres słyszalności, zakres częstotliwości słyszalnych [akust.]
range of control zakres nastawczy [miern.]
range of non-saturated echo zakres echa nienasyconego [miern.]
range of outreach zakres wysięgu [abc]
range of production zakres produkcji [abc]
range of transmission zasięg transmisji [el.]
range of validity zakres obowiązywania [abc]
range selector przełącznik zakresów [el.]
ranger leśniczy [bot.]
ranging poles tyczka miernicza [bud.]
ranging rod tyczka miernicza [transp.]
ranking klasyfikacja najlepszych, ranking [abc]
rape rzepak [bot.]
rape oil olej rzepakowy [bot.]
rapid bieg szybki; szybki [masz.]
rapid blow hammer ubijak samoczynny ręcznie sterowany [narz.]
rapid changing device urządzenie do szybkiej wymiany, instalacja szybkowymienna [narz.]
rapid fastener łącznik szybki [masz.]
rapid interruption wyłączenie awaryjne, wyłączenie zagrożeniowe [el.]

rapid printer drukarka szybka [inf.]
rapid transit kolej szybka [mot.]
rapid transit railway szybka kolej miejska [mot.]
rapping gear urządzenie do odbijania [masz.]; urządzenie do wytrząsania [energ.]
rare metal metal szlachetny [tw.]
rare steel stal szlachetna [tw.]
raspberry red malinowy [norm.]
ratched pod dźwignia zapadkowa [mot.]
ratched spring sprężyna zapadkowa [mot.]
ratchet pokrętło zapadkowe; mechanizm zapadkowy; zapadka [narz.]
ratchet drill grzechotka (*wiertarka ręczna*) [narz.]
ratchet handle rączka zapadkowa, rękojeść zapadkowa [mot.]
ratchet stock pokrętło zapadkowe [narz.]
ratchet wrench klucz do kół; dźwignia zapadki [narz.]
rate oceniać, oszacować [abc]
rate (→ dividing r.) stosunek, proporcja [masz.]
rated oceniony, oszacowany [abc]
rated break point strefa kontrolowanych pęknięć [masz.]
rated current prąd znamionowy; doprowadzenie prądu znamionowego [el.]
rated power moc nominalna [el.]
rated speed prędkość (*obrotowa*) znamionowa [masz.]
rated torque moment obrotowy znamionowy [masz.]
rated value wartość znamionowa; wartość nominalna [masz.]
rated voltage napięcie znamionowe; napięcie nominalne [el.]
rate of advance szybkość posuwu, posuw minutowy [masz.]
rate of feed prędkość transportu

R

[mot.]; szybkość posuwu, posuw minutowy [masz.]

rate of occurrence częstotliwość błędu [abc]

rate of traverse szybkość posuwu, posuw minutowy [masz.]

rate of tube travel przepustowość rury [masz.]

rate of wear stopień zużycia [energ.]

rather dosyć [abc]

ratification ratyfikacja [abc]

ratify ratyfikować [abc]

rating podział według wartości; wydajność [abc]; moc nominalna [el.]

ratio iloraz; dzielna [mat.]; stosunek, proporcja [tw.]; ($\rightarrow$ certainty r.; $\rightarrow$ gear r.; $\rightarrow$ pulse amplitude r.)

ratio of expansion stopień rozprężenia [masz.]

ratio of transmission wielkość przełożenia [masz.]

rational function funkcja wymierna [mat.]

rationalization racjonalizacja [abc]

rationalization of manufacturing racjonalizacja produkcji [abc]

ratline wanta [mot.]

rattle terkotać [abc]

raw surowy, nieprzerobiony [tw.]

raw coal węgiel surowy [górn.]

raw grind mleć wstępnie [górn.]

raw grinding mielenie wstępne [górn.]

raw material surowiec [górn.]

raw material analysis analiza surowcowa [miern.]

raw material manufacturing *spółka zajmująca się wydobywaniem surowca* [górn.]

raw metal metal surowy [tw.]

raw meal grinding plant ściernica do mlewa [górn.]

raw part półfabrykat [tw.]

raw washer podkładka nieobrobiona [masz.]

raw water intake tunnel kanał do

prowadzający wodę nieuzdatnioną [energ.]

raw water pump pompa wody nieuzdatnionej [energ.]

raw water storage tank zbiornik wody nieuzdatnionej [energ.]

ray stempel [górn.]; promień [bud.]

razor blade żyletka [abc]

Re (*refer to*) dot.; dotyczy [abc]

reach realizować; dokonywać, wykonywać [abc]

reach zasięg; wysięg [transp.]

reach height wysokość zasięgu, wysięg [transp.]

reactance reaktancja, opór bierny; ($\rightarrow$ acoustical r.) impedancja, opór pozorny [el.]

reactance valve lampa reaktancyjna [el.]

reaction of/on support reakcja podpory, siła oddziaływania podporowego [masz.]

reaction velocity szybkość reakcji [chem.]

reactive reaktywny [chem.]

reactive factor współczynnik mocy biernej sinus [el.]

reactive load obciążenie bierne, obciążenie reaktancyjne [el.]

reactive power moc bierna [el.]

reactive power compensation kompensacja prądu biernego [el.]

reactor element element reaktora [el.]

readable czytelny [abc]

reader czytelnik [abc]

readiness for disturbing przygotowanie na wystąpienie awarii [abc]

reading odczyt; wynik pomiaru [miern.]

reading accuracy dokładność odczytu [miern.]

reading lamp lampa do czytania [abc]

reading line kreska odczytu, linia odczytu; kreska (*podziałki*) [miern.]

reading mouse myszka [inf.]
readjustable nut nakrętka regulująca [masz.]
read-out (→ reading) odczyt [miern.]
ready gotowy; ukończony [abc]
ready for installation gotowy do wbudowania; gotowy do zamontowania [abc]
ready for operation gotowy do pracy, gotowy do eksploatacji; zdatny do eksploatacji [mot.]
ready-run system system gotowości operacyjnej [abc]
ready to mount gotowy do montażu, przygotowany do montażu [met.]
real prawdziwy; rzeczywisty, aktualny [abc]
real current source rzeczywiste źródło prądu [el.]
real function of time funkcja rzeczywista czasu [mat.]
realization realizacja; wykonanie [abc]
real part część rzeczywista [mat.]
real power moc czynna [el.]
real power counter licznik mocy czynnej [el.]
real time czas rzeczywisty [inf.]
real time capabilities możliwości czasu rzeczywistego [inf.]
real time system system czasu rzeczywistego [abc]
real voltage source rzeczywiste źródło zasilania [el.]
ream składać na marach [abc]; rozszerzać [met.]
reamer rozszerzak; rozwiertak [narz.]
reanimation reanimacja [med.]
rear tylny [abc]; zabezpieczenie tylne [wojsk.]
rear arch sklepienie wiszące tylne [energ.]
rear axle oś tylna [mot.]
rear axle assembly zespół tylnej osi [mot.]

rear axle casing tylny pomost napędowy [mot.]
rear axle casing cover osłona tylnego mostu napędowego [mot.]
rear axle drive napęd osi tylnej [mot.]
rear axle flared tube lej tylnego mostu [mot.]
rear axle housing pochwa tylnego mostu, obudowa tylnego mostu [mot.]
rear axle housing cover pokrywa (*wieko*) pochwy tylnego mostu [mot.]
rear axle housing section fragment (*odcinek*) pochwy tylnego mostu [mot.]
rear axle radius rod drążek reakcyjny tylnego mostu, korbowód tylnego mostu [mot.]
rear axle shaft półoś tylnego mostu [mot.]
rear axle strut zastrzał tylnego mostu [mot.]
rear axle tube rura tylnego mostu [mot.]
rear bumper zderzak tylny [mot.]
rear counter weight ciężar rufowy; ciężar ogonowy [mot.]
rear cutting edge krawędź skrawająca tylna [bud.]
rear door drzwiczki tylne [mot.]
rear drive napęd na tylne koła [mot.]
rear edge krawędź spływu [mot.]
rear end cover pokrywa zamykająca tylna [mot.]
rear engine silnik w tylnej części pojazdu [mot.]
rear-fired boiler kocioł z palnikami w ścianie tylnej [energ.]
rear flaps klapy tylne [mot.]
rear grate seals tylne uszczelnienie rusztu [energ.]
rear idler drum tylny bęben zwrotny rusztu [energ.]

R

rear idler drum of grate bęben zwrotny rusztu [energ.]

rear inside trunk lid panel osłona wewnętrzna pokrywy bagażnika [mot.]

rear light oświetlenie tylne; światło tylne [mot.]

rear mirror (→ rear view mirror) lusterko wsteczne [mot.]

rear mounted zamontowany z tyłu [mot.]

rear-mounted rotary cutter nożyce krążkowe montowane z tyłu [narz.]

rear-mounted winch kołowrót kablowy, kołowrót linowy (*tylny*) [mot.]

rear of mouldboard grzbiet radlicy [transp.]

rear outrigger wysięgnik tylny, wysuwnica tylna [bud.]

rear panel tablica tylna [abc]

rear panel frame rama ściany tylnej [mot.]

rear ripper zrywarka tylna, spulchniarka tylna [mot.]

rear scarifier zrywarka tylna, spulchniarka tylna [transp.]

rear seat siedzenie tylne [transp.]

rear shock absorber amortyzator tylny [mot.]

rear spring sprężyna tylna, resor tylny [mot.]

rear spring bracket wspornik resoru tylnego [masz.]

rear spring hanger wieszak resoru tylnego [mot.]

rear spring support wspornik resoru tylnego [masz.]

rear sprocket przypustnica tylna, przysuwnica tylna [energ.]

rear tipping line tylna krawędź pochylenia [mot.]

rear tyre opona tylna [mot.]

rear view mirror lusterko wsteczne [mot.]

rear wall (→ backwall) ściana tylna [transp.]

rear wall downcomers rura spustowa tylna [energ.]

rear wall drain valve zawór spustowy ściany tylnej [energ.]

rear wall header przewód zbiorczy na ścianie tylnej [energ.]

rear wall of boiler house ściana tylna kotłowni [energ.]

rear wall riser rura odparowująca na ścianie tylnej [energ.]

rear wall tube rura tylna [energ.]

rear water-cooled furnace bridge skrzynia spiętrzacza wahliwego [energ.]

rear weight ciężar rufowy [mot.]

rear wheel koło tylne [mot.]

rear wheel brake hamulec na koła tylne [mot.]

rear wheel hub piasta tylnego koła [mot.]

rear window okno tylne [mot.]

rearrange przekształcać [abc]

rearrangement przegrupowanie [masz.]

reason rozważać, przemyśleć [abc]

reason powód; przyczyna [abc]

reasonable rozsądny [abc]

reassemble montować ponownie [met.]

reassembly ponowny montaż [met.]

reassure zapewniać, przywracać zaufanie; uspokajać [abc]

rebate wręg [tw.]

rebated wręgowany [mot.]

rebated timbers belki wręgowane [mot.]

rebating otwór na zamek wydrążony w drewnie [mot.]

rebound odbijać się [masz.]

rebound odrzut [wojsk.]

rebound strap taśma odbojowa (*ochronna*) [mot.]

rebuilding regeneracja [masz.]; odnawianie; przebudowa [met.]

rebuilt minięty [bud.]; wyremontowany generalnie [masz.]

rebushing tulejować; wymieniać tuleje [met.]

recall campaign akcja wycofywania (*wadliwych produktów*) [abc]

receipt data dane przyjęcia towaru [abc]

received stamp pieczęć potwierdzająca wpłynięcie (*np. podania*) [abc]

receiver base noise zakłócenia odbiornika [el.]

receiver odbiorca [abc]; odbieralnik (*zbiornik*) [masz.]; odbiornik [el.]

receiver probe sonda odbiorcza [miern.]

receiving boom wysięgnik taśmowy odbiorczy [transp.]

receiving boom length długość wysięgnika taśmowego odbiorczego [transp.]

receiving circuit obwód wejściowy [el.]

receiving document pokwitowanie dostawy [abc]

receiving installation urządzenie odbiorcze [el.]

recent state of the art najnowszy stan techniki [abc]

receptacle gniazdo, gniazdko [masz.]; oprawka, gniazdo wtyczkowe [el.]

recess wybierać; wpuszczać [met.]

recess wydrążenie; wgniecenie [met.]; kopia [abc]

recessed wpuszczony [met.]

recharge ładować (*ponownie*) [el.]

re-check kontrola powtórna [masz.]

reciprocal odwrotny, wzajemny [abc]

reciprocal two-port czwórnik odwracający [el.]

reciprocate rewanżować się [abc]

reciprocating postępowo-zwrotny, posuwno-zwrotny [abc]

reciprocating grate incinerator stoker ruszt nawrotny pieca do spopielania śmieci [energ.]

reciprocity wzajemność [mat.]

recirculating duct kanał recyrkulacyjny [energ.]

recirculating fan dmuchawa recyrkulacyjna [energ.]

recirculating pump pompa obiegowa [energ.]

recirculation fan dmuchawa recyrkulacyjna [energ.]

reclaimer przyrząd mocujący, uchwyt; zgarniak, zgarniacz, zbierak, zgrzebło [transp.]

reclaiming regenerowanie, pobieranie materiału ze zwałów; pobieranie [górn.]; podnoszenie lądu; pobieranie materiału ze zwałów [transp.]

reclaiming scraper skrobak [transp.]

reclamation melioracja, rekultywacja [gleb.]

recognition rozpoznawanie [inf.]

recognition by touch rozpoznanie poprzez dotyk [abc]

recognize rozpoznawać [abc]

recognized uznany [abc]

recoil ruch wsteczny [masz.]; odrzut [wojsk.]

recoil spring sprężyna powrotna, sprężyna opornika [masz.]; sprężyna ściskana śrubowa [mot.]; sprężyna spiralna; sprężyna napinająca [masz.]

recoil starter starter odrzutowy, rozrusznik [masz.]

recommend rekomendować [abc]

recommendation zalecenie, wskazówka; rekomendacja [abc]

recommended zalecany [abc]

recommended lubricant smar zalecany [masz.]

recommended practice zalecana praca [abc]

R

recondition odnawiać [abc]; naprawiać; remontować [masz.]

reconnaissance zwiad [abc]

reconnect włączać ponownie; uruchamiać ponownie [transp.]

reconstruct odnawiać [bud.]

reconstruction przebudowa [masz.]; odbudowa [bud.]

record nagrywać; zaksięgować; zapisywać, rejestrować; protokołować [abc]

record wyciąg z rejestru skazanych [praw.]; protokół, notatka; płyta; rekord; dokument [abc]

record-breaking bijący rekordy [abc]

recorder rejestrator, nagrywarka [abc]; (→ steam flow r.) rejestrator [energ.]

recorder head głowica pisząca, głowica zapisująca [miern.]

recording nagranie; rejestracja; protokół, notatka [abc]

recording chart taśma rejestratora iskrowego; nośnik zapisu [miern.]

recording instrument urządzenie do rejestracji [miern.]

recording method metoda rejestracyjna [miern.]

recording of rail tests zapis testów szynowych, rejestracja testów szynowych [miern.]

recording strip instrument przyrząd rejestrujący taśmowy, rejestrator taśmowy [miern.]

recording strip nośnik zapisu; taśma rejestrująca, taśma zapisująca [miern.]

recording system mechanizm zapisujący, mechanizm rejestrujący [miern.]

recording tachometer obrotomierz piszący [miern.]

recording thermometer termograf, termometr piszący [miern.]

record of delivery protokół przekazania [abc]

record player gramofon [abc]

record the oil pressure rejestrować ciśnienie oleju [masz.]

record of processing zapis procesu przetwarzania danych, ewidencja ruchu (*np. danych, zasobów*) [inf.]

recount przeliczać [abc]

recover zdrowieć [med.]; ratować [abc]

recoverable zdatny do eksploatacji (*np. złoże*) [górn.]

recovering zdrowienie [med.]; odzyskiwanie [energ.]

recovering and utilizing waste heat odzyskiwanie i utylizacja ciepła odlotowego [energ.]

recovering waste heat wyzyskanie ciepła odlotowego [energ.]

recovery wyzdrowienie [med.]

recovery boiler kocioł ciepła odlotowego [energ.]

recovery crane żuraw kopalniany [górn.]

recovery time czas uspokojenia [transp.]

recreated wypoczęty [abc]

recreation wypoczynek [abc]

recreation vehicle (RV) pojazd turystyczny [mot.]

recreational facility sprzęt rekreacyjny [abc]

rectangle czworokąt, czworobok [abc]

rectangular prostokątny [abc]

rectangular beam emitter fal prostokątnych [el.]

rectangular box section przekrój wydrążony kwadratowy [transp.]

rectangular hollow section profil wydrążony prostokątny [transp.]

rectangular pulse impuls prostokątny [el.]

rectangular shaft key stock klin pasowany prostokątny [masz.]

rectangular tube section przekrój prostokątny [masz.]; przekrój

wydrążony prostokątny [transp.]
rectification prostowanie [el.]
rectifier prostownik [abc]; prostownik [el.]
rectifier for brakes prostownik do hamulców [masz.]
recursive procedure procedura rekurencyjna [inf.]
recycle sortować, przerabiać wstępnie; przerabiać ponownie [rec.]
recycling przerabianie, zawracanie do obiegu, recykling [rec.]
recycling plant zakład odzysku materiałów wtórnych [rec.]
red czerwony [abc]
red brass tombak [tw.]
red brown brąz czerwony [norm.]
Red Crescent Czerwony Półksiężyc [abc]
Red Cross Czerwony Krzyż [abc]
red lilac lila czerwony [norm.]
red orange pomarańcz czerwony [norm.]
red violet fiolet czerwony [norm.]
red zone strefa czerwona [abc]
re-design przerabiać [masz.]
Redler conveyor przenośnik Redlera; dozownik [energ.]
redo obrabiać dodatkowo; docinać [met.]
reduce obniżać; zmniejszać; redukować [abc]; obciskać [masz.]
reduced zredukowany; zmniejszony, pomniejszony [abc]
reduced flaw distance zredukowana wielkość błędu; zredukowana odległość błędu [masz.]
reduced flaw size zredukowana wielkość błędu [masz.]
reduced weight ciężar zredukowany [abc]
reducer tuleja redukcyjna; kształtka rurowa redukcyjna; zwężka rurowa; mechanizm przekładni; środek rozcieńczający, rozcieńczalnik [masz.]

reducer connector złączka redukcyjna stożkowa; połączenie reduktorowe [mot.]
reducing atmosphere atmosfera redukująca [chem.]
reducing gear mechanizm przekładni [masz.]
reducing nipple złączka rurowa redukcyjna [masz.]
reducing valve reduktor [masz.]
reducing valve for atomized air zawór redukcyjny powietrza rozpylacza [masz.]
reduction redukcja; przełożenie redukujące [masz.]; redukcja, zmniejszenie [praw.]; obciśnięcie [masz.]; zwężenie, przewężenie, gardziel [energ.]; przekładnia redukcyjna [masz.]
reduction gear przekładnia redukcyjna [masz.]
reduction of bumps or dips redukcja nierówności [transp.]
reduction of overheads obniżanie kosztów [abc]
reduction of performance redukcja wydajności [abc]
reduction piece element redukcyjny [masz.]
reduction ratio stosunek zmniejszenia prędkości [masz.]
redundance payment scheme program ochrony pracowników w przypadku zwolnień zbiorowych [abc]
redundant zbędny; nadmiarowy [abc]
reed trzcina [bot.]
reed green zieleń trzciny [norm.]
reef refować [mot.]
reef rafa [mot.]
reef knot węzeł podwójny [mot.]
reel krążek [abc]; bęben [el.]; szpulka [abc]
reel to reel tape recorder magnetofon [abc]
reemploy zatrudniać ponownie [abc]

R

reemployment zatrudnienie ponowne [abc]
re-enlist werbować ponownie [wojsk.]
re-entry powrót do atmosfery [abc]
reeve przewlekać [masz.]
Ref. No. *numer odniesienia* [abc]
reference referencja [abc]; odniesienie, powołanie się [praw.]
reference analysis analiza kierunkowa [miern.]
reference block obrotowa głowica przeszukiwawcza; próbka (*do badań*); blok kontrolny [miern.]
reference circle koło podziałowe; okrąg podziałowy (*koła ślimakowego*) [masz.]
reference conditions warunki odniesienia [miern.]
reference diameter średnica podziałowa [masz.]
reference dimension wymiar orientacyjny [masz.]; wartość zmierzona, wartość wielkości mierzonej [miern.]
reference echo echo wzorcowe, echo porównawcze [akust.]
reference edge krawędź odniesienia [rys.]
reference flaw wada wzorcowa [miern.]
reference for level difference wzorzec różnicy poziomów [bud.]
reference height wysokość odniesienia [bud.]; wysokość odniesienia [transp.]
reference level poziom odniesienia, poziom wzorcowy [bud.]
reference node węzeł odniesienia [el.]
reference number (*Ref. No.*) numer odniesienia [abc]
reference order number numer zamówienia; numer zlecenia [abc]
reference photograph fotografia wzorcowa [abc]

reference profile profil odniesienia, zarys odniesienia [rys.]
reference sleigh płoza ślizgowa; płoza ogonowa [transp.]
reference standard etalon odniesienia [el.]
reference surface powierzchnia odniesienia, powierzchnia ustalająca [masz.]
reference tube probówka [miern.]
reference value transmitter nastawnik żądanej wielkość parametru [miern.]
reference value wartość odniesienia, wartość wzorcowa [transp.]
reference wire drut przewodzący [transp.]
refill napełniać [transp.]
refill tap zawór napełniania [masz.]
refilling napełnianie; dopełnianie [transp.]
refine rafinować [górn.]
refinery rafineria [górn.]
refinery gas gaz rafineryjny [górn.]
refining rafinacja, oczyszczanie [górn.]
refinishing powtórna obróbka wykańczająca [abc]
reflectance map mapa obicia [inf.]
reflected energy energia odbita [el.]
reflected image obraz odbity [abc]
reflected pulse impuls odbity [el.]
reflected sound dźwięk odbity [el.]
reflected wave fala odbita [el.]
reflecting surface pole powierzchni odbłyskowej; powierzchnia odbłyskowa [el.]
reflection odbicie [opt.]; (→ double bounce r.)
reflection characteristics charakterystyka promieniowania zwrotnego [opt.]
reflection coefficient współczynnik odbicia [opt.]
reflection face powierzchnia odbicia [opt.]

reflection factor współczynnik odbicia [opt.]
reflection gap szpara w odbiciu [opt.]
reflection light barrier zapora świetlna odbiciowa [opt.]
reflection loss tłumienność wskutek odbicia [opt.]
reflection method metoda odbiciowa [opt.]
reflector reflektor [opt.]; odbłyśnik [mot.]
reflex reflector odbłyśnik [mot.]
refracted wave fala załamana [fiz.]
refracting prism pryzmat załamujący [fiz.]
refraction zdolność zbierająca, zdolność łamiąca [akust.]
refraction angle kąt załamania (*fali*) [miern.]
refraction of plane waves refrakcja fal płaskich [opt.]
refraction of spherical waves refrakcja fal kulistych [opt.]
refraction prism współczynnik załamania [opt.]
refractories materiały ogniotrwałe [min.]
refractoriness ognioodporność [energ.]
refractory szamot [energ.]
refractory baffle przegroda ogniotrwała [energ.]
refractory brick kształtka szamotowa, cegła szamotowa [mot.]
refractory brickwork mur ogniotrwały [energ.]
refractory lining wykładzina ogniotrwała, wyłożenie ogniotrwałe [energ.]
refractory mortar zaprawa ogniotrwała [energ.]
refractory wall ściana ogniotrwała [energ.]
refrigerated container pojemnik chłodniczy, kontener chłodniczy [mot.]

refrigerated container vessel statek chłodniczy, chłodniowiec, statek chłodnia [mot.]
refrigerated lorry samochód-chłodnia [mot.]
refrigerated wagon wagon-chłodnia [mot.]
refrigerator ship chłodniowiec, statek-chłodnia [mot.]
refuge nisza; schronienie; przestrzeń zabezpieczająca [mot.]
refuge siding tor mijankowy [mot.]
refugee zbieg, uchodźca [polit.]
refurbish odnawiać; restaurować [abc]
refusal odmowa [abc]
refuse śmieci, odpady [rec.]
refuse collecting vehicle samochód-śmieciarka [rec.]
refuse firing spalanie odpadów, spalanie śmieci [rec.]
refuse firing equipment spalarnia śmieci [rec.]
refuse incineration spalanie odpadów, spalanie śmieci [rec.]
refuse incineration plant spalarnia śmieci [rec.]
refutation odparcie [abc]
regard uwzględniać [abc]
regenerative air heater regeneracyjny podgrzewacz powietrza [energ.]
regenerative air preheater regeneracyjny podgrzewacz powietrza [energ.]
regime reżim, system [polit.]
region obszar; region [geogr.]; (→ common to the r.; → forward-active r.; → r. of disturbance; → reverse-active r.; → saturation r.)
region of disturbance obszar wstrząsów [bud.]
regional airport lotnisko regionalne [mot.]
register amplifier board karta rejestracyjna wzmacniacza [abc]

R

registered letter list polecony [abc]

register stage poziom rejestracji [abc]

register type construction konstrukcja drabinkowa [energ.]

registration rejestracja [polit.]

registration of drawings registratura rysunków [rys.]

registration of faults rejestr szkód [praw.]

registrator registrator [abc]

regular równomierny [bud.]; regularny [abc]

regulate ustawiać [abc]; regulować [miern.]

regulated input wejście nastawne; wejście regulowane [miern.]

regulated voltage napięcie stabilizowane [el.]

regulating circuit układ regulujący [miern.]

regulating control regulator nastawczy [miern.]

regulating damper zasuwa regulacyjna [miern.]

regulating pump pompa regulacyjna; pompa o zmiennej przepustowości, pompa regulacyjna [mot.]

regulating switch przełącznik sterowniczy [el.]

regulating system układ sterowniczy [mot.]

regulating unit element nastawczy [masz.]

regulating valve zawór regulujący [miern.]

regulation nastawianie, przestawianie, regulacja; przepis, instrukcja, dyrektywa [abc]; (→ fine r; → speed r.; → steam temperature r.)

regulator regulator; przepustnica [mot.]; (→ brake pressure r.; → differential pressure r.; → feed water r.; → fuel bed r.; → inclination r.; → pilot-operated r.; → pressure r.; → voltage r.)

regulator handle rączka regulatora [mot.]

regulator lever dźwignia sterowania [mot.]

regulator pipe rura regulatora [mot.]

regulator tube (→ regulator pipe) rura regulatora [mot.]

regulator valve zawór regulujący [mot.]

rehandling and forwarding przeładunek i spedycja [abc]

rehandling and storage przeładunek i składowanie [abc]

rehandling excavator koparka przeładunkowa [transp.]

rehandling grab chwytak przeładunkowy [transp.]

rehandling operation tryb przeładunkowy [transp.]

reheat cycle (→ double r. c.; → single r. c.) międzystopniowe przegrzewanie pary [energ.]

reheater przegrzewacz międzystopniowy [energ.]

reheater gas pass kanał spalinowy przegrzewacza międzystopniowego [energ.]

reheating of liquid steel plant urządzenie podgrzewające płynną stal [masz.]

reheat steam temperature temperatura pary międzystopniowej; temperatura międzystopniowego przegrzewania pary [energ.]

rein uzda; cugle [abc]

reinforce wzmacniać [masz.]

reinforced wzmocniony [masz.]

reinforced concrete beton sprężony; żelazobeton [masz.]

reinforced-concrete core rdzeń żelbetowy [masz.]

reinforcement blacha węzłowa narożna; usztywnienie; wzmocnienie [masz.]; (→ bottom r.; → fabric r.)

reinforcement drawing plan zbrojenia [bud.]

reinforcement of welded seam nadlew spoiny [met.]

reinforcement plan plan zbrojenia [bud.]

reinspection reinspekcja [inf.]

reinstatement przywrócenie [praw.]

reinsurance reasekuracja [praw.]

reject odrzucać, odmawiać [abc]

reject position pozycja wybrakowana [abc]

reject signal sygnał "pal" [abc]

rejection odrzucanie (*jako brak*); brakowanie [transp.]

rejection factor współczynnik tłumienia napięć równoległych [transp.]

rejector circuit obwód antyrezonansowy [transp.]

related tworzący całość; spokrewniony [abc]

relation relacja; (→ cause r.) stosunek [inf.]

relational relacyjny [el.]

relations związki, zależności, stosunki [abc]

relationship stosunek, związek, zależność [abc]

relationship between load and life relacja pomiędzy stanem naładowania a żywotnością [masz.]

relationship of the levers stosunek ramion dźwigni, położenie dźwigni [masz.]

relative displacement of the concrete and the steel przesunięcie względne między stalą a betonem [masz.]

relax wypoczywać [abc]

relaxation formula wyrażenie relaksacyjne [inf.]

relaxed wypoczęty; rozluźniony; zrelaksowany [abc]

relay przekaźnik; stycznik [el.]; (→ additional r.; → amplifier r.; → asymmetry r.; → bimetal r.; → control r.; → fault indicator r.; →

horn r.; → impulse r.; → motor protection r.; → overcurrent r.; → phase sequence r.)

relay board płytka przekaźnika [el.]

relay connection układ przekaźnikowy [el.]

relay for collective safety switch tableau przekaźnik tablicy sygnalizacji zbiorczej zakłóceń [el.]

relay module moduł przekaźnika [el.]

relay power board karta mocy przekaźnika [el.]

relay station stacja transformatorowa [el.]

relay store rejestr przekaźnikowy [el.]

relay valve zawór przekaźnikowy [mot.]

relay winding uzwojenie przekaźnika [el.]

releasable connection połączenie rozłączne [masz.]

release zwalniać [masz.]; wyprzęgać; wyłączać; wydzielać [abc]

release zwalniacz [masz.]; zwolnienie [inf.]

release collar pierścień wyprzęgnika [masz.]

released wydany; opublikowany; zadany, wyznaczony, ustalony [abc]

release gate zastawka zwalniająca, bramka zwalniająca [masz.]

release relay przekaźnik zwalniania [el.]

release spring sprężyna cofająca [masz.]; sprężyna odciągająca [transp.]

release valve zawór spustowy [masz.]

releasing lever wyprzęgnik [masz.]

relevant figure cyfra skali [masz.]

relevant to w połączeniu z [masz.]

relevant welding parameters odpowiednie parametry spawania [met.]

reliability niezawodność [abc]

R

reliability of hard- and software niezawodność sprzętu komputerowego i oprogramowania [inf.]
reliable niezawodny [abc]
reliably working pracujący niezawodnie [abc]
relief odciążenie; uwolnienie [abc]; płaskorzeźba [bud.]; (US) ściskanie [fiz.]
relief cap pokrywa zabezpieczająca [masz.]
relief method metoda reliefowa [abc]
relief-milled frezujący przez zataczanie [transp.]
relief print druk wypukły, druk typograficzny [abc]
relief valve zawór nadmiarowy ciśnieniowy; zawór nadmiarowy dławiący [masz.]
relieve luzować, zmieniać, zastąpić [wojsk.]; odciążać [abc]
relieve zluzowanie, zmiana, zdawanie (*służby*) [wojsk.]
relieving spring sprężyna odciążająca [masz.]
remain pozostawać [abc]
remainder reszta, resztka; pozostałość [abc]
remaining lifting capacity nośność szczątkowa [transp.]
remaining operating potential wskaźnik zakończenia pracy [abc]
remaining wall thickness grubość ścianki resztkowa [masz.]
remark zauważać, zanotować [abc]
remark uwaga, spostrzeżenie [abc]
remedy leczyć [med.]; usuwać [abc]
remedy lekarstwo, lek, środek leczniczy [med.]
remedying <of> the fault usuwanie awarii, usuwanie zakłóceń [abc]
remnant reszta, pozostałość [abc]
remodelling przeróbka [masz.]
remote odległy, oddalony; na uboczu, z boku, opodal, obok (*np. drogi*) [abc]
remote-action gear mechanizm przekładniowy zdalny [mot.]
remote control zdalne sterowanie; kierowanie odległościowe [el.]
remote controlled zdalnie sterowany [el.]
remote controlled operation praca (*urządzenia*) zdalnie sterowana [el.]
remote-distant-reading thermometer termometr zdalny [miern.]
remote handling equipment urządzenie zdalnego sterowania [el.]
remote indication wskazanie zdalne (*przyrządu*) [el.]
remote liquid level controller zdalny regulator poziomu wody [energ.]
remote liquid level indicator wodowskaz zdalny, wodowskaz odległościowy [energ.]
remote oil level indicator olejowskaz zdalny, poziomowskaz oleju zdalny [energ.]
remote operated zdalnie sterowany [energ.]
remote operation zdalne sterowanie [el.]
remote sensing odczyt zdalny [inf.]
removable zdejmowany; odejmowany, wymienny; dający się zdjąć, do zdejmowania, usuwalny, ruchomy [abc]
removal odwózka; odbiór [abc]; usuwanie; usunięcie [rec.]; usuwanie nadkładu, prowadzenie robót odkrywkowych; wywózka [górn.]
remove ściągać [transp.]; demontować; usuwać [abc]; zdejmować [met.]
removed usunięty, zdjęty; przesunięty [abc]
removing conveyor przenośnik ruchomy [transp.]

rendering obrzutka; tynk cementowy [bud.]
renew odnawiać [abc]
reniform nerkowy [abc]
rent pęknięcie [abc]
rental car samochód wypożyczony, samochód wynajęty [mot.]
rented porwany, poszarpany [abc]
rented car samochód wypożyczony, samochód wynajęty [mot.]
reorganization reorganizacja [abc]
repair naprawiać; (US) odnawiać [masz.]
repair remont; naprawa [masz.]
repair kit zestaw naprawczy [abc]
repair manual podręcznik mechanika [abc]
repair parts części zamienne; części wymieniane przy naprawach [masz.]
repair-prone wymagający naprawy (*remontu*) [abc]
repair service warsztat naprawczy [masz.]
repair set zestaw naprawczy [masz.]
repair-weld spawać powtórnie; podspawać [met.]
repair welding zgrzewanie naprawcze [met.]
repair work praca naprawcza [masz.]
repeat obrabiać ponownie; powtarzać [abc]
repeated passage przebieg dwukrotny [abc]
repetition powtórzenie [abc]
repetition checking inspection kontrola powtórna [abc]
repetition frequency częstotliwość powtarzania [el.]
replace wymieniać [abc, masz.]; zastępować [mot.]
replace coverage zwrócić pokrycie [praw.]
replaceable wymienny [abc]
replaceable assemblies zespoły wymienne [abc]

replaceable tooth tip ząb nasadzany [transp.]
replaced by zastąpiony przez [abc]
replacement wymiana [abc]
replenishment uzupełnienie zapasów [wojsk.]
replica replika [abc]
replication replikacja [inf.]
report sprawozdanie, relacja, raport; złożenie sprawozdania [abc]; (→ daily r.; → feasibility-r.; → test r.)
report card świadectwo (*szkolne*) [abc]
reporter sprawozdawca prasowy; reporter [abc]
reporting sprawozdawczość [abc]
reporting signal sygnał zgłoszenia się [wojsk.]
reporting system system sprawozdawczy [abc]
report of a news agency wiadomość agencyjna, informacja agencyjna [abc]
report on <the> condition sprawozdanie z badania lub oględzin [abc]
report on disturbances wskaźnik zakłóceń [transp.]
report to the police doniesienie, denuncjacja, donos [praw.]
representation reprezentacja [inf.]; (→ analogue r.)
representation of knowledge reprezentacja wiedzy [inf.]
reproduce kontynuować; rozmnażać (*się*) [abc]
reputation reputacja, poważanie, znaczenie [abc]
request prosić; wypraszać; domagać się [abc]; żądać [inf.]
request prośba [abc]
request-centred control sterowanie żądań [inf.]
request for modification pragnienie zmiany [abc]
require potrzebować; wymagać [abc]

R

required wymagany [abc]

required building space wymagana powierzchnia oparcia [bud.]; wymagana powierzchnia pod budowę [abc]

required concentricity wymagana dokładność biegu [mot., masz., transp.]

required floor space przestrzeń wymagana [abc]

requirement zapotrzebowanie [wojsk.]; żądanie, warunek [abc]; (→ power r.; → flow r.)

requirements definition definicja wymagań [inf.]

requisition ustalenie zapotrzebowania [el.]

requisitioning ustalenie zapotrzebowania [abc]

reradiation odpromieniowanie [energ.]

rerailing wkolejać [mot.]

rerailing device wkolejnica [mot.]

reroute przekładać [transp.]

rescue ratunek [med.]

research and development badanie i rozwój [abc]

research badanie (*naukowe*); praca badawcza (*naukowa*) [abc]

research department dział badawczo-rozwojowy [abc]

reseating obróbka zużytych gniazd zaworowych [mot.]

reseda green zieleń rezedowa [norm.]

reservation zastrzeżenie [abc]

reserve zastrzegać (*sobie*) [abc]

reserve składowisko [górn.]; zapas [abc]

reserve fuel tank zapasowy zbiornik paliwa [mot.]

reserve mill młyn rezerwowy [energ.]

reserved bending strength zmiana kierunku obciążenia przy zginaniu [masz.]

reserved-spot method metoda stosów zarezerwowanych [inf.]

reserves zasób [górn.]

reservoir zbiornik, basen [bud.]; zbiornik (*powietrza*) [mot.]

reset zerować [transp.]

reset kasowanie; sprowadzenie do stanu wyjściowego [inf.]

reset button przycisk zwalniający [transp.]; guzik sygnalizacji zwrotnej [energ.]

reset button - step sag switch urządzenie opuszczania podnóżka [transp.]

reset position pozycja wyjściowa; położenie zerowe [energ.]

reset pulse impuls zwrotny [el.]

reset switch włącznik nastawczy [mot.]; łącznik sygnalizacji zwrotnej [energ.]

resident mieszkający obok/blisko (*czegoś*), sąsiad [abc]

resident engineer lokalny przedstawiciel inżyniera-konsultanta/doradcy [abc]

residential area teren mieszkaniowy; dzielnica mieszkaniowa [bud.]

residual hardness twardość szczątkowa [energ.]

residual material materiał resztkowy [abc]

residual oil olej pozostałościowy [energ.]

residual oil fired boiler kocioł ogrzewany olejem pozostałościowym [energ.]

residual products pozostałości [abc]

residual strain wydłużenie trwałe, wydłużenie plastyczne; odkształcenie [energ.]

residual stress naprężenie własne [tw.]

residual stress due to welding naprężenia spawalnicze [met.]

residue pozostałość [abc]; residuum [gleb.]; (→ sediment)

resign podawać się do dymisji [polit.]; rezygnować [abc]

resignation ustąpienie, dymisja [abc]

resilient seal uszczelka sprężysta [mot.]

resin żywicować; uzyskiwać żywicę, wydzielać żywicę [bot.]

resin żywica [tw.]

resistance wytrzymałość, odporność [masz.]; opór [abc] (→ acoustical r.; → choking r.; → drag for stretch; → drop r.; → extrinsic base r.; → inner r.; → port r.; → rolling r.; → starting r.; → total r.)

resistance fusion welding zgrzewanie oporowe [met.]

resistance network przewód oporowy [el.]

resistance to abrasion odporność na ścieranie [tw.]

resistance to flow opór przepływu [energ.]

resistance to forward motion opór jazdy [mot.]

resistance to shock or impact wytrzymałość udarowa, udarność [tw.]

resistance welding zgrzewanie oporowe [met.]

resistant odporny; (→ erosion-r.) trwały [tw.]

resistency wytrzymałość (*np. podnóżka*) [transp.]

resistive load line linia obciążenia rezystancyjnego [el.]

resistor opornik wstępny, opornik szeregowy, opornik stabilizacyjny; opornik [el.]; (→ heater plug r.); (→ inner r.)

resolution power zdolność rozdzielcza, rozróżnialność [masz.]

resonance (→ natural r.) rezonans; drganie, oscylacja [fiz.]

resonance curve krzywa rezonansu [fiz.]

resonance frequency częstotliwość rezonansu [fiz.]

resonance method metoda rezonansowa [fiz.]

resonance step-up przetężenie rezonansowe [fiz.]

resonance testing testowanie rezonansowe [abc]

resonant frequency (→ internal frequency) częstotliwość rezonansowa; częstotliwość rezonansu [fiz.]

resource allocation przydział zasobów [inf.]

resources zasoby naturalne [abc]; bogactwa naturalne ziemi [górn.]

respectable godny szacunku [abc]

respected poważany, szanowany, ceniony [abc]

respective ewentualny [abc]

respectively ewentualnie [abc]

respond odpowiadać [el.]; reagować [abc]

responding to flaw signals reagując na błędy [el.]

response odpowiedź [transp.]; skuteczność [el.]; reakcja [abc]; działanie sterów [mot.]

response delay opóźnianie reakcji [el.]

response threshold próg reakcji, próg zadziałania [el.]

response time czas zadziałania, czas aktywacji [el.]

responsibility odpowiedzialność [abc]; (→ professional r.)

responsible odpowiedzialny [abc]

responsive reaktywny [chem.]

rest odpoczywać; pauzować [abc]

rest odpoczynek; pozostałość; resztka [abc]; podpora [masz.]

rest potential napięcie spoczynkowe [el.]

restated figures liczby dopasowane [abc]

restaurant car wagon restauracyjny [mot.]

resting position położenie spoczynkowe [masz.]

R

restore przywracać [inf.]; regenerować [abc]; odświeżać [inf.]; odtwarzać [abc]; restaurować, odnawiać [bud.]

restored wyremontowany [mot.]

restricted ograniczony [abc]

restriction ograniczenie [abc]; zwężenie, przewężenie, gardziel; zmniejszenie, redukcja [mot.]

restriction of front tilt angle ograniczenie kąta pochylenia [transp.]

restriction of mast tilt speed ograniczenie prędkości wychylania [mot.]

restrictor przepustnica [mot.]

restructure restrukturyzować [abc]

result rezultat, skutek [abc]

resultant moments momenty wypadkowe [transp.]

resurfacing natapianie [met.]

retain zatrzymywać; podtrzymywać [bud.]

retainer podparcie drugostronne [transp.]; ustalacz [abc]; tarcza ustalająca, element ustalający; płyta przytrzymująca [masz.]; (→ spring r.) resor [transp.]

retainer plate płyta przytrzymująca [masz.]

retainer sleeve tuleja ustalająca [masz.]

retaining podparcie [masz.]

retaining bracket wspornik (*ustalający*) [mot.]

retaining clamp with bracket opaska zaciskowa ustalająca ze wspornikiem [masz.]

retaining pin przetyczka ustalająca [masz.]

retaining plate tarcza nośna hamulca bębnowego [masz.]

retaining ring pierścień ustalający [mot., masz.]

retaining ring with lugs pierścień zabezpieczający z uszkiem [masz.]

retaining spring sprężyna ustalająca [masz.]

retaliate odpłacać [abc]

retaliation odwet [abc]

retapped odrobiony, wykończony [mot.]

retard hamować; zwalniać; opóźniać [abc]; odwlekać [masz.]

retardation opóźnienie, przyspieszenie ujemne [mot.]

retarded spowolniony [mot.]; spóźniony [abc]; opóźniony umysłowo [med.]

retarded combustion dopalanie [energ.]

retarded ignitition zapłon ze zwłoką [energ.]

retarder hamulec torowy; zwalniacz, retarder [mot.]

retarder box zbiornik zbiorczy górny [energ.]

retarding opóźnianie [transp.]

retention retencja [energ.]; zatrzymywanie [abc]

retention efficiency wydajność retencji [energ.]

retest badanie powtórne; kontrola powtórna [abc]

retest specimen próbka do badania powtórnego [met.]

retighten dociągać [met.]

retightening dociąganie [met.]

retire przechodzić na emeryturę [abc]

retired rencista; emeryt [abc]

retirement przejście na emeryturę/rentę; emerytura [abc]

retirement funds fundusz emerytalny [abc]

retirement money renta [abc]

retorque dokręcać [met.]

retort type furnace piec retortowy [energ.]

retort-type slag-tap furnace piec tyglowy [energ.]

retract wciągać; wsuwać [transp.]; cofać się [energ.]

retractable wciągany [transp.]

retractable floor podłoże wciągane, podłoże chowane [górn.]

retracted wciągnięty [masz., transp.]

retraction ruch powrotny [transp.]; bieg wsteczny [energ.]; wycofanie się [mot.]; odprowadzanie; powrót, retrakcja [energ.]

retraining measure kroki podejmowane w celu przekwalifikowania [abc]

retread bieżnikowany (*obrotowo*) [mot.]

retreat wycofywać; cofać się [wojsk.]

retreat odwrót [wojsk.]

retroaction date antydatowanie [praw.]

retroactive działający wstecz [abc]

return oddawać [abc]

return oddźwięk; ruch powrotny; powrót; reakcja [abc]; (→ cinder r.; → fly ash r.)

return chain sprocket shaft wał nawrotny [transp.]

returned zwrotny, powrotny [abc]

returned value wartość zwrotna [inf.]

return form poświadczenie zwrotu towaru [abc]

return key klawisz danych [inf.]

return part zespół wymienny; część wymienna, część zamienna [masz.]

return pipe instalacja recyrkulacyjna; przewód (*rurowy*) powrotny [mot.]

return pulley wielokątne koło prowadzące [mot.]

return shipment zwrot, przesyłka zwrotna [abc]

return spring sprężyna powrotna [mot.]

return station stacja nawrotna; stanowisko zawracania [transp.]

return station with limit switch stacja nawrotna z wyłącznikiem krańcowym [transp.]

return temperature temperatura

cieczy powrotnej [energ.]

return to zero position powrót do pozycji zerowej [mot.]

return train pociąg w przeciwnym kierunku [mot.]

return tumbler koło zębate pośredniczące; koło prowadzące zwrotne [transp.]

reunited zjednoczony (*ponownie*) [polit.]

reusability używalność wielokrotna [inf.]

re-usable iron żelazo użytkowe [tw.]

rev. counter obrotomierz, licznik obrotów [masz.]

rev. regulator regulacja prędkości obrotowej [masz.]

rev. transmitter (*revolutions transmitter*) nadajnik obrotów [masz.]

rev/min obr/min [masz.]

revamping modernizacja [masz.]

reveal pin śruba podnośna [bud.]

revenge zemsta; rewanż [abc]

revenue office Urząd Skarbowy [abc]

reverberation time czas pogłosu [el.]

reversal of rotation zmiana kierunku wirowania [transp.]

reverse odwracać; zawracać [abc]; wstecz [mot.]

reverse-active region zakres aktywny zwrotny [el.]

reverse-biased kierunek zwrotny [el.]

reverse gear bieg wsteczny [mot.]

reverse gear stop ogranicznik biegu wstecznego [mot.]

reverse idler gear koło zębate biegu wstecznego [mot.]

reverse idler gear bushing tuleja mechanizmu biegu wstecznego [mot.]

reverse idler shaft oś kół biegu wstecznego [mot.]

reverse lever dźwignia zawracania [mot.]

R

reverse motion ruch przeciwbieżny [transp.]

reverse pinion zębnik biegu wstecznego [mot.]

reverse station stacja nawrotna; stanowisko odwracania [transp.]

reverse travel ruch wsteczny [transp.]

reverse twin gear koło dwuwieńcowe zębate biegu wstecznego [mot.]

reversible odwracalny; nawrotny [transp.]

reversible bucket łyżka dwukierunkowa; łyżka uniwersalna [transp.]

reversible power-shift gear przekładnia nawrotna [mot.]

reversing jazda do tyłu [mot.]

reversing gear przekładnia nawrotna [mot.]

reversing light światło cofania; reflektor jazdy do tyłu [mot.]

reversing lock blokada jazdy wstecz [mot.]

reversing shaft wał dwukierunkowy [transp.]

reversing station stanowisko nawracania [transp.]

reversing valve zawór zmiany kierunku (*przepływu*) [masz.]

reversing wheel koło nawrotne [masz.]

revet podpierać, wspierać [bud.]

revetment pokrycie skarpy, umocnienie skarpy [bud.]

revetted umocniony [bud.]

revetting umocnienie, wzmocnienie [bud.]

reviewed przeglądnięty [abc]

revise dokonać rewizji, przeglądu [abc]

revised poprawione i uzupełnione (*wydanie*) [abc]

revoke odwoływać, cofać [abc]

revolution obrót [masz.]

revolution counter obrotomierz, licznik obrotów [masz.]

revolutionary rewolucyjny [abc]

revolutions (revs, rpm) liczba obrotów (*na minutę*) [masz.]

revolutions per minute (R.P.M.) obroty na minutę [masz.]

revolving obrotowy; przestawny; odchylny, wychylny [abc]

revolving door drzwi obrotowe [bud.]

revolving fork clamp klamra widłowa obrotowa [mot.]

revolving frame nadwozie (*obrotowe*) [transp.]

revolving superstructure nadbudowa obrotowa [transp.]

revolving tipper wywrotka trójstronna [transp.]

revs/min (*revolutions per minute*) obr/min [masz.]

reweld spawać ponownie [met.]

reworking przerabianie; przeróbka [abc]

Reynold's number liczba Reynoldsa [energ.]

RF transformer transformator [el.]

RH (*right hand*) po prawej [rys.]

rheostat opornik nastawny [el.]

rhombus romb [abc]

RH-thread gwint prawoskrętny [masz.]

rhythm rytm [abc]

rib żebro [transp.]; żebro [med.]; żebro (*usztywniające*) [masz.]; oboknie, obdrzwia, oskrzynia [bud.]

ribbing użebrowanie [transp.]

rib bolt śruba żebrowana [mot.]

rib tread zarys rowka [mot.]

ribbed base plate płyta żebrowa [mot.]

ribbed base plate for switches podkładka żebrowa zwrotnicy [mot.]

ribbed base plate for track and switches podkładka żebrowa do linii kolejowych i zwrotnic [mot.]

ribbed base plate for tracks podkładka żebrowa do linii kolejowych [mot.]

ribbon wstążka; listwa drewniana, listewka drewniana [abc]; taśma metalowa [masz.]; (→ inking r.) taśma barwiąca [abc]

rice ryż [bot.]

rich gas gaz bogaty; gaz mocny [energ.]

rich gas burner palnik na gaz bogaty [energ.]

rich in ash o dużej zawartości popiołu [energ.]

riddlings przesyp przez ruszt [energ.]

riddlings hopper lej przepadowy (*przesiewczy*); lej przesypowy [energ.]

riddlings loss strata przesypowa [energ.]

ride jechać (*jako pasażer*) [mot.]

ride jazda; podróż; kurs; przejażdżka [abc]

rider pasażer [mot.]

rider's seat siedzenie pasażera; siedzenie pasażera pojazdu jednośladowego [mot.]

ridge redlina [transp.]; grzbiet (*górski*) [geol.]; kalenica [bud.]

ridge problem problem wałowania [inf.]

ridge ventilator wywietrznik dachowy [energ.]

riding light latarnia kotwiczna, lampa kotwiczna [mot.]

riding surface powierzchnia [transp.]

rifle karabin; sztucer [wojsk.]

rifle range (US) stanowisko strzeleckie; strzelnica [wojsk.]

rifling skręt gwintu lufy [wojsk.]

rig the sailing stawiać żagiel [mot.]

rigging (→ SS, sailing ship) takielunek, olinowanie [mot.]

rigging release spring sprężyna zwalniająca mechanizm [mot.]

right prawo [praw.]

right prawy; słuszny; poprawny [abc]

right angle check valve zawór zwrotny kątowy [masz.]

right angle grinder szlifierka kątowa [narz.]

right hand construction konstrukcja prawostronna [energ.]

right-hand crawler gąsienica prawa [transp.]

right-hand design typ prawostronny [transp.]

right-handed prawoskrętny [masz.]

right-hand thread gwint prawoskrętny [masz.]

right-hand traffic ruch prawostronny [mot.]

right-hand turning prawoskrętny [abc]

right of information self-determination prawo do samostanowienia informacji [praw.]

right of way teren kolei; trasa; pas drogowy [mot.]

right to vote prawo wyborcze [polit.]

rigid sztywny; stały [tw.]

rigid axle oś sztywna [mot.]

rigid axle principle zasada sztywnej osi [mot.]

rigidity module moduł sprężystości poprzecznej [tw.]

rigidity of test dokładność pomiaru [masz.]

rill strumyk [geogr.]

rim otoczyć obręczą [met.]

rim obręcz (*koła*); wieniec (*koła*) [mot.]; (→ base r.; → clincher r.; → detachable r.; → fixed r.; → flat-base r.; → semiflat-base r.; → stepped r.; → upper r.; → wellbase r.)

rim band ochraniacz dętki [mot.]

rim cracks pęknięcia obręczy, pęknięcia wieńca [mot.]

rim-fire cartridge nabój światła granicznego [wojsk.]

rim-fire igniter zapalnik światła granicznego [wojsk.]

R

rim fire ignition zapalnik światła granicznego [wojsk.]

rim ring pierścień koła [mot.]; (→ solid r. r.; ring → split r. r.)

rim tool narzędzia do ściągania kół i opon [mot.]

ring pierścień [abc]; pierścień; pierścień odległościowy [masz.]; (→ adjustable r.; → adjusting r.; → backing r.; → bearing r.; → centre r.; → clamp r.; → collector r.; → connecting r.; → cutting r.; → distance r.; → → driving r.; → grinding r.; → guard r.; → guide r.; → horn r.; → inner r.; → internal lipped r.; → joint r.; → lock r.; → locking r.; → O-r.; → oil thrower r.; → ornamental r.; → outer r.; → overlapping r.; → piston r.; → radiator safety r.; → removable r. flange; → retaining r.; → rubber r.; → scale r.; → scraper r.; → shim r.; → side r.; → slip r.; → snap r.; → spring r.; → supporting r.; → throttle r.; → toothed r.; → U-r; → V-r.; → wear r.)

ring balance meter manometr pierścieniowy [miern.]

ring clamp pierścień sprężynujący zabezpieczający [masz.]

ringface of piston powierzchnia czołowa tłoka [masz.]

ring gear koło zębate wewnętrzne (*o uzębieniu wewnętrznym*); koło zębate koronowe; koło zębate tarczowe [mot.]; (→ gear ring)

ring groove ball bearing łożysko kulkowe zwykłe [masz.]

ringing test próba dźwiękowa, próba dźwieku, próba na dźwięk [akust.]

ringing time czas pogłosu [fiz.]

ring-lubricated bearing łożysko smarowane pierścieniem [masz.]

ring nut nakrętka wieńcowa [masz.]

ring sealing pierścień samouszczel-

niający o przekroju okrągłym; pierścień sprężynujący zabezpieczający [masz.]

ring-shaped pierścieniowy [abc]

ring side powierzchnia toroidalna [masz.]

ring spanner klucz oczkowy [narz.]

ring support króciec pierścieniowy [mot.]

ring-top can puszka (*na napoje otwierana u góry rozdarciem specjalnego pierścienia*) [abc]

ring type retainer element ustalający pierścieniowy [mot.]

Ringelmann chart *skala stopnia zadymienia spalin* [energ.]

rinse wymywać, wypłukiwać [geol.]; płukać, przemywać; spłukiwać [masz.]

rinsing przepłukanie [masz.]

rip rozdzierać, zdzierać, zrywać [transp.]

ripe dojrzały [bot.]

ripened dojrzały [bot.]

ripper zrywarka, spulchniarka [transp.]

ripper bucket łyżka zrywająca [transp.]

ripper dozer równiarka gąsienicowa zrywająca [transp.]

ripper shank trzon zrywarki [transp.]

ripper tooth ząb stalowy; zrywak [transp.]

ripping depth głębokość zrywania [transp.]

ripping width szerokość zrywki [transp.]

ripple tętnienie [el.]

ripple voltage tętnienie resztkowe [el.]

ripsaw piła rozpłatnica [narz.]

RISC-architecture architektura typu RISC [inf.]

rise podnosić się; wschodzić; przybierać [abc]

rise wznoszenie [transp.]; (→ pres-

sure r.) wzrost [energ.]
riser przednóżek; podstopnica [transp.]; rura wznośna; kanał kominowy [energ.]
riser tube rura pionowa [energ.]
riser tubes header przewód zbiorczy pionowy [energ.]
rise time czas narastania [el.]
rising pionowy, wznoszący [abc]
rising flank powierzchnia boczna wstępująca [met.]
risk ryzyko (*wypadku*) [abc]
rival rywal [abc]
rivalry rywalizacja [abc]
river rzeka; ciek wodny [abc]
river bank brzeg rzeki [abc]
river course bieg rzeki [abc]
river mile mila rzeczna, kilometr rzeczny [abc]
riverine położony nad rzeką, nadrzeczny [abc]
rivet nitować [transp., met.]
rivet nit (*z łbem półkulistym*) [masz.]; (→ blind r.; → compression r.; → countersunk head r.; → flat countersunk head r.; → flat round head r.; → half round r.; → pop r.; → truss head r.; → tubular r.)
rivet catcher chwytak nitów [mot.]
rivet heater ogrzewacz nitów [mot.]
rivet hole otwór nitowy [masz.]
rivet joint połączenie nitowe [masz.]
rivet pin nitokołek [narz.]
rivet set dociskacz nitów [narz.]
riveted nitowany [masz.]
riveted hinged strap taśma metalowa zawiasowa nitowana [masz.]
riveter nitownica [narz.]
rivulet strumyczek [abc]
Rly (*GB: railway*) kolej [mot.]
road jezdnia; ulica [mot.]; droga [bud.]; szosa [mot.]; (→ allweather r.; → dry-weather r.; → earth r.; → feeder r.; → zig-zag r.)
roadability trzymanie się drogi [mot.]

road adjusting dopasowanie do jezdni, dopasowanie do toru [mot.]
road and offroad gear bieg szosowy i terenowy (*skrzynki przekładniowej*) [mot.]
road axis oś drogi [mot.]
road base warstwa nośna drogi [bud.]
road bearer warstwa nośna drogi [bud.]
road bed koryto drogi [bud.]
road bed construction budowa koryta drogi [bud.]
road binder spoiwo drogowe [bud.]
road bridge most drogowy [bud.]
road construction roboty drogowe; budowa dróg [bud.]
road construction department drogomistrzówka (*mieszkanie z magazynem*) [abc]
road cut przekop terenu [geol.]
road engineer inżynier budownictwa drogowego [bud.]
road finisher wykańczarka [bud.]
road finishing machine maszyna do budowy nawierzchni dróg [bud.]
road following course of countryside przekrój podłużny [transp.]
road fork rozjazd, rozwidlenie [mot.]
road gear bieg szosowy (*skrzynki przekładniowej*) [bud.]
road map mapa dróg [abc]
road marking poziome oznakowanie jezdni [mot.]
road material industry przemysł materiałów drogowych [górn.]
road rail excavator koparka dwudrogowa [transp.]
road resistance opór jazdy [mot.]
road roller (→ steam roller) walec drogowy [bud.]
road scarification pęknięcia drogi [bud.]
road scarification material materiał pochodzący z rozbiórki drogi [bud.]
roadside ditch rów drogowy [mot.]

R

roadstead reda [mot.]

road sub-base warstwa nośna dolna drogi [bud.]

road sweeper szczotka mechaniczna (*zamiatarki*); samochód zamiatarka, samochód ze szczotką mechaniczną; zamiatarka [mot.]

road sweeper attachment wyposażenie do zamiatania ulic [mot.]

road tanker cysterna drogowa; samochód-cysterna [mot.]

road test jazda próbna [mot.]

road traffic ruch uliczny [mot.]

road traffic law kodeks drogowy [mot.]

road transportable przystosowany do ruchu po drogach [mot.]

road transportation weight masa w transporcie drogowym [mot.]

road wearing course warstwa ścieralna nawierzchni drogi [bud.]

road with asphalt concrete droga asfaltobetonowa [mot.]

roadway bridge most drogowy [mot.]

robot robot [abc]

robot control sterowanie i nadzór nad urządzeniami technologicznymi [inf.]

robot programming programowanie zautomatyzowanych urządzeń technologicznych [inf.]

robot welder robot-spawacz [met.]

robotics robotyka [inf.]

robust mocny [abc]

robust hock mocny hak [masz.]

rock skała [geol.]; (→ dike r.; → effusive r.; → hard r.; → ingeneous r.; → loose r.; → metamorphic r.; → volcanic r.)

rock body nadwozie do transportu kamienia [abc]

rock bucket łyżka skalna (*koparki łyżkowej*); czerpak skalny (*koparki lub czerparki*) [transp.]

rock crushing rozpad kamienia [górn.]

rock crushing mechanism kruszarka do kamienia [górn.]

rock cutting zwierciny [bud.]

rock deflector odrzutnik kamieni [mot.]

rock drilling machine wiertarka do kamienia [górn.]

rock ejector wyrzutnik kamieni [mot.]

rocker wahacz, ramię [transp.]

rocker arm wahacz, ramię [mot.]

rocker arm bracket wspornik dźwigni dwuramiennej; kozioł wahacza [mot.]

rocker arm bush(-ing) tuleja dźwigni dwuramiennej [mot.]

rocker arm cover obudowa wahacza, osłona wahacza [mot.]

rocker <arm> shaft wał stawidła (*w silniku parowym*) [masz.]

rocker arm support wspornik wahacza [mot.]

rocker lever dźwignia wahliwa [mot.]

rocker shaft oś dźwigienek zaworowych (*w silniku spalinowym*) [mot.]

rocket motor igniter zapalnik silnika rakietowego [mot.]

rocket pack wiązka rakiet [mot.]

rock fall obryw skalny [abc]

rock formation formacja skalna [geol.]

rock-free wolny od kamieni [geol.]

rock guard ochrona przed spadającymi kamieniami; siatka do ochrony przed spadającymi kamieniami [transp.]

rocking chair bujak, fotel na biegunach [abc]

rock salt sól kamienna [min.]

rock shovel czerpak skalny (*koparki lub czerparki*) [transp.]

Rockwell hardness twardość według Rockwella [tw.]

rocky skalisty; kamienisty [geol.]

rod korbowód [mot.]; drążek skrzynki przekładniowej; łącznik [masz.]; (→ brake connector r.; → connecting r.; → gear change r.; → guide r.; → hanging r.; → locating r.; → metal r.; → plunger r.; → rear axle radius r.; → steering r.; → support r.; → switch r.; → tension r.; → towing r.; → track r.; → welding r.)

rodding pomoc przy pomiarze [miern.]

rod eye główka tłoka [mot.]

rod hanger wieszak na pojemniki, skrzynie [energ.]

rod holder uchwyt elektrody [met.]

rod side powierzchnia czołowa tłoka [masz.]

rodent szkodnik [bot.]

rodent damage szkoda wyrządzona przez szkodniki [bot.]

role-filling procedure procedura wypełniania ról [inf.]

role in discovery rola w odkryciach [inf.]

role in knowledge transfer rola w przekazywaniu wiedzy [inf.]

roll walcować [met.]; zwijać [masz.]

roll wałek [bud.]; walec [met.]; (→ centering r.) krążek [masz.]

roll back przechylać [transp.]

rollback limit ogranicznik wychylenia [transp.]

roll-back limitation ogranicznik przechyłu; ograniczenie przechyłu [transp.]

roll back limiter ogranicznik przepełnieniowy; ogranicznik przechyłu; ogranicznik wychylenia; osłona kołnierzowa; zabezpieczenie przed przesypaniem [transp.]

roll bar pałąk zabezpieczający [transp.]

roll clamp zacisk wałka [mot.]

roll crusher łamacz walcowy [górn.]

rolled walcowany; zawijany; w stanie walcowanym lub gładkim [masz.]

rolled end of a spring ucho sprę-

żyny, ucho resoru [masz.]

rolled fine-finish walcowany z zachowaniem wysokiej gładkości (*powierzchni*) [masz.]

rolled steel stal walcowana [tw.]

rolled steel channel (RSC) ceownik stalowy [masz.]

rolled steel joist (R.S.J.) belka dwuteowa; kształtownik stalowy walcowany [masz.]

rolled steel products wyroby stalowe walcowane [masz.]

rolled steel products of 2nd quality wyroby stalowe walcowane 2. klasy [masz.]

rolled steel sections kształtowniki walcowane [masz.]

roller łożysko rolkowe [masz.]; ciągnik, traktor [mot.]; wałek dolny; krążek [transp.]; walec [bud.]; rolka stopnia [transp.]; (→ carrier r.; → cylindrical r.; → diesel r.; → free wheel brake r.; → steel r.; → track r.)

roller assembly łańcuch drabinkowy tulejkowy [transp.]

roller bearing łożysko wałeczkowe [transp.]; łożysko wałeczkowe walcowe [mot.]; łożysko wałeczkowo-stożkowe [masz.]; łożysko rolkowe [mot.]

roller-bearing greasing smar stały do smarowania łożysk tocznych [masz.]

roller-bearing slew ring wieniec obrotowy (*łożyska wałeczkowego*) [masz.]

roller-bearing slewing ring wieniec obrotowy; wieniec obrotnicy rolkowy [transp.]; połączenie obrotowe rolkowe [masz.]

roller-bearing type axle box łożysko osiowe wałeczkowe [mot.]

roller bearing with spiral springs łożysko wałeczkowe ze sprężynami spiralnymi [mot.]

R

roller body korpus krążka gąsienicy [transp.]

roller bow pałąk przesuwny [transp.]

roller burnished rolkowany [masz.]

roller burnished internal cylinder wall rolkowana powierzchnia wewnętrzna ścian cylindra [masz.]

roller burnishing rolkowanie, nagniatanie rolkami [masz.]

roller cam uchwyt rolkowy [transp.]

roller carrier krążek nośny, wałek podpierający [transp.]; nośnik walca [górn.]

roller chain łańcuch drabinkowy tulejkowy [transp.]

roller conveyor przenośnik wałkowy [masz.]

roller conveyor level wysokość przenośnika wałkowego [masz.]

roller conveyor surface level wysokość powierzchni nośnej przenośnika wałkowego [masz.]

roller conveyor surface speed prędkość toczenia się [masz.]

roller cup pierścień wałka [masz.]

roller diameter średnica wałka [masz.]

roller finish (→ burnish) krążkowany, dogniatany [met.]

roller frame (→ track r. f.) kadłub krążka gąsienicy [transp.]

roller gear bed przenośnik wałkowy [masz.]

roller guide prowadnica rolkowa [transp.]

roller guide support kozioł środkujący, kozioł centrujący, kozioł osiujący [masz.]

roller pin kołek sprężysty [masz.]

roller plate płyta walcowana [masz.]

roller rack rama przenośnika wałkowego [masz.]

roller retainer ustalacz rolkowy [transp.]

roller-shutter roof dach opuszczany [mot.]

roller-sliding gate zasuwa rolkowa [masz.]

roller stool kozioł na kółkach [mot.]

roller table przenośnik wałkowy [masz.]

roller tappet popychacz rolkowy [masz.]

roller track prowadnica wałka prowadzącego [masz.]

roll feeder zasilacz walcowy [górn.]

rolling bearing łożysko toczne [masz.]

rolling friction tarcie toczne [masz.]

rolling friction losses straty na skutek tarcia tocznego [masz.]

rolling mill walcownia [masz.]

rolling motion ruch toczny [mot.]

rolling resistance opór tarcia tocznego [mot.]

rolling stock materiał walcowany; tabor kolejowy [mot.]

rollpin (→ dowel pin) kołek sprężysty [masz.]

roll the turbine uruchamiać turbinę, włączać turbinę [energ.]

roll welding zgrzewanie walcowaniem [met.]

ROM (*read only memory*) ROM; pamięć stała [inf.]

Roman numeral cyfra rzymska [abc]

roof przykrywać dachem [bud.]

roof dach [bud.]; strop [górn.]; (→ furnace r.; → sunroof)

roof aerial (GB) antena dachowa [mot.]

roof antenna (US) antena dachowa [mot.]

roof bow pałąk opończy [mot.]

roof burner palnik sufitowy (*umieszczony w stropie komory*) [energ.]

roof carline pałąk (*opończy*) [mot.]

roof circuit rurociąg sufitowy [energ.]

roof cleavage rozszczepienie stropu [górn.]

roof covering pokrycie dachu [bud.]
roofed zadaszony; pokryty dachem [bud.]
roof frame rama dachowa [bud.]
roof hatch wentylacja dachowa; wyłaz dachowy [bud.]
roofing slate łupek dachowy [bud.]
roofing tile dachówka holenderska [bud.]
roof lamp lampa sufitowa [bud.]
roof light okno w stropie, świetlik [abc]
roof overhang występ dachu [bud.]
roof panel pokrycie dachu [bud.]
roof purlin (→ purlin) płatew [mot.]
roof rail rynna dachowa [bud.]
roof support podpora warstwy stropowej; strop podparty [górn.]
roof tile dachówka [bud.]
roof ventilation hood otwór wentylacyjny w dachu [bud.]
roof ventilator wywietrznik dachowy [bud.]
roof window okno dachowe, dymnik [transp.]
roof window for living-room okno dachowe pokoju mieszkalnego [bud.]
rookie początkujący, nowicjusz, debiutant [abc]
room pomieszczenie; pokój [bud.]; (→ moist r.)
room temperature temperatura pokojowa [energ.]
root karczować [bot.]
root korzeń [met.]
root bend próba zginania z rozciąganiem grani [met.]
root bend specimen próbka do zginania z rozciąganiem grani [met.]
root case depth grubość warstwy utwardzonej u nasady zęba [met.]
root circle koło podstawowe [met.]; koło den wrębów, koło stóp, koło podstaw (w kole zębatym) [masz.]

root contraction skrócenie grani [masz.]
root crack pęknięcie graniowe spoiny [met.]
root defect brak przetopu [met.]
root diameter średnica koła stóp zębów (w kole zębatym) [masz.]
root face wysokość progu [met.]
root mean square value wartość skuteczna [el.]
root node wierzchołek podstawowy [inf.]
root opening odstęp rowka [met.]
root pass warstwa graniowa spoiny [met.]
root rake zgrabiarka korzeni; grabie do korzeni [transp.]
root ripper tooth kieł do karczowania [transp.]
rope powróz [abc]; lina, linka, powróz, gruba lina [masz.]; (→ asbestos r.; → two r.)
rope clamp złączka linowa, złącze linowe, ściski do liny [masz.]
rope clip zacisk linowy, ścisk do liny, wprzęgło [masz.]
rope-down device mechanizm opuszczania liny [mot.]
rope end koniec liny [mot.]
rope end tensioning device naprężacz liny [transp.]
rope excavator koparka linowa [transp.]
rope groove rowek (na linę) [górn.]
rope ladder drabinka sznurowa [mot.]
rope pulley krążek linowy [mot.]
rope sheave koło linowe, krążek linowy, tarcza linowa [mot.]
rope sheave with anti-friction bearing krążek linowy z łożyskiem tocznym [mot.]
ropeway kolej linowa [mot.]
rose bearing łożysko kulkowe wahliwe [mot.]
rosette rozeta [bud.]

rostrum mównica [abc]

rot gnić, próchnieć, butwieć [bot.]

rotary bale clamp skowa (*klamra*) obrotowa opasująca belę [transp.]

rotary blower sprężarka rotacyjna z wirnikiem łopatkowym, sprężarka z tłokiem obrotowym [transp.]

rotary connection połączenie obrotowe [transp.]

rotary converter przetwornica jednotwornikowa [el.]

rotary cooler chłodnica wodnorurkowa rotacyjna [energ.]

rotary cutter nożyce krążkowe [met.]

rotary device on 180° maszyna rotacyjna 180° [mot.]

rotary device on 360° maszyna rotacyjna 360° [mot.]

rotary distributor dystrybutor obrotowy [transp.]

rotary drill wiertarka obrotowa [transp.]

rotary drill rig wiertarka obrotowa [transp.]

rotary drive głowica puszkowa, okrętka puszkowa [transp.]

rotary drive torque moment obrotowy głowicy puszkowej [transp.]

rotary-dump equipment urządzenie wyładowcze pełnoobrotowe [mot.]

rotary dumper wywrotnica [transp.]

rotary feeder zasilanie talerzowe, dozowanie talerzowe [transp.]

rotary fork clamp klamra widłowa obrotowa [transp.]

rotary fork clamp with turnable forks klamra widłowa obrotowa z obracalnymi widełkami [transp.]

rotary gate valve zawór zasuwowy obrotowy [transp.]

rotary grind (→ mill) rozdrabniać; szlifować [narz.]

rotary grinder rozdrabniacz; szlifierka [narz.]

rotary grinder attachment przyrząd szlifierski [narz.]

rotary hopper zbiornik obrotowy [górn.]

rotary impact łamacz udarowy [górn.]

rotary kiln piec obrotowy (*rurowy*) [energ.]

rotary kiln dolomite sinter dolomit prażony w piecu obrotowym [min.]

rotary kiln plant piec obrotowy (*rurowy*) [energ.]

rotary kiln system piec obrotowy rurowy [energ.]

rotary motion ruch obrotowy [energ.]

rotary oil <and air> distributor wirnik [transp.]

rotary power siła obrotowa [masz.]

rotary pump pompa wirowa, turbopompa; pompa rotacyjna [masz.]

rotary revolving fork clamp klamra widłowa obrotowa z obracalnymi widełkami [transp.]

rotary rock cutter frezarka do kamienia [transp.]

rotary roll clamp klamra beczkowa obrotowa [transp.]

rotary switch łącznik pokrętny, przełącznik obrotowy [el.]

rotary tipper wywrotnica beczkowa [transp.]

rotary turret połączenie obrotowe [transp.]

rotary-type drum decindering plant maszyna bębnowa do usuwania zgorzeliny obrotowa [masz.]

rotary-type table decindering plant zawór obrotowy (*z zawieradłem obrotowym*) [masz.]

rotary valve zawór obrotowy; zawór suwakowy [masz.]; zawór obrotowy (*z zawieradłem obrotowym*) [energ.]

rotatable obrotowy [masz.]

rotate obracać; krążyć, kołować, obracać się [masz.]
rotate throughout 360 degrees obracać o 360 [transp.]
rotating obrotowy [abc]
rotating angle kąt obrotu, kąt skrętu [abc]
rotating assembly kadłub obrotowy; element obrotowy [mot.]
rotating drum clamp klamra beczkowa obrotowa [transp.]
rotating fault zakłócenie ruchu obrotowego [masz.]
rotating head głowica obiegowa [masz.]; głowica obrotowa chwytaka [transp.]
rotating head 180° głowica obrotowa o 180° [transp.]
rotating head 360° endless głowica obrotowa o 360° nieskończona [transp.]
rotating machinery maszyna przepływowa [transp.]
rotating roll clamp klamra rolkowa obrotowa [transp.]
rotating scanning head obrotowa głowica przeszukiwawcza [miern.]
rotation obrót [masz.]; obrót [mot.]; ruch obrotowy [abc]
rotation axis oś wahań [transp.]
rotation direction kierunek wirowania, kierunek obrotu [masz.]
rotation of the <tube> probe block obrót bloku sondy [masz.]
rotation of the scanning head obrót zespołu odczytującego [el.]
rotation symmetrical kołowo-symetryczny [masz.]
rotational section scan obraz przekroju w obrocie [masz.]
rotational section scan instrument urządzenie do odczytu obrazu przekroju w obrocie [masz.]
rotations/min. obr/min [masz.]
rotations per minute (rpm) obroty na minutę [masz.]

rotator element obrotowy, element wirujący; wirnik [masz.]
rotator distributor palec rozdzielacza zapłonu [mot.]
rotavator glebogryzarka [transp.]
rotocap kołpak obrotowy, pokrywa obrotowa [masz.]
rotopress garbage truck (US) śmieciarka z prasą zgniatającą [mot.]
rotor wirnik [el.]; rotor [transp.]; twornik, zwornik, kotwiczka [el.]; wirnik [mot.]
rotor blade łopata wirnikowa [mot.]
rotor feed hardening hartowanie posuwisto-obrotowe [masz.]
rotor of helicopter wirnik śmigłowca [mot.]
rotor shaft wał wirnika [mot.]
rotten nadgniły; zgniły; spróchniały, robaczywy; stęchły [abc]
rough szorstki; (→ unmachined) surowy [masz.]
rough brickwork szkielet konstrukcji [bud.]
rough cast tynk kamyczkowy; tynk surowy [bud.]
roughen frezować wstępnie [met.]
rough-grinding machine szlifierka-zdzierarka [narz.]
roughing and finishing lathes tokarki do obróbki zgrubnej i wykończeniowej [narz.]
roughing lathe tokarka-zdzierarka [narz.]
roughing mill zespół walcowniczy wstępny [masz.]
rough machine zdzierać, strugać; poddawać obróbce zgrubnej [met.]
rough machined zdzierany; obrobiony wstępnie; toczony wstępnie, toczony zgrubnie [met.]
roughness chropowatość [masz.]
roughness criteria jakość powierzchni, rodzaj powierzchni [masz.]; wielkość mierzona chropowatości [miern.]

R

roughness measuring device miernik chropowatości [miern.]

roughness of surface chropowatość powierzchniowa, szorstkość powierzchni, gładkość powierzchni [masz.]

rough size wymiar elementu w stanie surowym [rys.]

rough-stone pitching podkład kamienny [transp.]

rough terrain forklift truck wózek widłowy uniwersalny (*przeznaczony do pracy w terenie*) [transp.]

rough terrain lorry pojazd ciężarowy terenowy [mot.]

rough tube rura chropowata [masz.]

rough turn toczyć wstępnie na tokarce [met.]

round okrągły [masz.]; nabój; pocisk [wojsk.]; (→ half r.) nit z łbem półkulistym [masz.]

roundabout rondo, skrzyżowanie o ruchu okrężnym [mot.]

round bar pręt okrągły [masz.]

round bar test installation przyrząd kontrolny do prętów okrągłych [miern.]

round bar testing testowanie prętów okrągłych [miern.]

round billet kęs okrągły [masz.]

round cord ring pierścień sznurowy uszczelniający [masz.]

rounded zaokrąglony; obły [masz.]

rounded off zaokrąglony [masz.]

round handrail poręcz okrągła [masz.]

round header komora okrągła [energ.]

round head grooved pin nitokołek z łbem półkulistym [masz.]

round-head screw wkręt z łbem półkulistym [masz.]

roundhouse parowozownia (*przejazdowa*) [mot.]

rounding zaokrąglanie [masz.]

rounding off zaokrąglenie [abc]

round newel handrail poręcz okrągłego słupka balustrady [transp.]

round nut with drilled holes in one face nakrętka okrągła z otworami wierconymi w jednej powierzchni [masz.]

round nut with set pin hole in side nakrętka z przetyczką przesuwną [masz.]

round out zaokrąglać [masz.]

round relay przekaźnik okrągły [el.]

rounds materiał obrabiany okrągły; stal okrągła [masz.]

round slotted head nit z łbem półkulistym [masz.]

round steel stal okrągła [masz.]

round stock materiał obrabiany okrągły [masz.]

round string packing pierścień sznurowy [masz.]

round up zbierać [abc]

roundup przegląd (*np. wiadomości*) [abc]

route trasa; kurs; marszruta [mot.]; (→ length of r.)

route book rozkład jazdy; plan trasy [mot.]

route guidance wyznaczanie tras [inf.]

route of least resistance droga najmniejszego oporu [abc]

routine inspection kontrola rutynowa [abc]; okresowy obchód kontrolny; kontrola rutynowa [energ.]

routine maintenance regularna konserwacja [masz.]

routing kierowanie ruchu, marszrutowanie [el.]

row wiosłować [mot.]

row szereg; rząd [abc]

rpm (*r.p.m.; revolutions per minute*) obr/min, rev/min.; (→ revolutions per minute) liczba obrotów (*na minutę*) [masz.]

RR (*railroad*) kolej (PKP) [mot.]

RR crossing (*railway crossing*) rogatka [mot.]

RTA (GB: *road traffic act*) ustawa o ruchu drogowym [mot.]

rub trzeć; szorować [masz.]; wycierać [abc]; (→ grind, burnish, hone)

rubber guma [tw.]; wykładzina gumowa [transp.]; kauczuk [tw.]

rubber block support amortyzator gumowy [transp.]

rubber-bonded-to-metal component połączenie guma metal [masz.]

rubber-bonded-to-metal mounting zawieszenie gumowo-stalowe, zamocowanie gumowo-stalowe [masz.]

rubber boot nasuwka ochronna gumowa [transp.]; but gumowy [abc]

rubber coupling połączenie gumowe [masz.]

rubber cover protektor [transp.]

rubber cushion podkładka gumowa [mot.]

rubber-cushioned spring hanger wieszak resoru na podkładce gumowej [masz.]

rubber door-stop wkładka obiciowa [masz.]

rubber hollow spring sprężyna wydrążona gumowa [masz.]

rubber hose wąż gumowy [masz.]

rubber industry przemysł gumowy [masz.]

rubber insert wkładka gumowa [mot.]

rubber isolator izolator gumowy [mot.]

rubberizing gumowanie [masz.]

rubber line kolej dojazdowa, kolej drugorzędna [mot.]

rubber-lined gumowany [masz.]

rubber-lined pipe rura ogumowana [masz.]

rubber lining okładzina gumowa [transp.]; gumowanie [masz.]

rubber mats artykuły gumowe [masz.]

rubber mats and conveyor belts artykuły gumowe i taśmy przenośnikowe [masz.]

rubber-metal bond połączenie guma metal [masz.]

rubber-metal connection łącznik gumowo-metalowy [masz.]

rubber moulding profil kauczukowy od mocowania szyby [transp.]

rubber moulding buffer on glass zamocowanie szyby [masz.]

rubber mounting zamocowanie na podkładkach gumowych [transp.]

rubber plate płytka gumowa [masz.]

rubber-protection sleeve osłona izolująca gumowa [masz.]

rubber roll wałek gumowy [mot.]

rubber seal uszczelka gumowa [masz.]

rubber-sealed cable izolator wejściowy przewodów [el.]

rubber section profil uszczelki kształtowej [mot.]; guma profilowana [masz.]; (→ sealing section)

rubber spring buffer zderzak sprężynowy gumowy [masz.]

rubber-spring mounted sprężynowany gumowo [masz.]

rubber-spring mounting resorowanie gumowe [masz.]

rubber strip pas gumowy [tw.]; wykładzina gumowa [masz.]

rubber suspension resorowanie gumowe [masz.]

rubber tray korytko gumowe [transp.]

rubber tyre carrier podwozie kołowe ogumione [masz.]

rubber-tyred loader (→ wheel loader) ładowarka kołowa [transp.]

rubber-tyred road roller walec drogowy na oponach pneumatycznych [bud.]

R

rubber-tyred shovel (→ wheel loader) koparka na oponach pneumatycznych [transp.]

rubber universal joint przegub krzyżowy ogumowany [masz.]

rubber valve zawór gumowy; zawór ochronny [masz.]

rubbing tarcie [masz.]

rubbing strip belka odbojowa [masz.]

rubbing surface powierzchnia tarcia [abc]

rubble gruz budowlany, odpady budowlane [bud.]; gruz, kamień polny, kamień łamany [masz.]; otoczaki; rumowisko skalne [geol.]

rubble masonry mur z kamienia łamanego [bud.]

rubble pavement bruk z kamienia polnego, nawierzchnia z brukowca [bud.]

ruby rubin [min.]

ruby red czerwony rubinowy [norm.]

rucksack (→ knapsack) plecak [abc]

rudder ster (statku); koło sterowe; urządzenie sterujące [mot.]

rudimentary inspection badanie podstawowe [med.]

rug dywan; plecionka, mata [abc]

rugged odporny [abc]

ruins ruina [abc]

rule reguła [inf.]; (→ augmented r.; → context-free r.; → grammar r.; → if-then r.; → r. of inference; → sound r. of inference)

rule-based system system regułowy [inf.]

rulelike principles zasady regułopodobne [inf.]

rule misapplications niewłaściwe zastosowanie reguł [inf.]

rule of inference reguła wnioskowań [inf.]

rule of the thumb żelazna reguła [abc]

rules from experience reguły wynikające z doświadczenia [abc]

rules on warranty policy and procedures przewodnik po przepisach i procedurach gwarancyjnych; zbiór reguł postępowania w przypadku roszczeń z tytułu gwarancji [abc]

ruling gradient pochylenie dopuszczalne [mot.]

rum time environment środowisko przetwarzania [inf.]

rumble grzmieć [abc]

rumour pogłoska [abc]

run zużywać się [abc]

run pozycja spoiny [met.]

run bearing łożysko zużyte [masz.]

run down podupadły, zaniedbany, upadły [abc]

run free pracować na biegu jałowym; poruszać się swobodnie [abc]

rung kłonica; szczebel (drabiny) [abc]

run in docierać [masz.]

run into zderzyć się [abc]

runner rail szyna jezdna [transp.]

running bieżący [abc]

running bieg [masz.]

running board stopień [mot.]; pomost [masz.]; pomost [mot.]

running board support uchwyt przy stopniu [mot.]

running characteristics właściwości eksploatacyjne [mot.]

running clearance luz roboczy [masz.]

running direction kierunek ruchu, kierunek jazdy [transp.]

running feature charakterystyka pracy [transp.]

running gear zespół jezdny [transp.]

running-in tube rura wlotowa [masz.]

running performance jakość pracy [mot.]

running plate blacha zabezpieczająca [mot.]

running program program przebiegu (*np. produkcji*) [abc]

running surface obręcz (*koła*); powierzchnia toczna [mot.]

running synchronous pracujący synchronicznie [transp.]

running track droga przebiegu, przebieg [mot.]

running water woda bieżąca [bud.]

run-off (→ drain) spływ, odpływ [transp.]

run-off section odcinek odpływu [abc]

run-off tab blacha wybiegowa [met.]

run-of-the-mine coal urobek węglowy, węgiel niesortowany [górn.]

runout zakończenie [met.]

runout of seam wada spoiny, przerwanie spoiny [met.]

run-out plate przerwanie formy [met.]

run over przelewać (*się*) [abc]; przejeżdżać [mot.]

run under wjeżdżać (*wbijać się*) pod [mot.]

run up zwiększać liczbę obrotów [masz.]

runway pas startowy; droga do kołowania [mot.]

rupture pękać, rozpadać się [masz.]; **rupture** pęknięcie, przełom; przerwanie [masz.]

rupture strength naprężenie nominalne, naprężenie niszczące [tw.]

rush silny [mot.]; śpieszyć się [abc]

rush of traffic natężenie ruchu [mot.]

rust rdza; tlenek żelaza [chem.]

rust and scale zgorzelina [abc]

rusted zardzewiały [abc]

rust inhibitor środek przeciwkorozyjny; ochrona przed rdzewieniem [masz.]

rust-proof nierdzewny; odporny na korozję [masz.]

rust stain plama rdzy [masz.]

rusty zardzewiały [masz.]

rut ryć koleinami [mot.]

Ruths steam accumulator zasobnik Ruthsa [energ.]

RV (*recreational vehicle*) pojazd campingowy; samochód turystyczny [mot.]

rye żyto [bot.]

S

S/No numer pozycji (*w spisie*) [abc]

sabot drewniak; sabot [abc]; szczęka hamulcowa [mot.]

sabotage sabotaż [wojsk.]

sack wór, worek [abc]

sacrifice rezygnować, poniechać; poświęcać (*się*); składać ofiarę, ofiarować [abc]

saddle siodło [abc]; siodło podłużne [mot.]

saddle loco (GB) parowóz tendrzak, lokomotywa kusa [mot.]

saddle engine (US) parowóz tendrzak, lokomotywa kusa [mot.]

saddle key klin wzdłużny wklęsły [masz.]

saddle tank naczepa-cysterna [mot.]

saddle-back wagon car wagon samowyładowczy z dnem siodłowym [mot.]

sadness smutek, żałość, żałoba [abc]

safe ratować [polit.]

safeguard czujnik [masz.]; (→ pressure s.)

safe load indicator (SLI) wskaźnik obciążenia dopuszczalnego [transp.]

safe vehicle pojazd bezpieczny [mot.]

safety bezpieczeństwo; obrona [abc]

safety at work bezpieczeństwo pracy [abc]

safety bar drążek bezpieczeństwa [masz.]; uchwyt bezpieczeństwa chwytaka [transp.]

safety boot obuwie robocze; obuwie ochronne [abc]

safety cartridge nabój bezpieczny [masz.]

safety chain łańcuch bezpieczeństwa [transp.]

safety circuit układ bezpieczeństwa [el.]

safety clothes ubranie ochronne, odzież ochronna [abc]

safety clothing odzież ochronna [abc]

safety clothing items środki ochrony osobistej [abc]

safety clutch sprzęgło przeciążeniowe [masz.]

safety code norma bezpieczeństwa [norm.]

safety conductor zasuwa awaryjna [transp.]

safety contact styk bezpieczeństwa [transp.]

safety device urządzenie zabezpieczające [transp.]

safety device for reversing urządzenie ostrzegawcze jazdy wstecz [mot.]

safety distance odstęp bezpieczeństwa [mot.]

safety function funkcja bezpieczeństwa [masz.]

safety fuse lont zapalający bezpieczny [górn.]

safety glass szkło ochronne [masz.]

safety grate krata bezpieczeństwa [masz.]

safety grating krata bezpieczeństwa [masz.]

safety lever główna dźwignia bezpieczeństwa [transp.]; dźwignia bezpieczeństwa [mot.]

safety load hook hak ładunkowy zabezpieczający [transp.]

safety lock bezpiecznik; zamek bezpieczeństwa [masz.]

safety margin margines bezpieczeństwa [masz.]

safety match lont zapalający [górn.]

safety pin agrafka [abc]

safety precautions środki bezpieczeństwa [masz.]; środki zapobiegania nieszczęśliwym wypadkom; środki zapobiegawcze [abc]

safety regulations przepisy zapobiegania nieszczęśliwym wypadkom [abc]

safety requirements przepisy bezpieczeństwa [abc]

safety ring pierścień zabezpieczający [masz.]

safety rope (→ emergency cord) lina awaryjna [transp.]

safety shoes obuwie ochronne [abc]

safety switch wyłącznik bezpieczeństwa [el.]

safety tab washer podkładka ustalająca; podkładka sprężysta [masz.]

safety valve zawór (*nadmiarowy*) bezpieczeństwa [mot.]; (→ spring-loaded s. v.)

safety valve connection podłączenie zaworu bezpieczeństwa [masz.]

safety valve lever dźwigienka zaworowa [masz.]

saffron yellow żółcień szafranowy [norm.]

sag opuszczanie podnóżka [transp.]

sagging ugięcie [masz.]

sail żeglować; wychodzić w morze; odbijać [mot.]

sail żagiel [mot.]

sail boat żaglówka [mot.]

sailcloth płótno żaglowe [mot.]

sailing żeglowanie [żeg]; wychodzenie statku w morze [mot.]

sailing ship żaglowiec [mot.]

sailor marynarz; majtek [abc]

sake rzecz [abc]

saleability analyse analiza sprzedaży towaru [inf.]

sales activity działalność handlowa [abc]

sales aid promocja zbytu [abc]

sales commission prowizja od sprzedaży [abc]

sales engineer kierownik sprzedaży [abc]

sales exposure dochód z obrotu [praw.]

sales manager kierownik działu zbytu, kierownik sprzedaży [abc]

sales net sieć handlowa [abc]

salient główny, najważniejszy, zasadniczy, podstawowy [abc]

salient curve zakręt wystający, zakręt wysunięty [mot.]

salification zasolenie [masz.]

saline soil gleba zasolona, sołoniec [masz.]

salmon pink czerwień łososiowa [norm.]

saloon coach wagon salonowy, wagon-salonka [mot.]

salt (→ soluble s.) sól [abc]; sól do posypywania [mot.]

salt carry-over porywanie soli [energ.]

salt content zawartość soli [energ.]

salt-glazed glazurowany [abc]

salty słony [abc]

salvage złomować [mot.]

salvage wykorzystanie odpadków [rec.]

salvage and towing crane dźwig ratowniczo-awaryjny [mot.]

salvage vessel pojazd ratowniczy; statek ratowniczy [mot.]

salvaging złomowanie [mot.]

salvaging company przedsiębiorstwo złomujące [mot.]

sample próbować [abc]

sample próbka; wzorzec [abc]; (→ coal s.; → flue gas s.; → fly ash s.; → laboratory s.; → undisturbed s.; → waste gas s.)

sample cock kurek probierczy [mot.]

sample cube kostka próbna, próbka w kształcie kostki [mot.]

sample extraction station stacja pobierania próbek [miern.]

sampler (→ fixed position s.) próbnik pozycyjny [miern.]

sampling próbkowanie [mot.]

sampling device urządzenia do pobierania próbek [miern.]

sampling of coal próbkowanie węgla, pobieranie próbek wegla [miern.]

sampling oscilloscope oscyloskop stroboskopowy [el.]

sampling pulse impuls próbkowy [transp.]

sampling tube zgłębnik rurkowy [masz.]

sand piasek [min.]; (→ quicksand)

sand blast strumień piaskowania [narz.]

sand blasted piaskowany, oczyszczony strumieniem piasku [narz.]

sandblasting piaskowanie, oczyszczanie strumieniem piasku [narz.]

sandbox piaskownica [mot.]

sander piasecznica [mot.]

sanding belt pas ścierny [masz.]

sandpaper papier ścierny piaskowy [masz.]

sand pipe piasecznica; rura piasecznicy [mot.]

sand pit piaskownia, odkrywka piasku [abc]

sandy piaszczysty, sypki, miałki [abc]

sand yellow piaskowy, w kolorze piaskowym [norm.]

sandy loam piasek formierski bardzo tłusty [gleb.]

sandal sandał [abc]

sandstone piaskowiec [min.]

sandwich element element przekładkowy [masz.]

sanitarium sanatorium [med.]

sanitation wywóz śmieci; miejskie

S

przedsiębiorstwo oczyszczania [rec.]

saphyre szafir [min.]

saponification resistant odporny na zmydlanie [masz.]

saponing (US) zmydlać, hydrolizować [chem.]

sapphire blue błękit szafirowy [norm.]

sapropel sapropel, osad przefermentowany, namuł (*organiczny*); szlam, muł [gleb.]

sarcophagus sarkofag [abc]

sash pas; szarfa [abc]

sash line lina konopna [abc]

satisfaction zadowolenie [abc]

satisfactory zadowalający [abc]

satisfiable expression wyrażenie w logice możliwe do spełnienia [inf.]

satisfied zadowolony, usatysfakcjonowany [abc]

saturate nasycać, impregnować [abc]; wysycać [chem.]

saturated steam para nasycona [mot.]; para nasycona, para mokra [energ.]

saturated steam locomotive parowóz [mot.]

saturated steam temperature temperatura pary nasyconej, temperatura pary mokrej [energ.]

saturation nasycanie; (→ degree of saturation) stopień nasycenia [masz.]

saturation carbon węgiel do nasycania [chem.]

saturation characteristic charakterystyka nasycenia, właściwości nasycenia [el.]

saturation current prąd nasycenia [el.]

saturation factor współczynnik nasycenia [el.]

saturation of cast-iron nasycanie żeliwa [tw.]

saturation region obszar nasycenia, zakres nasycenia [el.]

saucer-shaped disc ring pierścień talerzowy skręcany [mot.]

sausage parówka [abc]

save zapisywać w pamięci; zabezpieczać [inf.]

saw piłować [met.]

saw piła [met.]; (→ cold s.; → metal s.)

saw blade brzeszczot piły [met.]

saw bow rama piły; oprawa piły [met.]

sawbuck kozioł do piłowania [met.]

saw-cut rzaz (*w drewnie*), przepił (*w kamieniu*) [met.]

saw dust mączka drzewna, trociny [met.]

sawhorse kozioł do piłowania [masz.]

sawmill tartak [masz.]

sawn timber tarcica, materiał tarty [abc]

saw-tooth generator generator drgań piłokształtnych, generator przebiegu piłokształtnego, generator relaksacyjny [el.]

scaffolding rusztowanie [bud.]; deski i bale (*na rusztowanie*); sztalugi [abc]; (→ timber s.)

scale zdzierać [górn.]

scale podziałka, skala; stopień [rys.]; podziałka [el.]; (→ loose s.) kamień kotłowy [met.]; waga [miern.]

scale deposit kamień kotłowy [energ.]

scale division podziałka skali [miern.]

scale expansion rozszerzone odchylenie podstawy czasu [el.]

scale figure cyfra skali [miern.]

scale marker znacznik skali [miern.]

scale pointer wskaźnik skali [miern.]

scaler dzielnik częstotliwości [el.]

scale value wartość działki elementarnej podziałki [miern.]

scaling tworzenie się zgorzeliny [met.]

scan skanować; odczytywać [el.]; badać, penetrować [abc]

scan obraz (*odczytany*), obraz ze-skanowany [el.]

scan display ekran odczytujący [el.]

scandal skandal [abc]

scandalous skandaliczny [abc]

scanner urządzenie odczytujące [abc]; skaner [inf.]

scanning przeszukiwanie [el.]

scanning channel kanał kontrolny [el.]

scanning cycle cykl przeszukiwania [el.]

scanning edge krawędź wygładzająca [masz.]

scanning element element skaningowy [masz.]

scanning frequency częstotliwość przeszukiwania [el.]

scanning helix ścieżka wybierania śrubowego, ścieżka zapisu ukośnego [el.]

scanning roll krążek skaningowy [transp.]

scanning sensitivity czułość przeszukiwania [abc]

scanning site obszar przeszukiwania [abc]

scanning speed szybkość wybierania, szybkość analizy [el.]

scanning track ścieżka przeszukiwania [el.]

scanning tube rurka pomiarowa [el.]

scanning zone strefa przeszukiwania [el.]

scanning density gęstość przeszukiwania [el.]

scar blizna [med.]

scarcity niedobór, brak [abc]

scarifier zrywarka tylna do płytkich robót, spulchniarka tylna do płytkich robót [mot.]; zrywarka, spulchniarka [transp.]

scatter rozproszenie [masz.]

scatter band pasmo rozrzutu [el.]

scattered rozproszony, rozwiany, rozsypany [abc]

scattered energy energia rozproszona [el.]

scattering coefficient współczynnik rozproszenia [el.]

scattering matrix macierz rozproszenia [el.]

scavenge line przewód przepłukiwania; przewód płukania wstecznego [masz.]

scavenge pump pompa przedmuchująca; pompa przepłukująca [mot.]; pompa przepłukująca wsteczna [masz.]

schedule rozkład jazdy [mot.]; spis tabelaryczny, wykaz tabelaryczny; harmonogram [abc]; plan robót konserwacyjnych [masz.]; (→ construction s.) spis, wykaz, lista [bud.]

schedule of work harmonogram prac [abc]

scheduled zaplanowany; planowy [mot.]

scheduled arrival planowy przyjazd [mot.]

scheduled departure planowy odjazd [mot.]

schematic schemat funkcjonalny [mot.]; rysunek [rys.]

schematics schemat, układ połączeń, plan połączeń [rys.]

scheme zarys, plan, szkic, koncept [masz.]

Schmitt-Trigger-circuit układ spustowy Schmitta, przerzutnik Schmitta [el.]

school szkoła [abc]

school bus autobus szkolny, gimbus [mot.]

scientific research badanie naukowe [abc]

S

scientific community środowisko naukowe [inf.]

scissor lift podnośnik nożycowy, dźwignik nożycowy [masz.]

scissors układ nożycowy, ułożenie nożycowe, układ krzyżowy [masz.]; nożyce [met.]

scissors crossing (→ crossover) rozjazd krzyżowy, rozjazd angielski [mot.]

scissor type jack dźwignik nożycowy [mot.]

scoop czerpać; szuflować; zgarniać szuflą [transp.]

scoop łyżka (*koparki*), kubeł (*przenośnika*) [transp.]

scooter skuter [abc]

scope zakres; zasięg [abc]; zakres zastosowania; rozmiar [masz.]; zasięg [inf.]

scope of analysis zakres analizy, obszar analizy [met.]

scope of life dziedzina życia [praw.]

scope of order rozmiar zamówienia [rys.]

scope of shipment wielkość wysyłki [mot.]

scope of supply zakres dostawy [rys.]

scope range of use zakres zastosowania; zakres obowiązywania [abc]

score osiągać [abc]; nacinać; zarysowywać [met.]

scored ponacinany [masz.]

scoring mechanism mechanizm oceniania [inf.]

Scotch block podstawka klinowa, hamulec klinowy [mot.]

scour szorować [abc]; czyścić [met.]

scouring zacieranie tynku [bud.]; podmywanie [gleb.]

scow (→ barge) barka, szkuta [mot.]

scrap złomować [masz.]

scrap złom [masz.]; ścinki, złom, odpady [met.]; (→ cast iron s.)

scraper zgarniarka; skrobak [transp.]; zgarniarka łyżkowa oponowa; zgarniarka ciągnikowa doczepna; zgarniak [mot.]; zbierak, zgrzebło [transp.]

scrap grapple chwytak wieloszczękowy do złomu [mot.]

scrap preparartion (→ processing) przeróbka złomu [rec.]

scrap shear nożyca złomowa [transp.]

scrap yard składowisko złomu [masz.]

scrape drapać [abc]; skrobać; zeskrobywać; poszukiwać [masz.]

scraper body łopata mechaniczna zgarniarki [mot.]

scraper bow kabłąk zgarniaka [transp.]

scraper chain conveyor przenośnik łańcuchowy; zgrzebło łańcuchowe, zgarniak łańcuchowy [górn.]

scraper ring pierścień tłokowy zgarniający [mot.]; pierścień tłokowy zgarniający [masz.]

scraper tractor ciągnik zgarniarki doczepnej; blok napędowo-sterowniczy zgarniarki [mot.]

scraper trailer zgarniarka przyczepna [mot.]

scratch ryć; drapać [masz.]

scratch zadrapanie, rysa [masz.]

scratchable podatny na zarysowania (*zadrapania*) [masz.]

scratch test próba zarysowania [masz.]

scree piarg [geol.]

screed jastrych [bud.]

screen rastrować [masz.]; sortować [inf.]; sprawdzać [polit.]

screen ekran; monitor [inf.]; kask ochronny, chełm ochronny [masz.]; raster, siatka [abc]; przesiewacz; stacja sit [górn.]; siatka na muchy (*np. na drzwi, okno*) [bud.]; (→ cooling s.; → display; → slag s.; → sub s.)

screen cloth tkanina na sita [górn.]

screen current prąd siatkowy [el.]

screen display wyświetlanie na ekranie [inf.]

screened cyclone arrangement oddzielacz cyklonowy osłonięty [górn.]

screening ekranowanie [masz.]; (→ fine s.) przesiewanie [górn.]

screening installation (→ screening plant) instalacja przesiewająca [górn.]

screening plant sortownik [transp.]

screening unit sortownia [górn.]

screen marker znacznik czasu [inf.]

screen out odsiewać, przesiewać [górn.]

screen pattern triggering wyzwalanie wyświetlania [el.]

screen plate płyta osłaniająca; płyta przesiewacza [górn.]

screen text teletekst [inf.]

screen tube przewód rurowy przesiewacza [energ.]

screw przymocowywać śrubą, przykręcać, przyśrubowywać [masz.]

screw ślimak; śrubowiec parowy [mot.]; śruba zamykająca, korek gwintowy; zaślepka [transp.]; wkręt [masz.]; (→ adjusting s.; → air discharge s.; → Allen s.; → capstan s.; → countersunk head tapping s.; → flat head machine s.; → flat head s.; → hammerhead machine s.; → hexagon head tapping s.; → hexagon head wood s.; → hexagon socket s.; → hollow s.; → idle adjusting s.; → idle air adjusting s.; → knurled thumb s.; → pan head s.; → pan head tapping s.; → round-head s.; → s. and washer assemblies; → s. plug; → screwed inserts; → self drilling s.; → self-tapping s.; → socket s.; → spring s.; → tapping s. assemblies; → tapping s.; → thread cutting s.; → thread rolling s.; → vent s.; → water discharge s.; → wing s.; → wood s.)

screw-acted arresting brake hamulec postojowy wrzecionowy [mot.]

screw bolt śruba z dwustronnym gwintem [masz.]

screw cap nakrętka, zamknięcie gwintowe [masz.]; zamknięcie gwintowe [mot.]

screw clamp zwornica śrubowa [transp.]

screw connection połączenie śrubami, złącze śrubowe [masz.]; (→ cable s. c.)

screw conveyor przenośnik ślimakowy, przenośnik śrubowy [górn.]; podajnik śrubowy, zasilacz ślimakowy, dozownik ślimakowy [masz.]

screw coupling sprzęg śrubowy [mot.]

screw-down bolt sworzeń sprężysty [mot.]

screw driver wkrętak, śrubokręt [narz.]

screwed insert wkładka gwintowana [masz.]

screwed-on flange kołnierz nakręcany [masz.]

screw gear koło o zębach śrubowych, koło zębate śrubowe [masz.]

screwhead łeb śruby [masz.]

screw-in socket króciec wkręcany [masz.]

screwing połączenie śrubami, złącze śrubowe [transp.]

screwing jack dźwignik śrubowy [masz.]

screw jack wciągarka stojakowa, dźwignik śrubowy [masz.]

screw neck szyjka śruby [mot.]

screw nut nakrętka [masz.]

screw plug śruba zamykająca, korek gwintowy [mot.]

screw pump pompa śrubowa, pompa helikoidalna [energ.]

S

screw socket oprawka wkrętaka; złączka gwintowana nakrętna; dwuzłączka [masz.]

screw spike wkręt szynowy [mot.]

screw spindle wrzeciono hamujące [mot.]

screw stud kołek gwintowany [masz.]

screw tap gwintownik [narz.]

screw thread gwint (*śrubowy*) [masz.]

screw-type garbage truck śmieciarka bębnowa ślimakowa [mot.]

screw-type oil seal uszczelnienie olejowe labiryntowe [masz.]

screw-type refuse-collection vehicle śmieciarka bębnowa ślimakowa [mot.]

screw type retainer bezpiecznik wkrętowy [mot.]

scribe trasować [masz.]

scribed (→ marked) trasowany [masz.]

scriber rysik traserski [masz.]

script rękopis, manuskrypt [abc]

scrive board plan owręża [mot.]

scrole wał ślimakowy [masz.]

scroll (przewijać [inf.]

scrub szorować [abc]

scrubber baffle oddzielacz [energ.]

scuff ryć koleinami; zdzierać (*się*), zacierać się [mot.]

scuffing zacieranie się [mot.]

sculpture piedestał; rzeźba [abc]

scupper spławnik [mot.]

S-curve zakręt typu S [mot.]

scurvy szkorbut [mot.]

s-dish hopper wagon with pivoting sector doors wagon samowyładowczy bocznozsypny z zaworem suwakowym obrotowym [mot.]

sea morze [geogr.]

seabed dno morskie [abc]

seagull mewa [bot.]

sea level poziom morza, powierzchnia morza; pm; punkt zerowy normalny [mot.]

sea transport transport morski [mot.]

sea water słona woda; woda morska [abc]

sea wave fala przypływu [abc]

seal uszczelniać [masz.]; pieczętować, stemplować [polit.]; lakierować [bud.]

seal uszczelnienie, uszczelka; pierścień samouszczelniający o przekroju okrągłym [masz.]; pieczęć [abc]; pierścień uszczelniający typu Simmera [mot.]; spinka metalowa do spinania taśmy ściągającej (*opakowanie*); pierścień uszczelniający [transp.]; (→ asbestos sealing; → axial s.; → labyrinth s.; → O-ring s.; → oil s.; → radial s.; → rear grate s.; → resilient s.; → rubber s.; → sealing cover; → side grate s.)

seal air fan wentylator śluzowy [energ.]; dmuchawa powietrza uszczelniającego młyn [masz.]

sealed uszczelniony [transp.]; obudowany; uszczelniony [masz.]; zaślepiony [mot.]

sealed beam reflektor z wkładem optycznym nierozbieralnym [mot.]

sealed headlight unit wkład reflektora nierozbieralny [mot.]

sealed pressure overflow of radiator uszczelniony zawór nadciśnieniowy chłodnicy [mot.]

sealing uszczelnienie; profil zaciskowy, uszczelka zaciskowa; zamknięcie nawierzchni, utrwalenie zamykające nawierzchni [mot.]

sealing agent środek uszczelniający [masz.]

sealing air śluza powietrzna [energ.]

sealing air fan wentylator śluzowy [energ.]

sealing and retaining clamp opaska zaciskowa przewodu giętkiego [masz.]

sealing band taśma uszczelniająca [masz.]

sealing box skrzynka kablowa końcowa [el.]

sealing brush szczotka uszczelniająca [transp.]

sealing casing osłona uszczelki [transp.]

sealing compound masa uszczelniająca; masa zalewowa, zalewa [masz.]

sealing face powierzchnia uszczelniająca, powierzchnia uszczelnienia, przylga [masz.]

sealing gland uszczelnienie dławieniowe [masz.]

seal joint zamknięcie z pierścieniem uszczelniającym, zamknięcie tulejowe; złączka nasuwana (*rury*) [masz.]

sealing lip krawędź pierścienia uszczelniającego [masz.]

sealing lip connection styk uszczelniający wargowy [masz.]

sealing material środek uszczelniający [masz.]

sealing package komplet uszczelek [masz.]

sealing quality właściwość uszczelniająca [mot.]

sealing ring pierścień uszczelniający [masz.]

sealing section uszczelka kształtowa; profil uszczelki [masz.]

sealing set komplet uszczelek [masz.]

sealing sleeve pierścień samouszczelniający [mot.]

sealing strip listwa uszczelniająca [masz.]

sealing surface powierzchnia uszczelniająca, powierzchnia uszczelnienia; przylga [masz.]

sealing washer uszczelka, podkładka regulująca; podkładka uszczelniająca [mot.]

sealing wax lak do pieczęci [abc]

seal kit komplet uszczelek [masz.]

sealless joint zamknięcie bezuszczelkowe [abc]

seal membrane membrana uszczelniająca, przepona uszczelniająca [masz.]

seal point szczelne miejsce, szczelny punkt [masz.]

seal seat szczelne osadzenie [masz.]

seal weld spoina uszczelniająca [met.]

seam obrębiać, obszywać [abc]

seam pokład [górn.]; szew (*spawalniczy*) [met.]; obrzeże, skraj, obręb, rąbek [abc]; (→ welding s.)

seam weld zgrzewanie liniowe [met.]

seaman marynarz [mot.]

seamless bez szwu [met.]

seamless rolled walcowany bez szwu [masz.]

seamless rolled ring pierścień walcowany bez szwu [masz.]

seamless steel tube rura stalowa bez szwu [masz.]

seaplane wodnopłat; hydroplan [mot.]

sear spring sprężyna spustowa [mot.]

search przeszukiwać; szukać [abc]

search przeszukiwanie [inf.]; (→ alpha-beta s.; → beam s.; → best-first s.; → breadth-first s.; → depth-first s.; → hill climbing s.)

search mark wskaźnik przeszukiwawczy [abc]

search problem zadanie przeszukiwania [inf.]

search warrant nakaz rewizji [polit.]

season sezon, pora [abc]; (→ rainy season)

seasoned magazynowany, składowany leżakowany [abc]

season ticket bilet okresowy; bilet sezonowy (*kolejowy, autobusowy, do teatru*) [abc]

seat gniazdo [masz.]; siedzenie [mot.]; (→ front s.; → middle s.; → rear s.)

S

seat adjuster regulator fotela [mot.]

seat belt pas bezpieczeństwa [mot.]

seat of ball gniazdo kulkowe (*zaworu*) [mot.]

seat of the government siedziba rządu [polit.]

second sekunda [abc]

second choice drugiej klasy [masz.]

second choice hollow section profil wydrążony drugiej klasy [masz.]

second choice product produkt drugiej klasy [masz.]

second hand używany [abc]; z drugiej ręki [mot.]

second heating stage drugi stopień ogrzewania [transp.]

second helping repeta [abc]

second man smarowacz [mot.]

second stage superheater drugi stopień przegrzewacza [energ.]

secondary school liceum; szkoła średnia [abc]

secondary air powietrze wtórne, powietrze górne [energ.]

secondary air admission napowietrzanie powietrzem wtórnym [energ.]

secondary air conduit przewód powietrza wtórnego [energ.]

secondary air duct przewód powietrza wtórnego [energ.]

secondary air fan wentylator powietrza wtórnego [energ.]

secondary air nozzle dysza powietrza wtórnego [energ.]

secondary building material materiał konstrukcyjny wtórny, tworzywo wtórne [energ.]

secondary crusher urządzenie do średniego rozdrabniania; kruszarka wtórnego przerobu [górn.]

secondary crushing rozdrabnianie wtórne [górn.]

secondary current prąd wtórny (*w uzwojeniu wtórnym*) [el.]

secondary dust removal odpylanie

wtórne [górn.]

secondary dust removing plant odpylacz wtórny [górn.]

secondary railway kolej drugorzędna [transp.]

secondary relief ciśnienie wtórne [mot.]

secondary rolled steel product wyrób stalowy walcowany drugiej klasy [masz.]

secondary spring resor pomocniczy [mot.]

secondary steel-making facility urządzenie do pozapiecowej rafinacji stali [masz.]

secondary venturi druga komora mieszania [mot.]

secondary voltage napięcie wtórne (*w uzwojeniu wtórnym transformatora*) [el.]

secret tajny [abc]

Secretary of Commerce (US) minister gospodarki [polit.]

Secretary of Labour (US) minister pracy [polit.]

section odcinek, sekcja, podział; przekrój [rys.]; odcinek budowlany [bud.]; resort; dziedzina [abc]; segment [transp.]; odcinek, sekcja [mot]; sekcja, oddział [ekon.]; (→ final s.; → force of s.; → hollow s.; → longitudinal s.; → rectangular tube s.; → trapezoidal cross s.)

sectional door element sekcyjny [masz.]

sectional drawing przekrój poprzeczny, rysunek przekroju poprzecznego [masz.]

sectional engineer sztygar [górn.]

sectional header boiler kocioł sekcyjny [energ.]

sectional model model przekroju [masz.]

sectional profile przekrój gwintu [masz.]

section mill walcownia kształtowników [masz.]

section modulus wskaźnik przekroju [masz.]

section of a railway line odcinek linii kolejowej [mot.]

section to be scanned zakres kontrolny [abc]

section tube rura kształtowa [masz.]

sector wycięcie [masz.]; obszar, zakres [ekon.]

sector gear wycinek zębaty, segment zębaty [masz.]

secure osłaniać [masz.]; zabezpieczać, osłaniać; doglądać [abc]

secured zabezpieczony [masz.]

securing device zamocowanie zabezpieczające, podparcie zabezpieczające; zabezpieczenie na czas transportu [masz.]

securing nut nakrętka zabezpieczająca [mot.]

security bezpieczeństwo państwa [polit.]; agencja ochrony [abc]

security risk zagrożenie bezpieczeństwa [polit.]

sedan sedan (*nadwozie czterodrzwiowe*) [mot.]

sediment osad; skała osadowa; odkład; skała [geol.]; osad; zawiesina osadzająca się [abc]; pokład [górn.]

sediment bowl wodooddzielacz [energ.]; misa sedymentacyjna [abc]

sediment condensation trap urządzenie wychwytujące dla osadów wody kondensacyjnej [energ.]

sediment layer warstwa osadowa, warstwa sedymentacyjna [abc]

sedimentary rock skała osadowa [geol.]

sedimentation tank osadnik, odstojnik, zbiornik osadowy [górn.]

see ujrzeć, zobaczyć, widzieć [abc]

seeable widzialny; widoczny [abc]

see note patrz przypis [abc]

seed ziarno siewne, nasiono [bot.]

seed time pora siewu, pora zasiewów [bot.]

Seeger cone stożek pirometryczny Seegera [energ.]

seeger ring pierścień osadczy sprężynujący, pierścień Seegera [masz.]

seems półwyrób, półfabrykat, półprodukt [masz.]

seesaw wahacz [abc]

segment segmentować, dzielić na odcinki [masz.]

segment odcinek, segment, fragment [masz.]

segmentation segmentacja [inf.]

segmented bearing łożysko dzielone [masz.]

segmented wheel roller walec kołowy segmentowy [masz.]

segment of a line odcinek [mat.]

segregate wydzielać [masz.]; oddzielać; dzielić [górn.]

segregating segregacja, oddzielanie [transp.]

segregation odmieszanie (*się*) [górn.]

segregation tank zbiornik cieczy [mot.]

seismic sejsmiczny [geol.]

seismic design wymiarowanie konstrukcji uwzględniające niebezpieczeństwo wystąpienia trzęsienia ziemi [geol.]

seismic effect skutek trzęsienia ziemi [geol.]

seismicity sejsmiczność [geol.]

seize rekwirować, zajmować [polit.]; konfiskować [mot.]; zacierać się [masz.]

seize sczepność [mot.]

seize up zacierać się [mot.]

seized up zatarty [mot.]

selecting pin trzpień mierniczy, czujnik stykowy [mot.]

selection wybór, selekcja [abc]

S

selection factor współczynnik dynamiczny [masz.]

selective crushing rozdrabnianie wybiorcze, rozdrabnianie selektywne [górn.]

selective radiator promiennik wybiorczy, promiennik selektywny [energ.]

selector wybierak [transp.]

selector for signal inversion przełącznik zmiany kierunku obrotów, przełącznik kierunku wirowania, nawrotnik [mot.]

selector fork widełki zmiany biegów [mot.]

selector switch przełącznik wybierakowy [el.]

selector switch - heater przełącznik wybierakowy – ogrzewanie [transp.]

selector switch interrupted-continuous travel przełącznik wybierakowy jazdy ciągłej i przerywanej [transp.]

selector valve zawór sterujący [mot.]

selenium rectifier prostownik selenowy [el.]

selenium rectifier stack kolumna prostownika selenowego [el.]

self-activating brake band taśma hamulcowa ze wspomaganiem [mot.]

self-aligning ball bearing łożysko kulkowe wahliwe [masz.]

self-aligning ball bearing with adapter sleeve łożysko kulkowe wahliwe z tuleją rozprężną zaciskaną [masz.]

self-aligning bearing łożysko wahliwe [mot.]; łożysko kulkowe wahliwe [transp.]

self-aligning roller bearing łożysko baryłkowe jednorzędowe [transp.]

self-cleaning samooczyszczający [masz.]

self-contained buffer zderzak autonomiczny (*samodzielny*); bufor niezależny [mot.]

self control samokontrola, panowanie nad sobą [abc]

self-defence obrona konieczna; samoobrona, obrona własna [polit.]

self-destruct charge samolikwidator, ładunek samoniszczący [wojsk.]

self-destructive charge samolikwidator, ładunek samoniszczący [wojsk.]

self-draining samościekowy [masz.]

self drilling screw śruba wiertnicza [narz.]

self-explanatory oczywisty, naturalny [abc]

self-ignition samozapłon, zapłon samoczynny [energ.]

self-locking samohamowny [masz.]; samozabezbieczający, samozakleszczający [mot.]

self-locking differential mechanizm różnicowy samohamowny [mot.]

self-locking nut nakrętka samozabezpieczająca; nakrętka samozakleszczająca [masz.]

self-locking valve zawór samoczynny [mot.]

self-lubricating bearing łożysko samosmarujące [masz.]

self-lubrication samosmarowanie [masz.]

self-opinionated zarozumiały [abc]

self-propelled floating crane żuraw pływający z napędem własnym [mot.]

self-propelled mobile excavator koparka kołowa samojezdna [transp.]

self-propelled unit jednostka samobieżna [mot.]

self-propelled vehicle pojazd samochodowy [mot.]

self radiation promieniowanie własne [el.]

self-regulating samoregulujący, samosterujący [masz.]

self-regulating pump pompa samosterująca [mot.]

self-supporting samonośny [mot.]

self-supporting chimney komin samonośny [energ.]

self-tapping screw wkręt samogwintujący [masz.]

semantic semantyka [inf.]; (→ data s.; → descriptive s.; → equivalence s.; → procedural s.)

semantic category kategoria znaczeniowa, kategoria semantyczna [inf.]

semantic grammar gramatyka semantyczna [inf.]

semantic net sieć semantyczna [inf.]

semantics semantyka [inf.]

semantic specialist specjalista semantyczny [inf.]

semaphore signal semafor ramienny [mot.]

semi (→ semi-trailer truck) pół- [mot.]; pół- [abc]

semi annually półroczny [abc]

semi box type frame rama w kształcie półskrzyni [masz.]

semi-automatic półautomatyczny [mot.]

semi-automatic machine półautomat, maszyna półautomatyczna [mot.]

semi-circle półkole [masz.]

semi-circular półkolisty [masz.]

semi-conductor półprzewodnik; element półprzewodnikowy [el.]; (→ bipolar s.-c.; → unipolar s.-c.)

semi-cylinder cylinder półkolisty [masz.]

semi-elliptic spring resor półeliptyczny [mot.]

semi-finish wykańczać wstępnie [met.]

semi-finished material półwyrób, półfabrykat, półprodukt [masz.]

semi-finished products testing kontrola półwyrobów, sprawdzanie półwyrobów [masz.]

semiflat-base rim obręcz koła półpłaska [mot.]

semi-metallic facing okładzina półmetaliczna, powłoka półmetaliczna [masz.]

semi-mobile półruchomy [masz.]

semi-outdoor plant urządzenie częściowo odkryte (*poza halą*) [masz.]

semi-pneumatic półpneumatyczny [masz.]

semi-portable półprzenośny [masz.]

semi-portal reclaimer zgarniak półbramowy [transp.]

semi-portal scraper skrobak półbramowy [transp.]

semi-skilled worker robotnik przyuczony (*do zawodu*) [abc]

semi-submersible ship statek półpodwodny [mot.]

semi-trailer design typ siodłowy, odmiana siodłowa [mot.]

semi-trailer tractor ciągnik siodłowy [mot.]

semi-trailer truck ciągnik siodłowy [mot.]

semis półprodukty stalowe [masz.]

semis made of plastics wyroby z tworzyw sztucznych [masz.]

semis of non-ferrous metal półwyrób z metalu niezależnego, półfabrykat z metalu kolorowego [masz.]

semisolid półstały [masz.]

send słać, dostarczać [abc]

senior citizen senior [med.]

senior citizen discount (US) legitymacja seniora [mot.]

sense odczuwać [abc]

sensibility (→ susceptibility) podatność, skłonność, wrażliwość [abc]

sensible delikatny, wrażliwy [abc]

S

sensible heat loss strata ciepła jawnego (*odczuwalnego*) [masz.]

sensing czucie [abc]

sensing device czujnik [mot.]

sensing rod pręt odczytu [masz.]

sensing roller rolka wodząca [masz.]

sensitive czuły [masz.]; delikatny, subtelny [abc]

sensitive adjustment nastawienie precyzyjne [masz.]

sensitive element czujnik [masz.]

sensitive to bulking wrażliwy na obciążenie tętniące, wrażliwy na obciążenie pulsujące [transp.]

sensitive to contraction wrażliwy na kurczenie się [transp.]

sensitive to moisture wrażliwy na wilgoć [masz.]

sensitivity czułość [el.]

sensitivity check kontrola czułości [el.]

sensitivity compensation wyrównanie czułości [el.]

sensitivity control regulacja czułości [el.]

sensitivity regulator regulator czułości [el.]

sensitivity trimming element element wyważenia czułości [el.]

sensitizing sterowanie czułością [el.]

sensor czujnik (*pomiarowy*) [el.]; (→ touch s.)

sensor line łącze transmisji danych [inf.]

sensor wire drut pomiarowy, drut oceniający [transp.]

sentence osądzać [polit.]

sentence wyrok; sentencja [polit.]; zasada, prawo [inf]

sentinel posterunek [wojsk.]

separate wytrącać; oddzielać [górn.]; oddzielać [abc]

separated oddzielony; osobny [abc]

separate gear change sterowanie oddzielone [mot.]

separately oddzielnie, osobno [transp.]

separator separator; rozdzielacz [mot.]; (→ cyclone steam s.; → fly ash s.; → magnetic s.)

separating cut odcinak, rozcinak [masz.]

separation rozdzielanie, odłączanie [górn.]; (→ steam s.) oddzielanie [energ.]

separation tank zbiornik rozdzielczy [górn.]

sepia brown brąz sepia [norm.]

sequence przebieg, kolejność; następstwo [abc]

sequence of processing przebieg przetwarzania, przebieg przerobu, przebieg obrabiania [masz.]

sequence valve zawór wielodrogowy samoczynny o ustalonej kolejności działania [mot.]

sequential operation praca sekwencyjna [masz.]

serial number numer seryjny; numer serii [masz.]; numer ewidencyjny [wojsk.]

series seria [geol.]; seria (*czegoś*) [abc]; (→ class; → trigonometric s.)

series connected połączony szeregowo [masz.]

series connection połączenie szeregowe [mot.]

series connection of two-ports połączenie szeregowe czwórników [el.]

series gear przekładnia szeregowa [transp.]

series of colours serie kolorów, szeregi kolorów, rzędy kolorów [norm.]

series pressing wypraska seryjna [mot.]

series production produkcja seryjna [transp.]; produkcja seryjna [masz.]

serious poważny [abc]

sermon kazanie [abc]
serpentine kręty, zygzakowaty [mot.]
serrated belt pas zębaty [mot.]
serrated hub piasta wielorowkowa [mot.]
serrated lock washer podkładka podatna płatkowa [masz.]
serrated wheel hub piasta wielorowkowa [masz.]
serrated wrench klucz płaski uzębiony [narz.]
serve serwować; usługiwać [abc]
service usługa [abc]; nadzór; praca, ruch, eksploatacja [masz.]
serviceability łatwość obsługi [transp.]; łatwy w konserwacji [mot.]
serviceable zdatny do eksploatacji [mot.]
service brake hamulec główny, hamulec eksploatacyjny; hamulec nożny [mot.]
service brake with control of brake lining hamulec główny z kontrolą zużycia okładziny szczęk hamulcowych [transp.]
service company firma usługowa [abc]
service data dane serwisowe, dane dotyczące serwisu [abc]
service department dział obsługi technicznej klientów [ekon.]
service equipment narzędzia (*sprzęt*) na wyposażenie serwisu [masz.]
service fluid płyn eksploatacyjny [transp.]
service hourmeter licznik godzin [mot.]
service information informacja serwisowa [masz.]
service life (→ operating life) okres użytkowania [masz.]
service mass ciężar roboczy, ciężar służbowy; masa robocza [transp.]
service meter miernik obsługowy [narz.]

service net sieć placówek serwisowych [abc]
service on the part of the builder usługi ze strony przedsiębiorstwa budowlanego (*wykonawcy*) [transp.]
service opening otwór montażowy [transp.]
service part część zamienna [masz.]
service regulation przepis służbowy [abc]
service report raport z prac monterskich [abc]
service staff personel serwisu; personel obsługi [abc]
service stop wstrzymanie pracy urządzenia [transp.]
service temperature temperatura robocza [masz.]
service truck samochód serwisu (*technicznego*) [mot.]
service van samochód (*półciężarówka*) serwisu (*technicznego*) [mot.]
service vehicle samochód serwisu [mot.]
service weight ciężar własny [mot.]
servicing obsługa klientów po sprzedaży [mot.]
servicing platform pomost roboczy [mot.]
serviette serwetka [abc]
servo-assisted steering gear kierowanie ze wspomaganiem, mechanizm kierowniczy ze wspomaganiem [mot.]
servo-assisted steering mechanism mechanizm wspomagania układu kierowniczego [mot.]
servo brake serwohamulec; hamulec ze wspomaganiem [mot.]
servo control serwosterowanie [mot.]
servo control valve zawór sterowniczy; serwozawór [mot.]
servo-controlled distribution valve rozdzielacz sterowany, zawór rozdzielający sterowany [mot.]

S

servo-controlled valves serwoza-wory [mot.]

servo-drive napęd nastawnika [mot.]

servo pressure ciśnienie sterowania [mot.]

servo steering serwosterowanie, wspomagany układ kierowniczy [mot.]; (→ power steering)

servo valve serwozawór [mot.]

session posiedzenie, sesja [praw.]

set ustawiać, nastawiać [masz.]; wiązać, zestalać się [bud.]; tonąć [abc]

set komplet montażowy; partia, ze-staw, zespół; seria [masz.]

set-actual comparison porównanie wielkość zmierzonej z zadaną [abc]

set bolt śruba ustalająca [masz.]

set for servicing zestaw do obsługi technicznej [masz.]

set of cartridges for ejection seat ładunek miotający do fotela wy-rzucanego [wojsk.]

set of cartridges for light cartrid-ges ładunek miotający do pocisku świetlnego [wojsk.]

set of cartridges for smoke car-tridges ładunek miotający do po-cisku dymnego [wojsk.]

set of cutting inserts wkładka do cięcia gazowego [masz.]

set of design drawings dokumenta-cja konstrukcyjna [rys.]

set of detonators masa zapłonowa [wojsk.]

set of drive rollers zespół krążków napędowych [mot.]

set-of-support strategy strategie wspierające [inf.]

set of teeth uzębienie [masz.]

set piston tłok nastawczy [mot.]

set-point transmitter nastawnik żądanej wielkość parametru [el.]

set screw śruba ustalająca; śruba na-stawcza; wkręt dociskowy; śruba dociskająca [masz.]; kołek usta-

lający [mot.]; (→ grub screw in CDN)

setsquare trójkąt, ekierka [rys.]

setting ustawienie [mot.]; położenie; układanie materiału [masz.]

setting accuracy dokładność nasta-wienia [masz.]

setting data wartości nastawiane [masz.]

setting element człon nastawczy [masz.]

setting mark wskaźnik nastawczy [masz.]

setting of the hydraulic pressure regulacja hydrauliczna [mot.]

setting point wartość nastawcza; punkt nastawienia [miern.]

setting the output amplification ustawienie wzmocnienia wyjścio-wego [el.]

setting the stage przygotowawczy, wstępny [abc]

set up ustawiać; nastawiać [masz.]

set value wartość zadana [el.]

settle wygładzać [abc]; osadzać się [górn.]

settlement osiadanie; osiedle; poro-zumienie; umowa, kontrakt [abc]

settling osadnictwo, kolonizacja [abc]

settling basin osadnik, odstojnik, zbiornik osadowy [górn.]

settling chamber odstojnik, osad-nik [górn.]

settling tank odstojnik, osadnik [górn.]

setup układ [masz.]; urządzenie; schemat [abc]

setup time czas przygotowawczy [masz.]

severe ważki [abc]

severe stress poważne obciążenie [abc]

sew szyć; zszywać [abc]

sewage disposal plant urządzenie sedymentacyjne, osadnik, oczysz-czalnik, klarownik [rec.]

sewage system instalacja kanalizacyjna, system kanalizacji [transp.]

sewage treatment (→ waste water treatment) oczyszczanie ścieków [hydr.]

sewage treatment plant urządzenie sedymentacyjne, osadnik, oczyszczalnik, klarownik [rec.]

sewed szyty [abc]

sewed on przyszyty [abc]

sewer kanał ściekowy [hydr.]

sewerage kanalizacja [hydr.]

sewerage treatment plant oczyszczalnia ścieków, stacja oczyszczania ścieków [hydr.]

sewer cleaning and sludge evacuation płukarka odmulająca, pojazd do usuwania szlamu [hydr.]

sewer cleaning vehicle płukarka odmulająca [mot.]

sewer line kanalizacja [bud.]

sewer line construction budowa kanału kanalizacyjnego [bud.]

sewer pipe rura kanalizacyjna [bud.]

sewer port kanał ściekowy; studzienka chłonna [bud.]

sewer truck płukarka odmulająca [mot.]

sewing machine maszyna szwalna [narz.]

sewing utensils przybory do szycia [abc]

SG iron żeliwo sferoidalne grafityzowane [tw.]

shabby wytarty, zniszczony, wyświechtany, nędzny [abc]

shack szopa, buda [bud]

shackle strzemię; klamra metalowa, jarzmo metalowe, strzemię metalowe; uszak, łącznik (kabłąkowy); (→ spring s.)

shackle coupling złącze kabłąkowe [mot.]

shackle joint połączenie nakładkowe [mot.]

shade odcień [abc]

shaded cieniowany [abc]

shade of colour odcień barwy [norm.]

shadow cień [abc]

shadow zone strefa cienia [abc]

shaft wał, wałek; rękojeść, trzpień [masz.]; trzonek (*np. młotka*) [narz.]; wał [mot.]; szyb [górn.]; (→ auxiliary idler s.; → auxiliary s.; → axle s.; → bevel gear s.; → brake cam s.; → brake s.; → brake-compensating s.; → cam s.; → cardan s.; → chain s.; → clutch release s.; → clutch s.; → counter s.; → cross s.; → dog clutch s.; → drive s.; → driving s.; → fan <fixed> s.; → fan drive s.; → flexible drive s.; → flexible s.; → fork lever s.; → front axle s.; → gearshift-lever s.; → grooved s.; → hand lever cross s.; → head s.; → idler s.; → ignition distributor s.; → impeller s.; → input s.; → lays.; → main s.; → output s.; → pedal pivot s.; → pedal s.; → pinion s.; → propeller s.; → rear axle s.; → return chain sprocket s.; → reverse idler s.; → rocker s.; → side s.; → slewing s.; → speedometer s.; → spline s.; → steering finger s.; → steering sector s.; → steering s.; → step chain wheel s.; → step return wheel s.; → throttle valve s.; → timing s.; → track-drive s.; → transmission s.; → tubular s.; → water pump s.; → well s.; → worm s.)

shaft angle kąt osiowy, kąt między osiami [masz.]

shaft axle oś dyszla [mot.]

shaft butt end czop końcowy wału [transp.]

shaft carrier nośnik wału [mot.]

shaft centre distance rozstaw wałków [masz.]

shaft collar wieniec oporowy wału [mot.]

S

shaft diameter średnica wału [masz.]
shaft feeding system instalacja do oględzin urządzeń wyciągowych [górn.]
shaft fitting obudowa szybu [górn.]
shaft hoisting equipment wyciąg szybowy [górn.]
shaft horsepower moc na wale [masz.]
shaft insert wkładka wału [transp.]
shaft kiln dolomite sinter dolomit prażony pieca szybowego [masz.]
shaft nut nakrętka ustalająca wał [masz.]
shaft opening otwór roboczy [transp.]
shaft sealing ring pierścień uszczelniający wał [mot.]
shaft shoulder odsadzenie wału [masz.]
shaft tolerance tolerancja wału [masz.]
shake trząść [abc]
shaking test próba na wstrząsy [masz.]
shale (→ oil s.) łupek [min.]
shallow mielizna [mot.]
shallow płytki [mot.]
shallow earthquake płytkie trzęsienie ziemi [geol.]
shambles ruiny [bud.]
shank czop kwadratowy [bud.]; (→ tooth s.) stopa zęba; krawędź przednia zęba [transp.]
shank length długość trzonka [mot.]
shank protector osłona rękojeści [masz.]
shape kształtować; formować [abc]
shape kształt [abc]; klasa kształtu; forma [masz.]; (→ s. of flame)
shape factor współczynnik kształtu [energ.]
shape from shading analiza kształtu z cieniowania [inf.]
shape function funkcja kształtu [inf.]

shape of flame kształt płomienia [energ.]
shape of flaw postać błędu, forma błędu [masz.]
shape of sample kształt próbek [masz.]
shape of the roof kształt dachu [bud.]
shape part (→ accessories) część formy [masz.]
shaped packing uszczelnienie kształtowe [mot.]
shapes of breaking kształt urobku [górn.]
shaping kształtowanie, formowanie [abc]; (→ twisting) odkształcanie; plastyczność, ciągliwość [masz.]
sharp ostry [abc]
sharp bend ostry zakręt [abc]
sharp edged ostrobrzeżny, o ostrej krawędzi [masz.]
sharpener ostrzarka narzędziowa [abc]
sharpness ostrość [narz.]
shavings grab chwytak wiórów [masz.]
shear ścinać [masz.]; strzyc [bot.]; ścinać, ciąć [transp.]
shear ścinanie [masz.]
shear connector złączka; łącznik (*przesuwny*) [masz.]
shearer wrębiarka [górn.]
shear failure pęknięcie poślizgowe, przełom poślizgowy [masz.]
shear force siła poprzeczna, siła ścinania; siła tnąca [masz.]
shearing machine (→ sheet shearing machine) nożyce [narz.]
shear modulus moduł sprężystości poprzecznej, moduł sprężystości postaciowej, współczynnik sprężystości poprzecznej, moduł Kirchhoffa [masz.]
shear off odcinać [masz.]
shear pin sworzeń ścinany, kołek bezpiecznikowy ścinany; kołek

(*zabezpieczający*) ścinany [masz.]
shear pin load cell trzpień mierniczy obciążeniowy [masz.]
shear point punkt kontrolowanego ścinania [masz.]
shear press prasa nożycowa [masz.]
shears operation obcinanie, praca nożyc [masz.]
shear straight prosta ścinania [masz.]
shear test próba ścinania, badanie na ścinanie [masz.]
shear wave fala poprzeczna, fala ścinająca; fala przesunięcia [fiz.]
shear wave probe próbnik fali przesunięcia [fiz.]
shear wave velocity prędkość fali poprzecznej [fiz.]; prędkość fali przesunięcia [masz.]
sheath osłona [masz.]
sheathed osłonięty [bud.]
sheathing okucie [mot.]
sheave tarcza napędowa, koło napędowe [górn.]; prowadzenie [el.]; krążek linowy [masz.]; koło napędowe poręczy [transp.]
sheave height wysokość krążka linowego [mot.]
sheave nest zblocze linowe [masz.]
shed szopa; hangar towarowy; barak; buda [bud.]
shed load zrzucać ładunek [energ.]
sheel construction brick cegła skorupowa [bud.]
sheepfoot roller walec okołkowany stopkowy [mot.]
sheet prześcieradło; kartka [abc]; arkusz; (→ medium steel s.) blacha cienka; pas blachy (*wycięty z arkusza*) [masz.]
sheet bend węzeł na szocie [mot.]
sheet edge krawędź blachy [masz.]
sheeter dekarz, blacharz [bud.]
sheeting deskowanie; osłona, obudowa [masz.]; deskowanie wykopu [bud.]; grodzica; rozpieranie ścian wykopu; odeskowanie [transp.]

sheet material (→ thin sheet metal) blacha (*cienka*) [masz.]
sheet metal blacha cienka; blacha walcowana [masz.]
sheet metal screw wkręt do blachy [masz.]
sheet pile grodzica [transp.]; ścianka szczelna [mot.]
sheet rolling mill walcownia blachy, zespół walcarek do blachy [masz.]
sheet shearing machine nożyca [masz.]
sheet steel blacha stalowa; arkusz blachy [masz.]
sheet steel disc wheel koło tarczowe z blachy stalowej [mot.]
shelf regał [abc]
shell ostrzeliwać [wojsk.]
shell łupina; osłona [abc]; budynek w stanie surowym [bud.]; (US) krawędź ścięta; panew łożyska [transp.]; małż, muszla [bot.]; pocisk; ostrzał [wojsk.]; (→ bearing s.)
shellack szelak [abc]
shell bank ławica z muszli, ławica muszlowa [bot.]
shell belt dzwono płaszcza [masz.]
shell distortion spłaszczenie [energ.]
shelling ostrzeliwanie; bombardowanie [wojsk.]
shell mould forma skorupowa [masz.]
shell mould casting odlewanie formy skorupowej [masz.]
shell ring pierściono płaszcza [masz.]
shell-shaped łupinowy, skorupowy, miseczkowy [masz.]
shell type surface attemperator regulator umieszczony na zewnątrz; chłodnica zewnętrzna [energ.]
shelter namiot [abc]
shield osłaniać [abc]
shield osłona [abc]; (→ protective s.) tarcza, osłona [masz.]; tarcza [wojsk.]

S

shield cylinder cylinder tarczowy [górn.]

shielded otulony [masz.]

shielded metal arc welding spawanie łukowe w osłonie [met.]

shielded thermocouple termoelement z ochroną radiologiczną [el.]

shielding ekranowanie [masz.]; osłanianie [transp.]

shield metal arc welding spawanie łukowe w osłonie [met.]

shield support ściana ochronna, przegroda ochronna [górn.]

shift przesuwać [transp.]; zmieniać (*bieg na wyższy*) [mot.]

shift zmiana (*czas pracy*); warstwa [abc]; przełączanie, włączanie, wyłączanie [mot.]

shiftable przełączalny; dołączalny [mot.]

shiftable belt conveyor przesuwny przenośnik taśmowy [transp.]

shiftable engine silnik trakcyjny regulowany [mot.]

shiftable under load włączany pod obciążeniem [mot.]

shift bar drążek włącznika, drążek sterowniczy [mot.]

shift collar przesuwka, tuleja przesuwna, tulejka wyprzęgnika, tuleja włącznika [masz.]

shift down redukować bieg, przełączyć na niższy bieg [mot.]

shifter dźwignia zmiany biegów [mot.]; klucz francuski [masz.]

shifter bar drążek włącznika, drążek sterowniczy [mot.]

shifter fork widełki zmiany biegów [mot.]

shifter mechanism mechanizm przełączający [mot.]

shifter shaft wałek palca włączania biegów [masz.]

shift gears zmieniać biegi [mot.]

shift governor tachometer drive napęd tachometryczny przy regulatorze odśrodkowym [mot.]

shifting przesunięcie, przemieszczenie [masz.]; przełączenie [mot.]

shifting amplitude amplituda przesunięć [el.]

shifting dune wydma wędrująca [abc]

shifting pulse sygnał przesuwający [el.]

shifting pulse amplitude amplituda impulsu przesunięć [el.]

shift register przesuwnik, rejestr przesuwny [abc]

shift register module moduł rejestru przesuwnego [masz.]

shim podkładka ustalająca [transp.]; podkładka, przekładka [met.]; podkładka regulacyjna [masz.]; podkładka [mot.]; podkładka [abc]; podkładka (*ustalająca*); przekładka [met.]; siatka; podkładka ustalająca [opt.]; (→ locking s.)

shim plate podkładka regulacyjna [masz.]

shim ring podkładka ustalająca [masz.]

shim stock komplet podkładek [masz.]; komplet podkładek regulacyjnych, komplet podkładek ustalających [met.]

shin kość piszczelowa, piszczel [med.]

shine czyścić; lśnić, połyskiwać [abc]

shine pasta do butów [abc]; żwir gruby [gleb.]

shining appearance świetny wygląd [abc]

shiny świecący, błyszczący [abc]

ship (→ sailing ship) statek [mot.]

ship-armature armatura okrętowa, wyposażenie statku [mot.]

shipbuilding budowa okrętów [mot.]

shipbuilding industry przemysł okrętowy [mot.]

shipbuilding section kształtownik okrętowy [masz.]

ship loader urządzenie ładunkowe [mot.]

shipment wysyłka towaru; zaokrętowanie [mot.]

shipowner armator; przewoźnik; załadowca, dysponent ładunku; wysyłka, ekspedycja [mot.]

shipping bracket wspornik, podparcie zabezpieczające [abc]

shipping company przedsiębiorstwo żeglugowe [mot.]

shipping department dział ekspedycji [mot.]

shipping instruction instrukcje wysyłkowe [abc]

shipping line przedsiębiorstwo żeglugowe [mot.]

shipping the product przesyłanie produktów [abc]

ship repairing naprawa statku [mot.]

ship's equipment dostawa (kooperacyjna) okrętowa [mot.]

ship's hull kadłub statku [mot.]

ship's ladder schodnia [mot.]

ship's landing miejsce do lądowania; trap [mot.]

ship's belly kadłub statku [mot.]

ship's mains sieć zasilająca na statku [mot.]

ship's side burta, ściana burtowa [mot.]

ship unloader urządzenie wyładowcze [mot.]

ship unloader with grab and hook urządzenie wyładowcze z chwytakiem i hakiem [mot.]

shipwreck robicie się statku [mot.]

shipyard stocznia; budowa okrętów [mot.]

shipyard crane żuraw stoczniowy [mot.]

shipyard gantry żuraw bramowy stoczniowy [mot.]

shipyard portal crane żuraw portalowy stoczniowy [mot.]

shipyard swivel crane żuraw obrotowy stoczniowy [mot.]

shirt koszula [abc]

shirt button guzik od koszuli [abc]

shirt sleeve rękaw koszuli [abc]

shoal mielizna [abc]

shock wstrząs; uderzenie [abc]

shock absorber amortyzator [mot.]; (→ hydraulic s. a.; → telescopic s. a.)

shock absorber bracket wspornik amortyzatora [mot.]

shock absorber mounting uchwyt amortyzatora [mot.]

shock absorber system układ amortyzujący [mot.]

shock blasted wysadzony (w celu rozluźnienia materiału) [górn.]

shock blasting strzelanie (w celu rozluźnienia materiału) [górn.]

shock loss strata uderzeniowa [masz.]

shock-proof odporny na uderzenia [mot.]

shock pulse impuls siły uderzenia [mot.]

shock valve zawór nadciśnieniowy [masz.]

shock wave method metoda fali uderzeniowej [masz.]

shock welding spawanie uderzeniowe [met.]

shoe podkuwać [abc]

shoe but [abc]; ślizg [masz.]; (→ safety shoes)

shoe brake hamulec szczękowy, hamulec klockowy [mot.]

shoe lace sznurowadło [abc]

shoe plate szczęka hamulcowa; klocek hamulcowy [mot.]

shoe polish pasta do butów [abc]

shoeing cement kit, szpachlówka [abc]

shooner szkuner [mot.]

shop sklep; warsztat [abc]; (→ machine s.; → s. floor)

shop agreement porozumienie we-

S

wnątrzzakładowe (*pomiędzy praco-dawcą a radą zakładową*) [ekon.]

shop-assembled zamontowany wstępnie; zamontowany w warsztacie [met.]

shop assistant sprzedawca [abc]

shop committee delegacja rad pracowniczych oddziałów przedsiębiorstwa; rada zakładowa [abc]

shop floor warsztat; produkcja; teren fabryki [masz.]

shop floor material stan materiałowy wydziału produkcyjnego [masz.]

shop floor routing planowanie pracy i robót wykończeniowych procesu produkcyjnego [masz.]

shop material list wykaz materiałów [masz.]

shopping bag torba na zakupy [abc]

shopping center centrum handlowe [abc]

shopping mall pasaż handlowy [abc]

shop steward przewodniczący rady zakładowej [abc]

shop test kontrola zakładowa, kontrola technologiczna [masz.]

shop-type escalator schody w domu towarowym [transp.]

shop welding spawanie w spawalni [met.]

shore rozpora [transp.]; stempel [górn.]; brzeg [abc]

shore hardness twardość według Shore'a [masz.]

shoring system podpór brzegowych; umocnienie brzegu [abc]; rozparcie i deskowanie ścian wykopu [transp.]

short zwierać [el.]

short krótki, kusy [abc]

shortage niedobór, brak [abc]

shortage of water brak wody [masz.]

short blade lemiesz krótki [transp.]

short block leveller strugarka krótka [narz.]

short circuit zwarcie [el.]; (→ virtual s. c.)

short-circuited rotor wirnik zwarty, twornik zwarty [transp.]

short circuit losses straty zwarciowe [el.]

short circuit rotor motor silnik klatkowy, silnik zwarty [transp.]

shortcut skrót [abc]

shorten skracać; zmniejszać [masz.]

short flaming coal węgiel krótkopłomienny [energ.]

shorting device zwieracz [el.]

short mouldboard lemiesz krótki [transp.]

short note notatka [abc]

short rear krótki tył pojazdu [transp.]

short stroke engine silnik krótkoskokowy [mot.]

short-term krótkoterminowy [abc]

short-term memory pamięć krótkotrwała [inf.]

short-time drift dryf krótkotrwały, znoszenie krótkotrwałe [transp.]

short toothing zazębienie krótkie [masz.]

shot rozciągnięcie jednorazowe [transp.]; nabój; strzał [wojsk.]; zdjęcie [opt.]

shot blast (→ sandblast) piaskować, oczyszczać strumieniem piasku [met.]

shot-blasting efficiency wydajność oczyszczania strumieniowego [met.]

shot blast plant kulowanie, oczyszczanie z popiołu za pomocą kul [energ.]

shot cleaning oczyszczanie wtryskiem [energ.]

shotcrete beton natryskowy [bud.]

shot distance zabiór [górn.]

shotgun strzelba; broń palna myśliwska, śrutówka, dubeltówka [wojsk.]

shot length długość ziarna [met.]

shot peening śrutowanie; (→ sand-blasting) piaskowanie, oczyszczanie strumieniem piasku [met.]

shot storage tank zbiornik kulisty; zbiornik zbiorczy górny [energ.]

shot wound rana postrzałowa, postrzał [med.]

shoulder ramię, bark [abc]; pobocze [transp.]; odsadzenie wału [mot.];

shoulder board (US) naramiennik, epolet; szlifa [wojsk.]

shoulder bolt śruba dociskająca [transp.]

shoulder bone łopatka [med.]

shoulder height wysokość ramienia [abc]

shoulder roller walec do poboczy [transp.]

shoulder stud wkręt, śruba bez łba [masz.]

shove popchnąć [mot.]

shovel koparka; pogłębiarka; czerpak; (US) czerparka łyżkowa nadpoziomowa; (US) koparka hydrauliczna; (US) ładowarka szuflowa, ładowarka łopatowa [transp.]; (→ face s.; → spade; szufla, łopata [narz.]

shovel czerpać, nabierać łyżką [transp.]

shovel application użycie koparki [transp.]

shovel excavator (GB) ładowarka szuflowa, ładowarka łopatowa; koparka hydrauliczna [transp.]

shovel fill factor stopień wypełnienia, stopień napełnienia [mot.]

shovel filling wypełnienie czerpaka [transp.]

shovel front czoło łyżki [transp.]

shovel geometry kinematyka czerpaka [transp.]

shovel hat kask ochronny operatora koparki [transp.]

shovel lip krawędź czerpaka [transp.]

shovel tipping cylinder siłownik opróżniania łyżki [transp.]

shovel tooth ząb czerpaka [transp.]

shovel with grab koparka chwytakowa, czerparka chwytakowa; ładowarka szuflowa z chwytakiem [transp.]

shovel with ripper tooth zrywarka [transp.]

show przedstawiać; pokazywać [abc]

show pokaz; spektakl, widowisko, seans [abc]

shower natrysk, prysznic [abc]

shred rozdrabniać [górn.]

shredded rozdrobniony [górn.]

shredder rozdrabniacz [górn.]

shredder plant instalacja rozdrabniacza [górn.]

shrink kurczyć (się) [abc]; kurczyć się [masz.]

shrinkage value skurcz jednostkowy [masz.]

shrink fit pasowanie skurczowe [mot.]

shrink hole jama usadowa [masz.]

shrinking kurczenie się, skurcz [masz.]

shrinking disk tarcza skurczowa [masz.]

shrink on łączyć skurczowo, osadzać na skurcz [masz.]

shroud tarcza wzmacniająca [mot.]; izolacyjna nakładka ochronna; nakładka ochronna [transp.]

shrunk skurczony [abc]

shunt przetaczać [mot.]

shunter manewrowy [mot.]

shunter's step podnóżek narożny; stopień schodków manewrowego; pomost czołowy; pedał napędowy [mot.]

shunting locomotive lokomotywa manewrowa [mot.]

shunting track tor manewrowy [mot.]

S

shunting yard stacja rozrządowa [mot.]

shunt signal button przycisk rozruchowy [mot.]

shut zamykać [masz.]

shut down odłączać; wygaszać; zatrzymywać; unieruchamiać [energ.]

shut off wyłączać [mot.]; wygaszać [energ.]

shutdown device wyłączenie silnika, zatrzymanie silnika [mot.]

shutdown lever dźwignia zamykająca [mot.]

shut-down period czas redukcji ciśnienia [abc]

shutoff device urządzenie zamykające [masz.]

shut-off valve kurek zamykający, kurek odcinający, kurek zaporowy (*np. rurociągu*) [mot.]; zawór odcinający [transp.]

shutter zamek, zamknięcie [abc]; przegroda powietrzna ruchoma [mot.]

shutter bow pałąk zabezpieczający [mot.]

shuttle wahać się [mot.]

shuttle head głowica rozrządowa [górn.]

shuttle valve (*samoczynny*) zawór trójdrogowy [mot.]

shy nieśmiały [abc]

sick list lista chorych [med.]

sick pay zasiłek chorobowy [med.]

sickness compensation zasiłek chorobowy [med.]

side bok [mot.]; strona [bud.]; (→ air s.; → gas s.)

side and rear dump truck wywrotka samochodowa trójstronna [mot.]

side bar dźwigar podłużny [mot.]; żebro ukośne [masz.]

side bend specimen próba zginania bocznego [met.]

sideboard kredens [bud.]

side box skrzynia boczna [transp.]

side car przyczepa boczna motocykla; kosz motocykla [mot.]

side cladding okładzina boczna [transp.]

side clearance luz boczny [masz.]

side corridor coach wagon osobowy z korytarzem bocznym [mot.]

side cover pokrywa boczna [masz.]

side cutter nóż boczny; szczypce do cięcia drutu; (→ corner bit) krawędź skrawająca boczna [transp.]

side cutting edge krawędź skrawająca boczna [transp.]

side-discharging car wagon samowyładowczy bocznozsypny, wóz bocznozsypny, wywrotka boczna [mot.]

side-discharging hopper wagon wagon samozsypny z wyładowaniem bocznym [mot.]

side-discharging hopper wagon with pivot sector doors wagon samowyładowczy bocznozsypny z zaworem suwakowym obrotowym [mot.]

side-discharging wagon wagon samowyładowczy [mot.]

side ditche rów boczny [bud.]

side door drzwi boczne [mot.]

sided open car (US) furgon [mot.]

sided open wagon (GB) wagon niekryty [mot.]

side dump przechylać, wywracać, wysypywać na bok, wyładowywać na bok [mot.]

side dump bucket kubeł wywrotny boczny [transp.]

side effect zjawisko uboczne [inf.]

side elevation szkic podłużny; rzut pionowy boczny [rys.]

side engaging with pulley odcinek pasa pomiędzy kołami, nabiegający [masz.]

side flap klapa boczne [mot.]

side frame podłużnica boczna, ostojnica [transp.]

side grate seal uszczelnienie rusztu [energ.]

side hopper wagon samowyładowczy z dnem siodłowym [mot.]

side marker drążek sondy [mot.]

side-marker lamp światło pozycyjne, światło burtowe; lampka prętowego wskaźnika poziomu [mot.]

side member podłużnica ramy [mot.]; blacha boczna [transp.]

side panel ściana boczna [mot.]

side panel frame rama ściany bocznej [mot.]

side panelling okładzina boczna [transp.]

sideplate of the mouldboard powierzchnia boczna odkładnicy [transp.]

sideplay (US) luz boczny [masz.]

side reclaimer zgarniak boczny, zbierak boczny [transp.]

side ring pierścień boczny [mot.]; (→ solid s. r.; → split s. r.)

side rudder ster kierunku, ster pionowy [mot.]

side seal link dźwignia zamykająca ruszt [energ.]

side shaft wał boczny [mot.]

side shift wał boczny [mot.]

side shifting device suwak boczny [mot.]

side slope skarpa stroma [transp.]

side spacing rozstawienie poprzeczne [energ.]

side support podpora boczna, suport boczny [mot.]

side support for superstructure suport boczny nadwozia wagonu [mot.]

side thrust nacisk poprzeczny [mot.]; parcie boczne, ciśnienie boczne [masz.]

side tilting device urządzenie przechylne boczne, wywrotka boczna, wywrotnica bocznozsypna [mot.]

side-tipping bucket kubeł wywrotny boczny, kubeł bocznozsypny [mot.]

side tipping wagon wózek przenośnika kołowego [mot.]

side view widok z boku [rys.]

sidewalk chodnik, trotuar [mot.]

side wall ściana boczna [mot.]

side wall header komora ściany bocznej [energ.]

sidewall of the front lip policzek [transp.]

sideways bokiem, z boku, w bok [abc]

sideways collision zderzenie boczne [mot.]

side window okno boczne [mot.]

Siemens Martin furnace piec martenowski [masz.]

sieve przesiewać [górn.]

sieve sito [abc]; przesiewacz [górn.]

sieve analysis analiza sitowa [górn.]

sieve screen analysis oznaczanie ziarnistości [górn.]

siftings wysiewki [górn.]

siftings hopper lej przesypowy [górn.]

sight widok [abc]

sight glass wziernik [mot.]

sight glass for power pickup wziernik do odbieraka prądu [el.]

sight hole wziernik, szkło (*kontrolne*) wzierne [abc]

sight out (→ ranging rod) mierzyć [transp.]

sights przyrządy celownicze [wojsk.]

sign podpisywać [abc]

sign szyld, wywieszka, tabliczka; znak (*drogowy*) [mot.]; (→ like s.)

sign board szyld [mot.]

sign output wyjście znaku [el.]

signal urządzenie sygnalizacyjne [transp.]; sygnał [mot.]; sygnalizator [abc]; (→ binary s.; → stair step s.)

signal actuating sygnał uruchamiający [mot.]

signal amplifier wzmacniacz sygnału [el.]

signal blanking tłumienie sygnału; wygaszanie sygnału [abc]

signal box nastawnia [mot.]

signal box push button type nastawnica przekaźnikowa z planem świetlnym [mot.]

signal current prąd słaby [el.]

signal delivery wyzwalanie sygnału [el.]

signalisation sygnalizacja, urządzenie sygnalizacyjne świetlne [transp.]

signal lamp lampa sygnalizacyjna [transp.]; lampka sygnalizacyjna [inf.]; lampa kontrolna [el.]

signal light sygnalizator świetlny, światło sygnałowe [el.]

signalman sygnalista [mot.]

signal monitor monitor sygnałów [el.]

signal/noise ratio stosunek sygnału do szumu [el.]

signal output wyjście sygnału [el.]

signal power pack zasilacz sieciowy sygnałowy [el.]

signal store pamięć sygnałów [el.]

signal strength natężenie impulsów [el.]

signal-to-noise ratio stosunek sygnału do szumu; odstęp psofometryczny; względny wskaźnik szumów [el.]

signal triggering wyzwalanie sygnału [el.]

signal yard rejka sygnałowa [mot.]

signature podpis [abc]

significance znaczenie [abc]

signing podpisanie [abc]

sign-on zarejestrowanie się (*w systemie*) [inf.]

signs of fatigue objawy zmęczenia [masz.]

silencer tłumik (*dźwięków*) [mot.]

silica removal usuwanie krzemionki [energ.]

silicic acid kwas krzemowy [chem.]

silicium krzem [min.]

silicon krzem [abc]; krzem [min.]

silicon-graded electrical strip taśma elektryczna pokryta krzemem [masz.]

silk jedwab [abc]

silk gloss jedwabisty połysk [abc]

silk mat jedwabisty [abc]

silk screen printing sitodruk [abc]

sillimanite sylimanit [min.]

silo silos [górn.]; (→ coal s.; → grain s.)

silt muł, ił, nanos, napływ, szlam [mot.]

silt dredger czerparka do usuwania namułu [mot.]

silty soil grunt pylasty [gleb.]

silver srebro [chem.]

silver gray szarzeń srebrna [norm.]; srebrnoszary [abc]

silver hose przewód giętki srebrny [mot.]

silver-plated posrebrzony [abc]

similar podobny [abc]; tego samego rodzaju [chem.]

similarity podobieństwo, analogia [abc]

similarity measure stopień podobieństwa [inf.]

similarity net sieć podobieństwa [inf.]

similarity transformation przekształcenie przez podobieństwo [miern.]

simple construction konstrukcja prosta [mot.]

simple device urządzenie proste [abc]

simple harmonic motion ruch harmoniczny prosty [abc]

simpler management zarządzanie uproszczone [abc]

simplex brake hamulec Simplex [mot.]

simplex roller chain łańcuch drabinkowy jednokierunkowy [masz.]

simplicity prostota [transp.]

simplification uproszczenie [abc]

simplified circuit układ uproszczony [el.]

simplify upraszczać [abc]

simulation symulacja [inf.]; (→ discrete event s.; → distributed s.; → parallel s.)

simulate wczuwać się; symulować [abc];

simulation log tabulogram symulacyjny [inf.]

simulation methodology metodologia symulacji [inf.]

simulation of strategic games symulacja gier strategicznych [inf.]

simulation program program symulacyjny; symulator [inf.]

simulation run bieg symulacyjnym praca symulacyjna [inf.]

simulation theory teoria symulacji [inf.]

simulator symulator [inf.]; symulator (*np. lotu*) [mot.]

simulator program program symulacyjny [inf.]

simultaneous równoczesny, jednoczesny; symultaniczny [abc]

simultaneous interpreter tłumacz kabinowy; tłumacz symultaniczny [abc]

simultaneous translating tłumaczenie symultaniczne [abc]

simultaneous translator tłumacz symultaniczny [abc]

sine wave kształt sinusoidalny [abc]; fala sinusoidalna [transp.]

sinew ścięgno [med.]

sinewy łykowaty, włóknisty, żylasty [abc]

single wolny, niezamężny; pojedynczy [abc]

single acting działający jednostronnie [abc]

single-acting cylinder cylinder jednostronnego działania [mot.]

single axis oś pojedyncza [rys.]

single bay hall hala jednonawowa [bud.]

single bevel spoina na ½ V [met.]

single bevel with root face spoina na ½ Y z progiem [met.]

single boiler construction budownictwo blokowe [bud.]

single bounce reflection odbicie jednokrotne [akust.]

single chamber brake cylinder cylinder hamulca jednokomorowy [mot.]

single chamber trailer control valve zawór sterujący przyczepy jednokomorowej [mot.]

single daylight press prasa jednopłytowa [masz.]

single deck crane żuraw jednopokładowy [mot.]

single-deck vibrating screen przesiewacz wibracyjny jednopoziomowy [górn.]

single defect błąd jednostkowy [masz.]

single disc clutch sprzęgło jednotarczowe [mot.]

single disc dry clutch sprzęgło suche jednotarczowe [mot.]

single filament bulb żarówka jednowłóknowa [mot.]

single-flight (→ flight threading) jednozwojowy [masz.]

single-flow superheater przegrzewacz jednostrumieniowy [energ.]

single-furnace boiler kocioł z pojedynczą komorą spalania [energ.]

single footing podstawa fundamentowa pojedyncza [masz.]

single grouser shoe ostroga przeciwślizgowa pojedyncza [transp.]

single grouser track pad podkładka ostrogi przeciwślizgowej pojedynczej [transp.]

S

single log tine widelec do podnoszenia pni pojedynczy [mot.]

Single Market europejski rynek wewnętrzny [ekon.]

single-nozzle blower (S.N.R.) zdmuchiwacz sadzy o dyszy pojedynczej [energ.]

single-nozzle retractable soot blower zdmuchiwacz sadzy wciągany o dyszy pojedynczej [energ.]

single-nozzle soot blower zdmuchiwacz sadzy o dyszy pojedynczej [energ.]

single open ended wrench klucz maszynowy płaski jednostronny; klucz widełkowy jednostronny [narz.]

single passage cykl pojedynczy [transp.]

single-pass boiler kocioł jednociągowy [energ.]

single-pass welding spawanie jednowarstwowe [met.]

single piece element pojedynczy [masz.]

single piece job wykonanie na zamówienie [masz.]

single piece production produkcja indywidualna; produkcja indywidualna [masz.]

single pipe brake powietrzny układ hamulcowy z jednoprzewodowym przyłączeniem przyczepy [mot.]

single pipe braking system układ hamulcowy jednoprzewodowy [mot.]

single plate clutch sprzęgło jednopłytkowe [mot.]

single-plate dry clutch sprzęgło suche jednopłytkowe [mot.]

single-probe próbkowanie jednokrotne [miern.]

single-probe method metoda próbkowania jednokrotnego (*jedną głowicą probierczą*) [miern.]

single-probe operation proces próbkowania jednokrotnego [miern.]

single-probe technique technika próbkowania jednokrotnego [miern.]

single quenching hartowanie jednokrotne [masz.]

single reflection odbicie pojedyncze [el.]

single reheat cycle międzystopniowe przegrzewanie pary proste [energ.]

single-roll crusher kruszarka jednowalcowa [górn.]

single roller chain łańcuch drabinkowy jednokierunkowy [mot.]

single room pokój jednoosobowy [bud.]

single-row ball-bearing slewing ring pierścień obrotowy na łożysku jednorzędowym kulkowym [transp.]

single-run welding spawanie jednowarstwowe [met.]

single-shaft hammer crusher łamacz młotkowy jednowałowy [górn.]

single stage jednostopniowy [mot.]

single-stage primary reduction rozdrabnianie wstępne jednostopniowe [górn.]

single-stage superheater przegrzewacz jednostopniowy [energ.]

single-toggle jaw crusher kruszarka szczękowa jednorozporowa [górn.]

single sweep pojedyncza zmiana potencjału [transp.]

single thread jednozwojowy [masz.]

single throw jednowykorbieniowy; o pojedynczym wykorbieniu [transp.]

single toggle jaw crusher kruszarka szczękowa jednorozporowa [górn.]

single turbine construction konstrukcja jednoturbinowa [bud.]

single U spoina kielichowa; spoina czołowa na U [met.]

single V spoina na V [met.]
single wheel koło pojedyncze [mot.]
single Y spoina na Y [met.]
single Y with root face spoina na Y z progiem [met.]
sink zlewozmywak [mot.]; zlew [bud.]
sink obniżać się [abc]; zatapiać; tonąć [mot.]; głębić; drążyć [górn.]; (→ submerged)
sinter spiekać [masz.]
sintered material spiek [tw.]
sintered metal spiek metalowy [tw.]
sintering plant spiekalnia [masz.]
sintering temperature temperatura spiekania [masz.]
sinuous header (*pofałdowana*) komora sekcyjna [energ.]
sinusoidal excitation wzbudzanie sinusoidalne [el.]
sinusoidal motion ruch sinusoidalny [abc]
sinusoidal voltage napięcie sinusoidalne [el.]
sinusoidal wave fala sinusoidalna [el.]
siren syrena [abc]
sister town (US) miasto partnerskie [polit.]
site miejsce; lokalizacja; teren [abc]; miejsce ustawienia; budowa [transp.]; plac [bud.]
site agent kierownik budowy, mistrz budowlany [abc]
site computer komputer sterujący, komputer zakładowy [inf.]
site engineer kierownik budowy [bud.]
site fabrication prefabrykacja elementów budowlanych na terenie budowy [bud.]
site hut barak, budka [bud.]
site management kierownictwo budowy [bud.]
site office biuro kierownika budowy [abc]

site torch palnik gazowy dla celów montażowych [polit.]
site welding spawanie montażowe, spawanie na montażu [met.]
situation variable zmienna sytuacyjna [inf.]
six-axle sześcioosiowy [mot.]
six-o'clock position do dołu [abc]
six speed shift przekładnia sześciobiegowa [mot.]
six speed shift transmission napęd z przekładnią sześciobiegową [mot.]
six-wheel bogie wózek zwrotny sześciokołowy [transp.]
six-wheel drive napęd sześciokołowy, napęd na sześć kół [transp.]
size klasyfikować, sortować [górn.]
size wielkość; rozmiar [abc]; (→ particle s.)
size of coal sortyment węgla [górn.]
size of tube rozmiar rury [masz.]
size range rząd wielkości [masz.]
sizzle wrzeć [energ.]
skeleton rama [mot.]; szkielet konstrukcji [abc]; szkielet; kościec [med.]
skeleton key wytrych [abc]
skeleton shoe płyta szkieletowa [masz.]
skeleton structure konstrukcja szkieletowa [masz.]; (→ truss) korpus szkieletu [transp.]
skelp wstęga na rury [masz.]
sketch szkicować [rys.]
sketch szkic [rys.]
ski narty [abc]
skid zrywać [bot.]
skid zjeżdżalnia; płoza [abc]; płoza [mot.]
skid bar belka podrusztowa [energ.]
skid chain łańcuch przeciwśnieżny [mot.]
skidder ciągnik zrywkowy [mot.]
skid down ześlizgiwać się [transp.]
skid mounting zamocowanie płozy [masz.]

S

skid-pan płóz hamulcowy [mot.]

skill umiejętność [abc]

skilled zdolny; fachowy, wykwalifikowany [abc]

skilled worker robotnik wykwalifikowany [abc]

skimmer pierścień tłokowy zgarniający [masz.]

skin skóra [med.]

skin casing obudowa blaszana [masz.]

skin friction tarcie powierzchniowe [masz.]

skin passing walcownia wygładzająca [masz.]

skip kubeł skipowy; wywrotka kolebowa, koleba; wózek przenośnika kołowego [mot.]

skip distance uskok [masz.]

skip lock zamknięcie nadwozia samowyładowczego, zamknięcie wagonu samowyładowczego, zamknięcie kubła skipowego [mot.]

skipper (→ captain) kapitan [mot.]

skirt spódnica; fartuch [abc]; cokół balustrady [transp.]

skirting (→ skirt) cokół balustrady [transp.]; fartuch; listwa przypodłogowa [mot.]

skirting coating powłoka kryjąca płytę podłogową [masz.]

skirting panel płyta przypodłogowa (*ochronna*) [transp.]

skull czaszka [abc]; narost, wilk, świnia; skrzep [masz.]

sky niebo, sklepienie niebieskie [abc]

sky blue błękitny [norm.]

skycap bagażowy [mot.]

skylight świetlik dachowy, okno uchylne [bud.]

skyrocket rakieta [abc]

slab bryła, masyw, kra [mot.]; wieko (*np. trumny*) [abc]; (→ billet) kęs; (→ continuous caster) pasmo; płyta; deska okorkowa, okorek, oszwar; kęsisko płaskie [masz.]

slab processing przetwarzanie kęsisk, przerób kęsisk [masz.]

slab production wyrób kęsisk [masz.]

slab slitting cięcie wzdłużne kęsisk płaskich [masz.]

slab slitting line linia wzdłużnego cięcia kęsisk płaskich [masz.]

slack zwis [transp.]

slack luźny; obwisły [abc]

slack adjuster nastawnik przekładni hamulcowej; ustawiacz układu mechanicznego hamulca [mot.]; jednostka nastawcza [transp.]

slacken luzować [transp.]

slackening zwis [transp.]

slackness rozluźnienie [mot.]

slack of the controls luz sterowy [aero.]

slack span cięgno luźne [masz.]

slag żużel [energ., masz.]; (→ basic s.; → chilled s.; → granulated s.; → liquid s.; → oil s.)

slag cover warstwa żużlowa [energ.]

slag crusher kruszarka żużla, łamacz żużla [energ.]

slag extractor oddzielacz żużla [energ.]

slag forming żużlotwórczy [energ.]

slagging zażużlenie, zażużlowanie, ożużlowanie [energ.]

slag hopper lej popielnikowy [energ.]

slag inclusion wtrącenie żużlowe, zażużlenie [energ.]

slag melting point temperatura topnienia żużla [energ.]

slag pit dół żużlowy, dół na żużel [mot.]

slag removal odprowadzenie żużla [energ.]

slag screen przesiewacz rusztowy [energ.]; ruszt [masz.]

slag streak wtrącenie żużlowe [energ.]

slag tank zbiornik żużla [energ.]

slag-tap boiler kocioł z paleniskiem odciekowym [energ.]

slag-tap pulverized coal firing palenisko odciekowe (*z odprowadzeniem ciekłego żużla*) [energ.]

slag wool wełna żużlowa, wata żużlowa [energ.]

slag wool blanket mata z wełny żużlowej [energ.]

slaked lime wapno gaszone [chem.]

slang slang [abc]

slanted pochyły, nachylony, skośny [abc]

slanted mark znakowanie ukośne, cechowanie ukośne [abc]

slanted roof dach spadzisty [bud.]

slap wymachiwać, machać, trząść się, dygotać [abc]

slasher zdzierak kory [narz.]

slate łupek [min.]; łupek dachowy [bud.]

slate gray szarzeń łupka [norm.]

slater dekarz [bud.]

slavery pańszczyzna [abc]

slavework praca niewolnicza [abc]

sledge hammer młot kowalski dwuręczny; przybitnik [narz.]

sleeper wagon sypialny; (GB) podkład kolejowy; próg, podkład [mot.]

sleeper cab kabina sypialna [mot.]

sleeper-packing machine (GB) podbijak mechaniczny torów [mot.]

sleeping car wagon sypialny [mot.]

sleeping car guard kuszetkowy [mot.]

sleeve tuleja (*prowadząca*); osłona izolująca [energ.]; kołnierz; złączka redukcyjna [mot.]; tuleja wrzecionowa; nasuwka [masz.]

sleeve bearing łożysko tulejowe [masz.]

sleeve type chain łańcuch drabinkowo panwiowy [mot.]

sleeve width szerokość panewki, szerokość tulei [transp.]

slew obracać, przestawiać obrotowo [transp.]

slewable obrotowy, przestawny obrotowo, odchylny, wychylny [transp.]

slew cap kołpak obrotowy [transp.]

slew distributor przekładnia uchylna, przekładnia z kołem uchylnym [transp.]

slew drive napęd obrotowy [transp.]

slewing belt conveyor przenośnik taśmowy wychylny [masz.]

slewing brake hamulec obrotowy [transp.]; hamulec mechanizmu obrotowego żurawia [mot.]

slewing brake valve zawór hamulcowy klapowy odchylny [transp.]

slewing crane żuraw obrotowy [masz.]

slewing device mechanizm obrotowy [transp.]

slewing equipment mechanizm obrotowy [mot.]

slewing gear przekładnia uchylna; mechanizm obrotu (*żurawia*) [transp.]; przekładnia mechanizmu obrotowego (*żurawia*) [mot.]

slewing gear brake hamulec mechanizmu obrotowego (*żurawia*) [transp.]

slewing lock ustalacz obrotowy [transp.]; hamulec zatrzymujący [mot.]

slewing motor silnik obrotowy [el.]

slewing pinion zębnik uchylny [mot.]

slewing rack (GB) zębatka obrotowa [mot.]

slewing range zasięg obrotu; zasięg roboczy [transp.]

slewing ring wieniec obrotnicy; wieniec obrotowy radlicy; bieżnia pierścieniowa [transp.]; wieniec obrotowy; połączenie obrotowe [mot.]; połączenie obrotowe kulowe [masz.]

slewing ring connection połączenie obrotowe [mot.]

slewing shaft wał wahliwy [mot.]

slewing time czas obrotu [transp.]

S

slewing-ring support flange kołpak obrotowy [transp.]

slew motor silnik hydrauliczny wahliwy [transp.]

slew pinion zębnik uchylny [transp.]

slew rate szybkość narastania napięcia wyjściowego [masz.]

slew ring wieniec obrotowy (*łożyska wałeczkowego*) [masz.]

slew transmission przekładnia uchylna [transp.]

SLI (*Safe Load Indicator*) wskaźnik obciążenia dopuszczalnego [transp.]

SLI HSE approval numer homologacji wskaźnika obciążenia dopuszczalnego [mot.]

slice plaster [abc]

slid back zsunięty [transp.]

slide ślizgać się [abc]

slide ślizgacz [masz.]; obsuwanie się zbocza; osuwisko [bud.]; slajd [abc]; suwakowy, ślizgowy [mot.]

slide back ześlizgiwać się [transp.]

slidebar prowadnica [masz.]

slide bar lock zamknięcie zabezpieczające [mot.]

slide bearing łożysko ślizgowe [mot.]

slide bow pałąk przesuwny [mot.]

slide bushing tuleja ślizgowa [transp.]

slide carriage sanie prowadzące [transp.]

slide chair siodełko szynowe [mot.]

slide coupling sprzęgło przesuwne [masz.]

slide door (→ sliding door) drzwi zasuwane, drzwi przesuwne [bud.]

slide down zsuwać się [abc]

slide gauge suwmiarka [miern.]

slide off zsuwać się [abc]

slide-proof odporny na ślizganie [masz.]

slide-proof connection połączenie stałe [masz.]

slide ring kamień ślizgowy [mot.]

slide ring packing uszczelnienie pierścieniem ślizgowym [mot.]

slide ring seal pierścień ślizgowy uszczelniający [mot.]

slide shoe płoza ślizgowa [abc]

slide sole płoza ślizgowa [abc]

slide switch przełącznik suwakowy [el.]

slide valve zawór suwakowy, suwak [masz.]

slide way prowadnica ślizgowa [masz.]

sliding bed płyta przesuwna [masz.]

sliding calliper suwmiarka [transp.]

sliding clutch sprzęgło przeciążeniowe cierne [mot.]

sliding collar przesuwka (*sprzęgłowa*), pierścień ślizgowy [mot.]

sliding contact styk ślizgowy [transp.]

sliding door drzwi zasuwane, drzwi przesuwne [bud.]

sliding fit pasowanie ślizgowe [mot.]

sliding gear koło zębate przesuwne [masz.]

sliding insert wkładka poślizgowa [mot.]

sliding key wpust przesuwny [masz.]

sliding plate płyta ślizgowa [mot.]

sliding pressure operation praca kotła lub turbiny przy ciśnieniu poślizgowym pary [masz.]

sliding roof dach odsuwany [mot.]

sliding roof fastener zamknięcie dachu odsuwanego, zamek dachu odsuwanego [mot.]

sliding rule suwak logarytmiczny [mat.]

sliding selector shaft drążek zmiany biegów przesuwny [mot.]

sliding shaft wał wielowypustowy [masz., mot.]

sliding sleeve tuleja przesuwna [masz.]

sliding surface powierzchnia ślizgowa; płaszczyzna ścinania [masz.]

sliding tappet popychacz [mot.]
sliding window okno odsuwane, okno przesuwne [mot.]
slight słaby [abc]
slight drifting of a pump lekkie przekręcenie pompy [mot.]
slim smukły, szczupły [med.]
sling odwirowywać [abc]
slinger hakowy, linowy, ciężarowy [mot.]
slip ślizgać się [abc]
slip wyciąg statków; poślizg [mot.]
slip band pasmo poślizgu [masz.]
slip clutch sprzęgło poślizgowe [mot., masz.]
slip control kontrola poślizgu [transp.]
slip fit pasowanie ślizgowe dokładne [masz.]
slip hardening hartowanie płomieniowe w kilku przejściach [masz.]
slip joint połączenie elastyczne; połączenie przesuwne; połączenie skurczowe [masz.]
slipknot węzeł poślizgowy [mot.]
slip-on type podpinany, nasadzany, nakładany [mot.]
slip-on type block clamp arm podpinane ramię uchwytu klamrowego bocznego [mot.]
slipper wodzik, ślizgacz, urządzenie do opuszczania i podnoszenia kotwicy; płóz hamulcowy [mot.]; kapeć [abc]
slippery śliski [abc]
slipping clutch sprzęgło poślizgowe [mot.]
slip-ring pierścień ślizgowy; ślizgacz, suwak, szczotka stykowa [el.]
slip ring body korpus pierścienia ślizgowego [el.]
slip-ring brake hamulec pierścieniowy [mot.]
slip ring holder obsada pierścienia ślizgowego [mot.]

slip ring motor silnik pierścieniowy [el.]
slip ring rotor wirnik pierścieniowy [el.]
slip ring starter rozrusznik pierścieniowy [el.]
slip stream strumień zaśmigłowy; *strumień powietrza powstający za pojazdem* [mot.]
slip support łożysko ślizgowe [transp.]
slip universal joint przegub uniwersalny przesuwny [mot.]
slit rozpłatać; rozcinać [abc]
slit szczelina, rowek, żłobek, szpara [abc]
slit ring pierścień rozcięty [masz.]
slit strip taśma rozdzielcza [masz.]
slitting cięcie wzdłużne [masz.]
slope stok; zbocze; pochylenie [gleb.]; pochylenie; nachylenie [abc]; wzniesienie [mot.]; nasyp [transp.]
slope angle kąt pochylenia [transp.]
slope down pochylać [abc]
slope of curves przebieg zakrętów [abc]
slope up wznosić się [abc]
sloping wznoszący [abc]; nachylony [gleb.]; pochylony [mot.]
slot (→ groove) wykonywać wpusty [transp.]
slot szczelina; nacięcie; żłobek, szpara [abc]; rozszczepienie [masz.]; rowek [met.]
slot filling wypełnianie szczelin, wypełnianie gniazd [inf.]
slot-pattern design draw gear urządzenie cięgłowe dzielone [mot.]
slotted cheese head screw śruba z łbem walcowym płaskim i rowkiem [masz.]
slotted countersunk head screw urządzenie cięgłowe dzielone [masz.]
slotted countersunk head wood screw wkręt do drewna z łbem

S

stożkowym płaskim z rowkiem [masz.]

slotted headless screw with chamfered end wkręt z rowkiem i zakończeniem stożkowym [masz.]

slotted hole (→ oblong hole) otwór podłużny [transp.]

slotted nut nakrętka rozcięta; nakrętka okrągła (*czołowa*) rowkowa [masz.]

slotted pan head screw śruba z łbem stożkowym ściętym z rowkiem [masz.]

slotted raised countersunk head screw wkręt z łbem stożkowym płaskim z rowkiem [masz.]

slotted raised countersunk head wood screw wkręt z łbem stożkowym płaskim do drewna z rowkiem [masz.]

slotted raisedcheese head screw wkręt z łbem walcowym soczewkowym [masz.]

slotted round head wood screw wkręt do drewna z łbem półkulistym z rowkiem [masz.]

slotted round nut nakrętka okrągła czołowa rowkowa [masz.]

slotted screw wkręt z rowkiem [masz.]

slotted set screw with cone point wkręt dociskowy ze szczeliną i końcem stożkowym [masz.]

slotted set screw with cup point wkręt dociskowy z rowkiem i końcem wgłębionym [masz.]

slotted set screw with long dog point wkręt dociskowy z rowkiem i końcem czopowym [masz.]

slotted shoulder screw wkręt z łbem walcowym wysokim z rowkiem [masz.]

slotting dłutowanie [transp.]

slot type draw gear urządzenie cięgłowe dzielone [mot.]

slot wedge klin żłobkowy [masz.]

slot weld spoina otworowa pusta [met.]

slot width szerokość rowka [transp.]

slow powolny; opieszały [abc]; wolny [masz.]

slow down zwalniać [mot.]

slow to blow fuse bezpiecznik (*topikowy*) zwłoczny [el.]

sludge błoto pośniegowe; osad; szlam, muł, namuł [abc]; szlam olejowy [masz.]

sludge dehydration dehydratacja szlamu, odwadnianie szlamu [mot.]

slug scrap złom metalowy (*elementy regularne*) [masz.]

sluice śluza [hydr.]

sluice chamber komora śluzy [mot.]

sluicing prześluzowanie [mot.]

slurry szlam, zawiesina [górn.]

slurry paint coat powłoka malarska szlamowa [norm.]

small mały, niewielki, niski [abc]

small boiler kocioł mały (*o małej powierzchni ogrzewalnej*) [energ.]

small capacity niska wydajność [energ.]

small coal miał węglowy [energ.]

small end bushing tuleja korbowodu [mot.]

small letter minuskuła [abc]

small part część drobna, akcesoria [masz.]

small parts welding spawanie części drobnych [met.]

small saw piłka, mała piła [narz.]

small signal gain wzmocnienie małego sygnału [el.]

small sized drobny [górn.]

small wheel małe koło łańcuchowe napędzające [masz.]

smattering powierzchowny; powierzchowna wiedza [abc]

SMAW spawanie elektryczne [met.]

smell zapach [abc]

smell test próba zapachowa [abc]

smelt topić [abc]; przerabiać sposobem hutniczym [masz.]

smelting przerób hutniczy [masz.]

smog smog [meteo.]; dym [abc]

smoke palić [abc]

smoke dym [abc]

smoke agent środek dymny [wojsk.]

smoke box komora dymnicowa [mot.]

smoke box door drzwiczki do komory dymnicowej [mot.]

smoke charge nabój dymny [wojsk.]

smoke deflector wiatrownica [mot.]

smoke deflector plate odchylacz dymu; odchylacz; wiatrownica [mot.]

smoke density alarm alarm przekroczenia maksymalnego stopnia zadymienia spalin [abc]

smoke detector wykrywacz dymu [transp.]

smoked glass szkło dymne [mot.]

smoked ham szynka wędzona [abc]

smoked window szyba przydymiana [mot.]

smoke funnel komin dymowy [mot.]

smoke grenade granat dymny [wojsk.]

smoke hand grenade granat dymowy ręczny [wojsk.]

smoke limiter ogranicznik dymu [mot.]

smoke rifle grenade granat karabinowy dymny [wojsk.]

smoke signal sygnały dymne [wojsk.]

smokestack komin (*fabryczny*) [masz.]

smoke tube płomienica [mot.]

smooth [mot.]; równomierny [abc]; łagodny [masz.]; gładki; bez szarpnięć; bezudarowy; płynny [mot.]

smoothen wygładzać [met.]

smoothing wygładzanie [met.]

smoothly gładko; bez szarpnięć [transp.]

smoothness gładkość [masz.]

smoothness constraint ograniczenie wygładzania [inf.]

smooth profile ripper ramię zrywaka proste [transp.]

smooth tube rura gładka [masz.]

smouldering fire pożar tlący; ogień tlący [abc]

snack przekąska [abc]

snack bar bar szybkiej obsługi [abc]

snake wąż, żmija [bot.]

snap zatrzaskiwać [abc]

snap zatrzask [abc]

snap gauge sprawdzian szczękowy; ($\rightarrow$ limit gauge) sprawdzian graniczny [masz.]

snap-on cap zatrzask, zamek zapadkowy [mot.]

snap ring pierścień sprężynujący zabezpieczający; pierścień osadczy sprężynujący, pierścień Seegera [masz.]; pierścień sprężynujący ustalający [mot.]; zabezpieczenie [transp.]

snapshot zdjęcie migawkowe, migawka [mot.]

snarl warczeć [bot.]

sniff wąchać [abc]

snow śnieg [abc]

snow blower dmuchawa śniegowa [mot.]

snow bucking plate tarcza spychaka do śniegu [mot.]

snow chain łańcuch przeciwśnieżny [mot.]

snow-covered pokryty śniegiem [abc]

snowfall opad śnieżny, opad śniegu [abc]

snow goggles okulary ochronne (*np. do wypraw na lodowiec*) [abc]

snowplough pług odśnieżny, pług odśnieżający [abc]

snowy śnieżny [abc]

snub pulley koło pasowe wychylne [transp.]

S

snubber amortyzator cierny [mot.]
snug wpuszczony [masz.]; dopasowany [abc]
soaked rozmiękczony [abc]
soaking wet przemoczony do suchej nitki [abc]
so-called tak zwany [abc]
social benefits świadczenia socjalne [praw.]
social security zabezpieczenie socjalne [praw.]
society społeczeństwo [abc]
sociologist socjolog [abc]
sock skarpeta; pończocha [abc]; gniazdo, oprawka [masz.]
socket gniazdo wtykowe montażowe; oprawka lampowa; mufa kablowa; gniazdo (*elektryczne*); gniazdo wtyczkowe; wtyczka; oprawka wtyczki [el.]; klucz nasadowy sześciokątny; gniazdo [narz.]; kielich; cokół; gniazdo; króciec rurowy; połączenie gwintowe, dwuzłączka rurowa [masz.]; (→ outlet; → s. for inspection run; → special s.)
socket for inspection run gniazdo wtykowe kontrolne; wtyczka probiercza [transp.]
socket joint złączka wtykana [masz.]
socket panel listwa panwiowa; listwa probiercza [masz.]
socket pin sworzeń wtykany [mot.]
socket-pin coupling sprzęgło palcowe [mot.]
socket pipe rura kielichowa [masz.]
socket screw wkręt z łbem z gniazdkiem sześciokątnym; śruba z łbem walcowym o gnieździe sześciokątnym [masz.]
socket spanner klucz nasadowy [narz.]
socket-type gniazdowy [masz.]
socket-type buffer zderzak tulejowy [mot.]
socket type tooth ząb wtykowy [transp.]

socket wrench (US) klucz nasadowy [narz.]
soffit podsufitka [transp.]; (→ truss s.)
soffit diagonal members przekątna sklepienia [transp.]
soffit light oświetlenie podsufitki [transp.]
soffit plate blacha sufitowa [transp.]
soft kowalny, kujny [masz.]; miękki [abc]
soft burnt dolomite dolomit palony miękki [min.]
soft cushioning seam buforowanie [met.]
soft magnetic iron żelazo magnetycznie miękkie [masz.]
soft packing uszczelnienie miękkie [abc]
soft rock skała miękka [geol.]
soft rock crushing rozdrabnianie materiałów miękkich [górn.]
soft shift przełączanie ręczne, łączenie ręczne; przełączanie miękkie [mot.]
soft soap mydło szare [abc]
soft soldering lutowanie miękkie [masz.]
soft start opór rozruchu [transp.]
soften zmiękczać [masz.]
softener zmiękczacz [masz.]
softening point temperatura mięknienia [masz.]
software oprogramowanie [inf.]
software design projekt programu [inf.]
software development rozwój oprogramowania [inf.]
software development tools narzędziowe środki programowe [inf.]
software engineering inżynieria oprogramowania; technika programowania; technologia programowania [inf.]
software inspection kontrola programowania [inf.]

software life cycle cykl życia programu; cykl istnienia oprogramowania [inf.]

software management zarządzanie projektem [inf.]

software quality jakość oprogramowania [inf.]

software quality assurance zapewnienie wysokiej jakości oprogramowania [inf.]

software reuse ponowne użycie oprogramowania [inf.]

software testing test oprogramowania [inf.]

soil ziemia; grunt; gleba [gleb.]; (→ black cotton s.; → cohesive s.; → compact s.; → firm soils; → flowing s.; → loose s.; → mineral s.; → natural s.; → peat s.; → problem s.; → saline s.; → silty s.; → sulphate s.)

soil condition warunki glebowe [gleb.]

soil liquefaction rozrzedzanie gruntu [bud.]

soil mechanics mechanika gruntów [gleb.]

soil mixture mieszanka gruntów [gleb.]

soil penetrometer penetrometr glebowy [gleb.]

soil profile profil glebowy, przekrój geologiczno-inżynierski [bud.]

soil pulverizer pulweryzator gleby [bud.]

soil sample próbka gruntu, próbka glebowa [gleb.]

soil stabilization melioracja gruntów; stabilizacja gruntu, utwardzenie gruntu [bud.]

soil substitution wymiana gruntu [bud.]

solar słoneczny [el.]

solar cell ogniwo słoneczne [el.]

solar energy energia słoneczna [el.]

solar power station elektrownia słoneczna [energ.]

solar telescope teleskop słoneczny [el.]

solder lutować (*miękko*) [met.]

solder banjo connection jednolite połączenie lutowane [mot.]

soldered lutowany [met.]

soldered connection połączenie lutowane [met.]

soldered connection piece element połączenia lutowanego [mot.]

soldered joint króciec lutowany [met.]

soldering lutowanie [met.]

soldering iron lutownica [transp.]

soldering lamp lampa lutownicza [met.]

solder point lutowina [met.]

solder tin cyna lutownicza [met.]

sole podeszwa [abc]

sole bar podłużnica podłogowa; belka nośna; dźwigar wzdłużny; podłużnica ramy [mot.]

solenoid pilot operated valve zawór bezpieczeństwa impulsowy [mot.]

solenoid spool cewka cylindryczna, solenoid; cewka zapłonowa [mot.]

solenoid switch włącznik solenoidowy [mot.]; wyłącznik elektromagnetyczny, przełącznik elektromagnetyczny [el.]

solenoid valve zawór elektromagnetyczny; suwak elektromagnetyczny [el.]; zawór elektromagnetyczny [mot.]

solid korpus, bryła [mot.]

solid trwały, stały; solidny; mocny; porządny [abc]; zwarty, lity, masywny [geol.]

solid ceiling strop masywny [transp.]

solid fuel paliwo stałe [energ.]

solidification umocnienie, utwardzenie, wzmocnienie [bud.]; krzepnięcie [abc]

solidified soil grunt zbity, grunt zwarty; grunt zagęszczony [gleb.]

S

solidify umacniać; utwardzać [bud.]; krzepnąć [abc]

solidity zwartość [transp.]

solid material materiał stały [abc]

solid matter masa stała [min.]

solid propellant paliwo stałe [wojsk.]

solid rim ring pierścień obręczy koła nie dzielony [mot.]

solid rock skała zwięzła [geol.]

solid rolled wheel koło pełne, koło bezobręczowe; koło bezobręczowe [mot.]

solid rubber tyre masyw, pełne ogumienie [mot.]

solids części stałe; substancja stała [abc]

solid scrap złom w bryłach [tw.]

solids discharge ilość wydobytego gruntu [mot.]

solid shot pocisk jednolity [wojsk.]

solid side ring pierścień boczny pełny nie dzielony [mot.]

solid track rod drążek kierowniczy poprzeczny nie dzielony [mot.]

solid tyre masyw, pełne ogumienie [mot.]

solid waste odpad stały [rec.]

soluble rozpuszczalny [chem.]

soluble salt sól rozpuszczalna [chem.]

solution rozwiązanie [abc]; roztwór [chem.]; (→ homogeneous s.; → particular s.; → steady-state s.)

solve rozwiązywać [abc]

solvent rozpuszczalnik [abc]

solvent adhesive klej rozpuszczalnikowy [el.]

somersault robić salto; koziołkować [mot.]

sonically hard odbijający dźwięk, nie pochłaniający dźwięku [akust.]

sonically soft akustycznie miękki, dźwiękowo miękki [akust.]

sooner wcześniej [abc]

soot kopcić; pokrywać sadzą [mot.]

soot sadza [mot.]

soot blower zdmuchiwacz sadzy [energ.]

soot blower connection podłączenie zdmuchiwacza sadzy [energ.]

soot blower opening przebicie zdmuchiwacza sadzy [energ.]

soot blower wall box skrzynia ścienna zdmuchiwacza sadzy [energ.]

sophisticated skomplikowany; wyszukany, wymyślny [abc]

sore muscles ból mięśniowy [abc]

sort klasyfikować [abc]

sort out wysortować, wybrakować [abc]

sorting sortowanie [górn.]; (→ internal s.) sortowanie [inf.]

sorting algorithm algorytm sortowania [inf.]

sorting control unit urządzenie sterujące sortowaniem [górn.]

sorting criterion kryterium sortowania [inf.]

sorting device sortownik [górn.]

sorting field pole sortowania [inf.]

sorting grab chwytak sortowniczy [górn.]

sorting method metoda sortowania [inf.]

sorting out sortowanie, selekcja [abc]

sorting plane płaszczyzna sortowania [górn.]

sorting siding tor kierunkowy [mot.]

sorting switch dźwignia włączająca sortowanie [abc]

sought after pożądany [abc]

sound dźwięk; odgłos [akust.]; brzmienie [abc]

sound absorber pochłaniacz dźwięku [akust.]

sound absorbing pochłanianie dźwięku, izolacja dźwiękowa [mot.]

sound-absorbing compound material tworzywo wielowarstwowe dźwiękochłonne [tw.]

sound-absorbing protection izolacja dźwiękowa [akust.]

sound and heat insulation otulina dźwięko- i ciepłochronna [akust.]

sound barrier bariera dźwięku [akust.]

sound beam wiązka dźwiękowa [akust.]

sound beam axis oś wiązki dźwięku [akust.]

sound beam characteristic charakterystyka akustyczna [akust.]

sound check próba dźwiękowa, próba dźwięku, próba na dźwięk [akust.]

sound conductivity przewodnictwo dźwięku, przewodność dźwięku [akust.]

sound damping factor współczynnik tłumienia [akust.]

sound exit point punkt wyjścia dźwięku [akust.]

sound field pole akustyczne [akust.]

sound gate bramka dźwiękowa [akust.]

sound image instrument ekran aparatu ultradźwiękowego [akust.]

sound image method metoda obrazowania śladu dźwięku [akust.]

sounding rod sztywny przewód do sondowania [miern.]

soundings sondowania [miern.]

sound-insulated wyciszony, dźwiękoszczelny [akust.]

sound intensity natężenie dźwięku; natężenie akustyczne [akust.]

sound level poziom głośności [akust.]

sound-level measuring device miernik poziomu ciśnienia akustycznego [miern.]

soundness prawdziwość; jakość [abc]

sound path ścieżka dźwiękowa [akust.]

sound pressure ciśnienie akustyczne [akust.]

sound pressure amplitude amplituda ciśnienia akustycznego [akust.]

sound pressure level poziom ciśnienia akustycznego [mot.]

sound reflection odbicie dźwięku [akust.]

sound refraction załamanie dźwięku, refrakcja dźwięku [akust.]

sound signal sygnał dźwiękowy [akust.]

sound source źródło dźwięku [akust.]

sound-suppressed wyciszony, dźwiękoszczelny [akust.]

sound velocity prędkość dźwięku [akust.]

sound wave fala dźwiękowa, fala akustyczna [akust.]

soup ladle chochla do zupy [abc]

source źródło; źródło pochodzenia (*towaru*), źródło zakupu [abc]; źródło napięcia; źródło prądu [el.]; źródło [inf.]; (→ autonomous s.; → controlled s.; → ideal source)

source disc dyskietka źródłowa [inf.]

source of radiation źródło promieniowania [opt.]

south południe; na południe [abc]

sow siać [roln.]

sower siewnik [roln.]; (→ sowing)

sowing siewnik [roln.]; (→ sower)

sowing machine siewnik [roln.]

sowing season pora siewu, pora zasiewów [roln.]

space przestrzeń [masz.]; szczelina, szpara; przestrzeń kosmiczna [abc]; (→ building s.) powierzchnia [bud.]; → steam s.; → water s.); odległość [transp.]

space occupied przestrzeń zajęta [transp.]

space probe sonda kosmiczna [mot.]

spacer element odległościowy, element dystansowy; pierścień rozstawczy; pierścień oddzielający; (GB) chwytak [masz.]; część odległościowa, rozpórka, przekładka; rura odległościowa; podkładka

S

odległościowa [mot.]; przekładka [transp.]

spacer bush tuleja odległościowa [transp.]

spacer disk pierścień oporowy [masz.]

spacer piece element pośredni [mot.]

spacer ring pierścień odległościowy [masz.]

space-saving kompaktowy [abc]

spaceship statek kosmiczny [transp.]

space shuttle prom kosmiczny [transp.]

space width wrąb międzyzębny, luka międzyzębna [masz.]

spacer sleeve tuleja odległościowa [masz.]

spacing odległość [abc]; rozstawianie [transp.]; podział, dzielenie [masz.]; (→ side s.)

spacing bush tuleja odległościowa [mot.]

spacing disc podkładka odległościowa; podkładka regulacyjna [mot.]

spacious przestronny [transp.]

spade łopata [narz.]

spade chisel dłuto szerokie, przecinak szeroki [narz.]

spall rozszczepiać [abc]

spall fracture złamanie odpryskowe [med.]

spalling odpryskiwanie [abc]; łuszczenie się, odłupywanie się [masz.]

spalling hammer przecinak kowalski trzonkowy; młotek do rozłupywania [narz.]

spalling test badanie odporności na cykle temperaturowe [masz.]

span rozpiętość [masz.]; rozpiętość podpory; średnica w świetle [transp.]; przęsło (mostu) [bud.]

span roof dach dwuspadowy, dach szczytowy [bud.]

spanner klucz szczękowy; klucz nastawny; (GB) klucz (maszynowy) płaski [narz.]; (→ fixed s.; → hook

s.; → pin s.; → pipe s.; → ring s.; → torque s.; → wrench)

spare battery bateria zapasowa [el.]

spare cutting edge ostrze zapasowe [masz.]

spare fan belt pasek klinowy zapasowy [mot.]

spare key klucz zapasowy [narz.]

spare part część zamienna [masz.]

spare parts depot magazyn części zamiennych [transp.]

spare parts documents dokumentacja do części zamiennych [transp.]

spare parts kit komplet części zamiennych [transp.]

spare parts list lista części zamiennych [transp.]

spare parts supplier dostawca części zamiennych [abc]

spare-strap for a strap wrench taśma zapasowa do klucza taśmowego [masz.]

spare tyre opona zapasowa; koło zapasowe [mot.]

spare wheel opona zapasowa [mot.]

spare wheel carrier uchwyt podtrzymujący koło zapasowe [mot.]

spark iskra [mot.]; przeskok (iskry) [abc]

spark arrestor chwytacz iskier, iskrochron; gasik [mot.]

spark discharger iskiernik [el.]

spark erosion erozja iskrowa [mot.]

sparking distance szczelina iskrowa [el.]

sparkle iskrzyć się [abc]; błyszczeć [mot.]

spark linkage mechanizm zapłonowy [mot.]

spark plug świeca (zapłonowa) [mot.]

spark plug protection cap kołpak ochronny świecy zapłonowej [mot.]

spark plug terminal końcówka przewodu świecy zapłonowej [mot.]

spatial reasoning wnioskowanie przestrzenne [inf.]

spattle szpachla; łopatka [narz.]
spatula szpachla; łopatka [narz.]
speaker mówca [abc]
spec wykaz [inf.]; (→ specification)
special szczególny; specjalny [abc]
special accessories wyposażenie specjalne [masz.]
special adapter jaw łącznik kłowy [masz.]
special addition agent specjalny czynnik uzupełniający [wojsk.]
special agreement porozumienie odrębne [abc]
special alloy *stop o specjalnym składzie lub specjalnych właściwościach* [met.]
special car wagon specjalny [mot.]
special case przypadek szczególny [abc]
special container kontener specjalny [masz.]
special cover powłoka specjalna [transp.]
special crane dźwig specjalny [masz.]
special cruise jazda specjalna [mot.]
special design typ specjalny [mot.]
special equipment wykonanie specjalne; osprzęt specjalny [masz.]; wyposażenie specjalne [transp.]
special form kształt specjalny [inf.]
special foundation nut nakrętka kotwowa, nakrętka ściągu [masz.]
special heavy-section mill walcownia kształtowników ciężkich [masz.]
specialize procedure procedura specjalizacyjna [inf.]
specialist referent; specjalista [abc]
speciality specjalność [abc]
special linkage łącznik specjalny [transp.]
special machinery obrabiarka specjalna [masz.]
special pincers obcążki specjalistyczne [narz.]
special plug wtyczka specjalna [transp.]

special purpose probe próbnik specjalny [miern.]
special report raport specjalny [abc]
specific specyficzny [abc]
specification dokładna instrukcja techniczna; przepis szczegółowy; specyfikacja; wykaz robót [abc]; (→ algebraic s.; → formal s.; → scope of supply)
specification department biuro normalizacji [norm.]
specification sheet dane techniczne [abc]
specifications wymagania techniczne; przepisy [abc]
specific coil weight ciężar właściwy zwoju [masz.]
specific gravity ciężar właściwy [miern.]
specific heat at constant pressure ciepło właściwe przy ciśnieniu stałym [miern.]
specific heat at constant volume ciepło właściwe przy objętości stałej [miern.]
specific steam consumption zużycie pary właściwe [energ.]
specific weight ciężar właściwy [miern.]
specify podawać; wyznaczać; wyszczególniać [abc]
specimen wzór [abc]; próbka (*badana*); przykład; próbka prętowa [masz.]
specimen advance posuw próbki badanej [masz.]
specimen feed podawanie próbki badanej, posuw próbki badanej [masz.]
specimen traverse przesuw próbki badanej [masz.]
spectacle glass okno maszynisty [mot.]
spectacles okulary [med.]
spectral analysis analiza spektralna [abc]

S

spectral component składnik widma [opt.]

spectrogram spektrogram [inf.]

spectrogram synthesiser generator spektrogramów [inf.]

specular reflection odbicie zwierciadlane [opt.]

speech mowa; przemówienie [abc]

speech impediment wada wymowy [med.]

speed liczba obrotów silnika; prędkość (*jazdy*) [mot.]; (→ belt s.; → circumferential s.; → design s.; → nominal s.; → operating s.; → peripheral s.; → propagation s.)

speedboat ścigacz, ślizgacz [mot.]

speed change valve zawór zmiany biegów [masz.]

speed control regulacja prędkości obrotowej [mot.]

speed gun aparat radiolokacyjny [mot.]

speed lever dźwignia regulatora prędkości [mot.]

speed limit ograniczenie prędkości [mot.]

speedometer prędkościomierz; szybkościomierz [mot.]

speedometer cable wał tachometryczny [mot.]

speedometer casing obudowa tachometru [mot.]

speedometer drive napęd tachometryczny [mot.]

speedometer drive cover pokrywa napędu tachometrycznego [mot.]

speedometer drive gear koło napędowe tachometryczne [mot.]

speedometer drive housing obudowa napędu tachometrycznego [mot.]

speedometer drive pinion zębnik tachometryczny [mot.]

speedometer shaft wał tachometryczny [mot.]

speed range zakres prędkości [mot.]

speed reducing valve zawór zwalniający [masz.]

speed regulation regulacja prędkości obrotowej [mot.]

speed torque curve krzywa momentu [masz.]

speed up rozpędzać, przyspieszać [mot.]

spherical sferyczny; kulisty [masz.]

spherical bush kalota [transp.]

spherical cap podkładka stożkowa; gniazdo kuliste [mot.]

spherical plain bearing łożysko przegubowe; łożysko ślizgowe kulkowe [masz.]

spherical reflector reflektor sferyczny [masz.]

spherical rocket shell gniazdo kuliste [mot.]

spherical roller bearing łożysko baryłkowe [masz.]

spherical roller bearing double row łożysko baryłkowe dwurzędowe [masz.]

spherical roller bearing single row łożysko baryłkowe jednorzędowe [masz.]

spherical roller thrust bearing łożysko baryłkowe osiowe [masz.]

spherical wave fala kulista [mot.]

spheroidal cast iron żeliwo sferoidalne [tw.]

spheroidal graphite cast iron żeliwo z grafitem sferoidalnym [tw.]

spheroidal graphite iron casting odlewanie żeliwa sferoidalnego [tw.]

spheroidal iron casting żeliwo sferoidalne [tw.]

spherulite crystal sferolit [tw.]

spider krzyżak; jarzmo [mot.]; część konstrukcji o kształcie gwiaździstym; gwiazda [masz.]

spigot nut nakrętka nasadowa złączkowa [masz.]

spike kolec [mot.]

spill guard błotnik [mot.]

spill pipe rura przelewowa [mot.]

spin wirować [abc]; obracać (*się*) [mot.]

spindle wrzeciono [masz.]; trzpień obrotowy; (→ axle) oś; (→ steering s.) czop [mot.]

spindle drive mechanizm wrzecionowy [mot.]

spindle sleeve tuleja wrzecionowa [masz.]

spindle-type stabilizer stabilizator zastrzałowy [mot.]

spine kręgosłup [med.]

spinning wirowanie [mot.]

spiral spirala [abc]

spiral spiralny [masz.]

spiral arrangement w kształcie spirali; ułożenie spiralne [masz.]

spiral-conic gear przekładnia stożkowa z zębami śrubowymi [masz.]

spiral head głowica śrubowa [masz.]

spiral housing osłona spiralna [mot.]

spiral pipe rura ze szwem śrubowym [masz.]

spiral ramp schody kręte [bud.]

spiral recorder rejestrator spiralny [masz.]

spiral reinforced zbrojony uzwojeniem [masz.]

spiral spring sprężyna spiralna [masz.]

spiral staircase schody kręte [bud.]

spiral toothed uzębiony śrubowo, uzębiony skośnie [transp.]

spiral-type hose guard osłona przewodu giętkiego typu spiralnego [masz.]

spire iglica; wieża, strzeliste zakończenie [bud.]

spirit level (GB) poziomnica [miern.]

spirol pin kołek sprężysty śrubowy [masz.]

splash lubrication smarowanie rozbryzgowe, smarowanie zanu-rzeniowe [masz.]

splash proof bryzgoszczelny, strugoszczelny; kroploszczelny [mot.]

splash water woda rozbryzgowa [transp.]

splatter rozprysk [met.]

splice splatać [masz.]

splice miejsce splotu [masz.]

splicing łączenia na długości [bud.]

spline wpustować wzdłużnie [masz.]

spline wpust; wypust [masz.]; sprzęgło wielowypustowe [transp.]; uzębienie wewnętrzne; zazębienie kształtowe [mot.]

spline bore hub piasta wielowypustowa [masz.]

spline bore profile profil piasty wielowypustowej [masz.]

splined coupling sprzęgło wielowypustowe [transp.]

splined shaft wałek wielowypustowy [masz.]

splines wielowypust, wieloklin [masz.]

spline shaft wałek wielowypustowy [transp.]

splinter rozszczepiać, rozszczepić [abc]

splinter drzazga [abc]

splinter hand grenade granat ręczny odłamkowy [wojsk.]

split rozszczepiać się, rozszczepić się; rozdzielać, rozdzielić [abc]

split pęknięcie [transp.]; (→ crack) szczelina [masz.]

split beam rozszczepiacz wiązki [transp.]

split charter czarter częściowy [mot.]

split hopper dredger pogłębiarka nasiębierna wieloczęściowa [transp.]

split hub piasta dzielona [mot.]

split link *ogniwo łańcucha z dwóch połówek znitowanych razem* [mot.]

split pin zawleczka [masz.]

split rim ring pierścień rozcięty obręczy koła [mot.]

S

split screen ekran dzielony [inf.]
split side ring pierścień boczny rozcięty [mot.]
**split spin fastener connecting
link** ogniwo spinające zawleczki
[masz.]
split spoon sampling próbkowanie
szczelinowe [masz.]
split track rod drążek kierowniczy
poprzeczny dzielony [mot.]
spoiled rozpieszczony [abc]
spoiler interceptor [mot.]
spoil side strona zwałowania [górn.]
spoke szprycha [mot.]
spoked wheel koło ramieniowe
[transp.]
spokesman rzecznik [ekon.]
spoke wheel koło szprychowe [mot.]
spoke wheel center piasta koła
szprychowego [mot.]
sponge gąbka [abc]
sponge-rubber strip profil z gumy
gąbczastej [mot.]
spongy structure rozluźnienie struktury [tw.]
spontaneous combustion zapalenie
samorzutne, samozapalenie [górn.]
spontaneous ignition zapłon samoczynny, samozapłon [mot.]
spool nawijać, nawinąć [abc]
spool zawór tłoczkowy; sworzeń
przełączający; drążek suwaka (*sterującego*) [mot.]; szpula [masz.]
spooling wydruk buforowany [inf.]
spool set zespół cewek [mot.]
spool travel gauge przetwornik przemieszczenia [masz.]
spoon kielnia [bud.]; łyżka [abc]
sporadically okazyjnie; sporadycznie [abc]
sports grounds tereny rekreacyjne
[abc]
sports hall hala sportowa [abc]
sports kit zestaw sportowy [mot.]
sports stadium stadion sportowy
[transp.]

spot wyszukiwać, wyszukać [abc]
spot plama; punkt [abc]
spot check próba losowa [polit.]
spot face frezować powierzchnię czołową [masz.]
spot face pogłębianie czołowe; powierzchnia czołowa [masz.]
spot lamp szukacz [mot.]
spot lamp bulb reflektor poszukiwawczy; szperacz [mot.]
spotlight reflektor punktowy;
oświetlenie punktowe; reflektor
wąskostrumieniowy; reflektor poszukiwawczy; projektor iluminacyjny [el.]
spot velocity prędkość odchylania
[transp.]
spot weld zgrzewać punktowo,
zgrzać punktowo [met.]
spot weld zgrzeina punktowa [met.]
spot welding zgrzewanie punktowe
[met.]
spotting time czas montażu, czas
ustawienia; czas wymiany [transp.]
spout wyjście, wylot [masz.]; ujście
[mot.]
sprag kołek do hamowania wozów
[mot.]
spray rozpylać [abc]
spray spray; środek do rozpylania;
ciecz rozpylana [abc]
spray attemperator schładzacz
wtryskowy [mot.]
spray can atomizator; rozpylacz [abc]
spray cleaning nozzle *końcówka
wylotowa pojemnika ze środkiem
czyszczącym* [masz.]
spray cooler chłodnica ociekowa
[energ.]
sprayer rozpylacz [masz.]; rozpylacz
[met.]
spraying agent środek do rozpylania [masz.]
spraying nozzle dysza wodna
[masz.]
spraying process proces natryski-

wania [masz.]
spray nozzle dysza rozpylająca; rozpylacz [masz.]
spray wash myć natryskowo, umyć natryskowo [transp.]
spread rozprzestrzeniać (*się*), rozprzestrzenić (*się*); rozszerzać (*się*); rozkładać [abc]
spread beam zawiesie belkowe [mot.]
spreader rozkładarka taśmowa; zwałowarka taśmowa; (US) rozkładarka, rozścielarka [transp.]
spreader bar poprzecznica czołowa [mot.]; rozpora [masz.]
spreader discharge belt taśmociąg zwałowarki [transp.]
spreader stoker ruszt narzutowy [masz.]
spreading powlekanie [tw.]
spring spirala [masz.]; sprężyna naciągowa; resor [mot.]; wiosna; źródło [abc]; (→ bi-metal s.; → clutch thrust s.; → coil s.; → compression s.; → conical s.; → cup s.; → disc s.; → draw s.; → flat spiral s.; → formed leaf s.; → governor s.; → hinge s.; → interlock s.; → leaf s.; → nozzle s.; → plunger s.; → pre-stressed s.; → pressure s.; → pressure valve s.; → quarter elliptic s.; → ratched s.; → rear s.; → recoil s.; → release s.; → relieving s.; → return s.; → sear s.; → semi-elliptic s.; → s. guide; → s. washer; → suction valve s.; → synchronising s.; → tension s.; → torsion bar s.; → track adjustment s.; → transverse s.; → valve s.; → volute s.; → wire leaf s.)
spring assembly zespół sprężyn [masz.]
spring band steel taśma stalowa sprężynowa [masz.]
spring bolt sworzeń sprężysty [mot.]
spring bracket taśma sprężynowa [masz.]; dźwigar resoru [mot.]

spring brake cylinder cylinder hamulcowy sprężynowy [mot.]
spring bumper pad zderzak sprężynowy [mot.]
spring bushing tuleja sprężyny, tuleja resoru [mot.]; łożysko wału napędowego [masz.]
spring cap miseczka sprężyny; talerz, tarcza [masz.]
spring centre bolt kołek sprężyny wielopłytkowej [masz.]
spring clamp screw śruba zaciskowa resoru [masz.]
spring clearance luz sprężyny [masz.]
spring clip zacisk sprężyny; zacisk sprężynowy [masz.]; opaska resoru [mot.]
spring clip connecting link ogniwo spinające [masz.]
spring compensation lever dźwignia wyrównawcza sprężynowa [masz.]
spring cotter of a bolt przetyczka sprężysta [masz.]
spring cotter pin przetyczka sprężysta [masz.]
spring cover osłona resoru [transp.]; pochwa tulejowa sprężyny [masz.]
spring-cushion poduszka sprężynowa [mat.]
spring deflection ugięcie sprężyny [masz.]
spring deflection of single coil ugięcie sprężyny jednoskrętne [masz.]
spring device mechanizm sprężynowy [masz.]
spring distance strzałka ugięcia sprężyny [masz.]
spring dowel kołek sprężysty [mot.]
spring dowel sleeve tuleja sprężysta [masz.]
spring eye ucho sprężyny, ucho resoru; oko sprężyny [masz.]
spring force siła sprężyny [mot.]
spring gaiter osłona resoru [mot.]

S

spring guide resor ze ślizgaczem [mot.]

spring hanger wieszak resoru [mot.]; (→ rubber-cushioned s. h.)

spring key (→ key way) wpust pasowany [masz.]

spring leaf pióro resoru [masz.]

spring load napięcie sprężyny; obciążenie sprężyny [masz.]

spring-loaded sprężynowy; obciążony sprężyną [masz.]

spring-loaded brake hamulec sprężynowy [masz.]

spring-loaded cylinder cylinder sprężynowy [mot.]

spring-loaded cylinder for parking brake cylinder sprężynowy hamulca postojowego [mot.]

spring-loaded release valve for parking brake zawór spustowy sprężynowy (*hamulca postojowego*) [mot.]

spring-loaded safety valve sprężynowy zawór bezpieczeństwa [masz.]

spring loaded tube hanger zawieszenie rurociągu [masz.]

spring lock zapinka ogniwka złącznego łańcucha [masz.]

spring lock washer podkładka zabezpieczająca; podkładka sprężysta [masz.]

spring measurement pomiar sprężyny [transp.]

spring-mounted sprężysty, elastyczny; sprężyście, elastycznie [masz.]

spring pad podkładka sprężysta [mot.]

spring pin kołek sprężysty [masz.]

spring plate płytka sprężysta [masz.]; blacha sprężynowa; krążek sprężyny [mot.]

spring pressure nacisk na sprężynę [masz.]

spring pressure pad grzybek dociskający sprężysty [masz.]

spring retainer sprężyna ustalająca [masz.]

spring ring sprężyna spiralna [mot.]; pierścień sprężysty; pierścień osadczy sprężynujący [masz.]

spring-ring pliers kleszcze do pierścieni Seegera [masz.]

spring saddle ślizgacz resoru [mot.]

spring screw śruba sprężyny, śruba sprężysta [mot.]

spring seat talerzyk sprężyny [masz.]

spring shackle wieszak resoru, strzemię resoru [mot.]

spring shackle ogniwo wieszaka sprężyny [masz.]

spring steel stal sprężynowa [met.]

spring stop zderzak sprężynowy [masz.]

spring support wieszak resoru [mot.]

spring-supported resorowany, na resorach [masz.]

spring suspension zawieszenie sprężynowe [masz.]; resorowanie [mot.]

spring suspension component element zawieszenia sprężynowego [masz.]

spring table stół resorowany, stół amortyzowany [masz.]

spring tension napięcie sprężyny [masz.]

spring tension plate łapka sprężysta [mot.]

spring tensioning napięcie sprężyny [masz.]

spring U-bolt strzemię resoru [mot.]

spring washer podkładka sprężysta, sprężyna pierścieniowa; podkładka sprężysta [masz.]; sprężyna talerzowa [transp.]; podkładka sprężysta [mot.]

spring wire drut sprężynowy [masz.]

sprinkle tube wąż skraplaczowy [masz.]

sprinkler tryskacz (*przeciwpoża-*

rowy); instalacja tryskaczowa [masz.]

sprinkler arrangement urządzenie tryskaczowe [masz.]

sprinkler blast pipe rura wydmuchowa tryskacza [masz.]

sprinkler installation podłączenie tryskacza [masz.]

sprinkler system instalacja tryskaczowa [masz.]

sprinkling stoker palenisko narzutowe [energ.]

sprocket koło napędowe; turas napędowy [transp.]; koło łańcuchowe [górn.]; (→ chain s.)

sprocket belt pas zębaty [mot.]

sprocket chain łańcuch drabinkowy [mot.]

sprocket hub piasta wielokątna [transp.]

sprocket ring wieniec koła łańcuchowego [masz.]

sprocket wheel koło łańcuchowe drabinkowe [mot.]

spruce resorowany [abc]

sprung seat siedzenie amortyzowane [abc]

spud szczudło pogłębiarki [transp.]; pal [abc]

spud carriage wózek do transportu pali [mot.]

spud hoisting equipment sprzęt dźwigowy do podnoszenia pali [mot.]

spud lifting equipment sprzęt dźwigowy do podnoszenia pali [mot.]

spur gear koło zębate czołowe; przekładnia zębata czołowa [mot.]

spur gearing przekładnia zębata czołowa [mot.]

spur gear rim wieniec koła zębatego czołowego [mot.]

spurious indication wskazanie błędu [abc]

spur toothing uzębienie proste [masz.]

spur wheel koło zębate czołowe [mot.]

spur wheel section stopień koła zębatego czołowego [mot.]

sqare handrail poręcz kwadratowa [transp.]

squall ulewa [meteo.]

square karo; kwadrat [abc]; kąt [rys.]

square kwadratowy; prostokątny [abc]

square billet kęs kwadratowy [masz.]

square box kolektor czworokątny [masz.]

square foot stopa kwadratowa [miern.]

square head bolt with collar śruba z łbem czworokątnym i kołnierzem oporowym [masz.]

square header komora zbiorcza prostokątna; kolektor czworokątny [energ.]

square kilometer kilometr kwadratowy [miern.]

square knot węzeł podwójny [mot.]

square meter metr kwadratowy [miern.]

square mile mila kwadratowa [miern.]

square nut nakrętka czworokątna [masz.]

square profile przekrój poprzeczny kwadratowy [masz.]

square pulse impuls prostokątny [el.]

square-rigged ship fregata [mot.]

square-root circuit układ pierwiastkujący [el.]

square section ring pierścień prostokątny [mot.]

square shaft key stock klin dopasowany [masz.]

square taper washer podkładka kwadratowa [masz.]

square thin nut nakrętka czworokątna wąska [masz.]

S

square timber krawędziak, kantówka [bud.]

square wave wahanie prostokątne [transp.]; fala prostokątna [el.]

square wave pulse impuls prostokątny [el.]

square wave voltage napięcie prostokątne [el.]

square weld spoina czołowa na I [met.]

square weld nut nakrętka zgrzewana czworokątna [met.]

squatter dziki lokator [polit.]

squeeze-stable stabilny po ugniataniu [masz.]

squib petarda [wojsk.]

squirrel wiewiórka [bot.]

squirrel-cage induction motor silnik klatkowy, silnik zwarty [el.]

squirrel cage motor silnik klatkowy, silnik zwarty [transp.]

squirrel cage rotor motor silnik klatkowy, silnik zwarty [el.]

squirrel gray popiel wiewiórki syberyjskiej [norm.]

squirt off wytryskiwać [transp.]

stability stabilność; równowaga; nośność, wytrzymałość; stateczność [masz.]; (→ asymptotic s.; → conditional s.; → marginal s.)

stability check badanie trwałości [el.]

stability criterion kryterium stabilności, warunek stabilności [el.]

stability of the slope stabilność skarpy, stabilność nasypu [transp.]

stability rectangle *elementy podporowe rozmieszczone na planie prostokąta* [mot.]

stability reserve zapas stabilności [el.]

stability square *elementy podporowe rozmieszczone na planie kwadratu* [mot.]

stabilized gasoline (US) benzyna stabilizowana [energ.]

stabilizer (→ hydraulic s.) stabilizator [masz.]; łapa wspornikowa [transp.]; statecznik; stabilizator; wspornik [mot.]

stable odstawiać [mot.]

stable stajnia [bud.]; (→ Scotch block)

stable stabilny; stateczny [abc]; solidny, trwały; stabilny [polit.]

stack rura wydechowa [mot.]; komin zakładu przemysłowego [bud.]; stos [abc]; hałda węgla, zwał węgla [górn.]; stos [inf.]

stack draught ciąg kominowy, ciąg naturalny [energ.]

stacker zwałowarka [górn.]; taśmociąg zwałowarki; zwałownica [transp.]

stacker reclaimer ładowarka kołowa kombinowana; zgarniak zwałowarkowy [transp.]

stacking stertowanie [abc]

stadium stadion [abc]

staff sztab [wojsk.]; łata miernicza [miern.]; (→ personnel; employees) personel; załoga [abc]

staff and capital ludzie i kapitał [abc]

staff meeting zebranie personelu [abc]

staff of stand personel stoiska; obsada stoisk targowych [abc] ?

stage stopień; scena; trybuna [abc]

stage-bleeding upust, zaczep [energ.]

stagecoach dyliżans [abc]

stagger wahanie; układ schodkowy [abc]

staggered spiętrzony; przestawiony, przesunięty; murowany w ułożeniu przemiennym [abc]

staggered header komora sekcyjna, sekcja [energ.]

stage-hydraulics instalacja hydrauliczna stopniowa [masz.]

stagnation stagnacja, zastój [abc]

stain plama [masz.]
stainless nierdzewny [met.]
stainless cast steel stal nierdzewna [met.]
stainless steel stal szlachetna; stal szlachetna nierdzewna; stal nierdzewna [met.]
stainless steel coating powłoka ze stali szlachetnej [met.]
stainless steel keg beczka ze stali szlachetnej [met.]
stainless steel keg production line linia produkcyjna beczek ze stali szlachetnej [met.]
stainless steel transport barrel beczka transportowa ze stali szlachetnej [masz.]
stair schodek [masz.]
staircase schody; klatka schodowa [bud.]
staircase lights oświetlenie klatki schodowej [el.]
stairs schody [bud.]; trap [mot.]
stair sketch drawing rysunek szkicowy schodów [transp.]
stair step signal sygnał schodkowy [transp.]
stairway klatka schodowa [bud.]
stake pal [abc]
stake out wyznaczać, wyznaczyć; wytyczać, wytyczyć [bud.]
stale zatrzymywać się [mot.]
stalitron stalitron [masz.]
stalk nadlew wtryskowy [tw.]
stall zahaczyć, utknąć w miejscu; przerywać, przerwać [masz.]; dławić, zadławić; zrywać, zerwać; odrywać, oderwać [mot.]
stall point punkt gaśnięcia silnika wskutek przeciążenia; (→ stall) punkt przerwania [mot.]
stamina wytrwałość [abc]
stamp tłoczyć; wyciskać, wycisnąć; tłoczyć, wytłoczyć; wbijać, wbić [masz.]
stamp stempel [abc]; znaczek pocz-

towy [polit.]
stamped ofrankowany, ze znaczkiem [abc]
stamped part element tłoczony [masz.]
stampede popłoch, panika [abc]
stanchion kłonica; podpora [mot.]
stanchion support uchwyt kłonicy [mot.]
stand stać [abc]
stand stojak; stragan; podest [abc]; stanie [mot.]
stand management kierownictwo stoiska [abc]
stand up wstawiać, wstawić się (*za kimś, czymś*) [abc]
standard wzorzec [abc]; norma [norm.]; skala [miern.]; proporzec; *jednostka bojowa (kiedyś SA lub SS)* [wojsk.]; (→ graphics s.; → international s.)
standard standardowy; znormalizowany [norm.]; seryjny; normalny [masz.]
standard advertising items standardowe artykuły reklamowe [abc]
standard arm ramię standardowe [transp.]
standard bucket łyżka znormalizowana [transp.]
standard bucket width szerokość łyżki znormalizowana [transp.]
standard cabinet szafa znormalizowana [norm.]
standard car samochód o wyposażeniu standardowym [mot.]
standard design standardowy typ konstrukcji [masz.]
standard equipment wyposażenie standardowe [masz.]
standard form druk, wzór [abc]
standard gauge tor normalny [mot.]
standard gear box znormalizowana skrzynka biegów [mot.]

S

standardisation normalizacja [norm.]; standaryzacja [inf.]

Standardization Agreement STANAG Układ o Normalizacji STANAG [mot.]

standardize ustanawiać, ustanowić [mot.]; normalizować, znormalizować; normować [norm.]

standard joint configuration wzorzec układu spoin [met.]

standard locomotive lokomotywa typowa [mot.]

standard machine sprzęt znormalizowany [transp.]

standard machinery urządzenia mechaniczne znormalizowane [transp.]

standard module moduł wzorcowy [abc]

standard paint finish malowanie ogólne [abc]

standards normy [norm.]; wymagania jakościowe [abc]

standard scope of supply standardowy zakres dostawy [abc]

standard size wielkość standardowa [mot.]

standard type ship statek typowy [mot.]

standard undercarriage podwozie standardowe [transp.]

standard V-belt pas klinowy zwykły [masz.]

standard wagon wagon standardowy [mot.]

standard weight odważnik wzorcowy [norm.]

standby boiler zbiornik rezerwowy [energ.]

standby mill młyn rezerwowy [górn.]

standby pump pompa rezerwowa [masz.]

standing by bycie w pogotowiu [abc]

standing pier filar mostowy [bud.]

standpipe przyłączenie rurowe;

króciec podłączeniowy; króciec rurowy [masz.]

standstill postój [mot.]

staple spajać klamrą, spoić klamrą [met.]

staple spinacz [met.]

staple block blok stępkowy, klatka stępkowa [mot.]

stapler zszywacz biurowy [abc]

star gwiazda [el.]

starboard prawa burta [mot.]

starboard boiler kocioł prawostronny [mot.]

star delta gwiazda-trójkąt [el.]

star-delta connection połączenie trójkąt-gwiazda [el.]

star-delta-control sterowanie trójkąt-gwiazda [transp.]

star-delta switching przełączanie trójkąt-gwiazda [el.]

star-shaped gwiaździsty [abc]

star-shaped filter element for hydraulic filter wkładka gwiaździsta do filtra hydraulicznego [mot.]

starch skrobia [abc]

start uruchamiać, uruchomić; ruszać, wyruszać [mot.]; dokonywać rozruchu, dokonać rozruchu [masz.]; rozpoczynać [abc]

start punkt początkowy, punkt wyjścia [transp.]; rozruch [mot.]

start container zasobnik startowy [wojsk.]

starter rozrusznik [mot.]; nawiertak [met.]

starter battery akumulator rozruchowy [mot.]

starter button przycisk rozruchowy; przycisk rozrusznika [mot.]

starter cable instalacja rozruchowa [mot.]

starter motor silnik rozruchowy elektryczny [mot.]

starter motor cover kołpak ochronny silnika rozruchowego [mot.]

starter pilot pompa rozruchowa [mot.]

starter pinion wałek zębaty rozrusznika; zębnik mechanizmu rozruchowego [mot.]

starter pinion control dźwignia wałka mechanizmu rozruchowego [mot.]

starter transformer transformator rozruchowy [el.]

starting uruchamianie, rozruch [mot.]

starting aid wspomaganie rozruchu [transp.]; urządzenie ułatwiające rozruch [mot.]

starting apparatus urządzenie rozruchowe [transp.]

starting cartridge ładunek miotający [wojsk.]

starting contactor stycznik rozruchowy [el.]

starting crank korba rozruchowa [mot.]

starting crank arm ramię korby rozruchowej [mot.]

starting crank dog zazębiacz korby rozruchowej [mot.]

starting crank handle uchwyt korby rozruchowej, rączka korby rozruchowej [mot.]

starting crankshaft wał korby rozruchowej [mot.]

starting current prąd rozruchowy [transp.]; prąd włączeniowy [el.]

starting disk tarcza rozruchowa [masz.]

starting dog zazębiacz korby rozruchowej [mot.]

starting power moc rozruchowa [mot.]

starting resistance opornik rozruchowy [transp.]

starting signal znak odjazdu, sygnał odjazdu [mot.]

starting time relay przekaźnik zwłoczny rozruchu [el.]

starting torque moment rozruchu, moment rozruchowy [transp.]

start interlock blokada rozruchu [mot.]

start machining here punkt rozpoczęcia obróbki [rys.]

start of production rozruch taśmy produkcyjnej, uruchomienie taśmy produkcyjnej [masz.]

start of the test początek próby, początek doświadczenia [miern.]

startpilot *pilot prowadzący kolumnę na start* [mot.]

start up rozpędzać, rozpędzić; nadawać szybkości, nadać szybkości [mot.]; uruchamiać, uruchomić [masz.]

startup rozpoczęcie [abc]

start-up device urządzenie rozruchowe [energ.]

start-up diagram schemat rozruchowy [energ.]

start-up flash tank rozprężacz rozruchowy, rozprężacz uruchomieniowy [energ.]

start-up from cold rozruch ze stanu zimnego [energ.]

start-up graph schemat rozruchowy [energ.]

start-up period czas uruchamiania [energ.]

start-up piping instalacja rurowa rozruchowa [energ.]

start-up valve zawór rozruchowy [energ.]

state zanotować, zaznaczyć; specyfikować, wyszczególniać, wyszczególnić [abc]

state stan; jakość; cecha, właściwość [abc]; stan [polit.]; (→ gaseous s.; → steady s.; → vapour s.)

state coach karoca [mot.]

State Department (US) Ministerstwo Spraw Zagranicznych [polit.]

state of aggregation stan skupienia [chem.]

state of the art *aktualny stan rozwoju techniki* [abc]

state railway koleje państwowe [mot.]

statement instrukcja [inf.]; ustosunkowanie się; stwierdzenie [abc]

stateroom kabina, kajuta [mot.]

static szumieć [akust.]

static analysis analiza statyczna [inf.]

static energy energia statyczna [mot.]

static evaluation ewaluacja statyczna [inf.]

static head wysokość statyczna [energ.]

static large-signal sygnał wielki statyczny [el.]

static load rating obciążenie dopuszczalne statyczne [masz.]

static network model statyczny model sieciowy [masz.]

static penetration testing sondowanie ciśnieniowe [masz.]

static pressure ciśnienie statyczne [energ.]

static pump pompa statyczna [mot.]

statics statyka [transp.]

station stacja; przystanek [mot.]; garnizon [wojsk.]; (→ gauging s.; → pressure reducing s.)

stationary stacjonarny; stały [mot.]

stationary belt conveyor przenośnik taśmowy stacjonarny [transp.]

stationary boiler kocioł parowy lądowy [energ.]

stationary control position stanowisko sterownicze stacjonarne [mot.]

stationary crushing plant kruszarnia stcjonarna [górn.]

stationary grate ruszt płaski [energ.]

stationary load obciążenie nieruchome [masz.]

stationary plant urządzenie stacjonarne [masz.]

stationary wave fala stojąca [masz.]

station book stall księgarnia na dworcu [mot.]

station clock zegar dworcowy [mot.]

station master naczelnik stacji, zawiadowca stacji [mot.]

station missionary ward misja dworcowa [mot.]

station pub restauracja dworcowa [mot.]

station restaurant restauracja dworcowa [mot.]

station square plac dworcowy [mot.]

statistical classification klasyfikacja statystyczna [inf.]

stator stojan [el.]

stator pick-up ring krążek nawojowy stojana i szpula przenośna [el.]

stator winding uzwojenie stojana [el.]

statue statua [abc]

status status prawny [praw.]

statutory liability odpowiedzialność ustawowa [praw.]

stave cooler chłodnica płytowa [energ.]

stay pozostawać, pozostać [abc]

stay (→ sheeting) zastrzał [bud.]

stay plate płyta stalowa stojąca [masz.]

stay tap gwintownik [narz.]

steady ustalony, stały [abc]

steadying roll rolka ustalająca, krążek ustalający [el.]

steady load inercja, bezwładność, obciążenie stałe [masz.]

steady state stan ustalony [fiz.]

steady-state solution rozwiązanie stacjonarne [el.]

steady thermal condition stan ustalony [energ.]

steak stek [abc]

steam parować, poddawać działaniu pary [mot.]

steam para [energ.]; (→ bled s.; → extraction s.; → flash s.; → flashed s.; → live s.; → normal s.; → saturated s.; → superheated s.; → wet s.)

steam admission zasilanie parą [energ.]

steam-and-water drum bęben odmieszalnikowy [energ.]

steam beer steam beer *(amerykańskie piwo górnej fermentacji)* [abc]

steam bell system dzwon parowy [mot.]

steam bloc zbiornik pary wodnej [energ.]

steam boiler kocioł parowy [mot.]; wytwornica pary [energ.]

steam brake hamulec parowy [mot.]

steam bubble przestrzeń parowa [energ.]

steam cage rura ścienna [energ.]

steam cage tube rura chłodząca palenisko [energ.]

steam chest skrzynia zaworowa [energ.]; skrzynia suwakowa [mot.]

steam-chest pressure gauge manometr skrzyni suwakowej [mot.]

steam clean czyścić parą [mot.]

steam collector przestrzeń parowa [mot.]

steam demand pobór pary [energ.]

steam dome kołpak parowy [mot.]

steam-drive napęd parowy [mot.]

steam driver maszynista *(parowozu)* [mot.]

steam drying osuszanie pary [energ.]

steam engine (US) parowóz, lokomotywa parowa [mot.]

steam entry wlot pary [mot.]

steam flow meter paromierz, przepływomierz do pary [energ.]

steam flow recorder paromierz, przepływomierz do pary [energ.]

steam flow transmitter czujnik natężenie przepływu pary [energ.]

steam generating plant wytwornica pary [energ.]

steam generating tube opłomka [energ.]

steam-generation plant wytwornica pary [mot.]

steam-hauled napędzany parą [mot.]

steam-heated air heater podgrzewacz powietrza *(wykorzystujący ciepło gazów spalinowych)* [energ.]

steam-heated reheater przegrzewacz międzystopniowy ogrzewany parowo [energ.]

steam heating ogrzewanie parowe [mot.]

steam heating installation instalacja ogrzewania parą [mot.]

steam-heating pressure gauge manometr ogrzewania parowego [mot.]

steam-heating safety valve zawór bezpieczeństwa *(do upuszczania pary)* [mot.]

steam-heating valve zawór ogrzewania parowego [mot.]

steam impurity zanieczyszczenie pary [energ.]

steam inlet otwór wlotowy pary [mot.]

steam-line warm-up podgrzewać przewód parowy, podgrzać przewód parowy [energ.]

steam loco lokomotywa parowa; (→ steam engine) parowóz [mot.]

steam loco manufacturing produkcja parowozów [mot.]

steam locomotive parowóz, lokomotywa parowa [mot.]

steam operation trakcja parowa [mot.]

steam output wydajność pary [energ.]

steam power siła pary [mot.]

steam power plant siłownia parowa [energ.]

steam pressure ciśnienie pary, prężność pary [energ.]

steam pressure atomizer rozpylacz ciśnieniowo-parowy [energ.]

steam pressure at superheater outlet ciśnienie pary przy ujściu przegrzewacza [energ.]

S

steam proof paroszczelny [energ.]

steam pump pompa strumieniowa parowa [mot.]

steam purity czystość pary [energ.]

steam railcar wagon motorowy parowy, wagon silnikowy parowy [mot.]

steam railway kolej parowa [mot.]

steam-raising plant wytwornica pary [energ.]

steam releasing surface powierzchnia rozdziału wody i pary wodnej [energ.]

steam roller walec parowy [mot.]

steam sampling pobieranie próbek pary [energ.]

steam scrubbing pranie parowe [energ.]

steam separation separacja pary [energ.]; separacja wilgoci [mot.]

steamship statek parowy; parowiec [mot.]

steam space przestrzeń parowa [energ.]

steam table tablica własności pary [energ.]

steam take-off drum walczak górny, walczak parowy [energ.]

steam temperature temperatura pary [energ.]

steam temperature control regulacja temperatury pary [energ.]

steam temperature regulation regulacja temperatury pary [energ.]

steam trap garnek kondensacyjny, odwadniacz [energ.]

steam velocity prędkość pary [energ.]

steam water mixture mieszanka wodno-parowa [energ.]

steam whistle gwizdawka parowa [mot.]

Steatite steatyt [el.]

steel natapiać stalą [masz.]

steel stal (*szybkotnąca*) [tw.]; (→ bright key s.; → cold rolled s.; → spring band s.)

steel stalowy [masz.]

steel baling hoop stal obręczowa w belach [masz.]

steel ball kula stalowa [masz.]

steel band taśma stalowa [mot.]

steel belt tyre opona z osnową stalową [mot.]

steel blue błękit stalowy [norm.]

steel bridge plate mostek stalowy [mot.]

steel brush walec stalowy nawrotny [mot.]

steel building budowla stalowa [masz.]

steel building area powierzchnia pod zabudowę stalową [masz.]

steel bush tuleja stalowa [masz.]

steel cable lina stalowa [mot.]

steel casing obudowa blaszana [masz.]

steel casting (→ cast steel) odlew staliwny [tw.]

steel chain łańcuch stalowy [masz.]

steel chimney komin blaszany, komin z blachy [masz.]; (→ lined steel chimney)

steel chimney with guy ropes komin blaszany z linami napinającymi [masz.]

steel coating uszlachetnianie stali [masz.]

steel division kształtownik stalowy [masz.]

steel dome kopuła stalowa [masz.]

steel drum beczka blaszana [masz.]

steel extrusion kształtownik prowadnicy łańcucha [transp.]

steel facing spawanie powierzchniowe [met.]

steel flooring pokrycie [masz.]

steel frame structure konstrukcja stalowa [masz.]

steel grade klasa stali [masz.]

steel grid road pomost kratowy [mot.]

steel helmet hełm stalowy; kask stalowy [wojsk.]

steel **hook** hak stalowy [masz.]

steel **insert** wkładka stalowa [mot.]

steel **joint** dźwigar stalowy [transp.]

steel **keg production line** linia produkcyjna beczek do piwa [abc]

steel **manufacture** budowla stalowa [masz.]

steel **mesh** siatka stalowa [masz.]

steel **mill operation** walcownia [masz.]

steel **panel** blacha stalowa [transp.]; tablica stalowa [masz.]

steel **plate** blacha stalowa gruba [masz.]

steel **plate conveyor** przenośnik płytowy [masz.]

steel **processing plant** zakład przetwórzy stali [masz.]

steel **roller** walec stalowy [masz.]

steel **roof window** okno dachowe stalowe [masz.]

steel **section** profil stalowy [masz.]

steel-**stamp number** współczynnik skrętu (*kabla*) [masz.]; numer zlecenia, numer zamówienia [abc]

steel **sheet** blacha stalowa cienka; blacha stalowa średnia [masz.]

steel **sheet piling** profil ścianki szczelnej; ścianka szczelna stalowa [transp.]

steel **sleeper** (GB) podkład stalowy [mot.]

steel **spoked wheel** koło szprychowe stalowe [mot.]

steel **strapping** taśma stalowa; opaska stalowa [abc]

steel **strip** taśma stalowa, bednarka [masz.]

steel **structure** klatka na kocioł [masz.]

steel **sub plate** listwa [transp.]

steel **tape** taśma metalowa [masz.]; taśma miernicza stalowa [miern.]

steel **tie** (GB) podkład stalowy [mot.]

steel **treatment** dalsza przeróbka; obróbka stali [masz.]

steel **wool** wełna stalowa [masz.]

steel **works** huta żelaza; huta metali; stalownia [masz.]

steep stromy [abc]

steeple wieża strzelista [bud.]

steeple **cab** budka maszynisty [mot.]

steer sterować; kierować [mot.]

steering sterowanie; kierujący; układ kierowniczy; kierowanie [mot.]

steering **arm** dźwignia zwrotnicy [mot.]

steering **axle** oś kierująca [mot.]

steering **axle beam** dźwigar osi prowadzącej [mot.]

steering **axle principle** zasada osi prowadzącej [mot.]

steering **booster** urządzenie wspomagające układ kierowniczy [mot.]

steering **booster pump** pompa hydrauliczna wspomagająca sterowanie [masz.]; pompa wspomagająca układ kierowniczy; pompa wspomagania układu kierowniczego [mot.]

steering **cam** ślimak przekładni kierownicy; śruba przekładni kierownicy [mot.]

steering **clutch** sprzęgło kierownicze [mot.]

steering **clutch brake** hamulec sprzęgłowy sterowniczy [mot.]

steering **clutch case** obudowa sprzęgła kierowniczego [mot.]

steering **clutch control** drążki sprzęgła kierowniczego [mot.]

steering **column** kolumna kierownicy [mot.]

steering **column assembly** kolumna kierownicy [mot.]

steering **column bracket** wspornik kolumny kierownicy [mot.]

steering **column change** *mechanizm zmiany biegów z wybierakiem pod kołem kierowniczym* [mot.]

S

steering column lock zamek kierownicy [mot.]

steering column shaft spline klin
kolumny kierownicy [mot.]

steering committee *komisja kierująca projektem* [abc]

steering control uruchomienie mechanizmu sterowniczego [mot.]

steering control shaft wał kierownicy [mot.]

steering cylinder cylinder przekładni kierownicy [mot.]

steering cylinder guard osłona cylindra przekładni kierownicy [mot.]

steering damper amortyzator
układu kierowniczego [mot.]

steering drive axle most napędowy
przedni [mot.]

steering finger palec ramienia wewnętrznego mechanizmu kierowniczego [mot.]

steering finger shaft wał kierownicy [mot.]

steering gear mechanizm kierowniczy; przekładnia kierownicza [mot.]

steering gear case obudowa przekładni kierownicy [mot.]

steering gear case cover pokrywa
obudowy przekładni kierownicy
[mot.]

steering gear case flange kołnierz
obudowy przekładni kierownicy
[mot.]

steering gear housing obudowa
przekładni kierownicy [mot.]

steering gear mounting blok [mot.]

steering joint przegub [mot.]

steering knuckle zwrotnica [mot.]

steering knuckle arm dźwignia
zwrotnicza [mot.]

steering knuckle pin (→ king pin)
sworzeń zwrotnicy [mot.]

steering lever dźwignia zwrotnicy;
dźwignia zmiany kierunku [mot.]

steering link mechanizm zwrotniczy; ramię kierujące; korbowód

przekładni kierownicy; drążek kierowniczy [mot.]

steering linkage drążek kierowniczy [mot.]

steering lock *wychylenie przednich
kół podczas jazdy na zakrętach*
[mot.]

steering mechanism mechanizm
sterowniczy; układ kierowniczy;
urządzenie sterownicze [mot.]

steering nut nakrętka sterownicza
[mot.]

steering orbitrol sterowanie hydrauliczne typu orbitrol; serwosterowanie [mot.]

steering pivot pin sworzeń zwrotnicy [mot.]

steering post kolumna kierownicy
[mot.]

steering pump pompa sterownicza
[mot.]

steering rod drążek łączący [transp.];
drążek kierowniczy; sterownica
[mot.]

steering roller krążek kierowniczy
[mot.]

steering roller shaft wał krążka
kierowniczego [mot.]

steering sector sektor przekładni
kierownicy [mot.]

steering sector shaft wał dzielony
[mot.]

steering shaft wał kierownicy [mot.]

steering shaft and worm mechanizm wrzecionowy układu kierowniczego [mot.]

steering spindle czop zwrotnicy
[mot.]

steering stop limit ogranicznik mechanizmu sterowniczego [mot.]

steering tube kanał wału kierownicy [mot.]

steering tube and shaft kanał
wału kierownicy z wałem [mot.]

steering tube extension rozszerzenie kanału wału kierownicy [mot.]

steering valve zawór sterowniczy [mot.]

steering wheel koło kierownicy; koło sterowe; kierownica [mot.]

steering wheel hub piasta koła kierownicy [mot.]

steering wheel shaft wał kierownicy [mot.]

steering worm ślimak przekładni kierownicy [mot.]

steering worm gear koło ślimaka przekładni kierownicy [mot.]

stellite faced valve zawór z gniazdem natapianym stellitem [mot.]

stem doszczelniać, doszczelnić [abc]

stem łodyga; pień [bot.]; (→ hose fixture) osprzęt do węża, armatura do węża [masz.]

stem from pochodzić od [abc]

stencil matryca; wzornik [abc]

step szczebel [masz.]; stopień; próg [bud.]; krok operacji [inf.]; stopień, górna powierzchnia podnóżka [mot.]; stopień schodów ruchomych [transp.]; (→ threshold)

step band *taśma przeciwpoślizgowa na stopniach schodów*; pasmo schodowe [transp.]

step band locking blokada cięgna schodowego [transp.]

step bearing łożysko stopowe [masz.]

step bench ustęp warstwy wybierania, ustęp wyrobiska wyprzedzającego [górn.]

step breakage złamanie stopnia [transp.]

step button przycisk uruchamiania stopni [transp.]

step by step stopniowo, krok po kroku [abc]

stepchain guide kształtownik prowadnicy łańcucha [transp.]

step change zmiana skokowa [abc]

step-down effect efekt obniżania [praw.]

step-down gear przekładnia redukcyjna [mot.]

step chain section człon łańcucha stopni [transp.]

step chain tension naprężenie łańcucha stopni [transp.]

step chain tension monitor czujnik naprężenia łańcucha stopni [transp.]

step chain wheel koło łańcucha stopni [transp.]

step chain wheel shaft wał koła łańcucha stopni [transp.]

step comb grzebień stopnia [transp.]

step connector bushing stopniowe zakończenie rury [transp.]

step demarcation light oświetlenie rozgraniczenia stopni [transp.]

step dimension rozmiar stopnia [transp.]

step formwork szalowanie stopniowe [bud.]

step gap szczelina [transp.]

step gap light oświetlenie rozgraniczenia stopni [transp.]

step holder uchwyt stopnia [mot.]

step inlet początek stopnia [transp.]

step inlet monitor urządzenie kontrolne ruchu schodów [transp.]

step inlet protection urządzenie zabezpieczające ruch schodów [transp.]

step iron stopień ze stali okrągłej [abc]

step length długość podnóżka stopnia [transp.]

stepless nieprzerwany [abc]; bezstopniowa (*regulacja*) [masz.]

step lights oświetlenie stopni [transp.]

step loading obciążenie schodów [transp.]

step lowering opuszczanie podnóżka [transp.]; (→ step sag)

step lowering device urządzenie opuszczania podnóżka; mechanizm opuszczania podnóżka [transp.]

S

step-mounting pin sworzeń mocowania stopnia [transp.]

step outlet wylot schodów [transp.]

stepped reference block element kontrolny stopnia [masz.]

stepped rim obręcz o skośnych barkach [mot.]

step pin sworzeń mocowania stopnia; (→ carrier bolt) kołek zabierakowy [transp.]

step piston tłok stopnia [mot.]

step raising podnoszenie podnóżka [transp.]

step return ruch wsteczny stopniowy [transp.]

step return monitor czujnik ruchu wstecznego stopniowego [transp.]

step return point linia zwrotu stopnia [transp.]

step return switch włącznik obrotowy stopniowy [transp.]

step return wheel shaft oś obrotowa stopnia (*schodów*) [transp.]

step riser fasada przednia, front; podstopnica; przednóżek [transp.]

step roller rolka stopnia; wałek stopniowy [transp.]

step run-in czoło stopnia [transp.]

step run-in switch czoło stopnia; włącznik czoła stopnia [transp.]

step sag opuszczanie podnóżka [transp.]

step sag monitor urządzenie kontrolne ruchu stopni [transp.]

step sag safety switch zabezpieczenie opuszczania podnóżka [transp.]

step sag switch włącznik opuszczania podnóżka; zabezpieczenie opuszczania podnóżka [transp.]

stepseal uszczelnienie tłoka; uszczelnienie tłoczyska (*nowego typu*) [masz.]

step section odcinek schodów [transp.]

step size rozmiar stopnia [transp.]

step-stability wytrzymałość podnóżka [transp.]

step switch przełącznik stopniowy [mot.]

step track prowadnica schodowa [transp.]

step tread nakładka stopnicy; podnóżek, stopnica; stopień schodów [transp.]

step turning point linia zwrotu stopnia [transp.]

step voltage napięcie schodkowe [el.]

step width szerokość stopnia [transp.]

stern rufa [mot.]

stern propeller śruba napędowa rufowa [mot.]

stern wheel koło łopatkowe tylne [mot.]

stern wheeler tylnokołowiec [mot.]

steve stewa [mot.]

stevedore sztauer [mot.]

stevedore's knot węzeł ósemkowy podwójny [mot.]

stick przylgnąć, przylegać [abc]

stick pręt [abc]; drążek [transp.]

stick electrode elektroda prętowa [met.]

stick electrode handle uchwyt elektrody prętowej [met.]

sticker naklejka, etykietka; nalepka; kalkomania [abc]

stick out wystawać, sterczeć [abc]

stick ram (GB) siłownik ramienia [transp.]

sticky lepki, lepiący się [abc]; ciastowaty, jak ciasto [energ.]

stiff sztywny; nieruchomy [abc]

stiffen wzmacniać, wzmocnić; podpierać, podeprzeć; usztywniać, usztywnić [abc]

stiffening plate przegroda, gródź, wręga wzmocniona [mot.]

stiffening portal portal usztywniający, brama usztywniająca [transp.]

stiffening truss kratownica usztyw-

niająca [transp.]
stiff-leg derrick żuraw masztowy; żuraw montażowy [transp.]
stiffness sztywność [transp.]
sting żądło [bot.]
stinger bit nóż do toczenia poprzecznego [masz.]
stinging nettle pokrzywa [bot.]
stipulated ustalony; rozkazany, zalecony [abc]
stirrup strzemię [abc]; stopień ze stali okrągłej [mot.]
stitch zszywać, zszyć [abc]
stock składować; zaopatrywać, zaopatrzyć [abc]
stock surowiec [masz.]
stock holding period okres składowania [abc]
stocking pończocha [abc]
stockpile hałda [górn.]; stos (*zmagazynowanego towaru*) [masz.]
stockpiling gromadzenie w stosach, hałdowanie [transp.]
stockpiling plant zwałowarka [górn.]
stockyard system wyposażenie placu składowego [górn.]
stoke przegarniać, przegarnąć; odżużlowywać, odżużlować [energ.]
stoker ashpit lej popielnikowy [energ.]
stoker burning rate obciążenie cieplne rusztu [energ.]
stoker-fired boiler kocioł o ruszcie mechanicznym [energ.]
stoker link rusztowina [energ.]
stokesman palacz [mot.]
stomach żołądek [med.]
stomach-ache ból żołądka [med.]
stone kamień naturalny [geol.]; (→ bonds.; → bonds.; → cut dimension s.)
stone arch bridge most łukowy kamienny [bud.]
stone gray szarzeń skalna [norm.]
stone screening (→ for breakwater) przesiewanie skał [górn.]

stonewall mur z cegły [bud.]
stoneware skała [górn.]; kamionka [bud.]
stool (→ folding chair) taboret; stołek [bud.]
stop zatrzymywać, zatrzymać [mot.]; wstrzymywać, wstrzymać [masz.]
stop ogranicznik [abc]; bufor, zderzak [masz.]
stop action operacja zatrzymania [inf.]
stopband strefa zamknięta [abc]
stop block płóz hamulcowy [mot.]
stop building wstrzymywać, wstrzymać budowę [bud.]
stop button przycisk "STOP" (*zatrzymujący pracę urządzenia*); wyłącznik; przycisk bezpieczeństwa; guzik bezpieczeństwa [transp.]; przycisk stop [mot.]
stop lamp światło hamowania [mot.]
stop light światło stop; światło hamowania [mot.]
stop light pull switch wyłącznik pociągany światła stop [mot.]
stop light rotating switch wyłącznik obrotowy światła stop [mot.]
stop of operation wstrzymanie pracy urządzenia [transp.]
stop-over postój [mot.]
stop screw wkręt zderzakowy [masz.]
stop signal sygnał zatrzymania się [mot.]
stop switch wyłącznik; przycisk stop [transp.]
stop switch mounting obudowa wyłącznika [mot.]
stop valve zawór zamykający [transp.]
stop washer podkładka ustalająca [mot.]
stop watch stoper [miern.]
stope przodek ustępliwy [górn.]
stoppage zatrzymanie, blokada [transp.]
stopper korek, zatyczka [abc]; masa uszczelniająca [tw.]

S

stopper circuit człon rozprężający [el.]

stopping postój [mot.]

stopping distance measuring instrument miernik drogi hamowania [transp.]

stopping-distance-apparatus miernik drogi hamowania [transp.]

storage plac składowy [masz.]; pamięć [inf.]; (→ hot-water s.)

storage memory of test data pamięć danych testowych [inf.]

storage basin zbiornik do przechwytywania szczytu fali powodziowej [hydr.]

storage of pulverized fuel składowanie paliwa pyłowego [energ.]

storage power station elektrownia zbiornikowa [energ.]

storage room *obszar kumulacji pojazdów przed skrzyżowaniem* [mot.]

storage stage poziom pamięci [inf.]

storage tank naczynie leżakowe; pojemnik zasobnikowy [abc]

storage time czas zapamiętywania [inf.]

storage vessel zbiornik zasobnikowy [abc]

storage winch wciągarka magazynowa [mot.]

store wprowadzać do pamięci; zapamiętywać [inf.]; zapamiętywać; składować; magazynować [abc]

store sklep; pomieszczenie magazynowe; (→ timber s.) plac [abc]

store controlling kontrola magazynu [abc]

stored-program control sterowanie zaprogramowane w pamięci [inf.]

storehouse magazyn towarów [abc]

storehouse manager kierownik magazynu [abc]

store manager kierownik magazynu [abc]

storeroom pomieszczenie magazynowe [abc]

storied piętrowy [bud.]

storing magazynowanie [abc]

storing program *program znajdujący się w pamięci* [inf.]

storm lantern latarnia sztormowa [mot.]

stout dźwigar [mot.]

stout mocny; trwały [mot.]

stove piec, kuchenka [mot.]

stove enamalling powłoka lakiernicza piecowa [mot.]

stowage compartment dział transportu [mot.]

stowaway pasażer na gapę, gapowicz [mot.]

straddle carrier (→ forklift) wózek podnośny widłowy [mot.]

straddle loader pojazd bramowy [mot.]

straight prosty; czysty; prostolinijny [abc]

straight ahead prosto [mot.]

straight arch łuk płaski [bud.]

straight boom wysięgnik prosty [transp.]

straight connector złączka (*rury*) [mot.]

straightedge liniał mierniczy [miern.]

straighten prostować, wyprostować [masz.]

straightener prostownica [masz.]

straightening force siła prostująca [masz.]

straightening machine prostownica [masz.]

straightening press prasa do prostowania [masz.]

straightening roller machine walec do prostowania [masz.]

straight-face-roller krążek gładki [mot.]

straight fitting złącze śrubowe proste [transp.]

straight insert przesunięcie wkręcania proste [transp.]

straight lug link plate ucho zabie-

raka [masz.]
straightness prostoliniowość [masz.]
straight pin kołek walcowy [mot.]
straight ramp bieg schodów prosty [bud.]
straight seam szew wzdłużny [met.]
straightshort toothing uzębienie niskie proste [masz.]
straight-through valve zawór przelotowy [energ.]
straightway valve zawór przelotowy, zawór przepływowy [mot.]
strain obciążać, obciążyć; przelewać, przelać; filtrować, przefiltrować; cedzić, przecedzić; wydłużać, wydłużyć [masz.]
strain odkształcenie; napięcie; naprężenie; (→ residual s.) wydłużenie, rozszerzenie [masz.]
strainer filtr, sączek; sito; przetak [abc]; (→ mesh; also kitchen) cedzak; filtr ssący [górn.]
strainer insert wkładka sitowa [abc]
strain gage tensometr elektrooporowy, czujnik tensometryczny (*do pomiaru odkształceń*) [masz.]
strandboard production produkcja płyt wiórowych [abc]
strandline linia brzegowa [abc]
strange obcy [abc]
strap pałąk; nakładka; (→ rivetted hinged s.) taśma [masz.]; (→ strapping, steel strapping) taśma stalowa [masz.]
strap feeder taśmowy przenośnik zasilający [masz.]
strapping pakowanie, opakowanie; kątownik; taśma stalowa [masz.]
strapping band iron strapping taśma stalowa opasująca, bednarka, stal obręczowa [masz.]
strapping head głowica taśmująca [masz.]
strapping machine maszyna do taśmowania [narz.]

strapping system układ taśmujący [narz.]
strapping tool taśmowarka [narz.]
strapping wire drut opasający [narz.]
strap wrench klucz taśmowy [met.]
strata laminowanie, powlekanie [masz.]
strategic target cel strategiczny [abc]
strategy strategia [abc]; (→ conflict-resolution s.)
stratification ułożenie warstw [geol.]
straw słoma; słomka [abc]
straw fire słomiany zapał [abc]
straw mat mata słomiana [abc]
strawberry red czerwień truskawkowa [norm.]
stray power moc stracona, strata mocy [el.]
stream strumień; potok; ściek; prąd morski [abc]
streamer wyładowanie wstęgowe [el.]
streamline linia prądu [abc]
stream line opływowy [abc]
streamlined opływowy [abc]; obudowany opływowo [mot.]
streamlining obudowa opływowa; fartuch [mot.]
street ulica [mot.]
street lamp latarnia uliczna [mot.]
street lighting oświetlenie ulic [el.]
street plate płyta drogowa [mot.]
street sweep zamiatarka [mot.]
streetcar (US) tramwaj [mot.]
strength wytrzymałość [abc]; siła [med.]; moc; wytrzymałość [masz.]; (→ bending s.; → creep s.; → notch-rupture s.; → shear s.; → tensile s.)
strengthen wzmacniać [abc]
stress naprężenie [masz.]; obciążenie [abc]; (→ allowable s.; → bending s.; → compressive s.; → permissible s.; → physical s.; → shear s.; → tensile s.; → thermal s.; → vibratory s.)

S

stress corrosion korozja napięciowa [masz.]

stress cracks pęknięcie naprężeniowe [masz.]

stressed napięty, natężony, intensywny [abc]

stress free bez napięcia [masz.]

stress-relief annealing wyżarzanie odprężające [masz.]

stress relieve odprężać [masz.]

stress-relieving wyżarzanie odprężające [masz.]

stress-rupture test (→ tensile test) próba pełzania do zerwania [masz.]

stress value wartość statyczna [transp.]

stress wave fala naprężeniowa [masz.]

stretch napinać, napiąć; rozciągać, rozciągnąć; wydłużać, wydłużyć [masz.]

stretch obciążenie [mot.]; naprężenie; wydłużenie [masz.]

stretcher nosidła [mot.]; nosze [med.]

strict conformity ścisła zgodność [praw.]

strike strajk [abc]

striker spinacz przedni, zaczep przedni [mot.]

strike off pozbywać się, pozbyć się; skreślać, skreślić [abc]

striking-off edge krawędź zgarniająca [masz.]

striking surface powierzchnia tarcia [transp.]

string sznurek, przewiązka, szpagat; struna; powróz; wstęga, taśma [abc]; ciąg danych; łańcuch znaków, ciąg znaków [inf.]

string bead ścieg prosty [met.]

string bead technique technika ściegu prostego [met.]

strip usuwać, usunąć [górn.]; zdejmować; demontować [masz.]

strip żebro; taśma stalowa, bednarka [masz.]; (→ fitted to job s.)

strip-chart recorder rejestrator taśmowy [inf.]

strip cut taśma [transp.]

strip down demontować, zdemontować [masz.]

striped drobnouwarstwiony [górn.]

strip edge testing kontrola krawędzi taśmy [masz.]

strip footing fundament taśmowy [masz.]

strip-insulation pliers kleszcze do ściągania izolacji z przewodów [narz.]

strip joining machine łącznik tłoczony [masz.]

strip-light żarówka rurkowa [el.]

strip mining kopalnia odkrywkowa, odkrywka [górn.]

stripper zgarniarka [abc]

stripping usuwanie nadkładu; prowadzenie robót odkrywkowych [górn.]

stripping time czas trwania rozbiórki [bud.]

strip preparation przygotowanie taśmy [masz.]

strip processing przetwórstwo taśmowe [masz.]

strips (→ steel s.) taśma stalowa, bednarka [masz.]

strip testing kontrola taśm [masz.]

strip varnish lakier przeciwkorozyjny (*z tworzyw sztucznych o ściągalnej powłoce*) [masz.]

stroke kreskować [rys.]

stroke suw, skok; pojemność skokowa [mot.]; (→ working s.)

stroked line linia kreskowa [abc]

stroke-dot rysować linię kreska-kropka [abc]

stroke-dotted narysowana linia kreska-kropka [abc]

stroke-dotted line linia kreska-kropka [abc]

stroke length długość skoku [mot.]

strong silny, mocny [abc]

strong earthquake silne trzęsienie ziemi [geol.]

struck wygładzony [transp.]

structural analysis analiza strukturalna [masz.]

structural component zespół konstrukcyjny [transp.]

structural department dział konstrukcyjny [masz.]

structural engineer inżynier budowlany, specjalista od konstrukcji nośnych [masz.]; inżynier budownictwa [transp.]

structural member element konstrukcji, człon konstrukcji [masz.]

structural part element konstrukcyjny; człon konstrukcji [masz.]

structural steel stal konstrukcyjna [tw.]

structural strength wytrzymałość kształtowa [masz.]

structural timber drewno budowlane [bud.]

structure układ, formacja [górn.]; struktura, budowa; budowa makroskopowa [masz.]; budowla [bud.]; (→ cause s.; → control s.; → friable s.; → timber s.)

structure-borne noise dźwięk materiałowy [mot.]

structured light światło strukturalne [inf.]

structured testing testowanie strukturalne [inf.]

structure enumerator numerator struktur [inf.]

struggle walka [abc]

strut amortyzator teleskopowy; rozpórka [mot.]; wspornik; zastrzał [masz.]

strutting rozpora [transp.]

stub strojnik [el.]

stub axle zwrotnica osi przedniej; zwrotnica [mot.]

stubborn uparty [abc]

stub shaft wał krótki [masz.]

stub stack komin żelazny krótki [energ.]

stub switch zwrotnica o ruchomych opornicach [mot.]

stuck weld zgrzeina przyklejona [met.]

stud śruba dwustronna; rozpórka; śruba [masz.]; wkręt dociskowy; kołek gwintowany; połączenie śrubą dwustronną [transp.]; odbierak prądu [mot.]; (→ double end s.; → shoulder s.; → s. bolt)

stud-bolt śruba dwustronna [masz.]

studded tube rura kołkowa, rura iglicowa [masz.]

studded tyre opona z osnową linową [mot.]

studding kołkowanie [masz.]

stud wear ścieranie się kołków [masz.]

stud weld zgrzewanie kołkowe [met.]

student student; (US) uczeń [abc]; (→ fellow s.)

study studiować [abc]

study szkic [rys.]; studium [abc]; (→ detailed s.; → pre-investment s.)

stuffed niezdolny do ruchu [mot.]

stuffing box komora dławikowa [masz.]

stuffy duszny [mot.]

stump kozi róg; opały [abc]; pniak [bot.]

stump harvester zrywak [transp.]

stun usypiać, znieczulać [med.]

sturdy silny, mocny, wytrzymały [masz.]; trwały [mot.]

style of ends sposób wykończenia [masz.]

style of lettering wzorzec pisma rysunkowego [rys.]

stylish modny [abc]

styroflex capacitor kondensator styrofleksowy [el.]

styrofoam pianka styroporowa [tw.]

styropor styropian [tw.]

S

sub-base podkład kamienny, wykładka, szczotka [mot.]

subcontractor poddostawca; podwykonawca [abc]

sub-critical pressure ciśnienie podkrytyczne [energ.]

subdivide dzielić, podzielić [ekon.]

subdivision podział; dział niższego rzędu [abc]

subgrade podłoże [transp.]

subgroup feature właściwość podgrupy [praw.]

sub-harmonic podharmoniczny [abc]

subject index number (→ part number) numer w skorowidzu rzeczowym [abc]

subject matter code dziedzina [abc]

subject of insurance coverage przedmiot ochrony ubezpieczeniowej [praw.]

subject to change without prior notice z zastrzeżeniem (*wprowadzenia*) zmian technicznych [mot.]

submarine łódź podwodna [mot.]

submerge zanurzać, zanurzyć; zatapiać, zatopić [abc]

submerged arc welded spawany łukiem krytym (*pod topnikiem*) [met.]

submerged arc welding (SAW) spawanie łukiem krytym [met.]

submerged ash conveyor zgarniak podwodny [transp.]

submerged jet dysza paliwowa zanurzona [masz.]

submersible pump pompa głębinowa [masz.]

submit przedstawiać, przedkładać; poddawać (*się*); dostarczać [abc]; przesyłać, przesłać [inf.]; składać, złożyć [polit.]

subpoena pozywać, pozwać; wzywać, wezwać; (US) wezwanie sądowe [polit.]

subscriber abonent [transp.]

subsequent następny, następujący; późniejszy [abc]

subsequent flame-cut spawać powtórnie; podspawać [met.]

subsequent shipment dosłanie towaru [abc]

subsequent-treatment procedure metody dalszej obróbki [masz.]

subsequent work obróbka dodatkowa [masz.]

subsidence damage szkoda górnicza [górn.]

subsidence earthquake trzęsienie ziemi zapadliskowe [geol.]

subsidences osiadanie, obniżenie [abc]

subsidiary filia [ekon.]

subsidiary signal sygnał pomocniczy [mot.]

subsidized subwencjonowany [ekon.]

sub-soil podglebie [geol.]

subsoiler pług do kopania rowów [transp.]

substance masa; majątek; substancja [chem.]

substantial miarodajny, kompetentny [abc]

substantive law prawo materialne [polit.]

substation podstacja [el.]

substitute wymieniać, wymienić; zastępować, zastąpić [abc]

substitute materiał zastępczy; substytut [abc]

substituted zastąpiony [abc]

substituted by zastąpiony przez [abc]

substituting zastępowanie [abc]; (→ soil s.) wymiana [transp.]

substrate podłoże [abc]

subsurface tilt pochył podpowierzchniowy [inf.]

subtract odejmować, odjąć [mat.]

subtracting circuit układ odejmujący [el.]

subtropical subtropikalny [meteo.]

suburb przedmieście [abc]

suburban railway kolej podmiejska [mot.]

suburban street ulica podmiejska [mot.]

suburban train pociąg podmiejski [mot.]

subway przejście podziemne; (US) kolej podziemna; metro [mot.]

subway car (US) wagon metra [mot.]

subway carriage (US) wagon kolejki podziemnej [mot.]

successive następny, sukcesywny [transp.]

successor następca [abc]

successor in title sukcesor [polit.]

suck zasysać [mot.]; odkurzać [abc]

suction zasysanie [mot.]; zasysanie powtórne [transp.]; ssanie [abc]; ssanie [energ.]

suction and delivery hose wąż próżniowo-ciśnieniowy [masz.]

suction bell dzwon ssący [masz.]

suction dredger pogłębiarka ssąca [mot.]

suction equipment urządzenie ssące [masz.]

suction eye strona wlotowa [masz.]

suction fan wentylator wyciągowy, wentylator ssący [masz.]

suction filter filtr próżniowy [masz.]

suction-fired boiler kocioł o obiegu naturalnym [energ.]

suction head głowica ssąca, deflektor [masz.]

suction head dredger pogłębiarka ssąca [masz.]

suction mouth otwór ssący [masz.]

suction pipe rura ssawna, rura ssąca [mot.]; przewód ssawny [masz.]

suction point punkt ssania [masz.]

suction pump pompa ssąca [transp.]

suction pyrometer pirometr ssawny [masz.]

suction side strona ssawna, ssanie, strona podciśnieniowa [masz.]; strona ssawna, ssanie, strona podciśnieniowa [masz.]

suction tube rura ssąca [masz.]

suction type pyrometer pirometr zasysający [masz.]

suction valve zawór ssawny [transp.]

suction valve bushing tuleja zaworu ssawnego [mot.]

suction valve cone stożek zaworu ssawnego, grzybek zaworu ssawnego [mot.]

suction valve spring sprężyna zaworu ssawnego [mot.]

suctrion and dust removing equipment urządzenie zasysające i odpylające [masz.]

sudden contraction nagłe przewężenie [masz.]

sue wnosić oskarżenie, wnieść oskarżenie (*przeciw komuś*) [abc]

suffer cierpieć [abc]

suffix przyrostek [abc]

sugar beet burak cukrowy [bot.]

sugar cane trzcina cukrowa [bot.]

sugar lump kostka cukru [abc]

sugar plant cukrownia [abc]

suggest proponować [abc]

suggestion propozycja [abc]

suit kostium; garnitur [abc]

suitable zdatny [masz.]; odpowiedni [abc]

suitable capacity odpowiednia nośność [mot.]

suitcase walizka [abc]

suite komplet; zestaw mebli tapicerowanych [bud.]

sulfur siarka [chem.]

sulfuric acid kwas siarkowy [chem.]

sulfur content zawartość siarki [chem.]

sulfur dioxide dwutlenek siarki [chem.]

sulfur print odbitka Baumanna, odbitka siarkowa [chem.]

sulfur yellow żółcień siarkowa [norm.]

sulfuric siarczany, siarkowy [chem.]

sulfuric acid kwas siarkowy [chem.]

S

sulfurous acid kwas siarkowy [chem.]

sulphate ash popiół siarczanowy [chem.]

sulphate soil gleba siarczanowa, grunt siarczanowy [gleb.]

sulphur siarka [chem.]

Sulzer boiler kocioł przepływowy systemu Sulzera; kocioł Sulzera [energ.]

Sulzer monotube boiler kocioł przepływowy systemu Sulzera; kocioł Sulzera [energ.]

sum difference coverage pokrycie różnicy sum [praw.]

sum total suma końcowa [mat.]

summarization przedstawienie zbiorcze [inf.]

summary streszczenie; zestawienie ilościowe, indeks ilościowy [abc]

summated pressure regulation regulacja mocy sumowanej [mot.]

summation effect efekt sumowania [transp.]

summing amplifier wzmacniacz sumujący [el.]

summit szczyt [polit.]

summit conference konferencja na szczycie [polit.]

sump miska olejowa [masz.]; zbiornik, zasobnik, rezerwuar; miska olejowa [mot.]

sun burn oparzenie słoneczne [med.]

sun dial zegar słoneczny [abc]

sun gear koło słoneczne [mot.]

sun glasses okulary przeciwsłoneczne [abc]

sun helmet kask tropikalny [abc]

sunroof dach odsuwany [mot.]

sunshade osłona przeciwsłoneczna (*np. kabiny*) [mot.]

sun tan opalenizna [abc]

sun visor osłona przeciwsłoneczna [mot.]

sun wheel koło słoneczne [mot.]

sundries rozmaitości [abc]

super-balloon tyre opona superbalonowa [mot.]

supercharged furnace palenisko ciśnieniowe [energ.]

supercharger sprężarka doładowująca [mot.]

supercritical pressure ciśnienie nadkrytyczne [energ.]

superelevate podnosić, podnieść [mot.]

superelevation przechylenie; przechyłka profilu [mot.]

superfluous zbędny [abc]

Super Fund Law (US) Ustawa o Rezerwach Strategicznych [praw.]

super grid (GB) słup wysokiego napięcia [el.]

super-heated przegrzany [energ.]

superheated steam para przegrzana; para świeża [energ.]

superheated steam attemperator schładzacz pary przegrzanej, ochładzacz pary przegrzanej [energ.]

super-heated steam locomotive parowóz na parę przegrzaną [mot.]

superheated steam piping przewód pary przegrzanej [energ.]

superheated steam temperature temperatura pary przegrzanej [energ.]

super-heated tube płomienica [mot.]

superheater (S.H.) przegrzewacz [energ.]; (→ double-flow s.; → double-stage s.; → final s.; → horizontal s.; → pendant s.; → platten-type s.; → pre-s.; → primary s.; → radiant s.; → single-flow s.; → single-stage s.)

superheater air valve zawór odpowietrzania przegrzewacza [energ.]

superheater connection przewód łączący przegrzewacza [energ.]

superheater diaphragm przegroda przegrzewacza [energ.]

superheater drain odprowadzanie

wody z przegrzewacza [energ.]
superheater drain valve zawór odprowadzania wody z przegrzewacza [energ.]
superheater gas pass kanał spalinowy przegrzewacza [energ.]
superheater header komora zbiorcza przegrzewacza [energ.]
superheater heating surface powierzchnia ogrzewana przegrzewacza [energ.]
superheater manifold przewód rurowy rozgałęziony przegrzewacza [energ.]
superheater outlet header komora zbiorcza wyjściowa przegrzewacza [energ.]
superheater outlet leg rura zbiorcza, kolektor [energ.]
superheater outlet pressure ciśnienie pary przy ujściu przegrzewacza [energ.]
superheater supporting tube rura nośna przegrzewacza [energ.]
superheater vent valve zawór odpowietrzania przegrzewacza [energ.]
superintendence nadzór, kierownictwo; zwierzchni nadzór [abc]
superintendent kierownik [abc]
superpose nakładać, nałożyć [abc]
supersede wypierać, wyprzeć; przeprowadzać, przeprowadzić; przeforsować [abc]
superstructure nadbudówka; nadwozie [mot.]
supervising authority organ nadzorczy [transp.]
supervision kontrola [transp.]
supervisor nadzór nad robotami spawalniczymi [met.]; mistrz [abc]
supplement uzupełnienie [abc]
supplementary uzupełniający; dodatkowy [abc]
supplementary air powietrze uzupełniające [energ.]
supplementary charge ładunek saperski uzupełniający, ładunek wybuchowy minerski uzupełniający [wojsk.]
supplementary fee opłata dodatkowa [praw.]
supplementary power pack zasilacz sieciowy dodatkowy [el.]
supplementary sheet rysunek uzupełniający [rys.]
supplier dostawca [abc]
supply dostarczać, dostarczyć; zaopatrywać, zaopatrzyć [abc]
supply dostawa; zapas; dopływ, wlot; zaopatrzenie, zasilanie [abc]; (→ electric s.)
supply tank zbiornik paliwa [mot.]
supply voltage napięcie zasilania; napięcie sieci [el.]
support podpierać, podeprzeć; wspierać, wesprzeć [mot.]
support podpora; podparcie; płyta oporowa; oparcie; dźwigar; obsada [transp.]; zawieszenie; podparcie; wspornik [masz.]; podpieranie wykopu [bud.]; punkt oparcia; podkładka [abc]; (→ centre s.; → magnetic s.; → spring s.)
support base nakładka podporowa [transp.]
support block kozioł łożyskowy [transp.]
support bracket wspornik; kątownik podporowy; wspornik łożyska [mot.]
support eye oczko stabilizatora [mot.]
support frame kozioł, podpora, wspornik [met.]
supporting capacity nośność zestawu kół, udźwig zestawu kół [transp.]
supporting device urządzenie wspomagające [masz.]
supporting raceway bieżnia nośna [masz.]
supporting ring pierścień oporowy; tarcza podpierająca [masz.]; (→

support ring) pierścień nośny [mot.]

supporting roller guide prowadnica krążka nośnego poręczy, prowadnica wałka podpierającego poręczy; krążek nośny poręczy, wałek podpierający poręczy [transp.]

supporting steel work ruszt nośny, ruszt podtrzymujący [masz.]

supporting strap uchwyt, rękojeść (*dla pasażera*) [transp.]

supporting structure element nośny [transp.]

supporting tube rura nośna, rura zawiesinowa, rura wsporcza [masz.]

support kit materiały naprawcze [transp.]

support pad podkładka [mot.]

support pin kołek do zawieszania [transp.]

support plate płytka podporowa [masz.]

support ring pierścień naciskowy, pierścień ściskany; pierścień oporowy; pierścień nośny [masz.]

support roller krążek nośny, wałek podpierający; (→ carrier roller) krążek prowadzący [transp.]

support strap pętla podtrzymująca [masz.]

support system system podpór, system obudowania [górn.]

support the roof podpora warstwy stropowej [górn.]

support tube rurka podtrzymująca [masz.]

support wheel koło nośne [masz.]

support wheel set zespół kół nośnych [transp.]

supposition przypuszczenie, domniemania [praw.]

suppress tłumić, stłumić [polit.]

suppress interference eliminować zakłócenia radiowe [el.]

suppression wygaszanie [el.]; presja [polit.]

suppression stage stopień tłumienia [el.]

suppressor and swept gain control nastawnik wyrównywacza podciśnienia i głębokości [masz.]

supremacy przewaga, panowanie (*np. w powietrzu*) [wojsk.]

supreme court sąd najwyższy [praw.]

sure winner pewny zwycięzca [abc]

sure-grip stateczny [transp.]

sure-grip ribbing profilowanie w celu osiągnięcia stateczności [transp.]

surface powierzchnia [transp.]; nad ziemią [górn.] (→ basal s.; → clay s.; → ground s.; → heating s.; → plane s.; → sealing s.; → steam releasing s.; → s. failure; → water/steam separation s.; → wave s.)

surface mining operation kopalnia odkrywkowa [górn.]

surface attemperator chłodnica przeponowa, chłodnica powierzchniowa [energ.]

surface change zmiana powierzchniowa [masz.]

surface coat warstwa powierzchniowa [masz.]

surface coating pokrywanie powierzchniowe [masz.]

surface condenser skraplacz przeponowy, skraplacz powierzchniowy, kondensator powierzchniowy [energ.]

surface course warstwa ścieralna [masz.]

surface crack rysa powierzchniowa, pęknięcie powierzchniowe [masz.]

surface-crack checking device przyrząd do sprawdzania chropowatości powierzchni, komparoskop [miern.]

surface crack test badanie chropowatości powierzchni, sprawdzanie chropowatości powierzchni [masz.]

surface damage szkoda górnicza (*osiadanie budynków i osuwanie* *się terenu wskutek prac podziemnych*) [praw.]

surface direction ustawienie powierzchniowe, orientacja powierzchniowa [inf.]

surface finish wykończenie powierzchni [masz.]

surface fire pożar [abc]

surface flaw uszkodzenie powierzchni [masz.]

surface hardness twardość powierzchniowa [masz.]

surface marking znak gładkości [rys.]

surface mining górnictwo odkrywkowe [górn.]

surface moisture wilgotność powierzchniowa [abc]

surface of delimination powierzchnia cięcia [masz.]

surface of failure powierzchnia przełomu [masz.]

surface of separation-interface powierzchnia przylegania współpracujących części [masz.]

surface peak-to-valley height znak gładkości [masz.]

surface plant tarcza tokarska [masz.]

surface preparation przygotowanie powierzchni [masz.]

surface protection ochrona powierzchni, zabezpieczenie powierzchni [masz.]

surface reconstruction rekonstrukcja powierzchniowa, odbudowa powierzchniowa [abc]

surface roughness wysokość nierówności [masz.]

surface sealing agent środek powierzchniowo uszczelniający [masz.]

surface smoothness gładkość powierzchni [abc]

surface solidified utwardzany powierzchniowo, hartowany powierzchniowo [masz.]

surface symbol znak gładkości [masz.]

surface-treated obrabiany powierzchniowo [masz.]

surface-treatment procedure proces obróbki powierzchniowej [masz.]

surface type attemperator chłodnica wodnorurkowa [energ.]

surface wave fala powierzchniowa [fiz.]

surface wave probe sonda fal powierzchniowych [miern.]

surface wave velocity prędkość fali powierzchniowej [fiz.]

surfacing wzmocnienie powierzchniowe, utrwalenie powierzchniowe [masz.]

surge udar napięciowy [el.]

surge current prąd udarowy [el.]

surge impedance impedancja falowa [el.]

surgeon chirurg [med.]

surgery chirurgia; sala operacyjna; zabieg chirurgiczny [med.]

surmounting przewyższający; przezwyciężanie [abc]

surrender poddać się; wydawać, wydać [wojsk.]

surveillance nadzór, obserwacja [polit.]

survey robić zdjęcia pomiarowe; zaopiniować, zaopiniować; oceniać, ocenić; dokonywać oględzin, dokonać oględzin; kontrolować, skontrolować; mierzyć, wymierzyć, odmierzyć [bud.]

survey pomiar, zdjęcie pomiarowe; ocena; szacowanie; oględziny [bud.]; przegląd [abc]

surveyor mierniczy [miern.]; inspektor; rzeczoznawca; geodeta; mierniczy górniczy [abc]

surveyor's chain łańcuch mierniczy [miern.]

surveyor's level niwelator [miern.]

survival przeżycie, przetrwanie [abc]

S

susceptibility podatność, skłonność [abc]

susceptible podatny, skłonny [abc]

suspend zawieszać, zawiesić [abc]

suspenders szelki [abc]

suspension zawieszenie; ugięcie (*sprężyny*) [masz.]; zwłoka, odroczenie [abc]; (→ axle s.)

suspension angle kąt zawieszenia [masz.]

suspension bridge most wiszący [bud.]

suspension cable przewód wiszący [el.]

suspension component element zawieszenia [mot.]

suspension cylinder cylinder amortyzatora [mot.]

suspension gear zawiesie naczynia wyciągowego [transp.]

suspension pin kołek do zawieszania [transp.]

suspension railway kolej linowa wisząca; kolej podwieszona [mot.]

suspension rope lina odciągowa, odciąg [transp.]

suspension tube rura nośna, rura zawiesinowa, rura wsporcza [mot.]

sustain utrzymywać; dźwigać; wytrzymywać [abc]

sustained short-circuit current prąd zwarciowy ustalony [el.]

swage kształtować, ukształtować; formować, uformować [met.]

swage matryca (*kuźnicza*); kuty w matrycy [met.]

swallow jaskółka [bot.]

swamp błoto, bagno; moczary [abc]

swampy bagnisty; błotnisty [abc]

swampy ground grunt bagienny [abc]

swash plate przegroda przelewowa [mot.]; krzywka tarczowa skośna [masz.]

swash plate mechanism mechanizm płyty sterowania okresowego

[masz.]

swashplate pump *pompa tłoczkowa z tarczą napędową o ruchu precesyjnym* [transp.]

sweating lutować dociskowo [met.]

sweep zasilać [masz.]; zamiatać, zamieść; wymiatać, wymieść [abc]

sweep odchylenie wiązki elektronowej [el.]; (→ delaying s.; → single s.); zasilanie [abc]

sweep frequency częstotliwość odchylania [el.]

sweep generator generator odchylania [transp.]

sweep length długość odchylenia [transp.]

sweep phase in garbage collection faza czyszczenia w usuwaniu bezużytecznych danych [inf.]

sweep stage stopień generatora relaksacyjnego [el.]

sweep velocity szybkość przelotowa [el.]

sweeping of the flue gas opływanie spalin [energ.]

sweeping vehicle samochód zamiatarka, samochód ze szczotką mechaniczną [mot.]

sweet słodki [abc]

swell spęcznienie [abc]

swell factor czynnik spęcznienia [min.]

swelling pęcznienie, wydymanie [bud.]

swelling of the drum water spiętrzenie wody wirowej [energ.]

swerve mijać, minąć; wymijać, wyminąć [mot.]

swift zamaszysty, pełen werwy [abc]

swing kołysać się [abc]; odchylać, odchylić; wychylać, wychylić [transp.]

swing huśtawka [abc]; obrotowy, obrotu [transp.]

swingable obrotowy, przestawny obrotowo, odchylny, wychylny [transp.]

swing angle kąt obrotu, kąt skręcania [transp.]

swing assembly mechanizm obrotowy [mot.]

swing axle most pędny przegubowy [mot.]

swing bearing zębatka obrotowa [mot.]

swing brake hamulec mechanizmu obrotowego żurawia [transp.]

swing brake system system hamulcowy żurawia obrotowego [transp.]

swing brake valve zawór hamulcowy klapowy odchylny [transp.]

swing circuit krążenie wahadłowe, obieg wahadłowy [transp.]

swing distance odległość wychylania [transp.]

swing distance odległość obrotu; zasięg obrotu [transp.]

swing drive napęd mechanizmu wychylnego [transp.]

swing drive unit napęd mechanizmu wychylnego [transp.]

swing fire heater podgrzewacz powietrzny [mot.]

swing fixture połączenie gwintowe przegubowe, złącze śrubowe przegubowe [masz.]

swing forklift układarka regałowa [mot.]

swing gear przekładnia uchylna, przekładnia z kołem uchylnym; mechanizm obrotu żurawia [transp.]; mechanizm obrotowy; przekładnia uchylna, przekładnia z kołem uchylnym [mot.]

swing gear brake hamulec mechanizmu obrotowego żurawia [transp.]

swinging ash cut-off gate spiętrzacz wahliwy, zgarniacz wahliwy [masz.]

swinging screw connection połączenie gwintowe przegubowe, złącze śrubowe przegubowe [mot.]

swinging spout rynna zsypowa wahliwa [masz.]

swing left obracać w lewo, obrócić w lewo [mot.]

swing lock blokada przeciwwychyłowa nadwozia, blokada przeciwwychyłowa nadbudowy [transp.]

swing motor (→ left) silnik hydrauliczny wahliwy [transp.]

swing-off czerpać, zaczerpnąć; rozpoczynać pracę koparki, rozpocząć pracę koparki [transp.]

swing pump pompa wychylna [transp.]

swing rack (US) połączenie obrotowe (rolkowe); zębatka obrotowa [mot.]

swing range zasięg obrotu; zasięg roboczy [transp.]

swing right obracać w prawo, obrócić w prawo [mot.]

swing shaft wał wahliwy [mot.]

swing shift (US) zmiana popołudniowa [abc]

swing socket pasterka, okrętka [górn.]

swing speed prędkość obrotowa [mot.]; szybkość obrotu [transp.]

swing stopper zamknięcie dźwigniowe, zamknięcie nakładane zaskakujące [masz.]

swing time czas obrotu [transp.]

swing torque moment uchylny [mot.]

swing transmission przekładnia uchylna, przekładnia z kołem uchylnym [mot.]

swing up podnosić, podnieść [mot.]

switch włączać, włączyć; przełączać, przełączyć [el.]

switch wyłącznik [el.]; (US) zwrotnica [mot.]; (→ brake wear limit s.; → brakelight s.; → chain tension s.; → change-over s.; → contact mat s.; → control s.; → dip s.; → dividing s.; → emergency cord s.; → emergency s.; → fault cur-

S

rent protection s.; → foot dip s.;
→ foot starter s.; → handrail inlet
s.; → handrail throw-off s.; →
heater plug s.; → heater starter s.;
→ heater s.; → hydraulic stop
light s.; → ignition s.; → isolation
s.; → key cut-out s.; → key s.; →
light spindle s.; → limit s.; → load
break s.; → main circuit breaker;
→ main light s.; → main s.; →
mercury s.; → meter s.; → micro
s.; → micro s.; → oil pressure s.;
→ operating s.; → overload safety
s.; → overload s.; → panic s.; →
photo-electric cell selector s.; →
press s.; → pressure s.; → pressure wave s.; → protective s.; →
pull s.; → push-button s.; → regulating s.; → reset s.; → stop light
pull s.; → stop light rotating s.; →
stop s.; → s. selector; → toggle s.;
→ up-down key s.)

switchable przełączalny; przełączal-
nie [el.]

switchboard tablica rozdzielcza; tablica sterownicza [el.]; łącznica telefoniczna [telkom.]; (→ high voltage s.; → low voltage s.)

switch box skrzynka rozdzielcza,
szafka rozdzielcza [el.]

switch cabinet szafa sterownicza [el.]

switch contact for parking brake
zestyk hamulca postojowego [mot.]

switch control sterowanie zwrotnicy [mot.]

switch cubicle szafa sterownicza [el.]

switch-drive napęd zwrotnicy [mot.]

switched włączony [el.]

switched off wyłączony [el.]

switch element element przełączający [transp.]

switch expansion joint złącze kompensacyjne [mot.]

switchgear sprzęt łączeniowy [el.]

switch in dołączać, dołączyć; włączać, włączyć [el.]

switching przełączenie; (→ parallel
s.) komutacja [el.]

switching ability zdolność włączania, zdolność wyłączania, zdolność
przełączania [mot.]

switching activating point punkt
włączania [el.]

switching cycle cykl łączeniowy [el.]

switching element element przełączający [masz.]

switching group grupa połączeń
[mot.]

switching magnet elektromagnes
włączający [el.]

switching rate częstotliwość przełączania [transp.]

switching speed prędkość przełączania [el.]

switching yard stacja rozrządowa
[mot.]

switch line łącze komutowe [inf.]

switchman (US) zwrotniczy [mot.]

switch off gasić, zgasić; odstawiać,
odstawić [mot.]; wyłączać, wyłączyć
[el.]

switch on włączać, włączyć; podłączać, podłączyć [el.]

switch opening (→ rail groove) rowek szyny dla przejścia obrzeży kół
[mot.]

switch plug łącznik wtykowy [el.]

switch rod pręt nastawczy zwrotnicy [transp.]

switch room przełączalnia, pomieszczenie rozdzielni [transp.]

switch selector łącznik wybierakowy [el.]

switch wire kabel zapłonowy [el.];
przewód zapłonowy [mot.]

swivel obracać się (na krześle) [abc]

swivel nakrętka napinająca; pierścień obrotowy [masz.]; połączenie
obrotowe [mot.]

swivel bearing łożysko samonastawne [transp.]

swivel bearing cup pierścień zewnętrzny łożyska stożkowego [masz.]

swivel **burner** palnik pochylny, palnik uchylny [energ.]

swivel **chair** krzesło obrotowe, fotel obrotowy [abc]

swivel **fitting** odgałęźnik, rozgałęźnik, kształtka (*rurowa*) wielodrogowa [masz.]

swivel **flange** kołnierz obrotowy [masz.]

swivel **joint** przegub płaski, węzeł obrotowy [masz.]

swivelling odchylny, przegubowy [masz.]

swivelling saddle siodło obracane [transp.]

swivelling support bar próg ładunkowy odchylny [mot.]

swivel **table** stół uchylny [masz.]

swivel **window** okno wychylne [mot.]

syenite sjenit [bud.]

syllable sylaba [abc]

symbol symbol [inf.]; (→ terminal s.)

symbol manipulation przetwarzanie symboli [inf.]

symbol seam szew symboliczny [met.]

symbolic symboliczny [mot.]

symbolic constraint propagation propagacja ograniczeń symbolicznych [inf.]

symbolic integration całkowanie symboliczne [inf.]

symmetry symetria [abc]

sympathetic vibration drganie rezonansowe [fiz.]

symposium sympozjum [abc]

synchro generator selsyn nadawczy [el.]

synchromesh mechanism mechanizm synchronizujący [mot.]

synchronize synchronizować [transp.]

synchronizer synchronizator [mot.]

synchronizer attachment urządzenie synchronizujące [mot.]

synchronizer supplement urządzenie synchronizujące [mot.]

synchronising ball kula synchronizująca [mot.]

synchronizing cone stożek synchronizujący [mot.]

synchronizing cycle generator generator synchronizujący obroty [el.]

synchronizing disc tarcza synchronizująca [mot.]

synchronizing lock rygiel synchronizujący [mot.]

synchronizing mechanism mechanizm zsynchronizowany [mot.]

synchronizing slide collar tuleja suwakowa synchronizująca [mot.]

synchronizing spring resor synchroniczny [mot.]

synchronous synchroniczny [abc]

synchronous gear przekładnia synchronizująca [mot.]

synchronous motor silnik synchroniczny [el.]

synchronous running obieg synchroniczny [transp.]

synchro system wał elektryczny [el.]

synchro transmitter selsyn nastawczy [el.]

syndicate (US) syndykat [abc]

syndrome syndrom [abc]

syntactic sugaring upraszczanie syntaktyczny; lukier syntaktyczny" [inf.]

syntax składnia [inf.]

synthesis synteza [chem.]

synthetic syntetyczny [chem.]

synthetic image obraz syntetyczny [inf.]

synthetic mass spectrogram spektrogram mas syntetycznych [inf.]

syrup syrop [abc]

system urządzenie [masz.]; układ; system [abc]; (→ closed hydraulic s.; → distributed s.; → knowledge-based s.; → rule-based s.)

S

system formwork szalowanie systemowe [bud.]

system of protection system zabezpieczający [el.]

system programmer programista systemowy [inf.]

system software oprogramowanie systemowe [inf.]

systematic systematyczny [abc]

T

t.d.c. górne położenie zwrotne, wewnętrzne położenie zwrotne; zwrotne położenie odkorbowe, ZPO; górny martwy punkt, GMP [masz.]

table stół [bud.]; (→ steam t.) tablica (*własności pary*) [energ.]

table knife nóż stołowy [abc]

tablet tabletka (*lekarstwo*) [med.]

tabular bulb żarówka rurkowa [el.]

tacheometer tachometr, obrotomierz [miern.]; prędkościomierz [mot.]

tach generator nadajnik obrotów [mot.]

tacho generator prądnica tachometryczna [mot.]

tachograph tachograf, tachometr piszący [mot.]

tachometer tachometr, obrotomierz [miern.]; prędkościomierz [mot.]

tachometer drive napęd tachometra [el.]

tack szczepiać (*szeregiem krótkich spoin*) [met.]

tacker zgrzewarka sczepna [narz.]

tack welder zgrzewarka sczepna [narz.]

tack-welding machine zszywarka, spinarka [narz.]

tackle łańcuch nośny, łańcuch pociągowy, łańcuch napinający [mot.]

tackle stowage compartment przedział składowania łańcuchów pociągowych [mot.]

tactics taktyka [wojsk.]

tag szyld, wywieszka; etykietka, etykieta [abc]

tail koniec, część końcowa [mot.]

tailgate klapa tylna (*w nadwoziu samochodu*) [mot]; chodnik wybierakowy, chodnik eksploatacyjny [górn.]

tailgating *jechać zbyt blisko poprzedzającego samochodu* [mot.]

tailing cooler ochładzacz żwirku [górn.]

tail lamp lampa tylna, światło tylne; światło oznaczenia końca pociągu; lampa pozycyjna tylna; światło pozycyjne tylne [mot.]

tail lamp mounting bracket konsola lampy pozycyjnej tylnej [mot.]

tail light oświetlenie tylne; światło tylne; lampa pozycyjna tylna [mot.]

tail pipe rura wydechowa, przewód odprowadzający gazy wylotowe [energ.]; rura wylotowa; rura wydechowa [mot.]

tailplane usterzenie poziome, usterzenie wysokości; ster wysokości; statecznik poziomy [mot.]

tailplane incidence nachylenie steru wysokości [mot.]

tail-recursion rekursja końcowa [inf.]

tailswing wyładunek tylny [transp.]

tailor-made zrobiony na zamówienie, wykonany na zamówienie [masz.]

tails frak [abc]

take przejmować, brać [abc]

take a traverse dokonywać pomiaru sieciowego [el.]

take down zdejmować; ściągać (*na dół, w dół*); zapisać, zanotować

[abc]; odhaczać, zdejmować z haka [mot.]

take minutes protokołować [abc]

take off zdjąć; odciąć; skasować, skreślić; wyprowadzić, odprowadzić [abc]; odlecieć, wystartować [mot.]; pobierać [el.]

take-off rocket rakieta startowa [mot.]

take out wycofywać [mot.]

take out of service wyłączać [mot.]; odłączać; wygaszać; odcinać [energ.]

take-over of risk przejście ryzyka [praw.]

take place odbywać się [abc]

take-up odbiornik [masz.]

take-up motor silnik zwijający, silnik odbierający [el.]

take-up path droga prowadnicy [transp.]

take-up unit jednostka nastawcza; urządzenie nastawcze wolne; uchwyt regulowany [transp.]

taking-off-sheet formularz do obliczania objętości mas ziemnych [bud.]

talented utalentowany, uzdolniony, zdolny [abc]

talk rozmawiać, dyskutować [abc]

talk rozmowa; dyskusja [abc]

talus osypisko [górn.]; piarg [geol.]

talus material gruz ze zbocza, gruz ze stoku [górn.]

tamp ubijać [abc]

tamped ubity [abc]

tamper ubijak [transp.] (→ hand t.)

tamping ubijanie [transp.]

tamping foot roller walec ubijający [masz.]

tamping roller walec okołkowany stopkowy [masz.]

tandem arrangement układ posobny, układ tandem [masz.]

tandem axle oś posobna [masz.]

tandem cylinder cylinder tandemo-

wy [masz.]

tandem drive napęd typu tandem, napęd posobny [transp.]

tandem pump pompa tandemowa [transp.]

tandem sectioned vane-type pump pompa łopatkowa dwukomorowa [masz.]

tang blaszecznica [bot.]; czop, trzpień, sworzeń; palec; chwyt [masz.]

tangential admission zasilanie styczne [energ.]

tangential firing palenisko komorowe o stycznym układzie palników, palenisko narożnikowe [energ.]

tangential guide widelec styczny; widełki prowadnicy; prowadnik [transp.]

tangent key klin styczny prostokątny [masz.]

tangent keyway rowek klinowy styczny [masz.]

tangent point punkt styku [masz.]

tangent tube construction ściana rury (*zamknięta*) [masz.]

tank tankować [mot.]

tank czołg [wojsk.]; zbiornik (*na beton*); cysterna [masz.]; (→ disengaging t.; → hydraulic oil t.; → main fuel t.; → reserve fuel t.; → shot storage t.)

tankard kufel (*z pokrywą*) [abc]

tank baffle blacha kierunkowa; płyta odbojowa w zbiorniku [masz.]

tank bottom (→ dished t. b.) spód zbiornika [masz.]

tank capacity pojemność baku [masz.]

tank car wagon-cysterna, wagon zbiornikowy; samochód-cysterna; beczkowóz [mot.]

tank contents zawartość baku [mot.]

tank driver kierowca czołgu [wojsk.]

tanker zbiornikowiec, tankowiec; samochód-cysterna [mot.]

tank filler wlew [masz.]

tank filler cap nakrywka wlewu zbiornika [masz.]; pokrywa wlewu [trans.]

tank-filling system instalacja paliwowa [masz.]

tank level poziom paliwa (*w baku*) [masz.]

tank loco parowóz tendrzak, lokomotywa kusa [mot.]

tank opening króciec wlewowy [transp.]

tank pipe przewód paliwowy [transp.]

tank pressurisation naprężenie własne baku [transp.]

tank-type container kontener zbiornikowy [masz.]

tank wagon wagon-cysterna, wagon zbiornikowy [mot.]

tank wagon on bogie Uacs wagon zbiornikowy na wózkach zwrotnych [mot.]

tantalium capacitor kondensator tantalowy [el.]

tap spuszczać [tw.]; gwintować [met.]; napoczynać; czerpać; pobierać; wykorzystywać, naciągać (*kogoś*); pukać, stukać [abc]

tap zawór (*kurkowy czerpalny*), kurek (*czerpalny*) [abc]; dystrybutor paliwa, kolumna rozdzielcza benzyny [mot.]; otwór spustowy; spust (*z pieca*) [tw.]; gwintownik [narz.]; zaczep [masz.]

tap degassing odgazowanie strumieniowe (*przy spuście do kadzi*), odgazowanie obiegowe (*stali*) [masz.]

tap drill gwintownik [narz.]

taphole otwór spustowy żużla, otwór żużlowy [met.]

tap-hole drilling device przebijarka otworu spustowego [tw.]

tap off spuszczać (*przebić otwór spustowy w wielkim piecu*) [tw.]

tapped gwintowany [masz.]

tapped bushing tulejka gwintowana; złączka nakrętno-wkrętna; złączka wkrętna [masz.]; złączka nakrętna [tw.]

tapped clearance luz zaworowy [mot.]

tapped hole otwór wiercony; otwór gwintowany; otwór pod gwint [masz.]; otwór gwintowany [met.]

tapping hole otwór wiercony; otwór pod gwint [masz.]; otwór gwintowany [met.]

tapping screw wkręt samogwintujący [masz.]

tapping screw assembly wkręt do blachy samogwintujący [masz.]

tape drive mechanizm napędowy taśmy [inf.]

taped wheel krążek łańcuchowy gniazdkowy [masz.]

tape measure taśma miernicza, taśma geodezyjna, ruletka [narz.]

taper zwężać, przewężać, zmniejszać, nadawać zbieżność [masz.]

taper stożek, kształt stożka; zbieżność, stożkowatość [masz.]

taper cone drive przekładnia dwustożkowa [masz.]

tape recorder magnetofon [abc]

tapered stożkowy, stożkowaty [masz.]

tapered ball-bearing łożysko kulkowe skośne [masz.]

tapered pin kołek stożkowy [masz.]

tapered roll walec stożkowy [masz.]

tapered roller wałeczek stożkowy [masz.]

tapered seating surfaces stożkowa powierzchnia osadzania [masz.]

tapered slide valve zasuwa klinowa [masz.]

taper grooved dowel pin kołek karbowy stożkowy [masz.]

tapering zbieżność, stożkowatość [masz.]

tapering chain link ogniwo łańcucha zwężające [masz.]

tapering pin kołek zbieżny, kołek stożkowy [masz.]

taper key klin zbieżny [masz.]

taper link ogniwo stożkowe [masz.]

taper pin kołek zbieżny, kołek stożkowy [masz.]

taper roller bearing łożysko wałeczkowe stożkowe [masz.]

tape-run bieg taśmy [inf.]

tape skew znoszenie [masz.]; przekos [inf.]

tape unit jednostka pamięci taśmowej [inf.]

tappet (→ roller t.) popychacz [mot.]

tappet actuating lever dźwignia popychacza [masz.]

tappet adjusting screw with lock nut śruba regulacyjna popychacza z nakrętką zabezpieczającą [masz.]

tappet clearance luz zaworowy [mot.]

tappet force siła popychacza [mot.]

tappet guide prowadnica popychacza [mot.]

tappet roller rolka popychacza [mot.]

tappet roller pin sworzeń rolki popychacza [mot.]

tappet spring sprężyna popychacza [mot.]

tar (→ cottonseed t.) smoła [bud.]; dziegieć [abc]

tar concrete road droga smołobetonowa, droga o nawierzchni z betonu smołowego [mot.]

tar sand piasek smołowany [bud.]

tare (GB) tara [abc]; masa własna; ciężar własny [mot.]

tare weight waga opakowania [abc]

target cel, obiekt [abc]

target mark znacznik celu [el.]

tariff taryfa [abc]

tarmac asfalt, smoła ziemna; smołowa warstwa ścieralna nawierzni; nawierzchnia tłuczniowa smołowana [mot.]

tarmac road droga o nawierzchni asfaltowej [mot.]

tarpaulin brezent (*impregnowany*) [mot.]; płótno żaglowe [abc]

tarpaulin gray szarość brezentu [norm.]

task zadanie, zlecenie [abc]

task force grupa operacyjna [abc]

task work określona praca, pewna praca [abc]

taste smak [med.]

tatty wytarty, zniszczony, wyświechtany, nędzny [abc]

taut span cięgno napięte [masz.]

tavern tawerna, szynk, karczma, gospoda, pub, knajpa [abc]

tax podatek (*ubezpieczeniowy*) [praw.]

tax-privileged reserve pozycja specjalna (*partia towaru uprzywilejowana podatkowo*) [abc]

tax weight tara [abc]

taxiway droga kołowania [mot.]

T-bar buckstay dźwigar teowy; belka teowa [masz.]

T-beam dźwigar teowy; belka teowa [masz.]

T-bolt śruba młoteczkowa [masz.]

T-bolt clamp zacisk śrubowy (*na śrubę młoteczkową*) [masz.]

T

teach uczyć, nauczać [abc]

teacher nauczyciel [abc]

teaching purposes cele instruktażowe; cele nauczania [abc]

team drużyna, zespół [abc]

tear rwać, rozerwac, podrzeć, potargać, poszarpać [abc]

tear pęknięcie [transp.]; przerwanie [masz.]; rozerwanie [abc]

teardown hock hak rozbiórkowy; hak burzący [transp.]

tearing loose odłączenie [mot.]

tear-off protection zabezpieczenie przed oderwaniem [masz.]

tear out wyrywać [abc]

tearsheets papier składany do drukarki; papier w rolkach (*np. do drukarek*) [inf.]

technical techniczny; technologiczny [abc]

technical assistance wsparcie techniczne [abc]

technical contract conditions techniczne warunki umowy [abc]

technical data dane techniczne [abc]

technical domain zastosowanie techniczne [abc]

technical drawing rysunek techniczny [rys.]

technical handbook poradnik techniczny, instrukcja obsługi [masz.]

technical information informacja techniczna [abc]

technicalities formalności [abc]

technically feasible technicznie wykonalny, technicznie możliwy do wykonania [abc]

technically feasible method metoda technicznie wykonalna [abc]

technical modification report komunikat o zmianach w dokumentacji technicznej; notatka o zmianach w dokumentacji technicznej [abc]

technical modification service *wprowadzanie zmian do dokumentacji technicznej* [abc]

technical security techniczna ochrona danych [abc]

technical specification techniczne warunki dostawy [ekon.]

technical term termin fachowy [abc]

technician (→ site agent, foreman) kierownik budowy, mistrz budowlany [abc]

technics technika, technologia [abc]

technique technika, technologia [abc]

technological techniczny, technologiczny [abc]

technology technologia, technika

[abc]; (→ appropriate t.; → CMOS-t.; → hybrid t.)

tectonically destroyed zniszczony tektonicznie [geol.]

tectonic destruction uskok tektoniczny [geol.]

tectonic disturbance uskok tektoniczny [geol.]

tectonic earthquake trzęsienie ziemi głębinowe tektoniczne [geol.]

tectonics tektonika [geol.]

tee connector trójnik [el.]; trójnik (*rurowy*) [masz.]

tee head bolt śruba z łbem młoteczkowym, nitowkręt [masz.]

tee-piece connector trójnik [el.]; trójnik (*rurowy*) [masz.]

teething problems *trudności występujące na początku jakiejś działalności* [abc]

teflon teflon [tw.]

teflon pad pokryty teflonem, z powłoką teflonową [tw.]

telecommunication telekomunikacja [telkom.]

telecommunication tower wieża radiowa, wieża telekomunikacyjna [telkom.]

telefax faks [telkom.]

telegraph style styl telegraficzny [abc]

telephone telefon [telkom.]

telephone bill rachunek telefoniczny [telkom.]

telephone directory spis telefonów, książka telefoniczna [telkom.]

telescope teleskop [opt.]

telescope leader prowadnica teleskopowa [transp.]

telescopic arm wysięgnik teleskopowy [transp.]

telescopic crane arm teleskopowy wysięgnik żurawia [transp.]

telescopic crane arm attachment wyposażenie teleskopowego wysięgnika żurawia [transp.]

telescopic shock absorber amortyzator teleskopowy [mot.]

telescopic-type lift cylinder wciągnik hydrauliczny teleskopowy [masz.]

telescopic undercarriage podwozie teleskopowe [transp.]

telescoping teleskopowy [abc]

telescoping boom wysięgnik teleskopowy [transp.]

television telewizja [el.]

television camera kamera telewizyjna [el.]

television tower wieża telewizyjna [el.]

telex teleks [telkom.]

telex system dalekopis [telkom.]

telford pavement nawierzchnia tłuczniowa [transp.]

telpher wciagnik przejezdny elektryczny, elektrowciąg [masz.]

temper odpuszczać; hartować [met.]; wyżarzać [masz.]

temperature temperatura, ciepłota; gorączka [abc]; → ambient t.; → ash fusion t.; → boiling t.; → combustion t.; → conversion t.; → exit gas t.; → feed water t.; → flue gas t.; → furnace gas outlet t; → ignition t.; → live steam t.; → operating t.; → operation t.; → reheat steam t.; → return t.; → room t.; → saturated steam t.; → service t.; → sintering t.; → steam t.; → superheated steam t.; → throttle t.; → tube wall t.; → waste gas t.)

temperature alarm wskaźnik alarmowy temperatury [mot.]

temperature and EMF measuring device urządzenie do pomiaru temperatury i siły elektromotorycznej [masz.]

temperature contactor stycznik termometryczny [mot.]

temperature control kontrola temperatury, regulacja temperatury

[mot.]; regulator temperatury; czujnik temperatury [miern.]

temperature dependent zależny od temperatury [abc]

temperature distortion nierównomierny rozkład temperatury, nierównomierne nagrzanie [energ.]

temperature drop spadek temperatury [energ.]

temperature gauge termometr [miern.]

temperature measurement pomiar temperatury [miern.]

temperature measuring device czujnik temperatury [miern.]

temperature measuring rocket rakieta do pomiaru temperatury [mot.]

temperature measuring station punkt pomiaru temperatury [miern.]

temperature monitor regulator temperatury; czujnik temperatury [miern.]

temperature rating temperatura nominalna [energ.]

temperature ratings wartości znamionowe temperatury, wartości nominalne temperatury [energ.]

temperature recorder termograf, rejestrator temperatury [miern.]

temperature sensitive element czujnik termometryczny [miern.]

temperature sensor czujnik temperatury [miern.]

temperature tapping point punkt pomiaru temperatury [miern.]

temperature traverse pomiar sieciowy temperatury [energ.]

temperature unbalance nierównomierny rozkład temperatury, nierównomierne nagrzanie [energ.]

tempered odpuszczony [tw.]; wyżarzony [masz.]

tempering utwardzenie [met.]; hartowanie; ulepszanie cieplne [tw.]

tempering instruction instrukcja ulepszania cieplnego [tw.]

template wzornik, kopiał szablon [abc]; podkładka pod belkę [bud.]; matryca [med.]

templet (→ template) wzornik, kopiał szablon [abc]; podkładka pod belkę [bud.]; matryca [med.]

temporal limitation ograniczenie czasowe [praw.]

temporary przejściowy, chwilowy, przelotny, przemijający [abc]

temporary bulking spulchnienie przejściowe [abc]

temporary staff pracownik użyczony [abc]

temptation pokusa, pokuszenie [abc]

tenacity lepkość, tarcie wewnętrzne; wiązkość, odporność na obciążenia dynamiczne [miern.]

tenant najemca, lokator [bud.]

tendency tendencja, skłonność; kierunek [abc]

tender składać ofertę, proponować, oferować [abc]

tender węglarka; tender; wóz kopalniany [mot.]

tender engine parowóz z tendrem doczepnym [mot.]

tender letter pismo ofertowe, list ofertowy [abc]

tender locomotive parowóz z tendrem doczepnym [mot.]

tendon cięgno z drutu; kabel rozciągany [masz.]

tensile strength wytrzymałość na rozciąganie; klasa *wytrzymałości (na rozciąganie)* [tw.]

tensile strength of cast iron wytrzymałość żeliwa na rozciąganie [tw.]

tensile test próba pełzania do zerwania [masz.]; próba rozciągania, próba na rozerwanie [tw.]

tension napięcie; naprężenie [masz.]; naprężnia [transp.]; (→ belt tension; → notch t.; → spring t.)

tensionally locked zamknięty siłowo [transp.]

tension axle oś napinająca [masz.]

tension disc sprężyna talerzowa, sprężyna krążkowa [masz.]

tension fork widelec rozciągany [masz.]

tension indicator miernik napięcia [el.]; woltomierz [miern.]

tensioning zwiększanie ciśnienia, utrzymywanie zwiększonego ciśnienia; obciążenie wstępne [energ.]; naprężenie wstępne, naprężenie montażowe; napięcie wstępne [masz.]; naprężenie własne, naprężenie pierwotne [tw.]; napięcie poczatkowe, napięcie polaryzacji [el.]

tensioning arm ramię naciągające [mot.]

tensioning block klocek napinający [górn.]

tensioning bolt ściąg, kotwa, kotew [masz.]

tensioning carriage sanie wzdłużne mocujące [transp.]

tensioning clamp ściskacz sprężynowy [transp.]

tensioning device naprężnik; bęben napinający [transp.]; ekspander [met.]; urządzenie mocujące; uchwyt mocujący [tw.]; nakrętka napinająca [masz.]; urządzenie dociskowe [met.]; napinak [energ.]; klucz [narz.]

tensioning rope lina napinająca [transp.]

tensioning spring sprężyna naciągowa, sprężyna cięgłowa [mot.]

tension measuring pomiar napięcia [miern.]; pomiar napięcia [el.]

tension pulley rolka napinająca [transp.]; tarcza dociskowa [masz.]

tension ring pierścień zaciskowy [mot.]

tension rod pręt rozciągany [masz.]
tension spring sprężyna naciągowa, sprężyna cięgłowa [masz.]
tension test próba rozciągania, próba na rozerwanie [tw.]
tension valve zawór napinający, zawór naprężający; zawór naciągający [transp.]
tent namiot [abc]
tent peg kołek namiotowy, śledź [abc]
tent post maszt namiotu [abc]; słup, stojak [bud.]
tentative próbny, eksperymentalny, doświadczalny, na próbę [abc]
term nazywać, określać, charakteryzować, opisywać [abc]
term pojęcie, termin; semestr [abc]
terminal końcówka, zacisk, przyłącze; urządzenie końcowe [abc]; osłona dzwonkowa [masz.]; terminal; osłona dzwonkowa; zacisk przyłączeniowy [mot.]; złączka; łącznik; złączka rurowa nakrętna; sprzężenie, połączenie [trans.]; łącznik [met.]; zacisk biegunowy; końcówka; biegun baterii [el.]; terminal, końcówka [inf.]; stacja końcowa, pętla autobusowa [mot.]
terminal box skrzynka przyłączowa [el.]
terminal connection diagram schemat przyłączeń [el.]
terminal connection piece łącznik zaciskowy [el.]
terminal depot (US) stacja czołowa [mot.]
terminal layout planowanie podłączeń [el.]
terminal node węzeł kończący, węzeł terminalny [inf.]
terminal socket gniazdo zaciskowe [masz.]
terminal station (GB) stacja czołowa [mot.]
terminal strip listwa zaciskowa,

łączówka zaciskowa [el.]
terminal with worm thread zacisk z gwintem ślimakowym [masz.]
terminated terminowy, ograniczony terminem, w wyznaczonym terminie [abc]
termination końcówka, zacisk, przyłącze [abc]; zakończenie [el.]
terminology terminologia [abc]
termite termit [bot.]
terms of shipment warunki dostawy [abc]
terrace taras [geol.]; taras, patio; *szereg przylegających do siebie domków jednorodzinnych* [bud.]
terrace cut wrąb tarasowy, wcios tarasowy, wykop tarasowy [górn.]
test testować, próbować [abc]
test test, próba, doświadczenie [abc]; (→ additional t.; → bend<-ing> t.; → boiling t.; → calorimetric t.; → coking t.; → cutting t.; → dry strenght t.; → friction t.; → hydraulic t.; → intelligence t.; → knead t.; → laboratory t.; → longtime t.; → notched bar impact t.; → plate-loading t.; → pressure t.; → proctor compaction t.; → scratch t.; → shaking t.; → shear t.; → smell t.; → stress-rupture t.; → t. with hydrochloric acid)
test and set the belt tension skontrolować i nastawić napięcie pasa klinowego [mot.]
test assembly próbka kwalifikacyjna [met.]
test assignment zadanie kontrolne [abc]
test bench stanowisko do prób; stanowisko próbne [masz.]; stanowisko badawcze [transp.]
test block blok kontrolny [tw.]
test-book książka kontroli [abc]
test capsule kapsuła testowa [tw.]
test cock of the water gauge kurek probierczy wodowskazu [masz.]

T

test condition warunek kontroli; warunki pomiarowe [miern.]

test cube kostka próbna [tw.]

test dimension wymiar kontrolny [rys.]

test drive jazda próbna [mot.]

tested wypróbowany [abc]

tested tube rura legalizowana [masz.]

test efficiency skuteczność tesu, skuteczność próby [miern.]

test engineer inżynier prac doświadczalnych; *inżynier uprawniony do przeprowadzania odbioru* [abc]

test equipment urządzenie kontrolne; aparatura badawcza; stanowisko do prób [miern.]; jednostka kontrolna; instalacja testowa [masz.]

tester tester, przyrząd do badań, przyrząd probierczy [abc]; próbnik [el]

test flange kołnierz próbny, kołnierz doświadczalny [miern.]

test for continuity sprawdź ciągłość [miern.]

testing testowanie [inf.]; (→ data flow t.; → functional t.; → program t.; → software t.; → structured t.)

testing accuracy dokładność pomiaru [abc]

testing apparatus próbnik [miern.]; przyrząd kontrolny [transp.]; przyrząd probierczy [masz.]

testing cycle cykl przeszukiwania [el.]; kolejność prób [masz.]

testing efficiency wydajność testowa [masz.]

testing frequency częstotliwość przeszukiwania; częstotliwość testowania [el.]

testing instrument próbnik [miern.]; przyrząd kontrolny [transp.]; przyrząd probierczy [masz.]

testing level poziom kontrolny [abc]

testing period okres próbny [tw.]

testing point punkt probierczy [mot.]

testing process schemat testowy, schemat kontrolny [abc]

testing record protokół kontrolny [miern.]; zapis kontrolny [abc]

testing socket gniazdo probiercze [el.]

testing stand stanowisko do prób; stanowisko próbne [masz.]; stanowisko badawcze [transp.]

testing stop stanowisko do prób; stanowisko próbne [masz.]; stanowisko badawcze [transp.]

testing voltage napięcie probiercze; napięcie testowe [el.]

test instrument connection przyłączenie przyrządu doświadczalnego [miern.]

test instrument tapping point punkt pomiaru, miejsce przeprowadzania pomiaru; stanowisko doświadczalne [miern.]

test lamp lampa probiercza [miern.]

test mark plakietka kontrolna [abc]

test maschine maszyna kontrolna [masz.]

test method metoda testowa [miern.]; procedura kontroli [abc]

test operator kierowca próbny [abc]

test personnel personel rewizyjny, personel kontrolny [miern.]

test-phase okres próbny [abc]

test installation urządzenie kontrolne; aparatura badawcza; jednostka kontrolna; instalacja testowa [masz.]; stanowisko do prób [miern.]

test piece próbka prętowa [tw.]; próbka [masz.]

test pit dół próbny [górn.]

test plug wtyczka probiercza [transp.]

test point stanowisko pomiarowe [mot.]; punkt pomiaru, miejsce przeprowadzenia pomiaru [miern.]

test procedure procedura pomiarowa [miern.]

test pulse impuls kontrolny [miern.]
test range zakres kontrolny [abc]; obszar kontrolny [miern.]
test rate opłata za badanie [abc]; taryfa pomiarowa [miern.]
test record protokół kontrolny [miern.]; zapis kontrolny [abc]
test report sprawozdanie odbiorcze [masz.]
test requirement wymaganie kontrolne, wymaganie testowe [miern.]
test results wynik testu [miern.]
test rig stanowisko do prób; stanowisko próbne [masz.]; stanowisko badawcze [transp.]; przebieg doświadczenia [miern.]
test run rozruch próbny; praca kontrolna [energ.]; przebieg próbny; praca próbna [abc]; jazda próbna [masz.]
test sensitivity czułość przeszukiwania [abc]; czułość testowa [miern.]
test setup przebieg doświadczenia [miern.]
test sheet formularz protokołu próby; arkusz pomiarowy [miern.]
test socket króciec kontrolny [mot.]
test specification przepisy kontrolne [norm.]
test speed szybkość kontroli [miern.]
test staff personel rewizyjny, personel kontrolny [miern.]
test stand stanowisko do prób; stanowisko próbne [masz.]; stanowisko badawcze [transp.]
test support suport kontrolny, suport testowy [miern.]
test system system kontrolny [masz.]
test tariff opłata za badanie [abc]; taryfa pomiarowa [miern.]
test temperature temperatura probiercza [energ.]
test tool aparatura doświadczalna [narz.]; zestaw próbny, zestaw probierczy [el.]
test unit jednostka kontrolna [masz.]

test voltage napięcie probiercze; napięcie testowe [el.]
test weight odważnik kontrolny [miern.]
test with hydrochloric acid badanie odporności na kwas solny, badanie odporności na działanie kwasu solnego [bud.]
test workstation próbne miejsce pracy, posada próbna [abc]
text tekst [abc]
text generation generowanie tekstu [inf.]
text processing przetwarzanie tekstu; przygotowanie tekstu, redakcja tekstu [inf.]
text scanner skaner, czytnik tekstu [inf.]
text understanding rozumienie tekstu [inf.]
textile materiał włókienniczy [abc]
texture tekstura; konsystencja [tw.]
T-fitting połączenie śrubowe teowe [masz.]
T-handle uchwyt poprzeczny [masz.]
thatched roof dach kryty słomą, strzecha [bud.]
thatcher *dekarz kryjący dachy słomą* [bud.]
thaw tajać [abc]
then wtedy, wówczas; następnie, potem [abc]
theory (→ simulation t.) teoria [inf.]
thermal couples (US) czujnik termometryczny [miern.]; czujnik termometryczny [energ.]
thermal efficiency sprawność cieplna, sprawność termiczna [energ.]
thermal expansion wydłużenie termiczne [energ.]
thermal overload bezpiecznik przeciążeniowy [transp.]
thermal stress naprężenie cieplne [transp.]
thermal switch mechanizm wyłączający ciepło [energ.]

T

thermal unit jednostka ilości ciepła [energ.]

thermal value wartość opałowa; ciepło spalania [energ.]

thermal water gorące źródła [geol.]

thermic lance (GB) lanca termiczna [tw.]

thermistor termistor [el.]

thermit stick pręt termitowy [wojsk.]

thermo coffee pot termos [abc]

thermo-compression welding zgrzewanie elementem grzejnym [met.]

thermocouple (→ pad-type thermocouple) termoelement, termoogniwo, ogniwo termoelektryczne, termopara [energ.]

thermocouple cold junction wolne końce, zimne końce [energ.]

thermocouple element termoelement, termoogniwo, ogniwo termoelektryczne, termopara [energ.]

thermometer wskaźnik temperatury [abc]; termometr [energ]; (→ angle t.; → electric resistent t.; → liquid-in-glass t.; → maximum/minimum t.; → mercury-in-glass t.)

thermometer pocket pochwa termometryczna, osłona termometryczna [energ.]

thermometer probe czujnik termometryczny [miern.]; czujnik termometryczny [energ.]

thermometer well pochwa termometryczna, osłona termometryczna [energ.]

thermo-shock szok termiczny, szok temperaturowy [energ.]

thermo sensor czujnik temperatury [el.]

thermostat regulator temperatury; termostat [mot.]; schładzacz [energ.]; (→ anti-frost t.)

thermostatic termostatyczny [abc]

thermo switch termowyłącznik [el.]

thermo-syphon cooling chłodzenie obiegowe samoczynne [mot.]

thick gruby, gęsty [masz.]; otyły [med.]

thick central writing czcionka wyjustowana do środka pogrubiona [abc]

thick plate arkusz blachy grubej [tw.]; blacha gruba [masz.]

thickness grubość, gęstość [masz.]; grubość, miąższość [górn.]; gęstość [bot.]

thickness gauge grubościomierz; szczelinomierz [miern.]

thickness measurement pomiar grubości [miern.]

thickness of bur grubość naroża; grubość krawędzi [masz.]

thickness of coat grubość warstwy, grubość powłoki [tw.]

thickness of edge grubość naroża; grubość krawędzi [masz.]

thickness of nut wysokość nakrętki [masz.]

thickness of roof nośność stropu [bud.]

thickness of the dump miąższość zwału, miąższość hałdy [rec.]

thickness vibrator wibrator grubościowy [el.]

thick-walled grubościenny [masz.]

thick-walled tube rura grubościenna [masz.]

thief knot węzeł tkacki [abc]

thimble powłoka, osłona; tuleja, tulejka, panew, masuwka [masz.]; mufa, mufka [tw.]; zacisk przewodu (*do łączenia z czopem biegunowym akumulatora*) [el.]

thin rozcieńczać, rozrzedzać [abc]; cienki, smukły, rzadki, rozcieńczony; cienko, smukło [masz.]

thin film technology technika cienkowarstwowa, technologia warstw cienkich [el.]

thinned out rozcieńczony, rozrzedzony [abc]; osłabiony [masz.]

thinner środek rozcieńczający, rozcieńczalnik [chem.]
thin out rozcieńczony, rozrzedzony [abc]; osłabiony [masz.]
thin sheet metal blacha cienka [masz.]; blacha cienka walcowana na zimno [tw.]
thin-walled tube rura cienkościenna [masz.]
think mniemać, myśleć, sądzić, wierzyć, przypuszczać [abc]
third-party insurance (→ general liability insurance) ubezpieczenie od odpowiedzialności cywilnej [praw.]
Thomas bulb konwertor Thomasa, konwertor tomasowski, konwertor zasadowy [tw.]
Thomas bulb mill stalownia tomasowska [met.]
Thomas converter konwertor Thomasa, konwertor tomasowski, konwertor zasadowy [tw.]
thorn cierń, kolec [bot.]
thorough szczegółowy, obszerny [abc]
thought myśl, pomysł [abc]
thread gwint [masz.]; nić, nitka [abc]; (→ female t.; → male t.; → pipe t. of Whitworth form; → pipe t.)
thread core rdzeń gwintu [masz.]
thread cutting screw śruba samogwintująca [masz.]
thread-diameter średnica gwintu [masz.]
threaded gwintowany [masz.]
threaded bolt kołek gwintowany; sworzeń gwintowany [masz.]
threaded connection złącze gwintowane [masz.]
threaded coupling (→ coupling) tulejka gwintowana; złączka nakrętno-wkrętna; złączka wkrętne [masz.] złączka nakrętna [tw.]
threaded flange kołnierz nakręca-

ny; kołnierz gwintowany [masz.]
threaded locking pin kołek zabezpieczający gwintowany [masz.]
threaded pin kołek gwintowany; sworzeń gwintowany [masz.]
threaded ring pierścień gwintu [masz.]
threaded rod drążek gwintowany; pręt gwintowany [masz.]
threaded socket gniazdo gwintowane [rys.]
threaded stud (→ stud) wkręt bez łba; wkręt dociskowy; kołek gwintowany [masz.]
threaded support point punkt zawieszenia [masz.]
threader gwintownica [narz.]
thread groove bruzda gwintowa [masz.]
thread hole otwór gwintowany [masz.]
threading gwintowanie [narz.]
thread joint połączenie gwintowe, dwuzłączka rurowa [masz.]
thread roll walcować gwint [masz.]
thread rolled gwint walcowany [masz.]
thread rolling screw śruba wygniatająca gwint [masz.]
thread run-out wyjście gwintu [masz.]
threat groźba, zagrożenie [abc]
three element control regulacja proporcjonalno-całkująca z wyprzedzeniem [energ.]
three gas pass boiler kocioł trójciągowy [energ.]
three section bolt-on cutters szczypce przegubowe do prętów trzyczęściowe [narz.]
three term control regulacja proporcjonalno-całkująca z wyprzedzeniem [energ.]
three-armed flange kołnierz trójramienny [masz.]
three-axle trójosiowy [mot.]

T

three-bed room pokój trzyosobowy [bud.]

three-dimensional display przedstawienie trójwymiarowe, opis trójwymiarowy [inf.]

three-parts bolted-on cutting edge ostrze przegubowe do prętów trzyczęściowe [transp.]

three-parts firehole door drzwiczki paleniskowe trójdzielne [mot.]

three-phase alternator generator trójfazowy, prądnica trójfazowa [el.]

three-phase current prąd trójfazowy [el.]

three-phase electricity prąd trójfazowy [el.]

three-phase motor silnik trójfazowy [el.]

three-phase network sieć prądu trójfazowego, sieć trójfazowa [el.]

three-piece suit garnitur z kamizelką [abc]

three-pin plug wtyczka trzypalcowa, wtyczka trzystykowa [el.]

three-position valve zawór trzystopniowy [masz.]

three-way cock kurek trójdrogowy [masz.]

three-way tipper wywrotka samochodowa trójstronna [mot.]; samochód-wywrotka trójstronny [transp.]

three-way valve zawór trójdrożny; zawór trójdrogowy [masz.]

threshold próg reakcji, próg zadziałania; próg wzmocnienia [el.]; próg [bud.]

threshold amplifier wzmacniacz progowy [el.]

threshold control regulator napięcia progowego [el.]

threshold detector detektor progowy [el.]

threshold value wartość progowa [el.]

threshold value control regulacja wartości progowej [el.]

threshold voltage napięcie progowe, napięcie progu [el.]

throat crack (→ longitudinal crack) pęknięcie podłużne [energ.]; rysa wzdłużna; rysa podłużna [met.]; szkic podłużny [rys.]

throat depth grubość spoiny [met.]

throttle dławić, dusić [mot.]

throttle przepustnica; zawór dławiący [mot.]; zawór motylkowy [energ.]

throttle body przepustnica [mot.]

throttle cable regulacja prędkości, przestawienie prędkości obrotowej [mot.]

throttle control lever dźwignia przepustnicy, manetka [mot.]

throttle control mechanism mechanizm dźwigni przyspieszacza [mot.]

throttle-free swobodny [el.]

throttle lever dźwignia ręcznego sterowania przepustnicy [mot.]

throttle linkage regulator karburatora; urządzenie sterujące karburatora; układ przepustnicy [mot.]

throttle loss strata przez dławienie [mot.]

throttle pedal pedał przepustnicy gaźnika, przyspiesznik, pedał gazu [mot.]

throttle pressure ciśnienie pary świeżej, ciśnienie pary dolotowej [energ.]

throttle relief valve zawór nadmiarowy dławiący [masz.]; zawór dławiący, przepustnica [mot.]

throttle ring pierścień dławiący [el.]

throttle temperature temperatura pary pierwotnej [energ.]

throttle valve przepustnica; zawór dławiący [mot.]; zawór motylkowy [energ.]

throttle valve shaft wał przepustnicy [el.]
through przelotowy [el.]
through bore-fit otwór przelotowy [el.]
through bore-hole otwór przelotowy [el.]
through pass delay opóźnienie przebiegu, opóźnienie przepływu [abc]
through quenching and tempering ulepszanie cieplne na wskroś [el.]
through separator separator przelotowy [el.]
through shed parowozownia przejazdowa; remiza parowozowa [mot.]
throughlet przejście; przelot, otwór przelotowy [bud.]
throughout zupełny, całkowity, kompletny [abc]
throughput przebieg (*programu*); cykl (*produkcyjny*) [masz.]; cykl (*pojedynczy*) [transp.]; przesiew [abc]; zdolność przerobowa [górn.]
throughput decindering plant urządzenie przesiewowe do usuwania zgorzeliny [el.]
throughput rate natężenie przepływu; przepustowość, zdolność przepustowa [el.]; natężenie przepływu [górn.]
throughput sandblasting system piaszczarka przepływowa [narz.]
through-shed parowozownia przejazdowa; remiza parowozowa [mot.]
through-transmission badanie ultradźwiękowe; defektoskopia ultradźwiękowa [miern.]
through-transmissin attenuation osłabianie ultradźwiękowe, tłumienie ultradźwiękowe [miern.]
through-transmission method metoda ultradźwiękowa [miern.]
throw rzucać [abc]

throw wygięcie, zagięcie, załamanie [el.]; wykorbienie (*wału korbowego*) [masz.]; (→ stroke) wielkość skoku, wysokość skoku [mot.]
thrower zgarniacz smaru, zgarniacz oleju, zbieracz smaru, zbieracz oleju [el.]
throw-off blasting wysadzanie zrzutowe [górn.]
throw off the load zrzucać ciężar, zrzucić ciężar [energ.]; pozbywać się ładunku, pozbyć się ładunku [abc]
throw-out lever dźwignia wyłączania [el.]
thrust pchać [abc]
thrust ciąg, siła ciągu [abc]
thrust ball bearing single row łożysko kulkowe osiowe o jednostronnym działaniu [el.]
thrust bearing łożysko wzdłużne, łożysko oporowe, łożysko osiowe [masz.]
thrust bolt trzpień naciskowy; palec naciskowy [masz.]
thrust collar pierścień oporowy [masz.]
thrust cylinder cylinder pneumatyczny [mot.]
thruster ster gazowy poprzeczny, ster strumieniowy poprzeczny [mot.]
thrust force siła tnąca, siła ścinająca, siła poprzeczna, siła osiowa [masz.]
thrust member element dociskowy, element naciskowy [masz.]
thrust plate tarcza dociskowa [mot.]; płyta oporowa, płyta łożyskowa; płyta naciskowa [masz.]
thrust roller łożysko wzdłużne, łożysko oporowe [masz.]
thrust washer podkładka ustalająca [mot.]; podkładka oporowa [masz.]
thumb kciuk [med.]
thumbnail paznokieć kciuka [med.]
thumb nut nakrętka skrzydełkowa; nakrętka motylkowa [masz.]

T

thumbplate śruba skrzydełkowa; wkręt skrzydełkowy [masz.]

thumbplate hose clip opaska zaciskowa ślimakowa [mot.]

thyristor tyrystor, tyratron półprzewodnikowy [el.]

ticked zarysowany, zaznaczony [masz.]; zaznaczony krzyżykiem [abc]

ticker-tape konfetti [abc]

ticket bilet [mot.]

ticket office kasa biletowa [mot.]

ticket window kasa biletowa [mot.]

tide pływ [mot]

tidy czysty, posprzątany [abc]

tie związywać, zawiązywać [abc]

tie rozpórka, przekładka [masz.]; krawat; wiązanie, wiązadło [abc]; podkład kolejowy [mot.]

tie bar cięgno, ściąg [mot.]

tie plate podkładka (*szynowa*); płyta kotwowa, płyta kotwiąca [mot.]; płyta łącząca; podkładka hakowa [masz.]

tie rod drążek kierowniczy [mot.]; ściąg, kotwa, kotew [masz.]

tie rod end końcówka drążka kierowniczego [masz.]; drążek kierowniczy [transp.]

tie-strip przekrój poprzeczny wypełniacza, profil wypełniacza [transp.]

tight szczelny; wodoszczelny; gęsty, ścisły, zwarty [abc]; zaklinowany [górn.]

tighten dokręcać; przykręcać, zaciskać; przyciągać [met.]; przymocowywać, umacniać, wzmacniać [masz.]

tightener nakrętka napinająca; ściągacz; nakrętka rzymska [masz.]

tightening angle kąt dokręcenia [masz.]

tightening bolt śruba zaciskowa, wkręt zaciskowy [masz.]

tightening key klucz dociągający; klucz naprężający [narz.]

tightening spindle wrzeciono napinające [transp.]; trzpień obrotowy napinający [narz.]

tightening strap taśma napinająca [narz.]

tightening surface powierzchnia napinania; powierzchnia naprężania [masz.]

tightening torque moment obrotowy dokręcania [met.]

tight fit element pasowany wciskany; złączka dopasowana [masz.]; łącznik [transp.]

tightness szczelność, ścisłość, zwartość [bud.]

tight valve zawór szczelny [masz.]

tile fliza; płytka; kafel; dachówka [bud.]

tiler dekarz; fliziarz, glazurnik [bud.]

till glina zwałowa marglista; glina lodowcowa [bud.]

tiller sterownica [mot.]; rumpel [żeg.]

tillerman kierowca [mot.]

tilt przechylać, wychylać [masz.]

tilt pochylenie [transp.]; przechył [masz.]

tiltable burner palnik pochylny, palnik uchylny [energ.]

tilt angle pochylenie, położenie ukośne [masz.]

tilt control lever dźwignia wahliwa; dźwigienka zaworowa [mot.]; wahacz, ramię (*w mechanizmie dźwigniowym*); dźwignia sterująca pochylenie [masz.]

tilt cylinder walec wierzchołków koła zębatego [masz.]

tilter urządzenie przechyłowe; urządzenie do przechylania, urządzenie do wywracania; koleba wywrotna [mot.]

tilting wywrotny; przechylny [abc]

tilting burner palnik pochylny, palnik uchylny [energ.]

timber drewno [tw.]; (→ sawn t.;

→ square t.; → structural t.)

timber frame szkielet drewniany [bud.]

timber grab chwytak drewniany [transp.]

timber grapple szczypce drewniane; kleszcze drewniane [transp.]; obcęgi drewniane [narz.]

timber hitch węzeł słupkowy; węzeł ciesielski [mot.]

timber kerb krawężnik drewniany, próg drewniany [bud.]

timber plank skrzynia ładunkowa drewniana [mot.]

timber preservative środek ochrony drewna, impregnat do drewna [bud.]

timber rehandling-grab chwytak przeładunkowy do drewna [transp.]

timber scaffolding rusztowanie drewniane [bud.]

timber store skład drzewny [bud.]

timber structure konstrukcja drewniana [bud.]

timber wagon (GB) wagon dłużycowy; ciężarówka do transportu dłużycy [mot.]

time nastawiać, ustawiać; regulować [abc]

time czas, chwila, pora, moment [abc]; (→ action t.; → delay t.; → fall t.; → hardening t.; → harvesting t.; → loading t.; → non-working t.; → operating t.; → payout t.; → persistent t.; → recovery t.; → reverberation t.; → ringing t.; → rise t.; → storage t.; → stripping t.; → transport t.; → warm-up t.; → working t.)

time base linia czasu [abc]; podstawa czasu; odcinek mierniczy linii czasu [el.]; (→ triggered t. b.)

time base delay przesunięcie punktu zerowego [transp.]

time base range zasięg głębokości [transp.]

time base shift wysokość linii czasu [el.]

time base sweep generator generator odchyleniowy podstawy czasu [el.]

time coefficient współczynnik czasowy [el.]

time constant stała czasowa [el.]

time consumed czasochłonny, wymagający dużego nakładu czasu [abc]

time control gospodarka czasem [abc]

time deflection podstawa czasu (*w oscyloskopie*); odchylenie w osi czasu [el.]

time delay valve zawór opóźniający, zawór zwłoczny [masz.]

time domain dziedzina czasu [el.]

time element człon zwłoczny [transp.]

time in action czas zastosowania; okres użycia [trans.]; czas operacji [abc]

time input nakład czasu [abc]

time lag opóźnienie, zwłoka [el.]; **time lamp** lampka kontrolna świec zapłonowych [mot.]

time mark generator generator podstawy czasu [el.]

time of delivery termin dostawy [ekon.]

time relay przekaźnik zwłoczny [el.]

time schedule terminarz wykonania robót budowlanych [bud.]

time switch zegar sterujący, zegar programowy [miern.]

time table rozkład jazdy [mot.]

time table information informacja; rozkład jazdy [mot.]

time-base delay opóźnienie podstawy czasu [el.]

time-base shift przesuw poziomy, przesunięcie poprzeczne [abc]

time-base sweep podstawa czasu (*w oscyloskopie*); odchylenie w osi

T

czasu [el.]; (→ delayed time; → extended time)

time-keeping chronometraż; konserwacja czasu, dokładne utrzymywanie czasu [abc]

timer dawkownik czasu [abc]; przerywacz zapłonu [mot]; zegar sterujący, zegar programowy [miern.]; przekaźnik zwłoczny, przekaźnik czasowy [el.]

time-relay control sterowanie impulsami sterującymi [el.]

timer switch zegar sterujący, zegar programowy [miern.]

time-scheduling planowanie czasu wykonania robót budowlanych [bud.]

timing bolt śruba ustalająca [miern.]; śruba regulacyjna [masz.]

timing case cover pokrywa obudowy napędu rozrządu [masz.]

timing chain łańcuch rozrządu [mot.]

timing device przestawiacz wtrysku [mot.]

timing gear układ sterowania silnika; koło zębate walcowe; koło zębate czołowe [mot.]

timing gear housing obudowa kół (*zębatych*) [masz.]

timing mark wskaźnik nastawczy; wskaźnik regulacji [masz.]; znak ustawczy [miern.]

timing range zakres przestawiania zapłonu [masz.]

timing relay przekaźnik zwłoczny, przekaźnik czasowy [el.]

timing shaft zwrotnica [masz.]

timing stage etap czasowy, faza czasowa [el.]

tin cynować, pobielać cyną [met.]

tin cyna; blacha biała [tw.]; puszka [abc]

tin alloy stop o podstawie cynowej, stop cyny [tw.]

tinned cynowany, ocynowany [met.]

tinned food (GB) konserwy [abc]

tin opener (GB) otwieracz do puszek; otwieracz do konserw [abc]

tin plate (→ tin sheet) blacha biała [tw.]

tin plate line walcownia blachy białej [tw.]

tin sheet blacha biała [tw.]

tin tack gwóźdź tapicerski [narz.]

tin-coat cynować, pobielać cyną [met.]

tin-coated cynowany, ocynowany [met.]

tin-coated strip taśma stalowa ocynowana [tw.]

tinctorial power wydajność [abc]

tine wczep, ząb, palec, kolec [narz.]

tine length długość zębów [narz.]

tint barwić, zabarwić; tonować, stopniować odcienie [abc]; (→ smoked glass, balustrade)

tip przechylać [abc]

tip czubek (*drzewa*) [bot.]; koniec (*języka*) [med.]

tip circle koło wierzchołkowe, koło główne (*koła zębatego*) [masz.]

tip cylinder walec wierzchołków koła zębatego [masz.]

tip over przewracać (*się*) [abc]

tipped chisel dziobak [narz.]

tipper wagon samowyładowczy, wagon samozsypny [mot.]; wywrót [górn.]; skip; wózek samozsypny; wywrotka (*trójstronna*) [transp.]

tipping wywrotny; przechylny [abc]

tipping angle kąt wychylenia, kąt przechylenia [mot.]

tipping car samochód wywrotka; wagon wywrotka, koleba; wagon samowyładowczy, wagon samozsypny; wózek (*natorowy*) samozsypny [mot.]

tipping cylinder walec wierzchołków koła zębatego [masz.]

tipping device urządzenie przechyłowe; urządzenie do przechylania, urządzenie do wywracania; koleba wywrotna [mot.]

tipping line (*teoretyczna*) krawędź przechyłu [transp.]

tipping load obciążenie wywrotki [transp.]

tipping lorry wagon samowyładowczy, wagon samozsypny [mot.]; wywrotka; skip; wózek samozsypny [transp.]; wywrót [górn.]

tipping motion ruch obrotowy do boku, przechylanie [masz.]

tipping shovel samoopróżniający się kubeł wywrotny [transp.]

tipping wagon wagon samowyładowczy, wagon samozsypny; samochód wywrotka; wagon wywrotka, koleba [mot.]

tipping wagon on bogies wagon z wywrotnymi kolebami na wózkach zwrotnych [mot.]

tipple wywrotnica (*wagonowa*) [mot.]

tippler wywrotnica (*wagonowa*) [mot.]

tire męczyć, zmęczyć [abc]

tire (US) opona [mot.]

T-iron teownik stalowy [masz.]; żelazo teowe [mot.]; (→ T-piece)

tissue paper (→ toilet paper) papier toaletowy [abc]

titanium tytan [chem.]

titanium alloy stop tytanu, stop o podstawie tytanowej [met.]

title tytuł [abc]

title block tabliczka rysunkowa [rys.]

T-joint połączenie teowe, złącze teowe, mufa T, mufa trójnikowa; spoina na T [met.]

tobacco tytoń, tabaka [abc]

toboggan sanie, sanki [abc]

toe palec (*u nogi*) [abc]

toe crack pęknięcie metalu na brzegu spoiny [met.]

toe of the dam stopa skarpy [bud.]

toggle gałka, pokrętło [mot.]

toggle joint przegub kątowy; połą-

czenie sworzniowe [masz.]; przegub nożycowy [transp.]

toggle link drążek przegubu; wspornik wahliwy [transp.]

toggle switch przełącznik dwustabilny, przełącznik migowy przechylny, łącznik przechylny, łącznik dźwigienkowy [el.]

toilet bowl muszla klozetowa, miska ustępowa [bud.]

toilet paper papier toaletowy [abc]

token żeton, liczman, znaczek [abc]; znacznik; znamię [inf.]

token commission opłata symboliczna [transp.]

tolerance tolerancja, błąd dopuszczalny, dopuszczalny uchyb graniczny [masz.]; wymiar tolerowany [rys.]; (→ fault t.; → fitting t.; → general t.; → housing t.; → shaft t.)

tolerance of cyclic running tolerancja ruchu obrotowego [masz.]

tolerance of wall thickness tolerancja grubości ścianki [masz.]

toll opłata drogowa (*np. za korzystanie z mostu*); cło (*drogowe*), myto [mot.]

toll bridge most płatny [mot.]

toll gate rogatka, szlaban [mot.]

toll road droga płatna [mot.]

tomato red czerwień pomidorowa [norm.]

tomb grób; nagrobek; grobowiec [abc]

tombstone nagrobek [abc]

tommy przetyczka przesuwna [narz.]

tongs kleszcze, szczypce, obcęgi [narz.]

tongue krzyżownica [mot.]; sercówka [transp.]; język [med.]

tongue-shaped regulating damper zasuwa iglicowa [energ.]

tool przyrząd; narzędzie [narz.]; instrument [masz.]; (→ air t.; → local t.)

T

tool bar nośnik narzędzi; konsola narzędziowa [narz.]

toolbox skrzynka narzędziowa [narz.]

tool-box lid pokrywa skrzynki narzędziowej [narz.]

tool industry przemysł produkcji narzędzi [narz.]

tool kit komplet narzędzi; zestaw narzędzi [narz.]

toolshop narzędziownia [narz.]

tool steel stal narzędziowa [tw.]

tooth wczep, ząb, palec, kolec [masz.]; ząb [med.]; (→ pointed t.)

tooth crest głowa zęba [masz.]

tooth depth wysokość zęba [masz.]

toothed ząbkowany, uzębiony, zazębiony [masz.]

toothed chain łańcuch zębaty [masz.]; łańcuch drabinkowy [mot.]

toothed lock washer podkładka odginana zębata [masz.]

toothed quadrant wycinek zębaty, segment zębaty [masz.]

toothed rim pierścień zębaty; wieniec zębaty [masz.]

toothed ring pierścień zębaty; wieniec zębaty [masz.]

toothed shaft (→ gear shaft) wał zębaty [masz.]

toothed washer podkładka odginana zębata [masz.]

toothed wheel rim wieniec koła zębatego, wieniec zębaty [mot.]; koło zębate koronowe [masz.]

toothed-wheel gearing odboczka zębata [masz.]

tooth flank powierzchnia boczna zęba; zarys zęba [masz.]

tooth form zarys zęba, kształt zęba [masz.]

tooth group grupa zębów, zespół zębów [masz.]

toothing zazębienie [transp.]; nacinanie zębów [tw.]; uzębienie [masz.]

tooth lock zamocowanie zęba [masz.]

tooth profile powierzchnia boczna zęba; zarys zęba [masz.]

tooth root surface powierzchnia podstaw zębów (*koła zębatego*), powierzchnia dna wrębów (*w kole zębatym*) [masz.]

tooth sector wycinek zębaty, segment zębaty [masz.]

tooth securing zabezpieczenie zębów [masz.]

tooth setting przestawienie zęba [masz.]

tooth shank stopa zęba [transp.]

tooth shape zarys zęba [masz.]

tooth side powierzchnia boczna zęba; zarys zęba [masz.]

tooth socket obsada zęba [masz.]

tooth thickness half angle połowa kąta grubości zęba [masz.]

tooth tip przód zęba, wierzchołek zęba [masz.]

tooth tip support uchwyt wierzchołka zęba [masz.]

tooth wheel koło zębate (*o zębach wstawianych*) [masz.]; koło zębate; pinion [mot.]

tooth width szerokość wieńca zębatego, długość zęba [masz.]

top uzupełniać, dopełniać [mot.]

top pokrycie, pokrywa, plandeka, opończa; dach (*składany*) samochodu; mars [mot.]; wierzchołek, szczyt [geogr.]; bąk; prawa strona (*tkaniny*); na górze, w górze, u góry [abc]

top centre mark szczytowy punkt zwrotny, szczytowy punkt martwy [masz.]

top chord pas górny [transp.]

top coat powłoka nawierzchniowa, gładź [bud.]; farba nawierzchniowa, farba kryjąca [norm.]

top dead centre górne położenie zwrotne, wewnętrzne położenie zwrotne; zwrotne położenie odkorbowe, ZPO; górny martwy punkt, GMP [masz.]

top down design projekt zstępujący [inf.]

top-fired unit palenisko z palnikami w sklepieniu; palenisko z górnym nagrzewem [energ.]

top hat cylinder [transp.]

top layer najwyższe położenie [transp.]; warstwa ścieralna [mot.]

top liberty wysokość prześwitu, wysokość skrajni; odległość czołowa [transp.]; wysokość sklepienia [bud.]

topographical topograficzny [geol.]

top paint finish gładź (*tynku*) [bud.]

topping out "wiecha" (*zakończenie budowy*) [bud.]

topping turbine turbina czołowa (*parowa*) [energ.]

topping up wypełnienie, napełnienie [masz.]

toprail wierzch główki szyny, powierzchnia toczna szyny [mot.]

top roller krążek (*gąsienicy*) [transp.]

top seam warstwa lica spoiny, zewnętrzna warstwa stopiwa [wojsk.]

top soil warstwa orna gleby, warstwa uprawna [gleb.]

top view rzut poziomy główny; widok z góry, widok z lotu ptaka [rys.]

top width szerokość górna [transp.]

topsoil warstwa orna gleby, warstwa uprawna [gleb.]

top-supported boiler kocioł zawieszony, kocioł wiszący [energ.]

top-suspended monorail kolej wisząca, kolej podwieszona; kolej podtorowa (*o szynie górnej*) [mot.]

torch pochodnia, żagiew [abc]; (→ welding t.) palnik do spawania, palnik spawalniczy [met.]

torch-cut odcinać, przycinać (*palnikiem*) [met.]

torch cutting cięcie palnikiem; cię-

cie gazowe [met.]

torch oil gun palnik rozpałkowy olejowy [energ.]

torn zużyty [abc]

tornado trąba powietrzna [abc]

torpedo torpeda [wojsk.]; piasta hamulcowa, torpedo [mot.]

torpedo-type ladle car podwozie kadzi mieszalnikowej [mot.]

torque dokręcać; przykręcać, zaciskać; przyciągać [met.]

torque moment obrotowy; moment skręcający [masz.]; (→ full load t.; → rated t.; → starting t.)

torque blade łoże silnika [transp.]

torque compensator kompensator obrotowy [masz.]

torque control zawór regulacyjny momentu obrotowego [masz.]

torque converter przemiennik momentu obrotowego [masz.]; (→ hydraulic t. c.)

torque converter oil cooler chłodnica oleju przekładni przemiennikowej [masz.]

torque distribution rozkład momentu obrotowego [masz.]

torque divider transmission przekładnia zmianowa różnicowa [masz.]

torque division transmission przekładnia zmianowa różnicowa [masz.]

torque lever drążek skrętny, drążek reakcyjny [narz.]

torque-meter wrench klucz dynamometryczny [narz.]

torque of-tightening bolt moment dokręcający (*dociągający*) śruby zaciskowej [masz.]

torque plate łoże silnika [transp.]

torque rise zwiększenie momentu pędu [masz.]

torque spanner klucz dynamometryczny [narz.]

torque specification wykaz momen-

T

tów obrotowych dociągających [masz.]

torque support łoże silnika [transp.]

torque transmission przekazywanie momentu obrotowego [masz.]

torque tube ball joint węzeł (*kinematyczny*) przesuwny, węzeł (*kinematyczny*) ślizgowy [masz.]

torque wrench klucz dynamometryczny [narz.]

torquing tool narzędzie do dokręcania [narz.]

torsion skręcanie; skręcenie [masz.]

torsional force moment obrotowy; moment skręcający [masz.]

torsional rigidity sztywność skręcania [energ.]

torsional strength sztywność skręcania [masz.]

torsional wave wałek skrętny [masz.]

torsion angle kąt skręcania, kąt skręcenia [masz.]

torsion bar drążek skrętny [masz.]

torsion bar safety valve zawór bezpieczeństwa *skrętny (z drążkiem skrętnym)* [energ.]

torsion bar spring drążek skrętny; sprężyna skręcana [masz.]

torsion bar stabilizer stabilizator skrętny [masz.]

torsion-free beztorsyjny [masz.]

torsion module moduł sprężystości postaciowej, moduł sprężystości poprzecznej, współczynnik sprężystości postaciowej, moduł Kirchoffa, moduł ścinania [masz.]

torsion-stiff sztywny, odporny na skręcanie [masz.]

torsion stiffness wytrzymałość kształtowa; sztywność kształtowa [masz.]

torsion-type suspension sprężyna skrętowa [masz.]

total całkowity [abc]

total area powierzchnia całkowita [abc]

total drawing (→ general arrangement) rysunek orientacyjny; rysunek poglądowy [rys.]

total harmonic distortion współczynnik zawartości harmonicznych; współczynnik zniekształceń nieliniowych [el.]

total lift height całkowita wysokość podnoszenia [transp.]

total load obciążenie całkowite [mot.]

totally całkowicie; zupełnie [abc]

total outreach wysięg całkowity [transp.]

total pressure nacisk całkowity [masz.]

total quantity ilość ogólna [abc]

total reach wysięg całkowity [transp.]

total reflection odbicie całkowite [fiz.]

total resistance opór całkowity [el.]

total staff personel [abc]

total stress obciążenie całkowite [abc]

total track length całkowita długość toru [mot.]

total weight ciężar całkowity; masa całkowita; ciężar brutto; masa brutto [mot.]

total weight of truck and trailer ciężar całkowity pociągu drogowego; masa całkowita zestawu drogowego [mot.]

tottering contact styk chwiejny; złącze luźne; styk luźny [el.]

touch dotykać [abc]

touch down osadzać, przyziemiać [mot.]

touch sensor przełącznik dotykowy [el.]

touch test próba kroplowa [masz.]

touch up odnawiać; doprowadzać do stanu pełnej zdatności [abc]; regenerować [met.]

touch welding spawanie (*kontaktowe*) [met.]

touch-up welding spawanie kontaktowe (*przeróbkowe*) [met.]

tough ciągliwy, lepki, wytrzymały; twardy [tw.]

toughened glass szkło hartowane [tw.]

tour wycieczka; podróż [abc]; rejs [mot.]

tour bus autokar wycieczkowy [mot.]

tournament turniej [abc]

tow holować, odholowywać [mot.]

tow bar drąg holowniczy, dyszel holowniczy [mot.]

towboat holownik (*parowy*) [mot.]

tow coupling sprzęg przyczepowy; połączenie przyczepy [mot.]

towed vibrating roller walec wibracyjny przyczepny [mot.]

tow hook hak pociągowy; hak cięgłowy; hak holowniczy [masz.]

tow path droga holownicza [mot.]

tow rod drąg holowniczy, dyszel holowniczy [mot.]

tow rope hol, lina holownicza [mot.]

tow truck (→ wrecker crane) pojazd holowniczy [mot.]

tower wieża [bud.]; wieża [transp.]; (→ bell t., carillon; → cooling t.)

towing device urządzenie cięgłowe, przyrząd cięgłowy [masz.]

towing hook hak pociągowy; hak cięgłowy [mot.]; hak holowniczy [masz.]

towing rod drąg holowniczy; dyszel holowniczy [mot.]

towing winch winda holownicza [masz.]; wyciągarka [mot.]

town miasto [geogr.]

town authorities (US) zarząd miejski [polit.]; administracja miasta [abc]

town gas gaz miejski [energ.]

town hall ratusz [abc]

town meeting rada miasta [polit.]

toxic waste odpady o charakterze szczególnym [rec.]

toxic waste dump wysypisko odpadów o charakterze szczególnym [rec.]

T-piece trójnik [el.]; trójnik (*rurowy*) [masz.]

trace ślad [transp.]

trace brilliance modulacja natężenia [el.]

tracer smugacz [wojsk.]

trace unblanking sterowanie jasnością [el.]

trace wave length długość ścieżki fali [el.]

track tor (*kolejowy*); bieżnia [mot.]; gąsienica pojazdu; łańcuch gąsienicowy [transp.]; ślad; rozstaw kół [mot.]; utwór [abc]

track adjusting cylinder (→ track tensioner) cylinder regulujący napięcie łańcucha [masz.]; cylinder regulujący napięcie gąsienicy [transp.]

track adjustment cylinder cylinder regulujący napięcie łańcucha [masz.]; cylinder regulujący napięcie gąsienicy [transp.]

track adjustment spring sprężyna napinająca łańcuch, sprężyna naciągająca łańcuch [masz.]

track bed podwozie [mot.]; podzespół podwozia [masz.]

track bushing panew łańcucha [masz.]

track casing osłona łańcucha, obudowa łańcucha [tw.]; osłona gąsienicy, obudowa gąsienicy [transp.]

track chain łańcuch gąsienicowy, gąsienica [transp.]

track chain complete komplet łańcuchów [transp.]

track chain earth moving machinery sprzęt gąsienicowy do robót ziemnych [górn.]

track chain link ogniwo łańcucha [masz.]; ogniwo gąsienicy [transp.]

T

track chained napędzany łańcuchowo [transp.]

track connection styk szynowy, złącze szynowe, złącze stykowe szyn [mot.]

track-drive shaft wał wielokątny [transp.]

tracked vehicle pojazd gąsienicowy [wojsk.]

track excavator sprzęt jezdny na podwoziu *gąsienicowym (koparki, spycharki)*; (→ crawler excavator) koparka gąsienicowa, koparka na podwoziu gąsienicowym [transp.]

track frame (GB) dźwigar wzdłużny; rama łańcucha gąsienicowego; bocznica [transp.]

track gauge rozstaw kół; szerokość bieżnika opony [mot.]

track guard osłona łańcucha (*gąsienicy*), zabezpieczenie łańcucha (*gąsienicy*) [transp.]

track guide prowadnica łańcucha; prowadnica gąsienicy [transp.]

track harp układ harfowy torów [transp.]

tracking śledzenie (*poruszającego się celu*) [transp.]

track joint ogniwo gąsienicy; ogniwo łańcuchowe, płytka łańcuchowa [transp.]

track-laying department dział budowy i naprawy torów [mot.]

track level równia, torowisko [transp.]; powierzchnia podłoża, spodek [mot.]

track liner kształtownik prowadnicy łańcucha [transp.]

track master pin trzpień zamykający łańcucha drabinkowego [transp.]

track material materiał nawierzchniowy [mot.]

track motor silnik o napędzie łańcuchowym [transp.]; silnik napędowy [el.]; (→ final drive) prze-

kładnia główna [mot.]

track pad ogniwo gąsienicy; stopa ogniwa gąsienicy, nakładka ogniwa gąsienicy [transp.]

track pad connecting przyłączenie nakładki [transp.]

track pad connecting area powierzchnia przyłączeniowa nakładki [transp.]

track pad pin sworzeń ogniwa gąsienicy [transp.]

track pad width szerokość ogniwa łańcucha; szerokość ogniwa gąsienicy [transp.]

track pin sworzeń do łańcuchów; sworzeń ogniwa gąsienicy [transp.]

track plan plan układu torów [mot.]

track plate ogniwo gąsienicy; stopa ogniwa gąsienicy, nakładka ogniwa gąsienicy [transp.]

track plate width szerokość ogniwa gąsienicy [transp.]

trackramp pochylnia [mot.]

track recoil spring sprężyna cofająca [masz.]; sprężyna powrotna [mot.]; sprężyna ściągająca [transp.]

track rod drążek kierowniczy poprzeczny [transp.]; drążek kierowniczy [mot.]; (→ solid t. r.; → split t. r.)

track rod arm dźwignia zwrotnicza [mot.]; wąs kierowniczy [transp.]

track roller krążek gąsienicy [transp.]

track roller flange kryza krążków gąsienicy; kadłub krążka gąsienicy; rama krążka [transp.]

track roller group zespół krążków gąsienicy [transp.]

track roller guard osłona krążków gąsienicy [transp.]

track set podwozie (*gąsienicowe*); gąsienica [transp.]; mechanizm jezdny [górn.]

track shifter przesuwnica torów [mot.]

track shoe stopa ogniwa gąsienicy, nakładka ogniwa gąsienicy [transp.]

track shoe pin sworzeń ogniwa gąsienicy [transp.]

track tensioner naprężacz gąsienicy [transp.]

track tensioning napięcie gąsienicy [transp.]

track tensioning cylinder cylinder regulujący napięcie łańcucha [masz.]; cylinder regulujący napięcie gąsienicy [transp.]

track welding zgrzewanie punktowe; spawanie punktowe [met.]

track width szerokość ogniwa łańcucha; szerokość ogniwa gąsienicy [transp.]; rozstaw kół [mot.]

traction trakcja [mot.]; (→ tractive force)

traction drive pojazd trakcyjny [mot.]

traction relief curve trakcyjny łuk odciążający [mot.]

traction stop zaczep trakcyjny [mot.]

traction tyre opona terenowa [mot.]

tractive effort siła pociągowa [mot.]

tractive force siła pociągowa [transp.]

tractive output moc pociągowa [mot.]

tractive unit pojazd trakcyjny [mot.]

tractor ciągnik rolniczy [roln.]; ciągnik (*siodłowy*) [mot.]; traktor [transp.]

tractor brake pressure regulator ogranicznik ciśnienia hamowania wózka [transp.]

tractor brake valve zawór hamulcowy wózka [transp.]

tractor trailer ciągnik siodłowy [transp.]; ciągnik [mot.]

tractor-trailer brake valve zawór hamulcowy pociągu drogowego [transp.]

trade handel; branża [abc]

trade fair targi [abc]

trade heading cech [abc]

trade journal czasopismo fachowe, czasopismo specjalistyczne [abc]

trade union związek zawodowy [polit.]

trading and engineering company firma (*spółka*) handlowo-techniczna [ekon.]

trading house dom handlowy [ekon.]

trading partner partner handlowy [ekon.]

traffic ruch [mot.]; (→ road t.)

traffic analysis analiza strumienia ruchu [inf.]

traffic centre węzeł komunikacyjny [mot.]

traffic congestion korek, zator [mot.]; zastój [transp.]

traffic density natężenie ruchu, gęstość przewozów [mot.]; nasilenie ruchu, natężenie ruchu [inf.]

traffic flow potok ruchu, potok przewozów [mot.]

traffic jam korek, zator [mot.]; zastój [transp.]

traffic lane (→ lane) pas ruchu [mot.]

traffic light lampa sygnalizacyjna świetlna, lampa wskaźnikowa ruchu, zestaw sygnałowy świetlny zawieszony [mot.]

traffic policeman policjant drogowy [mot.]

traffic refuge wysepka kanalizująca ruch [mot.]

traffic regulations przepisy ruchu drogowego [mot.]

traffic sign znak drogowy [mot.]

traffic victim ofiara wypadku [mot.]

traffic warning sign trójkąt ostrzegawczy [mot.]

tragedy tragedia [abc]

tragic tragiczny [abc]

trail szlak, smuga [mot.]

trailer przyczepa (*kempingowa*) [mot.]

trailer brake pressure regulator

T

regulator siły hamowania hamulca przyczepy [mot.]

trailer brake valve zawór hamulca przyczepy [mot.]

trailer coupling sprzęg przyczepowy; połączenie przyczepy [mot.]; (→ automatic t. c.)

trailer design typ przyczepy, rodzaj przyczepy [mot.]

trailing cutting edge ostrze radlicy opóźniające [transp.]

trailing end of the mouldboard tylny koniec radlicy [transp.]

trailing hopper suction dredger pogłębiarka ssąca z pomieszczeniem na urobek [transp.]

trailing link wahacz podłużny [mot.]

trailing tender tender doczepny [mot.]

trailing tender locomotive parowóz z tendrem doczepnym [mot.]

train szkolić; trenować [abc]

train pociąg [mot.]

train accident katastrofa kolejowa [mot.]

train brake hamulec pociągu [mot.]

train brake form (→ brake form) formularz hamulcowy, karta hamulcowa [mot.]

train consist skład pociągu [mot.]

train crash zderzenie pociągów [mot.]

train ferry prom kolejowy [mot.]

train length długość pociągu [mot.]

train station stacja kolejowa; dworzec [mot.]

train ticket bilet kolejowy [mot.]

trainee apprentice praktykant, stażysta [abc]

training szkolenie; trening [abc];

training hand grenade granat ręczny ćwiczebny [wojsk.]

training manual podręcznik szkoleniowy [abc]

training program program szkolenia [abc]

training rifle grenade granat karabinowy ćwiczebny [wojsk.]

training shell pocisk ćwiczebny [wojsk.]

training ship statek szkolny, okręt szkolny; żaglowiec szkolny [mot.]

training warhead głowica bojowa ćwiczebna [wojsk.]

tram przestawiać [transp.]; przetaczać; odstawiać (na boczny tor); przemieszczać [mot.]

tram (GB) tramwaj [mot.]

tramming przewóz [transp.]; odstawianie pociągu [mot.]

tramp włóczęga, tramp [abc]

tramp iron kawałki żeliwa lub staliwa znajdujące się w masie formierskiej po wybiciu form [górn.]

tramway tramwaj [mot.]

transaction system system transakcyjny [inf.]

transceiver zestaw nadawczo-odbiorczy [el.]

transcriber czytnik, odtwarzacz; urządzenie odtwarzające [el.]

transducer (→ electro-acoustical t:) przekładnik, transformator mierniczy [el.]

transductor wzmacniacz magnetyczny [el.]; ferraktor [inf.]

transfer przeprowadzać; przemieszczać, przesuwać [abc]; przenosić [wojsk.]

transfer przenoszenie, przesyłanie, transport [mot.]; słowo przetłumaczone; przenoszenie [abc]

transferable przenośny [abc]; bilet, który można odstąpić innej osobie [mot.]

transfer belt pas transmisyjny [górn.]

transfer box (→ transfer box gearing) przekładnia różnicowa [masz.]; przekładnia rozdzielcza [transp.]

transfer box gearing przekładnia różnicowa [masz.]; przekładnia

rozdzielcza; przekładnia odboczkowa [transp.]

transfer case skrzynka rozdzielcza,
skrzynka rozgałężna; puszka rozgałężna [el.]

transfer case differential mechanizm różnicowy w skrzynce biegów [transp.]

transfer function funkcja przenoszenia [el.]

transfer impedance impedancja
przejściowa [el.]

transfer loss tłumienność przesyłania, tłumienność transmisji [inf.]

transfer matrix macierz przesyłania [inf.]

transfer pump pompa tłocząca
[masz.]

transferred przeniesiony; przesunięty [abc]

transfer station stacja przeładunkowa [mot.]

transfer tube przewód transmisyjny
[masz.]

transfer wall ściana transmisyjna
[masz.]

transformation przekształcenie,
transformacja [mat.]; (→ linear t.;
→ similarity t.)

transformer transformator; przekładnik prądowy [el.]; (→ control
t.; → ideal t.; → power t.)

transformer coil cewka transformatorowa [el.]

transient proces przejściowy; przebieg nieustalony [fiz.]

transient oscillations wahania
o przebiegu przejściowym [fiz.]

transient pulse impuls włączenia
[el.]

transistor tranzystor [el.]; (→ multi
emitter t.; → Schottky t.)

transistor characteristic charakterystyka tranzystora [el.]

transistor pre-amplifier wzmacniacz tranzystorowy [el.]

transit frequency częstotliwość
tranzytowa [abc]

transit time of sound czas przelotu
dźwieku [akust.]

transition przejście [abc]

transition curve krzywa przejściowa, łuk przejściowy [mot.]

transition net siatka wyrównawcza
[masz.]

transition point punkt przemiany
[masz.]

transition radius promień przejścia [masz.]

transition region obszar przejścia,
warstwa naskórkowa [el.]; warstwa brzegowa [chem.]

transition zone strefa przejściowa
[energ.]

translate tłumaczyć [abc]

translation tłumaczenie [abc]; (→
machine t.)

translator tłumacz [abc]

translucent paper kalka kreślarska, szkicówka [abc]

transmission przesyłanie; przenoszenie; transmisja [abc]; przekładnia [mot.]; przenoszenie [masz.];
(→ angle t.; → auxiliary t.; → planetary t.; → power-shift t.; → hydraulic t.)

transmission absorption dyfraktogram prześwietleniowy [el.]

transmission belt pas napędowy
[masz.]

transmission brake hamulec silnikowy [masz.]

transmission case skrzynka przekładniowa; kadłub skrzynki przekładniowej [masz.]; osłona skrzynki
przekładniowej; obudowa skrzynki przekładniowej [mot.]

transmission coefficient współczynnik przepuszczalności [el.]

transmission factor współczynnik
przenikalności; współczynnik
przepuszczalności [el.]

T

transmission gear zestaw kół zębatych [masz.]

transmission gear ratio (→ gear ratio) wielkość przełożenia [masz.]; przełożenie przekładni zębatej [mot.]

transmission housing skrzynka przekładniowa [masz.]; skrzynia biegów [mot.]

transmission of force przenoszenie energii [masz.]; przenoszenie mocy, pędnia [mot.]

transmission of power przenoszenie energii [masz.]; przenoszenie mocy, pędnia [mot.]

transmission power moc nadawcza; impulsy nadawcze [el.]

transmission shaft wał przegubowy, wał Cardana; wałek napędowy (*pośredni*) [mot.]; (→ main shaft)

transmission shaft with pinion wał napędowy z kołem zębatym [masz.]

transmission test inspection defektoskopia radiologiczna, badanie radiologiczne [miern.]

transmission tube lampa elektronowa nadawcza [el.]

transmission tunnel tunel skrzynki przekładniowej [masz.]

transmission valve blok sterowniczy napędu [mot.]

transmit nadawać, przesyłać, transmitować, przenosić, przekazywać [abc]

transmittable booster charge ładunek przenośny [el.]

transmitted pulse impuls przenoszony [akust.]

transmitter nadajnik [akust.]; nadajnik, przekaźnik [el.]; (→ actual value t.; → set-point t.)

transmitter probe sonda nadawcza; sonda nadajnika [el.]

transmitter trigger pulse impuls sterowniczy nadawania [el.]

transmitting characteristic charakterystyka nadawania [el.]

transmitting energy energia przekazu [el.]

transmitting voltage napięcie nadawcze [el.]

transom poprzecznica [transp.]

transparence przepuszczalność (*światła*), przezroczystość [opt.]

transparency przezroczystość [opt.]

transparent przezroczysty, przezroczyście [opt.]

transparent copy kalka kreślarska, szkicówka [rys.]

transparent folder teczka z folii przezroczystej, skoroszyt z folii przezroczystej [abc]

transport przewozić, transportować; przenosić [górn.]

transport przewóz, transport [abc]

transportable przenośny, przewoźny, ruchomy [abc]

transport bridge most przewozowy [mot.]

transport crawler gąsienica transportowa, gąsienica przenosząca; pojazd transportowy na podwoziu gąsienicowym [transp.]

transport eye ucho do podnoszenia [met.]

transport insurance ubezpieczenie transportowe [praw.]

transport length długość transportowa [masz.]

transport rise wysokość ładunku [mot.]

transport roll rolka podająca, podajnik walcowy [masz.]; rolka transportowa, rolka samotoku transportowego [mot.]

transport stock materiał walcowany [masz.]; tabor kolejowy [mot.]

transport time czas transportu [abc]

transport trolley wózek przewozowy [mot.]

transport truck *wagon do przewożenia pojazdów* [mot.]

transport weight ciężar ładunku [mot.]

transport width odległość przewozowa [mot.]

transversal crack pęknięcie poprzeczne, rysa poprzeczna [masz.]

transversal spacing rozdział poprzeczny, podział poprzeczny [masz.]

transverse poprzeczny [mot.]; przekątny, diagonalny [abc]

transverse base thickness grubość zęba obwodowa podziałowa, grubość zęba czołowa [masz.]

transverse compensator *transformator wytwarzający napięcie poprzeczne do napięcia sieci* [masz.]

transverse control arm wahacz poprzeczny [masz.]

transverse conveying transport poprzeczny [mot.]

transverse conveying capacity zdolność przewozowa poprzeczna [mot.]

transverse crack pęknięcie poprzeczne, rysa poprzeczna [masz.]

transverse defect błąd poprzeczny [masz.]

transverse distribution rozdział poprzeczny, podział poprzeczny [masz.]

transverse flaw scanning plane płaszczyzna kontrolna błędu poprzecznego [masz.]

transverse flaw signal wskaźnik błędu poprzecznego [masz.]

transverse force siła tnąca; siła poprzeczna [masz.]

transverse girder poprzecznica, trawersa [mot.]; poprzeczka, poprzecznica, belka poprzeczna [tw.]

transverse groove rowek poprzeczny [masz.]

transverse link wahacz poprzeczny [masz.]

transverse section-drawing prze-

krój poprzeczny (*rysunek*) [rys.]

transverse spar poprzecznica, belka poprzeczna, poprzeczka [masz.]

transverse spring resor poprzeczny [masz.]

transverse thrust nacisk poprzeczny, nacisk boczny [masz.]

transverse thruster ster gazowy poprzeczny, ster strumieniowy poprzeczny [mot.]

transverse wave fala poprzeczna [fiz.]; fala poprzeczna, fala ściągająca [geol.]

transverse wave probe sonda fal poprzecznych [masz.]

trap (US; → trapped rock) zsuwać [górn.]; (→ trapped rock) przysunąć, dosunąć [transp.]; łapać w pułapkę, zastawiać pułapkę; pozyskiwać (*energię*) [abc]

trap pułapka, sidła, zasadzka; potrzask, sieci [abc]; (→ pyrites t.)

trapeze trapez [abc]

trapezoidal cross section trapezowy przekrój poprzeczny [abc]

trapezoidal ditch rów płaskodenny [transp.]; rów trapezowy [masz.]

trapezoidal steel sheeting trapezowy przekrój poprzeczny [abc]

trapped material materiał przysunięty, materiał dosunięty [transp.]

trapped rock skała przysunięta [transp.]

trapping (→ drawing in) wciąganie [transp.]

trash śmieci; odpady; odpadki [rec.]

trash bag worek na śmieci [rec.]

trash can pojemnik na śmieci; kosz na śmieci, wiadro na odpadki [rec.]

trash vehicle samochód-śmieciarka [mot.]

travel przesuwać, przesunąć (*się*) [masz.]

travel podróż; skok, przesunięcie, przesuw [masz.]

travel agency biuro podróży [abc]

T

travel around objeżdżać [abc]

travelator chodnik ruchomy; przenośnik osobowy [transp.]

travel brake hamulec mechanizmu jezdnego [masz.]

travel distance odległość przenoszenia, droga przenoszenia; chodnik przewozowy, chodnik transportowy [górn.]

travel gear shift przełożenie przekładni, zmiana biegu w skrzyni przekładniowej [transp.]

travelling podróżowanie; wędrowny, objazdowy, podróżny [abc]

travelling assembly mechanizm kroczący [górn.]

travelling behaviour zachowanie się pojazdu (*podczas jazdy*) [mot.]

travelling belt conveyor przenośnik taśmowy przesuwny [energ.]

travelling brake hamulec mechanizmu jezdnego [masz.]

travelling crane suwnica pomostowa [masz.]

travelling echo echo wędrujące [akust.]

travelling gantry suwnica bramowa [transp.]

travelling grate ruszt ruchomy [energ.]

travelling grate stoker palenisko z rusztem ruchomym [energ.]

travelling grate stoker with air compartment ruszt ruchomy z komorą sprężonego powietrza [energ.]

travelling height wysokość ładunku [mot.]

travelling light światło drogowe [mot.]

travelling mechanism podwozie (*gąsienicowe*) [transp.]; mechanizm jezdny [górn.]

travelling position położenie transportowe [masz.]

travelling speed prędkość jazdy

[transp.]

travel measuring pomiar dewiacji [masz.]

travel over przejeżdżać [mot.]

travel pressure kit (→ travel pressure modification) pakiet modyfikujący ciśnienie jazdy [transp.]

travel pressure modification kit pakiet modyfikujący ciśnienie jazdy [transp.]

travel report sprawozdanie z wizyty; sprawozdanie z podróży [abc]

travel retarder valve zawór hamulcowy [transp.]

travel soot blower zdmuchiwacz sadzy przesuwny [transp.]

travel speed prędkość jazdy [mot.]

travel wheel wirnik [mot.]; wirnik turbiny [energ.]; rotor; koło napędowe [transp.]

traverse ciąg poligonowy [bud.]; poprzecznica, belka poprzeczna, belka nośna, trawersa [transp]

traverse adjustment przestawienie obrotowe, przestawienie poprzeczne [mot.]

traversing chute rynna zsypowa wahliwa [masz.]; zsuwnia wahliwa [energ.]

tray taca [abc]

tread (→ profile) bieżnik [mot.]

tread pad (→ pallet) paleta; (→ step) stopień [transp.]

tread plate powierzchnia stopnia [transp.]; stopień; blacha zabezpieczająca [mot.]

tread step podnóżek, stopnica [bud.]

treadle valve zawór hamulcowy; pedał napędowy [mot.];

treason zdrada stanu [abc]

treat traktować, obchodzić się [abc]; obrabiać [masz.];

treated obrobiony, potraktowany [abc]

treatment obróbka; traktowanie

[tw.]; (→ heat t.)
treaty umowa, układ, pakt, traktat, kontrakt [praw.]
tree drzewo [bot.]
tree bark kora [bot.]
tree-less bezleśny [bot.]
tree nursery szkółka leśna; zagajnik, zagajenie [bot.]
tree stump pniak [bot.]
treetop wierzchołek [bot.]
tremie koryto zsypowe do masy betonowej [bud.]
trench okopywać się [wojsk.]
trench rów strzelecki, transzeja [wojsk.]; (→ pipe t.)
trench blade zgarniarka [bud.]
trench-cleaning bucket *chwytak koparki do oczyszczania kanałów* [transp.]
trench cutter gryzarka do kopania rowów [transp.]
trencher łyżka drenarska; chwytak drenarski; kubeł czerpakowy drenarski [transp.]; (→ trenching bucket)
trench filler wypełniacz rowów [transp.]
trench filler attachment wyposażenie wypełniacza rowów [transp.]
trench filling worm ślimak podsadzający [transp.]
trenching budowa kanału kanalizacyjnego; kopanie kanałów *(rowów kanalizacyjnych)* [transp.]
trenching bucket łyżka koparki do rowów; koparka do rowów, koparka wielonaczyniowa wzdłużna [transp.]
trench-lining rozparcie i deskowanie ścian wykopu [bud.]; deskowanie wykopu; podpieranie wykopu [transp.]
trench-lining plate płyta do deskowania [transp.]
trench sheeting odeskowanie kanału [masz.]

trench shoring deskowanie ścian wykopu; rozpieranie ścian wykopu [transp.]
trench system system okopów [wojsk.]
trend bieg [geol.]; kierunek [abc]
trepan wiercić trepanem [masz.]
trial evaluation wynik biegu próbnego [abc]
trial run rozruch próbny [energ.]; przebieg próbny [abc]; jazda próbna [masz.]
trial trip jazda próbna; jazda testowa [mot.]
triangle trójkąt; stożek [mat.]; (→ cone)
triangle reflection odbicie trójkątne [opt.]
triangle with joints wahacz trójkątny [masz.]
triangular trójkątny [abc]
triangular fillet listwa o przekroju trójkątnym [masz.]
triangular rocker wahacz trójkątny [masz.]
tributary dopływ rzeki [geogr.]
trickle charge ładowanie ogniw ze stałym doładowaniem [el.]
tricycle rower trzykołowy [abc]
trigger zwalniacz, wyzwalacz [masz.]; spust, cyngiel [tw.]; nadajnik impulsów, generator impulsów [el.]; (→ delayed t.)
triggering wyzwalanie [abc]
triggering time czas zadziałania, czas aktywacji [el.]
trigonometric series szereg trygonometryczny [mat.]
trim odcinać, obcinać, przycinać [abc]; trymować ładunek; wyrównywać zanurzenie [mot.]
trimmer potentiometer potencjometr dostrojczy [el.]
trimming tarcie, skrobanie, zeskrobywanie [masz.]

T

trimming shears nożyce do wyrównywania brzegów [met.]

trip wycieczka; podróż [abc]

triple potrójny; potrajać [abc]

triple bounce reflection odbicie potrójne [opt.]

triple effect działanie potrójne [abc]

triple prism pryzmat [opt.]

triple roller chain łańcuch drabinkowy tulejkowy potrójny [transp.]

triple roller guide rolka prowadząca potrójna, prowadnica trójrolkowa [masz.]

triple side shifting device zasuwa boczna potrójna [transp.]

triple thread trójstopniowy, trójbiegowy (*np. przekładnia*); trzykrotny, trzyzwojny (*np. gwint*) [masz.]

triple valve zawór potrójny [masz.]

triple-deck vibrating screen przesiewacz wahadłowy trójpokładowy, sito wibracyjne trójpokładowe [górn.]

triple-sector clutch hub piasta trójramienna [masz.]

tripled potrojony [abc]

triplets trojaczki [abc]

triplex roller chain łańcuch drabinkowy tulejkowy potrójny [transp.]

tripod trójnóg; statyw [masz.]

tripper zwałowarka [transp.]

tripper car zwałowarka; przenośnik pętlowy [transp.]

tri-sodium phosphate fosforan trójsodowy [chem.]

trolley wózek bagażowy; stolik na kółkach [abc]

trolley brush zbieracz szczotkowy prądu [el.]

trolley conveyor przenośnik wózkowy [masz.]; przenośnik podwieszony; kolejka podwieszona, kolejka wisząca [górn.]

troop review parada; defilada [wojsk.]

troops wojska, siły; jednostka, oddział, formacja [wojsk.]

troop transporter transportowiec wojskowy [wojsk.]

trophy trofeum [abc]

tropical tropikalny, podzwrotnikowy [meteo.]

tropical roof dach tropikalny [transp.]

tropicalization sprzęt tropikalny [abc]; tropikalizacja [transp.]

trot kłusować, iść kłusem [bot.]

trouble problem [abc]; zakłócenie (*działania*); uszkodzenie, awaria [masz.]

trouble-free operation działanie bez zakłóceń [masz.]

trouble shooting usuwanie usterek, eliminacja usterek [masz.]

trough zbiornik na beton [masz.]; koryto na masę betonową [transp.]; wanna betonowa [bud.]

trough car wagon kolejowy wanienkowy [mot.]

trough grate ruszt kotlinowy, ruszt nieckowaty [energ.]

truck przewozić, transportować [górn.]

truck (US) ciężarówka; samochód ciężarowy [mot.]; (→ electric t.)

truck company przedsiębiorstwo transportowo-spedycyjne; spedycja; spedytor, przewoźnik [mot.]

truck crane żuraw samochodowy [mot.]

trucker kierowca ciężarówki [mot.]

truck loader crane żuraw załadunkowo-wyładowczy [transp.]

truck mixer mieszarka samochodowa [transp.]

truck tippler (US) samochód ciężarowy wywrotka; wywrotka [mot.]

truck trailer przyczepa samochodu ciężarowego [mot.]

truck type mounting konstrukcja na podwoziu samochodu ciężarowego [mot.]

true length rozwinięcie [masz.]
true value wartość rzeczywista [miern.]
truncheon pałka gumowa (*policyjna*) [abc]
trunk bagażnik [mot.]; kufer [abc]; pień; trąba [bot.]
trunk call połączenie międzymiastowe automatyczne [telkom.]
trunk lid pokrywa bagażnika; klapa bagażnika [mot.]
trunk road droga komunikacji dalekobieżnej; magistrala samochodowa [mot.]
trunnion czop obrotowy [transp.]; czop zawieszenia obrotowego; czop poprzeczny, czop nośny, czop promieniowy [masz.]
trunnion bearing łożysko czopu czołowego [masz.]; łożysko poprzeczne, łożysko promieniowe, łożysko czopa łożyskowego wału [mot.]
trunnion carrier nośnik czopu zawieszenia obrotowego [masz.]
truss podpierać [masz.]; ustalać; podtrzymywać [bud.]
truss kozioł, podpora, wspornik; rama; rusztowanie nośne [bud.]; konstrukcja nośna [masz.]; rusztowanie [transp.]
truss assembly rusztowanie [transp.]
truss extension przedłużenie szkieletu [masz.]
truss head rivet nit grzybkowy [masz.]
truss soffit podsufitka [transp.]
truss-stay podpora rusztowania; rozpórka rusztowania; podpora klatki [masz.]
truss-strut podpora rusztowania; rozpórka rusztowania; podpora klatki [masz.]
truss-support podpora rusztowania; rozpórka rusztowania; podpora klatki [masz.]
trust spółka powiernicz [ekon.]

truthfull prawdomówny, zgodny z prawdą [abc]
truth propagation propagacja wartości prawdziwościowych [abc]
truth table matryca prawdziwości [inf.]
T-section teownik stalowy; dźwigar teowy; belka teowa [masz.] żelazo teowe [mot.]
T-square przykładnica [narz.]
T-support podkładka teowa [masz.]
tub ceber [abc]
tub tender tender niski (*wanienkowy*) [mot.]
tube [masz.]; tuba, tubka [abc]; (→ hose) dętka [mot.]; wąż, rura (*giętka*), przewód giętki [met.]; (GB) metro [mot.]; rura, rurka [masz.]; (→ bent t.; → capillary tubing; → cathode ray t.; → circulation t.; → downtake t.; → drawn t.; → drive shaft t.; → edge protection t.; → finned t.; → furnace cooling t.; → gilled t.; → inner t.; → metal protective t.; → pipe; → Pitot t.; → pre-evaporator t.; → pressure t.; → rear axle t.; → rear wall t.; → riser t.; → rough t.; → screen t.; → seamless t.; → smooth t.; → sprinkle t.; → steam cage t.; → steam generating t.; → steel t.; → steering t.; → studded t.; → superheater supporting t.; → support t.; → supporting t.; → suspension t.; → tested t.; → thick-walled t.; → thin-walled t.; → U-shaped t.; → uptake t.)
tube advance przesuwanie rury do przodu [mot.]
tube bank wiązka rur [masz.]
tube bulge roztłaczanie rur; rozdymanie rur [masz.]
tube closing zamykanie rury [masz.]
tube coil wężownica rurowa [masz.]
tube conveyor przenośnik taśmowo-wałkowy [górn.]

T

tube coupling kielich rury [energ.]; złączka rurowa [masz.]

tube crack kruszarka rurowa [masz.]

tube expander walcarka do rur [masz.]

tube failure uszkodzenie rury; defekt rury [masz.]

tube fault uszkodzenie rury; defekt rury [masz.]

tube feeding zasilanie przewodami rurowymi [masz.]

tube fins pitch podziałka rur użebrowanych [masz.]

tube fitting śrubunek [met.]; złącze rurowe śrubowe; dwuzłączka rurowa [masz.]

tube flange kołnierz rury; kryza rury [masz.]

tube guiding bushing gwiazda prowadząca [transp.]

tube hole otwór na rurę [masz.]

tube hole groove rowek walcowany [masz.]

tube lane korytarz gazów spalinowych [energ.]

tube leakage przeciekanie rury [masz.]

tube length (→ free tube length) długość rury [masz.]

tubeless bezdętkowy [mot.]

tube mill młyn rurowy [masz.]

tube overheating przegrzanie rury [masz.]

tube plate ściana sitowa [masz.]

tube probe holder uchwyt zgłębnika rurowego [miern.]

tube renewal wymiana rur [masz.]

tube spacing podziałka rur [masz.]

tube test installation instalacja probiercza rurowa [miern.]

tube testing probe zgłębnik rurowy [miern.]

tube tiebar connection płetwy dystansowe (*między rurami*) [energ.]

tube-to-tube construction ściana rury zamknięta [masz.]

tube travel przesuwanie rury do przodu [masz.]

tube wall ścianka rury [masz.]

tube wall temperature temperatura ściany rury [energ.]

tube wear ścieranie się rur [masz.]

tubing przewody rurowe, instalacja rurowa [masz.]

tubing curvature zakrzywienie rury [masz.]

tubular rurowy [masz.]

tubular air heater rurowy podgrzewacz powietrza [energ.]

tubular bellows miech z buny [masz.]

tubular cross member poprzecznica rurowa; belka poprzeczna rurowa [masz.]

tubular frame rama rurowa [masz.]

tubular guiding sleeve wał rurowy [masz.]

tubular radiator chłodnica rurowa [energ.]

tubular rivet nit rurkowy [masz.]

tubular sector sektor rury [masz.]

tubular shaft wał rurowy [masz.]

tubular VHF aerial antena o zasilaniu dławikowym [mot.]

tubulous lining wykładzina rur, okładzina rur [energ.]

tug holownik [mot.]

tumbledown grożący zawaleniem, zagrożony katastrofą budowlaną [transp.]

tumbler szklanka [abc]; turas pogłębiarki; turas napędowy [transp.]

tunble-down height długość posuwu wagonu samowyładowczego [transp.]

tunble-down length droga posuwu wagonu samowyładowczego [transp.]

tundish kadź pośrednia [masz.]

tune nastawiać [el.]; doprowadzać do osiągnięcia mocy maksymalnej [masz.]

tune up dostrajać; nastawiać, regulować [masz.]

tuning strojenie, dostrajanie; ustawienie (*odbiornika*) na określoną stację [el.]

tunnel tunel [mot.]; (→ cable tunnel) kanał [energ.]; tunel, korytarz [górn.]

tunnel advance drążenie tunelu [mot.]

tunnel conveyor przenośnik (*dla równomiernego poboru materiałów sypkich z silosów*) [górn.]

tunnel driving machine drążarka chodnikowa, kombajn chodnikowy [górn.]

tunnel equipment wyposażenie tunelowe [transp.]

tunnel mouth wylot tunelu [transp.]

tunnel size wielkość tunelu [transp.]

turbine turbina [energ.]; wirnik [masz.]; (→ back pressure t.; → condensing t.; → double-flow t.; → exhaust gas t.; → gas t.)

turbine blade łopatka turbinowa [energ.]

turbine casing kadłub turbiny [energ.]

turbine disc tarcza wirnika turbiny [energ.]

turbine housing kadłub turbiny [energ.]

turbine room maszynownia [energ.]

turbine rotor wirnik turbiny [energ.]

turbine servo motor siłownik; obracarka [energ.]

turbine speed prędkość obrotowa turbiny [energ.]

turbine wheel wirnik turbiny [energ.]

turbine barring gear siłownik; obracarka [energ.]

turbo charger (→ exhaust t. c.) turbosprężarka doładowująca [energ.]; turbosprężarka doładowująca napędzana gazami

spalinowymi [mot.]

turbocharger heat shield osłona cieplna turbosprężarki doładowującej [energ.]

turbo drain line przewód powrotny turbosprężarki doładowującej [energ.]

turbo-furnace palenisko z komorą wirową; palenisko wirowe [energ.]

turbo supply hose przewód doprowadzający turbosprężarki doładowującej [energ.]

turbulence burzliwość, turbulencja [mot.]

turbulent burner palnik wirowy [energ.]

turbulent flow przepływ burzliwy [fiz.]

turf darń [bot.]; wyścigi konne [abc]

turn skręcać [mot.]

turn skręcanie [masz.]; obrót [mot.]; skręt [abc]

turnable obracalny [masz.]; obrotowy; ruchomy [abc]

turnbuckle naciągacz; nakrętka napinająca; ściągacz; śruba napinająca; śruba zaciskowa [masz.]

turned bolt śruba [masz.]

turner tokarz [met.]

turning obrotowy [abc]

turning area teowy plac zawracania [mot.]

turning circle okrąg cyrkulacji [masz.]; koło skrętu; (→ turning radius) promień skrętu [mot.]

turning diameter średnica obrotowa, średnica cyrkulacji [masz.]

turning gear element obrotowy, element wirujący; obracarka [masz.]; mechanizm obrotowy [mot.]

turning ladder drabina obrotowa [masz.]

turning lathe tokarka kłowa [narz.]; tokarka [met.]

turning motion obrót; ruch obrotowy [abc]

T

turning radius koło obrotu; koło skrętu; promień skrętu [mot.]

turn-key "pod klucz", gotowy do eksploatacji, całkowicie ukończony [masz.]

turn-key job urządzenie gotowe do eksploatacji [masz.]; zakład produkcyjny gotowy do przyjęcia [bud.]

turn-key-order zamówienie "pod klucz" (*na dostarczenie obiektu gotowego do eksploatacji*) [abc]

turn-key plant urządzenie gotowe do eksploatacji [masz.]; zakład produkcyjny gotowy do przyjęcia [bud.]

turn-key systems systemy pod klucz [inf.]

turn-off delay opóźnienie wyłączenia [el.]

turnout zwrotnica przesyłowa [mot.]

turnover obrót [praw.]

turnover exposure dochód z obrotu; utarg z obrotu [praw.]

turnpike rogatka, bariera ruchoma, bariera podnoszona [abc]

turn signal kierunkowskaz ramieniowy [mot.]

turn-signal control lamp lampka kontrolna kierunkowskazu; kontrolka kierunkowskazu [mot.]

turntable obrotnica [masz.]

turquoise turkusowy, w kolorze turkusowym [abc]

turquoise blue błękit turkusowy [norm.]

turquoise green zieleń turkusowa [norm.]

turret wieżyczka [wojsk.]; wieniec obrotowy (*łożyska kulkowego*) [masz.]

turret lathe tokarka rewolwerowa [met.]

tusk kieł [bot.]

tuxedo smoking [abc]

TV stand stolik [abc]

twelve-sided dwunastokątny [masz.]

twelve-sided bolt śruba z łbem dwunastokątnym [masz.]

twelve-sided spanner klucz do śrub z łbem dwunastokątnym [narz.]

twice podwójny, dwoisty, dwukrotny, dwa razy [abc]

twin bliźniaczy [abc]; podwójny [masz.]

twin axle oś bliźniacza [masz.]; dwuosiowy [transp.]

twin-boiler kocioł podwójny [energ.]

twin cab kabina podwójna, kabina bliźniacza [transp.]

twin city miasto partnerskie [polit.]

twin cylinder turbine turbina dwustrumieniowa [energ.]; turbina w obudowie podwójnej [energ.]

twin deck crane żuraw dwupokładowy; żuraw bramowy podwójny [mot.]

twin drive unit napęd podwójny; przekładnia podwójna [transp.]

twin engine silnik dwucylindrowy [masz.]

twin filter filtr podwójny [masz.]

twin-furnace boiler kocioł ze zdwojonym paleniskiem [energ.]

twin Gemini deck crane żuraw bramowy podwójny [mot.]

twin plunger injection system pompa wtryskowa dwutłokowa [masz.]

twin pressure sequence valve zawór wielodrogowy dwuciśnieniowy [masz.]

twin-section design urządzenie dwuczęściowe [masz.]

twin-sector clutch hub piasta dwuramienna [masz.]

twin shaft turbine arrangement zespół dwuwałowy [energ.]

twin-sided adhesive tape taśma klejąca dwustronna [abc]

twin-stage dwustopniowy [abc]

twin-stage transmission przełączanie dwustopniowe [masz.]

twin system urządzenie bliźniacze [masz.]

twin-T-circuit obwód w układzie podwójnego T [masz.]

twin tower wieża bliźniacza [bud.]; wieżyczka podwójna [wojsk.]

twin track dwujezdniowy [abc]

twin turret wieżyczka podwójna [wojsk.]

twin wheel koło bliźniacze [mot.]

twinkle *dawać sygnał kierunkowskazem* [mot.]

twist wykręcać, przekręcać [abc]

twist skręcanie [masz.]; odkształcenie, zwichrzenie, zwichrowanie [tw.]

twisted skręcony [transp.]; bifilarny [abc]

twist-effect kręt [mot.]

twist-free bezwirowy [mot.]; beznapięciowy; nieodkrętny [masz.]

twisting odkształcenie, deformacja [tw.]

twisting force moment obrotowy; moment skręcający [masz.]

two-armed flange kołnierz dwuramienny [masz.]

two axle dwuosiowy [transp.]

two-axle covered wagon wagon dwuosiowy kryty [mot.]

two-axle high-sided open wagon wagon niekryty dwuosiowy [mot.]

two-axle refrigerator wagon wagon chłodnia dwuosiowy [mot.]

two-axle tank wagon wagon zbiornikowy dwuosiowy [mot.]

two ballpath dwurzędowy [masz.]

two-bed room pokój dwuosobowy [bud.]

two-chamber brake cylinder cylinder hamulcowy dwukomorowy [masz.]

two-channel kanał podwójny [masz.]

two-channel delay store pamięć cykliczna dwukanałowa [masz.]

two-channel ink-jet recorder rejestrator atramentowy dwukanałowy [inf.]

two-channel recorder rejestrator dwukanałowy [miern.]

two column dwukolumnowy [abc]

two cycle dwutakt [masz.]; dwusuw [mot.]

two cycle engine silnik dwusuwowy [masz.]

two-engined plane samolot dwudyszowy [mot.]

twofold podwójny, dwukrotny [abc]

two-frequency method metoda dwuczęstotliwościowa [el.]

two half hitches dwie półpętle [mot.]

two-in-one clamshell kubeł dennozsypny; kubeł z dnem klapowym; chwytak dwuszczękowy, chwytak łupinowy (*koparki*) [transp.]

two layer winding uzwojenie dwuwarstwowe [masz.]

two-lever control sterowanie dwudźwigniowe [transp.]

two-pass boiler kocioł dwuciągowy [energ.]

two-path ball-bearing slewing ring połączenie obrotowe kulowe dwurzędowe [masz.]

two-piece valve keeper dwuczęściowe gniazdo zaworu [masz.]

two-pipe brake system układ hamulcowy dwuprzewodowy [masz.]

two-pole dwójnik [el.]

two-port czwórnik [inf.]; (→ reciprocal t.-p.)

two-port element element czwórnikowy [inf.]

two-port parameter parametr czwórnika [inf.]

two-race ball-bearing slewing ring połączenie obrotowe kulowe dwurzędowe [masz.]

two row ball-bearing slewing ring

T

połączenie obrotowo-kulkowe dwurzędowe [masz.]

two rowed dwurzędowy [masz.]

two-shafts-arrangement zespół dwuwałowy [energ.]

two-stringer dźwigar podwójny [masz.]

two stroke dwutakt [masz.]; dwusuw [mot.]

two stroke engine silnik dwusuwowy [masz.]

two-stroke-two valve zawór regulacyjny; zawór sterujący kierunkowy; rozdzielacz [mot.]; zawór rozdzielczy [masz.]

two-way autowalk chodnik ruchomy dwudrogowy [transp.]

two-way distributor trójnik rurowy w kształcie litery Y [energ.]; rozdzielacz dwudrogowy [masz.]

two-way valve zawór dwudrogowy [masz.]

tyne wczep, ząb, palec, kolec [abc]

tyned brick bucket szufla do zbierania kamieni [narz.]

type pisać na maszynie [abc]

type rodzaj [abc]; wersja; typ; klasa, kategoria [masz.]

type approval dopuszczenie pojazdu do ruchu, świadectwo homologacji [abc]

type approval number numer kontrolny wzoru konstrukcyjnego [masz.]

type checking kontrola (*zgodności*) typów [inf.]

typesetter składacz, zecer [abc]

typewriter maszyna do pisania [abc]

typewriter ribbon taśma barwiąca [abc]

typhoon orkan, huragan [meteo]

typhoon horn róg mgłowy [mot.]

typical typowy, znamienny, charakterystyczny [abc]

tyre opona [mot.]; (→ balloon t.; → block t.; → clincher t.; → cross

country t.; → cushion t.; → high pressure t.; → solid rubber t.; → studded t.; → super-balloon t.; → tire)

tyre base rozstaw kół [mot.]

tyre bead stopka opony [mot.]

tyre chain łańcuch przeciwślizgowy [mot.]

tyre crane żuraw jezdny, żuraw samojezdny [transp.]

tyre exchange wymiana opony [mot.]

tyre gauge ciśnieniomierz [mot.]

tyre handler przyrząd transportowo-montażowy do opon; przyrząd transportowo-montażowy do opon dużych [mot.]

tyre-inflating cock kurek instalacji do napełniania opon [mot.]

tyre-inflating cylinder butla gazowa do napełniania opon [mot.]

tyre-inflation system instalacja do napełniania opon [mot.]

tyre pressure drop indicator wskaźnik spadku ciśnienia w ogumieniu [mot.]

tyre pump sprężarka powietrzna do pompowania opon [abc]

tyre separating and stripping device urządzenie do rozdzielania i usuwania obręczy kół [masz.]

tyre testing probe próbnik do badania opon samochodowych [mot.]

U

u.d.c. (*upper dead centre*) górne położenie zwrotne, wewnętrzne położenie zwrotne; zwrotne położenie odkorbowe, ZPO; górny martwy punkt, GMP [masz.]

U.T. (*ultrasonic test*) defektoskopia ultradźwiękowa; badanie ultradźwiękowe [miern.]

U-blade spychak uniwersalny [transp.]

U-bracket pałąk; wspornik w kształcie litery U [transp.]; pałąk, kabłąk [bud.]; strzemię; pałąk mocujący [tw.]; odbierak prądu pałąkowy [mot.]; strzemię; pałąk, uchwyt, rączka; pałąk zaciskowy, obejma zaciskowa [masz.]

U-flame furnace komora paleniskowa z ciągiem odwrotnym; komora paleniskowa o opadowym kierunku przepływu [energ.]

U-iron (→ channel) ceownik stalowy; ceownik [masz.]

U-Joint przegub krzyżowy; przegub Cardana; sprzęgło Cardana [mot.]

ulcer wrzód [med.]

ultimate analysis analiza elementarna [miern.]

ultimate bearing capacity wartość graniczna nośności [bud.]

ultimate position punkt kulminacyjny, szczyt; najwyższy poziom; poziom maksymalny [abc]

ultimate strength (→ elongation) wydłużenie przy zerwaniu (*próbki*) [met.]

ultimate stress naprężenie nominalne, naprężenie niszczące [tw.]; wytrzymałość na złamanie [masz.]

ultramarine blue błękit ultramarynowy [norm.]

ultrasonel ultrasonel [el.]

ultrasonic ultradźwiękowy [el.]

ultrasonic atomizer rozpylacz ultradźwiękowy [el.]

ultrasonic barrier zapora ultradźwiękowa [el.]; zapora ultradźwiękowa [transp.]

ultrasonic beam zapora ultradźwiękowa [el.]; zapora ultradźwiękowa [transp.]

ultrasonic equipment wyposażenie ultradźwiękowe [el.]

ultrasonic flaw detector defekto-

skop ultradźwiękowy [miern.]

ultrasonic flaw tracing defektoskopia ultradźwiękowa; wykrywanie błędów ultradźwiękami [el.]

ultrasonic generator generator ultradźwiękowy [el.]

ultrasonic hot welding spawanie na gorąco ultradźwiękowe [met.]

ultrasonic inspection defektoskopia ultradźwiękowa; badanie ultradźwiękowe [miern.]

ultrasonic microscope mikroskop ultradźwiękowy [miern.]

ultrasonic miniature flaw detector miniaturowy defektoskop ultradźwiękowy [el.]

ultrasonic mode changer ultradźwiękowy zmieniacz fali [el.]

ultrasonic resonance meter przyrząd pomiarowy rezonansu ultradźwiękowy [el.]

ultrasonic scanning odczyt ultradźwiękowy [el.]

ultrasonic test result wynik badań ultradźwiękowych [el.]

ultrasonic thickness tester grubościomierz ultradźwiękowy [el.]

ultrasonic tongs kleszcze ultradźwiękowe [el.]

ultrasonic wave fala ultradźwiękowa [fiz.]

ultrasonic wave frequency częstotliwość ultradźwięków [el.]

ultrasonic welding zgrzewanie ultradźwiękowe [met.]

ultraviolet nadfioletowy; ultrafioletowy [abc]

umber gray szarzeń umbrowa [norm.]

umbrella parasol [abc]

unabridged version wersja pełna [abc]

unable niezdolny, niezdatny [abc]

unaccounted loss strata nieujawniona [abc]; ubytek nieujawniony [energ.]

U

unalloyed niestopowy [masz.]

unannealed niewyżarzony [masz.]

unassuming skromny, powściągliwy [abc]

unbalance drganie; niewyważenie [mot.]; brak równowagi, niewyważenie [abc]

unbalanced niewyważony [abc]

unblocking odblokowanie [mot.]

unbolt odkręcać (*śrubę*); wykręcać, wykręcić [met.]

unbreakable silny, mocny, wytrzymały [masz.]; niełamliwy [abc]

unburned gas gaz niespalony [energ.]

unbuttoned rozpięty [abc]

uncalibrated gain control nastawnik wzmocności niewzorcowany [el.]

unchanged pressure ciśnienie stałe [abc]

unclamp zwalniać [masz.]; odryglować [abc]

uncoiled rozwinięty [masz.]

uncoiled length *długość w rozwinięciu* [met.]

uncoiling rozwinięcie [masz.]; rozwinięcie [rys.]

uncomfortable niewygodny; nieprzyjemny; przykry [abc]

unconsciousness omdlenie, zemdlenie [med.]

unconsolidated deposit złoże luźne [bud.]

unconsolidated rock luźna skała klastyczna [min.]

uncontrollable niesterowalny [mot.]; nieposkromiony; niepohamowany, nie do opanowania (*np. śmiech*) [abc]

uncouple rozłączać; rozprzęgać [mot.]

undamaged nieuszkodzony [abc]

undamped probe sonda nietłumiona [met.]

under floor engine silnik podpodłogowy [mot.]

under frame exterior strona zewnętrzna ostoji [mot.]

under frame structure konstrukcja ostoji [mot.]

underbead crack pęknięcie wewnętrzne spoiny w obszarze działania ciepła [met.]

undercarriage podzespół podwozia [masz.]; (US) podwozie (*gąsienicowe*) [transp.]; mechanizm jezdny [górn.]; mechanizm jezdny dźwigu; podwozie (*samolotu lądowego*) [mot.]

undercarriage long podwozie długie [transp.]

undercut podcięcie; podtopienie [met.]; zaniżanie, obniżanie [abc]

underemployment zatrudnienie niepełne [abc]

underfeed stoker ruszt podsuwowy [energ.]

underfilled seam spoina nie wypełniona [met.]

underfloor conveyor przenośnik łańcuchowy [górn.]

underframe podwozie; ostoja [mot.]

undergrade crossing przejście pod ulicą; przejście dołem [bud.]; przejazd podziemny; przejście podziemne [mot.]

undergrate air podwiew [energ.]

undergrate air pressure ciśnienie podwiewowe [energ.]

underground pod ziemią; podłoże [abc]; (GB) metro [mot.]; podziemny [górn.]

underground car (GB) wagon metra; wagon kolejki podziemnej [mot.]

underground fuel tank podziemny zbiornik paliwa [energ.]

underground line lina podziemna [abc]

underground mining górnictwo podziemne [górn.]

underground mining system

urządzenie do robót podziemnych, urządzenie górnicze [górn.]

underhand stope przodek wybierakowy; stopień; ustęp; nadszybie [górn.]

underinflation niedopompowanie; zbyt niskie ciśnienie w oponie [mot.]

underlayer podstawa; płytka podporowa; podłoże [masz.]; podkładka spoiny [met.]; poduszka; podkładka [abc]; podkładka [mot.]

underlayer of fabric wykładzina tkaninowa; okładzina tkaninowa [mot.]

underpin podchwytywać [bud.]

underpressure indicator wskaźnik podciśnienia [abc]

undersized niewymiarowy, niewymiarowo; poniżej właściwego wymiaru [transp.]

undersized bearing łożysko niewymiarowe [mot.]

understandable zrozumiały; wyraźny, jasny [abc]

understanding porozumienie; układ, umowa [abc]

under-table money promocja zbytu [ekon.]

underwater cutting wheel koło czerpakowe podwodne [mot.]

underwater cutting wheel dredger pogłębiarka podwodna kołowa [mot.]

under-water digging pogłębianie pod wodą [mot.]

underwater dredge pump pompa pogłębiarki [mot.]

under-water mine mina podwodna [wojsk.]

under-water scraper zgarniak podwodny [transp.]; zgarniacz podwodny [narz.]

under-water target rocket rakieta do niszczenia celów pod wodą [wojsk.]

undesired material substancja niepożądana; ciało obce [abc]; *kawałki żeliwa lub staliwa znajdujące się w masie formierskiej po wybiciu form* [górn.]

undiluted nierozcieńczony [abc]

undisplaceable nieprzesuwny [abc]

undisturbed niezakłócony [abc]

undisturbed sample próbka nienaruszona [bud.]

undivided swivelling roof dach jednospadowy niedzielony [bud.]

undue niedopuszczalny [abc]

unemployed bezrobotny [abc]

uneven nierówny; nierównomierny; chropowaty [abc]; wyboisty [mot.]

unexpected nieoczekiwany [abc]

unfasten rozkładać; rozbierać; rozmontowywać [abc]

unfinished bolt śruba nieobrobiona [masz.]

unfit nie nadający się; niezdatny [abc]

unfolding rozwój [bud.]

unfounded bezprzedmiotowy; nieuzasadniony; bezpodstawny [abc]

unhampert bez przeszkód [abc]

unhardened niehartowany [masz.]

unheated downcomer rura spustowa nieogrzewana [energ.]

unhook zdejmować; ściągać (*w dół*) [abc]; odhaczać; zdejmować z haka [mot.]

uniaxial jednoosiowy [mot.]

unification ujednolicenie [inf.]

uniform mundur [wojsk.]

uniform jednolity; jednostajny; proporcjonalny; jednorodny [abc]; równomierny [bud.]

uniformly scattered porosity porowatość równomiernie rozproszona [met.]

unilateral bearing jednostronne ułożyskowanie [masz.]

unilet skrzynka rozdzielcza, skrzynka rozgałęźna [el.]

uninhabited niezamieszkały [abc]

U

uninsured hazard ryzyko nieubezpieczone [praw.]

unintentional nieumyślny; niechcący [abc]

uninterrupted pełny; kompletny [abc]

uninterrupted line linia ciągła [mot]

union połączenie, złącze; łącznik, element pośredniczący [masz.]; połączenie, złącze; łącznik, człon, ogniwo [mot.]; złączenie, połączenie, łączność; układ [el.]; połączenie; łącznik, złączka [abc]; związek, stowarzyszenie [polit.]

union man związkowiec [polit.]

union member członek związku zawodowego [polit.]

union nut nakrętka złączkowa [masz.]; nakrętka łącząca [mot.]

union screw śruba złączkowa nasadowa [mot.]

unipolar semi-conductor półprzewodnik niespolaryzowany [el.]

unique swoisty; osobliwy; jedyny; dziwny, dziwaczny, niezwykły; [abc]

unit jednostka konstrukcyjna; zespół konstrukcyjny [transp.]; podzespół, wyodrębniona część konstrukcji; zespół montażowy, zestaw montażowy; zespół znormalizowany [masz.]; moduł [inf.]; urządzenie, instalacja, zespół kotłów [energ.]

unit construction budownictwo blokowe [bud.]; konstrukcja złożona z zespołów znormalizowanych [masz.]

unit of measure jednostka miary [fiz.]

unit weight ciężar jednostkowy [mot.]

unite scalać, scalić [inf.]

unity jedność; jednolitość; jednostka; zgoda, harmonia [abc]

universal przegubowy, uniwersalny [mot.]; uniwersalny; wszechstronny [abc]

universal compensation kompensacja uniwersalna [el.]

universal drive napęd Cardana; wał Cardana, wał przegubowy [mot.]

universal drive shaft wał Cardana, wał przegubowy [mot.]; wał napędowy [transp.]

universal joint przegub krzyżowy; przegub Cardana; sprzęgło Cardana; napęd Cardana [mot.]

universal joint coupling sprzęgło Cardana, sprzęgło przegubowe [transp.]

universal joint housing korpus przegubu Cardana; obudowa wału napędowego [mot.]

universal joint shaft wał Cardana, wał przegubowy [mot.]; wał napędowy [transp.]

universal joint yoke widełki sprzęgła Cardana [mot.]

universal jointed shaft wał przegubowy [mot.]

universal mill plate blacha stalowa uniwersalna [masz.]

universal-mounted zawieszony przegubowo [mot.]

universal pliers (→ cut-pliers) szczypce uniwersalne płaskie; kombinerki [narz.]

universal pressure hose uniwersalny przewód ciśnieniowy [mot.]

universal quantifier kwantyfikator uniwersalny [inf.]

universal shaft wał przegubowy, wał Cardana [mot.]

universal spring support zawieszenie sprężynowe uniwersalne [masz.]

Universe wszechświat, kosmos [abc]

university uniwersytet [abc]

unkilled nieuspokojony [masz.]

unknown obcy; nieznany; zewnętrzny [abc]

unknown loss strata nieujawniona [abc]; ubytek nieujawniony [energ.]
unladen pusty [mot.]; nieobciążony; bez ładunku [abc]
unladen weight ciężar bez ładunku [mot.]
unleaded bezołowiowy [mot.]
unlimited nieograniczony [abc]
unlimited complete penetration nieograniczone pełne wtopienie [met.]
unlimited hours godziny nielimitowane [abc]
unlimited thicknesses grubość zupełna [masz.]
unlined bez podszewki; nie liniowany (*np. papier*); bez zmarszczek (*np. twarz*) [abc]
unload rozładowywać [mot.]; wyładowywać [transp.]
unloader wyładowarka; wyładowywacz [mot.]
unloader valve zawór odciążający; zawór wyrównawczy [masz.]; zawór wyładowczy [mot.]
unloading capacity wydajność rozładunku [abc]
unloading piston tłok wyładowczy [trans.]
unlock odblokowywać; odryglowywać [abc]; odbezpieczać [wojsk.]; zwalniać [masz.]
unmachined surowy [bud.]; nieobrobiony [tw.]; zgrubny [masz.]
unmachined part półfabrykat [tw.]; część nieobrobiona [masz.]
unmachined weight masa brutto [masz.]
unmatched nieprzewyższony; niezrównany [abc]
unnatural nienaturalny [abc]
unnecessary zbędny [abc]
UNO (*United Nations*) ONZ (*Narody Zjednoczone*) [polit.]
unobjectionable nienaganny; bez zarzutu [abc]

unpickled niewytrawiony [masz.]
unprepared nie przygotowany [abc]
unprotected niechroniony [abc]
unquoting zaniechać ograniczania wartości oddolnych [inf.]
unrestricted area *obszar kumulacji pojazdów przed skrzyżowaniem*; obszar spiętrzenia [transp.]; magazynek [mot.]
unrestricted season ticket bilet sieciowy [mot.]
unsaponaficable odporny na zmydlanie [met.]; niezmydlający się [masz.]
unsaturated nienasycony [abc]
unscrew odkręcać (*śrubę*); wykręcać, wykręcić [met.]
unsharpness nieostrość [abc]
unsteady load niewystarczające załadowanie [energ.]
unsurpassed nieprzewyższony; niezrównany [abc]
U-profile butt weld połączenie spawane na U [met.]
U-ring pierścień typu U [mot.]
U-shaped tube U-rurka [masz.]
U-tube pressure gauge manometr różnicowy [energ.]
U-weld spoina na U; spoina kielichowa [met.]
update uaktualniać, odświeżać, aktualizować, modernizować [inf.]
up-and-down-line cuma poprzeczna [mot.]
up-down auxiliary contactor stycznik góra-dół pomocniczy [transp.]
up-down button przycisk góra-dół [trans.]
up-down contactor stycznik góra-dół [el.]
up-down counter licznik dwukierunkowy [el.]
up-down inspection contactor stycznik góra-dół rewizyjny [trans.]
up-down key switch wyłącznik góra-

U

dół kluczykowy, przełącznik góra-dół kluczykowy [el.]

up-draught carburetter gaźnik górnossący [mot.]

up-flow przepływ wznoszący [energ.]

up front z przodu [mot.]

upgrade podnosić jakość, polepszać, uszlachetniać, ulepszać [abc]

upgrading agent środek uszlachetniający [abc]

uphill pod górę [mot.]

upholstered tapicerowany [mot.]

upholstering wyściełanie; obicie tapicerskie [bud.]

upholstery wyściełanie; obicie tapicerskie [bud.]

upkeep cost koszty utrzymania [abc]

upon agreement za zawiadomieniem; za porozumieniem [abc]

upon notification za zawiadomieniem; za porozumieniem [abc]

upper nadwozie; nadbudowa [transp.]; nadwozie (*wagonu*) [mot.]

upper górny, naczelny, starszy, wierzchni [abc]

upper boom górna część wysięgnika; górna część wysięgnicy; wysięgnik [trans.]

upper calorific value ciepło spalania, wartość opałowa górna [energ.]

uppercarriage nadwozie; nadbudowa [transp.]

uppercarriage base-plate płyta podstawowa nadwozia; płyta fundamentowa nadwozia [transp.]

uppercarriage main frame płyta podstawowa nadwozia; płyta fundamentowa nadwozia [transp.]

upper dead centre górne położenie zwrotne, wewnętrzne położenie zwrotne; zwrotne położenie odkorbowe, ZPO; górny martwy punkt, GMP [masz.]

upper end głowica [masz.]; główka zestawu paliwowego [transp.]

upper handrail inlet switch zestyk ochronny poręczy górny [transp.]

upper key stop switch wyłącznik kluczykowy górny [transp.]

uppermost charge ładunek główny [transp.]

upper part of air guide górna część kanału powietrza [mot.]

upper part of boom górna część wysięgnika; górna część wysięgnicy [transp.]

upper rim wieniec koła górny [mot.]

upper side wall header kolektor ścian bocznych górny [energ.]

upper socket for inspection run gniazdo wtykowe kontrolne, górne [transp.]

upper surface powierzchnia górna [abc]

upper trough górna niecka przenośnika [górn.]

upper trough chain conveyor przenośnik łańcuchowy nieckowy [górn.]

upright słupek [bud.]; słup; pal [abc]; stojak [transp.]; słup wózka podnośnikowego [mot.]

upright prostoliniowy, prostolinijny; uczciwy, sprawiedliwy (*np. człowiek*); pionowy, stojący [abc]

upset zakłócenie [akust.]; spęczanie [met.]; zgniot drewna [tw.]

upshift zmieniać bieg na wyższy [mot.]

upstream *odcinek przed zaworem* [energ.]

uptake tube rura przyłączna; rura wznośna [energ.]

upthrust guide prowadnica równoległa [transp.]

up-to-date najnowszy, najnowocześniejszy, najmodniejszy [abc]

upward gas passage ciąg powietrza wznoszący; ciąg pionowy w górę; kanał opadający; kanał wznoszący [energ.]

upward inclination nachylenie; wznoszenie; pochylenie miarodajne; stok [mot.]; wznios [transp.]; pochyłość [geol.]

upwards góra, w górę [trans.]; pod górę; do góry [abc]

upwards motion ruch do góry [abc]

upward walding spawanie pionowe w górę [met.]

urban miejski; komunalny [abc];

urban transit authority miejskie zakłady komunikacyjne [mot.]

urinator pisuar [abc]

urine mocz; uryna [abc]

US (*ultrasonic test*) defektoskopia ultradźwiękowa; badanie ultradźwiękowe [miern.]

US equipment defektoskop ultradźwiękowy [met.]

US test specification przepisy dot. kontroli ultradźwiękowej [met.]

US testing badanie ultradźwiękami [met.]

usable zdatny do użycia; odpowiedni (*do użycia*) [abc]

usage zwyczaj [abc]

user interface interfejs użytkownika [inf.]

using obsługa, używanie, manipulacja [inf.]

US-testing testowanie ultradźwiękowe [miern.]

use zużywać, spożywać, skonsumować, spotrzebować; wykorzystywać [abc]

use użycie, zastosowanie, wykorzystanie; zakres stosowalności [abc]; zakres zastosowania [trans.]

used używany; użyty, zużyty [abc]

used air powietrze zużyte, powietrze odlotowe [aero.]

used machine urządzenie używane; maszyna używana [masz.]

used oil olej zużyty, olej przepracowany [abc]

used rails tory używane [mot.]

useful użyteczny, zdatny, przydatny [abc]

usefulness użyteczność, przydatność [abc]

user użytkownik [inf.]; użytkownik [abc]

user guide instrukcja użytkownika, podręcznik użytkownika [inf.]

user interface interfejs użytkownika [inf.]

use up zużywać [abc]

usufractuary right prawo użytkowania [praw.]

ute służbowy samochód dostawczy [mot.]

utensil przybór [abc]

utilizable znormalizowany; dający się zużytkować [abc]

utilize zużytkować, spożytkować, wykorzystać [abc]

utilized użytkowany [abc]

utiliztion używanie, wykorzystanie, zastosowanie, utylizacja [abc]

utiliztion of capacities wykorzystanie zdolności (*mocy*) produkcyjnej [abc]

utiliztion width szerokość robocza [transp.]

utilities oprogramowanie usługowe, program usługowy, program wspomagający [inf.]

utility pożytek, użyteczność [abc]; program narzędziowy [inf.]

utility company przedsiębiorstwo zaopatrzeniowe [energ.]

utility helicopter śmigłowiec wielozadaniowy, śmigłowiec uniwersalny [mot.]

utility machine maszyna użytkowa [masz.]

utility room komórka, narzędziownia [bud.]

utility service line przewód zasilający, przewód zaopatrujący [mot.]

UW (*unladen weight*) ciężar bez ładunku [mot.]

U

UW cutting wheel koło czerpakowe podwodne [mot.]

U-weld spoina na U [met.]

V

V.M. (→ volatile matter) części lotne; substancje lotne [energ.]

vacant wolny, wakujący [el.]

vacation urlop, wakacje, wczasy, ferie [abc]

vacational benefit wynagrodzenie za okres urlopu [abc]

vacuum podciśnienie [energ.]; próżnia [mot.]

vacuum arc heating piec próżniowy łukowy [masz.]

vacuum brake force siła hamowania próżniowego [mot.]

vacuum clean odkurzać [abc]

vacuum degasified odgazowany próżniowo [masz.]

vacuum distributor dystrybutor próżniowy, rozdzielacz próżniowy [mot.]

vacuum forming kształtowanie próżniowe, formowanie próżniowe [masz.]

vacuum gauge próżniomierz, manometr próżniowy [mot.]

vacuum governor regulator podciśnienia [mot.]

vacuum lifter chwytak podciśnieniowy, chwytak próżniowy [transp.]

vacuum line kanał próżniowy [mot.]

vacuum metallurgical plant zakład metalurgii próżniowej [masz.]

vacuum metallurgical process metalizacja próżniowa [masz.]

vacuum meter próżniomierz, manometr próżniowy [mot.]

vacuum-operated hydraulic brake hamulec hydrauliczny uruchamiany próżniowo [mot.]

vacuum oxygen decarburization odwęglanie próżniowe [masz.]

vacuum-power change przełączanie próżniowe [mot.]

vacuum pump pompa próżniowa [mot.]

vacuum recirculation process odgazowanie obiegowe [masz.]

vacuum reservoir zbiornik próżniowy, pojemnik próżniowy [mot.]

vacuum servo brake hamulec próżniowy, hamulec pneumatyczny podciśnieniowy, hamulec powietrzny podciśnieniowy [mot.]

vacuum shift cylinder cylinder próżniowy przełączający [mot.]

vale dolina [geogr.]

valence wartościowość [masz.]

valence of weld wartościowość spoiny [met.]

valid prawomocny [praw.]; ważny [abc]

validation prawidłowość [inf.]

validity ważność [abc]

valley dolina, kotlina [geogr.]; kosz (*dachu*) [bud.]

valley angle kąt wewnętrzny tarcia [transp.]; kąt wypadkowy [bud.]

valley angle of bunker skos bunkra, nachylenie bunkra [energ.]

value oceniać; oszacować; określić wartość [abc]; (→ calorific v.; → heating v.; → instantaneous. v.; → k-v.; → maximum pre-set v.; → minimum pre-set v.; → peak v.; → pH-v.; → pre-set v.; → proper v.; → rated v.; → reference v.; → true v.)

value node węzeł wartościowy [inf.]

valve zawór [mot.]; (e.g. → 2/2 v.; → air discharge v.; → air operated v.; → angle check v.; → angle v.; → automatic shift v.; → backlash v.; → balanced piston to relief v.; → bank of v.; → bleed v.; → blow-off v.; → blowdown v.; → boiler drain v.; → bottom v.; → brake v.; → butterfly v.; → bypass v.; → cam v.; → check v.; → clock v.; → coil v.; → compensating v.; → conical v.; → constant feed regulating v.; → control v.; → counterbalance v.; → cylindrical v.; → deceleration v.; → directional control v.; → discharge v.; → disk v.; → double non-return v.; → double return v.; → drain v.; → equalising v.; → excess pressure v.; → exhaust v. cap; → exhaust v.; → feed control v.; → feed v.; → float v.; → foot operated v.; → foot pedal v.; → four-way v.; → gate v.; → grease relief v.; → hand lever v.; → hand slide v.; → in-line check v.; → intake v.; → low pressure v.; → main stop v.; → metal v.; → monoway v.; → needle v.; → nonreturn v.; → oil by-pass v.; → oil pressure relief v.; → oil regulating v.; → oil relief v.; → pilot operated v.; → pilot v.; → pneumatic time delay v.; → poppet v.; → pressure control v.; → pressure reducing v.; → pressure relief v.; → pressure v.; → proportioning v.; → pump inlet v.; → pump outlet v.; → push button v.; → quick acting v.; → quick closing v.; → quick exhaust v.; → reducing v.; → regulating v.; → relay v.; → release v.; → relief v.; → right angle check v.; → rubber v.; → safety v.; → shut-off v.; → shuttle v.; → solenoid pilot operated v.; → solenoid v.; → spring-loaded safety v.; → steering v.; → straight way v.; → straight-through v.; → suction v.; → three-way v.; → time delay v.; → torsion bar safety v.; → trailer brake v.; → twin pressure sequence v.; → v. with roller lever; → vent v.; → way v.; → 3-port v.; → 3/2 way v.)

valve actuating uruchamianie zaworu [mot.]

valve actuator urządzenie uruchamiające [energ.]; urządzenie uruchamiające [masz.]

valve bank zespół zaworów [mot.]

valve block zawór rozrządczy; blok sterowniczy; kolumna kierownicza [mot.]

valve block mounting zamocowanie bloku sterowniczego [mot.]

valve body korpus zaworu [energ.]

valve bonnet pokrywa jarzmowa zaworu [energ.]

valve bore otwór zaworowy [enrg.]

valve bridge zespół zaworów [mot.]

valve cage kosz zaworu [mot.]

valve cap kapturek zaworka powietrznego [mot.]

valve chamber korpus zaworu [mot.]

valve chamber cover pokrywa zaworu, pokrywa zaworów [mot.]

valve cone stożek zaworu, grzybek zaworu [mot.]

valve crosshead poprzeczka zaworu [mot.]

valve cutter frezarka do gniazd zaworowych [mot.]

valve diameter średnica zaworu [mot.]

valve extension przedłużenie zaworu [mot.]

valve follower popychacz zaworowy; popychacz (*grzybka*) zaworu [mot.]

valvegear rozrząd zaworowy; stawidło zaworowe [mot.]

valvegrinder szlifierka do zaworów [mot.]

valvegrinding docieranie zaworów [mot.]

valveguide prowadnica zaworu [mot.]

valve head grzybek zaworu; talerz zaworu [mot.]

valve housing kadłub zaworu; korpus zaworu [mot.]

valve in the head zawór górny [masz.]

valve insert wkładka zaworu [mot.]

valve key zamek sprężyny zaworowej [mot.]

valve lever dźwigienka zaworowa [mot.]; dźwignia zaworu (*bezpieczeństwa*) [masz.]

valve lift skok zaworu, wznios zaworu [mot.]

valve lifter popychacz zaworowy; popychacz (*grzybka*) zaworu [mot.]

valve lifter guide prowadnica popychacza zaworowego [mot.]

valve lip dziobek grzybka zaworu [masz.]; gniazdo zaworu; przylgnia gniazda zaworu [mot.]

valve location układ rozrządu zaworowego [mot.]

valve mask przesłonka zaworu (*grzybkowego*) [mot.]

valve operating gear mechanizm sterowania zaworami [energ.]

valve plunger popychacz zaworowy; popychacz (*grzybka*) zaworu [mot.]

valve pocket korpus zaworu [mot.]

valve push rod popychacz zaworowy; popychacz (*grzybka*) zaworu [mot.]

valve reseater przyrząd do obróbki zużytych gniazd zaworowych [narz.]

valve retainer grzybek zaworu; talerz zaworu [mot.]

valve rocker dźwigienka zaworowa [mot.]

valve rocker arm dźwignia zaworu [mot.]

valve rod trzonek zaworu; drążek popychacza zaworowego, laska popychacza [mot.]

valve seat gniazdo zaworu; przylgnia gniazda zaworu [mot.]

valve seat insert pierścień gniazda zaworu [mot.]

valve selector selektor zaworowy, wybierak zaworowy [mot.]

valve set screw śruba nastawcza zaworu [mot.]

valve setting rozrząd zaworowy [mot.]; (→ adjustable v. s.)

valve spindle wrzeciono zaworu [energ.]; drążek zaworu [mot.]

valve spool suwak sterujący [mot.]

valve spring sprężyna zaworowa [mot.]; (→ inner v. s.; → outer v. s.)

valve spring key klin sprężyny zaworowej [mot.]

valve spring retainer miska sprężyny zaworu [mot.]

valve spud trzonek zaworu; drążek popychacza zaworowego, laska popychacza [mot.]

valve stem guide prowadnica zaworu [mot.]

valve stem retreader gwinciarka do gniazd zaworowych [mot.]

valve support wspornik zaworu [mot.]

valve tappet popychacz zaworowy; popychacz (*grzybka*) zaworu [mot.]

valve tappet clearance luz popychacza zaworowego [mot.]

valve timing rozrząd zaworowy [mot.]

valve trains mechanizm rozrządu zaworowego [mot.]

valve with roller lever zawór z dźwignią rolkową [mot.]

valve with roller lever and idle return zawór z dźwignią rolkową i jałowym biegiem wstecznym [mot.]

van furgonetka; furgon; wóz (*meblowy*); wagon towarowy [mot.]; czoło formacji (*wojskowej*); wóz ciężarowy (*kryty*) [wojsk.]

van-line przedsiębiorstwo spedycyjne; przedsiębiorstwo przewozowe [mot.]

vanadium steel stal wanadowa [tw.]

vandalism wandalizm [abc]

vanish znikać, zginąć, schować się [abc]

vanity wspornik; konsola [transp.]; konsola, podstawka [bud.]

vane chorągiewka kierunkowa, wiatraczek [abc]; łopatka (*np. wentylatora, śmigła*) [mot.]; tłok skrzydełkowy zaworowy podwójny [masz.]; brzechwa (*np. pocisku, bomby*) [wojsk.]; (→ weather v.)

vane control regulacja łopatek kierowniczych [mot.]

vane pump pompa skrzydełkowa; pompa łopatkowa [mot.]

vane ring wieniec łopatek kierowniczych [mot.]

vane support wspornik łopatek kierowniczych [mot.]

vapour para, opary [mot.]; skropliny, woda kondensacyjna [energ.]

vapourization parowanie, wyparowywanie, odparowywanie [mot.]

vapourize parować, wyparować, odparować [abc]

vapourizer rozpylacz [abc]

vapourous gazowy, parowy [abc]

vapours burner palnik oparów [energ.]

vapours piping przewody parowe [energ.]

vapour state stan gazowy, stan parowy [energ.]

var kadź, kufa, dzieża [abc]

variability liczba stopni swobody [chem.]; zmienność, niestałość [abc]

variable zmienna [inf.]; zmienna, argument [mat.]; (→ bound v.; → dependant v.; → free v.; → independent v.; → logic v.; → situation v.)

variable zmienny, niestały [abc]

variable capacity pump pompa o zmiennej przepustowości, pom-

pa regulacyjna [mot.]

variable control sterowanie czujnikiem; regulacja nadążana; sterowanie uzależnione od zapotrzebowania; regulacja natężenia przepływu, regulacja ilościowa [mot.]

variable displacement pump pompa sterująca; pompa nastawna [mot.]

variable feed posuw stopniowy [mot.]

variable gain amplifier wzmacniacz regulacji [el.]

variable increments regulowany schodkowo [abc]

variable load-sensing distribution valve zawór rozdzielczy obciążeniowy [mot.]

variable pump pompa sterująca; pompa nastawna [mot.]

variable sensitivity probe sonda głębinowa [miern.]

variation zmiana, odmiana, wariant [abc]; zmienność, wariacje [fiz.]; wariacje, zależność [mat.]; zakres wahań, obszar odchyleń [bud.]; (→ range of v.)

variation of wall thickness odchylenie grubości ścianki [tw.]; wahanie grubości ścianki [bud.]

variety wariant, odmiana [abc]

variometer wariometr, zmiennik indukcyjności [el.]; wariometr [mot.]

variopress refuse collection vehicle śmieciarka z prasą zgniatającą [mot.]

various różny [abc]

various degrees of thickness formy różnej grubości [abc]

varistor warystor [transp.]

varnish lakierować; pokostować [met.]

varnish pokost; lakier, werniks; glazura [abc]

vary urozmaicać; różnić się [abc]; przerabiać [rys.]; zmieniać; modyfikować [transp.]

V

vat kadź, zbiornik, beczka, cysterna [abc]

vault kasa ogniotrwała; grób; grobowiec [abc]

V-band clamp opaska zaciskowa [masz.]; zacisk, docisk, szczęka zaciskowa, klamra [tw.]

V-belt pas klinowy; pas trapezowy [mot.]; (→ broad-section V-b.; → double V-b.; → endless. V-b.; → narrow-section V-b.; → standard V-b.; → Vee-b.)

V-belt drive napęd pasowy klinowy [mot.]

V-belt guard osłona pasa klinowego [mot.]

V-belt profile profil pasa klinowego [masz.]

V-belt pulley koło pasowe rowkowe [mot.]

V-belt wheel koło pasowe klinowe [mot.]

V-edge krawędź tnąca V-kształtna [mot.]

Vee-belt pas napędowy [masz.]

Vee-shaped snow plough pług odśnieżny w kształcie V [mot.]

vegetable roślinny [abc]

vegetables warzywa, jarzyny [abc]

vegetarian wegetarianin, jarosz [abc]

vegetation roślinność; wegetacja [bot.]

vehicle pojazd, środek lokomocji; wagon [mot.]

vehicle body nadwozie pojazdu; nadwozie wagonu [mot.]

vehicle clearance side średnica koła skrętu [mot.]

vehicle engine silnik trakcyjny [mot.]

vehicle manufacturing budowa pojazdów mechanicznych [mot.]

vehicle parts części samochodowe [mot.]

vehicle slot schron [wojsk.]

vein żyła; naczynie krwionośne [med.]

veining rysunek słojów [abc]

velocity szybkość, prędkość [abc]; (→ burning v.; → discharge v.; → fluegas v.; → peripheral v.; → reaction v.; → steam v.)

velocity head wysokość spadku [energ.]; pochylnia; próg pośredni [mot.]

velocity of flow prędkość przepływu [energ.]

velocity of propagation prędkość rozchodzenia się, prędkość rozpływu [el.]; prędkość propagacji [abc]

vendor handlowiec, przedstawiciel (*firmy*), sprzedawca [abc]

vendor processing opracowywanie dostawców [abc]

V-engine silnik dwurzędowy widlasty [mot.]; silnik dwurzędowy widlasty [met.]

venison dziczyzna [abc]

vent odpowietrzać [aero.]; wietrzyć; upuszczać [abc]

vent odpowietrznik; odpowietrzacz; wentylator wyciągowy; otwór wentylacyjny [mot.]; (→ superheater v. valve; → v. valve)

vent cock kurek odpowietrzający [mot.]

vent pipe rura odpowietrzająca [mot.]; rura wentylacyjna [aero.]

vent screw śruba wentylacyjna [mot.]; śruba odpowietrznika; śruba upustowa [masz.]

vent valve zawór wentylacyjny; zawór upustowy powietrza [masz.]; zawór odpowietrzający, zawór do usuwania pary [energ.]

ventilate odpowietrzać [aero.]; wietrzyć [abc]

ventilation wentylacja [aero]

ventilation duct kanał wentylacyjny [aero]

ventilation hood okap, wyciąg; otwór wentylacyjny w dachu [energ.]

ventilation nozzle dysza wentylacyjna [aero.]

ventilator wentylator [mot.]; przewietrznik; wentylator; dmuchawa [aero.]; (→ ridge v.; → roof v.)

ventilator window szyba obrotowa drzwi przednich [mot.]

venting odpowietrzanie [energ.]; otwór odpowietrzający [aero.]; wylot [mot.]

venue właściwość terytorialna; właściwość miejscowa sądu ogólna; właściwość miejscowa sądu wyłączna [praw.]

verbal ustny [abc]

verbose gadatliwy (*np. człowiek*); rozwlekły (*np. styl*) [abc]

verdict skazanie [praw.]; wyrok [polit.]

verge pobocze drogi [transp.]

verification weryfikacja [inf.]

verification test test weryfikacyjny; test dopuszczeniowy [transp.]

verify sprawdzać, skontrolować, zweryfikować, potwierdzać, udowadniać, wykazywać [abc]

vermillion cynobrowy [norm.]

vernier noniusz, wernier [abc]

vernier adjustment nastawienie precyzyjne [masz.]; nastawienie dokładne [abc]; nastawienie precyzyjne [met.]

vernier speed control nastawienie precyzyjne prędkości obrotowej [mot.]

versatile hall hala ogólnego przeznaczenia [bud.]

versatile machine przyrząd uniwersalny [abc]

version typ [masz.]; wersja [transp.]; wykonanie; marka [abc]

vertebra kręg [med.]

vertebral column kręgosłup [med.]

vertebrate animal kręgowiec [bot.]

vertex wierzchołek [mat.]

vertical pionowy, prostopadły [abc]; (→ VTOL)

vertical boring mill tokarka karuzelowa, karuzelówka; wiertarka pionowa [narz.]

vertical displacement ruch pionowy, przemieszczenie pionowe [mot.]

vertical drilling mill tokarka karuzelowa, karuzelówka; wiertarka pionowa [narz.]

vertical height różnica poziomów [górn.]

vertically adjustable przestawny w kierunku pionowym [mot.]

vertical member drążek, słupek, słup, pal [bud.]

vertical pulling off wyciąg pionowy [el.]

vertical radiation *pionowe działanie ultradźwięków na płaszczyznę*; radiacja pionowa [met.]

vertical rise wysokość podnoszenia [transp.]; wysokość; wzniesienie, wyniosłość, poziom [abc]

vertical rotary grinder szlifierka pionowa [narz.]

vertical shaft wałek napędu rozrządu, wałek królewski; wał główny [transp.]

vertical shaft arrangement układ z wałem pionowym [masz.]

vertical take-off and landing (VTOL) samolot pionowego startu i lądowania [mot.]

vertical tube boiler kocioł stromorurowy [energ.]

vertical type regenerative air preheater regeneracyjny podgrzewacz powietrza wgłębny [energ.]

vertical wiper wycieraczka szyby równoległa; wycieraczka pionowa [mot.]

vertisoil glina pęczniejąca [bud.]

vessel zbiornik, zasobnik, naczynie [abc]; zbiornik, bak [masz.]; pojemnik, naczynie [energ.]; kontener [tw.]; statek, okręt [mot.]; (→ pressure v.)

V

vest (US) kamizelka [abc]

veteran weteran [wojsk.]

viaduct wiadukt [mot.]

vibrate wibrować, drgać, wahać się, trząść [abc]

vibrating compacter ubijak wibracyjny [górn.]; kondensator wibrujący [mot.]

vibrating feeder chute ryna wstrząsana, rynna przenośnika wstrząsanego [górn.]; przenośnik grawitacyjny wstrząsany, przenośnik wstrząsowy [transp.]

vibrating grinder szlifierka oscylacyjna [transp.]

vibrating roller walec wibracyjny [masz.]

vibrating screen przesiewacz wibracyjny, sito wibracyjne, przesiewacz wstrząsowy, sito wstrząsowe [górn.]

vibrating stoker ruszt potrząsalny, ruszt drgawkowy [górn.]

vibrating test próba wibracyjna, próba na wstrząsy [abc]

vibrating trickle feed tray ryna wstrząsana, rynna przenośnika wstrząsanego [górn.]; przenośnik grawitacyjny wstrząsany, przenośnik wstrząsowy [transp.]

vibration drganie; wibracja [abc]; oscylacja [fiz.]; wahanie [transp.]; (→ forced v.)

vibration-cushioned amortyzowany [mot.]

vibration damper tłumik drgań, amortyzator drgań; statecznik [mot.]; wyrównywacz, stabilizator [masz.]

vibration hourmeter rejestrator drgań [abc]

vibration resistant odporny na wibracje [transp.]

vibrator urządzenie do wytrząsania [energ.]; wstrząsarka [masz.]

vibratory stress naprężenie uda-

rowe [masz.]

vice imadło, zacisk [narz.]

vice-chairman zastępca przewodniczącego [abc]

victim ofiara [abc]

victory zwycięstwo [abc]

video wideo [el.]

video amplifier wzmacniacz wizyjny [el.]

video cassette wideokaseta [abc]

video presentation prezentacja wideo [el.]

video screen monitor [el.]

view obejrzeć, oglądać; rozpatrywać, zbadać; spostrzec; zapatrywać się [abc]

view widok; obejrzenie, spojrzenie; zapatrywanie, zdanie, punkt widzenia [abc]; widok, rzut [bud.]; (→ cutaway diagram; → isometric v.; → perspective v.)

viewer-centred perspective perspektywa obserwatora [inf.]

viewer-independent perspective perspektywa niezależna od obserwatora [inf.]

view finder wizjer [abc]

vignol rail (US) szyna szerokostopowa, szyna Vignoles'a [mot.]

village wieś, wioska [abc]

vinegar ocet [abc]

violate naruszyć, przekroczyć [praw.]

violet blue błękit fioletowy [norm.]

virgin face przodek nieprzygotowany [górn.]; powierzchnia czołowa naturalna; ściana pierwotna [min.]

virgin paper tape (→ punched tape) taśma dziurkowana; dziurkowana taśma papierowa; taśma papierowa czysta [inf.]

virgin stone kamień naturalny [geol.]; kamień rodzimy; skała naturalna [min.]

virtual ground masa związana, masa wirtualna, masa pozorna [el.]

virtual short circuit zwarcie wirtualne [el.]

virtue cnota, prawość; cnotliwość, czystość; skuteczność [abc]

viscosity lepkość, tarcie wewnętrzne [abc]

viscous gęsty, zawiesisty, gęstopłynny [abc]

viscous-type damper tłumik cieczowy; tłumik hydrauliczny [mot.]

vise (US; → vice) imadło, zacisk [narz.]

visibility widoczność [abc]

visible optyczny [opt.]; widzialny; widoczny [abc]

visible signal sygnał optyczny, sygnał widzialny [opt.]

visible signal missing brak sygnału optycznego [opt.]

vision widzenie [abc]

vision-system organisation organizacja systemu widzenia [inf.]

visit kontrolować, sprawdzać, dokonywać inspekcji [abc]

visit kontrola [energ.]; obchód kontrolny dozoru [górn.]; wizyta, odwiedziny [abc]

visitor gość, odwiedzający, zwiedzający [abc]

visor daszek (u czapki) [abc]; krawędź czerpaka; krawędź ścięta [transp.]

visual control kontrola wizualna [abc]

visual designation of grain sizes ustalenie wielkości ziarna, opis uziarnienia, opis wielkości ziarna [bud.]

visual flight lot z widzialnością ziemi [mot.]

visual grading gauge przyrząd do mierzenia wielkości ziarna ze wzrokowym odczytaniem wskazań [bud.]

visual inspection badanie wzrokowe, oględziny [bud.]

visual reversal odwrócenie widzenia [inf.]

vital niezbędny, konieczny, decydujący, istotny, zasadniczy, ważny [abc]

vocabulary słownictwo, leksyka [inf.]

vocation powołanie, zamiłowanie; zawód, zajęcie [abc]

vocational school szkoła zawodowa [abc]

void ratio wskaźnik porowatości [bud.]

volatile matter (V.M.) części lotne; substancje lotne [energ.]

volatilization ulatnianie się, parowanie, przechodzenie w stan pary [energ.]

volatility lotność; fugatywność [chem.]

volcanic rock skała wulkaniczna, skała wylewna [min.]

volt wolt [fiz.]

volt meter woltomierz [miern.]

voltage napięcie [el.]; (→ acceleration v.; → breakdown v.; → calibration v.; → Early v.; → low v.; → offset-v.; → peak-to-peak v.; → railway v.; → rated v.; → supply v.; → test v.; → testing v.; → threshold v.; → working v.)

voltage between terminals napięcie zaciskowe, napięcie na zaciskach [el.]

voltage control miernik napięcia [el.]; woltomierz [miern.]

voltage converter przemiennik napięcia [transp.]

voltage/distance converter indukcyjny rejestrator odległości; indukcyjny przetwornik przemieszczenia [miern.]

voltage divider dzielnik napięcia [el.]

voltage drop spadek napięcia; utrata napięcia [el.]

voltage fluctuation wahanie napięcia [el.]

V

voltage follower wtórnik napięciowy [el.]

voltage insulation strength wytrzymałość izolacji na rozciąganie [el.]

voltage loss spadek napięcia; utrata napięcia [el.]

voltage measuring pomiar napięcia [miern.]

voltage pulse skok napięcia [el.]

voltage ratio przekładnia napięciowa [el.]

voltage regulator regulator napięcia; stabilizator napięcia [el.]

voltage selector przełącznik napięcia [el.]

voltage source (→ real v. s.) źródło napięcia [el.]

voltage stabilizer stabilizator napięcia [el.]

voltage transformer przekładnik napięciowy [el.]

voltmeter woltomierz [miern.]

volume ilość, masa; rozmiar; objętość, pojemność; tom, księga, książka [abc]; (→ furnace v.)

volume consistency stałość objętości [bud.]; niewrażliwość na zmiany objętości [abc]

volume of shipments wydajność przesyłania, wydajność wysyłkowa [abc]

volume of waste water udział ścieków, ilość ścieków, objętość ścieków [hydr.]

volume weight ciężar nasypowy [bud.]

voluntary dobrowolny, ochotniczy [abc]

voluntary retirement dobrowolne odejście [abc]

volunteer ochotnik [wojsk.]

volute spring sprężyna spiralna, sprężyna śrubowa; sprężyna śrubowa stożkowa naciskowa z pręta o przekroju prostokątnym [masz.]; sprężyna śrubowa stożkowa [tw.]

vomit zwymiotować [abc]

vortex burner palnik wirowy [energ.]

vortex furnace palenisko z komorą wirową; palenisko wirowe [energ.]

vote głosować, oddawać głos [polit.]

vote głos wyborczy [polit.]

voters' registration (US) lista wyborców [polit.]

voting głosowanie [inf.]

voyage podróż, rejs [mot.]

V-ring pierścień o przekroju V [mot.]

V-shaped snow plough pług odśnieżny w kształcie V [mot.]

V-shaped trench rów ostrokątny [transp.]

VTOL (*Vertical Take-Off and Landing*) samolot pionowego startu i lądowania [mot.]

V-type collar packing pierścień samouszczelniający typu V [masz.]

V-type engine silnik dwurzędowy widlasty [mot.]

vulcanic earthquake wulkaniczne trzęsienie ziemi [geol.]

vulcanization wulkanizacja [mot.]

vulcanize wulkanizować [abc]

vulcanizing press prasa wulkanizacyjna [narz.]

W

WC (*Warranty Claim*) roszczenie gwarancyjne [abc]

w/o (*without*) bez [abc]

wafer wafel [abc]

wage (→ increased w.) wynagrodzenie; pensja [abc]

wage and salary agreement układ zbiorowy pracy [ekon.]

wage and salary negotiation negocjacje płacowe (*pertraktacje w celu zawarcia umowy zbiorowej między* *związkiem zawodowym i praco-dawcą)* [ekon.]

wage payment wypłata wynagrodzenia [abc]

wages roll (→ payroll) lista płac [abc]

wagon pojazd; wagon *(towarowy, osobowy)*; samochód [mot.]

wagon bridge mostek międzywagonowy [mot.]

wagon carrying trailer przyczepa wielokołowa do przewozu dużych ciężarów [mot.]

wagon design konstrukcja wagonu [rys.]

wagon fixture osprzęt wagonu [mot.]

wagon label container *miejsce na etykietę, opis na wagonie* [mot.]

wagon loading station stacja załadowcza [mot.]

wagon-maker blacharz [masz.]; kołodziej [mot.]

wagon tipper wywrotnica wagonowa [górn.]

wagon tippler wywrotnica wagonowa [górn.]

wagon with folding roof panels samochód z dachem składanym [mot.]

wagon without buffers wagon kolejowy bez buforów [mot.]

wagon with pivoted roof sections samochód z dachem obrotowym wychylanym [mot.]

wagon with roller-shutter roof samochód z dachem zwijanym [mot.]

wagon with sliding roof samochód z dachem przesuwanym [mot.]

waist talia, pas, stan [abc]

waistcoat (GB) kamizelka [abc]

wait czekać, zaczekać, poczekać [abc]

waiter kelner [abc]

waiting room poczekalnia [mot.]; hol [abc]

wait on obsługiwać [abc]

wake ślad torowy, kilwater [mot.]

walk chodzić; iść; spacerować [abc]

walk escalator pochylnia ruchoma [transp.]

walking beam wahacz podwójny [mot.]

walking beam furnace piec z trzonem kroczącym [masz.]

walking pad mechanizm kroczący [górn.]

walking speed prędkość przesuwu *(np. koparki kroczącej)* [górn.]

walking surface powierzchnia chodnika [bud.]

walk past przechodzić obok [abc]

walkway pomost [masz.]; pomost [transp.]

wall ściana; mur [bud.]; (→ basement retaining w.; → board w.; → diaphragm w.; → fluxing of the w.; → rear w.; → side w.; → welded w.)

wall calendar kalendarz ścienny [abc]

wall cladding okładzina ścienna [masz.]

wall deslagger zdmuchiwacz sadzy ze ścian; zdmuchiawcz sadzy ścienny [energ.]

wall duct przejście przez ścianę, przepust przez mur [bud.]

wall entrance przebicie ścianki [bud.]

wall panel panel ścienny [bud.]

wall paper tapeta [bud.]

wall plate murłat, namurnica [bud.]; jarzmo szybowe drewniane [górn.]; pokrywka przyrządu podtynkowego [el.]

wall socket przyłącze ścienne [el.]

wall soot blower zdmuchiwacz sadzy ze ścian; zdmuchiawcz sadzy ścienny [energ.]

wall thickness grubość ścianki [energ.]

wall thickness gauge uzupełnienie grubości ścianki [bud.]

W

wall thickness gauging pomiar grubości ścianki [miern.]; mierzenie grubości ścianki [bud.]

wall thickness measurement pomiar grubości ścianki [miern.]; mierzenie grubości ścianki [bud.]

wall tile płytka ścienna [bud.]

wall-to-wall carpeting podłoga dywanowa (*wyłożona wykładziną dywanową*) [bud.]

wall-to-wall rug podłoga dywanowa (*wyłożona wykładziną dywanową*) [bud.]

wall tube rura chłodząca palenisko; rura ścienna [energ.]

wall unit wnęka na szafę [bud.]

Waltz's procedure metoda Waltz'a [inf.]

wand (→ wishing w.) drążek; pręt [abc]

wandering ant metaphor metafora wędrującej mrówki [inf.]

want brak, niedostatek; potrzeba [abc]

wantage deficyt, niedobór, manko [abc]

war wojna [wojsk.]

war coverage sprawozdanie wojenne [wojsk.]

ward oddział, sala [med.]

wardrobe szafa (*na odzież*) [bud.]

warehouse skład, magazyn [bud.]

warehouse system system magazynowania [abc]

warflat wagon–platforma [mot.]

warhead głowica bojowa [wojsk.]

warm food cabinet podgrzewana szafka do przechowywania żywności [mot.]

warming-up period czas rozgrzania, czas rozgrzewu [energ.]

warm start-up rozruch na ciepło [energ.]

warmth ciepło [abc]

warm up rozgrzewać wstępnie [masz.]; podgrzewać [abc]; *roz-grzewać na biegu luzem* [mot.]

warm-up operation tryb rozgrzewania [energ.]

warm-up period czas nagrzewania [energ.]; czas rozgrzewania [transp.]

warm-up time czas nagrzewania [energ.]; czas rozgrzewania [transp.]

warning ostrzeżenie; znak, oznaka, objaw, symptom [abc]

warning device urządzenie ostrzegawcze [mot.]

warning light lampa ostrzegawcza [mot.]

warning sign znak ostrzegawczy [transp.]

warning signal sygnał alarmowy [el.]; sygnał ostrzegawczy [mot.]

warp wykręcać, przekręcać [tw.]; spaczyć się, wypaczyć się; skrzywić się [masz.]

warping odkształcenie, zwichrzenie, zwichrowanie [tw.]; krzywienie się, paczenie się skręcanie [masz.]

warranty gwarancja; poręczenie, poręka, rękojmia [abc]

warranty adjustment usługa gwarancyjna [abc]

warranty claim roszczenie gwarancyjne [abc]

warranty insurance ubezpieczenie gwarancyjne [praw.]

wart brodawka [med.]; wysuszone koryto rzeki [geol.]

wash myć; prać [abc]

washed gas gaz oczyszczony [energ.]

washer podkładka; uszczelnienie, uszczelka, szczeliwo [masz.]; podkładka uszczelniająca; przemywacz, spryskiwacz [mot.]; (→ conical spring w.; → curved spring w.; → felt w.; → lock w.; → machined w.; → raw w.; → serrated lock w.; → spring retainer; → spring seat; → wave spring w.; → windshield wiper/w.)

washer system spłuczka szyby przedniej [mot.]

washer with external tap podkładka z zaczepem zewnętrznym [masz.]

washer with tap podkładka z zaczepem [masz.]

washery płuczka węglowa; płuczkowanie [górn.]

washing basin umywalka [abc]

washing hatch otwór wyczystkowy [mot.]

wash-out płukanie kotła; przepłukiwanie kotła [energ.]

washout podmywanie [gleb.]; wymywanie [bud.]

wash plate *przegroda zapobiegająca falowaniu cieczy w zbiorniku pojazdu* [mot.]

wash waste odpady popłuczkowe; odpady flotacyjne [górn.]

waste zepsuć, zniszczyć; roztrwonić; wyczerpać, osłabić, wycieńczyć [abc]

waste zwietrzelina [geo.]; odpadki, odpady [rec.]; zużycie, ubytek; roztrwonienie, strata; marnowanie, marnotrawstwo [abc]; (→ industrial w.)

waste fuel paliwo ekologiczne pozyskiwane ze spalanych odpadów [rec.]

waste gas gazy odlotowe, spaliny [energ.]; spaliny [mot.]

waste gas analysis analiza spalin [energ.]

waste gas loss strata odlotowa; strata wylotowa [energ.]

waste gas sample próbka spalin [energ.]

waste gas temperature temperatura gazów odlotowych; temperatura gazów wylotowych; temperatura spalin mierzona przy ujściu oszczędzacza [energ.]

waste heat ciepło odpadowe, ciepło odlotowe [energ.]

waste heat boiler kocioł na ciepło odpadowe [energ.]

waste oil olej zużyty, olej przepracowany [abc]

waste paper makulatura [rec.]

waste paper basket kosz na śmieci, kosz na papiery [abc]

waste pipe odpływ wody; rura ściekowa; ściek [bud.]

waste product produkt odpadowy; produkt uboczny [rec.]

waste steam opary, wyziewy, złe powietrze [energ.]; gazy odstrzałowe [górn.]; pokos [roln.]

waste water ściek, odpływ; odpad ciekły [hydr.]

waste water purification oczyszczanie ścieków [hydr.]

watch obserwować; przypatrywać się; przyglądać się [abc]

watch committee (GB) komisja zarządu miejskiego; służby porządkowe [abc]

watchful ostrożny, przezorny, rozważny, roztropny [abc]

watchman strażnik [abc]

watch officer oficer wachtowy [abc]

water woda [abc]; (→ absorption of w.; → cooling w.; → fissure w.; → pore w.; → precipitation w.)

water nawadniać [hydr.]; lać, nalać; podlewać; poić [abc]

water ash screen przesiewacz rusztowy popiołu [energ.]

water balance poziomnica [narz.]; poziomnica wodna [miern.]

water basin zbiornik wodny; basen [bud.]

water blue błękit wodny [norm.]

watering can with hose polewaczka z wężem [abc]

water catchment area zlewnia; powierzchnia spływu [hydr.]

water cement ratio wskaźnik wodno-cementowy [bud.]

W

water circulation obieg wody [energ.]

water cleaning system system oczyszczania wody [hydr.]

water column słup wody [miern.]; chodnik wodny [bud.]

water column gauge glass szkło wodowskazowe [energ.]

water content zawartość wody [bud.]; zawartość wilgoci [energ.]

water-cooled chłodzony wodą [abc]

water-cooled furnace komora spalania chłodzona wodą [energ.]

water-cooling chłodzenie wodą [abc]

watercourse ciek wodny [bud.]

watercraft wodny środek transportowy; jednostka pływająca [mot.]

water director ferrule blacha kierunkowa strumienia wody [mot.]

water discharge screw śruba ściekowa [mot.]

water drain odpływ wody; rura ściekowa; ściek [bud.]

water drainage (→ drain) spływ, odpływ; drenaż; wypływ, przepływ; spust, ściek; przelew [transp.]; wyciek, odciek [bud.]

water drum walczak wodny [energ.]

water edge brzeg rzeki; wał [abc]

water fall wodospad [abc]

water faucet kurek probierczy [energ.]; kurek czerpalny [bud.]; zawór kurkowe czerpalny [hydr.]

water feed dopływ wody; ujęcie wody (*do wodociągu*); zaopatrzenie w wodę [bud.]

water filling napełnianie wodą [mot.]

water filter filtr do wody; wkład filtru do wody [bud.]

water flow rate natężenie przepływu [bud.]

water gauge wodowskaz; znak zanurzenia [mot.]; poziom; wskaźnik; pływowskaz [abc]

water grass trawa morska [abc]

water guide prowadnica instalacji wodnej [bud.]

water hammer uderzenie wodne [energ.]

water head słup wody [miern.]; spad wody [mot.]

water heating ogrzewanie wodą [mot.]

water "in" dopływ chłodziwa; zasilanie wodą [mot.]

water inlet connection króciec wlotowy wody chłodzącej [mot.]

water intake dopływ wody; ujęcie wody (*do wodociągu*); zaopatrzenie w wodę [bud.]

water jacket płaszcz wodny [mot.]

water jet strumień wody, struga wody [bud.]

water leakage wyciek wody; wystąpienie wody [mot.]

water level poziom wody; lustro wody [abc]; zwierciadło wody [bud.]

water-level gauge wodowskaz [miern.]; miernik poziomu wody [mot.]

water level indicator wodowskaz [miern.]; miernik poziomu wody [mot.]

water-level sight glass okienko kontrolne poziomu wody [mot.]

water line rurociąg wodny; wodociąg [bud.]

water main główny przewód wodny, wodociąg główny, magistrala wodna [bud.]

water mains cock zawór kurkowy wodociągu głównego [bud.]

water mains supply przyłącze wodne [bud.]

water mark wodowskaz; pływowskaz; znak zanurzenia [mot.]; poziom; wskaźnik [abc]

water out wystąpienie wody; wyciek wody [mot]; odpływ wody [bud.]

water outlet connection króciec

wypływowy wody chłodzącej [mot.]

water path chodnik wodny [bud.] [

water pipe rurociąg wodny; wodociąg [bud.]

water piper zgarniacz wody [mot.]

water pipe with socket joint rura przewodowa instalacji wodnej z połączeniem kielichowym [masz.]

water pocket czop wodny [energ.]

water pressure ciśnienie wody [abc]

waterproof (GB) wodoszczelny [abc]

water-proofing impregnowanie wodoodporne [bud.]

waterproof weld spawać wodoszczelnie; spawać wodotrwale [met.]

water protection area strefa bezpieczeństwa ujęcia wody [hydr.]

water pump pompa wodna [mot.]

water pump belt pas pompy wodnej [mot.]

water pump body korpus pompy wodnej [mot.]

water pump cover pokrywa pompy wodnej [mot.]

water pump gland dławik pompy wodnej [mot.]

water pump impeller wirnik łopatkowy pompy wodnej [mot.]

water pump packing uszczelka pompy wodnej [mot.]

water-pump pliers szczypce pompy wodnej [narz.]

water pump sealing uszczelnienie pompy wodnej [mot.]

water pump shaft wał pompy wodnej [mot.]

water purification oczyszczanie wody [abc]

water quenched hartowany w wodzie [met.]

water reservoir zbiornik wodny [abc]

water resistance odporność na działanie wody [abc]

water-resistant wodoodporny; wodotrwały [abc]

water resisting wodoodporny; wodotrwały [abc]

waters akwen [mot.]

water-sealed furnace hopper lej (*zsypowy*) z zamknięciem wodnym [energ.]

water separation osuszanie pary; separacja wilgoci [energ.]

water separator oddzielacz wody; wodooddzielacz [mot.]

watershed line dział wodny [abc]

water shelf tarcza międzystopniowa, tarcza kierownicy [mot.]

water side tube erosion erozja strony odwodnej rury [energ.]

water-side tube fault uszkodzenie strony odwodnej rury [energ.]

water-solubility rozpuszczalność w wodzie [abc]

water-soluble rozpuszczalny w wodzie [energ.]

water solubility rozpuszczalność w wodzie [abc]

water space przestrzeń wodna [energ.]

water stabilizing cylinder cylinder stabilizujący wodę [bud.]

water supply zapas wody [abc]; dopływ wody; zaopatrzenie w wodę [bud.]

water table zwierciadło wody gruntowej [hydr.]; lustro wody gruntowej; poziom wód gruntowych [abc]

water tank zbiornik wody; zbiornik wodny; basen [bud.]

water temperature gauge termometr wody chłodzącej [mot.]

water temperature regulator termostat [miern.]

water tight wodoszczelny [abc]

water trap oddzielacz wody; wodooddzielacz [mot.]

water treatment plant stacja uzdatniania wody [masz.]

water truck wózek wodny [górn.]

W

water tube attemperator chłodnica wodnorurkowa [energ.]

water tube boiler kocioł wodnorurkowy [energ.]

water tube wall wykładzina rur, okładzina rur [energ.]

waterwall ekran wodny [energ.]

waterway droga wodna, kanał żeglowny [mot.]

waterways akwen [mot.]

water-wetted heating surface powierzchnia grzejna zwilżana wodą [energ.]

watt wat [fiz.]

wattage moc w watach; moc pobierana [el.]

wattless load prąd bierny [el.]

wattless power moc bierna [el.]

wave fala [mot.]; (→ compressional w.; → continuous w.; → cylindrical w.; → earthquake w.; → elastic w.; → incident w.; → lamb w.; → longitudinal w.; → love w.; → plane w.; → reflected w.; → refracted w.; → sea w.; → spherical w.; → stationary w.; → stress w.; → surface w.; → transverse w.; → ultrasonic w.)

wave front czoło fali [fiz.]

wave generation generowanie fal [el.]

wave guide falowód, prowadnica falowa [el.]

wave interference interferencja [fiz.]

wave length długość fali [fiz.]

wave motion ruch falowy [fiz.]

wave movement ruch falowy [fiz.]

wave penetration głębokość wnikania [fiz.]; głębokość przenikania [bud.]

wave propagation propagacja fal [fiz.]

wave reflection odbicie fali [fiz.]

wave splitting rozszczepienie fali [fiz.]

wave spring lock washer sprężyna krążkowa falista [masz.]

wave spring washer sprężyna pierścieniowa falista [masz.]

wave structure struktura fali [el.]

wave surface powierzchnia falowa [el.]

wave tail grzbiet fali [el.]

wave train ciąg fal [el.]; (→ damped w. t.)

wave transformation przekształcenie fali [el.]

wave washer sprężyna krążkowa falista [masz.]

wax paper recorder pisak do papieru woskowego [abc]

way droga; sposób [abc]

way valve zawór regulacyjny; zawór sterujący kierunkowy; rozdzielacz; zawór rozdzielczy [mot.]

weak słaby [abc]; osłabiony [masz.]

weaken osłabić, łagodzić, osłabić się, osłabnąć [abc]

weak mixture mieszanka uboga [abc]

weak point słaby punkt [masz.]

weapon broń [wojsk.]

weapon of mass destruction broń masowego rażenia [wojsk.]

wear ścierać się, zużywać się [masz.]

wear zużycie, ścieranie (*się*) [masz.]

wear bar szyna ochronna [masz.]

wear cap nasadka ochronna [masz.]; (→ shroud) nakładka ochronna [mot.]

wear-free nieścieralny [masz.]

wear-free braking hamulce odporne na ścieranie [mot.]

wearing course warstwa ścieralna; warstwa ścieralna nawierzchni [mot.]; warstwa wierzchnia [bud.]

wearing off zużywanie, ścieranie [energ.]

wearing plate ściernica, tarcza ścierna, krążek ścierny [narz.]

wear limit granice zużycia [masz.]

wear liner grzbiet ścieralny [energ.]
wear pad osłona (*chroniąca przed ścieraniem*) [masz.]
wear part część zużywalna [masz.]
wear plate wykładzina, okładzina [trans.]; wykładzina wideł maźnicy [mot.]
wear resistance odporność na zużycie, odporność na ścieranie [energ.]
wear resistant odporny na ścieranie [masz.]
wear-resistant cast iron żeliwo odporne na ścieranie [masz.]
wear-resistant liner wyłożenie robocze [energ.]
wear strip listwa ochronna [masz.]; listwa ochronna [mot.]
wear through przecierać (*się*) [masz.]
weather wietrzeć, zwietrzeć [abc]
weather pogoda [abc]; (→ period of bad w.)
weather conditions warunki meteorologiczne [meteo.]
weathered zwietrzały [masz.]
weather forecast prognoza pogody [meteo.]
weather hood otwór wentylacyjny w dachu [energ.]
weathering wietrzenie [meteo.]
weather map mapa synoptyczna [meteo.]
weather office instytut meteorologiczny [meteo.]
weatherproof odporny na wpływy atmosferyczne [meteo.]
weather report komunikat meteorologiczny [meteo.]
weather vane wiatrowskaz [meteo.]; kurek na dachu [abc]
weaver's loom krosno [abc]
web szyjka szyny [mot.]; ramię (*korby*) [masz]; brzeszczot (*piły*) [narz.]; środnik (*dźwigara*) [bud.]
web of rail szyjka szyny [mot.]
wedge klin [narz.]

wedge clay mieszać glinę, ugniatać glinę [górn.]
wedged zaklinowany [abc]
wedge pin zawleczka, przetyczka [mot.]
wedge-shaped klinowaty [abc]
wedge-type cotter stoper klinowy [mot.]
weed chwast; zielsko [bot.]
week (→ calendar week) tydzień [abc]
weekday dzień tygodnia [abc]
weekly tygodniowy, tygodniowo [abc]
weigh obciążyć [mot.]
weigh-bridge ticket karta ważenia [abc]
weigher waga; wagowy [abc]
weighing ważenie [abc]
weighing equipment waga [transp.]
weighing indicator ciężarowskaz [bud.]
weighing machine (→ automatic coal machine) waga; wózek wagowy [energ.]; automatyczna waga węglowa [miern.]
weighing scale waga [abc]
weighing sensibility czułość wagi [abc]
weighing tripod trójnóg, statyw trójnożny [abc]
weigh larry wózek wagowy [energ.]; automatyczna waga węglowa [miern.]
weigh the anchor podnosić kotwicę [mot.]
weight odważnik, obciążnik [abc]; ciężar; waga [masz.]; (→ balance w.; → proportion of w.; → specific w.; → volume w.)
weight brake hamulec rzutowy [mot.]
weight card karta ważenia [abc]
weight decreasing odciążenie [mot.]
weight-dependent zależny od ciężaru [transp.]
weight range zakres wagowy [masz.]

W

weight saving oszczędność ciężaru [masz.]

weight stabilizing przesunięcie ciężaru [masz.]

weir jaz [bud.]

Weiss domains domeny Weissa [fiz.]

weld spawać, zgrzewać [met.]; (→ all-welded)

weld spaw, spoina; zgrzeina; szew spawalniczy; połączenie zgrzewane; złącze spawane, połączenie spawane [met.]; (→ butt w.; → circumferential w.; → fillet w.; → J-w.; → longitudinal w.; → over hand w.; → pitch of w.; → plup w.; → re-w.; → seal w.; → slot w.; → square w.; → stud w.; → tack welded; → U-profile butt w.; → U-w.; → w. all around; → w. through)

weldability spawalność, zgrzewalność [met.]

weldability test próba spawalności [met.]

weldable spawalny, zgrzewalny [met.]

weldable steel stal zgrzewalna [met.]

weld deposit stopiwo; metal spoiny [met.]

weld displacement migracja; wędrówka [met.]

welded spawany [met.]

welded assembly (GB) konstrukcja spawana [met.]

welded circular steel pipe rura kotłowa; rura wodna; płomieniówka [masz.]; opłomka [energ.]

welded complete steel-box design konstrukcja spawana całkowicie stalowa [masz.]

welded connection złącze spawane, połączenie spawane [met.]

welded construction konstrukcja spawana [met.]

welded design konstrukcja spawana [met.]

welded flange kołnierz spawany [masz.]

welded frame rama spawana [masz.]

welded-in stub złączka spawana; skrętka spawana; łącznik gwintowany spawany [met.]

welded joint spoina, zgrzeina; złącze spawane, połączenie spawane [met.]

welded lug nadlew spoiny [met.]

welded nipple złączka spawana; skrętka spawana; łącznik gwintowany spawany [met.]

welded oil-tight zgrzany olejoszczelnie, zespawany olejoszczelnie [met.]

welded on przyspawany, połączony spawem [met.]

welded-on bottom dno spawane, podłoże spawane [masz.]

welded-on flange kołnierz spawany, kołnierz przypawany [masz.]

welded part część spawana [masz.]; konstrukcja spawana [met.]

welded rail szyna spawana [masz.]

welded screw-coupling połączenie gwintowe spawane [met.]

welded-stub connection złączka spawana; skrętka spawana; łącznik gwintowany spawany [met.]

welded wall ściana spawana [masz.]

welder spawacz [met.]; (→ A-welder; → E-welder)

weld-in bush tuleja zwijana zgrzewana [met.]

welding spawać, zgrzewać [met.]; (→ arc w.; → autogenous w.; → deposit w.; → electric resistance w.; → external w.; → flash or upset weld; → fusion w.; → gas w.; → multi-pass w.; → multi-run w.; → pressure w.; → projection weld; → seam weld; → shop w.; → single-pass w.; → single-run w.; → site w.; → spot weld; → submerged arc w.; → tack weld)

welding spawanie; roboty spawalnicze; technika spawania; proces spawania [met.]

welding apparatus zgrzewarka; spawarka łukowa, spawalnica [met.]

welding area strefa spawania, obszar spawania [met.]

welding bead garb spawalniczy [met.]

welding caliber przymiar spawalniczy [met.]

welding certificate dyplom spawacza, uprawnienia do wykonywania zawodu spawacza [met.]

welding converter przetwornica spawalnicza, spawalnica przetwornicowa [met.]

welding crack pęknięcie przyspoinowe [met.]

welding cracked spoina pęknięta [met.]

welding design konstrukcja spawana [met.]

welding edge brzeg spawany [met.]

welding electrode elektroda do spawania, elektroda spawalnicza [met.]

welding engineer inżynier-spawacz [met.]

welding engineering standard norma techniczna robót spawalniczych [met.]

welding filler (-material: → consumable) spoiwo, materiał dodatkowy [met.]

welding fixture przyrząd spawalniczy ustawczy [masz.]

welding flux topnik do spawania, proszek do spawania [met.]

welding goggles okulary spawalnicze [met.]

welding instruction instrukcja spawania, instrukcja zgrzewania [met.]

welding jig przyrząd spawalniczy ustawczy, obrotnik spawalniczy [met.]

welding manipulator przyrząd spawalniczy ustawczy, obrotnik spawalniczy [met.]

welding neck flange kołnierz spawany, kołnierz przypawany [masz.]

welding nut nakrętka do zgrzewania, nakrętka zgrzewana [masz.]

welding operator spawacz maszynowy [met.]

welding operator qualification *zezwolenie na wykonywanie zawodu spawacza maszynowego* [met.]

welding outlet gniazdo [el.]

welding parameter parametry spawania [met.]

welding pass pozycja spoiny [met.]

welding position pozycja spawania [met.]

welding positioner przyrząd spawalniczy ustawczy, obrotnik spawalniczy [met.]

welding procedure metoda spawalnicza [met.]

welding procedure data sheet karta technologiczna spawania [met.]

welding procedure specification plan operacyjny spawania [met.]

welding process proces spawania; spawanie [met.]

welding report świadectwo spawania [met.]

welding rod elektroda do spawania, elektroda spawalnicza; pałeczka do spawania; pręt do spawania [met.]

welding seam spaw, spoina; zgrzeina; szew spawalniczy; połączenie zgrzewane [met.]

welding-seam gauge spoinomierz, przymiar spoinowy [met.]

welding sequence kolejność spawania [met.]

welding sequence plan plan spawania [met.]

welding set zgrzewarka; spawarka łukowa, spawalnica [met.]

W

welding shop spawalnia [met.]
welding splatter rozprysk [met.]
welding stress naprężenia spawalnicze [met.]
welding supervisor nadzór nad robotami spawalniczymi; kontroler robót spawalniczych [met.]
welding template wzornik [met.]
welding torch palnik do spawania, palnik spawalniczy [met.]; (→ torch)
welding torsion naprężenia spawalnicze [met.]
welding wire drut do spawania, drut spawalniczy; elektroda do spawania, elektroda spawalnicza [met.]
weld inspection kontrola spoin, kontrola złączy spawnych [met.]
weld junction granica wtopu [met.]
weldment (US) spawanie [met.]; konstrukcja spawana; część spawana [masz.]
weld metal stopiwo; metal spoiny [met.]
weld nugget diameter średnica jądra zgrzeiny [met.]
weld position pozycja spoiny [met.]
weld reinforcement nadlew spoiny [met.]
weld seam spaw, spoina; zgrzeina; szew spawalniczy; połączenie zgrzewane [met.]
weld seam testing equipment aparatura doświadczalna do kontroli spoin i złączy spawnych [met.]
weld shape kształt spoiny [met.]
weld smoke dym spawalniczy [met.]
weld testing installation aparatura doświadczalna do kontroli spoin i złączy spawnych [met.]
weld through przetapiać (*spoinę*) [met.]
weld waterproof spawać wodoszczelnie; spawać wodotrwale [met.]
weld with full penetration przetapiać (*spoinę*) [met.]

well studnia [abc]; szyb okrągły [bud.]
well-balanced wyważony [masz.]
well capacity wydajność studni [abc]
well drilling wiercenie studzienne [bud.]
well-formed formula formuła doskonała [abc]
well-formed sentence zdanie doskonałe [abc]
well fragmented rozkruszony, rozdrobniony [górn.]
well grab chwytak studzienny; chwytak szybowy [transp.]
well making kopanie studni [bud.]
well rope wyciąg wody [bud.]
well shaft szyb studni [bud.]
well-treaded tyres (GB) ogumienie o dużej przyczepności [mot.]
well type furnace palenisko studzienne [energ.]
well wagon wagon-platforma z podłogą zagłębioną [mot.]
wellway szyb schodów ruchomych [transp.]
west zachód [abc]
westward zachodni, ku zachodowi; kierunek zachodni [abc]
wet moczyć; zwilżać [abc]
wet wilgotny, mokry [abc]
wet air cleaner filtr powietrza mokry [masz.]
wet-bottom boiler kocioł z paleniskiem odciekowym [energ.]
wet bottom furnace piec z płynnym żużlem na trzonie [energ.]
wet brake system układ hamulcowy mokry [mot.]
wet-bulb temperature temperatura termometru wilgotnego [abc]
wet brake hamulec mokry [mot.]
wet cylinder liner tuleja cylindrowa mokra; wkładka mokra [mot.]
wet cylinder sleeve tuleja cylindrowa mokra; wkładka mokra [mot.]
wet liner tuleja cylindrowa mokra; wkładka mokra [mot.]

wet multi-disk brake hamulec cierny wielopłytkowy mokry [mot.]

wetness wilgoć; wilgotność [abc]

wet run bieg mokry [mot.]

wet side mokra strona [abc]

wetting agent środek zwilżający [masz.]; środek nawilżający [abc]

wet steam para wilgotna [energ.]; para nasycona [mot.]

wetting zwilżający, zraszający [abc]

wet type dust collector odpylacz mokry [energ.]

wet-type master clutch sprzęgło główne mokre [masz.]

whattle plecionka [bud.]

wheel koło [mot.]; (→ camshaft timing gear w.; → cast iron disc w.; → cast iron spoked w.; → chain drive w.; → chain w.; → crown w.; → detachable w.; → diameter of w.; → disc w.; → fixed w.; → fly w.; → gear w.; → handw.; → light alloy disc w.; → plate w.; → reversing w.; → single w.; → spoked w.; → sprocket w.; → turbine w.; → twin w.; → V-belt w.)

wheel arrangement układ osi, rozmieszczenie kół; układ kół [mot.]

wheel assembly zestaw kołowy [mot.]

wheel balance wyważać koło [mot]

wheel barrow taczka [bud.]

wheelbase rozstaw osi; rozstaw kół [mot.]

wheel bearing łożysko koła [mot.]

wheel body tarcza kołowa; tarcza koła [mot.]

wheel boss piasta koła [mot.]

wheel brake hamulec koła [mot.]

wheel cambering pochylenie kół [mot.]

wheel castor wyprzedzanie sworznia zwrotnicy [mot.]

wheel centre tarcza koła; koło bose; piasta koła [mot.]

wheelchair wózek inwalidzki; fotel na kółkach [med.]

wheel chock klin; podstawka klinowa; podstawka klinowa pod koła [mot.]

wheel cylinder cylinder hamulcowy koła; rozpieracz hydrauliczny (*szczęk hamulca*) [mot.]

wheel diameter średnica koła [mot.]

wheel disc tarcza kołowa [mot.]

wheel disc brake hamulec tarczowy koła [mot.]

wheel drive napęd kół [mot.]

wheeled dozer spycharka samojezdna [mot.]

wheeled excavator koparka kołowa [transp.]

wheeled hydraulic excavator koparka kołowa z hydraulicznym napędem elementów roboczych [transp.]

wheeled undercarriage podwozie kołowe [transp.]

wheeled vehicle pojazd kołowy [mot.]

wheel flange obrzeże koła; obrzeże obręczy koła [mot.]

wheel hub piasta koła [mot.]

wheel lathe kołówka; tokarka do zestawów kołowych [masz.]

wheel lean pochylenie kół [mot.]

wheel lean adjusting regulacja pochylenia kół; ustawienie pochylenia kół [transp.]

wheel load obciążenie koła [mot.]

wheel mounting bolt sworzeń mocujący koło [mot.]

wheel mounting nut nakrętka mocująca koło [mot.]

wheel nut nakrętka koła [mot.]

wheel-nut pin *wewnętrzny element złącza gwintowanego na którym przy pomocy nakrętki mocuje się koło* [mot.]

wheel position indicator wskaźnik położenia kół [mot.]

wheel press prasa do zestawów kołowych [mot.]

W

wheel profile profil koła [mot.]
wheel puller ściągacz kół [mot.]
wheel rake pochylenie kół [mot.]
wheel reclaimer przyrząd mocujący koło czerpakowe [transp.]
wheel rim wieniec koła [mot.]
wheel seat podpiaście [mot.]
wheel set zestaw kołowy [mot.]
wheel set bearing łożyska kół [mot.]
wheel set capacity obciążenie kół [mot.]
wheel set load obciążenie kół [mot.]
wheel set pump pompa zestawu kołowego [mot.]
wheel set shaft wał zestawu kołowego [mot.]
wheel set shaft reference sheet karta informacyjna wałów zestawu kołowego [mot.]
wheel set test assembly stanowisko kontrolne zestawów kół [mot.]
wheel-set wheel koło napędowe [transp.]
wheel spider jarzmo przekładni obiegowej [mot.]
wheel spindle piasta osi [masz.]
wheel with tyre koło z obręczą [mot.]
whet ostrzyć (*na osełce*); szlifować [met.]
whirl zasysanie; wirowanie, ruch wirowy [abc]
whirlpool wir wodny; jacuzzi [abc]
whistle świstać [mot.]; gwizdać [abc]
whistle gwizdawka [mot.]
whistle chain łańcuszek gwizdawki [mot.]
whistle lever dźwignia gwizdawki [mot.]
white biały; blady, wybielony [abc]
white aluminium aluminium białe [norm.]
white bronze brąz biały [tw.]
white lead biel ołowiana [norm.]
white metal lining wyłożenie metalem białym [masz.]
white noise biały szum [el.]

white print kalka biała [abc]
whitewash bielić, pobielić [met.]
whitewashed wapnowany [bud.]
whole hops chmiel baldaszkowaty [bot.]
wholly całkowicie; zupełnie [abc]
wick knot [abc]
wick lubrication smarowanie knotowe [masz.]
wide rozległy, szeroki; daleki [abc]
wide area network (WAN) rozległa sieć komputerowa [inf.]
wide-band amplifier wzmacniacz szerokopasmowy [el.]
wide-band clamp opaska zaciskowa szerokopasmowa [masz.]
wide base tyre opona na szerokiej obręczy [mot.]
wide-body side-discharging car wóz z wyładowaniem bocznym o dużej pojemności [mot.]
wide-body wagon wagon wielkoprzestrzenny; wagon osobowy o dużej pojemności [mot.]
wide fuel type range taśma paliwowa szeroka [energ.]
widen poszerzać, rozszerzać [mot.]
widening rozszerzenie, poszerzenie [mot.]
wide spacing szeroki podział [energ.]
width szerokość; rozległość [abc]; rozpiętość [bud.]; (→ band w.; → carriage w.; → track pad w.; → track plate w.)
width crowning baryłkowatość (*wypukłość*) poprzeczna; beczkowatość [masz.]; wybrzuszenie [abc]; wypukłość, baryłkowatość [met.]
Wien bridge oscillator oscylator mostkowy Wiena [el.]
wildwood zagajnik; krzaki [bot.]
willow wierzba [bot.]
winch drążek skrętny, korba [masz.]; wciągarka, wyciąg [mot.]; kołowrót kablowy, kołowrót linowy [abc]; (→ hand cable w.)

winch base nośnik wciągarki [mot.]
wind owinąć; nawinąć, zwinąć [abc]; wyciągnąć, wywindować (*kołowrotem, korbą*) [abc]
wind wiatr [meteo.]
winder maszyna wyciągowa, wyciąg kopalniany [górn.]; kołowrót [narz.]; wciągarka kozłowa [masz.]; szpula do nawijania, bęben do nawijania [abc]
winding uzwojenie [el.]
winding machine nawijarka [el.]
winding tower (→ head gear) wieża szybowa; wieża wyciągowa [górn.]
wind power siła wiatru [meteo.]
wind power station elektrownia wiatrowa [energ.]
wind resistance opór powietrza [abc]
windscreen szyba przednia [mot.]
windscreen frame rama szyby przedniej [mot.]
windscreen opener uchylak szyby przedniej [mot.]
windscreen washer spłuczka szyby przedniej [mot.]
windscreen wiper (GB) wycieraczka szyby; spłuczka szyby przedniej [mot.]
windshield szyba przednia [mot.]
windshield wiper (US) wycieraczka szyby; spłuczka szyby przedniej [mot.]
window okno [bud.]; (→ crank operated w.; → door w.; → partition panel w.; → rear w.; → rear w.; → side w.; → sliding w.; → swivel w.; → ventilator w.)
window crank korbka podnośnika szyby okna [mot.]
window flap wziernik uchylny [masz.]
window frame ościeżnica okienna, futryna okienna, oboknie [bud.]
window gas strut sprężynka gazowa; rozpórka gazowa [mot.]

window grill krata okienna [bud.]
window guide rail szyna prowadząca okna [mot.]
window lifter podnośnik szyby okna [mot.]
window lifter rail szyna podnośnika szyby okna [mot.]
window management zarządzanie oknami [inf.]
window pane szyba okienna [bud.]
window rail seal szyna uszczelniająca okna [mot.]
window strip profil zaciskowy, uszczelka zaciskowa; profil uszczelki kształtowej [mot.]
window system system okien [inf.]
window washer spłuczka szyby przedniej [mot.]
windrow pryzma [transp.]
windrow spreader rozścielacz pobocza [transp.]
wine farmer winogrodnik [abc]
wine keg beczka do wina, beczka wina [abc]
wine press tłocznia, prasa [abc]
wine red czerwień winna [norm.]
winemaking implement tłocznia winiarska [abc]
wineskin bukłak, szawłok (*do wina*) [abc]
wing skrzydło [abc]; dobudówka, przybudówka [bud.]; błotnik [mot.]
wing bolt śruba skrzydełkowa; wkręt skrzydełkowy [masz.]
wing lamp światło postojowe [mot.]
wing nut nakrętka skrzydełkowa; nakrętka motylkowa [masz.]
wing screw śruba skrzydełkowa; wkręt skrzydełkowy [masz.]
wing station dworzec skrzydłowy [mot.]
wing stay wspornik błotnika [mot.]
wing tank zbiornik burtowy, zbiornik boczny [mot.]
winning urabianie [górn.]
winter zima [meteo.]

W

winter operation praca w warunkach zimowych [energ.]

winze ślepy szyb, ślepy szybik [górn.]

wiper szczotka stykowa [el.]; wycieraczka [mot.]

wiper arm ramię wycieraczki [mot.]

wiper blade pióro wycieraczki [mot.]

wiper motor silnik napędzający wycieraczki [transp.]

wiper ring pierścień tłokowy zgarniający [mot.]; pierścień ścierający [bud.]; uszczelka ścierająca; odgarniacz [transp.]

wiper width szerokość wycieraczki [mot.]

wiping seal uszczelka ścierająca [transp.]

wire odrutować, okablować [el.]

wire przewód drutowy, żyła (*np. kabla*) [el.]; drut [masz.]; (→ hard drawn w.; → heater w.; → sealing w.; → spring w.; → steel w.; → suspended w.)

wire brush szczotka druciana [narz.]

wire cross section przekrój poprzeczny przewodu [transp.]; przekrój kabla [el.]

wire cutter nożyce do drutu [narz.]

wired odrutowany, okablowany [el.]

wired circuit board płyta okablowana; płytka drukowana [el.]

wire diameter średnica drutu [masz.]

wire drawing ciągnienie drutu [masz.]

wire eroding erodowanie drutu [met.]

wire fastener connecting link ogniwo spinające drutowe, ogniwo łącznikowe drutowe [masz.]

wire gauge przymiar do drutu, sprawdzian do drutu [masz.]

wire guard krata druciana [masz.]

wire injection equipment nawijarka drutu [masz.]

wire leaf spring sprężyna kształtowa drutowa [masz.]

wireless radiowy, bez drutu [el.]

wire mesh siatka druciana [masz.]

wire-mesh fence płot z siatki drucianej [bud.]

wire mesh mattress mata izolacyjna z płaszczem zbrojonym; materac z siatką drucianą [energ.]

wire quality jakość drutu [masz.]

wire reinforcement skrętka drutowa [masz.]

wire resistor opornik drutowy [masz.]

wire rod drut walcowany [masz.]

wire rope lina stalowa, lina druciana [masz.]; kabel, drut [transp.]

wire spoked wheel koło szprychowe [mot.]

wire testing badanie drutu [miern.]

wiring przewody instalacji elektrycznej; okablowanie elektryczne [el.]

wiring diagram schemat zasadniczy połączeń; schemat (*montażowy*) połączeń; plan instalacji przewodowej; schemat okablowania, plan okablowania [el.]

wiring harness opancerzenie zespołu przewodów [el.]

wiring schematic schemat zasadniczy połączeń; plan instalacji przewodowej; schemat montażowy połączeń [el.]

wiring symbol symbol łącznika [el.]

wish życzenie [abc]

wishing wand (→ dowser's rod) różdżka [abc]

wish-wash interval częstotliwość wycierania i mycia [mot.]

with z [abc]

withdraw odciągać podjąć; wycofywać, wycofać [abc]; ściągać, zdejmować [mot.]; rabować (*obudowę*) [górn.]

withdrawal cofnięcie, wycofanie [abc]; zasysanie zwrotne; upust pary [energ.]

wither więdnąć [bot.]

with failures wadliwy, z brakami [abc]

within view na celu, na widoku; w zamiarze, celem; mając na względzie [abc]

without bez [abc]

without dimensions niezwymiarowany [rys.]

without gearing bez zazębiania [masz.]

withstand uporać się; wytrzymać [abc]

witness poświadczać, potwierdzać; przyglądać się [abc]

witness świadek [abc]

WL wagon sypialny [mot.]

wobble bicie osiowe, bicie wzdłużne; bicie boczne [masz.]

wobble trzepotać; chybotać; drgać [abc]

wobble plate tarcza sterująca, płyta sterowania okresowego [mot.]; krzywka tarczowa skośna [masz.]

wobbling disc tarcza sterująca, płyta sterowania okresowego [mot.]; krzywka tarczowa skośna [masz.]

wood (→ firewood) drewno [tw.]

wooden sleeper podkład drewniany [mot.]

wooden spoon łyżka dewniana [abc]

wooden tie podkład drewniany [mot.]

wood pulp celuloza, błonnik; masa celulozowa [tw.]

wood pulp board papa kartonowa drzewna [tw.]

wood screw wkręt do drewna, śruba do drewna [masz.]

wood shavings mączka drzewna, trociny [met.]

wooden church kościół drewniany (*zbudowany z bali drewnianych*) [abc]

wood-ruff marzanna wonna [bot.]

woods las, puszcza [bot.]

wool wełna [abc]; (→ mineral w.; → slag w.)

word słowo [abc]

wording sformułowanie; redakcja (*tekstu*); sposób wypowiedzenia; dobór słów [abc]

work pracować; działac, funkcjonować [abc]

work praca; zadanie; wytwór, dzieło [abc]; (→ clerical w.; → drilling w.; → exploratory w.; → labour intensive w.; → manual w.; → nightw.; → piecew.; → preliminary w.; → task w.; → w. commenced; → w. finished; → w. running)

workability urabialność, podatność do obróbki, obrabialność [bud.]

work arm ramię obciążenia; ramię ładunkowe [masz.]

workbench stół warsztatowy [masz.]

work certificate świadectwo; zaświadczenie; referencja [abc]

work-creation program pro*gram mający na celu stworzenie nowych miejsc pracy* [abc]

work drawing szkic roboczy (*budynku*) [transp.]

worked penetration penetracja po ugniataniu [masz.]

work external obrabiać na zewnątrz [abc]

work force siła robocza; pracownicy, personel [abc]; ludzka siła robocza [ekon.]

work function praca wyjścia; praca uwolnienia; praca wyjścia elektronu [el.]

work-in process zadania do przetworzenia [inf.]

working obróbka [met.]

working aisle bieg roboczy [transp.]; przejście robocze; cykl, obieg [mot.]; operacja robocza [inf.]

working area zasięg roboczy; prze-

W

strzeń pracy [transp.]; przestrzeń do pracy [abc]

working climate atmosfera pracy [abc]

working condition warunek pracy [abc]; warunek eksploatacji [masz.]

working cycle cykl pracy; cykl roboczy; czas jednostkowy [transp.]

working drawing rysunek wykonawczy, rysunek roboczy, rysunek warsztatowy [masz.]

working face przodek roboczy [górn.]

working fluid czynnik roboczy [energ.]

working hour godzina pracy; godzina robocza [abc]; roboczogodzina [energ.]

working length długość użytkowa [mot.]

working level poziom kopalniany; piętro; poziom wydobywczy [górn.]

working-life okres użytkowania; trwałość użytkowania [abc]

working light reflektor dodatkowy [mot.]

working line linia robocza; linia pomiędzy punktami pracy [transp.]

working load masa wirująca [transp.]; obciążnik mechanizmu odśrodkowego, masa zamachowa, bezwładnik regulatora odśrodkowego; obciążenie robocze [masz.]

working material regulation rozporządzenie o czynnikach roboczych [abc]

working medium czynnik roboczy [energ.]

working motion ruch roboczy [transp.]

working on shoulders obróbka poboczy, przeróbka poboczy [transp.]

working place miejsce pracy; stanowisko pracy [abc]; stanowisko robocze [ekon.]

working platform pomost roboczy [mot.]

working position położenie robocze [mot.]

working pressure ciśnienie robocze [transp.]

working property możliwość kształtowania; plastyczność, ciągliwość [masz.]; możliwość formowania [met.]

working range kąt obrotu, kąt skręcania [transp.]

working schedule harmonogram pracy; program pracy [abc]

working sequence sekwencja robocza (*szereg następujących po sobie czynności*) [abc]

working service trwałość użytkowania [transp.]; okres użytkowania [masz.]

working site miejsce pracy, stanowisko robocze [bud.]; stanowisko montażowe [abc]

working-site illumination kit zestaw elementów oświetleniowych [mot.]

working-slope stok roboczy [górn.]

working speed prędkość robocza [abc]

working stroke suw pracy, suw roboczy [mot.]

working time godziny pracy; czas pracy [abc]

working tool narzędzie pracy [narz.]

working variation odchylenie toczenia [masz.]

working voltage napięcie robocze, napięcie pracy [el.]

working width szerokość robocza, szerokość użytkowa [transp.]

work life okres użytkowania; trwałość użytkowania [abc]

workman robotnik; pracownik, pracobiorca [abc]

workmanlike zawodowy, profesjonalny; wykonany (*zrobiony, przeprowadzony*) fachowo; fachowy [abc]

workmanship wykonanie; jakość wykonania [abc]

work of emission praca uwolnienia [el.]

work on przerabiać; pracować dalej, nie przestawać pracować [abc]

work order number numer zlecenia [abc]

workpiece przedmiot obrabiany [masz.]

work planning planowanie pracy; planowanie zadań roboczych; organizacja procesu produkcyjnego; metoda planowania [abc]

work point punkt pracy, punkt roboczy [el.]

work processing sheet plan pracy [abc]

work running praca bieżąca [abc]

works fabryka; zakład produkcyjny; wytwórnia [abc]

works canteen kantyna zakładowa [abc]

works manager kierownik przedsiębiorstwa; kierownik zakładu [abc]

works managing kierownictwo zakładu [abc]

works railway kolej przemysłowa; kolej wewnętrzzakładowa [mot.]

workshop warsztat [abc]

workshop equipment wyposażenie warsztatu [masz.]

workshop manager kierownik działu [abc]

workshop manual podręcznik warsztatowy; podręcznik mechanika [abc]

works standard norma zakładowa [norm.]

work station stanowisko pracy [abc]; stacja robocza [inf.]

work stoppage przerwa w pracy, przestój [abc]

work time godziny pracy; czas pracy [abc]

worktime bonus dodatek uznanio-

wy [abc]

work together współdziałać [abc]

world models in language wzorce światowe w rozumieniu języka [inf.]

world models in vision wzorce światowe w rozumieniu obrazu [inf.]

worldwide coverage pokrycie ogólnoświatowe , zabezpieczenie o zasięgu światowym [praw.]

worm ślimak; przenośnik ślimakowy, przenośnik śrubowy [mot.]

worm and sector steering device przekładnia kierownicza ślimakowa [mot.]

worm crown gear wieniec koła ślimakowego [masz.]

worm drive napęd ślimakowy [mot.]

worm drive hose clip opaska zaciskowa ślimakowa [masz.]

worm-drive gear unit przekładnia ślimakowa [mot.]

worm gear przekładnia ślimakowa [mot]

worm gear drive napęd ślimakowy [mot.]

worm gear hub piasta koła ślimakowego [mot.]

worm gearing przekładnia ślimakowa [mot.]

worm gear shaft wał ślimakowy [masz.]

worm shaft wał ślimakowy [masz.]

worm type feeder przenośnik ślimakowy, przenośnik śrubowy [energ.]

worm wheel przekładnia ślimakowa [transp.]; koło ślimakowe, ślimcznica [masz.]

worm wheel rim wieniec koła ślimakowego [mot.]

worn zużyty [masz.]

wort brzeczka podstawowa [abc]

wound flexible spring sprężyna zginana pierścieniowa [masz.]

wrap-around cutting edge nóż o ostrzu wygiętym [narz.]; nóż obiegowy [mot.]

W

wrapped pakowany, opakowany, zapakowany; owinięty [abc]

wrapping pakowanie, opakowanie
[masz.]

wrapping paper bibułka [abc]

wreck wrak statku [mot.]

wrecker crane pojazd pomocy drogowej, samochód ciężarowy ratowniczy; dźwig awaryjny [mot.]

wrecker tooth hak do podnoszenia
wraków; zrywak [transp.]

wrench klucz (*maszynowy*) płaski
[narz.]; (→ adjustable w.; → ring
spanner box end w.; → spanner;
→ torque w.)

wrench head bolt śruba z łbem sześciokątnym [masz.]

wrinkles zmarszczki [med.]

wrist przegub ręki, nadgarstek
[med.]

wrist watch zegarek naręczny [abc]

write pisać; opracowywać [abc]

write off cost odpisywać, odliczać
[abc]; amortyzować [ekon.]

write up pisać sprawozdanie, pisać
raport [abc]

writer pisarz, literat; (→ author) autor [abc]

writing pismo, charakter pisma [abc]

writing speed prędkość zapisu [abc]

written termination wymówienie
pisemne [abc]

wrought iron żelazo zgrzewne; stal
zgrzewna; stal kowalna, stal kujna
[masz.]

wye trójnik rurowy [masz.]

X

X-axis oś odciętych [mat.]

X-cut cięcie (*na*) X [el.]

X-cut crystal kryształ o cięciu (*na*)
X [el.]

X-cut quartz kwarc o cięciu (*na*)
X [el.]

X-radiation promieniowanie rentgenowskie; promieniowanie X
[el.]

X-ray prześwietlać promieniami
rentgena [met.]

X-ray promień rentgenowski [el.]

X-ray examination badanie radiograficzne; badanie rentgenograficzne [miern.]

X-ray material testing badanie materiałów promienia rentgenowskimi [met.]

X-ray plant aparat rentgenowski
[el.]

X-ray testing testowanie promieniów-
mi rentgenowskimi [met.]

x-y recorder rejestrator x-y, pisak
x-y [el.]

Y

yacht jacht [żeg.]

yard jard [miern.]; podwórze, dziedziniec, plac [abc]; reja; stacja
rozrządowa [mot.]

yardstick przymiar jardowy; calówka; przymiar składany [abc]

Y-cut crystal kryształ o cięciu (*na*)
Y [el.]

Y-cut quartz kwarc o cięciu (*na*)
Y [el.]

Y-delta connection sterowanie
trójkąt-gwiazda; układ połączeń
gwiazda-trójkąt [el.]; przełączanie
trójkąt-gwiazda; regulacja trójkąt-
gwiazda [transp.]

year of erection rok budowy, rok
montażu [bud.]

year of make rok produkcji [abc]

year of manufacture rok produkcji
[abc]

years of employment staż pracy [abc]
yeast drożdże [abc]
yellow żółty [norm.]
yellow brass mosiądz [tw.]
yellowed zżółkły, pożółkły [abc]
yellow green zieleń żółta [norm.]
yellow gray szarzeń żółty [norm.]
yellow olive oliwka żółta [norm.]
yellow orange pomarańcza żółta [norm.]
yield point granica sprężystości; granica plastyczności; naprężenie graniczne przy umownym wydłużeniu całkowitym [masz.]
yield ratio *stosunek granicy plastyczności do wytrzymałości na rozciąganie* [masz.]
yield strength granica plastyczności, umowna granica plastyczności; naprężenie graniczne przy umownym wydłużeniu całkowitym [masz.]
yield stress naprężenie przy granicy wytrzymałości [masz.]
Y-jet burner palnik Y, palnik typu Y [energ.]
Y-jet type oil burner palnik Y, palnik typu Y [energ.]
yoke jarzmo (*łożyska, elementu ustalającego, uchwytu*); kabłąk, strzemię, obejma; czop zawieszenia obrotowego; zaczep (*złączka, przyrząd cięgłowy*) [masz.]; wodzik, krzyżulec; jarzmo nośne [mot.]; jarzmo chwytaka [transp.]
yoke end łeb widlasty [mot.]
yoke of catenary wire jarzmo liny nośnej (*sieci trakcyjnej*) [mot.]
Y-pipe krzywak podwójny; trójnik rurowy w kształcie litery Y [energ.]
y-voltage napięcie gwiazdowe [el.]

Z

Z-clamp płytka mocująca [masz.]
Zener breakdown przebicie Zenera [el.]
Zener diode dioda Zenera, dioda zenerowska [el.]
zero ustawiać na zero [abc]
zero miejsce zerowe, zero [mat.]
zero adjuster regulator punktu zerowego [transp.]
zero crossing przekraczanie zera [inf.]
zero-flow control suw zerowy [transp.]
zero in synchronizować [wojsk.]
zero line linia zerowa [abc]
zero position położenie pośrednie [energ.]; położenie obojętne; położenie zerowe [mot.]
zero setting on dial indicator czujnik zegarowy ustawiania położenia zerowego [miern.]
zero shift przesunięcie punktu zerowego; pełzanie zera [miern.]
zero wire przewód zerowy [el.]
Z-geometry dźwignia kątowa [mot.]
zig-zag path przebieg zygzakowaty [el.]
zig-zag road serpentyna [bud.]
zinc cynk [chem.]
zincal duplex Zincal duplex [masz.]
zinc alloy stop o podstawie cynkowej, stop cynku [tw.]
zinc-coated cynkowany, ocynkowany [met.]
zinc coating (→ coating of zinc) powłoka cynkowa [met.]
zinc dust pył cynkowy [górn.]
zinc dust gray cynk nieorganiczny [górn.]; szarzeń cynkowa [abc]
zinc-plated cynkowany, ocynkowany [met.]
zinc yellow żółcień cynkowa [norm.]

Z
X
Y

zip zamek błyskawiczny [abc]
zip code kod pocztowy [abc]
zipper zamek błyskawiczny [abc]
zirconium cyrkon [chem.]
zone strefa [energ.]; pas, strefa, pasmo [met]; (→ dead z.; → failure z.; → grinding z.; → moderate climatic z.; → shadow z.)
zone construction budowa pasowa [el.]
zone lens soczewka Fresnela [abc]
zone strip pas strefowy [abc]

SŁOWNIK
TECHNICZNY
polsko-angielski

■

TECHNICAL
DICTIONARY
Polish-English

A

abakus abacus (*counting board*) [mat.]

abdykować abdicate (*leave office prematurely*) [polit.]

abonent subscriber (*has service contract*) [transp.]

absolutny (absolutnie) absolute(-ly) [abc]

absorbować absorb [fiz.]

absorpcja absorption

absorpcyjność absorptive capacity [hydr.]

abstrahowanie danych data abstraction [inf.]

abstrakcyjny typ danych abstract data type [inf.]

abstrakt paper (*present a p.*) [abc]

acetylen acetylene [chem.]

adapter adapter [masz.]; adapter [el.]

adapter gramofonowy record player (*old: phonograph*) [abc]

adapter kablowy cable adapter [el.]

adapter szybkozmienny quick release bracket (*QR-bracket*) [masz.]

adaptować adapt [el.]

adhezja adhesion, adhesive strength [fiz.]

administracja administration [polit.]

administracja miasta town authorities [abc]

administrator administrator [abc]

administrator budynku manager (*commander of janitors*) [abc]

administrowanie elementami danych data element administration [inf.]

admitancja admittance [el.]

adnotacja w aktach memorandum [abc]

adnotacje comments (*remarks, notes*) [abc]

adres address (*where the letter goes*) [abc]

adres domowy home address (*e.g. on business cards*) [abc]

adresat addressee (*who receives*) [abc]

adwokat attorney (*sign: "Attorney at Law"*); attorney-at-law (*solicitor*); councellor, councellor for the defense (US); lawyer; advocate [praw.]

adwokat i notariusz notary public [prawn.]

aerozol aerosol [chem.]

agat agate [min.]

agencja informacyjna news agency [abc]

agencja ochrony security (*security guard, s. forces*) [abc]

agencja prasowa news agency [abc]

agent agent [ekon.]

agent przewozowy freight forwarder [mot.]

agent ubezpieczeniowy insurance broker [prawn.]

agrafka safety pin [abc]

agregat aggregate [masz.]

agregat klimatyzacyjny air condition [abc]

agregat pompowy pump set [transp.]

agregat z silnikiem wysokoprężnym diesel-driven generator [el.]

akcelerator accelerator (*gas pedal in car*) [mot.]

akcent emphasis [abc]

akceptacja acceptance [praw.]

akceptor acceptor [fiz.]

akcesoria accessories (*additional parts*) [masz.]; appliances [abc]

akcesoria elektryczne basic electrical accessories [el.]

akcja wycofywania (*wadliwych produktów*) recall campaign [abc]

akcja zima (*zastosowanie, użycie, praca w zimie*) winter application (*work in winter*) [abc]

akr acre (= *43560 ft² = 4048,93 m²*) [norm.]

akronim acronym [abc]

akryl acrylic (*acrylic resin paint*) [chem.]

aksjomat axiom (*in logic*) [abc]

akt oskarżenia charge (*Charges brought against you*) [praw.]

aktualizować update [inf.]; update [abc]

aktualny stan rozwoju techniki latest state of the art, state of the art [abc]

aktywa assets [ekon.]

aktywność sejsmiczna earthquake hazard (*seismicity*) [geol.]

aktywować activate (*respond*) [miern.]

akumulacja accumulation [abc]; enrichment [górn.]

akumulator accumulator [transp.]; battery [el.]

akumulator azotowy nitrogen accumulator [narz.]; gas accumulator [transp.]

akumulator ciśnienia przeponowy bladder type accumulator [mot.]; nitrogen accumulator [transp.]

akumulator napędowy drive battery [el.]

akumulator o dużej pojemności high capacity battery [el.]

akumulator przeponowy bellows-type accumulator (*tensioning*) [masz.]; gas accumulator, nitrogen accumulator [transp.]

akumulator rozruchowy starter battery [el.]

akumulować capitalize [ekon.]

akustyczna oporność pozorna acoustic impedance [akust.]

akustyczne urządzenie alarmowe audible alarm device [akust.]

akustycznie miękki sonically soft [akust.]

akustyczny acoustic (*not electronic*) [akust.]

akustyka acoustics [akust.]

akuszerka midwife [abc]

akwarium aquarium [abc]

akwedukt aqueduct (*aquaeduct*) [bud.]

akwen waters, waterways (*inland waterways to travel on*) [mot.]

alabaster alabaster [min.]

alarm alarm [abc]

alarm przeciwlotniczy air raid warning [wojsk.]

alarm przeciwwłamaniowy burglar alarm [abc]

alarm przekroczenia maksymalnego stopnia zadymienia spalin smoke density alarm [abc]

albedo albedo [inf.]

alchemik alchemist [chem.]

aleja parkway [mot.]

alfa alpha (*mostly angle, e.g. in triangle*) [abc]

alfabet alphabet [abc]

alfabetyczny (**alfabetycznie**) alphabetical(-ly) (*in alphabetical order*) [abc]

algorytm algorithm [abc]

algorytm sortowania sorting algorithm [inf.]

alit alite [min.]

alkaliczność alkalinity [chem.]

alkohol alcohol [chem.]

alkowa alcove [bud.]

alokacja danych data allocation [inf.]

altana garden hut, garden shed, garden house, garden pavilion, pergola [bud.]

alternator alternator [el.]

alternatywa alternative [abc]; disjunction [inf.]

aluminiowany ogniowo hot-dip aluminized [met.]

aluminium alu (*Aluminium, aluminium*) [masz.]

aluminium białe white aluminium [norm.]

aluminium szare gray aluminium [norm.]

ambasada embassy [polit.]

ambasador ambassador (*to the Court of Spain*) [abc]

ambona cockpit [mot.]; pulpit (*sermon from there*) [abc]

Ameryka Środkowa Central America [geogr.]

Amerykański Związek Automobilowy American Automobile Association (AAA) [mot.]

Amerykańskie Biuro Żeglugowe American Bureau of Shipping (ABS) [mot.]

Amerykańskie Normy Spawania American Welding Standards (AWS) [norm.]

Amerykańskie Stowarzyszenie Standaryzacji American Standard Association (ASA) [norm.]

ametyst amethyst [min.]

amfibia amphibious vehicle [mot.]

amortyzacja cushioning; damping [mot.]

amortyzator dampener, damper, attenuator, absorber, bumper (*e.g. hood shock, buffer*) [mot.]

amortyzator aluminiowy aluminium shock absorber [mot.]

amortyzator cierny friction damper [masz.]; friction shock absorber; snubber [mot.]

amortyzator drgań vibration damper [mot.]; balancer [masz.]

amortyzator gumowy rubber block support [masz.]

amortyzator hydrauliczny hydraulic shock absorber [mot.]

amortyzator kierownicy anti-kickback snubber [mot.]

amortyzator narożny corner bumper [mot.]

amortyzator o długim skoku long-stroke shock absorber [mot.]

amortyzator osłony silnika hood shock [mot.]

amortyzator pneumatyczny pneumatic spring [mot.]

amortyzator przedni front shock absorber [mot.]

amortyzator przemysłowy i motocyklowy industrial and motor-cycle shock absorber [mot.]

amortyzator specjalny special shock absorber [mot.]

amortyzator teleskopowy telescopic shock absorber; strut [mot.]

amortyzator tylny rear shock absorber [mot.]

amortyzator układu kierowniczego steering damper [mot.]

amortyzować absorb [fiz.]; dampen (*attenuate*) [el.]; write off cost [ekon.]

amortyzowany cushioned, vibration-cushioned [transp.]

amperomierz ammeter [miern.]

amplituda amplitude (*complex amplitude*) [fiz.]

amplituda ciśnienia akustycznego sound pressure amplitude, amplitude of sound pressure [akust.]

amplituda ciśnienia dźwięku amplitude of sound pressure [akust.]

amplituda impulsu przesunięć shifting pulse amplitude [el.]

amplituda impulsu pulse amplitude [el.]

amplituda przesunięć shifting amplitude [el.]

amplituda ruchu amplitude of movement [fiz.]

amplituda zespolona complex amplitude [el.]

amunicja ammunition [wojsk.]

amunicja strzelnicza blasting charge [wojsk.]

analityk analyst [chem.]

analiza analysis (*plural: analyses*) [miern.]

A

analiza błędów analysis of mistakes [mat.]

analiza częstotliwościowa frequency analysis [miern.]

analiza danych upadomierza analysing dipmeter logs [inf.]

analiza dynamiczna dynamic analysis [inf.]

analiza elementarna ultimate analysis [miern.]

analiza finansowa financial analysis [inf.]

analiza kierunkowa reference analysis [miern.]

analiza kształtu z cieniowania shape from shading [inf.]

analiza obrazu w zwiększonej rozdzielczości multiple-scale image analysis [inf.]

analiza protokołów protocol analysis [inf.]

analiza przydatności podłoża analysing subsurface tilt [transp.]

analiza rysunku liniowego line-drawing analysis [inf.]

analiza sitowa sieve analysis [górn.]

analiza składniowa oddolna bottom-up parsing [inf.]

analiza składniowa zdań parsing sentences [inf.]

analiza skrócona approximate analysis, proximate analysis [miern.]

analiza spalin flue gas analysis, waste gas analysis [energ.]

analiza spektralna spectral analysis (*tells on material*) [abc]

analiza spektrogramów masowych mass spectrogram analysis, analysing mass spectrograms [miern.]

analiza statyczna static analysis [inf.]

analiza strukturalna structural analysis [masz.]

analiza strumienia ruchu traffic analysis [inf.]

analiza surowcowa raw material analysis [miern.]

analiza syntaktyczna ograniczająca constraint-based sentence analysis [inf.]

analiza środków i celów means-ends analysis [inf.]

analiza techniczna przybliżona approximate analysis [miern.]

analiza układów elektronicznych electronic circuit analysis [inf.]

analiza węzłowa nodal analysis [el.]

analizator analyser [miern.]

analizator spalin gas analyzer, automatic gas analyser [energ.]

analizator syntaktyczny parser [inf.]

analizy pracy method studies [abc]

analizy rynku i współzawodnictwa (*konkurencji*) market and competition analysis [ekon.]

analizy sprzedaży towaru saleability analyses [inf.]

analogia analogy; similarity [abc]

analogia geometryczna geometric analogy [inf.]

anatomia anatomy [med.]

anatomiczny anatomic [med.]

aneks appendix [abc]

angażować employ [abc]

anihilacja annihilation [abc]

ankieta questionnaire [abc]; opinion poll (*e.g. at all subsidiaries*) [polit.]

anodować anodize [masz.]

anodowany anodized [masz.]

anodyzowanie anodic treatment [masz.]

anonimowość anonymity [abc]

antena aerial (GB); antenna (*aerial on home*) [abc]

antena dachowa roof aerial (GB), roof antenna (US) [abc]

antena o zasilaniu dławikowym tubular VHF aerial (*in airplane*) [mot.]

antena radia samochodowego radio aerial [el.]

antena wtykowa plug-in antenna [el.]

antenat ancestor [abc]

antidotum antidote [med.]

antracyt anthracite (*coal*) [górn.]

antydatowanie retroaction date [praw.]

antyelektrostatyczny anti-static [fiz.]

antykwaryczny antique [abc]

anulować abort, cancel, kill [inf.]

anulowanie zadania cancel (*cancellation*) [inf.],

anuluj (*komenda użyta przez operatora przerywająca pracę programu*) cancel (*cancellation*) [inf.]

aparat do malowania natryskowego paint splatter, overspray of paint [norm.]

aparat do odsalania wody ze złożem mieszanym mixed-bed demineralizer [energ.]

aparat do regeneracji oleju oil cleaner [masz.]

aparat jig [masz.]

aparat kierujący diffuser [mot.]

aparat kreślarski drawing machine, drafting machine [bud.]

aparat Orsata levelling bottle (*Orsat analyser*) [energ.]

aparat Orsata Orsat gas analyser [miern.]

aparat radiolokacyjny speed gun [mot.]

aparat rentgenowski X-ray plant [el.]

aparat wyparny evaporator [energ.]

aparat zawieszający hanging apparatus [transp.]

aparatura badawcza test installation, test equipment [miern.]

aparatura do obróbki stali ciekłej equipment for ladle treatment of liquid steel [met.]

aparatura doświadczalna do kontroli spoin i złączy spawnych weld seam testing equipment, weld testing installation [met.]

aparatura doświadczalna test tool, pilot plant [narz.]

aparatura łączeniowa switch gear [el.]

aparatura rozdzielcza switch gear [el.]

aplikacja bez danych database application [inf.]

aprobowany acknowledged [abc]

aproksymacja approximation [mat.]

arbiter arbitrator (*in Court of Arbitration*) [praw.]

archaiczny archaic [abc]

archeolog archaeologist (*archeologist*) [abc]

architekt architect [bud.]

architekt ogrodowy landscaping gardener [roln.]

architektura architecture [bud.]

architektura dokumentów biurowych office document architecture [inf.]

architektura przepływu danych data flow architecture [inf.]

architektura typu RISC RISC-architecture [inf.]

archiwizacja archiving [abc]

argon argon [chem.]

argument variable [mat.]; argument [abc]

arkusz blachy grubej coarse metal sheet [masz.]

arkusz blachy plate metal sheet [masz.]

arkusz plate [bud.]; sheet (*of metal*) [masz.]; grass panelling [bud.]

arkusz pomiarowy test sheet [miern.]

arkusz wymiarowy dimension sheet [rys.]

arkusz wymiarowy i osiągów dimension and performance sheet [rys.]

arkusz wymiarów dimension sheet [rys.]

arkusze blachy i taśmy ze stali szlachetnej stainless steel sheets and strips [masz.]

armata gun; cannon [wojsk.]

armator shipowner [mot.]

armatura armature [masz.]; fittings [abc]

armatura do węża hose fixture [masz.]

armatura drobna valves and fittings [energ.]

armatura kotła boiler fittings [energ.]

armatura okrętowa ship-armature [mot.]

armatura próżniowa vacuum fittings and accessories [masz.]

armia army [wojsk.]

aromat fragrance [abc]

arsenał ammunitions dump (US); armoury; Arsenal [wojsk.]

artefakt artifact [abc]

arteria artery [med.]

artykuł firmowy brand-name product [abc]

artykuł wstępny editorial [abc]

artykuły biurowe office supplies (*punch, tacker, ink*) [abc]

artykuły gumowe i taśmy przenośnikowe rubber mats and conveyor belts [masz.]

artykuły gumowe rubber mats [masz.]

artykuły gumowe wielkopowierzchniowe big rubber mats [masz.]

artykuły konsumpcyjne consumables [abc]

artykuły pierwszej potrzeby utensils [abc]

artykuły reklamowe advertising items; publicity articles; giveaways [abc]

artykuły spożywcze groceries [abc]

artyleria artillery [wojsk.]

artysta estradowy entertainer (*showmaster, soloist*) [abc]

asfalt asphalt; black top material, blacktop material [mot.]

asfaltobeton asphalt concrete [bud.]

ash jesion [bot.]

asortyment (*wyrobów*) assortment, division [abc]

asortyment produkcyjny manufacturing line [transp.]

asortyment wyrobów product line, product range (*product area, -field*) [abc]

aspekt aspect [abc]

ASR (*system kontroli przeciwpoślizgowej*) ASR(*anti-slip control*) [mot.]

assembler assembler [inf.]

astrofizyk astrophysicist (*determines stars*) [fiz.]

astrolog astrologer [abc]

astronauta astronaut [abc]

astronom astronomer (*observes stars*) [abc]

astronomia astronomy (*science of space*) [abc]

asymetryczny asymmetrical [abc]; offset [transp.]

asystent mierniczego górniczego deputy surveyor (*deputy mining surveyor*) [górn.]

atakować attack [abc]

atest jakości company certificate [abc]

atest zakładu company certificate [abc]

atestacja life-cycle validation [inf.]

atlas atlas (*book of maps*) [abc]

atmosfera (*jednostka fizyczna pomiaru ciśnienia powietrza*) atmosphere (*gauge pressure*) [miern.]; atmosphere (*good atmosphere*) [abc]

atmosfera pracy working climate [abc]

atmosfera redukująca reducing atmosphere [chem.]

atmosfera utleniająca oxydizing atmosphere [chem.]

atmosfera zewnętrzna outside air [abc]

atmosferyczny atmospheric [abc]

atom atom (*part of molecule*) [chem.]

atomizator atomizer, spray can [abc]
atomowy (*atomic*) nuclear [fiz.]
atrakcja attraction, highlight [abc]
atrakcyjność attraction [abc]
atrakcyjny attractive [abc]
atrament do drukarki printer's ink [abc]
atrybut attribute [abc]
audycja informacyjna news magazine [abc]
audytorium auditorium [abc]
austenit austenite (*term of metallurgy*) [masz.]
austenityczny austenitic [masz.]
autobus bus, coach (*car, carriage, vehicle*) [mot.]
autobus dowożący do terenu targów fair bus [abc]
autobus dwupokładowy double-decker [mot.]
autobus miejski city bus [mot.]
autobus piętrowy double-decker [mot.]
autobus szkolny (*gimbus*) school bus [mot.]
autobus szynowy railbus [mot.]
autobus wahadłowy (*lotniskowy*) airport shuttle [mot.]
autobus z silnikiem wysokoprężnym diesel motor coach (*diesel motor car*) [mot.]
autobus-szpital ambulance coach [med.]
autokar wycieczkowy tour bus [mot.]
autoklaw autoclave [chem.]
automat do zamykania drzwi door closing device [mot.]
automat sprzedający papierosy cigarette machine (*vending machine*) [abc]
automatyczna kontrola ścierania hamulców device which monitors the brake wear [transp.]
automatyczna skrzynia biegów automatic gearbox [mot.]

automatyczna waga węglowa automatic coal weighing machine, automatic coal machine, weigh larry, weighing machine [miern.]
automatyczne blokowanie kubła automatic bowl latch; automatic skip latch [transp.]
automatyczne odnajdywanie ścieżki dostępu pathfinding [inf.]
automatyczne prowadzenie koparki automatic shovel guidance [transp.]
automatyczne prowadzenie łyżki poziomej automatic guidance for horizontal bucket [transp.]
automatyczne smarowanie łańcucha automatic chain lubrication [transp.]
automatyczne sprzęgła zasilane gazem płuczącym automatic coupling stations for purging gas supply [masz.]
automatyczne urządzenie testujące automatic test installation [miern.]
automatyczne ustawianie kubła (*czerpaka*) bucket positioner [transp.]
automatycznie automatically [abc]
automatyczny automatic [abc]
automatyczny analizator gazu automatic gas analyser [energ.]
automatyczny rozłącznik obciążenia circuit breaker (*fused circuit b.*) [el.]
automatyczny spust wody water trap, automatic drain [mot.]
automatyczny system oceny automatic evaluation system [inf.]
automatyczny talerz obrotowy automatic casing drive adapter [transp.]
automatyczny układ kolejnego włączania automatic sequence (*soot blower*) [energ.]
automatyczny układ ponownego

A

włączania automatic reconnection circuit [transp.]

automatyczny wyłącznik czujnika silnika automatic circuit breaker for motor monitor [mot.]

automatyczny wyłącznik hamulca automatic circuit breaker for brake [mot.]

automatyczny wyłącznik lampy montażowej automatic circuit breaker for inspection lamp [transp.]

automatyczny wyłącznik transformatora automatic circuit breaker for transformer [el.]

automatyczny wyłącznik wentylatora automatic circuit breaker for blower [aero.]

automatyczny zawór sterujący automatic shift valve [masz.]

automatyzacja automation [abc]

automatyzacja i technika systemów automation and system technology; automation and systems engineering [masz.]

automatyzacja prac administracyjno-biurowych office automation [inf.]

automatyzacja procesu automatic process control [abc]

automatyzacja przemysłowa industrial automation [abc]

autor author [abc]

autorytet authority (*a well-reputed expert*) [abc]

autostrada highway; motorway; Expressway [mot.]

autostrada bezpłatna freeway [mot.]

autostrada międzystanowa Interstate (*e.g. I 10, Freeway*) [mot.]

awans career (*promotion, rise*) [abc]

awansować (*kogoś*) promote [abc]

awaria break-down, disturbing [abc]; failure [mot.]

awaria morska average (*maritime disaster, mishap*) [mot.]

awaryjne sterowanie pompą emergency-steering pump [mot.]

awizo wysyłki advice note; dispatch note [mot.]

azbest asbestos [chem.]

azot nitrogen [chem.]

azotowany nitrided [tw.]

B

baba kafara pile driver, ram [bud.]

bać się fear (*f. something*) [abc]

badać examine, inspect, check [abc]; interrogate [polit.]; scan [transp.]

badanie (*naukowe*) research; examination; investigation [abc]

badanie bezdotykowe non-contact scanning, gap scanning [miern.]

badanie chropowatości powierzchni surface crack test [miern.]

badanie ciśnienia bocznego pressiometric tests [bud.]

badanie cząstkowe indukcyjne participle and eddy current testing [miern.]

badanie dotykowe contact scanning [miern.]

badanie drutu wire testing [miern.]

badanie główne main revision [mot.]

badanie i rozwój research and development, R&D [abc]

badanie jakości quality test [miern.]

badanie kalorymetryczne calorimetric test [energ.]

badanie kontaktowe contact scanning [miern.]

badanie luzu clearance investigation [bud.]

badanie magnetyczne proszkowe magnetic particle inspection [masz.]

badanie magnetyczne proszkowe materiałów magnetic particle and eddy current testing [miern.]

badanie materiałów material test, materials testing (*rocks for tools*) [miern.]

badanie materiałów nieniszczące non-destructive testing [miern.]

badanie materiałów promieniami rentgenowskimi X-ray material testing [met.]

badanie na ścinanie shear test [masz.]

badanie naukowe scientific research [abc]

badanie odporności na cykle temperaturowe spalling test [masz.]

badanie odporności na działanie kwasu solnego test with hydrochloric acid [bud.]

badanie odporności na kwas solny test with hydrochloric acid [bud.]

badanie (penetracja) gruntu w miejscu budowy foundation exploration in-situ [bud.]

badanie penetracyjne i defektoskopia magnetyczna proszkowa liquid penetration and magnetic particle test [norm.]

badanie penetracyjne liquid penetration test [norm.]

badanie podstawowe rudimentary inspection [med.]

badanie powtórne retest [abc]

badanie przy odbiorze acceptance inspection, acceptance test [miern.]

badanie radiograficzne radiographic examination; X-ray examination [miern.]

badanie radiologiczne transmission test inspection; radiography [miern.]

badanie rentgenograficzne X-ray examination [miern.]

badanie ręczne manual testing [abc]

badanie skłonności do pękania crack test [miern.]

badanie symetryczne back-to-back testing [inf.]

badanie technologiczne procedure test (*welding procedure test*) [met.]

badanie terenowe field investigation [abc]

badanie trwałości stability check [el.]

badanie tworzyw nieniszczące non-destructive testing [miern.]

badanie ultradźwiękowe ultrasonic test, U.T.; ultrasonic inspection; through-transmission [miern.]; US testing (*ultra-sonic testing*) [met.]

badanie własności mechanicznych (własności wytrzymałościowych) gruntu investigation of mechanical properties of soil [bud.]

badanie własności mechanicznych experimental stress analysis [miern.]

badanie wstępne preliminary investigation [abc]

badanie wzrokowe visual inspection [abc]

badany ultradźwiękowo ultrasonic tested [el.]

bagassa bagasse [energ.]

bagaż luggage, baggage [mot.]

bagażnik boot (GB); luggage boot (*trunk*) [mot.]

bagażowy porter; skycap [mot.]

bagnisty swampy [abc]

bagno moor, swamp, bog [geol.]

bajt byte (*quantity of 8 bits*) [inf.]

bak fuel tank [mot.]; vessel [masz.]

bakteriologiczny bacteriological [med.]

bal plank [transp.]

balast ballast (*also in counterweight*); dead weight [mot.]

baldachim canopy [transp.]

balka poprzeczna bolster [mot.]

balkon balcony; circle (*e.g. dress circle in theatre*) [bud.]

balkon cofnięty loggia [bud.]

balon balloon [abc]

B

balon gazowy gas balloon (*mostly hydrogen-filled*) [mot.]

balon na ogrzane powietrze hot-air balloon [mot.]

balustrada balustrade, rag [bud.]; balustrada [transp.]

balustrada chodnika footway railing [bud.]

balustrada pełnościenna massive balustrade [transp.]

balustrada pośrednia intermediate balustrade [transp.]

balustrada solidna HD balustrade [transp.]

balustrada szklana glass balustrade [transp.]

balustrada wewnętrzna inside balustrade; interior panel [transp.]

balustrada zewnętrzna outside balustrade [transp.]

bandaż (*kabla*) fabric reinforcement [bud.]

bank bank [abc]

bank danych data base (*contains additional information*), database [inf.]

bańka miedziana copper pot [abc]

bańka na olej oil can [abc]

bańka na paliwo fuel can [mot.]

bar szybkiej obsługi snack bar [abc]

barak barrack, shed, bothie, cabin, site hut (*GB: workmen's shelter*) [bud.]

baraki (*zespół baraków*) hutments (*several sheds*) [bud.]

bardzo zadowalający wkład very satisfactory contribution [abc]

bariera balustrade [bud.]; barrier [transp.]

bariera dźwięku sound barrier (*also figurative*) [akust.]

bariera ochronna guard rail [bud.]; protective safety handrail [transp.]; railing [mot.]

bariera podnoszona turnpike [abc]

bariera ruchoma turnpike [abc]

bark (*typ żaglowca*) bark [mot.]; shoulder [abc]

barka barge (*US: scow*); dumb barge [mot.]

barka mieszkalna house boat [mot.]

barka motorowa motor barge, dumb barge [mot.]

barka płaskodenna punt [mot.]

barka promowa ferry barge [mot.]

barkas launch [mot.]

barwa color (*GB: colour*); dye [abc]

barwić dye; tint [abc]

barwienie colouring [abc]

barwiony w masie pulp-coloured [met.]

barwny colourful [abc]

baryłkowatość (wypukłość) poprzeczna width crowning (*milling of teeth*) [masz.]

baryłkowatość width crowning [met.]

baryt heavy spar (*baryte*) [tw.]

basen basin [hydr.]; pond [abc]; reservoir; water tank, water basin [bud.]

basen jachtowy marina [mot.]

baszta zamkowa castle-tower [bud.]

bateria battery (*in lamp and artillery*) [el.]

bateria akumulatorów ołowiowych lead battery [el.]

bateria zapasowa spare battery [el.]

bawełna cotton [abc]

bawełna prasowana compressed cotton [tw.]

baza base (*e.g. USAF Base*) [wojsk.]; base [el.]; base; basis [abc]

baza danych data base (*contains additional information*), database [inf.]

baza kolumny kotła boiler column base plate; column footing [energ.]

bazalt basalt [min.]

bąbel bubble [abc]

bąk top (*he was turning like a t.*) [abc]

BCGS BCGS (*bogie covered goods steel wagon*) [mot.]

beczka drum (*for small workshops*); (*do transportu materiałów*) packing drum; keg; barrel; vat (*tub*) [abc]

beczka blaszana steel drum [abc]

beczka do transportu substancji chemicznych barrel for the transport of chemicals [chem.]

beczka do transportu środka klejącego keg for the transport of glues [masz.]

beczka do wina wine keg (*cylindrical*) [abc]

beczka na odpady radioaktywne drum for radioactive waste [masz.]

beczka na piwo beer keg [abc]

beczka na substancje toksyczne drum for poisonous substances [masz.]

beczka transportowa ze stali szlachetnej stainless steel transport barrel [masz.]

beczka ze stali szlachetnej stainless steel keg [tw.]

beczkowatość crowning [tw.]; width crowning (*milling of teeth*) [masz.]

beczkowóz tank car [mot.]

beczułkowatość crowning [tw.]

bednarka steel strip; band iron strap; strapping, band iron strapping; hoop-steel [masz.]; narrow strip [tw.]

bednarka ciągniona na zimno cold rolled steel strip [masz.]

beeper biper [telkom.]

bela bale [abc]

bela sprasowana compressed bale [tw.]

belka beam (*of wood*); girder (*buckstay*); log [bud.]; bar [masz.]

belka dwuteowa double-T beam; rolled steel joist (*R.S.J.*) [masz.]; joist [bud.]

belka nadproża lintel beam (*head; over door, window*) [bud.]

belka nośna lifting beam; sole bar [mot.]; traverse; centre part (*centre body*) [transp.]

belka nożowa cutter bar [tw.]

belka obudowana cladded girder, jacketed girder [energ.]

belka odbojowa rubbing strip [masz.]

belka osi przedniej front axle beam [mot.]

belka osłonięta cladded girder, jacketed girder [energ.]

belka podnośna pivot bar [masz.]

belka podrusztowa skid bar [energ.]

belka poprzeczna channel [masz.]

belka poprzeczna cross member, cross bar, crossbar, traverse, transverse girder, transverse spar [tw.]; equalizer bar [masz.]

belka poprzeczna rurowa tubular cross member [masz.]

belka stropowa joist [bud.]

belka teowa T-section, T-bar buckstay, T-beam [masz.]

belka wahadła bogie beam (*oscillating chain carrier*) [transp.]

belka wiązania dachowego rafter (*part of roof skeleton*) [bud.]

belka zderzakowa buffer beam [mot]

belki wręgowane rebated timbers [mot.]

belkowanie do zawieszenia dzwonu bell frame [bud.]

benzyna petrol (GB); gas (*US: gasoline*) [mot.]

benzyna do prania chemicznego petroleum ether, benzine [chem.]

benzynowy silnik rozruchowy gasoline starter engine [mot.]

beton concrete [bud.]

beton asfaltowy asphalt concrete (*in wearing course*) [mot.]

beton elewacyjny exposed concrete (*fair-faced concrete*) [bud.]

beton lany cast concrete [bud.]

B

beton lekki lightweight concrete [bud.]

beton licowy facing concrete [bud.]

beton natryskowy air-placed concrete, shotcrete [bud.]

beton płuczkowy exposed aggregate concrete [bud.]

beton sprężony prestressed concrete, reinforced concrete [bud.]

beton wapienny lime concrete [bud.]

beton zwykły normal concrete [bud.]

betoniarka z mieszalnikiem wywrotnym non-tilt drum-mixer [mot.]

bez *without* (w/o) [abc]

bez domieszek neat [abc]

bez drutu wireless [el.]

bez karbów chatterfree [masz.]

bez kruszywa ballast-less [mot.]

bez ładunku unladen [abc]

bez napięcia stress free [masz.]

bez podszewki unlined [abc]

bez połysku matt [abc]

bez poślizgu (*pracujący*) non-slip [mot.]

bez powłoki without any coating [abc]

bez substancji mineralnych mineral matter free (*Mm free*) [energ.]

bez szwu seamless [met.]

bez tarcia friction-free [abc]

bez teki (*minister*) not in charge of a section [abc]

bez usuwania rąbków not deburred [masz.]

bez wad flawless, flaw free, no defaults [abc]; free from cracks [bud.]

bez włókien non-fibre [abc]

bez zazębiania without gearing (*e.g. slewing ring*) [masz.]

bezan mizzen (*mizzen sail*) [mot.]

bezanmaszt mizzen mast [mot.]

bezbarwny colourless [abc]

bezbłędny faultless, immaculate, no defaults [abc]

bezciśnieniowy pressure-free [transp.]; pressureless [mot.]

bezdętkowy tubeless [mot.]

bezdroże off-highway (*e.g. lorry*); offroad [mot.]

bezkręgowiec invertebrate animal [bot.]

bezleśny tree-less (*without any trees*) [bot.]

beznapięciowy twist-free; nonrotating [masz.]

bezobsługowy maintenance-free [abc]

bezolejowy oil-free [energ.]

bezołowiowa unleaded (*gasoline*) [mot.]

bezpieczeństwo security [polit.]; safety (*for your own safety*) [abc]

bezpieczeństwo państwa national security [polit.]

bezpieczeństwo pracy safety at work [abc]

bezpieczeństwo ruchu lotniczego aviation safety [wojsk.]

bezpiecznik fuse [el.]; safety lock [masz.]

bezpiecznik czuły miniature fuse [el.]

bezpiecznik główny main fuse [transp.]

bezpiecznik nieosłonięty open wire fuse [el.]

bezpiecznik przeciążeniowy overload protection, overload relay, thermal overload, overload [transp.]

bezpiecznik samoczynny automatic fuse [el.]

bezpiecznik termiczny heating fuse [transp.]

bezpiecznik topikowy fuse, phase fuse (*cartridge*) [el.]

bezpiecznik (topikowy) zwłoczny slow to blow fuse [el.]

bezpiecznik wkrętowy screw type retainer [mot.]

bezpodstawny unfounded [abc]
bezpopiołowy ash free [miern.]
bezpośredni direct [mot.]; live [inf.]; straight (*honest*) [abc]
bezpośredni wtrysk (*paliwa*) direct injection [mot.]
bezpośrednie wskazanie impulsu nadawczego direct scanning indication [abc]
bezprądowy de-energized [mot.]
bezprzedmiotowy unfounded [abc]
bezpyłowy dust-free [abc]
bezrobotny jobless, unemployed, fired [abc]
bezstopniowy infinitely variable [abc]
bezstronny impartial [abc]
beztarciowy frictionless [abc]
beztorsyjny torsion-free [masz.]
bezudarowy non-surge; smooth [mot.]
bezuderzeniowy non-surge [mot.]
bezusterkowy faultless (*unobjectionable*) [abc]
bezwirowy twist-free (*pitch-free*); non-rotational (*current; flow*) [mot.]
bezwładnik regulatora odśrodkowego working load [masz.]
bezwładność inertia [abc]; steady load [masz.]
bezwładny inert [abc]; slow to blow (*fuse*) [el.]
bezwodnik anhydride [chem.]
bezwodny i bezpopiołowy moisture and ash free [energ.]
bezwymiarowy non-dimensional [mat.]
bezwzględny (bezwzględnie) absolute(-ly) [abc]
beż szary gray beige [norm.]
beż zielony green beige [norm.]
beżowo-brązowy beige brown [norm.]
beżowo-czerwony beige red [norm.]
beżowo-szary beige gray [norm.]
beżowy beige [norm.]

bęben cylinder, ton [mot.]; reel [el.]; drum [abc]
bęben do nawijania winder, bobbin [abc]
bęben do nawijania kabla cable reel [el.]
bęben do rozwijania de-coiling reel [transp.]
bęben hamulcowy brake drum [mot.]
bęben kablowy cable drum; cable reel (*e.g. excavator/field switch*) [transp.]
bęben linowy cable drum [transp.]; cable reel [el.]; hoisting drum [mot.]
bęben mielący grinding drum [energ.]
bęben napinający tensioning device [transp.]
bęben odmieszalnikowy steam-and-water drum [energ.]
bęben podłużny longitudinal drum [energ.]
bęben tnący cutting drum (*drum; cuts face*) [górn.]
bęben wyciągarki hoisting-gear drum [transp.]
bęben wysięgnika jib drum (*crane*) [transp.]
bęben zrzutowy discharge pulley [transp.]
bęben zwrotny rusztu rear idler drum of grate [energ.]
bęben zwrotny rusztu tylny rear idler drum [energ.]
biały white [abc]
biały jak chmury cloud white [norm.]
biały metal babbitt [met.]
biały szum white noise [el.]
biblioteka library [abc]
biblioteka miejska public library [abc]
biblioteka publiczna public library [abc]
bibułka wrapping paper [abc]

B

bicie boczne wobble [masz.]

bicie osiowe wobble [masz.]

bicie poprzeczne raceway radial runout [masz.]

bicie wzdłużne wobble [masz.]

bić beat (*be victorious*) [wojsk.]

bić młotkiem hammer [met.]

bieg gear (*e.g. 4th gear*) [mot.]; running [masz.]

bieg (do jazdy) w przód forward gear, forward speed [mot.]

bieg jałowy idle gear; idle; idle running, no-load operation [mot.]

bieg jałowy niski low idle [mot.]

bieg kontrolny inspection run (*control run*) [transp.]

bieg mokry wet run (*oppos.: dry run*) [mot.]

bieg przełajowy cross country [abc]

bieg roboczy working aisle [transp.]

bieg rzeki river course (*river bed*) [abc]

bieg schodów prosty straight ramp [bud.]

bieg spokojny quiet running [mot.]

bieg symulacyjny simulation run [inf.]

bieg szosowy (*skrzynki przekładniowej*) road gear [bud.]

bieg szosowy i terenowy (*skrzynki przekładniowej*) road and offroad gear [mot.]

bieg szybki rapid [masz.]

bieg taśmy tape-run [inf.]

bieg terenowy offroad gear [mot.]

bieg wolny low speed [mot.]

bieg wsteczny retraction [energ.]; reverse gear [mot.]

biegun pole (*end of axis, electric connect*) [el.]

biegun baterii terminal (*a short between terminals*) [el.]

biegun dodatni positive pole [el.]

biegun dominujący dominant pole [el.]

biegun magnesu magnetic pole [fiz.]

biegun magnetyczny magnetic pole [fiz.]

biegun ujemny negative pole [el.]

biegunowość polarity [el.]

biel czysta pure white [norm.]

biel kremowa cream [norm.]

biel ołowiana white lead [norm.]

biel papirusowa papyrus white [norm.]

biel perłowa oyster white [norm.]

biel policyjna police white [norm.]

biel szara gray white, off-white [norm.]

bielizna linen goods [abc]

bieżący running (*per running meter, foot*) [abc]

bieżnia path (*race*) [mot.]; raceway [masz.]; track [mot.]

bieżnia łożyska tocznego journal (*on axle or wheelset*) [masz.]

bieżnia nośna supporting raceway (*in support ring*) [masz.]

bieżnia pierścieniowa live ring [mot.]; slewing ring (*for excavator, crane*) [transp.]

bieżnik tread [mot.]

bieżnikowany retread (*tires*) [mot.]

bieżnikowany obrotowo retread [mot.]

bifilarny twisted (*paired*) [abc]

bijak beater, hammer, lump hammer [narz.]

bijak podwieszony hinged beater [energ.]

bijący rekordy record-breaking [abc]

bilans balance [energ.]

bilans mocy power balance chart [transp.]

bilet ticket (*railway ticket, train ticket, tram ticket, bus ticket*) [mot.]

bilet parkingowy parking ticket (*under wiper blade*) [mot.]

bimetal bi-metal [el.]

binarny binary (*data, information*) [mat.]

biodro hip [med.]

biologiczny biological [bot.]
biologiczny efekt stereo biological stereo [inf.]
biotop biotope [bot.]
bit bit (*smallest measuring unit*) [inf.]
bitumiczny (*zawierający smołę*) bituminous [chem.]
bitwa fight (*general fighting*) [wojsk.]
biurko desk (*Couldn't find you at your desk*) [abc]
biuro office [abc]; agency [praw.]
biuro centralne head office [abc]
biuro delegatów delegate office [abc]
Biuro Imigracyjne Immigration and Naturalizaton Office [polit.]
biuro kierownika budowy site office (*GB: field office*) [abc]
biuro montażowo-budowlane erecting field office [abc]
biuro normalizacji specification department [norm.]
biuro podróży travel agency [abc]
biuro polowe field office (*US: site office*) [met.]
biuro prasowe press office [abc]
biuro rzeczy znalezionych lost and found office [abc]
biuro techniczne engineering department [abc]
biurowiec office building [abc]; place of business [bud.]
biust bosom [abc]
bizmut bismuth [chem.]
biżuteria jewels [abc]
blacha plate (*plate-material*) [masz.]
blacha bardzo cienka very thin sheet metal, black plate [masz.]
blacha biała tin plate, tin sheet, tin (GB) [masz.]
blacha biała ocynowana elektrolitycznie electrolytic tin plate [masz.]
blacha boczna side member [transp.]
blacha cienka sheet material, sheet metal; thin sheet metal (*mostly cold rolled*) [masz.]

blacha cienka chromowana electrolytic chromium/chromiumoxide coated steel [masz.]
blacha (cienka lub gruba) walcowana na gorąco hot-rolled sheet and plate(-s) [masz.]
blacha cienka niemodyfikowana cold rolled uncoated sheet steel [masz.]
blacha cienka walcowana na zimno thin sheet metal (*mostly cold rolled*) [masz.]
blacha cienka walcowana na zimno z powłoką metaliczną cold rolled pre-coated sheet steel [masz.]
blacha cienka wstępnie powlekana (*z uszlachetnioną powierzchnią*) cold rolled pre-coated steel sheet [masz.]
blacha dziurkowana punched sheet [masz.]
blacha elektrotechniczna electrical sheet and strip [masz.]
blacha falista corrugated sheet, corrugated sheeting, chequer plate, checker plate, corrugated iron (*steel*) [masz.]
blacha grodzi stiffening plate [met.]
blacha gruba thick plate, plate [masz.]
blacha kierunkowa deflector [mot.]; tank baffle [masz.]
blacha kierunkowa strumienia wody water director ferrule [mot.]
blacha kierunkowa wentylatora fan baffle [aero]
blacha kotłowa boiler plate [masz.]
blacha kraterowa crater plate (*begin & end weld seam*) [met.]
blacha kraterowa krańcowa crater plate at end of weld pass [met.]
blacha łebkowa bulb plate [masz.]
blacha o żeberkach owalnych bulb plate [masz.]
blacha ocynkowana na gorąco

hot-dip zinc-coated sheet steel [masz.]

blacha panwiowa pan sheet (*pan plate, tile plate*) [masz.]

blacha perforowana punched sheet, perforated sheet (*also undesired*) [masz.]

blacha podłogowa floor plate (*removable for access*) [transp.]

blacha powlekana coated sheet [masz.]

blacha ryflowana chequered plate [energ.]

blacha ryflowana i żeberkowa checker and floor plate [masz.]

blacha sprężynowa spring plate [mot.]

blacha stalowa sheet steel [masz.]; steel panel [transp.]

blacha stalowa cienka steel sheet (*also: medium plate*) [masz.]

blacha stalowa czarna very thin sheet metal [masz.]

blacha stalowa gruba steel plate [transp.]

blacha stalowa karbowana crimped <steel> sheet [masz.]

blacha stalowa o najwyższej wytrzymałości highest strength sheet steel [masz.]

blacha (stalowa) prądnicowa dynamo sheet [el.]

blacha stalowa średnia medium steel sheet [abc]; steel sheet (*medium plate*) [masz.]

blacha stalowa uniwersalna universal mill plates [masz.]

blacha sufitowa soffit plate [transp.]

blacha trapezowa trapezoidal sheet [masz.]

blacha usztywniająca bracing plate [mot.]

blacha walcowana sheet metal [masz.]

blacha wewnętrzna inside panel [mot.]

blacha węzłowa narożna gusset (*e.g. on girder bridge*); reinforcement [masz.]

blacha wybiegowa run-off tab (*cut off after welding*) [met.]

blacha wypełniająca filling sheet [bud.]

blacha wzorzysta patterned plates [masz.]

blacha z żeberkami okrągłymi checkered plate [transp.]

blacha zabezpieczająca tread plate; running plate; kick plate (*prevents slipping*) [mot.]

blacha żeberkowa corrugated sheet, checker plate, chequer plate [masz.]

blacharz sheeter [bud.]; wagon-maker (*plumber*) [masz.]

blachowkręt samogwintujący z łbem stożkowym soczewkowym lentil head sheet metal screw, raised countersunk head tapping screw [masz.]

bladobrązowy pale brown [norm.]

bladozielony pale green [norm.]

blady pale (*pale face*) [abc]

blank battlement (*in architecture*); rampart [bud.]

blanka battlement [bud.]

blask brightness [meteo.]

blaszecznica tang [bot.]

blaszka fin [mot.]

blenda smolista pitchblend [górn.]

bliski close (*close by*) [abc]

bliski powierzchni near to the surface [bud.]

bliski ziemi near-earth (*near-earth orbit*) [mot.]

bliskość proximity (*at great proximity*) [mat.]

blizna scar (*medical*) [med.]; groove [masz.]

bliźniaczy twin (*double -, dual*) [abc]

bloczek do pisania pad (*note pad*) [abc]

blok (*cylindrowy*) block (*e.g. cylinder*

block) [mot.]; block (*support, bracket, rack*) [transp.]; (*mieszkaniowy*) block (*of houses*) [bud.]; (*rysunkowy*) pad [abc]; bearing plate [transp.]; bloom [met.]; boulder [górn.]; steering gear mounting [mot.]

blok betonowy concrete block [bud.]

blok cylindrów cylinder block, engine block [mot.]

blok danych data block [inf.]

blok gliniany adobe block [bud.]

blok klawiszy keypad [inf.]

blok kontrolny test block, reference block [miern.]

blok mieszkalny apartment block, apartment house; block of flats (GB) [bud.]

blok napędowo-sterowniczy zgarniarki scraper tractor [mot.]

blok płuczący flush valve (*oil into oil motor*) [mot.]

blok produkcyjny manufacturing cell [masz.]

blok sterowniczy napędu transmission valve [mot.]

blok sterowniczy valve block, control block [mot.]

blok stępkowy keel block, staple block [mot.]

blok szczotkowy brush block [el.]

blok tarcz dociskowych pressure roller block [masz.]

blok zaworów bank of valves [mot.]

blok zaworów sterujących multiple tandem control valve [masz.]

blokada barren [abc]; closing; lock pin (*lock pin and lock-pin eye*), lock; locking; lock-up; stoppage [transp.]

blokada cięgna schodowego step band locking (-*device*) [transp.]

blokada drzwi door latch [mot.]

blokada dźwigni zmiany biegów gear lock [mot.]

blokada hydrauliczna hydraulic

lock, hydraulic locking [masz.]

blokada informacji news blockage [abc]

blokada jazdy wstecz reversing lock (*when tipping body*) [mot.]

blokada liniowa samoczynna automatic block system [mot.]

blokada napędu pomocniczego auxiliary drive lock [transp.]

blokada odczytu wskazań przyrządu blocking the readout (*signal block*) [abc]

blokada przeciwwychyłowa nadbudowy swing lock [transp.]

blokada przeciwwychyłowa nadwozia swing lock [transp.]

blokada rozruchu start interlock [mot.]

blokada samoczynna (*liniowa*) block system [mot.]

blokada systemu deadlock [inf.]

blokada wahania oscillation lock [mot.]

blokada wolnego koła free wheel lock [mot.]

blokować close [mot.]; clog (*e.g. a drain pipe*) [tw.]; interlock [energ.]

blokowanie locking (*of the brake*) [mot.]

blokowanie mechanizmu różnicowego dif lock, differential lock, jaw clutch lock [mot.]

blokowanie palet pallet-bandlocking (-*device*) [transp.]

blokowanie pompy pump blocking [mot.]

bluszcz ivy [bot.]

błąd fault; drawback; error; shortage [abc]

błąd bezwzględny absolut error [mat.]

błąd danych wejściowych flaw input [inf.]

błąd dopuszczalny tolerance [miern.]

błąd jednostkowy single defect [masz.]

błąd konstrukcyjny defect in design [rys.]

błąd krytyczny dodatni positive critical defect [el.]

błąd obejścia extended sound path [el.]

błąd obliczeniowy computing error [inf.]

błąd poprzeczny transverse defect [masz.]

błąd typu guzikowego button-type defect [el.]

błąd zastąpienia equivalent flaw [el.]

błąd, który na pewno zostanie wykryty positively detectable defect, reliably detectable defect [abc]

błędne wskazanie faulty measurement [abc]

błędne znakowanie inaccurate marking [abc]

błędny incorrect; defective, faulty [abc]

błękit azurytowy azure blue [norm.]

błękit capri capri blue [norm.]

błękit fioletowy violet blue [norm.]

błękit gołębi pigeon blue [norm.]

błękit kobaltowy cobalt blue [norm.]

błękit nocny night blue [norm.]

błękit oceaniczny ocean blue [norm.]

błękit porcelanowy porcelain blue [transp.]

błękit stalowy steel blue [norm.]

błękit szafirowy sapphire blue [norm.]

błękit szary gray blue [norm.]

błękit świetlisty light blue [norm.]

błękit Thenarda cobalt blue [norm.]

błękit turkusowy turquoise blue [norm.]

błękit ultramarynowy ultramarine blue [norm.]

błękit wodny water blue [norm.]

błękit zielony green blue [norm.]

błękitny sky blue [norm.]

błona film [abc]

błona malarska colour coating, paint coating [bud.]

błonnik wood pulp (*pulp*) [tw.]

błotnik fender (*US*); car wing; mudguard; spill guard [mot.]; mud drum [energ.]

błotnisty muddy, swampy, dirty [abc]

błoto mud [transp.]; swamp [abc]

błoto pośniegowe sludge [abc]

błyskawica lightning (*lightning strikes*) [abc]

błyszczący bright [masz.]; blank [met.]; shiny [abc]

błyszczeć sparkle [mot.]

boazeria panel (*panelling*) [bud.]

bocznica railroad siding (US), railway siding [mot.]; track frame (*GB: crawler frame*) [transp.]; loop [mot.]

bocznica za- i wyładowcza loading and discharge side tracks [mot.]

bocznik by-pass, by-pass tube [abc]

bogactwa naturalne ziemi mineral resources, resources (*minerals, mineral oil*) [abc]

boja buoy [mot.]

bok side [mot.]

bokiem (*z boku, w bok*) sideways; edgeways; on edge (*standing o. e.*) [abc]

boksyt bauxite [górn.]

boleć hurt [abc]

bom derrick [mot.]

bom ładunkowy load arm [mot.]

bom ładunkowy z wydłużonym wysięgnikiem boom with extension [transp.]

bomba bomb [wojsk.]

bomba burząca explosive bomb [wojsk.]

bomba oświetlająca flare [wojsk.]

bomba zapalająca fire bomb [wojsk.]

bombardować make an impact [górn.]

bombardowanie air raid (*bombs on towns, people*); shelling (*cannon, howitzer, mortar*) [wojsk.]

bombowiec bomber [wojsk.]

bordowo-fioletowy Claret violet [norm.]

borować drill [abc]

bosman boatsman [mot.]

bractwo górnicze miners' association [górn.]

brak need; scarcity; want [abc]

brak przetopu root defect [met.]

brak przetopu w grani lack of root fusion, hollow root [masz.]

brak równowagi unbalance (*distortion*) [abc]

brak sygnału dźwięku acoustic signal missing [akust.]

brak sygnału optycznego visible signal missing [opt.]

brak tlenu lack of oxygen [energ.]

brak wody shortage of water [masz.]

brak wtopu lack of fusion [met.]

brak wtopu wzdłużnego lack of side-fusion (*welding*) [met.]

brakowanie rejection [abc]

brakujące części missing parts [abc]

brakujące spoiny missing seams [met.]

brakujące szwy missing seams [met.]

brakujące wymiary unlisted dimensions (*in drawings*) [rys.]

brakujące wymiary według kodu nr XX unlisted dimensions according to Code xx [rys.]

brama gate [bud.]

brama usztywniająca stiffening portal [transp.]

bramka dźwiękowa sound gate [akust.]

bramka gate (*acoustic-electronic*); (*in sound field*) gate [el.]

bramka logiczna logic gate [el.]

bramka MOS z kanałem typu n NMOS gate [el.]

bramka zwalniająca release gate [masz.]

bramkowanie gating [el.]

branża field [abc]

brąz bronze (*copper and tin*) [masz.]

brąz biały white bronze [tw.]

brąz czekoladowy chocolate brown [norm.]

brąz czerwony red brown [norm.]

brąz ilasty clay brown [norm.]

brąz mahoniowy mahogany brown [norm.]

brąz miedziany copper brown [norm.]

brąz ochrowy ochre brown [norm.]

brąz odlewniczy cast bronze [met.]

brąz oliwkowy olive brown [norm.]

brąz orzechowy nut brown [norm.]

brąz płowy fawn brown [norm.]

brąz pomarańczowy orange brown [norm.]

brąz sepia sepia brown [norm.]

brąz szary gray brown [norm.]

brąz zielony green brown [norm.]

brązowo-beżowy grown beige [norm.]

brązowo-czerwony brown red [norm.]

brązowo-szary brown gray [norm.]

brązowo-zielony brown green [norm.]

breloczek do klucza key ring [abc]

brezent (*impregnowany*) canvas, tarpaulin, denim [abc]

brodawka wart [med.]

brom bromine [chem.]

brona (*nożowa*) harrow, pasture harrow [roln.]

brona zgarniająca wahliwa oscillating raking device [górn.]

brona zgarniająca wibracyjna oscillating raking device [górn.]

bronić argue (*counter-argue, fight off*) [abc]; defend (*fight off, resist an enemy*) [polit.]

broń weapon [wojsk.]

broń masowego rażenia weapons of mass destruction [wojsk.]

broń myśliwska hunting weapon [wojsk.]

broń palna myśliwska shotgun [wojsk.]

broszka pin [abc]

broszura brochure (*small book, booklet*) [abc]

browar brewery, brew [abc]

browarnictwo brewery, brewing business [abc]

bród ford [bud.]

brud mud (*dirt*) [abc]

brudny dirty, impurified, contaminated, muddy [abc]

brudzić dirty, get dirty [abc]

bruk pavement [bud.]

bruk z kamienia polnego rubble pavement [bud.]

brukowanie paving [bud.]

brus plank [mot.]

bruzda furrow [abc]; groove [masz.]

bruzda gwintowa thread groove [masz.]

brygadzista foreman [met.]

brykiet coal briquet [energ.]

brylant diamond (*US: brilliant*) [abc]

bryła body [masz.]; clod; lump (*lump of earth*) [bud.]; slab (*e.g. Asphalt slab*); solid [mot.]

bryłka nodule [abc]

Brytyjczyk British citizen (*slang: Brit*) [geogr.]

Brytyjski Instytut Normalizacji BSI (*British Standards Institution*) [norm.]

bryzgoszczelny splash proof [mot.]

brzask dusk, dawn [meteo.]

brzechwa (*np. pocisku, bomby*) vane [wojsk.]

brzeczka podstawowa wort (*brewery term*) [abc]

brzeg shore; face (*corner*) [abc]; lip

brzeg rzeki bank (*waterside*), river bank, river side, water edge [geogr.]

brzeg spawany welding edge [met.]

brzeszczot (*piły*) web [narz.]; blade [masz.]

brzeszczot piły saw blade [met.]

brzmienie sound (*the sound of music*) [abc]

brzoza birch tree [bot.]

brzuch belly (*in the ship's hull*) [mot.]

buczek buzzer [mot.]

budka maszynisty (*parowozu*) operator's cab; cab (*GB: locomotive driver's cab*); steeple cab (*is high and slender*) [mot.]

budka site hut (*GB: workmen's shelter*) [bud.]

budowa building site [bud.]; site (*on site, on the site*); construction [transp.]; construction site (*sewer line, house*) [bud.]; manufacture (*excavator manufacture*) [transp.]; structure [masz.]

budowa dróg road construction (*tarmac, concrete*) [bud.]

budowa gruzełkowata friable structure [bud.]

budowa kanału kanalizacyjnego sewer line construction; trenching (*here sewer making*) [bud.]

budowa koryta drogi road bed construction [bud.]

budowa makroskopowa macro structure (*structure*) [miern.]

budowa maszyn machine construction [mot.]; mechanical engineering; machinery divisions [masz.]

budowa maszyn ciężkich heavy machinery [masz.]

budowa nasypu embankment work [bud.]

budowa okrętów shipbuilding [mot.]

budowa pasowa zone construction [el.]

budowa przekładni gear manufacturing [mot.]

budowa wagonu structure of wagon [mot.]

budowa wykresu chart design [abc]

budowa zapory (*tamy*) embanking, building of a dam; dam construction [bud.]

budowa zwarta compact design [mot.]

budować construct [abc]

budowla building [bud.]

budowla inżynierska civil engineering [bud.]

budowla stalowa steel building; steel manufacture (*e.g. for loaders*) [masz.]

budownictwo construction, construction industry, building industry [bud.]

budownictwo blokowe unit construction; single boiler construction [bud.]

budownictwo nadziemne building [bud.]

budownictwo poniżej powierzchni ziemi earth moving and road construction [bud.]

budownictwo przemysłowe civil engineering [bud.]

budownictwo z gliny mudbrick building [bud.]

budownictwo z lekkich materiałów light-weight build [masz.]

budynek building, bldg [bud.]

budynek administracyjny administration building (*office building*) [polit.]

budynek biurowy office building (*Merchandise Mart*) [abc]; place of business [bud.]

budynek dworcowy passenger circulating area [mot.]

budynek w stanie surowym building carcass; bar brickwork, rough brickwork, shell [bud.]

budynek z muru pruskiego half-timbered house [bud.]

budzik alarm clock (*set the alarm*) [abc]

budżet państwa budget (*national budget*) [polit.]

bufor buffer (*connects printer*) [inf.]; buffer [transp.]; buffer stop (*e.g. in terminal depots*) [mot.]; stop (*on plate for adjusting*) [masz.]

bufor niezależny self-contained buffer (*or buffers*) [mot.]

buforowanie soft cushioning seam [met.]

bujak rocking chair [abc]

buk beech (*short for beech tree*) [bot.]

bukłak wineskin (*of goat hide*) [abc]

bukować book [abc];

bukszpryt bow sprit [mot.]

buldożer bulldozer (*may have ripper tooth*) [transp.]

bumelować (*udając chorego*) sick leave [med.]

bunkier bunker (*coal, military*) [wojsk.]

bunkrowanie paliwa fuel storage [energ.]

bunkrowanie pośrednie bin-and-feeder system [energ.]

burak cukrowy sugar beet (*from refinery*) [bot.]

burmistrz mayor [polit.]

bursztyn amber (*solidified resin, Baltic Sea*) [geol.]

burta ship's side [mot.]

burza śnieżna blizzard; heavy snowfall [meteo.]

burzliwość turbulence (*vertical and other winds*) [mot.]

burzyć destroy (*annihilate*) [abc]; demolish (*tear down, bring down*) [bud.]

burzyć się bubble up [masz.]

busola compass [fiz.]

buster booster (*2nd drive system on engine*) [mot.]

but boot; shoe [abc]
but gumowy rubber boot [abc]
but z cholewą high boot [abc]
butelka bottle [abc]
butelka dwukwartowa magnum (*magnum bottle*) [abc]
butelka z zamknięciem dźwignio-wym clip lock bottle [abc]
butelkowanie filling [abc]
buten butylen [chem.]
butla gazowa gas bottle [energ.]; gas cylinder (*e.g. for hot air balloon*) [mot.]
butla gazowa do napełniania opon tyre-inflating cylinder [mot.]
butwieć rot (*mould, wither, decay, delapidate*) [bot.]
buty gimnastyczne gym shoes [abc]
butylen butylen [chem.]
bydło cattle (*bulls, cows, calves*) [bot.]

C

CAD (*projektowanie wspomagane komputerowo*) CAD (*computer aided design*) [rys.]
CAL (*uczenie wspomagane komputerowo*) CAL (*computer-aided loading*) [inf.]
calówka inch rule, yardstick [abc]
cała naprzód full speed ahead [mot.]
całkowanie symboliczne symbolic integration [inf.]
całkowicie pneumatyczny fully pneumatic [abc]
całkowicie suchy absolutely dry [meteo.]
całkowicie zautomatyzowany fully automatic [abc]
całkowita długość toru total track length [mot.]
całkowita wysokość podnoszenia total lift height [transp.]

CAM (*wytwarzanie wspomagane komputerowo*) CAM (*computer aided manufacturing*) [inf.]
CAP (*planowanie wspomagane komputerowo*) CAP (*computer aided planning*) [inf.]
CAP (*profilowanie wspomagane komputerowo*) CAP (*computer aided profiling*) [inf.]
CAQ (*wspomagane komputerowo zapewnienie wysokiej jakości*) CAQ (*computer aided quality assurance*) [inf.]
CAS (*sprzedaż wspomagana komputerowo*) CAS (*computer-aided selling*) [inf.]
CAW (*pracownik wspomagany komputerowo*) CAW (*computer-aided worker*) [inf.]
CB-Radio citizen band radio [telkom.]
CCC (*Rada Współpracy Celnej*) CCC (*Customs Cooperation Council*) [abc]
CD ROM CD-ROM [inf.]
ceber tub (*vat*) [abc]
cebula (cebulka) kwiatu bulb (*tulip, onion*) [bot.]
cech trade heading [abc]
cecha characteristic, attribute, feature [abc]
cecha charakterystyczna characteristic [tw.]
cecha grupy głównej main group feature [praw.]
cecha konstrukcyjna design characteristics, design feature (*CUM*) [rys.]
cecha złącza junction label [inf.]
cechować calibrate [miern.]; mark [abc]
cechowanie marking [abc]
cechowanie ukośne slanted mark [abc]
cechy specjalne specialities [masz.]
cedr cedar [bot.]

cedzak strainer [abc]
cedzić strain [masz.]
cegielnia brickyard (*clay mixed with sand, formed*) [bud.]
cegielnik brickmaker [met.]
ceglarz brickmaker [met.]
cegła brick (*mixed, formed, dried, burnt*); adobe [bud.]
cegła dolomitowa dolomite stone [górn.]
cegła dziurawka cavity brick [bud.]
cegła fasonowa profilated fire brick [energ.]
cegła klinkierowa clinker brick [bud.]
cegła klinowa key brick [bud.]
cegła kształtówka profilated fire brick [energ.]
cegła niewypalona suszona na słońcu adobe (*adobe houses*), adobe block (*clay block*), adobe brick [bud.]
cegła ogniotrwała fire brick; refractory brick [bud.]
cegła pustakowa hollow brick [bud.]
cegła skorupowa sheel construction brick [bud.]
cegła surowa mud brick [bud.]
cegła szamotowa refractory brick [mot.]
cegła szklana glass brick [bud.]
cegła wypalana burnt brick [bud.]
cel aim [wojsk.]; destination [mot.]; goal [inf.]; target, purpose [abc]; target [wojsk.]; target [inf.]
cela cell (*enclosure, housing*) [bud.]
cele instruktażowe instructional purposes (*for instructional purposes*), teaching purposes (*for teaching purposes*) [abc]
cele jakościowe quality goals [ekon.]
cele nauczania teaching purposes [abc]
cele strategiczne strategic targets [abc]
celebrowany celebrated [abc]

celne porozumienie taryfowe wage and salary agreement [ekon.]
celownik sight [wojsk.]; view-finder [fot.]
celownik laserowy laser target positioner [wojsk.]
celownik optyczny lunetkowy aligning telescope [wojsk.]
celownik teleskopowy aligning telescope [wojsk.]
celowy (**celowo**) intentional(-ly); on purpose (*deliberately*) [abc]
Celsjusz Celsius [fiz.]
celuloza wood pulp [tw.]
cement cement (*for mortar and concrete*) [bud.]
cement hutniczy foundry cement [górn.]
cementownia cement plant, cement and gypsum factory [górn.]
cementownia i sprzęt do przetwarzania cement plant and processing equipment [górn.]
cena stała fixed price [transp.]
cenny nabytek asset [abc]
centrala head office [abc]
centralne ogrzewanie powietrzem obiegowym circulating air heating [mot.]
centralne stanowisko dyspozytorskie central control room [energ.]
centralne stanowisko rozrządcze central control room [energ.]
centralny central [rys.]
centrowanie centring; centralisation [mot.]
centrum center [abc]; centre [rys.]
centrum handlowe shopping centre (*mall*); shopping mall [transp.]
centrum konferencyjne conference centre [bud.]
centrum obliczeniowe computing centre, data centre, DP Centre [inf.]
centrum prasowe press centre [abc]

C

centymetr sześcienny cc (*cubic centimeter*) [mot.]

ceownik channel [tw.]

ceownik stalowy channel; U-iron [tw.]; rolled steel channel (*RSC*) [masz.]

ceramika ceramics [fiz.]

ceramika przemysłowa (*tygle porcelanowe*) PZT ceramics [tw.]

ceremonia przekazania hand-over ceremony [mot.]

certyfikat certificate [abc]

certyfikat dopuszczenia approval certificate [norm.]

certyfikat zakładu company certificate [abc]

cewka cylindryczna solenoid spool [mot.]

cewka dławikowa choke coil [tw.]

cewka elektromagnesu magnet coil [el.]

cewka indukcyjna induction coil [mot.]

cewka transformatorowa transformer coil [el.]

cewka wydmuchowa blow-out coil [masz.]

cewka zapłonowa ignition coil, magnet coil, solenoid spool [mot.]

charakter pisma writing (*almost illegible writing*) [abc]

charakterystyka characteristics [el.]; description [rys.]

charakterystyczny indicative; peculiar (*unique*) [abc]

charakterystyka akustyczna sound beam characteristic [akust.]

charakterystyka amplitudowo-fazowa locus [masz.]

charakterystyka dawkowania paliwa delivery characteristics [mot.]

charakterystyka diodowa diode characteristic [el.]

charakterystyka działania performance data, operating data [energ.]

charakterystyka kierunkowości directional characteristic [abc]

charakterystyka nadawania transmitting characteristic [el.]

charakterystyka nasycenia saturation characteristic [el.]

charakterystyka pompy wtryskowej delivery characteristics [mot.]

charakterystyka pracy running feature [transp.]

charakterystyka promieniowania zwrotnego reflection characteristics [opt.]

charakterystyka przedsiębiorstwa description of occupation [prawn.]

charakterystyka przepustowa filtru frequency response curve [el.]

charakterystyka robocza (*urządzenia*) operating behaviour [transp.]

charakterystyka spadku ciśnienia head loss characteristics (*pump*) [energ.]

charakterystyka sprężyny characteristic curve of spring [tw.]

charakterystyka tranzystora transistor characteristic [el.]

charakterystyka wykreślna characteristic curve [el.]

charakterystyka wzmacniacza amplifier characteristic [el.]

charakterystyka zginania bent characteristic [el.]

charakteryzować term [abc]

chemia stosowana applied chemistry [chem.]

chemikalia chemicals [chem.]

chemikaliowiec chemical tanker [mot.]

chirurg surgeon [med.]

chirurgia surgery [med.]

chlor chlorine [chem.]

chlorokauczuk chlorinated rubber [chem.]

chlorowiec halogen [chem.]

chłodnia kominowa cooling tower (*better "cowper"*) [el.]

chłodnia kominowa z ciągiem naturalnym cable net cooling tower [energ.]

chłodnica cooler; radiator, rad [mot.]; desuperheater (*attemperator*) [energ.]

chłodnica blokowa block radiator [mot.]

chłodnica końcowa after-cooler [energ.]

chłodnica międzystopniowa inter-cooler [mot.]

chłodnica ociekowa spray cooler [energ.]

chłodnica oleju oil cooler (*e.g. on gear box*); lubricating-oil cooler [masz.]

chłodnica oleju przekładni przemiennikowej torque converter oil cooler [masz.]

chłodnica oleju smarowego lubrication-oil cooler [masz.]

chłodnica planetarna planetary cooler [górn.]

chłodnica płytka plate cooler, stave cooler (*wort of beer cooled*) [abc]; cellular radiator [mot.]

chłodnica powierzchniowa surface attemperator [energ.]

chłodnica powietrza doładowującego charge air cooler [mot.]

chłodnica przeponowa surface attemperator [energ.]

chłodnica rurowa tubular radiator [energ.]

chłodnica wodnorurkowa rotacyjna rotary cooler [energ.]

chłodnica wodnorurkowa water tube attemperator, surface type attemperator [energ.]

chłodnica wyparna evaporating cooler [mot.]

chłodnica z rurkami użebrowanymi finned tubular radiator [energ.]

chłodnica zewnętrzna shell type surface attemperator [energ.]

chłodniowiec refrigerated container vessel, refrigerator ship [mot.]

chłodny cool, cold, chilly [meteo.]

chłodzenie cooling [tw.]

chłodzenie generatora generator cooling [inf.]

chłodzenie goracej wody ebullient cooling [energ.]

chłodzenie o obiegu samoczynnym ebullient cooling [abc]

chłodzenie obiegowe pump circulated cooling [mot.]

chłodzenie obiegowe samoczynne thermo-syphon cooling [mot.]

chłodzenie pośrednie intermediate cooling [transp.]

chłodzenie powietrza doładowującego charge air cooling [mot.]

chłodzenie powietrzem air-cooling [mot.]

chłodzenie powietrzne wentylatora fan-type air cooling [mot.]

chłodzenie termosyfonowe ebullient cooling [abc]

chłodzenie w piecu cooling in furnace [tw.]

chłodzenie wodą water-cooling [abc]

chłodzenie wodorowe hydrogen cooling [energ.]

chłodzić cool, cool down (*freeze*) [abc]

chłodzić lodem ice (*cool down, chill*) [abc]

chłodziwo coolant [mot.]

chłodzony powietrzem air-cooled [energ.]

chłodzony wodą water-cooled [abc]

chłonność absorbency (*ability to absorb*) [fiz.]

chłop farmer (*peasant*) [roln.]

chłód coldness [meteo.]

chmiel baldaszkowaty whole hops [bot.]

chmura cloud [meteo.]

chmura deszczowa rain cloud [meteo.]

chochla ladle [abc]

chochla do zupy soup ladle [abc]

chodnik pavement (GB); sidewalk; boardwalk; footway (*bridge*) [bud.]; heading, hard heading (*in underground mining*) [górn.]

chodnik eksploatacyjny tailgate [górn.]

chodnik główny main transport level [górn.]

chodnik kierunkowy pilot-heading [górn.]

chodnik nadścianowy head gate (*coal comes out*) [górn.]

chodnik poprzeczny cross-heading (*breakthrough*) [górn.]

chodnik przewozowy haul road, haul way (*in mine*) [mot.]; travel distance [górn.]

chodnik ruchomy autowalk, passenger conveyor; moving walk, moving walkway, moving sidewalk; compoveyor; travelator [transp.]

chodnik ruchomy dwudrogowy two-way autowalk (*turns horizontally*) [transp.]

chodnik ruchomy równoległy (*dwutorowy*) double-tracked autowalk (*e.g. airport*) [transp.]

chodnik transportowy travel distance [górn.]

chodnik wodny water path, water column [bud.]

chodnik wybierakowy tailgate [górn.]

chodnik wyłożony okrąglakami corduroy road (*corduroy path*) [bud.]

chodnik z desek boardwalk (*old Western towns of USA*); footpath (*bridge*) [bud.]

chodzić walk (*then trot, canter, gallop*) [abc]

chomątko grommet [bud.]

chopper hopper car [transp.]; funnel wagon [mot.]

chorągiew flag [polit.]

chorągiewka kierunkowa vane [abc]

choroba disease [med.]

chory ill [med.]

chować hide [abc]

chów breeding (*of animals*) [bot.]

chrom chrome, chromium [tw.]

chromowany chromium-plated [mot.]

chromowany galwanicznie na wymiar chromium-plated to size [transp.]

chromowany na twardo hard-chromium-plated [met.]

chromowany na twardo na wymiar hard-chromium-plated to size [met.]

chronić przed wilgocią protect from moisture [abc]

chroniona komórka pamięci protected location [inf.

chroniona pozycja w pamięci protected location [inf.]

chronione pole danych protected data field [inf.]

chroniony protected (*protected from, against*) [abc]; proof [masz.]; proprietary [praw.]

chroniony obszar pamięci protected memory area [inf.]

chropowatość roughness [masz.]

chropowatość powierzchniowa roughness of surface [masz.]

chropowaty lumpy, uneven [abc]

chrypka hoarseness (*medical: laryngitis*) [med.]

chrząstka międzykręgowa intervertebral disc [abc]

chrzęścić crunch [bud.]

chudy lean (*slim, thin, bony*) [abc]

chwalić praise [abc]

chwast weed [bot.]

chwila zapłonu point of ignition

(*ignition*) [mot.]

chwilowy temporary, momentary, instantaneous [abc]

chwyt grip [abc]; tang [masz.]

chwytacz arrester [masz.]

chwytacz iskier spark arrestor [mot.]

chwytać grab, grip [transp.]

chwytak clamshell; grab; excavator bucket; grab slewing equipment [transp.]; picker [narz.]; spacer (GB) [masz.]

chwytak czaszowy multibladed circular clam, multi-claw grab, orange-peel grab [transp.]

chwytak czerpakowy do węgla półpłynnego coal slurry grab [transp.]

chwytak czerparki węglowej coal grab [transp.]

chwytak do dłużyc log grapple [transp.]

chwytak do koksu coke grab [górn.]

chwytak do podnoszenia okrąglaków lumber grapple [mot.]

chwytak do skał block clamp [transp.]

chwytak do skał 2000 mm special block clamp 2000 mm [masz.]

chwytak do szyn rail tongs [mot.]

chwytak do tłucznia ballast grab [transp.]

chwytak do żwiru gravel grab [górn.]

chwytak drenarski drainage grab, trencher [transp.]

chwytak drewna log grab (*timber grab*) [transp.]

chwytak drewna krótkiego light timber grab, log grab [transp.]

chwytak drewniany timber grab [transp.]

chwytak dwuszczękowy clam (*clam bucket*), clamshell, clamshell bucket, digging grab, two-in-one clamshell [transp.]

chwytak kamieni brick grapple [transp.]

chwytak koparki do oczyszczania kanałów trench-cleaning bucket [transp.]

chwytak kruszywa ballast grab (*moves gravel in rails*) [transp.]

chwytak łupinowy (*koparki*) clam, clamshell (*"Two-in-One" clamshell*), clamshell bucket [transp.]

chwytak nitów rivet catcher [mot.]

chwytak podciśnieniowy vacuum lifter (*turns 290 degrees*) [transp.]

chwytak profilowany profile grab [transp.]

chwytak próżniowy vacuum lifter [transp.]

chwytak przedsiębierny digging shovel; face shovel [transp.]

chwytak przeładunkowy rehandling grab [transp.]

chwytak przeładunkowy do drewna timber rehandling-grab [transp.]

chwytak sortowniczy sorting grab [górn.]

chwytak sortujący śmieci garbage sorting grab [rec.]

chwytak studzienny well grab [transp.]

chwytak szybowy well grab [transp.]

chwytak uniwersalny multi-purpose bucket [transp.]

chwytak wielołupinowy multibladed circular clam, multi-claw grab, orange-peel grab [transp.]

chwytak wieloszczękowy grapple [transp.]

chwytak wieloszczękowy do złomu scrap grapple [mot.]

chwytak wiórów shavings grab [masz.]

chwytnik elektromagnetyczny load magnet [mot.]

chybotać wobble [abc]

chylić lean (*to the side*) [mot.]

chytry (*cwany, przebiegły*) cunning (*skillful, sly, cute, knowing*) [abc]

ciało body (*human body*) [med.]

C

ciało obce foreign matter, undesired material [abc]

ciało sypkie bulk material [abc]

ciastowaty (*jak ciasto*) sticky (*slag*) [energ.]

ciąć cut clip, shear [met.]; shear (*scratch coal off wall or roof*) [transp.]

ciąć gazem flame cut (*Grind after flame cutting*) [met.]

ciąć na wycinarce młoteczkowej nibble (*nibbling*) [masz.]

ciąg push [mot.]; thrust [abc]

ciąg danych string (*sequence of characters*) [inf.]

ciąg fal wave train [el.]

ciąg impulsów pulse repetition [el.]

ciąg kominowy chimney draught, stack draught [energ.]

ciąg łańcuchowy czerpaków ladder [mot.]

ciąg łańcuchowy głowic tnących cutter head ladder (*cutter ladder*) [transp.]

ciąg naturalny chimney draught, natural draught, stack draught [energ.]

ciąg pieszy footway (*bridge*) [bud.]

ciąg pionowy w górę upward gas passage [energ.]

ciąg poligonowy traverse [bud.]

ciąg powietrza draft, draught [abc]

ciąg powietrza wznoszący upward gas passage [energ.]

ciąg produkcyjny intermittent assembly line [masz.]

ciąg przy wylocie komory paleniskowej draught at furnace. outlet [energ.]

ciąg różnicowy differential draught [energ.]

ciąg sztuczny artificial draught [energ.]

ciąg technologiczny interlocking [masz.]

ciąg za podgrzewaczem wody draught at economiser outlet [energ.]

ciąg znaków string [inf.]

ciąg zrównoważony balanced draught [energ.]

ciągle continuously [abc]

ciągliwość shaping; working property [masz.]

ciągliwy tough (*hard to cut, tenacious*) [tw.]

ciągłe podawanie drutu continuous wire feed [met.]

ciągłe prowadzenie drutu (*w spawaniu łukowym*) continuous wire feed [met.]

ciągły continuous, permanent, constant (*constantly, all the time*) [abc]

ciągły posuw drutu continuous wire feed [met.]

ciągnąć pull; draw (*horses or oxen draw a wagon*) [abc]; haul [mot.]

ciągnienie drutu wire drawing [masz.]

ciągnienie drutu z przeciwciągiem back-pull wire-drawing [met.]

ciągnik tractor, tractor trailer (*agricultural, circus, forest work*) [mot.]; roller [mot.]

ciągnik do przewozu dużych ciężarów heavy duty tractor [mot.]

ciągnik gąsienicowy crawler tractor, caterpillar tractor [transp.]

ciągnik kołpakowy bonnet truck tractor [mot.]

ciągnik rolniczy farming tractor [roln.]

ciągnik siodłowy tractor, tractor trailer, semi-trailer tractor, semi-trailer truck (*short: semi*) [mot.]

ciągnik siodłowy do przewozu dużych ciężarów heavy duty truck tractor [mot.]

ciągnik z silnikiem w kabinie kierowcy forward-control truck tractor [mot.]

ciągnik zgarniarki doczepnej scraper tractor [mot.]

ciągnik zrywkowy skidder (*short for grapple skidder*) [mot.]

ciągniony drawn (*drawn steel*) [met.]

ciągniony na zimno cold drawn (*steel*) [tw.]; bright drawn [masz.]

ciągomierz różnicowy inclined gauge [energ.]

ciągownik drawing tools [narz.]

CICS (*system sterowania informacją użytkownika*) CICS (*Customer Inform and Control System, computer software*) [inf.]

ciec drip [abc]

ciecz liquid [abc]

ciecz chłodząca coolant [mot.]

ciecz chłodząco-smarująca cutting oil [tw.]

ciecz rozpylana spray [abc]

cieczomierz liquid meter [el.]

ciek wodny river [abc]; watercourse [bud.]

ciekawy indicative [abc]

ciekły fluid, liquid [abc]

ciekły tlen liquid oxygen (LOX; *in space shuttle*) [mot.]

ciekły wodór liquid hydrogen (*in space shuttle*) [mot.]

ciemnobrunatny black brown [norm.]

ciemnoczerwony black red [norm.]

ciemnooliwkowy black olive [norm.]

ciemnoszary black gray [norm.]

ciemnozielony black green [norm.]

ciemny obscure (*an obscure story*) [abc]

cieniowany shaded [abc]

cienki thin (*not fat or thick*) [masz.]; (*lichy, marny, wytarty*) flimsy [met.]

cień shadow [abc]; shadows (*in line drawings analysis*) [inf.]

cień akustyczny acoustical shadow [akust.]

ciepło heat (*also in technology*)

[masz.]; warmth [abc]

ciepło nagromadzone dome heat [mot.]

ciepło odlotowe waste heat [energ.]

ciepło odpadowe waste heat [energ.]

ciepło parowania w stałej temperaturze heat added for vaporisation at constant temperature [energ.]

ciepło spalania gross calorific value (G.C.V.); heat of combustion; thermal value; upper calorific value [energ.]

ciepło utajone latent heat [energ.]

ciepło właściwe przy ciśnieniu stałym specific heat at constant pressure [miern.]

ciepło właściwe przy objętości stałej specific heat at constant volume [miern.]

ciepło właściwe średnie mean specific heat [abc]

ciepłota temperature [abc]

cierń thorn (*on a rose*) [bot.]

cierpieć z powodu suffer from (*illnesses*) [med.]

cierpliwość patience [abc]

cieśla carpenter [met.]

cięcie cut (*with knife*) [met.]

cięcie gazowe flame cut (*cutting*); torch cutting [met.]

cięcie na długość cutting to length [met.]

cięcie na szerokość cutting to width [met.]

cięcie (na) X X-cut [el.]

cięcie palnikiem flame cut (*cutting*); torch cutting [met.]

cięcie wzdłużne slitting to length [masz.]

cięcie wzdłużne i poprzeczne slitting to length and width [masz.]

cięcie wzdłużne kęsisk płaskich slab slitting [masz.]

cięciwa axis (*plural: axes*) [mat.]

cięgło Bowdena bowden cable

(*wire*), bowden control, hood cable [mot.]

cięgło draw bar, drawbar, tie bar [mot.]

cięgło elastyczne opancerzone bowden control [mot.]

cięgło hamulca brake pull rod [mot.]

cięgno Bowdena osłony silnika hood cable [mot.]

cięgno luźne slack span [masz.]

cięgno łańcucha chain band [transp.]; part of chain [masz.]

cięgno łańcuchowe chain band [transp.]; part of chain [masz.]

cięgno napędowe drive line [mot.]

cięgno napięte taut span [masz.]

cięgno niosące bar [transp.]

cięgno z drutu tendon [masz.]

cięty cut; beveled [met.]

cięty z taśm szerokich walcowanych na gorąco cut from hot-rolled wide strip [tw.]

ciężar weight [masz.]; load [transp.]; balance [miern.]

ciężar bez ładunku unladen weight (*UW; road vehicles*) [mot.]

ciężar bijaka weight of hammer [bud.]

ciężar brutto gross weight, gvw (*gross vehicle weight*), total weight [mot.]

ciężar całkowity full load, total weight [mot.]

ciężar całkowity wagonu G. L. W. (*GB: gross loaded wagon*) [mot.]

ciężar hamujący brake weight [transp.]

ciężar jednostkowy unit weight (*of the slewing ring*) [mot.]

ciężar ładunku weight of load; payload; transport weight [mot.]

ciężar maksymalny maximum weight (*gross weight*) [abc]

ciężar materiału nasypanego loose weight [abc]

ciężar nasypowy loose weight [abc];

volume weight [bud.]

ciężar normatywny normal load [transp.]

ciężar odkuwki mass of forging [masz.]

ciężar ogonowy rear counter weight [mot.]

ciężar poręczy handrail weight [transp.]

ciężar roboczy operating weight (*operational weight*) [transp.]

ciężar rufowy rear weight; rear counter weight [mot.]

ciężar samochodu brutto gross vehicle weight (GVW) [mot.]

ciężar służbowy service mass, operating weight, advertised weight [transp.]

ciężar szyny weight of rail [mot.]

ciężar użyteczny payload [mot.]

ciężar wirujący fly weight; governor weight [mot.]

ciężar własny deadweight [mot.]

ciężar właściwy specific weight, specific gravity (*also: density*) [miern.]

ciężar właściwy mieszanki mixture density [energ.]

ciężar właściwy zwoju coil weight, specific coil weight [tw.]

ciężar wyważający regulatora governor balance weight [mot.]

ciężar zredukowany reduced weight [abc]

ciężar zwrotny back load [fiz.]

ciężarek wyważający mass-balancing gear [abc]

ciężarowskaz load indicator, weighing indicator [abc]

ciężarowy slinger (*chains, ribbons, ropes*) [mot.]

ciężarówka lorry (GB), truck (US) [mot.]

ciężarówka do przewozu ładunków ciężkich dump truck [mot.]

ciężarówka do transportu dłużycy timber wagon, lumber truck [mot.]

ciężki heavy; hard; arduous [abc]

ciężkie urządzenia transportu bliskiego heavy handling systems [masz.]

ciężko uszkodzony disabled [med.]

cif (*klauzula stosowana w handlu zagr. – koszty załadunku, ubezpieczenia i przewozu towaru do portu przeznaczenia obciążają sprzedawcę*) cif (*cost insurance freight*) [praw.]

CIM (*wytwarzanie zintegrowane komputerowo*) CIM (*computer-integrated manufacturing*) [inf.]

cios ashlar [abc]; cut dimension stone; freestone [bud.]

ciśnienie pressure [abc]

ciśnienie akustyczne sound pressure [akust.]

ciśnienie atmosferyczne air pressure [meteo.]

ciśnienie bezwzględne absolute pressure [fiz.]

ciśnienie boczne side thrust, lateral thrust [masz.]

ciśnienie cieczy fluid pressure [mot.]

ciśnienie cząstkowe partial pressure [energ.]

ciśnienie gazu gas-pressure (*for balloon*) [mot.]

ciśnienie główne main relief (*e.g. on loader*) [mot.]

ciśnienie górotworu ground-bearing pressure [abc]; bearing [transp.]

ciśnienie hydrauliczne hydraulic pressure [masz.]

ciśnienie hydrodynamiczne hydrodynamichydraulic pressure [masz.]

ciśnienie koncesyjne design pressure, licence pressure [energ.]

ciśnienie manometryczne gauge pressure [mot.]

ciśnienie minimalne minimum pressure [mot.]

ciśnienie nadkrytyczne supercritical pressure [energ.]

ciśnienie najwyższe maximum pressure [mot.]

ciśnienie nominalne nominal pressure [fiz.]

ciśnienie obliczeniowe design pressure [energ.]

ciśnienie odprężania flash pressure [energ.]

ciśnienie oleju oil pressure [masz.]

ciśnienie otwarcia opening pressure [masz.]

ciśnienie otwarcia zaworu cracking pressure (*Pressure at which a relief valve begins to pass flow*) [mot.]

ciśnienie pary steam pressure [energ.]

ciśnienie pary dolotowej live steam pressure [energ.]

ciśnienie pary dolotowej throttle pressure [energ.]

ciśnienie pary przy ujściu przegrzewacza superheater outlet pressure, steam pressure at superheater outlet [energ.]

ciśnienie pary świeżej live steam pressure, throttle pressure [energ.]

ciśnienie początkowe initial pressure [energ.]

ciśnienie podkrytyczne sub-critical pressure [energ.]

ciśnienie podwiewowe undergrate air pressure [energ.]

ciśnienie pompy pump relief [mot.]

ciśnienie powietrza air pressure, atmospheric pressure [meteo.]; pneumatic pressure [abc]

ciśnienie promieniowe radial pressure [fiz.]; radial thrust [masz.]

ciśnienie regulowane control pressure [mot.]

ciśnienie robocze working pressure, operating pressure [transp.]

ciśnienie rozpylania atomizer pressure (*e.g. 4-6 bar*) [aero.]

C

ciśnienie rozrywające bursting pressure [fiz.]

ciśnienie ruchowe operating pressure [transp.]

ciśnienie stałe unchanged pressure [abc]

ciśnienie statyczne static pressure [energ.]

ciśnienie sterowania servo pressure, control pressure, pilot pressure [mot.]

ciśnienie szczytowe point pressure [bud.]

ciśnienie w kotle boiler pressure [energ.]

ciśnienie wody water pressure [abc]

ciśnienie wsteczne back pressure [fiz.]

ciśnienie w walczaku drum pressure [energ.]

ciśnienie wtórne secondary relief [mot.]

ciśnienie wybuchu explosion pressure [górn.]

ciśnienie wydechu exhaust pressure [mot.]

ciśnienie zadziałania opening pressure [masz.]

ciśnienie zasilania charge pressure [mot.]

ciśnieniomierz air pressure gauge [miern.]; manometer [energ.]; pressure gauge; tyre gauge [mot.]

ciśnieniomierz cylindra hamulca brake-cylinder pressure gauge [mot.]

ciśnieniomierz rtęciowy mercury manometer [miern.]

ciśnieniowa spalinowa wytwornica pary boiler with pressurized furnace [energ.]

ciśnieniowy kocioł spalinowy boiler with pressurised furnace [energ.]

clić clear through customs (*e.g. machines*) [praw.]

cło (*drogowe*) toll (*e.g. on a toll road*) [mot.]

cmentarz graveyard, churchyard, cemetary [abc]

cmentarz przykościelny churchyard [bud.]

CNC (*skomputeryzowane sterowanie numeryczne*) CNC (*computerized numerical control*) [el.]

co godzinę hourly [abc]

co pół roku half-yearly [abc]

codzienny daily (*every day*) [abc]

cofać revoke [abc]

cofać się retract [energ.]

cofnięcie withdrawal [abc]

cokół pedestal [bud.]; plinth; socket [masz.]

cokół balustrady skirt, skirting (*min 25 mm above step nose*) [transp.]

CrMo CrMo (*abbrev. for chrome molybdenum*) [tw.]

CS CS (*cross sensing*) [transp.]

CSA (*Kanadyjskie Stowarzyszenie Standaryzacji*) CSA (*Canadian Standards Association*) [met.]

cudzoziemiec foreigner [abc]

cudzysłów quotation marks/inverted commas (" ") [abc]

cugle rein (*bridle, narrow leather strip*) [abc]

cukier gronowy dextrose (*in wine, brewing, food*) [bot.]

cukier w kostkach sugar lumps [abc]

cukrownia sugar plant [abc]

cuma bowline (*knot*) [mot.]

cumowanie mooring [mot.]

cwał canter [abc]

cybernetyczny cybernetic (*compare computer/nerves*) [abc]

cybernetyka cybernetics [abc]

cyfra figure, number [abc]

cyfra rzymska Roman numeral [abc]

cyfra skali scale figure [miern.]; relevant figure [masz.]

cyfrowe przetwarzanie obrazów

digital image processing [inf.]

cyjanit kyanite [min.]

cykl **Carnota** Carnot cycle [energ.]

cykl cycle [bud.]; (*produkcyjny*) throughput [masz.]; working aisle [mot.]

cykl **istnienia oprogramowania** software life cycle [inf.]

cykl **kontrolny** duty cycle [abc]

cykl **łączeniowy** switching cycle [el.]

cykl **odświeżania** (*obrazu*) display cycle [inf.]

cykl **pamięci** memory cycle [inf.]

cykl **pojedynczy** single passage [transp.]

cykl **pracy** working cycle [transp.]; cycle (*from „A" to „B" and back to "A"*) [mot.]

cykl **przeszukiwania** testing cycle, scanning cycle [el.]

cykl **przetarg – oferta – wybór** announcement-bid-selection cycle [ekon.]

cykl **roboczy** working cycle [transp.]

cykl **życia programu** software life cycle [inf.]

cylinder cylinder [tw.]

cylinder **amortyzatora** suspension cylinder [mot.]

cylinder **blokujący** locking cylinder [transp.]

cylinder **chwytaka koparki** clamshell cylinder [transp.]

cylinder **dociskowy** pressure cylinder [mot.]

cylinder **drążony** hollow cylinder [masz.]

cylinder **główny** main cylinder, master cylinder [mot.]

cylinder **hamulca** brake cylinder (B.C.) [mot.]

cylinder **hamulca jednokomorowy** single chamber brake cylinder [mot.]

cylinder **hamulcowy dwukomorowy** two-chamber brake cylinder [masz.]

cylinder **hamulcowy koła podwójny** duplex wheel cylinder [mot.]

cylinder **hamulcowy koła** wheel cylinder [mot.]

cylinder **hamulcowy sprężynowy** spring brake cylinder [mot.]

cylinder **hamulcowy z zasobnikiem powietrza** air cell brake cylinder [mot.]

cylinder **hydrauliczny z dławikiem** hydraulic cushioning cylinder [mot.]

cylinder **jednostronnego działania** single-acting cylinder [mot.]

cylinder **łyżki koparki** bucket cylinder [transp.]

cylinder **membranowy** membrane-type cylinder [masz.]

cylinder **naciskowy** pressure cylinder [mot.]

cylinder **nastawczy** adjust cylinder (*adjusting cylinder*) [opt.]; adjust <-ing> cylinder (*on-task cylinder*) [masz.]; boom adjusting cylinder [transp.]

cylinder **o komorze spalania umieszczonej z boku** offset cylinder [transp.]

cylinder **ogólny** generalized cylinder [inf.]

cylinder **pneumatyczny** air cylinder, pneumatic cylinder [aero.]; thrust cylinder [mot.]

cylinder **pneumatyczny przełączający** compressed air shift cylinder [aero.]

cylinder **podstawy wysięgnika** base boom cylinder [transp.]

cylinder **podwójnego działania** double-acting cylinder [mot.]

cylinder **pomocniczy** booster cylinder [mot.]

cylinder **pompy** pump cylinder [mot.]

cylinder **pompy tłokowej** hoist cylinder [mot.]

C

cylinder powietrzny air cylinder [aero.]

cylinder półkolisty semi-cylinder [masz.]

cylinder próżniowy przełączający vacuum shift cylinder [mot.]

cylinder przegubowy articulated cylinder (*on-task c.*) [transp.]

cylinder przekładni kierownicy steering cylinder [mot.]

cylinder przeponowy membrane-type cylinder [masz.]

cylinder pusty hollow cylinder [masz.]

cylinder regulujący adjusting cylinder [miern.]

cylinder regulujący napięcie gąsienicy track adjusting cylinder, track adjustment cylinder, track tensioning cylinder, track tensioner [transp.]

cylinder skipowy bucket cylinder (*shovel etc.*) [transp.]

cylinder sprężający pressurizing cylinder (*one-chamber brake cylinder*) [mot.]

cylinder sprężynowy spring-loaded cylinder [mot.]

cylinder sprężynowy hamulca postojowego spring-loaded cylinder for parking brake [mot.]

cylinder stabilizujący wodę water stabilizing cylinder [bud.]

cylinder sterowniczy control cylinder, dummy cylinder [mot.]

cylinder sterujący operating cylinder [mot.]

cylinder tandemowy tandem cylinder [masz.]

cylinder tarczowy shield cylinder [górn.]

cylinder tłoka piston drum [mot.]

cylinder uniwersalny generalized cylinder [inf.]

cylinder wahadłowy pivoting cylinder [transp.]

cylinder Wehnelta modulator electrode [el.]

cylinder wielostopniowy multiple stroke cylinder [mot.]

cylinder wspomagający booster cylinder [mot.]

cylinder wtryskarki feed cylinder [transp.]

cylinder wypychacza ejector cylinder [mot.]

cylinder wysięgnika boom cylinder, jib cylinder [transp.]

cylinder zamknięty enclosed cylinder [masz.]

cylinder zamykania drzwi door lock cylinder [mot.]

cylindry pneumatyczne i hydrauliczne pneumatic and hydraulic cylinders [masz.]

cyna tin [tw.]

cyna lutownicza solder tin [met.]

cyngiel trigger [masz.]

cynk zinc [chem.]

cynk nieorganiczny zinc dust gray [górn.]

cynkować galvanize [met.]

cynkować na gorąco hot-dip galvanize [met.]

cynkować ogniowo hot-dip galvanize [met.]

cynkowanie galvanizing (*bores in box-sections*) [transp.]

cynkowanie na gorąco hot-dip galvanizing [met.]

cynkowanie ogniowe hot-dip galvanizing [transp.]

cynkowany zinc-coated; zinc-plated, galvanized [met.]

cynkowany elektrolitycznie electrolytic galvanized, electro-galvanized (*corrosion-protect*) [met.]

cynkowany na gorąco hot galvanized; hot-dip galvanized; hot-dip zinc-coated [met.]

cynkowany ogniowo hot galvanized, hot-dip galvanized; hot-dip zinc-

coated [met.]
cynobrowy vermillion [norm.]
cynować tin, tin-coat [met.]
cynowany tin-coated, tinned [met.]
cyprys cypress [bot.]
cyrk lodowcowy gorge [geol.]
cyrkiel drawing compass [abc]; dividers [energ.]
cyrkon zirconium [chem.]
cyrkulacja circulation [tw.]
cysterna tank (*reservoir for gas*) [masz.]; vat (*tub*) [abc]
cysterna drogowa road tanker [mot.]
cysterna samochodowa benzynowa bowser (*fuel bowser*) [mot.]
cytadela citadel (*fortress*) [bud.]
cytat quotation; citation (*quote a passage*) [abc]
cytować quote [abc]
cywilizacja civilization [abc]
cywilizowany civilized [abc]
czad carbon monoxide [chem.]
czajnik teapot [abc]
czapka cap [abc]
czarna dziura Black Hole (*in outer space*) [geogr.]
czarna kawa straight black coffee [abc]
czarna skrzynka black box (*electronic power limit*) [mot.]
czarnoziem humus topsoil, black cotton soil [gleb.]; muck [geol.]
czarter częściowy split charter [mot.]
czarterujący charterer [mot.]
czas time [abc]
czas aktywacji response time, pick-up time [el.]
czas buforowany float [abc]
czas cyklu cycle time [transp.]
czas dostawy delivery time [abc]
czas dostępu access time [inf.]
czas dotarcia się break-in period [mot.]
czas hamowania braking time [mot.]; delay time [transp.]

czas implementacji implementation period (*e.g. software*) [inf.]
czas jednostkowy cycle time (*dig-swing-dump-return*); working cycle [transp.]
czas ładowania loading time [abc]
czas łączenia delay [transp.]
czas montażu erection time (*erection down time*) [transp.]
czas nagrzewania warm-up period, warm-up time [energ.]
czas narastania rise time; building-up time [el.]
czas obrotu slewing time, swing time [transp.]
czas odjazdu departure time [mot.]
czas odlotu departure time [mot.]
czas opadania fall time [inf.]; persistent time [el.]
czas operacji time in action [abc]
czas opóźniania delay time [transp.]
czas otwarcia opening time [el.]
czas podnoszenia hoist time [mot.]
czas pogłosu reverberation time, ringing time, die-away time [el.]
czas pracy kotła boiler running hours [energ.]
czas pracy maszyny period of operation [abc]
czas pracy working time, work time; operating time [abc]; duty cycle [el.]
czas próbkowania keying time [abc]
czas przelotu dźwieku transit time of sound [akust.]
czas przenoszenia capacity time [transp.]
czas przestoju outage (*down-time*) [abc]
czas przewozu capacity time [transp.]
czas przybycia arrival time [mot.]
czas przygotowawczy setup time (*preparation for work*) [masz.]
czas przyjazdu arrival time [mot.]

C

czas redukcji ciśnienia pressure reducing period [energ.]

czas rozgrzania warming-up period [energ.]

czas rozgrzewania warm-up period, warm-up time, heating-up period [transp.]

czas rozgrzewu warming-up period [energ.]

czas rzeczywisty real time [inf.]

czas spalania combustion time [energ.]

czas środkowoeuropejski Central European Time [abc]

czas transportu transport time [abc]

czas trwania doświadczenia duration of the boiler test [energ.]

czas trwania impulsu pulse duration, pulse width [el.]

czas trwania period (*duration*), length [abc]

czas trwania rozbiórki stripping time [bud.]

czas trwania spalania duration of combustion [energ.]

czas trwania wyłączenia interrupting time [el.]

czas twardnienia hardening time [met.]

czas uruchamiania start-up period [energ.]

czas uspokojenia recovery time [transp.]

czas utrzymywania holding time (*np. temperatury*) [masz.]

czas wiązania delay [transp.]

czas własny inherent time (*constant time*) [masz.]

czas włączenia duty cycle [el.]

czas włączenia – wyłączenia make-break time [el.]

czas wolny leisure; non-working time [abc]

czas wsadu charge period [tw.]

czas wyładunku service time, dis-charging time [mot.]

czas wymiany spotting time (*of truck*) [transp.]

czas wznoszenia building-up time (*rise time*) [abc]

czas zadany expected time (*rated time*) [abc]

czas zadziałania triggering time; melting time (*fuse*) [el.]

czas zamykania closing time (*grab*) [transp.]

czas zaniku (*sygnału*) decay time (*stabilizing time*) [el.]

czas zapalenia igniter time (*fuse*) [abc]

czas zapamiętywania storage time [inf.]

czas zastosowania period of application; time in action [trans.]

czas zgłoszenia (*pasażerów do odlotu*) check-in-time [mot.]

czas zwalniania delay time [transp.]

czasochłonny time consumed [abc]

czasopisma printed press [abc]

czasopismo fachowe (*specjalistyczne*) (*trade*) journal [abc]

czasza bowl [masz.]

cząstka particle [fiz.]

cząstka pyłu dust particle [abc]

cząstka ziarnista grain particle [bud.]

cząstki stałe zawieszone w gazie particulates (*in Diesel engine*) [mot.]

cząstki tworzące kamień kotłowy boiler scale-forming particles [energ.]

cząstki wydmuchowe settable solids [gleb.]

czcionka font (*e.g. Gothic bolt*) [inf.]

czcionka wyjustowana do środka pogrubiona thick central writing [abc]

czekać wait (*for somebody*) [abc]

czeladnik apprentice [abc]

czerń drukarska printer's ink [abc]

czerń głęboka jet black [norm.]

czerń grafitowa graphite black [norm.]

czerń intensywna jet black [norm.]

czerń smolista pitch black [abc]

czerpać scoop; shovel (*digging shovel, rock shovel*) [transp.]; tap [abc]

czerpak bucket [mot.]; excavator bucket; dipper [transp.]

czerpak dennozsypowy (*koparki lub czerparki*) bottom-dump shovel [transp.]

czerpak do gliny clay bucket [transp.]

czerpak do materiału lekkiego light material bucket, light weight material bucket [transp.]

czerpak do materiału sypkiego loading bucket [mot.]

czerpak do oczyszczania koryta ditch-cleaning bucket [transp.]

czerpak hydrauliczny hydraulic bucket [narz.]

czerpak kamienia quarry bucket [górn.]

czerpak ogólnego zastosowania general purpose bucket [abc]

czerpak skalny (*koparki lub czerparki*) face shovel, rock bucket, rock shovel [transp.];

czerpak uniwersalny multi-purpose bucket [transp.]

czerpak z klapą denną bottom-dump shovel [transp.]

czerpak zbierakowy dragline [transp.]

czerparka excavator [transp.]

czerparka chwytakowa backhoe with grab, shovel with grab [transp.]

czerparka ciężka z kołem czerpakowym giant bucket wheel excavator [transp.]

czerparka do usuwania namułu silt dredger [mot.]

czerparka łyżkowa nadpoziomowa backhoe [transp.]

czerparka łyżkowa podpoziomowa backhoe excavator [transp.]

czerparka łyżkowa podpoziomowa z hydraulicznym napędem elementów roboczych hydraulic backhoe [transp.]

czerparka most(k)owa z kołem czerpakowym bridge type bucket wheel reclaimer [górn.]

czerparka z kołem czerpakowym bucket wheel excavator (BWE) [transp.]

czerwień fluoryzująca luminous red [norm.]

czerwień jasna fluoryzująca luminous bright red, luminous light red [norm.]

czerwień koralowa coral red [norm.]

czerwień łososiowa salmon pink [norm.]

czerwień maku poppy red [transp.]

czerwień pomidorowa tomato red [norm.]

czerwień purpurowa purple red [norm.]

czerwień truskawkowa strawberry red [norm.]

czerwień winna wine red [norm.]

czerwień żelazowa imperial red [norm.]

czerwień żelazowa oxide red [norm.]

czerwonka dysentery [med.]

czerwony red [abc]

Czerwony Krzyż Red Cross [abc]

Czerwony Półksiężyc Red Crescent [abc]

czerwony rubinowy ruby red [norm.]

częstość łączeń number of cycles [el.]

częstotliwość frequency [el.]

częstotliwość drgań electronic oscillation frequency [el.]

częstotliwość błędu rate of occurrence (*of flaws*) [abc]

częstotliwość chwilowa instantaneous frequency [el.]

częstotliwość główna basic frequency [el.]

częstotliwość kątowa angular frequency [fiz.]

częstotliwość konserwacji maintenance interval [mot.]

częstotliwość krytyczna cut-off frequency (*limiting frequency*) [el.]

częstotliwość odchylania sweep frequency [el.]

częstotliwość podstawowa fundamental frequency [fiz.]

częstotliwość powtarzania impulsów pulse repetition frequency [el.]

częstotliwość powtarzania repetition frequency [el.]

częstotliwość przełączania switching rate [transp.]

częstotliwość przeszukiwania scanning frequency, testing frequency [el.]

częstotliwość rezonansowa resonant frequency [fiz.]

częstotliwość rezonansu resonance frequency, resonant frequency [fiz.]

częstotliwość słyszalna audio-frequency [akust.]

częstotliwość smarowania maintenance interval [mot.]

częstotliwość sterownicza control frequency [el.]

częstotliwość testowania testing frequency [el.]

częstotliwość tranzytowa transit frequency [abc]

częstotliwość ultradźwiękowa ultrasonic wave frequency [el.]

częstotliwość wewnętrzna internal frequency [fiz.]

częstotliwość własna natural frequency [fiz.]

częstotliwość wycierania i mycia wish-wash interval (*of window washer*) [mot.]

częstotliwość (występowania) poszczególnych skał commonness of rocks [bud.]

częstotliwość zastosowania number of uses [abc]

częstotliwość zespolona complex frequency [el.]

części blaszane steel plate parts (*pieces*) [transp.]

części ciśnieniowe (*kotła*) pressure parts [energ.]

części dostarczane przez dostawców parts from suppliers [abc]

części kotła boiler components [energ.]

części lotne volatile matter (V.M.) [energ.]

części metalowe kształtowe metal parts [masz.]

części mielące grinding elements [energ.]

części montażowe mounting parts [transp.]

części montażowe o strukturze plastra pszczelego honeycomb structures [masz.]

części napędzające driving parts (*drive parts*) [mot.]

części odpowiadające normie DIN DIN parts (*standard parts*) [norm.]

części ograniczające limiting parts [transp.]

części podstawowe major components [mot.]

części pojedyncze do regulatora single parts for governor [mot.]

części pojedyncze one-off part (*only one made*) [mot.]

części precyzyjne fines [met.]

części ruchome moving parts, movable elements [abc]

części samochodowe vehicle parts, automotive body parts [mot.]

części składowe component parts [tw.]

części składowe i części zamienne

components and spare parts [ekon.]

części składowe pogłębiarki dredger components [transp.]

części składowe wejścia input components [masz.]

części stałe solids [abc]

części zamienne parts [abc]

części zamienne repair parts [masz.]

części zamienne do kompensatora rurowego osiowego spares for axial compensator [masz.]

części zamienne do kozła na kółkach spares for roller stool [masz.]

części zamienne do krążka zwrotnego tylnego spares for rear return pulley [masz.]

części zamienne do łożyska obrotowego spares for pivoting bearing [masz.]

części zamienne do wału bębna spares for drum shaft [masz.]

części zamienne do wciągarki magazynowej spares for storage winch [masz.]

części zużywalne wear and tear parts [masz.]

części zużywalne zamienne spare and wear parts, wear and tear parts [masz.]

częściowo dosunięty partly trapped (*e.g. trapped rock*) [górn.]

częściowo osłonięty partially enclosed [abc]

częściowo przysunięty partly trapped [górn.]

częściowo zasunięty partly trapped [górn.]

częściowy half [abc]

częściowy przekrój perspektywiczny cutaway diagram, cutaway view [rys.]

część part [abc]

część centralna centre body, centre part [transp.]

część cokołu skirt panel part [transp.]

część do głębokiego tłoczenia deep-drawn part [tw.]

część drobna small part [masz.]

część dziobowa statku foreship (*forecastle*) [mot.]

część formy shape part [transp.]

część giętka flexible part [masz.]

część głębokotłoczna deep-drawn part [tw.]

część gotowa component [tw.]

część górna chwytaka grab upper section [transp.]

część konstrukcji o kształcie gwiaździstym spider (*centrifugal weight*) [masz.]

część końcowa tail (*end*) [mot.]

część miasta part of town [abc]

część mocująca fastening part; mounting bracket [masz.]

część nieobrobiona unmachined [masz.]

część obrabiana work piece [abc]

część odległościowa bushing [masz.]; spacer [mot.]

część podlegająca szybkiemu zużyciu fast wear part, fast-moving part (*as filters etc.*) [met.]

część pojedyncza individual part [abc]

część prowadząca tłoka piston skirt [mot.]

część przednia chwytaka dwuszczękowego lip [transp.]

część przednia kubła dennozsypnego lip (*of BD shovel*) [transp.]

część przegubowa coupling [tw.]

część rzeczywista real part [mat.]

część składowa component [tw.]

część składowa hałasu noise component [akust.]

część składowa minerału mineral constituent [abc]

część spawana welded part, weldment, welded assembly [masz.]

część szybko zużywalna fast wear part, fast-moving part (*as filters etc.*) [met.]

część środkowa (*centralna*) centre body, centre part [transp.]; balance [rys.]

część środkowa hamulca pneumatycznego nadciśnieniowego central part of the air brake [mot.]

część urojona imaginary part [mat.]

część według rysunku nr part according to drawing no [masz.]

część wieńcząca newel [transp.]

część współpracująca counterpiece [tw.]

część wymienna return part [masz.]

część wyposażenia piece of equipment [transp.]

część zamienna exchange part, spare part, service part, return part [masz.]

część zapasowa repair part, service part, spare part [abc]

część z gumy piankowej foam rubber component [tw.]

część zużywalna wear part [masz.]

człon member; link [masz.]; union [mot.]

człon bierny follower [masz.]

człon konstrukcji structural member, structural part, member [masz.]

człon łańcucha stopni one strang step chain unit; step chain section [transp.]

człon nastawczy setting element, actuator [mot.]

człon odpowiedzi answer term [inf.]

człon podwójny double joint [masz.]

człon regulacyjny control element (*control member*) [mot.]

człon rozprężający stopper circuit [el.]

człon sterujący control unit [inf.]

człon wtykowy plug-in element [masz.]

człon zwłoczny time element [transp.]

członek member [abc]

członek honorowy honorary member [abc]

członek kierownictwa przedsiębiorstwa member of the divisional board [abc]

członek rady nadzorczej member of the supervisory board [abc]

członek zarządu member of the board, member of the board of directors, member of the board of managers [abc]

członek związku zawodowego union member [polit.]

człowieczy human [abc]

człowiek dojeżdżający do pracy commuter [mot.]

czołg górski armoured recovery vehicle, ARV [wojsk.]

czołg pływający amphibious tank [wojsk.]

czołg tank (*armoured vehicle*) [wojsk.]

czoło forehead; front [abc]; front side, frontside [mot.]

czoło fali wave front [fiz.]

czoło formacji (*wojskowej*) van [wojsk.]

czoło łyżki shovel front [transp.]

czoło pociągu head of train (*train head*) [mot.]

czoło przodka face [górn.]

czoło ramy front frame head (*frame head*) [transp.]

czoło stopnia step run-in [transp.]

czołowe miejsce leading position [abc]

czołownica buffer beam [mot.]

czołowy on the face side [masz.]

czop journal; spindle [mot.]; pin lock (*arrests pin in bearing*) [transp.]; tang [masz.]

czop czołowy finger [masz.]; pivot [mot.]

czop główny centre pin [transp.]

czop końcowy wału shaft butt end [transp.]

czop korbowy crank pin [mot.]

czop krzyżowy cross pin [tw.]

czop kulisty ball journal [masz.]

czop kulkowy ball pen [transp.]

czop kwadratowy shank (*doorknob socket goes on it*) [bud.]

czop łożyskowy axle journal [masz.]

czop nasadzania kontenera container jigger pin [mot.]

czop nasadzania kontenera składany hinged container jigger pin [mot.]

czop nasadzany jigger pin (*e.g. hinged*) [mot.]

czop nośny trunnion [masz.]

czop obrotowy bogie pin [masz.]; king bolt; pivot; trunnion [transp.]

czop obrotowy wciągnika hydraulicznego lift cylinder trunnion [mot.]

czop osi axle journal [mot.]; king pin [transp.]

czop poprzeczny trunnion [masz.]

czop promieniowy trunnion [masz.]

czop skrętny pintle (*standing upright*) [masz.]

czop skrętu king bolt [transp.]

czop wodny water pocket [energ.]

czop zawieszenia obrotowego trunnion; yoke (*bracket, fixture, bearing*) [masz.]

czop zawieszenie obrotowego osi axle support trunnion [masz.]

czop zwrotnicy steering spindle [mot.]

czop z zagłębionym gniazdem hollow head plug [masz.]

czternastodniowy fortnightly, bi-weekly (*every two weeks*) [abc]

czteroosiowy four axle (*4-axle low loader*) [mot.]

czteroosiowy wagon-chłodnia bogie refrigerator wagon [mot.]

czteroosiowy wagon-cysterna bogie tank wagon [mot.]

czterorowkowy with four grooves [masz.]

czterostronny quadriliteral [abc]

czterosuw four cycle engine, four cycle motor [mot.]

czubek (*drzewa*) tip [bot.]

czucie sensing [abc]

czujnik sensor; indicator [el.]; indicator test (*reset button*) [transp.]; monitor [miern.]; sensitive element; safeguard [masz.]; sensing device [mot.]

czujnik bezdotykowy initiator [transp.]

czujnik ciśnienia oleju oil pressure switch [masz.]

czujnik ciśnieniowo-termometryczny sensor and transducer for pressure and temperature [inf.]

czujnik ciśnieniowy pressure sensor [mot.]; pressure safeguard [miern.]

czujnik fazy phase monitoring [el.]

czujnik kompensatora wzdłużnego longitudinal compensator sensor [abc]

czujnik manometryczny pressure sensor and indicator [mot.]

czujnik naprężenia łańcucha stopni step chain tension monitor [transp.]

czujnik natężenia przepływu pary steam flow transmitter [energ.]

czujnik paliwowy fuel sensor, fuel sender [mot.]

czujnik pomiarowy primary element, indicator, sensor [miern.]

czujnik poziomu level switch [transp.]

czujnik przegrody świetlnej light barrier sensor [el.]

czujnik przepływowy flow monitor [mot.]

czujnik przepływu flow control valve [transp.]

C

czujnik ruchu wstecznego stopniowego step return monitor [transp.]
czujnik stykowy selecting pin [mot.]
czujnik świetlny light sensor [el.]
czujnik temperatury temperature measuring device (*sensor*), temperature monitor, temperature sensor; temperature control [miern.]; heat-resistant probe [masz.]; thermo sensor (*in stator windings*) [el.]
czujnik tensometryczny strain gage (*do pomiaru odkształceń*) [masz.]
czujnik termometryczny feeler gauge; temperature sensitive element; thermal couples (US); thermometer probe [miern.]
czujnik zbliżeniowy proximity switch [transp.]
czujnik zegarowy dial gauge [miern.]; meter [mot.]
czujnik zegarowy ustawiania położenia zerowego zero setting on dial indicator [transp.]
czułość sensitivity [masz.]
czułość przeszukiwania scanning sensitivity, test sensitivity [abc]
czułość testowa test sensitivity [miern.]
czułość wagi weighing sensibility [abc]
czułość wykrywalności błędu flaw detection sensitivity [miern.]
czuły sensitive [masz.]
czworoboczny quadriliteral [abc]
czworobok rectangle [abc]
czworokąt rectangle [abc]
czworokątny quadriliteral (*rectangular*) [abc]
czwórnik cross piece (*piping*) [energ.]; four-pole [el.]; four-way connector (*cross*) [mot.]; two-port [inf.]
czwórnik odwracający reciprocal two-port [el.]
czynnik factor [abc]

czynnik chłodzący coolant [mot.]
czynnik interferencyjny interference factor [el.]
czynnik produktywności productivity factor [inf.]
czynnik roboczy working fluid, working medium [energ.]
czynnik spęcznienia swell factor [min.]
czynności pomocnicze non-manufacturing work [abc]
czynność activity (*of a person*) [abc]
czyste domniemanie pure supposition [abc]
czystość cleanliness, purity, tidiness, order [abc]; fineness [met.]
czystość pary steam purity [energ.]
czysty clean, neat, tidy [abc]
czysty węgiel pure coal (pc) [energ.]
czyszczenie cleaning [abc]
czyszczenie dna excavator work (*on shore*) [transp.]
czyszczenie metodą alkaliczną alkali cleaning [chem.]
czyszczenie pamięci garbage collection [inf.]
czyszczenie sita filtracyjnego air cleaner tray screen cleaning [aero.]
czyszczenie wnętrza internal cleaning [energ.]
czyszczenie zewnętrzne external cleaning [abc]
czyszczony parą steam cleaned [mot.]
czyścić brush [el.]; clean, shine, polish [abc]; scour [met.]
czyścić parą steam clean (*e.g. a work area*) [mot.]
czytelnik reader (*subscriber*) [abc]
czytelny readable (*legible*) [abc]
czytnik transcriber (*of a dictating machine*) [el.]
czytnik kart dziurkowanych card reader [inf.]
czytnik tekstu text scanner [inf.]

D

D.O.S. D.O.S. (*disk operating system*) [inf.]

dach roof [bud.]

dach czterospadowy hip roof [bud.]

dach dwuspadowy span roof; gable roof [bud.]

dach jednospadowy niedzielony undivided swivelling roof [bud.]

dach odsuwany sliding roof, sun roof, sunroof [mot.]

dach opuszczany folding roof; roller-shutter roof [mot.]

dach otwierany opening roof [masz.]

dach płaski flat roof [bud.]

dach przeciwsłoneczny (*daszek płócienny*) awning (*e.g. on mobile home*) [bud.]

dach (składany) samochodu top [mot.]

dach spadowy pitched roof [bud.]

dach spadzisty slanted roof [bud.]

dach szczytowy gable roof; span roof [bud.]

dach tarasowy flat roof [bud.]

dach zębato zwieńczony castellated roof [bud.]

dachówka roof tile, tile [bud.]

dachówka holenderska roofing tile (*steel roofing tile*) [bud.]

dalba mooring post [mot.]

dalekopis telex system [telkom.]

dalekowzroczny far-sighted [abc]

dalmierz odometer (*distance covered by vehicle*) [mot.]

dane data; information; documents [abc]

dane dotyczące serwisu service data [abc]

dane eksploatacyjne operating data, performance data [abc]

dane główne main data [abc]

dane ilościowe quantities [abc]

dane kartoteki głównej części data of the master parts records [inf.]

dane kartoteki głównej części zamiennych master parts record (*m. p. records*) [inf.]

dane obróbkowe machining data [masz.]

dane orientacyjne guiding value, reference value, approximate value (*e.g. percentage of chrome*) [abc]

dane początkowe initial data [abc]

dane projektowe design data [rys.]

dane przyjęcia towaru receipt data [abc]

dane serwisowe service data [abc]

dane silnika elektrycznego electric motor data [el.]

dane skrawania data on machining [masz.]

dane techniczne kotła boiler data [energ.]

dane techniczne specification sheet, technical data [abc]; data sheet [inf.]

dane uszeregowane suffixes [abc]

dane wielkościowe quantities [abc]

dane wyjścia output data [el.]

dane źródłowe initial data [abc]

danie meal (*dish, course*) [abc]

darnina grass sod [abc]

darń grass sod [abc]; turf [bot.]

daszek (*u czapki*) visor (*sun visor*) [abc]; canopy (*canvas cover, sun roof*) [transp.]

daszek chroniący przed uderzeniami kamieni body canopy protective extension and deflector [transp.]

data date [abc]

data upływu terminu ważności (*danych*) purge date [inf.]

data usunięcia purge date [inf.]

data ważności date of expiration (*of the agreement*) [prawn.]

dawać sygnał honk [mot.]

dawać sygnał kierunkowskazem indicate; twinkle [mot.]

dawca donor [abc]

dawkować batch [abc];

dawkownik czasu timer (*e.g. intervals*) [abc]

dawniej formerly (*in former times*) [abc]

dawny former (*e.g. in former times, formerly*) [abc]

dąb oak (*oak-tree*) [bot.]

DDL (*język programowania opisu danych*) DDL (*Data Definition Language*) [inf.]

DDP (*przetwarzanie danych rozproszonych*) DDP (*Distributed Data Processing*) [inf.]

debiutant apprentice, novice [abc]

debuger debugger [inf.]

decybel (dB) decibel [akust.]

decydujący decisive [abc]

decyzja polityczna political decision [polit.]

dedukcyjna baza danych deductive database [inf.]

defekt failure, defect, inferiority, fault, shortage, drawback [abc]

defekt płaski plane flaw [masz.]

defekt powierzchniowy plane flaw [masz.]

defekt rury tube failure, tube fault [masz.]

defektomierz ultradźwiękowy axle probe (*ultra-sonic testing*) [miern.]

defektoskop ultradźwiękowy ultrasonic flaw detector [miern.]; US equipment (*for welding*) [met.]

defektoskopia magnetyczna proszkowa magnetic particle inspection; magnetic method [met.]

defektoskopia radiologiczna transmission test inspection [miern.]

defektoskopia ultradźwiękowa ultrasonic flaw tracing [el.]; ultrasonic inspection; U.T. (*ultrasonic test*); US (*ultrasonic test*); through-transmission [miern.]

deficyt wantage (*deficiency*) [abc]

defilada troop review [wojsk.]

definicja definition [inf.]

definicja wymagań requirements definition [inf.]

deflektor deflector [tw.]; gas baffle [energ.]; suction head [masz.]

deflektor kierujący fan blast deflector [aero]

deformacja deformation [transp.]; distortion; twisting [tw.]

deformujący deforming (*metamorphic*) [bud.]

dehydratacja szlamu sludge dehydration [mot.]

deka- (*przedrostek*) deca (100 grams) [abc]

dekada decade (*mostly 10 years, 10 days*) [abc]

dekalkomania decalcomania (*decal*) [abc]

dekapować pickle (*the boiler*) [met.]

dekarz sheeter; tiler; slater; thatcher [bud.]

dekarz kryjący dachy słomą thatcher (*thatched roof*) [bud.]

dekatron decade counter tube [miern.]

deklaracja declaration [abc]

deklarować (*w deklaracji celnej*) declare (*Anything to declare?*) [abc]

deklarować intencję declare the intention [prawn.]

dekodować decode (*decipher*) [inf.]

dekodowanie decoding (*deciphering*) [abc]

dekompresor decompressor [mot.]

dekret government legislation [praw.]

dekstroza dextrose (*in wine, brewing, food*) [bot.]

delegacja business trip [abc]

delegacja rad pracowniczych oddziałów przedsiębiorstwa shop committee [abc]

delegat deputy [abc]

delikatny sensible, sensitive [abc]
demineralizacja całkowita complete demineralisation [energ.]
demineralizacja zupełna complete demineralisation [energ.]
demineralizator ze złożem mieszanym mixed-bed demineralizer [energ.]
demodulacja demodulation [el.]
demodulować demodulate [el.]
demokracja democracy [polit.]
demonstracja presentation, demonstration [abc]; demonstration [polit.]
demontaż digging [górn.]; disassembly; dismantling [met.]
demontować remove [abc]; dismantle; disassemble strip, strip down (*e.g. strip an engine*) [met.]; dig [bud.]
demontować i instalować r&i (*US: remove and install*) [met.]
demontować i zastępować r&r (*remove and replace*) [met.]
dendryt celów goal tree [inf.]
dendryt decyzyjny decision tree [inf.]
dennik główny main floor [mot.]
dentysta dentist [med.]
denuncjacja report to the police [praw.]
Departament Stanu State Department (US) [polit.]
depozyt długoterminowy long-term loan [praw.]
depozyt stały permanent loan [mot.]
depresja dip [bud.]
der(r)ik stiff-leg derrick, erecting crane [transp.]
derywować derive from [abc]
deska board [transp.]
deska do deskowania formwork board, formwork panel [bud.]
deska kreślarska drawing board [abc]

deska okorkowa formwork board [bud.]; slab [masz.]
deska podłogowa floor board [bud.]
deska rozdzielcza instrument panel [mot.]
deska rysunkowa drawing board [abc]
deska szczytowa barge [bud.]
deskowania formwork [bud.]; sheeting [masz.]
deskowanie ścian wykopu trench shoring [transp.]
deskowanie tracone dead sheathing (*sheet under beam*) [bud.]
deskowanie wykopu sheeting (*in trench*) [bud.]; trench-lining [transp.]
destylacja distilling [chem.]
destylować distill [chem.]
deszcz rain (*precipitation*) [meteo.]
deszczowy rainy [meteo.]
detal detail [abc]
detekcja krawędziowa edge detection [inf.]
detektor progowy threshold detector [el.]
detektor zaniku płomienia flame monitor [energ.]
detektyw detective (*slang: private eye*) [abc]
detonacja detonation [wojsk.]; explosion [górn.]
detonator detonator cap [wojsk.]
detonować explode [górn.]
dewastować gut [abc]
dewoński devonian (*rock formation*) [geol.]
dezerterować desert [wojsk.]
dętka tube; inner cover, inner tube [mot.]
DF (*przepływ danych*) DF (*data flow*) [inf.]
DFD (*diagram przepływu danych*) DFD (*data flow diagram*) [inf.]
diabaz diabase [bud.]

D

diafragma diaphragm [fiz.]; membrane [masz.]

diagnostyczne rozwiązywanie problemów classification problem solving [inf.]

diagnostyka diagnostics (*result: list of faults*) [inf.]

diagnostyka medyczna medical classification [inf.]

diagnostyka oparta na modelach model-based classification [inf.]

diagnoza diagnosis [miern.]

diagnoza różnicowa differential diagnosis [inf.]

diagonalizacja macierzy matrix diagonalization [mat.]

diagonalny transverse [abc]

diagram chart; drawing; diagram; graph; plot [abc]

diagram igiełkowy needle diagram [inf.]

diagram impulsowy pulse diagram [el.]

diament diamond (*diamond mines*) [chem.]

dielektryczność dielectricity [el.]

dielektryczny dielectric [el.]

dielektryk dielectric [el.]

dioda diode [el.]

dioda emitera emitter diode [el.]

dioda idealna ideal diode [el.]

dioda kolektorowa collector diode [el.]

dioda tłumiąca damping diode [el.]

dioda Zenera Zener diode [el.]

dioda zenerowska Zener diode el.]

dioda złączowa junction diode [el.]

diodowy układ bramkowy diode gate circuit [el.]

dioryt diorite [bud.]

dławić choke, throttle [energ.]; derate; stall (*no more flow at wings*) [mot.]

dławik choke; choke coil (*line choking coil*) [tw.]; choke control [mot.]; impedance coil [el.]

dławik pompy wodnej water pump gland [mot.]

dławik szynowy impedance bond [mot.]

dławik uziemiający discharge coil [el.]

dławik wymienny exchangeable gland, exchangeable packing [mot.]

dławikowe uszczelnienie tłoka chevron piston packing [masz.]

dławnica compression gland [tw.]; gland [energ.]

dłoń hand; palm [med.]

długi skok long stroke [mot.]

długoogniwowy łańcuch drabinkowy tulejkowy double-pitch roller chain [masz.]

długopis ball pen (US); biro (GB) [abc]

długościomierz length measuring device [abc]

długość length [transp.]

długość boczna lateral length [bud.]

długość całkowita length over all [abc]; overall length; (*wraz z buforami*) length over buffers (*rolling stock*) [mot.]

długość cyklu cycle duration [el.]

długość drogi length of route [bud.]

długość fali wave length [fiz.]

długość geograficzna wschodnia eastern longitude [abc]

długość impulsu pulse width (*pulse length, pulse duration*) [el.]

długość krawędzi (*kamieni przed kruszeniem i wsadem*) feed size [górn.]

długość łańcucha chain length [rys.]

długość minimalna minimum length (*measure*) [abc]

długość nagrania length of play [abc]

długość najmniejsza minimum length [abc]

długość nośna bearing length [transp.]

długość nośna gąsienicy crawler bearing length [transp.]

długość odchylenia sweep length [transp.]

długość piasty distance through hub [masz.]

długość pociągu train length (*length of train*) [mot.]

długość pociągu drogowego length of truck and trailer [mot.]

długość podnóżka stopnia step length [transp.]

długość pomiarowa base tangent length (*e.g. 6 teeth*) [masz.]

długość poręczy handrail length [transp.]

długość posuwu crowd length [transp.]

długość posuwu wagonu samowyładowczego tunble-down height [transp.]

długość pozioma horizontal length [transp.]

długość przenośnika wałkowego length of roller conveyor [mot.]

długość rury tube length [masz.]

długość rusztu length of grate [energ.]

długość skoku stroke length [masz.]

długość sprężyny nieobciążonej spring length, unloaded [masz.]

długość sprężyny obciążonej spring length, loaded [masz.]

długość stała fixed length [masz.]

długość sworznia length of pin [masz.]

długość sworznia łączącego length of connecting pin [masz.]

długość ścieżki path length [inf.]

długość ścieżki fali trace wave length [el.]

długość transportowa transport length [masz.]

długość trzonka shank length [mot.]

długość użytkowa working length [mot.]

długość w rozwinięciu flat length; uncoiled length [met.]

długość warstwy ćwierćfali quarter wave length layer [masz.]

długość wbudowania installation length [masz.]

długość wewnętrzna inside length [masz.]

długość wkręcenia length of thread [masz.]

długość wykopu pit length [transp.]

długość wysięgnika taśmowego odbiorczego receiving boom length [transp.]

długość wysięgnika zrzutowego discharge boom length [transp.]

długość wysięgu boom length [transp.]

długość wzdłuż wspólnej normalnej koła zębatego width of teeth, width of teeth over 6 teeth [masz.]

długość załadunkowa loading length (*of bed*) [mot.]

długość zewnętrzna outside length [masz.]

długość zęba tooth width; width of tooth face [masz.]

długość zębów tine length (*tyne*) [narz.]

długość ziarna shot length [met.]

długotrwały durable (*long-lived, with longevity*) [abc]

długotrwały rozwój sustained development [abc]

długowieczność longevity [abc]

dłutak cutting wheel [narz.]

dłuto chisel [narz.]

dłuto płaskie flat chisel [narz.]

dłuto szerokie spade chisel [narz.]

dłutowanie slotting [masz.]

dłużyca long tailed wood (*long cut timber*); long timber, long wood [abc]

dmuchacz blower [energ.]

dmuchać blow [abc]

dmuchawa blower; fan; ventilator [masz.]

dmuchawa ciągu sztucznego forced draught fan [energ.]

dmuchawa dodatkowego podgrzewacza powietrza cold end blower; economizer and air heater soot blower [energ.]

dmuchawa grzejna heater fan [mot.]

dmuchawa powietrza uszczelniającego młyn seal air fan [masz.]

dmuchawa promieniowa radial flow fan; radial compressor [masz.]

dmuchawa recyrkulacyjna recirculating fan [energ.]

dmuchawa spalinowa exit gas fan [masz.]

dmuchawa śniegowa snow blower [mot.]

dmuchawa wspomagająca booster fan, high pressure fan [energ.]

dmuchomierz air flow [energ.]

dni rozpraw juridical days (*court meets*) [polit.]

dni ustawowo wolne od pracy legal holidays [prawn.]

dno bottom [abc]; base; foot [transp.]

dno bagażnika boot floor [mot.]

dno morskie bottom of the sea, seabed [geol.]

dno paleniska furnace bottom, furnace floor, bottom of furnace [energ.]

dno spawane welded-on bottom [masz.]

dno wypukłe dished head, dished drum end, dished tank bottom [energ.]

dno zakuwane dished drum end (*dished head*) [energ.]

dobierać match [abc]

dobijak do gwoździ drift (*punch*) [masz.]; punch drift [narz.]

dobór match (*opposite: mismatch*) [abc]

dobra inwestycyjne investment goods, capital goods [ekon.]

dobra konsumpcyjne consumer goods [ekon.]; commodities [abc]

dobroczynność charity [abc]

dobrowolne odejście voluntary retirement [abc]

dobrowolny voluntary [abc]

dobry very satisfactory [abc]

dobudówka dependence; wing [bud.]; attaching [abc]

dochłodzony after-cooled [energ.]

dochodzenie investigation [abc]

dochodzić pisemnie (*np. roszczeń*) assert in writing [abc]

dochód z obrotu sales exposure (US); turnover exposure (GB) [praw.]

dociągać retighten [masz.]

dociąganie retightening [masz.]

docierać run in [masz.]; lap (*lapped inside of pipe*) [met.]

docieranie zaworów valvegrinding [mot.]

docisk band-clamp; face pressure [masz.]; grip, clamp, terminal; bell [mot.]; claw [narz.]; bracket [transp.]; clip; V-band clamp [tw.]

docisk klinowy chisel point [narz.]

docisk krawędziowy edge clamp [masz.]

docisk widlasty fork clamp [mot.]

dociskacz nitów rivet set [narz.]

dociskanie łopatek actuating the vanes [masz.]

dodający odwagi encouraging [abc]

dodatek (*w postaci karty, arkusza itp.*) accompanying sheet [rys.]; accessory; appendix [abc]; additive [masz.]; admixture [górn]

dodatek do chłodziwa cooling water additive [mot.]

dodatek olejowy oil additive [mot.]

dodatek uszlachetniający additive [masz.]; (*do paliwa olejowego*) fuel oil additive [energ.]

dodatek uznaniowy worktime bonus [abc]

dodatek za nadgodziny surcharge for overtime (*for overhours*) [abc]

dodatek za nadzór addition for supervision [abc]

dodatki smarnościowe (*przeciw zacieraniu*) antiwear additives [rys.]

dodatkowe świadczenie pracownicze fringe benefit [ekon.]

dodatkowe urządzenie odbiorcze auxiliary consumer [transp.]

dodatkowo wyposażać expand [abc]

dodatkowy supplementary; auxiliary (*e.g. a. relay*) [abc]

dodatkowy przeciwciężar additional counterweight [mot.]

dodatkowy zbiornik powietrza auxiliary reservoir (*of wagon brake*) [mot.]

dodatnie sprzężenie zwrotne positive feedback [el.]

dodawać add [abc]

doglądać inspect [abc]

dogniatać burnish [met.]

dogniatanie burnish (*roller burnishing*) [met.]

dogniatany roller finish [met.]

dogodny convenient [abc]

dojazd access road [mot.]

dojazd do kopalni mine entrance [górn.]

dojazd do placu montażowego access to <the> assembly yard [transp.]

dojrzały ripe (*fruit ready for eating*), ripened [bot.]; matured [abc]

dojrzewać age (*meat*) [abc]

dojście (*wysunięcie, stopień, drabinka*) (*ladder*) access; entry, entrance; opening [transp.]; access (*pomiędzy powierzchniami grzejnymi*) [energ.]; access [bud.]

dok dock (*dockyard*) [mot.]

dok pływający floating dock [mot.]

doker longshore man (*stevedore*) [mot.]

dokładna instrukcja techniczna specification [abc]

dokładne utrzymywanie czasu time-keeping [abc]

dokładnie do celu on target (*motion*) [wojsk.]

dokładność accuracy; definition [abc]

dokładność biegu concentricity requirement [mot.]

dokładność dopasowania accuracy in fitting [rys.]

dokładność lokalizacji location accuracy [abc]

dokładność nastawienia positioning accuracy [abc]; setting accuracy, adjustment accuracy [masz.]

dokładność niwelowania accuracy in levelling [bud.]

dokładność odczytu reading accuracy [miern.]

dokładność pomiaru testing accuracy, rigidity of test [masz.]

dokładność prowadzenia guiding accuracy [masz.]

dokładność wymiarów dimensional accuracy [rys.]

dokładność znakowania marking accuracy [abc]

dokładny accurate (*exact, right, proper*) [abc]

dokonać przeglądu inspect [abc]

dokonać rewizji revise (*review*) [abc]

dokonywać achieve; perform; reach [abc]

dokonywać oględzin survey [bud.]

dokonywać pomiaru sieciowego take a traverse [el.]

dokonywać rozruchu start (*an engine*) [masz.]

dokonywanie zakupów purchasing [abc]

dokowanie docking [mot.]

D

dokręcać bolt on; torque; retorque (*tighten again*); tighten [masz.]

dokument document [bud.]; file; record (*recording, minutes*); write up (*short essay*) [abc]

dokumentacja documentation; data [abc]

dokumentacja do części zamiennych spare parts documents [abc]

dokumentacja konstrukcyjna set of design drawings; design dossier [rys.]

dolina valley; vale [geogr.]

dolna część chłodnicy bottom tank [mot.]

dolna część kanału powietrza air cowling base [transp.]

dolna część skrzyni korbowej crankcase bottom half [mot.]

dolna część wysięgnicy lower part of boom [transp.]

dolna granica zapłonu LIL (*low ignition limit, may explode*) [mot.]

dolna komora zbiorcza ściany bocznej lower side wall header [energ.]

dolna tylna lewa strona tablicy sterowniczej lower rear left hand side panel [el.]

dolna wartość opałowa lower calorific value; net calorific value (N.C.V.) [energ.]

dolny lower (*lower part, lower row*) [abc]

dolny włącznik napięcia łańcucha lower chain tension switch [transp.]

dolomit dolomite (*mineral*) [min.]

dolomit palony miękki soft burnt dolomite [min.]

dolomit prażony dolomite sinter [min.]

dolomit prażony pieca szybowego shaft kiln dolomite sinter [min.]

dolomit prażony w piecu obrotowym rotary kiln dolomite sinter [min.]

dolomitówka dolomite stone (*mineral*) [górn.]

dołączać switch in [el.]

dołączalny shiftable (*hydraulically shiftable*) [mot.]

dołączenie (*poniżej danego punktu*) downstream switching [mot.]

dołączony downline [mot.]; attached; enclosed; supplied [abc]

dom house [bud.]

dom czynszowy apartment block (US); block of flats (GB) [bud.]

dom handlowy department store [bud.]; trading house [ekon.]

dom mieszkalny apartment building [bud.]

dom późnej starości old age home, nursing home [med.]

dom ruchomy mobile home (*with awnings and skirting*) [bud.]

dom seniora nursing home [abc]

dom spokojnej starości old age home, nursing home [med.]

dom starców nursing home, old age home [abc]

dom towarowy department store [bud.]

dom wiejski farm house [roln.]

dom wielorodzinny apartment block, apartment house (US); block of flats (GB) [bud.]

domagać się request [abc]

domena domain [inf.]

domeny Weissa WEISS zones (*magnetic elementary zones*) [masz.]

domieszka admixture [chem.]; admixture [górn.]

domniemania suppositions [praw.]

domyślna procedura dziedziczenia default inheritance procedure [inf.]

doniesienie report to the police [praw.]

doniosłość high priority [abc]

doniosły of importance [abc]

donos report to the police [praw.]

donżon castle-tower [bud.]

dopalanie retarded combustion [energ.]

dopasowanie adjustment [abc]; matching [inf.]

dopasowanie akustyczne acoustic matching [akust.]

dopasowanie do jezdni road adjusting (*oscillating bearing*) [mot.]

dopasowanie do toru road adjusting [mot.]

dopasowanie oporowe matching impedance [el.]

dopasowany snug [abc]

dopasowywać match (*something*) [abc]; adapt [el.]

dopasowywanie wzorca pattern matching [inf.]

dopełniać fill up; top (*oil, coolant*) [mot.]

dopełnienie refilling [abc]

dopełnienie algebraiczne cofactor [mat.]

dopłata upoważniająca do podróżowania w klasie 1. transfer ticket (*at additional price*) [mot.]

dopływ approach, feed, supply [abc]

dopływ chłodziwa coolant inlet [mot.]

dopływ chłodziwa water "in" [mot.]

dopływ oleju oil inlet; lubricating-oil inlet [masz.]

dopływ rzeki tributary [geogr.]

dopływ wody water feed, water intake, water supply [bud.]

Doppler Doppler (*Apparent change of frequency of waves*) [el.]

doprowadzać charge [mot.]; convey [energ.]; feed (*e.g. with boiler feed water*) [mot.]

doprowadzać do osiągnięcia mocy maksymalnej tune (*the engine*) [masz.]

doprowadzać do stanu pełnej zdatności touch up [abc]

doprowadzalnik feeder (*feeding device, feeder line*) [masz.]

doprowadzanie feed [met.]; feeding [mot.]; pass [abc]

doprowadzanie ciepła heat input, heat supplied [energ.]

doprowadzanie energii power supply (*for a town, a factory*) [el.]

doprowadzanie oleju oil supply (*e.g. to engine*) [masz.]

doprowadzenie incoming supply [el.]

doprowadzenie mocy power feed [mot.]; power flow [transp.]

doprowadzenie prądu znamionowego rated current [el.]

doprowadzenie zasobów awaryjnych by-passing the stockpile [transp.]

dopuszczać permit [polit.]; approve [abc]

dopuszczać się sabotażu commit <an act of> sabotage [wojsk.]

dopuszczalna prędkość permissible speed [mot.]

dopuszczalne odchylenie permissible deviation [rys.]

dopuszczalne odstępstwa agreed concessions [rys.]

dopuszczalny permissible (*bending radius*) [abc]

dopuszczalny kąt pochylenia silnika permissible engine tilt-angle [mot.]

dopuszczalny okres użytkowania can-time [abc]

dopuszczalny promień gięcia permissible bending radius [masz.]

dopuszczalny uchyb graniczny tolerance [masz.]

dopuszczenie admission (*to attend*) [abc]

dopuszczenie pojazdu do ruchu type approval (*often not needed*) [mot.]

dopuszczony approved [abc]

dopytywać się (*zwykle przerywając*

D

czyjąś wypowiedź) inquire again (*remind, complain*) [abc]

doradca techniczny consulting engineer [abc]

doradczy councelling [abc]

doradzać advice [abc]

doradztwo advice [abc]

doradztwo materiałowe i konstrukcyjne materials and construction consulting, materials and design consulting [abc]

doradztwo odnośnie ochrony antykorozyjnej advice and information on corrosion prevention [masz.]

doskonałość perfection [abc]

dosłanie towaru subsequent shipment (*supply*) [abc]

dossier dossier [abc]

dostarczać procure (*get, obtain*); submit; supply (*approach, feed*) [abc]

dostarczać i magazynować supply and store [abc]

dostarczona ilość paliwa brutto gross quantity of fuel supplied [energ.]

dostarczony delivered [abc]

dostarczony materiał zapalający gelatinized incendiary material [wojsk.]

dostarczony przez klienta customer-provided [abc]

dostarczony razem also supplied [abc]

dostawa delivery; supply (*providing; No supplies came*) [abc]

dostawa częściowa partial delivery (*more to follow*) [abc]; part shipment, partial shipment [mot.]

dostawa (kooperacyjna) okrętowa ship's equipment [mot.]

dostawa na budowę delivered at site [bud.]

dostawa „na czas" JIT (*Just in time supply*) [abc]

dostawca części zamiennych spare parts supplier [abc]

dostęp access [bud.]; access (*have access to*) [inf.]; entry; opening [transp.]

dostęp bezpośredni random access [mat.]

dostęp swobodny random access [mat.]

dostępność accessibility; (*części*) (*parts*) availability [abc]

dostępny available [abc]

dostrajać tune up [masz.]

dostrajanie tuning [el.]

dostrojony fine-tuned [el.]

dostrzegalny noticeable [abc]

dosunąć trap [transp.]

dosyłać forward [abc]

doszczelniać caulk [energ.]; stem (*caulk with caulking chisel*) [abc]

doświadczalny empirical (*empirically*); tentative [abc]

doświadczenie experience [abc]

doświadczenie laboratoryjne laboratory test [abc]

doświadczony experienced [abc]

dot. (*dotyczy*) Re (*refer to*) [abc]

dotarty lapped [masz.]

dotykać touch (*reach out for, grab, contact*) [abc]

dowodzenie conduct (*US: Good Conduct Badge*) [wojsk.]

dowód proof; evidence [abc]

dowód dostawy packing slip [abc]

dowód poprzez propagację ograniczeń proof by constraint propagation [inf.]

dowód sprawności efficiency proof [mot.]

dozator chemicals dosing plant, chemicals proportioning plant [chem.]

dozować dose (*divide into parts*); batch [abc]

dozowanie suche dry batching [bud.]

dozowanie talerzowe rotary feeder [masz.]

dozownik feeder [masz.]; chemicals

dosing plant, chemicals proportioning plant [chem.]
dozownik kulek paliwowych isolating device [mot.]
dozownik paliwa pyłowego pulverized-fuel feeder [energ.]
dozownik ślimakowy screw conveyor [masz.]
dozwolony permissible [abc]
dożarzać afterglow [masz.]
dół na nieczystości latrine pit [abc]
dół próbny test pit [górn.]
dół żużlowy slag pit (*by steam loco roundhouse*)
drabina obrotowa turning ladder [masz.]
drabina rozstawna double ladder [bud.]
drabina strażacka apparatus (*fire ladder*) [mot.]
drabinka ladder; body steps [transp.]
drabinka do pomieszczenia maszynisty footsteps (*ladder to footplate*) [mot.]
drabinka do pomostu załadunkowego load deck mounting ladder [mot.]
drabinka sznurowa rope ladder [mot.]
drapać scrape [abc]; scratch [masz.]
drąg holowniczy tow bar, tow rod, towing rod [mot.]
drąg rozciągany draw bar [mot.]
drąg tłokowy cylinder rod; piston rod [mot.]
drąg żelazny bail [narz.]
drążarka chodnikowa tunnel driving machine [górn.]
drążek bezpieczeństwa safety bar [masz.]
drążek boczny (obejściowy) hamulca coffin rod (*in bogie*) [mot.]
drążek gwintowany threaded rod; all threaded rod [masz.]
drążek hamulcowy brake connector rod [transp.]

drążek kierowniczy steering link, steering linkage; steering rod; tie rod (*for automobiles*); track rod [mot.]; tie rod end [transp.]
drążek kierowniczy poprzeczny dzielony split track rod [mot.]
drążek kierowniczy poprzeczny niedzielony solid track rod [mot.]; track rod [transp.]
drążek kierowniczy wzdłużny drag link [górn.]
drążek kulowy ball rod [masz.]
drążek łączący steering rod [transp.]
drążek łyżki koparki dipper arm, dipper stick (US) [transp.]
drążek metalowy metal rod [masz.]
drążek naciskowy plunger rod [mot.]
drążek nastawczy pitch arm [mot.]
drążek niosący bar [transp.]
drążek popychacza zaworowego valve rod, valve spud [mot.]
drążek przegubu joining rod; toggle link [transp.]
drążek reakcyjny torque lever [narz.]
drążek reakcyjny tylnego mostu rear axle radius rod [mot.]
drążek regulacyjny control rack [mot.]
drążek regulatora rack [abc]
drążek skrętny torque lever [narz.]; torsion bar, torsion bar spring; winch [masz.]
drążek skrzynki przekładniowej gear rod [masz.]
drążek sondy side marker [mot.]
drążek sterowniczy shift bar, shifter bar; gear change rod [mot.]
drążek sterowy control column; gear shift dome [mot.]; joystick [transp.]
drążek sterujący control lever; control spool [mot.]; joystick [transp.]
drążek suwaka control spool (*in valve block*) [mot.]

D

drążek suwaka sterującego spool (*in valve block*) [mot.]

drążek vertical member (*post*) [bud.]; stick; joystick [transp.]; wand [abc]

drążek włącznika shift bar, shifter bar; gear change rod [mot.]

drążek wyprzęgnika gear change rod [mot.]

drążek zaworu valve spindle [mot.]

drążek zmiany biegów przesuwny sliding selector shaft [mot.]

drążek z uchwytem eye rod [masz.]

drążenie tunelu tunnel advance [mot.]

drążki sprzęgła kierowniczego steering clutch control [mot.]

drążyć sink (*sink a shaft*) [górn.]

dren drain [abc]

drenaż drain, drainage, water drainage, flow off [transp.]

drenować drain [mot.]; de-watering [górn.]

drenowanie drainage [masz.]

drewniak sabot (*formed from a piece of wood*) [abc]

drewno wood; timber [tw.]

drewno budowlane structural timber [bud.]

drewno kopalniane mine prop [górn.]

drewno opałowe firewood [abc]

drewno twarde hard wood, hardwood, ironwood [tw.]

drewno ulepszone improved wodd [tw.]

drgać chatter (*lose parts may chatter*) [mot.]; oscillate [fiz.]; vibrate; wobble [abc]

drgania nietłumione free oscillation, free vibration [fiz.]

drgania swobodne free oscillation, free vibration [fiz.]

drganie oscillation, resonance [fiz.]; unbalance [mot.]; vibration [abc]

drganie akumulatora oscillation [el.]

drganie elastyczne elastic oscillation [fiz.]

drganie rezonansowe sympathetic vibration (*in steel*) [fiz.]

drganie swobodne natural resonance, natural vibration [fiz.]

drganie tłumione damped oscillation [fiz.]

drganie własne natural resonance, natural vibration [fiz.]

drganie wymuszone forced oscillation, forced vibration [el.]

drganie zasadnicze fundamental mode [fiz.]

drobiarka crushing machine [górn.]

drobić crumble [bud.]

drobnica general cargo (*smalls*) [transp.]

drobnicowiec combo (*container/ breakbulk vessel*) [transp.]

drobny small sized (*small size; in shot pile*) [górn.]

drobny piasek parting sand [masz.]

droga road way (*path, road, lane, alley*); (*sposób*) way (*ways and means, method*) [abc]; autowalk [transp.]; causeway (*seldom; road, motorway*) [mot.]; path (*race of ball in bearing*) [masz.]; pavement [mot.]

droga asfaltobetonowa road with asphalt concrete [mot.]

droga awaryjna emergency ropedown device [mot.]

droga do kołowania runway (*airport*) [mot.]

droga do użytku w każdych warunkach pogodowych all-weather road [mot.]

droga dojazdowa access road (*private road, driveway*); feeder road [mot.]

droga hamowania braking distance [mot.]

droga holownicza tow path [mot.]

droga kołowania taxiway (*connects runway to terminal*) [mot.]

droga komunikacji dalekobieżnej trunk road (*freeway*) [mot.]

droga krajowa federal highway, highway [mot.]

droga krytyczna critical path [bud.]

Droga Mleczna Milky Way (*planets around stars*) [abc]

droga na grobli causeway [bud.]

droga najmniejszego oporu route of least resistance, way of least resistance [abc]

droga o nawierzchni asfaltobetonowej asphalt concrete road [mot.]

droga o nawierzchni asfaltowej tarmac road [mot.]

droga o nawierzchni z betonu smołowego tar concrete road [mot.]

droga płatna toll road [mot.]

droga posuwu wagonu samowyładowczego tunble-down length [transp.]

droga prądu circuit [el.]

droga prowadnicy take-up path [transp.]

droga przebiegu (*przebieg*) running track [mot.]

droga przenoszenia hauling distance [mot.]; travel distance [górn.]

droga przepływu flow path [energ.]

droga służbowa official channels (*through office channels*) [ekon.]

droga smołobetonowa tar concrete road [mot.]

droga stokowa hillside road [abc]

droga styku contact travel [mot.]

droga tłuczniowa gravel path [bud.]

droga wiejska country road [bud.]

droga wodna waterway [mot.]

droga zatrzymania braking distance [mot.]

drogomistrzówka (*mieszkanie z magazynem*) road construction department [abc]

drogowskaz wewnętrzny internal designation plate [abc]

drożdże yeast [abc]

dróżnik kolejowy (*obchodowy*) permanent way length man; crossing keeper (*gates in old days*) [mot.]

druciak z dużym łbem (*gwóźdź*) wire nail with extra large head [masz.]

druga komora mieszania secondary venturi [mot.]

drugi stopień ogrzewania second heating stage [transp.]

drugi stopień przegrzewacza second stage superheater [energ.]

drugiej klasy second choice [masz.]

druk printing; form, standard form [abc]

druk pierwszej strony arkusza pretty-printing [inf.]

druk podwójny dual print [abc]

druk typograficzny book printing, relief print [abc]

druk wypukły relief print [abc]

druk wytłaczany (*dla niewidomych*) dot recording [abc]

drukarka printer (*externally on computer*) [inf.]

drukarka szybka rapid printer [inf.]

drukarka wierszowa line printer [inf.]

drukarstwo printing industry [abc]

druki literature (*brochures*); printed matter [abc]

drukować print [abc]

drukowanie print [abc]

drukowanie strukturalne programu pretty-printing [inf.]

drut wire (*drawn metal*) [masz.]; wire rope, wire cable, cable wiring [transp.]

drut ciągniony drawn wire [masz.]

drut ciągniony na zimno hard drawn wire [met.]

drut do spawania welding wire [met.]

D

drut grzejny heat wire, heater wire [el.]

drut oceniający sensor wire [transp.]

drut opasający strapping wire [narz.]

drut pomiarowy sensor wire [transp.]

drut przewodowy conductor (*on pylons*) [el.]

drut przewodzący reference wire [transp.]

drut spawalniczy welding wire [met.]

drut sprężynowy spring wire [masz.]

drut topikowy lockwire [masz.]

drut walcowany wire rod [masz.]

drużyna group, team [abc]

drużyna pociągowa guard (*train guard*) [mot.]

drwal lumberjack [abc]

dryf drift off; leeway [mot.]

dryf krótkotrwały short-time drift [transp.]

drzazga splinter (*in a wound*) [med.]; chip (*splinter, insect, dust, dirt*) [abc]

drzewa składniowe parse trees [inf.]

drzewiec flagowy flagpole, flagstaff [abc]

drzewo tree [bot.]

drzewo celów goal tree [inf.]

drzewo genealogiczne family tree [abc]

drzewo liściaste deciduous tree (*e.g. birch tree*) [bot.]

drzewo wyprowadzenia derivation tree [inf.]

drzwi door (*Close the door, please*) [abc]

drzwi boczne side door (*rear, front*) [mot.]

drzwi czołowe end door (*of freight car*) [mot.]

drzwi do przedziału compartment door [mot.]

drzwi obrotowe revolving door (*at hotel entrance*) [bud.]

drzwi pożarowe fire door, firedoor [abc]

drzwi przesuwne slide door, sliding door [bud.]

drzwi przesuwno-składane folding door [mot.]

drzwi tylne back door [bud.]

drzwi wejściowe (*frontowe*) front door (*opposite: back door*) [bud.]

drzwi wejściowe dla konserwatorów maintenance side door (*in box wagon*) [mot.]

drzwi zasuwane slide door, sliding door [bud.]

drzwiczki denne chute (*lip*) [górn.]

drzwiczki do komory dymnicowej smoke box door (*under chimney*) [mot.]

drzwiczki eksplozyjne explosion door [energ.]

drzwiczki kontrolne inspection door [energ.]

drzwiczki paleniskowe trójdzielne three-parts firehole door [mot.]

drzwiczki tylne rear door [mot.]

drzwiczki włazowe cleaning door [energ.]

drzwiczki wycierowe cleaning door [energ.]

dubeltówka shotgun [wojsk.]

duchowny minister (*preacher, priest*) [abc]

dudka (*u pióra*) quill of a feather [bot.]

duplex Duplex (*galvanizing and coating*) [masz.]

duplikat (*dokumentu*) double [abc]

duroplastik duro plastic [tw.]

dusić choke, throttle [energ.]; derate [mot.]

dusza (*liny*) core [tw.]

duszny stuffy (*suffocating; the air is stuffy*) [mot.]

duża ilość bulk [bud.]

duża moc high power [abc]

duża prędkość obrotowa high revolution rate [mot.]

duża siła pociągowa high traction

(*name of differential*) [transp.]

duża wydajność heavy duty [transp.]; high capacity [górn.]

duża wysokość high altitude (*above sea level*) [abc]

duże koło łańcuchowe large wheel [masz.]

duże litery capital letters [abc]

duże obciążenie gruelling service [mot.]

duże znaczenie high priority [abc]

dużej mocy high power [abc]

duży big ; large (*e.g. large number of people*) [abc]

duży ciężar heavy load (*crane for heavy loads*) [mot.]

duży powierzchniowo zakład prze-mysłowy large-scale plant [górn.]

duży ruch heavy traffic [mot.]

dwie półpętle two half hitches [mot.]

dwoisty dual, twice [abc]

dworzec station [mot.]

dworzec autobusowy coach station [mot.]

dworzec główny main station (*railroad station*) [mot.]

dworzec kolejowy railroad station; train station [mot.]

dworzec kolejowy główny main line station [mot.]

dworzec podziemny low-level station (*railway station*) [mot.]

dworzec towarowy freight depot; freight yard [mot.]

dwójkowy binary (*data, information*) [mat.]

dwójnik two-pole [el.]

dwuczęściowe gniazdo zaworu two-piece valve keeper [masz.]

dwujezdniowy twin track [abc]

dwukolumnowy two column [abc]

dwukropek colon [abc]

dwukrotny twice, twofold, double, twin [abc]

dwuletni biannual [abc]

dwuosiowy two axle, twin axle (*2-axle low loader*) [transp.]

dwupoziomowy (*piętrowy, dwu-pokładowy*) double-decker (*e.g. double decker bus*) [mot.]

dwurzędowy double row; two rowed, two ballpath [masz.]

dwustopniowy twin-stage [abc]

dwustronny double-sided [abc]

dwustrumieniowy double-flow [energ.]

dwusuw two cycle, two stroke [mot.]

dwutakt two cycle, two stroke [mot.]

dwutlenek siarki sulfur dioxide [chem.]

dwutygodniowy biweekly (*every two weeks*) [abc]

dwuzłączka screw socket [masz.]

dwuzłączka rurowa pipe union, socket, thread joint, tube fitting [masz.]

dwuzwojowy double thread [masz.]

dybel dowel [masz.]

dybel plastikowy plastic dowel [mot.]

dyferencjał diff (*differential*), dif-ferential gear, differential gear unit [mot.]

dyferencjał międzypłytkowy multi disc differential [mot.]

dyferencjał międzypłytkowy sa-moryglujący multi disc self-lock-ing differential [mot.]

dyfrakcyjne pole akustyczne dif-fraction sound field [akust.]

dyfraktogram prześwietleniowy transmission absorption [el.]

dyfundować diffuse [fiz.]

dyfuzyjny diffuse [fiz.]

dyktafon dictation set [abc]

dyktando dictation [abc]

dyktat dictation [abc]

dym smoke (*and steam; fumes*) [abc]

dym spawalniczy weld smoke (*welding smoke*) [met.]

dymisja resignation [abc]

dymnik roof window [transp.]

D

dynamiczna technika badania dynamic testing technique [masz.]

dynamika dynamics [abc]

dynamometr dynamometer [miern.]

dynamometr puszkowy load cell [miern.]

dynamostarter dynamo battery ignition [mot.]

dyplom diploma [abc]

dyplom spawacza (*uprawnienia do wykonywania zawodu spawacza*) welding certificate [met.]

dyplom tłumacza interpreter's certificate (*diploma*) [abc]

dyrekcja head office [abc]

dyrekcja naczelna general management [abc]

dyrektor director [ekon.]; (*szkoły*) headmaster [abc]

dyrektor kopalni mine manager (*engineering manager*) [górn.]

dyrektor naczelny director general (GB) [ekon.]

dyrektor produkcji production director [abc]

dyrektor techniczny engineering manager (*mine manager*) [abc]

dyrektywa directive [transp.]; government order [prawn.]; provision; regulation (*rule, directives*) [abc]

dysjunkcja disjunction [inf.]

dysk disk (*same as disc; circular plate*) [inf.]

dysk docelowy destination disc [inf.]

dysk kodowania coding disc [abc]

dysk magnetooptyczny magneto-optical disk [inf.]

dysk magnetyczny magnet plate, magnetic plate [masz.]

dysk optyczny optical disk [inf.]

dysk twardy hard disc, harddisk [inf.]

dyskietka diskette [inf.]

dyskietka źródłowa source disc [inf.]

dyskusja discussion, talk [abc]

dyskusja panelowa panel talk [abc]

dyslokacja dislocation (*imperfection of atomic structure*) [fiz.]

dyslokacja brzegowa staggered edges [masz.]

dyslokacja krawędziowa staggered edges (*misaligned edge*) [masz.]

dyslokacja wiązki elektronowej beam concentration displacement [fiz.]

dyspersja wiązki promieni dispersion of a sound beam [fiz.]

dysponent ładunku shipowner [abc.]

dysponować plan [abc]

dyspozycja disposition, planning [abc]; provision [polit.]

dyspozycyjność availability [abc]; degree (*of availability*) disposal [transp.]; boiler availability [energ.]

dyspozycyjność urządzenia machine availability [mot.]

dyspozycyjny available [abc]

dystans batch [transp.]

dysten kyanite [min.]

dystorsja distortion [el.]

dystrybucja distribution, dividing [abc]

dystrybucja i technika sales and technology [ekon.]

dystrybucja wad flaw dislocation (*flaw-distribution*) [miern.]

dystrybutor obrotowy rotary distributor [transp.]

dystrybutor paliwa tap (*tap system, if several*); gas pump (*in service station*) [mot.]

dystrybutor próżniowy vacuum distributor [mot.]

dysza jet [wojsk.]; nozzle ; blast pipe [masz.]

dysza biegu jałowego idle jet [mot.]

dysza gaźnika jet [mot.]

dysza główna main jet [masz.]

dysza kompensacyjna compensating jet [mot.]

dysza napędowa nozzle propeller [mot.]

dysza osuszająca drying nozzle [mot.]

dysza paliwa injector [mot.]

dysza paliwowa dodatkowa pilot jet [mot.]

dysza płomieniowa burner mouth

dysza pomocnicza auxiliary jet [aero.]

dysza pompy pump jet, pump nozzle [mot.]

dysza powietrza wtórnego secondary air nozzle [energ.]

dysza powietrzna air jet, air nozzle, air port [aero.]

dysza rozpylająca atomizer nozzle, spray nozzle [aero.]

dysza tłokowa chłodząca piston cooling jet [mot.]

dysza wentylacyjna ventilation nozzle [aero.]

dysza wodna spraying nozzle [masz.]

dysza wtryskiwacza paliwa fuel injection valve [mot.]

dysza wtryskowa injection nozzle [mot.]

dysza wylotowa blow pipe [energ.]

dyszak blow pipe [energ.]

dyszel drawbar [mot.]

dyszel holowniczy tow bar, tow rod, towing rod [mot.]

dyszel lemiesza mouldboard drawbar [transp.]

dywan carpet (*smaller carpet: rug*) [abc]

dywergencja wiązki dźwiękowej beam divergence [akust.]

dywizja division [wojsk.]

dyżurny ruchu local operating manager [mot.]

dzban jar; pitcher [abc]

dzbanek can [abc]

dzbanek gliniany jug [abc]

dzbanek miedziany copper pot [abc]

dziać knit [abc]

dział department (*division, section*)

[ekon.]; (*insulation d.; structural d.; time-study d.*)

dział badawczo-rozwojowy research department [abc]

dział budowy i naprawy torów track-laying department [mot.]

dział ds. układu rurociągów pipework department [energ.]

dział ekspedycji shipping department [mot.]

dział kadr personnel department (*personnel section*) [abc]

dział konstrukcyjny structural department [masz.]

dział kotłów boiler division [energ.]

dział obsługi technicznej klientów service department [ekon.]

dział odpowiedzialny za utrzymanie stanu technicznego nawierzchni kolejowej permanent way department [mot.]

dział prawny legal department [prawn.]

dział projektowania project department [abc]

dział przyjmowania i ekspedycji towaru shipping and receiving department [abc]

dział systemów informacyjnych information systems [inf.]

dział targów department for fairs [abc]

dział transportu stowage compartment [mot.]

dział wodny watershed line [abc]

dział zaopatrzenia purchasing department [abc]

działać work (*It works, it doesn't work*); operate [abc]; perform [mot.]

działać międzynarodowo operate internationally [transp.]

działający jednostronnie single acting [abc]

działający wstecz retroactive (*retroactive to ...*) [abc]

D

działalność activity [abc]

działalność handlowa sales activities [abc]

działania podstawowe basic arithmetic [mat.]

działanie function (*of a machine part*) [abc]; performance (*functioning*) [mot.]

działanie bez zakłóceń trouble-free operation [masz.]

działanie pierwotne primitive act [inf.]

działanie potrójne triple effect [abc]

działanie sterów response [mot.]

działanie zwrotne twornika armature reaction [el.]

działka budowlana lot [bud.]

działka montażowa erection plot [abc]

działo artillery piece [wojsk.]

działo artleryjskie gun [wojsk.]

działowa struktura organizacji divisional organisation [abc]

dziczyzna venison [abc]

dziedziczenie inheritance [inf.]

dziedziczenie oparte na klasach class-based inheritance [inf.]

dziedziczny hereditary [abc]

dziedzina section; field; subject matter code [abc]

dziedzina czasu time domain [el.]

dziedzina życia scope of life [praw.]

dziedziniec yard [abc]; courtyard [bud.]; inner courtyard; inner yard [transp.]

dziegieć tar [abc]

dzielenie spacing [masz.]

dzielenie sieci network partitions [inf.]

dzielić divide [mat.]; (*coś na coś*) divide into (*e.g. into 3 parts*); (*na grupy*) group [abc]; part (*bearing with part grooves*) [masz.]; subdivide (*company subdivided into*) [ekon.]

dzielić na odcinki segment [masz.]

dzielna ratio [mat.]

dzielnica (*miasta*) part of town [abc]

dzielnica mieszkaniowa residential area [bud.]

dzielnik divider [abc]

dzielnik częstotliwości frequency divider; scaler [el.]

dzielnik napięcia ohmowy potentiometer-type resistor [el.]

dzielnik napięcia voltage divider; attenuator; potential divider [el.]

dzielnik prądu current divider [el.]

dzieło work [abc]

dzieło sztuki piece of art (*statue, painting, etc.*) [abc]

dziennik okrętowy logbook [mot.]

dziennik pokładowy logbook [mot.]

dziennikarz journalist (*reporter*) [abc]

dzień odjazdu day of departure [abc]

dzień otwarcia opening day (*day of opening*) [transp.]

dzień otwartych drzwi open-house meeting [abc]

dzień płatności date of payment [abc]

dzień przyjazdu day of arrival [abc]

dzień tygodnia weekday [abc]

dzień wyjazdu day of departure [abc]

dzień wypłaty payday [abc]

dzierżawa heap (*e.g. potatoes, gravel*) [abc]

dziewięciokątowy nonagon [abc]

dzieża var (*vessel, tub, tank, tun*) [abc]

dziki lokator squatter [abc]

dziobak tipped chisel [narz.]

dziobak do odbijania żużla deslagging hammer [narz.]

dziobek grzybka zaworu valve lip [masz.]

dziobowa śruba napędowa bow propeller [mot.]

dziób (*statku, samolotu*) nose ; bow [mot.]; burner mouth [energ.]

dziób wysięgnika boom head; jib head [transp.]

dzióbek nozzle [masz.]

dziurawka punched tape [telkom.]

dziurkacz punch [abc]

dziurkarka kart automatyczna puncher [inf.]

dziurkować punch (*stamp*) [abc]

dziurkowana taśma papierowa punched tape, chadded paper tape, virgin paper tape [inf.]

dziurkowany z góry punched from above [masz.]

dziurownica kowalska boss plate [masz.]

dziwaczny unique [abc]

dziwny unique [abc]

dzwon bell [abc]

dzwon nurkowy immersion bell [hydr.]

dzwon parowy steam bell system (*for level crossings*) [masz.]

dzwon ssący suction bell [masz.]

dzwonek bell (*loco, level crossing, station*) [mot.]

dzwonek lokomotywy locomotive bell [mot.]

dzwonnica belfry [abc]

dzwono płaszcza shell belt (*shell ring*) [energ.]

dzwono płaszcza kotła boiler barrel (*under pontoon block*), boiler shell, boiler-tube section [energ.]

dźwięk sound (*at the first sound*) [akust.]

dźwięk materiałowy structure-borne noise [met.]

dźwięk odbity reflected sound [akust.]

dźwiękochłonność noise attenuation [abc]

dźwiękochłonny sound-absorbing [akust.]

dźwiękoszczelny sound-absorbing, sound-insulated, sound-suppressed [akust.]

dźwiękowo miękki sonically soft [akust.]

dźwiękowy acoustic (*not electronic*) [akust.]

dźwig elevator; lift [bud.]

dźwig awaryjny wrecker crane [mot.]

dźwig elektryczny electric crane [abc]

dźwig halowy assembly-hall crane [transp.]

dźwig hydrauliczny hydraulic crane [transp.]

dźwig pokładowy deck crane [mot.]

dźwig portowy port crane [mot.]

dźwig specjalny special crane [masz.]

dźwig terenowy (*przeznaczony do pracy w trudnym terenie*) off-highway crane [mot.]

dźwig uniwersalny (*do użytku na każdym terenie*) all-terrain crane [transp.]

dźwigać haul [mot.]

dźwigar bar [masz.]; beam; log [bud.]; buckstay, girder, cladded girder, jacketed girder [energ.]; stout [mot.]; supporting angle; support [transp.]

dźwigar ciągły continuous girder [bud.]

dźwigar girlandy idler quick release [transp.]

dźwigar hamulcowy bow girder (*triangular brake rod*) [mot.]

dźwigar mostowy bridge girder [bud.]

dźwigar obudowany cladded girder, jacketed girder [energ.]

dźwigar osi prowadzącej steering axle beam [mot.]

dźwigar osłonięty jacketed girder [energ.]

dźwigar pionowy ceownikowy stalowy channel buckstay [energ.]

dźwigar podłużny longitudinal girder; side bar [mot.]

dźwigar podwójny two-stringer [masz.]

D

dźwigar prefabrykowany prefab girder, prefabricated girder [masz.]

dźwigar radlicy mouldboard circle [transp.]

dźwigar resoru spring bracket [mot.]

dźwigar stalowy steel joint [transp.]

dźwigar szerokostopowy H-beam [masz.]

dźwigar teowy T-bar buckstay, T-beam, T-section [masz.]

dźwigar wybrzuszony fish-belly girder [mot.]

dźwigar wypukły fish bellied girder (*lenticular girder*) [mot.]

dźwigar wzdłużny sole bar (*of railway wagon*) [mot.]; track frame (GB) [transp.]

dźwigar wzdłużny ramy longitudinal girder of frame [mot.]

dźwigienka zaworowa valve lever; valve rocker [mot.]; safety valve lever [masz.]; tilt control lever [mot.]

dźwignia arm [transp.]; lever [narz.]

dźwignia bezpieczeństwa safety lever [mot.]

dźwignia dekompresji compression release lever [mot.]

dźwignia gazu accelerator [mot.]

dźwignia gwizdawki whistle lever (*GB: chain*) [mot.]

dźwignia hamulca ręcznego hand brake lever [mot.]

dźwignia hamulcowa brake lever, brake actuator, brake connector rod [transp.]

dźwignia kątowa angled lever [masz.]; bellcrank linkage [mot.]

dźwignia kolankowa bell crank [narz.]

dźwignia krzywki cam lever [mot.]

dźwignia mocująca lever [mot.]

dźwignia nastawcza adjusting lever [masz.]

dźwignia nastawcza biegów gear selector lever [mot.]

dźwignia nastawcza wywietrznika dachowego operating handle for roof ventilator [mot.]

dźwignia nożna foot pedal [mot.]

dźwignia ogrzewania heater lever [masz.]

dźwignia popychacza tappet actuating lever [masz.]

dźwignia popychacza wtryskiwacza injector push tube [mot.]

dźwignia przekładni kierowniczej drop arm (*pitman arm*) [mot.]

dźwignia przełącznika stopniowego high/low lever [mot.]

dźwignia przepustnicy throttle control lever [mot.]

dźwignia przerywacza breaker lever [el.]

dźwignia regulatora prędkości speed lever [mot.]

dźwignia ręczna hand lever (*e.g. on steam locomotive*) [mot.]

dźwignia ręcznego sterowania przepustnicy throttle lever (*right of seat*) [mot.]

dźwignia rozpieracza krzywkowego brake cam lever [mot.]

dźwignia równoważenia ciężaru load balancing lever [masz.]

dźwignia sprzęgła koła zamachowego flywheel clutch control [mot.]

dźwignia sterowania governor lever; regulator lever (*on steam loco*) [mot.]

dźwignia sterująca control lever [transp.]

dźwignia sterująca pochylenie tilt control lever [masz.]

dźwignia sterująca z nastawnym ogranicznikiem maksymalnej dawki paliwa control lever with adjustable full-load stop [mot.]

dźwignia wagowa balance beam [transp.]

dźwignia wahliwa rocker lever, lever [masz.]; tilt control lever [mot.]

dźwignia wałka mechanizmu rozruchowego starter pinion control [mot.]

dźwignia widlasta fork lever [mot.]

dźwignia wyłączająca clutch release lever [mot.]

dźwignia włączająca sortowanie sorting switch [abc]

dźwignia wyłączania throw-out lever [el.]

dźwignia wyrównawcza adjusting lever [masz.]

dźwignia wyrównawcza sprężynowa spring compensation lever [masz.]

dźwignia wyrównująca działanie hamulców brake-compensating lever [mot.]

dźwignia zaciskowa clamping lever, lever [mot.]

dźwignia zamykająca shutdown lever [mot.]

dźwignia zamykająca ruszt side seal link [energ.]

dźwignia zapadki ratchet wrench [narz.]

dźwignia zapadkowa ratched pod [mot.]

dźwignia zaworowa wtryskiwacza injector rocker lever [mot.]

dźwignia zaworu (*bezpieczeństwa*) valve lever, valve rocker arm [masz.]

dźwignia zawracania reverse lever (*e.g. in locomotive*) [mot.]

dźwignia zmiany biegów gear shift lever; shifter; control lever; gear selector lever [mot.]

dźwignia zmiany kierunku steering lever pivot arm (*of the hand brake*) [mot.]

dźwignia zwalniaka hamulca manual brake release handle [mot.]

dźwignia zwrotnicy steering arm (*pitman arm*); steering lever [mot.]

dźwignia zwrotnicy pośrednicząca idler arm [mot.]

dźwignia zwrotnicy przekładni kierowniczej drop arm [mot.]

dźwignia zwrotnicza steering knuckle arm; track rod arm (*steering arm*) [mot.]

dźwignik lifter; hoist [masz.]; (*na rogach wagonu*) (*corner*) jack [mot.]

dźwignik elektryczny electric hoist [mot.]; electric winch [met.]

dźwignik główny main winch [transp.]

dźwignik hydrauliczny hydraulic jack [mot.]

dźwignik nożycowy scissor lift, scissor type jack [masz.]

dźwignik samochodowy mechaniczny mechanical jack [mot.]

dźwignik śrubowy screwing jack [masz.]

dźwignik śrubowy zespołowy lifting jack [mot.]

dźwignik zębatkowy rack and pinion jack [mot.]

dźwigowy operator [mot.]

dżonka junk (*lepiej: Chinese junk*) [abc]

dżungla jungle [bot.]

dżunglowy jungle-type (*e.g. plant growth*) [abc]

E

ebonit hard rubber [tw.]

echo echo; noise echo [el.]

echo błędu flaw echo [miern.]

echo denne bottom echo; backwall echo [akust.]

echo graniczne boundary echo [akust.]

echo krawędziowe edge echo [met.]

echo kształtu contour echo [akust.]

echo obwodowe circumferential echo [el.]

echo odbite od ściany tylnej backwall echo [akust.]

echo porównawcze reference echo [akust.]

echo pośrednie o połowie amplitudy maksymalnej intermediate echo of semi-maximum amplitude [el.]

echo powierzchni czołowej front-surface echo (*cross-talk echo*) [el.]

echo przenikowe cross-talk echo (*front-surface echo*) [akust.]

echo wędrujące travelling echo [akust.]

echo wiązki dźwiękowej beam index [akust.]

echo wzorcowe reference echo [akust.]

edukacja education [abc]

edytor dokumentów document editor [inf.]

efekt brzegowy boundary effect [abc]

efekt dziadka do orzechów nutcracker effect (*pebbles in track*) [transp.]

efekt Millera Miller effect [el.]

efekt obniżania step-down effect (*primary vs. excess*) [praw.]

efekt przebicia lawinowego avalanche breakdown-effect [abc]

efekt skrawania effect of cutting [met.]

efekt sumowania summation effect [transp.]

efekt ściany bocznej effect of the lateral wall [mot.]

efekt tarcia friction (*reduce friction*) [fiz.]

efektywność przekroju poprzecznego cross sectional efficiency [transp.]

egzamin na tłumacza interpreter's examination [abc]

egzamin wstępny entrance examination, enrollment test [abc]

egzaminować examine [abc]

egzekutywa executive [polit.]

egzemplarz copy [abc]; instance [inf.]

egzemplarz zmienny instance variable [inf.]

ekierka setsquare [rys.]

ekonomiczny (*pod względem zużycia paliwa*) fuel efficient [mot.]

ekonomika przedsiębiorstwa managing [abc]

ekonomista (*magister ekonomii*) economist, business economist [ekon.]

ekonomizer economizer [energ.]

ekonomizer żeliwny cast iron economizer [energ.]

ekosystem ecosystem [abc]

ekran screen (*in movie theatre, cinema*) [abc]; display, monitor, display [inf.]; baffle wall, brick baffle; cooling screen; heat absorbing tubes [energ.]

ekran aparatu ultradźwiękowego sound image instrument [akust.]

ekran dzielony split screen [inf.]

ekran ochronny protective screen (*shield*) [el.]

ekran odczytujący scan display [el.]

ekran radaru radar screen [el.]

ekran wodny waterwall [energ.]

ekranowanie screening; shielding (*e.g. double/twin shield*) [masz.]

ekscedencja excess liability insurance [praw.]

ekspander expander; tensioning device [met.]

ekspander promieni beam expander [fiz.]

ekspansja objętości bulking [bud.]

ekspert expert (*e.g. in logistics*); authority [abc]

ekspertyza expert opinion [abc]; survey [bud.]

eksperymentalny tentative [abc]

eksploatacja operation [abc]; service [masz.]

eksploatacja górnicza mining [górn.]

eksploatacja koparki zgarniakowej dragline operation [transp.]

eksploatacja odkrywkowa open cast mining, open pit mining, open cut mining [górn.]

eksploatacja pociągów wahadłowych push-pull operation (*e.g. railway*) [mot.]

eksploatacja podziemna deep mining operation, deep mining [górn.]

eksploatować exploit; mine [górn.]; operate (*the boiler*) [energ.]

eksploatowany exhausted [transp.]; exploited [górn.]

eksplozja explosion [górn.]

eksponat exhibit (*e.g. a machine*) [abc]

eksponaty targowe display goods; fair goods [abc]

ekspres do kawy coffee maker [abc]

eksterytorialny extraterrestrial [polit.]

ekwipunek equipment; kit [abc]

elastomer elastomer [tw.]

elastyczniejszy more flexible [abc]

elastyczny flexible [met.]; ductile (*extendable*); spring-mounted [masz.]; elastic, flexible, extensible, ductile [abc]

elekcja election (*general election*) [polit.]

elektrociepłownia heat-and-power station; district heating power station; combined power station and district heating station [energ.]

elektroda electrode [met.]

elektroda do spawania welding electrode, welding rod, welding wire [met.]

elektroda goła bare electrode [met.]

elektroda nieotulona bare electrode [met.]

elektroda otulona coated electrode, covered electrode [met.]

elektroda otulona ze stali miękkiej mild steel covered electrode [met.]

elektroda prętowa stick electrode [met.]

elektroda spawalnicza welding electrode, welding rod, welding wire [met.]

elektroda w osłonie azbestowej quasi arc-welding [met.]

elektroda zbiorcza collecting electrode [el.]

elektroda ze stali miękkiej mild steel electrode [met.]

elektrofiltr electrostatic precipitator [energ.]

elektrogaz electrogas [met.]

elektrohydrauliczny electro-hydraulic [el.]

elektrolit electrolyte (*battery filling agent*) [chem.]

elektrolit w akumulatorze battery filling agent [chem.]

elektromagnes electric magnet (*e.g. in junk yard*) [el.]

elektromagnes hamujący brake magnet [transp.]

elektromagnes włączający switching magnet [el.]

elektromotoryczny electro-motive [el.]

elektroniczne przetwarzanie danych (EPD) Electronic Data Processing (DP; <EDP>) [inf.]

elektroniczne sterowanie jazdą electronic drive control [transp.]

elektroniczny electronic [inf.]

elektroniczny arkusz kalkulacyjny electronic worksheet [inf.]

elektroniczny moduł przełączania electronic switch unit [inf.]

elektroniczny sterownik progra-

E

mowalny electronic power limit control [el.]

elektronika electronics [inf.]

elektrotechnika electrical engineering, electrics [el.]

elektrowciąg telpher, cable crane (*electric, on rope*) [masz.]

elektrownia power station, power plant [el.]

elektrownia atomowa nuclear power plant, nuclear power station [energ.]

elektrownia dużej mocy central power station [energ.]

elektrownia jądrowa nuclear power station [energ.]

elektrownia opalana węglem coal power station [energ.]

elektrownia opalana węglem brunatnym lignite-fired-power station (US) [energ.]

elektrownia podstawowa base load station [energ.]

elektrownia słoneczna solar power station [energ.]

elektrownia węglowa coal power station [energ.]

elektrownia wiatrowa wind power station [energ.]

elektrownia wodna hydro-electric power station [energ.]

elektrownia zbiornikowa storage power station [energ.]

elektrowozownia loco shed [mot.]

elektrowóz E loco (*electric locomotive*) [mot.]

elektrowózek electric truck, storage battery truck [transp.]

elektryczna pompa paliwowa fuel pump electric [mot.]

elektryczne napięcie odbiorcze electrical receiving voltage [el.]

elektryczność electricity [el.]

elektryczny electric (*electrical*) [el.]

elektryfikacja electrification [el.]

elektryfikacja kolei railway electrification [mot.]

elektryfikować electrifice [el.]

elektryk electrician [el.]

elektryka electrics (*before electronics*) [el.]

element element, part; component [abc]

element blokujący locking part [masz.]

element chłodnicy radiator element, radiator; cooler [mot.]; desuperheater (*attemperator*) [energ.]

element chłodnicy oleju oil cooler element [masz.]

element chłodzący ruszt grate cooler [górn.]

element chroniący przed hałasem noise control element [akust.]

element czwórnikowy two-port element [inf.]

element danych data element [inf.]

element dociskowy pressure piece; thrust member [masz.]

element dystansowy spacer [masz.]

element filtra powietrza air cleaner element [masz.]

element filtra szczelinowego edge-type filter element [masz.]

element filtracyjny główny primary element [mot.]

element grzejny heating element [transp.]; heater [bud.]

element grzejny wyłączający ochronny protective switch heater [transp.]

element instalacji rurowej pipeline element [masz.]

element konstrukcji structural member, member, structural part [masz.]

element konstrukcyjny component, unit, module, part [transp.]

element kontrolny stopnia stepped reference block [masz.]

element łączący joint [abc]

element łupinowy (skorupowy) wypełniony żelbetonem hollow-unit filled with reinforced concrete [bud.]

element mocujący sprężynę pierścieniową annular spring tensioning set [masz.]

element montażowy built-in part [bud.]

element naciskowy pressure piece; thrust member [masz.]

element napinający clamping piece [masz.]

element nastawczy regulating unit [masz.]

element niskociśnieniowy low pressure stage [energ.]

element nośny beam; girder (*standard I-beam*); load-carrier [bud.]; member [masz.]; supporting structure [transp.]

element nośny wahliwy oscillating bearing (*road adjusting*) [mot.]

element obrotowy grab slewing equipment [transp.]; rotating assembly [mot.]; rotator; turning gear [masz.]

element obsługi operating element [transp.]

element odległościowy spacer [masz.]

element oporowy beam, girder [bud.]

element pasowany wciskany tight fit; adapter [masz.]

element pojedynczy single piece [masz.]

element połączenia lutowanego soldered connection piece [mot.]

element pompy pump element [mot.]

element pośredni adapter [el.]; middle section; spacer piece [mot.]; centre section [transp.]; centre (*US: center*) [abc];

element pośredniczący adapter; union [masz.]

element półprzewodnikowy bipolarny (*dwubiegunowy*) bipolar semi-conductor [el.]

element półprzewodnikowy semi-conductor [el.]

element prefabrykowany pre-fabricated block [energ.]

element prowadzący guide piece [masz.]

element przełączający switch element, switching element [el.]

element przesuwny push handle [masz.]

element reaktora reactor element [el.]

element redukcyjny reduction piece [masz.]

element roboczy elastyczny flexible-material element [transp.]

element rozrusznika nożnego kickstarter component [mot.]

element sekcyjny sectional door [masz.]

element skaningowy scanning element [masz.]

element sterujący control device; operating control [mot.]

element ślizgowy push handle [masz.]

element tłoczony stamped part (*initially unmachined*); blanking [masz.]

element tłumiący damping body [abc]

element topikowy fuse element [el.]

element udarowy blow bar [masz.]

element ustalający detent (*hold*) [tw.]; pawl; retainer [masz.]

element ustalający pierścieniowy ring type retainer [mot.]

element wagonu osobowego coach part [mot.]

element wirujący rotator; turning gear [masz.]; grab slewing equipment [transp.]

E

element wsadowy charge element [energ.]

element współpracujący mate specimen [masz.]

element wtykowy próbnika connector end of a probe [el.]

element wypełniający centre section [transp.]; centre (*US: center*) [abc]

element wyważenia czułości sensitivity trimming element [masz.]

element z gumy piankowej foam rubber component [tw.]

element z włókna węglowego carbon-fiber element [tw.]

element zamykający locking piece [abc]

element złączny connection component [rys.]; fastener [met.]; joint (*of the strapping*) [masz.]

element zwłoczny delaying element [wojsk.]

elewacja elevation [bud.]

eliminacja usterek trouble shooting [masz.]

eliminacja zakłóceń fault clearance [abc]; interference suppression; radio shielding [el.]

eliminator zakłóceń interference suppressor [mot.]

eliminować zakłócenia radiowe suppress interference [el.]

eloksalować anodize [masz.]

eloksalowanie anodic treatment [masz.]

eloksalowany anodized [masz.]

elokwencja eloquence (*master of words, language*) [abc]

emalia enamel [abc]

emalia chlorokauczukowa chlorinated rubber enamel [chem.]

emaliować enamel [met.]

emaliowanie enameling [met.]

emanować exude (*It exudes peacefulness*); escape [abc]

embargo embargo [wojsk.]

emeryt retired (*to be retired*) [abc]

emerytura retirement [abc]

emigracja emigration [polit.]

emigrant emigrant [polit.]

emisja emission, discharge [energ.]

emisja ciepła heat emission [energ.]

emisja dopuszczalna admissible emission [abc]

emisja kominowa chimney emission; chimney discharge [energ.]

emisja substancji szkodliwych pollutant emission [mot.]

emisja zanieczyszczeń pollution [mot.]

emiter emitter, emitter contact [el.]

emiter fal prostokątnych rectangular beam [el.]

emiter promieni gamma gamma-ray-equipment [el.]

emitować give off [mot.]; emit [polit.]

emocja excitement [abc]

emocjonujący exciting [abc]

empiryczny empirical (*empirically*) [abc]

emulgować emulsify (GB) [met.]

energia energy [energ.]

energia akustyczna przypadkowa incident energy [el.]

energia impulsu pulse energy [el.]

energia odbita reflected energy [el.]

energia odkształcenia deformation energy [bud.]

energia przekazu transmitting energy [el.]

energia rozproszona scattered energy [el.]

energia słoneczna solar energy [el.]

energia spoczynkowa constant inertia [fiz.]

energia statyczna static energy (*rocks over gorge*) [fiz.]

energia ubijania driving energy [bud.]

energia wewnętrzna internal energy [energ.]

energooszczędny energy saving; economical [abc]

entalpia enthalpy [energ.]

entalpia pary przegrzanej przy poborze enthalpy of steam at superheater outlet [energ.]

EPA (*Europejskie Biuro Patentowe*) EPO (*European Patent Office*) [polit.]

epicentrum epicentre [abc]

epitafium (*napis, inskrypcja*) epitaph [abc]

epoka epoch [abc]

epoksyd epoxy (*heat-resistant artificial resin*) [tw.]

epolet epaulette; shoulder board [wojsk.]

eratyk erratic block [min.]

ergonomia ergonomics [med.]; ease and convenience [abc]

ergonomiczny ergonomic(-al) [med.]

ergonomika operator's environment (US) [abc]

erodować erode [met.]

erodowanie drutu wire eroding [met.]

erozja erosion [energ.];

erozja iskrowa spark erosion (*spark erosive*) [mot.]

erozja popiołu lotnego fly ash erosion [energ.]

erozja rury tube erosion [masz.]

erozja strony odwodnej rury water side tube erosion [energ.]

erupcja eruption (*volcano*) [abc]

ESA (*Europejska Agencja Kosmiczna*) ESA (*European Space Agency*) [polit.]

eskalacja escalation [abc]

eskalować escalate [abc]

etalon odniesienia reference standard [el.]

etap czasowy timing stage [el.]

eter ether [chem.]

eternit eternit (*mostly in plates*) [tw.]

etykieta label; tag (*e.g. on baggage*) [abc]

etykietka sticker; tag (*e.g. on baggage*) [abc]

europejski rynek wewnętrzny European Single Market, Single Market, Internal Market, Domestic Market Europe [polit.]

eutektyczny eutectic (*rolled hard steel*) [tw.]

ewakuować z terenu budowy evacuate site [bud.]

ewaluacja evaluation [inf.]

ewaluacja statyczna static evaluation [inf.]

ewaluowany obraz C evaluated C-scan [el.]

ewentualność option [abc]

EWG (*Europejska Wspólnota Gospodarcza*) EEC (*European Economic Communities*) [polit.]

ewidencja ruchu (*danych, zasobów*) record of processing [inf.]

F

fabryka factory; plant; works [abc]

fabryka chemiczna chemical processing plant [chem.]

fabrykant fabricator, factory owner, manufacturer [abc]

fabryka pod klucz complete plant (*turnkey-finished*) [abc]

fachowe wykonanie workmanship (*workmanship-like quality*) [abc]

fachowiec specialist, connoisseur, expert, capacity [abc]

fachowość workmanship [abc]

fachowy expert, professional, skilled, workmanlike (*in a skilled way*) [abc]

fajans fayance (*faience; fine earthenware*) [met.]; earthenware [min.]

faks telefax (*fax*) [telkom.]

faksymila facsimile (*seldom used*) [abc]

faktyczny factual [abc]
fala wave [mot.]; swell [abc]
fala akustyczna sound wave [akust.]
fala bieżąca indicant wave [el.]
fala ciągła continuous wave [el.]
fala ciepła heat wave [abc]
fala cylindryczna cylindrical wave [mot.]
fala decymetrowa decimetric wave (*decimetre wave*) [el.]
fala dylatacyjna dilatational wave, compressional wave [mot.]
fala dziobowa bow wave (*water cut by ship's bow*) [mot.]
fala dźwiękowa sound wave [akust.]
fala gasnąca damped wave [fiz.]
fala kompresyjna compressional wave [wojsk.]
fala kulista spherical wave [mot.]
fala naprężeniowa stress wave [masz.]
fala odbita reflected wave [el.]
fala płaska plane wave [mot.]
fala płytowa plate wave (*lamb w.*) [el.]
fala podłużna longitudinal wave [fiz.]
fala poprzeczna transverse wave; shear wave [fiz.]
fala powierzchniowa surface wave [fiz.]
fala prostokątna square wave (*rectangular wave*) [el.]
fala przesunięcia shear wave (*distortional wave*) [fiz.]
fala przypływu sea wave [abc]
fala sejsmiczna earthquake wave [geol.]
fala sinusoidalna sine wave [fiz.]
fala sprężysta elastic wave [fiz.]
fala stojąca stationary wave [masz.]
fala ściągająca transverse wave [geol.]
fala ścinająca shear wave [fiz.]
fala uderzeniowa compression wave [wojsk.]
fala uderzeniowa wybuchu explo-

sion train [górn.]
fala ultradźwiękowa ultrasonic wave [fiz.]
fala wędrowna przychodząca incident wave [el.]
fala zagęszczeń compressional wave [mot.]
fala zakłóceniowa interfering wave [el.]
fala załamana refracted wave [fiz.]
fale cząstkowe partial waves [fiz.]
fale elementarne elementary waves, partial waves [fiz.]
fale harmoniczne harmonics [el.]
fale powierzchni brzegowej boundary surface waves [el.]
fale promieniowe radial waves [masz.]
fale radiolokacyjne radar waves [el.]
fale sinusoidalne sinusoidal waves [el.]
fale warstwy granicznej boundary layer waves [el.]
falochron breakwater [geol.]
falowód wave guide [el.]
fałda crease; fold (*in dress*) [abc]
fałdować się corrugate (*flute, ridge*) [met.]
fałsz FALSE values (*in logic*) [inf.]
fałszywy alarm false alarm [polit.]
fanfara air horn (*horn*) [mot.]
farba paint [norm.]
farba fluoryzująca fluorescent paint [abc]
farba kryjąca top coat, finishing coat [norm.]
farba nawierzchniowa top coat, finishing coat [norm.]
farba podkładowa priming (*primary coating*) [norm.]
farba wiążąca binder [masz.]
farbkowany blued [met.]
farbowanie colouring [abc]
farma bydła ranch [abc]
farma rolnicza farm (*farm yard*) [roln.]

farmaceutyki pharmaceutical products [med.]

fartuch apron (*piece of clothing*); skirt [abc]; skirting (US: under mobile home); streamlining (*lower part of wagon*) [mot.]

fartuch błotnika mud flap [mot.]

fartuch skórzany leather apron [abc]

farwater fairway [mot.]

fasada front [abc]

fasada przednia step riser transp.]

faseta facet [fiz.]; drip [bud.]

fasety facets (*in frames*) [el.]

faza phase [abc]; chamfer [met.]

faza czasowa timing stage [el.]

faza czyszczenia w usuwaniu bezużytecznych danych sweep phase in garbage collection [inf.]

faza projektu phase of design [rys.]

faza rozwojowa nowego produktu product development [abc]

fazować bevel, chamfer [masz.]; cant [met.]

fazowanie canting [met.]

fazowany chamfered [masz.]

fermentacja fermentation [bio.]

fermentor fermenting vat (*fermenting vessel*) [bot.]

fermentować ferment [bio.]

ferraktor transductor [inf.]

ferrotron ferrotron [tw.]

ferryt ferrite [met.]

ferrytyczny ferritic [met.]

fibra fibre [bot.]

figura character (*e.g. Hamlet*) [abc]

figura dziobowa figurehead [mot.]

filar pillar [bud.]

filar fundamentu słupowego foundation column [bud.]

filar mostowy bridge pier (*on land*); standing pier (*in river*) [bud.]

filc felt [abc]

filcowy pierścień uszczelniający felt washer [masz.]

filia subsidiary (*branch office*); sales and service office [ekon.]

filiżanka cup (*fayance*) [abc]

film movie; film [abc]

film drobnoziarnisty fine-grain film [abc]

filmoteka film archive [abc]

filozofia philosophy (*in computer-science*) [abc]

filtr filter [el.]; dust separator; strainer [abc]

filtr bocznikowy by-pass filter; partial-flow filter [masz.]

filtr ciśnieniowy compressed air cleaner; compressed air filter [aero.]

filtr do wody water filter [mot.]

filtr dolnoprzepustowy low-pass (*low-pass filter*) [el.]

filtr elektrostatyczny electrostatic precipitator [energ.]

filtr filcowy felt filter [mot.]

filtr magnetyczny magnetic filter [mot.]

filtr mechaniczny mechanical precipitator [abc]

filtr obejściowy partial-flow filter [mot.]

filtr olejowy (*lube*) oil filter; oil strainer [masz.]

filtr olejowy pełnego przepływu full flow oil filter [masz.]

filtr oleju oil cleaner, oil filter, oil separator [masz.]

filtr oleju hydraulicznego hydraulic oil filter [masz.]

filtr oleju obejściowy bypass oil filter [masz.]

filtr paliwa fuel filter [masz.]

filtr paliwa wstępny fuel pre-filter [masz.]

filtr papierowy paper filter [masz.]

filtr papierowy impregnowany plastikiem plastic treated paper filter [masz.]

filtr pełnego przepływu full flow filter [mot.]

filtr podwójny twin filter [masz.]

filtr powietrza air cleaner; air filter; air flap [masz.]

filtr powietrza mokry wet air cleaner, oil-wetted air cleaner, oil type air cleaner, oil bath air cleaner [masz.]

filtr powietrza olejowy oil bath air cleaner, oil type air cleaner [masz.]

filtr powietrza z kąpielą olejową oil bath air cleaner, oil type air cleaner [masz.]

filtr powietrzny odśrodkowy centrifugal air cleaner [masz.]

filtr próżniowy suction filter (*strainer*) [masz.]

filtr rurowy pipe filter [mot.]

filtr sitowy gauze filter [mot.]

filtr ssący suction filter [górn.]

filtr szczelinowy gap filter [mot.]

filtr tarczowy filter poppet [mot.]

filtr tkaninowy cloth filter [aero.]

filtr wejściowy input filter [masz.]

filtr w formie kosza basket strainer [chem.]

filtr wielkiej częstotliwości high frequency filter [el.]

filtr wstępny precleaner [masz.]; pre-filter [mot.]

filtr wstępny w obudowie przezroczystej full view precleaner [mot.]

filtr wysokociśnieniowy high-pressure filter [mot.]

filtr zacierny mash filter [abc]

filtracja filtration (*e.g. beer after ripening*) [abc]

filtrować strain [masz.]

filtrowanie filtration (*e.g. beer after ripening*) [abc]

filtrowanie Gaussa Gaussian filtering [inf.]

finalizować finalize [bud.]

fiolet czerwony red violet [norm.]

fiolet purpurowy purple violet [norm.]

fiolet wrzosowy heather violet [norm.]

firma company, firm [abc]; corporation [ekon.]

firma budowlana building society (GB) [bud.]

firma consultingowa consulting engineering company [abc]

firma deweloperska developing company [abc]

firma handlowo-techniczna trading and engineering company [ekon.]

firma usługowa service company [abc]

fizjologia physiology [med.]

fizjologiczny physiological [med.]

fizyczny physical [med.]

fizyk physicist [fiz.]

fizyka physics [fiz.]

flaga flag [polit.]

flaga armatora house flag [mot.]

flara flare [wojsk.]

flip-flop flip-flop [el.]

fliza tile [bud.]

fliziarz tiler [bud.]

flora podwodna submerged weeds [bot.]

flota fleet [mot.]

flota samochodów pool (*motor pool*) [mot.]

flotylla flotilla [mot.]

fluktuacja fluctuation [abc]

fluor fluorine [chem.]

fok foresail (*foremast*) [mot.]

folder składany folding leaf [abc]

folia (*do rzutnika*) overhead film [abc]; foil [bud.]

folia ochronna membrane [masz.]

folia plastikowa durable sheet material [abc]

folia rozrywana explosion diaphragm (*tearing foil*) [energ.]

folia z twardego polichlorku winylu hard plastic foil [tw.]

folia z winiduru hard plastic foil [tw.]

forma shape [masz.]; contour [tw.]; configuration (*e.g. with CUM engine*) [mot.]

forma błędu shape of flaw [masz.]

forma ceramiczna ceramic mould [masz.]

forma gumowa moulded rubber part [mot.]

forma maszynowa mechanical mould [masz.]

forma metalowa ingot; mould [masz.]

forma odlewnicza preforming mould; mould (*casting box*) [masz.]; casting box (GB) [tw.]

forma ręczna hand mould [masz.]

forma skorupowa shell mould [masz.]

forma trwała permanent mould [masz.]

forma zdejmowana hand mould [masz.]

formacja formation [chem.]; structure [górn.]; troops [wojsk.]

formacja skalna rock formation [geol.]

format format [inf.]; design size [rys.]

format klauzuli clause form (*in logic*) [inf.]

format wymienny dokumentów biurowych office document interchange format [inf.]

formować form; shape [abc]; swage [met.]

formowalność deformability [tw.]

formowanie shaping [abc]

formowanie końcowe end shaping [met.]

formowanie laminatów lamination [abc]

formowanie próżniowe vacuum forming (*vacuum process with foil*) [masz.]

formowanie wtryskowe injection moulding [masz.]

formowany w matrycy heated and formed to shape [met.]

formularz form [abc]; form [inf.]

formularz biurowy business form [ekon.]

formularz do obliczania objętości mas ziemnych taking-off-sheet [bud.]

formularz hamulcowy brake form, train brake form [mot.]

formularz handlowy business form [ekon.]

formularz ofertowy form of tender [abc]

formularz protokołu próby test sheet [miern.]

formuła formula [abc]

formuła doskonała well-formed formula (*in logic*) [abc]

formy pracy modes of working [abc]

formy różnej grubości various degrees of thickness [abc]

fort (*budowla obronna*) fort (*fortress, castle, bastion*) [wojsk.]

forteca fortress [wojsk.]; castle [bud.]

fosfor phosphorus [chem.]

fosforan phosphate [chem.]

fosforan trójsodowy tri-sodium phosphate [chem.]

fosforanowanie phosphate coating [masz.]

fosforanowany phosphated [masz.]

fotel armchair (*easy chair*) [abc]

fotel na biegunach rocking chair [abc]

fotel na kółkach wheelchair [med.]

fotel obrotowy swivel chair [abc]

fotografia photograph, photography [abc]

fotografia wzorcowa reference photograph [abc]

fotografować photograph (*take, "shoot" pictures*) [abc]

fotokomórka photocell, photoelectric cell, photo-electric cell, photo-electric eyes [transp.]; light sensor [el.]

fotokopia photo copy (US) [abc]

fotomikrografia micrograp [inf.]

F

fotorezystor photo-conductive cell [el.]

frachtowiec freighter, freight ship [mot.]

frachtowiec wielozadaniowy multi-purpose freight ship [mot.]

frachtowiec wielozadaniowy kontenerowy container multi-purpose carrier [mot.]

frachtujący (*osoba wynajmująca statek na przewóz ładunków*) freighter [mot.]

fragment segment [masz.]

fragment (odcinek) pochwy tylnego mostu rear axle housing section [mot.]

frak tails [abc]

frakcja pyłu dust particle size [energ.]

franco statek (*transport na statek w cenie*) free on board, fob [transp.]

francuz monkey wrench [narz.]

fregata full-rigged ship, square-rigged ship [mot.]

frekwencja schooling [abc]

frez mill [narz.]

frez jednoostrzowy fly cutter [narz.]

frez jednozębny fly cutter [narz.]

frez modułowy krążkowy gear cutter [narz.]

frez protuberancyjny protuberance rotary grinder [narz.]

frez ślimakowy do kół zębatych gear cutting hob [masz.]

frezarka do gniazd zaworowych valve cutter [masz.]

frezarka do kamienia rotary rock cutter [masz.]

frezarka odwiedniowa do kół zębatych gear hobbing machine (*vertical*) [masz.]

frezarka pionowa vertical rotary grinder [masz.]

frezarka pozioma horizontal rotary grinder [masz.]

frezarka ze stołem obrotowym circular milling machine [masz.]

frezować mill [masz.]

frezować powierzchnię czołową spot face [masz.]

frezować wstępnie roughen [masz.]

frezowanie kół zębatych gear cutting [masz.]

frezujący przez zataczanie relief-milled [masz.]

front front [abc]; front side, front-side [mot.]; step riser [transp.]

frontowy front [abc]

fugatywność volatility [chem.]

fundament bed [bud.]

fundament głęboki deep foundation [bud.]

fundament palowy pile foundation (*old river houses*) [bud.]

fundament płytowy mat foundation [bud.]

fundament silnika (*głównego*) engine base [mot.]

fundament taśmowy strip footing [masz.]

fundamentowanie foundation work [bud.]

fundusz emerytalny pension fund; retirement funds [abc]

funkcja function [el.]

funkcja bezpieczeństwa safety function [abc]

funkcja charakterystyczna proper function [mat.]

funkcja czasu function of time [el.]

funkcja kierunkowa directivity function [abc]

funkcja kształtu shape function [inf.]

funkcja okresowa periodic function [mat.]

funkcja przenoszenia transfer function [el.]

funkcja rzeczywista czasu real function of time [mat.]

funkcja własna characteristic function; proper function [mat.]; eigenfunction [el.]

funkcja wykładnicza exponential function [mat.]

funkcja wykładnicza macierzy matrix exponential function [mat.]

funkcja wymierna rational function [mat.]

funkcja zakłócająca forcing function [el.]

funkcja zbiorcza collecting function [abc]

funkcja zespolona czasu complex function of time [el.]

funkcjonować perform [mot.]; work [abc]

funt pound [abc]

furgon box wagon (GB); sided open car (US); van [mot.]

furgonetka van [mot.]

furman coachman [abc]

furta wejściowa gangway [mot.]

futryna okienna window frame [bud.]

G

gabinet lekarski surgery [med.]

gaj orchard [bot.]

galeon galleon [mot.]

Galfan Galfan (*zinc-alu alloy-coated sheet*) [met.]

galon gallon [miern.]

galop gallop [abc]

Galvalume Galvalume (*hot-dip alu-zinc alloy-coated sheet*) [met.]

galwanizować galvanize [met.]

galwanizowanie galvanizing [met.]

galwanizowany galvanized [met.]

gałęzie branches (*in trees*) [bot.]

gałka toggle, knob [mot.]

gałka do nastawiania knob [mot.]

gałka obrotowa knob (*rotary, on doors*) [abc]

gałka regulacji ograniczenia ciężaru load limit knob [mot.]

gałka sterowania control knob [mot.]

gałka sterowania zasysacza choke control, choke control knob [mot.]

ganek garden shed [bud.]

gap stander by, onlooker, watcher [masz.]

garaż garage (*shelter to protect vehicles*) [bud.]

garb dent [tw.]

garb spawalniczy welding bead [met.]

garderoba cloakroom [bud.]; clothes (*my outfit, garment, clothes*) [abc]

gardziel orifice; restriction [mot.]; reduction [energ.]

gardziel palnika burner mouth, burner throat [energ.]

garłacz cross tube [tw.]

garnek pot [abc]

garnek kondensacyjny steam trap [energ.]

garnitur suit (*3-piece suit*) [abc]

garnitur z kamizelką three-piece suit [abc]

garnizon station [wojsk.]

garnuszek pot [abc]

gas słaby lean gas [energ.]

gasić extinguish; put out (*put out a fire*) [abc]; switch off [mot.]

gasik spark arrestor [mot.]

gaszenie pożarów fire fighting [polit.]

gaśnica fire extinguisher [mot.]

gatunek spieku węglikowego sort of carbide material [masz.]

gatunek stopu twardego sort of carbide material [masz.]

gatunki stali wysokostopowej high-alloyed <steel> grades [masz.]

gaz gas [abc]

gaz bogaty rich gas [energ.]

G

gaz ciekły liquid gas (*for balloon burner*) [chem.]
gaz czadnicowy producer gas [energ.]
gaz generatorowy generator gas, producer gas [energ.]
gaz koksowniczy coke oven gas [energ.]
gaz miejski town gas [energ.]
gaz mocny rich gas [energ.]
gaz napędowy ciekły liquid petrol gas [mot.]
gaz niespalony unburned gas [energ.]
gaz niskokaloryczny lean gas [energ.]
gaz nośny carrying gas [energ.]
gaz oczyszczony clean gas [aero.]; washed gas [energ.]
gaz proszkowy powder gas [wojsk.]
gaz rafineryjny refinery gas [górn.]
gaz ubogi lean gas [energ.]
gaz ziemny natural gas [energ.]
gazeta paper [abc]
gazeta elektroniczna (*informacje wyświetlane na ekranie*) electronic display for changing info [el.]
gazetka leaflet [abc]
gazoszczelny gas-tight [energ.]
gazować fumigate [abc]
gazowiec gas tanker [mot.]
gazownia gas works [bud.]
gazowy vapourous (*steam-like*) [abc]
gazowy element sprężysty gas spring [mot.]
gazy odlotowe waste gas, flue gas [energ.]
gazy odstrzałowe waste steam [górn.]
gazy powybuchowe explosion fumes [górn.]
gazy spalinowe flue gas [energ.]
gaźnik carburettor [mot.]
gaźnik dolnossący down-draught carburettor [mot.]
gaźnik górnossący up-draught carburettor [mot.]

gaźnik opadowy down-draught carburettor [mot.]
gaźnik poziomy horizontal draught carburettor [mot.]
gąbka sponge [abc]
gąsienica bulldozer; crawler track, crawler tread belt; rail; track chain; track set (*eg. of excavator*) [transp.]; caterpillar [bot.]; chain (*track, crawler, etc.*) [tw.]; chain drive [mot.]
gąsienica lewoskrętna left hand crawler [transp.]
gąsienica prawoskrętna right-hand crawler [transp.]
gąsienica przenosząca transport crawler [transp.]
gąsienica transportowa transport crawler [transp.]
gąsienice do transportu ładunków ciężkich heavy load transport crawlers [masz.]
generalny wykonawca robót general contractor [abc]
generał general [wojsk.]
generał wojsk lotniczych Air Force General (*GB: Air marshal*) [wojsk.]
generator generator; dynamo machine [el.]; (*in generate-and-test systems*) generator [inf.]
generator biegunowy kłowy claw pole generator [el.]
generator drgań oscillator [met.]
generator drgań piłokształtnych saw-tooth generator [el.]
generator fal ciągłych continuous wave generator [akust.]
generator Halla Hall Generator [el.]
generator impulsów pulse generator, trigger; [el.]; impulser [transp.]
generator impulsów dekadowy decade pulse generator [el.]
generator magnetyczny magnetic trigger [el.]
generator odchylania sweep generator [el.]

generator odchyleniowy podstawy czasu time base sweep generator [el.]

generator podstawy czasu time mark generator [el.]

generator pozycji position generator [el.]

generator przebiegu piłokształtnego saw-tooth generator [el.]

generator relaksacyjny saw-tooth generator [el.]

generator samodławny blocking oscillator [el.]

generator spektrogramów spectrogram synthesizer [inf.]

generator synchronizujący obroty synchronizing cycle generator [el.]

generator szumu noise generator [mot.]

generator trójfazowy three-phase alternator [el.]

generator ultradźwiękowy ultrasonic generator [el.]

generator wzbudzający master trigger unit [el.]

generować generate [masz.]

generowanie fal wave generation [el.]

generowanie tekstu text generation [inf.]

geneza origin [abc]

geochemia geochemics [geol.]

geodeta surveyor [abc]

geofizyka geophysics [fiz.]

geograficzny geographical [geol.]

geologia geology (*science of characteristics*) [geol.]

geologiczny geological [geol.]

geometria oka eye geometry [inf.]

geometryczna optyka ultradźwięków geometric ultra sonic optics [el.]

geometryczne przesyłanie danych geometrical data transfer [inf.]

gęsto zaludniony densely populated [bud.]

gęstopłynny viscosity [abc]

gęstość thickness [masz.]; thickness (*e.g. of the forest*) [bot.]

gęstość przeszukiwania scanning, density [el.]

gęstość przewozów traffic density [mot.]

gęstość uziarnienia unit weight of the solid constituents [bud.]

gęstość warstw density [bud.]

gęsty thick [masz.]; dense [tw.]; tight; viscous [abc]

GG cast iron (*abbrev.: C.I., CI*) [tw.]

giąć bend [met.]; arch [masz.]

gięcie bending [masz.]

giętarka bending machine; edge-bending machine [masz.]

giętarka do rur pipe bending machine [narz.]

giętki flexible [met.]; pliable (*as on oil can*) [abc]

gigantyczny gigantic, huge [abc]

giobertyt magnesite [tw.]

gips gypsum [tw.]

gipsowy gypsum type [abc]

girlanda idler boom [transp.]

glazura varnish [abc]

glazurnik tiler [bud.]

glazurowany salt-glazed [abc]

gleba soil; base; ground [gleb.]

gleba ciężka heavy soil [abc]

gleba mineralna mineral soil [abc]

gleba siarczanowa sulphate soil (*sulfate*) [gleb.]

gleba torfowa peat soil [gleb.]

gleba zasolona saline soil [geol.]

glebogryzarka rotavator (*soil pulverizer*) [masz.]

glina clay (*raw material for ceramic mugs*) [bud.]; loam [min.]

glina czarna black cotton [gleb.]

glina lodowcowa till [bud.]

glina morenowa boulder clay [gleb.]

glina pęczniejąca vertisoil [bud.]

glina spoista cohesive clay [gleb.]

glina ubita rammed clay [abc]

G

glina zwałowa marglista marly till, till [bud.]

glina zwięzła cohesive clay [gleb.]

glinianka clay pit [bud.]

gliniasty loamy [abc]

gliniec expanded clay [tw.]

gładki smooth; non-surge [mot.]

gładkość smoothness [masz.]

gładkość powierzchni surface smoothness, roughness of surface [masz.]

gładzenie honing (*e.g. for 2nd hand cylinders*) [met.]

gładzić grind (*grinding*) [masz.]

gładź (*tynku*) top paint finish, top coat, finishing coat [bud.]

głaz boulder; oversized rock [górn.]

głaz narzutowy erratic block [min.]

głębia depth, profoundness [abc]

głębia ostrości depth of focus [fiz.]

głębić sink (*dig or drill or bore down*) [górn.]

głęboki deep (*d. slumber, ocean, thinking*) [abc]

głębokościomierz depth qauge [abc]

głębokościomierz mikrometryczny micrometer depth gauge [miern.]

głębokość depth, profoundness (*of the sea, of ideas*) [abc]

głębokość azotowania nitriding <hardness> depth [tw.]

głębokość kopania digging depth, digging height [bud.]

głębokość maksymalna maximum depth [górn.]

głębokość nacięcia chamfer start depth [tw.]

głębokość odwiertu drilling depth [transp.]

głębokość ogniska depth of hypocentre [geol.]

głębokość pęknięcia depth of crack [tw.]

głębokość pogłębiania dredging depth (*dragline*) [transp.]

głębokość przenikania depth of penetration, wave penetration [bud.]

głębokość skazy flaw depth (*depth location of a flaw*) [miern.]

głębokość skrawania cutting depth [masz.]

głębokość urabiania czerparką dredging depth [transp.]

głębokość urabiania koparką zgarniakową dredging depth (*of dragline*) [transp.]

głębokość utwardzania hardening depth, effective hardening depth [met.]

głębokość wnikania wave penetration [fiz.]

głębokość wybojów depth of potholes [mot.]

głębokość wykopu excavating depth [transp.]

głębokość zagnieżdżania depth of nesting [inf.]

głębokość zahartowania hardness penetration depth [met.]

głębokość zrywania ripping depth [transp.]

głos wyborczy vote [polit.]

głosić kazanie preach [abc]

głosować vote (*for a candidate*) [polit.]

głosowanie voting [inf.]

głosy wyborcze electoral votes [polit.]

głośnik loudspeaker [abc]

głośnik tubowy bell [transp.]

głośny noisy, loud [akust.]

głowa head (*part of body*) [med.]

głowa zęba tooth crest (*tooth top, tooth tip*) [masz.]

głowica head piece; upper end (*motor, brake, control in it*) [masz.]; lower end (*tensioning device in it*); newel [transp.]; capital (*top part of column*) [bud.]

głowica bojowa warhead [wojsk.]

głowica bojowa ćwiczebna training warhead [wojsk.]

głowica chwytaka grab head [transp.]

głowica cylindra cylinder head (*of combustion engine*) [mot.]

głowica czcionkowa golf ball, ball [mot.]

głowica ćwiczebna practise round [wojsk.]

głowica dźwigara jack head [mot.]

głowica kasująca eraser head [el.]

głowica kontrolna dopasowana shaped probe, matched probe [met.]

głowica kulowa golf ball, ball [mot.]

głowica magnetyczna magnetic head [el.]

głowica obiegowa rotating head [masz.]

głowica obrotowa chwytaka rotating head [transp.]

głowica obrotowa o 180° rotating head 180° (*180 degrees*) [transp.]

głowica obrotowa o 360° nieskończona rotating head 360° endless (*360 degrees*) [transp.]

głowica piły feller head [roln.]

głowica pisząca recorder head [miern.]; golf ball, ball [mot.]

głowica puszkowa rotary drive (*on drill rig*) [transp.]

głowica rozrządowa shuttle head (*more than 1 conveyor*) [górn.]

głowica smarowa nipple [masz.]

głowica ssąca suction head [masz.]

głowica śrubowa spiral head [masz.]

głowica taśmująca strapping head [masz.]

głowica tnąca cutterhead [masz.]

głowica uchwytowa (*maszyny wytrzymałościowej*) billet probe holder [masz.]

głowica wiertnicza drilling head [masz.]

głowica zapisująca recorder head [miern.]

głowica zapytująca interrogating head [el.]

głowica zewnętrzna outside deck; outside newel section [transp.]

głód tlenowy lack of oxygen [energ.]

główka gwoździa nail head [narz.]

główka krążka linowego pulley head [transp.]

główka sprzęgu brake line coupling [mot.]

główka sprzęgu z kołkiem wyciskowym coupling with pin [mot.]

główka sprzęgu z zaworem coupling with internal valve [mot.]

główka szyny railhead (*wheels roll on upper face*) [mot.]

główka tłoka rod eye [mot.]

główka zestawu paliwowego upper end [transp.]

główna blokada zabezpieczająca main safety interlock [energ.]

główna dźwignia bezpieczeństwa general safety lever, safety lever (*left of operations seat*) [transp.]

główna krawędź skrawająca main cutting edge [masz.]

główna przyczyna śmierci primary cause of death [abc]

główna siedziba (*firmy*) principal office [abc]

główna zasuwa odcinająca main stop valve [energ.]

główna zasuwa zamykająca main stop valve [energ.]

główne biuro head office [abc]

główny main; paramount; salient (*US: e.g. salient features*) [abc]

główny cel main objective [abc]

główny impuls generatora master generator-pulse [el.]

główny kanał olejowy main oil passage [mot.]

główny katalog części zamiennych master parts book [abc]

główny kąt przystawienia approach angle (*of step comb*) [transp.]

G

główny kierunek obciążenia main direction of stress [masz.]

główny mówca main speaker (*of tonight's meeting*) [abc]

główny obóz pracy main labour camp [abc]

główny podzespół main assembly [transp.]

główny poziom transportowy main transport level [górn.]

główny programista chief programmer [inf.]

główny przewód wodny main water supply [bud.]

główny rysunek projektowy main-design drawing [rys.]

główny wałek odbioru napędu central power take-off [mot.]

główny zawór odcinający main block valve, main shut-off cock [mot.]

główny zbiornik powietrza main air reservoir, main air tank [mot.]

główny zespół montażowy main assembly [abc]

głuchoniemy deafmute (*He is a deafmute*) [med.]

głuchy deaf (*hearing impediment*) [med.]

gmach edifice [abc]

gmina community (*municipality*) [polit.]

GMP u.d.c. (*upper dead centre*) [masz.]

gnejs GLW [górn.]

gniazdko bush, bushing [masz.]; receptacle [masz.]

gniazdko elektryczne electrical socket [el.]

gniazdo bush, bushing; receptacle; sock; female socket [masz.]; socket outlet; welding outlet [el.]; seat [masz.]

gniazdo awaryjne ruchu emergency travel socket [transp.]

gniazdo elektryczne electrical socket (*socket*) [el.]

gniazdo gwintowane threaded socket [rys.]

gniazdo kuliste ball socket [masz.]; spherical cap;spherical rocket shell [mot.]

gniazdo kulkowe (*zaworu*) seat of ball (*ball seat*) [mot.]

gniazdo kulowe ball mug [transp.]

gniazdo kulowe ball socket [masz.]

gniazdo łożyska bearing lug, bearing eye; hinge block; hub; pillow block [transp.]

gniazdo probiercze testing socket [el.]

gniazdo reflektora headlamp socket [mot.]

gniazdo sieciowe power supply plug [el.]

gniazdo smarowe filling nipple (*grease nipple*) [masz.]

gniazdo smarowe zaworowe kulkowe grease nipple, lubrication nipple, grease fitting [masz.]

gniazdo smarowe zaworowe kulkowe z końcówką stożkową grease nipple [masz.]

gniazdo specjalne special socket [transp.]

gniazdo stożkowe inside cone [masz.]

gniazdo uziemiające PE-socket [el.]

gniazdo wtyczkowe connector ; G. P. O. (*general power outlet*); plug (*plugbox, outlet*) [el.]; plug socket, socket [mot.]

gniazdo wtykowe general power outlet (G.P.O.) [el.]

gniazdo wtykowe jazdy kontrolnej socket-inspection travel [transp.]

gniazdo wtykowe kontrolne socket for inspection run [transp.]

gniazdo wtykowe montażowe socket [el.]

gniazdo z uziemieniem earthing socket, PE-socket [el.]

gniazdo zaciskowe terminal socket [masz.]

gniazdo zaworu valve lip; valve seat [masz.]

gniazdo zaworu wlotowego intake valve seat [masz.]

gniazdo zaworu wydechowego exhaust valve seat [masz.]

gniazdo zaworu wylotowego exhaust valve seat [masz.]

gniazdowy socket-type [masz.]

gnić (*rozkładać się*) rot, mould, wither, decay, delapidate [bot.]

gnieść knead [abc]

gnijący putrescent (*decaying*) [abc]

gniotownik crusher [górn.]

gnój dung, manure [abc]

godzina hour [abc]

godzina (po)ranna morning hour [abc]

godzina pracy working hour [abc]

godzina produkcji czystej NPH (*net production hour*) [abc]

godzina robocza op. h. (*operating hour*) [masz.]; manhour; working hour [abc]

godzina zegarowa clock hour (*not computer hour in DP*) [abc]

godziny pracy work time (*per day*) [abc]

godziny produkcyjne manufacturing hours [abc]

godziny urzędowania office hours [abc]

gołoledź black ice [meteo.]

goły bare [mot.]

gondola gondola; basket (*Blower is above the basket of the balloon*) [mot.]

goniec messenger; orderly [wojsk.]

gorące źródła thermal water [geol.]

gorący hot [abc]

gorączka temperature [abc]

gospodarczy agricultural [roln.]

gospodarka czasem time control (*of machines, labour*) [abc]

gospodarka materiałowa material control [el.]

gospodarka ubezpieczeń insurance business (*insurance industry*) [prawn.]

gospodarka wodna o obiegu zamkniętym circuit water system [bud.]

gospodarować manage [abc]

gospodarowanie personelem personal and social affairs [abc]

gospodarstwo domowe household [abc]

gospodarstwo hodowlane bydła ranch [abc]

gospodarz entertainer [abc]

gospodarz domu landlord [abc]

gospodyni domu landlady [abc]

gość visitor (*entertain a visitor*) [abc]

gotować boil [abc]

gotowy do działania in proper working condition [abc]

gotowy do eksploatacji ready for operation [mot.]

gotowy do montażu ready to mount [masz.]

gotowy do pracy ready for operation (*e.g. machine*) [mot.]

gotowy do wbudowania ready for installation [abc]

gotowy do zamontowania ready for installation [abc]

góra mount, mountain [abc]

góra lodowa iceberg [abc]

górka rozrządowa hump (GB) [mot.]

górna część kadłuba łożyska end frame (*often: cover of bearing*) [masz.]

górna część kanału powietrza upper part of air guide [mot.]

górna część skrzyni korbowej crankcase top half [mot.]

górna część wysięgnicy upper boom (*opposite: base boom*), upper part of boom [trans.]

G

górna granica zapłonu OIL (*upper <top> ignition limit*) [mot.]

górna niecka przenośnika upper trough (*of chain conveyor*) [górn.]

górna osłona pompy wtryskowej injection pump upper housing [mot.]

górna powierzchnia podnóżka step (*e.g. shunter's step*) [mot.]

górne położenie zwrotne top dead centre (t.d.c.); upper dead centre (u.d.c.) masz.]

górnictwo mining (*as old as mankind, flint first*) [górn.]

górnictwo morskie maritime mining [górn.]

górnictwo odkrywkowe surface mining, open cast mining [górn.]

górnictwo podziemne underground mining [górn.]

górny upper (*upper part, upper row*) [transp.]

górny martwy punkt (GMP) t.d.c. (*top dead centre*); u.d.c. (*upper dead centre*) [masz.]

góry mountains (*mountain range*) [abc]

górzysty mountainous [abc]

grabie rake [narz.]

grabie do korzeni root rake [narz.]

grad hail [meteo.]

gradobicie hailstorm [meteo.]

graficzny interfejs użytkownika graphical user interface (GUI) [inf.]

graficzny system jądra graphical kernel system (GKS) [inf.]

grafika komputerowa computer graphics [inf.]

grafit graphite [min.]

grafit kulkowy nodular graphite [tw.]

grafit sferoidalny nodular graphite [tw.]

gramatyka grammar [abc]

gramatyka bezkontekstowa context-free grammar [inf.]

gramatyka ról tematycznych thematic-role grammar [inf.]

gramatyka semantyczna semantic grammar [inf.]

gramatyka transformacyjna transformational grammar [abc]

granat dymny smoke grenade [wojsk.]

granat dymowy ręczny smoke hand grenade [wojsk.]

granat karabinowy ćwiczebny training rifle grenade [wojsk.]

granat karabinowy dymny smoke rifle grenade [wojsk.]

granat karabinowy odłamkowo-burzący explosive rifle grenade [wojsk.]

granat ręczny ćwiczebny training hand grenade [wojsk.]

granat ręczny odłamkowo-burzący explosive hand grenade [wojsk.]

granat ręczny odłamkowy splinter hand grenade [wojsk.]

granat ręczny ze środkiem drażniącym irritant agent hand grenade [wojsk.]

granatnik launcher, launching equipment [wojsk.]

granatowy black blue [norm.]

graniastosłup prism [mat.]

graniasty bevelled [abc]

graniatka kelly bar (*e.g. quadruple telescopic*) [transp.]

granica (*state*) border, frontier, boundary [polit.]; limit [abc]

granica obciążenia load limit [abc]

granica pełzania creep strength [energ.]

granica plastyczności yield strength; yield point; proof stress [fiz.]

granica plastyczności w podwyższonej temperaturze high-temperature limit of elasticity [fiz.]

granica przyczepności limit of adhesion [mot.]

granica sprężystości yield point [masz.]

granica wtopu weld junction [met.]

granica wysokości składki ceiling for <the> contribution [praw.]

graniczący adjacent [abc]

graniczny adjacent [abc]

granit granite [min.]

granulacja mottle [el.]

granularka granulation plant (*granulating plant*) [narz.]

granulat granulate [górn.]

granulować granulate [górn.]

granulowany granular [górn.]

grawerować engrave [met.]

grawerowanie engraving [met.]

grawitacyjny wyrzutnik/wypychacz pyłu gravity-type dust ejector [masz.]

gremium board (*panel, governing body*) [abc]

grobla dike, dyke, dam, dyke, causeway [bud.]

grobowiec tomb, vault, grave [abc]

grodzica sheet pile (*pile driving*), sheeting [transp.]

gromada group (*gang, platoon, company*) [abc]

gromadzenie acquisition [inf.]

gromadzenie danych data collecting, data gathering (*data logging*) [inf.]

gromadzenie gorącej wody hotwater storage [energ.]

gromadzenie w stosach stockpiling [transp.]

gromadzenie wiedzy knowledge acquisition [inf.]

gromadzić collect [bud.]; collect (*collect data*) [inf.]

groszek (*sortyment węgla*) pea coal [energ.]

grota cave, cavern [geol.]

grotmaszt main mast [transp.]

groźba menace (*criminals and the like*); threat [abc]

grożący zawaleniem tumbledown (*dilapidated*) [transp.]

grób tomb, grave, vault [abc]

gród castle [bud.]

gródź bulkhead; stiffening plate [transp.]

grubo karbowany notched [tw.]

grubościenny heavy-walled [abc]; thick-walled [masz.]

grubościomierz thickness gauge [miern.]

grubościomierz ultradźwiękowy ultrasonic thickness tester [el.]

grubość thickness, depth [masz.]

grubość kołnierza flange thickness [met.]

grubość krawędzi thickness of bur, thickness of edge [masz.]

grubość materiału przecinanego cutting height [abc]

grubość naroża thickness of bur, thickness of edge [masz.]

grubość spoiny throat depth [met.]

grubość ścianki wall thickness [energ.]

grubość ścianki resztkowa remaining wall thickness [masz.]

grubość taśmy band thickness [masz.]

grubość warstwy farby coat thickness [tw.]

grubość warstwy utwardzonej case depth (*case hardened*), depth of hardness, hardening depth (*flame hardened*) [met.]

grubość warstwy utwardzonej u nasady zęba root case depth [met.]

grubość wyjściowa materiału original thickness [masz.]

grubość zęba (*zasadnicza czołowa*) arc thickness (*on gear*) [masz.]

grubość zęba czołowa transverse base thickness [masz.]

grubość zęba obwodowa podziałowa transverse base thickness [masz.]

G

grubość zęba zasadnicza czołowa normal tooth thickness, circular thickness [masz.]

grubość zupełna unlimited thickness [masz.]

gruboziarnisty coarse grained [górn.]

gruboziarnisty pył grit (*fly ash coarse particles*) [energ.]

gruby thick [abc]

gruby przemiał groats (*grist*) [abc]

gruda lump; clod [bud.]

grudka pellet (*prill; e.g. pigeon p.*) [abc]

grudka manganu manganese nodule [min.]

grunt soil; ground (*soil, muck, dirt, material*) [gleb.]; prime (*couch*) [norm.]; field [roln.]

grunt bagienny swampy ground [abc]

grunt nienaruszony natural soil [geol.]

grunt pylasty silty soil [gleb.]

grunt rodzimy natural soil [geol.]

grunt siarczanowy sulphate soil [gleb.]

grunt spoisty loose soil [gleb.]

grunt zagęszczony compacted soil, solidified soil [gleb.]

grunt zbity solidified soil [gleb.]

grunt zwarty solidified soil [gleb.]

gruntować prime (*lay the first coat of paint*) [norm.]

grunty kopne diggable grounds [transp.]

grunty małospoiste loose soil [gleb.]

grunty płynne flowing soil [gleb.]

grunty spoiste compact soils [gleb.]

grunty średniospoiste firm soils [gleb.]

grupa group; cluster (*e.g. of stars, cables*) [abc]

grupa dokładności accuracy group [rys.]

grupa izolacji insulation group [abc]

grupa operacyjna task force [abc]

grupa połączeń switching group [mot.]

grupa przedsiębiorstw group of companies [abc]

grupa uderzeniowa crack unit [wojsk.]

grupa zębów tooth group [masz.]

grupować group; categorize [abc]

gruz debris [rec.]; rubble [masz.]

gruz budowlany building rubbish (*US: waste*) [rec.]; rubble [bud.]

gruz ze zbocza (*gruz ze stoku*) talus material [górn.]

grys grit, fly ash coarse particles, chippings [energ.]

grys dolomitowy dolomite split (*mineral*) [górn.]

grysik cementowy cement tailing [górn.]

gryźć bite [abc]

grządka bed (*flower bed*) [abc]

grzbiet ridge [geol.]; back [med.]; crest [górn.]

grzbiet fali wave tail [el.]

grzbiet górski mountain ridge [geol.]

grzbiet radlicy rear of mouldboard [transp.]

grzbiet ścieralny wear liner [energ.]

grzebień comb [abc]

grzebień stopnia step comb, comb [transp.]

grzebień z urządzeniem zabezpieczającym comb plate with safety device [transp.]

grzebień z urządzeniem zabezpieczającym i wyłącznikiem krańcowym comb plate with safety device and limit switch [transp.]

grzechotka (*wiertarka ręczna*) ratchet drill [narz.]

grzejnik heater [bud.]

grzęznąć bog down [abc]

grzmieć rumble (*rumbling of thunder*) [abc]

grzybek dociskający sprężysty spring pressure pad [masz.]

grzybek zaworu valve head, valve retainer, valve cone [mot.]

grzybek zaworu ssawnego suction valve cone [mot.]

grzywna fine [prawn.]

guma rubber (*general: rubberware*) [tw.]

guma gąbczasta foam rubber [tw.]

guma piankowa foam rubber [tw.]

guma porowata foam rubber [tw.]

guma profilowana rubber section [masz.]

guma przemysłowa industrial rubber [tw.]

gumka do wycierania India rubber [abc]

gumowanie rubber lining, rubberizing [masz.]

gumowany rubber-lined [masz.]

guzik knob, nep, nub, nodule [masz.]; button [abc]

guzik bezpieczeństwa stop button (*on control panel*) [masz.]

guzik od koszuli shirt button [abc]

guzik przyciskowy przełącznika push button [el.]

guzik sygnalizacji zwrotnej reset button [energ.]

guzowaty knotty [abc]

gwarancja warranty, guarantee [abc]

gwarancja działania functioning guarantee [abc]

gwardia guards [wojsk.]

gwarectwo miners' association [górn.]

gwiazda star (*as sprocket-type wheel*); spider (*handwheel*) [masz.]

gwiazda prowadząca tube guiding bushing, guiding insert (*star-guide*) [transp.]

gwiazda-trójkąt delta star, star delta [el.]

gwiaździsty star-shaped [abc]

gwinciarka do gniazd zaworowych valve stem retreader [mot.]

gwint thread [masz.]

gwint dokładny fine thread [masz.]

gwint drobnozwojny fine thread [masz.]

gwint lewoskrętny left-hand thread, LH-thread [masz.]

gwint lewy LH-thread [masz.]

gwint nakrętki internal thread [masz.]

gwint odciskowy pressure-test threading [masz.]

gwint prawoskrętny right-hand thread, RH-thread [masz.]

gwint rurowy pipe thread [masz.]

gwint śrubowy screw thread [masz.]

gwint walcowany thread rolled [masz.]

gwint wewnętrzny internal thread, female thread [masz.]

gwint Whitwortha pipe thread of Whitworth form [masz.]

gwint zewnętrzny male thread, outer thread, outside threading [masz.]

G

gwintować tap [met.]

gwintowanie threading [narz.]

gwintowanie wewnętrzne inside threading [masz.]

gwintowany tapped; threaded [masz.]

gwintownica threader [narz.]

gwintownik screw tap (*long: stay t.*), tap drill, tap [narz.]

gwizdać pipe [mot.]; whistle [abc]

gwizdawka whistle [mot.]

gwizdawka alarmująca alarm whistle [transp.]

gwizdawka parowa steam whistle [mot.]

gwizdawka sygnalizacyjna alarm whistle [transp.]

gwizdek alarmowy alarm whistle [transp.]

gwóźdź nail [narz.]

gwóźdź do mocowania płyt budowlanych lekkich nail for light weight building slabs [narz.]

gwóźdź tapicerski tin tack [narz.]

H

hacel grouser (*on track pad*) [transp.]
hafn hafnium [chem.]
haft embroidery [abc]
haftować embroider [abc]
haftowany embroidered [abc]
hak burzący teardown hock [transp.]
hak cięgłowy automatyczny automatic coupler [transp.]
hak cięgłowy coupling hook; draw hook (*hock on loco*); drawbar; tow hook, towing hook [mot.]
hak do podnoszenia wraków wrecker tooth [transp.]
hak do zawieszania w garderobie cloakroom hook [abc]
hak holowniczy tow hook, towing hook [masz.]
hak ładunkowy load hook [transp.]
hak ładunkowy zabezpieczający safety load hook [transp.]
hak mocujący przewód hamulcowy brake pipe stowage hook [mot.]
hakowy slinger (*chains, ribbons, ropes*) [mot.]
hak pociągowy drawbar, drawhook [masz.]; tow hook, towing hook [mot.]
hak pociągowy przedni front pull hook [mot.]
hak pociągowy strzemiączkowy clevis coupler [mot.]
hak rozbiórkowy demolition hook, teardown hook [transp.]
hak sprężysty flexible spike [mot.]
hak sprężysty z podwójnym trzonem double shank elastic rail spike [mot.]
hak stalowy steel hook [masz.]
hak szynowy rail clamp; cutspike [mot.]
hak szynowy sprężysty elastic rail spike [mot.]

hak uziemiający PE-hook, earthing hook, switch pole [el.]
hak z uziemieniem PE-hook, earthing hook, switch pole [el.]
hala hall; concourse; hangar [bud.]
hala dworcowa passenger circulating area [mot.]
hala jednonawowa single bay hall [bud.]
hala montażowa assembly hall; assembly shop [masz.]
hala odlotów departure terminal [mot.]
hala ogólnego przeznaczenia versatile hall [bud.]
hala sportowa sports hall [abc]
hala targowa fair hall [abc]
hala wielofunkcyjna multi-purpose hall [abc]
hala wystawowa fair hall [abc]
hall hall [transp.]
hall dworca main hall [mot.]
halon halon (*extinguishing agent*) [met.]
hals kotwiczny trend of an anchor [mot.]
hałas noise (*racket*) [akust.]
hałda (*węgla*) stack; dump; pile; stockpile [górn.]; heap [transp.]
hałda węgla coal dump [rec.]
hałdowanie stockpiling [transp.]
hałdy nadkładowe overburden stockpile [górn.]
hamować brake, decelerate, obstruct, retard (*come to a stop*) [mot.]
hamowanie awaryjne emergency braking [mot.]
hamowanie stopniowe graduated brake application [mot.]
hamowność brake data [transp.]
hamulec aerodynamiczny air brake [mot.]
hamulec automatyczny (*w pociągu*) automatic train brake [mot.]
hamulec automatyczny zwalniany stopniowo graduable release

automatic brake [mot.]

hamulec bezpieczeństwa emergency brake [mot.]

hamulec bębnowy drum brake [mot.]

hamulec ciągłego działania permanent brake [mot.]

hamulec cierny linowy cable brake [mot.];

hamulec cierny linowy sterowany pneumatycznie air-operated cable brake [transp.]

hamulec cierny wielopłytkowy multi-disc brake, multiple disc brake [mot.]

hamulec cierny wielopłytkowy mokry wet multi-disk brake [mot.]

hamulec duplex duplex brake [mot.]

hamulec dwuklockowy double block brake [mot.]

hamulec eksploatacyjny brake assembly, service brake [transp.]

hamulec elektromagnetyczny magnetic brake [el.]

hamulec główny brake assembly, service brake [transp.]

hamulec główny z kontrolą zużycia okładziny szczęk hamulcowych service brake with control of brake lining [transp.]

hamulec górski engine brake (*exhaust brake*) [mot.]

hamulec Herberlein'a Herberlein line brake [mot.]

hamulec hydrauliczny hydraulic brake [masz.]

hamulec hydrauliczny cierny wielopłytkowy oil disc brake [masz.]

hamulec hydrauliczny mechanizmu obrotu żurawia hydraulic slewing brake [mot.]

hamulec hydrauliczny olejowy oil-pressure brake, oil-hydraulic brake [mot.]

hamulec hydrauliczny uruchamiany pneumatycznie air-operated hydraulic brake [mot.]

hamulec hydrauliczny uruchamiany próżniowo vacuum-operated hydraulic brake [mot.]

hamulec hydrodynamiczny hydrodynamic brake [mot.]

hamulec klinowy cotter brake, chock (*on flat wagon*); Scotch block (*holds stabled wagons*) [mot.]

hamulec klockowy shoe brake; clasp brake, clasp-pattern brake [mot.]; block brake (*Westinghouse Brake*) [transp.]

hamulec klockowy zewnętrzny outside shoe brake [mot.]

hamulec koła wheel brake [mot.]

hamulec kół przednich front wheel brake [mot.]

hamulec linowy cable clip [mot.]

hamulec mechaniczny mechanical brake; linkage brake [mot.]

hamulec mechanizmu jezdnego travel brake, travelling brake [mot.]

hamulec mechanizmu obrotowego żurawia slewing brake, slewing gear brake, swing gear brake, swing brake [transp.]

hamulec mokry wet brake [mot.]

hamulec na cztery koła four wheel brake [mot.]

hamulec na koła tylne rear wheel brake [mot.]

hamulec nadciśnieniowy air pressure brake [mot.]

hamulec najazdowy over-running brake [mot.]

hamulec nawrotny grab swing brake [transp.]

hamulec nożny foot brake; service brake [mot.]

hamulec obrotowy slewing brake [transp.]

hamulec parowy steam brake (*on loco*) [mot.]

hamulec pierścieniowy slip-ring brake [mot.]

H

hamulec pneumatyczny air brake; pneumatic brake [mot.]

hamulec pneumatyczny nadciśnieniowy air brake [mot.]

hamulec pneumatyczny podciśnieniowy vacuum servo brake [mot.]

hamulec pneumatyczny prosty lokomotywy straight air brake (*on footplate*) [mot.]

hamulec pociągu towarowego goods brake (GB) [mot.]

hamulec pociągu train brake (*automatic train brake*) [mot.]

hamulec postojowy arresting brake; parking brake; hand brake (*for stabled wagon*) [mot.]; locking and holding brake [transp.]

hamulec postojowy wrzecionowy screw-acted arresting brake [mot.]

hamulec powietrzny pneumatic brake [mot.]

hamulec powietrzny podciśnieniowy vacuum servo brake [mot.]

hamulec próżniowy vacuum servo brake [mot.]

hamulec przytrzymujący holding brake [mot.]; locking brake (*holds uppercarriage*) [transp.]

hamulec ręczny hand brake [mot.]

hamulec rzutowy weight brake [mot.]

hamulec silnikowy engine brake; exhaust brake, exhaust flap brake, transmission brake [mot.]

hamulec Simplex simplex brake [mot.]

hamulec sprężynowy spring-loaded brake [masz.]; coil-spring pressure [tw.]

hamulec sprzęgłowy clutch brake [mot.]

hamulec sprzęgłowy sterowniczy steering clutch brake [mot.]

hamulec sprzęgowy wewnętrzny internal expanding brake [transp.]

hamulec szczękowy shoe brake [mot.]

hamulec szczękowy wewnętrzny inside shoe brake [mot.]

hamulec talerzowy disk brake, disc brake [transp.]

hamulec tarczowy disc brake, disk brake [mot.]

hamulec tarczowy dwuzakresowy dual circuit disk brake [mot.]

hamulec tarczowy koła wheel disc brake [mot.]

hamulec tarczowy olejowy dwuzakresowy dual-circuit oil disc brake [mot.]

hamulec taśmowy band brake [mot.]

hamulec taśmowy wewnętrzny inside band brake, internal band brake [mot.]

hamulec taśmowy zewnętrzny outside band brake, external band brake [mot.]

hamulec torowy rail brake, retarder brake [mot.]

hamulec torowy szczękowy beam rail brake (*on or under hump*) [mot.]

hamulec wagonu towarowego freight wagon brake [mot.]

hamulec zatrzymujący holding brake, slewing lock [mot.]

hamulec ze wspomaganiem power brake, servo brake; brake energizer (*not: servo-brake*) [mot.]

handel trade [abc]

handlarz złomem junk dealer [abc]

handlowiec dealer [mot.]; vendor (*sells to me*) [abc]

handlowy commercial [ekon.]

hangar hangar [mot.]

hangar towarowy shed [bud.]

hardtop (*twardy, sztywny dach kabrioletu*) hardtop [mot.]

hardware hardware [inf.]

harmonia unity [abc]

harmoniczny harmonics [el.]

harmonijka bellow [masz.]; corridor connection [mot.]

harmonogram schedule [abc]

harmonogram prac schedule of work, working schedule, construction schedule [abc]

hartować harden [met.]; quench [tw.]; temper [met.]

hartować ślepo blank hardening [met.]

hartowanie tempering, hardening [met.]

hartowanie indukcyjne inductive hardening [met.]

hartowanie jednokrotne single quenching [met.]

hartowanie płomieniowe gas hardening [met.]

hartowanie płomieniowe w kilku przejściach slip hardening [met.]

hartowanie posuwisto-obrotowe rotor feed hardening [masz.]

hartowanie warstwy brzegowej edge-zone hardening [met.]

hartowany hardened [met.]

hartowany indukcyjnie inductively hardened, induction hardened [met.]

hartowany płomieniowo furnace hardened [met.]

hartowany powierzchniowo case hardened, surface solidified, surface-layer hardened [met.]

hartowany w warstwie brzegowej edge-zone hardened [met.]

hartowany w wodzie water quenched [met.]

hartownia hardening shop (*flame and heat*) [met.]

hasło password [inf.]; keyword (*a topic in keywords*) [abc]

hektar (ha) hectare [abc]

hel helium (*gas*) [mot.]

helikopter helicopter [mot.]

helikopter policyjny police chopper [mot.]

heliport helicopter airport [mot.]

hełm helmet [wojsk.]

hełm ochronny hard hat [abc]

hełm spawacza welder's helmet [met.]

hełm stalowy steel helmet [wojsk.]

herc (Hz) CPS (*cycles per second*) [el.]

hermeneutyka hermeneutics [inf.]

hermetyczny hermetical [abc]; airtight [aero.]

heterogeniczny heterogeneous (*opposite: homogenous*) [abc]

heurystyka heuristics [inf.]

heurystyka indukcyjna induction heuristic [inf.]

hierarchia hierarchy; level [abc]

higrometr hair hygrometer [miern.]

hiperbola hyperbola [mat.]

hipocentrum focus [abc]

hisować hoist [mot.]

histogram bar chart [mat.]

historia history (*e.g. prehistoric*) [abc]

historia kryminalna detective story [abc]

historia nauki history of science [abc]

historyczny historical [abc]

hodograf locus [masz.]

hodometr odometer [mot.]

hodowca gołębi pigeon fancier [abc]

hodowla breed, breeding [abc]

hol waiting booth, waiting room, waiting lounge, lounge [abc]; tow rope [mot.]

holować haul; tow (*e.g. tow a ship*) [mot.]

holowany przez ciężarówkę lorry-hauled (*train*) [mot.]

holownik tug, tugboat, towboat [mot.]

holownik dalekomorski deep sea tug [mot.]

holownik parowy towboat (*same as tugboat*) [mot.]

H

homogenizacja homogenization; blending [transp.]
homogenizować homogenize [abc]
honorarium adwokackie lawyer's fee [prawn.]
honorarium rzeczoznawcy expert's fees [praw.]
honować hone [masz.]
horyzont horizon [abc]
horyzontalny horizontal [abc]
hotel hotel [abc]
hotel lotniskowy airport hotel [abc]
hrabstwo county [abc]
hulajnoga scooter [abc]
humanitarny humanitarny [abc]
humus humus topsoil, muck [gleb.]
huragan typhoon (*hurricane*) [meteo]
huśtawka swing [abc]
huta iron and steel works [met.]
huta metali steel works [mmet.]
huta szkła glass factory [górn.]
huta żelaza steel works, iron works [met.]
hutnictwo iron and steel industry [met.]
hydrant przeciwpożarowy fire hydrant (*Don't park your car*) [bud.]
hydratacja hydration [chem.]
hydrauliczna zmiana biegów hydraulic gear change [mot.]
hydrauliczne przełączanie biegów hydraulic gear change (*shift*) [mot.]
hydraulicznie odciążony hydraulically balanced [mot.]
hydraulicznie zrównoważony hydraulically balanced [mot.]
hydrauliczny hydraulic [abc]; (*olejowy*) oil-hydraulic [masz.]
hydrauliczny nastawiacz gąsienicy hydraulic track adjuster [mot.]
hydrauliczny ręczny hand hydraulic lift (*high l. stacker*) [mot.]
hydraulik plumber [bud.]
hydraulika hydraulics (*hydraulic system*) [masz.]

hydrolizować saponing [chem.]
hydroplan seaplane; flying boat [mot.]
hydropneumatyczny hydro-pneumatic [masz.]
hydrostatyczny hydrostatic [mot.]
hypergol spontaneously combustible substance [wojsk.]
Hz (*herc*) cycles per second (*cps*) [fiz.]

I

identyczny (*z*) identical (*to, with*) [abc]
identyfikacja identification; authentication [abc]
identyfikacja za pomocą generowania i testowania identification using generate-and-test [inf.]
igiełka pin [masz.]
iglica spire [bud.]; needle [mot.]
iglica dyszy nozzle needle, needle [masz.]
iglica obciążenie częściowego part load needle [mot.]
iglica pływaka float needle [mot.]
igła (*do szycia*) needle [abc]
igła kompasu compass needle [fiz.]
iloczyn logiczny conjunction (*in logic*) [inf.]
iloraz quotient; ratio [mat.]
ilości główne main quantities [abc]
ilościowy quantitative (*much or little*) [abc]
ilość number; quantity; volume [abc]
ilość gazów spalinowych flue gas quantity [energ.]
ilość materiału material at hand (*from trench-cut*) [transp.]
ilość ogólna total quantity [abc]
ilość oleju oil volume [masz.]

ilość ruchu momentum [mot.]

ilość skrętów number of threads [masz.]

ilość ścieków volume of shipments [hydr.]

ilość wydobytego gruntu solids discharge [mot.]

ilość zębów number of teeth [masz.]

ilość zębów do pomiaru number of teeth for testing [masz.]

ilość zwojów number of threads [masz.]

iluminacja illumination, light [el.]

iluminowanie illumination (*in line drawing analysis*) [inf.]

ilustracja illustration [inf.]

ilustrować illustrate [abc]

ił clay [bud.]; silt [mot.]

imadło vise [narz.]

imadło ręczne hand vice [masz.]

imię first name (*given name*) [abc]

imigracja immigration [polit.]

imigrant immigrant [polit.]

imitowany artificial [abc]

immatrykulacja immatriculation [abc]

impedancja impedance; reactance [el.]

impedancja akustyczna acoustic impedance; acoustical impedance [akust.]

impedancja falowa surge impedance (*characteristic i.*) [el.]

impedancja oporowa matching impedance [el.]

impedancja przejściowa transfer impedance [el.]

impet impact, momentum [abc]

implementacja implementation [inf.]

impregnat do drewna timber preservative [bud.]

impregnować impregnate [met.]; saturate [abc]

impregnowanie wodoodporne wa-

ter-proofing [bud.]

impuls command (*order*) [el.]; impulse, pulse, momentum [abc]

impuls kontrolny test pulse [miern.]

impuls nadawczy initial pulse [el.]

impuls odbity reflected pulse [el.]

impuls prądowy impulse [el.]

impuls prądu stałego dc-signal [el.]

impuls prostokątny square pulse, rectangular pulse; square wave pulse [el.]

impuls próbkowy sampling pulse [transp.]

impuls przenoszony transmitted pulse [akust.]

impuls siły uderzenia shock pulse [mot.]

impuls sterowniczy nadawania transmitter trigger pulse [el.]

impuls włączenia transient pulse (*transient*) [el.]

impuls zwrotny reset pulse [el.]

impulsator drogowy path pulse generator [el.]

impulsy nadawcze transmission power [el.]

inaugurować commission (*inaugurate, open*) [abc]

incydent incident [abc]

indeks index [abc]; directory [inf.]

indeks ilościowy summary (*of drawings*) [abc]

indeks rzeczowy index (*contents, list of contents*) [abc]

indeks ufności confidence index [inf.]

indukcyjność inductance [el.]

indukcyjność sprzężona coupled inductance [el.]

indukcyjny inductive [el.]

indukcyjny przetwornik przemieszczenia voltage/distance converter [miern.]

indukcyjny rejestrator odległości

I

inductive distance recorder, voltage/distance converter [miern.]

induktor magneto [mot.]

inercja inertia [abc]; steady load [masz.]

inercja stała constant inertia [fiz.]

inercja układu znacznikującego marking system inertia [abc]

infekcja infection [med.]

infekcja krwi blood infection [med.]

informacja information, guidance; memorandum [abc]; directory (*telephone directory*) [telkom.]

informacja agencyjna report of a news agency (*agency report*) [abc]

informacja o produkcie product information [abc]

informacja serwisowa service information [masz.]

informacja techniczna technical information [abc]

informacja telefoniczna inquiries (*GB: directory inquiries*) [telkom.]

informatyka informatics, computer science [inf.]

informatyka feministyczna feminist computer science [inf.]

infrastruktura infrastructure [abc]

ingerować interfere; involve [abc]

inhibitor inhibitor [chem.]

inicjator initiator [abc]

inkasować (*pobierać należności*) collect (*They collect taxes*) [abc]

inkluzja gazowa gas inclusion [tw.]

inkrustacja inlaid work [abc]

inmitancja immittance [el.]

innowacja innovation [abc]

innowacyjny innovative [abc]

inskrypcja inscription [abc]

inspekcja inspection [abc]

inspekcja konserwatorska pit stop (US) [mot.]

inspektor surveyor [abc]

inspektor techniczny operations manager [abc]

instalacja installation [met.]; unit [energ.]

instalacja alarmowa burglar alarm [el.]

instalacja całkowita entire installation [abc]

instalacja chłodnicza cooling system [abc]

instalacja do demineralizacji demineralisation plant [energ.]

instalacja do napełniania opon tyre-inflation system (*on graders*) [mot.]

instalacja do oględzin urządzeń wyciągowych shaft feeding system [górn.]

instalacja elektryczna electric installation [el.]; mechanical parts for electrical equipment [transp.]

instalacja grudkowania pelletizing plant [energ.]

instalacja hydrauliczna hydraulic system, hydraulics [masz.]

instalacja hydrauliczna czerpaka bucket hydraulics [transp.]

instalacja hydrauliczna olejowa oil-hydraulics [masz.]

instalacja hydrauliczna stopniowa stage-hydraulics [masz.]

instalacja kanalizacyjna sewage system [abc]

instalacja kotłowa boiler plant [energ.]

instalacja na gaz napędowy ciekły fuel gas equipment [mot.]

instalacja nagłaśniająca public address system (*PA-system*) [abc]

instalacja odpopielająca ash handling plant [energ.]

instalacja odpylająca dust removing plant [masz.]; exhaust gas and fume extraction equipment [aero.]

instalacja ogrzewania parowego steam-heating installation [mot.]

instalacja ogrzewczo-wentylacyj-

na heating and ventilating system [mot.]

instalacja oświetleniowa lighting equipment [el.]; lighting [transp.]; lighting system [mot.]

instalacja paliwowa tank-filling system (*fuel-filling*) [masz.]

instalacja pneumatyczna pneumatic system (*cabinet*) [mot.]

instalacja powietrzna air duct; air-pipes [aero.]

instalacja probiercza rurowa tube test installation [miern.]

instalacja przeciwpożarowa fire extinguishing system [mot.]

instalacja przeciwpyłowa double filter attachment for dusty conditions [mot.]

instalacja przelewowa oleju leak oil pipe, overflow oil line [mot.]

instalacja przenośnikowa conveying pipe [górn.]

instalacja przesiewająca screening installation [górn.]

instalacja przygotowania wody zasilającej feed water treatment plant [hydr.]

instalacja pyłowa pulverized coal piping [energ.]

instalacja recyrkulacyjna return pipe [mot.]

instalacja rozdrabniacza shredder plants [górn.]

instalacja rozruchowa starter cable [mot.]

instalacja rurowa pipeline, piping, tubing [masz.]

instalacja rurowa rozruchowa start-up piping [energ.]

instalacja spalania gazów odlotowych exhaust gas burner [aero.]

instalacja szybkiego tankowania fast fuelling system [mot.]

instalacja szybkowymienna rapid changing device [narz.]

instalacja testowa test installation, test equipment [masz.]

instalacja tryskaczowa sprinkler system [bud.]

instalacja wdmuchiwania składnika stopowego alloy injection plant [górn.]

instalacja wewnętrzna indoor installation; indoor unit [energ.]

instalacja wężownicowa continuous loop tube construction [energ.]

instalacja wtryskowa injection pipes [mot.]

instalacja wydechowa exhaust pipe [mot.]

instalacja zewnętrzna outdoor installation [abc]

instalacja żarowa heater plug installation [masz.]

instalacja żarowa płomieniowa flame-type kit [mot.]

instalator plumber [bud.]

instalator rurociągów pipe layer (*special ship*) [mot.]

instalować install (*install an engine*) [mot.]

instrukcja instruction; provision; regulation (*rule, directives*); code of practice [abc] ; instruction [energ.]; command; statement (*order, instruction*) [inf.]

instrukcja działania operation instruction [masz.]

instrukcja konserwacyjna maintenance instruction [abc]

instrukcja montażowa assembly instruction [masz.]

instrukcja montażu installation guide; installation instruction [met.]; assembly instruction [masz.]

instrukcja obsługi operating instruction, technical handbook, operator manual, maintenance book, operating manual, operator's manual, operator's handbook [abc]

instrukcja obsługi i konserwacji operation & maintenance manual (O&M) [masz.]

instrukcja smarowania lubrication-ing instructions [transp.]

instrukcja spawania welding instruction [met.]ś

instrukcja ulepszania cieplnego tempering instruction [met.]

instrukcja użytkownika user guide [inf.]

instrukcja zgrzewania welding instruction [met.]

instrukcje konserwacyjne i kontrolne maintenance and inspection instruction [abc]

instrukcje wysyłkowe shipping instruction [abc]

instruktaż briefing [abc]

instruktor instructor (*teacher*) [abc]

instruktor jazdy driving instructor [mot.]

instruktywny indicative [abc]

instrument instrument; device [abc]; tool [masz.]

instrument doświadczalny boiler test instrument [miern.]

instrument niwelacyjny abney level, levelling instrument, level [miern.]

instruować instruct (*acquaint with*) [abc]

instytucja doskonalenia zawodowego educational institution [abc]

instytucja kształcenia ustawicznego educational institution [abc]

instytut meteorologiczny weather office [meteo.]

instytut naukowy educational institution [abc]

intarsja inlaid work (*inlay, marquetry*) [abc]

integracja integration [polit.]

integrator integrator [el.]

inteligencja sztuczna AI [inf.]

inteligentny (*smart, on the ball, keen*) [abc]

intencja purpose [abc]

intensywność hamowania brake data [transp.]

intensywny intensive; arduous [abc]

interceptor spoiler [mot.]

interfejs interface (*boundary surface*) [inf.]

interfejs danych data interface [inf.]

interfejs użytkownika user interface [inf.]

interferencja wave interference [fiz.]

interferencja radiowa radio interference echo [el.]

interferometr interferometer [el.]

interpretacja interpretation [abc]; (*in logic*) interpretation [inf.]

interpretacja rejestrów odwiertów naftowych oil-well log interpretation [inf.]

interpreter interpreter [inf.]

interpretować interpret [abc]

interweniować intervene (*step in*) [polit.]

intruz intruder [inf.]

intruzja dwutlenku węgla intrusion of CO_2 (*in potassium mines*) [górn.]

intruzja kwasu węglowego intrusion of carbonic acid (*bubbles*) [górn.]

inwalida disabled person [abc]

inwalidztwo disability; impediment (*e.g. speech impediment*) [med.]

inwestor client; employer; owner [bud.]

inwigilacja surveillance [polit.]

inżynier engineer [abc]

inżynier budowlany structural engineer [abc]

inżynier budownictwa drogowego road engineer (*e.g. civil engineer*) [bud.]

inżynier budownictwa structural engineer [abc]

inżynier doradca consulting engineer [abc]

inżynier dyplomowany certified engineer; Bachelor of Engineering [abc]

inżynier górniczy mining engineer [górn.]

inżynier instalacji hydraulicznych mechanical engineer in hydraulics [masz.]

inżynier konstruktor design engineer [abc]

inżynier naczelny chief engineer (*engineer-in-chief*) [ekon.]

inżynier organizacji procesu produkcyjnego methods engineer [abc]

inżynier prac doświadczalnych test engineer [abc]

inżynier projektant design engineer [abc]

inżynier-spawacz welding engineer [met.]

inżynier specjalista expert engineer (*specialist*) [abc]

inżynier technolog maintenance engineer [abc]

inżynier uprawniony do przeprowadzania odbioru test engineer [abc]

inżynier warsztatowy maintenance engineer [abc]

inżynieria engineering [abc]

inżynieria budowlana civil engineering [bud.]

inżynieria lądowa i wodna civil engineering [bud.]

inżynieria oprogramowania software engineering [inf.]

irygacja irrigation [hydr.]

irygować irrigate [hydr.]

iskiernik spark discharger [el.]

iskiernik koordynacyjny protective gap [el.]

iskiernik ochronny protective gap [el.]

iskra spark (*e.g. from spark plug*) [abc]

iskrochron spark arrestor [mot.]

iskrownik dynamo magneto ignition [el.]; magneto [mot.]

iskrzyć się sparkle [abc]

iskrzyk gravel [min.]

istnieć exist (*live, be*) [abc]

istotny essential, important, significant, vital, essential [abc]

itd. etc. (*et cetera*) [abc]

izba handlowa Chamber of Commerce [ekon.]

izolacja insulation [bud.]; isolation (*remote, separate*) [abc]; lining (*e.g. clothes, houses*) [masz.]

izolacja dźwiękowa sound-absorbing protection, sound-absorbing [akust.]

izolacja odporna na wilgoć moist room insulation [bud.]

izolacja wilgocioodporna moist place [el.]

izolacyjna nakładka ochronna shroud (*between teeth of bucket*) [transp.]

izolator insulator; non-conductor [el.]

izolator gumowy rubber isolator (*rubber mounting*) [mot.]

izolator przepustowy bushing (*grommet*) [bud.]

izolator wejściowy kabla cable inlet [el.]

izolator wejściowy przewodów rubber-sealed cable (*water resistant*) [el.]

izolator wsporczy pin insulator [el.]

izolować insulate (*dam up*) [bud.]

izolowanie insulation (*heat and sound*) [masz.]

izolowanie rury pipe coating [masz.]

izolowany insulated [masz.]

I

J

jacht yacht (*power or sailing yacht*) [żeg.]

jacuzzi jacuzzi, whirlpool (*underwater-massage*) [abc]

jakościowy qualitative (*quality-wise*) [abc]

jakość quality [abc]

jakość drutu wire quality [met.]

jakość elektryczna/elektromechaniczna electric/electro-mechanical quality [el.]

jakość elektryczna electric quality [el.]

jakość kucia quality of forging [masz.]

jakość modelu pattern quality [masz.]

jakość oprogramowania software quality [inf.]

jakość podłoża quality of the level [transp.]

jakość powierzchni quality of surface, surface finish (*quality*); roughness criteria [masz.]

jakość pracy running performance [mot.]

jakość produktu product quality [abc]

jakość przemiału fineness [met.]

jakość przetarcia fine cutting quality [tw.]

jakość przetwarzania process quality [inf.]

jakość stali miękkiej mild steel quality [masz.]

jakość wykonania workmanship [abc]

jakość wzorca pattern quality [masz.]

jałowy barren (*barren country*) [geogr.]

jama cavity [geol.]

jama skurczowa contraction cavity (*piping*) [tw.]

jama usadowa contraction cavity; piping [tw.]; shrink holes (*flaw*) [masz.]

jamisty cavernous [geol.]

japonka (*wózek dwukołowy do masy betonowej*) concrete buggy [transp.]

Japońska Norma Przemysłowa Japanese Industrial Standards (JIS) [mot.]

jard sześcienny cubic yard [abc]

jard yard [miern.]

jarosz vegetarian (*eats no meat*) [abc]

jarzeniówka glow lamp (*glow tube*) [el.]

jarzmo (*łożyska, elementu ustalającego, uchwytu*) yoke (*bracket, fixture, bearing*) [masz.]; spider [mot.]

jarzmo chwytaka grab yoke, yoke [transp.]

jarzmo haka hook yoke [transp.]

jarzmo haka ładunkowego load hock yoke [transp.]

jarzmo koła pasowego idler yoke (*holds idle*) [masz.]

jarzmo liny nośnej (*sieci trakcyjnej*) catenary wire yoke, yoke of catenary wire [mot.]

jarzmo metalowe shackle [masz.]

jarzmo nośne yoke (*bracket, fixture, bearing*) [mot.]

jarzmo przekładni obiegowej planet carrier, wheel spider [mot.]

jarzmo szybowe drewniane wall plate [górn.]

jarzyny vegetables [abc]

jaskinia cave, cavern [geol.]

jaskółka swallow [bot.]

jaskrawość brilliance [abc]

jaskrawość obrazu brightness (*electric*); intensity (*of screen picture*) [inf.]

jasnoniebieski brillant blue [norm.]

jasność brightness [meteo.]; brilliance [abc]

jasność obrazu brilliance (*ultrasonic*) [inf.]

jasny bright, clear; light (*e.g. light green*); straight; understandable [abc]

jasny róż light pink [norm.]

jastrych screed [bud.]

jawność public [abc]

jawny public [abc]

jaz weir [bud.]

jazda ride [abc]

jazda do tyłu reversing [mot.]

jazda figurowa na lodzie figure skating [abc]

jazda kontrolna inspection travel [transp.]

jazda próbna test run, trial run, test drive [masz.]; road test, trial trip [mot.]

jazda specjalna special cruise [mot.]

jazda testowa trial trip [mot.]

jądro core [energy.]

jądrowy (*atomic*) nuclear [fiz.]

jątrzyć się fester (*splinter in a wound*) [med.]

jechać drive (*driver drives*); (*jako pasażer*) ride [mot.]

jednakowo odległy equidistant [mot.]

jednoczesny simultaneous (*at the same time*) [abc]

jednoczęściowy one-piece [abc]

jednolite połączenie lutowane solder banjo connection [mot.]

jednolitość unity [abc]

jednolity homogeneous, uniform [abc]

jednometrowa szerokość toru metre gauge (*meter gauge*) [mot.]

jednoosiowy one axle (*1-axle trailer*); uniaxial [mot.]

jednorodny homogeneous, uniform [abc]

jednostajny uniform [abc]

jednostka abstrakcyjna abstraction unit [inf.]

jednostka abstrakcyjna podstawowa base abstraction unit [inf.]

jednostka bojowa (*kiedyś SA lub SS*) standard (*regiment, NS-unit*) [wojsk.]

jednostka centralna central processing unit (CPU) [inf.]

jednostka funkcjonalna module [transp.]

jednostka funkcyjna module [transp.]

jednostka hydrauliczna hydraulic unit [masz.]

jednostka ilości ciepła thermal unit [energ.]

jednostka kondensatorowa capacitor unit [el.]

jednostka konstrukcyjna unit [transp.]

jednostka kontrolna test installation, test equipment, test unit, test assembly [masz.]

jednostka krusząca jezdna mobile crushing unit [górn.]

jednostka ładunkowa load unit [mot.]

jednostka miary unit of measure [fiz.]

jednostka napędowa drive station, drive unit, driving unit, power unit, drive assembly (*usually AC motor*) [transp.]; propulsion unit [wojsk.]

jednostka napędowa z inicjatorem drive unit with initiator [transp.]

jednostka nastawcza take-up unit; slack adjuster [transp.]

jednostka pamięci taśmowej tape unit [inf.]

jednostka pływająca watercraft [mot.]

jednostka pochodna derived unit [abc]

jednostka samobieżna self-propelled unit [mot.]

jednostka sterująca control unit [el.]

J

jednostka wtórna derived unit [abc]

jednostka zaopatrzenia procurement executive [wojsk.]

jednostka zliczania counting unit [el.]

jednostopniowy single stage [mot.]

jednostronnie ułożyskowany unilateral bearing [masz.]

jedność unity [abc]

jednotarczowy single plate [abc]

jednowarstwowy one layer, one ply [tw.]

jednowykorbieniowy single throw [masz.]

jednozwojowy single-flight, single thread [masz.]

jedwab silk [abc]

jedwabisty silk mat [abc]

jedwabisty połysk silk gloss (*of paint*) [abc]

jedzenie food; eating [abc]

jeść eat [abc]

jezdnia road [mot.]; autowalk [transp.]; carriageway [bud.]

jezioro lake [abc]

jeździec horseman (*rider*) [abc]

jęczmień browar(nia)ny malting barley [bot.]

język language [abc]; tongue (*also in mouth*) [med.]

język definiowania danych Data Definiton Language (DDL) [inf.]

język fachowy expert language [inf.]

język główny main language [abc]

język obowiązujący main language [abc]

język programowania programming language [inf.]

JIS (*Japońska Norma Przemysłowa*) JIS (*Japanese Industrial Standards*) [mot.]

jod iodine [chem.]

jodła pine tree (*Scotch fir*) [bot.]

joint venture (*międzynarodowa spółka handlowa*) joint venture [abc]

jota iota [abc]

joystick joystick [transp.]

jubileusz anniversary (*Congratulations on his a.*) [abc]

jurysdykcja jurisdiction [praw.]

justować align [abc]

justujący aligned [rys.]

jutrzenka morning glow [abc]

K

kabel cable [el.]; cable wiring, wire rope, wire cable [transp.]

kabel dławiący choke control [mot.]

kabel do masy earth cable [el.]

kabel instalacyjny connection cable; matching connection cable [el.]

kabel koncentryczny coaxial cable (*transmits video signs*) [el.]

kabel kontrolny measuring cable [el.]

kabel kontrolny przenośny inspection-run cable [transp.]

kabel łączeniowy connection cable [el.]

kabel ołowiany lead cable [el.]

kabel opóźniający delay cable [transp.]

kabel oświetleniowy light cable [el.]

kabel parowy duplex cable (*twin cable*) [el.]

kabel pomiarowy measuring cable [el.]

kabel probierczy probe cable [miern.]

kabel probierczy do dopasowania matching probe cable [el.]

kabel przewodzący conduct pipe, cable [el.]

kabel rozciągany tendon [masz.]

kabel rozdzielczy distribution cable [el.]

kabel sygnalizacyjny measuring cable [el.]

kabel szerokopasmowy coaxial cable [el.]

kabel uziemiający earthing cable [mot.]

kabel w płaszczu ołowianym lead sheathed cable [el.]

kabel współosiowy coaxial cable [el.]

kabel z uziemieniem earthing cable, PE cable (*wagon frame to bogie*) [mot.]

kabel zapłonowy ignition cable [mot.]; switch wire [el.]

kabestan capstan; anchor windlass drive [mot.]

kabina (*windy*) car (*of an elevator*); crib room [transp.]; basket; stateroom (*on ship or train*) [mot.]

kabina bliźniacza twin cab [transp.]

kabina dźwigu elevator cab [bud.]

kabina kierowcy operator's cab [transp.]; cab [mot.]

kabina kierowcy luksusowo wyposażona deluxe operator's cab, deluxe cab [mot.]

kabina kierowcy wielkoprzestrzenna large-sized driver's cab [mot.]

kabina natryskowa (*malarska*) paint shop [abc]

kabina odkryta z daszkiem canopy [mot.]

kabina operatora operator's cab [transp.]; cab [mot.]

kabina operatora koparki operator's cab [transp.]

kabina pilota cockpit (*pilot's compartment*) [mot.]; pulpit (*elevated or raised space*) [abc]

kabina podwójna twin cab (*e.g. in road rail excavator*) [transp.]

kabina sterownicza control cabin [tw.]

kabina sypialna sleeper cab [mot.]

kabina w lokalu wyborczym booth (*with ballot box in it*) [polit.]

kabłąk yoke (*bracket, fixture, bearing*) [masz.]; arch; U-bracket [bud.]

kabłąk zgarniaka scraper bow [transp.]

kabriolet convertible (*drop head*); drop-head coupe [mot.]

kaczka dziennikarska malinformation [abc]

kadłub body [abc]; framework [masz.]

kadłub krążka gąsienicy roller frame, track roller flange [transp.]

kadłub obrotowy rotating assembly [masz.]

kadłub pompy pump housing [mot.]

kadłub pompy olejowej oil pump housing [mot.]

kadłub pompy paliwowej fuel pump body, fuel pump housing [mot.]

kadłub skrzynki przekładniowej transmission case [masz.]

kadłub statku ship's hull, hull; ship's belly, belly (*cargo in the ship's belly*) [mot.]

kadłub turbiny turbine casing, turbine housing [energ.]

kadłub zaworu valve housing [mot.]

kadmowany cadmium plated [tw.]

kadra kierownicza managerial staff; Group of Managers [abc]

kadzidło incense [abc]

kadź var, vessel, tub, vat, tank, tun; pan [abc]; ladle [masz.]

kadź fermentacyjna fermenting vat [bio.]

kadź pośrednia tundish [masz.]

kadź surówkowa wagonowa ladle car (*ladle wagon*) [mot.]

kadź zacierna mash tub (*mashing tub*) [abc]

kafel tile (*e.g. of porcelain-like fayance*) [bud.]

kajuta stateroom [mot.]

K

kalcynacja gazem nośnym cross flow calcining [górn.]

kalcynować calcinate [tw.]

kalcynowanie calcining [tw.]

kalcynowanie wstępne precalcination (*precalcining*) [górn.]

kalectwo disability; impediment [med.]

kaleki disabled [med.]

kalendarz ścienny wall calendar [abc]

kalenica roof ridge, top [bud.]

kalesony pants [abc]

kalibrowanie calibration [miern.]

kalka biała white print [abc]

kalka kreślarska translucent paper, transparent copy [abc]

kalka światłoczuła blue print paper [abc]

kalkomania decalcomania [abc]

kalkulacja estimation [transp.]; calculation [ekon.]

kalkulacja kosztów cost accounting, cost estimation, cost study [ekon.]

kalkulator calculator [abc]

kalkulator kieszonkowy pocket calculator [abc]

kaloria calorie (*1 gram water 1°C warmer*) [energ.]

kalota calotte [bud.]; cup [górn.]; spherical bush(-ing) [transp.]

kamera telewizyjna television camera [el.]

kamienie łamane rubble [bud.]

kamienie polne rubble [masz.]

kamienienie petrifying (*petrification*) [abc]

kamieniołom quarry [górn.]

kamieniołom kamienia wapiennego limestone quarry [górn.]

kamienisty rocky [geol.]

kamień stone (*virgin stone*) [geol.]

kamień brukowy cobble stone, pitcher [bud.]

kamień ciosany cut dimension stone; freestone [bud.]; ashlar (*freestone*) [abc]

kamień graniczny boundary stone, landmark, boundary monument [abc]

kamień kilometrowy milestone [mot.]

kamień kopalniany pit waste (*waste*) [górn.]

kamień kotłowy boiler scale (*wastes energy*); scale deposit [energ.]

kamień kotwiący bondstone [bud.]

kamień krawężnikowy curb, curbstone, kerbstone [bud.]

kamień milowy milestone [mot.]

kamień narożny corner stone [bud.]

kamień naturalny virgin stone [geol.]

kamień rodzimy virgin stone [min.]

kamień szlachetny jewel [min.]

kamień ślizgowy guide piece (*part of fixture*) [transp.]; slide ring [mot.]

kamień wapienny limestone [górn.]

kamień węgielny foundation stone [bud.]

kamień wieńczący centre key [bud.]

kamień zwornikowy keystone [bud.]

kamionka stoneware [bud.]

kamizelka waistcoat (*US: vest*) [abc]

kamuflaż camouflage [wojsk.]

Kanadyjskie Stowarzyszenie Standaryzacji Canadian Standards Association [norm.]

kanalik smarowy oil conduit [masz.]

kanalizacja sewer line [bud.]; sewerage (*in sewage line*) [hydr.]

kanał canal (*man-made waterway*) [mot.]; channel; conduit, duct [el.]; pass [masz.]; passage; port [bud.]; tunnel [energ.]

kanał ciepłego powietrza hot air duct [energ.]

kanał dopływowy powietrza pierwotnego primary air inlet duct [aero.]

kanał doprowadzający wodę nie-uzdatnioną raw water intake tunnel [energ.]

kanał dymowy chimney; downward gas passage [energ.]

kanał dymowy lokomotywy chimney [mot.]

kanał gazowy ekonomizera economizer gas pass [energ.]

kanał kablowy cable conduit, cable duct, cable passage, cable tunnel [el.]

kanał kominowy riser [energ.]

kanał kontrolny scanning channel [el.]

kanał lufy bore [wojsk.]

kanał podwiewowy dolny bottom air duct [energ.]

kanał podwójny two-channel [masz.]

kanał poprzeczny lateral gas pass [energ.]

kanał powietrza chłodzącego cooling air duct [mot.]

kanał powietrza świeżego primary air duct [energ.]

kanał powietrzny air duct [aero.]; air-duct [masz.]

kanał próżniowy vacuum line [mot.]

kanał przejściowy lateral gas pass [energ.]

kanał recyrkulacyjny recirculating duct (*flue gas*) [energ.]

kanał recyrkulacyjny spalin gas tempering duct [energ.]

kanał rurowy pipe conduit [masz.]

kanał smarowy grease conduit [masz.]

kanał smarowy z wolnym wylotem grease conduit with free exit [masz.]

kanał spalinowy bleeder pipe [energ.]

kanał spalinowy przegrzewacza superheater gas pass [energ.]

kanał spalinowy przegrzewacza międzystopniowego reheater gas pass [energ.]

kanał spalinowy regulacyjny damper-controlled gas pass [energ.]

kanał ściekowy sewer [hydr.]; sewer port [bud.]

kanał transmisji danych channel [inf.]

kanał wału kierownicy steering tube [mot.]

kanał wału kierownicy z wałem steering tube and shaft [mot.]

kanał wentylacyjny ventilation duct (*ventilation canal*) [aero]

kanał wlotowy podgrzewacza powietrza air heater inlet duct [energ.]

kanał wylotowy orifice [abc]

kanał wznoszący upward gas passage [energ.]

kanał zasilający feeder [mot.]

kanał zasysania intake port [mot.]

kanał zawracania gazów spalinowych flue gas recirculation duct [energ.]

kanał zwrotny back pass (*of the boiler*) [energ.]

kanał żeglowny waterway [mot.]

kancelaria orderly room [wojsk.]

kanciasty bevelled [abc]

kanclerz Chancellor [polit.]

kanister can, fuel can, jerry can [mot.]

kanister na olej oil can [abc]

kanonierka gun boat [wojsk.]

kant face [abc]

kantem edgeways; on edge (*standing o. e.*) [abc]

kantowanie edging (*making of edges*) [met.]

kantownik bending machine, edge-bending mach. [narz.]

kantówka square timber [bud.]

kantyna zakładowa works canteen (*cafeteria*) [abc]

kapacytancja capacitance (*stated in Farad*) [el.]

kapacytancja nieliniowa nonlinear capacitance [el.]

K

kapać drip (*Water is dripping down*) [abc]

kapeć (*potocznie*) flat [mot.]; slipper [abc]

kaperować head-hunt [abc]

kapilara capillary tubing [tw.]

kapilarność capillarity [bud.]

kapitalizować capitalize; convert into a capital sum [ekon.]

kapitan captain, skipper [mot.]

kapitel capital (*top part of column*) [bud.]

kapitulacja/przekazanie handover/takeover [wojsk.]

kaplica chapel [bud.]

kapliczka chapel [bud.]

kapsuła testowa test capsule [tw.]

kapsułka capsule [abc]

kaptur cap; hood [mot.]; hood [abc]

kaptur ochronny induktora generator ring [el.]

kapturek ochronny protective cap [abc]

kapturek zaworka powietrznego valve cap [mot.]

kapuza hood [abc]

kar gorge [geol.]

kara prison sentence, punishment (*physical punishment*) [polit.]

karabin rifle (*carbine, gun*) [wojsk.]

karabin maszynowy machine gun [wojsk.]

karambol collision; concertina clash (*through tailgating*) [mot.]

karat carat (*5 carats = 1 gram*) [miern.]

karawan hearse [mot.]

karawela caravel [mot.]

karb beading [masz.]; dent; notch [tw.]; nick [met.]

karbować notch [tw.]

karbowany nicked [met.]

karczować root [bot.]

karetka pogotowia (*sanitarka*) ambulance (*slang: hash wagon*) [med.]

kariera career (*one's course through life*) [abc]

karkas carcass (*also: inner part of tire*) [mot.]

karmić feed (*somebody*) [abc]

karminowo-czerwony carmine red [norm.]

karo diamond; square [abc]

karoca state coach [mot.]

karoseria car body [mot.]

karta card (*deck of cards, game of cards*) [abc]

karta danych data sheet [transp.]

karta drukowana printed circuit card [el.]

karta dziurkowana punched card, punch card [inf.]

karta hamulcowa brake form, train brake form [mot.]

karta informacyjna data sheet (*holds data on machine*) [transp.]

karta informacyjna wałów zestawu kołowego wheel set shaft reference sheet [mot.]

karta kontrolna hamulców brake information sheet [transp.]

karta mikrofilmowa microfilm card [inf.]

karta mocy przekaźnika relay power board [el.]

karta porównawcza Q-card [abc]

karta rejestracyjna wzmacniacza register amplifier board [abc]

karta technologiczna spawania welding procedure data sheet [met.]

karta ważenia weigh-bridge ticket, weight card (*from weigh bridge*) [abc]

karta zbiorcza collector card [el.]

karter crank case [mot.]

kartka (*np. papieru*) leaf, sheet [abc]

kartka informacyjna code of practice [abc]

kartkować leaf (*in a book*) [abc]

karton cardboard [tw.]

kartoteka file [abc]; rack [mot.]

kartować map out [abc]

karuzela merry-go-round [abc]

karuzelówka vertical boring mill (*boring machine*), vertical drilling mill [narz.]

karzeł dwarf [med.]

kasa counter [bud.]

kasa biletowa ticket office, ticket window [mot.]

kasa ogniotrwała vault (*safe, strong box*) [abc]

kaseta cassette, tape [el.]

kaseta magnetofonowa (*kaseta audio*) audio cassette [abc]

kask ochronny (*operatora koparki*) shovel hat [transp.]; hard hat [abc]

kask stalowy steel helmet [wojsk.]

kask tropikalny sun helmet [abc]

kaskada cascade connection [el.]; cascade [abc]

kaskada powielacza cascade multiplier [el.]

kaskadowe rozprzestrzenianie się zjawiska cascading, creeping (*of the grinding media*) [tw.]

kasować purge [inf.]; withdrawal [abc]

kasowanie reset (*back to prescribed state*) [inf.]

kaszel cough (*I suffer from a cough*) [med.]

kaszerować hide (*conceal*) [masz.]

kasztan jadalny chestnut [bot.]

kasztanowaty chestnut brown [norm.]

kasztanowiec chestnut tree [bot.]

kasztel castle [bud.]

katalizator catalyst, catalytic converter, catylizer [chem.]

katalizator spalin exhaust cleaner [mot.]

katalog catalogue [abc]

katalog przedstawicieli handlowych distributor book [ekon.]

katastrofa disaster, catastrophe [abc]

katastrofa jądrowa nuclear catastrophe [abc]

katastrofa kolejowa train accident (*train crash*) [mot.]

katastrofa morska maritime disaster (*shipwreck*) [mot.]

katastrofa nuklearna nuclear catastrophe [abc]

katedra cathedral [bud.]

kategoria category [inf.]; category (*group, section, field*) [abc]; type [masz.]

kategoria semantyczna semantic category [inf.]

kategoria wagonu (*np. wagon towarowy*) class of wagon [mot.]

kategoria znaczeniowa semantic category [inf.]

kategorie danych data categories [inf.]

kationit base exchanger [chem.]

kaucja bail [prawn.]

kauczuk rubber [transp.]

kauczuk chlorowany chlorinated rubber [chem.]

kauczukopodobny cushion-type [mot.]

kawalerka one-room apartment [bud.]

kawitacja cavitation [mot.]

kazanie sermon [abc]

kąpiel olejowa oil bath [masz.]

kąpiel utrwalająca fixing bath [met.]

kąt angle; pitch [abc]

kąt bezpieczeństwa emergent angle [inf.]

kąt dokręcenia tightening angle (*eg. +/- 2.5 degrees*) [masz.]

kąt działania krzywki cam angle [masz.]

kąt fazowy phase angle [el.]

kąt krytyczny critical angle [rys.]

kąt między osiami shaft angle [masz.]

kąt montażu mounting angle [transp.]

K

kąt nachylenia inclination [transp.]

kąt nachylenia stoku batter angle [rys.]

kąt nastawienia sondy angle between probes [miern.]

kąt obrotu rotating angle (*of the mouldboard*) [abc]; swing angle; working range [transp.]

kąt odbicia angle of reflection [opt.]

kąt opasania arc of contact [masz.]

kąt opóźniania delay angle [mot.]

kąt osiowy shaft angle [masz.]

kąt otwarcia angle of spread [abc]

kąt owręgowania frame angle [mot.]

kąt padania angle of incidence, incident angle [opt.]

kąt padania wiązki dźwiękowej incident angle of sound, beam angle [akust.]

kąt pochylenia approach angle; slope angle [transp.]; departure angle [mot.]

kąt pochylenia linii śrubowej helix angle [masz.]

kąt przechylenia tipping angle [mot.]

kąt przecięcia się osi axis intersection angle [rys.]

kąt przyporu angle of pressure [masz.]

kąt rozwarcia angle of spread [abc]

kąt rozwarcia wysięgnika boom angle [transp.]

kąt rozwarty blunt angle (*dull angle*) [abc]

kąt skrawania cutting angle [masz.]

kąt skręcania torsion angle [masz.]; swing angle; working range [transp.]

kąt skręcenia torsion angle [masz.]

kąt skrętu rotating angle [abc]

kąt spoczynku angle of repose [fiz.]

kąt stały angle-constant [abc]

kąt tarcia angle of friction; angle of repose [fiz.]

kąt tarcia wewnętrznego angle of internal friction [fiz.]

kąt ustawienia spocznika schodo-

wego angle of landing, landing angle [transp.]

kąt wejścia entrance angle [energ.]

kąt wewnętrzny tarcia valley angle (*2 inside angles meet*) [transp.]

kąt wlotu entrance angle [energ.]

kąt wychylenia tipping angle [mot.]

kąt wyjścia exit angle [energ.]

kąt wypadkowy valley angle [bud.]

kąt zagięcia articulation angle [transp.]

kąt załamania refraction angle; angle of refraction [miern.]; articulation angle [transp.]

kąt zarysu rowka groove angle [masz.]

kąt zawieszenia suspension angle [masz.]

kąt zejścia angle of departure [mot.]

kąt zewnętrzny tarcia angle of repose (*2 outside angles*) [transp.]

kątnik (*instalacyjny*) conduit elbow (*in conduit*) [tw.]

kątomierz protractor [mat.]

kątownik angle [masz.]

kątownik stalowy angle section [masz.]

kątowy angular [abc]

kciuk thumb; cam [med.]

kelner waiter [abc]

kelnerka waitress [abc]

kemping caravan park (*camping site*) [abc]

keramzyt expanded clay [tw.]

kęs billet, slab [masz.]

kęs kwadratowy square billet [masz.]

kęs okrągły round billet [masz.]

kęs siodłowy billet sledge [masz.]

kęsisko płaskie billet, slab [masz.]

khaki (*koloru khaki*) khaki gray [norm.]

kielich socket [masz.]

kielich rury connecting sleeve, tube coupling (*sleeve*) [energ.]

kielnia mortar; spoon [bud.]

kieł (*koła zębatego*) jaw; pawl [masz.];

claw, jaw (*on grab*) [narz.]; tusk [bot.]

kieł centrujący prick punch (*prick punching*) [masz.]

kieł do karczowania root ripper tooth [transp.]

kiepski bad (*miserable, faulty*) [abc]

kierować drive, steer [mot.]; guide (*lead*); manage [abc]

kierowanie steering [mot.]

kierowanie dwuosiowe four wheel steering [mot.]

kierowanie krążeniem powietrza chłodzącego air guide intake [aero.]

kierowanie odległościowe remote control [el.]

kierowanie ruchu routing [el.]

kierowanie ze wspomaganiem power assisted steering, power steering, servo steering, servo-assisted steering gear [mot.]

kierowca driver (*operator*) [abc]; operator (*excavator, loader, etc.*); tillerman [mot.]

kierowca ciężarówki trucker [mot.]

kierowca czołgu tank driver [wojsk.]

kierowca próbny test operator [abc]

kierowca samochodowy motorist [mot.]

kierownica steering wheel (*of automobile*); handle bar (*of bicycle*); (*maszyny przepływowej*) guide ring [mot.]

kierownica tarczowa drum-type idler [masz.]

kierownictwo lead (*management*); superintendence [abc]

kierownictwo budowy site management [bud.]

kierownictwo operacji central dispatch [polit.]

kierownictwo przedsiębiorstwa board of management [ekon.]; management, management of the company [praw.]

kierownictwo stoiska stand management (*fair manager's office*) [abc]

kierownictwo zakładu works managing [abc]

kierownik superintendent [abc]; supervisor [met.]

kierownik biura prasowego press officer [abc]

kierownik budowy site engineer, site agent, foreman, technician [abc]; general foreman [bud.]

kierownik działu department manager [ekon.]; workshop manager [abc]

kierownik działu odpowiedzialnego za stan techniczny nawierzchni kolejowej permanent way department manager [mot.]

kierownik działu prawnego manager of the legal department; general counsel (US) [prawn.]

kierownik działu przetwarzania danych information manager [inf.]

kierownik działu zarządzania produktem head of product management [abc]

kierownik działu zbytu sales manager (*e.g. of a subsidiary*) [abc]

kierownik lotów chief flying instructor (CFI) [ekon.]

kierownik magazynu store manager; storehouse manager [abc]

kierownik oddziału (*wydziału*) chief department manager [ekon.]

kierownik prac doświadczalnych engineer directing the trial [abc]

kierownik przedsiębiorstwa works manager [abc]

kierownik sprzedaży sales manager, sales engineer [abc]

kierownik zakładu plant manager; works manager [abc]

kierujący steering [mot.]

kierunek direction [mot.]; tendency; trend (*That's in the trend*) [abc]

K

kierunek drgań direction of oscillation [abc]

kierunek jazdy running direction, direction of travelling [mot.]

kierunek (na)promieniowania beaming direction [abc]

kierunek obciążania direction of load [tw.]

kierunek obrotu direction of rotation [transp.]; rotation direction; hand of helix [masz.]

kierunek przepływu flow path [mot.]

kierunek przewodzenia forward-biased [el.]

kierunek rozchodzenia się dźwięku direction of sound propagation [akust.]

kierunek ruchu running direction, direction of travelling [mot.]

kierunek ruchu wskazówek zegara clockwise direction [abc]

kierunek ruchu zstępujący downward travel (*of escalator*) [mot.]

kierunek sterowania i przesuwu operating & travelling direction [transp.]

kierunek sterowania operating direction [abc]

kierunek wirowania direction of rotation, rotation direction (*sense of r.*) [transp.]

kierunek wzdłużny longitudinal direction [abc]

kierunek zwrotny reverse-biased [el.]

kierunkowskaz directional indicator [mot.]

kierunkowskaz do zabudowy built-in direction indicator [mot.]

kierunkowskaz migowy direction indicator lamp, turn-signal lamp, directional indicator; flasher unit [mot.]

kierunkowskaz osadzany (*nakładany*) mounted direction indicator [mot.]

kierunkowskaz ramieniowy turn signal [mot.]

kierunkowskaz ramieniowy wahliwy oscillating direction indicator [mot.]

kierunkowskaz świetlny direction indicator lamp, turn-signal lamp, indicator [mot.]

kieszeń pocket [abc]

kieszeń olejowa oil pocket [masz.]

kieszeń smarowa oil pocket [masz.]

kij od miotły broom stick [abc]

kil keel, bottom [mot.]

kilof pick, pickaxe [narz.]

kilof płaski mattock [narz.]

kilometr kwadratowy square kilometre [miern.]

kilometr rzeczny river mile [abc]

kilwater wake [mot.]

kinematyka kinematics [inf.]; geometry (*e.g. Z-geometry*) [mot.]

kinematyka czerpaka shovel geometry [transp.]

kinematyka równoległa parallel geometry [transp.]

kineskop afterglow tube [fiz.]

kinkiet lamp bracket [el.]

kino motion picture theater, movie theater [abc]

kipieć bubble up [masz.]

kit putty [bud.]; shoeing cement [abc]

kitować putty [bud.]

kitowanie cementation; putty [bud.]

klajster paste [abc]

klakson horn [abc]; audible alarm [mot.]

klamka door handle, door knob, door pull handle [bud.]

klamka wewnętrzna inside door handle [mot.]

klamka zewnętrzna outside door handle [mot.]

klamra band-clamp [masz.]; clip, clamp, clip plate, spring clip, bell [mot.]; bracket [transp.]; V-band clamp [tw.]

klamra beczkowa obrotowa rotary roll clamp, rotating drum clamp [transp.]

klamra bębnowa drum clamp [mot.]

klamra bębnowa przechylna drum tilting clamp [mot.]

klamra ciesielska log clamp (*lock grapple, lock fork*) [mot.]

klamra metalowa shackle [masz.]

klamra przytrzymująca holding clamp [mot.]

klamra rolkowa obrotowa rotating roll clamp [transp.]

klamra szynowa rail clamp (*various types*) [mot.]

klamra widłowa obrotowa rotary fork clamp, revolving fork clamp [mot.]

klamra widłowa obrotowa z obracalnymi widełkami rotary revolving fork clamp, rotary fork clamp with turnable forks [transp.]

klamra widłowa z obracalnymi widełkami fork clamp with turnable forks [mot.]

klamra zaciskowa (*do mocowania rury*) pipe clamp [mot.]

klamra zaciskowa na beczkę z lub bez przesunięciem bocznym drum clamp with or without side shift [mot.]

klamra zaciskowa sondy probe clamp [met.]

klamrować clamp [el.]

klapa cover [transp.]; damper [tw.]; door [mot.]

klapa bagażnika trunk lid [mot.]

klapa denna chute [górn.]

klapa do oczyszczania cleaning flap (*on axial compensator*) [energ.]

klapa grzejna heater flap [mot.]

klapa Kruegera Krueger flap (*slat*) [mot.]

klapa nastawna adjustable vane [masz.]

klapa obrotowa damper [energ.]

klapa okna roboczego pieca hinged door [transp.]

klapa strumieniowa nozzle flap [masz.]

klapa tylna (*w nadwoziu samochodu*) tailgate (*of pickup, lorry*) [mot]

klapa wylotowa pośrednicząca intermediate exhaust flap [mot.]

klapa wyładowcza discharge flap [mot.]

klapa wywrotna dumping door [energ.]

klarownik sewage disposal plant, sewage treatment plant [rec.]

klasa class [mot.]; type (*type of operation*) [masz.]

klasa A wzmocnienia class A operation [el.]

klasa B wzmocnienia class B operation [el.]

klasa budowli classification of structure [bud.]

klasa budynku classification of structure [bud.]

klasa ekonomiczności economy range (CUM) [mot.]

klasa gruntu class of soil [gleb.]

klasa jakości quality class [ekon.]; class (*of material*) [energ.]

klasa jakości modelu model quality class [abc]

klasa jakości wzorca model quality class [abc]

klasa koparki class of excavator [transp.]

klasa kształtu in every shape of design [masz.]

klasa segregacji accept-reject category [abc]

klasa stali steel grade [masz.]

klasa średnia middle weight [transp.]

klasa wagonu class of wagon, class of coach, class of car [mot.]

klasa wydajności class of performance [abc]

K

klasa wytrzymałości class of strength [fiz.]; (*na rozciąganie*) tensile strength [tw.]

klasyfikacja classification (*sorting, selecting*) [abc]

klasyfikacja heurystyczna heuristic classification [inf.]

klasyfikacja luźnych skał klastycznych classification of soils [górn.]

klasyfikacja najlepszych ranking (*of quality of universities*) [abc]

klasyfikacja skał classification of rocks [górn.]

klasyfikacja statystyczna statistical classification [inf.]

klasyfikator classifier [górn.]

klasyfikator powietrza obiegowego odpylacza cyklonowego cyclone air separator [górn.]

klasyfikator powietrzny air separator [górn.]

klasyfikować calibrate [miern.]; categorize; grade [abc]; size, sort, classify, select [górn.]

klasztor cloister [bud.]

klatka cage [bud.]; car (*of an elevator*) [transp.]

klatka na kocioł steel structure [masz.]

klatka piersiowa chest [med.]

klatka płaska flat cage [met.]

klatka schodowa staircase, stairway [bud.]

klatka stępkowa keel block; staple block [mot.]

klatka szybowa mine cage, cage (*in coal mine*) [górn.]

klatka wyciągowa mine cage [górn.]

klatka wyrobiska bench hutch [górn.]

klauzula clause (*in logic*) [inf.]

klawiatura keyboard (*input/output unit*) [inf.]; (*on synthesizer, E-piano*) keyboard [abc]

klawiatura alfanumeryczna alpha-numeric keyboard (*e.g. a, b, 2, 5*) [inf.]

klawiatura membranowa membrane keyboard [inf.]

klawisz key (*in keyboard of piano*) [abc]

klawisz danych return key [inf.]

klawisz edycji edit key (*e.g. arrow, carriage return*) [inf.]

klawisz funkcyjny function key (*on keyboard*) [inf.]

klawisz odstępów blank key (*dash, blank*) [inf.]

klawisz zerowania reset button [abc]

kleisty gluing (*to make sticky with glue*) [abc]

klej glue [transp.]; cement [chem.]

klej rozpuszczalnikowy solvent adhesive [el.]

klejnoty jewelry, jewels (*ring, pin, necklace, bracelet*) [abc]

klepać hammer [met.]

kleszcze tongs; bending wrench; nipper pliers; pincers; pliers [narz.]

kleszcze bezpiecznikowe fuse tongs [el.]

kleszcze chwytaka grapples [transp.]

kleszcze do pierścieni Seegera pliers for seeger rings [narz.]; spring-ring pliers [masz.]

kleszcze do przenoszenia szyn rail tongs [mot.]

kleszcze do ściągania izolacji z przewodów strip-insulation pliers [narz.]

kleszcze drewniane timber grapple [transp.]

kleszcze plombownicze lead sealing pliers [transp.]

kleszcze stężające grapples (*for timber on grab*) [narz.]

kleszcze szynowe rail tongs [mot.]

kleszcze ultradźwiękowe ultrasonic tongs [el.]

kleszcze z nasuwką zabezpieczającą circlip pliers [narz.]

klęska disaster (*catastrophe*) [abc]
klient customer; client [abc]
klimatyzacja air-conditioning [bud.]
klimatyzator air condition [aero.]
klimatyzator gazów odlotowych exhaust gases conditioner [mot.]
klin shoe, wheel chock, wedge, attachment [abc]; cleat [narz.]
klin dopasowany key (*e.g. locking device*); square shaft key stock [transp.]
klin dopasowany i kołek ścinany zabezpieczający key and pin [mot.]
klin drewniany chock; block (*e.g. bring the brakes to block*) [mot.]
klin kolumny kierownicy steering column shaft spline [mot.]
klin nastawny fitting wedge [masz.]
klin noskowy gib key [masz.]
klin pasowany fitting key [masz.]
klin pasowany prostokątny rectangular shaft key stock [masz.]
klin płaski noskowy flat gib key [masz.]
klin poprzeczny cotter [transp.]
klin prowadzący guide wedge [masz.]
klin sprężyny zaworowej valve spring key [mot.]
klin styczny prostokątny tangent key (*tangential key*) [masz.]
klin ustalający guide wedge [masz.]
klin wzdłużny key (*wedge-shaped; cotter*) [masz.]
klin wzdłużny wklęsły hollow key, saddle key [masz.]
klin zbieżny taper key [masz.]
klin żłobkowy slot wedge [masz.]
klinika clinic (*of hospital*) [abc]
klinkier clinker [bud.]
klinkier cementowy cement clinker [bud.]
klinowaty wedge-shaped [abc]
klisza drukarska printing plate [abc]
klisza powielacza pressure carrier [masz.]

kliwer jib sail [mot.]
kloc block [bud.]; log [abc]
klocek block; chock [mot.]
klocek hamulcowy brake block; brake block shoe; brake pad (*lining on it*); brake shoe; shoe plate [mot.]; block brake (*Westinghouse Brake*) [transp.]
klocek napinający tensioning block [górn.]
klucz key [abc]; wrench (US) (*monkey wrench*); tensioning device; (*nastawny*) adjustable wrench [narz.]
klucz czołowy (*do nakrętek z otworami na powierzchni czołowej*) calliper face spanner [narz.]
klucz do filtra olejowego oil filter wrench (*strap wrench*) [masz.]
klucz do kół nut wrench [mot.]; ratchet wrench [narz.]
klucz do nakrętek okrągłych z wcięciami hock wrench (*hook spanner*) [masz.]
klucz do piasty koła axle nut spanner; axle nut wrench [narz.]
klucz do rur pipe wrench [narz.]
klucz do śrub z łbem dwunastokątnym twelve-sided spanner [narz.]
klucz do wkrętów z sześciokątnym gniazdkiem Allen-type wrench [narz.]
klucz do zaworu odpowietrzającego air bleeding spanner (*tool*) [narz.]
klucz do zaworu odpowietrznika air bleeder spanner [narz.]
klucz dociągający tightening key [narz.]
klucz dwustronny double open ended wrench (*spanner*) [masz.]
klucz dynamometryczny torque spanner, torque wrench, torquemeter wrench [narz.]
klucz francuski monkey wrench;

K

AFS-spanner (*"any for size"; shifter*) [narz.]

klucz hakowy hook spanner [masz.]

klucz hakowy do rur pipe spanner [narz.]

klucz kłowy claw spanner, claw wrench [narz.]

klucz kołkowy pin spanner, box spanner [narz.]

klucz kołkowy sześciokątny hexagonal spanner, hexagonal wrench, box spanner [narz.]

klucz kombinowany combination end spanner, combination spanner (GB), combination end wrench, combination wrench (US) [narz.]

klucz łańcuchowy (*do rur*) chain wrench [narz.]

klucz maszynowy hamulcowy brake spanner [narz.]

klucz maszynowy płaski fixed spanner, open-end spanner, open ended wrench [narz.]

klucz maszynowy płaski dwustronny double open ended wrench (*spanner*), double-ended spanner, open-end spanner [masz.]

klucz maszynowy płaski jednostronny single open ended wrench [narz.]

klucz naprężający tightening key [narz.]

klucz nasadowy box end wrench, box spanner, socket spanner, socket wrench [narz.]

klucz nasadowy sześciokątny hexagonal socket spanner [narz.]

klucz nastawny adjustable spanner, monkey wrench, spanner [narz.]

klucz oczkowy box wrench, ring spanner, box end wrench [narz.]

klucz oczkowy dwustronny double-ended ring-spanner [narz.]

klucz oczkowy rozwidlony forked <box type> wrench [narz.]

klucz oczkowy sześciokątny hexagonal spanner, hexagonal wrench [narz.]

klucz od drzwi wejściowych front-door key [bud.]

klucz płaski uzębiony serrated wrench [narz.]

klucz rozsuwalny pojedynczy monkey wrench [narz.]

klucz sklepienia key course [bud.]

klucz szczękowy spanner [narz.]

klucz szczękowo-oczkowy combination end spanner, combination spanner (GB), combination end wrench, combination wrench (US) [narz.]

klucz szczękowy jednostronny open-ended spanner [narz.]

klucz szczękowy otwarty open jaw wrench [narz.]

klucz szponowy claw spanner, claw wrench [narz.]

klucz taśmowy strap wrench (*oil filter wrench*) [met.]

klucz udarowy impact spanner [narz.]

klucz widełkowy forked open jaw wrench [narz.]

klucz widełkowy jednostronny single open ended wrench [narz.]

klucz zapasowy spare key [narz.]

kluczka eye [abc]

kluczyk zapłonowy ignition key [mot.]

kluczyk zapłonu ignition key [mot.]

kluza kotwiczna mooring pipe [mot.]

kładka footbridge [bud.]

kładka dla pieszych connecting bridge [abc]

kładka dla pieszych pedestrians' bridge [bud.]

kłoda log [abc]; block (*block of wood*) [bud.]

kłonica rung [abc]; stanchion [mot.]

kłonica narożna end stanchion [mot.]

kłonica przednia fall plate stanchion [mot.]

kłódka pad lock [abc]

kłusować (*iść kłusem*) trot (*walk, canter, gallop*) [bot.]

KM horsepower; C.V. (*ital.: cavalli vapore = horsepower*) [mot.]

knaga cam [bud.]

knebel locking handle [masz.]

knot wick [abc]; portfire (*portfires*) [wojsk.]

koagulant precipitating agent [chem.]

koc blanket (*e.g. of wool*) [abc]

koc wełniany blanket [abc]

kocie oko cat's eye [mot.]

kocioł boiler [energ.]; kettle; kettle-drum [abc]

kocioł brzeczkowy brewer's copper (*hop added, boil*) [abc]

kocioł cieplny heat storage boiler [energ.]

kocioł ciepła odlotowego recovery boiler [energ.]

kocioł cyklonowy cyclone fired boiler [energ.]

kocioł do topienia boiler with slag-tap furnace [energ.]

kocioł dwuciągowy two-pass boiler [energ.]

kocioł dwucyklonowy double cyclone arrangement [energ.]

kocioł dwuwalczakowy bi-drum boiler [energ.]

kocioł energetyczny power station boiler [energ.]

kocioł integralny boiler with integral furnace [energ.]

kocioł jednociągowy single-pass boiler [energ.]

kocioł konwertor converter waste heat boiler [energ.]

kocioł La Monta forced circulation boiler [energ.]

kocioł ługowy liquor recovery unit [energ.]

kocioł mały (*o małej powierzchni ogrzewalnej*) small boiler, packaged boiler [energ.]

kocioł na ciepło odpadowe waste heat boiler [energ.]

kocioł na ciepło odpadowe z przepływem wymuszonym waste heat boiler with once- through forced flow [energ.]

kocioł na lewej burcie portside boiler [energ.]

kocioł o ciągu naturalnym natural draught boiler [energ.]

kocioł o dużej wydajności high-duty boiler [energ.]

kocioł o obiegu naturalnym boiler with natural draught; suction-fired boiler [energ.]

kocioł o przepływie wymuszonym once-through forced-flow boiler [energ.]

kocioł o ruszcie mechanicznym stoker-fired boiler [energ.]

kocioł ogrzewany olejem pozostałościowym residual oil fired boiler [energ.]

kocioł ogrzewany wirowo cyclone fired boiler [energ.]

kocioł ogrzewany wirowo otwarty open cyclone arrangement [energ.]

kocioł olbrzym giant boiler [energ.]

kocioł opalany bagassą bagasse-fired boiler [energ.]

kocioł opalany korą bark-burning boiler [energ.]

kocioł opalany pyłem węglowym pulverized-coal fired boiler [energ.]

kocioł opalany węglem brunatnym brown coal fired boiler [energ.]

kocioł parowy steam boiler [mot.]

kocioł parowy lądowy stationary boiler [energ.]

kocioł parowy okrętowy marine boiler [energ.]

kocioł płomieniówkowy fire tube boiler [energ.]

K

kocioł podłużny longitudinal type boiler, longitudinal drum boiler [energ.]

kocioł podparty u dołu bottom supported boiler [energ.]

kocioł podwójny twin-boiler [energ.]

kocioł prawostronny starboard boiler [mot.]

kocioł promieniowy radiant boiler [energ.]

kocioł przepływowy O. T. –boiler, once-through boiler [energ.]

kocioł (przepływowy) Bensona once-through boiler, Benson boiler [energ.]

kocioł przepływowy systemu Sulzera Sulzer boiler, Sulzer mono-tube boiler [energ.]

kocioł przetwarzający converter waste heat boiler [energ.]

kocioł regeneracyjny ługu czarnego black liquor recovery boiler, black liquor recovery unit [energ.]

kocioł rurowy narożny corner tube boiler [energ.]

kocioł sekcyjny sectional header boiler; header type boiler [energ.]

kocioł stromorurowy bent tube boiler, vertical tube boiler [energ.]

kocioł Sulzera Sulzer boiler, Sulzer monotube boiler [energ.]

kocioł średniej wielkości medium-sized boiler [energ.]

kocioł trójciągowy three gas pass boiler [energ.]

kocioł wielkopojemnościowy large capacity boiler, giant boiler [energ.]

kocioł wielociągowy multi-pass boiler, multiple-pass boiler [energ.]

kocioł wielokanałowy multi-pass boiler, multiple-pass boiler [energ.]

kocioł wiszący pendant boiler, top-supported boiler [energ.]

kocioł wodnorurkowy water tube boiler [energ.]

kocioł wsparty bottom-supported boiler [energ.]

kocioł wysokoprężny high pressure boiler [energ.]

kocioł z obiegiem wymuszonym forced circulation boiler, boiler with forced circulation [energ.]

kocioł z paleniskiem odciekowym wet bottom boiler, slag-tap boiler [energ.]

kocioł z palnikami w ścianie czołowej front-fired boiler [energ.]

kocioł z palnikami w ścianie tylnej rear-fired boiler [energ.]

kocioł z płomienicą falistą corrugated-furnace boiler [energ.]

kocioł z pojedynczą komorą spalania single-furnace boiler [energ.]

kocioł z rusztem płaskim boiler with a stationary grate [energ.]

kocioł z walczakiem poprzecznym cross-drum boiler [energ.]

kocioł zawieszony pendant boiler, top-supported boiler [energ.]

kocioł ze zdwojonym paleniskiem twin-furnace boiler [energ.]

kocioł znormalizowany packaged boiler [energ.]

kod code [abc]; encryption [inf.]

kod firmy company code [inf.]

kod pocztowy ZIP code [abc]

kodeks code [abc]

kodeks drogowy road traffic law [mot.]

kodeks karny penal code [polit.]

koder danych data coding unit [inf.]

kodować encode [el.]

kofeina caffeine (*in coffee, tea*) [chem.]

kohezja cohesion [fiz.]

koja bunk [mot.]

kokila chill, ingot [masz.]

kokon cocoon [bot.]

koks coke [górn.]

koksik coke breeze, breeze, fly ash [masz.]

koksownia coke plant [górn.]

kol(l)i (*jednostka ładunkowa*) colli
(*packing, collies, colly, coil*) [mot.]

kolacja (*very late: supper*) dinner
[abc]

kolacja służbowa business dinner;
luncheon (*with business friends*)
[abc]

kolanko elbow [energ.]; elbow fitting [masz.]

kolanko filtru olejowego oil filter
elbow [masz.]

kolanko rurowe elbow (*elbow of
a pipe*) [masz.]

kolanko rurowe dwuścienne
double-wall elbow [mot.]

kolanko rurowe faliste corrugated
expansion bend [energ.]

kolanko spustowe drain elbow
[masz.]

kolano elbow [energ.]

koleba dump truck, dumper; skip;
tipping car, tipping wagon [mot]

koleba wysokopołożona high-
placed body [mot.]

koleba wywrotna tilter; tipping device [mot.]

koleba wywrotna pełnoobrotowa
all-sides discharge skip [transp.]

**koleba wywrotna z wywracaniem
do przodu** forward discharge skip
[mot.]

koleba wywrotnicy wieżowej high
discharge skip [mot.]

kolebka wywrotki body [transp.]

kolec spike (*on wheel chock, chock*)
[mot.]; thorn (*on a rose*) [bot.];
tine, tyne [narz.]; tooth [masz.]

kolega (*współpracownik*) co-worker
(US), fellow worker (*classic term*);
(*ze studiów*) fellow student [abc]

kolegium panel (*board, governing
body*) [abc]

kolegium normalizacji directorate
of standardisation [norm.]

koleiny tyre tracks [mot.]

kolej railroad, railway [mot.]

kolej dalekobieżna long distance
railway (*not suburban*) [mot.]

kolej dojazdowa feeder line, branch
line [mot.]

kolej dowozowa feeder line (*branch
line*) [mot.]

kolej drugorzędna secondary railway, rubber line, branch line [mot.]

kolej jednoszynowa monorail [mot.]

kolej kopalniana mine railway
(*above or below*) [mot.]

kolej linowa cable car, cableway;
ropeway [mot.]; cable railway
[transp.]

kolej linowa napowietrzna blondin (*cable car on rope*) [mot.]

kolej linowa naziemna cable car;
funicular railway [mot.]

kolej linowa terenowa cable car
(*also models*) [mot.]

kolej nadziemna elevated railway,
EL (*also "L"*) [mot.]

kolej obwodowa orbital railway
[mot.]

kolej parowa steam railway [mot.]

kolej podmiejska suburban railway,
local train [mot.]

kolej podtorowa (*o szynie górnej*)
top-suspended monorail [mot.]

kolej podwieszana suspension
railway, top-suspended monorail,
monorail [mot.]

kolej podziemna głęboka low-level
railway [mot.]

kolej prywatna private railway [mot.]

kolej przemysłowa factory railway,
works railway, industrial railway
[mot.]

kolej szybka rapid transit (*rapid
transit railway*) [mot.]

kolej wąskotorowa feeder line, light
railway, narrow gauge railroad
[mot.]

kolej wewnętrzzakładowa factory
railway, works railway, industrial
railway [mot.]

K

kolej wisząca top-suspended monorail (*hardly used*) [mot.]

kolej zakładowa industrial railway [mot.]

kolej zębata cog railway (US); rack railway (GB) [mot.]

kolej żelazna railway [mot.]

Koleje Austriackie Austrian Federal Railways [mot.]

kolejka feeder line (*branch line*) [mot.]; queue [abc]

kolejka górska mountain railroad, mountain railway [mot.]

kolejka linowa napowietrzna cable car (*cable railway*) [mot.];

kolejka modelowa model railroad, model railway [mot.]

kolejka podwieszona trolley conveyor [górn.]

kolejka wąskotorowa meter-gauge railway [mot.]

kolejka wejściowa input queue [inf.]

kolejka wisząca trolley conveyor [górn.]

kolejka wyjściowa output queue [inf.]

kolejność order; sequence [abc]

kolejność prób testing cycle [masz.]

kolejność spawania welding sequence [met.]

kolejny consecutive [transp.]

kolektor collector [el.]; (*w ścianie przedniej pieca*) front wall header [energ.]; header; manifold [mot.]

kolektor czworokątny square box, square header [masz.]

kolektor dolotowy air intake manifold, intake manifold [mot.]

kolektor grudek manganu manganese nodule collector [masz.]

kolektor mieszalny mixing header [energ.]

kolektor odparowującego podgrzewacza wody pre-evaporator header [energ.]

kolektor powietrza zużytego exhaust air bend [mot.]

kolektor przegrzewacza superheater outlet leg [energ.]

kolektor pyłów dust collector [mot.]

kolektor ssący intake manifold, air intake manifold [mot.]

kolektor ssący i wydechowy intake and exhaust manifold [mot.]

kolektor szczotkowy alternator brush (*commutator*) [el.]

kolektor ścian bocznych górny upper side wall header [energ.]

kolektor wejściowy inlet header [energ.]

kolektor wydechowy exhaust elbow, exhaust manifold [mot.]

kolektor wylotowy outlet header [energ.]

kolizja collision [mot.]

kolonizacja settling (*populating*) [abc]

kolor color (*BR: colour*); dye [abc]

kolor przewodu colour of wire [el.]

kolorować colour [abc]

kolorowy colourful [abc]

kolor kości słoniowej light ivory [norm.]

kolumienka column (*rest, stanchion*) [bud.]

kolumna (*np. w książce*) column [abc]; column [mat.]; column (*formation of ships*) [wojsk.]; convoy (*group of vehicles*) [mot.]; crack (*in line drawing analysis*) [inf.]; pillar (*column*) [bud.]

kolumna kierownicy steering column; steering post; steering column assembly [mot.]

kolumna kierownicy składana collapsible steering rod [transp.]

kolumna kierownicza valve block [mot.]

kolumna podstawowa base column [górn.]

kolumna prostownika selenowego selenium rectifier stack [el.]

kolumna sterowa control column [el.]

kolumna sterownicy control column; gear shift dome [mot.]

koła i ogumienie wheels and tyres [mot.]

koła łańcuchowe i wieńce kół sprockets and sprocket rims [masz.]

koła napędowe wahliwe oscillating tandem wheels [transp.]

koła niesymetryczne wheel cambering, wheel lean [mot.]

koła w stałym zazębieniu constant mesh (*of gears*) [tw.]

kołczan quiver [abc]

kołczan na elektrody electrode quiver [met.]

kołdra blanket [abc]

kołdra pikowana quilt [abc]

kołek bolt, pin; dowel (*screw goes in to hold better*) [masz.]; peg [abc]

kołek bezpiecznikowy ścinany shear pin [masz.]

kołek blokujący locking peg [mot.]

kołek do hamowania wozów sprag [mot.]

kołek do zawieszania suspension pin, support pin [transp.]

kołek gwintowany depth bolt, machine screw [tw.]; stud, screw stud; threaded bolt, threaded pin, threaded stud [masz.]

kołek gwintowany pokrywy włazu manhole cover stud [energ.]

kołek hakowy hook nail [masz.]

kołek karbowany half length reserve taper grooved dowel pin [masz.]

kołek karbowy groove pin; grooved dowel pin [masz.]

kołek karbowy cylindryczny grooved pin, full length parallel grooved with chamfer [masz.]

kołek karbowy dopasowany grooved pin, half length taper grooved with chamfer [masz.]

kołek karbowy stożkowy taper grooved dowel pin; grooved pin, full length taper grooved with chamfer [masz.]

kołek luźny cotter bolt [mot.]

kołek łączący pin lock key [masz.]

kołek namiotowy tent peg (*stick, rod*) [abc]

kołek pasowany alignment pin [masz.]; dowel [masz.]

kołek pasujący alignment pin; fixing pin [masz.]

kołek plastikowy plastic dowel [mot.]

kołek prowadzący guiding pin; pin rod [masz.]

kołek rozprężny dowel pin (*mostly used*) [masz.]

kołek sprężyny wielopłytkowej perch bolt; spring centre bolt [masz.]

kołek sprężysty roller pin, rollpin, spring dowel, spring pin, dowel pin [masz.]

kołek sprężysty rozszczepiony quick change pin [masz.]

kołek sprężysty śrubowy spirol pin [masz.]

kołek stożkowy conical pin, taper pin, tapered pin, tapering pin [masz.]

kołek (sworzeń) ustalający pin retainer, pin rod [masz.]

kołek (sworzeń) zabezpieczający pin retainer [masz.]

kołek ustalający dowel pin, locking pin [masz.]; set screw [mot.]

kołek walcowy straight pin [mot.]

kołek wtykowy pin [masz.]

kołek wyrównujący parallel pin [masz.]

kołek wysięgnika boom foot pin [transp.]

K

kołek zabezpieczający gwintowany threaded locking pin [masz.]

kołek (zabezpieczający) ścinany shear pin [masz.]

kołek zabierakowy step pin, carrier bolt (*bushing to c. bolt*) [transp.]

kołek zbieżny conical pin [tw.]; taper pin [masz.]

kołkowanie studding [masz.]

kołnierz collar [tw.]; sleeve [mot.]; flange [masz.]

kołnierz czopa osi axle journal collar [masz.]

kołnierz doświadczalny test flange [miern.]

kołnierz dwuramienny two-armed flange [masz.]

kołnierz gwintowany threaded flange [masz.]

kołnierz kątowy angle flange [masz.]

kołnierz łożyska bearing flange [masz.]

kołnierz nakręcany screwed-on flange, threaded flange [masz.]

kołnierz obrotowy swivel flange [masz.]

kołnierz obudowy przekładni kierownicy steering gear case flange [mot.]

kołnierz piasty hub flange [mot.]

kołnierz próbny test flange [miern.]

kołnierz przeciwpyłowy dust-shield collar [mot.]

kołnierz przykuty integrally forged flange [masz.]

kołnierz przylany integrally cast flange [masz.]

kołnierz przypawany welded-on flange, welding neck flange [masz.]

kołnierz przysłony orifice flange [miern.]

kołnierz rury pipe flange, tube flange [masz.]

kołnierz skrajny end collar [transp.]

kołnierz spawany welded flange, welded-on flange, welding neck flange [masz.]

kołnierz ślepy blind flange, blank-off flange [masz.]

kołnierz trójramienny three-armed flange [masz.]

kołnierz uszczelniający flange [mot.]

kołnierz wielkośrednicowy large diameter flange [masz.]

kołnierz wkładki liner flange [masz.]

kołnierz współpracujący counter-flange [tw.]

kołnierz zaciskowy clamping collar [tw.]

kołnierz zaślepiający blind flange, blank-off flange [masz.]

kołnierz zintegrowany integrally cast flange [masz.]

koło wheel [mot.]; circle [mat.]

koło bezobręczowe solid rolled wheel [mot.]

koło bliźniacze twin wheel [mot.]

koło bose wheel centre [mot.]

koło centralne planetary wheel [mot.]

koło cierne friction wheel [masz.]

koło czerpakowe bucket wheel (*on bucket wheel excavator*) [transp.]

koło czerpakowe podwodne underwater cutting wheel, UW cutting wheel [mot.]

koło den wrębów root circle (*on gear, gear wheel*) [masz.]

koło dwuwieńcowe zębate biegu wstecznego reverse twin gear [mot.]

koło główne (*koła zębatego*) tip circle [masz.]

koło hamulcowe brake pulley [mot.]

koło (jezdne) tarczowe disc wheel [mot.]

koło kierownicy steering wheel [mot.]

koło kierownicze tarczowe drum-type idler [masz.]

koło linowe rope sheave, head-wheel pulley [górn.]

koło łańcucha stopni step chain wheel [transp.]

koło łańcuchowe chain drive wheel, chain sprocket, sprocket [transp.]

koło łańcuchowe drabinkowe sprocket wheel, idler [mot.]

koło łańcuchowe napędzające (*czynne*) driving wheel [masz.]

koło łańcuchowe napędzane (*bierne*) driven wheel [masz.]

koło łopatkowe paddle wheel (*on ships*) [mot.]

koło łopatkowe tylne stern wheel [mot.]

koło napędowe drive wheel (*of steam loco*); driving gear [mot.]; sheave [górn.]; travel wheel; sprocket; wheel-set wheel [transp.]

koło napędowe cierne friction roller drive (MFD) [narz.]

koło napędowe pompy pump pinion [mot.]

koło napędowe poręczy handrail drive sheave, handrail drive wheel (*with rubber*) [transp.]

koło napędowe tachometryczne speedometer drive gear [mot.]

koło napędowe wału krzywkowego camshaft timing gear [mot.]

koło napędowe wału pośredniego counter shaft drive gear [mot.]

koło napędzające drive gear, drive tumbler, driver wheel [mot.]

koło napędzające pompy pump wheel (*impeller*) [mot.]

koło napinające idler (*on excavator track chain*) [transp.]

koło napinające duże large front idler [transp.]

koło napinające (napędu gąsienicowego) przednie front idler [transp.]

koło nawrotne reversing wheel [masz.]

koło nośne support wheel [masz.]

koło o uzębieniu wewnętrznym internal gear [masz.]

koło o zębach ewolwentnych involute gear wheel [masz.]

koło o zębach skośnych helical gear [masz.]

koło o zębach śrubowych screw gear, helical gear [masz.]

koło obiegowe pinion; planet wheel [mot.]

koło obrotu turning radius [mot.]

koło odtaczające pitch circle [masz.]

koło parowozu typu boxpok boxpok wheel (*on steam locos*) [mot.]

koło pasowe (*belt*) pulley [masz.]; front idler (*e.g. on excavator, dozer*) [transp.]

koło pasowe dmuchawy fan-driving pulley [mot.]

koło pasowe jałowe idler [masz.]

koło pasowe klinowe V-belt wheel [mot.]

koło pasowe klinowe poręczy handrail drive sheave [transp.]

koło pasowe luźne idler (*tumbler*) [transp.]; diffuser plate [el.]

koło pasowe napędowe wentylatora fan driving pulley [masz.]

koło pasowe napędzające driving pulley [masz.]

koło pasowe napędzane driven pulley [masz.]

koło pasowe pośredniczące idler [mot.]

koło pasowe rowkowe V-belt pulley [masz.]

koło pasowe rowkowe do wąskich pasów klinowych grooved pulley for narrow V-belts [masz.]

koło pasowe wentylatora fan pulley, fan driving pulley [masz.]

koło pasowe wychylne snub pulley [transp.]

koło pełne solid rolled wheel [mot.]

koło pędne driver wheel [transp.]

K

koło podstaw (*w kole zębatym*) root circle [masz.]

koło podstawowe root circle [met.]

koło podziałowe reference circle [masz.]

koło pojedyncze single wheel [mot.]

koło polarne Antarctic Circle (*66'33" S of Equator*) [geogr.]

koło pośredniczące idler <guide> wheel (*handrail in newel*) [transp.]

koło prowadzące zwrotne return tumbler [transp.]

koło przednie front wheel; nose wheel [mot.]

koło ramieniowe spoked wheel [transp.]

koło ramieniowe z żeliwa szarego cast iron spooked wheel [mot.]

koło ratunkowe lifesaver [mot.]

koło ręczne hand wheel [mot.]

koło ręczne sterownicze cut-off gear wheel [mot.]

koło rozpędowe fly wheel, flywheel [mot.]

koło skrętu turning circle; turning radius [mot.]; circle [transp.]

koło skrętu ładowarki outside bucket corner clearance circle [mot.]

koło słoneczne sun wheel, sun gear; planetary wheel [mot.]

koło staliwne szprychowe lane cast steel spoked wheel [mot.]

koło staliwne tarczowe cast steel disc wheel [mot.]

koło stałe fixed wheel [mot.]

koło sterowe steering wheel; helm (*at the helm*); rudder [mot.]

koło stóp root circle [masz.]

koło szprychowe spoke wheel, wire spoked wheel [mot.]

koło szprychowe stalowe steel spoked wheel [mot.]

koło szprychowe z metalu lekkiego light alloy spoked wheel [mot.]

koło szprychowe z żeliwa ciągli-

wego malleable cast iron spoked wheel [mot.]

koło ślimaka przekładni kierownicy steering worm gear [mot.]

koło ślimakowe worm wheel [masz.]

koło tarczowe plate wheel [masz.]

koło tarczowe z blachy stalowej sheet steel disc wheel [mot.]

koło tarczowe z metalu lekkiego light alloy disc wheel [mot.]

koło toczne pitch circle (*on spur wheel*) [masz.]

koło tylne rear wheel [mot.]

koło wierzchołkowe tip circle [masz.]

koło wyprzedzające advancing wheel [mot.]

koło zabierakowe driver wheel [transp.]

koło zamachowe flywheel, fly wheel [masz.]

koło zapasowe spare wheel, spare tyre, auxiliary wheel (*mostly on rim*) [mot.]

koło zdejmowane detachable wheel [mot.]

koło zębate (*o zębach wstawianych*) tooth wheel, gear wheel, cog wheel, cog, gear (*in gearbox; short: gear*) [masz.]

koło zębate biegu wstecznego reverse idler gear [mot.]

koło zębate czołowe spur gear, gear, spur wheel, timing gear [mot.]

koło zębate czołowe mechanizmu różnicującego differential spur gear [mot.]

koło zębate czołowe stożkowe bevel spur gear [masz.]

koło zębate koronowe ring gear [mot.]; toothed wheel rim [masz.]

koło zębate na wale pośrednim counter gear; layshaft gear [mot.]

koło zębate napędu output drive gear [mot.]

koło zębate napędu regulatora governor wheel, governor drive gear [mot.]

koło zębate o uzębieniu śrubowym helical gear [masz.]

koło zębate o uzębieniu wewnętrznym internally geared wheel [mot.]

koło zębate pompy olejowej oil pump gear wheel [mot.]

koło zębate pośredniczące intermediate gear; intermediate timing gear [mot.]; idler; return tumbler (*has pockets*) [transp.]

koło zębate pośrednie idler [mot.]

koło zębate przesuwne sliding gear [masz.]

koło zębate stożkowe bevel gear, bevel gear pinion, bevel pinion [masz.]

koło zębate stożkowe małe bevel pinion [masz.]

koło zębate stożkowe mechanizmu różniczkowego differential bevel gear [mot.]

koło zębate stożkowe przekładni różnicowej differential bevel pinion [mot.]

koło (zębate) śrubowe ze skośnymi żłobkami helical gear with helical splines [mot.]

koło zębate tarczowe bevel gear [masz.]; crown wheel; ring gear [mot.]

koło zębate tarczowe z żeliwa szarego cast iron disc wheel [mot.]

koło zębate trzpieniowe gear pinion [mot.]

koło zębate trzpieniowe mechanizmu obrotowego pinion gear [transp.]

koło zębate walcowe timing gear [mot.]

koło (zębate) walcowe skośne helical gear [masz.]

koło zębate walcowe stożkowe bevel spur gear [masz.]

koło zębate walcowe z zębami śrubowymi helical gear [masz.]

koło zębate wału korbowego crankshaft gear [mot.]

koło zębate wewnętrzne (*o uzębieniu wewnętrznym*) internal geared wheel, hollow wheel, ring gear [mot.]

koło zębate z kłami gear with dog clutch [mot.]

koło zębate zewnętrzne external gear, external geared wheel [masz.]

koło z obręczą wheel with tyre [mot.]

koło zwrotne prowadnicy handrail return wheel [transp.]

kołodziej wagon-maker (*plumber*) [mot.]

kołować rotate [masz.]

kołowiec paddle wheel ship [mot.]

kołowo-symetryczny rotation symmetrical [masz.]

kołowrót winder (*hasp, reel*) [narz.]

kołowrót kablowy cable winch; front-mounted winch, rear-mounted winch, winch [mot.]

kołowrót linowy winch [abc]; cable winch; front-mounted winch; (*tylny*) rear-mounted winch [mot.]

kołówka wheel lathe [masz.]

kołpak cover, lid, cap, hood [tw.]

kołpak gwintowany filler cap [mot.]

kołpak kadłuba skrzynki przekładniowej gearbox case cap [mot.]

kołpak koła hub cover, hubcap [mot.]

kołpak obrotowy rotocap [masz.]; slew cap; slewing-ring support flange [transp.]

kołpak ochronny protective cap (*protective plug*) [abc]

kołpak ochronny silnika rozruchowego starter motor cover [mot.]

kołpak ochronny świecy zapłonowej spark plug protection cap [mot.]

kołpak odpowietrznika breather cap [mot.]

K

kołpak parowy (steam) dome (*of railway engine*) [mot.]

kołysać się swing [abc]

kołyska cradle [abc]

komasować merger [abc]

kombajn chodnikowy tunnel driving machine [górn.]

kombajn zbożowy combined harvester, combine (*short for combined harvester*) [roln.]

kombajn zrębowy harvester (*tree harvester*) [transp.]

kombinacja combination [abc]

kombinacja nacisku i odciągania push-pull combination [mot.]

kombinacja przeciwsobna push-pull combination [mot.]

kombinacja push-pull push-pull combination [mot.]

kombinerki universal pliers; cutpliers; engineer`s pliers; flat-nosed and cutting nippers [narz.]

kombinezon overall [abc]

kombinować combine [abc]

komenda command [inf.]

komendant Officer Commanding (*Commandant*) [wojsk.]

komentarz (*ustosunkowanie się*) comment (*statement*) [abc]

komercyjny commercial [ekon.]

kometa comet (*tail always away from sun*) [abc]

komfort comfort [abc]

komfort jazdy operator's comfort [mot.]

komfort pracy operator's ease and convenience [mot.]

komin funnel; chimney [bud.]; smokestack, stack (*chimney on locomotive*) [masz.]

komin blaszany steel chimney [masz.]

komin blaszany z linami napinającymi steel chimney with guy ropes [masz.]

komin dymowy smoke funnel (*in stoke house*) [mot.]

komin fabryczny smokestack [masz.]

komin krzywy leaning smokestack [bud.]

komin pochyły leaning smokestack [bud.]

komin samonośny self-supporting chimney [energ.]

komin z linami odciągowymi chimney with guy ropes [energ.]

komin żelazny krótki stub stack [energ.]

kominek fireplace, fireside (*by the fireside*) [bud.]

kominiarz chimney sweep [abc]

komisarz awaryjny average commissioner [mot.]

komisja commission; committee [abc]

komisja kierująca projektem steering committee (*of a project*) [abc]

komisja zarządu miejskiego watch committee (GB) [abc]

komitet committee [abc]

komora cavity [tw.]

komora akumulatora battery box [el.]

komora bloku kontrolnego chamber of the probe block [met.]

komora ciśnieniowa pressure chamber [mot.]

komora dławikowa packing box; stuffing box [masz.]

komora dławnicy packing box [masz.]

komora dymnicowa smoke box (*under chimney*) [mot.]

komora klimatyzacyjna climatic chamber [meteo.]

komora kontenerowa container cell [el.]

komora łamacza crusher chamber (*rotor moves in it*) [górn.]

komora mieląca mill chamber [abc]

komora mieszania mixing chamber [górn.]

komora mułowa dirt collection box [transp.]

komora nośna carrier cell [transp.]

komora odpylająca dust chamber [energ.]

komora okrągła round header [energ.]

komora paleniskowa chamber, combustion chamber, firing chamber, primary chamber [energ.]

komora paleniskowa o opadowym kierunku przepływu U-flame furnace [energ.]

komora paleniskowa z ciągiem odwrotnym down-draught combustion chamber, U-flame furnace [energ.]

komora pływakowa (*gaźnika*) float chamber, fuel bowl [mot.]

komora powietrzna air chamber [aero.]

komora pyłowa dust chamber [energ.]

komora radiacyjna radiation chamber [energ.]

komora sekcyjna staggered header, sinuous header (*header type boiler*) [energ.]

komora smarowa grease chamber [transp.]

komora spalania combustion chamber, firing chamber, primary chamber [mot.]

komora spalania chłodzona wodą water-cooled furnace [energ.]

komora sprężonego powietrza air plenum chamber [energ.]

komora ściany bocznej side wall header [energ.]

komora śluzy sluice chamber [mot.]

komora tłumienia dźwięków pre-expansion chamber [mot.]

komora wstępna precombustion chamber [mot.]

komora wywiewna air discharge frame [transp.]

komora zbiorcza popiołu lotnego fly ash storage bin [energ.]

komora zbiorcza prostokątna square header [energ.]

komora zbiorcza przegrzewacza superheater header [energ.]

komora zbiorcza wyjściowa przegrzewacza superheater outlet header [energ.]

komórka uility room (*sign on door*) [bud.]

komórka fotoelektryczna photoelectric cell; light sensor [el.]

komórka fotoelektryczna przewodnościowa photo-conductive cell [el.]

kompaktowy compact, space-saving [abc]

komparator comparator [el.]

komparoskop surface-crack checking device [miern.]

kompas compass [fiz.]

kompas żyroskopowy gyro compass [mot.]

kompatybilność compatibility [inf.]

kompatybilny compatible (*e.g. 2 computer systems*) [inf.]

kompensacja compensation [el.]

kompensacja prądu biernego reactive power compensation [el.]

kompensacja uniwersalna universal compensation [el.]

kompensacja zgrubna coarse balance [transp.]

kompensator compensator, compensator pipe [mot.]

kompensator mieszkowy bellows expansion joint (*in ducts*) [masz.]

kompensator obrotowy torque compensator [masz.]

kompensator osiowy axial compensator (*e.g. ND 950*) [masz.]

kompetencja (*np. językowa*) competence (*in language*), competency [abc]

kompetentny substantial [abc]

K

kompilator compiler [inf.]

kompilować compile [inf.]

kompleks niższości inferiority complex [med.]

kompleksowy complex (*abundant, many aspects*) [abc]

komplementarny układ Darling-tona complementary Darlington circuit [el.]

komplet set [masz.]

komplet bezpieczników set of fuses [el.]

komplet części służących do zmiany wyposażenia conversion kit, conversion set [transp.]

komplet części zamiennych spare parts kit [transp.]

komplet do przebudowy conversion kit, conversion set [transp.]

komplet filtrów set of filters [mot.]

komplet klocków hamulcowych set of brake shoes [mot.]

komplet kluczy nasadowych set of socket spanners [narz.]

komplet kluczy płaskich set of spanners (*set of wrenches*) [narz.]

komplet łańcuchów track chain complete; track group [transp.]

komplet łożysk set of bearings [masz.]

komplet mebli suite [bud.]

komplet montażowy assembly set; assembly kit [masz.]

komplet narzędzi tool kit, toolkit, set of tools [narz.]

komplet okładzin set of linings [masz.]

komplet osłon izolujących set of sleeves [mot.]

komplet podkładek shim stock [masz.]

komplet podkładek regulacyjnych shim stock [met.]

komplet podkładek ustalających shim stock [met.]

komplet rysunków set of working drawings [rys.]

komplet sit set of sieves [masz.]

komplet uszczelek seal kit, packet seal, sealing set, sealing package, set of seals, gasket set [masz.]

komplet uszczelek promieniowych oil seal assembly [masz.]

komplet wyposażenia equipment package [mot.]

kompletny complete; uninterrupted [abc]

komplety rolek podających sets of transport rolls [masz.]

kompost compost, mixed manure [gleb.]

kompresja compression [tw.]

kompresor air compressor, compressor, compactor [transp.]

komputer computer, computing machine [inf.]

komputer centralny central computer, host [inf.]

komputer domowy (*osobisty*) home computer [inf.]

komputer główny central computer, host [inf.]

komputer główny main frame [inf.]

komputer macierzysty central computer (host) [inf.]

komputer macierzysty host [inf.]

komputer o architekturze równoległej parallel computer [inf.]

komputer osobisty (PC) personal computer [inf.]

komputer roboczy workstation [inf.]

komputer sterujący site computer (*where data arise*) [inf.]

komputer sterujący procesem process computer [inf.]

komputer zakładowy site computer (*where data arise*) [inf.]

komputerowy skład tekstu electronic publishing [inf.]

komputerowy system sterowania operations control computer system [inf.]

komuna community [polit.]

komunalny urban, municipal [abc]

komunikacja communication [telkom.]

komunikacja biurowa office communication, inter office communication [inf.]

komunikacja (dialog) danych data communication, DC [inf.]

komunikacja lokalna commuter traffic [mot.]

komunikacja międzyprocesowa interprocess communication [inf.]

komunikacja procesowa process communication [inf.]

komunikat i kody message and codes (*handbooks*) [inf.]

komunikat meteorologiczny weather report [meteo.]

komunikat o zmianach w dokumentacji technicznej technical modification report, engineering change or release note [abc]

komutacja switching [el.]

komutator commutator; collector [el.]

komutator szczotkowy alternator brush [el.]

koncentracja concentration [górn.]; concentration (*hard thinking*) [abc]

koncentracja obciążenia load concentration [bud.]

koncentracja pyłu dust concentration [mot.]

koncepcyjny model wiedzy conceptual knowledge model [inf.]

koncept scheme [masz.]

koncept modularny modular concept [transp.]

kondensator capacitor; condensator [el.]; condenser [aero.]

kondensator ceramiczny ceramic capacitor [el.]

kondensator elektrolityczny electrolytic condenser, electrolytic capacitor [el.]

kondensator foliowy film capacitor [el.]

kondensator ochronny protective capacitor [el.]

kondensator powierzchniowy surface condenser [energ.]

kondensator sprzęgający coupling capacitor [el.]

kondensator styrofleksowy styroflex capacitor [el.]

kondensator tantalowy tantalium capacitor [el.]

kondensator wibrujący vibrating compacter [mot.]

kondensator zwijkowy film capacitor [el.]

kondominium condo, condominium [bud.]

konduktancja conductance [el.]

konduktor (*kontroler*) conductor (*ticket collector*); guard [mot.]

kondygnacja floor level [bud.]

kondygnacja handlowo-usługowa commercial floor (*e.g. in RR station*) [mot.]

kondygnacja podziemna basement [bud.]

konekcjonizm connectionism [inf.]

konferencja conference [abc]

konferencja handlowców distributor conference [ekon.]

konferencja na szczycie summit conference [polit.]

konfetti ticker-tape [abc]

konfiguracja configuration (*In this configuration*) [abc]

konfiguracja wiązań link configuration [inf.]

konfiskować confiscate (*He confiscated my camera*) [polit.]; seize (*conquer, take a ship*) [mot.]

konglomerat conglomerate [górn.]

koniczyna clover [bot.]

koniec end [abc]; tail (*end*) [mot.]; (*języka*) tip [med.]

koniec cytatu end of quote [abc]

K

koniec liny rope end [mot.]

koniec skoku end of stroke [masz.]

koniec wyładunku discharge end [transp.]

konieczny necessary, required, needed, vital [abc]

koniunkcja conjunction (*in logic*) [inf.]

koniunktura w przemyśle motoryzacyjnym motorcar boom [mot.]

konkluzja conclusion [abc]

konkurencja bezpośrednia direct competition [abc]

konkurencyjność competitiveness [ekon.]

konkurencyjny competitive [ekon.]

konkurent competitor (*other bidder*) [ekon.]

konkurs competition (*tournament*) [abc]

konosament bill of lading [mot.]

konserwa can (US) [abc]

konserwacja maintenance (*servicing*) [masz.]; preservation [mot.]

konserwacja czasu time-keeping [abc]

konserwacja kompletna complete maintenance [met.]

konserwacja kotła boiler preservation [energ.]

konserwacja maszyn machine maintenance [masz.]

konserwacja profilaktyczna PM (*preventive maintenance*) [mot.]; PPM (*planned preventive maintenance*) [masz.]

konserwować maintain [masz.]; preserve (*food*) [abc]

konserwowanie preservation [mot.]

konserwy (*jedzenie w konserwach*) canned food (US), tinned food (GB); preserves (*e.g. prunes, fruit in jars*) [abc]

konsola bracket; mounting; vanity [transp.]; console (*similar to sideboard*) [bud.];

konsola lampy pozycyjnej tylnej tail lamp mounting bracket (*socket*) [mot.]

konsola narzędziowa tool bar, tool-bar [narz.]

konsola operatora control desk (*console, dashboard*) [mot.]

konsola pompy pump bracket [mot.]

konsola sterownicza console (*of the operator's cab*) [transp.]

konstrukcja construction; manufacture [transp.]; design engineering (*design*) [rys.]

konstrukcja całkowicie stalowa complete steel [bud.]

konstrukcja drabinkowa register type construction (*waterwall*) [energ.]

konstrukcja drewniana timber structure [bud.]

konstrukcja jednoturbinowa single turbine construction [bud.]

konstrukcja języka language construct [inf.]

konstrukcja komorowa nośna carrier cell design [transp.]

konstrukcja kratowa girder construction [bud.]

konstrukcja kratowa lattice construction [masz.]

konstrukcja kuto-spawana forging/welding construction [masz.]

konstrukcja lana cast design [met.]

konstrukcja lekka light weight design, lightweight construction [masz.]

konstrukcja lewostronna left hand construction [masz.]

konstrukcja modularna modular design (*also smaller parts*) [transp.]

konstrukcja na podwoziu samochodu ciężarowego truck type mounting [mot.]

konstrukcja nośna truss [masz.]

konstrukcja nośna komorowa

zoptymalizowana optimized carrier cell design [górn.]

konstrukcja ostoi under frame structure [mot.]

konstrukcja podwozia design of the chassis (*also of car*) [mot.]

konstrukcja prawostronna right hand construction [energ.]

konstrukcja prosta simple construction [mot.]

konstrukcja ryglowa half-timbered construction [bud.]

konstrukcja skrzyniowa box design (*e.g. welded box design*) [transp.]

konstrukcja spawana welded assembly (GB), welded construction, welded design, welding design, welded part, weldment [met.]

konstrukcja spawana całkowicie stalowa welded complete steel-box design [masz.]

konstrukcja stalowa kotła boiler steel structure [energ.]

konstrukcja stalowa obudowana faired steel frame structure, panelled steel frame structure; steel frame structure, faired [masz.]

konstrukcja stalowa wyrobiska mine support systems [górn.]

konstrukcja szkieletowa framework construction, lattice framework, skeleton structure [transp.]

konstrukcja wagonu wagon design [transp.]

konstrukcja z dźwigarów skrzynkowych box design (*welded box design*) [transp.]

konstrukcja z materiałów lekkich light-metal design [masz.]

konstrukcja z możliwością przeprowadzenia przeróbek open-door design [rys.]

konstrukcja złożona composite design, composite structure [bud.]

konstrukcja złożona z zespołów znormalizowanych unit construction [masz.]

konstrukcja zwarta compact design [mot.]

konstruktor construct [abc]; design engineer [rys.]

konstruować design [abc]

konstruowanie urządzeń plant manufacturing, process plant construction [masz.]

konsultacja consultation [abc]

konsultant consulting engineer [abc]

konsumować consume [abc]

konsystencja consistence, consistency [bud.]; texture [tw.]

kontakt contact [abc]

kontakt akustyczny (*dźwiękowy*) acoustic contact (*solid, liquid*) [fiz.]

kontaktować się contact [inf.]

kontener container [mot.]; vessel [tw.]

kontener chłodniczy refrigerated container [mot.]

kontener czterdziestostopowy forty foot container [transp.]

kontener dwudziestostopowy twenty foot container [transp.]

kontener dwunastometrowy forty foot container [transp.]

kontener hermetyczny airtight container [abc]

kontener specjalny special container [masz.]

kontener typu silosowego hopper-type container [masz.]

kontener wymienny exchangeable container [mot.]

kontener zbiornikowy tank-type container [masz.]

kontenerowiec container-vessel [mot.]

kontrakcja contracting (*the track spring*) [el.]

kontrakt settlement [abc]; treaty (*written between nations*) [praw.]

kontrasygnować counter-sign (*also sign*) [abc]

K

kontrola (*np. wejść i wyjść*) control [el.]; monitoring [miern.]; visit (*inspection, tour*) [energ.]; supervision [transp.]; pit stop [mot.]; check, inspection [miern.]

kontrola blachy plate testing (*inspection*) [miern.]

kontrola bramki gate monitoring [el.]

kontrola ciśnienia oleju oil pressure checking (*oil pressure monitor*) [mot.]

kontrola czułości sensitivity check [masz.]

kontrola dostawy delivery test (*prior to delivery*) [abc]

kontrola działania performance control [abc]

kontrola faz phase monitoring [el.]

kontrola główna main revision (*major revision*) [mot.]

kontrola grubości depth scanning [miern.]

kontrola jakości quality assurance (*e.g. as a department*), quality control [ekon.]

kontrola kierunku wirowania pola phase sequence monitoring [el.]

kontrola końcowa pdi pre-delivery inspection [abc]

kontrola krawędzi blachy strip-edge testing [masz.]

kontrola krawędzi taśmy strip edge testing [masz.]

kontrola magazynu store controlling [abc]

kontrola napięcia łańcucha chain tension control [transp.]

kontrola następstwa faz phase sequence monitoring [el.]

kontrola obiektowa object-centred control [inf.]

kontrola obsuwania się palet pallet lowering protection [transp.]

kontrola ostateczna final inspection (*examination*) [transp.]

kontrola piasty wentylatora fan hub inspection [masz.]

kontrola poślizgu slip control [transp.]

kontrola powtórna re-check, retest (*after-test*) [masz.]; repetition checking inspection; destructive verification [abc]

kontrola poziomu oleju oil-level check [masz.]

kontrola poziomu wody checking of the water level [miern.]

kontrola półwyrobów inspection of semi-finished products, semi-finished products testing [abc]

kontrola pracy koparki excavator monitoring [masz.]

kontrola prądu wirowego eddy current test [abc]

kontrola produkcji manufacturing control [abc]

kontrola programowania software inspection [inf.]

kontrola projektu project control [inf.]

kontrola przebiegu produkcji production testing [abc]

kontrola przepływu danych data flow testing [inf.]

kontrola przewodów gumowych checking of hoses (*check hoses*) [abc]

kontrola punktu zerowego check zero [miern.]

kontrola rozchodu towarowego control of goods processing, control of goods withdrawal [ekon.]

kontrola rutynowa routine inspection [energ.]

kontrola silnika motor monitoring [mot.]

kontrola spoin inspection of welds, weld inspection [met.]

kontrola stopiwa all-weld-test specimen [miern.]

kontrola stykowa contact scanning [miern.]

kontrola taśm strip testing (*strip inspection*) [masz.]

kontrola technologiczna shop test [masz.]

kontrola temperatury temperature control [mot.]

kontrola towaru przed jego przyjęciem material testing upon arrival [abc]

kontrola uszkodzeń check for damage [abc]

kontrola w ruchu operational check (*functional test*) [abc]

kontrola wizualna visual control [abc]

kontrola wlotu poręczy handrail inlet monitor [transp.]

kontrola wstępna pre-delivery check [abc]

kontrola wydania pdi (*pre-delivery inspection*) [abc]

kontrola wymiarowa gauging [miern.]

kontrola zakładowa shop test [masz.]

kontrola (zgodności) typów type checking [inf.]

kontrola złączy spawnych inspection of welds, weld inspection [met.]

kontrola zmiany kierunku circle reverse control [mot.]

kontroler (*np. biletów*) platform inspector, platform supervisor; (*ruchu lotniczego*) controller (*in tower*) [mot.]

kontroler kotła boiler inspector [energ.]

kontroler robót spawalniczych welding supervisor [met.]

kontrolka kierunkowskazu turn-signal control lamp [mot.]

kontrolka ładowania charge control [el.]

kontrolka świec żarowych heater plug control, heater warning light [mot.]

kontrolować examine (*material, passports*) [abc]; check [miern.]; survey [bud.]; visit; inspect (*the boiler*) [energ.]

kontrolować ciągle monitor constantly [abc]

kontrolowanie izolacji insulation monitoring [el.]

kontrolowany controlled [abc]

kontrować counter rotate [masz.]

kontrować śrubę counter-nut a bolt (*counter-nutted*) [met.]

kontur contour; outline [abc]

kontur końcowy final contour [met.]

kontury wady contours of defect [tw.]

kontynuacja continuation [praw.]

kontynuacja heurystyczna heuristic continuation; feedover (*in search*) [inf.]

kontynuacja metodą analityczną analytic continuation [chem.]

kontynuować reproduce [abc]

konurbacja conurbation [abc]

konwencjonalny conventional [abc]

konwerter cyfrowo-analogowy digital-analog converter [el.]

konwerter danych data translator [inf.]

konwertor converter [met.]

konwertor Bessemera Bessemer bulb [górn.]

konwertor bessemerowski Bessemer bulb [górn.]

konwertor Thomasa Thomas converter, Thomas bulb [tw.]

konwertor tomasowski Thomas converter, Thomas bulb [tw.]

konwertor zasadowy Thomas converter, Thomas bulb [tw.]

koń horse (*stallion, mare, filly*) [bot.]

koń mechaniczny horsepower, C.V. [masz.]

K

końce zaokrąglone i szlifowane
ends closed and ground (*spring*)
[met.]

**końcowe stadia procesu techno-
logicznego** downstream process
stages [masz.]

końcowy final [abc]

końcówka terminal, grip, clamp,
termination [abc]; terminal [inf.];
cap [tw.]; end plate [transp.]; grip
[el.]; nozzle [masz.]

końcówka baterii battery terminal
clip, battery terminal [el.]

końcówka drążka kierowniczego
ball rod end, tie rod end [mot.]

końcówka napędzana driven end
[mot.]

końcówka przewodu giętkiego hose
nipple [mot.]; hose socket [masz.]

**końcówka przewodu świecy zapło-
nowej** spark plug terminal [mot.]

końcówka wylotowa dicharge end
(*discharge side*) [transp.]; outlet
end (*outlet side*) [masz.]; downstream (*of the valve*) [energ.]

*końcówka wylotowa pojemnika
ze środkiem czyszczącym* spray
cleaning nozzle [masz.]

końcówka wylotowa smarownicy
lubricator nozzle [mot.]

końcówka szeregowe line-up terminal [el.]

kończyć finish (*end, complete*); (*się*)
phase out; conclude (*finish, finalize a topic*) [abc]

kończyć stopniowo phase out [abc]

kooperacja cooperation [abc]

koordynować phase [abc]

kopać cut, dig (*with shovel, excavat-
or*) [górn.]; excavate (*remove bog,
mud, deepen waterways*) [transp.]

kopać rów cut a roadside ditch
[transp.]

kopać ziemię cut soil, peel soil
[transp.]

kopalnia mine (*e.g. coal m.*); pit
[górn.]

kopalnia diamentów diamond
mine [górn.]

kopalnia glinki kaolinowej kaolin
mine [górn.]

kopalnia odkrywkowa open pit
(*mining*); strip mining [górn.]

kopalnia odkrywkowa skał litych
mining in consolidated rock [górn.]

kopalnia węgla coal mine [górn.]

kopalnia żwiru gravel pit (*sand pit*)
[górn.]

kopanie excavating, excavation work
[transp.]

kopanie kanałów (*rowów kanalizacyjnych*) trenching [transp.]

kopanie rowów ditch cutting
[transp.]

kopanie rowu cutting a trench
[bud.]

kopanie studni well making (*well-
making industry*) [bud.]

koparka excavator, backacter,
shovel; dredge (*e.g. bucket chain
dredge<r>*) [transp.]; (GB: backhoe)

koparka chwytakowa backhoe with
grab, excavator with grab, shovel
with grab, grab dredger [transp.]

koparka ciężka large excavator
[transp.]

**koparka ciężka z hydraulicznym
napędem elementów roboczych**
large hydraulic excavator [transp.]

koparka czerpakowa łańcuchowa
bucket chain excavator [transp.]

koparka do rowów trenching bucket
[transp.]

koparka dwudrogowa road rail excavator [transp.]

koparka gąsienicowa crawler excavator, track excavator [transp.]

**koparka gąsienicowa z hydraulicz-
nym napędem elementów roboczych** hydraulic crawler backhoe,
hydraulic crawler shovel [transp.]

koparka hydrauliczna hydraulic mining shovel, hydraulic shovel, shovel (US), shovel excavator (GB) [górn.]

koparka kołowa wheeled excavator [transp.]

koparka kołowa samojezdna self-propelled mobile excavator [transp.]

koparka kołowa z hydraulicznym napędem elementów roboczych wheeled hydraulic excavator, mobile hydraulic excavator [transp.]

koparka linowa cable excavator, cable shovel, rope excavator, mining shovel, electric mining shovel (US) [transp.]

koparka linowa o napędzie elektrycznym mining shovel (*electric mining shovel*) [górn.]

koparka linowa zgarniakowa dragline [transp.]

koparka łańcuchowo-kubełkowa bucket dredger [transp.]

koparka łyżkowa bucket excavator [transp.]

koparka łyżkowa podsiębierna backhoe bucket, backhoe excavator, back acter (GB) [transp.]

koparka łyżkowa podsiębierna z chwytakiem backhoe with grab [transp.]

koparka łyżkowa podsiębierna z hydraulicznym napędem elementów roboczych hydraulic backhoe [transp.]

koparka na oponach pneumatycznych rubber-tyred shovel [transp.]

koparka na podwoziu gąsienicowym crawler excavator, track excavator [transp.]

koparka-olbrzym giant excavator [transp.]

koparka przeładunkowa rehandling excavator [transp.]

koparka wielonaczyniowa kołowa

zespołowa compact bucket wheel excavator [transp.]

koparka wielonaczyniowa wzdłużna trenching bucket [transp.]

koparka wywrotna (*samoopróżniająca się*) FD shovel (*tipping shovel*) [transp.]

koparka z hydraulicznym napędem elementów roboczych hydraulic backhoe, hydraulic excavator, mining shovel, hydraulic shovel [masz.]

koparka z napędem elektrycznym electrical excavator, electric excavator (*less vibration*) [transp.]

koparka zbierakowa dragline excavator, dragline bucket, dragline [transp.]

koparka zespołowa compact excavator [transp.]

koparka zgarniakowa dragline bucket (*on cable shovel*), dragline [transp.]

kopcić soot [mot.]

koperta envelope [abc]

kopia copy; double; recess [abc]; blueprint [rys.]

kopia dyskietki disk copy [inf.]

kopiał szablon template, templet [abc]

kopiować copy (*A is copied into variable B*) [inf.]; calk [rys.]

kopiowanie taśm magnetycznych dubbing [inf.]

kopnięcie silnika przy zapuszczaniu rozruchu back kick [mot.]

kopuła cupola; ducket (*in wagon roof*) [mot.]; dome [bud.]

kopuła reaktora containment [energ.]

kopuła stalowa steel dome [masz.]

kora bark, treebark [bot.]

kora asfaltowa asphalt slab [mot.]

kora brzozowa birch bark [bot.]

korba crank; winch [masz.]

korba do świdrów brace [narz.]

K

korba ręczna crank [mot.]

korba rozruchowa starting crank [mot.]

korbka podnośnika szyby okna window crank [mot.]

korbowód rod, connecting rod [mot.]

korbowód przekładni kierownicy steering link [mot.]

korbowód tylnego mostu rear axle radius rod [mot.]

korek bottle stop; cork (*cork stopper, stopper*); locking piece [abc]; congestion, traffic congestion, traffic jam [mot.]; plug [transp.]

korek chłodnicy radiator cap [mot.]

korek gwintowy screw plug, screw [masz.]

korek ochronny protective plug [masz.]

korek ogniwa akumulatora battery cell plug [mot.]

korek powietrzny air pocket (*inclusion of air*) [hydr.]

korek spustowy oleju oil drain plug [mot.]

korek wlewu paliwa fuel tank filler cap [mot.]

korek zaślepiający blanking plug [masz.]

korek zwykły cork plug [masz.]

korekcja correction [energ.]

korekcja tłumieniowa attenuation equalization [el.]

korekcja zarysu profile correction, addendum modification [masz.]

korekta equalization [el.]

korekta po łamaniu page proof (*make up into pages*) [abc]

korektor equalizer, corrector, compensator [el.]

korektor tłumieniowy attenuation equalizer [el.]

korkociąg cork screw [narz.]

korodować corrode [tw.]

korodujący corrodible [tw.]

korona crown [abc]

koronka półosi tylnego mostu differential side gear [mot.]

korowaczka peeling device [narz.]

korowanie peeling work [abc]

korowarka peeling device [narz.]

korownik peeling device [narz.]

korozja corrosion [abc]

korozja cierna fretting corrosion, frictional corrosion [met.]

korozja gazowa high temperature corrosion [energ.]

korozja napięciowa stress corrosion [masz.]

korozja punktu rosy dewpoint corrosion [met.]

korozja udarowa impingement corrosion, impingement attack [met.]

korozja wysokotemperaturowa high temperature corrosion [energ.]

korozyjny (*powodujący korozję*) corrosive [met.]

korporacja incorporation [abc]

korpus body; framework [masz.]; solid; block [mot.]

korpus cewki bobbin (*in film studio*) [el.]

korpus gaźnika carburettor main body [mot.]

korpus hamulca brake body [mot.]

korpus konstrukcji construction body [transp.]

korpus krążka gąsienicy roller body (*track roller body*) [transp.]

korpus łącznika adapter housing [transp.]

korpus pierścienia ślizgowego slip ring body [el.]

korpus pompy pump barrel [mot.]

korpus pompy wodnej water pump body [mot.]

korpus pompy wtryskowej injection pump barrel [mot.]

korpus przegubu Cardana universal joint housing [mot.]

korpus rozdzielacza distributor body [mot.]

korpus sprężarki compressor casing [masz.]

korpus stalowy wytłaczany pressed steel body [masz.]

korpus szkieletu skeleton structure [transp.]

korpus zaworu valve body [energ.]; valve chamber; valve housing; valve pocket [mot.]

korund corundum [tw.]; alumina [min.]

korupcja corruption [polit.]; felt [abc]

korweta corvette [wojsk.]

korygować correct (*remove mistakes*) [abc]

korytarz hall (*hallway, corridor*); passage (*channel, opening*); port (*waterway*) [bud.]; entry (*into coal body, ore body*); tunnel (*GB: gallery*) [górn.]

korytarz gazów spalinowych tube lane [energ.]

korytarz kablowy cable passage, cable tunnel, cable through [el.]

korytko do układania przewodów giętkich hose trough (*on telescope machine*) [masz.]

korytko gumowe rubber tray (*protects body*) [transp.]

koryto doprowadzające chute [transp.]

koryto drogi base of the road [mot.]; road bed (*road bed construction*) [bud.]

koryto na masę betonową concrete trough [transp.]

koryto wsadowe charging box [tw.]

koryto zasypowe feed chute, feeding chute [górn.]

koryto zsypowe do masy betonowej tremie [bud.]

korzeń root (*of tree, of weld seam*) [met.]

korzystać (*z czegoś*) handle [abc]

korzystny convenient [abc]

korzyść advantage [abc]

kosiarka gazonowa lawn mower [abc]

kosiarka mowing machine [masz.]

kosić mow (*mow the lawn*) [bot.]

kosmiczny extraterrestrial (*e.g. UFOs*) [transp.]

kosmonauta astronaut [abc]

kosmos Universe (*the Universe*) [abc]

kostium suit [abc]

kostka lumps [energ.]

kostka próbna sample cube, test cube [mot.]

kosz basket [abc]; (*dachu*) valley [bud.]

kosz do noszenia na głowie head basket [abc]

kosz doprowadzający hopper [mot.]

kosz kosiarki (*na skoszoną trawę*) mowing bucket [transp.]

kosz motocykla side car [mot.]

kosz na papiery waste paper basket [abc]

kosz na śmieci trash can, dust bin, waste paper basket [rec.]

kosz samowyładowczy hopper [mot.]

kosz zaworu valve cage [mot.]

koszarka house boat [mot.]

koszary barracks (*BR: Camp, US: Fort*) [wojsk.]

koszty uzbrojenia (*np. terenu*) development costs [bud.]

kosztorys cost accounting, cost estimation, cost study, estimate [ekon.]

kosztorys organizacyjny estimate on information [abc]

kosztorysant quantity surveyor [abc]

koszty budowy construction cost, erection cost [energ.]

koszty czynników energetycznych energy cost [mot.]

koszty inwestycyjne capital cost [ekon.]

koszty materiałowe cost of material (*not fitter's time*) [ekon.]

K

koszty montażowe erection cost (*e.g. assemble a crusher*) [abc]

koszty nakładowe capital cost, first cost, initial investment [ekon.]

koszty następcze after costs [ekon.]

koszty personalne personnel expenses [abc]

koszty smarowania lube cost (*lubrication cost*) [masz.]

koszty środków trwałych capital cost, initial investment [ekon.]

koszty świadka expenses for witnesses [praw.]

koszty ubezpieczenia insurance fees [prawn.]

koszty utrzymania upkeep cost [abc]; maintenance cost [transp.]; cost of living [ekon.]

koszula shirt [abc]; jacket [masz.]

koszula wierzchnia dress shirt [abc]

koszulka cladding (*lining*) [górn.]

koszulka elementu paliwowego burner element can (*casing*) [energ.]

koszulka izolacyjna insulation jacketing [energ.]

koszulka wodna jacket [mot.]

koszyczek igiełkowy (*łożyska*) needle cage [masz.]

koszyczek krążka zaciskowego wolnego koła free wheel brake roller cage [masz.]

koszyczek łożyska bearing cage; ball retainer [masz.]

koszyczek łożyska dzielony split-caged roller bearing [mot.]

kościec skeleton; bones [med.]

kościół church [bud.]

kościół drewniany (*zbudowany z bali drewnianych*) wooden church (*Norway*) [abc]

kościółek chapel [bud.]

kość bone [med.]

kość piszczelowa shin [med.]

kość słoniowa ivory [norm.]

kotew tie rod; tensioning bolt [masz.]

kotlarnia boiler making plant [energ.]

kotlarz boiler manufacturer [energ.]

kotlina valley [geogr.]

kotłownia boiler house [energ.]

kotwa tie rod; tensioning bolt [masz.]

kotwica anchor [mot.]

kotwica łańcucha chain latch [mot.]

kotwica patentowa patent anchor [mot.]

kotwica szynowa rail anchor [mot.]

kotwiczka armature; rotor [el.]

kowadło anvil (*tool, e.g. in blacksmith shop*) [narz.]

kowal blacksmith [met.]

kowalny soft [met.]

kozi róg stump [abc]

kozioł buck; truss [masz.]; cylinder support (*on boom lower part*); block (*support; to put s.th. onto*) [transp.]; support frame [met.]

kozioł centrujący roller guide support [masz.]

kozioł do naciągania kabla cable gallow [transp.]

kozioł do piłowania sawbuck, sawhorse [met.]

kozioł kablowy cable gallow [transp.]

kozioł łożyskowy bearing support; bearing pedestal; bracket [masz.]; bearing block; fixing boss (*on arm for ejector*); support block [transp.]

kozioł łożyskowy krążka kierowniczego bearing bracket [mot.]

kozioł na kółkach roller stool [mot.]

kozioł nastawny adjustable stand [masz.]

kozioł osiujący roller guide support [masz.]

kozioł sterujący adjustable stand [masz.]

kozioł środkujący roller guide support [masz.]

kozioł wahacza rocker arm bracket [mot.]

koziołek zawieszenia resoru przedniego front spring hanger, front spring support [mot.]

koziołkować somersault (*turn and turn*) [mot.]

kółko napinające jockey wheel [transp.]

kółko nosowe lug ring, nose ring (*between supp and retain ring*) [masz.]

kółko ręczne hand wheel [mot.]

kra slab [mot.]

kradzież samochodu car theft [mot.]

kraj land [abc]

kraj pochodzenia country of origin [abc]

krajowe materiały budowlane local building material [bud.]

krajowy domestic; indigenous [abc]

kranik paliwa fuel valve [mot.]

krasnal ogrodowy garden dwarf (*figurine*) [abc]

krata grate [masz.]; (*made of planks*) grating [bud.]

krata bezpieczeństwa safety grate (*press-cut holes*), safety grating [masz.]

krata druciana wire guard [masz.]

krata drzwiowa grille (*decorative*) [bud.]

krata ochronna frontowa front guard [transp.]

krata ochronna przednia front guard [transp.]

krata okienna window grill [bud.]

krata ozdobna grille (*decorative grill*) [bud.]

krata zasilająca feeder grate [masz.]

krater crater [met.]

krater krańcowy crater at end of weld pass [met.]

kratownica framework; half-timbered construction [bud.]; frame screen [met.]; grating (*grate; over pit*); grill (*in oven*); deck (*grating, grill*) [mot.]

kratownica usztywniająca stiffening truss [transp.]

krawat tie [abc]

krawędziak square timber [bud.]

krawędziarka folding machine (*canting machine*) [masz.]

krawędź edge [abc]; corner (*face*) [bud.]; (*powstała wskutek cięcia gazowego*) flame-cut edge [met.]

krawędź blachy plate edge, sheet edge [masz.]

krawędź czerpaka bucket lip, shovel lip; visor (*front of bottom dump shovel*) [transp.]

krawędź dolna lower cutting edge [transp.]

krawędź natarcia front edge [mot.]

krawędź odniesienia reference edge [rys.]

krawędź pierścienia uszczelniającego sealing lip [masz.]

krawędź pokładu deck edge [mot.]

krawędź przechyłu (*teoretyczna*) tipping line [transp.]

krawędź przednia zęba shank (*on ripper*) [transp.]

krawędź skrawająca cutting edge, cutting lip, cutting ridge, bit [transp.]; knife [masz.]

krawędź skrawająca boczna side cutting edge, side cutter [transp.]

krawędź skrawająca tylna rear cutting edge [bud.]

krawędź spływu rear edge [mot.]

krawędź sterująca control edge [masz.]

krawędź ścięta shell (US); visor (*GB: vizor, front end of shovel*) [transp.]

krawędź tnąca cutting edge, cutting lip, cutting ridge, bit [tw.]; knife [masz.]

krawędź tnąca czerpaka cutting edge [transp.]

krawędź tnąca V-kształtna V-edge [masz.]

K

krawędź wygładzająca scanning edge [masz.]

krawędź zachodzenia angle of departure [mot.]

krawędź zgarniająca striking-off edge [masz.]

krawężnik curb, curbstone, kerbstone [bud.]

krawężnik betonowy concrete curbstone [bud.]

krawężnik drewniany timber kerb [bud.]

krążek reel; disc [abc]; pulley [mot.]; roll [masz.]; roller; top roller [transp.]

krążek biegowy żurawia crane roller [mot.]

krążek bieżny cam roller [masz.]

krążek centrujący centring roll [mot.]

krążek dociskowy pressure roller (*rail against wheel*) [transp.]

krążek gąsienicy top roller; track roller [transp.]

krążek gładki straight-face-roller [mot.]

krążek kierowniczy steering roller [mot.]

krążek kierowniczy żurawia crane roller [mot.]

krążek linowy rope pulley, rope sheave, sheave [mot.]; headwheel pulley [górn.]

krążek linowy z łożyskiem toczym rope sheave with anti-friction bearing [mot.]

krążek łańcuchowy (*gładki*) chain roller, chain sprocket [transp.]

krążek łańcuchowy gniazdkowy taped wheel [masz.]

krążek łańcuchowy palety pallet chain roller [transp.]

krążek mierniczy metering roller [miern.]

krążek napędowy push roller (*pulley*) [mot.]

krążek nawojowy stojana i szpula przenośna stator pick-up ring [el.]

krążek nośny roller carrier, support roller (*opposite: track roller*) [transp.]

krążek nośny poręczy handrail idler, supporting roller guide [transp.]

krążek osiujący centring roll [mot.]

krążek podnośnika widłowego fork-lift roller [mot.]

krążek prowadzący carrier roller [transp.]

krążek (rolka) poręczy handrail roller (*for flat and wedged*) [transp.]

krążek skaningowy scanning roll [transp.]

krążek smarowany na czas użytkowania lifetime-lubricated roller [transp.]

krążek sprężyny spring plate [mot.]

krążek stały lifetime roller [mot.]

krążek ścierny abrasive wheel, grinding disk, grinding wheel, wearing plate [narz.]

krążek środkujący centring roll [mot.]

krążek ustalający steadying roll [el.]

krążek zaciskowy wolnego koła free wheel brake roller [mot.]

krążek zwrotny linowy cable sheave [transp.]

krążenie circuit [mot.]; circulation [abc]

krążenie bezciśnieniowe pressureless circulation [mot.]

krążenie wahadłowe swing circuit [transp.]

krążkowa prowadnica liny fair-lead sheave [mot.]

krążkowany roller finish [met.]

krążkowe podparcie rury pipe roll stand [energ.]

krążownik cruiser [wojsk.]

krążyć rotate [masz.]

kreda chalk [górn.]

kredens cupboard; highboard; sideboard [bud.]

kremowy light ivory [norm.]

kreska (*podziałki*) reading line [miern.]

kreska odczytu reading line [miern.]

kreska ukośna oblique mark (*oblique hyphen*) [abc]

kreska ułamkowa oblique mark [abc]

kreskować stroke (- - - -) [rys.]

kreskowanie hatching [rys.]

kreskowany hatched [rys.]

kreślarka draughtswoman [abc]

kreślarz draftsman, draughtsman [abc]

kreślarz/kreślarka draughtsperson [abc]

kreślenie plotting [inf.]

kreślić draw (*a line*) [abc]

krew blood [med.]

kręg vertebra [med.]

kręgosłup back, backbone; vertebral column, spine, spinal column [med.]

kręgowiec vertebrate animal (*dog, man, horse*) [bot.]

kręt close twisting [fiz.]; twist-effect (*of a propeller*) [mot.]

krok operacji step (*e.g. return key*) [inf.]

kroki podejmowane w celu przekwalifikowania retraining <training-> measure [abc]

kroki strategiczne strategic moves [abc]

krokiew rafter (*part of roof*) [bud.]

kronika filmowa newsreel [abc]

kropka full stop; period (US) [abc]

kropkowany (*w kropki*) dotted [abc]

kropla drop [abc]

kropla deszczu raindrop [meteo.]

kroplochwyt guide funnel [masz.]

kroploszczelny drip-proof, splashproof [abc]

krosno loom, weaver's loom [abc]

krotnik multiplier [transp.]

króciec connecting pipe [masz.]; ferrule [narz.]

króciec dopasowujący adapter [el.]

króciec kontrolny test socket [mot.]

króciec lutowany soldered joint [met.]

króciec odpowietrznika breather pipe [mot.]

króciec pierścieniowy ring support [mot.]

króciec podłączeniowy gaźnika carburettor flange [mot.]

króciec podłączeniowy standpipe [masz.]

króciec przyłączeniowy connection (*standpipe*) [energ.]

króciec rozdzielczy (*rurociągu*) distributor [mot.]

króciec rurowy socket; standpipe [masz.]

króciec ssawny inlet; inlet side; inlet, intake, suction side [energ.]

króciec tłoczący pompy pump outlet side [energ.]

króciec tłoczny outlet side (*of a fan or pump*) [masz.]; pressure pipe tube [mot.]

króciec wkręcany screw-in socket [masz.]

króciec wlewowy filler [mot.]; tank opening [transp.]

króciec wlewowy chłodnicy radiator filler tube [mot.]

króciec wlewowy wraz z pokrywą filler cap assembly [mot.]

króciec wlewu oleju oilfiller neck, oil filler, filler [mot.]

króciec wlotowy inlet connection [mot.]

króciec wlotowy chłodnicy radiator water inlet, radiator inlet connection [mot.]

króciec wlotowy wody chłodzącej water inlet connection [mot.]

K

króciec wylotowy outlet connection [mot.]

króciec wylotowy chłodnicy radiator outlet connection, radiator water outlet [mot.]

króciec wypływowy outlet connection [mot.]

króciec wypływowy chłodnicy radiator outlet connection, radiator water outlet [mot.]

króciec wypływowy wody chłodzącej water outlet connection [mot.]

króciec zamykający plug-type neck [mot.]

krój pisma font [inf.]

krótka informacja prasowa press report [abc]

krótka lina do mocowania lash ring [mot.]

krótki tył pojazdu short rear (*on compact excavator*) [transp.]

krótkoterminowy short-term (*in the short-term*) [abc]

krótkowzroczny near-sighted [med.]

kruchość brittleness [masz.]

kruchość ługowa caustic embrittlement [chem.]

kruchość wodorowa hydrogen embrittlement [tw.]

kruchy brittle; FRAGILE (*sign on box*) [abc]; crumbly [bud.]

kruszarka crusher, crusher plant, crushing installation, crushing machine, grinding plant, breaker [górn.]

kruszarka do kamienia rock crushing mechanism [górn.]

kruszarka do rozdrabniania wstępnego coarse crushing plant [górn.]

kruszarka dwuwalcowa double-roll crusher [narz.]

kruszarka jednowalcowa single-roll crusher [górn.]

kruszarka kołowa mobile crusher, mobile crusher plant [górn.]

kruszarka kulowa bębnowa race pulverizer [górn.]

kruszarka młotowa hammer crusher [narz.]

kruszarka młotowa dwuwałowa double-shaft hammer crusher [narz.]

kruszarka młotowa hydrauliczna hydraulic breaker [narz.]

kruszarka obrotowa cone crusher [górn.]

kruszarka przewoźna portable crusher (*impact, jaw*), portable crushing installation [górn.]

kruszarka rurowa tube crack [masz.]

kruszarka stożkowa cone crusher, gyratory crusher [górn.]

kruszarka szczękowa jaw crusher (*in quarry*) [narz.]

kruszarka szczękowa jednorozporowa single toggle jaw crusher (*in quarry*) [górn.]

kruszarka szczękowa kolankowa podwójna double toggle jaw crusher [narz.]

kruszarka szczękowa z podwójną dźwignią kolankową double-toggle jaw crusher [górn.]

kruszarka udarowa impact crusher [narz.]

kruszarka wstępna primary crusher [narz.]

kruszarka wtórnego przerobu secondary crusher [górn.]

kruszarka żużla clinker crusher, slag crusher [energ.]

kruszarko-suszarka combined grinding and drying [energ.]

kruszarnia crushing plant [górn.]

kruszarnia stcjonarna stationary crushing plant [górn.]

kruszenie crushing [górn.]

kruszenie miałkie fine crushing [górn.]

kruszenie skał półtwardych medium-hard rock-crushing [górn.]

kruszność (skały) grindability index [energ.]

kruszyć mill [met.]; crumble [bud.]

kruszywo aggregate [masz.]

kruszywo drobnoziarniste fine aggregate [min.]

kruszywo mineralne aggregate (*gravel, crushed stone*) [bud.]; mineral mixture [górn.]

krużganek cloister [bud.]

kryć cover [abc]

kryjówka hideaway (*hideout, hiding place*) [abc]

krystalizacja crystallization [chem.]

kryształ chroniony protected crystal [masz.]

kryształ crystal [chem.]

kryształ nieosłonięty bare crystal [min.]

kryształ o cięciu (na) X X-cut crystal [el.]

kryształ o cięciu (na) Y Y-cut crystal [el.]

kryteria kontrolne entries [transp.]

kryteria powodzenia criteria for success [inf.]

kryterium criterion [el.]

kryterium Nyquista Nyquist criterion [el.]

kryterium optymalności best possible criteria [abc]

kryterium sortowania sorting criterion [inf.]

kryterium stabilności stability criterion [el.]

krytyk critic [abc]

krytyka criticism [abc]

kryza flange; boot plate; joint plate [masz.]

kryza krążków gąsienicy track roller flange [transp.]

kryza miernicza metering orifice; orifice disk [miern.]

kryza napędowa drive flange [mot.]

kryza rury pipe flange, tube flange [masz.]

kryza skrzynki przekładniowej gearbox flange [mot.]

kryza wykorbiona cranked flange [masz.]

kryzys crisis (*plural: crises*) [abc]

krzak bush [bot.]

krzaki wildwood [bot.]

krzem silicium, silicon [min.]

krzemień flint (*used since early mankind*) [górn.]

krzepnąć solidify (*set*) [abc]

krzepnięcie solidification (*setting*) [abc]

krzesełko składane folding chair, folding stool [abc]

krzesło chair (*e.g. armchair*) [bud.]

krzesło obrotowe swivel chair [abc]

krzywa curve [bud.]; bend (*also a natural one*) [mot.]; curvature (*arc*) [rys.]

krzywa analizy granulometrycznej grading curve [bud.]

krzywa charakterystyczna characteristic curve [el.]

krzywa dzwonowa bell-shaped curve [fiz.]

krzywa miejscowa locus [masz.]

krzywa momentu speed torque curve [masz.]

krzywa osiadania load-settlement curve [bud.]

krzywa przejściowa transition curve [mot.]

krzywa przesiewu grading curve [bud.]

krzywa rezonansu resonance curve [fiz.]

krzywa rozproszenia dissipation hyperbola [fiz.]

krzywa wzniosu lifting arc [transp.]

krzywak elbow (*in pipe*) [mot.]

krzywak filtru olejowego oil filter elbow [masz.]

krzywak podwójny Y-pipe [energ.]

krzywak rurowy bend connector,

K

bowed section, pipe bend (*knee*) [masz.]

krzywak rurowy połączeniowy ekonomizera economizer connecting bend [energ.]

krzywić się distort [mot.]

krzywienie się warping [masz.]

krzywizna bend [mot.]; curvature [abc]

krzywizna czerpaka digging arc [transp.]

krzywka cam [tw.]; knag [bud.]

krzywka mimośrodowa cam contour [mot.]

krzywka rozdzielacza zapłonu cam and stop plate, contact breaker cam [mot.]

krzywka tarczowa skośna wobble plate, wobbling disc, swash plate [masz.]

krzywka zapłonowa ignition cam [mot.]

krzywy crooked [tw.]; leaning [abc]

krzyż cross [abc]

krzyż nitek cross-hair sight [wojsk.]

krzyżak cross piece (*gusset*), cross pin [tw.]; four-way connector; spider [mot., met.]

krzyżak mechanizmu różnicującego differential spider [mot.]

krzyżak silnika engine cross (*axial ctr crankshaft*) [mot.]

krzyżować meet [mot.]

krzyżownica tongue [mot.]

krzyżowo (*np. malowanie krzyżowe*) crosswise (*put <paint> on crosswise*) [met.]

krzyżowy układ połączeń joystick control [transp.]

krzyżulec yoke (*bracket, fixture, bearing*); crosshead [mot.]

książka book (*cook book, dictionary*) [abc]

książka kontroli test-book [abc]

książka telefoniczna directory, telephone directory [telkom.]

księgarnia book store [abc]

księgarnia na dworcu station book stall [mot.]

księgować enter, book an amount [abc]

księgowość accountancy (*accounting*) [ekon.]

księgowy book keeper, accountant [ekon.]

księżyc moon [abc]

księżycowy lunar (*e.g. lunar orbit*) [abc]

kształt shape [abc]; outline [mot.]

kształt dachu shape of the roof [bud.]

kształt impulsu pulse shape [el.]

kształt obudowy wyrobiska mining sections (*parts for mine walls*) [górn.]

kształt płomienia shape of flame [energ.]

kształt podstawowy basic design, basic form [rys.]

kształt próbek shape of sample (*e.g. ISO-V*) [masz.]

kształt rowu ditch profile [transp.]

kształt sinusoidalny sine wave [transp.]

kształt specjalny specialform [inf.]

kształt spoiny weld shape [met.]

kształt urobku shapes of breaking [górn.]

kształt zespołu jezdnego profile of the crawler unit [transp.]

kształt zęba tooth form [masz.]

kształtka specially shaped fire brick [energ.]

kształtka ogniotrwała do budowy palnika burner throat brick [energ.]

kształtka przejściowa adapter piece [masz.]

kształtka rurowa pipe fitting [masz.]

kształtka rurowa łukowa elbow (*of pipe*); bend [masz.]

kształtka rurowa redukcyjna pipe

reducer, reducer [masz.]

kształtka (rurowa) wielodrogowa swivel fitting [masz.]

kształtka surowa blank (*unmachined*) [met.]

kształtka szamotowa refractory brick [mot.]

kształtować form; shape [abc]; swage [met.]

kształtowanie shaping [abc]

kształtowanie krajobrazu gardening and landscaping [roln.]

kształtowanie próżniowe vacuum forming (*vacuum process with foil*) [masz.]

kształtowanie spoin design of joints [met.]

kształtowanie warunków pracy job design [abc]

kształtowany na gorąco hot-formed (*hot formed springs*) [met.]

kształtownik prowadnicy łańcucha steel extrusion; stepchain guide; track liner [transp.]

kształtownik stalowy bar steel; merchant bar; steel division [masz.]

kształtownik stalowy ocynkowany steel section, galvanized [met.]

kształtownik stalowy walcowany rolled steel joist [masz.]; double T-iron (*for sole bar*) [met.]

kształtowy form-closed [masz.]

kubek cup [abc]

kubeł (*przenośnika*) scoop; bowl (*on scraper*) [transp.]; bucket, pail [abc];

kubeł bocznozsypny side-tipping bucket [mot.]

kubeł czerpakowy drenarski trencher [transp.]

kubeł dennozsypny bottom dump shovel; two-in-one clamshell [transp.]; bull clam [narz.]

kubeł do masy betonowej concrete skip, concrete bucket [bud.]

kubeł do materiału sypkiego loading bucket [mot.]

kubeł samoopróżniający się FD bucket, front dump shovel [transp.]

kubeł skipowy skip [mot.]

kubeł wywrotny FD bucket, front dump bucket [transp.]

kubeł wywrotny boczny side dump bucket, side-tipping bucket [transp.]

kubeł z dnem klapowym two-in-one clamshell [transp.]

kubeł z klapami dennymi drop-bottom bucket [mot.]

kuchenka stove [mot.]; range [bud.]

kuchnia elektryczna electric range [el.]

kuchnia obudowana built-in kitchen [bud.]

kuchnia okrętowa galley [transp.]

kucie matrycowe drop-forging [met.]

kuć forge; hammer [met.]

kufa var (*vessel, tub, tank, tun*) [abc]

kufel (*z pokrywą*) tankard [abc]

kufer trunk (*chest, case, box*) [abc]

kujny soft [masz.]

kukurydza corn (*US: Indian corn*) [bot.]

kula ball (*in general*); crutch (*walk on crutches*) [abc]

kula do strzelania rozszczepkowego drop ball; bomb [transp.]

kula stalowa steel ball [masz.]

kula synchronizująca synchronising ball [mot.]

kulisa guard [transp.]

kulisty ball-shaped [abc]; spherical [masz.]

kulka ball; nodule [abc]

kulka rygla interlock ball [mot.]

kuloodporny bullet proof (*glass*) [wojsk.]

kulowanie ball shot; iron shot; shot blast plant [energ.]

kuracja health treatment [med.]

kurant chime [abc]

kurczenie się shrinking [masz.]

kurczę chick [bot.]

K

kurczyć (*się*) shrink [abc]
kurek cock, tap, faucet [bud.]
kurek czerpalny tap [abc]; water faucet [bud.]
kurek dekompresyjny pet cock [masz.]
kurek instalacji do napełniania opon tyre-inflating cock [mot.]
kurek na dachu weather vane [abc]
kurek odcinający cut off cock; shut-off valve; isolating cock (*on brake pipes*) [mot.]
kurek odłączający isolating cock [mot.]
kurek odpowietrzający air cock [masz.]; vent cock [mot.]
kurek odprężający pet cock [masz.]
kurek paliwa fuel valve [mot.]
kurek probierczy gauge cock; water faucet [energ.]; sample cock [mot.]
kurek probierczy poziomu wody gauge-glass test cock [mot.]
kurek probierczy wodowskazu test cock of the water gauge [masz.]
kurek spustowy drain cock; elbow cock (*relief valve*) [masz.]
kurek spustowy cylindra purge cock [masz.]
kurek spustowy oleju oil drain cock [mot.]; oil pan drain cock [masz.]
kurek trójdrogowy three-way cock [masz.]
kurek trójdrogowy kontrolny control three-way valve [energ.]
kurek trójdrożny kontrolny control three-way valve [energ.]
kurek trójprzewodowy kontrolny control three-way valve [energ.]
kurek wlotowy entry steam cock [mot.]
kurek zamykający cut off cock, shut-off valve [masz.]
kurek zaporowy (*np. rurociągu*) shut-off valve, cut off cock [mot.]
kurier messenger; orderly [wojsk.]

kurkowy zawór bezpieczeństwa cock support [mot.]
kurować cure (*heal, treat*); remedy [med.]
kurs course (*training course*); ride [abc]; route [mot.]
kurs szkoleniowy operatorów koparek operators' training course [transp.]
kursor cursor (*pointer on DP monitor*) [inf.]
kurtka jacket (*coat*) [abc]
kurtka pikowana quilted jacket [abc]
kurtyna pożarowa fire shutter [transp.]
kurz dust [abc]
kurzawka quicksand [abc]
kurze łapki crow's feet (*wrinkles*) [met.]
kuszetkowy sleeping car guard [mot.]
kuty w matrycy die forged, drop forged (*tool hammers down*) [met.]
kuźnia forge [met.]
kwadrat square [abc]
kwadratowy square [abc]
kwadratówka kelly bar [transp.]
kwalifikować (*się*) qualify [abc]
kwalifikowany spawacz ręczny certified welder [met.]
kwantyfikator szczegółowy existential quantifier [inf.]
kwantyfikator uniwersalny universal quantifier [inf.]
kwarc o cięciu (na) X X-cut quartz (*X-cut*) [el.]
kwarc o cięciu (na) Y Y-cut quartz (*coupling*) [el.]
kwarc ochronny protective quartz [masz.]
kwarc quartz [min.]
kwarcyt quartzite [min.]
kwartalny quarterly [abc]
kwas acid [chem.]
kwas fosforowy phosphoric acid [chem.]
kwas krzemowy silicic acid [chem.]

kwas siarkowy sulfuric acid, sulphuric acid, sulfurous acid [chem.]

kwas solny hydrochloric acid [chem.]

kwasoodporny acid-resistant [chem.]

kwaśny acid (*acid rain*) [meteo.]; acidal [chem.]

kwaśny deszcz acid rain [meteo.]

kwaśny siarczyn bisulphite [chem.]

kwatera główna headquarters (*always plural*) [wojsk.]

kwerenda query [abc]

kwestia problem [abc]

kwestionariusz do projektu project questionnaire [abc]

kwestionariusz questionnaire [abc]

kworum quorum [abc]

L

laboratorium laboratory, lab [abc]

lać pour [abc]

lada counter [bud.]

lak do pieczęci sealing wax [abc]

lakier varnish [abc]

lakier przeciwkorozyjny (*z tworzyw sztucznych o ściągalnej powłoce*) strip varnish (*strip paint; preserves*) [masz.]

lakiernia paint shop [abc]

lakiernik natryskowy painter (*sprayer*) [abc]

lakierować finish; varnish [met.]; seal [bud.]

lakierowanie taśm stripe design coating [masz.]

lakierowany lacquered; varnished [met.]

lakierowany na czarno black lacquered [abc]

lakierowany wstępnie pre-painted [met.]

lalka doll [abc]

lamentować moan; wail [abc]

laminat laminate [masz.]; compound material [tw.]

laminat tkaninowy laminated fabric [tw.]; moulded laminate [masz.]

laminaty dekoracyjne decorative laminates [tw.]

laminować laminate [masz.]

laminowanie lamination [abc]

laminowany coated, laminated, plastic laminated [tw.]

lampa lamp [el.]

lampa biurkowa desk lamp [el.]

lampa Brauna cathode ray tube (CRT) [el.]

lampa do czytania reading lamp [abc]

lampa elektronopromieniowa cathode ray tube (CRT) [el.]

lampa elektronowa nadawcza transmission tube [el.]

lampa elektronowa zliczająca decade counter tube [miern.]

lampa kontrolna control lamp, indicator lamp, signal lamp [mot.]

lampa kontrolna prądu ładowania charge control lamp [el.]

lampa kotwiczna anchor lamp, riding light [mot.]

lampa lutownicza blow lamp, blowtorch, soldering lamp [narz.]

lampa migowa direction indicator lamp, turn-signal lamp [mot.]

lampa migowo-pozycyjna combined flasher and tail lamp [mot.]

lampa miniaturowa miniature bulb [mot.]

lampa naftowa oil lamp, kerosene lamp (US) [abc]

lampa obrazowa afterglow tube [fiz.]

lampa oscyloskopowa cathode ray tube (CRT) [el.]

lampa oscyloskopowa z długą poświatą low-intensity tube [el.]

lampa ostrzegawcza warning light [mot.]

lampa pamięciowa image storing tube [el.]

lampa pozycyjna tylna tail lamp, tail light [mot]

lampa probiercza test lamp [miern.]

lampa punktowa pilot lamp [el.]

lampa reaktancyjna reactance valve [el.]

lampa ręczna hand lamp [el.]

lampa (samochodowa) przenośna inspection lamp [mot.]

lampa sufitowa ceiling lamp, roof lamp [bud.]

lampa sygnalizacyjna signal lamp, indicator light [transp.]; signal lamp [inf.]

lampa sygnalizacyjna świetlna traffic light (*set of t. l.*) [mot.]

lampa tablicy przyrządów instrument panel lamp (*dashboard lamp*) [mot.]

lampa tylna tail lamp, tail light [mot.]

lampa wskaźnikowa ruchu traffic light [mot.]

lampa z ekranem tenebrescencyjnym dark trace CR tube [inf.]

lampka kontrolki ładowania generator lamp (*telltale lamp*) [el.]

lampka kontrolna ciśnienia oleju oil pressure indicator lamp [mot.]

lampka kontrolna kierunkowskazu turn-signal control lamp [mot.]

lampka kontrolna kierunkowskazu migowego direction indicator control lamp [mot.]

lampka kontrolna światła drogowego high beam indicator lamp [mot.]

lampka kontrolna świec zapłonowych time lamp [mot.]

lampka podświetlająca wodowskazu gauge-glass lamp (*steam loco*) [mot.]

lampka prętowego wskaźnika poziomu side-marker lamp [mot.]

lampka sygnalizacyjna indicator light, pilot lamp [el.]

lampka wilgocioodporna humid room lamp, moist place light [transp.]

lampka wskaźnikowa indicator light [el.]

lampka wskaźnikowa ładowania load indicator lamp [abc]

lanca lance [met.]

lanca termiczna thermic lance (GB) [tw.]

lanca zapłonowa lighting-up lance, portable lighter [energ.]

lancetowy zdmuchiwacz sadzy rack soot blower [energ.]

laptop (*mały komputer przenośny*) laptop (*small portable PC*) [inf.]

las forest, woods (*in the woods, in the forest*) [bot.]

laser Laser (*Light Amplification by Stimulated Emission of Radiation*) [el.]

laska popychacza push rod, valve rod, valve spud [mot.]

latać float; fly (*bird, plane*); hover [abc]

latarnia lantern (*street lamp*) [mot.]

latarnia kierunkowa beacon [mot.]

latarnia kotwiczna anchor lamp, riding light [mot.]

latarnia morska lighthouse [mot.]

latarnia portowa harbour light [mot.]

latarnia sztormowa storm lantern [mot.]

latarnia uliczna street lamp (*street lantern*) [mot.]

latarniowiec fire ship (*e.g. Clyde estuary*) [mot.]

lateryt laterite [bud.]

lawa lava [min.]

lawina avalanche [abc]

lazaret military hospital [wojsk.]

lądować land [abc]

lądowanie awaryjne emergency landing (*of a plane*) [mot.]

lądowanie na księżycu landing on the moon [mot.]

lądowanie z uszkodzeniem crash landing [mot.]

lądowisko airport, air strip, air field; landing strip [mot.]

lądownik księżycowy załogowy lunar landing craft (*lunar shuttle*), moon landing craft [mot.]

LCD (*wyświetlacz na ciekłych kryształach, wyświetlacz ciekłokrystaliczny*) LCD (*liquid crystal display*) [inf.]

leczenie health treatment [med.]

leczyć cure, heal, remedy [abc]

legar podłogowy joist [bud.]

legenda legend [abc]

lej hopper [energ.]; funnel [abc]

lej doprowadzający hopper [mot.]

lej nasypowy coal hopper [energ.]

lej osiowy flared tube [mot.]

lej popielnikowy slag hopper, cinder hopper, ash hopper, stoker ashpit [energ.]

lej przepadowy (*przesiewczy*) riddlings hopper [energ.]

lej przesypowy riddlings hopper, siftings hopper [energ.]

lej samowyładowczy hopper (*with hopper chute*) [mot.]

lej tylnego mostu rear axle flared tube [mot.]

lej wlotowy intake guide [masz.]

lej wsypowy hopper [masz.]

lej zasilający feed hopper, feeding hopper, hopper [górn.]

lej zasypowy feeding hopper, hopper [masz.]

lej zgorzelinowy ash hopper, cinder hopper [energ.]

lej zrzutowy discharge funnel [górn.]

lej zrzutowy z przesiewem wstępnym discharge funnel with pre-screen [górn.]

lej (zsypowy) komory paleniskowej furnace hopper [energ.]

lej zsypowy popiołu lotnego fly ash hopper, grit hopper [energ.]

lej (zsypowy) z zamknięciem wodnym water-sealed furnace hopper [energ.]

lejek funnel [abc]; hopper [energ.]

lejkowaty funnel-shaped [abc]

lek pill, medicine, tablet, drops [med.]

lekarstwo drug, medicine, pill, tablet, drops, remedy [med.]

lekarz doctor; physician [med.]

lekaż (wyciek) leakage [mot.]

lekceważyć disregard [abc]

lekcja języka language course [abc]

lekki light [abc]

lekkie przekręcenie pompy slight drifting of a pump [mot.]

leksyka vocabulary [inf.]

lemiesz blade; mouldboard (MB) [transp.]

lemiesz czołowy (*przedni*) front blade, dozer blade [transp.]

lemiesz główny main-blade (*grading blade*) [transp.]

lemiesz krótki short blade, short mouldboard (*short MB*) [transp.]

lemiesz nastawny angling blade [transp.]

lemiesz (pługa do odśnieżania) o zmiennym kącie ustawienia angled bank blade [transp.]

lemiesz przedni front blade, dozer blade [mot.]

lemiesz spycharki bulldozer blade (*front blade*), dozer blade [transp.]

lemiesz środkowy (*centralny*) mouldboard [transp.]

lepiący się cohesive [gleb.]; gluey [abc]

lepiszcze adhesive; cementitious material [chem.]; binder [masz.]

lepki adhesive [fiz.]; cohesive (*e.g. sticky soil*) [gleb.]; gluey; sticky [abc]

lepkość viscosity [abc]; tenacity (*quality of strong adhesion*) [miern.]

L

less loess [abc]
leśniczy forester, ranger [bot.]
letni lukewarm [abc]
leukoplast band aid [abc]
lewa burta port side (*this side at harbour wall*) [mot.]
lewa strona tablicy sterowniczej L. H. side panel [el.]
lewitacja magnetyczna maglev [mot.]
leworęczny left handed [abc]
lewoskrętny left-turning [masz.]; counter-clockwise (*threading*) [rys.]
lewostronny l.h. (*left handed*); LH (*left hand*) [abc]
lewy left (*left behind*) [abc]
leżakowany seasoned (*a number of years old*) [abc]
leżący na tej samej linii lub płaszczyźnie in line [abc]; flush (*aligned, even, smooth*) [met.]
licencjat B.A. [abc]
liceum Secondary [abc]
lichtuga lighter [mot.]
lichy bad (*miserable, faulty*) [abc]
lico grani back of weld [met.]
licowanie cladding [transp.]; coat [bud.]; graining [abc]
licowanie skórzane leather design (*in drawings*) [abc]
licówka formwork board [bud.]
liczba (*ilość*) number; population [abc]
liczba cetanowa centane number [mot.]
liczba charakterystyczna index [abc]
liczba chorych number of staff ill [med.]
liczba kardynalna cardinal number (*opp.: ordinal n.*) [mat.]
liczba kodowa code numbers [wojsk.]
liczba kryterialna criterion [el.]
liczba kwasowa acid number [chem.]
liczba mianowana denomination [mat.]

liczba mieszkańców population [abc]
liczba nieparzysta odd no. [abc]
liczba obrotów (*na minutę*) revolutions (revs); speed of rotation, rpm [masz.]
liczba obrotów bloku kontrolnego number of probe block revolutions [miern.]
liczba obrotów silnika engine revolutions, engine speed [mot.]
liczba osi number of axles [mot.]
liczba parzysta even number (*of pistons*), even no. [mat.]
liczba porządkowa ordinal number (*1st, 2nd, 3rd, etc.*) [mat.]
liczba PR ply rating [mot.]
liczba pracowników number of employees [abc]
liczba Reynoldsa Reynold's number [energ.]
liczba stopni swobody variability [chem.]
liczba stosunkowa module [masz.]
liczba sztuk number of items [abc]
liczba urojona imaginary number [mat.]
liczba zatrudnionych number of employees [abc]
liczba zębów number of teeth [narz.]
liczba znamionowa index [abc]
liczba zwojów number of coils [masz.]
liczba zwojów sprężynujących number of resilient coils [masz.]
liczby dopasowane restated figures [abc]
liczman token, brand [abc]
licznik counter [abc]; meter [miern.]
licznik dzielnika pulse count reducer [el.]
licznik Geigera Geiger counter [el.]
licznik godzin (*pracy*) hour meter, service hourmeter [transp.]
licznik impulsów impulse counter [transp.]

licznik kilometrów mileage recorder [mot.]

licznik mocy czynnej real power counter [el.]

licznik nastawny preselection counter, preset counter [el.]

licznik obrotów revolution counter, rev. counter [masz.]

licznik obrotów silnika engine tachometer [mot.]

licznik roboczogodzin hour counter, hour meter [transp.]

licznik z wstępnym nastawieniem preselection counter, preset counter [el.]

liczny numerous [abc]

liczyć count [abc]

liczydło abacus (*counting board*) [mat.]

liczydło chińskie Chinese counting board (*"suan-pan"*) [mat.]

lider (na) rynku market leader [abc]

lignit lignite (*brown coal*) [górn.]

likwacja liquation; lamination [abc]

likwidacja szkody damage adjustment [prawn.]

likwidacja zakładu przemysłowego demolition of industrial plants [prawn.]

likwidować annihilate [abc]

lila czerwony red lilac [norm.]

limimetr inclined gauge; micropressure gauge [mot.]

lina cord [abc]; rope, line, cable [masz.]

lina awaryjna emergency cord; safety rope [transp.]

lina beznapięciowa non-spinning rope (*non-spinning cable*) [masz.]

lina cofająca back haul [transp.]

lina druciana wire rope (*wire cable*) [masz.]

lina dzwonnicza bell rope [abc]

lina holownicza tow rope [mot.]

lina konopna sash line [abc]

lina napinająca tensioning rope [transp.]

lina napowietrzna aerial line (*e.g. in open pit*) [el.]

lina nieodkrętna non-spinning rope [masz.]

lina nośna cat wire (*GB: short for catenary wire*) [mot.]

lina odciągowa suspension rope [transp.]

lina podpierająca holding rope [transp.]

lina podziemna underground line [abc]

lina stalowa wire rope, wire cable [masz.]; steel cable (*basket to balloon base*) [mot.]

lina stalowa ze szpulą cable and reel [tw.]

lina wypadowa luffing rope [mot.]

lingwistyka komputerowa computational linguistics [inf.]

linia line (*straight line; follow this line to reach A*); guidance [abc]; (*np. kolejowa*) line [mot.]

linia brzegowa strandline [abc]

linia ciągła full line [rys.]; uninterrupted line [mot]

linia cięcia blach slitting/shearing line [masz.]

linia czasu base line, time base [abc]

linia dalekosiężna overhead power supply (*miles long*) [el.]

linia dwutorowa double traction (*dual traction*) [mot.]

linia elektroenergetyczna power line [energ.]

linia energetyczna nadziemna overhead power supply; overland line (*line on steel masts*) [el.]

linia energetyczna napowietrzna power line [el.]

linia kolejowa railroad line (*US: from A to B*), railroad track, railway line [mot.]

L

linia kolejowa główna main line [mot.]

linia komunikacyjna lotnicza commercial airline [mot.]

linia konferencyjna conference line (*reliable shipping line*) [mot.]

linia kreska-kropka stroke-dotted line [abc]

linia kreskowa dashed line [rys.]; stroked line [abc]

linia kropkowana dotted line [abc]

linia lokalna feeder line, local track [mot.]

linia obciążenia rezystancyjnego resistive load line [el.]

linia odczytu reading line [miern.]

linia odniesienia profilu profile reference line [abc]

linia operacyjna load line [el.]

linia opóźniająca delay line [transp.]

linia podziału parting line (*opens and closes*); mould parting line [masz.]

linia pomiędzy punktami pracy working line between working points, working inclined line between working points [transp.]

linia posuwu przedniego forward travel path [energ.]

linia prądu streamline [abc]

linia produkcyjna assembly line; plant [masz.]

linia produkcyjna beczek piwnych steel keg production line [abc]

linia produkcyjna beczek ze stali szlachetnej stainless steel keg production line [tw.]

linia przesyłowa overhead power supply [el.]

linia przesyłowa napowietrzna overhead transmission line (*long*) [el.]

linia robocza working line [transp.]

linia środka ciężkości obciążenia load centre line [mot.]

linia technologiczna taśmowa coil processing line [tw.]

linia ugięcia bend-line [rys.]

linia wybierania dial-up line [inf.]

linia wypychacza ejector line [masz.]

linia wzdłużnego cięcia kęsisk płaskich slab slitting line [masz.]

linia zagięcia bending line [rys.]

linia zasilająca feeder line [mot.]

linia zerowa zero line [abc]

linia znakowania marking line [masz.]

linia znakująca marking line [masz.]

linia zwrotu stopnia step return point, step turning point [transp.]

liniał straight edge [met.]

liniał mierniczy straight edge [met.]

liniał poziomniczy straight edge [met.]

linie tej samej jasności isobrightness lines [inf.]

liniować line (*draw a l.*) [abc]

liniowość linearity [mat.]

linka Bowdena bowden line, hood cable [mot.]

linka Bowdena do maski silnika hood cable [mot.]

linka dźwigni gazu accelerator cable [mot.]

linka hamulca brake cable [mot.]

linka sterowa control cable (*moves rudder*) [mot.]

linowy slinger (*chains, ribbons, ropes*) [mot.]

lisica compass saw; keyhole saw [narz.]

list letter [abc]

list ofertowy tender letter [abc]

list polecony registered letter (*advice of delivery*) [abc]

list przewozowy bill of lading [mot.]

list przewozowy lotniczy AWB (*airway bill*) [abc]

list przewozowy na transport ładunków drogą powietrzną flight consignment, airway bill (AWB) [abc]

lista list [abc]; schedule [bud.]
lista części parts list [abc]
lista części zamiennych spare parts list, list of spare parts [mot.]
lista czynności konserwacyjnych maintenance manual [mot.]
lista kołowa circular list [inf.]
lista kontrolna check sheet (*check list*) [abc]
lista pierścieniowa circular list [inf.]
lista pobrania pull list [abc]
lista towarów packing list [transp.]
listewka drewniana ribbon [abc]
listonosz letterman, postman, mailman [polit.]
listowanie listing [inf.]
listowie foliage [bot.]
listwa lath (*of wood; batten*) [abc]; batten (*of wood*) [bud.]; moulding; steel sub plate [transp.]
listwa drewniana ribbon [abc]
listwa kryjąca styki cover bar, cover-strip [transp.]
listwa mocująca attachment rail [masz.]
listwa o przekroju trójkątnym triangular fillet [masz.]
listwa ochronna wear strip [masz.]
listwa ochronna poręczy finger protection extrusion, handrail [transp.]
listwa ozdobna moulding [mot.]
listwa panwiowa socket panel [masz.]
listwa probiercza socket panel [masz.]
listwa profilowa do mocowania szyby buffer on glass panel [mot.]
listwa profilowa final section, bank; moulding [transp.]
listwa przypodłogowa skirting [mot.]
listwa uszczelniająca sealing strip [masz.]
listwa wzmacniająca blocking (*reinforcement*) [rys.]

listwa z gniazdami wtykowymi multiple pin strip [el.]
listwa zaciskowa terminal strip [el.]
listwa zakrywająca wewnętrzna inner decking (*interior decking*) [transp.]
listwa zębata gear rack [mot.]
litera letter (*capital, small letters*); character (*letters, marks*) [abc]
literat writer [abc]
literatura literature [abc]
litr litre [fiz.]
lity solid (*compact, eg. solid rock*) [geol.]
Loctite (*środek ułatwiający mocowanie*) loctite (*from: "lock tight"; glue*) [abc]
lodołamacz ice breaker [mot.]
lodowaty ice-cold; icy [abc]
lodowiec glacier; icefall [geol.]
lodowy ice-cold [abc]
loggia loggia [bud.]
logiczny logical [abc]
logika logic [inf.]
logika niemonotoniczna nonmonotonic logic [inf.]
logika obwodu elektrycznego circuit logic [el.]
logika sterowania control logic [transp.]
logika współbieżności concurrency logic [abc]
logistyka logistics (*strategic supply*) [wojsk.]
logistyka części parts logistic [inf.]
logistyka wewnątrzzakładowa internal logistics [abc]
logo logo [abc]
logo firmy trade mark, trademark [abc]
logo producenta manufacturer's marking [abc]
lokacje pamięci memory locations [inf.]
lokalizacja location; site (on site) [abc]; location (*of installation*)

L

[mot.]; (*np. produkcji*) place of manufacturing [abc]

lokalizacja błędu flaw location, orientation [miern.]

lokalizacja montażu mounting location [transp.]

lokalizacja uszkodzeń flaw location, orientation, fault finding [miern.]

lokalizator locator [abc]

lokalizować localize [transp.]

lokalna sieć komputerowa inhouse network, local area network [inf.]

lokalnie dostępny locally available [abc]

lokalny indigenous [abc]

lokalny przedstawiciel inżyniera-konsultanta/doradcy resident engineer [abc]

lokalny rodzaj zabudowy indigenous construction methods [bud.]

lokator tenant [bud.]

lokaut lockout [abc]

lokomotywa locomotive; loco (*GB: short for locomotive*); railway locomotive (GB); engine (*US: RR engine*); railroad engine (US) [mot.]

lokomotywa członowa joint locomotive [mot.]

lokomotywa elektryczna electric locomotive, E-loco [mot.]

lokomotywa inspekcyjna inspection engine [mot.]

lokomotywa kusa saddle loco, saddle engine (*US; or saddle tank*), pannier <tank> loco, tank loco [mot.]

lokomotywa manewrowa locomotive trolley, dinky, dinkey [mot.]

lokomotywa o silnikach sprzężonych compound locomotive [mot.]

lokomotywa parowa steam engine, steam loco, steam locomotive, steamer [mot.]

lokomotywa spalinowa diesel locomotive, diesel loco [mot.]

lokomotywa typowa standard locomotive [mot.]

lokomotywa wąskotorowa narrow gauge engine [mot.]

lokomotywa wspomagająca booster locomotive, engine [mot.]

lokomotywownia loco shed (*smaller repairs made*) [mot.]

lont (*detonujący*) blasting fuse [wojsk.]

lont zapalający detonating fuse; safety match; blasting cord, light [górn.]

lont zapalający bezpieczny safety fuse [górn.]

lorneta nożycowa periscope [abc]

lot bez widoczności zewnętrznej blind flight (*blind flying*) [mot.]

lot docelowy homing (*homing flight*) [mot.]

lot krajowy domestic flight [mot.]

lot międzynarodowy international flight [mot.]

lot z widzialnością ziemi visual flight [mot.]

lotki (*samolotu*) aileron [mot.]

lotnia hang glider [mot.]

lotnictwo aviation [mot.]

lotnictwo wojskowe Air Force [wojsk.]

lotnisko airport [mot.]

lotnisko dla śmigłowców helicopter airport [mot.]

lotnisko regionalne regional airport [mot.]

lotniskowa straż pożarna airport fire engine [mot.]

lotniskowiec aircraft carrier (*short: carrier*) [wojsk.]

lotniskowy samochód pożarniczy airport fire truck [mot.]

lotność volatility (*e.g. of chemicals*) [chem.]

lotność alkaliów alkali volatility [chem.]

lód ice [abc]

lśniący blank, bright [met.]
lśnić shine (*glaze, blind*) [abc]
lubrykator lubricator [mot.]
ludność population [abc]
ludzie i kapitał staff and capital [abc]
ludzka siła robocza work force [ekon.]
ludzki human [abc]
ludzkość mankind [abc]
lufa barrel (*of a gun*) [wojsk.]
luk door [energ.]
luk główny main hatch [mot.]
luk kontrolny measurement hole [mot.]
luka gap; hollow spot [abc]; cavity void [fiz.]
luka międzyzębna space width (*tooth space*) [masz.]
lukier syntaktyczny syntactic sugaring (*sugar*) [inf.]
lunch lunch [abc]
luneta nożycowa periscope [abc]
lusterko wsteczne rear mirror, rear view mirror [mot.]
lustro mirror [abc]
lustro rozpraszające dispersing mirror [fiz.]
lustro wklęsłe concave mirror, concentrating mirror, dispersing mirror [fiz.]
lustro wody water level [abc]
lustro wody gruntowej water table [abc]
lustrzany mirror symmetrical [transp.]; mirror-inverted [abc]
lutować braze; solder [met.]
lutować miękko solder (*soft soldering, sweating*) [met.]
lutowanie soldering (*solder*) [met.]
lutowanie dociskowe sweating (*soft soldering*) [met.]
lutowanie miękkie soft soldering (*sweating*) [masz.]
lutowany lutem twardym hard soldered, brazed [met.]

lutowany soldered [met.]
lutowina solder point [met.]
lutownica soldering iron [masz.]
luz gear clearance [masz.]; play [energ.]; clearance (*axle*); idle; lost motion [mot.]
luz boczny side clearance [mot.]; sideplay (US) [masz.]
luz klockowy block clearance [mot.]
luz klocków hamulcowych pad clearance, block clearance [mot.]
luz łożyska bearing internal clearance [masz.]
luz łożyskowy bearing clearance, bearing plate [rys.]
luz osiowy axle floating (*e.g. 6 mm radial*); end clearance [mot.]
luz poprzeczny axle floating (*e.g. 23 mm axial*) [mot.]
luz popychacza zaworowego valve tappet clearance [mot.]
luz promieniowy łożyska radial clearance [masz.]
luz roboczy running clearance [masz.]
luz sprężyny spring clearance [masz.]
luz tarcz hamulcowych block clearance [transp.]
luz tłoka piston clearance [mot.]
luz wgłębny połówkowy half-value depth tolerance [abc]
luz zaworowy tapped clearance [mot.]
luzować loosen [abc]; relieve [wojsk.]; break out; slacken (*slacken off*); lower [transp.]
luzowanie easing [transp.]
luzownik hamulca brake bleeder [transp.]
luzownik hamulca stopniowy gradual brake release [mot.]
luźna skała klastyczna unconsolidated rock [min.]
luźny loose [gleb.]; bulk [bud.]; slack (*hanging through*) [abc]

L

Ł

łacha mud flats [abc]

łaciarz boiler patcher [energ.]

ładować load [abc]; load [inf.]; charge (*battery*); (*ponownie*) recharge [el.]

ładowanie „na pych" push loading [mot.]

ładowanie charge [el.]; charging feeding (*input*); material feed [górn.]

ładowanie ogniw ze stałym doładowaniem trickle charge [el.]

ładowanie ręczne handfiring [energ.]

ładowarka (*np. gąsienicowa*) front-end loader; loader (*wheel loader*) [mot.]

ładowarka gąsienicowa crawler-mounted front-end loader [mot.]

ładowarka kołowa rubber-tyred loader [mot.]

ładowarka kołowa ciężka large wheel loader [masz.]

ładowarka kołowa kombinowana combined stacker reclaimer, stacker reclaimer [górn.]

ładowarka łopatowa shovel, shovel excavator [mot.]

ładowarka podwójna dual charger [el.]

ładowarka przedsiębierna front end loader [mot.]

ładowarka przenośnikowa elevating grader [mot.]

ładowarka szuflowa shovel excavator (GB), shovel (US), dipper [mot.]

ładowarka szuflowa czołowa front end loader [mot.]

ładowarka szuflowa z chwytakiem shovel with grab [mot.]

ładowarka szuflowa z hydraulicznym napędem elementów robo-czych hydraulic mining shovel, hydraulic shovel [mot.]

ładowarka wielonaczyniowa bucket wheel loader [mot.]

ładownia hold (*hatch*) [mot.]

ładowność capacity; load capacity, loading capacity (*e.g. of a truck*) [mot.]; bearing capacity [transp.]

ładunek loading [transp.]; payload; cargo [mot.]; charge [transp.]; freight (*freight charges*) [abc]

ładunek bojowy cartridge [wojsk.]

ładunek dymny fog charge [wojsk.]

ładunek główny priming charge; uppermost charge [transp.]

ładunek inicjujący firing cartridge (*detonator cartridge*) [wojsk.]

ładunek kulowy ball charge [górn.]

ładunek kumulacyjny hollow charge [wojsk.]

ładunek masowy bulk [bud.]

ładunek miotający cartridge; propellants; starting cartridge [wojsk.]

ładunek miotający do fotela wyrzucanego set of cartridges for ejection seat [wojsk.]

ładunek miotający do pocisku dymnego set of cartridges for smoke cartridges [wojsk.]

ładunek miotający do pocisku świetlnego set of cartridges for light cartridges [wojsk.]

ładunek pobudzający booster charge [wojsk.]

ładunek przenośny transmittable booster charge [el.]

ładunek rozbłyskowo-dymny flash smoke bomb [wojsk.]

ładunek rozbłyskowy flash charge [wojsk.]

ładunek rozruchowy lighting-up cartridge [energ.]

ładunek samoniszczący self-destruct charge, self-destructive charge [wojsk.]

ładunek saperski uzupełniający supplementary charge [wojsk.]

ładunek spłonki pobudzającej fulminic charge [wojsk.]

ładunek sypki bulk cargo (*loose, liquid, suckable and shovable*) [abc]

ładunek woreczkowy czasowy delay cartridge [wojsk.]

ładunek woreczkowy gaśniczy fire extinguisher cartridge [wojsk.]

ładunek wybuchowy explosive charge; explosives; captive dispensing charge [wojsk.]

ładunek wybuchowy minerski uzupełniający supplementary charge [wojsk.]

ładunek wydrążony hollow charge [wojsk.]

ładunek wymagany load requirement [transp.]

ładunek wyrzutni captive dispensing charge [wojsk.]

ładunek wytlewny low-temperature carbonisation charge [wojsk.]

ładunek żurawia crane load [mot.]

łagodny smooth [abc]

łagodzić weaken; ease [abc]

łamacz crusher, crusher plant, crushing installation [górn.]; breaker [narz.]

łamacz młotkowy hammer crusher [narz.]

łamacz młotkowy jednowałowy single-shaft hammer crusher [górn.]

łamacz stożkowy cone crusher [górn.]; gyratory crusher [masz.]

łamacz strumieniowy ciągły continuous stream crusher [narz.]

łamacz udarowy rotary impact (*rotary impact crusher*) [górn.]

łamacz walcowy roll crusher [górn.]

łamacz wstępny primary crusher [narz.]

łamacz żużla clinker crusher, slag crusher [energ.]

łamać break; crack [met.]; breakout [transp.]

łamanie convolution [inf.]; crusher work [górn.]

łamliwość brittleness [masz.]

łamliwość skał crushability of rock [górn.]

łamliwy crumbly [bud.]; FRAGILE (*sign on box*); brittle [abc]

łańcuch chain (*for outdoor escalator; handrail drive; lift chain; on lift pole*) [transp.]

łańcuch bezpieczeństwa safety chain [transp.]

łańcuch bitów bit string (*bit is smallest unit*) [inf.]

łańcuch blokujący barrier chain [abc]

łańcuch do maszyn rolniczych chain for agricultural machines [roln.]

łańcuch drabinkowy sprocket chain; toothed chain [mot.]; connector chain [transp.]; drag link conveyor chain [masz.]

łańcuch drabinkowo panwiowy bush chain [masz.]; sleeve type chain [mot.]

łańcuch drabinkowy jednokierunkowy simplex roller chain [masz.]; single roller chain [mot.]

łańcuch drabinkowy tulejkowy roller chain (*for handrail in newel*); roller assembly [mot.]

łańcuch drabinkowy tulejkowy o zwiększonej wytrzymałości heavy-duty roller chain [mot.]

łańcuch drabinkowy tulejkowy podwójny double roller chain [mot.]

łańcuch drabinkowy tulejkowy potrójny triple roller chain, triplex roller chain [mot.]

łańcuch drabinkowy tulejkowy zespolony duplex roller chain [masz.]

Ł

łańcuch drabinkowy widlasty fork-sprocket chain [mot.]

łańcuch drabinkowy wielokrotny cable chain, leaf chain [tw.]

łańcuch dwurzędowy duplex-chain [transp.]

łańcuch dźwigowy lift chain, hoist chain [mot.]

łańcuch fotokomórek chain of photocells (*monitor steps*) [transp.]

łańcuch gąsienicowy crawler track, crawler tread belt [górn.]; crawler chain; track chain; rail [transp.]

łańcuch kotwiczny anchor cable, anchor chain [mot.]

łańcuch luźny chain open [mot.]

łańcuch napinający tackle [mot.]

łańcuch nośny tackle [mot.]

łańcuch o dużej nośności high-capacity chain [mot.]

łańcuch o zwiększonej wytrzymałości heavy-duty roller chain [mot.]

łańcuch odciągowy backstay [mot.]

łańcuch odgradzający barrier chain [abc]

łańcuch palety pallet chain [transp.]

łańcuch panwiowy bush chain [masz.]

łańcuch pęcherzy linear porosity [met.]

łańcuch pierścieniowy open-link chain [masz.]

łańcuch pociągowy tackle [mot.]

łańcuch procesów process chain [inf.]

łańcuch produkcyjny manufacturing chain [masz.]

łańcuch przeciwbieżny counter-rotating chain [masz.]

łańcuch przeciwpoślizgowy anti-skid chain [transp.]

łańcuch przeciwślizgowy tyre chain [mot.]

łańcuch przeciwśnieżny snow chain, skid chain, non-skid chain [mot.]

łańcuch przenośnika conveyor chain [masz.]

łańcuch rozrządu timing chain [mot.]

łańcuch stalowy steel chain [masz.]

łańcuch stopni step chain [transp.]

łańcuch węzłowy knotted link chain (*no quality requirement*) [mot.]

łańcuch wysokonapięciowy heavy-duty roller chain [transp.]

łańcuch zagarniający drag chain [masz.]

łańcuch ze sworzni otworowych hollow-pin chain [masz.]

łańcuch zębaty toothed chain [masz.]

łańcuszek gwizdawki whistle chain [mot.]

łapa claw [bot.]; (*do prowadzenia*) driving lug [masz.]

łapa do wyciągania gwoździ nail drawer; claw wrench; nail puller [narz.]

łapa dociskowa claw [narz.]

łapa wspornikowa outrigger, outrigger stabilizer, stabilizer [transp.]

łapacz oleju oil catcher [masz.]

łapacz zanieczyszczeń mud flaps [mot.]

łapać grab [mot.]

łapać w pułapkę trap [abc]

łapka clip plate (HRS) [mot.]

łapka mechaniczna mechanical hand [masz.]

łapka sprężysta spring tension plate [mot.]

łapownictwo bribery [abc]

łata lath, slat, strip-board, batten; patch (*small piece of land or cloth*) [abc]

łata do niwelacji wzrokowej boning rod [masz.]

łata miernicza staff (*level*) [miern.]

łata wytłaczana extrusion [transp.]

łatacz kotłów boiler patcher (*mostly small kettles*) [energ.]
łatać piece together [abc]
łatany patched (*patched up*) [abc]
łatwo rozpuszczalny loose [abc]
łatwopalny inflammable [abc]
łatwość ease [abc]
łatwość obsługi serviceability [abc]
łatwy dostęp easy access [abc]
łatwy easy (*quite simple*); effortless; fingertip easy [abc]
łatwy w konserwacji easy to service [masz.]
łatwy w obsłudze easy to service [masz.]
ława narożna corner bench, corner suite (*dining room suite*) [bud.]
ława ochronna protecting strip [mot.]
ławica z muszli (*ławica muszlowa*) shell bank [bot.]
ławka bench (*park bench, benches*) [abc]
łazienka bathroom [abc]
łaźnia olejowa oil bath [masz.]
łącza gazu płuczącego purging gas coupling <station> [masz.]
łączący connecting [abc]
łącze dalekosiężne high-voltage cables [telkom.]
łącze dzierżawione leased line (*oppos: dial-up line*) [inf.]
łącze komutowe switch line (*dial switch line*, DP) [inf.]
łącze międzymiastowe high-voltage cables (*underground*) [telkom.]
łącze stałe dedicated line [inf.]
łącze transmisji danych sensor line (*e.g. board control*) [inf.]
łącze wyrównywania justification link [inf.]
łączenie bonding [masz.]
łączenie na długości splicing [bud.]
łączenie nożne foot mounting [mot.]
łączenie ręczne manual shift (*manual shifting*), soft shift [mot.]

łączliwość spójników logicznych associativity of logical connectives [inf.]
łącznica kolejowa junction (*connecting railway*); railroad siding (US) [mot.]
łącznica telefoniczna switchboard [telkom.]
łącznie z montażem labour included [met.]
łącznie z uszczelnieniem including compaction [bud.]
łącznik joint [transp.]; link [masz.]; fastener; fitting [met.]; fork [transp.]; shackle, shear connector, coupling, latch, eye [masz.]; adapter [masz.]; adapter [el.]; union [masz.]; union [mot.]; tight fit; terminal [transp.]; messenger (*errand boy*); orderly [wojsk.]; (*np. przy lokomotywie*) connecting rod [abc]
łącznik cięgłowy draw shackle (*of the hand brake*) [mot.]
łącznik do przewodu giętkiego hose coupling, hose fixture, hose connector [masz.]
łącznik dźwigienkowy toggle switch [el.]
łącznik gumowo-metalowy rubber-metal connection [masz.]
łącznik gwintowany spawany welded-in stub, welded-stub connection, welded nipple [masz.]
łącznik kabłąkowy shackle [masz.]
łącznik kłowy special adapter jaw [masz.]
łącznik kolankowy elbow connector [mot.]
łącznik kolektora wydechowego exhaust manifold connection [mot.]
łącznik krańcowy limit switch [el.]
łącznik krańcowy dźwigniowy lever limit switch (*for traveling control*) [mot.]

Ł

łącznik logiczny logical connective [inf.]

łącznik mechaniczny fastener [masz.]

łącznik pokrętny rotary switch [el.]

łącznik pomocniczy auxiliary switch, control switch [el.]

łącznik prowizoryczny provisional connection plate [transp.]

łącznik przechylny toggle switch [el.]

łącznik przesuwny shear connector [masz.]

łącznik rozciągany draw bar [mot.]

łącznik rurowy connecting pipe [tw.]

łącznik specjalny special linkage [transp.]

łącznik sprężysty pin connector [masz.]

łącznik sygnalizacji zwrotnej reset switch [energ.]

łącznik szybki rapid fastener [masz.]

łącznik tłoczony strip joining machine [masz.]

łącznik uchowo-widlasty clevis eye [el.]

łącznik walcowy drum controller [masz.]

łącznik wielorzędowy gang switch [inf.]

łącznik wtykowy switch plug; cable connection [el.]

łącznik wybierakowy switch selector [el.]

łącznik wybierakowy częstotliwości frequency change selector, frequency selector (*switch*) [el.]

łącznik zaciskowy terminal connection piece [el.]

łącznikowy connecting [abc]

łączność communication [telkom.]; contact; union [el.]

łączówka connecting block [el.]

łączówka zaciskowa terminal strip [el.]

łączyć connect; join; (*na orbicie*) dock (*docking*) [mot.]; bond [bud.]; combine; merger (*both certain percentage*) [abc]; put through (*I'll put you through*) [telkom.]

łączyć skurczowo shrink on (*e.g. a bearing; with heat*) [masz.]

łączyć szeregowo connect in series [transp.]

łączyć śrubami bolt [met.]

łączyć w sieć net [inf.]

łączyć wzajemnie interconnect, interpose [mot.]

łąka meadow (*green, pasture*) [bot.]

łeb śruby bolt head, screwhead, head of bolt [masz.]

łeb widlasty yoke end [mot.]

łęk guard [transp.]

łodyga stem [bot.]

łokieć elbow [med.]

łom gavelock [narz.]

łom stalowy crowbar [narz.]

łopata shovel; spade (*flat-bladed tool, pressed down*) [narz.]

łopata mechaniczna zgarniarki scraper body (*spreader bar*) [mot.]

łopata mechaniczna zgarniarki samoładująca elevator scraper [mot.]

łopata wirnikowa rotor blade (*also on helicopter*) [mot.]

łopata zgarniarki doczepianej grader scraper [mot.]

łopatka (*np. wentylatora, śmigła*) vane [mot.]; shoulder bone [med.]; spattle, spatula [narz.]

łopatka kierownicza inlet guide vane [mot.]

łopatka nastawna adjustable vane [mot.]

łopatka turbinowa turbine blade [energ.]

łopatka wentylatora fan blade (*one of several blades*) [aero]

łopatka zagięta do tyłu backward-curved blade [transp.]

łoże do transportu kabli cable saddle [transp.]

łoże przenośnika wałkowego live roller bed [mot.]

łoże silnika engine bearer; engine mounting [mot.]; motor mount; torque blade, torque plate, torque support (*escalator motor on it*) [transp.]

łoże silnika przednie engine mounting, front [mot.]

łożyska kół wheel set bearing, wheelset bearing [mot.]

łożysko bearing [masz.]

łożysko baryłkowe spherical roller bearing [masz.]

łożysko baryłkowe dwurzędowe spherical roller bearing double row [masz.]

łożysko baryłkowe jednorzędowe self-aligning roller bearing [transp.]; spherical roller bearing single row [masz.]

łożysko baryłkowe osiowe spherical roller thrust bearing [masz.]

łożysko cylindra cylinder bearing [masz.]

łożysko czopa łożyskowego wału journal bearing, trunnion bearing [masz.]

łożysko czopa łożyskowego wału korbowego journal bearing [masz.]

łożysko czopu czołowego pivot bearing, trunnion bearing [masz.]

łożysko dzielone segmented bearing (*e.g. 3 rings in 1*), bearing with butt ends, bearing with part grooves [masz.]

łożysko główne main bearing [mot.]

łożysko główne ciągu łańcuchowego głowic tnących main cutterhead bearing [masz.]

łożysko igiełkowe needle bearing, needle roller bearing [masz.]

łożysko igiełkowe bez pierścienia wewnętrznego needle roller bearing without inner ring (*race*) [masz.]

łożysko igiełkowe z pierścieniem wewnętrznym needle roller bearing with inner ring (*race*) [masz.]

łożysko koła wheel bearing (*on axle or shaft*) [masz.]

łożysko kołnierzowe flange mount [masz.]

łożysko korbowe connecting rod bearing [masz.]

łożysko korbowodu connecting rod bearing [masz.]

łożysko kulkowe ball bearing [masz.]

łożysko kulkowe czteropunktowe podwójne double four-point contact bearing [masz.]

łożysko kulkowe osiowe o jednostronnym działaniu thrust ball bearing single row [el.]

łożysko kulkowe poprzeczno wzdłużne angular contact thrust ball bearing [masz.]

łożysko kulkowe skośne tapered ball-bearing [masz.]

łożysko kulkowe wahliwe floating pillow block; self-aligning ball bearing [masz.]; rose bearing [mot.]

łożysko kulkowe wahliwe z tuleją rozprężną zaciskaną self-aligning ball bearing with adapter sleeve [masz.]

łożysko kulkowe zwykłe ball-bearing, grooved ball bearing, ring groove ball bearing, deep groove ball bearing [masz.]

łożysko niedzielone ścienne flanged bearing [masz.]

łożysko nieustalone floating bearing, non-locating bearing [masz.]

łożysko niewymiarowe undersized bearing [masz.]

łożysko oporowe thrust bearing, thrust roller [masz.]; bearer [rys.]

łożysko oporowe sprzęgła clutch thrust bearing [masz.]

łożysko oporowe śrubowe housing locating collar [masz.]

Ł

łożysko osiowe axle bearing, axle ball bearing [masz.]; axle box (*wheelset bearing*) [mot.]

łożysko osiowe wałeczkowe roller-bearing type axle box [masz.]

łożysko płaskie plane bearing [masz.]

łożysko pływające (*hydrauliczne*) floating bearing [masz.]

łożysko (po)osiowe thrust bearing [masz.]

łożysko poprzeczne journal bearing; trunnion bearing [masz.]

łożysko poprzeczne szyjkowe neck journal bearing [górn.]

łożysko pośrednie journal bearing [górn.]

łożysko precyzyjne precision bearing [masz.]

łożysko promieniowe journal bearing, trunnion bearing [masz.]

łożysko promieniowe osiowe axial-radial roller bearing [masz.]

łożysko przegubowe joint bearing, pivot bearing, pivoting bearing, spherical plain bearing, grumble (*self-aligning bearing*) [masz.]

łożysko regulatora governor bearing [masz.]

łożysko rolkowe roller bearing (*prevents overheating*), roller [masz.]

łożysko rozpieracza krzywkowego brake cam bushing [masz.]

łożysko samonastawne swivel bearing [transp.]

łożysko samosmarujące self-lubricating bearing [masz.]

łożysko siodłowe neck journal bearing [górn.]

łożysko składania opończy folding top base [mot.]

łożysko skrętowe centre pivot [masz.]

łożysko smarowane pierścieniem ring-lubricated bearing [masz.]

łożysko swobodne floating bearing, movable bearing (*fixed on other side*) [masz.]

łożysko szczęki hamulcowej brake shoe pin bushing [mot.]

łożysko ślizgowe slide bearing [mot.]; slip support [transp.]; bushing-type bearing [masz.]

łożysko ślizgowe dzielone pillow block [masz.]

łożysko ślizgowe kulkowe spherical plain bearing [masz.]

łożysko ślizgowe poprzeczne stożkowe conic bearing [masz.]

łożysko środkowe journal bearing [górn.]

łożysko środkowe osi axle pivot pin [mot.]

łożysko toczne antifriction bearing, anti-friction bearing; rolling bearing [masz.]

łożysko toczne drutowe wire-race bearing [masz.]

łożysko toczne duże large anti-friction bearing [masz.]

łożysko toczne obrotowe wire race bearing [masz.]

łożysko toczne wielkośrednicowe large diameter anti-friction slewing ring [masz.]

łożysko toczne wzdłużne dwukierunkowe pilot bearing [transp.]

łożysko toczne wzdłużne dwukierunkowe sprzęgła clutch guide bearing [masz.]

łożysko tulejowe sleeve bearing [masz.]

łożysko wahliwe pivoting bearing, self-aligning bearing [masz.]

łożysko wałeczkowe roller bearing (*Timken roller bearing*) [masz.]

łożysko wałeczkowe stożkowe taper roller bearing [masz.]

łożysko wałeczkowe walcowe roller bearing, cylindrical roller bearing [masz.]

łożysko wałeczkowe ze sprężyna-

mi spiralnymi roller bearing with spiral springs [masz.]

łożysko wałeczkowo-stożkowe roller bearing [masz.]

łożysko wału korbowego crankshaft bearing [masz.]

łożysko wału krzywkowego camshaft bearing [masz.]

łożysko wewnętrzne inboard bearing [masz.]

łożysko wyłączające clutch release bearing [masz.]

łożysko wzdłużne thrust bearing (*absorbs forces*), thrust roller [masz.]

łożysko wzdłużne sprzęgła clutch thrust bearing [mot.]

łożysko z tuleją pływającą floating bearing [masz.]

łożysko zewnętrzne outboard bearing [masz.]

łożysko zużyte run bearing [masz.]

łożyskowanie osi axle box arrangement [masz.]

łódź podwodna submarine [wojsk.]

łódź policyjna police boat [abc]

łódź ratownicza lifeboat [abc]

łubek fish plate [transp.]

łubek kątowy bent lug link plate [masz.]

łucznik archer (*arrow comes out of quiver*) [abc]

ług lye (*alcaline solution*) [chem.]

ług potasowy solution of caustic pot-ash [chem.]

łuk arc [masz.]; arch (building) [bud.]; curve [tw.]; (*w piecu łukowym*) furnace arch [energ.]

łuk kołowy circular arc [mat.]

łuk płaski straight arch [bud.]

łuk poziomy bend [mot.]

łuk prowadzący guide curve [transp.]

łuk przejściowy transition curve [mot.]

łuk świetlny arc [masz.]

łupek slate (*gray, metamorphic thin rock*), shale [min.]

łupek bitumiczny oilshale [masz.]

łupek dachowy roofing slate [bud.]

łupek mikowy mica schist [min.]

łupież dandruff [abc]

łupina peel (*orange peel*); shell (*nutshell*) [abc]

łupina chwytaka clam shell, clamshell, grab shell [transp.]

łupinowy shell-shaped [masz.]

łupka log [abc]

łuska otwarta open casing [wojsk.]

łuskanie peeling work [abc]

łuszczący peeling [abc]

łuszczenie flaking (*scaling*) [met.]

łuszczenie się peeling, spalling [abc]

łuszczyć peel (*off*) [abc]

łydka calf (*plural: calves*) [med.]

łykowaty sinewy [abc]

łyżka spoon, table spoon [abc]

łyżka dewniana wooden spoon [abc]

łyżka do kopania rowów ditch-cleaning bucket [transp.]

łyżka do materiału sypkiego loading bucket [transp.]

łyżka do (wybierania) gliny clay bucket [transp.]

łyżka drenarska drainage bucket, digging grab, trencher [transp.]

łyżka dwukierunkowa reversible bucket [transp.]

łyżka koparki excavator bucket; dipper; face shovel; scoop [transp.]

łyżka koparki do rowów trenching bucket [transp.]

łyżka koparki podsiębiernej backhoe (*bucket, also whole machine*); hoe dipper [transp.]

łyżka koparki podsiębierno-przedsiębiernej reversible bucket [transp.]

łyżka ogólnego zastosowania general purpose bucket [transp.]

łyżka pogłębiarki bucket; face shovel [transp.]

Ł

łyżka profilowana profile backhoe, profile bucket, profiling bucket [transp.]

łyżka równiarki levelling bucket [transp.]

łyżka skalna (*koparki łyżkowej*) rock bucket [transp.]

łyżka typu HDT HDT backhoe (*vibrates into soil*) [transp.]

łyżka uniwersalna reversible bucket [transp.]

łyżka załadowcza charging spoon, loading shovel, loading shovel bucket [transp.]

łyżka znormalizowana standard bucket [transp.]

łyżka zrywająca ripper bucket [transp.]

M

macierz matrix [mat.]

macierz hybrydowa hybrid matrix [el.]

macierz impedancji impedance matrix [el.]

macierz łańcuchowa (*czwórnika*) chain matrix [mot.]

macierz przesyłania transfer matrix [inf.]

macierz rozproszenia scattering matrix [el.]

macki wewnętrzne inside calipers [miern.]

maczać dip [met.]; bathe; dive [abc]

maczeta machete (*nóż do cięcia trzciny cukrowej*) [abc]

magazyn (*kolorowe czasopismo*) magazine [abc]; warehouse [bud.]

magazyn części (*zamiennych*) parts depot [abc]

magazyn części zamiennych spare parts depot [abc]; job site inventory [masz.]

magazynek unrestricted area [mot.]

magazyn kopalniany z koparką mostową pit-store with bridge excavator [górn.]

magazynować store [abc]

magazynowanie storing [abc]

magazynowany seasoned (*a number of years old*) [abc]

magazyn paliwa gas dump (US) [wojsk.]

magazyn rur depositing section, tube deposit [abc]

magazyn targów fair store [abc]

magazyn towarów storehouse [abc]

magister Master (*e.g. of Arts, Science*) [abc]

magister inżynier Bachelor of Engineering, certified engineer [abc]

magister nauk ekonomicznych Bachelor of Economic Science [abc]

magister nauk handlowych Bachelor of Commerce [abc]

magistrala kolejowa main line [transp.]

magistrala samochodowa highway, trunk road [mot.]

magistrala wodna water line; main water supply [bud.]

magnes magnet [abc]

magnes prętowy bar magnet [masz.]

magnes trwały permanent magnet [fiz.]

magnesowanie wstępne pre-magnetization [el.]

magnetic moulding formowanie magnetyczne [abc]

magneto magneto [mot.]

magnetofon tape recorder (*reel to reel*) [abc]

magnetowód taśmowy przecinany C-core, cross section (*recorder*) [abc]

magnetowód zwijany przecinany C-core, cross section [abc]

magnetyzm magnetism [fiz.]

magnezyt magnesite [met.]

majster foreman [met.]

majtek sailor [abc]

makieta mock-up [abc]

makieta kolejki model railroad, model railway [abc]

makler agent [ekon.]

makrostruktura macro structure [abc]

maksimum główne main maximum [mat.]

maksymalna objętość dostawy maximum volume delivery [abc]

maksymalna pozycja podnoszenia hoist kick-out [mot.]

maksymalna prędkość obrotowa high idle speed [mot.]

maksymalna wielkość zadana maximum pre-set value [abc]

maksymalna zdolność uciągu pojazdu maximum pull [mot.]

maksymalne świadczenie roczne aggregate limit per year [abc]

maksymalne zapotrzebowanie mocy w KM maximum HP requirement [mot.]

maksymalny maximum; maximal; highest [abc]

maksymalny ciężar brutto gross load weight, GLW [transp.]

maksymalny ciężar całkowity gross load weight (*GLW; wagon & load*) [transp.]

maksymalny kąt wychylenia maximum dumping angle [mot.]

maksymalny poziom wody high water level [energ.]

makulatura waste paper [abc]

malarnia paint shop [mot.]

malarz painter [abc]

malejąca wysokość wierzchołka zęba decreasing length of tooth tip [rys.]

malinowy raspberry red [norm.]

malować paint [transp.]; colour [abc]

malowanie painting, paint finish [abc]

malowanie i opis painting and lettering [mot.]

malowanie natryskowe paint spraying [norm.]

malowanie ogólne standard paint finish [transp.]

malowanie (utrwalanie powierzchniowe) prefabrykatów field painting [abc]

malowany metodą piecową jedno- lub dwustronnie stove enameling on one or both sides [masz.]

mała kreska podziałki (*skali*) minor sub-division [abc]

mała kreska podziałowa minor subdivision [abc]

mała poligrafia desk top publishing (DTP) [inf.]

małe koło łańcuchowe napędzające small wheel [masz.]

małoomowy (*małooporowy*) low resistance [el.]

małowartościowy inferior [abc]

mały small (*small in size*) [abc]

mały kurek (*spustowy, odpowietrzający*) pet cock [masz.]

mały posuw fine feed [masz.]

mały samochód osobowo-ciężarowy pickup [mot.]

małż shell (*e.g. of an oyster*) [bot.]

manager executive [abc]

mandant client [praw.]

mandat fine [prawn.]

mandat karny (*za złe parkowanie*) parking ticket [mot.]

manekin dummy (*in shop window*) [abc]

manetka throttle control lever [mot.]

manewrować maneuvre (*e.g. car in tight sites*); head shunt (*e.g. over hump*) [mot.]

manewrowy shunter [mot.]

M

manewry exercise (*They're on exercise*) [wojsk.]

maneż circus ring [abc]

mangan (Mn) manganese [met.]

manipulacja manipulation; using [inf.]

manipulator manipulator [masz.]

manipulator drążkowy joystick [inf.]

manipulować handle, operate (*actuate*) [masz.]

manipulowanie listą list surgery [inf.]

mankiet przegubowy coupling sleeve [mot.]

manko wantage (*deficiency*) [abc]

manometr manometer [abc]; pressure gauge [miern.]

manometr kotłowy boiler-pressure gauge [miern.]

manometr ogrzewania parowego steam-heating pressure gauge [miern.]

manometr olejowy oil pressure gauge [masz.]

manometr pierścieniowy ring balance meter [miern.]

manometr podwójny double vacuum gauge [energ.]

manometr pompy zasilającej feed-water pressure gauge [mot.]

manometr próżniowy vacuum gauge, vacuum meter [mot.]

manometr różnicowy U-tube pressure gauge [energ.]

manometr skrzyni suwakowej steam-chest pressure gauge [mot.]

manometr wzorcowy pressure-gauge calibration set [miern.]

mansarda attic (*mansard; up in the attic*) [bud.]

manuskrypt manuscript, draft, script [abc]

mapa map [geogr.]

mapa cyfrowa digital road map [geogr.]

mapa dróg road map [abc]

mapa obicia reflectance map [inf.]

mapa synoptyczna weather map [meteo.]

margiel marl (*type of mineral*) [min.]

margines bezpieczeństwa safety margin [masz.]

marka make [abc]

marker marker [abc]

marketing marketing [abc]

marmur marble (*pressed volcanic mineral*) [min.]

mars top (*on mast of ship*) [transp.]

marszczyć goffer [abc]

marszruta itinerary [abc]; route [mot.]

marszrutowanie routing [abc]

martwe położenie dead centre (d.c.), dead-centre point, dead spot [mot.]

martwy punkt dead centre (d.c.), dead-centre point, dead spot [mot.]

marynarka jacket [abc]; navy [wojsk.]

marynarka handlowa merchant navy [mot.]

marynarz sailor (*seaman*) [mot.]

marynowany (*np. ogórek*) pickled [abc]

marzanna wonna wood-ruff [bot.]

masa substance; material; volume [abc]; ground (*earthing*) [el.]; bulk [bud.]

masa brutto total weight [transp.]; unmachined weight [masz.]

masa całkowita total weight [transp.]

masa całkowita zestawu drogowego total weight of truck and trailer [mot.]

masa celulozowa wood pulp, pulp [tw.]

masa dodatkowa extra weight [transp.]

masa kontaktowa contact [tw.]

masa korpusu okalającego mass of enveloping body [masz.]

masa mgłotwórcza fog agents [wojsk.]

masa plastyczna plastic [tw.]

masa pozorna virtual ground [el.]

masa rdzeniowa core sand (*used in foundry; GB*) [tw.]

masa robocza service mass [transp.]

masa stała solid matter [min.]

masa uszczelniająca olejowo-grafitowa graphite base jointing compound, powered graphite and kerosene mixture [energ.]

masa uszczelniająca packing compound, sealing compound [masz.]

masa w transporcie drogowym road transportation weight [transp.]

masa wirtualna virtual ground [el.]

masa własna dead weight; tare (*weight of empty wagon*) [transp.]

masa wykładzinowa castable refractories, composition [energ.]

masa zacierowa filler, knifing filler, stopper [tw.]

masa zalewowa sealing compound [masz.]

masa zamachowa working load [masz.]

masa zapłonowa set of detonators [wojsk.]

masa związana virtual ground el.]

maska hood; cowling [mot.]

maska przeciwgazowa gas mask (*for fire-fighters etc.*) [wojsk.]

maska silnika engine bonnet, bonnet, engine hood [mot.]

maska wprowadzania input layout [inf.]

maskowanie camouflage [wojsk.]

masowe natężenie przepływu mass flow [energ.]

masowiec bulk carrier (*short: bulker*) [mot.]

masówka bulk [abc]

masyw (*górski*) massif (*clod of earth*) [geol.]; slab; solid rubber tyre, solid tyre [mot.]

masywny solid (*compact, e.g. solid rock*) [geol.]

masywny typ budowy massive type of construction [bud.]

masywny typ konstrukcji massive type of construction (*solid construction*) [bud.]

maszt mast (*of large tent, ship*) [abc]; boom [transp.]; (*namiotu*) post (*tent post*) [bud.]; pole [wojsk.]; pylon (*tower, mast, pole*) [el.]

maszt flagi flagstaff [abc]

maszt kratowy girder mast; lattice mast [mot.]

maszt linii dalekosiężnej mast [el.]

maszt namiotu tent post (*post, pole*) [abc]

maszt pojedynczy monomast [mot.]

maszt widokowy full free-view mast [mot.]

maszt zewnętrzny outer upright [mot.]

maszyna machine (*produces something*) [masz.]; machine (*e.g. dumper, loader, grader*) [transp.]

maszyna automatyczna fully automatic machine [abc]

maszyna badawcza nieniszcząca NDT-testing lines [miern.]

maszyna bębnowa do usuwania zgorzeliny obrotowa rotary-type drum decindering plant [masz.]

maszyna budowlana construction machine [transp.]

maszyna całkowicie zautomatyzowana fully automatic machine [abc]

maszyna do badań nieniszcząca NDT-testing lines [miern.]

maszyna do badań wytrzymałościowych material testing machine [miern.]

maszyna do budowy nawierzchni dróg road finishing machine [bud.]

maszyna do cięcia gazowego oxygen cutting machine [met.]

maszyna do cięcia podwodnego plazmowego plasma-underwater-flame-cutting machine [masz.]

M

maszyna do frankowania postage meter [abc]

maszyna do kontroli krawędzi blachy plate-edge test installation [miern.]

maszyna do pisania typewriter [abc]

maszyna do pisania elektryczna electric typewriter [abc]

maszyna do pisania z głowicą kulową golf-ball-type typewriter [abc]

maszyna do robót ziemnych earth-moving machine [mot.]

maszyna do taśmowania strapping machine [narz.]

maszyna do wytwarzania mulczu mulcher [mot.]

maszyna kontrolna test maschine [masz.]

maszyna licząca computing machine (*computer*) [inf.]

maszyna półautomatyczna semiautomatic machine [abc]

maszyna produkcyjna samobieżna mobile equipment [mot.]

maszyna programowana językiem Prolog abstract prologue machine [inf.]

maszyna przemysłowa industrial machine [masz.]

maszyna przepływowa rotating machinery [transp.]

maszyna robocza samobieżna mobile equipment (*forklift etc.*) [mot.]

maszyna rotacyjna 180° rotary device on 180° (*heeling load*) [mot.]

maszyna rotacyjna 360° rotary device on 360° [mot.]

maszyna szwalna sewing machine [abc]

maszyna wielozadaniowa multipurpose machine [masz.]

maszyna wiertnicza drilling machine, boring machine [masz.]

maszyna współrzędnościowa do cięcia gazowego coordination flame cutting machine [masz.]

maszyna wyciągowa hoisting winch [transp.]; winder [górn.]

maszyna wytrzymałościowa material testing machine [miern.]

maszyna zastępcza (*wypożyczona*) loan machine [masz.]

maszyna zespołowa compact engine [mot.]

maszynista engine driver, engineer (US); footplate man, locomotive driver, loco driver; steam driver (*drives locomotive*); operator [mot.]

maszynka do przekrawania szkła glass cutter [narz.]

maszynownia engine compartment, engine control room, engine room; motor compartment [mot.]; turbine room [energ.]

mata rug, mat (*matting*) [abc]

mata izolacyjna z płaszczem zbrojonym metal-mesh reinforced blanket, wire mesh mattress [energ.]

mata kontaktowa contact mat [transp.]

mata kontaktowa mechaniczna mechanical contact mat [transp.]

mata łańcuchowa chain mat [transp.]

mata słomiana straw mat [abc]

mata stykowa contact mat [transp.]

mata stykowa mechaniczna mechanical contact mat [transp.]

mata z wełny żużlowej mineral wool blanket, slag wool blanket [energ.]

materac mattress (*part of bed*) [abc]

materac z siatką drucianą wire mesh mattress [energ.]

materia matter [abc]

materializować (*się*) materialize [abc]

materiał fabric; material [abc]

materiał budowlany building material [bud.]

materiał dodatkowy welding filler [met.]

materiał dodatkowy zużywający się

(*też: topliwy*) consumable (*consumables*), consumable welding material [met.]

materiał dosunięty trapped material [transp.]

materiał informacyjny literature (*general term*) [abc]

materiał izolacyjny insulating material [bud.]

materiał konstrukcyjny wtórny secondary building material [energ.]

materiał macierzysty parent material [masz.]

materiał mocujący fittings (*clamps*) [met.]

materiał na podłogi flooring (*grating*) [energ.]

materiał napędowy fuel [mot.]

materiał nasypowy dumped material [górn.]

materiał nawierzchniowy permanent way material; rail fastening material; railway track material; track material (US) [mot.]

materiał nowowalcowany freshly rolled material [met.]

materiał obrabiany okrągły round stock, rounds [masz.]

materiał obrobiony finished material [met.]

materiał palny combustibles [energ.]

materiał pędny fuel [mot.]

materiał poddawany mieszaniu mix (*mixture; with bitumen in road base*) [górn.]

materiał podstawowy base material; basic material (BM); parent material [masz.]

materiał przysunięty trapped material [transp.]

materiał resztkowy residual material [abc]

materiał sproszkowany powder-shaped material [tw.]

materiał stały solid material [abc]

materiał sypki bulk cargo, bulk material, loose material [abc]

materiał tarty sawn timber [abc]

materiał uszczelniający chłodnicy radiator jointing material [mot.]

materiał walcowany w kręgach coil stock [met.]

materiał wielowarstwowy compound material [tw.]

materiał włókienniczy textile (*woven, knitted cloth, fabric*) [abc]

materiał wybuchowy blasting agent, detonating agent [górn.]

materiał wyjściowy parent material [masz.]

materiał wysadzony blasted material [górn.]

materiał załadowany material loaded [mot.]

materiał zapalający incendiaries [wojsk.]

materiał zastępczy substitute (*goes for a substitute*) [abc]

materiały drobne consumables [abc]

materiały naprawcze service and repair equipment; service fluids; support kit [transp.]

materiały niejednorodne inhomogeneous materials [tw.]

materiały ogniotrwałe refractories [min.]

materiały pomocnicze (*ropa, smary*) service fluids [transp.]; accessories (*e.g. oils, greases*); consumables [mot.]

materiały użyte material used for products supplied [abc]

materiały wybuchowe explosive agents (*explosives*) [wojsk.]

matka mother [abc]

matowy matt (*matt paint*) [abc]

matryca matrix [inf.]; pressure carrier [masz.]; stencil [abc]; swage (*tool for hot shaping*) [met.]; template, templet [med.]

matryca admitancji admittance matrix [el.]

M

matryca hybrydowa hybrid matrix [el.]

matryca kuźnicza forging die (*tool*) [narz.]; swage (*hot shaping of metal*) [met.]

matryca prawdziwości truth table [inf.]

mauzoleum mausoleum (*burial house*) [abc]

mazut fuel oil [energ.]

maźnica grease cup [masz.]

mączka dolomitowa dolomite flour (*mineral*) [górn.]

mączka drzewna saw dust, wood shavings [met.]

mączysty (*jak mąka*) floury [abc]

mądry knowledgeable [abc]

mąż zaufania delegate [abc]

mdleć faint [med.]

meble wbudowane built-in furniture, fittings [bud.]

meblowóz moving van [transp.]

mech moss [bot.]

mechaniczna blokada sprzęgła mechanical clutch lock-up [mot.]

mechaniczna piła do ścinki feller buncher (*grabs and fells tree*) [roln.]

mechaniczna przeróbka węgla coal preparation [energ.]

mechaniczne urządzenie transportowe mechanical materials handling equipment [transp.]

mechaniczny mechanic (*not hydraulic, electronic*) [abc]; mechanical (*mechanically operated*) [masz.]

mechanik mechanic (*fitter*) [abc]; mechanical engineer; artisan [masz.]

mechanik samochodowy automobile mechanic, automotive mechanic (*automotive fitter*) [masz.]

mechanika gruntów soil mechanics [gleb.]

mechanika precyzyjna precision mechanics [masz.]

mechanizacja mechanizing [mot.]

mechanizm mechanism (*e.g. system of rods*) [mot.]; jig [masz.]

mechanizm biegowy running gear [mot.]

mechanizm blokujący locking mechanism [mot.]

mechanizm dźwigni przyspieszacza throttle control mechanism [mot.]

mechanizm dźwigniowy crankshaft drive; lever-set (*signal box*) [mot.]

mechanizm hamulca ręcznego hand-wheel brake mechanism [mot.]

mechanizm jezdny carriage [mot.]; chassis unit [tw.]; undercarriage; track set; travelling mechanism [górn.]

mechanizm jezdny ciągnika crawler chassis [mot.]

mechanizm jezdny dźwigu crane crawler unit; crane undercarriage, undercarriage (*crawler unit*) [mot.]

mechanizm jezdny szynowy railbound travelling mechanism [mot.]

mechanizm kierowniczy steering gear [mot.]

mechanizm kierowniczy ławy pokrętnej bogie-type tandem axles (*of graders*) [mot.]

mechanizm kierowniczy ze wspomaganiem power assisted steering, power steering, servo steering, servo-assisted steering gear [mot.]

mechanizm komunikacyjny communication mechanism [inf.]

mechanizm korbowy crankshaft drive [mot.]

mechanizm kroczący travelling assembly, walking pads [górn.]

mechanizm kroczący złożony compound walking mechanism [górn.]

mechanizm krzywkowy cam mechanism [mot.]

mechanizm kulisowy link motion [mot.]

mechanizm liczący counter [el.]

mechanizm łącznościowy communication mechanism [inf.]

mechanizm łękowy link motion [mot.]

mechanizm łękowy Allana Allan link motion [mot.]

mechanizm napędowy drive device [mot.]; power unit [transp.]

mechanizm napędowy koparki crawler unit [transp.]

mechanizm napędowy krzywkowy angle drive (*angular drive*) [abc]

mechanizm napędowy pompy pożarniczej fire pump engine [mot.]

mechanizm napędowy schodów ruchomych escalator gearbox [transp.]

mechanizm napędowy taśmy tape drive [inf.]

mechanizm napędowy zębaty power train (*drive line*) [mot.]

mechanizm obrotowy slewing device, slewing equipment [transp.]; swing assembly; swing gear, slewing gear; turning gear [mot.]

mechanizm obrotu chwytaka grab swivel device (*in basic machine*) [transp.]

mechanizm oceniania scoring mechanism [inf.]

mechanizm opuszczania liny ropedown device (*escape*) [mot.]

mechanizm opuszczania podnóżka step lowering device [transp.]

mechanizm płyty sterowania okresowego swash plate mechanism [masz.]

mechanizm podnoszący hoisting gear; elevating device; lift frame (*US: short for lifting frame*); lifting device; lifting gear (*of forklift*) [mot.]

mechanizm podnoszący i zsypujący lifting and tipping device [mot.]

mechanizm poręczy handrail gearing [transp.]

mechanizm poruszania ramieniem koparki motion of the arm [transp.]

mechanizm przekładni reducing gear, reducer [masz.]

mechanizm przekładniowy zdalny remote-action gear [mot.]

mechanizm przełączający shifter mechanism [mot.]

mechanizm przesuwu opony pneumatycznej pneumatic tyre travelling mechanism [górn.]

mechanizm push-pull push-pull device [mot.]

mechanizm rejestrujący recording system [miern.]

mechanizm rozrządu zaworowego valve trains [mot.]

mechanizm różnicowy blokujący friction-type differential [mot.]

mechanizm różnicowy differential gear, differential gear unit [mot.]

mechanizm różnicowy samohamowny self-locking differential [mot.]

mechanizm różnicowy w skrzynce biegów transfer case differential [mot.]

mechanizm różnicowy z ograniczeniem poślizgu limited slip differential [mot.]

mechanizm sprężynowy spring device [masz.]

mechanizm sterowania control device, control gear [masz.]

mechanizm sterowania zaworami valve operating gear [masz.]

mechanizm sterowniczy controls; steering mechanism [mot.]

mechanizm sterowniczy regulatora governor control linkage [mot.]

mechanizm synchronizujący synchronizing mechanism, synchromesh mechanism [mot.]

M

mechanizm szybkiego obniżania fast-lowering device [transp.]

mechanizm szybkiego opuszczania fast fall device [transp.]

mechanizm ustawiania poprzecznego cross-levelling device [transp.]

mechanizm wolnego biegu free wheel (*wheels not driven*) [mot.]

mechanizm wrzecionowy spindle drive [mot.]

mechanizm wrzecionowy układu kierowniczego steering shaft and worm [mot.]

mechanizm wspomagania układu kierowniczego servo-assisted steering mechanism [mot.]

mechanizm wyciągowy hoisting equipment (*hoist equipment*) [masz.]

mechanizm wyłączający ciepło thermal switch [energ.]

mechanizm wymiany młota hammer changing device [masz.]

mechanizm wypadu luffing gear, luffing mechanism [mot.]

mechanizm wysuwania osi młota hammer axle extraction device [górn.]

mechanizm wywrotowy fully balanced stacker/reclaimer [górn.]

mechanizm zapadkowy pawl, ratchet [masz.]

mechanizm zapisujący recording system [miern.]

mechanizm zapłonowy spark linkage [mot.]

mechanizm zmiany biegów gearshift mechanism, control of gear shift [mot.]

mechanizm zmiany biegów z wybierakiem pod kołem kierowniczym steering column change (*shift*) [mot.]

mechanizm zwrotniczy steering link [mot.]

mechanizm zwrotny feed back regulator [mot.]

media media [abc]

media prasowe press media (*TV, radio, printed press*) [abc]

medium medium [abc]

medycyna medicine; medical science [med.]

megawatomierz megawattmeter [el.]

meldunek negatywny negative report [abc]

meldunek zewnętrzny extraneous information [transp.]

melioracja reclamation [gleb.]

melioracja gruntów soil stabilization [bud.]

membrana diaphragm [fiz.]; membrane [masz.]

membrana pompy pump diaphragm [mot.]

membrana pompy paliwowej fuel pump diaphragm [mot.]

membrana uszczelniająca seal membrane (*pressure vessel*) [masz.]

memorandum memorandum [abc]

mesa oficerska officers' mess [wojsk.]

metafora wędrującej mrówki wandering ant metaphor [inf.]

metal metal [met.]

metal ciężki heavy metal [masz.]

metal kolorowy non-ferrous metal, non-ferrous metals (*e.g. copper, brass*) [met.]

metal lekki light metal [met.]

metal ciekły liquid metal [masz.]

metal nieżelazny non-ferrous metal (*e.g. copper, brass*) [met.]

metal spoiny weld deposit, weld metal [met.]

metal surowy raw metal [met.]

metal szlachetny rare metal [met.]

metalicznie czysty metallically blank (*well cleaned*) [abc]

metalizacja natryskowa metal spraying [met.]

metalizacja próżniowa vacuum metallurgical processes [masz.]

metalizować metallize; metal spray [met.]

metalonośny metalliferous [met.]

metalurgia metali kolorowych non-ferrous metallurgy [met.]

metalurgia metali nieżelaznych non-ferrous metallurgy [met.]

metalurgia żelaza ferrous metallurgy [górn.]; blackiron metallurgy (*for blackplate*) [masz.]

metalurgiczny metalurgical [met.]

metamorficzny metamorphic (*deforming*) [abc]

metamorfoza metamorphose (*change of form/nature*) [abc]

metaniobian ołowiu lead meta-niobate [el.]

meteorologia meteorology [abc]

meteorologiczny meteorological [abc]

meteoryt meteorite (*meteoroid; shooting star*) [abc]

metoda method; (*pracy*) procedure [abc]; philosophy (*in computer-science*) [inf.]

metoda alfabetyczna alpha-beta pruning [inf.]

metoda bikryształowa double-crystal method [el.]

metoda czasu przelotu impulsu pulse transit-time method [el.]

metoda defektoskopii ultradźwiękowej dwugłowicowej double-probe through-trans-mission technique [el.]

metoda dwuczęstotliwościowa two-frequency method [el.]

metoda dwugłowicowa double-probe method only [el.]

metoda dwugłowicowa dwupromieniowa cross-noise method [akust.]

metoda echa echo method; pulse-echo method (*procedure*) [el.]

metoda elektroiskrowa electro-erosive method [el.]

metoda elementów skończonych finite element method (*FEM; calculate*) [inf.]

metoda fali uderzeniowej shock wave method [masz.]

metoda impulsowa pulse method [el.]

metoda integracyjna integration method [abc]

metoda kąpieli w temperaturze zamarzania freezing point bath (*thermocouple*) [energ.]

metoda komunikacji communication method (*in control*) [inf.]

metoda komunikacji grupowej party-line method [inf.]

metoda łączności communication method [inf.]

metoda łączy prywatnych private-line method [inf.]

metoda modulacji częstotliwości frequency modulation method [el.]

metoda montażowa assembly method (*way of assembling*), assembly process [masz.]

metoda nawęglania gazowego gas carbonizing procedure [met.]

metoda obrazowania śladu dźwięku sound image method [akust.]

metoda odbiciowa reflection method [opt.]

metoda odbiciowa dwugłowicowa double-probe reflection method, double-probe reflection system [el.]

metoda pełnej formy full-mould casting [met.]

metoda pierwszy na wejściu – pierwszy na wyjściu FIFO-Method (*First In — First Outt*) [el.]

metoda planowania method of planning, work planning [abc]

metoda połówkowa half-value method [abc]

M

metoda postępowania mode of process [abc]

metoda pracy przerywanej discontinuous handling [met.]

metoda prowadzenia path-way method [mot.]

metoda próbkowania jednokrotnego (*jedną głowicą probierczą*) single-probe method [miern.]

metoda rejestracyjna recording method [miern.]

metoda reliefowa relief method [abc]

metoda rezonansowa resonance method [fiz.]

metoda rezonansu impulsów pulse resonance method [el.]

metoda ręczna manual method [abc]

metoda siatki tlenków (*ujawnianie umownego ziarna austenitu*) oxydation method [chem.]

metoda sortowania sorting method [inf.]

metoda spawalnicza welding procedure [met.]

metoda stosów zarezerwowanych reserved-spot method [inf.]

metoda szczotkowa brush technique [el.]

metoda tablicowa blackboard method [abc]

metoda technicznie wykonalna technically feasible method [abc]

metoda testowa test method [miern.]

metoda tłumienia damping method [tw.]

metoda ultradźwiękowa through-transmission method [miern.]

metoda urabiania mining method [górn.]

metoda Waltza Waltz's procedure [inf.]

metoda Wilsona opacity technique [el.]

metoda wybierania mining method [górn.]

metoda zagęszczania Proctora Proctor compaction test [bud.]

metoda zliczania counting method [miern.]

metoda zobrazowania display method [el.]

metodologia programowania programming methodology [inf.]

metodologia symulacji simulation methodology [inf.]

metody redukcji danych data reduction methods [inf.]

metr meter [fiz.]

metr kwadratowy square meter [fiz.]

metr sześcienny cubic meter, bank meter [fiz.]

metro subway (*GB: underground, tube*) [abc]

metrologia metrology (*science of weights*) [fiz.]

metronom metronome [abc]

metryczka impressum [abc]

metryczny metric (*opposite: imperial*) [fiz.]

metryka maszyny machine record card [masz.]

mewa seagull [bot.]

męczący arduous [abc]

mglisty misty (*foggy, damp, moist*) [abc]

mgła mist (*haze*); fog (*fog and smoke smog*) [abc]

miał fly ash, ash, fines [energ.]

miał koksowy breeze, coke breeze [energ.]

miał węglowy small coal [energ.]

miałki sandy [abc]

mianowanie appointment [abc]

miara dimension [rys.]; measure; measurement (*take your m.*) [abc]

miara średnicowa pomiędzy rolkami (*krążkami*) diametral measurement between pins [masz.]

miarodajny substantial (*particular*) [abc]

miasto city; town [geogr.]

miąższość depth (*also: thickness*) [geol.]

miąższość hałdy thickness of the dump [rec.]

miąższość zwału thickness of the dump [rec.]

miech bellows [masz.]

miech spalinowy exit gas fan [masz.]

miech z buny buna bellows, tubular bellows [masz.]

miednica pelvis [med.]

miedź copper [met.]

miedź przewodowa conductive copper [el.]

miejsce location, place [bud.]; site [abc]

miejsce do lądowania ship's landing (*landing bridge*) [mot.]

miejsce do parkowania parking lot [mot.]

miejsce do suszenia/suszarnicze drying area, drying bay [bud.]

miejsce dyslokacji clogging point [transp.]

miejsce instalacji installation place, place of installation [abc]

miejsce konferencji (*zjazdu, sesji, obrad*) meeting place [abc]

miejsce montażu place of installation [transp.]

miejsce na etykietę wagon label container [mot.]

miejsce pobytu whereabouts [abc]

miejsce połączenia przegubowego pivot point [transp.]

miejsce poślizgu hardness gap (*away from main stress*) [transp.]

miejsce pożaru site of the fire [abc]

miejsce pracy working place; working site [abc]; bay (*position, work station*) [ekon.]

miejsce produkcji production site [abc]

miejsce przeciekania leakage [abc]

miejsce przeprowadzania pomiaru test point; test instrument tapping points [miern.]

miejsce przyłożenia dźwignika jacking position [mot.]

miejsce rozbiórki demolition site [górn.]

miejsce splotu splice (*backsplice*) [masz.]

miejsce stałego stacjonowania garrison [wojsk.]

miejsce uszkodzenia defective area, defective spot-area [tw.]

miejsce wypadku site of the accident [mot.]

miejsce załadunku loading place, loading site [górn.]

miejsce zerowe zero [mat.]

miejsce znakowania marking point [abc]

miejscowo dostępny locally available [abc]

miejscowy rodzaj zabudowy indigenous construction methods [bud.]

miejski urban; municipal [abc]

miejskie przedsiębiorstwo oczyszczania sanitation [rec.]

miejskie zakłady komunikacyjne urban transit authority [mot.]

mielenie grinding, grinding work [met.]

mielenie wstępne pregrinding, primary grinding, raw grinding [met.]

mielerz charcoal kiln (GB) [bud.]

mielizna shallow [mot.]; shoal [abc]; ford [bud.]

mielizna brukowana paved ford [bud.]

mierniczy surveyor [miern.]

miernik gauge; meter [miern.]

miernik chropowatości roughness measuring device [miern.]

miernik ciśnienia w przewodzie hamulcowym brake-pipe pressure gauge [mot.]

miernik drogi hamowania stop-

M

ping distance measuring instrument, stopping-distance-apparatus [transp.]

miernik napięcia voltage control, tension indicator [el.]

miernik obsługowy service meter [narz.]

miernik poziomu level switch [el.]

miernik poziomu ciśnienia akustycznego sound-level measuring device [miern.]

miernik poziomu paliwa fuel sender (*fuel level switch*) [mot.]

miernik poziomu wody water level indicator, water-level gauge [mot.]

miernik wartości szczytowej crest meter, peak value meter [miern.]

miernik wody zasilającej feed water meter [hydr.]

miernik wskazówkowy indicator [miern.]

miernik zużycia paliwa fuel consumption indicator [mot.]

mierzenie gauging [miern.]

mierzenie grubości ścianki wall thickness gauging, wall thickness measurement [bud.]

mierzyć measure [abc]; sight out [transp.]; survey [bud.]

miesiąc month [abc]

miesić (*ciasto*) knead [abc]

miesięczny monthly [abc]

mieszać blend [górn.]; knead; mix [abc]

mieszać glinę (*ugniatać glinę*) wedge clay (*slap clay*) [górn.]

mieszalnik mixer [abc]; mixing header [energ.]

mieszalny mixing [abc]

mieszanie mixing work [górn.]

mieszanina mix, mixture [górn.]

mieszanina gazów gaseous mixture [energ.]

mieszanina uboga lean mixture [energ.]

mieszanka mix, mixture [górn.]

mieszanka bitumiczna black top material, blacktop material [bud.]

mieszanka gruntów soil mixture [gleb.]

mieszanka inhibicyjna inhibitor mixture [chem.]

mieszanka mineralna aggregates (*mineral mixture*) [bud.]

mieszanka substancji stałej i wody solids/water mixture [abc]

mieszanka uboga weak mixture [abc]

mieszanka wodno-parowa steam water mixture [energ.]

mieszanka zapalająca igniting composition [wojsk.]

mieszany mixing; miscellaneous [abc]

mieszarka bębnowa drum-mixer [masz.]

mieszarka samochodowa truck mixer [transp.]

mieszek sprężysty bellows [masz.]

mieszek uszczelniający bellows [masz.]

mieszkający obok/blisko (*czegoś*) resident [abc]

mieszkanie apartment, flat (US) [bud.]; lodging [abc]

mieszkanie rodzinne family accommodation [bud.]

mieszkanie jednopokojowe one-room apartment [bud.]

mieszkanie własnościowe condo, condominium [bud.]

mieszkańcy population [abc]

międzyciąg lateral gas pass [energ.]

Międzynarodowa Izba Handlowa International Chamber of Commerce [ekon.]

Międzynarodowa Organizacja Normalizacyjna International Organization for Standardization (ISO) [abc]

międzynarodowa skrajnia ładunkowa international loading gauge [mot.]

Międzynarodowe Stowarzyszenie Normalizacyjne International Standardizing Association (I.S.A.) [abc]

międzynarodowy international [abc]

międzypiaście axle body [masz.]

międzystopniowe przegrzewanie pary reheat cycle [energ.]

międzystopniowe przegrzewanie pary proste single reheat cycle [energ.]

międzywarstwa interburden (*interwaste*) [górn.]

miękki soft (*e.g. cushion*) [abc]

mięsień muscle [med.]

mięso meat [abc]

migacz ostrzegawczy hazard flasher [mot.]

migawka snapshot [mot.]

migracja migration [abc]; weld displacement [met.]

migracja częstotliwości frequency drift [el.]

migracja danych data migration [inf.]

mijać omit (*he omitted the topic*) [abc]

mijanie passing [mot.]

mijanka overtaking line; passing place [mot.]

mika mica [min.]

mika żelazna iron mica [min.]

mikrofilm micro film [inf.]

mikrofiltr micro film [mot.]

mikrofiszka microfiche [inf.]

mikrofon microphone (*mike*) [abc]

mikrofotokopia micro film [inf.]

mikrografia micrograp [inf.]

mikrokarta microfiche, microfilm card [inf.]

mikrometr micrometer screw [miern.]

mikrometr kabłąkowy micrometer gauge [miern.]

mikrometr wewnętrzny internal measuring gauge [miern.]

mikropęknięcie hair crack, hairline fracture [tw.]

mikroprocesor micro processor (*micro-processor*) [inf.]

mikroskop microscope [miern.]

mikroskop ultradźwiękowy ultrasonic microscope [miern.]

mikrowłącznik micro switch [el.]

mikrozawór micro valve [el.]

mikser blender [abc]

mila kwadratowa square mile [abc]

mila rzeczna river mile [abc]

miłośnik gołębi pigeon fancier [abc]

mimoosiowy off-centre [abc]

mimośrodowa nakładka (*ogniwa gąsienicy*) offset track shoe [masz.]

mimośrodowość elementu przeszukiwawczego probe eccentricity [el.]

mimośrodowy off-centre [abc]

mina mine [wojsk.]

mina podwodna under-water mine [wojsk.]

mineralogia mineralogy (part of geological science) [min.]

minerał mineral (*parts of ground*) [min.]

miniaturowy defektoskop ultradźwiękowy ultrasonic miniature flaw detector [el.]

miniaturowy przyrząd do sprawdzania kątów miniature angle-beam probe [miern.]

minimalizacja zużycia minimized wear, minimizing of abrasion [mot.]

minimalna grubość powłoki minimum coat thickness [met.]

minimalna grubość warstwy minimum coat thickness [met.]

minimalna pojemność dostarczana minimum volume delivery [abc]

minimalna wartość nastawcza minimum pre-set value [abc]

minimalny poziom cieczy chło-

M

dzącej minimum level of coolant [mot.]

minimalny promień zewnętrzny minimum outside radius [masz.]

minimetr inclined gauge; micropressure gauge [mot.]

minipunkt kontrolny minicheck point [mot.]

minister minister [polit.]

minuskuły small letters [abc]

minuta minute [abc]

minuta kątowa arc minute [mat.]

miodowy honey yellow [norm.]

misa bowl [abc]

misa sedymentacyjna sediment bowl [abc]

miseczka cup (*bowl, soup dish*) [abc]

miseczka sprężyny spring cap [masz.]

miseczkowy shell-shaped [masz.]

misja dworcowa station missionary ward [mot.]

miska olejowa oil sump, oil tray; oil pan [masz.]; oil collector sump [transp.]; bog [gleb.]

miska sprężyny zaworu valve spring retainer [mot.]

miska ustępowa toilet bowl [bud.]

mistrz master (*e.g. master baker; master cutler*), supervisor [abc]

mistrz browarniczy master brewer [abc]

mistrz budowlany general foreman, site agent, technician [bud.]

mistrz murarski master bricklayer [bud.]

mistrz pogłębiarski dredgemaster [bud.]

mistrz szybowy foreman [górn.]

mleć grate, grind [met.]; mill (*mill flour*) [abc]; crumble, grate, crush, grind [transp.]

mleć wstępne primary grind, pregrind, raw grind [górn.]

mleko wapienne laitance [górn.]

młodociany adolescent, juvenile [abc], under age [praw.]

młodzieniec adolescent (*young man*) [abc]

młot kafara pile driver, ram [bud.]

młot kowalski dwuręczny sledge hammer [narz.]

młot kowalski ręczny forging hammer [narz.]

młot kuźniczy blacksmith's hammer (*sledge*), forging hammer [narz.]

młot maszynowy blacksmith's hammer, forging hammer [masz.]

młot mechaniczny blacksmith's hammer, forging hammer [masz.]

młot pneumatyczny pneumatic breaker, breaker (*compressed air breaker*) [masz.]

młot powietrzny pneumatic breaker [masz.]

młotek hammer (*tool*); breaker [narz.]

młotek awaryjny emergency hammer (*breaks bus window*) [mot.]

młotek do rozłupywania spalling hammer [narz.]

młotek dwuobuchowy lump hammer [narz.]

młotek dzwonka budzika bell hammer [abc]

młotek kruszący beater (*hammer*) [energ.]; lump hammer [narz.]

młotek mechaniczny breaker hammer [narz.]

młotek pneumatyczny breaker hammer [narz.]

młotek ślusarski hammer [narz.]

młyn grinding mill, mill, pulverizer [abc]

młyn bijakowy beater mill [energ.]

młyn bijakowy z klasyfikacją produktu classifier beater mill [górn.]

młyn elewatorowy o obiegu zamkniętym closed-circuit grinding plant [transp.]

młyn kulowy ball mill [górn.]

młyn kulowy wolnobieżny low speed pulverizer [narz.]

młyn kulowy z klasyfikacją powietrzną air-swept ball mill [górn.]

młyn lignitowy lignite mill (*brown coal mill*) [górn.]

młyn misowy bowl mill [górn.]

młyn młotkowy beater mill [energ.]; hammer crusher; hammer mill [narz.]

młyn pyłowy pulverizer plant [masz.]

młyn rezerwowy reserve mill, standby mill [energ.]

młyn rurowy tube mill [masz.]

młyn strumieniowy powietrzny air-swept grinding plant [górn.]

młyn udarowy impact crusher [narz.]; beater mill (*integral fan mill*) [energ.]

młyn udarowy wirnikowy integral fan mill [energ.]

młyn wdmuchujący bezpośrednio pył do paleniska direct firing mill [energ.]

młyn węgla brunatnego brown coal mill (*lignite mill*) [energ.]

młynek pulverizer (*mill*) [narz.]

mniejszość minority [abc]

mnożnik częstotliwości frequency multiplier [el.]

mnożyć (*przez*) multiply (*by*) [mat.]

mnóstwo bulk [bud.]

moc force; power [mot.]; strength [masz.]

moc bierna idle power (*wattless volt/ ampere*); reactive power [el.]

moc chwilowa instantaneous power [el.]

moc czynna effective power; real power [el.]

moc hydrauliczna hydraulic output, hydraulic power [masz.]

moc maksymalna full power [masz.]

moc na wale shaft horsepower, brake horsepower, brake HP [masz.]

moc nadawcza transmission power [el.]

moc nominalna rated power, performance rating, rating [el.]

moc nominalna silnika motor rating, normal output [mot.]

moc odbioru connected load [el.]

moc oddawana power output [masz.]

moc palników load carrying burners [energ.]

moc pobierana power consumption, power input [mot.]; wattage [el.]

moc pociągowa tractive output [mot.]

moc pozorna apparent power [el.]

moc (pozorna) zespolona complex power [el.]

moc produkcyjna capacity (*capacity range*) [abc]

moc przyłączowa connected load [el.]

moc rozruchowa cranking power, starting power [mot.]

moc silnika mean motor rating [mot.];

moc stracona dissipated energy, dissipation, power loss, stray power [el.]

moc szczytowa peak [mot.]

moc tłoczenia output [mot.]

moc w watach wattage [el.]

moc wejściowa power consumption, power inlet [mot.]

moc wyjściowa power output (*performance*); output (*engine output*) [mot.]; capacity (*steam output*) [energ.]

moc wyjściowa maksymalna maximum output [mot.]

moc załączalna braking capacity (*rupturing*) [mot.]

mocnik clamp [transp.]

mocno obciążony highly stressed [abc]

mocny firm; forceful; powerful;

M

strong, robust, sturdy, solid [abc]; stout [mot.]

mocny hak robust hock [masz.]

mocować fasten [masz.]

mocować linami lash (*lash down, hold by chains etc.*) [mot.]

mocowanie interlocking [masz.]

mocowanie nożne foot mounting [mot.]

mocowanie z wytłumieniem szumów fastening with noise abatement [mot.]

mocz urine [abc]

moczary swamp (*moor, bog*) [abc]

moczyć wet [abc]

moda fashion (*after the latest fashion*) [abc]

model model (*for expressions in logic*) [inf.]; model, type; pattern [masz.]

model danych data model [inf.]

model ekosystemu ecosystem model [inf.]

model fazowy phase model [inf.]

model kolejki model railroad, model railway [mot.]

model pokazowy display model [mot.]

model przekroju sectional model [masz.]

model przyrostowy incremental model [el.]

model sieci network model [el.]

model wykresu chart design [abc]

model żurawia model of crane [mot.]

modelarstwo pattern-making [masz.]

modelarz pattern maker [abc]

modele imisji immission models [inf.]

modelowanie modeling (*modelling*) [inf.]

modelowanie danych data modeling [inf.]

modelowanie geometryczne geometric modeling [inf.]

modelowanie ludzkiego myślenia modeling human thinking [inf.]

moderator moderator [inf.]

modernizacja modernization [abc]; revamping (*of the intermediate train*) [masz.]

modernizacja istniejących urządzeń modernization of existing plants [abc]

modernizować update [inf.]

modny fashionable (*fashionably dressed*); modern; stylish (*mondaine*) [abc]

modulacja amplitudowa amplitude modulation [el.]

modulacja częstotliwości frequency modulation [el.]

modulacja fali ciągłej continuous wave modulation [el.]

modulacja impulsowa pulse modulation [el.]

modulacja natężenia intensity modulation; trace brilliance [el.]

modulowany modulated [masz.]

moduł module; unit [el.]; modulus [masz.]; unit [mat.]; unit [inf.]; unit [bud.]

moduł ekranowy CRT module [el.]

moduł elektryczny E module, electric module [el.]

moduł kartoteki głównej części zamiennych master parts record unit (*unit in MPR*) [inf.]

moduł Kirchhoffa torsion module, shear modulus [masz.]

moduł odkształcenia modulus of deformation [masz.]

moduł pamięci memory module [inf.]

moduł przekaźnika relay module [el.]

moduł rejestru przesuwnego shift register module [masz.]

moduł sprężystości poprzecznej shear modulus, torsion module, rigidity modulus [masz.]

moduł sprężystości postaciowej

shear modulus, torsion module [masz.]

moduł ścinania torsion module [masz.]

moduł wsuwany module, insert [masz.]

moduł wzorcowy standard module [abc]

moduł zapisu głównego unit of the master parts record [inf.]

modyfikacja modification [abc]; deviation [tw.]

modyfikować modify; vary; converse (*the attachment*) [abc]

mogący pokonywać zakręty able to negotiate curves [transp.]

mokra strona wet side [abc]

mokry wet [abc]

molet knurled wheel [masz.]

molibden molybdenium, molybdenum [met.]

molo pier [abc]

moment moment (*seldom: momentum*) [fiz.]

moment bezwładności moment of inertia [fiz.]

moment dociągający nakrętki nut torque [masz.]

moment dociągający początkowy initial torque [tw.]

moment dodatkowy additional moment [fiz.]

moment dokręcający (dociągający) śruby zaciskowej torque of-tightening bolt (*on hub*) [masz.]

moment dokręcający początkowy initial torque (*tightening*) [masz.]

moment gnący bending momentum [rys.]

moment hamujący braking couple [mot.]

moment napędowy output factor [transp.]

moment obciążenia load moment [mot.]

moment obrotowy torque, torsional force, twisting force [masz.]

moment obrotowy dokręcania tightening torque [met.]

moment obrotowy głowicy puszkowej rotary drive torque (*on drill rig*) [transp.]

moment obrotowy przy pełnym obciążeniu full load torque [mot.]

moment obrotowy silnika motor torque [masz.]

moment obrotowy znamionowy rated torque [masz.]

moment pędu close twisting [fiz.]

moment podniesienia lift moment [transp.]

moment rozruchowy starting torque [masz.]

moment rozruchu starting torque [masz.]

moment skokowy lift moment (*calculable*) [transp.]

moment skręcający torsional force, twisting force; torque [masz.]

moment uchylny swing torque [mot.]

moment udźwigu boom moment [transp.]

moment zapłonu firing point [mot.]

moment zginający bending momentum [fiz.]

momenty bezwładności efektywnej moments of effective inertia [inf.]

momenty wypadkowe resultant moments [transp.]

monitor screen, terminal, monitor [inf.]; video screen (*fluorescent screen*) [el.]

monitor ekranowy monitor-text assembly [inf.]

monitor podwójny double monitor [el.]

monitor sygnałów signal monitor [el.]

M

monitorowanie monitoring [abc]

monitorowanie pracy silnika motor monitoring [mot.]

monitorowanie wlotu poręczy handrail inlet monitor [transp.]

monoblok monobloc [transp.]

monolit monolith [min.]

monomaszt monomast [mot.]

monotoniczność monotonicity [inf.]

monsun monsoon (*during monsoon times*) [meteo.]

montaż assembling, assembly [masz.]; erection (*e.g. large machines, plants*); installation (*construction*); fitting [met.]; mounting [mot.]; placing (*installation, putting in*) [abc]

montaż czołowy face mounting [met.]

montaż fabryczny assembled in works [masz.]

montaż główny major assembly [met.]

montaż i uruchomienie erection and start-up [transp.]

montaż klamry clamp fitting [tw.]

montaż łożyska installation of bearing [mot.]

montaż na miejscu placement on site [abc]

montaż ostateczny final assembly [mot.]

montaż radia radio installation (*e.g. in cab*) [abc]

montaż taśmowy line assembly [met.]

montaż w zakładzie assembled in works [masz.]

montaż zacisku clamp fitting [tw.]

monter fitter [abc]; assembly line worker [masz.]

monter instalacji rurowych pipework fitter [energ.]

monter konstrukcji stalowych ironworker [masz.]

montować fit; install; mount; mount on; lay; fasten; assemble [met.]

montować podłączenia install facilities, install utilities [abc]

montować ponownie reassemble [met.]

montownia assembly hall, assembly shop [masz.]

monumentalny monumental [abc]

morze sea [geogr., mot.]

mosiądz brass [masz.]

most bridge [mot.]

most belkowy girder bridge [mot.]

most drogowy highway bridge (*GB: roadway bridge*) [mot.]

most dwupoziomowy double-deck bridge [mot.]

most klapowy drawbridge [bud.]

most kolejowy railroad bridge (US); railway bridge (GB) [mot.]

most kratowy girder bridge [bud.]

most ładowczy loading bridge [transp.]

most łukowy arched bridge, arch bridge, bridle chord bridge, bridle bridge [bud.]

most łukowy kamienny stone arch bridge [bud.]

most łukowy z zawieszonym pomostem arched trough bridge [mot.]

most napędowy przedni steering drive axle [mot.]

most pędny przegubowy swing axle [mot.]

most płatny toll bridge [mot.]

most powietrzny airlift [mot.]

most przeładunkowy conveyor bridge, discharge bridge; loading bridge [transp.]; bridge plate [mot.]; end plate [mot.]

most przerzutowy nadkładu overburden removing bridge [transp.]

most przewozowy transport bridge [mot.]

most rurociągu pipeline bridge [masz.]

most wiszący suspension bridge [bud.]

most z betonu sprężonego prestressed concrete bridge [bud.]

most zakładkowy overlap bridge path [mot.]

most zwodzony drawbridge [bud.]

mostek arch [abc]; bridge (*e.g. valve bridge*) [transp.]

mostek kapitański navigation bridge [mot.]

mostek lokomotywy fall plate (*from loco to tender*) [mot.]

mostek między lokomotywą a tenderem fallplate [mot.]

mostek międzywagonowy wagon bridge [mot.]

mostek nawigacyjny navigation bridge [mot.]

mostek stalowy steel bridge plate [mot.]

mostek tendrowy fallplate (*between loco and coalcar*) [mot.]

mostowiec discharge bridge [transp.]

mostownica bridge sleeper (GB); bridge tie (US) [mot.]; discharge bridge [transp.]

motel motel (*hotel for automobilists*) [abc]

motocykl motorbike, motorcycle [mot.]

motopompa engine [mot.]

motorower motor bicycle, motorbike (*US: motorcycle*) [mot.]

motoryzować motorize [mot.]

motyka hoe [narz.]

motyka szeroka mattock [narz.]

motyw cause (*He fights for his cause*); motif [abc]

motywacja motivation [abc]

mowa speech (*give, deliver, make a speech*) [abc]

mozaika mosaic (*coloured pebbles*) [abc]

moździerz mortar [wojsk.]

możliwości capacities [abc]

możliwości czasu rzeczywistego realtime capabilities [inf.]

możliwość possibility; option [abc]

możliwość regulacji possibilities to position [abc]

możliwy possible [praw.]; (*do zrealizowania*) practical (*feasible*); practicable (*where practicable*) [abc]

możność przystosowania adaptability [abc]

móc (*mieć pozwolenie*) may [abc]

mówca speaker [abc]

mównica rostrum [abc]

mroźny frosty [abc]

mróz frost [abc]

mufa thimble [tw.]

mufa kablowa cable coupler, socket [el.]

mufa T T-joint [met.]

mufa trójnikowa T-joint [met.]

mufka thimble; (*instalacyjna*) conduit coupling [tw.]

mulczarka mulcher (*forest mulcher*) [mot.]

mulisty muddy [abc]

multiwibrator multivibrator [el.]

multiwibrator bistabilny flip-flop [el.]

multiwibrator jednostabilny monostable multivibrator [el.]

multiwibrator monostabilny monostable multivibrator [el.]

multiwibrator samowzbudny astable multivibrator [el.]

multiwibrator symetryczny astable multivibrator [el.]

muł mule [bot.]; sapropel [gleb.]; silt [mot.]; sludge, mud, slurry [abc]

mułek coarse clay [min.]

mundur uniform [wojsk.]

mur wall; bricksetting; brickwork [bud.]

mur ceglany brick wall [bud.]

mur cokołowy base wall masonry [bud.]

mur cokołowy plinth masonry [bud.]

mur o dużym obciążeniu high-stress brickwork [bud.]

M

mur ogniotrwały refractory brick-work [energ.]

mur oporowy abutment (*vertical or inclined dam*) [bud.]

mur pruski half-timbered construction [bud.]

mur suchy (*bez zaprawy*) dry masonry [bud.]

mur układany na sucho dry masonry [bud.]

mur z cegły stone wall, stonewall [bud.]

mur z kamienia łamanego natural stone masonry, rubble masonry [górn.]

mur z połówek (*cegły*) half-brick wall [bud.]

murarstwo masonry [bud.]

murarz bricklayer [met.]; mason [bud.]

murek little wall [bud.]

murłat wall plate [bud.]

murowany w ułożeniu przemiennym staggered (*staggered bricklaying*) [abc]

mury miejskie city wall [bud.]

muskularny muscular [med.]

muskuł muscle [med.]

muszla shell [bot.]

muszla klozetowa toilet bowl [bud.]

muszlowiec conchoid [górn.]

muzyka music [abc]

myć wash [abc]

myć natryskowo spray wash [transp.]

mydło szare soft soap [abc]

mylić mistake (*someone*) [abc]

mysz mouse (*mice*) [bot.]

myszka (reading) mouse (*mouse*) [inf.]

myśl zasadnicza basic idea [abc]

myśleć think (*believe*) [abc]

myśliwiec odrzutowy jet fighter [wojsk.]

myśliwy hunter [abc]

myto toll [mot.]

N

na on; per (*per person*) [abc]

na biegu jałowym in idle [mot.]

na czole przodka at the face (*of coal breaking*) [górn.]

na dole below, down [abc]; (*w dole*) bottom [rys.]

na gąsienicach on crawlers [transp.]

na gładkim ramieniu zrywarki on smooth profile ripper [masz.]

na górze (*w górze, u góry*) on top, top [abc]

na kant edgewise [abc]

na krzyż cross (*cross-shaped*) [tw.]; crosswise [abc]

na luzie in idle [mot.]

na miejscu on site, on the spot, in situ, on the premises [abc]

na odwrocie overleaf [abc]

na placu budowy on site [transp.]

na podkładzie ceramicznym ceramic backing [met.]

na podwoziu gąsienicowym on crawlers (*on tracks*) [transp.]

na północ northward [geogr.]

na przodku at the face [górn.]

na resorach spring-supported [masz.]

na rufie aft (*towards the stern*) [mot.]

na rysunku in drawing, in the drawing [rys.]

na stronie podparcia on base side [transp.]

nabiegunnik pole shoe [el.]

nabierać łyżką shovel [transp.]

nabój cartridge; shot, bullet, buckshot; round [wojsk.]

nabój bezpieczny safety cartridge [masz.]

nabój centralny central cartridge [wojsk.]

nabój dymny smoke charge [wojsk.]

nabój smarowy grease cartridge [mot.]

nabój ślepy blank cartridge [wojsk.]

nabój światła granicznego rim-fire cartridge [wojsk.]

nabrzeże quay [mot.]

nabrzeże wyposażeniowe fitting-out berth, outfitting quay [mot.]

nabrzmiewać bulge [met.]

nachylenie inclination, slope [energ.]

nachylenie bunkra bunker slope, valley angle of bunker [energ.]

nachylenie steru wysokości tail-plane incidence [mot.]

nachylony inclined; slanted [abc]; (*precipice*) inclined [geol.]; sloping (*precipice*) [gleb.]

naciągacz turnbuckle [masz.]

naciąganie interlocking [masz.]

nacięcie cut; nick [met.]; incision, box [transp.]; notch [tw.]; slot [abc]

nacięcie karbu notch [tw.]

nacięty nicked [met.]

nacinać nick [narz.]

nacinać karby notch [tw.]

nacinać zęby cut teeth [met.]; notch [tw.]; joggle [narz.]

nacinanie zębów notching, toothing [tw.]

nacisk emphasis; pressure [abc]

nacisk boczny transverse thrust [masz.]

nacisk całkowity total pressure [masz.]

nacisk dynamiczny dynamic pressure [energ.]

nacisk jednostkowy pressure per unit of area [transp.]

nacisk na oś axle load [fiz.]

nacisk na powierzchnię nośną pressure on bearing area [masz.]

nacisk na sprężynę spring pressure [masz.]

nacisk osiowy end thrust [mot.]

nacisk poprzeczny side thrust, transverse thrust [masz.]

nacisk prasy press power (*pressing power*) [masz.]

nacisk strefowy compartment pressure [energ.]

nacisk wzdłużny axial thrust (*axial pressure*) [fiz.]

naciskać push (*door, knob*) [abc]

naczelnik stacji station master [mot.]

naczepa-cysterna saddle tank [mot.]

naczynia dishes (*do the dishes*); crockery (*earthenware*) [abc]

naczynie vessel (bowl, vat, tab) [abc]; container [tw.]

naczynie ciśnieniowe pressure vessel [mot.]

naczynie krwionośne (*artery*) vein [med.]

naczynie leżakowe storage tank (*beer ripens*) [abc]

naczynie odwadniające zbiorcze condensate storage vessel [energ.]

naczynie zgarniarki doczepianej grader scraper [mot.]

nad poziomem morza above sea level [geogr.]

nad ziemią above surface (*not below surface*) [górn.]

nadajnik transmitter (*sender*) [akust.]

nadajnik fali ciągłej continuous signal transmitter [telkom.]

nadajnik impulsów impulser [transp.]; pulse generator, pulse trigger, trigger [el.]

nadajnik kątowy angle transmitter [transp.]

nadajnik laserowy laser transmitter [transp.]

nadajnik magnetyczny magnetic trigger [el.]

nadajnik obrotów motor speed transmitter; tach generator [mot.]; revolutions transmitter [masz.]

nadajnik radaru doplerowskiego continuous signal transmitter [telkom.]

N

nadajnik wartości chwilowej actual value transmitter [fiz.]

nadawa material charge; material feed; material <to be> fed in [górn.]

nadawać transmit, broadcast [abc]

nadawać zbieżność taper [masz.]

nadawca addresser (*he who writes*) [abc]

nadbieg overdrive; high range [mot.]

nadbudowa uppercarriage [transp.]

nadbudowa obrotowa revolving superstructure [transp.]

nadciśnienie overinflation [mot.]; gauge pressure [energ.]

naddatek allowance (*for machining*); machining tolerance [masz.]

naddatek na cięcie cutting allowance [tw.]

naddatek na obróbkę machining allowance [masz.]

nadeutektyczny hypereutectic (*rolled hard steel*) [tw.]

nadfioletowy ultraviolet [abc]

nadgarstek wrist [med.]

nadgodziny overtime (*overhours*) [abc]

nadkład overburden; debris and washery refuse [górn.]

nadlew nose; bleb (*in glass; slug in iron*) [masz.]

nadlew spoiny weld reinforcement, reinforcement of welded seam, excess material at root of seam, welded lug [met.]

nadlew wtryskowy stalk [tw.]

nadmiar abundance (*in abundance of*) [rys.]; oversize [mot.]

nadmiarowy redundant (*available more than once*) [abc]

nadmierna warstwa zbrojeniowa excessive reinforcement [met.]

nadmierne napompowanie ogumienia overinflation [mot.]

nadmiernie zatrudnienie overemployment [abc]

nadmierny excess (*in excess; excess capacity*) [abc]; excessive (*speed*); superelevated (*road, rail*) [mot.]

nadmierny przetop w grani excessive root penetration [met.]

nadmuchiwać inflate [abc]

nadmuchiwany inflatable [abc]

nadpłacony overpaid (*paid in excess*) [abc]

nadruk lettering [abc]

nadrzeczny riverine (*on or near banks of river*) [abc]

nadszybie bank (*underground mining*); bench (*open pit mining*); underhand stope [górn.]

nadużycie abuse [abc]

nadużywać abuse [abc]

nadwozie car body; box body (*above top of bogie*); (*wagonu*) uppercarriage; superstructure (*on top of bogie*) [mot.]; (*obrotowe*) revolving frame; uppercarriage [transp.]

nadwozie do transportu kamienia rock body [abc]

nadwozie pojazdu vehicle body [mot.]

nadwozie samowyładowcze dump body, body (*of a dump truck*) [transp.]

nadwozie wagonu vehicle body [mot.]

nadwymiar oversize [abc]

nadwymiarowy oversize (*extremely large*) [abc]

nadwyżka temperatury cieczy chłodzącej excess temperature of coolant [mot.]

nadzór superintendence [abc]; service [masz.]

nadzór montażowy chief erector [ekon.]

nadzór nad robotami spawalniczymi welding supervisor [met.]

nadzór nad zakładem supervision of the company [praw.]

nadzór produkcyjny manufacturing control [mot.]

nadzwyczajny extraordinary [abc]
nafta świetlna kerosene [mot.];
   nafta [abc]
nagar carbon deposit [górn.]; particulates [mot.]
nagła potrzeba emergency [abc]
nagła zmiana przekroju sudden
   change in section [masz.]
nagłe przewężenie sudden contraction [masz.]
nagły wypadek emergency [abc]
nagniatać (*wykańczać przez nagniatanie*) burnish [met.]
nagniatanie burnish [met.]
nagniatanie rolkami roller burnishing [masz.]
nagranie recording [abc]
nagrobek grave, tomb, tombstone
   [abc]
nagromadzanie (*osadów*) accretion
   (*in pipes*) [hydr.]; accumulation
   [abc]; enrichment [górn.]; (*się*)
   heap, heaping (*material in bucket*)
   [transp.]
nagrywać record [abc]
nagrywarka recorder (*recording device*) [abc]
nagrzewać heat [abc]
nagrzewanie heating [abc]
nagrzewnica cowper [tw.]
nagrzewnica dmuchu hot blast
   stove [energ.]
najem heap [abc]
najemca tenant [bud.]
najeżdżanie overriding [mot.]
najmniejszy opór least resistance
   [abc]
najmniejszy promień zewnętrzny
   minimum outside radius [masz.]
najmodniejszy up-to-date [abc]
najmować hire (*employ*) [abc]
najniższe położenie bottom layer
   [transp.]
najniższy lowest (*e.g. trench, voice*)
   [abc]
najniższy bieg low gear [mot.]

najnowocześniejszy up-to-date [abc]
najnowsza technologia latest technology (*the latest technology*) [abc]
najnowszy latest (*e.g. the latest
   fashion*); up-to-date [abc]
najnowszy stan techniki recent
   state of the art [abc]
najważniejszy paramount; salient
   (*e.g. salient features*) [abc]
najwyższe położenie top layer
   [transp.]
najwyższy highest [abc]
najwyższy poziom climax; ultimate
   position [abc]
najwyższy poziom wody high water
   level [energ.]
nakaz commendment [abc]; government order [polit.]; interdiction
   [transp.]
nakaz rewizji search warrant [polit.]
nakiełek centre bore [rys.]
naklejka label; sticker [abc]
nakład effort [transp.]; minimum
   lot; circulation (*number of copies*)
   [abc]
nakład czasu time input [abc]
nakładać superpose; (*się*) overlap
   [abc]
nakładać owiewkę fair (*smoothen,
   round*) [masz.]
nakładanie overlapping [abc]
nakładany slip-on type [mot.]
nakładka cover; cover plate
   [transp.]; lug; plate; butt-strap;
   strap [masz.]
nakładka ochronna lip shroud,
   shroud, wear cap [transp.]
nakładka ogniwa gąsienicy base
   plate (*bottom plate*); chain side
   bar; track pad, track plate, track
   shoe, pad [transp.]
*nakładka ogniwa gąsienicy do pra-
   cy w terenie podmokłym* swamp
   pad (*swamp plate*) [transp.]
nakładka plastikowa (*ogniwa gąsienicy*) plastic pad [transp.]

N

nakładka płaska (*ogniwa gąsienicy*) flat shoe (*flat track pad*) [masz.]

nakładka podporowa support base [transp.]

nakładka podwójna double clip [mot.]

nakładka prowizoryczna provisional connection plate [transp.]

nakładka skośna (*ogniwa gąsienicy*) inclined track pad [transp.]

nakładka stopnicy step tread [transp.]

nakładka stykowa fish plate, fish, connector [transp.]

nakładka środnika bracket clip [mot.]

nakładka ustalająca cable clip [mot.]

nakładka wewnętrzna inner plate [masz.]

nakładka zewnętrzna outer plate [transp.]

nakreślanie plotting [abc]

nakreślony plotted [abc]

nakrętka nut (*hexagonal or other*); screw cap [masz.]

nakrętka blokująca lock nut [masz.]

nakrętka czworokątna square nut [masz.]

nakrętka czworokątna wąska square thin nut [masz.]

nakrętka do zgrzewania sześciokątna hexagon weld nut [masz.]

nakrętka do zgrzewania welding nut (*with threading*) [masz.]

nakrętka dyszy nozzle nut [masz.]

nakrętka kapturkowa acorn nut, box nut, pop rivet nut [masz.]

nakrętka koła wheel nut [mot.]

nakrętka kołpakowa acorn nut, box nut, cap nut, pipe nut, pop rivet nut [masz.]

nakrętka kołpakowa sześciokątna hexagon domed cap nut [masz.]

nakrętka koronowa castle nut, hexagon slotted nut [masz.]

nakrętka kotwowa special foundation nut [masz.]

nakrętka łącząca union nut [mot.]

nakrętka mocująca koło wheel mounting nut [mot.]

nakrętka motylkowa thumb nut, wing nut [masz.]

nakrętka napędowa drive nut [mot.]

nakrętka napinająca pull nut [mot.]; tightener; swivel; turnbuckle; tensioning device [masz.]

nakrętka nasadowa złączkowa spigot nut (*for air: union nut*) [masz.]

nakrętka nastawcza sprzęgu clutch adjusting nut [mot.]

nakrętka oczkowa lifting eye nut [masz.]

nakrętka okrągła czołowa rowkowa slotted nut, slotted round nut [masz.]

nakrętka okrągła rowkowa slotted nut [masz.]

nakrętka okrągła z otworami wierconymi w jednej powierzchni round nut with drilled holes in one face [masz.]

nakrętka płaska counter-sunk nut [masz.]

nakrętka radełkowa knurled thumb nut (*knurled nut*) [masz.]

nakrętka radełkowana knurled nut [masz.]

nakrętka regulująca adjusting nut, readjustable nut [masz.]

nakrętka regulująca sprzęgu clutch adjusting nut [mot.]

nakrętka rozcięta slotted nut [masz.]

nakrętka rzymska pull nut, tightener [mot.]

nakrętka samozabezpieczająca self-locking nut [masz.]

nakrętka samozakleszczająca self-locking nut [masz.]

nakrętka skrzydełkowa thumb nut, wing nut, thub nut [masz.]

nakrętka sterownicza steering nut [mot.]

nakrętka sześciokątna hex castle nut, hexagonal nut, hexagonal castle nut [transp.]

nakrętka sześciokątna niska hexagon thin nut [masz.]

nakrętka ściągu special foundation nut [masz.]

nakrętka ślepa cap nut [tw.]

nakrętka ustalająca wał shaft nut [masz.]

nakrętka uwięziona captive nut [masz.]

nakrętka wieńcowa collar nut, ring nut [masz.]

nakrętka wpuszczana countersunk nut [masz.]

nakrętka wrzeciona hamującego screw <brake> spindle nut [mot.]

nakrętka z przetyczką przesuwną round nut with set pin hole in side [masz.]

nakrętka z uchem lifting eye nut [masz.]

nakrętka zabezpieczająca lock nut, locknut, locking nut, counternut; check nut (*keeper*) [masz.]; securing nut [mot.]

nakrętka zgrzewana welding nut (*with threading*) [masz.]

nakrętka zgrzewana czworokątna square weld nut [met.]

nakrętka złączkowa connection nut, cap nut, union nut [masz.]

nakrywka cap (*lid, cover*) [mot.]

nakrywka wlewu zbiornika tank filler cap [masz.]

nalać water [abc]

nalepka label, sticker [abc]

należność świadka expenses for witnesses [praw.]

nalot air raid [wojsk.]

namierzać fix (*f. a target*) [wojsk.]

namiot tent (*camping t.*); shelter (*small tent*) [abc]

namiot zakotwiony guyed tent [abc]

namuł sludge, mud, slurry [abc]; sapropel [gleb.]

namuł organiczny sapropel [gleb.]

namurnica wall plate [bud.]

naniesiony metodą natryskową sprayed on [masz.]

nanos silt [mot.]

nanosić plot [bud.]

nanoszenie liter lettering [abc]

naostrzony honed [met.]

napawać back weld; build up (*repair to get original shape*) [met.]

napawanie utwardzające hard facing (*abrasion-resistant material*) [met.]

napełniać feed, feed in, supply, fill [mot.]; fill, fill up [bud.]; refill (*ditch*) [transp.]

napełniać gazem inflate [abc]

napełnianie charging, feeding (*input*) [górn.]; refilling (*refilling of trenches*) [transp.]; hydraulic fill<-ing> of the dike [abc]

napełnianie wodą water filling [mot.]

napełnienie filling [bud.]; topping up [masz.]

napełnienie sztuczne artificial fill [gleb.]

napełnienie zbiornika fuel-filling [mot.]

napęd drive, drive device, drive unit [abc]; gear train [mot.]; power flow [transp.]

napęd benzynowy gas drive (US); petrol drive (GB) [mot.]

napęd bezpośredni direct drive [mot.]

napęd Cardana universal drive, universal drive shaft, universal joint [mot.]

napęd centralny osiowy central power take-off [mot.]

napęd cierny friction drive [masz.]

napęd dieslowski diesel drive [mot.]

N

napęd dmuchawy fan drive [aero]

napęd dodatkowy booster (*second drive system on engine*) [mot.]

napęd dodatkowy boczny lateral auxiliary drive; lateral power take-off [mot.]

napęd dodatkowy osiowy central auxiliary drive [mot.]

napęd dyskowy disk drive [inf.]

napęd dysku disk drive [inf.]

napęd elektryczny electric drive [mot.]

napęd gąsienicowy crawler unit [transp.]

napęd główny main drive [mot.]

napęd hydrauliczny fluid drive; hydraulic drive [mot.]

napęd jądrowy nuclear power drive [fiz.]

napęd jednostkowy individual drive [mot.]

napęd kołem o zębach śrubowych helical gear [masz.]

napęd konny horse drive [abc]

napęd kół wheel drive [mot.]

napęd linowy cable pull [transp.]

napęd łańcuchowy chain drive [energ.]; chain pull [transp.]

napęd łańcuchowy-gąsienicowy crawler traction [transp.]

napęd łańcuchowy sterowany ręcznie hand-operated chain drive [energ.]

napęd mechanizmu wychylnego swing drive (*unit*), slew drive (*unit*) [transp.]

napęd młyna mill drive, pulveriser drive [masz.]

napęd na cztery koła four wheel drive, four-wheel drive (4WD), all-wheel drive [mot.]

napęd na dwie osie four wheel drive, four-wheel drive (4WD) [mot.]

napęd na przednie koła front drive, front wheel drive [mot.]

napęd na sześć kół six-wheel drive (*of the grader*) [transp.]

napęd na tylne koła rear drive [mot.]

napęd nastawnika servo-drive [mot.]

napęd nuklearny nuclear power drive [fiz.]

napęd o przesuwnych szczotkach brush shifting mechanism [el.]

napęd o wałach poziomych drive with horizontal shafts [masz.]

napęd obrotowy high-torque rotary actuator [energ.]; slew drive (*unit*) [transp.]

napęd osi tylnej rear axle drive [mot.]

napęd parowy steam-drive [mot.]

napęd pasowy belt drive [masz.]

napęd pasowy klinowy V-belt drive [mot.]

napęd planetarny planetary gear, planetary transmission [mot.]

napęd planetowy planetary drive [mot.]

napęd podwójny twin drive unit (*twin drive gearbox*) [transp.]

napęd pomocniczy auxiliary drive [transp.]

napęd pomocniczy do powolnego przesuwania małymi skokami inching gear [mot.]

napęd pompy pump drive [mot.]

napęd pompy paliwowej fuel pump drive [mot.]

napęd poręczy handrail drive (*in upper newel*) [transp.]

napęd posobny tandem drive [transp.]

napęd półskrzyżowany quarter twist [masz.]

napęd przeciętnej wielkości mean (*average drive*) [górn.]

napęd przedni front wheel drive [mot.]

napęd ręczny hand operation, manual operation [mot.]

napęd równoległy boczny lateral auxiliary drive, lateral power take-off [mot.]

napęd silnikiem ułamkowym fractional horsepower drive [mot.]

napęd silnikiem wysokoprężnym diesel drive [mot.]

napęd skrzyżowany crossed drive, half twist [masz.]

napęd sześciokołowy six-wheel drive (*of the grader*) [transp.]

napęd ślimakowy worm drive, worm gear drive [mot.]

napęd śrubowy helical gear [masz.]

napęd tachometra tachometer drive [el.]

napęd tachometryczny przy regulatorze odśrodkowym shift governor tachometer drive [mot.]

napęd tachometryczny speedometer drive [mot.]

napęd taśmy płytkowej apron feeder drive [transp.]

napęd typu tandem tandem drive [transp.]

napęd wału rozrządu camshaft drive [mot.]

napęd wiertła krętego do wiercenia w ziemi earth auger drive [transp.]

napęd własny enclosed drive [transp.]

napęd z przekładnią sześciobiegową six speed shift transmission [mot.]

napęd z zastosowaniem sprzęgła jednokierunkowego free wheeling [mot.]

napęd za pomocą przekładni stożkowej bevel drive gear, bevel drive pinion [masz.]

napęd za pomocą przekładni zębatej gear drive [mot.]

napęd za pomocą przekładni zębatej stożkowej bevel gear wheel (*bevel gear drive*) [masz.]

napęd zębaty gear drive [mot.]

napęd zwrotnicy switch-drive (electric) [mot.]

napędzać drive (*move, turn, actuate*) [mot.]

napędzany energią jądrową nuclear driven [mot.]

napędzany łańcuchowo track chained [transp.]

napędzany maszynowo mechanically powered [mot.]

napędzany parą steam-driven, steam-hauled [mot.]

napięcie voltage [el.]; tension; strain (*e.g. on steel bridge*) [masz.]

napięcie doprowadzone impressed voltage [el.]

napięcie gąsienicy chain tensioning, track tensioning (*in crawler excavator*) [transp.]

napięcie generatora wzbudzającego master trigger unit voltage [el.]

napięcie górne nominalne peak nominal voltage [el.]

napięcie gwiazdowe y-voltage [el.]

napięcie łańcucha chain tensioning [transp.]

napięcie małe extra low voltage [el.]

napięcie na wejściu/wyjściu input/output voltage [el.]

napięcie na zaciskach voltage between terminals [el.]

napięcie nadawcze transmitting voltage [el.]

napięcie najniższe nominalne lowest nominal voltage [el.]

napięcie naprzemienne alternating stress [el.]

napięcie niezrównoważenia offset-voltage [el.]

napięcie niskie low potential [el.]

napięcie nominalne nominal voltage, rated voltage [el.]

napięcie obniżone extra low voltage [el.]

napięcie odbioru electrical receiving voltage [el.]

N

napięcie odchylające deflection voltage [el.]

napięcie odchylania deflection voltage [el.]

napięcie pasa belt tension [masz.]

napięcie pierwotne primary voltage [el.]

napięcie początkowe tensioning [el.]

napięcie podstawowe ground potential [el.]

napięcie pojemnościowe capacitive voltage [el.]

napięcie polaryzacji tensioning [el.]

napięcie pracy working voltage [el.]

napięcie probiercze test voltage, testing voltage [el.]

napięcie progowe threshold (*or cut-in*) voltage [el.]

napięcie progu threshold (*or cut-in*) voltage [el.]

napięcie prostokątne square wave voltage [el.]

napięcie przebicia breakdown voltage [el.]

napięcie przemienne alternating voltage [el.]

napięcie przyspieszające acceleration voltage [el.]

napięcie robocze operating voltage, working voltage [el.]

napięcie schodkowe step voltage [el.]

napięcie sieci line voltage, supply voltage [el.]

napięcie sinusoidalne sinusoidal voltage [el.]

napięcie spoczynkowe rest potential [el.]

napięcie sprężyny spring load, spring tension, spring tensioning [masz.]

napięcie stałe direct voltage (*d.c. voltage*) [el.]

napięcie stałe wyjściowe output d. c. voltage [el.]

napięcie sterujące control voltage [el.]

napięcie stabilizowane regulated voltage [el.]

napięcie szczytowe peak-to-peak voltage [transp.]

napięcie średniowysokie medium voltage [el.]

napięcie testowe test voltage, testing voltage [el.]

napięcie udarowe impulse voltage [el.]

napięcie w sieci trakcyjnej railway voltage [mot.]

napięcie wejściowe input voltage [el.]

napięcie wejściowe/wyjściowe input/output voltage [el.]

napięcie wstępne tensioning [masz.]

napięcie wtórne (*w uzwojeniu wtórnym transformatora*) secondary voltage [el.]

napięcie wyjściowe impulsu pulse output voltage [el.]

napięcie wzbudzenia excitation voltage [el.]

napięcie wzorcowania calibration voltage [el.]

napięcie zaciskowe voltage between terminals [el.]

napięcie zasilania supply voltage [el.]

napięcie zmienne a.c. voltage [el.]; alternating stress (*e.g. in girders*) [masz.]; max. "+ -" vibration [el.]

napięcie znamionowe nominal voltage, rated voltage [el.]

napięte stosunki stretched relationship [abc]

napięty stressed (*over worked*) [abc]; strung up [mot.]

napinacz łańcucha chain tension device, chain tensioner [transp.]

napinacz pasa belt tightener [masz.]

napinać stretch [masz.]

napinak chain tensioner; tensioning device [energ.]

napinanie interlocking [masz.]

napis firmowy trade mark, trademark [mot.]

napływ silt [mot.]

napoczynać tap (*broach a barrel*) [abc]

napotykać encounter (*e.g. problems encountered*) [abc]

napowietrzane części pokładu ventilated parts of ship-decks [mot.]

napowietrzanie powietrzem wtórnym secondary air admission [energ.]

napór strefowy compartment pressure [energ.]

naprawa repair [masz.]

naprawa maszyn engine repair [masz.]

naprawa na miejscu in situ repair [transp.]

naprawa płyty plate repair [masz.]

naprawa silników engine repair [masz.]

naprawa statku ship repairing [mot.]

naprawiać repair [masz.]; overhaul [mot.]; fix [bud.]

naprawy okresowe planned preventive maintenance (PPM) [abc]

naprężacz gąsienicy track tensioner (*in excavator*) [transp.]

naprężacz liny rope end tensioning device [transp.]

naprężacz łańcucha chain adjuster (*idler*) [tw.]

naprężacz łańcucha w zwrotnicy przenośnikowej adjustable chain tensioning device [masz.]

naprężacz pasa idler [masz.]

naprężenia spawalnicze welding stress; welding torsion; residual stress due to welding [met.]

naprężenie strain, stress, stretch, tension [masz.]

naprężenie cieplne thermal stress [transp.]

naprężenie dopuszczalne permissible stress [masz.]; allowable stress [fiz.]

naprężenie graniczne przy umownym wydłużeniu całkowitym yield point, yield strength [masz.]

naprężenie krytyczne przy wyboczeniu buckling [masz.]

naprężenie łańcucha stopni step chain tension [transp.]

naprężenie mechaniczne mechanical stress [masz.]

naprężenie montażowe pretension, bias, preloading, tensioning [masz.]

naprężenie niszczące rupture strength, ultimate stress [tw.]

naprężenie nominalne rupture strength, ultimate stress [tw.]

naprężenie pierwotne cold pull up, tensioning [tw.]

naprężenie początkowe initial stressing [masz.]

naprężenie przy granicy wytrzymałości yield stress [masz.]

naprężenie robocze operating stress, stress for the operator [transp.]

naprężenie ściskające compressive yield stress [tw.]

naprężenie udarowe vibratory stress [masz.]

naprężenie własne baku tank pressurisation [transp.]

naprężenie własne residual stress; cold pull up (*tensioning*) [tw.]

naprężenie wstępne pretension, bias, initial stressing, preloading (*presetting*), tensioning [masz.]

naprężenie wyboczeniowe buckling [masz.]

naprężenie wywołane karbem notch tension [transp.]

naprężenie wywołane przez drgania loading by vibration [bud.]

N

naprężnik tensioning device [transp.]
naprężony strung up [mot.]
napylanie dusting [abc]
narada discussion [abc]
naramiennik epaulette (GB); shoulder board (US) [wojsk.]
Narodowy Fundusz Zdrowia medical insurance company [polit.]
narost skull (*formation of skulls*) [masz.]
narożnik kamienny corner stone [bud.]
naruszenie obowiązków omission of duties (*of obligations*) [prawn.]
naruszyć violate (*a law*) [praw.]
narysowana linia kreska-kropka stroke-dotted [abc]
narysowany w niewłaściwym położeniu drawn offset [rys.]
narysowany w przesunięciu o 7 stopni drawn as turned by 7 degrees [rys.]
narzekać moan (*lament, complain*); wail [abc]
narzędzie tool [narz.]
narzędzie do dokręcania torquing tool [narz.]
narzędzie do obierania peeling device [narz.]
narzędzie do prac zrębowych feller attachment [roln.]
narzędzie miernicze gauge, measuring tool [miern.]
narzędzie montażowe fitting tool [met.]
narzędzie pneumatyczne air tool [narz.]
narzędzie pomiarowe gauge, measuring tool [miern.]
narzędzie pracy working tool [narz.]
narzędzie skrawające cutting device, cutting tool [tw.]
narzędzie specjalne special tool (*special tools*) [narz.]
narzędzie ścierne grinding tool [masz.]

narzędzie wiertnicze obrotowe ciężkie large diameter rotary drill rig [transp.]
narzędzie zespolone combined instrument [narz.]
narzędziowe środki programowe software development tools [inf.]
narzędziownia toolshop (*tool shop*) [narz.]; uility room (*sign on door*) [bud.]
narzucanie enforcement [abc]
narzucanie ręczne handfiring [energ.]
narzut gliny daub [bud.]
narzutnik erratic block [min.]
narzutowiec erratic block [min.]
narzynka die [met.]
NASA (*Narodowa Agencja do spraw Aeronautyki i Przestrzeni Kosmicznej*) (*w USA*) NASA (*National Aviation and Space Administration*) [abc]
nasadka cap [tw.]; nozzle [mot.]
nasadka klinowa attachment (*wedge, shoe*) [masz.]
nasadka ochraniająca protective cap [abc]
nasadka ochronna wear cap [masz.]
nasadka pierścieniowa ferrule [masz.]
nasadka płaska gusset shoe [masz.]
nasadzać (*za pomocą prasy*) press on [masz.]
nasadzany slip-on type [mot.]
nasadzony fitted [mot.]
nasilenie ruchu traffic density, density of traffic [mot.]
nasiono seed [bot.]
nastawa regulatora governor setting [energ.]
nastawiać adjust, pre-set, set up, set (*a clock, a machine*); time (*time a machine, a clock*) [abc]; tune, tune up [el.]
nastawianie adjusting, adjustment, regulation [transp.]

nastawianie hydrauliczne hydraulic adjusting [masz.]

nastawianie ostrości focussing [el.]

nastawienie dokładne vernier adjustment [abc]

nastawienie precyzyjne fine adjustment; vernier adjustment [met.]

nastawienie precyzyjne prędkości obrotowej vernier speed control [mot.]

nastawienie wstępne presetting (preset) [abc]

nastawienie wysokości elevating adjustment; raise/lower adjustment [abc]

nastawienie zgrubne coarse adjustment [miern.]

nastawiony pre-set [mot.]

nastawiony na obsługę klienta customer-made [tw.]

nastawnia block post, signal box [mot.]; boiler control room; central control room [energ.]

nastawnica przekaźnikowa z planem świetlnym all-relay signal box, signal box push button type [mot.]

nastawnik actuator [mot.]; adjuster [miern.]

nastawnik bramki gate start control [el.]

nastawnik hydrauliczny hydraulic regulating unit [masz.]

nastawnik oporowy wzbudzenia field rheostat [el.]

nastawnik przekładni hamulcowej slack adjuster [mot.]

nastawnik sterowniczy limit switch [transp.]

nastawnik szerokości bramki, czuły fine gate width control [el.]

nastawnik wyrównywacza podciśnienia i głębokości suppressor and swept gain control [masz.]

nastawnik wzmocności gain control [el.]

nastawnik wzmocności niewzorcowany uncalibrated gain control [el.]

nastawnik żądanej wielkość parametru reference value transmitter, set point transmitter [miern.]

nastawny (nastawialny) adjustable (e.g. engine, valve, steering column) [miern.]

następca successor (assignee) [abc]

następca prawny assignee (successor in title) [praw.]

następny subsequent [abc]; successive [transp.]

następstwo order; sequence [abc]

nastrój atmosphere [abc]

nasuwka sleeve (sleeving); thimble [masz.]

nasuwka ochronna gumowa rubber boot [transp.]

nasuwka przestawiacza wtrysku injection timing collar [mot.]

nasycać saturate [abc]; enrich [górn.]; expand [energ.]

nasycanie saturation [masz.]

nasycenie saturation [masz.]

nasycanie żeliwa (substancją) saturation of cast-iron with [tw.]

nasycony całkowicie fully saturated [chem.]

nasyp bank; dam [bud.]; embankment; slope (upward/downward from a road) [transp.]

nasyp kolejowy embankment [mot.]

nasypany heaped [transp.]

naświetlenie powierzchni flood light [abc]

natapiać back weld, build up [met.]

natapiać stalą steel [masz.]

natapianie resurfacing (by welding) [met.]

natapianie utwardzające hard facing [met.]

natężenie intensity (sound intensity) [fiz.]

N

natężenie akustyczne sound intensity [akust.]

natężenie dźwięku sound intensity [akust.]

natężenie impulsów pulse intensity (*pulse energy*), signal strength [el.]

natężenie oświetlenia intensity of illumination [transp.]

natężenie pola zakłóceniowego radio interference field-intensity [akust.]

natężenie przepływu flow capacity, flow rate, flow rate capacity; delivery rate; discharge volume [mot.]; displacement; throughput rate [el.]; water flow rate [bud.]

natężenie ruchu traffic density, density of traffic, rush of traffic [mot.]; traffic density [inf.]

natężony stressed [abc]

natłuszczać grease [mot.]; lubricate [masz.]

natłuszczanie greasing [abc]

NATO (*Organizacja Paktu Północno-atlantyckiego*) NATO (*North Atlantic Treaty Organisation*) [wojsk.]

natrysk shower [abc]

natryskiwanie masy szamotowej gunning of refractory [met.]

naturalny natural; self-explanatory [abc]

natychmiast immediately (*now, without delay*) [abc]

nauczyciel teacher (*instructor, trainer*) [abc]

nauka apprenticeship [abc]

nauka o pomiarach metrology [fiz.]

nausznik ear muff [abc]

nawa hali fabrycznej assembly-hall nave (*in factory*) [abc]

nawadniać water [hydr.]

nawadnianie irrigation [hydr.]

nawarstwianie accretion (*in pipes*) [hydr.]

nawęglanie carburizing (*carbonizing*) [chem.]

nawęglanie gazowe gas-carburizing/carbonizing [met.]

nawęglony gas-carburized [met.]

nawias okrągły parenthesis [abc]

nawiasy brackets (*in brackets*) [abc]

nawiązując do with reference to [abc]

nawiązywać kontakt contact [inf.]

nawiertak starter [met.]

nawierzchnia surface [mot.]

nawierzchnia betonowa concrete slab (*e.g. on bridges*) [mot.]

nawierzchnia bitumiczna blacktop (*wearing course*) [narz.]

nawierzchnia czarna blacktop [mot.]

nawierzchnia jezdni black top [mot.]

nawierzchnia kolejowa permanent way (*ballast to rail face*); permanent way material; railway superstructure (*outmoded*) [mot]

nawierzchnia tłuczniowa smołowana blacktop, tarmac [mot.]

nawierzchnia tłuczniowa telford pavement (*water-sealed road*) [transp.]

nawierzchnia z brukowca rubble pavement [bud.]

nawierzchnia żwirowa gravel surfacing [bud.]

nawietrzna i zawietrzna luff and lee (*in luff and lee*) [mot.]

nawietrzny luff (*wind-ward; opposition: lee*) [mot.]

nawigacja samochodowa car navigation [mot.]

nawijać spool [abc]

nawijarka coil winder (*for cable reel*); winding machine [el.]

nawijarka automatyczna szybkobieżna automatic winding machine [narz.]

nawijarka drutu wire injection equipment [masz.]

nawijarka przewodu giętkiego hose recoiler [masz.]
nawilżać moisten [abc]
nawilżanie powietrza air wetting [fiz.]
nawinąć wind [abc]
nawóz dung, manure, mud, dirt, droppings [abc]
nawóz krowi cow dung [roln.]
nawóz sztuczny artificial fertilizer [chem.]
nawracać convert (*a person*) [abc]
nawracanie backtracking [inf.]
nawracanie chronologiczne chronological backtracking [inf.]
nawracanie niechronologiczne nonchronological backtracking [inf.]
nawracanie uzależnione od okoliczności dependency-directed backtracking [inf.]
nawrotnik selector for signal inversion [mot.]
nawrotnik poziomy horizontal line reverser [transp.]
nawrotny reversible (*also escalator, autowalk*) [transp.]
nazwa biura office title [abc]
nazwa firmowa brand-name [abc]
nazwa urzędu office title [abc]
nazwisko family name, last name [abc]
nazwisko ubezpieczonego named insured (*in policy*) [prawn.]
nazywać (*nadać nazwę*) designate; term [abc]
negatyw negative (e.g. of photograph) [abc]
negatywny negative [abc]
negocjacje handlowe (*prowadzące do zawarcia umowy sprzedaży*) soles negotiations [ekon.]
nerkowy reniform; kidney-shaped [abc]
neutralny neutral [polit.]; impartial [abc]

nic nil [abc]
nić thread (*yarn*) [abc]
nie liniowany (*np. papier*) unlined [abc]
nie nadający się do naprawy beyond repair [masz.]
nie pochłaniający dźwięku sonically hard [akust.]
nie przekraczać górnej granicy fall short of (fa*ll below*) [abc]
nie wymagający konserwacji maintenance-free (attent*ion-free*) [energ.]
nie wymagający użycia dużej siły fingertip easy [abc]
nie zawierający kwasu acid-free [chem.]
niebezpieczeństwo hazard, danger, menace [abc]
niebezpieczeństwo kawitacji danger of cavitation [tw.]
niebezpieczeństwo na morzu distress at sea (*at distress at sea*) [mot.]
niebezpieczeństwo nieszczęśliwego wypadku danger of accident, accident hazard [abc]
niebezpieczeństwo trzęsienia ziemi earthquake danger [geol.]
niebezpieczeństwo wciągnięcia danger of being drawn in, danger of being trapped (*e.g. a hand*) [transp.]
niebezpieczny dangerous [tw.]; hazardous [abc]
niebieska kopia kalki światłoczułej blue-line print [rys.]
niebieski blue [abc]
niebiesko-liliowy blue lilac [norm.]
niebiesko-szary blue gray [norm.]
niebiesko-zielony blue green [norm.]
niebo heaven; sky (*up in the sky*) [abc]
niechroniony unprotected [abc]
nieciągłość spoiny discontinuity of weld seam [met.]

N

nieciągły discontinuous (*conveying*) [górn.]

niecka nisko osadzona low-placed body [mot.]

nie-członek non-member [abc]

nieczystości dirt, garbage [rec.]

nieczytelny illegible [abc]

niedobór wantage (*deficiency*); scarcity [abc]

niedobór powietrza deficiency of air [energ.]

niedobór siły roboczej labour shortage [abc]

niedomiar długości insufficient length [abc]

niedopasowanie mismatch (*does neither suit nor fit*) [masz.]

niedopasowanie falowania impedance mismatch [el.]

niedopompowanie underinflation [mot.]

niedopuszczalny undue [abc]

niedopuszczalny rysunek liniowy illegal line drawings [inf.]

niedorozwinięty mentally retarded (*classical term*) [med.]

niedostateczne wtopienie incomplete fusion (*bonding defect*) [met.]

niedostatek want [abc]

niehartowany unhardened, soft [masz.]

nieizolowany non-insulated (*electrical strip*) [el.]

niejednorodny heterogeneous (*opposite: homogenous*) [abc]

nieletni adolescent, juvenile [abc]

nieliniowość nonlinearity [el.]

niełamliwy unbreakable (*fractureproof*) [abc]

niemagnetyczny anti-magnetic [fiz.]

niemetaliczny nonmetallic [tw.]

niemoralny immoral (*indecent*) [abc]

niemożliwy unable [abc]

niemy mute [abc]

nienaganny unobjectionable [abc]

nienasycony unsaturated [abc]

nienaturalny unnatural; artificial [abc]

nieniszczące badanie materiałów non-destructive materials testing [miern.]

nienormalny abnormal (*not wanted*) [abc]

nieobciążony unladen [abc]

nieobecny absent [abc]

nieobrobiony unmachined [tw.]; crude [bud.]; as-forged (*not yet machined*) [masz.]

nieocynkowany non-galvanized [tw.]

nieoczekiwany unexpected [abc]

nieodkrętny nonrotating, non-spinning, non-twisting, pitch-free, twist-free [masz.]

nieodpowiedzialny irresponsible [abc]

nieograniczone pełne wtopienie unlimited complete penetration [met.]

nieograniczony unlimited (*without end*) [abc]

nieokrągłość out-of-roundness [masz.]

nieokreślona macierz admitancji indefinite admittance matrix [el.]

nieorganiczny anorganic [chem.]

nieosłonięte części maszyn bright machine parts [masz.]

nieosłonięty bare [abc]

nieostrość unsharpness; bluntness [abc]

nieostry blunt, blurred [abc]

nieoznaczony kierunek obciążenia direction of loading indeterminate [tw.]

nieparzysty odd [abc]

niepewny questionable (*doubtful*) [abc]

niepohamowany uncontrollable [abc]

niepojęty incomprehensible (*incredible*) [abc]

nieposkromiony uncontrollable [abc]

niepowodzenie failure (*bad luck, flop*) [abc]

niepożądany objectionable [abc]

nieprawidłowo zamontowany incorrectly fitted [met.]

nieprawidłowy incorrect, abnormal [abc]

nieprostoliniowość misalignment [transp.]

nieprzejrzystość opaqueness [transp.]

nieprzenoszalny nontransferable [abc]

nieprzenośny inalienable [abc]

nieprzepuszczalny impermeable [abc]

nieprzerobiony raw [tw.]

nieprzerwany continuous, stepless [abc]

nieprzesuwny undisplaceable [abc]

nieprzewodnik non-conductor, insulation (*e.g. on pylon*) [el.]

nieprzewyższony unmatched, unsurpassed [abc]

nieprzezroczysty intransparent [abc]; opaque (*opaque colour schemes*) [transp.]

nieprzyjacielski hostile (*adversary*) [abc]

nieprzyjemny uncomfortable [abc]

nierdzewny rust-proof [masz.]; stainless [tw.]

nierozcieńczony undiluted [abc]

nierozpuszczalny insoluble [abc]

nierównomierne nagrzanie temperature distortion, temperature unbalance [energ.]

nierównomierny uneven [abc]

nierównomierny rozkład temperatury temperature distortion, temperature unbalance [energ.]

nierówności nawierzchni shocks from bumps [mot.]

nierówny lumpy, uneven [abc]

nierówny teren bumpy grounds (*soil*) [transp.]

nieruchomość gruntowa plot [bud.]

nieruchomy stiff [abc]

nierzetelny dishonest [abc]

niesamobieżny żuraw pływający non-self-propelled floating crane [mot.]

niesamoczynny sprzęg przyczepy not automatic trailer coupling [mot.]

nieskazitelny immaculate [abc]

niespiekający się non caking [energ.]

niespójny non-cohesive [abc]

niestałość fluctuation, variability [abc]

niestały variable [abc]

niesterowalny uncontrollable [mot.]

niestopowy unalloyed [masz.]

niesymetryczny asymmetrical [abc]; offset [transp.]

nieszczelność leak, leakage [masz.]

nieszkodliwy dla środowiska not unduly intruding the environment [abc]

nieścieralny abrasion-free; non-wearing; wear-free [masz.]

nieśmiały shy [abc]

nieśmiertelny immortal [abc]

nieteksturowany not grain oriented [met.]

nietrzeźwy drunk [abc]

nieuchronny unavoidable [abc]

nieuczciwy dishonest [abc]

nieudany failed [abc]

nieudokumentowany not documented, not laid down in writing [praw.]

nieumyślnie unintentional, not deliberately [abc]

nieunikniony unavoidable, inevitable [abc]

nieurodzajny barren (*Sonora Desert is quite barren*) [geogr.]

nieuspokojony unkilled (*steel*) [masz.]

nieustająca rezerwa perpetual inventory [inf.]

N

nieustępliwy insisting [abc]
nieuszkodzony undamaged [abc]
nieuwzględniony disregarded [abc]
nieuzasadniony unfounded [abc]
nieuziemiony not earthed [el.]
nieważność invalidity [abc]
nieważny invalid [abc]
niewątpliwy doubtless [abc]
niewidomy blind (*unable to see*) [med.]
niewłaściwe zainstalowanie misalignment [masz.]
niewłaściwe zastosowanie reguł rule misapplications [inf.]
niewłaściwie układać misplace [abc]
niewłaściwie zaplanować misplan (*plan incorrectly, misplan*) [abc]
niewłaściwy przetop incomplete penetration, partial penetration [met.]
niewłaściwy wtop incomplete penetration, partial penetration [met.]
niewrażliwość na zmiany objętości volume consistency [abc]
niewspółmierność disparity (*in vision*) [inf.]
niewspółosiowy misaligned [abc]
niewspółosiowość misalignment [transp.]
niewybuchowa amunicja ćwiczebna non-explosive training ammunition [wojsk.]
niewygodny uncomfortable [abc]
niewymagający konserwacji attention-free (*maintenance-free*) [abc]
niewymiarowy undersized [transp.]
niewystarczające załadowanie unsteady laod [energ.]
niewytrawiony unpickled [masz.]
niewyważenie unbalance [mot.]
niewyważony unbalanced [abc]
niewyżarzony unannealed [masz.]
niezadowolenie dissent (*growing dissent in politics*) [tw.]
niezakłócony undisturbed [abc]

niezależne zawieszenie kół independent suspension [mot.]
niezależny dział w przedsiębiorstwie independent division [abc]
niezależny independent [abc]
niezamężny single [abc]
niezamieszkały uninhabited (*not populated*) [abc]
niezawodność reliability [abc]
niezawodność sprzętu komputerowego i oprogramowania reliability of hard- and software [inf.]
niezawodny reliable, proven [abc]
niezbędny vital, needed, necessary, indispensable, inalienable [abc]
niezdatny unfit [abc]
niezdolność do pracy incapacitation for work (*disability*) [med.]
niezdolność inability to comply (*with something*) [abc]
niezdolny do ruchu not ready for operation (*e.g. old loco*) [mot.]
niezdolny do użytku not ready for operation, not serviceable (*"stuffed"*) [mot.]
niezmydlający się non-saponifiable, unsaponaficable (*grease*) [masz.]
nieznany unknown [abc]
nieznośny unbearable (*an unbearable situation*) [abc]
niezręczny awkward (*an awkward situation*) [abc]
niezrozumiały incomprehensible [abc]
niezrównany unmatched, unsurpassed [abc]
niezupełny half [abc]
niezwykły unique [abc]
niezwymiarowany without dimensions [rys.]
nikiel nickel [tw.]
niklowany nickel-plated [tw.]
niska prędkość obrotowa low speed [mot.]
niska wydajność small capacity [energ.]

niska wysokość konstrukcyjna low overall height (*is desired*) [transp.]

niski low (*low down in the valley*) [mot.]; low-down (*common*) [abc]

niski stan wody low water level [energ.]

niskie ciśnienie low pressure [mot.]

niskie ciśnienie powietrza low inflation [mot.]

niskie napięcie low voltage (*below 1000 Volt*) [el.]

niskociśnieniowa opona nadwymiarowa low-pressure oversized tyre [mot.]

niskociśnieniowe wytwarzanie odlewów kokilowych low-pressure gravity die casting [masz.]

niskociśnieniowy zbiornik gazu low-pressure gasholder [mot.]

niskoprofilowy low profile (*tanks, military vehicles*) [wojsk.]

niskowartościowy inferior [abc]

nisza refuge [mot.]

niszczący destructive [tw.]

niszczeć decay [bud.]

niszczyciel destroyer [wojsk.]

niszczycielski destructive [tw.]

niszczyć destroy, annihilate [tw.]; eliminate; exterminate; gut [abc]

nit rivet (*double-headed pin*) [masz.]

nit drążony compression rivet [tw.]

nit grzybkowy truss head rivet [masz.]

nit jednostronnie zamykany blind rivet [masz.]

nit jednostronnie zamykany plastikowy plastic blind rivet (*wide head*) [mot.]

nit lotniczy kołpakowy z otworkiem, zamykany trzpieniem dummy rivet, pop rivet [masz.]

nit płaski countersunk head rivet [tw.]

nit rozprężny body-bound rivet [masz.]

nit rurkowy compression rivet, tubular rivet [tw.]

nit z łbem półkulistym round slotted head [masz.]

nit z łbem soczewkowym mushroom head rivet [masz.]

nit z łbem wpuszczanym flat countersunk head rivet [masz.]

nitokołek groove pin [masz.]; rivet pin [narz.]

nitokołek z łbem półkulistym round head grooved pin [masz.]

nitokołek z łbem stożkowym płaskim countersunk head grooved pin [tw.]

nitować rivet [transp., met.]

nitowany riveted [masz.]

nitowkręt tee head bolt [masz.]

nitownica riveter [narz.]

niweczyć exterminate [abc]

niwelator abney level; surveyor's level [miern.]

niwelowanie levelling (*pushing heaps aside*) [transp.]

nizina lowland [abc]

niż low [meteo.]

niższość inferiority [abc]

niższy punkt martwy lower dead centre (l. d. c.) [mot.]

nocny stolik bedside locker (*bedside table*) [abc]

nominacja appointment [ekon.]

nominalna grubość ścianki nominal wall thickness [abc]

nominalna wydajność zasilania nominal output [mot.]

nomogram wydajności production nomograph [abc]

noniusz vernier [abc]

norma standard (*e.g. DIN*) [norm.]

norma bezpieczeństwa safety code (*safety standard*) [norm.]

norma jakościowa quality standard [norm.]

norma materiałowa material standard [norm.]

N

Norma Ministerstwa Obrony (GB) Defence Standard (*GB; e.g. for wagons*) [norm.]

norma ustalająca wytyczne projektowania design standard [transp.]

norma zakładowa works standard [norm.]

normalizacja standardisation [norm.]

normalizować normalize [tw.]; standardize [norm.]

normalne porównawcze grup uziarnienia grading reference size [bud.]

normalny normal (*under normal conditions*) [abc]; standard [masz.]

normować calibrate [miern.]; standardize [norm.]

normowanie robót spawalniczych welding engineering standards [met.]

Normy Brytyjskie British Standards (BS) [norm.]

normy graficzne graphics standards [inf.]

normy międzynarodowe international standards [inf.]

nos nose [med.]

nosek nose (*lug, splinter*) [masz.]

nosek kuźniczy forging bur [met.]

nosić haul [mot.]

nosidła stretcher [mot.]

nosze stretcher (*to carry wounded*) [med.]

nośna kolumna stalowa kotła boiler steel-work column [energ.]

nośnik carrier (*animal, person*) [mot.]; (*on bucket wheel excavator*) carrier [transp.]; bracket [masz.]

nośnik czopu zawieszenia obrotowego trunnion carrier [masz.]

nośnik danych data medium [inf.]

nośnik narzędzi tool bar, toolbar; multi-equipment carrier [transp.]

nośnik walca roller carrier [górn.]

nośnik wału shaft carrier [mot.]

nośnik wciągarki winch base [mot.]

nośnik widełek fork carriage [mot.]

nośnik zapisu recording chart, recording strip [miern.]

nośność lift capacity, lifting capacity; payload [abc]; capacity; load capacity, loading capacity, load rating; lugging capability [mot.]; basic load rating [rys.]; stability; durability [masz.]; bearing capacity (*support*) [transp.]

nośność dynamiczna dynamic load rating [masz.]

nośność gruntu ground bearing capacity [abc]

nośność podłoża ground bearing capacity [górn.]

nośność rdzenia core strength (*highest in core*) [tw.]

nośność stropu thickness of roof [bud.]

nośność szczątkowa remaining lifting capacity [transp.]

nośność zestawu kół supporting capacity [transp.]

nośny bearable [abc]; buoyant (*e.g. state of water*) [mot.]

notacja Backusa-Naura Backus-Naur form [inf.]

notariusz notary (*notary public*) [prawn.]

notatka notice, short note, record, recording [abc]

notatka o zmianach w dokumentacji technicznej technical modification report [abc]

notatnik pad [abc]

nowa budowla new built house [bud.]

nowa powłoka malarska new paint finish [abc]

nowe urządzenie new machine (*not old trade-in*) [abc]

nowicjusz apprentice, novice [abc]

nowoczesny (*uwzględniający najnowsze zdobycze techniki*) high tech; modern [abc]

nowość innovation, novelty [abc]

nowotwór złośliwy cancer (*carcinoma*) [med.]

nowy new (*newly arrived*) [abc]

nożyca sheet shearing machine (*band shearing machine*) [transp.]

nożyca złomowa scrap shear, hydro-tilt nibbler [transp.]

nożyce scissors (*a pair of scissors*) [met.]; shearing machine [narz.]

nożyce blacharskie plate shears, plate-cutting machine [narz.]

nożyce do blachy plate shears, plate-cutting machine [narz.]

nożyce do drutu wire cutter, wire-cutter [narz.]

nożyce do przycinania żywopłotów hedge trimmer [narz.]

nożyce do wyrównywania brzegów trimming shears [met.]

nożyce gilotynowe guillotine shears (*gate shears*) [narz.]

nożyce gilotynowe o krawędziach ustawionych pod kątem diagonal cut gate shears [met.]

nożyce krążkowe rotary cutter [met.]

nożyce krążkowe montowane z tyłu rear-mounted rotary cutter [narz.]

nożyce skokowe nibbler [narz.]

nożyce wibracyjne guillotine, nibbler [narz.]

nożyce wiertnicze udarowe gate shears (*guillotine shears*) [narz.]

nóż knife; cutter [narz.]; (*nożyc gilotynowych*) cutting edge [tw.]

nóż boczny side cutter; corner bit (*on edge of backhoe*) [transp.]; diagonal cutting pliers (*tool*) [narz.]

nóż dłutowniczy Fellowsa cutting wheel [narz.]

nóż do kitowania putty knife [narz.]

nóż do toczenia poprzecznego stinger bit [masz.]

nóż gładzący cleaner [narz.]

nóż kołyskowy chopping knife [narz.]

nóż krążkowy moil chisel [narz.]

nóż myśliwski hunting knife [wojsk.]

nóż nożyc gilotynowych wieloczęściowy multi-section edge [mot.]

nóż o ostrzu wygiętym wrap-around cutting edge [narz.]

nóż obiegowy extended cutting edge, wrap-around cutting edge [mot.]

nóż składany jackknife [narz.]

nóż stołowy table knife [abc]

nóż środkowy centre cutting edge [tw.]

nóż wykańczak finishing tool [narz.]

np. (*na przykład*) e.g. (*for example, for instance*) [abc]

numer number [abc]

numer bieżący consecutive number [abc]

numer części part number [abc]

numer dyspozycyjny disposition number [ekon.]

numer ewidencyjny serial number [wojsk.]

numer fabryczny manufacturing number [abc]

numer homologacji wskaźnika obciążenia dopuszczalnego SLI HSE approval(-number) (GB) [mot.]

numer kierunkowy area code [telkom.]

numer kierunkowy pre-dialing code [telkom.]

numer kodowy code number [abc]

numer kontrolny wzoru konstrukcyjnego type approval number (*no.*) [masz.]

numer końcówki clamp number [el.]

numer lokomotywy loco number (*on name plate*) [mot.]

numer lotu flight number [mot.]

numer ładunku charge number (*charge no.*) [transp.]

numer modelu pattern number [abc]

numer odlewu casting number [tw.]

N

numer odniesienia reference number (Ref. No.) (*for a procedure*) [abc]

numer polisy ubezpieczeniowej insurance-policy number [prawn.]

numer porządkowy consecutive number [abc]

numer pozycji (*w spisie*) item number (*short: Item No.*) [abc]

numer produkcyjny manufacturing number [abc]

numer rysunku drawing noumber [abc]

numer serii serial number [masz.]; indent number [abc]

numer seryjny serial number [transp., masz.]

numer urządzenia machine number [mot.]

numer w skorowidzu rzeczowym subject index number [abc]

numer zacisku clamp number [el.]

numer zamówienia order number; reference order number; job number [abc]

numer zlecenia order number; work order number; reference order number; job number [abc]

numerator struktur structure enumerator [inf.]

numerowanie numbering [abc]

nurnik plunger [mot.]

O

o **30 %** by 30 % [abc]

o **8 stopni chłodniej** by 8 degrees colder [meteo.]

o **czterech rowkach** with four grooves [masz.]

o **długim trzonie** long handle [masz.]

o **dużej ilości zakrętów** serpentine [mot.]

o **dużej wytrzymałości** high strength [masz.]

o **dużej wytrzymałości na rozciąganie** high tensile, high-tensile [masz.]

o **dużej zawartości cynku** cink rich [tw.]

o **dużej zawartości popiołu** rich in ash [energ.]

o **dużej zawartości tlenu** with high oxygen content [abc]

o **małej wartości opałowej** lean [mot.]

o **małych oczkach** narrow mesh, with narrow meshes [abc]

o **modulowanej częstotliwości** frequency modulated [el.]

o **napędzie parowym** steam-driven [mot.]

o **napędzie silnikowym** engine-driven [mot.]

o **nieciągłym działaniu** intermittent(-ly) [transp.]

o **niskiej zawartości tłuszczu** low-fat [abc]

o **ostrej krawędzi** sharp edged [masz.]

o **pojedynczym wykorbieniu** single throw [transp.]

o **zwiększonej wydajności** increased-power rated [abc]

obalać abolish [polit.]

obawiać się fear [abc]

obcas heel [abc]

obcążki specjalistyczne special pincers, pair of pincers [narz.]

obcęgi pliers

obcęgi do gwoździ nipper pliers, pincers [narz.]

obcęgi drewniane timber grapple [narz.]

obcęgi (szczypce) do gięcia bending wrench [narz.]

obchodzić browse [abc]; by-pass [energ.]

obchód local inspection [abc]

obchód kontrolny dozoru inspection [energ.]; visit [górn.]

obciążać incriminate [polit.]; strain [masz.]

obciążać wstępnie preload (*preset*) [masz.]

obciążalność bearing capacity [transp.]; load rating, load capacity, loadability [masz.]

obciążalność wejściowa (*bramki logicznej*) fan in [inf.]

obciążalność wyjściowa fan out [inf.]

obciążenia klimatyczne climatic load [meteo.]

obciążenie load [abc]

obciążenie bierne reactive load [el.]

obciążenie budynku building load [bud.]

obciążenie całkowite total load, total stress; full load [mot.]

obciążenie cieplne heat stress [masz.]; heat load [energ.]

obciążenie cieplne rusztu stoker burning rate [energ.]

obciążenie częściowe part load, two-thirds load [masz.]

obciążenie częściowe i obciążenie pełne (*całkowite*) part and full load [mot.]

obciążenie dla budżetu państwa drawn on state budget [ekon.]

obciążenie dopuszczalne allowable load [fiz.]

obciążenie dopuszczalne statyczne static load rating [masz.]

obciążenie koła wheel load [mot.]

obciążenie kotła boiler rating [energ.]

obciążenie kół wheel set capacity; wheel set load [mot.]

obciążenie łańcucha chain loading [transp.]

obciążenie łożyska bearing load [rys.]

obciążenie łożyska uwarunkowane naciskiem bearing loads resulting from pressure [rys.]

obciążenie maksymalne maximum load [abc]

obciążenie mechaniczne mechanical stress [masz.]

obciążenie minimalne minimum load [abc]

obciążenie montażowe pre-load [masz.]

obciążenie na oś axle load [fiz.]

obciążenie nieruchome stationary load [masz.]

obciążenie nominalne normal load [transp.]

obciążenie obliczeniowe design load [bud.]

obciążenie osiowe axial load [rys.]

obciążenie pełne full load [mot.]

obciążenie podstawowe base load [energ.]

obciążenie promieniowe radial load [masz.]

obciążenie przemienne fluctuating load [energ.]

obciążenie przy uderzeniu impact force [mot.]

obciążenie reaktancyjne reactive load [el.]

obciążenie robocze working load [masz.]

obciążenie rozrusznika cranking power [mot.]

obciążenie rusztu paliwem fuel fired per square foot of grate [energ.]

obciążenie schodów step loading [transp.]

obciążenie siodła (*naczepy*) fifth wheel load [mot.]

obciążenie skupione concentrated load [fiz.]

obciążenie sprężyny spring load [masz.]

obciążenie stałe continuous load, continuous rating; constant load

O

[tw.]; sustained loading [mot.]; steady load [masz.]

obciążenie szczytowe peak load [el.]

obciążenie trwałe continuous load, continuous rating [tw.]

obciążenie uderzeniowe impact stress [abc]

obciążenie wstępne preload [energ.]

obciążenie wymagane load requirement [transp.]

obciążenie wywrotki tipping load [transp.]

obciążnik mechanizmu odśrodkowego working load [masz.]

obciążony całkowicie fully loaded [mot.]

obciążony sprężyną spring-loaded [masz.]

obciążyć weigh [mot.]

obcięcie heurystyczne heuristic pruning [inf.]

obcięty palnikiem flame-cut [met.]

obcinać trim; (*gałęzie*) lop off [abc]

obcinać prostopadle cut perpendicularly [transp.]

obcinak cutter [narz.]

obcinak wybuchowy explosive cutter [wojsk.]

obcinanie cropping [roln.]; shears operation [masz.]

obciskać reduce [masz.]

obciśnięcie reduction [masz.]

obcokrajowiec alien [abc]

obcowanie intercourse [abc]

obcy strange; external; foreigner [abc]

obdrzwia surround; rib [bud.]

obecnie currently, at present, presently, at this time [abc]

obecność presence [abc]

obecność na rynku presence in the market [abc]

obecny present [abc]

obejma yoke [masz.]

obejma mocująca pipe retaining clip [masz.]

obejma profilowa profile clamp [masz.]

obejma zabezpieczająca hoop guard [transp.]; pipe retaining clip [masz.]

obejma zaciskowa U-bracket; jaw [masz.]

obejmować encompass [abc]

obejrzeć view [abc]

obejście by-pass [energ.]

obelisk obelisk [abc]

oberwanie chmury cloudburst [meteo.]

obeznany bright; acquainted [abc]

obicie ścian i sufitów drewnem panelling [bud.]

obicie tapicerskie upholstering, upholstery [bud.]

obieg circulation [tw.]; cycle; circuit, flow [energ.]; orbit [abc]; working aisle [mot.]

obieg bezciśnieniowy pressureless circulation [mot.]

obieg Carnota Carnot cycle [energ.]

obieg cieczy w pompie pump circuit [transp.]

obieg narzędzia implement circuit [transp.]

obieg naturalny natural circulation [energ.]

obieg oleju oil circuit, circulation [tw.]

obieg oleju podwójny dual circuit oil circulation [mot.]

obieg synchroniczny synchronous running [transp.]

obieg wahadłowy swing circuit [transp.]

obieg wody water circulation [energ.]

obieg wozów kopalnianych mine car circuit [górn.]

obieg wymuszony forced circulation [energ.]

obieg zamknięty independent circuit (US); closed circuit (GB) [mot.]

obiekt purpose; target [abc]; target [wojsk.]; goal; object [inf.]

obiektowe rozwiązywanie problemów object-oriented problem solving [inf.]

obiektowy object-oriented [inf.]

obiektyw objective [opt.]

obierać peel (off) [abc]

obieranie peeling, peeling work [abc]

objaśniać interpret [abc]

objaw warning [abc]

objawy zmęczenia signs of fatigue [masz.]

objazd by-pass [abc]; detour [mot.]

objeżdżać travel around [abc]

objętościowe obciążenie cieplne komory paleniskowej furnace heat liberation [energ.]

objętość volume [abc]

objętość nadkładu quantity of overburden [górn.]

objętość naczynia wyciągowego contents of transport container [mot.]

objętość skokowa piston displacement [mot.]

objętość skokowa cylindra piston displacement [mot.]

objętość stała constant volume [bud.]

objętość ścieków volume of shipments [hydr.]

oblany (np. egzamin) failed [abc]

oblewać egzamin flunk [abc]

oblicówka cladding [transp.]; face, facing [bud.]

obliczać wartość średnią take the average [mat.]

obliczalność computability [inf.]

obliczanie lokalne local computation [inf.]

obliczanie objętości mas ziemnych taking off [abc]

obliczanie prawdopodobieństwa probability calculation [mat.]

obliczanie wydajności kotła boiler calculation [energ.]

obliczenie calculation [energ.]

obliczenie cieplne (procesu spalania) combustion calculation [energ.]

obliczenie hamulców brake calculation [transp.]

obliczenie przybliżone approximation [mat.]

obliczenie termotechniczne boiler calculation [energ.]

oblodzony icy [abc]

obłożenie betonem concrete cover [bud.]

obłożony lined [masz.]

obłupywać peel [abc]

obły rounded [masz.]

obmurowanie brickwork setting [bud.]

obmurowanie kotła boiler brickwork, bricksetting [energ.]

obmurze facing brickwork [bud.]; lining [energ.]

obmurze podstawowe foundation [bud.]

obniżać reduce; press down [abc]; lower [energ.]

obniżać się sink [abc]; drop [transp.]

obniżanie undercut [abc]; lowering [masz.]

obniżanie ciężaru decrease in load [energ.]

obniżanie ciśnienia (przez upuszczanie) pressure relief [mot.]

obniżanie kosztów reduction of overheads [abc]

obniżenie dip [bud.]

obniżki subsidences [abc]

obojczyk collar bone [med.]

obojętny noncorrosive [chem.]

obok beside [abc]; next to [met.]

oboknie window frame; rib [bud.]

obora barn [roln.]

obornik manure, dung, fertilizer [abc]

obowiązek duty [abc]

O

obowiązek szkolny mandatory schooling [abc]

obowiązkowa kontrola dostępu mandatory access control (MAC) [inf.]

obowiązkowe ubezpieczenie od odpowiedzialności cywilnej w zakładzie pracy liability insurance (*general liability insurance*) [prawn.]

obowiązkowy mandatory (*mandatory schooling*) [abc]

obowiązująca reguła wnioskowania sound rule of inference [inf.]

obóz (*mieszkalny*) camp [bud.]; camp [wojsk.]

obr/min rev/min., r.p.m. (*revolutions per minute*), rotations/min. [masz.]

obrabiać machine [met.]; treat; (*skrawaniem*) machine (*work on an unmachined part*) [masz.]

obrabiać dodatkowo redo [met.]

obrabiać jeśli konieczne machine if needed (*in drawings*) [rys.]

obrabiać koła zębate gear; interlock [masz.]; joggle [narz.]

obrabiać ma określoną długość cut into length [energ.]

obrabiać na ciepło stress-relieve [masz.]

obrabiać na zewnątrz work external [abc]

obrabiać pogłębienia cylindryczne counter sink [met.]

obrabiać wstępnie preturn [met.]

obrabialność workability [bud.]

obrabialność skrawaniem machinability [masz.]

obrabianie processing [górn.]

obrabiany na ciepło heat treated [met.]

obrabiany powierzchniowo surface-treated [masz.]

obrabiany wspólnie machined together [met.]

obrabiarka machine tool [masz.]

obrabiarka ogólnego przeznaczenia multi-purpose machine [masz.]

obrabiarka specjalna special machinery [masz.]

obrabiarka sterowana numerycznie nc tool machine [narz.]

obracać rotate [masz.]; (*się*) spin, rotate (*general or too fast*) [mot.]; (*się*) swivel (*on a chair*) [abc]; slew (*GB; more modern swing*) [transp.]

obracać chwytak grab (*rotate the grab; swivel*) [transp.]

obracać o 360 rotate throughout 360 degrees [transp.]

obracać się przeciwbieżnie counter slew [transp.]

obracać w lewo swing left [mot.]

obracać w prawo swing right [mot.]

obracalny turnable (*rotatable*) [masz.]

obracanie spinning (*too fast*) [mot.]; exchange [transp.]

obracarka turbine servo motor, turbine barring gear, turning gear [energ.]

obrady discussion; talk (*also as pass-time talking*) [abc]

obrady zespołu kierowniczego managers' meeting [abc]

obramować frame [abc]

obrany peeled [transp.]

obraz picture [inf.]; scan; image [el.]; figure [abc]

obraz binarny binary image [inf.]

obraz C C-scan [el.]

obraz hałasu noise pattern [abc]

obraz interferencyjny interference pattern [el.]

obraz odczytany scan [el.]

obraz przekroju poprzecznego cross-sectional picture [abc]

obraz przekroju w obrocie rotational section scan [masz.]

obraz syntetyczny synthetic image [inf.]

obraz zeskanowany scan [el.]
obrazy albedo albedo images [inf.]
obrazy wewnętrzne intrinsic images [inf.]
obrażony insulted [abc]
obręb seam (*edge*) [abc]
obrębiać seam [abc]
obręcz (*koła*) rim (*wheel r., flange keeps track*); running surface (*tire, tyre*); (*tire, tire; seamless Krupp*) bandage [mot.]
obręcz koła o wgłębionym profilu well base rim, drop centre rim [mot.]
obręcz koła półpłaska semiflat-base rim [mot.]
obręcz koła stała fixed rim [mot.]
obręcz nakładana (*na koło*) gear thickness [mot.]
obręcz nakładana koła zębatego gear ring thickness [mot.]
obręcz o skośnych barkach advanced rim, stepped rim [transp.]
obręcz płaska hoop (*on manhole*) [transp.]
obręcz z płaską wnęką flat-base rim [mot.]
obrobiony machined treated [met.]
obrobiony ostatecznie finish machined [met.]
obrobiony wstępnie rough machined [met.]
obrona guard; defence (*defence politics and forces*) [wojsk.]; safety (*in the safety of the castle*) [abc]
obrona konieczna self-defence [polit.]
obrona przeciwlotnicza (OPL) civil defense [wojsk.]
obrona przed (*ochrona, zabezpieczenie*) protection from (*p. against*) [abc]
obrona własna self-defence [polit.]
obrotnica turntable [masz.]
obrotnik chwytaka grab slewing device [transp.]

obrotnik spawalniczy welding jig, welding manipulator, welding positioner; welding and circular milling machine [met.]
obrotomierz revolution counter, rev. counter, engine tachometer, tacheometer, tachometer [mot.]
obrotomierz piszący recording tachometer [miern.]
obrotowa głowica przeszukiwawcza reference block, rotating scanning head [miern.]
obrotowy movable, rotatable, rotating, swingable, slewable, swivelling, turnable, turning, revolving [abc]
obroty biegu jałowego low idle speed [mot.]
obroty na minutę revolutions per minute (R.P.M.), rotations per minute (rpm) [masz.]
obróbka processing (*align, section, round, etc.)* [met.]; treatment [tw.]; working [met.]
obróbka cieplna heat treatment [met.]
obróbka cieplna hot treatment [met.]
obróbka dodatkowa subsequent work [masz.]
obróbka kształtowa profile (*profiling*) [transp.]
obróbka maszynowa machining, mechanical machining [met.]
obróbka mechaniczna machining, mechanical machining [met.]
obróbka na sucho all-dry installation (*refractories*) [górn.]
obróbka plastyczna metal forming [met.]
obróbka plastyczna na zimno cold forming [met.]
obróbka poboczy working on shoulders [transp.]
obróbka podstawowa basic handling, basic treatment [met.]

O

obróbka powierzchniowa treatment of the surface [tw.]

obróbka próbna cutting test [bud.]

obróbka stali steel treatment, steel processing [masz.]

obróbka stali ciekłej ladle treatment of liquid steel [met.]

obróbka wiórowa machining [met.]

obróbka wstępna materiałów budowlanych building material processing, building material recycling [rec.]

obróbka wykańczająca finishing [abc]

obróbka wykańczająca rury finishing of tubulars [met.]

obróbka zgrubna coarse feed machining [tw.]

obróbka zużytych gniazd zaworowych reseating [mot.]

obrót revolution [masz.]; rotation (*of the helicopter rotor*) [mot.]; turn; turning motion [abc]; turnover (*in insurance business*) [praw.]

obrót bloku sondy rotation of the (*tube*) probe block [masz.]

obrót głowicy przeszukiwawczej probe block rotation [abc]

obrót towarowy freight traffic [mot.]

obrót uszlachetniający improvement by hired labour [prawn.]

obrót w kierunku odwrotnym do ruchu wskazówek zegara anticlockwise rotation, counter-clockwise rotation [abc]

obrót w kierunku ruchu wskazówek zegara clockwise rotation [abc]

obrót wiertła pompy drifting of a pump drill [mot.]

obrót zespołu odczytującego rotation of the scanning head [el.]

obrus blanket [abc]

obrys contour [abc]; outline (*plan, first design*) [rys.]

obrysie ładunkowe loading dimension (*loading gauge*) wagonu [mot.]

obrysie ładunkowe wagonu loading gauge (*load gauge*) [mot.]

obryw skalny rock fall [abc]

obrzeże lip [masz.]; periphery (*circumference*); seam (*edge*) [abc]

obrzeże koła wheel flange [mot.]

obrzeże obręczy koła wheel flange [mot.]

obrzutka rendering [bud.]

obsada crew [mot.]; holder [transp.]

obsada akumulatora battery mounting [el.]

obsada chłodnicy radiator mounting [mot.]

obsada dyszy jet carrier [masz.]

obsada kryształu crystal mounting [tw.]

obsada manometru pressure-gauge bracket [masz.]

obsada osłony silnika hood fastener [mot.]

obsada pierścienia ślizgowego slip ring holder [mot.]

obsada przewodu hamulcowego brake pipe stowage hook [mot.]

obsada radlicy mouldboard support [transp.]

obsada stoisk targowych staff of stand [abc]

obsada tablic rejestracyjnych license plate bracket [mot.]

obsada wtryskiwacza injection valve body [mot.]

obsada wtryskiwacza z kołnierzem mocującym nozzle-holder with flange mounting [mot.]

obsada zęba adapter; tooth socket (*adapter in lip*) [masz.]

obsadka na filiżankę cup holder [abc]

obsadzać (*np. załogą*) man (*staff, populate*) [abc]

obserwator observer [abc]

obserwatorium observatory [opt.]

obserwatorium astronomiczne observatory [opt.]

obserwować observe [polit.]; watch [abc]

obsługa operating, operation, control; operating staff [transp.]; using [inf.]

obsługa jednoosobowa one-man control [transp.]

obsługa klientów na placu budowy (*serwis*) job -site service [abc]

obsługa klientów po sprzedaży servicing [mot.]

obsługa nożna foot control [mot.]

obsługa ręczna hand operation, manual control, manual operation [mot.]

obsługa targów duty at the fair (*service staff*) [abc]

obsługa techniczna klientów serwis after-sales service (*for customer*) [ekon.]

obsługiwać operate [transp.]; wait on [abc]

obsuwanie się zbocza hillside slide, slide [abc]

obszar area; field [abc]; region [geogr.]; sector [ekon.]

obszar analizy scope of analysis [met.]

obszar bramki gate area (*gate range*) [el.]

obszar do skasowania purge area [inf.]

obszar do znakowania space for marker [abc]

obszar kluczowany monitora gated region of the monitor [el.]

obszar kontrolny test range [miern.]

obszar łączenia joint area [met.]

obszar mielenia wstępnego pregrinding (*sector*) [met.]

obszar nasycenia saturation region [el.]

obszar odchyleń variation [bud.]

obszar ogniska (*trzęsienia ziemi*) area of hypocentre [geol.]

obszar peryferyjny peripheral area [bud.]

obszar połączenia przegubowego pivot area [transp.]

obszar przejścia transition region (*boundary*) [el.]

obszar przeszukiwania scanning site [abc]

obszar spawania welding area [met.]

obszar spawny joint area [met.]

obszar spiętrzenia unrestricted area [transp.]

obszar stosowalności field of application [abc]

obszar średnicowy diameter range [rys.]

obszar ważności area of validity [geogr.]

obszar wewnątrz pierścienia annulus [abc]

obszar wstrząsów region of disturbance [bud.]

obszar zaciskania clamping range [tw.]

obszar zmasowania conurbation [abc]

obszerny thoroughly [abc]

obszerny program extensive program [abc]

obszywać seam [abc]

obudowa case, casing, housing; cage [tw.]; box; outside cladding (*cladding*) [transp.]; sheeting [masz.]

obudowa bezpieczeństwa (*reaktora nuklearnego*) containment [energ.]

obudowa blaszana metal casing, steel casing [energ.]

obudowa chłodnicy radiator frame [mot.]

obudowa doraźna first stage of extension (*of a plant*) [energ.]

obudowa filtru filter housing [mot.]

obudowa gąsienicy track casing [transp.]

O

obudowa koła wolnego free wheel housing [mot.]

obudowa kół (*zębatych*) timing gear housing [masz.]

obudowa łańcucha chain casing, track casing [tw.]

obudowa łącznika adapter housing [transp.]

obudowa łożyska stojakowego plummer block [masz.]

obudowa łożyska ślizgowego pillow block housing [transp.]

obudowa mechanizmu różnicowego differential case, differential housing [mot.]

obudowa mostu axle casing [masz.]

obudowa napędu tachometrycznego speedometer drive housing [mot.]

obudowa opływowa streamlining [mot.]

obudowa pierścieniowa circular arch (*cribwork*) [górn.]

obudowa pomocnicza first stage of extension (*of a plant*) [energ.]

obudowa przekładni gearshift housing [mot.]

obudowa przekładni kierownicy steering gear case, steering gear housing [mot.]

obudowa przekładni zębatej stożkowej bevel gear casing [mot.]

obudowa regulatora governor housing [mot.]

obudowa silnika engine compartment; door of engine compartment; hood covering, hood door [mot.]

obudowa skrzynki przekładniowej gearbox casing, transmission case [mot.]

obudowa specjalna special support system [górn.]

obudowa sprzęgła clutch housing [mot.]

obudowa sprzęgła kierowniczego steering clutch case [mot.]

obudowa stała final extension (*of a plant*); final stage of extension [energ.]

obudowa szybu shaft fitting (*shaft equipment*) [górn.]

obudowa środkowa centre housing [mot.]

obudowa tachometru speedometer casing [mot.]

obudowa tylnego mostu rear axle housing [mot.]

obudowa tymczasowa first stage of extension (*of a plant*) [energ.]

obudowa wahacza rocker arm cover [mot.]

obudowa wału napędowego universal joint housing [mot.]

obudowa wentylatora fan casing [aero]

obudowa wyłącznika stop switch mounting [mot.]

obudowa wyrobiska pit support structure [górn.]

obudowa zawieszana external mounting housing [transp.]

obudowany encased [met.]; sealed [masz.]

obudowany opływowo streamlined [mot.]

obudowywać masą plastyczną ogniotrwałą line with plastic refractories [energ.]

obustronnego działania double acting (*hydraulic cylinder*) [transp.]

obustronny double-sided [abc]

obuwie footwear [abc]

obuwie ochronne safety shoes, safety boot [abc]

obuwie robocze safety boot [abc]

obwiednie impulsów echa envelopes of echo pulses [el.]

obwisły slack [abc]

obwodowe ułożenie instalacji oddzielacza cyklonowego circumferential arrangement of cyclone tubing [energ.]

obwody energetyczne energizing circuits [el.]

obwoływać declare [polit.]

obwód antyrezonansowy antiresonant circuit [transp.]

obwód circuit [el.]; circumference; dimension [rys.]; county [geogr.]; perimeter [energ.]; plot [masz.]

obwód delogarytmiczny antilog circuit [inf.]

obwód drukowany printed <circuit> card [el.]

obwód dzielący dividing circuit [el.]

obwód elektryczny silnika motor circuit [transp.]

obwód elektryczny uziemiony ground circuit [el.]

obwód główny main circuit; primary circuit [el.]

obwód grzejny heating circuit [transp.]

obwód hydrauliczny hydraulic circuit [mot.]

obwód o wspólnym emiterze grounded emitter circuit [el.]

obwód oświetleniowy lighting circuit [transp.]

obwód podwójny dual circuit [mot.]

obwód prądowy circuit, electric circuit [el.]

obwód prądowy zamknięty loop (*closed circuit*) [el.]

obwód prądu głównego primary circuit[el.]

obwód prądu grzejnego heating circuit [transp.]

obwód prądu hamowania brake circuit [el.]

obwód równoległy PD circuit (*parallel travel, work*) [transp.]

obwód sterowniczy control circuit; feed back circuit [mot.]

obwód w układzie podwójnego T twin-T-circuit [masz.]

obwód wejściowy receiving circuit [el.]

obwód wzmacniający amplifier circuit [el.]

obwód zamknięty closed circuit [el.]

obyczaj custom [abc]

ocean ocean [abc]

ocena estimation, estimate; evaluation; mark (*in report card*) [abc]

ocena danych data evaluation [inf.]

ocena jakości betonu assessment of the concrete quality [miern.]

ocena jakościowa quality assurance [ekon.]

ocena sygnalizowanych błędów flaw signal diagnosis [miern.]

ocena zdolności produkcyjnych estimation of productivity data, collection of productivity data [abc]

oceniać estimate; rate; survey; value [abc]

oceniony rated [abc]

ocet vinegar [abc]

ochładzacz attemperator; desuperheater [energ.]; cooler; radiator [mot.]

ochładzacz pary przegrzanej superheated steam attemperator [energ.]

ochładzacz żwirku tailing cooler [górn.]

ochotniczy voluntary [abc]

ochotnik volunteer [wojsk.]

ochraniacz fender (*buffer*); guard [mot.]

ochraniacz dętki rim band, clincher band [mot.]

ochraniacz krawędzi edge protection tube [transp.]

ochrona guard [wojsk.]; protection [abc]

ochrona brzegów edge protection [mot.]

ochrona całkowita silnika full motor protection [transp.]

ochrona danych data protection [inf.]

ochrona galwaniczna galvanic protection [energ.]

O

ochrona krawędzi edge protection [mot.]

ochrona olejowa oil guard [masz.]; deflector [tw.]

ochrona osobista body guard [abc]

ochrona pełna silnika full motor protection [transp.]

ochrona powierzchni surface protection [masz.]

ochrona przeciwpyłowa dust protection [bud.]

ochrona przeciwzakłóceniowa noise suppression [akust.]

ochrona przed błędami protection against errors [inf.]

ochrona przed dotykiem protection against accidental contact [el.]

ochrona przed katastrofami disaster service; emergency service [polit.]

ochrona przed promieniowaniem radiation shield [energ.]

ochrona przed przegrzaniem overheating protection [masz.]

ochrona przed rdzewieniem rust inhibition [masz.]

ochrona przed spadającymi kamieniami rock guard [transp.]

ochrona przed wilgocią moisture guard [masz.]

ochrona reflektora headlight guard [mot.]

ochrona silnika motor protection [transp.]

ochrona środowiska environmental protection, protection of the environment, environmental control [mot.]

ochrona ubezpieczeniowa insurance-protection [prawn.]

ochronnik liniowy fuse panel (*in fuse holder*) [el.]

ochronnik przepięciowy high rupture fuse (*high rupture current fuse*) [el.]

ochrypły hoarse (*croaking*) [med.]

ocierać abrase [abc]

ociosywać pruning (*free from branch holes*) [met.]

oclony customs-cleared [praw.]

ocynkowanie galvanizing [met.]

ocynkowany zinc-coated (*or laminated*); zinc-plated (*galvanized*); tin-coated, tinned [met.]

oczekiwać expect [abc]

oczekiwany expected [abc]

oczko drobne narrow mesh [abc]

oczko eye (*boss*) [energ.]; eyelet [transp.]

oczko łożyska end eye [transp.]

oczko ochronne lift eye [masz.]; grommet [masz.]

oczko stabilizatora support eye (*for arm cylinder-on boom*) [mot.]

oczyszczacz cleaner [met.]

oczyszczacz ciśnieniowy compressed air cleaner [aero.]

oczyszczacz powietrza air cleaner [aero.]

oczyszczać clear; purge [abc]; purify [hydr.]

oczyszczać strumieniem piasku shot blast [met.]

oczyszczalnia ścieków purification plant; sewerage treatment plant (*in sewage*) [hydr.]

oczyszczalnik sewage disposal plant, sewage treatment plant [rec.]; cleaning agent [chem.]

oczyszczanie refining [górn.]

oczyszczanie chemiczne dry cleaning [abc]

oczyszczanie odlewów castings cleaning [met.]

oczyszczanie strumieniem piasku sandblasting [narz.]; shot peening [met.]

oczyszczanie ścieków sewage treatment [hydr.]

oczyszczanie wody water purification [abc]

oczyszczanie wtryskiem shot cleaning [energ.]

oczyszczanie z popiołu za pomocą kul ball shot, iron shot, shot blast plant [energ.]

oczyszczony strumieniem piasku sand blasted [narz.]

oczywisty obvious; self-explanatory [abc]

od miejsca zwałowania from a higher level [transp.]

od morza off shore [mot.]

odarty peeled [transp.]

odbezpieczać unlock, cock [wojsk.]

odbicie reflection [opt.]

odbicie całkowite total reflection [fiz.]

odbicie częściowe partial reflection [fiz.]

odbicie dwukrotne double bounce reflection [el.]

odbicie dźwięku sound reflection [akust.]

odbicie fali wave reflection [fiz.]

odbicie jednokrotne single bounce reflection [akust.]

odbicie pojedyncze single reflection [el.]

odbicie potrójne triple bounce reflection [opt.]

odbicie promieniowania radiation reflection (*reradiation*) [energ.]

odbicie rozproszone diffuse reflection [fiz.]

odbicie sprężyste back lash [fiz.]

odbicie trójkątne triangle reflection [opt.]

odbicie ukośne inclined reflection [el.]

odbicie zwierciadlane specular reflection [opt.]

odbiegać od deviate from [abc]

odbierak prądu stud (*sprung s. under loco*) [mot.]

odbierak prądu pałąkowy U-bracket [mot.]

odbierak światła light collector [el.]

odbierak wielokołowy bucket wheel reclaimer [transp.]

odbieralnik (*zbiornik*) receiver [masz.]

odbijacz fender; buffer [mot.]

odbijać sail, leave the quay [mot.]; knock off [met.]; (*się*) rebound [masz.]

odbijający dźwięk sonically hard [akust.]

odbijak drzwiowy door wedge buffer [transp.]

odbijanie się flash back [energ.]

odbiorca addressee (*receives the letter*); receiver [abc]

odbiorca ostateczny ultimate consumer [energ.]

odbiorca uprawniony eligible customer [energ.]

odbiornik receiver (*receiving set*) [el.]; take-up (*PTO = power take up*) [masz.]

odbiornik kieszonkowy bleeper [telkom.]

odbiornik laserowy laser receiver [transp.]

odbiór acceptance (*approval after test*); approval; taking [abc]

odbiór ciepła heat intake [energ.]

odbiór ciężaru decrease in load [energ.]

odbiór techniczny w zakładzie factory approval [abc]

odbitka Baumanna sulfur print [chem.]

odbitka siarkowa sulfur print [chem.]

odbity w zwierciadle mirror-inverted [abc]

odblokowanie unblocking [mot.]

odblokowywać unlock [abc]

odbłyśnik reflector, reflex reflector [mot.]

odboczka zębata toothed-wheel gearing [masz.]

o

odbojnica check rail; gripping device [mot.]; guide rail [transp.]

odbój head guard [mot.]

odbudowa reconstruction (*build again*) [bud.]

odbudowa powierzchniowa surface reconstruction [inf.]

odbywać się take place [abc]

odchodzić go away, leave, move [abc]

odchylacz dymu smoke deflector plate; deflector [mot.]

odchylać swing [transp.]

odchylenie deflection (*change of wave*) [fiz.]

odchylenie dźwigni lever distances [abc]

odchylenie grubości ścianki difference in wall thickness; variation of wall thickness [tw.]

odchylenie kąta deviation of the angle [rys.]

odchylenie kąta osi shaft-angle deviation [transp.]

odchylenie promieni flow deviation [energ.]

odchylenie przesunięcia offset deviation [transp.]

odchylenie ruchu obrotowego deviation of the cylic running [mot.]

odchylenie toczenia working variation [masz.]

odchylenie w osi czasu time deflection, time-base sweep [el.]

odchylenie wiązki elektronowej sweep [el.]

odchylny swingable, slewable, swivelling, revolving [transp.]; raisable (*which can be raised*); hinged [abc]

odchyłka wymiarowa deviation of dimension [bud.]

odciąć take off [abc]

odciąg suspension rope [transp.]; guy (*anchor ropes*) [abc]

odciągać withdraw; pull off; (*pra-* cownika od jednej firmy na rzecz drugiej*) head-hunt [abc]

odciążać relieve [abc]

odciążenie relief [abc]; weight decreasing (*part unloading*) [mot.]

odciek effluent; water drainage [bud.]

odcień shade [abc]

odcień barwy shade of colour [norm.]

odcięcie dopływu ciśnienia pressure cut-off [mot.]

odcinacz wydechu exhaust valve [mot.]

odcinać shear off [masz.]; cut off [el.]; (*palnikiem*) torch-cut [met.]; take out of service (*shut down*) [energ.]; trim [abc]

odcinak separating cut [masz.]

odcinek segment [masz.]; section [rys.]

odcinek budowlany section [bud.]

odcinek budowy batch [transp.]

odcinek drogi distance [geogr.]

odcinek grzebienia comb segment [transp.]

odcinek kompensujący balance section [masz.]

odcinek linii kolejowej section of a <railway> line [mot.]

odcinek mierniczy linii czasu time base [el.]

odcinek odpływu run-off section [abc]

odcinek pasa pomiędzy kołami end of the belt [masz.]

odcinek przed zaworem upstream (*of the valve*) [energ.]

odcinek schodów step section (*older escalators*) [transp.]

odcinek szybkiego ruchu high speed line [mot.]

odcinek toru kolejowego railway track (*for railroad traffic*) [mot.]

odciski palców finger prints [abc]

odcyfrowywać decipher [abc]

odczuwać sense [abc]

odczynnik strącający precipitating agent [energ.]

odczyt reading, read-out [miern.]; paper [abc]

odczyt cyfrowy digital readout [el.]

odczyt ultradźwiękowy ultrasonic scanning [el.]

odczyt zdalny remote sensing [inf.]

odczytywać scan [el.]

oddalony remote [abc]

oddanie do eksploatacji putting into service [energ.]

oddawać donate [med.]

oddawanie ciepła heat emission [energ.]

oddawanie mocy power output [el.]

oddział ward [med.]; group [abc]; office; section [ekon.]; troop [wojsk.]

oddział informacyjny Signals [wojsk.]

oddział położniczy maternity ward [med.]

oddział szpitalny hospital ward [med.]

oddział terapii intensywnej intensive care [med.]

oddział towarzystwa ubezpieczeniowego insurance department [prawn.]

oddziaływanie obciążania load reaction [transp.]

oddzielacz precipitator [górn.]; scrubber baffle [energ.]

oddzielacz ciał obcych pyrites trap [energ.]

oddzielacz cyklonowy cyclone precipitator, cyclone separator, cyclone [górn.]; (*z odprowadzaniem ciekłego żużla*) fly ash slag-tap cyclone; grit arrestor [energ.]

oddzielacz cyklonowy osłonięty screened cyclone arrangement [górn.]

oddzielacz cyklonowy otwarty open cyclone arrangement [energ.]

oddzielacz cyklonowy pary cyclone steam separator [energ.]

oddzielacz cyklonowy pary fałdowany corrugated scrubbers [energ.]

oddzielacz cyklonowy popiołu lotnego fly ash separator [energ.]

oddzielacz magnetyczny magnetic separator [energ.]

oddzielacz odśrodkowy cyclone precipitator, cyclone separator, grit arrestor [energ.]

oddzielacz oleju oil separator [masz.]

oddzielacz popiołu lotnego grit arrestor [energ.]

oddzielacz powietrzny air separator [górn.]

oddzielacz pyłu dust collector [transp.]

oddzielacz pyłu lotnego arrestor [aero.]

oddzielacz wody water separator; water trap [mot.]

oddzielacz wstępny precleaner, prescreener [mot.]

oddzielacz żużla slag extractor [energ.]

oddzielać segregate, separate, split, divide (*gold from silver*) [górn.]; isolate [el.]

oddzielanie segregating [transp.]; separation [energ.]

oddzielanie wstępne pre-scalping (*rocks before crusher*) [górn.]

oddzielony separated [abc]

oddźwięk return [abc]

odejmować deduct, subtract [mat.]

odejmowany dismantable [met.]; removable [abc]

odejście departure [abc]

oderwanie (*się*) detachment (*detaching*) [abc]

odeskowanie sheeting [transp.]; casing [bud.]

odeskowanie kanału trench sheeting [masz.]

O

odeskowanie pomostu decking (*closes top of balustrade*) [transp.]

odeskowanie wewnętrzne low deck (*interior decking*) [transp.]

odgałęziać fork off [el.]

odgałęzienie fork (*roadfork*) [transp.]

odgałęźnik swivel fitting [masz.]

odgarniacz wiper ring [transp.]

odgazowanie obiegowe (*stali*) tap degassing; vacuum recirculation process [masz.]

odgazowanie strumieniowe (*przy spuście do kadzi*) tap degassing [masz.]

odgazowany próżniowo vacuum degasified [masz.]

odgazowywać degas (*degassing*) [tw.]

odgazowywanie degassing (*fuel*) [energ.]

odgazowywanie kadzi ladle degassing [masz.]

odgazowywanie strumieniowe BV BV stream degassing [masz.]

odgłos sound (*echo*) [akust.]

odhaczać unhook; take down [mot.]

odholowywać tow (*e.g. tow a ship*) [mot.]

odjazd departure [mot.]

odjeżdżać depart [abc]

odkład deposit, sediment [gleb.]; dump [górn.]; layer [min.]

odkładnica MB (*mouldboard*) [transp.]

odkręcać (*śrubę*) unscrew, unbolt [met.]

odkryty discovered (*revealed*) [abc]; exposed [bud.]

odkrywka open cut mining, open pit (*mining*); strip mining [górn.]

odkrywka piasku sand pit [abc]

odkształcać deform (*on purpose*) [met.]

odkształcalność deformability [tw.]

odkształcalny deformable [bud.]

odkształcanie deformation [transp.]; distortion [el.]; distortion, warping [tw.]; shaping, twisting, twist [masz.]; residual strain, strain [energ.]

odkształcenie końcowe end deformation [met.]

odkształcenie plastyczne materiału plastic yielding [masz.]

odkupienie delivery [abc]

odkurzacz dust and grit arrestor [energ.]

odkurzać suck; vacuum clean [abc]

odkuwka enveloping body, forging [masz.]

odkuwka aluminiowa forging of aluminium [met.]

odkuwka dwuskładnikowa forging from two different grades [met.]

odkuwka matrycowa drop forging [masz.]

odkuwka podwójna forging out of two different grades [met.]

odkuwka surowa forging blank [met.]

odlany beztlenowo fully deoxydized cast [met.]

odlecieć take off [mot.]

odległość distance [rys.]; length [abc]; space, spacing [transp.]; distance [geogr.]

odległość blaszkowa distance between fins [mot.]

odległość czołowa top liberty [transp.]

odległość obrotu swing distance [transp.]

odległość przenoszenia hauling distance [mot.]; travel distance [górn.]

odległość przewozowa haulage distance; transport width [mot.]

odległość rzutowania projection distance [abc]

odległość w kilometrach mileage (*mileage driven*) [mot.]

odległość wychylania swing distance [transp.]

odległy remote [abc]
odlew casting [tw.]
odlew ciśnieniowy die cast [met.]
odlew dzwonu bell founding (*bell casting*) [met.]
odlew fasonowy monocast part [masz.]
odlew hydrauliczny casting for hydraulic applications [tw.]
odlew kokilowy chill casting [tw.]
odlew kształtowy monocast part [masz.]
odlew metalowy cast metal [tw.]
odlew mosiężny cast brass [tw.]
odlew odśrodkowy centrifugal casting [met.]
odlew profilu skrzynkowego box section casting [masz.]
odlew staliwny cast steel, steel casting [tw.]
odlew szary gray cast [tw.]
odlew utwardzony chill casting [tw.]
odlew warstwowy composite casting [tw.]
odlew wysokociśnieniowy high pressure founding [tw.]
odlewać cast [met.]
odlewać próbnie initial casting [masz.]
odlewanie casting (*second oldest after forging*) [met.]
odlewanie ciągłe continuous casting [tw.]
odlewanie ciągłe półfabrykatów continuous casting of slabs [tw.]
odlewanie ciśnieniowe die cast, die casting [met.]
odlewanie do pełnej formy full-mould casting [met.]
odlewanie formy skorupowej shell mould casting [masz.]
odlewanie odśrodkowe (*w formach wirujących*) centrifugal casting [met.]
odlewanie precyzyjne investment casting [masz.]

odlewanie w wysokiej próżni high-vacuum casting [met.]
odlewanie wlewków ingot casting [masz.]
odlewanie żeliwa sferoidalnego spheroidal graphite iron casting [tw.]
odlewnia foundry [met.]
odliczać deduct [mat.]; write off cost [abc]
odliczanie wsteczne countdown [mot.]
odlot departure [mot.]
odłamek chip (*splinter, insect, dust, dirt*) [abc]
odłamki skalne falling rocks [mot.]
odłączać disconnect; (*się*) detach [abc]; shut down, take out of service [energ.]
odłączanie separation [górn.]; disconnection [el.]; (*się*) detachment (*detaching*) [abc]; tearing loose (*train from stop to go*) [mot.]
odłącznik circuit breaker [el.]; disconnecting switch, isolator [el.]
odłącznik mocy circuit breaker [el.]
odłącznik niskiego napięcia low voltage breaker switch, low voltage braker, low voltage circuit breaker [el.]
odłącznik wysokiego napięcia high voltage circuit breaker [el.]
odłupywanie się spalling [masz.]
odmagnesowywanie demagnetisation [el.]
odmawiać reject; turn down a request [abc]
odmiana variety (*variant*); variation; modification [abc]
odmiana siodłowa semi-trailer design [mot.]
odmierzać measure [geol.]
odmieszanie (*się*) segregation [górn.]
odmowa deny; refusal [abc]
odmówic deny (*not admit*) [abc]
odmrażacz defroster [mot.]

O

odmrażać defrost [mot.]

odmulanie kotła boiler water blowdown [energ.]

odnawiać renew; recondition; reconstruct, restore; refurbish; repair (US); touch up [abc]

odnawianie rebuilding [met.]

odniesienie (*powołanie się*) reference (*with reference to the contract*) [praw.]

odnośnie do with reference to, with regard to [abc]

odolejacz oil separator [masz.]

odolejacz pary odlotowej exhaust steam oil separator [energ.]

odoliwiacz oil catcher [masz.]

odpad debris [rec.]; drop [abc]

odpad ciekły waste water [hydr.]

odpad stały solid waste [rec.]

odpadać drop away [abc]

odpadki junk (*partly reusable*) [abc]; pit waste [górn.]; waste [rec.]

odpadki metalowe i metale pierwotne metal scrap and raw metals [tw.]

odpady refuse, garbage, waste, rubbish [rec.]; scrap; offcuts [met.]; trash [rec.]; cutting scrap [tw.]

odpady budowlane building rubbish [rec.]; rubble [bud.]

odpady flotacyjne wash waste (*US: scalpings*) [górn.]

odpady nuklearne nuclear waste [prawn.]

odpady o charakterze szczególnym toxic waste (*batteries, medicine, paint*) [rec.]

odpady popłuczkowe wash waste (*US: scalpings*) [górn.]

odpady promieniotwórcze radioactive waste [rec.]

odpady przemysłowe industrial waste [rec.]

odpady złomowe stopione alloyed steel scrap [masz.]

odpalanie krótkozwłoczne milli-second blasting [górn.]

odpalanie mikrozwłoczne milli-second blasting [górn.]

odpalanie milisekundowe milli-second blasting [górn.]

odpalenie detonation [wojsk.]

odparcie refutation [abc]

odparować vapourize[abc]

odparowywanie evaporation; vapourization [mot.]; boiling [energ.]

odpisywać write off cost [abc]

odpłacać retaliate [abc]

odpływ effluent; waste water [hydr.]; water drainage; run-off [transp.]

odpływ wody drainage, drain pipe, waste pipe, water drain; water out (*may read on a sign*), water outlet [bud.]

odpoczynek rest [abc]

odpoczywać rest (*take a rest*) [abc]

odpopielanie ash disposal, ash removal [energ.]

odpopielanie ciśnieniowe pressure water ash removal [energ.]

odpopielanie mokre liquid ash removal, pressure water ash removal, pressurized water ash removal [energ.]

odpopielnik ash extractor [energ.]

odporność resistance [masz.]

odporność na działanie wody water resistance [abc]

odporność na obciążenia dynamiczne tenacity [miern.]

odporność na ścieranie wear resistance, resistance to abrasion [tw.]

odporność na trzęsienia ziemi making buildings resistant to earthquakes [bud.]

odporność na uderzenia impact strength; impact-notch proof [tw.]; notch bar impact value [miern.]

odporność na zużycie wear resistance [energ.]

odporny proof [masz.]; rugged [abc]; resistant [tw.]

odporny na działanie substancji żrących aggressive-products resistant [chem.]

odporny na erozję erosion-resistant [energ.]

odporny na korozję corrosion free, corrosion-resistant, rust-proof [tw.]

odporny na płowienie light-resistant [abc]

odporny na skręcanie torsion-stiff, torsion-free [masz.]; absolutely rigid [transp.]

odporny na starzenie good aging behaviour [abc]

odporny na ścieranie high wear-resistant [górn.]; low-wear; wear resistant [masz.]

odporny na ślizganie slide-proof [masz.]

odporny na trzęsienie ziemi earthquake proof [bud.]

odporny na uderzenia impact proof [masz.]; shock-proof [mot.]

odporny na wibracje vibration resistant [transp.]

odporny na wilgoć damp-proof [transp.]

odporny na wpływy atmosferyczne weatherproof [meteo.]

odporny na zużycie high wear-resistant [górn.]; low-wear [masz.]

odpowiadać respond [el.]; be responsible [abc]

odpowiadający żądanym wymiarom accurate to dimension, accurate to size [rys.]

odpowiadanie na pytania w systemach dedukcyjnych question answering in deduction systems [inf.]

odpowiedni adequate; (*do*) corresponding with (*your opinion*); (*do użycia*) usable; suitable (*That suits me, is suitable*) [abc]

odpowiednia instrukcja pertinent instruction [abc]

odpowiednia nośność suitable capacity [mot.]

odpowiednie parametry spawania relevant welding parameters [met.]

odpowiednie prawodawstwo appropriate legislation [praw.]

odpowiednik counterpart (*second of a pair*) [abc]

odpowiedzialność liability [prawn.]; responsibility [abc]

odpowiedzialność cywilna legal liability [prawn.]

odpowiedzialność cywilna pracodawcy employer's liability [praw.]

odpowiedzialność cywilna w miejscu company liability pracy [prawn.]

odpowiedzialność po wygaśnięciu umowy liability after expiration of contract, provision for old occurrence-claims [prawn.]

odpowiedzialność z tytułu wykonywanego zawodu professional responsibility [abc]

odpowiedzialność zawodowa professional responsibility [abc]

odpowiedzialny responsible [abc]

odpowiedzialny za redakcję (*redagowanie*) main contractor [abc]

odpowiedź response [transp.]

odpowiedź częstotliwościowa frequency response (*of amplifier*) [el.]

odpowiedź impulsowa point-spread functions [inf.]

odpowietrzacz vent [mot.]

odpowietrzać vent, ventilate [aero.]

odpowietrzanie ventilation, priming [mot.]; breathing [aero.]; venting [energ.]

odpowietrznik air breather, breather; deaerator (*de-aerating plant*) [aero.]; bleeder; exhauster, ventilator; louvre; primer (*initial ventilation*) [mot.]

odpowietrznik silnika engine breathing system [mot.]

O

odprawa briefing [abc]

odprężać stress-relief glow; stress-relieve (*stress relieve annealing*) [masz.]; thermal stress relief [tw.]

odprężnik decompressor [mot.]

odpromieniowanie reradiation (*radiation reflection*) [energ.]

odprowadzanie retraction [energ.]

odprowadzanie wody powierzchniowej drainage (*in civil engineering*) [górn.]

odprowadzanie wody z przegrzewacza superheater drain [energ.]

odprowadzanie żużla w stanie stałym dry ash removal [energ.]

odprowadzenie do atmosfery discharge to atmosphere [energ.]

odprowadzenie powietrza chłodzącego cool-air ducting [aero.]

odprowadzenie żużla slag removal [energ.]

odprowadzić take off [abc]

odprowadzony drained [bud.]

odprysk chip (*splinter, insect, dust, dirt*) [abc]

odpryskiwać chip off (come off, corrode) [tw.]

odpryskiwanie spalling [abc]; coming-off [transp.]

odpuszczać anneal; temper [met.]

odpuszczony annealed [tw.]; tempered [tw.]

odpylacz dust separator, dust collector, dust separator precipitator [transp.]; precipitator [górn.]

odpylacz mechaniczny mechanical dust separator, mechanical precipitator [energ.]

odpylacz mechaniczny wielodrożny multi-cellular mechanical dust separator, multi-cellular mechanical precipitator [energ.]

odpylacz mokry wet type dust collector [energ.]

odpylacz wstępny precleaner, pre-screener [mot.]

odpylacz wtórny secondary dust removing plant [górn.]

odpylanie wstępne pre-scalping [górn.]

odpylanie wtórne secondary dust removal [górn.]

odpylnik szklany dust bowl [mot.]

odrąbywać lop off [abc]

odrdzewiać derust [tw.]

odrobiony retapped [mot.]

odroczenie suspension (*postponing*) [abc]

odrutować wire [el.]

odrutowanie cabling [el.]

odrutowany wired [el.]

odryglować unclamp; unlock [abc]

odrywać stall [mot.]

odrzucanie (*jako brak*) rejection [transp.]

odrzut ejection; rebound; recoil [wojsk.]

odrzutnik kamieni rock deflector; body canopy [mot.]

odrzutnik oleju oil baffle, baffle [mot.]; oil catcher [masz.]

odrzutnik pierścieniowy oleju oil thrower ring [mot.]

odrzutowiec jet plane [wojsk.]

odrzwia door holder [bud.]

odsadzenie obudowy housing shoulder [masz.]

odsadzenie wału shaft shoulder, shoulder [masz.]

odsadzony differently colored [abc]

odsalać desalinate [energ.]

odsiarczanie gazów spalinowych flue gas desulphurization [energ.]

odsiewać screen out [górn.]

odsiewanie wstępne primary screening [górn.]

odsłaniać się crop out (*get exposed*) [górn.]

odsłonięcie outcropping [górn.]

odsłonięty komin blaszany lined steel chimney [energ.]

odsprzęgać decouple [mot.]

odstawiać (*na boczny tor*) tram; back up (*move a car in reverse*) [mot.]

odstawianie pociągu tramming [mot.]

odstawiony stabled (*locos, wagons are stabled*) [mot.]

odstęp distance [rys.]; interval (*lubricating, servicing*) [transp.]

odstęp bezpieczeństwa safety distance (*block distance*) [mot.]

odstęp blokowy block section [mot.]

odstęp między ładunkiem load distance (*on forklifts*) [mot.]

odstęp między osiami distance between axes (*centres*) [rys.]

odstęp między stykami break [el.]

odstęp minimalny minimum interval (*m distance*) [abc]

odstęp psofometryczny signal-to-noise ratio [el.]

odstęp rowka root opening [met.]

odstojnik sedimentation tank; settling basin, settling chamber, settling tank [górn.]

odsunięty pegged back (*upper section of boom*) [transp.]

odszkodowanie ubezpieczeniowe insurance claims [prawn.]

odszraniać defrost [mot.]

odświeżać restore (*bring back*); update [inf.]

odtłuszczać degrease [tw.]

odtrutka antidote [med.]

odtwarzacz transcriber [el.]

odtwarzać restore (*do up*) [abc]

odtwarzanie płyt gramofonowych gramophone recording [abc]

odwadniacz steam trap [energ.]

odwadniać drain [mot.]

odwadnianie drainage, draining, dewatering [hydr.]

odwadnianie szlamu sludge dehydration [mot.]

odwadnianie ściany przedniej front wall drain [energ.]

odwał dump [górn.]

odwarstwianie peeling [abc]

odważnik (*obciążnik*) weight [abc]

odważnik kontrolny test weight [miern.]

odwet retaliation [abc]

odwęglanie próżniowe vacuum oxygen decarburisation [masz.]

odwiedziny visit [abc]

odwiert bore, drilled hole, drill [górn.]

odwiert wiertniczy nerkowy kidney-shaped bore-fit [transp.]

odwierty pomocnicze auxiliary bores [górn.]

odwieszać słuchawkę disengage [telkom.]

odwirowywać sling (*throw, centrifuge*) [abc]

odwirowywanie wirników dynamic balance test [abc]

odwlekać retard (*delay, hold*) [masz.]

odwodniony dehydrated [mot.]; drained [roln.]

odwoływać revoke [abc]

odwózka removal [abc]

odwracać reverse (*clothing*) [abc]

odwracalny reversible [transp.]

odwracanie fazy phase reversal [el.]

odwrotny reciprocal [abc]

odwrócenie distraction [abc]

odwrócenie widzenia visual reversal [inf.]

odwrócony mirror-inverted [abc]

odwrót retreat; departure [wojsk.]

odwzorowywać map (*image*) [inf.]

odwzorowywanie mapping (*map*) [inf.]

odymiać fumigate [abc]

odzież outwear [abc]

odzież ochronna safety clothes, protecting clothes, safety clothing [abc]

odzież ochronna robocza protective clothing [abc]

o

odzysk makulatury paper recycling [abc]

odzysk stłuczki szklanej glass recycling [rec.]

odzyskiwanie energii energy retrieving [mot.]

odzyskiwanie i utylizacja ciepła odlotowego recovering and utilizing waste heat [energ.]

odżużlowywać move the fuel bed, stoke [energ.]

oferować tender [abc]

offline offline (*not connected to host*) [inf.]

offset offset [el.]

ofiara victim (*of accident, crime*) [abc]

ofiara wypadku traffic victim [mot.]

oficer przełożony Officer Commanding [wojsk.]

oficer wachtowy watch officer (*aboard ship*) [abc]

oficjalny official [polit.]

oficyna dependence [bud.]

ofrankowany stamped (*postage stamped*) [abc]

ogień fire (*flames, blaze, flare*) [abc]

ogień bezpośredni direct fire (*in wine distillery*) [chem.]

ogień tlący smouldering fire [abc]

oglądać view [abc]

oględziny survey (*inspection*); visual inspection [bud.]

ogłoszenie (*w gazecie*) advertisement [abc]

ogłoszenie drobne classified advertisement (*newspaper ads*) [abc]

ognie sztuczne pyrotechnics (*fireworks*) [abc]

ognioodporność refractoriness [energ.]

ognioodporny fire proof, fire-resistant [abc]

ogniotrwały fire-resistant [abc]

ognisko fire; focal point [abc]; range [bud.]

ognisko trzęsienia ziemi focus [abc]

ogniskowa (*odległość*) focal distance (*focal length*) [abc]

ogniskowanie focussing [el.]

ognistoczerwony flame red [norm.]

ogniwo link (*of chain*) [masz.]; union [mot.]

ogniwo akumulatorowe cell (*cell of a battery*) [el.]

ogniwo gąsienicy crawler chain link [transp.]

ogniwo łańcucha track chain link [masz.]

ogniwo łańcucha napędowego driving link [energ.]

ogniwo łańcucha stożkowe conical chain link [tw.]

ogniwo łańcucha z dwóch połówek znitowanych razem split link [mot.]

ogniwo łańcucha zwężające tapering chain link [masz.]

ogniwo łańcuchowe chain link, track joint [transp.]

ogniwo łącznikowe drutowe wire fastener connecting link [masz.]

ogniwo podwójne double joint [masz.]

ogniwo słoneczne solar cell [el.]

ogniwo spinające spring clip connecting link [masz.]

ogniwo spinające drutowe wire fastener connecting link [masz.]

ogniwo spinające zawleczki split spin fastener connecting link [masz.]

ogniwo stożkowe taper link [tw.]

ogniwo termoelektryczne thermocouple, thermocouple element [energ.]

ogniwo wewnętrzne inner link [masz.]

ogniwo wieszaka sprężyny spring shackle (*part of spring suspension*) [masz.]

ogniwo wygięte cranked link [tw.]
ogniwo wygięte łańcucha cranked chain link [tw.]
ogniwo zamykające gąsienicy master link [masz.]
ogniwo zasilające delivery cell [mot.]
ogniwo zewnętrzne outer link [transp.]
ogólna sprawność cieplna over-all thermal efficiency [energ.]
ogólne rozszerzenie zabezpieczenia general extension of coverage [prawn.]
ogólne świadectwo homologacji general type approval (*type approval*) [mot.]
ogólne warunki ubezpieczenia standard provisions [praw.]
ogólnie all the way [abc]
ogólny general [abc]
ograniczać limit (*restrict*) [abc]
ograniczenie restriction; border line; boundary [abc]; constraint [inf.]
ograniczenie czasowe temporal limitation (*of a contract*) [praw.]
ograniczenie posuwu hoist limiting [mot.]
ograniczenie prędkości speed limit [mot.]
ograniczenie prędkości wychylania restriction of mast tilt speed [mot.]
ograniczenie przechyłu roll-back limitation (*of bucket)* [transp.]
ograniczenie skoku hoist limiting [mot.]
ograniczenie techniczne constraint [tw.]
ograniczenie wygładzania smoothness constraint (*in vision*) [inf.]
ogranicznik limiter [transp.]; clipper [tw.]; limit stop [masz.]; stop [abc]
ogranicznik biegu wstecznego reverse gear stop [mot.]

ogranicznik ciśnienia hamowania brake pressure regulator [mot.]
ogranicznik dymu smoke limiter [mot.]
ogranicznik mechanizmu sterowniczego steering stop limit [mot.]
ogranicznik poprzeczny cross stop [tw.]
ogranicznik posuwu lift limiter; hoist limiter [mot.]
ogranicznik prądu current limiter [el.]
ogranicznik przechyłu roll-back limitation, roll-back limiter [transp.]
ogranicznik przepełnieniowy roll back limiter (*limitation*) [transp.]
ogranicznik ruchu block (*bring or travel on block*); bump stop (*spring can no longer move*) [transp.]; beat [abc]; check plate [mot.]; cheek casting [tw.]
ogranicznik skoku lift limiter, hoist limiter [mot.]
ogranicznik wahadła lock [transp.]
ogranicznik wychylenia roll back limiter, rollback limit [transp.]
ogranicznik wychylenia, automatyczny rollback limit, automatic [transp.]
ogranicznik ciśnienia hamowania wózka tractor brake pressure regulator [transp.]
ograniczniki stoppers [masz.]
ograniczony restricted [abc]; mentally unbalanced [med.]
ograniczony opis ekspozycji constraint exposing description [inf.]
ogrodzenie fence [abc]; guard rail [bud.]
ogród garden [bot.]
ogrzany heated [abc]
ogrzewacz heater [bud.]
ogrzewacz nitów rivet heater [mot.]
ogrzewalny heatable; heated [abc]
ogrzewanie heating [abc]

O

ogrzewanie ciepłym powietrzem hot-air heating [mot.]

ogrzewanie elektryczne electric heating [el.]

ogrzewanie gazami odlotowymi exhaust-operated air heating [mot.]

ogrzewanie kabiny (*kierowcy, operatora*) cab heater [mot.]

ogrzewanie paliwowe fuel heating [mot.]

ogrzewanie parą obcą auxiliary steam heating of the boiler [energ.]

ogrzewanie parowe steam heating [mot.]

ogrzewanie pomocnicze auxiliary heating [mot.]

ogrzewanie postojowe anti-condensation heating [mot.]

ogrzewanie powietrzne air heating [energ.]

ogrzewanie świeżym powietrzem fresh air heating [mot.]

ogrzewanie wodą water heating [mot.]

ogrzewanie żeberkowe gilled pipe heating surface [transp.]

ogrzewany heated [abc]

ogrzewany gazami odlotowymi exhaust gas heated [mot.]

ogrzewany wstępnie pre-heated [met.]

ogrzewek barrel [mot.]

ogumienie tires (US), tyres (GB) [mot.]

ogumienie o dużej przyczepności well-treaded tyres (GB) [mot.]

ogumienie pneumatyczne pneumatic tyres [mot.]

okablować wire [el.]

okablowanie cabling [el.]

okablowanie elektryczne wiring [el.]

okablowany wired [el.]

okap exhaust duct [górn.]; ventilation hood [energ.]

okapotowanie (*silnika*) cowling, hood [mot.]

okapslowany drum encased [mot.]

okapturzenie casing (*housing*) [mot.]

okaziciel bearer (*cheque made out to bearer*) [abc]

okazyjnie sporadically (*only sporadically*) [abc]

okienko kontrolne glass sight gauge [mot.]

okienko kontrolne poziomu wody water-level sight glass [mot.]

oklepkowanie lagging [górn.]

okład bandage (*compress*) [med.]

okładka cover, book cover [abc]

okładzina casing, housing, cladding, lining, facing; cowl [mot.]; coating (*deposits*) [energ.]

okładzina boczna side cladding, side panelling [transp.]

okładzina grzebienia comb plate finish [transp.]

okładzina gumowa rubber lining [transp.]

okładzina hamulca lining of the brake [mot.]

okładzina hamulcowa brake line, brake lining [mot.]

okładzina koła napędowego poręczy handrail drive sheave covering [transp.]

okładzina międzyszczelinowa gap covers [transp.]

okładzina podwójna double wall working lining arrangement [masz.]

okładzina półmetaliczna semi-metallic facing [masz.]

okładzina rur water tube wall, tubulous lining [energ.]

okładzina sprzęgła clutch lining, lining, clutch facing, facing [mot.]

okładzina szczęk hamulca drum brake lining [mot.]

okładzina szczęk hamulcowych brake line, brake lining, brake liner, lining [mot.]

okładzina ściany działowej partition panel lining [mot.]

okładzina ścienna wall cladding [masz.]

okładzina tkaninowa fabric lining, underlayer of fabric [mot.]

okładzina zewnętrzna outside cladding, external panelling, outer cladding (*sides and below*) [transp.]

okładziny carpeting [bud.]; deposits (*coating*) [energ.]

okno window [bud.]; low-sill window [transp.]

okno boczne side window [mot.]

okno dachowe roof window [transp.]

okno dachowe stalowe steel roof window (*roof window*) [masz.]

okno maszynisty spectacle glass (*in spectacle plate*) [mot.]

okno odporne na uderzenia odłamków skalnych boulder window (*anti-break*) [górn.]

okno odsuwane sliding window [mot.]

okno przegrody partition panel window [mot.]

okno przesuwne sliding window [mot.]

okno sięgające do podłogi door window [mot.]

okno ściany działowej partition panel window [mot.]

okno tylne rear window [mot.]

okno uchylne skylight [bud.]

okno w stropie roof light [abc]

okno wychylne swivel window [mot.]

oko eye [abc]

oko na sworzeń bearing eye bearing eye (*pin boss*) [masz.]

oko sprężyny spring eye [masz.]

okoliczności conditions [bud.]

około approximately, about [abc]

okop ditch (*often trapeze-shaped*) [bud.]

okopywać się trench (*trench in*) [wojsk.]

okorek formwork board [bud.]; slab [masz.]

okólnik circular [abc]

okólnik wydany przez zarząd board circular [ekon.]

okrakiem ponad hałdą astride over the heap [transp.]

okratowanie drzwi grille [bud.]

okratowanie wlotu chłodnicy radiator grill [mot.]

okratowany barred [abc]

okrąg circle [mat.]

okrąg cyrkulacji turning circle [masz.]

okrąg podziałowy reference circle [masz.]

okrąg podziałowy koła ślimakowego reference circle [masz.]

okrąg toczny pitch circle [masz.]

okrąg toczny koła ślimakowego pitch circle [masz.]

okrąglak corduroy [bud.]

okrągły round [masz.]

okres period [abc]; (→ p. of amortization; pressure raising p.; pressure reducing p.; shut-down p.; start-up p.; warm-up p.)

okres amortyzacji payout time, period of amortisation, period of amortization [abc]

okres drgań własnych natural period [fiz.]

okres implementacji implementation period [inf.]

okres kalendarzowy calendar period [abc]

okres montażu erection time [met.]

okres nauki time of apprenticeship [abc]

okres niepogody period of bad weather [meteo.]

okres produkcyjny period of operation [abc]

okres próbny probationary time, testing period, trial period, test-phase [abc]

O

okres remontów hours of overhaul [energ.]

okres rozpadu promieniotwórczego decay time [abc]

okres składowania stock holding period [abc]

okres smarowania lubrication interval [transp.]

okres suszy dry season; drying time [abc]

okres trwałości operating time [masz.]

okres ubezpieczenia policy period [praw.]

okres użycia period of use; time in action [transp.]

okres użytkowania service life, operating life, work life, working life, working service [masz.]

okres ważności currency [praw.]

okres wykorzystania utilization period [energ.]

okres złej pogody period of bad weather [meteo.]

okresowy obchód kontrolny routine inspection [energ.]

okresy niskiego obciążenia off-peak periods [el.]

określać determine; term [abc]

określanie wielkości błędu flaw size determination [miern.]

określenie description [abc]; definition [inf.]; label [transp.]

określenie kolorów designation of colours [abc]

określenie kształtu determination of shape [miern.]

określenie przestarzałe obsolete description [abc]

określenie twardości determination of hardness [miern.]

określić wartość value [abc]

okręt vessel [mot.]

okręt marynarki naval vessel [wojsk.]

okręt ochrony rybołówstwa fishery protection vessel [mot.]

okręt szkolny training ship [mot.]

okręt szpitalny hospital ship [mot.]

okręt wojenny naval vessel [wojsk.]

okrętka swing socket [górn.]

okrętka puszkowa rotary drive [transp.]

okrycie cover [transp.]

okrycie składane folding top cover [mot.]

okrywać mierzwą mulch [abc]

okucia fittings [bud.]

okucia okienne window fittings [masz.]

okucie sheathing [mot.]

okular ocular [opt.]

okular ramy frame centre rest [mot.]

okulary spectacles, glasses [med.]

okulary ochronne protecting goggles, goggles; (*np. do wypraw na lodowiec*) snow goggles [abc]

okulary przeciwsłoneczne sun glasses [abc]

okulary spawalnicze welding goggles [met.]

okupować occupy [wojsk.]

okurzać dust [abc]

olbrzym giant [abc]

oleić lubricate [masz.]

olej oil [abc]

olej chłodniczy oil to cooler, oil from cooler [masz.]

olej chłodząco-smarujący cutting oil [tw.]

olej ciężki heavy fuel [mot.]

olej do chłodnicy oil to cooler [masz.]

olej do przepłukiwania flushing oil [met.]

olej gazowy (*napędowy*) gas oil [mot.]

olej grafitowany graphite oil [górn.]

olej hamulcowy pressurized oil [mot.]

olej hartowniczy quenching oil [tw.]

olej hydrauliczny hydraulic oil [mot.]

olej mineralny mineral oil [górn.]

olej napędowy diesel oil, gas oil, diesel [mot.]
olej nieoczyszczony crude oil [górn.]
olej opałowy fuel oil [energ.]
olej pełzający creeping oil [mot.]
olej pod ciśnieniem pressurized oil [mot.]
olej pozostałościowy residual oil [energ.]
olej przepracowany used machine, waste oil [abc]
olej rzepakowy rape oil [bot.]
olej silnikowy (*smarowy*) engine oil, motor oil [mot.]
olej smarowy lubricating oil [masz.]
olej uniwersalny multigrade oil [mot.]
olej wielosezonowy multigrade oil [mot.]
olej wiertarski cutting oil [tw.]
olej wyciekowy bleed oil [mot.]
olej z chłodnicy (*oleju*) oil from cooler [masz.]
olej zużyty used oil, waste oil [abc]
olejarka grease cup; oiler [masz.]; lubricator [mot.]
olejarka kroplowa drip lubricator [masz.]
olejenie oiling; greasing; lubrication [transp.]
olejenie kroplowe drop feed [masz.]
olejoodporny oil resistant [masz.]
olejoszczelny grease tight [abc]
olejowskaz oil-level indicator; fluid level indicator [mot.]
olejowskaz zdalny remote oil level indicator [energ.]
olinowanie rigging [mot.]
oliwić oil [abc]
oliwienie oiling [transp.]
oliwka szara gray olive [norm.]
oliwka żółta yellow olive [norm.]
oliwkowo-brązowy olive drab [norm.]
olsza alder [bot.]
ołowiowanie homogeniczne homogeneous lead coating [masz.]

ołowiowany leaded [masz.]
ołowiowany elektrolitycznie electrolytic leaded [met.]
ołowiowany ogniowo hot-dip leaded [met.]
ołowiowy plumbiferous [mot.]
ołów lead [tw.]
ołówek pencil [abc]
ołówek automatyczny propelling pencil [abc]
omdlenie unconsciousness [med.]
omen preceding sign [abc]
omiatana całkowicie (*powierzchnia*) fully swept [energ.]
omiatany gazami spalinowymi flue-gas-swept [energ.]
omnibus bus [mot.]
omówienie talk [abc]
on-line on-line, live [inf.]
onyks onyx [min.]
opad atmosferyczny precipitation [meteo.]
opad deszczu rainfall [meteo.]
opad śniegu snowfall [abc]
opad śnieżny snowfall [abc]
opadać bleed [mot.]
opadająco in the downward direction [bud.]
opakowania z blachy stalowej steel drums [masz.]
opakowanie strapping; wrapping [masz.]; packing [mot.]
opakowanie transportowe transport barrels [mot.]
opakowany wrapped [abc]
opalany gazem gas fired [energ.]
opalany koksem coke fired [mot.]
opalany paliwem olejowym oil fired [mot.]
opalany węglem coal fired [mot.]
opalenizna sun tan [abc]
opały stump [abc]
opancerzenie armoured plate [transp.]; armour [wojsk.]
opancerzenie kabla boiler casing, cable harness, boiler ring [energ.]

O

opancerzenie zespołu przewodów
wiring harness [el.]

opancerzony armoured [masz.]

**opancerzony przenośnik łańcu-
chowy** armoured chain conveyor
[transp.]

oparcie arm rest; mounting [abc];
support [transp.]

oparcie dla głowy head cushion,
head rest, head restraint [mot.]

oparty founded [bud.]

opary vapour [mot.]; waste steam
[energ.]; fumes [abc]

opary paliwa fuel laden vapours
[energ.]

oparzenie burn [med.]

oparzenie słoneczne sun burn
[med.]

oparzyć burn [energ.]

opaska kotłowa boiler band [energ.]

opaska nośna rury pipe clip, clip
[tw.]

opaska resoru elastic rail clip, spring
clip [mot.]

opaska sprężyny wielopłytkowej
elastic rail clip [mot.]

opaska stalowa steel strapping
[abc]

opaska zabezpieczająca hoop
guard [transp.]; pipe retaining clip
[masz.]

opaska zaciskowa hose fitting, fitting [met.]; V-band clamp [masz.]

opaska zaciskowa jednolita one-
piece hose clip [masz.]

**opaska zaciskowa przewodu gięt-
kiego** sealing and retaining clamp
[masz.]

**opaska zaciskowa szerokopasmo-
wa** wide-band clamp [masz.]

opaska zaciskowa ślimakowa worm
drive hose clip [masz.]; thumbplate
hose clip [mot.]

**opaska zaciskowa ustalająca ze
wspornikiem** retaining clamp with
bracket [masz.]

opaska zaciskowa węża hose clamp
[masz.]

opaska zaciskowa z naciągiem normetta (*continuous band clamping*)
[masz.]

opatentowany patented [praw.]

opatrunek bandage [med.]

opatrywać bandage [med.]

opcjonalny optional [mot.]

OPEC (*Organizacja Krajów Eksporterów Ropy Naftowej*) OPEC (*Organization of Petroleum Exporting
Countries*) [polit.]

opera opera house; opera [abc]

operacja bezobsługowa maintenance-free operation [energ.]

**operacja łączenia w sieciach prze-
syłowych** (*transmisyjnych*) attach
action in transition nets [inf.]

operacja prasowania i ścinania
press and shears operation [met.]

operacja robocza manufacturing
operation; working aisle [inf.]

operacja zatrzymania stop action
(*in transition nets*) [inf.]

operator operator [transp.]; (*in logic*)
operator [inf.]

operator koparki operator [transp.]

operator stacji benzynowej attendant [mot.]

**operator stanowiska dyspozytor-
skiego** directing-stand driver [mot.]

operator urządzenia machine operator [mot.]

opierać się hold out against (*an at-
tacking foe*) [wojsk.]

opierzenie lining [górn.]

opinia (*biegłego*) expert opinion,
expert's opinion [abc]; philosophy
[inf.]

opinia publiczna public [abc]

opinia rzeczoznawcy expert's opinion [abc]

opinka lining [górn.]

opis description [abc]; inscription
[bud.]

opis błędu describing of the fault [abc]

opis defektu describing of the fault [abc]

opis działania functional overview [mot.]

opis i porównanie describe-and-match [inf.]

opis klasy z przykładów class description from samples [inf.]

opis konstrukcji design description [rys.]

opis na wagonie wagon label container [mot.]

opis patentowy patent specification [praw.]

opis projektu design description [rys.]

opis rysunku description (in drawings) [rys.]

opis schodów ruchomych przeznaczony dla architekta description of escalator for architect, blanket [bud.]

opis trójwymiarowy three-dimensional display [inf.]

opis uszkodzenia describing of the fault [abc]

opis uziarnienia visual designation of grain sizes [bud.]

opis wielkości ziarna visual designation of grain sizes [bud.]

opis zakresu działalności description of occupation [prawn.]

opisywać describe [abc]

oplatać braid [met.]

oplot metalowy metal braid [masz.]

opłata dostępowa access charge [energ.]

opłata drogowa toll [mot.]

opłata symboliczna token commission [transp.]

opłata za badanie test tariff, test rate [abc]

opłata za korzystanie z sieci wires charge [energ.]

opłata za opomiarowanie meter charge [energ.]

opłata za wstęp admission; admission fee [abc]

opłaty dodatkowe supplementary fees [praw.]

opłomka steam generating tube; welded circular steel pipe [energ.]

opływanie powierzchni grzejnych przez gaz gas sweeping [energ.]

opływanie spalin sweeping of the flue gas [energ.]

opływowy streamlined, stream line [abc]

opona tyre, tire (US) [mot.]

opona balonowa balloon tire, low pressure tyre [mśot.]

opona blokowa block tyre [mot.]

opona diagonalna diagonal tyre [mot.]

opona na szerokiej obręczy wide base tyre, wide tyre [mot.]

opona niskociśnieniowa high flotation tire [mot.]

opona niskociśnieniowa o wysokiej flotacji low pressure tyre with high flotation [mot.]

opona pneumatyczna pneumatic tyre [mot.]

opona radialna radial tyre [mot.]

opona radialna tkaninowa fabric belt tyre [mot.]

opona superbalonowa super-balloon tyre [mot.]

opona szeroka wide tyres [mot.]

opona terenowa cross country tyre, traction tyre [mot.]

opona tylna rear tyre [mot.]

opona wysokociśnieniowa high pressure tyre [mot.]

opona (wysoko)elastyczna cushion tyre [mot.]

opona z osnową linową studded tyre [mot.]

opona z osnową stalową steel belt tyre [mot.]

O

opona zapasowa spare tyre [mot.]

opona ze stopką clincher tyre [mot.]

opończa canvas; canvas cover; canvas top; folding top [mot.]

opornik resistor [el.]

opornik drutowy wire resistor [masz.]

opornik nastawny rheostat [el.]

opornik o oporności właściwej rosnącej wraz z temperaturą PTC-resistor (*Positive Temperature Coefficient*) [transp.]

opornik rozruchowy starting resistance (*lowers voltage*) [transp.]

opornik szeregowy drop resistance; protective resistor [el.]

opornik warstwowy film resistor (*carbon resistor*) [el.]

opornik wbudowany inner resistor [el.]

opornik wstępny drop resistance, protective resistor [el.]

opornik wyładowczy discharging resistor [el.]

oporność akustyczna acoustical resistance [akust.]

oporność bierna inductance [el.]

oporność dławienia choking resistance [mot.]

oporność dodatkowa zabezpieczenia silnika additional resistance for motor protective device [transp.]

oporność falowa characteristic impedance (*surge impedance*) [el.]

oporność obciążenia loading resistor [masz.]

oporność promieniowania radiation resistance [el.]

oporność właściwa inherent resistance [masz.]

oporność wyrównawcza equalizing resistor [el.]

oporządzenie outwear [abc]

opozycja opposition [polit.]

opór resistance [abc]; drag [masz.]

opór bazy base resistance [el.]

opór bierny reactance [el.]

opór bramki port resistance [el.]

opór całkowity total resistance [el.]

opór czynny Ohmic resistance [el.]

opór jazdy road resistance; resistance to forward motion [mot.]

opór obciążenia diody diode load resistance [el.]

opór powietrza wind resistance [abc]

opór powietrza na filtrze powietrza air restriction on air cleaner [aero.]

opór powietrza na silniku air restriction on engine [mot.]

opór pozorny reactance; impedance [el.]

opór przepływu resistance to flow [energ.]

opór rozruchu soft start [transp.]

opór ruchu na łuku curve resistance [mot.]

opór skrawania cutting resistance [met.]

opór świec żarowych heater plug resistor, preheater resistor [mot.]

opór tarcia tocznego rolling resistance [mot.]

opór toru bazowego (*podstawowego*) extrinsic base resistance [el.]

opór toru bazy extrinsic base resistance [el.]

opór urabiania cutting resistance, digging resistance [transp.]

opór wewnętrzny inner resistance [el.]

opór wyrównawczy equalizing resistor [el.]

opór wzniesienia grade resistance, gravity forces on batter [fiz.]

opór zewnętrzny extrinsic resistance [el.]

opóźniać decelerate [mot.]; delay [el.]; retard [abc]

opóźnianie time lag [el.]; deceleration [energ.]; retardation [mot.]; retarding, delay, delaying [transp.]

opóźnianie reakcji response delay [el.]

opóźnianie rekursji deferring recursion [inf.]

opóźnienia płatnicze arrears [ekon.]

opóźnienie odłączenia cut-off delay [el.]

opóźnienie podstawy czasu timebase delay [el.]

opóźnienie przebiegu through pass delay [abc]

opóźnienie przepływu through pass delay [abc]

opóźnienie przy hamowaniu brake retardation [mot.]

opóźnienie rozdzielenia styków operating delay [mot.]

opóźnienie wyłączenia turn-off delay [el.]

opóźnienie wypychacza pusher delay [el.]

opóźniona podstawa delaying sweep [transp.]

opóźniona podstawa czasu delayed time, delayed time-base sweep [el.]

opóźniony niezależnie definite time-lag [el.]

opóźniony umysłowo mentally retarded [med.]

opóźniony w rozwoju umysłowym mentally retarded [med.]

opracowanie wykazu części product structure processing [abc]

opracowywać write [abc]

opracowywanie dostawców vendor processing [abc]

oprawa fitting [met.]; female socket [masz.]

oprawa bagnetowa bayonet holder [rys.]

oprawa koła pasowego wentylatora fan pulley mounting [mot.]

oprawa piły saw bow [met.]

oprawa reflektora headlamp socket [mot.]

oprawa ręczna handle type probe holder [abc]

oprawiać w ramy frame [abc]

oprawka sock [masz.]; lamp holder; receptacle [el.]

oprawka lampowa socket [el.]

oprawka wkrętaka screw socket [masz.]

oprawka wtyczki socket [el.]

oprawki mountings [energ.]

oprofilowany faired [masz.]

oprogramowanie software [inf.]

oprogramowanie funkcjonalne functional programming [inf.]

oprogramowanie systemowe system software [inf.]

oprogramowanie systemowe i środowisko programowe system software and development environment [inf.]

oprogramowanie usługowe utilities [inf.]

oprowadzać guide [abc]

oprowadzanie guided tour [abc]

oprowadzenie cięgła hamulca coffin rod [mot.]

oprócz except; exempt [abc]

opróżniać empty [mot.]

opróżnianie denne bottom dump [mot.]

opryskiwacz do trawników lawn sprinkler [abc]

oprzyrządowanie component parts [masz.]

oprzyrządowanie doczepne attachment [transp.]

optyczny optical; visible [opt.]

optymalizować optimize [abc]

optymalne wykorzystanie best possible use [abc]

optymalny optimum [transp.]; best possible [abc]

optymizm optimism [abc]

opublikowany released [abc]

opukiwać peen [masz.]

opuszczać abandon [mot.]

O

opuszczać lower [bud.]; fast-fall [transp.]

opuszczanie lowering [transp.]

opuszczanie podnóżka step lowering; sag [transp.]

opuszczanie wysięgnika boom lowering [transp.]

opuszczany bok skrzyni ładunkowej drop side [mot.]

opylać dust [abc]

orać plow [roln.]

oranż czysty pure orange [norm.]

orbita orbit [mot.]

orbita kołowa branch line [mot.]

orbita okołoksiężycowa lunar orbit [mot.]

orbita zamknięta orbit [abc]

orbitalny system manewrowy Orbital Manoeuvering System (OMS) [abc]

organ mouthpiece (*trade journal*) [abc]

organ nadzorczy supervising authority [transp.]

organizacja organization [ekon.]; incorporation [abc]

organizacja i elektroniczne przetwarzanie danych organization and data processing [inf.]

organizacja kierownicza management organization, managerial organization [abc]

organizacja pracy personnel policy measures [abc]

organizacja procesu produkcyjnego work planning, job scheduling [abc]

organizacja produkcji production management [inf.]

organizacja systemu widzenia vision-system organization [inf.]

organizowanie czasu pracy working hours and shift schedules [abc]

orientacja powierzchniowa surface direction [inf.]

orientacja zwoju direction of coil [tw.]

orientować fettle track [mot.]

o-ring O-ring [masz.]

orkan typhoon (*hurricane*) [meteo.]

orkiestra orchestra (*skilled group musicians*) [abc]

ornament ornament (*florid ornament*) [abc]

ornamentowy ornamental (*florid*) [abc]

ortokrzemian etylowy ethyl silicate [chem.]

orurowanie pipework [masz.]

orurowanie dwuobwodowe double branch pipes [mot.]

orurowany piped, cased [masz.]

oryginalne części zamienne genuine parts [abc]

orzech nut (*hazelnut, peanut*) [bot.]; nut-coal, nuts [górn.]

orzeczenie (*biegłego*) expert opinion [abc]; judgement [praw.]

orzeł eagle [bot.]

osad sediment, deposit [geol.]; sludge [abc]

osad ferrytowy ferrite segregation [tw.]

osad kamienia kotłowego deposit of boiler scale [mot.]

osad przefermentowany sapropel [gleb.]

osad solny turbine blade salt deposit [energ.]

osad węglowy carbon deposit [górn.]

osadnictwo settling (*populating*) [abc]

osadnik settling basin, settling chamber, settling tank, sedimentation tank, sewage disposal plant, sewage treatment plant [górn.]

osadnik zanieczyszczeń mud flaps [mot.]

osadzać fasten [met.]; (*się*) deposit [hydr.]; (*się*) settle (*precipitate*) [górn.]; bear (*on the rail face*);

calm (*quiet down*); touch down; mount [mot.]

osadzać na skurcz shrink on [masz.]

osadzony mounted on bearings [abc]; mounted [masz.]; built-in [bud.]

osadzony elastycznie flexibly mounted (*seat*) [masz.]

osadzony na poduszce cushion-mounted [mot.]

osądzać sentence (*condemn, convict*) [polit.]

oscylacja oscillation; vibration; resonance [fiz.]

oscylacja akumulatora oscillation [el.]

oscylator oscillator [fiz.]

oscylator mostkowy Wiena Wien bridge oscillator [el.]

oscylator mozaikowy crystal mosaic [el.]

oscylograf oscillograph (*recorder*) [miern.]

oscylograf parowania cieczy fluid-vapor oscillograph [mot.]

oscyloskop oscilloscope [el.]

oscyloskop stroboskopowy sampling oscilloscope [el.]

oscyloskop wielośladowy multi-trace oscilloscope [transp.]

osełka oilstone [masz.]

osełkować hone [met.]

osełkowanie honing [met.]

osiadać precipitate (*settle*) [energ.]

osiadanie settlement [abc]

osiadanie gruntu level drop [górn.]

osiągi performance [abc]

osiągi maksymalne maximum performance [mot.]

osiedlanie się housing development [abc]

osiedle settlement [abc]

osika aspen [bot.]

osiować align [rys.]

osiowanie centring, centralisation [mot.]

osiowany aligned [masz.]

osiowy axial [abc]

osiujący aligned [rys.]

oskard pick, pickaxe [narz.]

oskarżenie indictment [polit.]

oskarżony defendant [prawn.]

oskrzynia rib; surround [bud.]

osłabianie ultradźwiękowe through-transmissin attenuation [miern.]

osłabić (*się*) weaken; waste [abc]

osłabienie attenuation [abc]

osłabiony thinned out [masz.]

osłabnąć weaken [abc]

osłaniać secure (*the rope*) [masz.]; shield [abc]

osłanianie shielding [transp.]

osłona casing; contour [tw.]; guard; cowl, cowling (*dash*) [mot.]; (*chroniąca przed ścieraniem*) wear pad [masz.]; deck [transp.]

osłona bębna linowego drum jacket [transp.]

osłona blaszana protecting plate [transp.]

osłona blaszana silnika engine guard plate [mot.]

osłona boczna silnika side of engine hood [mot.]

osłona chłodnicy radiator cowl, radiator cowling, radiator grill, radiator guard, radiator bonnet (*hood*) [mot.]

osłona chłodnicy oleju air-cowling [transp.]

osłona cieplna przednia bow heat shield (*reinforced*) [masz.]

osłona cieplna turbosprężarki doładowującej turbocharger heat shield [energ.]

osłona ciepłochronna (*chroniąca kabinę kosmiczną przy wejściu w atmosferę*) heat shield [mot.]

osłona cylindra cylinder guard [mot.]

osłona cylindra przekładni kierownicy steering cylinder guard [mot.]

O

osłona cylindra wysięgnika guard for boom cylinder [transp.]

osłona dzwonkowa bell housing [masz.]

osłona elementu przeszukiwawczego probe shoe[el.]

osłona filtru filter housing [mot.]

osłona gąsienicy track casing [transp.]

osłona hamulca brake subplate [transp.]

osłona izolacyjna insulation cladding (*tubes*) [energ.]

osłona izolująca sleeve [energ.]

osłona izolująca gumowa rubber-protection sleeve [masz.]

osłona kablowa cable duct [el.]

osłona kanału powietrznego air-duct cover, air guide plate, air cowling [transp.]

osłona kątowa angle housing [mot.]

osłona koła wolnego free wheel housing [mot.]

osłona kołnierzowa flanged block, roll-back limiter [mot.]

osłona kołpakowa protective cap [abc]

osłona komorowa zębnika pinion box [mot.]

osłona kół zębatych aiming gear cover [transp.]

osłona krążków gąsienicy track roller guard [transp.]

osłona laski popychacza push rod cover [mot.]

osłona łańcucha chain casing; track casing [tw.]; (*gąsienicy*) track guard [transp.]

osłona łożyska bearing housing [masz.]

osłona napędu pomocniczego auxiliary drive housing [transp.]

osłona od kurzu dust shield [mot.]

osłona olejowa oil guard [masz.]; deflector [tw.]

osłona palców finger guard [transp.]

osłona pasa klinowego V-belt guard [mot.]

osłona pasa napędowego belt guard [transp.]

osłona plastikowa plastic cover [transp.]

osłona podwójna double shielding (*twin shielding*) [masz.]

osłona pomostu deck cover [transp.]

osłona pompy wtryskowej injection pump housing [mot.]

osłona prowadnicy kulkowej guiding sleeve housing [masz.]

osłona przeciwbryzgowa deflector plate [mot.]

osłona przeciwbryzgowa chłodnicy radiator baffle plate [mot.]

osłona przeciwpyłowa dust boot, dust hood [mot.]

osłona przeciwsłoneczna sun shade, sun visor [abc]

osłona przeciwsłoneczna kabiny sunshade, canopy (*canvas cover, sun roof*) [transp.]

osłona przednia front cap, front guard [mot.]

osłona przestawiacza wtrysku injection control housing [mot.]

osłona przewodu giętkiego typu spiralnego spiral-type hose guard [masz.]

osłona przyrządów instrument panel guard [mot.]

osłona reflektora headlight guard [mot.]

osłona resoru spring cover, spring gaiter [transp.]

osłona rękojeści shank protector [masz.]

osłona silnika motor protection; engine bonnet, engine hood, engine compartment, engine plate; door of engine compartment; hood covering, hood door [mot.]

osłona skrzyni korbowej crank case guard [mot.]

osłona skrzynki przekładniowej gearbox cover, gear box, transmission case [mot.]

osłona skrzynki z wyposażeniem instrument housing [el.]

osłona spiralna spiral housing [mot.]

osłona ścienna cage screen [energ.]

osłona tablicy rozdzielczej instrument panel guard [mot.]

osłona termometryczna thermometer pocket, thermometer well [energ.]

osłona tylna caving shield [górn.]

osłona tylnego mostu napędowego rear axle casing cover [mot.]

osłona uszczelki sealing casing [transp.]

osłona wahacza rocker arm cover [mot.]

osłona wału przegubowego joint shaft guard [masz.]

osłona wentylatora fan cowl (fan shroud), fan guard [mot.]

osłona wewnętrzna pokrywy bagażnika rear inside trunk lid panel [mot.]

osłona wlotu inlet housing [mot.]

osłona zabezpieczająca guard, fender, buffer [mot.]

osłona zamka keyhole surround [abc]

osłona zewnętrzna outer casing, outer decking [mot.]

osłona zmiany biegów gear shift cover [mot.]

osłona z tworzywa sztucznego plastic cover [mot.]

osłonięte odpryski spawalnicze covered-over welding splatter [met.]

osłonięty covered, covered up (canvas covered etc.) [mot.]; sheathed (shored, revetted) [bud.]

osnowa carcass [mot.]

osoba cywilna civilian (not wearing a uniform) [abc]

osoba na wózku inwalidzkim person in a wheelchair [transp.]

osoba upoważniona proxy [abc]

osoba wykonująca wolny zawód free-lancer [abc]

osoba zaufana person of trust [abc]

osobista ustawowa odpowiedzialność cywilna individual legal liability [prawn.]

osobiście in person [polit.]

osobliwy unique [abc]

osobną pocztą by separate mail [abc]

osobno separately [transp.]

osobny separated [abc]

osobowość character [abc]

osprzęt armature; accessories, parts; attachment, implement (US: equipment) [masz.]; appliances [abc]; (przedni lub tylny) front-end <operating> equipment [mot.]

osprzęt akumulatora battery harness [abc]

osprzęt chwytaka do drewna log grapple attachment [mot.]

osprzęt chwytaka do skał block clamp attachment [transp.]

osprzęt do przesuwania offsetworking attachment [transp.]

osprzęt do węża hose fixture [masz.]

osprzęt drobny valves and fittings [energ.]

osprzęt gruby accessories [energ.]

osprzęt kotła boiler fittings [energ.]

osprzęt paleniska firing equipment [energ.]

osprzęt próżniowy vacuum fittings and accessories [masz.]

osprzęt specjalny special equipment [masz.]

osprzęt wagonu wagon fixture [mot.]

ostatecznie finally [abc]

ostatek rest (last few drops) [abc]

ostatni stopień przegrzewacza

O

high-duty section of superheater [energ.]

ostatnia cyfra last digits [abc]

ostoja underframe [mot.]

ostoja boczna wózka bogie side-frame [mot.]

ostoja wózka bogie frame [transp.]

ostojnica skid rail [mot.]

ostra krawędź burr (*bur, fin, flash*) [masz.]

ostrobrzeżny sharp edged [masz.]

ostroga groyne (*groin, kid*) [abc]

ostroga przeciwślizgowa grouser [transp.]

ostroga przeciwślizgowa pojedyncza single grouser shoe [transp.]

ostrość sharpness (*of a knife, a blade*) [narz.]; sharpness, focus; definition; keenness (*of thought, of definition*) [abc]

ostrożny careful, cautious, watchful (*also dogs or geese*) [abc]

ostry sharp (*knife, thinking*) [abc]

ostry zakręt hairpin bend, sharp bend [bud.]

ostrzał shell [wojsk.]

ostrzarka narzędziowa sharpener [abc]

ostrze cutting edge, bit, edge [abc]; razor blade [masz.]

ostrze narożne corner bit, corner shoe [transp.]

ostrze przegubowe do prętów trzyczęściowe three-parts bolted-on cutting edge [transp.]

ostrze radlicy opóźniające trailing cutting edge [transp.]

ostrze zapasowe spare cutting edge [masz.]

ostrzelanie bombardment [wojsk.]

ostrzeliwać shell (*bombard, fire at*) [wojsk.]

ostrzeliwanie shelling (*grenades, shells, rounds*) [wojsk.]

ostrzeżenie warning [abc]

ostrzeżenie akustyczne acoustic warning [transp.]

ostrzeżenie dźwiękowe acoustic warning [transp.]

ostrzeżenie z helikoptera helicopter cautioning [mot.]

ostrzyć (*na osełce*) whet [met.]

ostrzyć na osełce grind [met.]

osuszać drain [mot.]; de-watering [górn.]

osuszanie pary steam drying, water separation [energ.]

osuwisko slide [bud.]

osypisko talus [górn.]

oszacować value [abc]; rate [abc]

oszacowanie estimation; assessment [abc]

oszacowanie szkody investigation of fault [abc]

oszacowanie wydajności pracy productivity estimates for labour [abc]

oszacowany rated [abc]

oszalowanie formwork [bud.]

oszczędność ciężaru weight saving [masz.]

oszczędność paliwa fuel economy [energ.]

oszczędzacz economizer jet [mot.]

oszczędzanie energii energy saving, energy reduction [mot.]

oszlifowany owalnie cam ground [met.]

oszukiwać cheat [abc]

oszustwo fraud [abc]

oszwar slab [masz.]

oś axis (*axis of a pipe*) [rys.]; axle, spindle (*front-and rear axle*) [mot.]

oś bębna drum axle, centreline of drum [energ.]

oś biegunowa polar axis (*axes*) [geogr.]

oś bliźniacza twin axle [masz.]

oś czerparki excavator axle [transp.]

oś częstotliwości frequency axis [el.]

oś **czynna** drive axle, drive shaft [mot.]

oś **drogi** road axis [mot.]

oś **dyszla** shaft axle [mot.]

oś **dźwigienek zaworowych** (*w silniku spalinowym*) rocker shaft [mot.]

oś **główna** (*pojazdu*) main axle [mot.]

oś **kierująca** steering axle [mot.]

oś **koła obiegowego przekładni różnicowej** differential pinion shaft [mot.]

oś **koparki** excavator axle [transp.]

oś **kotła** centre line of boiler [energ.]

oś **kół biegu wstecznego** reverse idler shaft [mot.]

oś **łamana** pendulum axle [transp.]

oś **napędowa** drive axle, drive shaft [mot.]

oś **napinająca** tension axle [masz.]

oś **obiegowa** planetary axle [mot.]

oś **obrotowa stopnia** (*schodów*) step return wheel shaft [transp.]

oś **obrotu** fulcrum [mot.]

oś **odciążona całkowicie** full floating axle [mot.]

oś **odciętych** X-axis [mat.]

oś **podłużna** longitudinal axis [mot.]

oś **pojedyncza** single axis [rys.]

oś **pomocnicza** auxiliary axle [transp.]; auxiliary idler shaft [rys.]

oś **poprzeczna** bent axis (*also on hydraulic motor*) [masz.]

oś **posobna** tandem axle [masz.]

oś **pośrednicząca** idler shaft [mot.]

oś **profilowana** extruding axis [abc]

oś **przednia** front axle [mot.]

oś przednia z końcówkami rozwidlonymi fork axle [mot.]

oś **przegubu** pivot [masz.]

oś **przegubu łyżki** bucket pivot [transp.]

oś **przegubu pedału** pedal pivot shaft [mot.]

oś **pusta lokomotywy** hollow axle (*for railway locos*) [mot.]

oś **sztywna** rigid axle [mot.]

oś **tylna** rear axle [mot.]

oś **tylna bramowa** portal axle [mot.]

oś **ukośna** bent axis [masz.]

oś **urojona** imaginary axis [mat.]

oś **wahań** rotation axis [transp.]

oś **wahliwa** oscillating axle [mot.]

oś **wentylatora** fan fixed shaft [aero]

oś **wiązki dźwiękowej** axis of sound beam [akust.]

oś **wiązki dźwięku** sound beam axis (*plural: axes*) [akust.]

oś **wykorbiona** cranked axle (*of 3 cylinder loco*) [mot.]

oś **z zębnikiem** pinion shaft [mot.]

oś **zawieszenia wahadła** oscillating axle [transp.]

ościenny adjacent [abc]; next door [bud.]

ościeżnica drzwiowa door holder [bud.]

ościeżnica okienna window frame [bud.]

oślepiać blindfold [abc]

ośmiokąt octagon [mot.]

ośnik carving knife [narz.]

ośrodek center (US) [abc]

ośrodek obliczeniowy computing centre [inf.]

oświadczać declare, state [polit.]

oświadczenie pod przysięgą affidavit [praw.]

oświetlać illuminate [mot.]

oświetlenie lighting equipment [abc]; illumination [opt.]; lighting [transp.]

oświetlenie balustrady balustrade lighting [transp.]

oświetlenie balustrady wewnętrznej inside balustrade lighting [transp.]

oświetlenie deski rozdzielczej dashboard lamp [mot.]

oświetlenie grzebienia (*płyty grzebieniowej*) comb plate lighting, comb light, comb lighting [transp.]

O

oświetlenie klatki schodowej staircase lights [el.]

oświetlenie luminescencyjne tablicy wskaźników luminous dial lighting [el.]

oświetlenie placu budowy construction site lantern light [bud.]

oświetlenie podsufitki soffit light [transp.]

oświetlenie poręczy handrail lighting [transp.]

oświetlenie pośrednie indirect lighting [el.]

oświetlenie projektorowe flood light [abc]

oświetlenie punktowe spotlight [el.]

oświetlenie rozgraniczenia stopni step demarcation light, step gap light [transp.]

oświetlenie spocznika spotlights in base plate module [transp.]

oświetlenie stopni step lights [transp.]

oświetlenie sufitowe w pojeździe festoon bulb [mot.]

oświetlenie tablicy rozdzielczej dash light [mot.]

oświetlenie tablicy wskaźników dashboard lights [mot.]

oświetlenie tylne rear light, tail light [mot.]

oświetlenie ulic street lighting [el.]

oświetlenie wewnętrzne dome light [mot.]

oświetlony illuminated, lit [mot.]

oświetlony wewnętrznie interior lit [transp.]

otaczać include (include in something) [masz.]

otaczający ambient [abc]

otoczaki rubble [geol.]; boulders [górn.]; pebbles [abc]

otoczenie environment (surrounding world) [abc]

otoczkowanie casing (housing) [energ.]

otoczyć obręczą rim [met.]

otrzymywać obtain (get, gather, collect, grab) [abc]

otulanie rury pipe coating [masz.]

otulina dźwięko- i ciepłochronna sound and heat insulation [akust.]

otulina kotła boiler lagging [mot.]

otulony shielded (against possible damage) [masz.]

otwarcie opening [masz.]; commissioning [abc]

otwarty open; public [abc]; on [el.]; in situ [górn.]

otwarty w położeniu centralnym open-centered [transp.]

otwieracz do konserw tin opener, can opener (US) [abc]

otwieracz do puszek tin opener (GB) [abc]

otwierać open [abc]

otwierać obieg oleju allow oil flow [transp.]

otwierać pchnięciem push open [abc]

otwornica pad saw, piercing saw, keyhole saw, compass saw [narz.]

otwór hole; opening [masz.]

otwór chłodzący tłoka piston cooling rifle [mot.]

otwór do palnika gazowego gas burner port [energ.]

otwór dokładny borefit for dowel [rys.]

otwór drenarski drainage hole [bud.]

otwór drzwiczkowy paleniska firehole door (of steam engine) [transp.]

otwór gwintowany taphole, tapped hole, tapping hole, drill hole, thread hole [met.]

otwór kontrolny test opening [miern.]; checking tap, measurement hole, measuring hole [mot.]

otwór łączący mounting hole; fastening bore [masz.]

otwór mocujący mounting hole; fastening bore [masz.]

otwór montażowy service opening [transp.]

otwór na lance tlenowe lance port [energ.]

otwór na rurę tube hole [masz.]

otwór na śrubę łubkową bolt hole [masz.]

otwór na zamek wydrążony w drewnie rebating [mot.]

otwór nitowy rivet hole [masz.]

otwór odpowietrzający air vent, breather, venting [aero.]

otwór odwadniający drainage hole [bud.]

otwór osadzenia osi axle entrance, entrance of the axle [mot.]

otwór piezometryczny (*do odbioru ciśnienia*) pressure tap [energ.]

otwór płaskodenny flat bottomed hole [mot.]

otwór pod gwint taphole, tapped hole, tapping hole, drill hole [masz.]

otwór podłogowy floor opening [bud.]

otwór podłużny slotted hole [transp.]

otwór pomiarowy measurement hole, measuring hole [mot.]

otwór przejściowy minimalny minimum clearance [transp.]

otwór przelewowy overflow tap [masz.]

otwór przelotowy throughlet; passage, port [bud.]; through borehole; through bore-fit [el.]; bored all through [rys.]

otwór przelotowy na linę opening for rope [mot.]

otwór roboczy manhole, shaft opening, assembly opening [transp.]

otwór smarowniczy lubricating hole, lubrication bore [masz.]

otwór smarowy lubricating hole, lubrication bore, oil hole [masz.]

otwór spustowy taphole [tw.]

otwór ssący suction mouth [masz.]

otwór szlamnikowy header handhole, hand hole, header opening [energ.]

otwór śrub ustalających lock-bolt hole [masz.]

otwór transportowy transport hole [masz.]

otwór wentylacyjny vent, louvre [mot.]

otwór wentylacyjny w dachu roof ventilation hood, ventilation hood, weather hood, louvre [bud.]

otwór wiercony tapped hole, tapping hole, drill hole, bore fit, bore, taphole [masz.]

otwór wiertniczy bore hole [bud.]; drilled hole, drill, bore [met.]

otwór wiertniczy pomocniczy auxiliary bore [górn.]

otwór wlotowy inlet, intake, intake port [mot.]

otwór wlotowy dmuchawy compressor inlet [aero.]

otwór wlotowy nadawy feed opening inlet [górn.]

otwór wlotowy oleju lubricating-oil inlet, oil inlet [masz.]

otwór wlotowy pary steam inlet [mot.]

otwór wlotowy powietrza air inlet [aero.]

otwór włazowy manhole [met.]

otwór wsypowy feed inlet [masz.]

otwór wyczystkowy header handhole, header opening, hand hole [energ.]; washing hatches (*washout plug*) [mot.]

otwór wyjściowy odpopielnika ashdischarge opening [energ.]

otwór wylotowy outlet [mot.]

otwór wylotowy zasobni bunker outlet [energ.]

otwór wypływowy discharge outlet [mot.]

O

otwór wyrobiskowy pit opening [górn.]

otwór względny nozzle opening ratio [energ.]

otwór z kołnierzem wywiniętym extruded opening [energ.]

otwór za- i wyładunkowy opening for loading and discharging [mot.]

otwór załadowczy priming point [mot.]

otwór zaworowy valve bore [enrg.]

otwór żużlowy tap-hole [tw.]

owalno-płaski oval flat [mot.]

owalny oval [abc]

owies oats [bot.]

owiewek kierujący (w silnikach chłodzonych powietrzem) fan blast deflector [aero]

owinąć wind [abc]

owinięty wrapped [abc]

owłosienie hair [abc]

owręgowanie teoretyczne body plan [rys.]

owrężenie framing [mot.]

ozdoba ornament [abc]

ozdobny ornamental [abc]

oziębiać quench [tw.]

oziębiać i odpuszczać (ulepszać przez obróbkę cieplną) quench and temper [tw.]

oziębianie cooling [tw.]

oznaczać mark [abc]

oznaczanie marking, mark; description [abc]; label [transp.]

oznaczanie struktury determination of structure [miern.]

oznaczanie ziarnistości sieve screen analysis [górn.]

oznaczenie ABC ABC marking (not used in GB) [mot.]

oznaczenie kabla cable designation, cable marker [mot.]

oznaczenie miejsca zatrzymywania się wagonów car position indicator (on platform) [mot.]

oznaczenie mocy wyjściowej output figures [miern.]

oznaczenie odległości distance determination (in vision) [inf.]

oznaczenie startu (flaga w kratkę) grid (marked start positions; race) [mot.]

oznaczenie wzniesienia gradient post [mot.]

oznaczenie zespołu elektrod electrode group designation [el.]

oznaczony marked [abc]

oznaka mark; preceding sign; warning [abc]

oznakowanie lettering and marking; lettering [abc]

ożużlanie ścian fluxing of the walls [energ.]

ożużlowanie slagging [energ.]

ożywiony encouraged [abc]

P

paca chisel [bud.]

pachołek bollard [mot.]

pachołek cumowniczy mooring post [mot.]

pachwina łuku knuckle [masz.]

paczenie się warping [masz.]

paczka packet; parcel [abc]

paczyć się distort [mot.]

padać fall [abc]

padanie incidence [el.]

padanie pod kątem (np. promieni) angular incidence [el.]

padanie prostopadłe normal incidence [el.]

padanie ukośne angular incidence [el.]

pagórek hill [geol.]

pagórkowaty hilly [abc]

pakiet package (noise damming package) [mot.]

pakiet dźwiękochłonny noise absorbing package; city-low-noise package [transp.]

pakiet modyfikujący ciśnienie jazdy travel pressure kit, travel pressure modification kit [transp.]

pakiety generyczne generic packages [inf.]

pakowanie packing [abc]; wrapping; strapping [masz.]

pakowanie i załadunek kręgów drutu packing and loading of coils [masz.]

pakowany wrapped [abc]

pakt covenant [abc]; treaty [praw.]

pakunek packing set [masz.]

pal pile; stake [abc]; spud [mot.]; vertical member [bud.]

pal stalowy dolphin [masz.]

palacz stokesman, stoker [mot.]; fireman [energ.]

palec finger; bolt, pin; tine, tyne; tooth; tappet; tang [masz.]; (*u ręki*) finger; (*u nogi*) toe [med.]; lift (*cam*) [mot.]

palec naciskowy pin pusher; thrust bolt [masz.]

palec prowadzący guiding pin [masz.]

palec ramienia wewnętrznego mechanizmu kierowniczego steering finger [mot.]

palec rozdzielacza zapłonu rotator distributor [mot.]

palenie wzbronione no smoking [abc]

palenisko firing [energ.]; range [bud.]

palenisko ciśnieniowe pressure firing, pressurized furnace, supercharged furnace [energ.]

palenisko cyklonowe cyclone firing [energ.]

palenisko dodatkowe auxiliary burner; auxiliary firing equipment [energ.]

palenisko kombinowane combined firing [energ.]

palenisko komorowe o stycznym układzie palników tangential firing [energ.]

palenisko mechaniczne mechanical firing equipment [energ.]

palenisko młynowe Krämera Krämer mill type firing equipment [energ.]

palenisko na odpady incineration furnace [energ.]

palenisko na paliwo ciekłe oil firing equipment [energ.]

palenisko na pył węglowy pulverized coal firing [energ.]

palenisko na ropę oil firing equipment [energ.]

palenisko narożnikowe tangential firing [energ.]

palenisko narzutowe sprinkling stoker [energ.]

palenisko odciekowe (*z odprowadzeniem ciekłego żużla*) slag-tap pulverized coal firing [energ.]

palenisko ogniotrwałe all-refractory furnace [energ.]

palenisko pomocnicze auxiliary burners; auxiliary firing equipment [energ.]

palenisko pyłowe pulverized coal firing [energ.]

palenisko pyłowe z odpopielaniem mokrym pulverized coal firing with liquid ash removal [energ.]

palenisko pyłowe z trzonem suchym dry-bottom boiler [energ.]

palenisko pyłowe ze stołem do topienia pulverized coal firing with melting table [energ.]

palenisko sprzężone banked fire [energ.]

palenisko studzienne well type furnace [energ.]

palenisko torfowe peat firing equipment [energ.]

P

palenisko wielopaliwowe multiple-fuel firing [energ.]

palenisko wirowe cyclone firing, turbo-furnace, vortex furnace [energ.]

palenisko z dolnym nagrzewem bottom-fired unit [energ.]

palenisko zewnętrzne outer firebox (*boiler around firebox*) [mot.]

palenisko z górnym nagrzewem furnace with roof burners, top-fired unit [energ.]

palenisko z komorą wirową vortex furnace, turbo-furnace [energ.]

palenisko z palnikami w sklepieniu furnace with roof burners, top-fired unit [energ.]

palenisko z rusztem łańcuchowym chain grate stoker [energ.]

palenisko z rusztem ruchomym travelling grate stoker [energ.]

palenisko z trzonem suchym dry bottom furnace [energ.]

paleta pallet [mot.]

paleta ładunkowa pallet, tread pad [transp.]

palić burn [chem.]; smoke [abc]

paliwo fuel [mot.]

paliwo ciekłe liquid fuel [energ.]; liquid propellant [wojsk.]

paliwo dodatkowe auxiliary fuel [energ.]

paliwo ekologiczne pozyskiwane ze spalanych odpadów waste fuel [rec.]

paliwo gazowe fuel gas, gaseous fuel [mot.]

paliwo gwarantowane guarantee fuel [energ.]

paliwo niskogatunkowe low grade fuel, hard-to-burn fuel [energ.]

paliwo olejowe fuel oil [energ.]

paliwo płynne liquid fuel [energ.]

paliwo pomocnicze auxiliary fuel [energ.]

paliwo pyłowe pulverized coal [energ.]

paliwo samowystarczalne spontaneously combustible substance [wojsk.]

paliwo silnikowe fuel [mot.]

paliwo stałe solid fuel [energ.]; solid propellant [wojsk.]

paliwo trudnopalne hard-to-burn fuel [energ.]

paliwo wysokowzbogacone high grade fuel [energ.]

paliwomierz fuel gauge [mot.]

paliwooszczędny fuel miser [mot.]

palnik burner [energ.]

palnik ceramiczny ceramic burner [energ.]

palnik do cięcia cutting torch (*flame cutter*) [narz.]

palnik do spawania welding torch [met.]

palnik gazowy dla celów montażowych site torch (*US: police torch*) [polit.]

palnik gazowy płaski flare type burner [energ.]

palnik kombinowany combined burner [energ.]

palnik muflowy muffle burner [energ.]

palnik na gaz bogaty rich gas burner [energ.]

palnik narożny corner burner [energ.]

palnik o niskim obciążeniu low-load carrying burner [energ.]

palnik olejowy ciśnieniowy pressure type oil burner [energ.]

palnik oparów vapours burner [energ.]

palnik pochylny movable burner, swivel burner, tiltable burner, tilting burner [energ.]

palnik pyłowy pulverized fuel burner [energ.]

palnik pyłowy wielopłomieniowy multi-tip pulverised fuel burner [energ.]

palnik ręczny autogenous hand-cutter [narz.]

palnik rozpałkowy olejowy lighting-up burner, torch oil gun [energ.]

palnik spawalniczy welding torch, torch [met.]

palnik sufitowy (*umieszczony w stropie komory*) roof burner, downshot burner [energ.]

palnik typu Y Y-jet burner, Y-jet type oil burner [energ.]

palnik uchylny movable burner, swivel burner, tiltable burner, tilting burner [energ.]

palnik wielopaliwowy multi-fuel type burner, dual-fuel burner [energ.]

palnik wirowy turbulent burner, vortex burner [energ.]

palnik Y Y-jet burner, Y-jet type oil burner [energ.]

palnik zapłonowy gas ignitor, gas lighting-up burner, ignition burner [energ.]

palny inflammable [wojsk.]

pałac castle (*palace*) [bud.]

pałąk arch; U-bracket [bud.]; bail [górn.]; U-bracket [transp.]; bow; U-bracket; strap [masz.]

pałąk mocujący clevis; U-bracket [tw.]

pałąk mocujący bezpiecznika clamp for fuse element [el.]

pałąk opończy folding top bow; roof bow [mot.]

pałąk opończy składany folding bow [met.]

pałąk przesuwny slide bow [mot.]; roller bow [transp.]

pałąk zabezpieczający shutter bow [mot.]; rollbar, roll bar (*not on excavators!*) [transp.]

pałąk zaciskowy jaw (*on vice*); U-bracket [masz.]

pałeczka kontrolna szyn rail inspection stick [mot.]

pałęczka do spawania welding rod [met.]

pałka gumowa (*policyjna*) truncheon [abc]

pamięć memory, memory storage, storage [inf.]

pamięć cykliczna delay store [el.]

pamięć cykliczna dwukanałowa two-channel delay store [masz.]

pamięć danych testowych storage <memory> of test data) [inf.]

pamięć długotrwała long-term memory [inf.]

pamięć (do przechowywania) danych data storage unit [inf.]

pamięć krótkotrwała short-term memory [inf.]

pamięć licznika counter store (*digital storage unit*) [el.]

pamięć magnetyczna taśmowa magnetic tape store [inf.]

pamięć operacyjna RAM RAM (*random access memory*) [narz.]

pamięć pośrednia buffer [inf.]

pamięć stała ROM [inf.]

pamięć sygnału signal store [el.]

pamięć sygnału błędu flaw signal store [el.]

pamięć wejściowa input memory [inf.]

pancerny armoured [masz.]

pancerz jacket [masz.]; lining (*in crushers*) [górn.]

pancerz kabla cable harness [el.]

panel panel [bud.]

panel czołowy front panel [inf.]

panel sterowania control panel [tw.]

panel wzmacniacza plug-in amplifier [el.]

panel ścienny wall panel [bud.]

panew bush; thimble [masz.]

panew łańcucha track bushing [masz.]

panew łożyska bearing shell [mot.]; shell [transp.]; axle bush [masz.]

P

panew łożyska korbowodu connecting rod bearing shell [mot.]

panewka ball socket (*ball moves in it*) [masz.]

panewka łożyska wału korbowego crankshaft bearing shell [mot.]

panika stampede [abc]

panowanie (*np. w powietrzu*) supremacy [wojsk.]

pantograf pantograph [masz.]

państwo członkowskie member nation [abc]

pańszczyzna slavery [abc]

papa dachowa asphalt-impregnated paper (*felt*) [bud.]

papa kartonowa drzewna wood pulp board [tw.]

papier gazetowy newsprint [abc]

papier gazetowy w belach newsprint in reels (*newsprint*) [abc]

papier milimetrowy millimeter page [abc]

papier pakunkowy brown paper [abc]

papier składany do drukarki tear-sheets [inf.]

papier szmerglowy abrasive paper, emery paper [narz.]

papier ścierny abrasive paper, emery paper [narz.]

papier ścierny piaskowy sandpaper (*abrasive paper, emery paper*) [masz.]

papier toaletowy toilet paper, tissue paper [abc]

papier w rolkach (*np. do drukarek*) tearsheets [inf.]

papka pulp, paste [abc]

papkowaty paste-like, pulpy, pasty [abc]

para steam [energ.]; vapour [mot.]

para mokra saturated steam [energ.]

para nasycona saturated steam, wet steam [mot.]

para odlotowa exhaust steam [energ.]

para odprężania flash steam [energ.]

para pokryw pair of lids [masz.]

para przegrzana super-heated steam, superheated steam (*loco*) [mot.]

para punktowa dotted pair [inf.]

para rolek podających pair of transport rolls [masz.]

para rozprężona flashed steam [energ.]

para świeża live steam, super-heated steam [energ.]

para upustowa bled steam, extraction steam [energ.]

para wilgotna wet steam [energ.]

para wodna zwykła normal steam [energ.]

para zużyta off-steam (*steam blown off*) [mot.]

paraboliczny parabolic [masz.]

parada parade; troop review [wojsk.]

parafinowany paraffined [masz.]

paragraf par (*paragraph*), para [abc]

paralaksa parallax [opt.]

paralela analogy [abc]

paraliżować paralyze [abc]

parametr parameter [abc]

parametr czwórnika two-port parameter [inf.]

parametr procesowy process parameter [inf.]

parametr rozłożony distributed parameter [mat.]

parametry data; characteristics (*properties*) [abc]

parametry jakości quality measures [ekon.]

parametry spawania welding parameter (*voltage, gas etc.*) [met.]

parametry wyżarzania i walcowania wygładzającego annealing and temper-rolling conditions [masz.]

parasol umbrella [abc]

parasol składany pocket umbrella [abc]

parasol słoneczny sun shade [abc]

parasolka parasol [abc]

parasolka kieszonkowa pocket umbrella [abc]

parcela budowlana lot (*plot*) [bud.]

parcie boczne lateral thrust, side thrust [masz.]

park park [abc]

park samochodowy pool [mot.]

parkan fence; hoard<-ing> [abc]

parkować park [mot.]

parociąg główny main pipe [mot.]

paromierz steam flow meter, steam flow recorder [energ.]

paroszczelny steam proof (*steam tight*) [energ.]

parować steam, evaporate, vapourize [abc]

parowanie evaporation [abc]; vapourization [mot.]; volatilization; boiling [energ.]

parowanie dyfuzyjne evaporation [abc]

parowiec steamship, steamer [mot.]

parowiec kołowy paddle wheel ship, paddle wheel-steamer [mot.]

parowiec pocztowy mail steamer [polit.]

parowiec wycieczkowy cruise boat [mot.]

parownik końcowy final evaporator (*Benson boiler*) [energ.]

parownik wężownicowy wstępny continuous loop tube evaporator, continuous loop tube steaming economiser [energ.]

parowozownia loco shed; roundhouse [mot.]

parowozownia przejazdowa roundhouse (*semi-circular*); throughshed (*not round*) [mot.]

parowóz steam engine, steam loco, steam locomotive, steamer, saturated steam locomotive (*engine*) [mot.]

parowóz bezpaleniskowy fireless <steam-storing> locomotive [mot.]

parowóz kotłowy longboiler locomotive (*longboiler type*) [mot.]

parowóz na parę przegrzaną superheated steam locomotive [mot.]

parowóz tendrzak saddle loco (*GB; or tank loco*), saddle engine (*US; or saddle tank*), pannier <tank> loco [mot.]

parowóz z tendrem doczepnym tender engine, trailing tender locomotive, tender locomotive [mot.]

parowy vapourous (*steam-like*) [abc]

parówka sausage [abc]

parskać snarl [bot.]

parter ground floor [bud.]

partia party [polit.]; lot (*burden*) [abc]; set [masz.]

partia towaru part shipment [abc]

partiowe przetwarzanie danych batch processing [inf.]

partner handlowy trading partner (*e.g. our trading partner*) [ekon.]

partycjonowanie sieci network partitions [inf.]

pas belt; sash; waist [abc]; belt [mot.]; chord [tw.]; zone [met.]

pas bezpieczeństwa seat belt (*Fasten your seat belt snugly*) [mot.]

pas bezpieczeństwa biodrowy lapsash seat belt [mot.]

pas dolny bottom chord, bottom flange (*I-beam*) [transp.]

pas drogi lane (*Keep to your lane*) [mot.]

pas drogowy right of way [mot.]

pas dwuklinowy double V-belt [masz.]

pas górny top chord, chord member [transp.]

pas gumowy rubber strip [tw.]

pas jezdni lane [mot.]

pas klinowy V-belt; fan belt [mot.]

pas klinowy szeroki broad-section V-belt [masz.]

pas klinowy wąski narrow V-belt, narrow-section V-belt [mot.]

P

pas klinowy zwykły standard V-belt [masz.]

pas napędowy drive belt, transmission belt, Vee-belt (*V-belt*) [mot.]

pas (napędowy) łańcuchowy link assembly [masz.]

pas obciążeniowy fabric belt [mot.]

pas ochronny protecting strip [mot.]

pas pompy wodnej water pump belt [mot.]

pas ruchu lane, traffic lane[mot.]

pas startowy airstrip, landing strip; runway [mot.]; earth road [bud.]

pas strefowy zone strip [abc]

pas ścierny sanding belt (*grinder <grinding>belt*) [masz.]

pas transmisyjny transfer belt [górn.]

pas trapezowy V-belt [mot.]

pas wąskoklinowy wysokosprawny high-efficiency narrow-section V-belt [masz.]

pas wentylatora fan belt (*mostly Vee-belt*) [mot.]

pas wzmożonej aktywności tektonicznej earthquake belt [geol.]

pas zębaty serrated belt, sprocket belt [mot.]

pasaż handlowy shopping mall [abc]

pasażer passenger; rider [mot.]

pasażer bez biletu fare-dodger [mot.]

pasażer na gapę (*gapowicz*) stowaway [mot.]

pasek klinowy ciągły endless V-belt [masz.]

pasek klinowy zapasowy spare fan belt [mot.]

pasjonujący exciting [abc]

pasmo zone [met]; slab [masz.]

pasmo górskie mountain range [geol.]

pasmo poślizgu slip band [masz.]

pasmo przepustowe passband [el.]

pasmo rozrzutu scatter band [el.]

pasmo schodowe step band (*has varying widths*) [transp.]

pasmo szerokie broad band [telkom.]

pasowanie fitting [masz.]

pasowanie skurczowe shrink fit [mot.]

pasowanie ślizgowe dokładne slip fit [masz.]

pasowanie ślizgowe sliding fit [mot.]

pasowanie wtłaczane press fit [masz.]

pasta paste (*pulp*) [abc]

pasta do butów shoe polish, shine [abc]

pasta przeciwzatarciowa anti-seize paste, anti-seizing paste [masz.]

pasta ścierna grinding paste [masz.]

pasterka swing socket (*swivel socket*) [górn.]; block tackle [bud.]

pastor parson; minister (*village priest, priest*) [abc]

pastuch cow puncher (*cowboy, cowhand*) [abc]

pastwisko pasture [bot.]

pastylka pill [med.]

pasujący fitting (*These will fit her*) [abc]

paszport passport [abc]

patent patent [praw.]

patent kapitański captain's commissioning (*gets ship*) [mot.]

patent zgłoszony patent pending [praw.]

patio terrace [bud.]

patrz przypis see note [abc]

patrzeć look [abc]

paznokieć fingernail [med.]

paznokieć kciuka thumbnail [med.]

pazur claw [tw.]; lift [mot.]; pawl; tappet [masz.]

pączek bud [bot.]

pchacz push boat [mot.]

pchać thrust [abc]

pedał pedal [mot.]

pedał gazu accelerator; gas pedal; throttle pedal [mot.]

pedał hamulca brake pedal [mot.]

pedał napędowy footboard (*running board*); treadle valve; shunter's step (*step, corner step*) [mot.]

pedał nożny foot pedal [mot.]

pedał przepustnicy gaźnika fuel pedal, gas pedal (*accelerator in car*) throttle pedal [mot.]

pedał przyspieszenia accelerator pedal [mot.]

pedał sprzęgła clutch pedal; clutch control [mot.]

pehametr pH-monitor [miern.]

pełna długość rury free tube length [energ.]

pełne morze high seas (*on the high seas*) [mot.]

pełne ogumienie solid rubber tyre, solid tyre [mot.]

pełne zaangażowanie working with full strength [abc]

pełne zatrudnienie full employment (*in a country*) [abc]

pełnić służbę be on duty [wojsk.]

pełnoautomatyczny fully automatic [abc]

pełnohydrauliczny fully hydraulic [mot.]

pełnoletni of age [abc]

pełnomocnik authorized representative [ekon.]

pełnoskokowy zawór bezpieczeństwa full lift safety valve [energ.]

pełnoziarnisty full-grained [bud.]

pełny full [transp.]; complete; comprehensive [abc]

pełny gaz full engine rev [mot.]

pełny program produkcyjny comprehensive line [abc]

pełny przetop full penetration [met.]

pełzanie creeping (*oil past piston, boom falls*) [mot.]

pełzanie szyn rail creep (*anchor in sleeper helps*) [mot.]

pełzanie zera zero shift [transp.]

penetracja po ugniataniu worked penetration [masz.]

penetrometr glebowy soil penetrometer [gleb.]

penetrować scan [transp.]

pensja wage [abc]

perfekcja perfection [abc]

perfekcyjny perfect [abc]

perforacja perforation [abc]

pergola pergola [bud.]

peron platform [mot.]

peron odjazdowy departure track [mot.]

peron przyjazdowy arrival track [mot.]

personel personnel; staff; work force [abc]

personel kierowniczy managerial staff [abc]

personel kontrolny checking personnel, checking staff, test personnel, test staff [miern.]

personel obsługi service staff [abc]

personel obsługujący operating staff [transp.]

personel operacyjny (*pracuje poza siedzibą firmy*) operational staff [mot.]

personel rewizyjny checking personnel, checking staff, test personnel, test staff [miern.]

personel serwisu service staff [abc]

personel stoiska staff of stand [abc]

perspektywa perspective [inf.]

perspektywa niezależna od obserwatora viewer-independent perspective [inf.]

perspektywa obserwatora viewer-centred perspective [inf.]

pertraktacja negotiation [abc]

peruka wig [abc]

perwibrator deep vibration [bud.]

peryferia periphery; circumference [abc]

peryskop periscope [mot.]

pestka pebble [abc]

petarda squib [wojsk.]

P

petrografia petrography (*science of stones*) [min.]

petrolatum petroleum jelly [górn.]

petryfikacja petrifying (*petrification*) [abc]

pewny certain (*with certainty*) [abc]

pewny zwycięzca sure winner [abc]

pęcherz bladder [med.]; (*na odlewie*) bleb [masz.]

pęcherz gazowy gas pocket (*air pocket*) [górn.]

pęcherz powietrzny air pocket (*gas pocket*) [aero.]; bubble [energ.]

pęcherz wodny bubble [hydr.]

pęcherzyk parowy steam bubble [energ.]

pęcherzyk powietrza air bubble (*on the water*) [hydr.]

pęczek rur aparatu chłodzącego nest of tubes for cooler [energ.]

pęcznieć bulge [met.]

pęcznienie bulging, swelling [bud.]

pęd momentum [mot.]

pędnia transmission of force, transmission of power [mot.]

pędzel do okurzania dust brush [mot.]

pędzel malarski paint brush, brush [norm.]

pękać crack (*It cracked through tension*) [tw.]; rupture [masz.]; blow out (*Shaft seal blew out*) [abc]

pęknięcie breakage; rent [abc]; crack [tw.]; fracture [med.]; crevasse formation [górn.]; rupture [masz.]; failure; split; tear [transp.]

pęknięcie graniowe spoiny root crack [met.]

pęknięcie hartownicze quenching crack [tw.]

pęknięcie kołnierzowe flange crack [masz.]

pęknięcie kraterowe crater crack [met.]

pęknięcie łańcucha chain fracture (*chain break*) [transp.]

pęknięcie metalu na brzegu spoiny toe crack [met.]

pęknięcie podczas rozciągania stress crack [masz.]

pęknięcie podłużne longitudinal crack, throat crack [met.]

pęknięcie poprzeczne transversal crack, transverse crack (*in rails*) [masz.]

pęknięcie poślizgowe shear failure [masz.]

pęknięcie powierzchniowe surface crack [masz.]

pęknięcie powierzchniowe gwintu incipient crack in thread [masz.]

pęknięcie przy kuciu forging crack [met.]

pęknięcie przyspoinowe welding crack [met.]

pęknięcie rozgałęzione branched crack [masz.]

pęknięcie rurociągu pipe fracture [energ.]

pęknięcie rury pipe burst [masz.]

pęknięcie talerza plate crack [masz.]

pęknięcie tarczowe disc-shaped fissure [tw.]

pęknięcie tarczy plate crack [masz.]

pęknięcie tłoka nastawczego fracture of set piston [mot.]

pęknięcie w kształcie tarczy disc-shaped fissure [tw.]

pęknięcie w otworze na śrubę bolt-hole crack [masz.]

pęknięcie wewnętrzne spoiny w obszarze działania ciepła underbead crack (*heat-affected zone*) [met.]

pęknięcie włosowate hair crack (*capillary crack*), hairline fracture [tw.]

pęknięcie zmęczeniowe fatigue crack, fatigue fracture [tw.]

pęknięty fissured [górn.]

pętelka loop [masz.]; eye (*small*) [abc]

pętla eye [abc]; loop [energ.]; loop [masz.]

pętla autobusowa terminal station [mot.]

pętla podtrzymująca support strap [masz.]

pętla sprzężenia zwrotnego feedback loop [el.]

pętla sterowania automatyczna automatic control loop [el.]

piana foam [abc]

pianka foam rubber [tw.]

pianka styroporowa styrofoam [tw.]

pianoguma foam rubber [tw.]

piarg scree; talus [geol.]

piasecznica sand pipe (*colloquial: sander*) [mot.]

piasek sand [min.]

piasek diamentonośny diamond soil [górn.]

piasek do posypywania grit [mot.]

piasek formierski bardzo tłusty sandy loam [gleb.]

piasek kwarcowy quartz sand [min.]

piasek roponośny oil sand [masz.]

piasek smołowany tar sand [bud.]

piaskować shot blast [met.]

piaskowanie sandblasting, shot peening [narz.]

piaskowany sand blasted [narz.]

piaskowiec sandstone [min.]

piaskownia sand pit (*sand quarry*) [abc]

piaskownica sandbox [mot.]

piaskowy (*w kolorze piaskowym*) sand yellow [norm.]

piasta hub [mot.]; boss [masz.]

piasta bębna hamulcowego brake drum hub [mot.]

piasta dwukołnierzowa double-flange hub [mot.]

piasta dwuramienna twin-sector clutch hub [masz.]

piasta dzielona split hub [mot.]

piasta hamująca brake hub [mot.]

piasta hamulcowa torpedo [mot.]

piasta koła wheel boss, wheel centre, wheel hub, gear hub [mot.]

piasta koła bijakowego driving collar for pulley of beater [masz.]

piasta koła kierownicy steering wheel hub [mot.]

piasta koła przedniego front wheel hub [mot.]

piasta koła szprychowego spoke wheel centre [mot.]

piasta koła ślimakowego worm gear hub [mot.]

piasta kształtowa hub [mot.]

piasta o uzębieniu wewnętrznym internally toothed hub [masz.]

piasta osi wheel spindle [masz.]

piasta przestawiacza wtrysku injection control hub [mot.]

piasta rowerowa z wolnym kołem free wheeling hub [mot.]

piasta sprzęgła clutch hub [mot.]

piasta stała fixed hub [mot.]

piasta trójramienna triple-sector clutch hub [masz.]

piasta tylnego koła rear wheel hub [mot.]

piasta wentylatora fan hub [aero]

piasta wielokątna sprocket hub (*sprocket bearing is in it*) [transp.]

piasta wielorowkowa serrated hub, serrated wheel hub [mot.]

piasta wielowypustowa spline bore hub (*is broached*) [masz.]

piasta z kołnierzem flange hub [mot.]

piasta z krzywką sprzęgłową hub with clutch cam [mot.]

piasta zębata gear hub [masz.]

piaszczarka przepływowa throughput sandblasting system [narz.]

piaszczysty sandy [abc]

pickup pikap, półciężarówka [mot.]

pić drink (*quench the thirst*) [abc]

piec (*do wypalania, prażenia, suszenia*) kiln; furnace (*combustion*

P

chamber) [energ.]; stove (*on train: pot-bellied stove*) [mot.]

piec cementowy cement kiln [bud.]

piec do podgrzewania kadzi ladle furnace [masz.]

piec do wypalania cegły brick kiln [bud.]

piec elektryczny electric furnace [met.]

piec grzewczy heater [bud.]

piec łukowy arc furnace, electric arc furnace [masz.]

piec martenowski Siemens Martin furnace, open-hearth (O. H.) [tw.]

piec obrotowy (*rurowy*) rotary kiln, rotary kiln plant, rotary kiln system [energ.]

piec ognioodporny all-refractory furnace [energ.]

piec próżniowy łukowy vacuum arc heating (*vacuum arc heating furnace*) [masz.]

piec retortowy retort type furnace [energ.]

piec tyglowy crucible type furnace, retort-type slag-tap furnace [energ.]

piec z płynnym żużlem na trzonie wet bottom furnace [energ.]

piec z trzonem kroczącym walking beam furnace [masz.]

piechota infantry [wojsk.]

piecowy (*pracownik*) furnace help (*artisan in steel mill*) [energ.]

piecyk żelazny pot-bellied stove (*in old trains*) [mot.]

pieczara cave, cavern [geol.]

pieczęć seal [abc]

pieczęć dopuszczająca (*np. do eksploatacji*) licensing seal [abc]

pieczęć potwierdzająca wpłynięcie (*np. podania*) received stamp (*receipt-, date stamp*) [abc]

pieczętować seal [polit.]

piedestał pedestal; base [bud.]

pielęgnacja maintenance [inf.]

pieluszka napkin [abc]

pienienie się foaming [energ.]

pień stem; trunk [bot.]

pierś breast; chest [med.]

pierścieniowy ring-shaped [abc]

pierścień ring [abc]; collar [tw.]

pierścień gniazda zaworu valve seat insert [mot.]

pierścień koła rim ring [mot.]

pierścień nasadowy bieżni łożyska tocznego race face [masz.]

pierścień ochronny chłodnicy radiator safety ring [mot.]

pierścień sznurowy round string packing [masz.]

pierścień sznurowy uszczelniający round cord ring [masz.]

pierścień uszczelniający wałka obrotowego radial seal for rotating shaft [masz.]

pierścień wałka roller cup [masz.]

pierścień zabezpieczający z uszkiem retaining ring with lugs [masz.]

pierścień boczny side ring [mot.]

pierścień boczny pełny niedzielony solid side ring [mot.]

pierścień boczny rozcięty split side ring [mot.]

pierścień centrujący centre bushing, centre ring [mot.]

pierścień ceramiczny ceramic ring [tw.]

pierścień dławiący throttle ring [el.]

pierścień doprowadzający powietrze air guide ring, air-ducting [transp.]

pierścień dyszowy nozzle ring [masz.]

pierścień gwintowany łączący fastener [masz.]

pierścień gwintu threaded ring [masz.]

pierścień kołnierzowy flange ring [mot.]

pierścień kołowy annulus [abc]

pierścień kotłowy boiler ring (*riveted or welded*) [mot.]

pierścień krzywkowy cam ring [mot.]

pierścień kuty forged ring [met.]

pierścień labiryntowy labyrinth ring [masz.]

pierścień łączący connecting ring [tw.]

pierścień łożyska wałeczkowego cup (*here of roller bearing ring*) [mot.]

pierścień mielący grinding ring [energ.]

pierścień na serwetkę napkin ring [abc]

pierścień naciskowy support ring [masz.]

pierścień nadlewu nose ring (*lug ring*) [masz.]

pierścień nakładkowy overlapping ring [mot.]

pierścień napędowy driving ring [energ.]

pierścień napędowy sprzęgła clutch driving ring [mot.]

pierścień nastawczy adjusting ring [miern.]

pierścień nośny support ring, supporting ring (*top part of slew ring*) [masz.]

pierścień nylonowy nylon ring [transp.]

pierścień o kulistej powierzchni roboczej ball retaining ring [mot.]

pierścień o przekroju V V-ring [mot.]

pierścień obręczy koła niedzielony solid rim ring [mot.]

pierścień obrotowy swivel ring [masz.]

pierścień obrotowy na łożysku jednorzędowym kulkowym single-row ball-bearing slewing ring [transp.]

pierścień obrotowy wewnętrzny inner race [mot.]

pierścień obrzeżnikowy board ring (*in divided spur wheel*) [masz.]

pierścień ochronny guard ring, grommet [masz.]

pierścień oddzielający baffle ring, spacer [mot.]

pierścień odległościowy distance pin, distance ring, bushing, spacer ring [mot.]

pierścień odległościowy popychacza regulowany lifter adjusting spacer [mot.]

pierścień oporowy support ring, supporting ring, spacer disk, thrust collar, back up ring [mot.]

pierścień osadczy rozprężny lock ring (*for multi-part automobile rims*) [mot.]

pierścień osadczy sprężynujący circlip, seeger ring, snap ring, spring ring [masz.]

pierścień ozdobny ornamental ring [mot.]

pierścień podpory stałej fixed bearing ring [masz.]

pierścień poślizgowy bogie-bearing cup, centre-pivot insert (*plastic*) [mot.]

pierścień prostokątny square section ring [mot.]

pierścień rogu horn ring [mot.]

pierścień rowkowany grooved ring [masz.]

pierścień rozcięty slit ring [masz.]

pierścień rozcięty obręczy koła split rim ring [mot.]

pierścień rozpierający distance pin, distance ring, bushing [mot.]

pierścień rozstawczy bushing, spacer [masz.]

pierścień ruchomy ball race [masz.]

pierścień samouszczelniający seal (*gasket*), sealing sleeve [masz.]

pierścień samouszczelniający garnkowy adhesive cup gasket [masz.]

pierścień samouszczelniający

P

o przekroju okrągłym O-ring, O-ring seal, ring sealing [masz.]

pierścień samouszczelniający typu V V-type collar packing [masz.]

pierścień samouszczelniający wargowy lip-type seal, internal lipped ring [masz.]

pierścień Seegera circlip, seeger ring, snap ring [masz.]

pierścień skórzany samouszczelniający chevron packing [tw.]

pierścień skórzany uszczelniający leather cuff [abc]

pierścień smarowy bearing ring [masz.]

pierścień smarowy łożyska oil ring [masz.]

pierścień smarujący łożyska oil ring [masz.]

pierścień sprężynujący ustalający snap ring [mot.]

pierścień sprężynujący zabezpieczający circlip, snap ring, lock ring, ring clamp, ring sealing [masz.]

pierścień sprężysty spring ring [masz.]

pierścień sworznia łączącego coupling-pin ring [mot.]

pierścień sworznia sprzęgającego coupling-pin ring [mot.]

pierścień ścierający wiper ring [bud.]

pierścień ściskany support ring [masz.]

pierścień ślizgowy sliding collar [mot.]; slip ring [el.]; axial face seal ring [masz.]

pierścień ślizgowy uszczelniający slide ring seal (packing) [mot.]

pierścień środkujący centre bushing, centre ring [mot.]

pierścień talerzowy skręcany saucer-shaped disc ring [mot.]

pierścień tłokowy piston ring [mot.]

pierścień tłokowy uszczelniający compression ring [mot.]

pierścień tłokowy uszczelniający cylindra hamulcowego piston cup for brake cylinder [mot.]

pierścień tłokowy zgarniający dirt skimmer; scraper ring; wiper ring [mot.]; skimmer; oil control ring; oil ring [masz.]

pierścień tnący cutting ring [bud.]

pierścień typu U U-ring [mot.]

pierścień ustalający adjustable ring; retaining ring (bottom part slew r.) [mot., masz.]

pierścień uszczelniający gasket; sealing ring; grommet [masz.]; O-ring [transp.]; packing ring; pressure ring [mot.]; cuff [abc]; joint ring [energ.]

pierścień uszczelniający krawędziowy edge sealing ring [masz.]

pierścień uszczelniający olejowy oil seal [mot.]

pierścień uszczelniający ślizgowy duo-cone seal ring [masz.]

pierścień uszczelniający typu Simmera oil seal, radial seal, seal [mot.]

pierścień uszczelniający wał shaft sealing ring [mot.]

pierścień uszczelniający wklęsły hollow sealing ring [mot.]

pierścień walcowany bez szwu seamless rolled ring [masz.]

pierścień wargowy lipped ring [masz.]

pierścień wewnętrzny internal ring; inner ring (inner race) [masz.]

pierścień wewnętrzny wolnego koła free wheel inner ring [mot.]; inner race (inner ring) [masz.]

pierścień wyprzęgnika clutch release sleeve, release collar [mot.]

pierścień zabezpieczający locking ring, safety ring, snap ring [masz.]

pierścień zabezpieczający łado-

wanie load securing ring [masz.]
pierścień zaciskowy clamp ring; locking ring; tension ring [mot.]; lockring [masz.]
pierścień zaciskowy dwustożkowy cutting ring (*olive, Ermeto coupling*) [tw.]
pierścień zaciskowy elementu przeszukiwawczego probe clamping ring [el.]
pierścień zamykający lock ring [mot.]
pierścień zewnętrzny outer ring, outer race [abc]
pierścień zewnętrzny łożyska stożkowego pivot joint housing; swivel bearing cup [masz.]
pierścień zewnętrzny wolnego koła free wheel outer ring [mot.]
pierścień zębaty toothed rim, toothed ring [masz.]
pierściono płaszcza shell ring (*shell belt*) [masz.]
pierściono płaszcza kotła boiler barrel [energ.]; boiler shell [mot.]; boiler-tube section [transp.]
pierwiastkowy radical [abc]
pierwotny archaic (*antiquated*) [abc]
pierwsza pomoc first aid [med.]
pierwsza zmiana morning shift [abc]
pierwsze przyjęcie w nowym mieszkaniu housewarming party [abc]
pierwszeństwo precedence (*of logical connectives*) [inf.]
pierwszorzędny prime choice [abc]
pierwszy first [abc]
pierwszy bieg first gear; first speed; low gear [mot.]
pierwszy odbiór first off (*first off test*) [abc]
pierwszy stopień przegrzewacza first stage superheater [energ.]
pierwszy wybór prime choice [abc]
pieszy pedestrian [mot.]
pięciokąt pentagon [abc]

pięciokołowiec fifth wheeler (*support on pickup*) [mot.]
piętro floor; working level [górn.]; floor [abc]
piętrowy storied (*the two-storied building*) [bud.]
pigułka pill (*take the pill, be on the pill*) [med.]
pijany drunk [abc]
pilnik file [narz.]
pilnik płaski flat file [narz.]
pilnik półokrągły half-round file [narz.]
pilnik szmerglowy emery stick [met.]
pilot pilot [mot.]
pilot prowadzący kolumnę na start startpilot [mot.]
pilot-stażysta flying trainee [mot.]
pilśń felt [abc]
piła saw [met.]
piła chwytakowa grab saw [transp.]
piła do metali metal saw [transp.]
piła do ścinania gałęzi feller delimber equipment [roln.]
piła do wycinania uciosów mitre box saw [narz.]
piła dwuchwytowa poprzeczna (*poprzecznica*) crosscut saw (*two-man saw*) [narz.]
piła kabłąkowa ręczna bucksaw [narz.]
piła kamieniarska masonry saw [narz.]
piła łańcuchowa leśna (*z silnikiem benzynowym*) motor <chain> saw [narz.]
piła poprzeczna crosscut saw [narz.]
piła ramowa bucksaw; jigsaw (*jig saw*) [narz.]
piła rozpłatnica handsaw, ripsaw [narz.]
piła rzeźnicka butcher's saw [narz.]
piła tarczowa circular saw, metal circular saw [narz.]
piła tarczowa do cięcia metalu na zimno cold saw [narz.]

P

piła taśmowa jigsaw (*jig saw*) [narz.]
piła wyrzynarka fretsaw [narz.]
piłka ball [abc]; (*mała piła*) small saw [narz.]
piłka do metali hacksaw [narz.]
piłować saw (*saw, sawed, sawn*); file [met.]
piłowany sawed [rys.]
pinceta pincers (*small, for postage stamps*) [narz.]
pinion pinion; tooth wheel [mot.]
pionier pioneer [abc]
pionierstwo pioneering (*pioneering deed*) [abc]
pionowe działanie ultradźwięków na płaszczyznę vertical radiation (*US test*) [met.]
pionowy vertical (*upright, straight*); rising [abc]; plumb [transp.]
piorun lightning [abc]
pióro feather (*bird*) [bot.]
pióro główne resoru master spring leaf [masz.]
pióro resoru spring leaf, leaf [masz.]
pióro wycieraczki wiper blade [mot.]
piramida pyramid [abc]
piramida wiekowa age pyramid [abc]
piramida wieku ludności age pyramid [abc]
pirometr pyrometer [abc]
pirometr optyczny optical pyrometer [miern.]
pirometr promieniowania radiation pyrometer [miern.]
pirometr ssawny suction pyrometer [masz.]
pirometr wysokoprędkościowy high velocity thermocouple [energ.]
pirometr zasysający suction type pyrometer [masz.]
pirs pier [abc]
piryt gravel [min.]
pisać na maszynie type (*e.g. on a typewriter*) [abc]
pisak graph recorder [abc]

pisak do papieru woskowego wax paper recorder [abc]
pisak x-y x-y recorder [el.]
pisarz writer, author [abc]
pisemnie in writing [abc]
pisklę chick [bot.]
pismo writing (*almost illegible writing*); write up (*short essay*) [abc]
pismo Braille'a dot recording [abc]
pismo grube bold print [abc]
pismo kondolencyjne letter of condolence [abc]
pismo ofertowe tender letter [abc]
pismo średniej wielkości central writing (*central lettering*) [abc]
pistolet pistol (*gun, rod*) [wojsk.]; weld gun (*torch*) [met.]
pistolet natryskowy spray gun [met.]
pisuar urinator [abc]
piszczel shin [med.]
piwiarnia brew [abc]
piwnica basement; cellar (*coal, heating oil, preserves*) [bud.]
piwo bezalkoholowe nonalcoholic beer [abc]
piwo dla diabetyków diabetic beer [abc]
piwo z beczki beer from the keg; draught beer [abc]
piwowar brewer [abc]
piwowarstwo brewery, brewing business [abc]
plac site [bud.]; store; yard [abc]
plac budowy building site [bud.]
plac dworcowy station square (*not often used*) [mot.]
plac montażowy assembly yard [masz.]
plac składowy storage [masz.]
plac targowy market [abc]
plac wewnątrz inner yard [transp.]
plac zwałowy dumping ground [transp.]
placek z zaczynu cementowego cake of cement paste [bud.]

placówki serwisu after-sales service points [abc]

plakat poster [abc]

plakietka kontrolna test mark [abc]

plama stain [masz.]; spot [abc]

plama rdzy rust stain [masz.]

plamistość mottle (*radiography*) [el.]

plan plan; layout [abc]; map [geogr.]; design [rys.]; scheme [masz.]

plan budowlany building-project [bud.]

plan dostaw delivery schedule [abc]

plan indywidualny individual plan [abc]

plan instalacji przewodowej circuit diagram, wiring diagram, wiring schematic, wiring scheme [el.]

plan kosztów własnych cost model [ekon.]

plan lotów flight plan [mot.]

plan miasta city ma*p* [geogr.]

plan modularny modular concept [transp.]

plan nadzoru nad produkcją manufacturing inspection plan [abc]

plan okablowania cable diagram, wiring diagram [rys.]

plan operacyjny spawania welding procedure specification [met.]

plan orientacyjny lay-out plan, layout [abc]

plan owręża scrive board [mot.]

plan podróży itinerary [abc]

plan połączeń arrangement drawing, arrangement plan [rys.]; schematics [abc]

plan prac construction schedule, production sheet [bud.]

plan restrukturyzacji concept to reorganize [abc]

plan roboczy production sheet [abc]

plan robót konserwacyjnych maintenance schedule [abc]

plan rozmieszczenia bramek gate position card [el.]

plan spawania welding sequence plan [met.]

plan sytuacyjny layout plan [abc]

plan (tabela) przepływu danych data flow chart [inf.]

plan trasy route book [mot.]

plan tymczasowy preliminary plan [abc]

plan układu torów track plan (*track layout*) [mot.]

plan wiercenia drill plan [masz.]

plan wstępny preliminary plan [abc]

plan zbrojenia reinforcement drawing, reinforcement plan; bending schedule [bud.]

plandeka canvas, canvas cover; canvas top; folding top; top; hood; cover [mot.]

planeta planet [geogr.]

planetarium planetarium [abc]

planować plan [abc]

planowanie planning [abc]

planowanie czasu wykonania robót budowlanych time-scheduling (*of construction*) [bud.]

planowanie i przeprowadzenie robót budowlanych planning and execution of a site [bud.]

planowanie jakości quality planning [abc]

planowanie na bazie układu logicznego logic-based planning [inf.]

planowanie podłączeń terminal layout [el.]

planowanie popytu demand planning, planning of demand [abc]

planowanie potrzeb materiałowych material requirement planning (MRP) [inf.]

planowanie potrzeb materiałowych i organizacji produkcji production planning and control system [inf.]

planowanie pracy work planning;

P

job planning; manufacturing planning [abc]

planowanie pracy i robót wykończeniowych procesu produkcyjnego shop floor routing [masz.]

planowanie przestrzenne miast i wsi town and country planing [bud.]

planowanie sieci network plan [transp.]

planowanie układu scalonego chip planning [inf.]

planowanie zadań roboczych work planning [abc]

planowanie zagospodarowania przestrzennego terenu budowlanego planning a site [bud.]

planowany planned [abc]

planowy on schedule [abc]; scheduled (*scheduled arrival/departure*) [mot.]

planowy odjazd scheduled departure [mot.]

planowy przyjazd scheduled arrival (*of the train*) [mot.]

plantacja plantation [bot.]

plantowarka samochodowa motor grader [transp.]

planty park, parks and lawns [abc]

plany pracy work processing sheets [abc]

plaster slice (*slice of bread, cheese, meat*) [abc]; fin [mot.]

plastik twardy duro plastic [tw.]

plastyczność shaping, working property [masz.]

plastyczny plastic (*cohesive*) [abc]

plastyfikacja plasticizing [abc]

plastikowa płyta nośna plastic trackpad (*also swamp pad*) [transp.]

platerowanie plating (*chromiumplating*) [mot.]

platerowany plated [met.]

platforma platform [mot.]; aerial platform [transp.]

platforma-hotel hotel platform [abc]

platforma kabiny sterowniczej base plate (*with slots*), platform frame member [transp.]

platforma maszyny machinery platform [masz.]

platforma podwieszona aerial platform [transp.]

platforma wiertnicza drilling platform (*offshore d. p.*) [górn.]

platforma wiertnicza na szelfie kontynentalnym offshore drilling platform [masz.]

platyna platinum [tw.]

plecak kitbag, knapsack, rucksack [abc]

plecionka rug (*mat*) [abc]; whattle [bud.]

pleksiglas perspex (*plexiglass-reference stand*) [masz.]

plewy chaff [rec.]

plik file; data set [inf.]

plik kart dziurkowanych deck of cards [inf.]

plik rezerw inventory file (*quantity in stock*) [inf.]

plomba lead seal [abc]

plombownica lead-seal pliers [abc]

plus (*dodać*) plus (+), [mat.]

płaca godzinowa hourly wage (*hourly rate*) [abc]

płaca ustalona w układzie zbiorowym pracy standard wages (*and salaries*) [ekon.]

płaca wg taryfikatora standard wages (*and salaries*) [ekon.]

płaska łopata mechaniczna zgarniarki low bowl scraper [mot.]

płaski flat [geol.]

płaskorzeźba relief [bud.]

płaskownik flat, flat bar [masz.]

płaskownik kliniasty key section [masz.]

płaskownik klinowy (*ciągniony i szlifowany lub polerowany*) bright key steel [masz.]

płaskownik stalowy flat steel (*steel*

plate material), flat [masz.]

płaskownik stalowy walcowany na gorąco hot rolled flat bar (*flat, flat steel*) [masz.]

płaszcz coat [bud.]

płaszcz bębna drum body [górn.]

płaszcz bębna linowego drum jacket [transp.]

płaszcz chłodzący jacket [mot.]

płaszcz kabla cable sheath [el.]

płaszcz nieprzemakalny mackintosh (*rain coat*) [abc]

płaszcz przeciwdeszczowy mackintosh [abc]

płaszcz wodny water jacket [mot.]

płaszcz ziemi mantle of the earth [abc]

płaszczenie flattening [met.]

płaszczyć flatten [met.]

płaszczyzna level (*on this level*) [transp.]; plane [abc]

płaszczyzna drgań oscillations plane [fiz.]

płaszczyzna kontrolna błędu poprzecznego transverse flaw scanning plane [masz.]

płaszczyzna poślizgowa sliding surface [masz.]

płaszczyzna sortowania sorting plane [górn.]

płat drzwiowy wewnętrzny inside door panel [mot.]

płat drzwiowy zewnętrzny outside door panel [mot.]

płatew roof purlin [mot.]

płatność payment [mot.]

płetwa dystansowa (*między rurami*) tube tiebar connection [energ.]

płomienica flame pipe [energ.]; smoke tube; super-heated tube [mot.]

płomieniówka welded circular steel pipe [masz.]

płomień włączony flame-in [energ.]

płomień wyłączony flame-out [energ.]

płomień zapalający pilot flame [energ.]

płot fence; hoard<-ing>; hurdle [abc]

płot z siatki drucianej wire-mesh fence [bud.]

płotek hurdle [abc]

płoza skid (*also on sleigh*) [mot.]

płoza ogonowa reference sleigh [transp.]

płoza ślizgowa slide shoe, slide sole [abc]; gusset shoe [masz.]

płoza ślizgowa prowadnicy łożyska osiowego horn cheek (*wheelset moves up/down*) [mot.]

płótno linen [abc]

płótno lniane canvas [abc]

płótno żaglowe sailcloth, tarpaulin, denim [abc]

płóz hamulcowy brake shoe, brake block, brake block shoe; dragshoe (*stop block, skid pan*); slipper (*sabot, unknown in GB*) [mot.]

płuczka węglowa coal washing plant, washery [górn.]

płuczka wiertnicza drilling mud [bud.]

płuczkowanie washery (*coal washing plant*) [górn.]

pług plough (GB); plow (US) [roln.]

pług do kopania rowów subsoiler [transp.]

pług odśnieżający snow plough, snow plow [abc]

pług odśnieżny snow plough, snow plow [abc]

pług odśnieżny w kształcie V V-shaped snow plough, Vee-shaped snow plough [mot.]

pług zwałowy track-mounted dumping plough [transp.]

pługoprzesuwarka plough shifter [roln.]

płukać (*strumieniem*) jet [bud.]; rinse [masz.]

płukać gardło gargle [abc]

P

płukanie kotła boiler wash-out, wash-out [energ.]

płukarka odmulająca sewer cleaning vehicle; sewer truck [mot.]; sewer cleaning and sludge evacuation [hydr.]

płyn fluid [abc]

płyn akumulatorowy battery filling agent (*electrolyte*) [el.]

płyn hamulcowy brake fluid [mot.]

płynąć flow [abc]

płynny fluid (*liquid*); fluent (*He speaks English fluently*) [abc]; smooth (*traffic*) [mot.]

płyta plate [masz.]; (*nośna*) board [bud.]

płyta akustyczna acoustic tile [akust.]

płyta betonowa concrete slab [bud.]

płyta budowlana lekka light weight construction plate [transp.]

płyta buforowa buffer plate [masz.]

płyta cofająca backplate (*of pump*) [masz.]

płyta czołowa front panel [bud.]

płyta denna floor plate [energ.]

płyta dna bottom plate [transp.]

płyta do deskowania trench-lining plate [transp.]

płyta do deskowania ścian wykopu extension trench-lining plate [transp.]

płyta dociskowa grip, clip[mot.]

płyta drogowa street plate [mot.]

płyta drukowa printing plate [abc]

płyta drzwiowa door leaf [bud.]

płyta drzwiowa wewnętrzna inside door panel [mot.]

płyta drzwiowa zewnętrzna outside door panel [mot.]

płyta dźwiękochłonna acoustic tile [akust.]

płyta fundamentowa base plate [masz.]; base [mot.]

płyta fundamentowa nadwozia uppercarriage base-plate, uppercarriage main frame [transp.]

płyta główna motherboard [inf.]

płyta grodzi stiffening plate [met.]

płyta grzebieniowa comb carrier, comb plate [transp.]

płyta konsolowa bracket plate [energ.]

płyta kotwiąca tie plate [mot.]

płyta kotwowa tie plate [mot.]

płyta kotwowa hamulc(ow)a brake anchor plate [mot.]

płyta krawędziowa comb plate (*works on stop switch*) [transp.]; heel plate [masz.]

płyta łącząca tie plate [masz.]

płyta łożyskowa bed plate (*bearing plate*) [transp.]; thrust plate [masz.]

płyta montażowa assembly plate (*fixture, jig*) [masz.]; base plate [mot.]; mounting plate [transp.]

płyta montażowa nadwozia main frame of the uppercarriage [transp.]

płyta naciskowa pressure plate; thrust plate [masz.]

płyta nakrywająca cover plate [transp.]

płyta nośna carrier plate [tw.]

płyta ochronna silnika belly plate [transp.]

płyta odbojowa baffle [masz.]; bumping plane [mot.]

płyta odbojowa w zbiorniku tank baffle [masz.]

płyta okablowana wired circuit board [el.]

płyta oporowa buffer plate; thrust plate [masz.]; carrier plate [tw.]; support (*slewing ring goes on it*) [transp.]

płyta osłaniająca screen plate [górn.]

płyta osłonowa armoured plate [masz.]

płyta pancerna liner plate, lining (*in crushers*) [górn.]

płyta pasowa chord plate [górn.]

płyta pilśniowa twarda fibre board, hard board[tw.]

płyta podłogowa bottom plate [transp.]

płyta podłogowa kabiny kierowcy base plate (*under operator's cab*) [transp.]

płyta podporowa bed plate [transp.]

płyta podstawowa base plate [transp.]

płyta podstawowa nadwozia uppercarriage base-plate, uppercarriage main frame, base plate of upper carriage [transp.]

płyta podwlewnicowa floor plate [energ.]

płyta pokrywająca cover plate [transp.]

płyta posadzkowa dla ciężkiego sprzętu extreme service shoe [transp.]

płyta poślizgowa heel plate; paddle plate [mot.]

płyta prowadząca poprzeczna lateral guide plate [mot.]

płyta przesiewacza screen plate [górn.]

płyta przesuwna sliding bed [masz.]

płyta przyciskowa clamping plate (*for deck planks*) [transp.]

płyta przypodłogowa (*ochronna*) skirting panel (*max clear. 6 or 7 mm; of stainless steel*) [transp.]

płyta przytrzymująca retainer plate, retainer [masz.]

płyta siatkowa grid board [masz.]

płyta stalowa stojąca stay plate [masz.]

płyta sterowania okresowego wobble plate, wobbling disc [mot.]

płyta sterownicza control plate [abc]

płyta sterująca master panel [el.]

płyta sterująca główna main control panel (*master panel*) [el.]

płyta stropowa ceiling slab [bud.]

płyta szczotkowa brush plate (*under newel, holds brush*) [transp.]

płyta szkieletowa skeleton shoe [masz.]

płyta ślizgowa bogie-bearing pad, guide plate, sliding plate (*under wagon frame*) [mot.]

płyta walcowana roller plate [masz.]

płyta węzłowa connecting plate, gusset [bud.]

płyta wiórowa particle board, chip board [bud.]

płyta wspornikowa bracket plate, cantilever platform [energ.]

płyta z żeliwa utwardzonego hard metal plate [masz.]

płyta zaślepiająca end plate [masz.]

płyta zewnętrzna outside panel [mot.]

płyta żebrowa ribbed base plate [mot.]

płytka plate (*anode*) [el.]; plaque [abc]; disk (*disc*) [mot.]; tile [bud.]

płytka dławiąca choke plate [mot.]

płytka drukowana printed circuit board, wired circuit board [el.]

płytka drukowana układu circuit board [el.]

płytka gumowa rubber plate [masz.]

płytka izolacyjna insulation tile [mot.]

płytka kanału kablowego cable through panel [el.]

płytka łańcuchowa chain link, track joint [transp.]

płytka mikowa mica sheet (*water level indicator*) [energ.]

płytka mocująca Z-clamp [masz.]

P

płytka obwodu drukowanego printed circuit board, circuit board [el.]

płytka podporowa support plate, base, support, underlayer [masz.]

płytka przekaźnika relay board [el.]

płytka przyciskowa clamping plate [tw.]

płytka przyłączowa connection plate [tw.]

płytka regulacyjna height adjustment plate [mot.]

płytka sprężysta spring plate, master trigger unit [masz.]

płytka ścienna wall tile [bud.]

płytka ustalająca locking plate (*when mounting chain*) [transp.]

płytka zaciskowa clamping plate [tw.]

płytka zaślepiająca blind plate, dummy panel [transp.]

płytki shallow (*naval word: shoal*) [mot.]

płytkie trzęsienie ziemi shallow earthquake [geol.]

płytowy laminated [bud.]

płytowy podgrzewacz powietrza plate air heater [energ.]

pływająca bryła lodu growler [mot.]

pływający floatable [mot.]

pływak plunger [mot.]

pływalnia kryta indoor swimming pool [abc]

pływowskaz water gauge, water mark [abc]

pływy tides [abc]

pneumatyczna mata stykowa pneumatic contact mat, pneumatical contact mat [transp.]

pneumatyczne urządzenie strzelnicze pneumatic coal antibridging device [energ.]

pneumatyczny pneumatic [mot.]

pneumatyczny zawór opóźniania pneumatic time delay valve [mot.]

pneumatyka pneumatics [mot.]

pniak tree stump, stump [bot.]

po lewej (*z lewej*) on the left [abc]

po obu stronach on both sides [abc]

po prawej on the right [abc]

po prostu merely [abc]

po raz pierwszy for the first time ever [abc]

po stronie podpierającej on base side (*in Dwg*) [transp.]

po stronie spalinowej gas side [energ.]

po stronie zawietrznej air side [aero.]

pobielić whitewash [met.]

pobielać cyną tin, tin-coat [met.]

pobierać take off (*power is taken off*) [el.]; tap [abc]

pobierać składkę collect the premium [praw.]

pobierać z sieci (*ściągać*) download [inf.]

pobierający płacę godzinową person on hourly wage [abc]

pobieranie reclaiming [górn.]

pobieranie cieczy liquid intake [masz.]

pobieranie materiału ze zwałów reclaiming [górn.]

pobieranie próbek pary steam sampling [energ.]

pobieranie próbek węgla sampling of coal [miern.]

pobieżnie at a glance [abc]

pobijak ręczny lump hammer [narz.]

pobocze banquet [abc]; shoulder (*in nature, on edge of road*) [transp.]

pobocze drogi verge (*on the verge of the road*) [transp.]

pobór input [el.]

pobór mocy power consumption [mot.]; power input (*input*) [el.]; power take-up [abc]

pobór nominalny nominal consumption [el.]

pobór pary steam demand [energ.]

pobór prądu amperage consumption [el.]

pobór z sieci power consumption [abc]

pobranie (*materiału*) withdrawal [abc]

pobranie materiału manufacturing receipts [masz.]; issue [abc]

pobranie próbki pyłowej dust sampler [miern.]

pobudka cause [abc]

pobudzać excite [abc]

pobudzać magnes (*zawór elektromagnetyczny*)energize a solenoid [mot.]

pobudzanie energizing; excitation [el.]

pobudzony excited [abc]

pobyt whereabouts [abc]

pochłaniacz precipitator [górn.]

pochłaniacz dźwięku sound absorber [akust.]

pochłaniać absorb (*integrate and retain*) [fiz.]

pochłanianie absorption [energ.]

pochłanianie dźwięku noise absorption, acoustical absorption, sound absorbing, attenuation of sound [akust.]

pochodnia torch [abc]

pochodzenie origin; parentage [abc]

pochodzenie paliwa source of fuel [energ.]

pochodzić od stem from [abc]

pochód parade; procession [abc]

pochwa mostu napędowego axle casing, axle tube [masz.]

pochwa osi axle tube [masz.]

pochwa termometryczna thermometer pocket, thermometer well [energ.]

pochwa tulejowa sprężyny spring cover [masz.]

pochwa tylnego mostu rear axle housing [mot.]

pochwała citation (*for bravery*) [wojsk.]

pochylać slope down; (*się*) incline [abc]

pochylenie slope (*On top of that slope there*) [abc]; tilt [transp.]; tilt angle (*of the engine*); mould draft

(*mould draught*) [masz.]; downward inclination, inclination [mot.]

pochylenie dopuszczalne upward inclination; ruling gradient (*retarding effect*) [mot.]

pochylenie kół wheel cambering, wheel lean, wheel rake, leaning wheels [mot.]

pochylenie miarodajne upward inclination, climbing gradient (*retarding effect*) [mot.]

pochylenie odlewnicze mould draft, draught [masz.]

pochylenie odlewnicze zewnętrzne mould draft [masz.]

pochylenie silnika engine tilt angle [mot.]

pochylenie wewnętrzne inside slope, inside mould draft [masz.]

pochylenie zewnętrzne outside slope [transp.]

pochylnia building berth, berth; trackramp; velocity head [mot.]; inclined ramp [bud.]; ramp [abc]

pochylnia ruchoma walk escalator (*autowalk, inclined*) [transp.]

pochylony bended; bowed; inclined (*person*) [abc]; canted (*canted ribbed base plate*) [transp.]; sloping precipice [mot.]

pochył podpowierzchniowy subsurface tilt [inf.]

pochyłość camber [bud.]; incline, upward inclination [geol.]; inclined sections [mot.]; pitch (*of thread, screw*) [masz.]

pochyły inclined; leaning; slanted [abc]

pociąg railroad train (US); railway train (GB) [mot.]

pociąg w przeciwnym kierunku return train [mot.]

pociąg blokowy block train (*all wagons same type*) [mot.]

pociąg do przewozu samochodów autorailer [mot.]

P

pociąg do przewozu węgla coal train [mot.]

pociąg drogowy truck and trailer [mot.]

pociąg holowniczy train of tugged barges [mot.]

pociąg osobowy passenger train [mot.]

pociąg podmiejski local train, suburban train [mot.]

pociąg pośpieszny express train, fast train [mot.]

pociąg samochodowy autorailer [mot.]

pociąg specjalny special train [mot.]

pociąg-szpital ambulance train (*with coaches*) [mot.]

pociąg towarowy freight train; goods train (GB) [mot.]

pociąg towarowy jednogrupowy complete train (*all wagons one type*) [mot.]

pociąg towarowy z możliwością przewozu ludzi mixed train (*goods train with passengers*) [mot.]

pociągający attractive [abc]

pociągowy traction [mot.]

pociecha comfort (*That's no comfort*) [abc]

pocieszać comfort (*He comforted him so nicely*) [abc]

pocieszenie comfort [abc]

pocisk bullet, shell, round; grenade [wojsk.]

pocisk ćwiczebny training shell [wojsk.]

pocisk do rozrzucania ulotek leaflet missile [wojsk.]

pocisk dymny fog shell, fog container [wojsk.]

pocisk jednolity solid shot [wojsk.]

pocisk odłamkowo-burzący explosive shell [wojsk.]

pocisk z ołowiu twardego hard lead shell [wojsk.]

pocisk zapalający fire shell, incendiary shell [wojsk.]

pocisk zdalnie sterowany guided missile [wojsk.]

początek bramki gate start [el.]

początek cięcia start cutting here [rys.]

początek doświadczenia start of the test [miern.]

początek i koniec sygnału beginning and end of a signal [abc]

początek naroża begin bur (*beginning of bur*) [masz.]

początek otworu beginning of opening [masz.]

początek pęknięcia crack starting point [tw.]

początek próby start of the test [miern.]

początek regulacji beginning of regulation [mot.]

początek stopnia step inlet [transp.]

początek zmiany pochylenia ściany bocznej hip height (*hopper car*) [mot.]

początkujący (*nowicjusz, debiutant*) rookie (*newcomer, e.g. policeman*); apprentice; novice [abc]

poczekalnia waiting booth, waiting room, waiting lounge [mot.]

poczta mail [polit.]

poczta główna General Post Office (G. P. O.) [polit.]

poczta pneumatyczna pneumatic tube (*p. t. transport*) [abc]

pocztowa centrala telefoniczna postal telephone office [polit.]

pocztówka postcard, picture postcard [abc]

pocztylion postillon (*GB: rides left rear horse*) [polit.]

poczwarka cocoon (*of insects*) [bot.]

poczwórny teleskopowy drążek Kelly'ego quadruple telescopic Kelly bar [transp.]

pod adresem c/o [abc]

pod ciśnieniem pressurized [abc]
pod górę up, upwards, uphill (*shift down into second gear*) [abc]
pod klucz (*gotowy do eksploatacji, całkowicie ukończony*) turn-key (*installation*) [masz.]
pod obciążeniem under load [mot.]
pod ręką within easy reach [abc]
pod wrażeniem (*czegoś*) impressed (*by*) [abc]
pod ziemią underground [abc]
podajnik feeder [masz.]
podajnik drutu mechanical wire travel [masz.]
podajnik paliwa fuel feeder [energ.]
podajnik przenośnika Redlera mill feeder level (*gallery*) [masz.]
podajnik śrubowy screw conveyor [masz.]
podajnik talerzowy plate feeder [masz.]
podajnik walcowy feed roll, transport roll [masz.]
podajnik węgla travelling grate traversing coal feeder [energ.]
podajnik węgla niesegregowanego non-segregating coal distributor [energ.]
podana konstrukcja customer design [tw.]
podanie application [praw.]
podanie o pracę application, letter of application [abc]
podatek (*ubezpieczeniowy*) tax (*insurance tax*) [praw.]
podatek ubezpieczeniowy insurance tax (*short: tax*) [prawn.]
podatność sensibility, susceptibility, sensitiveness [abc]
podatność do obróbki workability [bud.]
podatność na formowanie deformability [tw.]
podatny flexible [met.]; susceptible [abc]
podatny na odkształcenie deformable [bud.]

podatny na ścieranie prone to wear [transp.]
podatny na zarysowania (*zadrapania*) scratchable [masz.]
podatny na zużywanie się prone to wear [transp.]
podawać put on; specify [abc]
podawać się do dymisji resign (*from office*); abdicate (*leave office prematurely*) [polit.]
podawać takt key [abc]
podawanie feed, feeding [mot.]; pass [abc]
podawanie próbki badanej specimen feed [masz.]
podbierać crowd back [transp.]
podbijak mechaniczny torów sleeper-packing machine (GB) [mot.]
podbudowa base [bud.]
podchwytywać underpin [bud.]
podciąg bearer, beam, binding girder, girder [rys.]
podciąg ramy frame trussing [mot.]
podciągać pull up [mot.]
podcięcie back-off, penetration cut, undercut [met.]
podcinać palnikiem adjust by flame-cutting [masz.]
podciśnienie vacuum [energ.]; low pressure [mot.]
podczas działania (*urządzenia*) during operation [abc]
podczas montażu during assembly [met.]
podczas pracy during work [abc]
poddasze attic [bud..]
poddawać make subject to [abc]
poddawać działaniu pary steam [mot.]
poddawać obróbce zgrubnej rough machine [met.]
poddawać się give up (*yield*), give in [abc]; surrender (*the fort to the enemy*) [wojsk.]

P

poddostawca subcontractor (*also in building*) [abc]

podejście do lądowania coming in (*The plane is coming in*) [mot.]

podest platform (*for person*); stand (*to watch parade from*) [abc]; ladder [transp.]; landing [bud.]

podest schodów ruchomych escalator landing [transp.]

podeszwa sole [abc]

podeutektyczny hypoeutectic (*rolled hard steel*) [tw.]

podglebie sub-soil (*opposite: topsoil*) [geol.]

podgłówek head cushion, head rest, head restraint [mot.]

podgrzany pre-heated; warmed up (*taken the chill out*) [met.]

podgrzewacz preheater [energ.]

podgrzewacz indukcyjny inductive tyre heater [masz.]

podgrzewacz mazutu fuel-oil heater [energ.]

podgrzewacz paliwa olejowego fuel oil heater [energ.]

podgrzewacz pary upustowej extraction steam preheater [energ.]

podgrzewacz płomieniowy flame-type heater-plug [mot.]

podgrzewacz powietrza (*wykorzystujący ciepło gazów spalinowych*) steam-heated air heater; air heater [energ.]

podgrzewacz powietrza gazowy (*na gaz ochłodzony*) cold-gas air preheater [energ.]

podgrzewacz powietrza młynowy pulverizer air heater [energ.]

podgrzewacz powietrza pierwotnego primary air heater [energ.]

podgrzewacz powietrzny swing fire heater [mot.]

podgrzewacz wieloobiegowy multi-stage feed water heating [energ.]

podgrzewacz wody feed water pre-heater, economizer [energ.]

podgrzewacz wody o konstrukcji z rur gładkich bare tube economizer [energ.]

podgrzewacz wody odparowujący pre-evaporator [energ.]

podgrzewacz wody z rurkami żeberkowymi gilled tube economizer [energ.]

podgrzewacz wody zasilającej feed-water heater [hydr.]

podgrzewacz wstępny wody zasilającej feed water preheater (*economizer*) [hydr.]

podgrzewacz wysokociśnieniowy high pressure preheater [energ.]

podgrzewacz z rur żebrowych fin tube economizer [energ.]

podgrzewacz zwrotnicowy point heater [mot.]

podgrzewać warm up, heat up [abc]; preheat [masz.]

podgrzewać przewód parowy steam-line warm-up [energ.]

podgrzewana szafka do przechowywania żywności warm food cabinet, food warmer; cabinet for warm food and food [mot.]

podgrzewane powietrze do spalania preheated combustion air [energ.]

podgrzewanie (ogrzewanie) wstępne preheating [masz.]

podgrzewanie wody zasilającej feed water heating [hydr.]

podharmoniczny sub-harmonic [abc]

podium stage (*scaffolding*) [abc]

podjąć withdraw [abc]

podjeżdżać pull up (*before a hotel*) [mot.]; bring close to [abc]

podjęcie pick up [abc]

podkład sleeper [mot.]; ground level (*above*) [górn.]

podkład do trawienia etch primer [met.]

podkład drewniany wooden sleeper (*GB version*); wooden tie [mot.]

podkład kamienny hand-set pitching [bud.]; rough-stone pitching [transp.]; sub-base (*lowest layer of road*) [mot.]

podkład kolejowy tie (*sleeper; USA version*); cross tie [mot.]

podkład kolejowy betonowy concrete sleeper (GB); concrete tie (US) [mot.]

podkład malarski primer (*first painting, lowest coat*) [met.]

podkład pod tynk plaster base [bud.]

podkład stalowy steel sleeper (GB); steel tie (US) [mot.]

podkładka washer (*plain washer*); bracket; attaching disk [masz.]; pad, base, underlayer, support; (*miękka*) pad; underlayer [abc]; support pad; (*szynowa*) tie plate; underlayer [mot.]; shim; (*spoiny*) backing [met.]

podkładka ceramiczna (*spoiny*) ceramic backing [met.]

podkładka gąsienicy z pojedynczą ostrogą przeciwślizgową mono grouser track pad [transp.]

podkładka gumowa rubber cushion [mot.]

podkładka hakowa tie plate [masz.]

podkładka kwadratowa square taper washer [masz.]

podkładka miękka cushion [bud.]; plastic pad [mot.]

podkładka miękka z tworzywa sztucznego plastic cushion [transp.]

podkładka nastawcza dial [mot.]

podkładka nieobrobiona raw washer [masz.]

podkładka obrobiona machined washer [masz.]

podkładka odginana zębata toothed lock washer; toothed washer [masz.]

podkładka odległościowa spacing disc, spacer [mot.]

podkładka oporowa thrust washer (*bronze washer*) [masz.]

podkładka ostrogi przeciwślizgowej pojedynczej single grouser track pad [transp.]

podkładka pierścieniowa backing ring (*tube welding*) [met.]

podkładka pierścieniowa wygięta curved spring washer [tw.]

podkładka pierścieniowa wygięta zabezpieczająca curved spring lock washer [tw.]

podkładka płaska spoiny backing strip (*leave on after weld*) [met.]

podkładka pochylona canted steel base plate [transp.]

podkładka pod belkę template, templet [bud.]

podkładka podatna płatkowa serrated lock washer [masz.]

podkładka (podstawka) pod kufel beer mat (*US: coaster*) [abc]

podkładka regulacyjna spacing disc [mot.]; shim, shim plate (*shimplate*) [masz.]

podkładka regulująca gasket [transp.]; sealing washer [masz.]

podkładka regulująca olejowa oil seal plate [masz.]

podkładka spoiny underlayer [met.]

podkładka sprężysta spring pad, spring washer, lock washer, spring lock washer; safety tab washer [masz.]

podkładka stożkowa spherical cap [mot.]

podkładka szynowa stalowa płaska flat steel base plate [mot.]

podkładka teowa T-support [masz.]

podkładka urządzeń mocujących washer for clamping devices [masz.]

podkładka ustalająca locking shim; shim [transp.]; detent (*slotted plate holds screws*); thrust washer; stop washer [mot.]; locking wash-

P

er; shim ring; safety tab washer (*bent small sides*) [masz.]

podkładka uszczelniająca sealing washer, washer [mot.]

podkładka wachlarzowata fan-shaped washer [masz.]

podkładka z zaczepem washer with tap [masz.]

podkładka z zaczepem zewnętrznym washer with external tap [masz.]

podkładka zabezpieczająca locking shim [transp.]; lockwasher; spring lock washer [masz.]

podkładka żebrowa do linii kolejowych ribbed base plate for tracks [mot.]

podkładka żebrowa do linii kolejowych i zwrotnic ribbed base plate for track and switches [mot.]

podkładka żebrowa zwrotnicy ribbed base plate for switches [mot.]

podkoszulek t-shirt [abc]

podkowa horseshoe [abc]

podkuwać shoe (*horseshoe; shoe-shod-shod*) [abc]

podlegający dyskusji arguable (*provable*) [abc]

podlewać water [abc]

podłączenie toru railway siding [mot.]

podładka pierścieniowa sprężysta cup washer (*for counter-sunk screw*) [tw.]

podłączać connect; plug [el.]

podłącze kurka probierczego connection for test cock (*test gauge*) [miern.]

podłączenie do obcej stacji rozruchowej jump-start facility [transp.]

podłączenie prądu zmiennego alternating current supply [el.]

podłączenie przewodów powietrznych air-connection [aero.]

podłączenie ściekowe drain line [mot.]

podłączenie tryskacza sprinkler installation [transp.]

podłączenie zaworu bezpieczeństwa safety valve connection [masz.]

podłączenie zdmuchiwacza sadzy soot blower connection [energ.]

podłoga floor (*in the room*) [bud.]

podłoga budki maszynisty cab floor [mot.]

podłoga dywanowa (*wyłożona wykładziną dywanową*) wall-to-wall carpeting (*w-t-w carpeting*), wall-to-wall rug (*w-t-w rug*) [bud.]

podłoga kabiny (*kierowcy, operatora*) cab floor [mot.]

podłoga przedziału maszynisty cab floor [mot.]

podłoga zwałowa ejector floor [mot.]

podłokietnik arm rest [abc]

podłoże base [bud.]; underground; substrate [abc]; underlayer [masz.]; ground (*line*) [górn.]; subgrade [transp.]

podłoże chowane retractable floor [górn.]

podłoże klocka hamulcowego brake shoe sole [transp.]

podłoże krystaliczne crystal backing [met.]

podłoże ruchome ejector floor [masz.]

podłoże spawane welded-on bottom [masz.]

podłoże wciągane retractable floor [górn.]

podłużnica boczna side frame [transp.]

podłużnica główna main frame [transp.]

podłużnica podłogowa chassis cross number; main frame; sole bar [mot.]

podłużnica ramy crawler support; frame side member, main frame,

side member [transp.]; sole bar (*of wagon*) [mot.]
podłużnica rusztowania ledger, transverse beam, rail[bud.]
podły low-down (*common*) [abc]
podmagnesowanie pre-magnetization [el.]
podmurowywać found (*lay a base*) [bud.]
podmywanie scouring, washout [gleb.]
podniecenie excitement [abc]
podniesienie lift, lifting, hoisting, raising, pick up [mot.]; increase (*pressure*) [energ.]
podniesienie swobodne free lift [mot.]
podniesienie wysokości składki raising of the premium [praw.]
podniesiona kabina kierowcy elevated cab [transp.]
podniesiony elevated [transp.]; jacked [mot.]; improved [masz.]; deteriorated [tw.]
podniesiony dźwignikiem jacked up [mot.]
podnosić elevate [transp.]; enhance; lift, hoist, raise; increase; pick up; (*się*) rise (*River is rising*) [abc]; swing up; superelevate [mot.]
podnosić dźwignikiem jack up [mot.]
podnosić jakość upgrade [abc]
podnosić kotwicę weigh the anchor [mot.]
podnosić składkę raise the premium [praw.]
podnoszenie lifting [transp.]
podnoszenie lądu reclaiming [transp.]
podnoszenie podnóżka step raising [transp.]
podnoszony liftable [mot.]
podnośnik lifter; hoist [masz.]; jack [mot.]; (→ hydraulic j.; mechanical j.; rack- and pinion j.; scissors type j.; screwing j.)

podnośnik elektrohydrauliczny electro-hydraulic lift; hydraulic lift stacker [mot.]
podnośnik główny main hoist, main winch [mot.]
podnośnik hydrauliczny hydraulic jack [mot.]
podnośnik jednowrzecionowy one spindle jack [mot.]
podnośnik nożycowy scissor lift [masz.]
podnośnik samochodowy car jack [mot.]
podnośnik samochodowy mechaniczny mechanical jack [mot.]]
podnośnik szyby okna window lifter [mot.]
podnośnik taboru wykolejonego rerailing equipment [mot.]
podnośnik taboru wykolejonego w konstrukcji z metalu lekkiego light metal rerailing equipment [mot.]
podnośnik widełkowy do okrąglaków i tarcicy log and lumber fork [mot.]
podnośnik widłowy ręczny hand forklift truck [transp.]
podnośnik widłowy ręczny elektryczny electric hand forklift truck, Ameise [transp.]
podnośny liftable [mot.]
podnóżek step tread; ladder [transp.]; tread step [bud.]; foot rest; pedal catch [mot.]
podnóżek narożny shunter's step [mot.]
podobieństwo analogy; similarity [abc]
podobny similar [abc]
podpalenie arson [abc]
podparcie support (*supporting angle*); bracket [transp.]; harness; retaining [masz.]
podparcie drugostronne retainer [transp.]

P

podparcie łyżki bucket pin [transp.]
podparcie przednie front outrigger [transp.]
podparcie zabezpieczające securing device [transp.]; shipping bracket [abc]
podpierać support (*jack up, hold, help, etc.*) [mot.]; truss (*e.g. truss an escalator*) [masz.]; stiffen [abc]; revet (*put sheathing or shoring in*) [bud.]
podpierać obrotowo pivot (*boom connection*) [masz.]
podpieranie wykopu trench-lining [transp.]
podpinane ramię uchwytu klamrowego bocznego slip-on type block clamp arm [mot.]
podpinany slip-on type[mot.]
podpis signature [abc]
podpis obrazka title (*text next to pictures*) [abc]
podpis rysunku title (*text next to pictures*) [abc]
podpisanie signing [abc]
podpisywać sign [abc]
podpora mounting (*fastening*); handle type probe holder [abc]; support; holder [transp.]; support frame [met.]; supporting angle; truss; buck rest (*support, column*) [masz.]; bearing [bud.]; prop [górn.]; stanchion [mot.]
podpora bazowa locating bearing [masz.]
podpora bębna drum saddle [energ.]
podpora boczna side support, lateral stabilizer [mot.]
podpora dźwigni lever support [transp.]
podpora klatki truss-stay, truss-strut, truss-support [masz.]
podpora maski bonnet stay [mot.]
podpora obrotowa pivot bearing [masz.]

podpora osi axle support, axle stay [masz.]
podpora przednia front outrigger [transp.]
podpora przegubowa pivot bearing [masz.]
podpora ramy mechanizmu napędowego inner track roller frame bearing [masz.]
podpora rusztowania truss-stay, truss-strut, truss-support [masz.]
podpora środkowa centre support [transp.]
podpora teleskopowa skrzyni body support [transp.]
podpora ukośna chłodnicy radiator strut [mot.]
podpora ustalająca fixed bearing (*seldom: pillow block*) [masz.]
podpora warstwy stropowej roof support, support the roof (*of bank in mine*) [górn.]
podpora wysięgnika A-frame (*integrated in chassis*) [transp.]
podpora zawiasy hinge support [masz.]
podpórka deski rozdzielczej instrument panel support [mot.]
podpórka kątowa cam [bud.]
podpórka stabilizacyjna load stabilizing jack [mot.]
podręcznik manual (*handbook*) [abc]
podręcznik mechanika repair manual, workshop manual [abc]
podręcznik napraw okresowych maintenance manual [mot.]
podręcznik szkoleniowy training manual [abc]
podręcznik użytkownika user guide [inf.]
podręcznik warsztatowy workshop manual [abc]
podróż trip, tour, voyage; ride [abc]
podróż morska cruise (*sail*) [mot.]
podróż służbowa business trip [abc]

podróżowanie travelling (*traveling*) [abc]

podrzeć tear [abc]

podsadzać wyrobisko przy użyciu sprężonego powietrza backfill (*with compressed air*) [górn.]

podsadzanie caving [górn.]

podsadzanie wału hydraulic fill <-ing> of the dike [abc]

podsadzka caving (*the caving, the fill*) [górn.]

podspawać repair-weld; subsequent flame-cut [met.]

podstacja substation [el.]

podstawa base [rys.]; base, underlayer, support [mot.]; document; pedestal [bud.]; mounting plate; bottom; plate [transp.]; assembly plate; base metal (*parent metal*) [masz.]

podstawa bezpiecznika fuse block, fuse socket [el.]

podstawa czasu time base; (*w oscyloskopie*) time deflection, time-base sweep [el.]

podstawa czasu zwężona contracted time-base sweep [el.]

podstawa drogi base of the road [mot.]

podstawa fundamentowa footing [bud.]

podstawa fundamentowa pojedyncza single footing [masz.]

podstawa kolumnowa pedestal and stand [bud.]

podstawa montażowa chassis [mot.]

podstawa pleksiglasowa perspex sole [masz.]

podstawa projektora projector-base [abc]

podstawa wysięgnika base boom (*opposite: upper boom*); boom pivot; boom-foot pivot point; jib (*lower part of boom*) [transp.]

podstawa zapory heel of dam; fill toe [bud.]

podstawka (*do wózków dźwignikowych*) pallet (*skid*) [transp.]; vanity [bud.]

podstawka klinowa (*pod koła*) chock, wheel chock; Scotch block (*avoids moving*) [mot.]

podstawka ładunkowa loading platform [mot.]

podstawka montażowa main frame [inf.]

podstawka nośna plank [bud.]

podstawowa działalność gospodarcza core business [ekon.]

podstawowe procedury rodzajowe generic primitives [inf.]

podstopnica riser, step riser (*roller in rail rises it*) [transp.]

podsufitka inside roof lining [mot.]; soffit, truss soffit [transp.]

podsufitka lakierowana painted ceiling [transp.]

podsypka ballast (*between rails, s. gravel*) [mot.]

podświetlony illuminated [mot.]

podtopienie undercut [met.]

podtorze formation [mot.]

podtrzymka ramy frame centre rest [mot.]

podtrzymka ruchoma follower [met.]

podtrzymywać hold, counter-hold [transp.]; hold up; retain; sustain [abc]; truss [bud.]

podupadły run down (*shabby, old, dilapidated*) [abc]

poduszka pillow; cushion; pad; underlayer [abc]

poduszka powietrzna air cushion [aero.]

poduszka sprężynowa spring-cushion [mat.]

poduszka z tworzywa sztucznego plastic cushion [transp.]

podwajać double [abc]

podwarstwa primary layer [masz.]

podwieczorek dinner [abc]

P

podwieszenie kotła boiler support [energ.]

podwiew undergrate air [energ.]

podwozie undercarriage; underframe; track bed; chassis, main frame [mot.]; carrier; (*gąsienicowe*) travelling mechanism [transp.]

podwozie długie undercarriage long; long crawler [transp.]

podwozie gąsienicowe crawler track, crawler undercarriage, crawler unit [górn.]

podwozie kadzi mieszalnikowej torpedo-type ladle car [mot.]

podwozie kołowe wheeled undercarriage [transp.]

podwozie kołowe na oponach rubber-tired carrier [transp.]

podwozie kołowe ogumione rubber tyre carrier [masz.]

podwozie samolotu landing gear [mot.]

podwozie samolotu lądowego undercarriage [mot.]

podwozie standardowe standard undercarriage [transp.]

podwozie teleskopowe telescopic undercarriage [transp.]

podwozie żurawia wagonowego crane carrier [mot.]

podwójne międzystopniowe przegrzanie pary double reheat cycle, double reheat [energ.]

podwójnego działania double acting [transp.]

podwójnie uspokojona (*np. stal*) fully killed [met.]

podwójnie zredukowany double reduced [masz.]

podwójny double; dual; twice; twofold [abc]; twin [masz.]

podwórze yard [abc]; courtyard [bud.]

podwykonawca subcontractor [abc]

podwyższenie enhancement [abc]

podwyższenie ścianek skrzyni ła-dunkowej (*samochodu ciężarowego*) body extension, hungry boards [mot.]

podwyższone ciśnienie w oponie overinflation [mot.]

podzespół unit; assembly [masz.]; component [mot.]

podzespół podwozia track bed; undercarriage [masz.]

podzespół wsuwany akumulatora battery module [el.]

podzespół wsuwany monitora podwójnego double monitor module [el.]

podział division, grouping, partition, subdivision [abc] section [rys.]; spacing [masz.]

podział czynności splitting of duties [ekon.]

podział poprzeczny transverse distribution, side distribution, transversal spacing [masz.]; lateral distribution [transp.]

podział rastra ekranu monitora graduation of the screen [abc]

podział urządzeń machinery divisions [masz.]

podział według wartości rating [abc]

podział wzdłużny back spacing [energ.]

podziałka pitch; pitch of chain; part groove [masz.]; dial [abc]; distance scale, scale [rys.]

podziałka głębokości depth scale [abc]

podziałka łańcucha chain pitch, pitch of chain (*centre pin to centre pin*) [tw.]

podziałka obwodowa koła zębatego circular pitch [masz.]

podziałka osiowa axial pitch [masz.]

podziałka pomiarowa koła zębatego chordal pitch [masz.]

podziałka rur tube spacing [masz.]

podziałka rur użebrowanych tube fins pitch [masz.]

podziałka skali scale division [miern.]

podziałka sterownicza cut-off gear [mot.]

podziałka szwu spawanego pitch of weld [met.]

podziałówka tarczowa dial [inf.]

podziarno fines [met.]

podzielnia tarczowa dial [inf.]

podzielony divided [abc]; subdivided [ekon.]

podzielony zgodnie z split up according to [abc]

podziemie basement [bud.]

podziemny underground; below surface [górn.]

podziemny zbiornik paliwa underground fuel tank [energ.]

podzwrotnikowy tropical [meteo.]

pofałdowana komora sekcyjna sinuous header (*header type boiler*) [energ.]

pofałdowanie folding [bud.]

pofałdowany corrugated [tw.]

pogarszać aggravate; (*się*) deteriorate [abc]

pogląd philosophy [inf.]

pogłębiać dredge (*dredge out*) [transp.]

pogłębiać czołowo counterbore [met.]

pogłębianie czołowe boot, boss, spot face[masz.]

pogłębianie dredging task; excavator work [transp.]; marine contractors [mot.]

pogłębianie pod wodą under-water digging (*UW dredging*) [mot.]

pogłębianie postępujące progressive deepening [inf.]

pogłębianie wyrobiska odkrywkowego deepening of an open pit mining operation [górn.]

pogłębiarka shovel; dredge (US) [transp.]

pogłębiarka kubłowa lądowa bucket chain excavator [transp.]

pogłębiarka nasiębierna wieloczęściowa split hopper dredger [transp.]

pogłębiarka podwodna kołowa underwater cutting wheel dredger [mot.]

pogłębiarka ssąca suction dredger; hopper suction dredger [mot.]; suction head dredge<r> [masz.]

pogłębiarka ssąca barkowa barge suction dredger [mot.]

pogłębiarka ssąca dalekomorska z pomieszczeniem na urobek deep-sea hopper suction dredger [mot.]

pogłębiarka ssąca nasiębierna wieloczerpakowa split-hopper suction dredger [transp.]

pogłębiarka ssąca podstawowa plain suction dredger [mot.]

pogłębiarka ssąca z pomieszczeniem na urobek hopper suction dredger, trailing hopper suction dredger [mot.]

pogłębiarka ssąca ze spulchniaczem cutter head suction dredger [mot.]

pogłębiarka ssąca ze zbiornikiem na urobek deep sea hopper suction dredger [mot.]

pogłębienie counterbore (*in material*) [tw.]

pogłębiony counterbored [met.]; dredged (*out*) [transp.]

pogłoska rumour [abc]

pogoda weather (*climate*) [abc]

pogorzelisko site of the fire [abc]

pogrążanie pali pile driving [abc]

pogrzeb funeral (*burial*) [abc]

poić water [abc]

pojazd vehicle (*wagon, car, coach, carriage*) [mot.]

pojazd bezpieczny safe vehicle [mot.]

pojazd bojowy fighting vehicle [wojsk.]

P

pojazd bramowy straddle loader [mot.]

pojazd campingowy RV (*recreational vehicle*) [abc]

pojazd ciężarowy terenowy rough terrain lorry; off-road vehicle (US) [mot.]

pojazd do usuwania szlamu sewer cleaning and sludge evacuation [hydr.]

pojazd do wielkogabarytowych ładunków specjalnych offroad truck [mot.]

pojazd dwukołowy bicycle [mot.]

pojazd gąsienicowy tracked vehicle [wojsk.]

pojazd gąsienicowy do przewozu bębnów kablowych cable reel car on tracks [transp.]

pojazd holowniczy tow truck [mot.]

pojazd kołowy wheeled vehicle [mot.]

pojazd komunalny municipal vehicle [mot.]

pojazd konny horse-drawn wagon [mot.]

pojazd lotniskowy airport vehicle [mot.]

pojazd mechaniczny motor vehicle, mobile equipment [mot.]

pojazd napędzany silnikiem elektrycznym battery railcar [mot.]

pojazd niskopodwoziowy low loader, low bed trailer [mot.]

pojazd pomocy drogowej wrecker crane [mot.]

pojazd prototypowy prototype wagon [mot.]

pojazd przewozowy ciężki heavy transport vehicle [mot.]

pojazd ratowniczy salvage vessel [mot.]

pojazd samochodowy self-propelled vehicle [mot.]

pojazd specjalny special vehicle [mot.]

pojazd szynowy do przewozu bębnów kablowych cable reel car on rails [transp.]

pojazd terenowy cross country vehicle (GB) [mot.]

pojazd trakcyjny railway power unit, power unit, railway traction vehicle, railway tractive unit, tractive unit, traction drive (*helps haul long train*) [mot.]

pojazd trakcyjny wieloosiowy multi-axle tractive unit [mot.]

pojazd transportowy na podwoziu gąsienicowym transport crawler [transp.]

pojazd turystyczny recreation vehicle (RV) [mot.]

pojazd użytkowy commercial vehicle [mot.]; haul truck (*travels on haul road*) [górn.]

pojazd widokowy observation carriage [mot.]

pojazd wodno-lądowy amphibious vehicle [mot.]

pojazd (wózek) do przewozu bębnów kablowych cable reel car [transp.]

pojazd z silnikiem w kabinie kierowcy forward-control truck tractor [mot.]

pojedyncza zmiana potencjału single sweep [transp.]

pojemnik container [tw.]; vessel [energ.]

pojemnik aerozolowy aerosol can [chem.]

pojemnik chłodniczy refrigerated container [mot.]

pojemnik na odpady przemysłowe drum for industrial waste [masz.]

pojemnik na śmieci garbage can; trash can [rec.]

pojemnik próżniowy vacuum reservoir [mot.]

pojemnik ściekowy drain cup (*on brake system*) [mot.]

pojemnik zasobnikowy storage tank (*storage vessel*) [abc]
pojemnościowy capacitive [el.]
pojemność capacity [górn.]; content, capacity; volume [abc]
pojemność baku tank capacity; capacity of tank [masz.]
pojemność bramka-dren gate drain capacitance [el.]
pojemność czerpaka bucket capacity [transp.]
pojemność dyfuzyjna diffusion capacitance [el.]
pojemność klasyfikatora classifier volume [górn.]
pojemność komory spalania furnace volume [energ.]
pojemność kompensacyjna compensation capacitance [el.]
pojemność łyżki koparki dipper capacity [transp.]
pojemność nieliniowa nonlinear capacitance [el.]
pojemność nominalna nominal volume [abc]
pojemność skokowa displacement [mot.]
pojemność skokowa silnika capacity of the motor, engine rating, motor rating [mot.]
pojemność załadunkowa loading capacity [abc]
pojemność zbędna excess capacity [abc]
pojemność złącza junction capacitance [el.]
pojęcie term [abc]
pokaz lotniczy air show [wojsk.]
pokaz show [abc]; presentation, demonstration [mot.]; display [inf.]
pokazany indicate [abc]
pokazywać demonstrate [mot.]; procure [abc]
pokład deck [mot.]; bench; seam; sediment [górn.]; bottom [energ.]; layer [min.]

pokład główny main deck [mot.]
pokład węgla (*cienki*) coal seam [górn.]
pokonywać cover [wojsk.]
pokos waste steam [roln.]
pokost varnish [abc]
pokostować varnish [met.]
pokój dwuosobowy double room, double-bed room, two-bed room, twin-bed room [bud.]
pokój jednoosobowy single room [bud.]
pokój room [bud.]; peace [abc]
pokój trzyosobowy three-bed room [bud.]
pokrętło knob, toggle; hand wheel [mot.]
pokrętło zapadkowe ratchet, ratchet stock [narz.]
pokrycie cover [transp.]; coating [tw.]; covering; folding top; hood covering, hood; lining [mot.]; coverage [praw.]; steel flooring [masz.]
pokrycie dachu roof covering, roof panel [bud.]
pokrycie grzebienia comb plate finish [transp.]
pokrycie kratowe grating [masz.]
pokrycie malarskie paint coating, colour coating [bud.]
pokrycie ochronne protection cover, protective coating [masz.]
pokrycie ogólnoświatowe worldwide coverage [praw.]
pokrycie pomostu metal flooring [energ.]
pokrycie pośrednie intermediate decking [transp.]
pokrycie różnicy sum sum difference coverage [praw.]
pokrycie skarpy revetment [bud.]
pokrycie wewnętrzne inner decking [transp.]
pokryć słomą thatch [abc]
pokryty dachem roofed [bud.]

P

pokryty lakierem asfaltowym black lacquered [abc]

pokryty lakierem bitumicznym black lacquered [abc]

pokryty ołowiem leaded [masz.]

pokryty strzechą thatched (*thatched roof*) [bud.]

pokryty teflonem teflon pad (*piston*) [tw.]

pokrywa cap [abc]

pokrywa bagażnika boot lid (*deck lid*) [mot.]

pokrywa baterii akumulatorowej battery cell cover [mot.]

pokrywa betonowa concrete cover [bud.]

pokrywa boczna side cover [masz.]

pokrywa cylindra cylinder cover [mot.]

pokrywa dzielona divided lid, divided roof lid [mot.]

pokrywa głowicy cylindra cylinder head cover [mot.]

pokrywa jarzmowa zaworu valve bonnet [energ.]

pokrywa kanału powietrznego airduct cover [transp.]

pokrywa kotła boiler furnace roof, boiler top casing [energ.]

pokrywa łba korbowodu connecting rod bearing cap [mot.]

pokrywa łożyska bearing cover; end plate, end shield [masz.]

pokrywa łożyska wału korbowego crankshaft bearing cap [mot.]

pokrywa napędu tachometrycznego speedometer drive cover [mot.]

pokrywa obrotowa rotocap [masz.]

pokrywa obudowy napędu rozrządu timing case cover [masz.]

pokrywa obudowy przekładni kierownicy steering gear case cover [mot.]

pokrywa ochronna dust cover [transp.]

pokrywa ochronna przednia front

cap [mot.]

pokrywa otworu szlamnikowego cover for hand hole, hand hole cover [transp.]

pokrywa otworu włazowego manhole cover [mot.]

pokrywa ozdobna ornamental hub cap [mot.]

pokrywa pompy olejowej oil pump cover [mot.]

pokrywa pompy paliwowej fuel pump cover [mot.]

pokrywa pompy wodnej water pump cover [mot.]

pokrywa przednia front cover, front end cover [mot.]

pokrywa przekładni gear cover [mot.]

pokrywa pyłowa dust cap [mot.]; port cover [masz.]

pokrywa regulatora governor cover [mot.]

pokrywa rury wydechowej flappertype rain cap [mot.]

pokrywa schowka glove box cover [mot.]

pokrywa skrzynki narzędziowej tool-box lid [narz.]

pokrywa sprzęgła clutch cover [mot.]

pokrywa szlamnika mudhole door (*on steam locomotive*) [mot.]

pokrywa szybko zwalniająca quick release cover [masz.]

pokrywa wału krzywkowego camshaft cover [mot.]

pokrywa (wieko) pochwy tylnego mostu rear axle housing cover [mot.]

pokrywa wlewu filling cover; tank filler cap [transp.]

pokrywa włazu hatch cover; manhole cover [mot.]

pokrywa wziernika inspection cover, inspection hole cover [transp.]

pokrywa z krążkiem naprężającym cover with idler pulley [tw.]

pokrywa zabezpieczająca relief cap [masz.]

pokrywa zamykająca tylna rear end cover [mot.]

pokrywa zaworu valve chamber cover [mot.]

pokrywać cover [abc]; (klacz) mate [bot.]

pokrywać sadzą soot [mot.]

pokrywanie ołowiem homogeniczne homogeneous lead coating [masz.]

pokrywanie płytami plating [górn.]

pokrywka przyrządu podtynkowego wall plate [el.]

pokrzywa stinging nettle [bot.]

pokusa temptation [abc]

pokuszenie temptation [abc]

pokwitowanie dostawy receiving document [abc]

pola wartości granicznych limit boxes [inf.]

polakierowany painted (paint-finished); varnished [met.]

polano log [abc]

polaryzacja polarisation [fiz.]

pole field [roln.]; field [inf.]; field [el.]

pole akustyczne sound field [akust.]

pole danych data field [inf.]

pole eksploatacyjne mining field [górn.]

pole magnetyczne twornika armature field [el.]

pole naftowe oil field [abc]; (obszar, na którym wydobywa się ropę) oil country [masz.]

pole powierzchni area [abc]

pole powierzchni odbłyskowej reflecting surface [el.]

pole promieniowania far field [telkom.]

pole przekroju poprzecznego cross sectional area [energ.]

pole rastrowe measuring area [transp.]

pole robocze working-area [górn.]

pole sortowania sorting field [inf.]

pole tolerancji field of tolerance [abc]

pole wybierakowe mining field [górn.]

pole wyboru choice box (-boxes) [inf.]

polecenie command [inf.]; disposition, planning; guidance [abc]; government order [polit.]

polecenie odjazdu order to proceed [mot.]

polepszać upgrade [abc]

polepszone możliwości produkcji improved manufacturing opportunities [masz.]

polerować polish [abc]

polerowany polished [abc]

polewaczka z wężem watering can with hose [abc]

polewać z węża hose (Hose down that car) [masz.]

poliamid polyamide [tw.]

policja police [abc]

policja kolejowa railway police [mot.]

policja lotniskowa airport security [abc]

policjant drogowy traffic policeman [mot.]

policyjny numer rejestracyjny license plate [mot.]

policzek cheek [med.]

poliester polyester [tw.]

polietylen polyethylene, PE [tw.]

polipropylen polypropylene [tw.]

polisa policy [praw.]

polisa odpisowa expiration policy [praw.]

polisa ubezpieczeniowa insurance policy [prawn.]

polityka politics [polit.]

polityka jakościowa quality policy [ekon.]

polityka przedsiębiorstwa company policy [ekon.]

P

poliuretan polyurethane (*makes fabrics airproof*) [mot.]

poliwinyl polyvinyl [tw.]

poluzować loosen [abc]

poluzowany loosened (*bolt*) [masz.]

poławiacz min mine sweeper [mot.]

połączenie connection, connector [tw.]; communication [telkom.]; circuit; union; contact [el.]; link (*in semantic nets*); binder [inf.]; union; inter-weaving (*of 2 systems*) [masz.]; linkage [abc]; link; union; coupling; fastening [mot.]

połączenie guma metal rubber-bonded-to-metal component, rubber-metal bond [masz.]

połączenie gumowe rubber coupling [masz.]

połączenie kolejowe railway siding (GB) [mot.]

połączenie nitowe rivet joint [masz.]

połączenie obrotowe rolkowe roller bearing slewing ring [masz.]; swing rack (US) [transp.]

połączenie reduktorowe reducer connector [mot.]

połączenie rozłączne releasable connection [masz.]

połączenie bagnetowe bayonet catch (GB); quarter-turn fastener (US) [masz.]

połączenie dekadowe decade connection [el.]

połączenie do zmiany kierunku wirowania silnika single lever automatic control for both, speed and direction [mot.]

połączenie dociskowe frictional connection [masz.]

połączenie elastyczne slip joint [masz.]

połączenie fraz przyimkowych prepositional phrase attachment [inf.]

połączenie gwintowe thread joint, bolted connection, socket (*screw connection*) [masz.]

połączenie gwintowe przegubowe swinging screw connection, swing fixture (*in drawings*) [masz.]

połączenie gwintowe spawane welded screw-coupling [met.]

połączenie gwintowe zaworu wylotowego exhaust valve cap [mot.]

połączenie gwintowe zaworu wydechowego exhaust valve cap [mot.]

połączenie instalacji przelewowej oleju overflow oil line connection [mot.]

połączenie kablowe cable fitting [el.]

połączenie klinowe keyed joint [masz.]

połączenie kołnierzowe flange joint, flanged joint, flange union, flanged connection [mot.]

połączenie kołnierzowe kute integrally forged flange [masz.]

połączenie kołnierzowe przylane integrally cast flange [masz.]

połączenie krańcowe extreme limit switch [transp.]

połączenie lutowane soldered connection [met.]

połączenie łańcuchowe cascade connection [mot.]

połączenie międzymiastowe automatyczne trunk call [telkom.]

połączenie nakładkowe shackle joint [mot.]

połączenie oboczne common switching [transp.]

połączenie obrotowe slewing ring, slewing ring connection; circle swing assembly (US); multiport swivel, swivel [mot.]; rotary oil distributor (*excavator*); rotary connection (*not used*); rotary turret (*not used*); centre post (*obsolete*); swing rack [transp.]

połączenie obrotowe chwytaka grab swivel [transp.]

połączenie obrotowe kulowe slewing ring (*supp-, nose-, retain ring*) [masz.]

połączenie obrotowe kulowe dwurzędowe two-path ball-bearing slewing ring, two-race ball-bearing slewing ring [masz.]

połączenie obrotowe wielorzędowe ball-bearing slew <ing> ring, multi-row ball-bearing slew <ing>ring [transp.]

połączenie obrotowo-kulkowe dwurzędowe double row ball-bearing slewing ring, two row ball-bearing slewing ring [transp.]

połączenie pętlowe loop connection [bud.]

połączenie podwozie-wózek connection undercarriage-bogie [mot.]

połączenie poprzeczne cross link [tw.]

połączenie prostopadłe ścian cross-wall junction [bud.]

połączenie przegubowe cylinder hookup (*GB: pivot point*) [transp.]; knuckle joint [masz.]

połączenie przegubowe łyżki bucket hinge (*pin*) [transp.]

połączenie przegubowe łyżki koparki bucket hinge (*pin*) [transp.]

połączenie przegubowe ramy frame articulation [mot.]

połączenie przesuwne slip joint [masz.]

połączenie przez zawinięcie obrzeża flare type fitting [mot.]

połączenie przyczepy tow coupling; trailer coupling [mot.]

połączenie równoległe parallel switching [el.]

połączenie rurowe walcowane expanded tube joint [energ.]

połączenie sieciowe mains outlet [el.]

połączenie skurczowe slip joint [masz.]

połączenie spawane welded joint,

welded connection, weld (*short for welding seam*) [met.]

połączenie spawane na U U-profile butt weld [met.]

połączenie spawne wielowarstwowe multi-pass weld, multi-pass welding, multi-run welding [met.]

połączenie stałe permanent connection; slide-proof connection (*can't slide*) [masz.]

połączenie stykowe bounce (*sudden impact*); fish-plate connection [mot.]

połączenie suche dry-disc joint [mot.]

połączenie sworzniowe knuckle joint; toggle joint [masz.]

połączenie szeregowe series connection [mot.]; arrangement in series [rys.]

połączenie szeregowe czwórników series connection of two-ports [el.]

połączenie śrubowe screwing, screw connection (*socket*), bolted connection [masz.]

połączenie śrubowe luźne bolted connection loose [masz.]

połączenie śrubowe przekręcone bolted connection overwound [masz.]

połączenie śrubowe teowe T-fitting [masz.]

połączenie śrubowe zerwane bolted connection broken [masz.]

połączenie teowe T-joint [met.]

połączenie trójkąt-gwiazda star-delta connection [el.]

połączenie wieloklinowe multi-spline joint [masz.]

połączenie wielowypustowe multi-spline joint [masz.]

połączenie wlotowe input connection (*thread*) [mot.]

połączenie wtykowe plug and socket connection, plug-in connection [el.]

P

połączenie z przewodem ciśnie-niowym głównym end main pressure inlet [mot.]

połączenie zamienione connection interchanged [el.]

połączenie zgrzewne seams (*free from any discontinuities*); weld (*short for welding seam*), weld seam, welding seam [met.]

połączony linked [abc]; attached [transp.]

połączony kołnierzem flanged, flange connected, flange-mounted [met.]

połączony równolegle parallel connected, common way of switching [transp.]

połączony spawem welded joint [met.]

połączony szeregowo in-line switching, in-line, series connected [el.]

połączony śrubami bolt-on [met.]

połowa half [abc]

połowa kąta grubości zęba tooth thickness half angle [masz.]

połowa listwy uszczelniającej half sealing strip [masz.]

połowa układu sprzęgła coupling half [mot.]

połowiczny half [abc]

położenie position; location [abc]; setting [masz.]

położenie centralne central position [abc]

położenie dźwigni leverage ratio [fiz.]; relationship of the levers [masz.]

położenie haka hook position [transp.]

położenie hamulca ręcznego hand brake position [mot.]

położenie kamienia węgielnego laying of the foundation stone [bud.]

położenie kontrolne control position [mot.]

położenie krańcowe end position, final position [abc]; end of stroke [mot.]; final position (*end position*) [masz.]

położenie krańcowe dźwigni extreme-in position of a lever [mot.]

położenie montażowe position for installation [abc]

położenie nastawnika jazdy circuit stage [el.]

położenie neutralne zaworu z za-blokowanym przepływem blocked center of valve spool [mot.]

położenie nominalne nominal situation [rys.]

położenie normalne normal aspect [mot.]

położenie obojętne neutral position, zero position [mot.]

położenie określone location reporting (*shelf, store, etc.*) [abc]

położenie operatora operator position (*canvas roof*) [mot.]

położenie osiowe axial location [rys.]

położenie podbierakowe crowd-back position (*on ground*) [transp.]

położenie podolne downhand (*flat or vertically down*) [met.]

położenie podstawy drogi laying of the road base [transp.]

położenie pośrednie zero position [energ.]; interim position [mot.]

położenie przeciwodblaskowe lusterka wstecznego anti-dazzle position, anti-glare position, dimmed position [mot.]

położenie radlicy mouldboard position [transp.]

położenie robocze operating position, working position [mot.]

położenie spoczynkowe home position, resting position [masz.]

położenie sprężyny mocującej clip and pin arrangement [mot.]

położenie sprężyny wspornika clip and pin arrangement [mot.]

położenie stępki laying down (*start of ship building*) [mot.]

położenie środkowe dead centre position [mot.]

położenie środkowe zamknięte closed dead-centre position [mot.]

położenie transportowe travelling position [masz.]

położenie ukośne tilt angle (*of the engine*) [masz.]

położenie ukośne silnika engine tilt angle [mot.]

położenie wyjściowe dźwigni extreme-out position of a lever [mot.]

położenie wysięgnika boom position [transp.]

położenie zerowe O-position („*zero-position*") [abc]; neutral position, initial position; reset position [energ.]

położna midwife [abc]

położony nad rzeką riverine (*on or near banks of river*) [abc]

połówka half [abc]

południe south [abc]

połysk glaze [met.]

pomagać help (*aid, assist, give a hand*) [abc]

pomarańcz czerwony red orange [norm.]

pomarańcz fluoryzujący luminous orange [norm.]

pomarańcz jasny fluoryzujący luminous bright orange, luminous light orange [norm.]

pomarańcza żółta yellow orange [norm.]

pomarańczowy orange (*orange-coloured*) [abc]

pomarańczowy jasnoczerwony bright red orange [norm.]

pomarańczowy pastelowy pastel orange [norm.]

pomiar measurement; measuring [abc]; gauging [miern.]; survey, surveying [bud.]

pomiar ciągły continuous measurement [miern.]

pomiar dewiacji travel measuring (*travel measuring gauge*) [masz.]

pomiar długości chaining [miern.]

pomiar grubości thickness measurement [miern.]

pomiar grubości strefy zahartowanej measurement of case depth [miern.]

pomiar grubości ścianki measuring of wall thickness, wall thickness gauging, wall thickness measurement [miern.]

pomiar grubości warstwy coat thickness measuring (*of paint*) [miern.]

pomiar hałasu na zewnątrz outside noise test [mot.]

pomiar ilości przepływu flowmetering [mot.]

pomiar napięcia voltage measuring, tension measuring [miern.]

pomiar osłabienia measurement of attenuation [el.]

pomiar poziomu fluid level measurement [abc]

pomiar sieciowy measurement in chequerboard fashion, measurement traverse [energ.]

pomiar sieciowy temperatury temperature traverse [energ.]

pomiar spiętrzenia flow traverse (*Pilot flow traverse*) [energ.]

pomiar sprężyny spring measurement [transp.]

pomiar temperatury temperature measurement [miern.]

pomiar tłumienia measurement of attenuation [el.]

pomiar twardości hardness test (*later Rockwell, Vickers*) [masz.]

pomiar wielkości błędu flaw size measurement [miern.]

pomiar właściwy proper measurement [miern.]

P

pomiarowa grubość zęba (*mierzona wzdłuż cięciwy koła pomiarowego*) chordal tooth thickness (*on pitch*) [tw.]

pomieszczenia quarters [abc]

pomieszczenie room [bud.]

pomieszczenie biurowe business room [ekon.]

pomieszczenie magazynowe store, storeroom [abc]

pomieszczenie młyna mill room [abc]

pomieszczenie rozdzielni switch room [transp.]

pomieszczenie silnikowe motor compartment [mot.]

pomieszczenie warsztatowe inspection bay [abc]

pomiędzy between [abc]

pomnażać augment [abc]

pomniejszać decrease; diminish [abc]

pomniejszony reduced [abc]

pomnik monument [abc]

pomnikowy monumental [abc]

pomoc help; aid; assistance [abc]

pomocnicza pompa paliwowa auxiliary fuel pump [mot.]

pomocnicze sterowanie ciśnieniowe auxiliary remote pressure control [masz.]

pomocnicze urządzenie rozruchowe eterowe ether starting aid [mot.]

pomocniczy auxiliary [abc]

pomocniczy obwód elektryczny auxiliary circuit [el.]

pomocniczy obwód prądowy auxiliary circuit [el.]

pomocniczy przewoźnik kolejowy carrier [mot.]

pomocniczy wałek odbioru mocy auxiliary shaft [masz.]

pomost floor, gallery, walkway [energ.]; platform; catwalk [mot.]; survey, surveying [bud.]

pomost czołowy shunter's step [mot.]

pomost do lądowania landing bridge [mot.]

pomost kratowy steel grid road [mot.]

pomost lokomotywy footplate [mot.]

pomost maszyny machinery platform [masz.]

pomost podnoszący lifting platform, rising platform [mot.]

pomost roboczy catwalk (*older: running board*) [transp.]; working platform, work platform, servicing platform [mot.]

pomost roboczy palacza boiler room floor level, firing floor, operating floor[energ.]

pomost wiertniczy drilling rig [mot.]

pomost wiertniczy na pełnym morzu elevating platform [mot.]

pomost wyładowczy draw floor, drawing floor [górn.]

pomost załadunkowy load deck [mot.]

pompa pump [abc]

pompa bezkorbowa free piston pump [masz.]

pompa bliźniacza double pump, dual pump [masz.]

pompa do smarowania pod ciśnieniem lube oil pump [masz.]

pompa doprowadzania paliwa fuel feed pump [mot.]

pompa dozująca dosing pump, proportioning pump [energ.]

pompa głębinowa submersible pump [masz.]

pompa główna main pump (*excavate with separate swing pump*) [transp.]

pompa hamulcowa main brake cylinder, air master (US) [mot.]

pompa helikoidalna screw pump [energ.]

pompa hydrauliczna hydraulic pump [masz.]

pompa hydrauliczna wspomaga-

jąca sterowanie steering booster pump [masz.]

pompa kotłowa boiler feed pump [energ.]

pompa łopatkowa fly pump; vane pump [mot.]

pompa łopatkowa dwukomorowa tandem sectioned vane-type pump [masz.]

pompa membranowa diaphragm pump, membrane pump, diaphragm-type pump [energ.]

pompa nastawna variable displacement pump, variable pump [mot.]

pompa nożna foot-operated pump [mot.]

pompa o stałym natężeniu przepływu constant displacement pump [mot.]

pompa o zmiennej przepustowości variable capacity pump, regulating pump [mot.]

pompa obiegowa circulation pump, circulating pump, recirculating pump [mot.]

pompa odpopielająca ash pump [energ.]

pompa odśrodkowa centrifugal pump [energ.]

pompa odwadniająca drainage pump [masz.]

pompa olejowa oil pump, lubricating-oil pump, oil pressure pump [masz.]

pompa olejowa silnika lubricating oil pump [mot.]

pompa olejowa zasilająca oil feed pump [mot.]

pompa paliwowa fuel pump [mot.]

pompa paliwowa główna main fuel pump [mot.]

pompa paliwowa tłocząca fuel transfer pump [mot.]

pompa paliwowa zasilająca engine fuel transfer pump [mot.]

pompa pilotowa pilot pump [mot.]

pompa podnośnika hydraulicznego hydraulic jack pump [mot.]

pompa pogłębiarki underwater dredge pump [mot.]

pompa powietrzna air compressor, compressor [narz.]

pompa pożarnicza fire pump [mot.]

pompa próżniowa vacuum pump [mot.]

pompa przedmuchująca scavenge pump [mot.]

pompa przemysłowa industrial pump [masz.]

pompa przepłukująca scavenge pump [mot.]

pompa przepłukująca wsteczna scavenge pump [masz.]

pompa przeponowa diaphragm pump, membrane pump, diaphragm-type pump [energ.]

pompa przyśpieszająca accelerating pump [mot.]

pompa regulacyjna regulating pump, variable capacity pump [mot.]

pompa rezerwowa standby pump [masz.]

pompa ręczna hand pump [mot.]

pompa robocza main pump [transp.]

pompa rotacyjna rotary pump, drum pump (*for central lubrication*) [transp.]

pompa rozruchowa starter pilot [mot.]

pompa samosterująca self-regulating pump [mot.]

pompa skroplinowa condensate pump [energ.]

pompa skrzydełkowa vane pump [mot.]

pompa smarowa lube oil pump [masz.]

pompa smarowa silnika lubricating oil pump [mot.]

pompa smarownicza lube oil pump [masz.]

P

pompa ssąca   842

pompa ssąca suction pump (*on escalator gear box*) [transp.]
pompa ssąca nasadzana bearing lubricator (*for long escalator*) [transp.]
pompa statyczna static pump [mot.]
pompa sterownicza steering pump [mot.]
pompa sterująca variable displacement pump, variable pump [mot.]
pompa sterująca posuwem feed control pump [mot.]
pompa strumieniowa jet pump [masz.]
pompa strumieniowa parowa steam pump [mot.]
pompa śrubowa screw pump [energ.]
pompa tandemowa tandem pump [transp.]
pompa tłocząca delivery pump, transfer pump [mot.]
pompa tłoczkowa z tarczą napędową o ruchu precesyjnym swashplate pump [transp.]
pompa tłokowa piston pump [mot.]
pompa typu dyfuzorowego diffuser type pump [mot.]
pompa wielotłoczkowa osiowa (*o osiach skośnych*) axial piston pump (*bent axis design*) [masz.]
pompa wielotłoczkowa regulacyjna osiowa axial piston regulating pump [transp.]
pompa wielotłokowa promieniowa radial piston pump [masz.]
pompa wirnikowa centrifugal pump [energ.]
pompa wirnikowa (odśrodkowa) pogłębiarki centrifugal dredge pump [transp.]
pompa wirowa rotary pump [masz.]
pompa wodna water pump [mot.]
pompa wody chłodzącej cooling water pump [mot.]
pompa wody nieuzdatnionej raw water pump [energ.]

pompa wspomagająca booster pump [mot.]
pompa wspomagająca układ kierowniczy steering booster pump [mot.]
pompa wspomagania układu kierowniczego steering booster pump [mot.]
pompa wtryskowa injection pump, priming pump [mot.]
pompa wtryskowa dwutłokowa twin plunger injection system [masz.]
pompa wychylna swing pump (*closed-loop swing -circuit*) [transp.]
pompa wyporowa hydraulic pump [masz.]
pompa wyporowa stała fixed displacement pump [mot.]
pompa zasilająca charge pump, feed pump [mot.]
pompa zasilająca kocioł boiler feed pump [energ.]
pompa zastrzykowa primer, priming pump [mot.]
pompa zestawu kołowego wheel set pump [mot.]
pompa zębata gear pump, geartype pump (*geared pump*) [mot.]
pompa zęzowa bilge pump [mot.]
pompka zastrzykowa ręczna hand primer [mot.]
pompować pump [abc]
pompować zęzę pump the bilge [mot.]
pompownia pump station, pumpbay [abc]
pompownia pływająca floating booster pump station [mot.]
pomylony mistaken [abc]
pomyłka error [abc]
pomysł thought (*idea, notion*) [abc]
pomyślany conceived, developed, invented, thought up [abc]
pomywalnia galley [abc]
ponacinany scored [masz.]
ponad krawędź zewnętrzną łyżki

over outside bucket corner (*loader*) [mot.]

ponad przeciętną above average [mat.]

ponadprzeciętny above average [abc]

ponadto moreover (*outside of that*) [abc]

poniechać sacrifice [abc]

poniżej below, under [abc]

poniżej przeciętnej below average [abc]

poniżej punktu rosy below the dew-point [aero.]

poniżej właściwego wymiaru undersized [transp.]

ponowne użycie oprogramowania software reuse [inf.]

ponowne zasilenie paleniska popiołem lotnym fly ash refiring [energ.]

ponton pontoon [mot.]

ponury obscure [abc]

pończocha sock, stocking [abc]

pończocha kablowa cable basket [transp.]

popchnąć shove (*push*) [mot.]

popełniać commit [polit.]

popękany fissured [górn.]

popiel wiewiórki syberyjskiej squirrel gray [norm.]

popielniczka ashtray [abc]

popielnik ashpan [energ.]

popierać back [polit.]; facilitate [abc]

popierając backing [abc]

popiół ash [energ.]

popiół lotny fines, fly ash [energ.]

popiół lotny gruboziarnisty grit [energ.]

popiół siarczanowy sulphate ash [chem.]

popłoch stampede [abc]

popołudnie afternoon [abc]

poprawa jakości quality improvement [ekon.]

poprawiać correct (*remove mistakes*) [abc]

poprawka modification [transp.]; alteration [praw.]

poprawka na wystający słupek rtęci emergent stem correction [miern.]

poprawka nr change no. [rys.]

poprawność correctness [abc]; correctness [inf.]

poprawny accurate; correct [abc]

poprzeczka crossbar; transverse girder, transverse spar [tw.]

poprzeczka osi axle arch [masz.]

poprzeczka zaworu valve cross head [mot.]

poprzeczka zaworu powietrznego dętki inner tube valve fitting [mot.]

poprzecznica cross tie, crossbar [mot.]; equalizer bar [masz.]; bolster; traverse, transverse girder, transverse spar; transom; H-frame; centre part [transp.]; cross member [tw.]

poprzecznica czołowa spreader bar [mot.]

poprzecznica rurowa tubular cross member [masz.]

poprzecznie cross [tw.]; (*w poprzek*) crosswise [abc]

poprzeczny transverse (*transverse running*); lateral [mot.]; diagonal [abc]

poprzedni previous [abc]

poprzednik predecessor [abc]

poprzedzający previous [abc]

popularny popular [abc]

popychacz push rod; push tube; sliding tappet, tappet; lifter (*cam disk*) [mot.]; cam follower, follower [tw.]

popychacz buforowy bez talerza zderzakowego plunger [mot.]

popychacz buforowy z talerzem zderzakowym buffer head [mot.]

popychacz (grzybka) zaworu valve follower, valve lifter, valve plunger, valve push rod, valve tappet [mot.]

P

popychacz krążkowy back-up roller, friction roller[masz.]

popychacz pompy paliwowej fuel pump tappet [mot.]

popychacz rolkowy roller tappet [masz.]

popychacz talerzykowy mushroom tappet [mot.]

popychacz wyciskowy push rod [mot.]

popychacz zaworowy valve follower, valve lifter, valve plunger, valve push rod, valve tappet; push rod valve; cam follower; plunger (*pushing piston*) [mot.]

popychać push (*push a pram, a wheelbarrow*) [abc]

por pore [masz.]

pora deszczowa rainy season [meteo.]

pora monsunowa rainy season [meteo.]

pora siewu seed time, sowing season [bot.]

pora zasiewów seed time, sowing season [bot.]

porada advice; consultation [abc]

poradnia dispensary [med.]

poradnik techniczny technical handbook [masz.]

poranna zmiana morning shift [abc]

porcelana porcelain [abc]

poręcz rail; rag, balustrade [abc]; railing; balustrade [bud.]; balustrade; handrail [transp.]

poręcz chodnika footway railing [bud.]

poręcz drogowa guide rail [mot.]

poręcz kabiny operatora operator position hoop [mot.]

poręcz klinowa cotter handrail [transp.]

poręcz krzesła arm rest [abc]

poręcz kwadratowa sqare handrail [transp.]

poręcz okrągła round handrail [masz.]

poręcz okrągłego słupka balustrady round newel handrail [transp.]

poręcz zabezpieczająca guard rail [bud.]; protective safety handrail [transp.]

poręczenie bond [prawn.]; warranty [abc]

poręczny manageable [abc]

poręka warranty [abc]

porfir porphyry [bud.]

porowatość porosity (*uniformly scattered*) [met.]

porowatość równomiernie rozproszona uniformly scattered porosity [met.]

porowaty porous [met.]

porozumienie covenant; understanding [abc]

porozumienie odrębne special agreement [abc]

porozumienie wewnątrzzakładowe shop agreement, single plant bargaining [ekon.]

porównanie wielkość zmierzonej z zadaną set-actual comparison [abc]

porównywać compare (*with, to*) [abc]

porównywalny comparable (*to*) [abc]

porównywanie matching [inf.]

porównywanie w sieciach semantycznych matching in semantic nets [inf.]

porównywanie w widoku stereoskopowym matching in stereo vision [inf.]

port harbour; port [mot.]

port docelowy port of destination [mot.]

port lotniczy airport [mot.]

port lotniczy handlowy commercial airport [mot.]

port przeznaczenia port of destination [mot.]

port wolnocłowy free port [mot.]

port zaokrętowania port of embarkation [mot.]

portal portal [bud.]
portal usztywniający stiffening portal [transp.]
portier doorman; bouncer [abc]
portowe urządzenie przeładunkowe port handling plant [mot.]
poruszać (*się*) move [mot.]
porywanie soli salt carry-over [energ.]
porywanie wody moisture carryover [energ.]
porządkować categorize; range [abc]
porządny neat [abc]
porzucać abandon [mot.]
posada próbna test workstation [abc]
poseł envoy [polit.]
posesja premises [abc]
posępny obscure [abc]
posiadacz koncesji license holder [praw.]
posiadanie keeping [abc]
posiedzenie session, meeting [praw.]
posiedzenie rady council meeting [polit.]
posłaniec pocztowy mailman [polit.]
posługiwać się (*czymś*) handle [abc]
posmarowany glue-brushed [met.]
posobnik opornościowy drop resistance, protective resistor [el.]
pospolity common [abc]
pospółka gravel/sand granulate [górn.]
posrebrzony silver-plated [abc]
postać błędu shape of flaw [masz.]
postarzały aged [bud.]
postawa attitude [abc]
poster poster [abc]
posterunek sentinel [wojsk.]
postęp progress [transp.]
postęp w przebiegu budowy construction progress [bud.]
postęp wiercenia progress of drilling [bud.]
postępować proceed [abc]
postępowanie procedure; behaviour [abc]; philosophy [inf.]

postępowanie według wzoru following this pattern [abc]
postępowo-zwrotny reciprocating [abc]
postępowy progressive [abc]
postępując acting [abc]
postępujący progressive [abc]
postojowe demurrage (*fee for delay, e.g. of ship*) [mot.]
postój standstill (*come to a standstill*); stopping, stop-over [mot.]
postój na początku stop at the start [mot.]
postrzał shot wound [med.]
postulowana ilość sztuk towaru quantity planned [abc]
posuw feed (*fine feed*) [met.]; advance (*drive, driving*) [bud.]; crowd (*of the bucket*) [transp.]
posuw minutowy rate of advance, rate of traverse, rate of feed [masz.]
posuw próbki badanej specimen advance, specimen feed [masz.]
posuw rusztu speed of the grate [energ.]
posuw stopniowy variable feed (*feed*) [mot.]
posuw zgrubny coarse feed [transp.]
posuwno-zwrotny reciprocating [abc]
posuwowa siła skrawania crowd force (*LS on flat plane*) [transp.]
posypany gritted [mot.]
posypywać grit (*in winter*) [abc]
poszarpany rented [abc]
poszerzać widen [mot.]
poszerzenie widening (*of a road*) [mot.]
poszerzony widened [mot.]
poszukiwacz prospector [górn.]
poszukiwać scrape [masz.]
poszycie panelling [transp.]
poszycie kotła boiler casing [energ.]
poślizg slip [mot.]
poślizga paska slip of the belt [masz.]
pośpieszać expedite [abc]

P

pośrednik agent [ekon.]; broker (*insurance broker*) [prawn.]

poświadczać witness [abc]

poświadczenie zwrotu towaru return form [abc]

poświadczony documented; witnessed [abc]

poświadczony i uznany witnessed and approved [praw.]

poświata persistence [el.]

poświęcać (*się*) sacrifice (*give up, e.g. strength*) [abc]

potargać tear [abc]

potas (K) potassium (*potash*) [chem.]

potencjalne niebezpieczeństwo potential danger [abc]

potencjał potential (*tension*) [el.]

potencjometr potentiometer [el.]

potencjometr dostrojczy trimmer potentiometer [el.]

potencjometr pierścieniowy circular potentiometer [miern.]

potencjometr warstwowy coated potentiometer [el.]

potęga power [mat.]; power [polit.]

potok creek; brook [abc]

potok materiału flow of material, material flow [abc]

potok przewozów traffic flow [mot.]

potok ruchu traffic flow [mot.]

potomek descendant [inf.]

potrajać triple [abc]

potrojony tripled [abc]

potrójny triple [abc]

potrzask catching loop [transp.]; trap [abc]

potrzeba need, want [abc]

potrzebny necessary [abc]

potrzebować need, require [abc]

potwierdzać certify, confirm, verify; witness [abc]

potwierdzenie confirmation data [inf.]

potwierdzony witnessed [abc]

pouczający indicative [abc]

pouczenie briefing; code of practice [abc]

poufne classified, secret, confidential [abc]

poważanie reputation, authority [abc]

poważne obciążenie severe stress [abc]

poważny serious [abc]

powiat county [abc]

powiązanie connection [abc]

powielacz multiplier [transp.]

powielacz częstotliwości frequency multiplier [el.]

powierzać entrust with [abc]

powierzchnia surface [abc]

powierzchnia blachy top face of the plate [masz.]

powierzchnia boczna odkładnicy sideplate of the mouldboard [transp.]

powierzchnia boczna pierścienia annulus [mot.]

powierzchnia boczna tłoka piston side [mot.]

powierzchnia boczna wstępująca rising flank [met.]

powierzchnia boczna zęba tooth flank, tooth profile, tooth side [masz.]

powierzchnia brzegowa boundary surface [inf.]

powierzchnia całkowita total area [abc]

powierzchnia chłodząca cooling surface [tw.]

powierzchnia chodnika walking surface (*for pedestrians*) [bud.]

powierzchnia cięcia surface of delimination [masz.]

powierzchnia czołowa face (*seldom: face side*); end (*narrower front part of wagon*) [abc]; spot face [masz.]

powierzchnia czołowa łożyska bearing face (*meshing gear-flanges*) [rys.]

powierzchnia czołowa naturalna natural face, virgin face [górn.]

powierzchnia czołowa tłoka ring-face of piston; rod side (*of piston*) [masz.]

powierzchnia dna wrębów (*w kole zębatym*) tooth root surface [masz.]

powierzchnia dopasowana fitting surface, mating surface [masz.]

powierzchnia falowa wave surface [el.]

powierzchnia gliniasta clay surface [abc]

powierzchnia górna upper surface [abc]

powierzchnia gruntu ground area [górn.]; area [gleb.]

powierzchnia grzejna heating surface [energ.]

powierzchnia grzejna odparowującego podgrzewacza wody pre-evaporator heating surface [energ.]

powierzchnia grzejna podgrzewacza powietrza air heater heating surface [energ.]

powierzchnia grzejna zwilżana wodą water-wetted heating surface [energ.]

powierzchnia klejona glued surface [abc]

powierzchnia lambertiańska lambertian surfaces [inf.]

powierzchnia ładunkowa (*wagonu*) load deck surface; loading platform [mot.]

powierzchnia łączenia connecting surface [tw.]

powierzchnia łukowa curved surface [tw.]

powierzchnia nacisku bearing area [fiz.]

powierzchnia napinania surface for tightening, tightening surface [masz.]

powierzchnia naprężania tightening surface [masz.]

powierzchnia nośna bearing area [masz.]

powierzchnia nośna łożyska bearing surface [transp.]; bieżnia łożyska tocznego [mot.]

powierzchnia obrabiania working-area [górn.]

powierzchnia obrobiona machined area [masz.]

powierzchnia odbicia reflection face [opt.]

powierzchnia odbłyskowa reflecting surface [el.]

powierzchnia odniesienia reference surface [masz.]

powierzchnia odparowania water/steam separation surface [energ.]

powierzchnia ogrzewalna heating surface [energ.]

powierzchnia ogrzewalna komory paleniskowej furnace heating surface [energ.]

powierzchnia ogrzewalna konwekcyjna convection heating surface [energ.]

powierzchnia ogrzewalna kotła boiler heating surface [energ.]

powierzchnia ogrzewalna opromieniowana furnace heating surface [energ.]

powierzchnia ogrzewana przegrzewacza superheater heating surface [energ.]

powierzchnia osadzenia connecting surface [tw.]

powierzchnia osadzenia pierścieni łożyskowych bearing surface for races [masz.]

powierzchnia pęknięcia fracture face [tw.]

powierzchnia płaska plane surface [bud.]

powierzchnia płyty grzebieniowej comb plate finish [transp.]

P

powierzchnia pochłaniająca ciepło heat absorbing surface [energ.]

powierzchnia pod zabudowę stalową steel building area [masz.]

powierzchnia podłoża grade [bud.]; track level [mot.]

powierzchnia podstaw zębów (*koła zębatego*) tooth root surface [masz.]

powierzchnia podstawowa base surface, floor area [abc]; basal surface [rys.]

powierzchnia podziału matrycy part groove [met.]

powierzchnia pomiarowa measuring area [transp.]

powierzchnia pomostu załadunkowego load deck surface [mot.]

powierzchnia produkcyjna production area, production surface [transp.]

powierzchnia prowadząca tłoka piston side, piston area [mot.]

powierzchnia przełomu surface of failure [masz.]

powierzchnia przylegania connecting surface [tw.]

powierzchnia przylegania współpracujących części surface of separation-interface [masz.]

powierzchnia przyłączeniowa nakładki track pad connecting area [transp.]

powierzchnia przyłożenia nakrętki nut engaging surface [masz.]

powierzchnia reklamowa billboard (*house wall, large board*) [abc]

powierzchnia rowkowana grooved flat [masz.]

powierzchnia rusztu grate area [energ.]

powierzchnia spływu water catchment area, catchment area, catchment basin [meteo.]

powierzchnia steru control plate [tw.]

powierzchnia stopnia tread plate [transp.]

powierzchnia stykowa contact surface, connecting surface [tw.]

powierzchnia stykowa promiennika contact face of radiator [fiz.]

powierzchnia ścieralna abrasion surface [mot.]

powierzchnia ślizgowa sliding surface [masz.]

powierzchnia tarcia friction surface, rubbing surface, striking surface [abc]

powierzchnia terenu ground surface [geol.]

powierzchnia toczna running surface [mot.]

powierzchnia toczna szyny rail surface, railface, toprail (*wheels run here*) [mot.]

powierzchnia toroidalna ring side (*piston rod side*) [masz.]

powierzchnia urabiania borrowing area [bud.]

powierzchnia ustalająca reference surface [masz.]

powierzchnia uszczelniająca sealing face, sealing surface, packing surface [masz.]

powierzchnia uszczelnienia sealing face, sealing surface, packing surface [masz.]

powierzchnia uszczelnienia chroniona taśmą lepką seal area protected by adhesive tape [masz.]

powierzchnia wewnętrzna rury inside surface of pipe [masz.]

powierzchnia wielopostaciowa multiform surface [abc]

powierzchnia zimna skuteczna effective cold heating surface [energ.]

powierzchniowy flat [met.]

powierzchniowy zapis dźwięku (*metodą optyczną*) peak recording [miern.]

powierzchowny smattering [abc]

powietrze air [aero.]; (*kopalniane*) air (*constant ventilation needed*) [górn.]

powietrze do silnika air to engine [mot.]

powietrze dolne primary air [aero.]

powietrze górne over-fire air, over-grate air; secondary air [energ.]

powietrze odlotowe used air (*used up air*) [aero.]

powietrze pierwotne primary air, carrying air [aero.]

powietrze pierwsze carrying air, primary air [energ.]

powietrze rozpylane atomized air [aero.]

powietrze sprężone compressed air [aero.]

powietrze sterujące control air [mot.]

powietrze szkodliwe air infiltration [energ.]

powietrze uzupełniające supplementary air [energ.]

powietrze wtórne secondary air, over-fire air [energ.]

powietrze zapylone fuel-laden air [energ.]

powietrze zużyte used air (*used up air*) [aero.]

powietrzny airborne [aero.]; pneumatic [mot.]

powietrzny układ hamulcowy z jednoprzewodowym przyłączeniem przyczepy single pipe brake [mot.]

powiększać enlarge; expand; augment [abc]

powiększenie enlargement [energ.]; broadening [bud.]

powiększony enlarged, zwiększony; (*o*) increased (*by*) [abc]

powleczony glue-brushed [met.]

powleczony jedno- lub obustronnie tworzywem sztucznym plastic-laminated on one or both sides [met.]

powleczony tworzywem sztucznym plastic coated, plastic laminated [met.]

powlekać coat (*short for: zinc-coat*) [tw.]; galvanize [met.]

powlekać metalami metal spray [met.]

powlekanie coating [met.]

powlekany polietylenem polyethylene-coated [met.]

powlekany proszkowo powder-coated [met.]

powlekarka coating line [tw.]

powlekarka płyt nośnych coating line for particle boards [tw.]

powłoka (*np. malarska*) coating; coat; contour [tw.]; envelope [abc]; hull [mot.]; thimble [masz.]

powłoka cynkowa zinc coating, coating of zinc [tw.]

powłoka czołowa connecting surface [tw.]

powłoka eloksalowana anodized coating [masz.]

powłoka foliowa foil coating [met.]

powłoka galwaniczna galvanic plating [met.]

powłoka gruntowa prime, priming coat [norm.]

powłoka kabla cable sheath [el.]

powłoka kapsułki guide housing [mot.]

powłoka kryjąca finishing coat, finish [transp.]

powłoka kryjąca płytę podłogową skirting coating [masz.]

powłoka lakiernicza piecowa stove enamalling [mot.]

powłoka lakiernicza wewnętrzna inside coating [mot.]

powłoka lakierowa paint finish [abc]; livery (*paint finish vehicles*) [mot.]

powłoka malarska coat of paint,

P

paint coating, paint finish, paint, painting [tw.]; colour coating [bud.]; livery (*from livery stables*) [mot.]

powłoka malarska farby wapiennej limewash paint coat [norm.]

powłoka malarska kwasoodporna acid-proof coating [masz.]

powłoka malarska przeciwogniowa intumescent paint [met.]

powłoka malarska szlamowa slurry paint coat [norm.]

powłoka nawierzchniowa top coat (*finishing coat*) [bud.]

powłoka ochronna protective coating [energ.]; protection layer; protective face; protection cover (*guards piston rod*) [masz.]

powłoka ołowiana lead coating [masz.]

powłoka półmetaliczna semi-metallic facing [masz.]

powłoka specjalna special cover [transp.]

powłoka wykończeniowa finish coat [transp.]

powłoka z siatki metalowej rozciąganej expanded metal walkway [energ.]

powłoka z tworzywa sztucznego plastic coating [met.]

powłoka ze stali szlachetnej stainless steel coating [tw.]

powłoki malarskie dzielone individual colour coat painting [mot.]

powodować cause; allow; initiate [abc]

powolne przesuwanie małymi skokami inching [mot.]

powolny slow [abc]

powołanie vocation [abc]

powód reason [abc]

powódź flood (*spate*) [abc]

powóz coach [mot.]

powrót return [abc]; retraction [energ.]

powrót do atmosfery re-entry [abc]

powrót do pozycji zerowej return to zero position [mot.]

powrót karetki carriage return (*arrow with hook*) [inf.]

powróz rope [masz.]; string [abc]

powstawanie piany formation of foam (*fault on oil duct*) [masz.]

powstawanie pyłu dust formation [transp.]

powstawanie skrzepu (*wilka, świni*) formation of skull [tw.]

powszechne ubezpieczenie przedsiębiorstwa od obowiązku odpowiedzialności cywilnej general liability insurance [prawn.]

powszechny common (*ordinary*); general [abc]

powszechny w regionie common to the region [abc]

powściągliwy unassuming [abc]

powtarzać repeat [abc]

powtórna obróbka wykańczająca refinishing [abc]

powtórzenie repetition [abc]

powyższy above [abc]

poza besides, beyond (*our control*) [abc]

poza drogą off the road [mot.]

poza rurami outside the tubes [masz.]

pozasądowy outside court (*outside court solution*) [prawn.]

pozaszkolny (*poza planem nauki*) extracurricular (*sports, dancing, etc.*) [abc]

pozaziemski extraterrestrial [transp.]

pozbywać się strike off (*skim off*) [abc]

pozbywać się ładunku throw off the load [abc]

poziom level; floor [górn.]; level; altitude; plane; degree; vertical rise; water gauge; water mark [abc]

poziom binarny binary stage [abc]

poziom ciśnienia akustycznego

noise <emission> level; sound pressure level [mot.]
poziom decyzyjny bliski rynkowi level of decision close to markets [abc]
poziom emisji emission level [miern.]
poziom głośności sound level [akust.]
poziom kontrolny testing level [abc]
poziom kopalniany working level; ground (*down on the ground*) [górn.]
poziom maksymalny highest position, ultimate position [abc]
poziom morza (pm) sea level (*above/below <mean> sea level*) [mot.]
poziom odniesienia reference level [bud.]
poziom oleju oil level [masz.]; oil volume [mot.]
poziom oleju filtra powietrza air cleaner oil level [aero.]
poziom oleju przekładniowego level of gear oil [transp.]
poziom paliwa (*w baku*) tank level [masz.]
poziom pamięci storage stage [inf.]
poziom rejestracji register stage [abc]
poziom szafy rozdzielczej instrument cabinet level [el.]
poziom szumów noise level [mot.]
poziom szumów na miejscu operatora noise level at operator's seat [mot.]
poziom wody water level (*measure by water level gauge*) [abc]
poziom wody powodziowej flood water level [abc]
poziom wód gruntowych water table [abc]
poziom wydobywczy working level [górn.]
poziom wzorcowy reference level [bud.]

poziome oznakowanie jezdni marking (*of road*); road marking [mot.]
poziomnica level [mot.]; spirit level (GB) [miern.]; water balance [narz.]; straight edge [met.]
poziomnica wodna water balance [miern.]
poziomomierz pływakowy flush type fluid indicator [mot.]
poziomowanie pobocza levelling the shoulders [transp.]
poziomowany levelled [masz.]
poziomowskaz level gauge; level indicator [mot.]
poziomowskaz oleju fluid level indicator, oil-level indicator [mot.]
poziomowskaz oleju zdalny remote oil level indicator [energ.]
poziomowskaz pływakowy flush type fluid indicator [mot.]
poziomowskaz szklany level gauge [mot.]
poziomy horizontal [abc]
pozłocony gilt edged; gold-coated [met.]
pozostałości (resztki) substancji palnej combustible matter in residues [energ.]
pozostałość remainder, leftover, remnant, residue; residual products; rest [abc]
pozostawać stay; remain [abc]
pozwolenie na wyjazd z kraju emigration permit [polit.]
pozycja position; item [rys.]; item [abc]
pozycja centralna central position [abc]
pozycja cięcia cutting position [met.]
pozycja freza cutting position [met.]
pozycja haka hook position [transp.]
pozycja końcowa final position; end position [masz.]
pozycja krańcowa end position, end-position [transp.]

P

pozycja łopatek blading station [transp.]

pozycja łopatek wirnika turbiny blading station for turbine rotors [energ.]

pozycja montażowa installation position [mot.]

pozycja numer part number [abc]

pozycja operatora operator position [mot.]

pozycja pływająca floating position [transp.]

pozycja podolna (*spoiny*) flat position [met.]

pozycja przewodnia leading position [abc]

pozycja pusty/załadowany empty/load changeover (*wagon brake*) [mot.]

pozycja skrawania cutting position [met.]

pozycja spawania welding position, position of welding [met.]

pozycja specjalna (*partia towaru uprzywilejowana podatkowo*) tax-privileged reserve [abc]

pozycja spoiny weld position, welding pass, layer, pass, run [met.]

pozycja stała fixed position (*on machine*) [mot.]

pozycja startowa pole position [mot.]

pozycja sufitowa overhead position [met.]

pozycja ustalona fixed position [mot.]

pozycja wybrakowana reject position; defective [abc]

pozycja wyjściowa basic position; initial position (*begin of dig*) [transp.]; reset position [energ.]

pozycja wyjściowa do kopania initial digging position [transp.]

pozycja wyładowcza discharge position [mot.]

pozycja względem ziemi ground position [mot.]

pozycja zamknięcia locked position [mot.]

pozycje work items [bud.]

pozycję sporządzić w odwróceniu pełnym item to be fabricated laterally reversed [abc]

pozycjonować nesting (*for economic cutting*) [tw.]

pozycjonowanie positioning [transp.]

pozyskiwać (*energię*) trap [abc]

pozyskiwanie drewna logging [abc]

pozywać (*kogoś*) file charges against somebody [prawn.]; subpoena [polit.]

pożar fire; conflagration (*big destructive fire*); surface fire (*conflagration*) [abc]

pożar buszu brush fire [abc]

pożar lasu forest fire [bot.]

pożar tlący smouldering fire [abc]

pożarnicza instalacja sygnalizacyjna fire alarm system [polit.]

pożądany sought after [abc]

pożółkły yellowed [abc]

pożyczać borrow [abc]

pożyczka loan [abc]

pożyczkodawca lender [abc]

pożyczkodawca ostatniej szansy lender of last resort [ekon.]

pożytek utility (*effectiveness*) [abc]

pół- semi- [mot.]

półautomat semi-automatic machine [mot.]

półautomatyczny semi-automatic [mot.]

półfabrykat raw part; unmachined part (HL) [tw.]; moulded blank; seems (*semi-finished material*) [masz.]

półfabrykat metalowy semis of nonferrous metal [masz.]

półfabrykat nr blank no. [met.]

półkole semi-circle [masz.]

półkolisty semi-circular, hemispherical [abc]

północ north (*north of here*) [geogr.]

północny northern; boreal [geogr.]

półoś half-axle; cross shaft [mot.]; axle shaft [masz.]

półoś napędowa half shaft [mot.]

półoś tylnego mostu rear axle shaft [mot.]

półoś z dźwignią ręczną hand lever cross shaft [mot.]

półpneumatyczny semi-pneumatic [masz.]

półprodukt semi-finished material [masz.]

półprodukt metalowy semi-finished of non-ferrous metal [masz.]

półprodukt stalowy semi-finished steel [masz.]

półprzenośny semi-portable [masz.]

półprzewodnik semi-conductor [el.]

półprzewodnik niespolaryzowany unipolar semi-conductor [el.]

półrocznie semi annually, half-yearly [abc]

półruchomy semi-mobile [masz.]

półsprzęgło coupling half [mot.]

półstały semisolid [masz.]

półtwardy medium hard [abc]

półwęzeł half hitch [mot.]

półwyrób semi-finished material [masz.]

półwyrób metalowy semis of non-ferrous metal [masz.]

późniejszy subsequent [abc]

prąd znamionowy rated current [el.]

praca job; labour (*US: labor*); operation; work [abc]; service [masz.]

praca akordowa piecework [abc]

praca automatyczna automatic operation [abc]

praca badawcza research [abc]

praca ciągła continuous handling, continuous operation [górn.]

praca kontrolna test run, trial run; check-up time (*of a boiler*) [energ.]; classification work [abc]

praca kopalni mining operation, dredging task [górn.]; job for an excavator (*on shore*) [transp.]

praca koparki podsiębiernej backhoe work [transp.]

praca koparki zgarniakowej dragline operation [transp.]

praca kotła lub turbiny przy ciśnieniu poślizgowym pary sliding pressure operation [masz.]

praca montera fitter's work [met.]

praca na akord piecework [abc]

praca na dniówki day-work [abc]

praca na dużej wysokości high altitude operation [abc]

praca najemna hired labour (*labor*) [praw.]

praca naprawcza repair work [masz.]

praca niewolnicza slavework [abc]

praca nocna night shift (*nightwork, graveyard*) [abc]

praca nożyc shears operation [masz.]

praca pełna all-out operation (*stress test*) [masz.]

praca portu port operation [mot.]

praca próbna test run, trial run [abc]

praca przerywana intermittent operation [transp.]

praca przy niedostatecznym smarowaniu dry run (*opposition: wet run*) [mot.]

praca ręczna manual work, manual labour (*not machine-made*) [abc]

praca rozdzielacza podłużnego dozing distributing work [transp.]

praca sekwencyjna sequential operation (*sootblower*) [masz.]

praca spokojna quiet running [masz.]

praca sprężania compaction work [bud.]

praca symulacyjna simulation run [inf.]

praca uderzenia impact work [masz.]; notch impact (*notch impact work*) [miern.]

praca uwolnienia work of emission

P

(*work of emitting*); work function [el.]

praca w bloku block operation [górn.]

praca w tandemie i układzie ukrotnionym operation in tandem and/or multiple units [mot.]

praca w warunkach zimowych winter operation [energ.]

praca wyjścia work function [el.]

praca wyjścia elektronu electron affinity, work function [el.]

praca zdalnie sterowana remote controlled operation [el.]

pracobiorca employee (*labour, labour force*); workman (*<unskilled> worker, artisan*) [abc]

pracodawca employer [abc]

pracować work; operate [abc]; perform [mot.]

pracować dalej (*nie przestawać pracować*) work on [abc]

pracować na akord be on piecework [abc]

pracować na biegu jałowym run free [abc]

pracować na dniówki employed on a daily basis [abc]

pracować przy dużym natężeniu wstrząsów operate with large no. of vibrations [abc]

pracownicy work force [abc]

pracownik employee; workman (*<unskilled> worker, artisan*) [abc]

pracownik akordowy pieceworker [abc]

pracownik biurowy office worker [ekon.]

pracownik nadzorujący stacji benzynowej attendant [mot.]

pracownik obsługujący system komputerowy operator (*in computing centre*) [inf.]

pracownik produkcyjny przemysłu maszynowego mechanical engineer [masz.]

pracownik umysłowy office worker [ekon.]

pracownik użyczony borrowed workforce, temporary staff [abc]

pracownik wynagradzany wg taryfy specjalnej employees receiving payment over and above standard salary [abc]

pracujący working [abc]

pracujący niezawodnie reliably working [abc]

pracujący w przesunięciu offset working [transp.]

pragmatyczny pragmatic [abc]

pragnienie zmiany request for modification (*change*) [abc]

praktyczny handy; suitable for practical application [abc]

praktyka practise (*in practise, in the field*); doctor's office; work experience (*students trained*); work in the field (*out in the field*) [abc]

praktykant apprentice, trainee [abc]

pralnia laundry [abc]

pranie parowe steam scrubbing [energ.]

prasa press; wine press, winemaking implement; papers (*the papers*); (*np. gazety*) press media [abc]

prasa alkalizacyjna immersion tank [masz.]

prasa do belowania bale press [górn.]

prasa do prostowania straightening press [masz.]

prasa do zestawów kołowych wheel press [mot.]

prasa hydrauliczna hydraulic press [masz.]

prasa hydrauliczna odgórnego działania lub krótkoskokowa down-acting or short-stroke design hydraulic press [met.]

prasa hydrauliczna wielopłytowa hydraulic multi daylight press [narz.]

prasa hydrauliczna wieloprześwitowa hydraulic multi daylight press [narz.]

prasa hydrauliczna wielostopniowa i podwójnego działania double-acting multi-stage hydraulic cylinder [mot.]

prasa jednopłytowa single daylight press [masz.]

prasa krawędziowa folding press [narz.]

prasa kuźnicza forging press [narz.]

prasa merceryzacyjna immersion tank [masz.]

prasa nożycowa shear press [masz.]

prasa uderzeniowa do matrycowania blow folding press [met.]; matrix striking press (*book printing*) [masz.]

prasa wielopłytowa multi daylight press (*for wood, rubber*) [masz.]

prasa wieloprześwitowa multi daylight press [masz.]

prasa wulkanizacyjna vulcanizing press [narz.]

prasa wulkanizacyjna dla przemysłu gumowego vulcanize press for the rubber industry [narz.]

prasa zgniatająca śmieci Citypress (*compacting system*) [praw.]

praska smarowa gun [mot.]

praska do nakładania i ściągania kół wheel mounting and stripping presse [masz.]

prasować press [met.]; iron [abc]

prasowanie i formierstwo compression molding technology [met.]

prasowanie wtłaczane dokładne press fit [masz.]

prasowanie wypływowe extrusion [mot.]

prastare pokłady kamienne primitive <primary> rocks [min.]

prawa burta starboard (*on <the> starboard <side>*) [mot.]

prawa strona (*tkaniny*) top side [abc]

prawa strona tablicy sterowniczej R.H. side panel [el.]

prawdomówny truthfull [abc]

prawdopodobieństwo wystąpienia zjawiska probability of occurrence [mat.]

prawdziwość soundness [abc]

prawdziwy real, genuine (*genuine leather, real or genuine money*) [abc]

prawidło formula [abc]

prawidłowość validation [inf.]

prawidłowy genuine [abc]

prawie almost (*nearly, not quite*) [abc]

prawnik lawyer [prawn.]

prawny legal [prawn.]

prawo law [polit.]; right [praw.]; sentence (*in logic*) [inf.]

prawo cywilne civil law (US) [praw.]

prawo do samostanowienia informacji right of information self-determination [praw.]

prawo do urlopu granted leave [abc]

prawo dźwigni law of the lever [fiz.]

prawo i lewo r+l (*in US warranty claims*) [met.]

prawo jazdy driver's license, DL (*US: Class A, B, C, M*) [mot.]

prawo karne penal law [polit.]

prawo materialne substantive law [polit.]

prawo pracy industrial law [prawn.]

prawo publiczne law applying to public bodies (US) [prawn.]

prawo użytkowania usufractuary right (*privilege*) [praw.]

prawo wyborcze right to vote [polit.]

prawo wydawania poleceń pracownikowi przez pracodawcę power to give instructions [abc]

prawo zachowania energii energy law [mot.]

prawo zależności od kwadratu odległości distance law [fiz.]

prawo załamania law of refraction [fiz.]

prawomocny valid; in power [prawn.]

P

prawoskrętny right-handed [masz.]
prawość virtue [abc]
prąd current (*drawn away by the current*); power (*electricity*) [el.]
prąd bazy base current [el.]
prąd bierny wattless load [el.]
prąd energetyczny power current [el.]
prąd graniczny minimum fusing current [el.]
prąd kolektora collector current [el.]
prąd morski stream [abc]
prąd następczy follow current [el.]
prąd nasycenia saturation current [el.]
prąd niezrównoważenia offset-current [el.]
prąd od emitera emitter current [el.]
prąd pierwotny primary current [el.]
prąd pobierany current consumption [transp.]
prąd pojemnościowy capacity current [abc]
prąd przemienny alternating current (A/C) [el.]
prąd przerywany chopping current [el.]
prąd przerywany ustawiania zaworów elektromagnetycznych chopping current for the setting of magnetic valves [el.]
prąd rozruchowy starting current [transp.]
prąd siatkowy screen current [el.]
prąd słaby signal current [el.]
prąd spoczynkowy quiescent current [el.]
prąd spoczynkowy kolektora collector quiescent current [el.]
prąd stały direct current (D/C) [el.]
prąd sterowniczy control current [mot.]
prąd trójfazowy three-phase current, three-phase electricity [el.]
prąd udarowy impulse current, surge current [el.]

prąd włączeniowy starting current [el.]
prąd wsteczny inverse voltage [el.]
prąd wtórny (*w uzwojeniu wtórnym*) secondary current [el.]
prąd wyładowania discharge current [el.]
prąd wyładowczy discharge current [el.]
prąd wyłączenia cut-off current (*fuse*) [el.]
prąd wyłączeniowy breaking current, current-on-breaking [el.]
prąd wzbudzenia exciting electricity [el.]
prąd zmienny alternating current (a.c., A/C) [el.]
prąd zwarciowy ustalony sustained short-circuit current [el.]
prądnica generator, dynamo magneto ignition [el.]
prądnica-iskrownik w kole zamachowym flywheel starter-generator ignition [mot.]
prądnica prądu przemiennego alternator [el.]
prądnica prądu stałego generator, dynamo machine [el.]
prądnica samochodowa dynamo (*dynamo machine*) [mot.]
prądnica tachometryczna tacho generator [mot.]
prądnica trójfazowa three-phase alternator [el.]
prążkowany striped [abc]
preambuła preamble [praw.]
precyzja precision (*accuracy*); definition [abc]
precyzyjne łożysko wałeczkowe osiowe axial-radial precision roller bearing [masz.]
predyspozycja disposition [med.]
prefabrykacja prefabrication, prefabrication [masz.]
prefabrykacja elementów budowlanych na terenie budowy site fa-

brication, field erection job, field mounted [met.]

prefabrykat pre-fabricated blocks [energ.]

prefabrykowany prefabricated; pre-cast [bud.]

prefektura prefecture [polit.]

prehistoryczny prehistoric [abc]

prelekcja paper [abc]

premedytacja intent [prawn.]

premia premium [praw.]

preprocesor preprocessor [inf.]

prerogatywa prerogative [praw.]

preselekcja preselection [abc]

preselekcyjna skrzynka biegów preselector gearbox [masz.]

presostat przeponowy pressure switch [el.]

prezentacja presentation, demonstration [mot.]

prezentacja wideo video presentation [el.]

prezentować demonstrate (*a machine*) [mot.]

prezes zarządu chairman of board of directors [ekon.]

prezydium chairman's committee [ekon.]

prędki quick [abc]

prędkość speed, velocity [mot.]

prędkośc obrotowa regulowana governed speed [masz.]

prędkościomierz tacheometer, tachometer, speedometer [mot.]

prędkość dźwięku sound velocity [akust.]

prędkość fal poprzecznych hear wave velocity [el.]

prędkość fali podłużnej longitudinal wave spread [fiz.]

prędkość fali poprzecznej shear wave velocity [fiz.]

prędkość fali powierzchniowej surface wave velocity [fiz.]

prędkość fali przesunięcia shear wave velocity [masz.]

prędkość fazowa phase velocity [el.]

prędkość gazów spalinowych flue gas velocity [energ.]

prędkość graniczna limiting speed [mot.]

prędkość grupowa group velocity [el.]

prędkość jazdy travel speed, travelling speed, speed [mot.]

prędkość łańcucha chain speed [tw.]

prędkość łańcucha kubłowego speed of bucket chain [transp.]

prędkość maksymalna maximum speed [mot.]

prędkość maksymalna jazdy maximum speed travelling (*travel at*) [mot.]

prędkość najazdowa over-running speed [mot.]

prędkość obrotowa swing speed; orbitual speed; driving speed; idle speed (*engine in high idle*) [mot.]

prędkość obrotowa łamacza crusher speed [górn.]

prędkość obrotowa silnika motor speed, engine revolution, engine speed [mot.]

prędkość obrotowa turbiny turbine speed [energ.]

prędkość obrotowa znamionowa nominal speed, rated speed [masz.]

prędkość obwodowa circumferential speed, peripheral speed, peripheral velocity [fiz.]

prędkość odchylania spot velocity [transp.]

prędkość pary steam velocity [energ.]

prędkość paska belt speed [masz.]

prędkość propagacji propagation speed, velocity of propagation [abc]

prędkość przełączania switching speed [el.]

prędkość przepływu flow velocity, velocity of flow [energ.]

prędkość przesuwania się poręczy handrail speed [transp.]

P

prędkość przesuwu (*np. koparki kroczącej*) walking speed [górn.]

prędkość przesuwu liny cable speed [mot.]

prędkość robocza working speed [abc]

prędkość rozchodzenia się velocity of propagation [el.]

prędkość rozpływu velocity of propagation [el.]

prędkość światła light speed [fiz.]

prędkość toczenia się roller conveyor surface speed [masz.]

prędkość transportu rate of feed, rate of travel [mot.]

prędkość wlotowa admission velocity [fiz.]

prędkość wylotowa discharge velocity [energ.]

prędkość zapisu writing speed [abc]

prędkość znamionowa rated speed [masz.]

pręt stick, bar, rod, pole; wand [abc]

pręt do spawania welding rod [met.]

pręt gwintowany threaded rod, all threaded rod [masz.]

pręt metalowy metal rod [masz.]

pręt nastawczy zwrotnicy switch rod [transp.]

pręt odczytu sensing rod [masz.]

pręt okrągły round bar [masz.]

pręt rozciągany tension rod [masz.]

pręt rozciągany poprzeczny lateral tie [bud.]

pręt stalowy półokrągły half round [transp.]

pręt termitowy thermit stick [wojsk.]

pręt z uchem eye rod [masz.]

prętowy wskaźnik poziomu dipstick (*in tank*) [mot.]

prętowy wskaźnik poziomu oleju oil dipstick [masz.]

prętowy wskaźnik poziomu paliwa (*w zbiorniku*) fuel dip stick, fuel lever plunger [mot.]

prężność pary steam pressure [energ.]

primus inter pares first among equals [abc]

priorytet high priority [abc]; priority (*during job progression*) [inf.]

pro i contra pro and con [abc]

problem problem [abc]

problem definiowania definition problem [inf.]

problem główny main problem [abc]

problem stereoskopowy binocular stereo problem [fiz.]

problem stopu halting problem (*in logic*) [inf.]

problem unikania przeszkód obstacle-avoidance problem [inf.]

problem wałowania ridge problem (*in hill climbing search*) [inf.]

problem zatrzymania halting problem [inf.]

problemy polityczne political questions [polit.]

proboszcz parson [abc]

probówka reference tube [miern.]

procedura procedure (*in logic*) [inf.]

procedura identyfikacji identification procedure [inf.]

procedura kontroli test method [abc]

procedura pomiarowa test procedure [miern.]

procedura rekurencyjna recursive procedure [inf.]

procedura rozdzielania dispatch procedure [inf.]

procedura specjalizacyjna specialize procedure (*in learning*) [inf.]

procedura uogólniania generalize procedure (*in learning*) [inf.]

procedura wypełniania ról role-filling procedure [inf.]

procedury anonimowe anonymous procedures [inf.]

procedury podstawowe krytyczne dangerous primitives [inf.]

procedury warunkowe if-needed procedures [inf.]

procentowa wartość powietrza w podgrzewaczu percentage of <total> air through air heater [energ.]

procentowa zawartość substancji palnych w pozostałościach percentage of burnable materials in residues [energ.]

proces process; procedure [abc]; (*sądowy*) court hearing [praw.]

proces doświadczalny experimental process [miern.]

proces martenowski O. H. process (*open hearth process*) [masz.]

proces modelowania modeling process [inf.]

proces natryskiwania spraying process (*paint*) [masz.]

proces obróbki powierzchniowej surface-treatment procedure [masz.]

proces okresowy batch process [met.]

proces produkcyjny process of production [abc]

proces próbkowania jednokrotnego single-probe operation [miern.]

proces przejściowy transient [fiz.]

proces przetaczania switching process of shunting [mot.]

proces równoległy parallel process [inf.]

proces spawania welding (*during welding*) [met.]

proces technologiczny processing [met.]

proces zaniku decay process, dying away [el.]

procesja procession [abc]

procesor processor, data processor [inf.]

procesor centralny central processing unit (CPU); main frame [inf.]

procesor czołowy FEP (*front end processor*) [inf.]

procesor wysunięty FEP (*front end processor*) [inf.]

procesy i urządzenia CAB i CAS CAB and CAS processes and units [tw.]

proch powder, black powder [wojsk.]

producent producer, fabricator, manufacturer [abc]

produkcja production, manufacture, manufacturing, fabrication; factory floor [abc]; shop floor [masz.]

produkcja/konstruowanie urządzeń engineering [masz.]

produkcja czerparek excavator manufacture [transp.]

produkcja elementów przekładkowych i blach profilowanych sandwich element and profiled sheet production [masz.]

produkcja indywidualna single piece production [masz.]

produkcja koparek excavator manufacture (*manufacturing*) [transp.]

produkcja laminatu production of laminates [abc]

produkcja maszynowa making by machine [masz.]

produkcja nadwozi samowyładowczych body manufacturing [transp.]

produkcja parowozów steam loco manufacturing [mot.]

produkcja płyt wiórowych strandboard production (CDN) [abc]

produkcja pojazdów szynowych railway vehicle manufacturing [mot.]

produkcja próbna pre-production [inf.]

produkcja przemysłowa manufacture, manufacturing [abc]

produkcja ręczna making by hand [abc]

produkcja rur pipe manufacturing [masz.]

P

produkcja seryjna series production, serial production [masz.]

produkcja stali i metali steel and metal production [masz.]

produkcja taśmowa line assembly work [met.]

produkcja urządzeń plant manufacturing, process plant construction [masz.]

produkcyjność productivity [abc]

produkować manufacture, make, produce [abc]

produkowany w zakładzie mill-fitted [abc]

produkt product (*from manufacturing process*) [abc]

produkt masowy bulk [bud.]

produkt odpadowy by-product; waste product [rec.]

produkt podsitowy fines [met.]

produkt przemysłowy industrial product [abc]

produkt przeróbki stali processed and finished steel product [masz.]

produkt spalania product of combustion [energ.]

produkt stalowy pierwszego gatunku first choice steel product [tw.]

produkt uboczny by-product, waste product [chem.]

produktywność productivity [abc]

profesjonalista professional [abc]

profesjonalny professional, skilled, workmanlike [abc]

profil profile [masz.]

profil cienkościenny i taflowy lightweight and panel section [masz.]

profil drogi camber [bud.]

profil gięty (*z blachy*) cold rolled section [tw.]

profil glebowy soil profile [bud.]

profil kauczukowy od mocowania szyby rubber moulding [transp.]

profil koła wheel profile [mot.]

profil odniesienia reference profile [rys.]

profil pasa klinowego V -belt profile (*section*) [masz.]

profil piasty wielowypustowej spline bore profile [masz.]

profil poprzeczny cross section [bud.]

profil specjalny special section [masz.]

profil stalowy steel section [masz.]

profil sztukatorski moulding [bud.]

profil ścianki szczelnej steel sheet piling [transp.]

profil uszczelki sealing section (*holds pane in cab*) [masz.]

profil uszczelki kształtowej rubber section, window strip [mot.]

profil wiertniczy drilling profile [masz.]

profil wydrążony hollow profile, hollow section [transp.]

profil wydrążony drugiej klasy second choice hollow section [masz.]

profil wydrążony prostokątny hollow profile, rectangular (*in truss*); rectangular hollow section (*for truss*) [transp.]

profily wydrążony walcowany na gorąco hot rolled hollow section [masz.]

profil wypełniacza filler profile, tie-strip [transp.]

profil z gumy gąbczastej sponge-rubber strip [mot.]

profil zaciskowy window strip [masz.]; sealing [mot.]

profilować (*docinając*) profile (*on tires: retread*) [transp.]

profilowanie profiling (*superelevation of road*) [transp.]

profilowanie drogi profiling of a road [transp.]

profilowanie w celu osiągnięcia stateczności sure-grip ribbing (*of escalator*) [transp.]

prognoza prognosis [abc]

prognoza pogody weather forecast [meteo.]

prognozować prognosticate [abc]

program program; line (*comprehensive l.*) [abc]

program dostaw manufacturing program [abc]

program informacyjny news magazine [abc]

program interpretujący interpreter [inf.]

program kompilujący compiler (DP) [inf.]

program mający na celu stworzenie nowych miejsc pracy work-creation program [abc]

program narzędziowy utility [inf.]

program nauczania curriculum [abc]

program ochrony pracowników w przypadku zwolnień zbiorowych redundance payment scheme [abc]

program pomocowy dla przemysłu stalowego program to assist the steel industry [polit.]

program pracy working schedule [abc]

program produkcyjny manufacturing line, manufacturing program, manufacturing range, production schedule [masz.]

program przebiegu (*np. produkcji*) running program [abc]

program radiowy broadcasting program, radio program [telkom.]

program rozszerzony extensive program [abc]

program symulacyjny simulation program, simulator program [inf.]

program szkolenia training program [abc]

program uruchamiający debugger (*take possible faults out*) [inf.]

program usługowy utilities [inf.]

program użytkowy application program [inf.]

program zapewnienia jakości quality assurance [ekon.]

programista systemowy system programmer (*a person*) [inf.]

programowanie programming [inf.]

programowanie dynamiczne dynamic programming [inf.]

programowanie logiczne logic programming [inf.]

programowanie sterowania numerycznego NC programming [narz.]

programowanie zautomatyzowanych urządzeń technologicznych robot programming [inf.]

projekt design [rys.]; project; proposal [abc]

projekt i technika wykonania design and engineering [tw.]

projekt i wykonanie design and development [transp.]

projekt irygacji irrigation project [hydr.]

projekt kopalni odkrywkowej open cut project [energ.]

projekt lewostronny left-hand design [transp.]

projekt nawadniania irrigation project [hydr.]

projekt programu software design [inf.]

projekt zstępujący top down design [inf.]

projektor iluminacyjny spotlight [el.]

projektowanie projecting [rys.]; planning [bud.]; project activities [abc]

P

projektowanie i budowa mieszkań camp layout and construction [bud.]

projektowanie kopalni odkrywkowej projecting of an open-cut mine [górn.]

projektowanie wspomagane komputerowo computer aided design (CAD) [rys.]

projektowanie wstępne preliminary projection [transp.]

projektowanie zgodne z (żądanymi) wymiarami planning accurate to dimension [abc]

proklamować declare [polit.]

prokurator (*oskarżyciel sądowy*) prosecutor (*state prosecutor*) [polit.]

prokurent attorney in fact; officer with statutory authority [ekon.]

prolongata prolongation [transp.]

prom ferry; ferryboat [mot.]

prom kolejowy railroad ferry (US); railroad boat (GB); train ferry [mot.]

prom kosmiczny space shuttle [mot.]

prom pontonowy pontoon ferry [mot.]

prom samochodowy car ferry [mot.]

promień (*koła*) radius [rys.]; ray, beam [abc]

promienie radii [rys.]

promienie niezwymiarowane radii without dimensions [rys.]

promieniotwórczość radioactivity [opt.]

promieniowanie radiation [energ.]

promieniowanie brzegowe fringe radiation [met.]

promieniowanie nieświecące non-luminous radiation [opt.]

promieniowanie promienia świecącego luminous flame radiation [energ.]

promieniowanie rentgenowskie X-radiation [el.]

promieniowanie ukośne angular radiation [el.]

promieniowanie własne self radiation [el.]

promieniowanie wzajemne inter-solid radiation [energ.]

promieniowanie X X-radiation [el.]

promieniowanie zwrotne back scatter, back scattering [abc]

promieniowy radial [abc]

promiennik radiating system emitter [el.]; radiator [energ.]

promiennik selektywny selective radiator [energ.]

promiennik wybiorczy selective radiator [energ.]

promień gamma gamma-ray [el.]

promień gięcia bending radius, radius of bend [rys.]

promień krzywizny bend radius [rys.]

promień obrotu ładowarki loader clearance cycle [mot.]

promień podwójny dual-beam, dual-trace [el.]

promień przejścia transition radius [masz.]

promień rentgenowski X-ray [el.]

promień skrętu curve radius, curve rating, turning circle, turning radius [mot.]

promień zakrzywiony curved crystal (*concave crystal*) [el.]

promień zaokrąglenia naroża bearing corner radius [rys.]

promień zasięgu kubła czerpaka outside bucket corner clearance circle [mot.]

promień ziemski earth's radius [geol.]

promil per mille [mat.]

promocja sprzedaży marketing [abc]

promocja zbytu sales aid [abc]; additional discount [ekon.]

promowany graduate [abc]

propagacja fal wave propagation [fiz.]

propagacja propagation [abc]

propagacja ograniczeń constraint propagation [inf.]

propagacja ograniczeń numerycznych w matrycach numeric constraint propagation in arrays [inf.]

propagacja ograniczeń symbolicznych symbolic constraint propagation [inf.]

propagacja wartości prawdziwościowych truth propagation [abc]

propaganda propaganda (*radical advertising*) [polit.]

propan (*w instalacjach gazowych w samochodach*) propane gas [mot.]

proponować suggest; tender [abc]

proporcja rate [masz.]; proportion [abc]; ratio [tw.]

proporcja ciężaru proportion of weight [bud.]

proporcjonalny proportional; uniform [abc]

proporczyk pennant [polit.]

proporzec standard (*banner flag*) [wojsk.]

propozycja proposal, suggestion [abc]

propozycja zmiany projektu ustawy suggestion for modification (*change*) [praw.]

prosić ask, request [abc]

prospekt brochure [abc]

prospekt zbiorczy collective brochures [abc]

prosta oporu load line [el.]

prosta ścinania shear straight [masz.]

prosto straight ahead [mot.]

prostokątny rectangular (*at a right angle, 90°*) [abc]

prostolinijny upright [abc]

prostoliniowość straightness (*linearity*) [masz.]

prostoliniowy linear [transp.]; upright [abc]

prostopadły perpendicular; vertical (*upright, straight*) [abc]

prostota simplicity (*ease*) [transp.]

prostować align (*adjust, set, correct*); straighten (*straightening*) [masz.]

prostowanie flattening [mot.]; rectification [el.]

prostowanie rolki mierniczej flattening of the metering roller [met.]

prostownica straightener, straightening machine [masz.]

prostownik rectifier [abc]

prostownik do hamulców rectifier for brakes [masz.]

prostownik do ładowania charging rectifier [el.]

prostownik pełnookresowy full-wave rectifier [el.]

prostownik półokresowy half-wave rectifier [el.]

prostownik precyzyjny precision rectifier [el.]

prostownik selenowy selenium rectifier [el.]

prosty easy (*quite simple*); straight [abc]

proszek do spawania welding flux (*powder*), fluxes [met.]

proszek do czyszczenia cleaning powder [chem.]

proszkować pulverizing [górn.]

prośba request [abc]

protektor rubber cover [transp.]

proteza (*zębowa*) denture; prosthesis, prosthetic device [med.]

protokołować record, take minutes [abc]

protokół minutes; report, records [abc]

protokół kontroli ostatecznej final inspection report [abc]

protokół kontrolny test records, testing record [miern.]

protokół odbioru certificate of acceptance [abc]

protokół próby odbiorczej acceptance-test minutes, minutes of acceptance test [miern.]

protokół przekazania record of delivery [abc]

prototyp prototype [inf.]

prototypowanie ewolucyjne evolutionary prototyping [inf.]

P

protuberancja protuberance [masz.]

prowadnica guide, guide track [transp.]

prowadnica chwytaka grab guide [transp.]

prowadnica drzwiowa door guide [mot.]

prowadnica falowa wave guide [el.]

prowadnica gąsienicy track guide [transp.]

prowadnica haka cięgłowego drawhook guide [mot.]

prowadnica instalacji wodnej water guide [bud.]

prowadnica kablowa cable guide [transp.]

prowadnica kątowa angular guide plate [transp.]

prowadnica krążka nośnego poręczy supporting roller guide [transp.]

prowadnica liny fairlead [transp.]

prowadnica liny zgarniaka dragline fairlead [transp.]

prowadnica łańcucha chain guide, track guide [transp.]

prowadnica łożyska osiowego horn cheek [mot.]; axle guard [masz.]

prowadnica nakładana guide rail, guide strip [mot.]

prowadnica nawrotna chain reversing guide [transp.]

prowadnica popychacza tappet guide [mot.]

prowadnica popychacza zaworowego valve lifter guide [mot.]

prowadnica poręczy handrail guide, handrail [transp.]

prowadnica pozioma horizontal guidance [transp.]

prowadnica pryzmatyczna prismatic guide [masz.]

prowadnica rolkowa hinged fairleader [mot.]; roller guide [transp.]

prowadnica rolkowa liny guide roller [masz.]

prowadnica równoległa parallel guide, upthrust guide [transp.]

prowadnica rurowa guide pipe, guide tube [masz.]

prowadnica schodowa step track [transp.]

prowadnica słupowa wózka podnośnikowego lift frame, lifting frame, lift pole, mast [mot.]

prowadnica sondy probe shoe, probe device (*probe guiding device*) [met.]

prowadnica szynowa rail guide (*on road/rail excavator*) [mot.]

prowadnica szynowa przednia rail guide, front [mot.]

prowadnica szynowa tylna rail guide, rear [mot.]

prowadnica ślizgowa slide bar [mot.]; slide way (*glide, path*) [masz.]

prowadnica teleskopowa telescope leader (*for pile-driving*) [transp.]

prowadnica tłokowa piston guide [mot.]

prowadnica toczna ball cage [mot.]

prowadnica trójrolkowa triple roller guide [masz.]

prowadnica ustalająca chain retainer guide, positive guide [transp.]

prowadnica wałka podpierającego poręczy supporting roller guide [transp.]

prowadnica wałka prowadzącego roller track [masz.]

prowadnica zaworu valveguide, valve stem guide [mot.]

prowadnica zwrotna poręczy handrail return station, handrail guide assembly [transp.]

prowadnik guide (*parallel guide*), guide piece [transp.]

prowadnik łańcucha chain guide shoe; tangential guide [transp.]; pilot [mot.]

prowadzenie guidance; lead [abc]; pilot [masz.]

prowadzenie ciągłe continuous guidance [abc]

prowadzenie kabla cable guide [transp.]

prowadzenie kabla po rusztowaniu cable guide arrangement [transp.]

prowadzenie łyżki poziomej guidance for horizontal bucket [transp.]

prowadzenie osiowe axial guidance [rys.]

prowadzenie paralelne precyzyjne precise parallel guidance [transp.]

prowadzenie robót odkrywkowych removal, dismantling, stripping (*of overburden*) [górn.]

prowadzenie równoległe parallel guidance (*of escalator*) [transp.]

prowadzenie tłokowe piston guide [mot.]

prowadzenie węża przez bęben hose guide via drum [mot.]

prowadzić guide [abc]

prowadzić listy płac fill in the payrolls [abc]

prowadzić (współ)osiowo guide concentrically, guide in dead-centre [mot.]

prowadzony pod kontrolą operator controlled [abc]

prowiant foodstuffs, vittels, grub, chow [abc]

prowizja commission [abc]

prowizja od sprzedaży sales commission [abc]

próba test, check, examination [abc]; fineness [met.]

próba betonu concrete testing [miern.]

próba długotrwała long-time test [abc]

próba dodatkowa additional test [miern.]

próba działania operational check (*valves*) [mot.]

próba dźwiękowa sound check (*test mikes, speakers*); ringing test [akust.]

próba fuksynowa Fuchsine test [miern.]

próba generalna dress rehearsal (*in theatre, opera*) [abc]

próba gniecenia knead test [bud.]

próba gotowania boiling test [miern.]

próba gwarancyjna boiler test (*guarantee test*) [energ.]

próba kafarowa Pelliniego NDT (*surface tested for cracks*) [met.]

próba kołkowa implant test [met.]

próba kroplowa touch test [masz.]

próba kwalifikacyjna spawacza welder's test [met.]

próba laboratoryjna laboratory sample [abc]

próba losowa spot check (*at the customs*) [polit.]

próba na ciśnienie pressure test (*hydraulic test*) [energ.]

próba na dźwięk sound check; ringing test [akust.]

próba na gniecenie knead test [bud.]

próba na rozerwanie tensile test, tension test [tw.]; destructive verification [abc]

próba na ściskanie płyt plate-loading test [miern.]

próba na wstrząsy shaking test, vibrating test [masz.]

próba NDT NDT (*nil ductility transition test*) [met.]

próba nieniszcząca non-destructive testing, NDT [miern.]

próba odbiorcza acceptance inspection, acceptance test [miern.]

próba odkuwek forging test (*test of forgings*) [miern.]

próba odlewnicza casting test (*test of castings*) [miern.]

próba pełzania do zerwania stress-rupture test, tensile test [masz.]

P

próba przełomu breaking test [masz.]

próba przewodności elektrycznej electrical conductivity test (*water*) [el.]

próba przydatności preliminary test [bud.]

próba pulsacyjna pulsator test [abc]

próba rozciągania tensile test, tension test, destructive test [tw.]; destructive verification [abc]

próba rozruchowa ignition test [energ.]

próba spawalności weldability test [met.]

próba ścinania shear test [masz.]

próba tarcia friction test [miern.]

próba twardości hardness test [masz.]

próba udarności impact-test [miern.]

próba udarności z karbem notched bar impact test [miern.]

próba wibracyjna vibrating test [abc]

próba wodna (*ciśnieniem*) hydraulic test (*pressure test*) [energ.]

próba wydajności efficiency test [energ.]

próba wytrzymałości na sucho dry strength test [bud.]

próba zapachowa smell test [abc]

próba zapalenia ignition test [energ.]

próba zarysowania scratch test [masz.]

próba zginania bend test, bending test [miern.]

próba zginania bocznego side bend specimen [met.]

próba zginania z karbem notch bend test (*for plate*) [met.]

próba zginania z rozciąganiem grani root bend [met.]

próba zginania z rozciąganiem lica face bend test [met.]

próba zmęczeniowa ciągła continuous fatigue test [miern.]

próbka sample [abc]; specimen, test piece [masz.]; reference block [miern.]; joint sample (*for welding*) [met.]

próbka do badań reference block [miern.]

próbka do badania powtórnego retest specimen [met.]

próbka do prób zginania bend test specimen [miern.]

próbka do zginania z rozciąganiem grani root bend specimen [met.]

próbka elementu współpracującego mate specimen [masz.]

próbka gazów spalinowych flue gas sample [energ.]

próbka glebowa soil sample [gleb.]

próbka gruntu soil sample [gleb.]

próbka koksu coke button, coking test [miern.]

próbka kwalifikacyjna test assembly, assembly [masz.]

próbka nienaruszona undisturbed sample [bud.]

próbka o niepełnym przetopie partial joint penetration test specimen [met.]

próbka olejowa oil sample [masz.]

próbka pierwszego odlewu initial cast specimen [masz.]

próbka popiołu lotnego fly ash sample [energ.]

próbka prętowa specimen, test piece [masz.]

próbka pyłowa pulverized fuel sample [energ.]

próbka spoiny pachwinowej fillet weld test specimen [met.]

próbka w kształcie kostki sample cube (*form dredging*) [mot.]

próbka węgla coal sample [miern.]

próbka węglowa coal sample [miern.]

próbki spalin waste gas samples [energ.]

próbkowanie sampling [mot.]

próbkowanie jednokrotne single-probe [miern.]

próbkowanie szczelinowe split spoon sampling [masz.]

próbkowanie węgla sampling of coal [miern.]

próbne miejsce pracy test workstation [abc]

próbnik tester, testing apparatus, testing instrument [el]

próbnik do badania opon samochodowych tyre testing probe [mot.]

próbnik fali przesunięcia shear wave probe [fiz.]

próbnik kątowy angle-beam probe [miern.]

próbnik ogniw akumulatorowych battery checking device [el.]

próbnik porcelany porcelain testing probe [miern.]

próbnik pozycyjny fixed position sampler, sampler [energ.]

próbnik specjalny special purpose probe [miern.]

próbny tentative [abc]

próbować sample (*new type of bread, etc.*) [abc];

próbować "na sucho" make a dry run [mot.]

próchnica humus topsoil, muck [gleb.]

próchnieć rot (*mould, wither, decay, delapidate*) [bot.]

próg threshold [el.]; step, sleeper [mot.]

próg ciągowy draw bead [met.]

próg drewniany timber kerb [bud.]

próg ładunkowy dzielony divided support bar [mot.]

próg ładunkowy odchylny swivelling support bar [mot.]

próg pośredni velocity head [mot.]

próg przesuwny adjustable threshold [miern.]

próg reakcji response threshold

(*response amplitude*) [el.]

próg wzmocnienia threshold [el.]

próg zadziałania response threshold, threshold [el.]

próżnia vacuum [mot.]

próżniomierz vacuum gauge, vacuum meter [mot.]

prychać snarl [bot.]

prysznic shower (*take a shower*) [abc]

pryzma windrow [transp.]

pryzma i stempel punch and die [narz.]

pryzmat prism; triple prism [opt.]

pryzmat załamujący refracting prism [fiz.]

pryzmatyczny prismatic [abc]

przebicie breakdown [el.]

przebicie ścianki wall entrance [bud.]

przebicie zdmuchiwacza sadzy soot blower opening [energ.]

przebicie Zenera Zener breakdown [el.]

przebieg (*programu*) passage, throughput [masz.]; procedure; sequence (*of work*) [abc]; running track [mot.]

przebieg doświadczenia organization of test, test rig, test setup [miern.]

przebieg dwukrotny (*programu*) double passage, repeated passage [transp.]

przebieg napędu power train (*power transmission*) [mot.]

przebieg nieustalony transient [fiz.]

przebieg obrabiania sequence of processing [masz.]

przebieg produkcji production sequence [abc]

przebieg próbny test run, trial run; dry run (*not under load*) [abc]

przebieg przerobu sequence of processing [masz.]

przebieg przetwarzania sequence of processing [masz.]

P

przebieg sukcesywny end-to-end advance [mot.]

przebieg wiązki promieniowej centralnej path of the central beam [el.]

przebieg zakrętów slope of curves [abc]

przebieg zygzakowaty zig-zag path [el.]

przebiegać proceed [abc]

przebierać change (*clothing*) [abc]

przebieralnia locker room [abc]

przebijać penetrate; pierce [abc]

przebijak drift punch, backing out punch, drive, mandrel, punch drift, punch [masz.]

przebijanie pocketing (*of valves*) [mot.]

przebijarka otworu spustowego tap-hole drilling device, drilling device for tap-hole [masz.]

przebity pierced [abc]

przebudowa reconstruction [masz.]; rebuilding [met.]; change (*re-designing*) [tw.]; conversion (*of an excavator attachment*) [transp.]

przebudowywać converse [transp.]

przechodzenie ciepła heat transfer [energ.]

przechodzenie ciepła przez promieniowanie heat transfer by radiation [energ.]

przechodzenie ciepła przez przewodzenie heat transfer by conduction [energ.]

przechodzenie ciepła przez zetknięcie heat transfer by convection [energ.]

przechodzenie w stan pary volatilization [energ.]

przechodzić pass (*be fed through*) [górn.]

przechodzić na emeryturę retire (*due to age*) [abc]

przechodzić obok walk past (*walk by*) [abc]

przechowywanie danych cyfrowych digital data storage [inf.]

przechowywanie danych data storage [inf.]

przechowywanie tymczasowe interim storing [abc]

przechwytywać catch (*a signal, a ball*) [abc]; intercept [el.]

przechylać tip [abc]; tilt [masz.]; side dump [mot.]; roll back [transp.]; cock [met.]

przechylający heeling [mot.]

przechylanie tipping motion [masz.]

przechylanie kontrolowane controlled tipping [mot.]

przechylenie superelevation (*of road, railroad*) [mot.]

przechylny tilting, tipping [abc]

przechył tilt [masz.]

przechył boczny statku heel, list [mot.]

przechyłka profilu superelevation (*slope of road*) [mot.]

przechyłowy heeling [mot.]

przeciąg draft, draught [abc]

przeciągacz internal broach, broach [narz.]

przeciągać broach (*machine*) [met.]

przeciąganie broaching operation (*machine*) [met.]

przeciąganie wygładzające finish broaching [met.]

przeciążać overload [mot.]; overstrain (*put excessive stress on*) [abc]

przeciążenie overload, overcharge, overcharging [mot.]

przeciążeniowy przyrząd kontrolno-ostrzegawczy Army Safe Load Indicator [wojsk.]

przeciążony overstressed (*almost scrap*) [abc]

przeciek leak, dripping, oil loss, leakage [mot.]

przeciek paliwa fuel leak [mot.]

przeciekać creep [mot.]

przeciekanie leakage [mot.]

przeciekanie rury tube leakage [masz.]

przecierać (*się*) wear through [masz.]

przecięcie average (*on the average*) [mat.]

przecięcie się osi intersection of axes [transp.]

przeciętny average (*average quality*); middle [abc]

przecinać meet [mot.]

przecinak cross-cut chisel, chisel (*cold chisel*), parallel cross-bit chisel [narz.]

przecinak gazowy cutting torch (*flame cutter*) [narz.]

przecinak kowalski trzonkowy spalling hammer [narz.]

przecinak pneumatyczny pneumatic chisel [narz.]

przecinak szeroki spade chisel [narz.]

przecinak ścierny cutting-off wheel [narz.]

przecinek comma [abc]

przecinka cross-heading [górn.]

przeciwbieżność counter-rotating [tw.]

przeciwbieżny counter-rotating [transp.]

przeciwciężar balance weight, balancer, counter weight [mot.]

przeciwciśnienie counter pressure, back pressure [fiz.]

przeciwkoło counter wheel [tw.]

przeciwkształtownik counter profile [tw.]

przeciwległy opposite (*the station*) [abc]

przeciwnakrętka check nut, counter nut, jam nut, locknut [masz.]

przeciwnie do ruchu wskazówek zegara counter-clockwise (ccw) [abc]

przeciwnik adversary (*foe*) [abc]

przeciwny opposite [abc]; opposed (*in the opposition*) [polit.]

przeciwpoślizgowy foot-sure, anti-slip [abc]

przeciwprąd counter-current [energ.]

przeciwprądowy przesiewacz powietrzny cross stream separator [górn.]

przeciwprądowy wymiennik ciepła counter-current heat-exchanger [tw.]

przeciwsobny push-pull [el.]

przeciwsprawdzian master gauge [miern.]

przeciwsprawdzian do otworów master gauge for holes [miern.]

przeciwślizgowy non-skid [abc]

przeciwwaga counter weight, balancer [mot.]

przeciwwybuchowy explosion-proof [górn.]

przeciwwykrojnik counter die, native matrix [met.]

przeć naprzód crowd [transp.]

przećwiczyć "na sucho" make a dry run [mot.]

przed hartowaniem before hardening (*of gears*) [masz.]

przed laty years ago [abc]

przedawniony expired (*This expired May 1st*) [abc]

przedgórze foothills [geol.]

przedkładać submit [abc]

przedłużać lengthen (*a hose, rod, a war, etc.*); extend (*by one meter*) [abc]

przedłużenie prolongation [transp.]; elongation [transp.]

przedłużenie radlicy blade extension, mouldboard extension [transp.]

przedłużenie ramienia podnośnika lift arm extension [mot.]

przedłużenie ramy frame extension [mot.]

przedłużenie rury ssawnej inlet pipe extension [mot.]

P

przedłużenie rury ssącej inlet pipe extension [mot.]

przedłużenie spoiny pachwinowej nakładki poza narożniki jako dalszy ciąg spoiny obliczeniowej boxing (*welding on three sides*) [met.]

przedłużenie szkieletu truss extension [masz.]

przedłużenie wysięgnika boom extension (*for pile-driving*) [transp.]

przedłużenie zaworu valve extension [mot.]

przedmiar robót bill of quantities [bud.]

przedmieście suburb [abc]

przedmiot object [abc]

przedmiot obrabiany work piece, workpiece [masz.]

przedmiot ochrony ubezpieczeniowej subject of insurance coverage [praw.]

przedmiot ubezpieczenia matter of insurance [praw.]

przedmowa foreword [abc]

przedmuchiwać backfill (*fill old drifts, tunnels*) [górn.]

przedmuchiwać chodnik backfill [górn.]

przedmuchiwanie kotła boiler water blowdown, blowdown [energ.]

przedni front [mot.]

przedni i tylny koniec odkładnicy leading and trailing end of mouldboard [transp.]

przedni koniec odkładnicy leading end of the mouldboard [transp.]

przedni koniec radlicy leading end of the mouldboard [transp.]

przednia część front part (*lip*) [transp.]

przednia krawędź przechyłu front tipping line [mot.]

przednia ścianka front panel [mot.]

przednie zawieszenie silnika engine front support [mot.]

przednóżek step riser, riser [transp.]

przednóżek żeberkowy cleated riser [transp.]

przedpłata deposit premium (*advance premium*) [prawn.]

przedsiębiorca employer [abc]

przedsiębiorca budowlany builder (GB); contractor (US) [bud.]

przedsiębiorca pogrzebowy undertaker [abc]

przedsiębiorstwo company [abc]

przedsiębiorstwo budowlane construction company (GB) [bud.]

przedsiębiorstwo dystrybucyjne distribution utility, distribution company [energ.]

przedsiębiorstwo komunalne municipal utility [praw.]

przedsiębiorstwo przewozowe van-line [mot.]

przedsiębiorstwo spedycyjne forwarding company (*freighter*); van-line [mot.]

przedsiębiorstwo średniej wielkości middle-sized company [abc]

przedsiębiorstwo transmisyjne transmission company (*Transco*) [energ.]

przedsiębiorstwo transportowo spedycyjne truck company (*US: trucking company*) [mot.]

przedsiębiorstwo wytwarzające energię generation company (*Genco*) [energ.]

przedsiębiorstwo zaopatrzeniowe utility company, public company [energ.]

przedsiębiorstwo złomujące salvaging company [mot.]

przedsiębiorstwo żeglugowe shipping company, shipping line [mot.]

przedsięwzięcie budowlane project [bud.]

przedstawiać introduce (*a person to somebody*); display, show; envision; submit [abc]

przedstawiać na rysunku illustrate (*show, picture, display*) [abc]

przedstawiciel (*firmy*) dealer [mot.]; vendor (*sells to me*); deputy [abc]; agent [ekon.]; broker (*of an insurance*) [prawn.]

przedstawiciel ustawowy ubezpieczonego legal representative <of insured> [prawn.]

przedstawicielstwo agency [praw.]

przedstawicielstwo mniejszości minority representation [polit.]

przedstawienie presentation, demonstration [abc]

przedstawienie trójwymiarowe three-dimensional display [inf.]

przedstawienie wiedzy knowledge representation [inf.]

przedstawienie zbiorcze summarization [inf.]

przedwczesny premature [abc]

przedwzmacniacz pre-amplifier, preamplifier [el.]

przedział compartment [mot.]

przedział ciśnienia pressure range [energ.]

przedział podwiewu forced draught compartment [energ.]

przedział składowania łańcuchów pociągowych tackle stowage compartment [mot.]

przedział tłoczyskowy piston rod compartment [mot.]

przedziurawiać pierce [abc]

przegarniać stoke (*move the fuel bed*) [energ.]

przegląd chart; (*np. wiadomości*) roundup; overhaul; survey [abc]

przeglądać browse [abc]

przeglądanie mapy map traversal [inf.]

przegroda baffle, baffle wall, baffle plate; dividing wall [energ.]; barren [transp.]; bulkhead, stiffening plate; crate; partition panel [mot.]

przegroda kierująca deflector guide [mot.]

przegroda ochronna shield support [górn.]

przegroda ogniotrwała refractory baffle (*on tubes*) [energ.]

przegroda ogniowa fire shutter (*close wellway*) [transp.]

przegroda powietrzna ruchoma choke, shutter; choke plate [mot.]

przegroda przegrzewacza superheater diaphragm [energ.]

przegroda przelewowa swash plate [mot.]

przegroda świetlna light barrier [el.]

przegroda zapobiegająca falowaniu cieczy w zbiorniku pojazdu wash plate [mot.]

przegródki partitions [bud.]

przegrupowanie re-arrangement [masz.]

przegrywać lose [abc]

przegrzanie rury tube overheating [masz.]

przegrzany super-heated [energ.]

przegrzewacz superheater (S.H., Sh) [energ.]

przegrzewacz dwustopniowy double-stage superheater [energ.]

przegrzewacz dwustrumieniowy double-flow superheater [energ.]

przegrzewacz grodziowy platten-type superheater [energ.]

przegrzewacz jednostopniowy single-stage superheater [energ.]

przegrzewacz jednostrumieniowy single-flow superheater [energ.]

przegrzewacz końcowy final superheater [energ.]

przegrzewacz międzystopniowy ogrzewany parowo steam-heated reheater [energ.]

przegrzewacz międzystopniowy reheater [energ.]

P

przegrzewacz opromieniowany radiant superheater [energ.]

przegrzewacz pary międzystopniowej ogrzewany spalinami gas-heated reheater [energ.]

przegrzewacz poziomy horizontal superheater [energ.]

przegrzewacz wiszący pendant superheater [energ.]

przegrzewacz wstępny pre-superheater, primary superheater, low-duty section of superheater [energ.]

przegrzewacz zawieszony pendant superheater [energ.]

przegrzewać overheat [abc]

przegrzewanie wstępne primary steam temperature [energ.]

przegub joint; hinge; bellow [masz.]; corridor connection, concertina; knuckle [mot.]

przegub Cardana cardan joint; knuckle joint; U-Joint; universal joint [mot.]

przegub Cardana podwójny universal joint – double [transp.]

przegub kątowy angled joint, toggle joint [masz.]

przegub krzyżowy knuckle joint; U-Joint; universal joint [mot.]

przegub krzyżowy ogumowany rubber universal joint [masz.]

przegub kulowy ball joint [masz.]; ball and socket joint [mot.]

przegub międzywagonowy corridor connection, concertina [mot.]

przegub nożycowy toggle joint [transp.]

przegub płaski swivel joint [masz.]

przegub podwójny constant-velocity joint [mot.]

przegub podwójny kołnierzowy flange double joint [mot.]

przegub ramy frame articulation [mot.]

przegub ręki wrist [med.]

przegub sprzęgła clutch linkage [mot.]

przegub tarczowy disc joint [mot.]

przegub uniwersalny przesuwny slip universal joint [mot.]

przegub widełkowy fork joint; link joint [mot.]

przegubowy hinged [mot.]; articulated [transp.]

przegubowy zestaw transportowy do przewozu samochodów articulated wagon for the carrying of cars [mot.]

przejazd passage [transp.]

przejazd dwupoziomowy flyover [mot.]

przejazd górą overpass (*road over intersection*) [mot.]

przejazd kolejowy level crossing (*on same level*) [mot.]

przejazd podziemny [mot.]

przejażdżka ride [abc]

przejezdny mobile [abc]

przejeżdżać overrun; run over; travel over [mot.]

przejmować sygnał sterujący override [transp.]

przejrzysty clearly visible, transparent [abc]

przejście pass; transition [abc]; culvert; throughlet (*small opening to go through*) [bud.]

przejście dołem undergrade crossing [bud.]

przejście górą overpass [mot.]

przejście kwantowe quantum jump [fiz.]

przejście na emeryturę retirement [abc]

przejście pod ulicą undergrade crossing [bud.]

przejście podziemne (*dla pieszych*) pedestrians' tunnel, subway; dive under; undergrade crossing [mot.]

przejście przez ścianę wall duct [bud.]

przejście przy przeciąganiu broaching pass [met.]

przejście robocze working aisle [mot.]

przejście ryzyka assumption of risk, passage of risk, take-over of risk [abc]

przejściowy temporary (*not final*) [abc]

przekazanie hand-over (*hand-over ceremony*) [abc]

przekazanie materiału material transfer [transp.]

przekazywać transmit [abc]

przekazywać dalej forward [abc]

przekazywamie momentu obrotowego torque transmission [masz.]

przekazywanie jednotorowe twin pair transmission (*via phone*) [telkom.]

przekazywanie komunikatów message passing [inf.]

przekaźnik relay; transmitter [el.]

przekaźnik asymetryczny asymetry relay [el.]

przekaźnik czasowy timer, timing relay [el.]

przekaźnik dodatkowy additional relay [el.]

przekaźnik impulsowy impulse relay [transp.]

przekaźnik jazdy kontrolnej inspection travel relay [transp.]

przekaźnik kolejności faz phase sequence relay [transp.]

przekaźnik kontrolny control relay [el.]

przekaźnik nadmiarowo-prądowy overcurrent relay [el.]

przekaźnik nadmiarowy overload relay [el.]

przekaźnik ochronny silnika motor protection relay [transp.]

przekaźnik okrągły round relay [el.]

przekaźnik pomocniczy drugiego

hamulca auxiliary relay for 2nd brake [transp.]

przekaźnik sygnalizacji zbiorczej zakłóceń collective fault indicator relay [transp.]

przekaźnik sygnalizacyjny awarii fault indicator relay [transp.]

przekaźnik sygnału dźwiękowego horn relay [transp.]

przekaźnik tablicy sygnalizacji zbiorczej zakłóceń relay for collective safety switch tableau [el.]

przekaźnik termobimetaliczny bimetal relay [el.]

przekaźnik wtykowy plug-in relay [el.]

przekaźnik wzmacniający amplifier relay [el.]

przekaźnik zabezpieczeniowy silnika motor protection relay [transp.]

przekaźnik zwalniania release relay [el.]

przekaźnik zwłoczny time relay, timer, timing relay [el.]

przekaźnik zwłoczny dla drugiego hamulca time relay for 2nd brake [el.]

przekaźnik zwłoczny (dla) ruchu przeciwbieżnego time relay for reverse travel [el.]

przekaźnik zwłoczny klaksonu time relay for horn [el.]

przekaźnik zwłoczny maty kontaktowej contact mat time relay [el.]

przekaźnik zwłoczny maty kontakowej roboczej time relay for reverse travel [el.]

przekaźnik zwłoczny rozruchu starting time relay [el.]

przekaźnik zwłoczny smarownicy igiełkowej drip lubricator relay [el.]

przekąska snack (*sandwich, bread and butter*) [abc]

przekątna sklepienia soffit diagonal members [transp.]

P

przekątny transverse [abc]

przekład maszynowy machine translation [inf.]

przekładać reroute (*hoses were rerouted*) [transp.]

przekładka tie, spacer, bracket; bushing; attaching disk [masz.]; interim piece [transp.]; shim [met.]

przekładka z blachy diffuser plate [mot.]

przekładki dunnage [mot.]

przekładnia gear; transmission [mot.]

przekładnia bezstopniowa infinitely variable change-speed gear [masz.]

przekładnia czterostopniowa four speed shift, four speed shift transmission [mot.]

przekładnia dwustożkowa taper cone drive [masz.]

przekładnia główna main gear, final drive; propel drive [mot.]

przekładnia główna napędowa final drive [mot.]

przekładnia główna z kołem uchylnym main slewing gear [transp.]

przekładnia hamulcowa brake linkage [mot.]

przekładnia hydrauliczna hydraulic transmission; hydraulic torque converter [mot.]

przekładnia hydrodynamiczna fluid transmission [mot.]

przekładnia hydrokinetyczna hydraulic torque converter [mot.]

przekładnia kątowa angle transmission [masz.]

przekładnia kierownicza steering gear [mot.]

przekładnia kierownicza gluboidalna gemmer steering [mot.]

przekładnia kierownicza ślimakowa worm and sector steering device [mot.]

przekładnia koła czerpakowego bucket wheel gear [transp.]

przekładnia kompaktowa compact gear [transp.]

przekładnia kompaktowa wysokosprawna heavy-duty compact gear [transp.]

przekładnia łańcuchowa chain drive [mot.]

przekładnia łańcuchowa odboczkowa chain reduction gear [tw.]

przekładnia mechanizmu obrotowego (*żurawia*) slewing gear [mot.]

przekładnia napięciowa voltage ratio [el.]

przekładnia nawrotna reversible power-shift gear, reversing gear; power-shift transmission, power-shift gear [mot.]

przekładnia obiegowa planetary gear, planetary transmission [mot.]

przekładnia odboczkowa transfer box gearing [transp.]; layshaft [mot.]

przekładnia pasowa belt drive [masz.]

przekładnia pełzająca precision gear [mot.]

przekładnia planetarna planetary gear, planetary transmission, planet gear [mot.]

przekładnia podwójna twin drive unit [transp.]

przekładnia pojedyncza cięgnowa o zmiennym przełożeniu wolna od poślizgu P.I.V. gearing [mot.]

przekładnia pomocnicza auxiliary transmission [masz.]

przekładnia poręczy handrail gearing [transp.]

przekładnia posuwów advance gear (*feed gear*) [transp.]

przekładnia przełączalna power shift transmission [mot.]

przekładnia przemiennikowa converter gear [mot.]

przekładnia przyspieszająca overdrive [mot.]

przekładnia redukcyjna reduction gear, reduction [masz.]; step-down gear [mot.]

przekładnia rozdzielcza transfer box, transfer box gearing [transp.]

przekładnia różnicowa transfer box, transfer box gearing [masz.]

przekładnia różnicowa pompy pump transfer gear [mot.]; power take-off gear for pumps [transp.]

przekładnia stożkowa z zębami śrubowymi spiral-conic gear [masz.]

przekładnia synchronizująca synchronous gear [mot.]

przekładnia szeregowa series gear [transp.]

przekładnia sześciobiegowa six speed shift [mot.]

przekładnia ślimakowa worm gear, worm gearing; worm-drive gear unit [mot.]; worm wheel [transp.]

przekładnia uchylna swing gear, bull gear, swing gear box, swing transmission (*on cable shovel*), slewing gear, slew transmission, slew distributor [transp.]

przekładnia uchylna główna main slewing gear [transp.]

przekładnia z biegiem górskim hill gear [mot.]

przekładnia z kołem uchylnym swing gear, swing gear box, swing transmission (*on cable shovel*), slew distributor, bull gear [transp.]

przekładnia zębata gear train (*the complete transmission*) [masz.]

przekładnia zębata czołowa spur gear, spur gearing [mot.]

przekładnia zębata dodatkowa additional gear (*2 shafts*) [transp.]

przekładnia zębata kątowa bevel gear [masz.]

przekładnia zębata międzystopniowa intermediate gearing [mot.]

przekładnia zębata stożkowa bevel gear [masz.]

przekładnia zębata wejścia input gear [mot.]

przekładnia zębata zmianowa change speed gearbox, gear change box, switch gear [mot.]

przekładnia zębatkowa rack gear [mot.]

przekładnia zmianowa różnicowa torque divider transmission, torque division transmission [masz.]

przekładnia zmianowa stopniowa switch gear [mot.]

przekładnia zmianowa stopniowa o pełnym obciążeniu full load power shift, full power shift [mot.]

przekładnik measuring transformer; transducer [el.]

przekładnik napięciowy voltage transformer [el.]

przekładnik prądowy current transformer; transformer [el.]

przekładnik prężności pressure transmitter [masz.]

przekonywać assure [abc]

przekop cutting [mot.]; cross-heading [górn.]; tape skew [inf.]

przekop terenu road cut [geol.]

przekraczać nieznacznie slightly exceed [abc]

przekraczanie zera zero crossings [inf.]

przekręcać overtorque; overwind [masz.]; twist; warp [tw.]

przekręcony overtorqued, overwound (*a bolt*) [masz.]

przekroczenie dolnej granicy zakresu regulacji below regulated range [mot.]

przekroczyć violate [praw.]

przekrój section (*on drawing*) [rys.]; profile section [transp.]; average [mat.]

P

przekrój geologiczno-inżynierski soil profile [bud.]
przekrój gwintu sectional profile [masz.]
przekrój kabla cable cross-section, wire cross section [el.]
przekrój podłużny longitudinal section [bud.]; road following course of countryside [transp.]
przekrój poprzeczny cross section; camber [bud.]; inside diameter; outside diameter; sectional drawing [masz.]; grab section (*side-view at log grab*) [transp.]; (*rysunek*) transverse section-drawing [rys.]
przekrój poprzeczny kanału spalinowego brutto flue gross cross sectional area [energ.]
przekrój poprzeczny kanału spalinowego flue cross sectional area [energ.]
przekrój poprzeczny kwadratowy square profile [masz.]
przekrój poprzeczny płaski flat web section [masz.]
przekrój poprzeczny przewodu wire cross section [transp.]
przekrój poprzeczny szyny rail profile [mot.]
przekrój poprzeczny wypełniacza filler profile, tie-strip [transp.]
przekrój prostokątny rectangular tube section [masz.]
przekrój skrzynkowy boxed-in section [masz.]
przekrój wiązki dźwiękowej cross-section of sound beam [akust.]
przekrój wydrążony hollow profile [transp.]
przekrój wydrążony kwadratowy rectangular box section [transp.]
przekrój wydrążony prostokątny rectangular tube section [transp.]
przekształcać rearrange [abc]
przekształcanie rodzaju fali mode transformation [el.]
przekształcenie transformation [mat.]; conversion (*from gas to oil*) [energ.]
przekształcenie fali wave transformation [el.]
przekształcenie liniowe linear transformation [mat.]
przekształcenie przez podobieństwo similarity transformation [miern.]
przekształtnik rodzaju fal mode transformation [el.]
przekupstwo bribery [abc]
przekupywać bribe [abc]
przelany cast [met.]
przelew water drainage, drain [mot.]
przelewać cast [met.]; (*się*) run over [abc]; strain [masz.]
przeliczać recount [abc]
przeliczony calculated [abc]
przelot passage; throughlet [bud.]
przelotka grommet; lift eye [masz.]
przelotność absorption capacity [fiz.]; displacement [mot.]
przelotny temporary [abc]
przelotowy through [el.]
przełącznik obrotowy rotary switch [el.]
przełącznik sterowniczy regulating switch [el.]
przełącznik zakresów range selector [el.]
przeładowanie overload, overcharge, overcharging [mot.]
przeładowywać overload [mot.]
przeładunek i składowanie rehandling and storage [abc]
przeładunek i spedycja rehandling and forwarding [abc]
przeładunek towarów materials handling [mot.]
przełączać switch, switch over; change over [el.]; override [transp.]; put through [telkom.]

przełączalnia switch room [transp.]

przełączalny shiftable, switchable [mot.]

przełączanie shift [mot.]

przełączanie bezudarowe non-bounce change-over [el.]

przełączanie dwustopniowe twin-stage transmission [masz.]

przełączanie miękkie soft shift [mot.]

przełączanie próżniowe vacuum-power change (*shift*) [mot.]

przełączanie ręczne manual shift (*manual shifting*), soft shift [mot.]

przełączanie trójkąt-gwiazda delta star control, star delta control, star-delta switching, Y-delta connection [el.]

przełączanie wybierakowe selection switching [el.]

przełączenie shifting (*into other gear*) [mot.]; switching (*by authorized staff only*) [el.]

przełącznik breaker; change-over switch [el.]

przełącznik biegunów commutator [el.]

przełącznik ciśnienia pressure transmitter [masz.]

przełącznik częstotliwości frequency change selector, frequency selector [el.]

przełącznik częstotliwości wzmacniacza amplifier frequency selector [el.]

przełącznik dotykowy touch sensor [el.]

przełącznik dwustabilny toggle switch [el.]

przełącznik elektromagnetyczny magnetic switch, solenoid switch, magneto switch [el.]

przełącznik falowy ciśnieniowy pressure wave switch [transp.]

przełącznik góra-dół kluczykowy up-down key switch [el.]

przełącznik kanałów channel switch selector [el.]

przełącznik kierunku wirowania selector for signal inversion [mot.]

przełącznik kluczykowy key switch [el.]

przełącznik kodowy coding switch [el.]

przełącznik kontrolny inspection switch (*to inch near*) [transp.]; probe cable switch selector [el.]

przełącznik liczby biegunów pole changing starter [el.]

przełącznik łączenia bezpośredniego destination button [mot.]

przełącznik migowy przechylny toggle switch [el.]

przełącznik napięcia voltage selector [el.]

przełącznik nożny świateł mijania foot dip switch [mot.]

przełącznik obrotowy światła light spindle switch [el.]

przełącznik "obsługa manualna" automatic-to-manual selection [masz.]

przełącznik przerzutowy flip-type switch [mot.]

przełącznik roboczy operating switch [transp.]

przełącznik skokowy step buttons [transp.]

przełącznik stopniowy step switch [mot.]

przełącznik suwakowy slide switch [el.]

przełącznik świateł mijania dimmer switch, dip switch [mot.]

przełącznik wciskowy z lampką sygnalizacyjną lighted push-button [el.]

przełącznik wybierakowy selector switch (*selection*) [el.]

przełącznik wybierakowy – ogrzewanie selector switch – heaterr [transp.]

P

przełącznik wybierakowy jazdy ciągłej i przerywanej selector switch interrupted-continuous travel [transp.]

przełącznik wybierakowy komórki fotoelektrycznej photo-electric cell selector switch [el.]

przełącznik zamykania closing switch [el.]

przełącznik zmiany kierunku obrotów selector for signal inversion [mot.]

przełączyć na niższy bieg shift down [mot.]

przełom breakage [abc]; rupture [masz.]

przełom drzewiasty fibrous fracture [tw.]

przełom plastyczny diagonal tension failure [bud.]

przełom poślizgowy diagonal tension failure, shear failure [bud.]

przełom wieku turn of the century (*mostly singular*) [abc]

przełom włóknisty fibrous fracture [tw.]

przełom zmęczeniowy fatigue fracture, fatigue crack [tw.]

przełożenie przekładni travel gear shift [transp.]

przełożenie przekładni zębatej transmission gear ratio [mot.]

przełożenie redukujące reduction [masz.]

przełożenie redukujące przekładni obiegowej planetary reduction (*on loaders*) [mot.]

przemawiać make a speech; address (*do kogoś*) [abc]

przemieniać change (*convert*) [met.]

przemiennik converter [el.]

przemiennik momentu obrotowego torque converter [masz.]

przemiennik napięcia voltage converter [transp.]

przemiennik prądowo-napięciowy

current-to-voltage converter [el.]

przemieszany mixed [abc]

przemieszczać move (*forward, carry*); transfer (*production*) [abc]; tram [mot.]; (*się*) destroy tectonically (*t. disturbance*) [gleb.]

przemieszczać maszynę move a machine [mot.]

przemieszczenie dislocation [med.]; displacing [mot.]; shifting [masz.]

przemieszczanie magazynów stock movements [inf.]

przemieszczenie pionowe vertical displacement [mot.]

przemoczony do suchej nitki soaking wet [abc]

przemowa address [abc]

przemówienie speech (*make a speech*) [abc]

przemówienie inauguracyjne opening address [abc]

przemówienie końcowe closing address [abc]

przemysł budowlany building industry, construction industry [bud.]

przemysł cementowy cement industry (*quarry to mill, silo*) [górn.]

przemysł chemiczny chemical industry [chem.]

przemysł chemiczny i petrochemiczny chemical and petrochemical industry [chem.]

przemysł drukarski printing industry [abc]

przemysł drzewny lumber industry, logging [abc]

przemysł górniczo-hutniczy mining industry [górn.]

przemysł gumowy rubber industry [masz.]

przemysł hutniczy iron and steel industry [masz.]

przemysł lotniczy aircraft industry [ekon.]

przemysł materiałów drogowych road material industry [górn.]

przemysł metali kolorowych non-ferrous metal industry [tw.]

przemysł metali nieżelaznych non-ferrous metal industry [tw.]

przemysł motoryzacyjny automotive industry, motorcar industry [mot.]

przemysł naftowy oil industry [abc]

przemysł nawozów sztucznych fertilizer industry [roln.]

przemysł okrętowy shipbuilding industry [mot.]

przemysł okrętowy i przemysł stoczniowy maritime industry [mot.]

przemysł optyczny optical industry [opt.]

przemysł produkcji jednośladów bicycle industry [mot.]

przemysł produkcji narzędzi tool industry [narz.]

przemysł przetwórczy process industry (*paper, textiles*) [abc]

przemysł pumeksowy pumice stone industry [abc]

przemysł rybny fishery industry [mot.]

przemysł samochodowy motorcar industry [mot.]

przemysł spożywczy food industry [abc]

przemysłowy wysięgnik pojedynczy mono boom for industries [transp.]

przemyśleć consider [abc]

przemywacz washer [mot.]

przemywać rinse [masz.]

przeniesienie carry [inf.]

przeniesiony transferred [abc]

przenik zdalny far end cross talk [telkom.]

przenikać penetrate [abc]; (*the material*) penetrate [górn.]

przenikalność dielektryczna dielectric constant (*permittivity*) [el.]

przenikalność elektryczna (*absolutna*) permittivity [el.]

przenikalność opacity [el.]; permeability [masz.]

przenikanie penetration [transp.]

przenikanie ciepła heat transmission [energ.]

przenikliwy penetrating [abc]

przenosić transmit [abc]; convey, carry, haul, move transport [górn.]; transfer [wojsk.]

przenoszenie delivery; handling; transfer; transmission [mot.]

przenoszenie energii transmission of force, transmission of power [masz.]; power train (*GB: power transmission*) [mot.]

przenoszenie mocy transmission of force, transmission of power [mot.]

przenoszony transmit [el.]

przenośnik conveyor (*feed roller*) [tw.]; (*dla równomiernego poboru materiałów sypkich z silosów*) tunnel conveyor (*-belt*) [górn.]

przenośnik chodnikowy belt conveying [transp.]

przenośnik chodnikowy duży carry idler [transp.]

przenośnik grawitacyjny wstrząsany vibrating feeder chute, vibrating trickle feed tray [transp.]

przenośnik korytowy łańcuchowy drag link conveyor [masz.]

przenośnik korytowy powietrzny airslide [górn.]

przenośnik kubełkowy bucket chain conveyor, bucket elevator [transp.]

przenośnik kubełkowy łańcuchowy chain elevator [górn.]

przenośnik kubełkowy wysokowydajny high capacity elevator [górn.]

przenośnik linomostowy cableway bucket [górn.]

przenośnik łańcuchowy chain conveyor, scraper chain conveyor, underfloor conveyor [górn.]

P

przenośnik łańcuchowy nieckowy upper trough chain conveyor [górn.]

przenośnik łańcuchowy panwiowy bushed transporting chain [masz.]

przenośnik łańcuchowy zamknięty endless chain conveyor [górn.]

przenośnik łańcuchowy zgarniakowy chain scraper [górn.]

przenośnik łańcuchowy zgrzebłowy chain scraper (*upper trough chain*) [transp.]

przenośnik mieszanki paliwowej fuel blending elevator [energ.]

przenośnik mostowy w kopalniach odkrywkowych conveyor bridge for open-pit mining [transp.]

przenośnik obiegowy endless conveyor [górn.]

przenośnik odprowadzający (*obsługujący bunkier*) hopper discharge conveyor [górn.]

przenośnik okrężny endless conveyor (*circular conveyor*) [górn.]

przenośnik osobowy personal conveyor, travelator [transp.]

przenośnik pętlowy tripper car [transp.]

przenośnik płytowy disc carrier (*gate valve*) [energ.]; steel plate conveyor [masz.]

przenośnik podwieszony trolley conveyor, cable-mounted buckets (*e.g. in quarry*) [górn.]

przenośnik Redlera Redler conveyor [energ.]

przenośnik rolkowy gravity roller [masz.]

przenośnik rolkowy grawitacyjny gravity roller [masz.]

przenośnik ruchomy removing conveyor [transp.]

przenośnik rur pipe transporter [mot.]

przenośnik ślimakowy conveying worm, worm type feeder, worm, screw conveyor [mot.]

przenośnik śrubowy screw conveyor, conveying worm, worm type feeder, worm [mot.]

przenośnik taśmowo-wałkowy tube conveyor [górn.]

przenośnik taśmowy belt conveyor, belt conveyor system, conveyor belt, elevating conveyor [transp.]

przenośnik taśmowy do przewozu ludzi passenger transport band [transp.]

przenośnik taśmowy płaski flat belt conveyor [masz.]

przenośnik taśmowy przesuwny travelling belt conveyor [energ.]

przenośnik taśmowy stacjonarny stationary belt conveyor [transp.]

przenośnik taśmowy wychylny slewing belt conveyor [masz.]

przenośnik wałkowy roller conveyor, roller gear bed, roller table [masz.]

przenośnik wałkowy bez własnego napędu idle roller bed [mot.]

przenośnik wałkowy doprowadzający charging roller conveyor [mot.]

przenośnik wałkowy załadowczy charging roller conveyer [tw.]

przenośnik wózkowy trolley conveyor [masz.]

przenośnik wstrząsowy vibrating feeder chute, vibrating trickle feed tray [transp.]

przenośnik wyładowczy discharge conveyor [górn.]

przenośnik z dolną taśmą nośną lower catenary idler [transp.]

przenośnik zasilający feed conveyor [górn.]

przenośnik zasilający łańcuchowy impact catenary idler [transp.]

przenośnik zgarniakowy łańcuchowy drag link conveyor [masz.]

przenośniki materials handling

equipment [górn.]
przenośny portable, transportable [abc]
przeobrażać modify [abc]
przeobrażenie metamorphose [abc]
przeobrażony metamorphic [abc]
przepaść precipice [abc]
przepełniać penetrate [abc]
przepełnienie overflow [abc]
przepierzenie crate (*put machine, animals in*) [mot.]
przepił (*w kamieniu*) saw-cut [met.]
przepis formula; regulation, rule, directives; provision [abc]; government legislation [praw.]; government order [polit.]
przepis odbiorczy acceptance specification [miern.]
przepis służbowy service regulations [abc]
przepis szczegółowy specification [abc]
przepis wewnątrzzakładowy shop agreement [masz.]
przepisy bezpieczeństwa safety requirements [abc]
przepisy celne customs regulations [praw.]
przepisy dostawy i odbioru delivery and acceptance specification [ekon.]
przepisy handlowo-przewozowe (EVO) railway operating rules [mot.]
przepisy kontrolne test specifications [norm.]
przepisy końcowe concluding terms [praw.]
przepisy przewozowe kolei railway operating rules [mot.]
przepisy ruchu drogowego traffic regulations [mot.]
przepisy sygnalizacji kolejowej (ESO) railway signal rules; signal regulations [mot.]
przepłacony overpaid [abc]

przepłukanie rinsing [masz.]
przepłukiwanie kotła wash-out (*boiler wash-out*) [energ.]
przepływ flow [abc]; water drainage [transp.]
przepływ burzliwy turbulent flow [fiz.]
przepływ chłodziwa coolant flow [mot.]
przepływ danych data flow [inf.]
przepływ danych wejściowych incoming data flow [inf.]
przepływ danych wyjściowych outgoing data flow [inf.]
przepływ gazu gas flow [energ.]
przepływ krzyżowy cross flow [energ.]
przepływ masowy nastawny adjustable flow rate capacity [hydr.]
przepływ materiału material flow; flow of material [abc]
przepływ oleju do przodu forward oil [mot.]
przepływ oleju smarowego lubricating oil flow [masz.]
przepływ opadający down-flow [energ.]
przepływ płynu fluid flow [mot.]
przepływ pompy pump flow [mot.]
przepływ przeciwprądowy counter flow [energ.]
przepływ uwarstwiony laminar flow [energ.]
przepływ wsteczny back flow [mot.]
przepływ wymuszony once-through forced flow [energ.]
przepływ wznoszący up-flow [energ.]
przepływność absorption capacity [fiz.]; displacement [mot.]
przepływomierz feed water flow meter [hydr.]; flow meter (*on tank*) [mot.]
przepływomierz do pary steam flow meter, steam flow recorder [energ.]
przepona diaphragm [fiz.]; membrane; gland [masz.]

P

przepona pompy paliwowej fuel pump diaphragm [mot.]

przepona uszczelniająca seal membrane [masz.]

przepraszać apologize (*May I apologize?*) [abc]

przeprawiać cross (*cross a river*) [abc]

przeprowadzać transfer (*Activities were transfered*) [abc]

przeprowadzać kurację take the waters [med.]

przeprowadzenie execution (*of a task*) [abc]

przeprowadzka moving [mot.]

przepust culvert [bud.]

przepust dachowy floor opening [transp.]

przepust izolowany bushing [bud.]

przepust izolowany kabla cable bushing [el.]

przepust przez mur wall duct [bud.]

przepustnica throttle, throttle body, throttle relief valve, throttle valve; contraction choke; gas pedal (*throttle*); governor control lever; regulator (*steam locomotive*); restrictor [mot.]; choke [tw.]; butterfly valve [energ.]; air duct [transp.]; air regulating damper [miern.]

przepustnica gazów spalinowych flue gas damper, gas damper [energ.]

przepustnica powietrza zużytego exhaust air flap [mot.]

przepustnica rozruchowa powietrza choke [mot.]

przepustnica transportu popiołu ash compartment isolating damper [energ.]

przepustowość capacity (*depends on speed, width*); discharge time [transp.]; throughput rate [el.]

przepustowość obwodu circuit capacity [el.]

przepustowość rury rate of tube travel [masz.]

przepuszczać fail [abc]

przepuszczalność (*światła*) transparence (*optical*) [opt.]; permeability (*magnetic*) [masz.]

przepuszczalność płyt plate transmittance [masz.]

przepychacz push broach [narz.]

przerabiać process; work on (*handle*) [abc]; re-design (*improve*) [masz.]; vary [rys.]

przerabiać powtórnie recycle [rec.]

przerabiać sposobem hutniczym smelt (*in iron works*) [masz.]

przerabiać wstępnie recycle [rec.]

przerabianie reworking [abc]; recycling [rec.]

przeregulowanie ustawienia odkładnicy adjusting of mouldboard [transp.]

przerost parting (*interburden*) [górn.]

przerost płonny interburden, interwaste, intercalation, parting [górn.]

przerób processing [górn.]

przerób hutniczy smelting (*iron ore*) [masz.]

przerób kęsisk slab processing [masz.]

przeróbka modification [transp.]; reworking [abc]; remodelling (*of the slab caster*) [masz.]

przeróbka i powtórne użycie materiałów budowlanych building material processing, building material recycling [rec.]

przeróbka minerałów niemetalicznych nonmetallic mineral processing [górn.]

przeróbka poboczy working on shoulders [transp.]

przeróbka złomu scrap preparartion [rec.]

przerwa break [abc]; breakdown [energ.]; interruption [transp.]

przerwa bezpieczna dividing point [transp.]

przerwa montażowa assembly break [masz.]

przerwa obiadowa lunch break [abc]

przerwa odłącznikowa dividing point [transp.]

przerwa śniadaniowa breakfast break [abc]

przerwa w dopływie energii elektrycznej power failure, blackout [el.]

przerwa w montażu assembly break (*interruption*) [masz.]

przerwa w pracy work stoppage [abc]

przerwa w zapłonie back fire, back kick (*wrong setting of ignition*) [mot.]

przerwanie discontinuation [polit.]; interrupt [inf.]; rupture (*crack*); tear [masz.]

przerwanie dopływu ciśnienia pressure cut-off [mot.]

przerwanie formy run-out plate (*cut off after weld*) [met.]

przerwanie ognia cease fire [wojsk.]

przerwanie spoiny discontinuity of weld seam, runout of seam [met.]

przerwanie zapłonu loss of ignition [energ.]

przerysowywać calk [rys.]

przerywacz breaker; contact point [el.]; contact breaker [mot.]; interrupter [abc]

przerywacz prądu sterowniczego control circuit breaker, control current cutout [transp.]

przerywacz zapłonu timer (*ignition timer*) [mot]

przerywać breakout [transp.]; break off [wojsk.]; discontinue [abc]; interrupt [mot.]; kill [inf.]; stall [masz.]

przerywać ogień cease fire [wojsk.]

przerywany discontinuous [górn.]; intermittent [transp.]

przerzutnik flip-flop; multivibrator [el.]

przerzutnik Schmitta Schmitt-Trigger-circuit [el.]

przesiąkać penetrate [abc]

przesiew throughput [abc]; fines [met.]

przesiewacz screen (*near crusher*), sieve [górn.]

przesiewacz klasyfikacyjny classifying screen [górn.]; pre-classification screen [narz.]

przesiewacz klasyfikacyjny eliptyczny elliptical pre-classification screen [górn.]

przesiewacz rusztowy slag screen [energ.]

przesiewacz rusztowy popiołu water ash screen [energ.]

przesiewacz szczelinowy poprzeczny lateral slotted screen [masz.]

przesiewacz wahadłowy trójpokładowy triple-deck vibrating screen [górn.]

przesiewacz węgla coal screen [energ.]

przesiewacz wibracyjny vibrating screen (*single, double, etc.*) [górn.]

przesiewacz wibracyjny dwupokładowy double-deck vibrating screen [górn.]

przesiewacz wibracyjny jednopoziomowy single-deck vibrating screen [górn.]

przesiewacz wstrząsowy vibrating screen (*single, double, etc.*) [górn.]

przesiewać screen out, sieve [górn.]

przesiewanie screening, smoothening [górn.]

przesiewanie przez gęste sito fine screening [górn.]

przesiewanie skał stone screening [górn.]

przesiewanie wstępne primary screening [górn.]

przesiewanie zgrubne coarse screening [energ.]

P

przeskakiwać overshoot (*overshot*) [transp.]

przeskok iskry spark [abc]

przesłanka presupposition [praw.]

przesłany transmitted (*e.g. radio signals*) [el.]

przesłona blind [bud.]; gate (*transit time range*) [el.]

przesłona chłodnicy radiator shutter [mot.]

przesłona otworowa pin diaphragm (*pin stop*) [masz.]

przesłonka zaworu (*grzybkowego*) valve mask [mot.]

przesłuch cross talk [telkom.]

przesłuch zdalny far end cross talk [telkom.]

przesłuchanie interrogation (*police questioning*) [polit.]

przesłuchiwać examine (*test, interrogate*) [abc]

przestarzały antique (US); archaic [abc]

przestawać (*z kimś*) keep company [abc]

przestawiacz wtrysku injection timing mechanism; timing device [mot.]

przestawiać obrotowo slew [transp.]

przestawianie regulation [abc]

przestawienie boczne circle sideshift [transp.]

przestawienie kąta skrawania adjusting of the cutting angle [transp.]

przestawienie minimalne minimum displacement setting [mot.]

przestawienie obrotowe traverse adjustment [mot.]

przestawienie pionowe level adjustment [abc]

przestawienie poprzeczne traverse adjustment [mot.]

przestawienie poziome radlicy circle centreshift [transp.]

przestawienie prędkości obrotowej speed control, speed adjusting, throttle cable [mot.]

przestawienie radlicy mouldboard rotating [transp.]

przestawienie zęba tooth setting [masz.]

przestawiony staggered [abc]

przestawny movable [abc]

przestawny obrotowo revolving, swingable, slewable, slewing [abc]

przestawny w kierunku pionowym vertically adjustable (*rails or bridge*) [mot.]

przestawny w poziomie laterally adjustable (*rails/tunnel*) [mot.]

przestój breakdown [energ.]; work stoppage; outage; stopping, standstill, stall, failure [abc]

przestronny spacious [transp.]

przestrzegać (*prawo*) abide by (*abide by the law/laws*); comply with [praw.]; observe (*the traffic signs*) [mot.]

przestrzegać przepisów ruchu drogowego abide by the traffic laws [mot.]

przestrzeganie observing (*of laws*) [prawn.]; compliance (*compliance was observed*) [abc]

przestrzeń space [masz.]

przestrzeń cechowa feature space [inf.]

przestrzeń dostępna available space [rys.]

przestrzeń konfiguracyjna configuration space [inf.]

przestrzeń kosmiczna space (*in outer space*) [abc]

przestrzeń parowa steam space, steam collector [mot.]

przestrzeń powietrzna airspace [mot.]

przestrzeń pracy (*przestrzeń do pracy*) working area [transp.]

przestrzeń wewnętrzna interior canals [masz.]

przestrzeń wodna water space [energ.]

przestrzeń wodna pomiędzy rzędami cylindrów coolant in V-block [mot.]

przestrzeń wymagana required floor space, space occupied [transp.]

przestrzeń zabezpieczająca refuge [mot.]

przesunięcie dislocation [med.]; shifting; travel [masz.]; displacement, displacing (*shift, translation*) [mot.]

przesunięcie bezpośrednie direct overthrow [transp.]

przesunięcie ciężaru weight stabilizing [masz.]

przesunięcie fazowe phase shift [el.]

przesunięcie obrazu positioning [transp.]

przesunięcie pionowe level adjustment [abc]

przesunięcie poprzeczne time-base shift [abc]; offset [transp.]

przesunięcie potencjałów potential shift [el.]

przesunięcie punktu zerowego time base delay; zero shift [transp.]

przesunięcie wkręcania proste straight insert [transp.]

przesunięcie względne między stalą a betonem relative displacement of the concrete and the steel [masz.]

przesunięcie zarysu addendum modification; off-set profiling; profile correction [masz.]

przesunięty transferred; staggered [abc]; offset [transp.]

przesuw travel [masz.]

przesuw boczny circle sideshift [transp.]

przesuw częstotliwości frequency swing [el.]

przesuw poziomy time-base shift [abc]

przesuw poziomy radlicy mouldboard sideshift [transp.]

przesuw poziomy wieńca obrotnicy circle sideshift [transp.]

przesuw próbki badanej specimen traverse [masz.]

przesuwać (*się*) activate [mot.]; travel, move [masz.]; shift (*the spool*) [transp.]; transfer [abc]

przesuwanie impulsów pulse shift (*controls*) [el.]

przesuwanie rury do przodu tube travel, tube feed, tube advance [masz.]

przesuwanie się obrazu image drift [el.]

przesuwka clutch collar [mot.]; shift collar [masz.]

przesuwka (sprzęgłowa) sliding collar [mot.]

przesuwnica aerial platform [transp.]

przesuwnica parterowa pit-type traverser [mot.]

przesuwnica torów track shifter (*track shifter device*) [mot.]

przesuwnik shift register [abc]

przesuwnik fazowy phase advancer (*phase adjuster*) [el.]

przesuwny mobile [mot.]; movable [abc]

przesuwny przenośnik taśmowy shiftable belt conveyor [transp.]

przesuwny w poziomie laterally adjustable [mot.]

przesył pocztą pneumatyczną pneumatic tube sample transport [abc]

przesyłać transmit; forward (*through mail or similar*) [abc]

przesyłanie transmission [abc]; transfer [mot.]

przesyłanie impulsu pulse transmission [el.]

przesyłanie ograniczeń constraint transfer [inf.]

P

przesyłanie produktu shipping the product [abc]

przesyłka towarowa freight [abc]

przesyłka zwrotna return shipment [abc]

przesyp przez ruszt riddlings (*siftings*) [energ.]

przeszkoda obstacle [mot.]

przeszlifowywać grind (*to remove material*) [met.]

przeszukiwać search (*rummage <around in>*) [abc]

przeszukiwanie scanning [el.]; search [inf.]

przeszukiwanie A* A* search [inf.]

przeszukiwanie alfabetyczne alpha-beta search [inf.]

przeszukiwanie automatyczne automatic scanning [miern.]

przeszukiwanie metodą podziału i ograniczeń branch-and-bound search [inf.]

przeszukiwanie metodą rozszerzania breadth-first search [inf.]

przeszukiwanie od najlepszego (do najgorszego) best-first search [inf.]

przeszukiwanie strumieniowe beam search [inf.]

przeszukiwanie według kryterium alfabetycznego alpha-beta search [inf.]

przeszukiwanie według (kryterium) jakości best-first search [inf.]

przeszukiwanie wgłąb depth-first search [inf.]

przeszukiwanie zstępujące depth-first search [inf.]

prześcieradło sheet (*bed spread*) [abc]

prześladować haunt; follow through [abc]

prześluzowanie sluicing (*locking of maritime vessels*) [mot.]

prześwietlać promieniami rentgena X-ray [met.]

prześwietlony X-rayed [abc]

prześwit clearance; (*np. toru*) gauge (*track roller to track roller*) [transp.]

prześwit pod pojazdem ground clearance; astride ground clearance; inter-track angle of interference [transp.]; peak ramp angle [mot.]

prześwit podłużny astride ground clearance [transp.]

przetaczać run round her train; shunt (*US: trains and wagons*); head shunt; tram [mot.]; range [abc]

przetak strainer (*also in kitchen*) [abc]

przetapiać (*spoinę*) penetrate, weld through, weld with full penetration [met.]

przetarg tendering [praw.]

przetarty galled [mot.]

przetężenie rezonansowe resonance step-up [fiz.]

przetop niepełny incomplete joint penetration [met.]

przetransportowany transported [mot.]

przetrwanie survival [abc]

przetwarzać process [inf.]

przetwarzanie processing [inf.]

przetwarzanie danych data processing (*data handling*) [inf.]

przetwarzanie danych rozproszonych distributed data processing (DDP) [inf.]

przetwarzanie dokumentów document processing [inf.]

przetwarzanie języka naturalnego natural language processing [inf.]

przetwarzanie kęsisk slab processing [masz.]

przetwarzanie kodu code converting [inf.]

przetwarzanie obrazu image processing [inf.]

przetwarzanie rezerw inventory processing [inf.]

przetwarzanie równoległe parallel processing [inf.]

przetwarzanie symboli symbol manipulation [inf.]

przetwarzanie tekstu text processing [inf.]

przetwarzanie wsadowe batch processing [met.]

przetwarzanie wstępne preprocessing [inf.]

przetwarzanie zlecenia manufacturing order processing [abc]

przetwornica jednotwornikowa rotary converter [el.]

przetwornica prądu stałego D.C. converter [el.]

przetwornica spawalnicza welding converter [met.]

przetwornik ciśnienia damper [mot.]

przetwornik elektroakustyczny electro-acoustical converter, electro-acoustical transducer [el.]

przetwornik natężenia przepływu flow rate value transmitter [mot.]

przetwornik obrazowy image converter [el.]

przetwornik pomiarowy ciśnienia pressure transducer [abc]

przetwornik pomiarowy primary element [miern.]

przetwornik przemieszczenia spool travel gauge [masz.]

przetwórstwo taśmowe strip processing [masz.]

przetyczka cotter pin, grooved pin, cotter bolt, linchpin, locking handle, pin, pin lock, wedge pin [tw.]

przetyczka przesuwna tommy (*tommy bar*) [narz.]

przetyczka sprężysta spring cotter of a bolt, spring cotter pin [masz.]

przetyczka ustalająca retaining pin [masz.]

przetyczka zabezpieczająca coup-

ling pin, locking lever [mot.]

przewaga supremacy [wojsk.]

przewertować browse (*browse through a newspaper*) [abc]

przewężać taper [masz.]

przewężenie constriction, necking, contraction, reduction, restriction [tw.]; orifice [mot.]

przewiąz lash ring, lashing ring (*against lateral moves*) [mot.]

przewiązka string [abc]

przewidywany expected; assigned (*at the assigned place*); provided [abc]; designated [polit.]

przewietrznik ventilator [aero]

przewieziony carried; transported [mot.]

przewijać scroll (*move text up, down on screen*) [inf.]

przewijarka coiling line [tw.]

przewlekać reeve [masz.]

przewodnictwo guidance; lead [abc]; conductivity [el.]

przewodnictwo dźwięku sound conductivity [akust.]

przewodniczący chairman [ekon.]

przewodniczący izby sądu court president [praw.]

przewodniczący rady zakładowej shop steward [abc]

przewodniczący zarządu chairman of the board [ekon.]

przewodnik conductor [el.]

przewodnik ujemny negative conductor [el.]

przewodność czynna wzajemna mutual conductance [el.]

przewodność dźwięku sound conductivity [akust.]

przewodność pozorna admittance [el.]

przewody instalacji elektrycznej cabling, wiring [el.]

przewody instalacji elektrycznej napowietrzne overhead wiring [mot.]

P

przewody odkurzacza dust piping (*precipitator piping*) [energ.]

przewody odpylacza precipitator piping (*dust piping*) [górn.]

przewody parowe vapours piping [energ.]

przewody rurowe tubes and pipes, tubing [masz.]

przewodzący conductive; live (*live wire*) [el.]

przewodzić conduct; (*np. prąd*) lead [el.]; (*np. partii politycznej*) lead [polit.]

przewozić carry, transport, haul, truck [mot.]

przewoźnik carrier; shipowner; truck company [mot.]

przewoźnik wyspecjalizowany w transporcie kontenerów container carrier [mot.]

przewoźny mobile, portable, transportable [mot.]

przewożony carried, transported [mot.]

przewód conduit, cable, wire [el.]; duct [energ.]; line [bud.]

przewód aluminiowy Al-pipe [masz.]

przewód bocznikowy bypass [mot.]

przewód ciepłego powietrza hot air duct [energ.]

przewód ciśnieniowy compressed air line, pressure line, pressure piece [aero.]

przewód ciśnieniowy giętki kołnierzowy flanged pressure hose (*empty hopper*) [mot.]

przewód dalekosiężny conductor [el.]

przewód doprowadzający feed line, air supply line, intake line [masz.]

przewód doprowadzający turbosprężarki doładowującej turbo supply hose [energ.]

przewód drutowy wire [el.]

przewód dymowy downward gas passage [energ.]

przewód giętki flexible line, flexible tube, hose line, hose, tube [mot.]

przewód giętki ciepłego powietrza heater trunk, hot-air hose [mot.]

przewód giętki ciśnieniowy compressed air hose [aero.]; pressure hose [abc]

przewód giętki do spalin gas sampling hose [energ.]

przewód giętki falisty accordion hose [masz.]

przewód giętki hydrauliczny hydraulic hose [mot.]

przewód giętki srebrny silver hose [mot.]

przewód główny olejowy main oil rifle [abc]

przewód hamulcowy brake line [mot.]

przewód hamulcowy elastyczny brake hose [mot.]

przewód jezdny catenary wire (*short: cat wire*) [mot.]

przewód kabelkowy w izolacji odpornej na wilgoć damp-proof cable [transp.]

przewód kontrolny monitoring wire [el.]

przewód lufy bore [wojsk.]

przewód łączący crossover [mot.]

przewód łączący giętki connecting hose [mot.]

przewód łączący przegrzewacza superheater connections [energ.]

przewód łączący rurowy walczaka drum connecting tube [energ.]

przewód łączący wlotowy intake crossover [mot.]

przewód naporowy pressure line, pressure piece [mot.]

przewód napowietrzający pressure-regulator pipe [transp.]

przewód napowietrzny overhead conductor, overhead power supply [el.]

przewód obejściowy bypass line,

bypass [el.]
przewód ochronny (*uziemiający*) protective conductor [transp.]
przewód odgromowy earth cable, ground wire [el.]
przewód odpływowy drain pipe [mot.]
przewód odprowadzający downcomer, downtake tube [energ.]
przewód odprowadzający gazy spalinowe exhaust pipe [mot.]
przewód odprowadzający gazy wylotowe tail pipe [energ.]
przewód odprowadzający parę main steam line [energ.]
przewód odprowadzający powietrze chłodzące cool-air ducting [aero.]
przewód olejowy oil conduit, oil line, oil pipe, oil supply [masz.]
przewód olejowy ciśnieniowy pressure oil pipe [mot.]
przewód olejowy powrotny leak oil return [mot.]
przewód olejowy rozdzielczy oil manifold [masz.]
przewód olejowy ssący oil suction pipe [masz.]
przewód olejowy tłoczny oil delivery pipe [masz.]
przewód olejowy zasilający oil supply tube [masz.]
przewód opadowy downcomer, downtake tube; (*w ścianie przedniej pieca*) front wall downcomer [energ.]
przewód oponowy flexible line [mot.]
przewód oporowy resistance network [el.]
przewód paliwowy fuel pipe, fuel line, fuel feed pipe, tank pipe [mot.]
przewód paliwowy główny main fuel line [mot.]
przewód paliwowy pomocniczy auxiliary fuel line [mot.]
przewód paliwowy powrotny fuel

return line [mot.]
przewód parowy dalekosiężny long-distance steam line [energ.]
przewód parowy główny main pipe [mot.]
przewód pary przegrzanej superheated steam piping [energ.]
przewód plastykowy plastic piping [mot.]
przewód płukania wstecznego scavenge line [masz.]
przewód pod napięciem live wire (*Careful, Live Wire*) [el.]
przewód podnośnika hydraulicznego hydraulic jack lead [mot.]
przewód powietrza doładowującego charge air pipe [mot.]
przewód powietrza wtórnego secondary air conduit, secondary air duct [energ.]
przewód powietrzny air duct, air pipe, air conveying line [aero.]
przewód powietrzny główny main air-pipe [mot.]
przewód powietrzny młynowy pulverizer air duct [energ.]
przewód powrotny return pipe; bypass return [mot.]
przewód powrotny olejowy oil return line [masz.]
przewód powrotny turbosprężarki doładowującej turbo drain line [energ.]
przewód przeciekowy leakage pipe [mot.]
przewód przepłukiwania scavenge line [masz.]
przewód przyłączowy cord [el.]
przewód rozgałęziony distributor bank (*on boom*), distributor block (*under boom*); manifold [mot.]
przewód rozgałęźny distributor bank (*on boom*), distributor block (*under boom*); manifold [mot.]
przewód rurowy pipe, piping [mot.]; conduit (*duct*) [tw.]

P

przewód rurowy łączący connecting piping [tw.]

przewód rurowy powrotny return pipe [mot.]

przewód rurowy przesiewacza screen tube [energ.]

przewód rurowy rozgałęziony przegrzewacza superheater manifold (*header*) [energ.]

przewód rurowy rozgałęźny manifold [mot.]

przewód serowsterowania hydraulic servo line [mot.]

przewód smarowy lubricating oil line [masz.]

przewód sprężonego powietrza pneumatic hose [abc]

przewód spustowy drain tubing, drain pipe; extraction steam line [energ.]

przewód ssawny suction pipe [masz.]

przewód ssawny olejowy oil suction tube [masz.]

przewód ssący ogrzewany gazami odlotowymi exhaust gas heated intake pipe [mot.]

przewód ślizgowy catenary wire [mot.]

przewód tłoczny pressure line; pressure piece [mot.]

przewód transmisyjny transfer tube, coolant transfer tube [tw.]

przewód upustowy bleed pipe (*leak-off pipe*) [mot.]

przewód uziomowy earth cable, ground wire [el.]

przewód wentylacyjny air pipe [aero.]

przewód wiszący suspension cable [el.]

przewód wlotowy inlet port [masz.]; intake air crossover [mot.]

przewód wlotowy rozgałęziony intake manifold [mot.]

przewód wlotowy rozgałęziony ogrzewany gazami odlotowymi

exhaust gas heated intake manifold [mot.]

przewód wody chłodzącej cooling water pipe, cooling water piping [mot.]

przewód wody pitnej fresh water pipe [hydr.]

przewód wyrównawczy balancing network [abc]

przewód wysokiego napięcia high-voltage cable [el.]

przewód z tworzywa sztucznego plastic piping [mot.]

przewód zaopatrujący utility service lines [mot.]

przewód zapłonowy ignition cable [wojsk.]; switch wire [mot.]

przewód zasilający air supply line [masz.]; drum feed piping (*feed water piping*) [energ.]; utility service lines [mot.]

przewód zasilania energią power supply cable [el.]

przewód zasilania feeding line (*hydraulic*) [mot.]

przewód zbiorczy collector [abc]; downcomer header [energ.]; manifold [mot.]

przewód zbiorczy na ścianie tylnej rear wall header [energ.]

przewód zbiorczy pionowy riser tubes header [energ.]

przewód zbiornikowy specjalny special tank hose [mot.]

przewód zerowy zero wire; neutral; middle wire [el.]; neutral conductor [transp.]

przewóz transport [abc]; delivery; dispatch; tramming (*move machine from X to Y*) [transp.]

przewóz drobnicowy part-load traffic [mot.]

przewóz samochodów carriage of cars [mot.]

przewóz załogi manriding [górn.]

przewracać (*się*) tip over (*tip, fall*)

[abc]; (*do góry dnem*) capsize (*ship's disaster*) [mot.]
przewymiarowany oversized [transp.]
przez przypadek by bulldozer [abc]
przez zwierzęta by animals [abc]
przezbrajać convert [transp.]
przezbrajanie change of attachment [transp.]
przeziębienie cold [med.]
przeznaczenie (*miejsce przeznaczenia*) destination [mot.]; destiny [abc]; determination [miern.]
przezorny cautious; watchful (*also dogs or geese*) [abc]
przezroczystość transparency, transparence [opt.]
przezroczysty transparent [opt.]
przezwyciężać surmount [abc]
przezwyciężanie trudności overcoming [transp.]
przeżycie experience; survival [abc]
przęsło (*mostu*) span (*of a modern bridge*), arch, bridge arch, arch of bridge [bud.]
przodek ancestor [abc]; ancestors (*in trees*) [inf.]; face (*at the face; bench*) [górn.]
przodek nieprzygotowany virgin face [górn.]
przodek roboczy working face [górn.]
przodek ustępliwy stope (*underhand stope; top: calotte*) [górn.]
przodek węglowy coal face [górn.]
przodek wybierakowy underhand stope (*top part: calotte*) [górn.]
przód face side, front side; front part [transp.]; front [abc]
przód pociągu head of train [mot.]
przód statku fore [mot.]
przód zęba tooth tip (*point*) [masz.]
przy pomocy with the help of [abc]
przy przodku at the face (*of coal breaking*) [górn.]
przy użyciu narzędzi montażowych with fitting tools [narz.]

przy władzy in power [polit.]
przy zastosowaniu sieci wyrównawczych using transition nets [inf.]
przybierać gain (*gain weight*); rise [abc]
przybijać fasten [met.]
przybijać gwoździami nail [narz.]
przybitnik sledge hammer [narz.]
przybliżenie approximation [mat.]; approach [abc]
przybory do szycia sewing utensils [abc]
przybrzeżno-morski (*o złożu*) offshore [geol.]
przybudówka wing [bud.]
przybycie arrival [mot.]
przybywać do arrive at [abc]
przychodnia dispensary [med.]
przychodzić arrive [abc]
przyciągać tighten; torque [met.]
przycinać trim [abc]; notch, cog; (*palnikiem*) torch-cut [met.]
przycinać na określoną długość cut the length [met.]
przycinak notching machine [narz.]
przycinanie cropping [roln.]
przycisk push button, push-button [inf.]; paper weight [abc]
przycisk "STOP" (*zatrzymujący pracę urządzenia*) stop button, stop switch [transp.]
przycisk alarmowy alarm switch, panic button, emergency button [el.]
przycisk bezpieczeństwa emergency stop button, emergency button, panic button, stop button (*in balustrade head*) [transp.]
przycisk bezpieczeństwa dolny lower stop button [transp.]
przycisk fluorescencyjny luminous push-button [el.]
przycisk góra-dół up-down button [trans.]
przycisk guzikowy push button [mot.]; patent fastener press but-

P

ton, patent fastener push button [transp.]

przycisk klaksonu horn button [mot.]

przycisk kontrolny osi pustej hollow axle probe [miern.]

przycisk radełkowy knurled knob [mot.]

przycisk rozruchowy starter button; shunt signal button [mot.]

przycisk rozrusznika starter button [mot.]

przycisk STOP emergency stop button [transp.]

przycisk uruchamiania stopni step button [transp.]

przycisk uziemiający earthing key (GB) [el.]

przycisk włączania i wyłączania ON/OFF switch [inf.]

przycisk zatrzymywania awaryjnego emergency stop button [transp.]

przycisk zwalniający reset button [transp.]

przycisk zwalniający klakson horn reset buttons [transp.]

przyczepa trailer [mot.]

przyczepa boczna motocykla side car [mot.]

przyczepa do przewozu łodzi boat trailer [mot.]

przyczepa jednosiowa one-axle trailer [mot.]

przyczepa kempingowa caravan [mot.]

przyczepa mieszkalna caravan, motor home [mot.]

przyczepa niskopodwoziowa low bed trailer [transp.]

przyczepa samochodu ciężarowego truck trailer [mot.]

przyczepa wielokołowa do przewozu dużych ciężarów wagon carrying trailer [mot.]

przyczepa z obniżonym pomostem low bed trailer [mot.]

przyczepiać się adhere [masz.]

przyczepność adhesion, adhesive strength [mot.]; bond [bud.]

przyczepność zaprawy bond of mortar [bud.]

przyczepny adhesive [fiz.]; with maximum grip, with maximum traction [abc]

przyczółek mostowy bridgehead (*my forces on your bank*) [wojsk.]

przyczyna reason, cause [abc]

przyczyna śmierci cause of death [med.]

przyczyna wykolejenia cause of derailment [mot.]

przyczyna zgonu cause of death [med.]

przydatność practicability [abc]

przydatność użytkowa efficient during use, suitability for and during work [abc]

przydatny useable, useful [abc]

przydział danych data allocation [inf.]

przydział zasobów resource allocation [inf.]

przydzielać allocate [inf.]; allocate (*staff or manpower*) [abc]

przydzielony alloted [abc]

przyglądać się watch, witness [abc]

przygłuchy hard of hearing [abc]

przygoda adventure (*exciting experience*) [abc]

przygotowanie na wystąpienie awarii readiness for disturbing [abc]

przygotowanie powierzchni surface preparation [masz.]

przygotowanie spoin preparation of welds [met.]

przygotowanie taśmy strip preparation [masz.]

przygotowanie tekstu text processing [inf.]

przygotowanie złączy spawnych preparation of welds [met.]

przygotowany do montażu ready to mount [met.]

przygotowawczy preparing; setting the stage [abc]

przygotowywać prepare [abc]; (*się*) get ready (*Get ready for landing*) [mot.]

przygotowywanie karoserii w stanie surowym body making (*raw manufacturing of b.*) [mot.]

przygotowywanie podłoża drogi making a road base [bud.]

przyjazd arrival [mot.]

przyjeżdżać do arrive at [abc]

przyjęcie acceptance (*take, take over*) [praw.]; immatriculation (*enrollment*) [abc]

przyjęty w handlu commercially approved [ekon.]

przyjmować admit [med.]; assume [abc]

przyjmować paliwo bunker [mot.]

przyklejać glue [abc]

przyklejony glued on [met.]

przykład example, sample, specimen, pattern [masz.]

przykład montażowy example of installation [mot.]

przykład pozytywny positive sample (*in learning*) [inf.]

przykładnica T-square [narz.]

przykładowo as an example [abc]

przykład negatywny negative sample [inf.]

przykręcać bolt on (*bolt and nut*), screw, tighten, torque [met.]

przykry uncomfortable [abc]

przykrycie cover; covering (*against dust, moisture*); lining [abc]

przykrycie dachowe przenośnika conveyor belt housing [energ.]

przykryty covered [bud.]

przykrywa cover [transp.]; door [mot.]; damper [tw.]

przykrywać cover up [bud.]

przykrywać dachem roof [bud.]

przykrywanie ściółką mulching [mot.]

przykuty forged on [met.]

przykuty do chained to [mot.]

przylany cast on [tw.]

przylądek foothills [geol.]

przylegać stick [abc]

przylegający next door [bud.]

przyleganie adhesion [fiz.]

przyległy adjacent [abc]

przylepiać (*się*) glue, glue on (*stick on*) [abc]

przylepiec band aid [abc]

przylga packing surface, sealing face, sealing surface [masz.]

przylgnia gniazda zaworu valve lip, valve seat [mot.]

przyłączać attach; (*się*) join [abc]; put on the line [energ.]

przyłącze clamp, grip, terminal, termination [mot.]

przyłącze główne main input [el.]

przyłącze główne z telefonem wewnętrznym party line [telkom.]

przyłącze regulatora ciśnienia air governor connection [masz.]

przyłącze ścienne wall socket [el.]

przyłącze wodne water mains supply [bud.]

przyłącze zasilające feed terminal [transp.]

przyłącze zasilania connection for power supply [el.]

przyłączenie connection [tw.]

przyłączenie bazy base contact [el.]

przyłączenie bieżącej wody flowing water couplant [bud.]

przyłączenie do przewodu ciśnieniowego głównego end main pressure inlet [mot.]

przyłączenie do sieci power line connection [el.]

przyłączenie nakładki track pad connecting (*on chain*) [transp.]

przyłączenie przyrządu doświad-

P

czalnego test instrument connection [miern.]

przyłączenie rurowe standpipe (*connection*) [masz.]

przyłączony downline [mot.]

przyłbica spawacza welder's helmet [met.]

przymiar długościowy dipstick [mot.]

przymiar do drutu wire gauge [masz.]

przymiar jardowy yardstick (*graduated rod*) [abc]

przymiar rysunkowy trójkątny triangular scales [miern.]

przymiar składany yardstick [abc]

przymiar spawalniczy welding caliber (*gauge*) [met.]

przymiar spoinowy welding-seam gauge [met.]

przymiotnik adjective [abc]

przymocowywać tighten, fasten; secure [masz.]

przymocowywać śrubą screw [masz.]

przymusowy necessary [abc]; enforced [mot.]

przynależny do tego matching (*second piece of pair*) [abc]

przypadek case [abc]

przypadek szczególny special case [abc]

przypadki graniczne border-line cases [abc]

przypadkowo by coincidence; at random [abc]

przypadkowy random [mat.]

przypatrywać się watch [abc]

przypisywać assign [inf.]

przyporządkowanie coordination [bud.]

przypór meshing [masz.]

przypustnica tylna rear sprocket [energ.]

przypuszczać presuppose [abc]

przypuszczalny expected [abc]

przypuszczenia suppositions [praw.]

przypuszczenie presupposition [praw.]

przyrost increase [abc]

przyrostek suffix [abc]

przyrostowe rozbudowywanie systemu incremental system development [inf.]

przyrząd tool; device; appliance; instrument; jig; equipment [abc]

przyrząd cięgłowy hitch, towing device [masz.]

przyrząd do badań tester [abc]

przyrząd do kontroli szyn rail-testing instrument [mot.]

przyrząd do obróbki zużytych gniazd zaworowych valve reseater [narz.]

przyrząd do sprawdzania chropowatości powierzchni surface-crack checking device [miern.]

przyrząd dodatkowy auxiliary product [abc]

przyrząd dodatkowy monitora monitor supplement [inf.]

przyrząd doświadczalny boiler test instrument [miern.]

przyrząd kontrolny testing apparatus, testing instrument [transp.]

przyrząd kontrolny do prętów okrągłych round bar test installation [miern.]

przyrząd kontrolny wody chłodzącej coolant testing device [miern.]

przyrząd kontrolny zakresu pomiarowego measuring range monitor [el.]

przyrząd magnetoelektryczny (*o ruchomej cewce*) moving-coil instrument [el.]

przyrząd mierniczy checking device (*general*), gauge; measuring device, measuring instrument; meter [miern.]

przyrząd mocujący reclaimer [transp.]

przyrząd mocujący bęben drum reclaimer [górn.]

przyrząd mocujący koło czerpakowe wheel reclaimer [transp.]

przyrząd nastawczy adjusting device, adjusting element [miern.]

przyrząd obróbkowy jig [masz.]

przyrząd ogólnego zastosowania general purpose unit [abc]

przyrząd opracowujący zmierzone wartości evaluation system [miern.]

przyrząd pomiarowy analyser; checking device; gauge; measuring device, measuring instrument; meter [miern.]

przyrząd pomiarowy elektryczny eletrical measuring instrument [el.]

przyrząd pomiarowy rezonansu ultradźwiękowy ultrasonic resonance meter [el.]

przyrząd probierczy tester, testing apparatus, testing instrument [abc]

przyrząd rejestrujący direct recording instrument [abc]

przyrząd rejestrujący taśmowy recording strip instrument [miern.]

przyrząd rejestrujący wielobarwny multi-colour recorder [inf.]

przyrząd rozdzielczy switch gear [el.]

przyrząd spawalniczy ustawczy welding jig, welding manipulator, welding positioner, welding fixture, welding and circular milling machine [met.]

przyrząd sterowniczy kontroli ruchu inspection run operating mechanism [transp.]

przyrząd sterujący control unit [inf.]

przyrząd sygnałowy zasilany z sieci signal power supply [el.]

przyrząd szlifierski rotary grinder attachment [narz.]

przyrząd tablicy dyspozytorskiej panel instrument [energ.]

przyrząd tablicy rozdzielczej panel instrument [energ.]

przyrząd transportowo-montażowy do opon tyre handler [mot.]

przyrząd uniwersalny versatile machine [abc]

przyrząd ustawczy aligning device [narz.]

przyrząd uzupełniający monitora monitor supplement [inf.]

przyrząd wskazujący indicator, indicator instrument [el.]

przysięga oath [polit.]

przysłona miernicza metering orifice, orifice disk [miern.]

przysłona pomocnicza auxiliary gate [masz.]

przysłona uszczelniająca guard (*shield*) [masz.]

przysłona wsuwana plug [masz.]

przyspawany po obróbce mechanicznej welded on after mechanical machining [met.]

przyspawany welded on [met.]

przyspieszacz accelerator [mot.]

przyspieszać accelerate [mot.]; bring up [energ.]; speed up [mot.]

przyspieszenie acceleration (*from 30 to 50 km/h*) [mot.]

przyspieszenie silnika przez uderzenie acceleration of engine by outer impact [mot.]

przyspieszenie ujemne deceleration [energ.]; retardation [mot.]

przyspiesznik fuel pedal; gas pedal; throttle pedal [mot.]

przystanek halt, tram stop, station, train stop, stop-over [mot.]

przystań harbour [mot.]

przystawka adapter [masz.]; (*napędu*) layshaft (*countershaft*) [mot.]

przystawka do eliminacji zakłóceń anti-interference device [el.]

przystępność accessibility [abc]

przystępny accessible (*easy to get at*) [abc]

przystosowalność adaptability [abc]

P

**przystosowany do ruchu po dro-
gach** road transportable [mot.]
**przystosowany (zdatny) do trans-
portu przenośnikiem** conveyor
sized [transp.]
przystosowywać adjust [abc]
przysunąć trap [transp.]
przysuwnica tylna rear sprocket
[energ.]
przyszyty sewed on [abc]
przyśrubowany bolt-on [met.]
przyśrubowywać bolt on, screw
[met.]
przytępienie słuchu hearing impediment [med.]
przytwierdzać fit [met.]
przytwierdzenie fastening [masz.]
przywierać adhere (*also figurative*)
[masz.]
przywieszka do klucza key ring
[abc]
przywilej prerogative [praw.]
przywoływać page somebody [abc]
przywracać restore [inf.]
przywracać zaufanie reassure [abc]
przywrócenie reinstatement [praw.]
przyziemiać bear; touch down
[mot.]
przyznawać się confess [praw.]
PS P.S. (*post scriptum*) [abc]
psycholog psychologist [med.]
psychologia psychology (*science of
mind, emotions*) [med.]
psychologiczny psychological
[med.]
public relations public relations,
PR [abc]
publiczność audience [abc]
publiczny public [abc]
publikacja publication [abc]
publikacja prasowa press release
[abc]
publikować publish [abc]
pudełko zapałek matchbox [abc]
pudło box (*carton*) [abc]
pukać knock [mot.]; tap [abc]

pulpit desk (*console, rostrum*) [abc];
cockpit [mot.]
pulpit operacyjny console; dashboard; operating panel [el.]
pulpit operatora indicator board,
panel [abc]
**pulpit sterowania instalacją elek-
tryczną** electric switches [mot.]
pulpit sterowniczy control console,
control desk, control panel, dashboard, operating console [mot.]
pulsacja angular frequency [fiz.]
pulweryzator gleby soil pulverizer
[bud.]
pułap cen na skalę krajową national ceiling [energ.]
pułapka trap [abc]
pułapka akustyczna anechoic trap
[akust.]
pułapowy overhead (*man on back,
welds upwards*) [met.]
pumeks pumice stone [bud.]
punkt point [masz.]; item; (*umowy*)
paragraph; spot [abc]
punkt bazowy wewnętrzny inner
base point [el.]
punkt bazy base point [abc]
punkt dostawy hand-over point
[energ.]
**punkt gaśnięcia silnika wskutek
przeciążenia** stall point (*of
a truck*) [mot.]
punkt gwiazdowy common ground
[tw.]
punkt kontrolowanego ścinania
shear point (*shear pin*) [masz.]
punkt kulminacyjny climax
(*highest possible*), highlight, ultimate position [abc]
punkt luźny loose point [bud.]
punkt montażu installation point
[transp.]
punkt nastawienia setting point (*of
measuring instrument*) [miern.]
punkt obrazowy image point [el.]
punkt obrotu pivot point [transp.]

punkt obrotu ramienia arm pivot [transp.]

punkt oparcia mounting [abc]; A-frame [transp.]

punkt pierwszej pomocy first aid ward [med.]

punkt poboru prób wody kotłowej boiler water sampling point [energ.]

punkt początkowy start [transp.]

punkt pomiaru test point, test instrument tapping point [miern.]

punkt pomiaru ogólnego measuring instrument tapping point [abc]

punkt pomiaru technicznego ogólnego measuring instrument tapping point [abc]

punkt pomiaru temperatury temperature tapping point, temperature measuring station [miern.]

punkt pracy operation point [el.]; work point [el.]

punkt probierczy testing point [mot.]

punkt przemiany transition point [masz.]

punkt przerwania stall point [mot.]

punkt przyłożenia podnośnika jacking position [mot.]

punkt roboczy operation point; work point [el.]

punkt rosy dewpoint [fiz.]

punkt rozpoczęcia obróbki start machining here [rys.]

punkt skrzyżowania intersection point [bud.]

punkt smarowania lubricating point [masz.]

punkt ssania suction point [masz.]

punkt stały benchmark [abc]

punkt stały fixed point [bud.]

punkt styku tangent point [masz.]

punkt środkowy centre point (*for radius*) [tw.]

punkt upuszczania pary bled steam tapping point [energ.]

punkt w dyskusji point of discussion [abc]

punkt wejścia entry point [el.]

punkt węzłowy intersection point, joint connection, panel point [bud.]

punkt widzenia aspect [abc]

punkt włączania switching activating point [el.]

punkt wyjścia exit point [abc]; start [transp.]

punkt wyjścia dźwięku sound exit point [akust.]

punkt wyjścia prądu diodowego diode-current starting point [el.]

punkt wysokościowy benchmark [abc]

punkt zawieszenia fulcrum [abc]; threaded support point (*for crane*) [masz.]

punkt zerowy ground zero [wojsk.]; neutral [el.]

punkt zerowy normalny sea level [mot.]

punkt zetknięcia contact point [tw.]

punkt zwrotny d.c. (*dead centre*), dead-centre point, dead spot [mot.]

punktak punch mark [transp.]; (*o cienkim ostrzu*) prick punch [narz.]; shots [met.]

punktować dot [rys.]

pupurowy purple [abc]

pusta przestrzeń cavity void [fiz.]; hollow spot [abc]

pustelnik eremite [abc]

pustka cavity void [fiz.]; hollow spot [abc]

pustoszyć gut [abc]

pusty empty; hollow [abc]; unladen [mot.]

P

pustynia desert [geol.]

puszcza woods [bot.]

puszka can; (*do konserw*) tin; (*na napoje otwierana u góry rozdarciem specjalnego pierścienia*) ring-top can [abc] puszka połączeniowa junction box [mot.]

puszka rozgałęźna distribution box, transfer case, unilet [el.]

puszka zamykająca lock bushing, head bushing [masz.]

puzzle jig-saw puzzle [abc]

pylisty dusty [abc]

pylon pylon [bud.]

pył cynkowy zinc dust [górn.]

pył gruboziarnisty coarse dust [aero.]; fly ash coarse particles [energ.]

pył karbidowy dust carbide [met.]

pył spalinowy fuel dust [mot.]

pył węglowy coal dust; pulverized coal [energ.]

pyłoszczelny dust-tight [abc]

pytać query [abc]

pytajnik query, question mark [abc]

pytanie question [abc]

R

rabat abatement, discount, renate [mot.]

rabować (obudowę) withdraw [górn.]

rachunek końcowy final account [bud.]

rachunek predykatów pierwszego rzędu first order predicate calculus [inf.]

rachunek telefoniczny telephone bill [abc]

rachunek zdań propositional calculus [inf.]

rachunki przychodzące accounts payable [ekon.]

rachunkowość accountancy [ekon.]

racjonalizacja rationalization [abc]

racjonalizacja produkcji rationalization of manufacturing [abc]

rada advice [abc]; council [polit.]

rada gminy council [polit.]

rada miasta town meeting [polit.]

rada miejska council [polit.]

rada zakładowa shop committee [abc]

radar radar [el.]

radełko skośne knurling [masz.]

radełkować knurl (rim); mill [met.]

radełkowany knurled [met.]

radiacja pionowa vertical radiation [met.]

radialny radial [abc]

radiator radiator [el.]

radio radio [el.]

radio samochodowe automobile radio [mot.]

radioaktywność radioactivity [fiz.]

radioaktywny radio-active [fiz.]

radio-magnetofon cassette radio [el.]

radiostacja radio room [el.]

radioteleskop radio telescope (listens into space) [miern.]

radiowy wireless [el.]

radlica mouldboard [transp.]

radzić się consult [abc]

rafa reef [mot.]

rafinacja refining [górn.]

rafineria refinery [górn.]

rafinować refine (in refinery) [górn.]

rajd rally [abc]

rak crawfish (GB: crab, crayfish) [bot.]; cancer [med.]

rakieta skyrocket [abc]

rakieta do niszczenia celów pod wodą under-water target rocket [wojsk.]

rakieta do pomiaru temperatury temperature measuring rocket [mot.]

rakieta do przenoszenia linki ratunkowej line throwing rocket [wojsk.]

rakieta startowa take-off rocket [mot.]

rama frame, chassis; skeleton [mot.]; truss [masz.]

rama blachy podłogowej frame of floor plate [transp.]

rama boczna wózka bogie sideframe [mot.]

rama dachowa roof frame [bud.]

rama dachu składanego folding top frame [mot.]

rama dolna drop frame [mot.]

rama główna main frame; base frame (*chassis*) [mot.]; main beam [transp.]

rama koparki wielonaczyniowej bucket ladder [transp.]

rama krążka track roller flange [transp.]

rama łańcucha gąsienicowego track frame (*GB, crawler unit*) [transp.]

rama mocująca fitting frame; mounting frame [transp.]

rama piły saw bow [met.]

rama plandeki folding top frame; folding top structure [mot.]

rama płaska low-profile module [mot.]

rama podniesiona elevated frame [mot.]

rama podnośnika lift frame (*lifting frame; wheel loader*) [mot.]

rama podwozia carbody; centre frame (GB); chassis frame; crawler base [transp.]; floor frame; chassis [mot.]

rama pomocnicza auxiliary frame [rys.]

rama przegubowa articulated frame [transp.]

rama przenośnika wałkowego roller rack [masz.]

rama reflektora headlight frame [masz.]

rama rurowa tubular frame [masz.]

rama rurowa centralna central tube frame [mot.]

rama skrzynkowa box-section frame [transp.]

rama spawana welded frame [masz.]

rama spychaka blade support frame [transp.]

rama stalowa wytłaczana pressed steel frame [masz.]

rama szyby przedniej windscreen frame [mot.]

rama ściany bocznej side panel frame [mot.]

rama ściany działowej partition panel frame [mot.]

rama ściany przedniej front panel frame [mot.]

rama ściany tylnej rear panel frame [mot.]

rama trójkątna A-frame [transp.]

rama w kształcie półskrzyni semi box type frame [masz.]

rama wózka bogie frame [transp.]

rama zewnętrzna outer frame [mot.]

ramiak poziomy band; rail (*beam*) [transp.]; bar (*runner*) [bud.]

ramię arm [med.]; rocker, rocker arm [transp.]; shoulder [abc]; arm (*leg*); (*korby*) web; (*w mechanizmie dźwigniowym*) tilt control lever [masz.]

ramię chwytaka grab arm [transp.]

ramię chwytaka do skał block clamp arm [transp.]

ramię czerpaka dipper arm; bucket arm (*US: stick*) [transp.]

ramię dźwigni lever arm; equalizing bar [masz.]

ramię dźwigu lift arm (*on machines*); lifter arm [mot.]

ramię kierujące steering link [mot.]

ramię koparki arm (*stick*) [transp.]

ramię korby rozruchowej starting crank arm [mot.]

ramię ładunkowe lift arm; work arm [masz.]

ramię łyżki koparki arm (*stick*) [abc]; backhoe arm (*US: backhoe stick*); bucket arm; dipper handle [transp.]

R

ramię naciągające tensioning arm [mot.]

ramię nastawcze pitch arm [mot.]

ramię obciążenia work arm [masz.]

ramię odgięte gooseneck-type arm [transp.]

ramię podnośnika lift arm; lifter arm [mot.]

ramię podnośnika lemiesza blade lift arm [transp.]

ramię podnośnika podłoga zwałowej ejector lift arm [mot.]

ramię przekładni kierowniczej pitman arm [mot.]

ramię standardowe standard arm [transp.]

ramię tarczy mocującej koło wentylatora fan belt adjusting pulley bracket [mot.]

ramię wskaźnika indicator arm [abc]

ramię wycieraczki wiper arm (*on windshield wiper*) [mot.]

ramię zrywaka proste smooth profile ripper [transp.]

ramię zwrotnicy osi przedniej pitman arm [mot.]

ramka C C-Frame [el.]

ramki frames [inf.]

rampa czołowa head ramp [mot.]

rampa załadowcza loading ramp (*landing ramp*) [mot.]

rana postrzałowa shot wound [med.]

ranking ranking [abc]

raport report [abc]

raport czynności serwisowych field service report (FSR.) [met.]

raport dzienny daily report [abc]

raport dzienny montera daily service report (DSR.) [abc]

raport o technicznych i ekonomicznych możliwościach realizacji feasibility report [ekon.]

raport policyjny incident report (*police incident report*) [polit.]

raport poranny morning report [wojsk.]

raport specjalny special report (*by our correspondent*) [abc]

raport z montażu field service report (FSR) [abc]

raport z prac monterskich field report, field service report, service report [abc]

raster screen (*book*) [abc]

raster wiertniczy drilling pattern [masz.]

rastrować screen [masz.]

ratować safe (*rescue people*) [polit.]; recover (*salvage*) [abc]

ratunek rescue [med.]

ratusz city hall, town hall [bud.]

ratyfikacja ratification [abc]

ratyfikować ratify [abc]

rąb młotka peen (*peening*) [masz.]

rąbek fold [met.]; seam (*edge*) [abc]

rączka handle [masz.]

rączka do noszenia carrying handle [tw.]

rączka do otwierania włazu manhole cross bar [energ.]

rączka korby rozruchowej starting crank handle [mot.]

rączka regulatora regulator handle [mot.]

rączka zapadkowa ratchet handle [mot.]

rdza rust [chem.]

rdzenny down-to-earth [abc]

rdzeń core (*after work, remove or destroy*); (*liny*) core [tw.]; (*chłodnicy*) core [mot.]

rdzeń chłodnicy radiator block, radiator core [mot.]

rdzeń gwintu thread core [masz.]

rdzeń wiertniczy drilling core [górn.]

rdzeń ziemi earth's core [geol.]

rdzeń żelazny iron core [masz.]

rdzeń żelbetowy reinforced-concrete core [masz.]

reagować respond (*react*) [abc]

reagując na błędy responding to flaw signals [el.]

reakcja response [abc]
reakcja łańcuchowa chain reaction [chem.]
reakcja na obciążanie load reaction [transp.]
reakcja podpory reaction of <or on> support [masz.]
reakcja twornika armature reaction [el.]
reaktancja reactance; inductance [el.]
reaktancja pojemnościowa capacitance [el.]
reaktor ciśnieniowy autoclave [chem.]
reaktor powielający breeder [abc]
reaktor powielający na neutronach prędkich fast breeder [energ.]
reaktor powielający prędki fast breeder [energ.]
reaktywny reactive, responsive [chem.]
realizacja realization; execution (*of a task*); enforcement [abc]
realizacja graficzna drawing instructions [abc]
realizacja programu implementation (*carrying out*) [abc]
realizacja rysunkowa drawing instructions [abc]
realizować perform (*carry out, do, undertake*) [bud.]; reach (*achieve*) [abc]
reanimacja reanimation [med.]
reasekuracja reinsurance [praw.]
recepta formula (*for medicine*) [abc]
recykling recycling [rec.]
recyrkulacja grysu mill recirculation [masz.]
recyrkulacja kondensatu condensate return [energ.]
recyrkulacja skroplin condensate return [energ.]
recyrkulacja spalin flue gas withdrawal; gas tempering [energ.]

reda roadstead (*in the roadstead*) [mot.]
redagować ponownie post-edit [abc]
redagować wstępnie pre-edit [abc]
redakcja editing [druk.]; editorial office [abc]
redakcja tekstu text processing [inf.]; wording (*text*) [abc]
redakcyjny editorial [abc]
redlina ridge [transp.]
redukcja reduction [masz.]; restriction [mot.]; decrease [abc]
redukcja celu goal-reduction [inf.]
redukcja nierówności reduction of bumps or dips [transp.]
redukcja prędkości obrotowej silnika engine rev return, engine-speed reduction [mot.]
redukcja przekładni głównej final drive reduction [mot.]
redukcja wydajności reduction of performance [abc]
redukować reduce (*bring down*); decrease; diminish (*bring down in quantity*) [abc]; back off [met.]
redukować bieg shift down (*into 2nd gear*) [mot.]
reduktor ciśnienia pressure control valve [mot.]; flash tank (*flash box*) [energ.]
reduktor reducing valve [masz.]
referat department [ekon.]; paper [abc]
referencja reference; work certificate [abc]
referent reporter [abc]
reflektor reflector [opt.]; headlight [mot.]
reflektor cylindryczny cylindrical reflector [el.]
reflektor długodystansowy long distance beam [mot.]
reflektor do jazdy wstecz reversing light [mot.]
reflektor dodatkowy working light [mot.]

R

reflektor główny main head lamp [mot.]

reflektor planarny planar reflector [el.]

reflektor płaski planar reflector [el.]

reflektor pomocniczy auxiliary head lamp [mot.]

reflektor poszukiwawczy spot lamp bulb [mot.]; spotlight [el.]; flood light [wojsk.]

reflektor przeciwmgłowy fog lamp [mot.]

reflektor punktowy spotlight [el.]

reflektor sferyczny spherical reflector [masz.]

reflektor szerokostrumieniowy flood lamp [el.]

reflektor tarczowy disc-shaped reflector [el.]

reflektor wąskostrumieniowy spotlight [el.]

reflektor z wkładem optycznym nierozbieralnym sealed beam (*sealed beam spotlight*) [mot.]

reflektor zaciemniony masked headlamp [mot.]

refować reef [mot.]

refrakcja dźwięku sound refraction [akust.]

refrakcja fal kulistych refraction of spherical waves [opt.]

refrakcja fal płaskich refraction of plane waves [opt.]

regał shelf [abc]

regał z prospektami literature rack [abc]

regeneracja rebuilding [masz.]

regeneracyjny podgrzewacz powietrza regenerative air heater, regenerative air preheater [energ.]

regenerator hałd mieszanych bridge-type reclaimer [górn.]

regenerator mieszanki blending reclaimer [górn.]

regenerować restore [abc]; touch up [met.]

regenerowanie reclaiming [górn.]

region region [geogr.]

registrator registrator [abc]

registratura rysunków registration of drawings [rys.]

regulacja adjusting (*of a position*), adjustment [miern.]; control [el.]; regulation [abc]

regulacja automatyczna automatic control [el.]

regulacja ciągła prędkości obrotowej infinitely variable speed regulation [energ.]

regulacja ciągu draught regulation [energ.]

regulacja ciśnienia pressure regulation; pressure bind [mot.]

regulacja czułości sensitivity control [masz.]

regulacja dławieniowa choke adjustment, flow control throttle [mot.]

regulacja dokładna fine control, fine regulation, precision control [transp.]

regulacja dwustawna on-off-Control [el.]

regulacja hamulców adjustment (*adjusting*) [transp.]

regulacja hiperboliczna hyperbola regulation (*follows arc*) [mot.]

regulacja hydrauliczna hydraulic adjusting [masz.]; setting of the hydraulic pressure [mot.]

regulacja iglicy needle control [mot.]

regulacja ilościowa flow control; variable control [mot.]

regulacja indywidualna ciśnienia individual pressure regulation [mot.]

regulacja kompensatora compensator control [energ.]

regulacja łopatek kierowniczych vane control [mot.]

regulacja mechanizmu różnicującego compensating control [mot.]

regulacja mocy power control, power regulation [mot.]

regulacja mocy maksymalnej full power control [mot.]

regulacja mocy sumowanej summated pressure regulation [mot.]

regulacja nadążana follow-up control [mot.]

regulacja napięcia łańcucha chain tension control [transp.]

regulacja nastawna zaworu adjustable valve setting [masz.]

regulacja natężenia przepływu flow control, variable control [mot.]

regulacja obciążenia granicznego power limit control (*electronic*) [mot.]

regulacja ostrości obrazu focus <ing> control definition [el.]

regulacja palnika burner adjustment [energ.]

regulacja pochylenia kół wheel lean adjusting [transp.]

regulacja podłużna backward/forward adjustable [mot.]

regulacja posuwu feed control [mot.]

regulacja poziomu level adjustment [abc]

regulacja precyzyjna fine regulation [górn.]

regulacja prędkości obrotowej speed regulation, speed control, speed adjusting, rev. regulator; throttle cable [mot.]

regulacja proporcjonalno-całkująca z wyprzedzeniem three element control, three term control [energ.]

regulacja siły i położenia force and position control [inf.]

regulacja stałego natężenia przepływu constant flow rate control [mot.]

regulacja temperatury temperature control [mot.]

regulacja temperatury pary steam temperature control, steam temperature regulation [energ.]

regulacja trójkąt-gwiazda Y-delta connection [transp.]

regulacja wartości progowej threshold value control [el.]

regulacja wycieku bleed off [mot.]

regulacja wysokości elevating adjustment [abc]

regulacja wzmocnienia gain control [el.]

regulacja wzmocnienia dB calibrated gain control (*dB control*) [akust.]

regulacja wzmocnienia siły nośnej increased pressure lift circuit [transp.]

regulacja wzmocnienia siły udźwigu increased pressure lift circuit [transp.]

regulacja wzmocnienia siły wyciągowej increased pressure lift circuit [transp.]

regulacja wzmocnienia wzorcowana dB control, calibrated gain control [el.]

regulacja zasilania feed control [mot.]

regulacja zazębiania backlash adjusting [masz.]

regulacja zgrubna i dokładna przesunięcia impulsu coarse and fine pulse delay control [el.]

regularna konserwacja routine maintenance [masz.]

regularny regular (*at regular intervals*) [abc]

regulator control device; controller [mot.]; desuperheater [energ.]

regulator ciśnienia pressure regulator [mot.]

regulator czułości sensitivity regulator [masz.]

regulator fotela seat adjuster [mot.]

regulator hydrauliczny hydraulic governor [masz.]

R

regulator hydrauliczny olejowy oil pressure governor [mot.]

regulator impulsowy pilot-operated regulator [energ.]

regulator jaskrawości regulator natężenia brightness control, intensity control [abc]

regulator mocy output controller, output governor [el.]

regulator mocy granicznej power metering regulator [mot.]

regulator nadążny follower (*follow-up mechanism*) [mot.]

regulator napięcia voltage regulator [el.]

regulator napięcia progowego threshold control (*reject control*) [el.]

regulator nastawczy regulating control [miern.]

regulator obciążenia load rheostat [el.]

regulator odśrodkowy centrifugal governor [mot.]

regulator ogrzewania heater control [mot.]

regulator pochylenia inclination regulator [mot.]

regulator podciśnienia vacuum governor [mot.]

regulator proporcji dozowania paliwa fuel ratio control [mot.]

regulator proporcjonalny proportional controller [energ.]

regulator przesuwania impulsów pulse shift control [el.]

regulator punktu zerowego zero adjuster [transp.]

regulator różnicy ciśnień differential pressure regulator [energ.]

regulator siły hamowania hamulca przyczepy trailer brake pressure regulator [mot.]

regulator świec żarowych pre-heat indicator [mot.]

regulator temperatury tempera-ture control, temperature monitor [miern.]; thermostat [mot.]

regulator temperatury oleju oil thermostat [masz.]

regulator umieszczony na zewnątrz shell type surface attemperator [energ.]

regulator wewnętrzny typu bębnowego drum type surface attemperator [energ.]

regulator wysokości height regulator [mot.]

regulator wysokości warstwy paliwa fuel bed controller, fuel bed regulator [energ.]; adjustable fuel gate [miern.]

regulator wzbudzenia field rheostat [el.]

regulator wzmocności gain control [el.]

regulator zasilania kotła wodą feed water regulator [hydr.]

regulować adjust; regulate [miern.]; time (*time a machine, a clock*) [abc]; tune up [masz.]

regulowanie control [mot.]

regulowanie natężenia przepływu flow rate control [mot.]

regulowany controlled [tw.]

regulowany podłużnie backward/forward adjustable [mot.]

regulowany schodkowo variable increments [abc]

regulowany według wydajności output-regulated [mot.]

regulujący aligned [rys.]

reguła rule [inf.]

reguła dźwigni law of the lever [fiz.]

reguła gramatyczna grammar rule [abc]

reguła odcinków law of the lever [fiz.]

reguła rozszerzona augmented rule [abc]

reguła Titiusa-Bodego Titius-Bodelaw [fiz.]

reguła wnioskowań rule of inference [inf.]

reguły poprzedniości i konsekwencji antecedent-consequent rules [inf.]

reguły warunkowe if-then rules [inf.]

reinspekcja reinspection [inf.]

reja yard, navy-yard [mot.]

rejestr general ledger [el.]

rejestr przekaźnikowy relay store [el.]

rejestr przesuwny shift register [abc]

rejestr stanu warsztatu factory parts record [inf.]

rejestr szkód registration of faults [praw.]

rejestr upadomierza dipmeter log [el.]

rejestr zapisów log sheets [energ.]

rejestracja recording; logging [abc]; registration (*voters' registration*) [polit.]

rejestracja prądu stałego direct current recording [el.]

rejestracja testów szynowych recording of rail tests [miern.]

rejestrator recorder [energ.]; graph recorder [abc]

rejestrator atramentowy dwukanałowy two-channel ink-jet recorder [inf.]

rejestrator bezpośredni direct recorder [el.]

rejestrator drgań vibration hourmeter [abc]

rejestrator dwukanałowy two-channel recorder [miern.]

rejestrator przebiegu linii śrubowej helix recorder (*spiral recorder*) [abc]

rejestrator przekroju cross-section recorder [abc]

rejestrator spiralny spiral recorder [masz.]

rejestrator taśmowy recording strip instrument [miern.]

rejestrator temperatury temperature recorder [miern.]

rejestrator wieloobwodowy multichannel recorder [inf.]

rejestrator wieloobwodowy z ruchomą taśmą rejestrującą multipoint continuous-roll chart recorder [inf.]

rejestrator wielopunktowy multipoint recorder [inf.]

rejestrator x-y x-y recorder [el.]

rejestrować record [abc]; log [mot.]

rejestrować ciśnienie oleju record the oil pressure [masz.]

rejestrowanie impulsów pulse recording [el.]

rejs tour; voyage [mot.]

reklama commercial; advertising [ekon.]

reklama publiczna public advertising [abc]

reklamacja na części zamienne warranty claim on parts [abc]

rekomendacja recommendation [abc]

rekomendować recommend (*highly recommendable*) [abc]

rekonstrukcja powierzchniowa surface reconstruction [inf.]

rekord record [abc]

rekultywacja reclamation [gleb.]

rekursja końcowa tail-recursion [inf.]

rekwirować confiscate [wojsk.]; seize [polit.]

relacja pomiędzy stanem naładowania a żywotnością relationship between load and life [masz.]

relacja relation (*in semantic nets*) [inf.]; report [abc]

relacyjny relational (*not hierarchic*) [el.]

reling rag (*balustrade on ships*) [mot.]

remiza parowozowa through shed [mot.]

remont repair, overhaul [mot.]

R

remont silnika engine repair [mot.]
remontować repair; overhaul [abc]; recondition [masz.]
renta retirement money (*pension*) [abc]
reorganizacja reorganization [abc]
repertuar znaków character set (*of computer language*) [inf.]
repeta second helping [abc]
replika replica [abc]
replikacja replication [inf.]
reporter reporter [abc]
reprezentacja representation [inf.]
reprezentacja analogowa analogue representation [inf.]
reprezentacja proporcjonalna propositional representation [inf.]
reprezentacja wiedzy representation of knowledge [inf.]
reputacja reputation; authority [abc]
residuum residue [gleb.]
resor spring [mot.]; spring retainer [transp.]; composite spring [tw.]
resor ćwierćeliptyczny quarter elliptic spring [mot.]
resor piórowy leaf spring; laminated suspension spring [mot.]
resor piórowy kształtowy formed leaf spring [masz.]
resor pomocniczy auxiliary spring [masz.]; secondary spring [mot.]
resor poprzeczny transverse spring [masz.]
resor półeliptyczny semi-elliptic spring [mot.]
resor synchroniczny synchronizing spring [mot.]
resor tylny rear spring [mot.]
resor wspornikowy quarter elliptic spring [mot.]
resor ze ślizgaczem spring guide [mot.]
resorowanie spring suspension [mot.]
resorowanie gumowe rubber suspension, rubber-spring mounting [masz.]
resorowany blok popychaczy cushion push block [tw.]
resorowany spring-supported [masz.]; spruce (*cushioned*) [abc]
resort section [abc]
resory vehicle springs [mot.]
restauracja (*przy autostradzie*) motorway restaurant [mot.]
restauracja dworcowa station restaurant, station pub (*station tavern*) [mot.]
restauracja lotniskowa airport restaurant [abc]
restaurować restore; do up [bud.]; refurbish [abc]
restrukturyzować restructure [abc]
restrukturyzowanie restructuring [abc]
reszta remainder [abc]
resztka left-over; rest, remainder, remnant; drop [abc]
retarder retarder [mot.]
retencja retention; fly ash retention (*grit retention*) [energ.]
retrakcja retraction (*soot blower*) [energ.]
rewanż revenge [abc]
rewanżować się reciprocate [abc]
rewizja kotła boiler routine inspection [energ.]
rewolucyjny revolutionary [abc]
rezerwa inventory (*perpetual inventory*) [inf.]
rezerwa benzyny gas dump [mot.]
rezerwa fazy phase reserve [el.]
rezerwa mocy spare capacity [energ.]
rezerwacja biletów booking service [abc]
rezerwat przyrody preserve (*sanctuary, national park*) [abc]
rezerwować book [abc]
rezerwuar sump [mot.]
rezonans resonance [fiz.]

rezultat result [abc]

rezultat planowania planning result [abc]

rezygnować give in, give up; resign; dispense; sacrifice [abc]

rezystancja Ohmic resistance [el.]

rezystancja uziemienia discharging resistor [el.]

rezystor nastawny p-type rheostat [el.]

rezystor uziemiający earthing resistor [el.]

reżim regime (*present leadership*) [polit.]

rębacz miner [górn.]

ręczna dźwignia przyspieszacza hand throttle [mot.]

ręczna wiertarka korbowa brace [narz.]

ręcznie dokręcony hand-tight (*tighten a bolt by hand*) [masz.]

ręczny manual (*by hand*) [abc]

ręczny pocisk zapalający hand flame cartridge [wojsk.]

ręczyć be responsible [abc]

ręka hand [med.]

rękaw koszuli shirt sleeves [abc]

rękawice ochronne spawacza welder's gloves [met.]

rękodzielnictwo handicraft [abc]

rękodzieło handicraft [abc]

rękojeść (*dla pasażera*) handle, grip, supporting strap [transp.]; hilt (*handle of a knife*) [narz.]; shaft [masz.]

rękojeść łopaty handle [narz.]

rękojeść zapadkowa ratchet handle [mot.]

rękojmia warranty [abc]

rękopis manuscript, draft, script (*old important letter, etc.*) [abc]

robaczywy rotten [abc]

robić bruzdy score [met.]

robić salto somersault [mot.]

robić zdjęcie photograph (*take, shoot pictures*) [abc]

robocizna bezpośrednia direct labour [abc]

robocza prędkość obrotowa operating speed, operational speed [mot.]

roboczogodzina (*urządzenia*) operating hour, working hour, manufacturing hour [transp.]

robot robot [abc]

robot przemysłowy industrial robot [el.]

robotnicy labour force [abc]

robotnik workman (*<unskilled> worker, artisan*); operative [abc]

robotnik akordowy pieceworker [abc]

robotnik portowy longshore man [abc]

robotnik przyuczony (*do zawodu*) semi-skilled worker [abc]

robotnik użyczony zintegrowany integrated temporary staff [prawn.]

robotnik wykwalifikowany skilled worker [abc]

robot-spawacz robot welder [met.]

roboty drogowe road construction [bud.]

roboty murarskie brickwork [bud.]

roboty odkrywkowe open cast mining, open pit mining, open-pit mining operation [górn.]

roboty przygotowawcze preliminary work [bud.]; mine development [górn.]

roboty spawalnicze welding, welded structures [met.]

roboty wiertnicze drilling work [masz.]

roboty wstępne preliminary work [bud.]

roboty wyrównawcze grading work [transp.]

roboty ziemne earth work, earthworks [bud.]

robotyka robotics [inf.]

robótka ręczna manual labour [abc]

R

roczny annual [abc]
rodzaj kind (*type*) [abc]
rodzaj błędu type of fault, type of flaw (*defect*) [masz.]
rodzaj danych data type [inf.]
rodzaj gleby type of soil [gleb.]
rodzaj hamulców type of brake [mot.]
rodzaj konstrukcji type of construction [masz.]
rodzaj ludzki mankind [abc]
rodzaj ładunku kind of load [energ.]; goods structure [mot.]
rodzaj materiału sproszkowanego nature of powder-shaped material [górn.]
rodzaj montażu type of installation [masz.]
rodzaj ochrony kind of protection [transp.]
rodzaj organizacji type of organization [ekon.]
rodzaj osłony kind of protection [transp.]
rodzaj pojazdu class of car [mot.]
rodzaj powierzchni roughness criteria [masz.]
rodzaj pracy type of labour [abc]
rodzaj projektu type of project [abc]
rodzaj przyczepy trailer design [mot.]
rodzaj silnika engine version, engine variation [mot.]
rodzaj smaru type of lubricant [masz.]
rodzaj sortowania type of sorting [inf.]
rodzaj szkody type of fault, type of flaw [masz.]
rodzaj usterki type of fault, type of flaw [masz.]
rodzaj wady type of fault, type of flaw [masz.]
rodzaj wzbogacania enhancement type [el.]
rodzaj zabezpieczenia kind of protection [transp.]

rodzaj zacisku type of clamp [masz.]
rodzaj złącza type of joint [masz.]
rodzaje obiektów i zależności object types and relationships [inf.]
rodzice parents (*in trees*) [inf.]
rodzimy in situ [górn.]
rodzina układów logicznych logic family [el.]
rogatka (*zapora*) bar; toll gate [mot.]; turnpike [abc]
rok budowy year of erection, year of make [bud.]
rok kalendarzowy calendar year [abc]
rok montażu year of erection, year of make [bud.]
rok produkcji year of erection, year of make, year of manufacture [abc]
rok życia year of one's life [abc]
rokowania negotiation (*business, politics*) [abc]
rola part, role [abc]; field [roln.]
rola tematyczna thematic role [abc]
rola w przekazywaniu wiedzy role in knowledge transfer [inf.]
roleta blind [bud.]
rolka miernicza metering roller [miern.]
rolka naciskowa drive roller [transp.]
rolka napinająca tension pulley [transp.]
rolka napinająca paska wentylatora fan belt idler [aero]
rolka podająca feed roll; transport roll [masz.]
rolka popychacza tappet roller [mot.]
rolka prowadząca idler [transp.]
rolka prowadząca potrójna triple roller guide [masz.]
rolka samotoku transportowego transport roll [mot.]
rolka stopnia step roller [transp.]

rolka transportowa transport roll [mot.]

rolka ustalająca steadying roll [el.]

rolka wodząca sensing roller [masz.]

rolka z materiału wysokiej jakości high-quality plastic roller [transp.]

rolkowana powierzchnia wewnętrzna ścian cylindra roller burnished internal cylinder wall [masz.]

rolkowanie roller burnishing [masz.]

rolkowany roller burnished, burnished (*short for roller burnished*) [masz.]

rolnictwo farming [roln.]

rolniczy agricultural [roln.]

rolnik farmer, agriculturist [roln.]

rolny agricultural (*farming*) [roln.]

ROM ROM (*read only memory*) [inf.]

romb rhombus (*plural: rhombi*) [abc]

rondo roundabout [mot.]

ropa naftowa crude oil, mineral oil, stone oil [górn.]

ropieć fester [med.]

roposzczelny grease tight [abc]

rosa dew [meteo.]

rosnący increasing [abc]

roszczenia natury prywatnoprawnej claims resulting from civil law [praw.]

roszczenia ustawowe ubezpieczonego od odpowiedzialności cywilnej legal claims of the insured deriving in the context of the company described [prawn.]

roszczenia ustawowe z tytułu odpowiedzialności cywilnej z zakresu prawa prywatnego legal claims resulting from civil law [prawn.]

roszczenie claim [praw.]

roszczenie gwarancyjne warranty claim, W/C (WC) [abc]

rościć claim [praw.]

roślina plant [bot.]

roślinność vegetation [bot.]

roślinność podwodna submerged weeds [bot.]

roślinny vegetable [abc]

rotor rotor; travel wheel [transp.]

rowek groove; nick [met.]; (*na linę*) rope groove [górn.]; slit, slot [abc]; beading [masz.]

rowek frezowany milled slot (*milled hole*) [masz.]

rowek klinowy key groove, key seat, key way [masz.]

rowek klinowy styczny tangent keyway (*tangential keyway*) [masz.]

rowek olejowy oil groove [masz.]

rowek pod pierścień uszczelniający flange sealing groove [energ.]

rowek poprzeczny transverse groove [masz.]

rowek smarowy oil groove, lubrication groove [masz.]

rowek smarujący lubrication groove, oil groove [masz.]

rowek walcowany tube hole groove [masz.]

rowek wpustowy key groove [masz.]

rowek zabezpieczający locking notch [masz.]

rower bicycle (*bike*) [mot.]

rower trzykołowy tricycle [abc]

rowki sterowania dokładnego fine control groove for precice work [narz.]

rowkować knurl [met.]

rowkowanie corrugation [tw.]; fluting (*ribbing*) [met.]

rozbicie się statku shipwreck (*maritime disaster*) [mot.]

rozbierać disassemble; dismantle [met.]; unfasten [abc]; dig [bud.]

rozbieralny dismountable [met.]

rozbijać break [abc]

rozbiórka demolition (*of a house*); (*zakładu przemysłowego*) industrial demolition [bud.]; dismantling (*removal*) [met.]; digging [górn.]

R

rozbudowa developing (*enrich*); further growth [abc]; extension [energ.]

rozbudowa portu expansion of the port [mot.]

rozchodzenie się propagation; spreading [abc]

rozchodzić się propagate [abc]

rozciąg time deflection [miern.]

rozciągać extend [abc]; stretch [masz.]

rozciągający traction [mot.]

rozciąganie pull [masz.]

rozciągliwość ductility (*extensibility*) [masz.]

rozciągnięcie jednorazowe one-shot, shot [transp.]

rozciągnięty stretched [masz.]; extended length [transp.]

rozcieńczać thin [abc]; dilute [met.]

rozcieńczalnik thinner; diluent [chem.]; reducer (*solvent, thinner*) [masz.]

rozcieńczanie oleju oil dilution [masz.]

rozcieńczony diluted [abc]; thin, thinned out [masz.]

rozcierać crumble (*grate, crush, grind*) [transp.]

rozcierać zaprawę grout [bud.]

rozcinać slit (*slit open*) [abc]

rozcinak separating cut [masz.]

rozcinak taśmy walcowanej na zimno cutting-to-length line [tw.]

rozdawać distribute [abc]

rozdrabniacz shredder [górn.]

rozdrabniać crush, mill; shred [górn.]; grind [met.]

rozdrabnianie crushing [górn.]

rozdrabnianie grube coarse crushing, primary reduction [górn.]

rozdrabnianie materiałów miękkich soft rock crushing [górn.]

rozdrabnianie miałkie fine crushing [górn.]

rozdrabnianie selektywne selective crushing [górn.]

rozdrabnianie skał półtwardych medium-hard rock-crushing [górn.]

rozdrabnianie wstępne primary reduction [górn.]

rozdrabnianie wstępne jednostopniowe single-stage primary reduction [górn.]

rozdrabnianie wtórne secondary crushing [górn.]

rozdrabnianie wybiorcze selective crushing [górn.]

rozdrabniarka crusher, crushing machine [górn.]

rozdrabniarka dwuwalcowa double-roll crusher [narz.]

rozdrabniarka młotkowa impact pulverizer, integral fan mill (*beater mill*) [narz.]

rozdrobniony fragmented [min.]; shredded [górn.]

rozdymanie rur tube bulge [masz.]

rozdział chapter; paragraphs [abc]; distribution, spreading [el.]

rozdział energii energy distribution [mot.]

rozdział mas mass distribution [abc]

rozdział obciążenia allocation of work [fiz.]

rozdział poprzeczny transverse distribution, side distribution, transversal spacing [masz.]

rozdział prądu energetycznego power current distribution [el.]

rozdzielacz separator; divider; two-stroke-two valve; way valve; connector [mot.]; distributor [energ.]

rozdzielacz cieczy fluid distributor [mot.]

rozdzielacz dwudrogowy breeches pipe, two-way distributor [energ.]

rozdzielacz główny main distributor [mot.]

rozdzielacz krańcowy output distributor [el.]

rozdzielacz **pneumatyczny** compressed air distributor [aero.]

rozdzielacz **próżniowy** vacuum distributor [mot.]

rozdzielacz **sterowany** servo-controlled distribution valve [mot.]

rozdzielacz **strug** beam splitter [masz.]

rozdzielacz **zapłonu** ignition distributor [mot.]

rozdzielacz/**zespół zaworów** distributor/ valve bank [mot.]

rozdzielać distribute; split [abc]

rozdzielać **palnikiem** flame-cut [met.]

rozdzielanie separation [górn.]

rozdzielanie **węgla** coal segregation [energ.]

rozdzielenie separation [abc]

rozdzielenie **organizacyjno-prawne** institutional and legal separation [praw.]

rozdzielnia control unit; switch gear [el.]

rozdzielnia **napowietrzna** outdoor installation [abc]

rozdzielnia **przesyłowa** field switch (*stationary or on skids*) [górn.]

rozdzielnia **wysokiego napięcia** high voltage switchboard [el.]

rozdzielnica **niskiego napięcia** low voltage switchboard [el.]

rozdzierać rip (*not deep*) [transp.]

rozdzieralność notch-rupture strength [miern.]

rozerwać tear [abc]

rozerwanie tear [abc]; failure (*breaking of chains*) [transp.]

rozerwanie **mechaniczne** machinery breakage [masz.]

rozeta rosette [bud.]

rozgałęziać distribute; fork off [el.]

rozgałęziaj **i ograniczaj** branch-and-bound [inf.]

rozgałęzienie distribution [el.]; pipe branch [energ.]

rozgałęźnik swivel fitting [masz.]

rozgorzeć inflame (*enflame*) [abc]

rozgraniczać delimitate [abc]

rozgrzanie **wstępne wody zasilającej parą upustową** bled steam feedwater heating [energ.]

rozgrzany warmed up (*taken the chill out*); pre-heated [met.]

rozgrzany **grzbiet czerpaka** heated bucket back [transp.]

rozgrzany **grzbiet łyżki** heated bucket back [transp.]

rozgrzewać heat up (*warm up, make hot*) [abc]

rozgrzewać na biegu luzem warm up [mot.]

rozgrzewać **wstępnie** preheat, warm up [masz.]

rozgrzewanie heating up [abc]

rozjazd **angielski** scissors crossing, crossing [mot.]

rozjazd **krzyżowy** scissors crossing, crossing [mot.]

rozjazd **krzyżowy łukowy dwustronny** outside diamond crossing with single slip [mot.]

rozjazd **łukowy** curved slip [mot.]

rozjazd **łukowy zewnętrzny** contrary flexure turnout (CEX) [mot.]

rozjazd road fork [mot.]

rozkaz command [inf.]

rozkład distribution, spreading [el.]; decay, decay rate; destruction [bud.]; felt [abc]; layout (*of a model railway system*) [mot.]

rozkład **geograficzny** geographic distribution [geol.]

rozkład **jazdy** time table (*-book*), time table information; route book; schedule [mot.]

rozkład **mas** mass distribution [abc]

rozkład **momentu obrotowego** torque distribution [masz.]

rozkład **na ułamki proste** partial fraction expansion [mat.]

R

rozkład obciążenia load distribution [transp.]

rozkład wad flaw dislocation (*flaw-distribution*) [miern.]

rozkładać spread (*legs or bird's wings*); unfasten (*remove, dismantle*) [abc]

rozkładać się fall apart [abc]; disintegrate; dissolve, deteriorate, dilapidate [bud.]

rozkładający się putrescent (*decaying*) [abc]

rozkładanie masy betonowej dozer spreader work [transp.]

rozkładany dismountable [met.]; raisable [abc]

rozkładarka spreader (US) [transp.]

rozkładarka pomostowa bridge spreader [transp.]

rozkładarka taśmowa spreader (*-belt*) [transp.]

rozkruszony well fragmented [górn.]

rozlany cast [met.]

rozległa sieć komputerowa wide area network (WAN) [inf.]

rozległy kraj wide country (*wide land*) [abc]

rozlewać cast [met.]

rozlewnia filling plant [abc]

rozliczenie końcowe final account [bud.]

rozliczenie ostateczne final account [bud.]

rozluźniać loosen [górn.]

rozluźnianie bulking [abc]; slackness [mot.]

rozluźnienie struktury spongy structure [tw.]

rozluźniony bulked [abc]

rozładowanie kontrolowane controlled discharging [el.]

rozładowywać discharge [transp.]; unload [mot.]

rozładunek w przód front discharge [mot.]

rozłamywać crack (*break, tear off*) [met.]

rozłączać disconnect; disengage; uncouple [mot.]; dig [met.]

rozłączalny dismountable [met.]

rozłączanie disconnection [el.]; disengagement [mot.]

rozłącznie offline (*not connected to host*) [inf.]

rozłącznik breaker [el.]

rozłącznik obciążenia load break switch; load disconnecting switch [mot.]

rozłączny departable [mot.]; splittable [transp.]

rozłożenie (przebieg) warstwy utwardzonej hardness spreading (*spreading of h.*) [masz.]

rozłożenie allocation [ekon.]

rozmiar size; extent; volume [abc]; magnitude (*of losses, etc.*) [energ.]; scope [masz.]; dimension; design size [rys.]

rozmiar bloku block size [inf.]

rozmiar błędu flaw extension [miern.]

rozmiar freza grinding dimensions [masz.]

rozmiar łożyska bearing dimension [rys.]

rozmiar montażowy installation dimension [transp.]

rozmiar rury size of tube [masz.]

rozmiar stopnia step size, step dimension [transp.]

rozmiar zamówienia scope of order [rys.]

rozmieszczać distribution, spreading [el.]; arrangement [abc]; deploy [wojsk.]; layout [abc]; layout (*design*) [masz.]

rozmieszczenie kół wheel arrangement [mot.]

rozmieszczenie łożysk application of bearing [masz.]

rozmieszczenie palenisk otwar-

tych open furnace arrangement [energ.]

rozmieszczenie palników olejowych arrangement of oil burners [energ.]

rozmieszczenie podłużne longitudinal spacing [energ.]

rozmieszczenie wad flaw dislocation (*flaw-distribution*) [miern.]

rozmieszczony losowo random (*at random*) [mat.]

rozmiękczony soaked [abc]

rozmnażać (*się*) reproduce [abc]

rozmontowywać unfasten [abc]

rozmowa talk [abc]

rozmowa międzymiastowa long-distance call [tel.]

rozmowa telefoniczna phone call, telephone call, call [telkom.]

rozmowa transkontynentalna overseas call [abc]

rozmowa zamiejscowa long distance call [tel.]

rozmyślać contemplate, ponder on [abc]

rozmyślanie contemplation [abc]

rozmyślny intentional [abc]

rozmyty diffuse [fiz.]

rozpad destruction; decay, decay rate [bud.]

rozpad kamienia rock crushing [górn.]

rozpadać się fall apart (*crack*) [abc]; rupture [masz.]; dissolve, deteriorate, dilapidate; decay; disintegrate [bud.]

rozparcie i deskowanie ścian wykopu trench-lining; shoring [transp.]

rozpatrywać consider; view [abc]

rozpatrywanie roszczeń odszkodowawczych damage handling [prawn.]

rozpędzać accelerate [energ.]; speed up; start up [mot.]

rozpieracz hydrauliczny (*szczęk hamulca*) wheel cylinder [mot.]

rozpieracz krzywkowy szczęk hamulca brake cam [mot.]

rozpieranie ścian wykopu sheeting, trench shoring [transp.]

rozpieszczony spoiled [abc]

rozpiętość extent (*extent of the land*); spreading; width [abc]; span [masz.]; wideness and distance [bud.]

rozpiętość analizy range of analyses (*plural*) [miern.]

rozpiętość bazy base width [el.]

rozpiętość mostu bridge span, span of bridge [mot.]

rozpiętość podpory span [transp.]

rozpiętość szczeliny crevasse distance [górn.]

rozpięty unbuttoned [abc]

rozplanowanie (*ogólne*) layout; planning (*design buildings and machines*) [abc]

rozplanowany designed [rys.]

rozplanowywać plan; lay out [abc]

rozpłatać slit (*slit open*) [abc]

rozpływać się dissolve, liquefy, melt, merge [chem.]

rozpoczęcie wykopów ground breaking (*excavation work*) [gleb.]

rozpoczynać start; commence [abc]; launch [bud.]; launch [inf.]

rozpoczynać pracę koparki start to slew [transp.]

rozpora spreader bar [masz.]; shore; strutting, strut, stud [transp.]

rozporządzalność machine availability [masz.]; boiler availability [energ.]

rozporządzalny available [abc]

rozporządzenie order [abc]; government legislation [praw.]

rozporządzenie o czynnikach roboczych working material regulation [abc]

rozporządzenie wykonawcze administrative directive (*a. order*) [praw.]

R

rozpowszechnianie spreading [abc]

rozpowszechnianie (dystrybucja) dokumentów document dissemination [inf.]

rozpoznanie poprzez dotyk recognition by touch [abc]

rozpoznawać recognize [abc]; detect [tw.]

rozpoznawalny noticeable [abc]

rozpoznawanie recognition [inf.]

rozpoznawanie obrazów image understanding [inf.]

rozpórka tie, spacer, bracket; bushing; brace (*keeps apart*) [masz.]

rozpórka gazowa window gas strut [mot.]

rozpórka rusztowania truss-stay, truss-strut, truss-support [masz.]

rozpraszać diffuse [fiz.]

rozpraszanie wiązki promieni dispersion of a sound beam [fiz.]

rozprężacz flash box (*flash tank*) [energ.]

rozprężacz rozruchowy start-up flash tank [energ.]

rozprężacz uruchomieniowy start-up flash tank [energ.]

rozproszenie scatter [masz.]

rozproszenie (dyspersja) prędkości dźwięku dispersion of acoustic velocity [akust.]

rozproszony diffuse [fiz.]; gone (*blown away*); scattered [abc]

rozprowadzać distribute [abc]

rozprowadzać zaprawę grout [bud.]

rozprysk splatter, welding splatter [met.]

rozprzestrzeniać (się) propagate, spread [abc]

rozprzestrzenianie się propagation, spreading [abc]

rozprzęgać uncouple [mot.]

rozpuszczać dissolve [tw.]

rozpuszczać się dissolve, liquefy, melt, merge [chem.]

rozpuszczalnik solvent [abc]

rozpuszczalność w wodzie water-solubility [abc]

rozpuszczalny soluble [chem.]; diggable [górn.]

rozpuszczalny w wodzie water-soluble [energ.]

rozpuszczanie gruntu loosening of soil (*submerged*) [mot.]

rozpylacz atomizer; vapourizer; spray can [abc]; spray nozzle, sprayer [masz.]

rozpylacz ciśnieniowo-parowy steam pressure atomizer [energ.]

rozpylacz czopikowy pintle-type nozzle [mot.]

rozpylacz dyszowy atomizer nozzle [aero.]

rozpylacz eteru ether discharger [mot.]

rozpylacz ługowy liquor spray nozzle [energ.]

rozpylacz ultradźwiękowy ultrasonic atomizer (*oil burner*) [el.]

rozpylać spray [abc]

rozrost further growth [abc]

rozróżnialność resolution power [masz.]

rozruch start, starting [mot.]

rozruch eterowy ether start (*in cold weather*) [mot.]

rozruch maszyn commissioning of machines [tw.]

rozruch na ciepło warm start-up [energ.]

rozruch na zimno cold start, cold start-up [mot.]

rozruch próbny test run, trial run; pre-commissioning checks [energ.]

rozruch taśmy produkcyjnej start of production [transp.]

rozruch urządzenia time of beginning of operation [transp.]

rozruch ze stanu zimnego start-up from cold [energ.]

rozrusznik starter [mot.]; recoil starter [masz.]

rozrusznik elektryczny electric starter [el.]

rozrusznik nożny foot starter switch [mot.]

rozrusznik pierścieniowy slip ring starter [el.]

rozrusznik powietrzny air starter [mot.]

rozrusznik samoczynny automatic starter [mot.]

rozrusznik zewnętrzny jump-start facility (*electric plug*) [transp.]

rozrywać blow out [masz.]

rozrywka entertainment [abc]

rozrząd stycznikowy contactor equipment [transp.]

rozrząd zaworowy valve timing, valve setting; valvegear [mot.]

rozrzedzać dilute [met.]; thin [abc]

rozrzedzanie gruntu soil liquefaction [bud.]

rozrzedzony diluted; thinned out [abc]

rozsadzać blast [górn.]; blow out [masz.]

rozsądny reasonable [abc]

rozstaw blaszek distance between fins (*on radiator*) [mot.]

rozstaw bramek emitera emitter-to-gate spacing [el.]

rozstaw kłów length between centres [masz.]

rozstaw kół track width, track base; wheelbase; tyre base; track gauge, gauge, gage [mot.]

rozstaw ogniw centre distance [transp.]

rozstaw ogniw łańcucha pitch of chain [transp.]

rozstaw osi wheelbase (*centre front/ rear axle*) [mot.]

rozstaw pomiędzy podporami distance between supports [rys.]

rozstaw wałków shaft centre distance [masz.]

rozstawianie spacing [transp.]

rozstawienie osi axle base [rys.]

rozstawienie poprzeczne side spacing [energ.]

rozsypany gone; scattered [abc]

rozsypywać grit (*in winter*) [abc]

rozszczepiacz wiązki split beam [transp.]

rozszczepiać splinter; spall (*bone, wood comes apart*) [abc]; boulder (*blow up boulders*) [górn.]

rozszczepiać się split [abc]

rozszczepianie splitting (*wide gap in rock, body*) [masz.]

rozszczepienie slot [masz.]

rozszczepienie fali wave splitting [fiz.]

rozszczepienie stropu roof cleavage [górn.]

rozszerzać extend; (*się*) spread; widen [abc]; expand (*tubes; increase diameter*); ream [met.]; (*np. rurę u wylotu*) flare (*tubes*) [energ.]

rozszerzak reamer [narz.]

rozszerzalność głębokościowa (wgłębna) połówkowa half-value of depth [abc]

rozszerzalność liniowa połówkowa half-value of length [masz.]

rozszerzalność poprzeczna połówkowa half-value of width [masz.]

rozszerzalność wgłębna depth extension [abc]

rozszerzanie się (*np. ciał*) expansion [abc]

rozszerzanie się fali podłużnej longitudinal wave velocity [fiz.]

rozszerzanie się fali powierzchniowej surface wave spread, extent [fiz.]

rozszerzenie extension, expansion [transp.]; widening (*of a road*) [mot.]; strain [masz.]

rozszerzenie kanału wału kierownicy steering tube extension [mot.]

rozszerzenie objętości bulking [bud.]

R

rozszerzenie pokrycia extension of coverage (*general e.*) [praw.]

rozszerzenie poprzeczne lateral extension [mot.]

rozszerzenie przy końcu obrobionego otworu bell mouth [masz.]

rozszerzenie zakończenia rury flared tube end [energ.]

rozszerzona sieć przejść augmented transition net [el.]

rozszerzone odchylenie podstawy czasu extended time-base deflection, extended time-base sweep; scale expansion [el.]

rozszerzony widened [mot.]; extended length [transp.]

rozszyfrowywać decipher (*decode*) [abc]

rozścielacz pobocza windrow spreader [transp.]

rozścielarka spreader [transp.]

rozściełanie zgrubne coarse distributing [transp.]

roztapiać się dissolve, liquefy, melt, merge [chem.]

roztargniony nervous (*all one wreck, absent-minded*) [abc]

roztłaczanie rur tube bulge [masz.]

roztropny watchful (*also dogs or geese*); cautious [abc]

roztrwonić waste [abc]

roztrwonienie waste [abc]

roztrzaskać się crash (*come down, crash down*) [mot.]

roztwór solution (*chemical*) [chem.]

roztwór alkaliczny alkaline solution [chem.]

roztwór jednorodny homogeneous solution [chem.]

rozumienie języka language understanding [inf.]

rozumienie obrazu vision (*in vision*) [inf.]

rozumienie tekstu text understanding [inf.]

rozwalcowywać expand (*tubes*) [met.]

rozwarcie gardzieli feed opening; width of mouth (*of crusher*) [górn.]

rozwarstwienie ply (*in games*) [inf.]

rozwarstwienie blachy lamination (*during sheet rolling*) [met.]

rozwartość klucza width across flats [masz.]

rozwartość łamacza szczękowego width of crusher mouth (*of crusher*) [górn.]

rozważać consider, think of, reason weigh; ponder on; contemplate; estimate (*figure, think*) [abc]

rozważenie estimating [abc]

rozważny cautious; watchful (*also dogs or geese*) [abc]

rozważony well considered [abc]

rozwiany gone; scattered [abc]

rozwiązanie solution (*of a problem*) [abc]

rozwiązanie stacjonarne steady-state solution [el.]

rozwiązanie szczególne particular solution [mat.]

rozwiązanie tymczasowe expedient solution [transp.]

rozwiązywać solve [abc]

rozwiązywanie problemów przez eksperta expert problem solving [inf.]

rozwidlenie distribution [el.]; road fork [mot.]

rozwidlone i zagięte ramię chwytaka forked gooseneck grab arm [transp.]

rozwidlone ramię chwytaka forked grab arm [transp.]

rozwiertak reamer (*machining of metal*) [narz.]

rozwijać develop [abc]

rozwijanie advancement [transp.]

rozwinięcie evolution [abc]; true length; uncoiling [masz.]; uncoiling [rys.]

rozwinięcie ułamka łańcuchowe-

go continued fraction expansion [mot.]

rozwinięty developed; evolved (*from*) [abc]; uncoiled [masz.]

rozwlekły (*np. styl*) verbose (*using too many words*) [abc]

rozwód divorce [abc]

rozwój development [inf.]; advancement [transp.]; expansion; evolution [abc]; unfolding [bud.]

rozwój i produkcja development and production [inf.]

rozwój kadr kierowniczych management development [abc]

rozwój oprogramowania software development [inf.]

rozżarzać pre-ignite [met.]

róg corner [bud.]; horn (*from cattle, etc.*); edge [abc]

róg mgłowy typhoon horn [mot.]

róg obfitości cornucopia [abc]

róg z prochem powder horn [wojsk.]

rów ditch (*drainage ditch; e.g. triangular*) [bud.]

rów drogowy roadside ditch [mot.]

rów odwadniający intercepting ditch; drainage ditch, draining ditch [bud.]

rów ostrokątny V-shaped trench [transp.]

rów płaskodenny flat-bottom ditch, trapezoidal ditch [transp.]

rów strzelecki trench [wojsk.]

rów trapezowy trapezoidal ditch [masz.]

równać flatten [met.]; grade; level (*smoothen*) [transp.]

równanie equation [mat.]; flattening [met.]

równanie charakterystyczne characteristic equation [mat.]

równanie przepływu orifice formula [miern.]

równanie przysłony orifice formula [miern.]

równanie różniczkowe differential equation [mat.]

równanie różniczkowe jednorodne homogeneous differential equation [mat.]

równanie różniczkowe liniowe linear differential equation [mat.]

równanie różniczkowe zwyczajne ordinary differential equation [mat.]

równia track level [transp.]

równia pochyła incline [mot.]

równiarka grader (*motor grader*) [transp.]; mine grader (*clears haulways*) [mot.]

równiarka gąsienicowa zrywająca ripper dozer (*has blade and tooth*) [transp.]

równiarka motorowa motor grader [transp.]

równiarka samochodowa motor grader [transp.]

równik equator [geogr.]

równikowy equatorial [geogr.]

równina flat; plain (*flat open country*) [geol.]

równoczesny simultaneous (*at the same time*) [abc]

równocześnie z in unison [abc]

równoległobok parallelogram [mat.]

równoległość płaska plane parallelism [abc]

równoległy parallel [abc]

równomiernie rozłożony evenly distributed, evenly spread [abc]

równomierny regular; uniform [bud.]; smooth [abc]

równość oddanych głosów equality of votes [abc]

równowaga equilibrium [chem.]; stability [masz.]

równowartościowy comparable [abc]

równoważne przetwarzanie macierzy equivalent matrix conversion [el.]

równy even, horizontal, level, flat, smooth [abc]

R

równym krokiem in step (*synchronous*) [wojsk.]

róż antyczny antique pink [norm.]

różdżka dowser's rod, wishing wand (*finds underground water*) [abc]

różdżkarz dowser (*looks for watercourse*) [abc]

różne wymagania obciążeniowe variety of loads [masz.]

różnica difference; disparity [abc]

różnica poziomów vertical height (*in mining*) [górn.]

różnić się vary; deviate from (*be different from*) [abc]

różnogatunkowy [bot.]

różnorodny heterogeneous (*opposite: homogenous*) [abc]

różny different (*not like the other*); various [abc]

różowoliliowy mauve [abc]

różowy pink [abc]

rtęć mercury [chem.]

rubin ruby [min.]

ruch movement; operation [abc]; motion [transp.]; traffic [mot.]; service [masz.]

ruch ciągły continuous operation (*use, work, duty*) [mot.]

ruch do góry (*jazda do góry*) upward travel (*of the escalator*) [transp.]; upwards motion [abc]

ruch falowy wave motion, wave movement [fiz.]

ruch harmoniczny prosty simple harmonic motion [abc]

ruch jałowy idle motion; lost motion [mot.]

ruch lewostronny left-hand traffic [mot.]

ruch mimośrodowy eccentric motion [mot.]

ruch neutralny neutral [mot.]

ruch obrotowy rotary motion (*rotation*) [energ.]; turning motion [abc]; cyclic running [mot.]

ruch obrotowy do boku tipping

ruch pełzający inching (*crawling pace*) [mot.]

ruch pionowy vertical displacement [mot.]

ruch podatny compliant motion [inf.]

ruch pojazdów na terenie budowy on-site traffic [mot.]

ruch poprzeczny lateral movement [energ.]

ruch postępowo-zwrotny to and from motion [abc]

ruch posuwisto-zwrotny to and from motion [abc]

ruch powrotny retraction [transp.]

ruch powrotny oleju oil out [masz.]

ruch prawostronny right-hand traffic [mot.]

ruch przeciwbieżny counter rotation; reverse motion [transp.]

ruch przedni tłoka forward movement of a piston, forward travel of a piston [mot.]

ruch roboczy working motion [transp.]

ruch sinusoidalny sinusoidal motion [abc]

ruch sondy probe motion [met.]

ruch suwaka crossover [mot.]

ruch tłoka do przodu forward movement of a piston, forward travel of a piston [mot.]

ruch toczny rolling motion (*of vehicle, wagon*) [mot.]

ruch towarowy freight traffic; goods traffic (GB) [mot.]

ruch uliczny road traffic [mot.]

ruch wahadłowy push-pull operations [mot.]

ruch wahadłowy pociągów push-pull traffic [mot.]

ruch wirowy whirl [abc]

ruch wsteczny recoil [masz.]; reverse travel [transp.]

ruch wsteczny stopniowy step return [transp.]

ruch wysięgnika żurawia w płasz-czyźnie pionowej luffing (*of the deck crane*) [mot.]

ruchliwość movability (*manoeuvrability*) [mot.]

ruchliwy busy [mot.]; highly mobile [abc]

ruchomy mobile; movable [mot.]

ruchomy czas pracy flexi-time (GB) [abc]

ruda ore [górn.]

ruda chromowa chrome ore [górn.]

ruda drobno zmielona fine-grained ore [min.]

ruda gruba coarse-grained ore [górn.]

ruda w kęsach coarse ore [górn.]

ruda żelaza iron ore [min.]

rufa stern [mot.]

ruina dilapidation, ruining, crumbling [bud.]

ruiny shambles (*ruins*) [bud.]

ruletka tape measure [narz.]

rumowisko detrital [geol.]

rumowisko skalne rubble [bud.]

rumpel tiller [żeg.]

rura pipe; tube [masz.]

rura akceleracyjna acceleration tube [el.]

rura aluminiowa Al-pipe (*al-coated steel pipes*) [masz.]

rura betonowa concrete pipe [bud.]

rura chłodząca furnace cooling tube [energ.]

rura chłodząca palenisko steam cage tube, wall tube [energ.]

rura chropowata rough tube [masz.]

rura ciągniona drawn tube [masz.]

rura cienkościenna thin-walled tube [masz.]

rura ciśnieniowa pressure tube [mot.]

rura cylindrowa cylinder barrel [mot.]

rura deszczowa rain drain [abc]; gutter (*along eaves of roof*) [bud.]

rura dwuścienna double-wall pipe [mot.]

rura ekranowa komory spalania furnace cooling tube [energ.]

rura Gallowaya cross tube [tw.]

rura gazowa gas pipe [bud.]

rura gładka smooth tube [masz.]

rura grubościenna thick-walled tube [masz.]

rura iglicowa studded tube [masz.]

rura jarzeniowa fluorescent tube [el.]

rura kablowa cable conduit [mot.]

rura kanalizacyjna sewer pipe [bud.]

rura kielichowa socket pipe [masz.]

rura kołkowa studded tube [masz.]

rura kompensacyjna compensator pipe [mot.]

rura kotłowa boiler tube, heat exchanger tube; welded circular steel pipe [masz.]

rura kształtowa section tube [masz.]

rura legalizowana tested tube [masz.]

rura metalowa metal pipe, metal tube [masz.]

rura nośna supporting tube, suspension tube [masz.]

rura nośna przegrzewacza superheater supporting tube [energ.]

rura o szwie wzdłużnym longitudinal pipe [masz.]

rura ochronna protective conduit, protective pipe, cover tube, conduit [tw.]

rura ochronna metalowa metal protective tube [masz.]

rura oddzielacza cyklonowego cyclone tube [górn.]

rura odgałęziona branch pipe [masz.]

rura odległościowa spacer (*pipe*) [mot.]

rura odparowująca na ścianie tylnej rear wall risers [energ.]

R

rura odparowującego podgrzewacza wody pre-evaporator tube [energ.]

rura odpływowa drain<age> pipe [bud.]

rura odpowietrzająca funnel [górn.]; vent pipe [mot.]

rura ogumowana rubber-lined pipe [masz.]

rura okładzinowa casing pipe [masz.]

rura olejowa wlewowa oil filler pipe [masz.]

rura opadowa górna down line [energ.]

rura piasecznicy sand pipe [mot.]

rura pionowa riser tube [energ.]

rura pionowa i zasilająca tubing and casing [masz.]

rura płaszczowa metalowa metal protective tube [masz.]

rura płaszczowa protective pipe, cover tube; conduit [tw.]

rura płetwowa finned tube [energ.]

rura płuczkowa drill-rods [masz.]

rura podwójna double-wall pipe [mot.]

rura poprzeczna cross tube [tw.]

rura powietrzna ssąca air intake pipe [mot.]

rura prowadząca guide pipe, guide tube [masz.]

rura przelewowa overflow pipe, leak-off pipe, spill pipe, bleed pipe [mot.]

rura przewodowa lead pipe [mot.]; line pipe [bud.]

rura przewodowa instalacji wodnej z połączeniem kielichowym water pipe with socket joint [masz.]

rura przewodowa zgrzewana metodą HFI HFI-welded line pipe [met.]

rura przyłączna uptake tube (*riser*) [energ.]

rura przyspieszająca acceleration tube [el.]

rura recyrkulacyjna ekranu circulation tube [energ.]

rura regulatora regulator pipe, regulator tube [mot.]

rura rozgałęźna header, manifold [masz.]

rura rozgałęźna ssawna i wydechowa intake and exhaust manifold [mot.]

rura rozwidlona breeches pipe [energ.]

rura spadowa downcomer [energ.]

rura spustowa downcomer; drain pipe, drainage pipe (*drain tubing*) [energ.]

rura spustowa górna down line (*shot cleaning equipment*) [energ.]

rura spustowa nieogrzewana unheated downcomer [energ.]

rura spustowa tylna rear wall downcomers [energ.]

rura spustowa zewnętrzna outside downcomer [energ.]

rura ssawna suction pipe; intake pipe [mot.]

rura ssąca suction tube [masz.]; suction pipe; intake pipe; air intake manifold [mot.]

rura stalowa bez szwu seamless steel tube [masz.]

rura stalowa precyzyjna precision steel pipe, mechanical steel tube, mechanical tube (US) [masz.]

rura ściekowa drain pipe, waste pipe, water drain, rain drain [mot.]

rura ścienna wall tube; steam cage (*furnace cooling tube*) [energ.]

rura tłoczna pressure tube [mot.]

rura tylna rear wall tube [energ.]

rura tylnego mostu rear axle tube [mot.]

rura wału przegubowego drive shaft tube [mot.]

rura wbijana piling pipe [masz.]

rura wentylacyjna vent pipe; air vent tube [aero.]

rura wielkowymiarowa large-diameter pipe (*large diameter tube*) [masz.]

rura wlotowa running-in tube [masz.]

rura wodna welded circular steel pipe [masz.]

rura wsporcza supporting tube [masz.]; suspension tube [mot.]

rura wyciągowa funnel [górn.]

rura wydechowa exhaust pipe, exhaust elbow; stack; tail pipe [mot.]

rura wydmuchowa tryskacza sprinkler blast pipe [transp.]

rura wylotowa tail pipe [mot.]

rura wymiennika ciepła heat exchanger tube [energ.]

rura wznośna front wall riser, riser, uptake tube [energ.]

rura z blachy stalowej falistej corrugated iron pipe, metal sheet pipe [tw.]

rura zakrzywiona bent tube [masz.]

rura zasilająca oil supply tube [masz.]

rura zawiesinowa supporting tube [masz.]; suspension tube [mot.]

rura zbiorcza header [mot.]

rura zbiorcza przegrzewacza superheater outlet leg [energ.]

rura ze stali szlachetnej spawana laserem laser-beam welded special steel pipe [masz.]

rura ze szwem śrubowym spiral pipe [masz.]

rura żeberkowa gilled tube, finned tube [energ.]

rura żebrowana finned tube, gilled tube [energ.]

rurka chłodnicy radiator tube [mot.]

rurka izolacyjna cable conduit [mot.]

rurka kapilarna capillary tubing [tw.]

rurka mieszalna mixture pipe [górn.]

rurka piętrząca contraction choke [miern.]

rurka Pitota Pitot tube [energ.]

rurka podtrzymująca support tube [masz.]

rurka pomiarowa scanning tube (*Ferrotron*) [el.]

rurka specjalna special tube [masz.]

rurka spiętrzająca contraction choke [miern.]

rurka użebrowana chłodnicy radiator core fin [mot.]

rurka wirowa cyclone tube [abc]

rurka włoskowata capillary tubing [tw.]

rurka wodowskazowa gauge-glass safety light [mot.]

rurkowanie cable conduit [mot.]

rurociąg pipe conduit [masz.]; pipeline [górn.]

rurociąg olejowy oil lines [masz.]

rurociąg parowy dalekosiężny long-distance steam line [energ.]

rurociąg sufitowy roof circuit [energ.]

rurociąg wodny water line; water pipe [bud.]

rurociąg wody zasilającej feed water piping (*drum feed piping*) [hydr.]

rurownia pipe mill [abc]

rurowy tubular [masz.]

rurowy podgrzewacz powietrza tubular air heater [energ.]

rury drugiej kategorii tubes and pipes of second quality [masz.]

rury drugiej klasy second choice tubes and pipes, tubes and pipes of second quality [masz.]

rury spawane welded tubes [masz.]

rury zasilające feed pipes (*of oil*) [mot.]

rury zaślepione fully protected pipework (*final drive*) [transp.]

R

ruszać start (*start up the engine*) [mot.]

ruszt slag screen [masz.]; grate (*grill*) [energ.]

ruszt do wypalania dumping grate [energ.]

ruszt drgawkowy vibrating stoker, oscillating grate spreader [energ.]

ruszt kotlinowy trough grate [energ.]

ruszt kratowy grating [masz.]

ruszt łańcuchowy chain grate [energ.]

ruszt narzutowy spreader stoker, blast table spreader [energ.]

ruszt nawrotny pieca do spopielania śmieci reciprocating grate incinerator stoker [energ.]

ruszt nieckowaty trough grate [energ.]

ruszt nośny supporting steel work [masz.]

ruszt płaski stationary grate [energ.]

ruszt pochyły inclined grate [energ.]

ruszt podsuwowy underfeed stoker [energ.]

ruszt podtrzymujący supporting steel work [masz.]

ruszt potrząsalny vibrating stoker, oscillating grate spreader [energ.]

ruszt ruchomy travelling grate [energ.]

ruszt ruchomy z komorą sprężonego powietrza travelling grate stoker with air compartments [energ.]

ruszt ruchomy z przedziałem podwiewu forced draught compartment-traveling grate stoker [energ.]

ruszt taśmowy (*paleniska*) fuel type range [energ.]

ruszt taśmowy wąski narrow fuel type range [energ.]

ruszt zasilający feeding rack [masz.]

rusztowanie falsework, scaffolding [bud.]; framework arrangement; truss, truss assembly [transp.]

rusztowanie drewniane timber scaffolding [bud.]

rusztowanie nośne truss [bud.]

rusztowanie wyciągowe headframe [górn.]

rusztowanie z rur stalowych metal tube scaff [bud.]

rusztowina grate link, stoker link [energ.]

rwać tear [abc]

ryczałtowy combined single limit [praw.]

ryć carve [met.]; scratch [masz.]

ryć koleinami rut, scuff [mot.]

rydwan chariot [abc]

rygiel lock pin; plunger block [mot.]

rygiel dachu (*składanego*) folding top clamp [mot.]

rygiel synchronizujący synchronizing lock [mot.]

rygiel zacisku clamp lock (*of a rail switch*) mot.]

ryglować interlock [energ.]

ryglowanie locking [transp.]

ryna wstrząsana vibrating feeder chute, vibrating trickle feed tray [górn.]

rynek market (*market square*) [ekon.]

rynek wewnętrzny Europy European Single Market, Internal Market, Single Market, Domestic Market Europe [ekon.]

rynna gutter; ditch [bud.]

rynna dachowa rain drain; rain pipe, roof rail (*drip moulding*) [abc]

rynna do opróżniania outlet chute [energ.]

rynna do zsypu węgla coal chute, coal feed spout [energ.]

rynna podajnika węgla coal feeder spout [energ.]

rynna przenośnika wstrząsanego vibrating feeder chute, vibrating trickle feed tray [górn.]

rynna zasypowa feed chute, feeding chute [górn.]

rynna zsypowa discharge chute [górn.]

rynna zsypowa wahliwa swinging spout, traversing chute [masz.]

rynna zsypowa z kołem czerpakowym bucket wheel discharge chute [transp.]

rysa crack, flaw [met.]; scratch; incipient crack (*in surface*) [masz.]; core crack [tw.]

rysa podłużna throat crack [met.]

rysa poprzeczna transversal crack, transverse crack [masz.]

rysa powierzchniowa surface crack (*incipient crack*) [masz.]

rysa włosowata hair crack, hairline fracture [tw.]

rysa wzdłużna throat crack [met.]

rysik traserski scriber (*stylus*) [masz.]

rysować draw [abc]

rysować linię kreska-kropka stroke-dot [abc]

rysować w pomniejszeniu draw to a smaller scale [abc]

rysowanie automatyczne autodrafting [rys.]

rysowanie linii line-drawing [inf.]

rysownica drawing board [abc]

rysowniczka draughtswoman [abc]

rysownik draughtsman [abc]

rysunek drawing [abc]; schematic [rys.]

rysunek części part drawing [transp.]

rysunek detalu part drawing [masz.]

rysunek instrukcyjny konserwacji maintenance instruction drawing [abc]

rysunek konstrukcyjny design drawing [rys.]

rysunek kotła boiler drawing, boiler arrangement drawing [energ.]

rysunek montażowy erection drawing [rys.]

rysunek numer drawing number [rys.]

rysunek odbiorczy acceptance drawing [rys.]

rysunek orientacyjny total drawing, general arrangement drawing [rys.]

rysunek pantografem pantograph drawing [masz.]

rysunek poglądowy total drawing [rys.]

rysunek projektowy design draft [rys.]

rysunek przekrojowy cutaway [rys.]

rysunek przekroju poprzecznego sectional drawing [masz.]

rysunek roboczy working drawing, job drawing [masz.]

rysunek schematyczny drawing [abc]

rysunek słojów veining [abc]

rysunek szczegółowy (*części z całości*) detail drawing [rys.]

rysunek szkicowy schodów stair sketch drawing [transp.]

rysunek techniczny technical drawing [rys.]

rysunek urządzenia drawing of jigs [abc]

rysunek uzupełniający supplementary sheet [rys.]

rysunek w przekroju poprzecznym lateral section drawing [transp.]

rysunek warsztatowy manufacturing drawing, working drawing, job drawing [masz.]

rysunek wykonawczy working drawing, job drawing [masz.]

rysunek zestawieniowy general drawing, assembly drawing, overall drawing [rys.]

rysunek złożeniowy general drawing, assembly drawing, overall drawing [rys.]

rytm rhythm [abc]

rywal rival [abc]

R

rywalizacja rivalry [abc]

ryzyka nieubezpieczone uninsured hazards, non-insured hazards [prawn.]

ryzyko (*wypadku*) risk, danger [abc]; hazard [praw.]

ryzyko odpowiedzialności cywilnej liability hazard [prawn.]

ryzyko specjalne special risks [praw.]

ryzyko w miejscu pracy premises hazard; hazards resulting from premises and products [praw.]

ryzyko zawodowe occupational risk [prawn.]

ryż rice [bot.]

rzadki thin [masz.]

rzadzizna voids (*wada walcownicza*) [met.]

rzaz commissure [tw.]; cut; (*w drewnie*) saw-cut [met.]

rząd government; administration [polit.]

rząd prowincji provincial government [polit.]

rząd wielkości size range [masz.]

rządzić manage [abc]

rzecz matter; sake [abc]

rzecz wartościowa asset [abc]

rzecznik spokesman (*for the board*) [ekon.]; ombudsman [praw.]

rzeczoznawca expert [transp.]; surveyor [abc]

rzeczywiste źródło prądu real current source [el.]

rzeczywiste źródło zasilania real voltage source [el.]

rzeczywisty real, factual [abc]

rzeka river [abc]

rzemieślnik artisan (*skilled workman*) [masz.]

rzemiosło craft [bud.]; metier [abc]

rzepak rape (*colza*) [bot.]

rześki alert [abc]

rzetelność kontroli inspection reliability [masz.]

rzeźba sculpture [abc]

rzeźba pierwotna (*np. opony*) primary relief (US) [mot.]

rzeźbić carve [met.]

rzucać throw [abc]

rzucać kotwicę anchor, drop anchor [mot.]

rzut view [rys.]

rzut cząstkowy partial view [abc]

rzut perspektywiczny perspective view [rys.]

rzut pionowy plan elevation [rys.]

rzut pionowy boczny side view, side elevation [rys.]

rzut pionowy główny front elevation [rys.]

rzut pomocniczy poziomy bottom view [rys.]

rzut poziomy plan view [rys.]

rzut poziomy główny bird's view, top view [rys.]

rzut prądu kick current [el.]

rzutnik overhead projector [abc]

rzutowanie projecting [rys.]

S

sabot sabot [abc]

sabotaż sabotage [wojsk.]

sabotować commit <an act of> sabotage [wojsk.]

sad orchard [bot.]

sadza soot [abc]

sadza gazowa gas black [energ.]

sadzawka lake; pond [abc]

sajdak quiver [abc]

sala hall [bud.]; ward [med.]

sala gimnastyczna gymnasium [abc]

sala operacyjna operating theatre [med.]

sala wykładowa auditorium [abc]

sala konferencyjna conference hall; conference room [abc]

samochód car [mot.]

samochód chłodnia refrigerated lorry [mot.]

samochód ciężarowy drive truck; lorry; truck [mot.]

samochód ciężarowy do przewozu dużych ciężarów over-sized truck [mot.]

samochód ciężarowy ratowniczy wrecker crane [mot]

samochód ciężarowy wywrotka lorry tippler (GB); truck tippler (US) [mot.]

samochód ciężarowy z napędem na wszystkie osie four-wheel drive truck [mot.]

samochód-cysterna bowser (*fuel bowser*); road tanker; tank car, tanker [mot.]

samochód do przewozu mebli moving van [mot.]

samochód firmowy company car [mot.]

samochód kempingowy motorhome [mot.]

samochód meblowy moving van [mot.]

samochód o wyposażeniu standardowym standard car [mot.]

samochód osobowy automobile [mot.]

samochód osobowy otwarty open car [mot.]

samochód pożarniczy fire engine; fire-fighting vehicle [mot.]

samochód (*półciężarówka*) serwisu (*technicznego*) service van [mot.]

samochód rajdowy racing car [mot.]

samochód serwisu (*technicznego*) service truck; service vehicle [mot.]

samochód służbowy company car [mot.]

samochód strażacki fire tender [mot.]

samochód-śmieciarka garbage truck (*garbage lorry*); refuse collecting vehicle; trash vehicle, rubbish vehicle [mot.]

samochód terenowy cross country vehicle; off-highway truck (GB) [mot.]

samochód turystyczny RV (*motorhome*) [mot.]

samochód wypożyczony rental car, rented car [mot.]

samochód wyścigowy racing car; race car [mot.]

samochód wywrotka tipping car, dump truck, dumper (*dump truck*), dumping lorry [mot.]

samochód-wywrotka trójstronny three-way tipper [transp.]

samochód z dachem obrotowym wychylanym wagon with pivoted roof sections [mot.]

samochód z dachem przesuwanym wagon with sliding roof [mot.]

samochód z dachem składanym wagon with folding roof panels [mot.]

samochód z dachem zwijanym wagon with roller-shutter roof [mot.]

samochód z platformą do przewożenia ładunków ciężki heavy transport vehicle [mot.]

samochód z podnoszonym pomostem aerial platform (*repair wires, lamps*) [transp.]

samochód zabawka toy car [abc]

samochód zamiatarka road sweeper (*road sweeping vehicle*); sweeping vehicle [mot.]

samochód ze szczotką mechaniczną road sweeper; sweeping vehicle [mot.]

samoczynny automatic [abc]

samoczynny mechanizm mocujący restraint automatic [mot.]

samoczynny zawór trójdrogowy double non-return valve; double return valve; shuttle valve (*3rd gear forward to reverse*) [mot.]

S

samodzielny independent [abc]
samohamowny self-locking [masz.]
samokontrola (*panowanie nad sobą*) self control [abc]
samolikwidator self-destruct charge, self-destructive charge [wojsk.]
samolot aeroplane, aircraft, airplane, plane (*short for airplane*) [mot.]
samolot bombowy bomber [wojsk.]
samolot czterosilnikowy four-engined plane [mot.]
samolot do przewozu poczty mail aeroplane [polit.]
samolot dwudyszowy two-engined plane [mot.]
samolot o konstrukcji całkowicie metalowej all-metal aeroplane (*all-metal plane*) [mot.]
samolot odrzutowy jet aircraft [aero]; jet plane [wojsk.]
samolot pionowego startu i lądowania vertical take-off and landing (VTOL) [mot.]
samolot wojskowy military aircraft [wojsk.]; military plane [wojsk.]
samonośny self-supporting [mot.]
samoobrona self-defence [abc]
samooczyszczający self-cleaning [masz.]
samoopróżniający się kubeł wywrotny tipping shovel [transp.]
samoregulujący self-regulating [masz.]
samosmarowanie lifetime-lubrication; self-lubrication [masz.]
samosterujący self-regulating [masz.]
samościekowy self-draining [masz.]
samotny lonesome [abc]
samotok doprowadzający charging roller, feed roller [masz.]
samozabezbieczający self-locking [mot.]
samozakleszczający self-locking [mot.]
samozapalenie spontaneous combustion [górn.]

samozapłon self-ignition [energ.]; spontaneous ignition [mot.]
samozasysający naturally aspirated (n. a.) [mot.]
sanatorium sanitarium (*hospital, clinic*) [med.]
sandał sandal [abc]
sanie toboggan (*runs free, kid's sleigh*) [abc]
sanie poprzeczne cross saddle [transp.]
sanie rolkowe carriage [mot.]
sanie transportowe carriage (*sledge*) [transp.]
sanie wzdłużne carriage [mot.]
sanie wzdłużne mocujące tensioning carriage [transp.]
sanitariusz medic [wojsk.]
sanki toboggan (*runs free, kid's sleigh*) [abc]
sapropel sapropel [gleb.]
sarkofag sarcophagus [abc]
satelita planet wheel [mot.]
sączek strainer [abc]
sączyć się drip [abc]
sąd judgement [praw.]
sąd najwyższy supreme court [praw.]
sąd rejonowy local court [praw.]
sądzić think (*believe*) [abc]
sąsiad resident [abc]
sąsiadujący next door [bud.]
sąsiedni adjacent [abc]; next door [bud.]
scalać merger [abc]; unite (*coordinate*) [inf.]
scena stage (*on stage*) [abc]
schemat arrangement drawing, arrangement plan; block diagram; general layout; schematics (*diagram, drawing*); setup [abc]
schemat funkcjonalny diagram; schematic [rys.]
schemat funkcjonalny z symbolami symbolic diagram [rys.]
schemat koncepcyjny conceptual schema [inf.]

schemat kontrolny testing process [abc]

schemat montażowy połączeń lock-schematic diagram [masz.]; wiring schematic (*wiring scheme*) [el.]

schemat (montażowy) połączeń przewodów giętkich hose diagram [masz.]

schemat obwodowy detailed schematic diagram [el.]

schemat obwodów elektrycznych electric circuit diagram [el.]

schemat okablowania wiring diagram [el.]

schemat organizacyjny organizational diagram (GB) [abc]

schemat podstawowy basic scheme [rys.]

schemat połączeń circuit board [el.]

schemat połączeń kotła mimic diagram, mimic panel [energ.]

schemat połączeń kotła wygrawerowany na pulpicie sterowniczym engraved boiler diagram [energ.]

schemat połączeń podstawowych basic tube layout [rys.]

schemat przebiegu flow chart [abc]

schemat przepływu flow diagram (*of crusher*) [górn.]

schemat przyłączeń terminal connection diagram [el.]

schemat reaktancyjny mimic diagram board [el.]

schemat robót ziemnych digging diagram [bud.]

schemat rozruchowy start-up diagram, start-up graph [energ.]

schemat synoptyczny mimic diagram board [el.]

schemat systemu hamulcowego Knorra piping diagram (*of railway brakes*) [mot.]

schemat testowy testing process [abc]

schemat układu hydraulicznego hydraulic system [masz.]; hydraulics diagram [mot.]

schemat wiercenia dla pierścienia nośnego i mocującego bore diagram for support and holding ring [rys.]

schemat zasadniczy połączeń circuit diagram, wiring diagram, wiring schematic, wiring scheme [el.]

schemat zasadniczy połączeń rurowych pipe diagram [masz.]

schemat przebiegu flow chart [abc]

schładzacz (*przegrzanej pary*) aftercooler, cooler, desuperheater, attemperator; thermostat [energ.]; cooler [mot.]

schładzacz międzystopniowy interstage attemperator [energ.]

schładzacz pary przegrzanej superheated steam attemperator [energ.]

schładzacz wtryskowy spray attemperator [mot.]

schładzać (*szybko*) quench [tw.]

schładzanie końcowe aftercooling [energ.]

schładzanie przeciwprądowe counter-current cooling [tw.]

schnięcie drying [abc]

schodnia gangway; ship's ladder (*ship's stairs*) [mot.]

schody stairs, staircase [bud.]

schody kręte spiral ramp; spiral staircase [bud.]

schody poziome horizontal steps [bud.]

schody ruchome escalator; moving staircase, moving stairway; radial escalator (*trapezoidal steps*) [transp.]

schody ruchome dwutorowe double-tracked escalator [transp.]

schody ruchome o dużej nośności heavy duty escalator [transp.]

S

schody ruchome radialne radial escalator [transp.]

schody ruchome równoległe double-tracked escalator; parallel escalator (*double tracked*) [transp.]

schody ruchome wewnętrzne escalator, indoor; indoor escalator (*internal escalator*); in-house escalator [transp.]

schody ruchome zewnętrzne all-weather design escalator; open-air escalator; outdoor escalator (*external escalator*); outside escalator [transp.]

schody w domu towarowym shop-type escalator [transp.]

schodzić z pochylni launch [bud.]

schowany hidden (*concealed*) [masz.]

schowek (*w tablicy rozdzielczej*) glove box, glove compartment [mot.]; clip board [inf.]; locker [abc]

schron vehicle slot [wojsk.]

schron przeciwlotniczy air raid shelter [wojsk.]

schronienie refuge [abc]

schronisko hut (*mountain cab, cabin*) [bud.]

scyzoryk jackknife [narz.]; pocket knife (*jack knife*) [abc]

sczepiać (*szeregiem krótkich spoin*) tack weld [met.]

sczepiać szeregiem krótkich spoin tack weld [met.]

sczepiony tack-welded [met.]

sczepiony klamrą clamped [el.]

sczepność seize (*undesired fretting*) [mot.]

seans show [abc]

sedan (*nadwozie czterodrzwiowe*) sedan [mot.]

segment section [transp.]; segment [masz.]

segment grzebienia comb segment [transp.]

segment ustalający podwójny double retaining segment [masz.]

segment zębaty gear segment; sector gear; tooth sector; toothed quadrant [masz.]

segmentacja segmentation [inf.]

segmentować segment [masz.]

segregacja segregation; lamination; liquation [abc]; segregating [transp.]

segregacja węgla coal segregation [energ.]

segregator file [abc]; rack [mot.]

sejsmiczność earthquake danger, earthquake hazard, seismicity [geol.]

sejsmiczny seismic [geol.]

sekcja section [rys.]; staggered header [energ.]

sekcja końcowa final section [transp.]

sekcja pofałdowana sinuous header [masz.]

sekretarz stanu deputy minister [polit.]

sektor field (*sphere, section*) [abc]

sektor przekładni kierownicy steering sector [mot.]

sektor rury tubular sector [masz.]

sekunda second [abc]

sekunda kątowa arc second [mat.]

sekwencja robocza (*szereg następujących po sobie czynności*) working sequence [abc]

selekcja sorting out [abc]

selektor kanału kontrolnego channel switch selector [el.]

selektor zaworowy valve selector [mot.]

selektywność częstotliwościowa frequency selectivity [el.]

selsyn cyfrowy digital r.p.m. regulator [el.]

selsyn nadawczy synchro generator, synchro transmitter [el.]

semafor odstępowy block signal [transp.]

semafor ramienny semaphore signal [transp.]

semafor wjazdowy home signal [transp.]

semantyka semantic, semantics (*of representation*) [inf.]

semantyka opisowa descriptive semantics [inf.]

semantyka równoważności equivalence semantics [inf.]

semestr term [abc]

sentencja sentence [polit.]

separacja pary steam separation [energ.]

separacja wilgoci steam separation [mot.]; water separation [energ.]

separator buffer amplifier [el.]; separator [mot.]

separator magnetyczny magnetic separator [energ.]

separator przelotowy through separator [el.]

serce heart [med.]

serce dzwonu bell hammer [abc]

sercówka core component; tongue [transp.]; grommet (*thimble*) [bud.]

seria series [abc]; set [masz.]

seria pilotowa pilot production (*US: pilot run*) [abc]

seria produkcyjna class [mot.]

serie kolorów series of colours [norm.]

serpentyna zig-zag road [bud.]

serwetka napkin [abc]

serwis after-sales service [ekon.]

serwis pocztowy pick-up service [abc]

serwitut easement [praw.]

serwocylinder booster cylinder [mot.]

serwohamulec power brake; servo brake [mot.]

serwomechanizm booster [mot.]

serwomechanizm obrotowy grab-rotating equipment [transp.]

serwomotor adjustable oil motor [masz.]

serwosterowanie orbitrol; power steering, servo steering; servo control, servo-control, servo steering; steering orbitrol [mot.]

serwosterowanie hydrauliczne hydraulic servo control [mot.]

serwować serve [abc]

serwozawory servo-controlled valves [mot.]

serwozawór servovalve [mot.]

seryjny standard [masz.]

sesja session (*meeting*) [praw.]

sędzia judge [polit.]

sękaty knotty [abc]

sfera życia cywilnego civilian life [abc]

sfera życia prywatnego private scope of life [praw.]

sferolit spherulite crystal [tw.]

sferyczny ball-shaped [abc]; spherical [masz.]

sfora pack (*hounds, wolves*) [bot.]

sformatowany formatted [inf.]

sformułowanie wording (*text*) [abc]

siać sow [roln.]

siarczany sulfuric [chem.]

siarka sulfur (*sulphur*) [chem.]

siarkowodór hydrogen sulphide [chem.]

siarkowy sulfuric [chem.]

siatka net (*animal trap*) [bot.]; screen [abc]; shim [opt.]

siatka do ochrony przed spadającymi kamieniami rock guard [transp.]

siatka druciana wire mesh [masz.]

siatka metalowa rozciągana expanded metal [masz.]

siatka na bagaż luggage net (*package net*) [mot.]

siatka na muchy (*na drzwi*) screen (*on front and back doors*) [bud.]

siatka na oponę (*do jazdy m.in. po*

S

śniegu) continuous chain mesh [mot.]

siatka nitek cross-hair sight [wojsk.]

siatka ochronna wentylatora fan grill [aero]

siatka otaczająca pastwisko grid (*animal barrier <pit> in road*) [abc]

siatka rozdzielająca kabinę pasażerską od części ładunkowej pojazdu load backrest [mot.]

siatka stalowa steel mesh [masz.]

siatka wyrównawcza transition net [masz.]

siatka z cienkiego drutu gauze [masz.]

sidła catching loop [transp.]; trap [abc]

sieci catching loop [transp.]

sieci Banyana Banyan network [inf.]

sieciowy net [inf.]

sieczka chaff [roln.]

sieć net; network [abc]

sieć ciepłownicza heat distribution system [energ.]

sieć dystrybucyjna marketing network [inf.]

sieć działań chart flow [inf.]

sieć handlowa sales net (*the more the better*) [abc]

sieć kolejowa railway system [transp.]

sieć komputerowa computer network; network [inf.]

sieć lokalna local network [inf.]

sieć neuronowa neural network [inf.]

sieć placówek serwisowych service net [abc]

sieć podobieństwa similarity net [inf.]

sieć prądu trójfazowego three-phase network [el.]

sieć propagacji ograniczeń constraint propagation net [inf.]

sieć semantyczna semantic net [inf.]

sieć sprzężenia zwrotnego feedback network [el.]

sieć sumująco-mnożnikowa adder-multiplier net [inf.]

sieć systemowa CAD/CAM CAD/CAM system network [rys.]

sieć telekomunikacyjna public communication network [inf.]

sieć trójfazowa three-phase network [el.]

sieć wnioskowań inference net [inf.]

sieć zasilająca mains; machine's mains [el.]; ship's mains [mot.]

siedmiokąt septagon [norm.]

siedzenie seat [mot.]

siedzenie amortyzowane cushioned seat [transp.]; sprung seat [abc]

siedzenie operatora driver's seat; operator's seat [mot.]

siedzenie pasażera buddy seat [transp.]; passenger seat; rider's seat [mot.]

siedzenie przednie front seat [mot.]

siedzenie środkowe middle seat [mot.]

siedzenie tapicerowane cushion seat, cushioned seat [transp.]

siedzenie tylne back seat; backseat [mot.]; rear seat [transp.]

siedziba head office; location [abc]

siedziba rządu seat of the government [polit.]

siekiera axe [narz.]

siekierka hatchet [narz.]

sierp księżyca crescent [abc]

siewnik sowing machine [roln.]

sięgający głęboko deep-reaching [bud.]; profound [abc]

silne trzęsienie ziemi strong earthquake [geol.]

silnik engine; motor [mot.]

silnik czterosuwowy four cycle engine, four cycle motor [mot.]

silnik czterotaktowy four cycle engine, four cycle motor [mot.]

silnik Diesla diesel engine, diesel [mot.]; oil motor [masz.]

silnik do łodzi engine for motor boat [mot.]

silnik do wbudowania engine unit [mot.]

silnik dwucylindrowy twin engine [masz.]

silnik dwurzędowy o cylindrach przeciwległych horizontally opposed engine; opposed cylinder type engine [mot.]

silnik dwurzędowy widlasty V-engine; V-type engine [mot.]

silnik dwusuwowy two cycle engine; two stroke engine [masz.]

silnik dźwigowy crane engine [mot.]

silnik elektryczny electric motor [el.]

silnik gazoturbinowy gas turbine engine [mot.]

silnik główny napędowy main drive motor [transp.]

silnik hamujący braking motor [mot.]

silnik hydrauliczny hydraulic motor [masz.]

silnik hydrauliczny olejowy fluid motor [mot.]

silnik hydrauliczny wahliwy slew motor; swing motor [transp.]

silnik jednocylindrowy one cylinder engine [mot.]

silnik jednorzędowy in-line engine [mot.]

silnik klatkowy short circuit rotor motor; squirrel cage motor, squirrel cage rotor motor, squirrel-cage induction motor [transp.]

silnik kołnierzowy flange-mounted motor [mot.]

silnik kosiarki lawn-mower engine [mot.]

silnik krótkoskokowy oversquare (*engine*); short stroke engine [mot.]

silnik łodziowy motor boat engine [mot.]

silnik napędowy drive motor; driving motor [mot.]; track motor (*drive motor*) [el.]

silnik napędzający prime mover [mot.]

silnik napędzający wycieraczki wiper motor [transp.]

silnik okrętowy marine engine [mot.]

silnik o napędzie łańcuchowym track motor [transp.]

silnik o obiegu Otto Otto-cycle-engine, Otto-engine (*gasoline combustion*) [mot.]

silnik o zewnętrznym wirniku motor of the external rotor type [transp.]

silnik obrotowy grab rotating motor; grab swivel motor [transp.]; slewing motor [el.]

silnik obrotowy chwytaka grab swivel motor [transp.]

silnik odbierający take-up motor [el.]

silnik pierścieniowy slip ring motor [el.]

silnik pneumatyczny air motor; pneumatic motor (*air motor*) [mot.]

silnik podpodłogowy under floor engine [mot.]

silnik pomocniczy auxiliary engine; auxiliary motor [mot.]

silnik prądu przemiennego three-phase motor [el.]

silnik prądu stałego D.C. motor (*direct current motor*) [el.]

silnik przekładniowy gear motor [el.]

silnik puszkowy load cell [miern.]

silnik rakietowy missile engine [wojsk.]

silnik rakietowy główny main rocket motor [mot.]

S

silnik rozruchowy cranking motor (*outside*) [mot.]

silnik rozruchowy elektryczny starter motor [mot.]

silnik spalinowy combustion engine; power engine [mot.]

silnik spalinowy wewnętrznego spalania internal combustion engine [mot.]

silnik synchroniczny synchronous motor [el.]

silnik trakcyjny carrier engine; vehicle engine [mot.]

silnik trakcyjny regulowany shiftable engine (*in price list*) [mot.]

silnik trójfazowy three-phase motor [el.]

silnik w tylnej części pojazdu rear engine [mot.]

silnik w układzie bokser horizontally opposed engine; opposed cylinder type engine [mot.]

silnik wiatrowy air motor (*pneumatic motor*) [energ.]

silnik wirujący grab rotating motor; grab swivel motor [transp.]

silnik wodny hydraulic motor [mot.]

silnik wysokoprężny diesel engine, diesel, diesel motor [mot.]; oil motor [masz.]

silnik wysokoprężny do przekładni uchylnej oil motor for swinggear [mot.]

silnik wysokoprężny do przekładni zmianowej stopniowej oil motor for undercarriage shift transmission [mot.]

silnik z wtryskiem paliwa injection engine [mot.]

silnik z zapłonem samoczynnym diesel engine, diesel [mot.]; oil motor [masz.]

silnik zwarty short circuit rotor motor; squirrel cage motor, squirrel cage rotor motor, squirrel-cage induction motor [transp.]

silnik zwijający take-up motor [el.]

silny forceful; high class; powerful; strong [abc]; sturdy [masz.]

silos bin; silo [górn.]

silos węglowy coal silo [energ.]

silos zbożowy grain silo [bud.]

siła arm force [fiz.]; force (*outside mechanical force*); power [abc]; strength [med.]

siła ciągu thrust [abc]

siła ciężkości gravity [fiz.]

siła dodatkowa additional force [fiz.]

siła hamowania klocka block load (*brake block load*); brake block load [mot.]

siła hamowania próżniowego vacuum brake force [mot.]

siła hamowania uzależniona od ciężaru load depending brake force [mot.]

siła kopania digging force [bud.]

siła kruszenia breakout force [transp.]

siła łamania breakout force [transp.]

siła nacisku pressure [masz.]

siła napędowa baseload power [transp.]; driving force [mot.]

siła nośna buoyancy; lifting capacity (*able to hoist*) [fiz.]

siła obrotowa rotary power [masz.]

siła obwodowa peripheral force [fiz.]

siła oddziaływania podporowego reaction of <or on> support [masz.]

siła osi axle weight [mot.]

siła osiowa thrust force [masz.]

siła pary steam power [masz.]

siła pociągowa power of traction; pull [masz.]; pulling force (*pull up/push down*) [transp.]; tractive effort, tractive force; drawbar pull [mot.]

siła pociągowa gąsienicy crawler tractive force, crawler traction [transp.]

siła poprzeczna shear force; thrust force; transverse force [masz.]

siła popychacza tappet force [mot.]

siła prostująca straightening force [masz.]

siła przełożenia leverage force [masz.]

siła przyciągania attraction [abc]; attractive force; centre of gravity [fiz.]

siła robocza labour force; manpower; work force [abc]

siła robocza niewykwalifikowana unpractised operatives [abc]

siła robocza wynagradzana od przepracowanego czasu hourly paid staff [abc]

siła rozciągająca pulling force [transp.]

siła rozrywająca breakout force (*tooth-force*) [transp.]; fragility [masz.]

siła skupiona concentrated force [fiz.]

siła sprężyny spring force [masz.]

siła stłaczania wysięgnika boom crowd force [transp.]

siła ścierania abrasive power [masz.]

siła ścinająca thrust force [masz.]

siła ścinania shear force [masz.]

siła ściskająca pressure [masz.]

siła tnąca shear force; transverse force; shearing force [masz.]

siła uderzenia impact force [mot.]

siła udźwigu lifting force (*power applied*) [mot.]

siła wiatru wind power [meteo.]

siła wyporu buoyancy [fiz.]

siła wypychania leverage force [masz.]

siła zderzenia impact force (*i. load, coefficient*) [mot.]

siła zewnętrzna outside mechanical force [abc]

siła zrywania bail pull; crowd force [transp.]

siłą by force (*enforced*) [wojsk.]

siłomierz dynamometer [el.]

siłownia engine control room; power station [abc]; power plant [energ.]

siłownia parowa steam power plant [energ.]

siłownik cylinder [mot.]; bucket cylinder [transp.]; turbine servo motor, turbine barring gear [energ.]

siłownik opróżniania łyżki shovel tipping cylinder [transp.]

siłownik otwierania drzwi door operating cylinder [mot.]

siłownik ramienia arm cylinder; stick ram (GB) [transp.]

siłownik regulowania klapą lip cylinder (US) [transp.]

siły Coriolisa Coriolis forces [fiz.]

siły skrawania forces of sectioning [met.]

siły sterujące control forces [masz.]

siły styczne tangential force [transp.]

siły tektoniczne earthquake-forces [geol.]

siły tnące force of sectioning [met.]

siły uszczelniające sealing forces [masz.]

siły zbrojne armed forces [wojsk.]

siodełko szynowe slide chair (*on switches*) [mot.]

siodło saddle (*of side discharge wagon*) [mot.]

siodło hamulca brake body (*blocks attached to it*) [mot.]

siodło obrotowe swivelling saddle [transp.]

sito sieve; strainer [abc]

sito filtracyjne filter screen [mot.]

sito oczyszczacza powietrza air cleaner screen [aero.]

sito olejowe oil screen [mot.]

sito paliwowe fuel screen; fuel strainer [mot.]

sito pompy olejowej oil pump screen [mot.]

sito pompy paliwowej fuel pump screen [mot.]

sito szczelinowe poprzeczne lateral slotted screen [masz.]

sito węglowe coal screen [energ.]

sito wibracyjne vibrating screen (*single, double, etc.*) [górn.]

sito wibracyjne trójpokładowe triple-deck vibrating screen [górn.]

sito wlewu oleju oil filler screen [masz.]

sito wstępne pre-screener [górn.]

sito wstrząsowe vibrating screen (*single, double, etc.*) [górn.]

sitodruk silk screen printing [abc]

sjenit syenite [bud.]

skala scale [rys.]

skala ekranu fluoryzującego CRT-screen scale [inf.]

skala lokalizacji błędu flaw location scale [miern.]

skala odwzorowania base scale [inf.]

skala stopnia zadymienia spalin Ringelmann chart [energ.]

skala tarczowa dial [inf.]

skalibrowany calibrated [miern.]

skalisty rocky [geol.]

skała rock (*original or altered*) [geol.]; stoneware [górn.]

skała lita consolidated rock [min.]

skała łatwo rozpuszczalna loose rock [min.]

skała metamorficzna metamorphic rock [min.]

skała miękka soft rock [geol.]

skała naturalna natural rock; virgin stone [min.]

skała osadowa sediment, sedimentary rock [geol.]

skała płonna fillings [min.]

skała półtwarda medium-hard rock [min.]

skała przeobrażona metamorphic rock [min.]

skała przysunięta trapped rock [transp.]

skała wulkaniczna effusive rock; volcanic rock [min.]

skała wylewna volcanic rock [min.]

skała zwięzła consolidated rock; hard rock [min.]; solid rock [geol.]

skała żyłowa dike rock [geol.]

skamieniałość petrification [abc]

skamieniały petrified [abc]

skandal scandal [abc]

skandaliczny scandalous [abc]

skaner scanner; text scanner [inf.]

skapnik drain cup [mot.]

skarpa batter [mot.]; embankment [transp.]

skarpa stroma side slope (*of the cut*) [transp.]

skarpa wykopu ditchbank [roln.]

skarpeta sock [abc]

skarżyć (*pozywać kogoś, wnosić skargę*) charge (*charge somebody with fraud*) [praw.]

skarżyć się complain; moan; wail [abc]

skasować abort (*cancel, kill*); cancel [inf.]; take off [abc]

skasowanie (*programu*) abend [inf.]

skaza defect, flaw; drawback; fault (*in metal*); shortage [abc]

skazanie verdict [praw.]

skazywać condemn [praw.]

skiatron dark trace CR tube [inf.]

skierować do drive to [abc]

skierować do kasacji withdrawal [mot.]

skip bucket; tipper; tipping lorry [transp.]

sklejać kilka warstw laminate [masz.]

sklejka plywood [bud.]

sklep shop, store [abc]; business [ekon.]

sklep spożywczy food store [abc]

sklepiać arch [met]

sklepienie pieca furnace roof [energ.]

sklepienie tunelowe calotte (*roof*

section of tunnel) [bud.]; cup [górn.]

sklepienie wiszące furnace arch [energ.]

sklepienie wiszące tylne rear arch [energ.]

sklepienie z blachy ryflowanej chequered plate top casing [energ.]

sklepienie zawieszone przednie front arch [energ.]

sklepik convenience store [abc]

sklepiony curve (*windshield*) [mot.]

skład (*pociągu*) rake (*rake of wagons, configuration*) [mot.]; warehouse [bud.]

skład amunicji ammunitions dump; armoury [wojsk.]

skład bagażu luggage dump (*package tray*) [mot.]

skład części parts centre, parts depot [abc]

skład drzewny timber store [bud.]

skład materiałów do warstwowania film laminar depot [met.]

skład pociągu train consist (*rake of train*) [mot.]

składacz typesetter [abc]

składać assemble (*fit on, mount*) [masz.]; compose, fold [abc]; submit (*to an office; file with an office*) [polit.]

składać do akt file [abc]

składać kondolencje express your <deep-felt> sympathy [abc]

składać na marach ream [abc]

składać ofertę tender [abc]

składać ofiarę (*ofiarować*) sacrifice (*kill for religious reasons*) [abc]

składać się z consist of [abc]

składać urząd abdicate (*leave office prematurely*) [polit.]

składanie assembly [rys.]; convolution [inf.]

składanie teleskopowe wysięgnika boom telescoping [transp.]

składany collapsible [abc]; dismountable [met.]

składka minimalna minimum premium [praw.]

składka roczna (*ubezpieczenia*) annual premium [praw.]

składka stała fixed premium; flat premium (*fixed premium*) [prawn.]

składka ubezpieczeniowa insurance premium [praw.]

składnia syntax (*of representation*) [inf.]

składnica (*np. uzbrojenia*) ordnance depot [wojsk.]

składnik component [bud.]; ingredient [abc]

składnik stopowy alloyed metal [masz.]

składnik widma spectral component [opt.]

składniki gazów spalinowych flue gas constituents [energ.]

składować stock; store [abc]

składowanie paliwa pyłowego storage of pulverized fuel [energ.]

składowanie węgla w bunkrach coal storing [energ.]

składowany seasoned [abc]

składowe zawieszenia sprężynowego spring suspension components [masz.]

składowisko reserve [górn.]

składowisko popiołów ash pit [energ.]

składowisko śmieci dump pit; garbage disposal; garbage dump; landfill [rec.]

składowisko złomu junk yard [rec.]; scrap yard (*junk dealer*) [masz.]

skłaniać się incline [abc]

skłonność direction; disposition; sensibility; susceptibility; tendency [abc]

skoczek spadochronowy parachutist [mot.]

S

skok stroke (*of piston in cylinder*) [mot.]; travel [masz.]

skok cylindra cylinder stroke [mot.]

skok gwintu pitch of screw [masz.]

skok krótki oversquare [mot.]

skok maszyny duty stroke [masz.]

skok napięcia voltage pulse [el.]

skok nominalny nominal stroke [mot.]

skok spirali testowej pitch of scanning helix [el.]

skok suwaka stroke of sledge with rotary drive [masz.]; stroke of the spool [mot.]

skok tłoka displacement (*oil moved per passage*); piston stroke (*piston travel*) [mot.]

skok tłoka wtryskiwacza plunger free travel [mot.]

skok zaworu valve lift [mot.]

skok zaworu suwakowego stroke of the spool [mot.]

skokowa zmiana fazy phase jump [el.]

skomplikowany complicated; sophisticated [abc]

skompresowany compressed [abc]

skomputeryzowany computerized [inf.]

skonfiskowany confiscated [abc]

skonfrontowany fronted (*fronting*) [prawn.]

skonstruowany designed [rys.]

skonsumować use (*consume, use up*) [abc]

skontrolować i nastawić napięcie pasa klinowego test and set the belt tension [mot.]

skontrolować verify [abc]

skontrolowany checkered [abc]

skończony done, finished, made, ready [abc]

skorodowana ściana corroded wall [górn.]

skoroszyt file [abc]; rack [mot.]

skoroszyt z folii przezroczystej transparent folder [abc]

skorowidz rzeczowy index [abc]

skorupa wapienna calcareous encrustation; lime crusts [bud.]

skorupa ziemska crust of the earth [geol.]

skorupowy shell-shaped [masz.]

skos chamfer (*chamfer heel*) [met.]; bevel [masz.]

skos bunkra bunker slope; valley angle of bunker [energ.]

skos matrycowy forge draft [met.]

skośnie ustawiać cock [met.]

skośny askew (*oblique angled*); oblique; slanted [abc]

skowa clamp [tw.]; clip (*for retention*) [transp.]

skowa (klamra) obrotowa opasująca belę rotary bale clamp [transp.]

skowa (klamra) opasująca belę bale clamp (*with or without side shift, rubber covered*) [abc]

skóra leather [abc]; skin [med.]

skórka peel (*orange peel*) [abc]

skórowanie peeling work [abc]

skórzany leather [abc]

skracać shorten [masz.]

skracanie cancellation (*by interference*) [el.]

skradać się creep [abc]

skraj seam (*edge*) [abc]

skrajnia ładunkowa loading gauge [transp.]

skrajnia ładunku loading gauge (*loading dimensions*) [transp.]

skrajnia pomostu frame end [transp.]

skrajnie extremely [abc]

skraplacz powierzchniowy surface condenser [energ.]

skraplacz powietrzny air-cooled condenser [energ.]

skraplacz przeponowy surface condenser [energ.]

skraplanie liquefying [abc]

skrawalność machinability [masz.]

skreślać cancel; strike off; take off [abc]

skręcać swerve; turn; turn around [mot.]

skręcanie torsion; turn; twist (*distortion*); warping [masz.]

skręcony paired [el.]; twisted [transp.]

skręt bow [bud.]; turn [abc]

skręt gwintu lufy rifling (*of guns*) [wojsk.]

skrętka drutowa wire reinforcement [masz.]

skrętka grzejna heating coil [energ.]

skrętka spawana welded nipple; welded-in stub, welded-stub connection [met.]

skrobaczka rake [narz.]

skrobać chaff [met.]; scrape [masz.]

skrobak rake; reclaiming scraper; scraper [narz.]

skrobak bramowy full-portal reclaimer [górn.]

skrobak portalowy full-portal reclaimer [górn.]

skrobak półbramowy semi-portal scraper [narz.]

skrobanie trimming [masz.]

skrobia starch [abc]

skromny bashful; humble; unassuming [abc]

skropliny condensed water; vapour [energ.]

skroplony liquid [abc]

skrócenie grani root contraction (*hollow root*) [masz.]

skrócony dzień pracy short work (*short hours*) [abc]

skrót abbreviation; shortcut [abc]

skrótowiec acronym [abc]

skrytka hideaway [abc]

skryty concealed; hidden [abc]

skrzep skull [masz.]

skrzydło wing [abc]

skrzydło drzwiowe door leaf (*on hinge hock and frame*) [bud.]

skrzydło spychaka blade wing [transp.]

skrzydło wentylatora pitch fan [mot.]

skrzynia body of wagon [transp.]; box [abc]; bush, bushing; bin [masz.]; crate [tw.]

skrzynia biegów gear case; gear transmission; gearbox; transmission housing [mot.]

skrzynia boczna side box (*of shovel rear wall*) [transp.]

skrzynia dyszowa (*turbiny parowej*) nozzle box [masz.]

skrzynia korbowa crank case [mot.]

skrzynia ładunkowa drewniana timber planks [mot.]

skrzynia ładunkowa odłączalna truck chassis with load handling system [mot.]

skrzynia na wyrób gotowy finished product bin [abc]

skrzynia ochronna protecting box [transp.]

skrzynia ogniowa firebox [transp.]

skrzynia paleniskowa firebox [transp.]

skrzynia przekładniowa gear case; gear transmission; gearbox [mot.]

skrzynia spiętrzacza wahliwego rear water-cooled furnace bridge [energ.]

skrzynia suwakowa steam chest [mot.]

skrzynia ścienna zdmuchiwacza sadzy soot blower wall box [energ.]

skrzynia zaworowa steam chest [energ.]

skrzynka chest [bud.]

skrzynka bezpiecznikowa fuse block, fuse box [el.]

skrzynka biegów change speed gearbox; switch gear [mot.]

skrzynka biegów czterobiegowa

S

four speed shift, four speed shift transmission [mot.]

skrzynka grzejna heater box [mot.]

skrzynka kontrolna control box [el.]; inspection control switchbox [transp.]

skrzynka narzędziowa toolbox [narz.]

skrzynka pocztowa mailbox; letter-box [abc]

skrzynka połączeniowa junction box [el.]

skrzynka przekładniowa gear housing; switch gear [mot.]; transmission case; gear box; transmission housing [masz.]

skrzynka przekładniowa z kołami w stałym zazębieniu constant mesh gear [mot.]

skrzynka przyłączowa terminal box [el.]

skrzynka przyrządów (*pomiarowo-kontrolnych*) instrument panel [abc]

skrzynka rozdzielcza distribution box; distributor box, distributor; switch box; transfer case; unilet [el.]

skrzynka rozdzielcza probiercza probe cable connection box [abc]

skrzynka rozdzielcza przewodów probierczych probe cable distribution box [el.]

skrzynka rozgałęźna distribution box; distributor box, distributor; transfer case; unilet [el.]

skrzynka sterownicza control box [abc]

skrzynka z instrumentami pomiarowymi gauge box [bud.]

skrzynka zasilacza sieciowego power box [el.]

skrzynkowy podgrzewacz powietrza channel type air heater [energ.]

skrzypieć crunch [bud.]

skrzywić się warp (*through heat*) [masz.]

skrzywienie bow [abc]

skrzywiony warped [abc]

skrzyżowanie cross [transp.]; cross-over (*with RH or LH turnout*); diamond crossing; double crossover; junction; level crossing [mot.]

skrzyżowanie łukowe torów curved crossing [transp.]

skrzyżowanie o ruchu okrężnym roundabout [transp.]

skrzyżowanie torów junction; railway crossing [mot.]

skrzyżowanie ukośne torów common crossing (*diamond crossing*) [transp.]

skrzyżowanie w kształcie liścia koniczyny, koniczyna cloverleaf junction [transp.]

skrzyżowanie z rozjazdem prawo- lub lewostronnym crossing with LH or RH turnout; double crossover; double junction (US) [transp.]

skup i przeróbka złomu scrap trading and processing [rec.]

skupianie wiązki promieni concentration of a beam [fiz.]

skupienie concentration [bud.]

skupisko porów cluster porosity [met.]

skurcz shrinking [masz.]

skurcz jednostkowy shrinkage value [masz.]

skurcz mięśnia muscle strain [med.]

skurcz stopniowy gradual contraction [energ.]

skurczać contract [met.]

skurczony shrunk [abc]

skuteczność effectiveness, virtue [abc]; response [el.]

skuteczność kierunkowa directional sensitivity [el.]

skuteczność próby test efficiency [miern.]

skuteczność testu test efficiency [miern.]

skuteczny effective (*useful*); efficient [abc]

skutek effect; result [abc]

skutek skrawania effect of cutting [met.]

skutek trzęsienia ziemi seismic effect [geol.]

skuter motor scooter (*scooter*) [mot.]

skwar heat [abc]

slajd slide (*diapositive slide*) [abc]

slang slang (*often used pointy language*) [abc]

słabe spalanie poor combustion [energ.]

słabowibracyjny low vibration [transp.]

słaby slight; weak [abc]

słaby punkt weak point [masz.]

słać send (*mail, post*) [abc]

słodki sweet [abc]

słoma straw [abc]

słomiany zapał straw fire [abc]

słomka straw (*drinking straw*) [abc]

słona woda sea water [abc]

słoneczny sunny [abc]; solar (*having to do with sun*) [el.]

słony salty [abc]

słownictwo vocabulary (*of logic*) [inf.]

słownik dictionary [abc]

słownik danych data dictionary (DD) [inf.]

słowo word [abc]

słowo kluczowe clue (*Give me some clue on it*) [abc]

słowo przetłumaczone transfer (*in automatic translating*) [abc]

słód malt (*from barley*) [abc]

słód browar(nia)ny brew malt, brewery malt [abc]

słój jar [abc]

słuch hearing [med.]

słuchacz listener [abc]

słuchawka headphone; earphone [abc]

słup pillar (*column*); post (*vertical member*); vertical member (*post*) [bud.]; pole (*mast*) [wojsk.]

słup fundamentu słupowego foundation column [bud.]

słup kratowy sieci trakcyjnej mast of the catenary wire [transp.]

słup narożny corner post [bud.]

słup parkanu fence pole [abc]

słup powietrza column [aero.]

słup rtęci inches of mercury [energ.]

słup sieci trakcyjnej mast; mast of the overhead wiring; pylon (*most used*) [transp.]

słup stalowy pylon [bud.]

słup stalowy kratowy pylon [el.]

słup stalowy kratowy linii przesyłowej napowietrznej pylon [el.]

słup wody inches of water [energ.]; water column [hydr.]; water column; water head [miern.]

słup wózka podnośnikowego freeview mast; lift frame (*elevating frame*); lift pole (*on forklift*); lifting frame; mast; upright (*of forklift*) [mot.]

słup wysokiego napięcia super grid (GB) [el.]

słupek pillar; pole; vertical member (*post*) [bud.]

słupek balustrady schodowej balustrade end; balustrade newel [bud.]

słupek drzwi door hinge pillar; door lock pillar [mot.]

słupek kilometrowy kilometer post [transp.]

słupek końcowy balustrady schodowej finished newel [transp.]

słupek rtęci inches of mercury [energ.]

słupek wskaźnikowy beacon [transp.]

S

służba ochrony kolei railway police [mot.]

służba ratownicza emergency service [polit.]

służbowy on official business [abc]

służbowy samochód dostawczy utility truck, pickup [mot.]

słyszalny audible (*can be heard*); hearable (*loud enough*) [abc]

smak taste (*Tastes like nothing to me*) [med.]

smalec lard (*heated and molten bacon*) [abc]

smar lubricant [masz.]

smar grafitowy graphite grease [górn.]

smar łożyskowy stosowany na gorąco hot bearing grease [masz.]

smar płynny lubricating oil [masz.]

smar stały grease [abc]; lubricating grease; nonfluid oil [masz.]

smar stały do smarowania łożysk tocznych roller-bearing greasing [masz.]

smar zalecany lubricant recommendation; recommended lubricant [masz.]

smarowacz second man [mot.]

smarować grease [mot.]; lube (*short for: lubricate*); lubricate [masz.]

smarować smarem ciekłym oil [abc]

smarowanie greasing; lubrication; oiling [masz.]

smarowanie centralne central lubrication [mot.]

smarowanie ciśnieniowe forced lubrication [energ.]; pressure lubrication; pump lubrication [mot.]

smarowanie długotrwałe long-term lubrication [mot.]

smarowanie knotowe wick lubrication [masz.]

smarowanie kroplowe drop feed [masz.]

smarowanie obiegowe pod ciśnieniem forced-feed lubrication [mot.]

smarowanie obiegowe pod ciśnieniem filtrowane full flow filtered lubrication [mot.]

smarowanie rozbryzgowe splash lubrication [masz.]

smarowanie silnika engine lubrication; motor lubrication [mot.]

smarowanie smarami stałymi grease lubrication [mot.]

smarowanie trwałe lifetime lubrication; permanent lubrication [mot.]

smarowanie wymuszone forced lubrication; pressure lubrication [energ.]

smarowanie wysokociśnieniowe high pressure lubrication [mot.]

smarowanie zanurzeniowe splash lubrication [masz.]

smarownica grease cup; lubricator nipple; lubricator; oiler (*steam locos, old excavators*) [masz.]; lubrication device [transp.]

smarownica ciśnieniowa filling nipple (*grease nipple*) [mot.]

smarownica ciśnieniowa dźwigniowa lever-type grease gun [mot.]

smarownica ciśnieniowa ręczna grease gun [mot.]

smarownica ciśnieniowa z zaworem kulkowym grease nipple [mot.]

smarownica ciśnieniowa z zaworem kulkowym i końcówką stożkową grease nipple [mot.]

smarownica igiełkowa drip lubricator [masz.]

smarownica kapturowa grease cup [masz.]; grease cup [mot.]

smarownica kroplowa drip lubricator [masz.]

smarownica mgłą olejową oil-fog lubricator [mot.]

smarownica tłokowa grease gun

[mot.]; grease pistol [narz.]

smarownica tłokowa dźwigniowa lever-type grease gun [mot.]

smarownica tłokowa z nasadka grease gun adaptor [mot.]

smarowniczka lubricant fitting [masz.]

smog smog [meteo.]

smoking tuxedo (*GB: dinner jacket*) [abc]

smoła tar [bud.]

smoła (dziegieć) z oleju bawełnianego cottonseed tar [bud.]

smoła ziemna tarmac [bud.]

smołowa warstwa ścieralna nawierzchni blacktop (*surface*); tarmac [bud.]

smuga trail [mot.]

smuga dymu trail of smoke [abc]

smugacz tracers [wojsk.]

smukły slim (*slender*) [abc]

smutek sadness (*mourning, worry*) [abc]

smycz leash [abc]

socjolog sociologist [abc]

soczewica lentil [bot.]

soczewka lens [abc]

soczewka Fresnela zone lens [abc]

soczewka rozpraszająca dispersing lens [fiz.]

soczewka skupiająca collecting lens [fiz.]

soczewka wklęsła dispersing lens [fiz.]

soczewkowy lenticular [fiz.]

soczysty juicy [abc]

sojusznik ally [abc]

sok juice [abc]

solenoid solenoid spool [mot.]

solidny efficient (*diligent, industrious*); neat; solid [abc]; stable (*reliable*) [polit.]

sołoniec saline soil [geol.]

sonda probe [miern.]; (*ultra-sonic*) probe [met.]

sonda fal poprzecznych transverse

wave probe [miern.]

sonda fal powierzchniowych surface wave probe [miern.]

sonda fal podłużnych longitudinal wave probe [el.]

sonda głębinowa depth scan; variable sensitivity probe [miern.]

sonda kosmiczna space probe [transp.]

sonda mechaniczna BEHM BEHM's depth sounder [abc]

sonda nadajnika transmitter probe (*sending probe*) [el.]

sonda nadawcza transmitter probe [el.]

sonda nietłumiona undamped probe [met.]

sonda odbiorcza receiver probe [miern.]

sonda probiercza zwykła normalbeam probe [miern.]

sonda przesuwna moveable probe [el.]

sonda punktowa point-focused probe [miern.]

sonda ręczna handlead [miern.]

sonda w technice zanurzeniowej immersion technique probe [miern.]

sondowania soundings [miern.]

sondowanie ciśnieniowe static penetration testing [masz.]

sondowanie przez wbijanie sondy do gruntu driving test [bud.]

sopel lodu icicle [abc]

sortować classify; size [górn.]; recycle [rec.]; screen [inf.]

sortowanie break down (*list in detail*) [rys.]; sorting, sorting out [górn.]; sorting [inf.]

sortowanie danych data sorting (*data selector, sorter*) [inf.]

sortowanie wewnętrzne internal sorting [inf.]

sortowanie węgla coal preparation [energ.]

S

sortowany assorted (*well assorted*) [abc]

sortownia screening unit [górn.]

sortownik classifier; sorting device [górn.]; screening plant [transp.]

sortyment wydobyty discharged material (*leaves crusher*) [górn.]

sosna pine tree [bot.]

sowa owl (*bird of prey, flies nights*) [bot.]

sól salt (*grit*) [abc]

sól do posypywania grit [transp.]

sól kamienna rock salt [min.]

sól mineralna mineral salt [górn.]

sól żelazowa iron salt [chem.]

spacerować walk [abc]

spaczony warped [abc]

spaczyć się warp (*through heat*) [masz.]

spad wody water head [mot.]

spadać drop; fall [abc]

spadanie swobodne free fall [transp.]

spadek decrease, decrement [energ.]; dip [mot.]; drop [bud.]; incline; pitch; upward inclination [abc]

spadek ciągu back end loss; draught loss [energ.]

spadek ciśnienia loss of pressure; pressure loss [mot.]; pressure drop [energ.]

spadek mocy decline in output [energ.]

spadek napięcia voltage drop, voltage loss [el.]

spadek niwelacyjny falling gradient [bud.]

spadek poprzeczny cross-slope [bud.]

spadek temperatury temperature drop [energ.]

spadek wytrzymałości loss of strength [bud.]

spadochron (*otwierany zaworem parabolicznym*) parachute (*operated by parabolic valve*) [abc]

spadochroniarz parachutist [abc]

spadzistość drop [bud.]

spajać bond [bud.]; connect [met.]

spajać klamrą staple [met.]

spajanie bonding [masz.]

spajanie metali na zimno cold pressure extrusion welding [met.]

spalać burn [chem.]

spalanie burning; combustion [energ.]

spalanie całkowite complete combustion [energ.]

spalanie niezupełne incomplete combustion [energ.]

spalanie odpadów hog fuel firing (*refuse firing*); incineration firing (*refuse firing*) [energ.]; refuse firing, incineration firing, refuse incineration [rec.]

spalanie pulsacyjne pulsating combustion [energ.]

spalanie śmieci hog fuel firing; incineration firing [energ.]; refuse firing, refuse incineration [rec.]

spalanie w zawieszeniu burning in suspension [energ.]

spalanie zupełne complete combustion [energ.]

spalarnia śmieci garbage incineration plant; refuse firing equipment; refuse incineration plant [rec.]; incineration plant [energ.]

spalinowo-elektryczny diesel-electric [mot.]

spaliny exhaust gas; exit gas [mot.]; flue gas; waste gas (*flue gas*) [energ.]

sparaliżowany mesmerized [abc]; paralyzed (*by infantile paralysis*) [med.]

spaw weld (*short for welding seam*), weld seam, welding seam [met.]

spaw wielowarstwowy multi-pass weld, multi-pass welding; multi-run welding [met.]

spawacz welder; autogenous welder [masz.]

spawacz acetylenowo-tlenowy A-welder [masz.]

spawacz elektryczny E-welder [masz.]

spawacz kwalifikowany certified welder [masz.]

spawacz maszynowy welding operator [masz.]

spawać weld [met.]

spawać elektrycznie electro weld [met.]

spawać graniowo back weld (*from the opposite side*) [met.]

spawać łukowo electro weld [met.]

spawać ponownie reweld [met.]

spawać powtórnie repair-weld; subsequent flame-cut [met.]

spawać wodoszczelnie waterproof weld; weld waterproof [met.]

spawać wodotrwale waterproof weld; weld waterproof [met.]

spawalnia welding shop [met.]

spawalnica welding apparatus; welding set [met.]

spawalnica przetwornicowa welding converter [met.]

spawalniczy weld, welding [met.]

spawalność weldability [met.]

spawalny weldable [met.]

spawanie fusion welding; build-up welding; welding; weldment (US) [met.]

spawanie acetylenowo-tlenowe autogenous welding [met.]

spawanie części drobnych small parts welding [met.]

spawanie dielektryczne high-frequency welding [met.]

spawanie dyszowe orifice welding [met.]

spawanie elektrodą leżącą firecracker welding [met.]

spawanie elektrodą topliwą w osłonie gazów aktywnych active gas metal arc welding [met.]

spawanie elektrodą topliwą w osło-

nie gazów obojętnych inert-gas metal-arc welding; MIG-welding [met.]

spawanie elektrogazowe electrogas welding (EGW) [met.]

spawanie elektronowe electron beam welding [met.]

spawanie elektrożużlowe electroslag welding [met.]

spawanie elektryczne electric welding; SMAW (*electric welding*) [met.]

spawanie gazowe gas welding [met.]

spawanie impulsowe impulse welding [met.]

spawanie indukcyjne dielektryczne high-frequency induction welding [met.]

spawanie jednowarstwowe singlepass welding; single-run welding [met.]

spawanie kontaktowe touch welding; (*przeróbkowe*) touch-up welding [met.]

spawanie kotłowe boiler welding [met.]

spawanie łukiem elektrycznym arc welding; electric arc welding; electric welding [met.]

spawanie łukiem elektrycznym o docisku sprężynowym arc welding with spring press electric feed [masz.]

spawanie łukiem krytym submerged arc welding (SAW, UP) [met.]

spawanie łukiem metalowym metal arc welding [met.]

spawanie łukiem metalowym w osłonie dwutlenku węgla CO_2-shielded metal-arc welding [met.]

spawanie łukiem osłoniętym shielded metal arc welding (SMAW) [met.]

spawanie łukiem świetlnym arc welding [masz.]

S

spawanie łukiem węglowym carbon-arc welding [met.]

spawanie łukowe arc welding [masz.]; electric welding [met.]

spawanie łukowe elektrodą metalową metal arc welding [met.]

spawanie łukowe elektrodą rdzeniową flux-cored metal arc welding [met.]

spawanie łukowe elektrodą węglową carbon-arc welding [met.]

spawanie łukowe grawitacyjne gravity arc welding with covered electrode [met.]

spawanie łukowe ręczne manual shielded metal arc welding [met.]

spawanie łukowe w osłonie dwutlenku węgla CO_2-welding [met.]

spawanie łukowe w osłonie gazów mieszających gas-mixture shielded metal-arc weld [met.]

spawanie łukowe w osłonie gazów ochronnych gas metal arc welding (GMAW); gas shield<-ed metal arc> welding; gas-shielded metal arc welding; gas-shielded tungsten-arc welding [met.]

spawanie MAG active gas metal arc welding [met.]

spawanie metodą MIG MIG-welding [met.]

spawanie montażowe field weld; site welding [met.]

spawanie na gorąco ultradźwiękowe ultrasonic hot welding [met.]

spawanie na montażu field weld; site welding [met.]

spawanie odlewnicze fusion welding with liquid heat transfer [met.]

spawanie oporowe (*prądami wielkiej częstotliwości*) high-frequency welding [met.]

spawanie plazmowe plasma-metal G-welding [met.]

spawanie powierzchniowe deposit welding; hard facing; steel facing [met.]

spawanie promieniem świetlnym light radiation welding [met.]

spawanie pułapowe over hand weld [met.]

spawanie punktowe point welding; track welding [met.]

spawanie pyłem gazowym gas-powder welding [met.]

spawanie ręczne elektrodą otuloną manual arc welding with covered electrode [met.]

spawanie ręczne łukiem świetlnym arc welding; shield metal arc welding; shielded metal arc welding [met.]

spawanie szyn welding of rails [met.]

spawanie uderzeniowe shock welding [met.]

spawanie w spawalni shop welding [met.]

spawanie wąskoszczelinowe narrow-gap welding [met.]

spawanie wiązką elektronów electron beam welding [met.]

spawanie wiązką promieni beam welding [met.]

spawanie z oczkiem keyhole welding [met.]

spawanie zewnętrzne external welding [met.]

spawany welded [met.]

spawany całkowicie all-welded [masz.]

spawany elektrycznie electro welded [met.]

spawany grzbietowo back-welded (*from opposite side*) [met.]

spawany łukiem krytym (*pod topnikiem*) submerged arc welded [met.]

spawarka łukowa welding apparatus; welding set [met.]

spawy seams (*free from any discontinuities*) [met.]

spąg bottom (*in coal and ore mining*); foot wall (*in gold mining*) [górn.]; level (*sole*) [transp.]

specjalista specialist, expert [abc]

specjalista od konstrukcji nośnych structural engineer [bud.]

specjalista semantyczny semantic specialist [inf.]

specjalne klasy jakości special steel grades [met.]

specjalność field [abc]

specjalny special [abc]

specjalny czynnik uzupełniający special addition agent; special supplementary agent [wojsk.]

specjalny nacisk special emphasis (*is placed on*) [abc]

specyficzny specific [abc]

specyfikacja specification [abc]; packing list; packing specification [transp.]

specyfikacja algebraiczna algebraic specification [mat.]

specyfikacja dostawy delivery (DS) [abc]

specyfikacja formalna formal specification [inf.]

specyfikacja pracy performance specification [ekon.]

specyfikacja przekształcenia mini-specification [inf.]

specyfikacja transformacji mini-specification [inf.]

specyfikacja wysyłkowa collie specification [transp.]

specyfikować specify, state [abc]

spedycja carrier (*cargo line*); truck company [transp.]

spedytor carrier; truck company [transp.]

spektakl show [abc]

spektrogram spectrogram [inf.]

spektrogram mas mass spectrogram [inf.]

spektrogram mas syntetycznych synthetic mass spectrogram [inf.]

spektrogram masowy mass spectrogram [inf.]

spełniać (*np. warunki*) comply with [praw.]

spełniać wartości graniczne keep within the limits [abc]

spełniony fulfilled [abc]

spełznąć na niczym (*nie powieść się*) fall through [abc]

spęczanie bulging; swelling [bud.]; upset (*to widen diameter*) [met.]

spęd cattle drive (*to stockyard*) [roln.]

spękany fissured (*geological condition*) [górn.]

spiczasty tapering (*upwards*) [masz.]

spiekać sinter [masz.]

spiekalnia sintering plant [masz.]

spieki sintered materials [tw.]

spieki twarde hard metals [masz.]

spieki węglikowe hard metals [masz.]

spiętrzacz wahliwy swinging ash cut-off gate [masz.]

spiętrzenie wody (*za zaporą*) water reservoir (*artificial lake*) [abc]

spiętrzenie wody wirowej expansion of the drum water; swelling of the drum water [energ.]

spiętrzony staggered [abc]

spięty clamped (*electronic*) [el.]

spięty klamrą clamped [el.]

spin buxom [abc]; close twisting [fiz.]

spinacz clamp [tw.]; staple; bridge bars (*tube welding*) [met.]

spinacz bali celulozy clamp for cellulose bales [transp.]

spinacz bali surowca clamp for waste material [transp.]

spinacz biurowy paper clip [abc]

spinacz pasów pędnych belt joint [masz.]

spinacz przedni striker [mot.]

spinacz rury fitting banjo [transp.]

spinarka tack-welding machine [narz.]

spinka do mankietów cuff-link [abc]

spinka metalowa do spinania

S

taśmy ściągającej (*opakowanie*) seal [transp.]

spirala coil [tw.]; spiral [abc]; spring [masz.]

spiralny spiral (*helical*) [masz.]

spirytualia liquors [abc]

spis list [abc]; schedule [bud.]

spis rysunków drawings list [abc]

spis tabelaryczny schedule [abc]

spis telefonów telephone directory [telkom.]

spis treści list of contents; index [abc]

spisywać protokół take the minutes [abc]

spiżarnia pantry [bud.]

splatać splice (*reduces strength one third*) [masz.]

splot convolution (*in vision*) [inf.]

spłaszczać flatten [met.]

spłaszczanie flattening [met.]

spłaszczenie shell distortion [energ.]

spłaszczony flattened [met.]

spławnik scupper (*water leaves ship's deck*) [mot.]

spłonąć burn down (*The house burns down*) [bud.]

spłonka cartridge primer; explosive capsule; igniter squib [wojsk.]

spłonka detonująca blasting cap [wojsk.]

spłuczka szyby przedniej washer system; window washer; windscreen washer [mot.]

spłukany (*bez środków finansowych*) broke (*out of money*) [abc]

spłukiwać flush (*water away, drain*) [bud.]; rinse [masz.]

spłukiwarka wysokociśnieniowa high-pressure flushing vehicle [mot.]

spływ run-off; water drainage [bud.]

spływać na wodę launch [bud.]

spocznik międzypiętrowy landing (*between 2 floors*) [bud.]

spodek base [górn.]; track level [mot.]

spodnia strona blachy bottom face of the plate [transp.]

spodnie pants (US); trousers [abc]

spodziewać się expect [abc]

spodziewany anticipated [abc]

spoina line of welding (*where the seam is*); weld, weld seam, welding seam, welded joint [met.]; (*w murze*) brickwork joint [bud.]

spoina brzeżna double-flanged seam [met.]

spoina ciągła continuous weld; seam, free from any discontinuities [met.]

spoina częściowa partial joint [met.]

spoina czołowa butt joint, butt weld [met.]; groove weld [masz.]

spoina czołowa na I square weld [met.]

spoina czołowa na U single U (*special weld seam*) [met.]

spoina gazowa gas weld [met.]

spoina grzbietowa w złączu przylgowym edge weld [met.]

spoina kielichowa bell seam (*butts and T-connections*); single U; U-weld [met.]

spoina kołkowa plug weld [met.]

spoina na ½ V bevel seam; double bevel seam; single bevel [met.]

spoina na ½ Y z progiem single bevel with root face [met.]

spoina na I square seam [met.]

spoina na J J-weld [met.]

spoina na K double bevel [met.]

spoina na podwójne U double U [met.]

spoina na podwójne V double V, double V groove-weld, double V seam [met.]

spoina na T T-joint [met.]

spoina na U bell seam; U-weld [met.]

spoina na V single V [met.]

spoina na X double V seam [met.]

spoina na Y double bevel; single Y [met.]

spoina na Y z progiem single Y with root face [met.]

spoina nie wypełniona underfilled seam [met.]

spoina o niepełnym przetopie partial joint penetration groove [met.]

spoina o niewystarczającej grubości insufficient thickness (*weld seam*) [met.]

spoina obwodowa circumferential weld; weld all around [met.]

spoina otworowa plug weld [met.]

spoina otworowa pusta slot weld [met.]

spoina pachwinowa fillet, fillet weld [met.]

spoina pachwinowa obustronna double fillet [met.]

spoina pachwinowa wzdłużna półotwarta half-open single seam [met.]

spoina pachwinowa z licem wklęsłym concave fillet weld [met.]

spoina pełna complete joint penetration groove [met.]

spoina pęknięta welding cracked [met.]

spoina pionowa downhand welding; vertically down [met.]

spoina podłużna longitudinal weld [met.]

spoina podolna vertically down [met.]

spoina przedłużona boxed (*welded on three sides*) [met.]

spoina pułapowa overhead weld [met.]

spoina skurczowa contraction joint [bud.]

spoina specjalna special seam [met.]

spoina stojąca szew pionowy vertically up (*welding vertically up*) [met.]

spoina stożkowa bevel seam [met.]

spoina termoelementu joint [masz.]

spoina uszczelniająca seal weld [met.]

spoina wewnętrzna okrągła inside round weld [met.]

spoina wklęsła concave fillet weld [tw.]; fillet weld [met.]

spoina wypukła bead weld [met.]

spoina zewnętrzna okrągła outside round weld [met.]

spoinomierz welding-seam gauge [met.]

spoinować gouge [met.]

spoiny seams (*free from any discontinuities*) [met.]

spoistość cohesion [abc]; compactness [górn.]; density [bud.]

spoisty cohesive (*plastic*) [bud.]

spoiwo adhesive; cement; cementitious material [chem.]; consumable, consumable welding material; welding filler [met.]; binder [masz.];

spoiwo drogowe road binder (*with binding agent*) [bud.]

spojrzenie view (*get a view on something*) [abc]

spokojny calm (*the wind is calm*) [meteo.]

spokrewniony related [abc]

spolaryzowana fala ultradźwiękowa polarised ultrasonic wave [el.]

społeczeństwo society (*in society*) [abc]

sporadycznie sporadically [abc]

sporny arguable [abc]

sporządzać manufacture (*make, produce*) [abc]

sporządzać w odbiciu lustrzanym to be made mirror-inflected [abc]

sposób (*pracy*) procedure; method [abc]

sposób budowania building system [abc]

sposób modulacji częstotliwości frequency modulation method [el.]

S

sposób montażu assembly method, assembly process [masz.]

sposób obróbki instructions for treatment [abc]

sposób postępowania procedure [abc]

sposób topnienia type of melting [masz.]

sposób użytkowania form of use [abc]

sposób wmontowania tablicy czołowej (*przedniej*) front-panel mounting design [mot.]

sposób wykończenia style of ends [masz.]

sposób wywijania kołnierza flange system [mot.]; method of flanging [masz.]

sposób zaginania obrzeża method of flanging [masz.]

sposób zastosowania mode of application (*of machine*) [abc]

spostrzegać perceive; view [abc]

spostrzeżenia remarks [abc]

spotkanie appointment; gathering (*get-together*); meeting (*conference, rally*) [abc]

spotkanie zespołu kierowniczego managers' meeting [abc]

spotykać (*kogoś*) encounter [abc]; meet [mot.]

spowalniacz moderator [inf.]

spowalniać decelerate; pull down [mot.]

spowolniony retarded [mot.]

spożytkować utilize (*use, work with it*) [abc]

spożywać use (*consume, use up*) [abc]

spód base; bottom [abc]; foot [transp.]; foot wall (*in gold mining*) [górn.]

spód blachy bottom face of the plate [transp.]

spód paleniska furnace bottom, furnace floor [energ.]

spód zbiornika tank bottom [masz.]

spódnica skirt [abc]

spójność cohesion [fiz.]

spójny coherent [inf.]

spółka company [ekon.]; gravel/sand granulate [górn.]

spółka akcyjna joint stock company [praw.]

spółka handlowa joint-venture marketing joint venture [abc]

spółka kolejowa railway company [transp.]

spółka powiernicza trust [ekon.]

spółka zajmująca się wydobywaniem surowca raw material manufacturing [górn.]

spór argument (*Let's not start an argument*) [abc]

spóźniony delayed [abc]

sprasowany compressed (*compressed cotton*); pressed [abc]

sprawa matter [abc]

sprawdzać (*kocioł*) visit; inspect (*the boiler*) [energ.]; screen [polit.]; verify [abc]

sprawdzać pod kątem rozwarstwień check for laminations [tw.]

sprawdzać poziom oleju check oil level [mot.]

sprawdzać się apply [abc]

sprawdzanie checking [miern.]

sprawdzanie chropowatości powierzchni surface crack test [masz.]

sprawdzanie metodą stykową manual scanning [abc]

sprawdzanie poziomu oleju oil-level check [masz.]

sprawdzanie półwyrobów inspection of semi-finished products; semi-finished products testing [masz.]

sprawdzenie proof [mat.]

sprawdzian calibrator [miern.]; classification work [abc]

sprawdzian do drutu wire gauge [masz.]

sprawdzian głębokości depth qauge [abc]

sprawdzian graniczny limit gauge; snap gauge [masz.]

sprawdzian mierniczy gauge [miern.]

sprawdzian nieprzechodni no go gauge [abc]

sprawdzian pochyłości camberboard [miern.]

sprawdzian stożkowy cone gauge [abc]

sprawdzian szczękowy calliper; limit gauge; snap gauge [miern.]

sprawdzian tłoczkowy poziomu oleju level plug; oil level plug; oil-level check plug [masz.]

sprawdzian trzpieniowy mandril gauge [miern.]

sprawdzian ustawienia zębatki rack setting gauge [masz.]

sprawdzian wysokości height gauge [miern.]

sprawdzony checked [miern.]; proven; reviewed [abc]

sprawiać allow; cause; initiate [abc]

sprawiedliwy upright [abc]

sprawnie działający efficient [abc]

sprawność cieplna thermal efficiency [energ.]

sprawność filtrowania precipitator efficiency [górn.]

sprawność kotła boiler efficiency; operating efficiency [energ.]

sprawność mechaniczna mechanical efficiency [abc]

sprawność termiczna thermal efficiency [energ.]

sprawozdanie coverage; report [abc]

sprawozdanie częściowe okresowe preliminary report [abc]

sprawozdanie dzienne daily report [abc]

sprawozdanie dzienne montera daily service report (D.S.R.) [abc]

sprawozdanie odbiorcze test report [abc]

sprawozdanie prasowe press release [abc]

sprawozdanie robocze manufacturing report [abc]

sprawozdanie z badania lub oględzin report on <the> condition [abc]

sprawozdanie z działalności roczne Annual Report (*of a company*) [ekon.]

sprawozdanie z podróży travel report [abc]

sprawozdanie z posiedzenia proceeding (*report, minutes*) [abc]

sprawozdanie z wizyty travel report [abc]

sprawozdawczość reporting [abc]

spray spray [abc]

sprężać compress [aero.]; pressurize (*preload, preset*) [energ.]

sprężanie compression [abc]; compression [aero.]

sprężanie przez wibrowanie i ubijanie compaction by vibration and tamping [bud.]

sprężarka air compressor; compactor [masz.]; compressor [aero.]

sprężarka doładowująca charge pump; supercharger [mot.]

sprężarka osiowa axial compressor [aero.]

sprężarka powietrzna air compressor [aero.]; air pump [fiz.]

sprężarka powietrzna do pompowania opon tyre pump [abc]

sprężarka rotacyjna z wirnikiem łopatkowym rotary blower [transp.]

sprężarka z tłokiem obrotowym rotary blower [transp.]

sprężony pressurized; pre-stressed [mot.]

sprężyna garter spring [masz.]; spring [mot.]

sprężyna bimetalowa bi-metal spring [masz.]

sprężyna cięgłowa draw spring; tensioning spring [mot.]; tension spring [masz.]

sprężyna cofająca release spring; track recoil spring [masz.]

sprężyna dociskowa sprzęgła clutch thrust spring [mot.]

sprężyna dodatkowa overload spring [mot.]

sprężyna dyszy nozzle spring [mot.]

sprężyna krążkowa cup spring [transp.]; disc spring; tension disc [masz.]

sprężyna krążkowa falista wave spring lock washer; wave washer [masz.]

sprężyna kształtowa drutowa wire leaf spring [masz.]

sprężyna naciągająca łańcuch track adjustment spring [masz.]

sprężyna naciągowa draw spring; tensioning spring; tension spring [masz.]

sprężyna naciskowa pressure spring [masz.]

sprężyna napinająca preload spring; recoil spring [masz.]

sprężyna napinająca łańcuch track adjustment spring [masz.]

sprężyna naprężona wstępnie pre-stressed spring [masz.]

sprężyna nośna piórowa laminated suspension spring [mot.]

sprężyna odciągająca release spring; relieving spring [masz.]

sprężyna opornika recoil spring [masz.]

sprężyna paraboliczna parabel spring [masz.]

sprężyna pierścieniowa spring washer [masz.]

sprężyna pierścieniowa falista wave spring washer [masz.]

sprężyna płytkowa leaf spring; leaf spring, leaf-type spring; plate spring [mot.]

sprężyna płytkowa kształtowa formed leaf spring [masz.]

sprężyna płytkowa o płytkach trapezowych leaf-type spring [mot.]

sprężyna płytkowo-stożkowa leaf and tapered leaf spring [masz.]

sprężyna popychacza lifter spring; tappet spring [mot.]

sprężyna powrotna cavit [transp.]; recoil spring [masz.]; return spring (*release spring*); track recoil spring [mot.]

sprężyna regulacyjna adjusting spring; balance spring [masz.]

sprężyna regulatora governor spring [mot.]

sprężyna rygla interlock spring [mot.]

sprężyna skręcana clock spring; torsion bar spring [masz.]

sprężyna skrętowa clock spring [tw.]; torsion-type suspension [masz.]

sprężyna spiralna helical spring, recoil spring, spiral spring; volute spring [masz.]; spring ring [mot.]

sprężyna spiralna płaska flat spiral spring [masz.]

sprężyna sprzęgła clutch spring [mot.]

sprężyna spustowa sear spring [mot.]

sprężyna ściągająca track recoil spring [met.]

sprężyna ściskana compression spring [mot.]

sprężyna ściskana śrubowa coil spring, recoil spring [masz.]; recoil spring [mot.]

sprężyna śrubowa coil spring; helical spring; volute spring [masz.]

sprężyna śrubowa stożkowa conical spring; volute spring [masz.]

sprężyna śrubowa stożkowa naci-

skowa z pręta o przekroju prostokątnym volute spring [masz.]

sprężyna talerzowa cup spring;
spring washer; tension disc; disc
spring [masz.]

sprężyna tłokowa plunger spring
[mot.]

sprężyna tłokowa jednotalerzowa
plunger spring plate [mot.]

sprężyna tylna rear spring [mot.]

sprężyna ustalająca retaining
spring; spring retainer [masz.]

sprężyna wielopłytkowa composite
spring; laminated spring [masz.]

sprężyna wydrążona gumowa rubber hollow spring [masz.]

sprężyna zaciśnięta spring in
a clamped position [masz.]

sprężyna zapadkowa ratched spring
[mot.]

sprężyna zaworowa valve spring
[mot.]

sprężyna zaworu ciśnieniowego
pressure valve spring [mot.]

sprężyna zaworu ssawnego suction
valve spring [mot.]

sprężyna zaworu wlotowego intake
valve spring [mot.]

sprężyna zaworu wydechowego exhaust valve spring [mot.]

sprężyna zaworu wylotowego exhaust valve spring [mot.]

sprężyna zewnętrzna zaworu outer
valve spring [mot.]

sprężyna zginana flexible spring
[masz.]

sprężyna zginana pierścieniowa
wound flexible spring [masz.]

sprężyna zwalniająca mechanizm
rigging release spring [masz.]

sprężyna zwojowa coil spring; helical spring [masz.]

sprężynka gazowa gas-pressurized
spring; window gas strut [mot.]

sprężynowany gumowo rubber-
spring mounted [masz.]

sprężynowy zawór bezpieczeństwa
spring-loaded safety valve [masz.]

sprężystość boiler flexibility (load
changes) [energ.]

sprężystość powłoki flexibility of
the coat [met.]

sprężysty spring-mounted [masz.]

sproszkowany powdered [abc]

sprowadzać (do czegoś) attribute to
[abc]

sprowadzenie do stanu wyjściowego reset [inf.]

spróchniały rotten [abc]

spryskany sprayed on [masz.]

spryskiwacz washer [mot.]

sprzątaczka cleaning woman [met.]

sprzeciw appeal [praw.]

sprzeczność contradiction [abc]

sprzedawca dealer [mot.]; shop assistant; vendor (sells to me) [abc]

sprzedaż krajowa domestic sales
[abc]

sprzedaż wspomagana komputerowo (CAS) Computer-Aided
Selling (CAS) [ekon.]

sprzedaż zagraniczna export sales
[abc]

sprzeniewierzać embezzle (illegal)
[abc]

sprzęg coupler, coupling [mot.]

sprzęg automatyczny buckeye coupling [transp.]

sprzęg buforowy buffer coupling
[mot.]

sprzęg hamulcowy brake coupling
hose [mot.]

sprzęg holowniczy draw bar coupling [mot.]

sprzęg krótki close coupling [mot.]

sprzęg przyczepowy samoczynny
automatic trailer coupling [mot.]

sprzęg przyczepowy tow coupling;
trailer coupling; trailer coupling,
coupling [mot.];

sprzęg samoczynny automatic clutch
[mot.]; buckeye coupling [transp.]

S

sprzęg śrubowy screw coupling [mot.]

sprzęg węża hose fitting [mot.]

sprzęg węża hamulcowego brake hose coupling [transp.]

sprzęganie coupling [transp.]

sprzęganie impulsowe magnetyczne magnet impulse coupling [el.]

sprzęgło clutch (*gear to gear*) [mot.]

sprzęgło automatyczne centralne central automatic coupler [mot.]

sprzęgło Cardana U-Joint; universal joint [mot.]; universal joint coupling [transp.]

sprzęgło cierne friction clutch [mot.]

sprzęgło cierne tarczowe disk clutch [mot.]

sprzęgło cierne tarczowe cerameticzne cerametallic clutch [masz.]

sprzęgło cierne wielopłytkowe multi disc clutch (*dry, in oil*); multi plate clutch (*dry, in oil*) [mot.]

sprzęgło dwutarczowe double disc clutch (*dry, in oil*); double plate clutch (*dry, in oil*) [mot.]

sprzęgło główne mokre wet-type master clutch [masz.]

sprzęgło hydrauliczne fluid coupling; hydraulic clutch; hydraulic coupling [mot.]

sprzęgło jednopłytkowe single plate clutch (*dry, in oil*) [mot.]

sprzęgło jednotarczowe single disc clutch (*dry, in oil*) [mot.]

sprzęgło kierownicze steering clutch [mot.]

sprzęgło kłowe claw coupling, jaw clutch [mot.]

sprzęgło kłowe dwukierunkowe claw coupling, jaw clutch [transp.]

sprzęgło koła zamachowego flywheel clutch [mot.]

sprzęgło magnetyczne magnetic coupling [el.]

sprzęgło mokre oil clutch [masz.]

sprzęgło napędowe driving clutch [mot.]

sprzęgło napędowe prądnicy samochodowej generator drive coupling [mot.]

sprzęgło olejowe oil clutch [masz.]

sprzęgło palcowe socket-pin coupling [mot.]

sprzęgło poślizgowe slip clutch; slipping clutch [mot.]

sprzęgło przeciążeniowe safety clutch [masz.]

sprzęgło przeciążeniowe cierne sliding clutch (*in transmission*) [mot.]

sprzęgło przegubowe universal joint coupling [transp.]

sprzęgło przesuwne slide coupling (*on hose*) [masz.]

sprzęgło silnikowe engine coupling [mot.]

sprzęgło sprężyste flexible coupling [mot.]

sprzęgło sprężyste gumowe damper [mot.]

sprzęgło suche dwutarczowe double disc dry clutch [mot.]

sprzęgło suche jednopłytkowe single-plate dry clutch [mot.]

sprzęgło suche jednotarczowe single disc dry clutch [mot.]

sprzęgło szybko włączalne quick-release coupling [masz.]

sprzęgło szybkodziałające quick coupling; quick-coupler [masz.]

sprzęgło tulejowe connector; grease coupling [transp.]

sprzęgło ustalające jammed clutch [mot.]

sprzęgło wielowypustowe splined coupling [transp.]

sprzęgło zapadkowe impulse coupling [mot.]

sprzęgło zębate gear clutch [mot.]

sprzęgnięty krótko close coupled [mot.]

sprzęt equipment (*component*); appliance [abc]

sprzęt AGD domestic appliances, household equipment [abc]

sprzęt do czyszczenia track clearing equipment [transp.]

sprzęt do czyszczenia olejowo-hydraulicznego oil-hydraulic track clearing equipment [mot.]

sprzęt do robót odkrywkowych open cast mining system; open pit mining system [górn.]

sprzęt do rozbiórki demolition equipment [transp.]

sprzęt do wycinki logging attachment [mot.]

sprzęt do wyrównywania poziomu z przesuwem bocznym level compensation device with side shift [mot.]

sprzęt do zwałowania dumping equipment [transp.]

sprzęt dźwigowy do podnoszenia pali spud hoisting equipment; spud lifting equipment [mot.]

sprzęt gaśniczy fire extinguishing equipment [abc]

sprzęt gąsienicowy do robót ziemnych track chain earth moving machinery [górn.]

sprzęt górniczy mining equipment [górn.]

sprzęt górniczy do wydobywania rudy z namułów ore-mud suction dredge [górn.]

sprzęt jezdny na podwoziu gąsienicowym (*koparki, spycharki*) track excavator (*crawler excavator*) [transp.]

sprzęt kolejowy railroad equipment (US); railway equipment (GB) [mot.]

sprzęt komputerowy hardware [inf.]

sprzęt łączeniowy switchgear [el.]

sprzęt montażowy assembly equipment; assembly outfit [masz.]

sprzęt nabrzeżny quay-mounted unit [mot.]

sprzęt pakujący strapping tools and machines [narz.]

sprzęt pomocniczy (*do robót odkrywkowych*) auxiliary equipment [górn.]

sprzęt przestawiający on-task attachment [transp.]

sprzęt rekreacyjny recreational facility [abc]

sprzęt sterujący on-task attachment [transp.]

sprzęt strzelniczy blasting-equipment [wojsk.]

sprzęt tropikalny equipment for the tropics [abc]

sprzęt wydobywczy ciężki large mining equipment; giant mining equipment [górn.]

sprzęt znormalizowany standard machine [masz.]

sprzęt kuchenny kitchen appliance [abc]

sprzężenie connector [transp.]; coupling [mot.]

sprzężenie bliskie closely coupled systems [inf.]

sprzężenie magnetyczne magnetic coupling [el.]

sprzężenie skrośne four-way coupling [mot.]

sprzężenie z językiem naturalnym natural language interface [inf.]

sprzężenie zwrotne feed-back [el.]

sprzężenie zwrotne ujemne negative feed-back [el.]

sprzężenie zwrotne wielokrotne multiple-loop feed-back [el.]

sprzężony coupled [transp.]; dependent on [bud.]

sprzyjać favour [med.]

sprzymierzeniec ally [abc]

sprzymierzony allied (*Allied Forces*) [abc]

spulchnianie bulking [abc]

S

spulchniarka ripper; scarifier (*makes scars only*) [transp.]

spulchniarka tylna rear ripper, rear scarifier [masz.]

spulchniarka tylna do płytkich robót scarifier [masz.]

spulchnienie przejściowe temporary bulking [abc]

spulchniony bulked [abc]

spust tap; taphole; trigger (*pick-off, transmitter*); water drainage [bud.]

spust denny bottom dump [mot.]

spust jałowy free swing (*upper on undercarriage*) [transp.]

spust oleju free flow outlet [mot.]; oil drain [masz.]

spuszczać (*metal z pieca*) tap, tap off [tw.]; (*np. linę*) lower; bleed off (*on blast furnace*); burn off [energ.]

spuszczanie lowering [abc]

spychacz dozer blade [transp.]; front blade [mot.]

spychacz wodowaniowy push cup [transp.]

spychać doze (*with blade of dozer*) [transp.]

spychak blade (*on grader*); dozer blade [transp.]

spychak nastawny angling blade [transp.]

spychak skośny angling blade [transp.]

spychak uniwersalny U-blade [transp.]

spycharka bulldozer, dozer [transp.]

spycharka samojezdna wheeled dozer [mot.]

srebrnoszary silver gray [abc]

srebro silver [met.]

ssanie intake [energ.]; suction [abc]

stabilizacja mortar-mix [bud.]

stabilizacja gruntu soil stabilization [bud.]

stabilizacja punktu pracy stabilization of operation point [el.]

stabilizator stabilizer; vibration damper [masz.]; balancer [mot.]

stabilizator dwupunktowy one set of stabilizers [transp.]

stabilizator hydrauliczny hydraulic stabilizer [mot.]

stabilizator lemiesza spycharki dozer blade stabilizer [transp.]

stabilizator ładunku z/bez możliwością przesuwu bocznego load stabilizer with/without sideshift [mot.]

stabilizator napięcia voltage regulator; voltage stabilizer [el.]

stabilizator osi łamanej stabilizer of oscillating axle (*jack*) [transp.]

stabilizator pośredni intermediate support [transp.]

stabilizator skrętny torsion bar stabilizer [masz.]

stabilizator zastrzałowy spindle-type stabilizer [mot.]

stabilność stability [masz.]

stabilność asymptotyczna asymptotic stability [el.]

stabilność marginesowa marginal stability [el.]

stabilność nasypu stability of the slope [transp.]

stabilność skarpy stability of the slope [transp.]

stabilność warunkowa conditional stability [el.]

stabilny high-tensile; stable [abc]

stabilny po ugniataniu squeeze-stable [masz.]

stabilny podczas jazdy stable during travelling [mot.]

stacja station [mot.]

stacja czołowa head station [transp.]; terminal depot (US); terminal station (GB) [mot.]

stacja kolejowa railroad station; railway station, railroad station; train station [mot.]

stacja końcowa terminal station [mot.]

stacja kół ciernych friction roller station [górn.]

stacja napinająca tensioning station [transp.]

stacja napinająca łańcuch chain tensioning station [górn.]

stacja nawrotna return station; reverse station (*return station*) [transp.]

stacja nawrotna z wyłącznikiem krańcowym return station with limit switch [transp.]

stacja oczyszczania ścieków sewerage treatment plant [hydr.]

stacja odstawcza carriage siding [transp.]

stacja pobierania próbek sample extraction station [miern.]

stacja podziemna low-level station [transp.]

stacja pomiarowa gauging station [bud.]

stacja pomp pump station, pump-bay [abc]

stacja postojowa carriage siding [mot.]

stacja pożarna fire station [bud.]

stacja przeładunkowa transfer station [mot.]

stacja przesyłowa field switch [górn.]

stacja radarowa radar station [el.]

stacja redukcyjna ciśnienia pressure reducing station [energ.]

stacja redukcyjno-schładzająca pressure reducing station [energ.]

stacja robocza workstation [inf.]

stacja rozrządowa marshalling yard; switching yard; yard [transp.]

stacja sit screen [górn.]

stacja transformatorowa relay station [el.]

stacja załadowcza wagon loading station [mot.]

stacjonarny stationary [abc]

stać stand (*come to a standstill, stop*) [abc]

stać na kotwicy lie at anchor [transp.]

stać na redzie in the roads (*in the roadstead*); lie at anchor (*in the roads*) [transp.]

stadia procesu up- and downstream process stages [abc]

stadion stadium [abc]

stadion sportowy athletic field; sports stadium [abc]

stadium pośrednie interphase (*e.g. caterpillar, cocoon, butterfly*) [abc]

stado pack (*hounds, wolves*) [bot.]

stagnacja stagnation (*of steps on escalator*) [transp.]

stajnia barn (*stable*) [roln.]; stable (*stables, barn*) [bud.]

stal steel [tw.]

stal automatowa free cutting steel [tw.]

stal ciagliwa w niskich temperaturach cold-weather-conditions steel [tw.]

stal ciekła liquid steel [tw.]

stal do nawęglania case hardening steel [tw.]

stal do ogólnego użytku budowlanego steels for general structural purposes [tw.]

stal do ulepszania cieplnego heat-treatable cast steel [tw.]

stal do wyrobu kluczy key steel [masz.]

stal drobnoziarnista grain-refined steel [tw.]

stal ferrytowa delta ferrite steel [tw.]

stal Hadfielda manganese steel [tw.]

stal hartowana hardened steel [tw.]

stal i przeróbka uszlachetniająca stali steel and steel coating [masz.]

stal konstrukcyjna steels for structural purposes; structural steel [tw.]

S

stal konstrukcyjna drobnoziarnista fine-grained steel for structural use; grain-refined construction steel [tw.]

stal konstrukcyjna kotłowa boiler steel (*for steam locomotives*) [mot.]

stal konwertorowa tlenowa BOF steel [masz.]

stal kowalna wrought iron (*forged iron*) [masz.]

stal kujna wrought iron [masz.]

stal lana cast steel (*flame, induct. hardening*) [tw.]

stal manganowa manganese steel [tw.]

stal manganowa nieścieralna manganese steel [tw.]

stal miękka mild steel [masz.]

stal narzędziowa draw bar sections [masz.]; tool steel [tw.]

stal nierdzewna stainless steel, stainless cast steel [tw.]

stal niskostopowa low alloy steel [tw.]

stal nożowa draw bar sections [masz.]

stal o właściwościach tłumienia hałasu noise abating steel (*rail fastening*) [tw.]

stal obręczowa band iron strap; hoop-steel (*steel-sheet*); strapping band iron strapping [masz.]

stal obręczowa w belach steel baling hoop [masz.]

stal odporna na przegrzanie grain-refined steel [tw.]

stal okrągła round steel; round steel, rounds [masz.]

stal prętowa merchant bars [masz.]

stal specjalna special steel [tw.]

stal sprężynowa spring steel [tw.]

stal stopowa alloy steel [masz.]; ferrous alloy [tw.]

stal surowa crude steel [masz.]

stal szlachetna rare steel; stainless steel [tw.]

stal szlachetna nierdzewna stainless steel [tw.]

stal szybkotnąca high speed steel (HSS) [tw.]

stal średniowęglowa medium carbon steel [tw.]

stal taśmowa ciągniona na zimno cold rolled steel strip [tw.]

stal walcowana rolled steel; steel, rolled (*rolled steel*) [tw.]

stal walcowana na zimno cold rolled steel [tw.]

stal wanadowa vanadium steel [tw.]

stal węglowa do głębokiego ciągnienia deep drawable carbon steel (HHO) [tw.]

stal węglowa do głębokiego tłoczenia deep drawable carbon steel [tw.]

stal wysokogatunkowa special qualities and high-grade steel [masz.]

stal wysokogatunkowa i szlachetna high quality and high grade steel [masz.]

stal wyższej jakości high-quality steel [tw.]; special qualities and high-grade steel [masz.]

stal zgrzewalna weldable steel [met.]; wrought iron [masz.]

stal zlewna cast steel (*for general applications, ferritic, high-temperature*) [tw.]

stal żaroodporna heat resisting steel [tw.]

stal żarowytrzymała heat resisting steel [tw.]

stalitron stalitron [masz.]

staliwo cast steel (*heat-resistant, heat-treatable*) [tw.]

staliwo mrozoodporne low-temperature cast steel [masz.]

staliwo niemagnetyczne nonmagnetizable cast steel [tw.]

staliwo żaroodporne heat-resistant cast steel [tw.]

staliwo żarowytrzymałe ferrytycz-

ne ferritic high-temperature cast steel [tw.]

stalowa konstrukcja nośna kotła boiler support steel work [energ.]

stalowa siatka zbrojeniowa fabric reinforcement [bud.]

stalownia iron works, steel factory [masz.]

stalownia konwertorowo-tlenowa oxygen steel plant [met.]

stalownia tomasowska Thomas bulb mill [met.]

stalowy steel [met.]

stała czasowa time constant [el.]

stała dielektryczna dielectric constant (*permittivity*) [el.]

stała moc tłoczenia constant volume pressure [mot.]

stała nakładu pracy labour constant [abc]

stała wydajność przepływu constant delivery [górn.]

stałe natężenie przepływu constant delivery [górn.]; fixed constant displacement [mot.]

stałe znakowe literals (*in logic*) [inf.]

stałość objętości volume consistency [bud.]

stały permanent; solid; steady; constant [abc]; stationary (*cannot be moved*) [mot.]; bank [gleb.]; rigid (*robust*) [tw.]

stały komitet roboczy constant committee [abc]

stały zespół roboczy constant committee [abc]

stan phase [energ.]; condition; population (*of machines*); state; waist [abc]; state (*in that state*) [med.]; state [polit.]

stan barometru barometric pressure [miern.]

stan budowy condition of the site [bud.]

stan chorych number of staff ill [med.]

stan gazowy vapour state [energ.]

stan ilościowy maszyn machine population [abc]

stan końcowy goal state [inf.]

stan licznika dial count, dial recording [el.]

stan licznika kilometrów mileage [mot.]

stan magazynu quantity in stock [abc]

stan materiałowy wydziału produkcyjnego material on the shop floor [abc]; shop floor material [masz.]

stan niepewności abeyance (*price is in abeyance*) [abc]

stan obróbki cieplnej state of heat treatment [met.]

stan parowy vapour state [energ.]

stan prawny przedsiębiorstwa state of occupation [praw.]

stan psychiczny mental state [med.]

stan równowagi equilibrium (*state of permanence*) [abc]

stan skupienia gazowy gaseous state [energ.]

stan skupienia state of aggregation [chem.]; condition of aggregation (*liquid*) [fiz.]

stan techniczny maszyny mechanical condition of a machine [mot.]

stan twardości (*utwardzenia*) condition of hardness [fiz.]

stan ustalony steady state [fiz.]; steady thermal condition [energ.]

stan wody powodziowej flood water level [abc]

stan zapasów back up stock (*parts I may need*) [ekon.]

stan zawieszenia abeyance (*price is in abeyance*) [abc]

stan zdrowia health condition [med.]

standard (*quality class*) standard [miern.]

standard elementów danych data element standard [inf.]

S

standardowy standard [masz.]; standardized [norm.]

standardowy typ konstrukcji standard design [masz.]

standardowy zakres dostawy standard scope of supply [abc]

standaryzacja standardization [inf.]

stanowić constitute [bud.]

stanowisko post (*sentinel, guard, watch*); guard (*watch*) [wojsk.]

stanowisko badawcze test stand, testing stand, test bench, test rig, testing stop, testing bay [transp.]

stanowisko do prób test stand, testing stand, test installation, test bench, test equipment, test rig, testing stop, testing bay [masz.]

stanowisko doświadczalne test instrument tapping points [miern.]

stanowisko kierownicze (*np. w koparce*) control centre [transp.]; control station [górn.]

stanowisko kontrolne (badawcze) żurawia crane test area [transp.]

stanowisko kontrolne szyn rail testing assembly [transp.]

stanowisko kontrolne zestawów kół wheel set test assembly [transp.]

stanowisko maszynisty cab (*GB: locomotive driver's cab*); driver's cab; footplate (*on steam locomotive*) [transp.]

stanowisko montażowe assembly bay; assembly stand [masz.]; installation site (*construction site*) [bud.]; working site [abc]

stanowisko na wolnym powietrzu open air <fair> ground; outside area [abc]

stanowisko napędowe drive station [transp.]

stanowisko nawracania reversing station [transp.]

stanowisko obsługi operating platform [transp.]

stanowisko obsługi palnika (*pomost, platforma*) burner level [energ.]

stanowisko odwracania reverse station [transp.]

stanowisko oficerskie commission [abc]

stanowisko operatora operator position [abc]

stanowisko pomiarowe instrument tapping point; test point [mot.]

stanowisko pracy working place; working site [abc]

stanowisko prawne legal position (*status*) [praw.]

stanowisko próbne test stand, testing stand, test bench, test rig, testing stop, testing bay [masz.]

stanowisko przeczyszczania i pokrywania stopami purging and alloy addition plant [masz.]

stanowisko przenośnika conveyor <belt> station [transp.]

stanowisko robocze CAD CAD work-station (*short: work station*) [rys.]; working place [ekon.]

stanowisko rozrządcze central control room (*control centre*) [energ.]

stanowisko sterownicze operating platform [transp.]

stanowisko sterownicze stacjonarne stationary control position [mot.]

stanowisko strzeleckie rifle range (US) [wojsk.]

stanowisko załadowcze i wyładowcze ciężarówek lorry loading and unloading station; truck loading and unloading station [transp.]

stanowisko zawracania return station (*reverse station*) [transp.]

stanowisko zewnętrzne open air <fair> ground [abc]; outside area [mot.]

stapiać (*mix metals*) alloy; fuse

(*melt, smelt, weld, connect*) [met.]
staranny careful [abc]
starczy aged [med.]
starter odrzutowy recoil starter [masz.]
starter zewnętrzny jump-start facility (*electric plug*) [transp.]
stary aged [abc]
statecznik stabilizer; vibration damper [transp.]
statecznik poziomy tailplane [transp.]
stateczność pod obciążeniem stability under load [transp.]
stateczność stability [transp]
stateczny stable [masz.]; sure-grip [transp.]
statek ship; vessel; boat [transp.]
statek chłodnia refrigerated container vessel, refrigerator ship [transp.]
statek chłodniczy refrigerated container vessel, refrigerator ship [transp.]
statek kosmiczny spaceship [mot.]
statek parowy steamship [mot.]
statek powietrzny air vehicle [mot.]
statek półpodwodny semi-submersible ship [mot.]
statek ratowniczy salvage vessel [mot.]
statek specjalny special ship [mot.]
statek szkolny training ship [mot.]
statek towarowo-pasażerski multipurpose ship [mot.]
statek towarowy freighter, freight ship [mot.]
statek typowy standard type ship (*standard type*) [mot.]
statek wielozadaniowy multi-purpose ship [mot.]
statek wycieczkowy cruise boat [mot.]
statua statue [abc]
status prawny legal position [praw.]

statut związku articles of the association [praw.]
statyczny model sieciowy static network model [ekon.]
statyka statics [transp.]
statyw tripod; stand [abc]
statyw trójnożny weighing tripod [abc]
staw knuckle [med.]; pool [bot.]
stawa beacon [mot.]
stawać w kolejce queue [abc]
stawiać żagiel rig the sailing [transp.]
stawidło suwakowe nawrotne crossover [mot.]
stawidło zaworowe valvegear [mot.]
staż pracy years of employment [abc]
stażysta trainee apprentice [abc]
steam beer (*amerykańskie piwo górnej fermentacji*) steam beer [abc]
steatyt Steatite [el.]
stempel mine prop; prop; ray; shore [górn.]; stamp [abc]
stemplować seal [polit.]
stenga dziobnika jib boom [mot.]
ster rudder [mot.]
ster gazowy poprzeczny thruster; transverse thruster [mot.]
ster kierunku side rudder [mot.]
ster pionowy side rudder [mot.]
ster strumieniowy poprzeczny thruster; transverse thruster [mot.]
ster wysokości tailplane [mot.]
sterczący outstanding [abc]
sterczeć stick out [abc]
stereo biologiczne biological stereo [inf.]
stereotypy znormalizowane standard stereotypes [inf.]
sternik cox [mot.]
sterować control [inf.]; operate; steer [mot.]
sterować do drive to, towards [abc]
sterowanie control [transp.]; control [el.]; steering [mot.]

S

sterowanie astatyczne float control [transp.]

sterowanie automatyczne ciągłe ruchu pociągów continuous automatic train running control; LZB continuous automatic train running control [transp.]

sterowanie centralne ramieniem przegubowym central articulated steering [mot.]

sterowanie ciśnieniowe pressure bind [mot.]

sterowanie cylindryczne cylinder control [mot.]

sterowanie czerpakami bucket control [transp.]

sterowanie czujnikiem variable control (of oil amount) [mot.]

sterowanie czułością sensitizing [el.]

sterowanie drążkowe joystick control [transp.]

sterowanie dwudźwigniowe two-lever control [transp.]

sterowanie dźwigniowe joystick control [transp.]

sterowanie elektroniczne electronic control [inf.]

sterowanie Heusingera Heusinger link motion [mot.]

sterowanie hydrauliczne hydraulic control [masz.]

sterowanie hydrauliczne typu orbitrol steering orbitrol [mot.]

sterowanie i nadzór nad urządzeniami technologicznymi robot control [inf.]

sterowanie impulsami sterującymi time-relay control [el.]

sterowanie jasnością trace unblanking [el.]

sterowanie jednostkowe individual control [mot.]

sterowanie komputerowe computer control [inf.]

sterowanie krzywkowe cam operation [mot.]

sterowanie kulowe ball and socket gear change (shift) [mot.]

sterowanie maksymalne Q max [mot.]

sterowanie matą stykową contact mat piloting, contact mat steering [transp.]

sterowanie minimalne Q min [mot.]

sterowanie modularne modular control [transp.]

sterowanie nożne foot control [mot.]

sterowanie numeryczne obrabiarek machine-tool software and robotics [inf.]

sterowanie oddzielone separate gear change (shift) [mot.]

sterowanie operacji action-centered control [inf.]

sterowanie ostrzem radlicy blade control; mouldboard control; power control of mouldboard [transp.]

sterowanie paralelne PR-shifting (parallel swing, circuits) [mot.]

sterowanie pneumatyczne pneumatic change [mot.]

sterowanie podwójne dual control [abc]

sterowanie pokładowe board control [transp.]

sterowanie pomocnicze auxiliary control [abc]

sterowanie pontonem pontoon steering [transp.]

sterowanie priorytetem wykonywania operacji priority system [transp.]

sterowanie procesami process control [inf.]

sterowanie produkcją production control [inf.]; production controlling [miern.]

sterowanie programowe processing control [inf.]

sterowanie przeciwpoślizgowe anti-slip control [mot.]

sterowanie przegubowe artic-frame steering (*dump truck*) [transp.]

sterowanie przyciskowe push-button control [mot.]

sterowanie radlicą blade control; mouldboard control; power control of mouldboard [transp.]

sterowanie ramieniem przegubowym artic steering, artic-frame steering; articulated frame steering [transp.]

sterowanie ręczne manual control [abc]

sterowanie ręczne hydraulicznie zrównoważone hydraulic proportional hand control system [masz.]

sterowanie stycznikowe contactor equipment [transp.]

sterowanie trójkąt-gwiazda star-delta-control [transp.]; Y-delta connection [el.]

sterowanie uzależnione od zapotrzebowania flow on demand control; variable control [mot.]

sterowanie wymuszone positive control [transp.]

sterowanie zewnętrzne outside control [transp.]

sterowanie zwrotnicy switch control (*electric*) [transp.]

sterowanie żądań request-centred control [inf.]

sterowany automatycznie automatically operated [abc]

sterowany bezpośrednio directly operated [abc]

sterowany numerycznie numerically controlled (NC) [narz.]

sterowany ręcznie hand-operated [energ.]; manually-operated [abc]; pedestrian-controlled [mot.]

sterowany samoczynnie automatically operated [abc]

sterownica steering rod; tiller (*in cab*) [mot.]

sterownik control switch; control-ler; limit switch [transp.]; governor (*not on locomotive*) [mot.]; master control [el.]

sterowniki directional controls [mot.]

sterowność manoeuvrability [mot.]

sterta pile [bud.]

stertowanie stacking [abc]

stertowanie odpadów dirt stacking [transp.]

stewa steve (*front of ship*) [mot.]

stewardessa lotniskowa ground stewardess [transp.]

stęchły decaying (*rotten*) [bud.]; rotten (*decaying*) [abc]

stępianie ostrych krawędzi deburing [met.]

stępka keel (*lowest bottom part of ship*) [transp.]

stężenie stiffening [abc]

stężenie mieszanki concentration of mixture [met.]

stłuczka szklana glass recycling [rec.]

stocznia dockyard; shipyard (*makes naval vessels*) [bud.]

stocznia remontowa navy-yard [bud.]

stodoła barn [roln.]

stoisko targowe fair stand [abc]

stoisko wystawiennicze booth; exhibit booth (*inside*), exhibition space (*outside*); fair stand [abc]

stojak post; stand [abc]; upright [transp.]

stojak kolumnowy pedestal and stand [bud.]

stojak magnetyczny magnetic part; magnetic support [masz.]

stojak na bagaż baggage rack [mot.]

stojak zmiany biegów i dźwignia gear shift column and gear shift lever [mot.]

stojak z prospektami literature stand (*brochure stand*) [abc]

stojan stator [el.]

stojący upright [abc]

S

stok slope [gleb.]; upward inclination [mot.]

stok płaski ditch wall [bud.]

stok roboczy working-slope [górn.]

stolarz joiner [abc]

stolik geodezyjny plane table [abc]

stolik mierniczy plane table [abc]

stolik na kółkach trolley [abc]

stolik topograficzny plane table [abc]

stolik TV stand [abc]

stołek stool; puffy [bud.]

stołek składany folding chair, folding stool [bud.]

stop alloy; bi-metal [masz.]

stop aluminiowy aluminium alloy [masz.]

stop cynku zinc alloy [tw.]

stop cyny tin alloy [tw.]

stop kobaltu cobalt alloy [tw.]

stop łożyskowy babbitt [tw.]

stop miedzi copper alloy [tw.]

stop na osnowie żelaza iron-base alloy [tw.]

stop o podstawie cynkowej zinc alloy; tin alloy [tw.]

stop o podstawie kobaltowej cobalt alloy [tw.]

stop o podstawie miedziowej copper alloy [tw.]

stop o podstawie tytanowej titanium alloy [tw.]

stop o specjalnym składzie lub specjalnych właściwościach special alloy [tw.]

stop odlewniczy cast alloy [tw.]

stop tytanu titanium, titanium alloys (*zirconium*) [met.]

stopa foot [abc]

stopa kwadratowa square foot [miern.]

stopa ogniwa gąsienicy pad; track pad, track plate, track shoe (*e.g. of a crawler track*) [transp.]

stopa skarpy dam toe [bud.]

stopa sześcienna cubic foot [abc]

stopa zapory fill toe; heel of dam [bud.]

stopa zęba shank; tooth shank (*e.g. on shovel edge*) [transp.]

stoper stop watch [miern.]

stoper klinowy wedge-type cotter [mot.]

stopień grade (*on scale*); deg; stage mark (*np. w szkole*) [abc]; degree [meteo.]; (*temperature*) degree [fiz.]; scale [rys.]; point; running board (*conductor walked it*); tread plate [mot.]; stair (*stairs, stairway*) [masz.]; step [bud.]; (*schodów ruchomych*) step; tread pad; ladder (*body steps*) [transp.]; underhand stope [górn.]

stopień binarny binary stage [abc]

stopień Celsjusza Centigrade (*degrees Centigrade*) [fiz.]

stopień długości geograficznej longitude [meteo.]

stopień dokładności degree of accuracy, precision [abc]

stopień filtracji collector efficiency [aero.]; dust collector efficiency [energ.]; precipitator efficiency [górn.]

stopień generatora relaksacyjnego sweep stage [el.]

stopień grzewczy heating stage [energ.]

stopień jednolity one piece step [transp.]

stopień kaskady cascade stage [fiz.]

stopień kątowy angular degree [abc]

stopień koła zębatego czołowego spur wheel section [masz.]

stopień końcowy przekładni obiegowej planetary hub [masz.]

stopień mechanizacji degree of mechanization [abc]

stopień (nadajnika) w układzie przeciwsobnym push-pull stage [masz.]

stopień napełnienia filling degree; shovel fill factor [mot.]

stopień nasycenia degree of saturation [bud.]; degree of saturation [masz.]

stopień obciążenia capacity factor, load ratio [energ.]

stopień odpylania precipitator efficiency [górn.]

stopień podobieństwa similarity measure [inf.]

stopień pokrycia contact ratio [masz.]

stopień połyskliwości degree of gloss [mot.]

stopień przekładni obiegowej planetary stage [mot.]

stopień rozprężenia ratio of expansion [masz.]

stopień rozwarcia kąta degree of the angle [rys.]

stopień schodków manewrowego shunter's step [transp.]

stopień schodów step tread [transp.]

stopień schodów ruchomych escalator step [transp.]

stopień sprężania compression ratio [mot.]

stopień stalowy okrągły step iron [abc]; stirrup [mot.]

stopień swobody degree of flexibility [masz.]

stopień tłumienia suppression stage [el.]

stopień wartości granicznych limit value stage [el.]

stopień wejściowy input stage [mot.]

stopień wypalenia się materiału (*np. w reaktorze*) burn-up rate [energ.]

stopień wypełnienia filling degree; shovel fill factor [mot.]

stopień wypełnienia czerpaka degree of shovel filling [transp.]

stopień wysokiego ciśnienia high pressure stage [energ.]; h-p stage [masz.]

stopień zakłóceń radioelektrycznych degree of radio interference [telkom.]

stopień zapylenia dust loading [energ.]

stopień zmielenia fineness [met.]

stopień zużycia rate of wear [energ.]

stopiwo built-up material; weld deposit, weld metal [met.]

stopka footnote [abc]

stopka opony pad; tyre bead [mot.]

stopka szyny rail base; railfoot; railfoot [mot.]

stopnica step tread [transp.]; tread step [bud.]

stopniomierz graduator [abc]

stopniować odcienie tint [abc]

stopniowe dociąganie hamulca graduated application [mot.]

stopniowe jarzmo przekładni obiegowej range carrier [masz.]

stopniowe puszczanie hamulca graduated brake release [mot.]

stopniowe zakończenie rury step connector bushing [transp.]

stopniowo (*krok po kroku*) step by step [abc]

stopniowy graded [bud.]

stopowy alloyed [masz.]

stop na bazie aluminium do zastosowań ogólnych alu alloy for general applications [masz.]

stop na bazie aluminium do zastosowań specjalistycznych alu alloy for special applications [masz.]

stop na bazie aluminium o dużej wytrzymałości high-strength aluminium alloy [tw.]

stop o podstawie niklowej nickel alloy [tw.]

stop o podstawie ołowiowej lead alloy [masz.]

stop twardy hard metal (*cement carbide*) [masz.]

S

stop żelaza ferro-alloy [tw.]

storno cancellation [ekon.]

stornować cancel [ekon.]

stos (*zmagazynowanego towaru*) stockpile [masz.]; heap (*stockpile*) [transp.]; pile [bud.]; stack [abc]; stack [inf.]

stos kart card deck [inf.]

stos podkładów pile of sleepers [mot.]

stosować apply (*brake is applied*); employ (*tool, weapon*); practice [abc]

stosowanie wzajemne alternate use [abc]; mutual use [transp.]

stosowany w handlu commercially approved [ekon.]

stosownie do in accordance with [abc]

stosowny adequate [abc]

stosunek (*do czegoś*) attitude; proportion; relation; relationship (*in relation to*) [abc]; quotient [inf.]; rate [masz.]; ratio [tw.]

stosunek amplitudy impulsów pulse amplitude ratio [el.]

stosunek dzielenia dividing rate [el.]

stosunek granicy plastyczności do wytrzymałości na rozciąganie yield ratio [masz.]

stosunek osłabienia (*promieniowania*) attenuation factor [el.]

stosunek pewności certainty ratio [inf.]

stosunek powierzchni przekroju cross sectional area ratio [rys.]

stosunek ramion dźwigni leverage ratio [fiz.]; relationship of the levers [masz.]

stosunek składników mieszanki mixing proportion [mot.]

stosunek sprężania compression ratio [mot.]

stosunek sygnału do szumu signal/ noise ratio, signal-to-noise ratio [el.]

stosunek ubezpieczeniowy insurance agreement [praw.]

stosunek zmniejszenia prędkości reduction ratio [masz.]

stosunki prawne legal status [praw.]

stowarzyszenie association; incorporation [abc]; union [polit.]

stowarzyszenie zawodowe employees' insurance, employer's liability [polit.]

stożek cone [rys.]; taper [masz.]; triangle [mat.]

stożek pirometryczny Seegera pyrometric cone, Seeger cone [energ.]

stożek regulatora governor cone [mot.]

stożek synchronizujący synchronizing cone [mot.]

stożek wewnętrzny internal cone [mot.]

stożek wlotowy inlet bell [aero.]; inlet guiding cone [masz.]

stożek zaciskowy cutting ring [tw.]

stożek zaworu valve cone [mot.]

stożek zaworu ciśnieniowego pressure valve cone [mot.]

stożek zaworu ssawnego suction valve cone [mot.]

stożek zewnętrzny outside cone [masz.]

stożkowa powierzchnia osadzania tapered seating surface (*valve*) [masz.]

stożkowatość taper, tapering [masz.]

stożkowaty tapered, tapering [masz.]

stożkowy conical; tapered [rys.]

stół table [bud.]

stół amortyzowany spring table [masz.]

stół do krawędziowania folding bench (*f. machine*) [narz.]

stół obrotowy podziałowy pivoted table [abc]

stół resorowany spring table [masz.]

stół rozsuwany extending table [bud.]

stół uchylny swivel table [masz.]

stół warsztatowy workbench [masz.]

stracony failed [abc]

stragan booth; stand (*booth*) [abc]

strajk strike [abc]

strata loss (*of money, influence, power*) [energ.]; waste [abc]

strata cieplna w żużlu ciekłym heat loss in liquid slag [energ.]

strata ciepła jawnego (*odczuwalnego*) sensible heat loss [masz.]

strata ciśnienia pressure loss [mot.]

strata energetyczna energy loss [mot.]

strata mocy dissipated energy, dissipation; stray power [el.]; power loss [mot.]

strata na krzywiźnie bend loss [energ.]

strata nieujawniona unaccounted loss; unknown loss [abc]

strata odlotowa flue gas loss; waste gas loss [energ.]

strata oleju na przecieki leak oil loss (*close to zero*) [mot.]

strata popiołu lotnego loss due to carbon in fly ash [energ.]

strata przesypowa riddlings loss [energ.]

strata przez dławienie throttle loss (*losses*) [mot.]

strata przez gazy palne loss due to unburnt gases [energ.]

strata przez promieniowanie radiation loss [energ.]

strata tarciowa friction loss [fiz.]

strata uderzeniowa shock loss [masz.]

strata w żużlu loss due to carbon in ash [energ.]

strata wlotowa entrance loss; impact loss [energ.]

strata wody loss of water (*escape of water*) [bud.]

strata wylotowa exit loss; waste gas loss [energ.]

strategia strategy [abc]

strategia kompletna complete strategy [inf.]

strategia rozwiązywania konfliktów conflict-resolution strategy [inf.]

straż guard, guards [wojsk.]

straż pożarna fire department, fire brigade [polit.]; Fire Department, F. D. [abc]

strażak fire fighter [polit.]; fireman [abc]

strażnik guard [polit.]; watchman [abc]

strącać (*się*) precipitate [energ.]

strefa zone [energ.]

strefa bezpieczeństwa ujęcia wody water protection area (*keep clean*) [hydr.]

strefa cienia shadow zone [abc]

strefa ciszy dead zone [abc]

strefa czerwona red zone [abc]

strefa dla pieszych pedestrian precinct (GB) [abc]

strefa klimatyczna umiarkowana moderate climatic zone [meteo.]

strefa kontrolowanych pęknięć predetermined break point [mot.]; rated break point [masz.]

strefa mielenia grinding zone [energ.]

strefa milczenia dead zone [abc]

strefa nieczułości (*regulatora*) dead zone [abc]

strefa obojętna neutral zone [tw.]

strefa pęknięcia failure zone [tw.]

strefa przejściowa transition zone [energ.]

strefa przełomu failure zone [tw.]

strefa przeszukiwania scanning zone [el.]

strefa ruchu pieszego pedestrian precinct [abc]

strefa spawania welding area [met.]

S

strefa suszenia distillation zone [energ.]
strefa środkowa interior (*centre*) [masz.]
strefa uskokowa dead zone [abc]
strefa wolnocłowa portu free port [transp.]
strefa wpływu ciepła heat-affected zone [met.]
strefa wylotu downstream (*of the valve*) [energ.]
strefa zamknięta stopband [abc]
strefa ziarnista granular range [górn.]
streszczenie summary [abc]
strojenie tuning [el.]
strojenie zgrubne coarse tuning [el.]
strojnik stub [el.]
stromy steep (*sharp angle*) [abc]
strona side [bud.]
strona czołowa face, front side [abc]
strona łożyska swobodnego floating bearing side [masz.]
strona odwrotna back [abc]
strona podciśnieniowa pump inlet side [energ.]; suction side [masz.]
strona przednia face, front side [abc]
strona ssawna pump inlet side [energ.]; suction side (*inlet, intake*) [masz.]
strona ssąca inlet; intake [energ.]
strona wewnętrzna inward facing side [transp.]
strona wlotowa suction eye (*fan*); intake side [masz.]
strona wlotowa lub wylotowa w pompach inlet side [mot.]
strona zawietrzna lee (*luff and lee*) [mot.]
strona zewnętrzna outside [abc]
strona zewnętrzna ostoi under frame exterior [mot.]
strona zewnętrzna pomalowana jedno- lub wielobarwnie outside one- or multicolour painted [abc]

strona zwałowania dump side [transp.]; spoil side (*dump side for overburden*) [górn.]
stronicowanie paging [inf.]
strop ceiling [bud.]; hanging rod; roof [górn.]
strop dźwigający tylko sufit ceiling (*stucco ceiling*) [bud.]
strop listwowy inserted floor [bud.]
strop masywny solid ceiling [bud.]
strop międzypiętrowy upper floor [bud.]
strop niestabilny unstabilized [bud.]
strop podparty roof support (*of bank in mine*) [górn.]
strop związany stabilized [bud.]
strop zwykły ze ślepym pułapem inserted floor [bud.]
stróż manager [abc]
strug plane; plow [narz.]
strug spustnik long block leveller [narz.]
struga fluid jet [mot.]
struga elementarna fluid element [energ.]
struga wody water jet [bud.]
strugać rough machine [met.]
strugarka block leveller [narz.]
strugarka krótka short block leveller [narz.]
strugoszczelny splash proof [mot.]
struktura formation (*building*) [górn.]; structure (*of material, e.g. steel*) [masz.]
struktura fali wave structure [el.]
struktura farby paint structure [norm.]
struktura pasmowa banded structure [abc]
struktura pierwotna odlewu cast structure [met.]
struktura przyczynowa cause structure [inf.]
struktura sterująca control structure [inf.]

struktura wewnętrzna internal structure [rys.]

struktura wiekowa ludności age pyramid [abc]

struktura zapisu pliku zbiorów inventory file record layout [inf.]

struktura zarządzania managerial structure [abc]

strumień brook (GB); creek (US, e.g. Cripple Creek); flow [abc]

strumień cieczy fluid jet [mot.]

strumień cieplny heat flow [energ.]

strumień indukcji power transmission [mot.]

strumień informacji flow of information [abc]

strumień lawy lava flow [min.]

strumień masy mass flow [energ.]

strumień oleju oil flow [masz.]

strumień opadający down-flow [energ.]

strumień powietrza air flow [mot.]

strumień powietrza powstający za pojazdem slip stream [mot.]

strumień sił power transmission (power train) [mot.]

strumień szybki high flow [mot.]

strumień wody water jet [bud.]

strumień zaśmigłowy slip stream [mot.]

strumyczek rivulet (creek, brook, stream) [abc]

strumyk rill (channel) [geogr.]

struna string (cord) [abc]

strych attic (of house, home) [bud.]

strzał shot [wojsk.]; arrow [abc]

strzałka arrow [rys.]; indicator [mot.]

strzałka ugięcia sprężyny spring distance [transp.]

strzec guard [wojsk.]

strzecha (dach kryty słomą) thatched roof (made by a thatcher) [bud.]

strzelanie bumping, shock blasting [górn.]

strzelba shotgun (often: short rifle) [wojsk.]

strzelnica rifle range [wojsk.]

strzemiączko holder [transp.]

strzemiączko sondy probe clip [met.]

strzemię resoru spring shackle; spring U-bolt [mot.]

strzemię stirrup [abc]; U-bracket [tw.]; shackle; yoke (bracket, fixture, bearing); U-bracket [masz.]

strzyc shear [bot.]

student student (of college, high school) [abc]

student nauk inżynieryjnych student of engineering [abc]

studio study (working room, laboratory) [abc]

studiować study (learn, attend a school) [abc]

studium study [abc]

studium szczegółowe detailed study [abc]

studium wstępne pre-investment study [abc]

studium wykonalności przedsięwzięcia feasibility report [ekon.]

studnia well [abc]

studnia artezyjska artesian well [abc]

studnia głębinowa deep well [bud.]

studzenie w piecu cooling in furnace [tw.]

studzić cool off [tw.]

studzienka chłonna sewer port [bud.]

studzienka olejowa oil pan [masz.]

studzienka oleju oil collector sump [transp.]

stuk knock [mot.]

stukać knock [masz.]; tap [abc]

stukanie knock [mot.]

stwierdzać notice; state [abc]

stwierdzenie statement [abc]

styczka contactor [el.]

styczka drążka izolacyjnego operating pole contact member [el.]

stycznik contact, contactor, contact point; relay [el.]

stycznik góra–dół up-down contactor [el.]

stycznik góra–dół pomocniczy up-down auxiliary contactor [el.]

stycznik góra-dół rewizyjny up-down inspection contactor [el.]

stycznik grzejny heater contactor [el.]

stycznik liniowy line contactor [el.]

stycznik napędu poręczy handrail drive contactor [el.]

stycznik pomocniczy auxiliary contactor [el.]

stycznik pomocniczy do usuwania zakłóceń auxiliary contactor for fault indicator test [el.]

stycznik pomocniczy gniazda jazdy bezpieczeństwa auxiliary contactor for emergency travel socket [el.]

stycznik pomocniczy jazdy kontrolnej auxiliary contactor for inspection travel [el.]

stycznik pomocniczy kontroli oświetlenia auxiliary contactor for indicator test [el.]

stycznik pomocniczy obniżania stopnia auxiliary contactor for step sag [el.]

stycznik pomocniczy ogrzewania auxiliary contactor for heating [el.]

stycznik pomocniczy rewizji auxiliary contactor (*for inspection travel*) [el.]

stycznik pomocniczy uskoku poręczy/taśmy poręczy auxiliary contactor for handrail throw-off [el.]

stycznik pomocniczy wlotu (wielo)stopniowego auxiliary contactor for step run-in [el.]

stycznik pomocniczy (wy)łącznika zbliżeniowego auxiliary contactor for proximity switch [abc]

stycznik pomocniczy zegara sterującego auxiliary contactor for timer [el.]

stycznik rozruchowy starting contactor [el.]

stycznik sterowniczy control contactor [el.]

stycznik suchy air-break contactor [el.]

stycznik termometryczny temperature contactor [el.]

stycznik trójkątny delta contactor [el.]

stycznik wtykowy plug relay (*plug-in relay*) [el.]

stygnięcie cooling [met.]

styk blow (*of the hydraulic hammer*); butt (*butt weld, joint*); joint [met.]; operating pole contact member [el.]

styk bezpieczeństwa safety contact [transp.]

styk chwiejny intermittent contact; tottering contact [el.]

styk czołowy forehead joint [met.]

styk krzyżowy cross butt joint [met.]

styk luźny loose contact; tottering contact [el.]

styk przerywacza contact breaker point [mot.]

styk przerywany intermittent contact [el.]

styk szynowy track connection [transp.]

styk ślizgowy sliding contact [transp.]

styk uszczelniający wargowy sealing lip connection [masz.]

styl telegraficzny telegraph style [abc]

stymulator pracy serca pace setter [med.]

styropian styropor [tw.]

substancja substance [chem.]

substancja biologicznie aktywna additive [chem.]

substancja drażniąca irritant agents; irritant [wojsk.]

substancja **lotna** volatile matter (V.M.) [energ.]

substancja **niepożądana** undesired material [abc]

substancja **ochronna** protecting agent [masz.]

substancja **palna** combustibles [energ.]

substancja **stała** solids, solid material [abc]

substancja **toksyczna** poisonous substance [abc]

substytut substitute [abc]

subtelny sensitive [abc]

subtropikalny subtropical [meteo.]

subwencjonowany subsidized [ekon.]

suchy jak **pieprz** bone dry [abc]

suchy jak **proch** powder-dry [abc]

sufit ceiling (*highest part of room*) [bud.]

sukcesywny successive [abc]

sukno cloth; fabric (*of threads, fibres, felt, lace*) [abc]

suma **końcowa** sum total [mat.]

suma **logiczna** disjunction (*in logic*) [inf.]

suma **pokrycia** limit of liability [prawn.]

suma pokrycia **płatna jednorazowo** limit of liability paid once/time [prawn.]

suma pokrycia **płatna w dwóch transzach** limit of liability paid twice/time [prawn.]

suma **wynagrodzeń** (*w określonym czasie*) direct wage costs [ekon.]

sumator adder [masz.]

suplement appendix [abc]

suport **boczny** lateral stabilizer; side support [mot.]

suport boczny **nadwozia wagonu** side support for superstructure [mot.]

suport **kontrolny** test support [miern.]

suport **testowy** test support [miern.]

surowiec raw material [górn.]; stock [masz.]

surowiec **mineralny** mineral raw material [górn.]

surowiec **w hałdach** material [górn.]

surowy raw [tw.]; rough [masz.]; crude; unmachined [bud.]

surówka pig iron [met.]

surówka **dla stalowni i odlewni** pig iron for steel works and foundries [met.]

surówka **stalownicza i odlewnicza** pig iron for steel works and foundries [met.]

suszarka dryer [abc]

suszarnia dryer; kiln (*to cure or kiln malt*) [abc]; drying plant [górn.]

suszarnia **ścieru drzewnego** pulp drier (*paper industry*) [masz.]

suszenie drying [abc]

suszenie **komory spalania** drying-out the refractory setting [energ.]

suszenie **w młynie** mill drying [energ.]

suszyć dry; dry out [abc]

suterena basement [bud.]

suw stroke (*four-stroke engine*) [mot.]

suw **efektywny** effective stroke [transp.]

suw **maszyny** duty stroke [masz.]

suw **nominalny** nominal stroke [mot.]

suw **pracy** power stroke; working stroke [mot.]

suw **roboczy** power stroke; working stroke [mot.]

suw **rozprężenia** power stroke [mot.]

suw **sprężania** compression stroke [mot.]

suw **ssania** intake stroke [mot.]

suw **wydechu** exhaust stroke [mot.]

suw **zerowy** zero-flow control [transp.]

suwak push spool (*above cylinder*) [mot.]; ram; slide valve [masz.]; slip ring [el.]; gate valve [energ.]

S

suwak boczny side shifting device [mot.]

suwak dwustronny double side shifting device [mot.]

suwak elektromagnetyczny solenoid valve [el.]

suwak główny main valve spool [mot.]

suwak logarytmiczny sliding rule [mat.]

suwak obrotowy handle [mot.]

suwak sterujący obsługiwany ręcznie manual spool [mot.]

suwak sterujący valve spool [mot.]

suwakowy slide [mot.]

suwerenność w przestrzeni powietrznej air supremacy [wojsk.]

suwmiarka slide gauge [miern.]; sliding calliper [transp.]

suwnica crane; overhead crane (*in works hall*) [transp.]

suwnica bramowa gantry crane (*short: gantry*); traveling gantry [transp.]

suwnica mostowa bridge crane, hall crane, bridge-type crane [transp.]

suwnica mostowa o dużym udźwigu heavy duty bridge crane [transp.]

suwnica pomostowa bridge crane, bridge-type crane, traveling crane [transp.]

suwnica z chwytakiem elektromagnetycznym lifting-magnet-type crane [transp.]

sweter dziany cardigan (GB) [abc]

swoboda flexibility [abc]

swobodny throttle-free [el.]

swobodny przekrój kanału spalinowego flue net cross sectional area [energ.]

swobodny wypływ oleju free flow outlet [mot.]

swoisty unique [abc]

sworzeń bolt; finger; pin, pin lock; tang [masz.]

sworzeń bez łba clevis pin without head [tw.]

sworzeń do łańcuchów chain stud; link pin; track pin [transp.]

sworzeń drążony banjo bolt [masz.]

sworzeń gniazda łożyska hub bolt (*in GB warranty claims*) [transp.]

sworzeń gwintowany threaded bolt, threaded pin [masz.]

sworzeń kulisty ball stud [mot.]

sworzeń kulkowy ball journal [transp.]

sworzeń kulowy ball stud [mot.]

sworzeń łańcucha gąsienicowego crawler-chain link pin [transp.]

sworzeń ławy pokrętnej centre pin [transp.]

sworzeń łożyska bearing pin [transp.]; clevis foot [mot.]

sworzeń mocowania stopnia step pin; step-mounting pin [transp.]

sworzeń mocujący koło wheel mounting bolt [mot.]

sworzeń nośny carrying ram [mot.]

sworzeń ogniwa gąsienicy pad bolt; track pad pin, track pin; track shoe pin [transp.]

sworzeń otworowy banjo bolt [masz.]

sworzeń pływający full floating pin [transp.]

sworzeń połączenia przegubowego bucket hinge [transp.]

sworzeń przegubowy articulated pin [transp.]

sworzeń przełączający spool [mot.]

sworzeń rolki popychacza tappet roller pin [mot.]

sworzeń rozprężny cotter pin [tw.]

sworzeń sprężysty screw-down bolt; spring bolt [mot.]

sworzeń ścinany shear pin [masz.]

sworzeń tłokowy gudgeon pin; piston pin [mot.]

sworzeń ustalający guiding pin [masz.]

sworzeń wtykany socket pin [mot.]

sworzeń z łbem płaskim i otworem na zawleczkę clevis pin [mot.]

sworzeń zabezpieczony kołkiem key bolt [masz.]

sworzeń zamykający end pin [masz.]; lock pin [transp.]

sworzeń zawiasy door hinge bolt [mot.]

sworzeń zwrotnicy king pin; steering knuckle pin; steering pivot pin [mot.]

syczeć hiss [abc]

sygnalista signalman (*navy slang: bunting tosser*) [mot.]

sygnalizacja signalization [transp.]

sygnalizacja ostrzegawcza błyskowa beacon [mot.]

sygnalizacja ostrzegawcza zwarcia doziemnego earth fault monitoring [el.]

sygnalizacja świetlna set of traffic lights (*traffic light*) [mot.]

sygnalizacja usterki fault information [mot.]

sygnalizacja zakłóceń collective fault indicator [transp.]

sygnalizacja zwrotna answering signal (*acknowledgement*) [masz.]

sygnalizator signal [abc]

sygnalizator błędu flaw signal [miern.]

sygnalizator optyczno-akustyczny indicator (*optical and acoustic*) [transp.]

sygnalizator pożarowy fire alarm box (*street alarm box*) [el.]

sygnalizator świetlny signal light (*lamp, alarm light*) [el.]

sygnalizator świetlny dla pieszych belicia's beacon (*shines amber*) [mot.]

sygnalizator wyprzedzania passing signal indicator [mot.]

sygnał signal [abc]

sygnał akustyczny acoustic signal [abc]

sygnał alarmowy warning signal [el.]

sygnał alarmowy wysokiego i niskiego poziomu wody hi-lo signal alarm [energ.]

sygnał binarny binary signal [inf.]

sygnał błędu flaw signal (*flaw echoes*) [el.]

sygnał do odjazdu departure sign [mot.]

sygnał dobry-zły good/bad signal (*go/no-go signal*) [abc]

sygnał duży large-signal [el.]

sygnał dwójkowy binary signal [inf.]

sygnał dzwonka i gwizdka sound bell and whistle (*railway signal*) [mot.]

sygnał dźwiękowy audible alarm (*horn signal, honking*); horn [mot.]; sound signal [akust.]

sygnał dźwiękowy ostrzegawczy alarm horn [abc]

sygnał dźwiękowy przy rogatce eight-to-the-bar [mot.]

sygnał główny main signal [mot.]

sygnał jazdy wstecz back up alarm (*buzzer, horn*) [mot.]

sygnał napięcia stałego d.c. voltage signal [el.]

sygnał odjazdu starting signal [mot.]

sygnał optyczny visible signal [opt.]

sygnał ostrzegawczy distant signal [mot.]

sygnał ostrzegawczy jazdy do tyłu backing-up warning signal [mot.]

sygnał pomocniczy subsidiary signal (*take place of real*) [mot.]

sygnał przesuwający shifting pulse [el.]

sygnał ramienny main signal [mot.]

sygnał rozrządzania siłą ciężkości hump shunting signal [mot.]

sygnał schodkowy stair step signal [transp.]

sygnał sprzężenia interface signal [inf.]

S

sygnał sterujący sortowania control signal for sorting [el.]

sygnał sterujący znakowania control signal for marking [el.]

sygnał talerzowy horn [mot.]

sygnał uruchamiający signal actuating [mot.]

sygnał widzialny visible signal [opt.]

sygnał wielki statyczny static large-signal [el.]

sygnał właściwy pomiaru proper measurement signal [miern.]

sygnał wyjściowy data signal (*output signal*) [inf.]

sygnał zatrzymania się stop signal (*with arms*) [mot.]

sygnał zgłoszenia się reporting signal [wojsk.]

sygnał dymny smoke signal [wojsk.]

sylaba syllable [abc]

sylimanit sillimanite [min.]

symbol character [abc]; symbol [inf.]

symbol klucza key number [inf.]

symbol łącznika wiring symbol [el.]

symbol spoiny gouging symbol [met.]

symboliczny schemat obwodu mimic panel [energ.]

symetria symmetry; balance [abc]

sympozjum symposium [abc]

symptom indication, symptom [abc]

symptom uszkodzenia failure mode [abc]

symulacja simulation [inf.]; mock up [abc]

symulacja dyskretna discrete event simulation [inf.]

symulacja gier strategicznych simulation of strategic games [inf.]

symulacja rozproszona distributed simulation [inf.]

symulacja równoległa parallel simulation [inf.]

symulacja stopnia napełniania komór nośnych mock up of the carrier cells filling degree [górn.]

symulacja zorientowana zdarzeniowo event-oriented simulation [inf.]

symulacja walki combat modeling [wojsk.]

symulator simulation program, simulator [inf.]

symulator lotu flight simulator [mot.]

symulować simulate (*mock up*) [abc]

symultaniczny simultaneous (*at the same time*) [abc]

synchronicznie in step [abc]

synchroniczny synchronous (*in step*) [abc]

synchronizacja concurrency control [el.]

synchronizacja zewnętrzna external synchronization [abc]

synchronizator synchronizer [mot.]

synchronizować phase [abc]; synchronize [transp.]; zero in [wojsk.]

syndrom syndrome [abc]

syndykat syndicate (*GB: teamsters, criminal*) [abc]

syntetyczny synthetic [chem.]

synteza synthesis [abc]

sypki loose (*came loose*); sandy [abc]; non-cohesive [geol.]

syrena buzzer [mot.]; siren [abc]

syrena policyjna police siren [abc]

syrop syrup [abc]

system formation [geol.]; system [abc]

system antypoślizgowy anti-slip control [mot.]

system biologicznej obróbki obrazu biological vision system [inf.]

system budowy building system [abc]

system czasu rzeczywistego real-time system [abc]

system dedukcyjny deduction system [inf.]

system diagnostyczny diagnosis system [miern.]

system doradczy expert system [inf.]

system duplex Duplex-System [masz.]

system dziesiętny decade code system [mat.]

system ekologiczny ecosystem [abc]

system ekspertowy duży large expert system [inf.]

system gęstościowy zapisywania intensity method [el.]

system gospodarki materiałowej system of material control [abc]

system gotowości operacyjnej ready-run system [abc]

system hamulcowy żurawia obrotowego swing brake system [transp.]

system informacji biurowej office information system [inf.]

system kanalizacji sewage system [bud.]

system kierowania guiding system; management system [mot.]

system kolejowej komunikacji radiowej railway radio system [mot.]

system komputerowy computer system [inf.]

system komunikacji communication system [inf.]

system konfiguracyjny configuration system (*for computers*) [inf.]

system konstrukcji modułowej assembly of prefabricated machine parts; modular principle [masz.]

system konstrukcji z zespołów znormalizowanych assembly of prefabricated machine parts [rys.]

system kontroli szlabanu barrier monitoring [mot.]

system kontroli zapory barrier monitoring [mot.]

system kontrolny test system [masz.]

system łączenia fastening system [mot.]

system łączności communication system [inf.]

system magazynowania warehouse

system [abc]

system mocowania nawierzchni kolejowej permanent way fastening system [mot.]

system mocy granicznej LS system (*load-sensing system*) [mot.]

system montażowy assembly system [masz.]

system napędowy drive unit; propulsion system [mot.]

system nawilżania wstępnego premoistening system [bud.]

system nieciągły discontinuous system [górn.]

system obrotu materiałami transport and storage system [masz.]

system obudowania support system [górn.]

system oczyszczania wody water cleaning system [hydr.]

system odwadniający drainage (*in civil engineering*) [bud.]

system ogrzewania kabiny (*kierowcy, operatora*) cab heating system [mot.]

system okien window system [inf.]

system okopów trench system (*fortification*) [wojsk.]

system okuć drzwiowych uchylno-obrotowych turn-tilt fitting system for doors [bud.]

system okuć okiennych uchylno-obrotowych turn-tilt fitting system for windows [bud.]

system olejenia lubrication system [masz.]

system operacyjny operating system [inf.]

system operacyjny DOS D.O.S., disk operating system [inf.]

system orbitalny orbital system [mot.]

system ostrzegania bell signal system [mot.]

system plików file system (*filesystem*) [inf.]

S

system plików rozproszony distributed file system [inf.]

system pluralistyczny pluralistic system (*in control*) [inf.]

system podpór support system (*for underground mines*) [górn.]

system podpór brzegowych shoring [abc]

system podwójny Duplex-System [masz.]

system powietrzny air system [aero.]

system programowania programming system [inf.]

system próbkowania danych data sampling system [inf.]

system przerywany discontinuous system [górn.]

system przetwarzania problemowego PPS (*product planning <control> system*) [inf.]

system przetwarzania processing system [górn.]

system przewodów rurowych pipe system [masz.]

system przewozowy haulage layout [górn.]

system przewożenia betonu concrete transport system [górn.]

system przywoływania paging system (*public address system*) [abc]

system rastrowy grid system [masz.]

system regułowy rule-based system [inf.]

system smarowania greasing system [masz.]

system sprawozdawczy reporting system [abc]

system sprężania compaction system [bud.]

system sterowania pokładowego Board Control System (B.C.S.) [inf.]

system szybkiego tankowania fast fuelling system [mot.]

system taśmy dociskowej ciągłej continuous band clamping system [masz.]

system transmisji i dystrybucji grid system [energ.]

system transportowy conveying system [mot.]

system wczesnego ostrzegania early-warning system [el.]

system wypadowy czteroczłonowy double-guided luffing system [mot.]

system z bazą wiedzy knowledge-based system [inf.]

system zabezpieczający protective system, system of protection [el.]

system zabezpieczenia potrzeb społecznych Social Safety Net (SSN) [energ.]

system zabudowy modułowy one-level <modular> principle [abc]

system zamknięty closed system [energ.]

system zapewnienia jakości quality assurance, quality assurance system [ekon.]

system zarządzania guiding system [mot.]

system zarządzania bazą danych database system [inf.]

system zarządzania pompami pump managing system [mot.]

system zarządzania projektem project management system [inf.]

system zarządzania przedsiębiorstwem factory floor management system [inf.]

system zasilania bezpośredniego direct firing system [energ.]

systematyczny systematic [abc]

sytuować place [abc]

szablon pattern [abc]

szablon do otworów hole pattern [masz.]

szacować estimate [abc]

szafa (*na odzież*) wardrobe (*with*

sliding doors); closet (in or at wall; GB: wardrobe) [bud.]

szafa sterownicza control cabinet (control box); control circuitry cabinet [el.]; switch cabinet, switch cubicle [transp.]

szafa znormalizowana standard cabinet [norm.]

szafir saphyre (sapphire) [min.]

szafka cabinet [bud.]

szafka kuchenna cupboard [bud.]

szafka na narzędzia equipment cabinet [bud.]

szafka rozdzielcza link box; switch box [el.]

szalandy hopper barges [transp.]

szalowanie brusowe lub wielkopłytowe boards or large panel formwork [bud.]

szalowanie stopniowe step formwork [bud.]

szalowanie systemowe system formwork [bud.]

szalówka formwork board [bud.]

szalupa launch [transp.]

szałas hut [bud.]

szamot refractory (fire clay) [energ.]

szamota fireclay [bud.]

szaniec rampart (bulwark) [bud.]

szansa chance (possibility) [abc]

szara strefa gray area (non-decisive range) [abc]

szarfa sash (on clothing, uniform) [abc]

szaroglaz graywacke [górn.]

szarość brezentu tarpaulin gray [norm.]

szarość platynowa platinum gray [norm.]

szarość żelazowa iron gray [norm.]

szarpać jerk [abc]

szarpnięcie jerk; push [mot.]

szary gray (US) [norm.]

szarzeń agatowa agate gray [norm.]

szarzeń antracytowa anthracite gray [norm.]

szarzeń bazaltowa basalt gray [norm.]

szarzeń betonowa concrete gray [norm.]

szarzeń biała off-white [norm.]

szarzeń cementu cement gray [norm.]

szarzeń cynkowa zink dust gray [norm.]

szarzeń grafitowa graphite gray [norm.]

szarzeń granitowa granite gray [norm.]

szarzeń krzemowa pebble gray [norm.]

szarzeń kwarcowa quartz gray [norm.]

szarzeń łupka slate gray [norm.]

szarzeń mysia mouse gray [norm.]

szarzeń oliwkowa olive gray [norm.]

szarzeń pyłowa dusty gray [norm.]

szarzeń skalna stone gray [norm.]

szarzeń srebrna silver gray [norm.]

szarzeń świetlista light gray [norm.]

szarzeń umbrowa umber gray [norm.]

szarzeń zielona green gray [norm.]

szarzeń żółty yellow gray [norm.]

szatnia cloakroom [bud.]

szatniarz cloakroom attendant (GB) [abc]

szawłok (do wina) wineskin (of goat hide) [abc]

szczebel rung (part of a ladder) [abc]; step [masz.]

szczególna uwaga particular attention [abc]

szczególne cechy special features [abc]

szczególnie (przede wszystkim, przeważnie) preferably [abc]

szczególnie wzmiankowany especially worthy of mention; explicitly mentioned [abc]

szczególny special [abc]

szczegół detail [abc]

S

szczegółowy thoroughly [abc]
szczegółowy wykaz części detailed parts list [rys.]
szczegóły konstrukcyjne design concepts [rys.]
szczelina crevasse formation [górn.]; crevice [bud.]; cut; gap; opening; slit, slot; space [abc]; split [masz.]; step gap [transp.]; port [mot.]
szczelina iskrowa sparking distance [el.]
szczelina lodowcowa fissure [abc]
szczelina rusztowa grate opening; interstice of the grate [energ.]
szczelina skurczowa contraction joint [bud.]
szczelina wentylacyjna louvre [mot.]
szczelina wlotowa inlet port [masz.]
szczelinomierz feeler gauge; thickness gauge [miern.]
szczeliwo gasket; packing; packing set; washer [masz.]
szczelne miejsce seal point [masz.]
szczelne osadzenie seal seat [masz.]
szczelność tightness [bud.]
szczelny hermetical; leak proof; pressure-tight [abc]; tight [masz.]
szczelny punkt seal point [masz.]
szczerbinka notch [wojsk.]
szczerbinka i muszka notch and bead sights [wojsk.]
szczęka jaw [masz.]
szczęka hamulcowa block brake; brake pad; brake shoe; clasp brake shoe; shoe plate [mot.]
szczęka mocująca clamping jaw [masz.]
szczęka mocująca rurę pipe clamping jaw [masz.]
szczęka prowadząca follower [mot.]
szczęka ślizgowa horn cheek [mot.]
szczęka zaciskowa clamp; V-band clamp; band-clamp [masz.]; bell [mot.]; bracket [transp.]]
szczękanie clashing [transp.]

szczęki chwytaka grab cutting edges [transp.]
szczotka brush [abc]; sub-base [mot.]
szczotka druciana wire brush [narz.]
szczotka mechaniczna (zamiatarki) road sweeper [transp.]
szczotka stykowa slip ring; wiper [el.]
szczotka szlifierska carbon brush [el.]
szczotka ślimakowa (do czyszczenia śrub) brush for screw [narz.]
szczotka uszczelniająca sealing brush [transp.]
szczotka węglowa brush; carbon brush [el.]
szczotka z tworzywa sztucznego plastic brush [mot.]
szczotkować brush [el.]
szczudło pogłębiarki spud [transp.]
szczupły lean; slim (slender) [abc]; narrow [bud.]
szczurołap pest control operator (exterminator) [abc]
szczypce tongs; nipper pliers; (drewniane) pincers (log grapple); bending wrench [narz.]
szczypce do cięcia drutu side cutter [narz.]
szczypce do drewna log grapple [narz.]
szczypce drewniane timber grapple (CND) [narz.]
szczypce izolacyjne insulated pliers [narz.]
szczypce pompy wodnej multi slip-joint gripping pliers [mot.]; water-pump pliers [narz.]
szczypce przegubowe do prętów bolt cutter [narz.]
szczypce przegubowe do prętów trzyczęściowe three section bolt-on cutters (loader) [narz.]
szczypce uniwersalne płaskie combination pliers; cut-pliers (US);

engineer`s pliers; flat-nosed and cutting nippers; universal pliers [narz.]

szczypce ze zwężonymi końcami pointed pliers (*stork's beak pliers*) [narz.]

szczyt climax; highlight; peak (*mountain*); ultimate position [abc]; gable [bud.]; summit [polit.]; top [geogr.]

szczytowa wartość momentu obrotowego peak torque [mot.]

szczytowy punkt martwy top centre mark [masz.]

szczytowy punkt zwrotny top centre mark [masz.]

szef orkiestry wojskowej drum major (*in front of drums and pipes*) [wojsk.]

szelak shellack [abc]

szelki suspenders [abc]

szereg batch (*not online*) [inf.]; file; line (*of people*) [wojsk.]; Fouriera Fourier series [mat.]; row [bot.]

szereg lat temu years ago [abc]

szereg tolerancji group of tolerances [masz.]

szereg trygonometryczny trigonometric series [mat.]

szeregi kolorów series of colours [norm.]

szeregować range [abc]

szeroki wide [abc]

szeroki podział wide spacing [energ.]

szerokość latitude [mot.]; (*np. toru*) gauge [transp.]; wideness and distance; width [abc]

szerokość bazy base width [el.]

szerokość bieżnika opony track gauge [mot.]

szerokość bramki gate width [el.]

szerokość całkowita decking width [transp.]; overall width [mot.]

szerokość chwytaka deck area [transp.]

szerokość cięcia cutting width [masz.]; width of the cut (*in mining*) [górn.]

szerokość dna bottom width (*of a ditch or trench*) [bud.]

szerokość dolna bottom width [masz.]

szerokość geograficzna latitude [meteo.]

szerokość geograficzna północna northern latitude [geogr.]

szerokość górna top width [transp.]

szerokość jezdni carriage width [mot.]

szerokość kopania digging width [bud.]

szerokość łyżki znormalizowana standard bucket width [transp.]

szerokość minimalna minimum width [transp.]

szerokość oczyszczania (*samochód do sprzątania ulic*) clearance width [transp.]

szerokość ogniwa gąsienicy track pad width, track plate width; track width [transp.]

szerokość ogniwa łańcucha track pad width, track plate width; track width [transp.]

szerokość ogniwa wewnętrznego width of inner link [masz.]

szerokość otwarcia opening width [masz.]

szerokość palety pallet-width [transp.]

szerokość panewki sleeve width [transp.]

szerokość pasa width of belt [mot.]

szerokość paska belt width; groove width [masz.]

szerokość pasma band width [inf.]; bandwidth (*of clip*) [masz.]

szerokość pasma oscylatora band width of the oscillator [el.]

szerokość projektowana formation width [bud.]

S

szerokość przejazdu clearance width; passage width [mot.]

szerokość robocza utiliztion width; working width [transp.]

szerokość rowka slot width [transp.]

szerokość rozwarcia opening width [masz.]

szerokość rusztu width of grate [energ.]

szerokość schodów ruchomych escalator width [transp.]

szerokość skrawania cutting width (*of the bucket*) [transp.]; width of the cut (*in mining*) [górn.]

szerokość stopnia step width [transp.]

szerokość szczeliny jaw setting (*of the crusher*) [masz.]

szerokość taśmy band width [masz.]

szerokość tulei sleeve width [transp.]

szerokość użytkowa working width [transp.]

szerokość wewnętrzna width between inner plates [masz.]

szerokość wiązki beam width [abc]

szerokość wiązki dźwiękowej width of sound beam [el.]

szerokość wycieraczki wiper width (*on windshield wiper*) [mot.]

szerokość wykopu pit width [transp.]

szerokość zewnętrzna housing width [masz.]

szerokość zrywki ripping width [transp.]

sześcian cube [miern.]

sześcienny cubic, cubical [górn.]; cubical-shaped [rys.]

sześciokąt hexagon [abc]

sześciokątny hexagonal shape [masz.]

sześcioosiowy six-axle (*6-axle bogie wagon*) [mot.]

szew otwarty prosty na V open single V [met.]

szew płaski flush contour [masz.]

szew spawalniczy seam; weld, weld seam, welding seam [met.]

szew symboliczny symbol seam [met.]

szew wypukły convex contour [met.]

szew wzdłużny straight seam [met.]

szewron chevron (*stripes*) [wojsk.]

szkic design; sketch; study (*layout*) [rys.]; draft (*sketch, first thought*); map (*of an open pit operation*) [abc]; scheme [masz.]

szkic modularny modular concept [rys.]

szkic pierwotny primal sketch [inf.]

szkic podłużny side elevation; throat crack [rys.]

szkic projektowy pre-investment study [abc]

szkic roboczy (*budynku*) work drawing [rys.]

szkic wymiarowy dimension sketch [rys.]

szkicować sketch [rys.]

szkicówka translucent paper, transparent copy [abc]

szkielet carcass [mot.]; skeleton [med.]

szkielet drewniany half-timbered construction; timber frame [bud.]

szkielet konstrukcji base (*of a device*) [masz.]; framework arrangement, framing; rough brickwork (*shell*) [bud.]; skeleton [abc]

szklanka tumbler [abc]

szklany glass [abc]

szklarnia greenhouse [bot.]

szklarz glazier [bud.]

szkliwo enamel [tw.]; glaze [met.]

szkło glass [tw.]; lens [mot.]

szkło bezpieczne glass for boulder work [transp.]

szkło bezpieczne bezodpryskowe jednowarstwowe one-pane safety glass [transp.]

szkło dymne smoked glass [mot.]

szkło hartowane toughened glass [tw.]

szkło klejone laminated glass [tw.]

szkło (kontrolne) wzierne peep hole, sight hole [abc]

szkło ochronne safety glass [masz.]

szkło odblaskowe cat's eye [mot.]

szkło pancerne bullet-proof glass [wojsk.]

szkło płaskie flat glass [tw.]

szkło wielowarstwowe laminated glass [tw.]

szkło wodowskazowe water column gauge glass [energ.]

szkoda będąca następstwem zdarzenia losowego consequential damage [praw.]

szkoda damage [abc]

szkoda górnicza (osiadanie budynków i osuwanie się terenu wskutek prac podziemnych) damage to premises and buildings resulting from collapsing due to coal and/or ore mining, subsidence damage [górn.]; surface damage [praw.]

szkoda materialna damage to property; property damage [praw.]

szkoda materialna spowodowana przez ścieki property damage resulting from sewage [praw.]

szkoda na zdrowiu lub życiu bodily injury [praw.]

szkoda następcza consequential damage [praw.]

szkoda poczyniona na akwenie damage done to waterways [hydr.]

szkoda powstała przy załadunku damage in transport; damage resulting from loading [praw.]

szkoda powstała w czasie transportu damage in transport [praw.]

szkoda wielokrotna batch [praw.]

szkoda wyrządzona przez szkodniki insect damage; rodent damage [bot.]

szkoda wyrządzona przez termity termite damage [bot.]

szkodliwy deleterious [bud.]; detrimental [chem.]

szkodnik pest; rodent [bot.]

szkoda powstała przy rozładunku damage resulting from unloading [praw.]

szkoda powstała przy załadunku i wyładunku damage resulting from loading and unloading [praw.]

szkolenie apprenticeship; training [abc]

szkolenie personelu training of customer's personnel [abc]

szkolenie pilotów pilot training [mot.]

szkolić train [abc]

szkoła jazdy school of driving [mot.]

szkoła średnia Secondary [abc]

szkoła wieczorowa night school (for further education) [abc]

szkoła zawodowa vocational school [abc]

szkorbut scurvy (lack of C vitamins) [med.]

szkółka drzewek nursery [bot.]

szkółka leśna tree nursery [bot.]

szkuner shooner [transp.]

szkuta dumb barge; motor barge; scow [mot.]

szlaban barren; toll gate [mot.]

szlak trail [mot.]

szlam sapropel [gleb.]; silt [mot.]; sludge, mud, slurry; sludge [abc]

szlam olejowy sludge [masz.]

szlamisty muddy [abc]

szlamowaty muddy [abc]

szlif krzyżowy cross grind [transp.]

szlifa epaulette; shoulder board (US) [wojsk.]

szlifierka grinder; grinding lathe, grinding machine [narz.]

szlifierka do sprężyn springend grinder automatic [masz.]

S

szlifierka do wałków cylindrical surface grinder [met.]

szlifierka do wałów korbowych crankshaft grinding machine [narz.]

szlifierka do wałów rozrządu camshaft grinding machine [narz.]

szlifierka do zaworów valve grinder [mot.]

szlifierka kątowa angle sander; right angle grinder [narz.]

szlifierka oscylacyjna vibrating grinder [transp.]

szlifierka ręczna z końcówką kątową angle grinder [narz.]

szlifierka taśmowa belt grinding machine [narz.]

szlifierka-zdzierarka rough-grinding machine [narz.]

szlifiernia diamentów diamond grinding [abc]

szlifować grind; polish; whet [met.]

szlifować czoło face grind (face grinding) [met.]

szlifować nacięcia grind undercuts [met.]

szlifować na płasko plain grind [met.]

szlifować otwory internal grind [met.]

szlifowanie grinding [met.]

szlifowanie bezkłowe centreless grinding [tw.]

szlifowanie otworów internal grinding [mot.]

szlifowanie na płasko plain grinding [met.]

szlifowanie powierzchni czołowej face grinding [met.]

szlifowany ground; polished [met.]

szlifowany do metalicznego połysku ground metallically blank [norm.]; ground to be metallically blank [met.]

szlufka eye [abc]

szmaragd emerald [min.]

szmaragdowy emerald green [norm.]

szmata rag [abc]

szmata nasycona olejem oil-soaked piece of cloth [transp.]

szmergiel emery [met.]

szminkować make-up [abc]

sznur string [abc]

sznur azbestowy asbestos rope [masz.]

sznur do bielizny clothes line, cord [abc]

sznurek string (thin rope) [abc]

sznurowadło shoe lace [abc]

szok temperaturowy thermo-shock [energ.]

szok termiczny thermo-shock [energ.]

szopa cabin; shack (rather dilapidated old house); shed [bud.]

szorować rub [masz.]; scour; scrub [abc]

szorstki rough [masz.]

szorstko with maximum grip, with maximum traction [abc]

szorstkość powierzchni roughness of surface [masz.]

szosa highway (road outside of town); road (smaller than motorway, freeway) [mot.]

szosa tłuczniowa gravel path [bud.]

szpachla spattle, spatula, stopping knife [narz.]

szpachlować fill [bud.]

szpachlówka filler (stopper) [tw.]; putty [bud.]; shoeing cement [abc]

szpagat string [abc]

szpalta column (in newspaper) [abc]

szpara crevice [bud.]; gap; slit, slot; space [abc]

szpara w odbiciu reflection gap [opt.]

szpat ciężki heavy spar [tw.]

szperacz spot lamp bulb [mot.]

szpilka pin [abc]

szpilka formierska moulding pin [masz.]

szpital hospital [med.]

szpital psychiatryczny mental home (*mental hospital*) [med.]

szpital wojskowy military hospital [wojsk.]

szpon claw [tw.]

szprycha spoke [mot.]

szpula coil; spool [tw.]

szpula do nawijania bobbin (*in film studio*); winder [abc]

szpulka reel [abc]

szrafowanie hatching [rys.]

szrafowany hatched [rys.]

szron frost [abc]

sztab staff [wojsk.]

sztalugi scaffolding [abc]

sztauer stevedore [mot.]

sztolnia bank [górn.]; bar [transp.]; duct; gallery (GB) [górn.]

sztucer rifle (*gun*) [wojsk.]

sztuczna inteligencja artificial intelligence (AI) [inf.]

sztuczna kończyna prosthetic device, prosthesis [med.]

sztuczne oddychanie artificial respiration [med.]

sztuczne ognie fireworks (*pyrotechnics*) [abc]

sztuczny artificial (*man-made, not natural*) [abc]

sztuczny kanał man-made canal [abc]

sztućce cutlery (*knife, spoon, fork, etc.*) [abc]

sztygar sectional engineer (*section mine engineer*) [górn.]

sztylet zecerski broach [narz.]

sztywność stiffness [transp.]

sztywność kształtowa torsion stiffness [masz.]

sztywność skręcania torsional strength, torsional rigidity [energ.]

sztywny rigid; stiff; stiffened [abc]; torsion-stiff (*torsion-free*) [masz.]

sztywny przewód do sondowania sounding rods [miern.]

szufelka dust pan [abc]

szufla do zbierania kamieni tyned brick bucket (*sand falls out*) [narz.]

szufla shovel (*spade*) [narz.]

szuflada drawer [bud.]

szuflada z przezroczami (*w przeglądarce*) diapositive slide pool [abc]

szuflować scoop [transp.]

szukacz spot lamp [mot.]

szukać search [abc]

szum noise [akust.]

szumieć hiss (*noise*) [abc]

szumowanie foaming [energ.]

szwy obwodowe wewnętrzne all round weld inside [masz.]

szwy obwodowe zewnętrzne all round weld outside [masz.]

szyb shaft [górn.]

szyb okrągły well [bud.]

szyb pochyły declined shaft; inclined shaft [górn.]

szyb schodów ruchomych wellway [transp.]

szyb studni well shaft [bud.]

szyb wentylacyjny air shaft (*may connect 2 banks only*) [górn.]

szyb zasypowy feeder chute [masz.]

szyba glass [bud.]

szyba boczna low-sill window [transp.]

szyba obrotowa drzwi przednich hinged window (*in cab*); ventilator window [mot.]

szyba okienna window pane [bud.]

szyba opuszczana (*przez pokręcanie korbą*) crank operated window [mot.]

szyba przednia front window; windscreen (*automotive*); windshield (*automotive*) [mot.]

szyba przednia uchylna hinged front window [mot.]

szyba przydymiana smoked window [mot.]

szyba szklana pane [bud.]

szybka kolej miejska metropolitan

S

railway system, metropolitan transit system; rapid transit railway [transp.]

szybka wymiana quick release (QR) [masz.]

szybka zmiana quick release [masz.]

szybki (*wartki, bystry*) swift; fast; nimble; quick [abc]; rapid (*speed of machine tool*) [masz.]

szybki przejazd fast passage [abc]

szybkie mocowanie quick release [masz.]

szybkie zamykanie quick lock [masz.]

szybkiego działania fast-effect [abc]

szybkobieżny high speed [mot.]

szybko działający quick-acting [abc]

szybkościomierz speedometer [mot.]

szybkość analizy scanning speed [el.]

szybkość kontroli test speed (*scanning speed*) [miern.]

szybkość narastania napięcia wyjściowego slew rate [masz.]

szybkość obrotu swing speed [transp.]

szybkość obwodowa circumferential speed [fiz.]

szybkość ochładzania cooling rate [met.]

szybkość podnoszenia lifting speed [transp.]

szybkość podstawowa ruchu (*do obliczeń projektowych*) design speed [bud.]

szybkość posuwu feed rate; rate of advance, rate of traverse, rate of feed [masz.]

szybkość przelotowa delivery time (*of product*) [transp.]; sweep velocity (*on the time base*) [el.]

szybkość przesuwania lifting speed [mot.]

szybkość reakcji reaction velocity [chem.]

szybkość spalania paliwa stałego burning velocity [energ.]

szybkość wybierania scanning speed [el.]

szybować float; hover [abc]; glider [mot.]

szyć sew [abc]

szydło broach [narz.]

szyfr code (*chiffre*) [abc]; encryption [inf.]

szyjka płuczkowa gooseneck [masz.]

szyjka szyny web of rail [mot.]

szyjka wlewu (*zbiornika*) fuel filler neck [mot.]

szyld (*wywieszka, tabliczka*) sign (*in store*) [mot.]; logo [transp.]; plate (*plaque*) [abc]; sign board [mot.]; tag [abc]

szyna rail, treck [mot.]

szyna jezdna runner rail [transp.]

szyna kolejowa railway line (GB) [transp.]

szyna łącząca connector bar [mot.]

szyna masztu mast rail [mot.]

szyna nośna carrier rail [tw.]

szyna ochronna check rail; derailment guard; gripping device [mot.]; guide rail [transp.]; wear bar [masz.]

szyna podnośnika szyby okna window lifter rail [mot.]

szyna prądowa contact rail [el.]

szyna prowadząca okna window guide rail [mot.]

szyna rowkowa dock railway [mot.]

szyna spawana welded rail [masz.]

szyna szerokostopowa champignon rail; flat bottom rail, flat rail; foot rail; one-headed rail; vignol rail (US) [mot.]

szyna tramwajowa zwykła grooved rail [transp.]

szyna uszczelniająca okna window rail seal [mot.]

szyna Vignoles'a champignon rail; flat bottom rail, flat rail; foot rail; one-headed rail; vignol rail [mot.]

szyna wyrównawcza equalizing bar [masz.]

szyna zbiorcza busbar [el.]

szyniak cutspike (US) [mot.]

szyszka cone [bot.]

szyty sewed [abc]

Ś

ściana wall; brick setting [bud.]

ściana betonowa concrete wall [bud.]

ściana boczna side panel [abc]

ściana burtowa ship's side [żeg.]

ściana czołowa bulkhead [kol.]

ściana działowa dividing wall; partition panel [bud.]

ściana membranowa membrane wall [energ.]

ściana ogniowa fire shutter [abc]

ściana otworu wiertniczego wall of the bore hole [górn.]

ściana pierwotna natural face; virgin face [górn.]

ściana przednia front panel; front wall [abc]

ściana rury tube wall [energ.]

ściana rury nieosłonięta bare water wall [energ.]

ściana sitowa tube plate [masz.]

ściana sumikowo-łątkowa board wall [bud.]

ściana szamotowa ogniotrwała refractory wall [energ.]

ściana szczelinowa diaphragm wall [bud.]

ściana tylna back wall; rear panel [masz.]

ściana wewnętrzna kotła hot face of the boiler [energ.]

ściana wydobywcza discharge wall [górn.]

ścianka kolankowa jamb wall [bud.]

ścianka rury tube wall [masz.]

ścianka szczelna sheet pile [bud.]

ścianka szczelna stalowa steel sheet piling [trans.]

ścianka szczelna z bali board wall [bud.]

ścianka szczelna z profili skrzynkowych box pile [bud.]

ścianka szklana osłonowa apron [bud.]

ściągacz puller [mot.]

ściągacz kół wheel puller [mot.]

ściągacz piasty koła hub puller [mot]

ściągać pull off; strike off [abc]

ściągać się contract [tw.]

ściąganie upheaval [praw.]

ściąganie się contraction [tw.]

ścieg sting [abc]; bead [met.]

ścieg prosty string bead [met.]

ściek run-off; water drainage [hydr.]

ściek poprzeczny pole drain [hydr.]

ściek uliczny gutter [hydr.]

ścieki sewerage [rec.]

ścieki browarne brewery effluent [rec.]

ścieniać dilute [met.]

ścier abrasion [tw.]

ścier drzewny pulp [tw.]

ścierać chaff [abc]

ścierać papierem ściernym emery [met.]

ścierać się abrase; grind [tw.]

ścieranie wear; abrasion [tw.]

ścieranie się kołków stud wear [tw.]

ścieranie się rur tube wear [tw.]

ścierka rag [abc]

ściernica grinding disk [masz.]

ściernica do mlewa raw meal grinding plant [górn.]

ścierniwo do obróbki strumienio-wo-ściernej abrasive [tw.]

ścieżka path [abc]

ścieżka zapisu track [inf.]

ścięcie chamfer [met.]

ścięgno sinew [med.]

ścięty felled [abc]

ścigacz speedboat [żeg.]

ścigać chase [abc]

ścinać fell; trim; shear [abc]

ścinać gałęzie branch removal [abc]

ścinać krawędzie bevel [met.]

ścinanie shearing [met.]

ścinanie skarpy cutting of banks and ditch walls [trans.]

ścinki offcuts [met.]

ścisk śrubowy screw clamp [narz.]

ściskacz sprężynowy tensioning clamp [masz.]

ściskać jam [masz.]

ściskanie thrust [tw.]

ściskanie podłużne longitudinal clamping [masz.]

ściskany pressed [met.]

ścisłość 1. (*dokładność*) accuracy [abc]; **2.** (*gęstość*) tightness [abc]

ściśnięty pressed [tw.]

ślad track [el.]

ślad torowy wake [żeg.]

ślady pojazdu wagon tracks [mot.]

śledzić haunt [abc]

śledziona spleen [med.]

ślepa uliczka cul-de-sac; dead-end street [bud.]

ślepy granat stun/flash grenade [wojsk.]

ślepy pilotaż blind flight [lot.]

ślimak 1. worm [masz.]; **2.** snail [zool.]

ślimak podsadzający trench filling worm [trans.]

ślimak przekładni kierownicy steering cam; steering worm [mot.]

ślimak wiertarski auger worm [narz.]

ślimak zgarniaka clearing worm [trans.]

śliski slippery [abc]

ślizg shoe; idler slide [masz.]

ślizgacz 1. slip ring [el.]; **2.** idler slide; slide [masz.]; spring saddle [mot.]; guide plate [kol.]

ślizgać się slip [abc]

ślizganie się kół spin [mot.]

ślusarz locksmith [met.]

ślusarz samochodowy automobile mechanic [met.]

śluza sluice [żeg.]

śmieci garbage; waste; trash [rec.]

śmieciarka bębnowa ślimakowa screw-type refuse-collection vehicle [mot.]

śmieciarka z prasą zgniatającą press vehicle [masz.]

śmieciarz garbage man [abc]

śmierć death [med.]

śmigło propeller [lot.]

śmigłowiec helicopter [lot.]

śmigłowiec wielozadaniowy utility helicopter [lot.]

śniadanie breakfast [abc]

śniedź cupric oxide [chem.]

śnieg snow [meteo.]

średni average [abc]

średnia average [abc]

średnia arytmetyczna medium [mat.]

średnia długość ścieżki average distance [inf.]

średnia droga swobodna mean free path [fiz.]

średnia temperatura mean temperature [miern.]

średnica caliper [mat.]

średnica cylindra cylinder bore [miern.]

średnica cyrkulacji turning diameter [masz.]

średnica drutu wire diameter [met.]

średnica gwintu thread-diameter [masz.]

średnica hydrauliczna hydraulic diameter [masz.]

średnica koła diameter of wheel; wheel diameter [masz.]

średnica koła skrętu vehicle clear-ance side [mot.]

średnica koła stóp zębów root diameter [masz.]

średnica obrotowa turning diameter [masz.]

średnica otworu pod gwint core removing hole [tw.]

średnica otworu w świetle clear opening [miern.]

średnica piasty hub diameter [masz.]

średnica podziałowa pitch diameter; effective diameter [masz.]

średnica rdzenia wiertniczego core diameter [miern.]

średnica robocza effective diameter [masz.]

średnica rury outside diameter [masz.]

średnica rury wiertniczej casing diameter [miern.]

średnica stojana wewnętrzna bore diameter [el.]

średnica sworznia pin diameter [masz.]

średnica tłoka piston diameter [masz.]

średnica uzwojenia wewnętrzna inside coil diameter [el.]

średnica w świetle span [miern.]

średnica wałka roller diameter [masz.]

średnica wału shaft diameter [masz.]

średnica wewnętrzna internal diameter; inside diameter [miern.]

średnica wierconego otworu bore hole diameter; bore diameter [miern.]

średnica zaworu valve diameter [masz.]

średnica zewnętrzna outer diameter [miern.]

średnica znamionowa nominal bore; rated value [rys.]

średnica zwoju coil diameter [miern.]

średnica zwoju średnia mean coil diameter [miern.]

średnio average [abc]

środek 1. (*czegoś*) centre; middle [mat.]; **2.** (*na coś*) medium [abc]

środek bezwładności centre of gravity [fiz.]

środek ciężkości centre of gravity [abc]

środek czyszczący cleaning agent [chem.]

środek dezynfekcyjny disinfectant [med.]

środek do rozpylania spray [tw.]

środek dymny smoke agent [wojsk.]

środek klejący adhesive; glue [tw.]

środek konserwujący preservation agent [tw.]

środek leczniczy medicine [med.]

środek masy central point [fiz.]

środek nawilżający moistening agent [abc]

środek ochronny protecting agent [abc]

środek ochrony drewna timber preservative [tw.]

środek oczka centre of mesh [tw.]

środek odurzający narcotic [chem.]

środek piorący detergent [chem.]

środek poręczy centre of hand rail [trans.]

środek porotwórczy air-entraining agent [tw.]

środek powierzchniowo uszczelniający surface sealing agent [tw.]

środek przeciw zamarzaniu anti-freeze [tw.]

środek przeciwkorozyjny rust inhibitor [tw.]

Ś

środek przewozu means of transport [trans.]
środek rozcieńczający thinner [chem.]
środek rozpuszczający kamień kotłowy boiler cleansing compound [chem.]
środek sieciujący binder [tw.]
środek smarowy lubricant [masz.]
środek transportu means of transport [trans.]
środek transportu wodny watercraft [trans.]
środek trawiący cauterant [chem.]
środek uszczelniający sealing agent; jointing compound [tw.]
środek utwardzający hardener [tw.]
środek wiążący binder; binding material [bud.]
środek wytrawiający cauterant [chem.]
środek zaradczy course [abc]
środek zwilżający moistening agent [abc]
środki ostrożności precautions [abc]
środki pomocnicze (*warsztatowe*) service and repair equipment [masz.]
środki produkcji means of production [ekon.]
środki przeciw zamarzaniu anti-freeze solution [tw.]
środki transportu miejscowego arterial communication system [trans.]
środki wybuchowe explosive detonating agents [wojsk.]
środki zapłonowe explosive agents [wojsk.]
środkowanie centering [masz.]
środkowy central [abc]
środowisko environment; ambient [abc]
środowisko aktualne current environment [inf.]

środowisko dyspersyjne dispersive medium [el.]
środowisko naturalne environment [abc]
środowisko programowania development environment [inf.]
śródmieście downtown [bud.]
śruba bolt [narz.]
śruba do drewna wood screw [narz.]
śruba drążona banjo bolt [masz.]
śruba dwustronna stud-bolt [masz.]
śruba fundamentowa foundation bolt [bud.]
śruba hakowa hammer-head machine screw; hook bolt [masz.]
śruba kabłąkowa bow screw [masz.]
śruba korbowodu connecting rod bolt [masz.]
śruba kotwiąca foundation bolt [bud.]
śruba łącząca fixing screw [masz.]
śruba łubkowa fish bolt [kol.]
śruba mikrometryczna micrometer screw [miern.]
śruba młoteczkowa T bolt [masz.]
śruba mocująca fixing screw; set screw [masz.]
śruba napędowa propeller [żeg.]
śruba napędowa dziobowa bow propeller [żeg.]
śruba naprężająca clamp bolt; turnbuckle [masz.]
śruba nastawcza adjusting screw; adjusting screw [masz.]
śruba nastawcza przepustnicy biegu jałowego idle adjusting screw [masz.]
śruba nastawcza zaworu valve set screw [masz.]
śruba oczkowa eye bolt [masz.]
śruba odpowietrznika air discharge screw [masz.]
śruba pasowana set bolt [masz.]
śruba pierścieniowa eye bolt [masz.]

śruba podnośna mandrill screw spindle [narz.]

śruba radełkowana knurled head screw [masz.]

śruba regulacyjna adjusting screw [masz.]

śruba regulacyjna popychacza z nakrętką zabezpieczającą tappet adjusting screw with lock nut [masz.]

śruba regulacyjna przepustnicy biegu jałowego idle air adjusting screw [masz.]

śruba rurkowa banjo bolt [masz.]

śruba rzymska puller screw [masz.]

śruba samogwintująca thread cutting screw [masz.]

śruba skrzydełkowa wing screw [masz.]

śruba sprężynująca anti-fatigue bolt [masz.]

śruba sprężysta spring screw [masz.]

śruba spustowa oleju oil drain plug [masz.]

śruba ściągająca puller screw [masz.]

śruba ustalająca set screw; adjusting screw [masz.]

śruba wentylacyjna air discharge screw; bleeder screw [masz.]

śruba wiertnicza self drilling screw [narz.]

śruba wygniatająca gwint thread rolling screw [masz.]

śruba z dwustronnym gwintem double end stud [met.]

śruba z łbem cap screw [narz.]

śruba z łbem czworokątnym i kołnierzem oporowym square head bolt with collar and short dog point with rounded end [masz.]

śruba z łbem dwunastokątnym twelve-sided bolt [masz.]

śruba z łbem gniazdkowym krzyżowym Phillips screw; capstan screw [masz.]

śruba z łbem kołnierzowym collar screw [masz.]

śruba z łbem młoteczkowym tee head bolt [masz.]

śruba z łbem okrągłym o gnieździe sześciokątnym hexagon socket screw [masz.]

śruba z łbem płaskim pan head screw [masz.]

śruba z łbem płaskim z rowkiem slotted pan head screw [masz.]

śruba z łbem soczewkowym lens head screw [masz.]

śruba z łbem stożkowym płaskim flat head machine screw [masz.]

śruba z łbem stożkowym płaskim i gniazdem sześciokątnym hexagon socket countersunk head screw [masz.]

śruba z łbem stożkowym płaskim i noskiem flat countersunk nib bolt [masz.]

śruba z łbem stożkowym płaskim i rowkiem slotted countersunk head screw [masz.]

śruba z łbem sześciokątnym Allen screw [masz.]

śruba z łbem ściętym pan head screw [masz.]

śruba z łbem ściętym z rowkiem slotted pan head screw [masz.]

śruba z łbem walcowym cylinder head screw [masz.]

śruba z łbem walcowym o gnieździe sześciokątnym hexagon socket screw [masz.]

śruba z łbem wpuszczanym counter-sunk bolt [masz.]

śruba z uchem eye bolt [masz.]

śruba zaciskowa tightening bolt; clamp bolt [masz.]

śruba zaciskowa sprężyny spring clamp screw [masz.]

śruba zamykająca screw plug [masz.]

śruba zastopowana fixed propeller [żeg.]

Ś

śruba złączkowa nasadowa union screw [masz.]
śruba żebrowana rib bolt [kol.]
śrubokręt screw driver [narz.]
śrubokręt krzyżowy Phillips screw-driver; four-way wheel brace [narz.]
śrubowiec parowy propeller steamer [żeg.]
śrut buckshot [wojsk.]
śrut cięty z drutu cut wire pellets [tw.]
śruta groats [roln.]
śrutowanie shot peening [tw.]
śrutownik grist mill [masz.]
świadczenia emerytalne pension benefits [praw.]
świadczenia socjalne social benefits [praw.]
świadczenie odszkodowawcze deductibles [praw.]
świadczenie usług service [ekon.]
świadczenie zwrotne feed back [ekon.]
świadectwo certificate [abc]
świadectwo homologacji type approval [mot.]
świadectwo kontroli warsztatowej material test certificate [abc]
świadectwo odbioru acceptance certificate [abc]
świadectwo pochodzenia certificate of origin [abc]
świadectwo przydatności certification [met.]
świadectwo spawania welding report [abc]
świadectwo szkolne report card [abc]
świadek witness [abc]
świadomy conscious [abc]
światła mijania dimmed light [mot.]
światło light [fiz.]; lamp [el.]
światło burtowe side-marker lamp [żeg.]

światło cofania back up light [mot.]
światło dookolne beacon [trans.]
światło drogowe drive light; traveling light [mot.]
światło dzienne daylight [abc]
światło hamowania brake light; stop lamp [mot.]
światło jazdy wstecz reversing light [mot.]
światło naturalne daylight [abc]
światło ostrzegawcze jazdy wstecz back up warning [mot.]
światło oznaczenia końca pociągu tail lamp [kol.]
światło postojowe parking light [mot.]
światło pozycyjne side-marker lamp [mot.]
światło pozycyjne tylne tail lamp; tail light [mot.]
światło przeciwmgłowe fog light [mot.]
światło stop brake light; stop lamp [mot.]
światło tylne tail lamp [mot.]
światłoczuły light-sensitive [opt.]
światłokopia blueprint [rys.]
światłotrwały light-fast [tw.]
światłowód light pipe [el.]
świder bit; drill [masz.]
świder ręczny gimlet [masz.]
świdrować bore [abc]
świeca candle [abc]; plug [mot.]
świeca dymna smoke candle [wojsk.]
świeca zapłonowa spark plug [mot.]
świeca zapłonowa żarowa z izolacją mikową mica plug [el.]
świeca żarowa glow plug; heater plug [mot.]
świeca żarowa płomieniowa flame-type heater-plug [mot.]
świecący light; shiny [abc]
świecznik candlestick [abc]

świerk spruce [bot.]
świetlik roof light [bud.]
świetlówka fluorescent lamp [el.]
świetny obvious [abc]
świeże powietrze fresh air [górn.]
świeżo malowane fresh paint [abc]
świeży fresh; new [abc]
święto kościelne church holiday [abc]
święto narodowe national holiday [polit.]
świnia skull [met.]
świt dawn [abc]

T

Towarzystwo Ochrony Zwierząt Association for the Protection of Animals [abc]
tabaka tobacco [abc]
tabela board; chart [abc]
tabela okresów smarowania lubrication chart [abc]
tabela podłączeń connecting chart [abc]
tabela procedur różnicowania difference-procedure table [inf.]
tabela przeliczeniowa conversion table [mot.]
tabela wartości obciążalności load rating chart [abc]
tabela wymiarów dimension table [rys.]
tabela wynagrodzeń i cen materiałów schedule of rates and prices [abc]
tabletka tablet; pill [med.]
tablica board; plaque [abc]; table [energ.]; array [mat.]
tablica informacyjna lettering [transp.]
tablica kierunkowa (*na wagonie*) destination board [mot.]

tablica kontrolna control panel (*monitors escalator*); inspection control panel [transp.]
tablica kontrolna kotła boiler control board [energ.]
tablica operacyjna operating panel [abc]
tablica połączeń printed circuit board [el.]
tablica programowa printed circuit board [el.]
tablica programowania programming panel [inf.]
tablica przyrządów (*pomiarowo-kontrolnych*) panel; instrument panel [abc]; control panel [energ.]; dashboard [mot.]
tablica przyrządów pomiarowo-kontrolnych kotła boiler panel instruments, boiler panel; control panel [energ.]
tablica przyrządów z osprzętem panel instruments [mot.]
tablica rejestracyjna license plate; number plate [mot.]
tablica reklamowa billboard [abc]
tablica rozdzielcza indicator board (*panel*) [abc]; dash; dashboard; instrument panel [mot.]; panel; switchboard [el.]
tablica stalowa steel panel [masz.]
tablica sterownicza panel [abc]; control desk; operating console [energ.]; control panel, operating panel [mot.]; switchboard [el.]
tablica sterownicza główna main control panel; master panel [el.]
tablica sterownicza kotła boiler control board [energ.]
tablica tylna rear panel [abc]
tablica własności pary steam table [energ.]
tablica wskaźników indicator panel [abc]
tablica wysyłkowa dispatch table [inf.]

T

tablica z arkuszami papieru odwijanymi do góry flipchart [abc]

tablica z nazwą (*np. okrętu*) name board [transp.]

tabliczka plate; sign (*on house*) [abc]

tabliczka firmowa na kotle boiler maker's name plate, boiler maker's plate; boiler name plate [energ.]

tabliczka identyfikacyjna data plate [abc]; identity plate [mot.]; name plate [transp.]

tabliczka informacyjna o urządzeniu caption board [abc]

tabliczka rysunkowa drawing title (*-block*) [abc]

tabliczka znamionowa data plate; name badge, name plate [abc]

tabor fleet [transp.]

tabor kolejowy rolling stock; transport stock; (*kolejki wąskotorowej*) feeder-line rolling stock; narrow-gauge rolling stock [mot.]

tabor samochodowy motor pool [mot.]

tabor towarowy fleet of freight cars (US), fleet of goods wagons (GB) [mot.]

taboret stool [abc]

tabulogram symulacyjny simulation log [inf.]

taca tray [abc]

tachograf tachograph [mot.]

tachometr piszący tachograph [mot.]

tachymetr tacheometer [miern.]

taczka wheel barrow [bud.]

tafla grass paneling; plate [bud.]

tafla okienna glass pane; pane, window pane [abc]

tajać thaw (*melt*) [abc]

tajne classified (*classified information*) [abc]

tajny secret [abc]

tak szybko, jak to możliwe ASAP (*as soon as possible*) [abc]

tak zwany so-called [abc]

takielunek rigging [żegl.]

taksówka cab; taxi [mot.]

takt cycle [abc]

taktomierz metronome [abc]

taktyka tactics [wojsk.]

talerz plate [masz.]

talerz zaworu valve head, valve retainer [mot.]

talerz zderzaka buffer disk [mot.]

talerzyk sprężyny spring seat [masz.]

talia waist [abc]

tama barren [abc]; dike, dam, dyke [bud.]

tama poprzeczna groyne [abc]

tamować insulate; dam up [bud.]

tankować tank [mot.]

tankowiec tanker [mot.]

tapeciarz paper hanger [abc]

tapeta wall paper [bud.]

tapetowanie paperhanging [abc]

tapicerowany upholstered [mot.]

tara tare (GB); tax weight [abc]

taras terrace [geol.]; terrace [bud.]

tarasować close [mot.]

tarcica lumber; sawn timber [abc]

tarcie fretting (US); rubbing [met.]; trimming [masz.]; friction [fiz.]

tarcie czopowe journal friction [masz.]

tarcie obrotowe journal friction [masz.]

tarcie powierzchniowe skin friction [masz.]

tarcie toczne rolling friction [masz.]

tarcie w łożysku journal bearing [mot.]

tarcie wewnętrzne viscosity [abc]

tarcza dial; disk, disc; plate [abc]; shield; (*np. herbowa*) armor plate [wojsk.]; plate; shield [masz.]

tarcza cierna friction disc [mot.]

tarcza dekoracyjna ornamental disc ring [mot.]

tarcza dociskowa pressure plate, thrust plate [mot.]

tarcza dociskowa sprzęgła clutch pressure plate [mot.]

tarcza hamulcowa brake disk [mot.]

tarcza klocka hamulcowego brake block plate [mot.]

tarcza koła gear body; wheel body; wheel disc; wheel centre [mot.]

tarcza koła napędowego drive tumbler body [transp.]

tarcza koła napędzającego drive tumbler body [transp.]

tarcza koła wklęsła obustronnie double-dished wheel disc [mot.]

tarcza krańcowa end disc; end plate [transp.]

tarcza krzywkowa cam plate [mot.]

tarcza międzystopniowa water shelf [mot.]

tarcza napędowa sheave [górn.]

tarcza napędzająca sprzęgła clutch drive plate [mot.]

tarcza naprężająca conical spring washer [masz.]

tarcza nośna hamulca bębnowego brake anchor plate [mot.]; retaining plate [masz.]

tarcza numerowa dial [telkom.]

tarcza obrzeżnikowa flanged pulley [met.]

tarcza ochronna wentylatora fan shroud; fan cowl [mot.]

tarcza odrzutowa centrifugal disc [masz.]

tarcza osłonowa air shield [transp.]

tarcza ostrzegawcza distant signal (GB) [mot.]

tarcza ozdobna ornamental disc [mot.]

tarcza pasowa belt pulley [masz.]

tarcza piły ciernej friction disc [narz.]

tarcza podpierająca supporting ring [masz.]

tarcza pośrednicząca intermediate flange [mot.]

tarcza rozpryskowa centrifugal disc [masz.]

tarcza rozruchowa starting disk [masz.]

tarcza skurczowa shrinking disk [masz.]

tarcza spawacza face shield; hand shield; hand screen [met.]

tarcza sprzęgła clutch disc; clutch plate; connector flange; operating disc [mot.]

tarcza sprzęgła o okładzinie korkowej cork-faced clutch plate [mot.]

tarcza sprzęgła ogumowana palm-type coupling [mot.]

tarcza spychacza dozer blade [transp.]

tarcza spychaka do śniegu snow bucking plate [mot.]

tarcza stalowa plate [masz.

tarcza sterownicza control plate [mot.]

tarcza sterująca wobble plate, wobbling disc [mot.]

tarcza sterująca w korpusie pompy pendulum ball [transp.]

tarcza synchronizująca synchronizing disc (*outer, inner*) [mot.]

tarcza ścienna diaphragm [bud.]; abrasive wheel; grinding wheel; grinding disk; wearing plate [narz.]

tarcza tnąca cutting disc [narz.]

tarcza tokarska face plate; surface plant [masz.]

tarcza tylna caving shield (*back of shield*) [górn.]

tarcza ustalająca retainer [masz.]

tarcza wirnika turbiny turbine disc [energ.]

tarcza wykresu diagram plate [abc]

tarcza wyprzęgnika clutch release plate [mot.]

tarcza wzmacniająca shroud [mot.]

tarcza z kołnierzem flange coupling [transp.]

tarcza z otworami punched disc (*punch disk*) [masz.]

T

tarcza z podziałką dial [inf.]
tarcza zamachowa flywheel [mot.]
tarcza zderzaka buffer disk [mot.]
tarcza zegarowa dial (*of a watch or clock*) [abc]
targ market [abc]
targi fair; trade fair (*stand, exhibit*) [abc]
tarowanie balance [miern.]
tartak lumbermill; sawmill [masz.]
taryfa tariff [abc]
taryfa pomiarowa test rate, test tariff [miern.]
taryfa dwuczłonowa two-rate tariff [miern.]
taryfa dystansowa distance tariff [miern.]
taryfa hurtowa bulk electric supply tariff [miern.]
taryfa jednoczłonowa single-rate tariff [miern.]
taryfa ogólna general tariff [miern.]
taryfa ryczałtowa fixed payment tariff [miern.]
taryfa sezonowa seasonal tariff [miern.]
tasak chopper [narz.]
taśma strap; tape [masz.]; strip cut [transp.]
taśma bagażowa baggage belt [mot.]
taśma barwiąca inking ribbon; typewriter ribbon [abc]
taśma cynowana elektrolitycznie electrolytic tin-coated strip [met.]
taśma do paczkowania baling hoop [masz.]
taśma do uszczelniania dylatacji waterstop [bud.]
taśma do zabezpieczania palet pallet-band [transp.]
taśma dziurkowana punched tape [masz.]; virgin paper tape [inf.]
taśma elektryczna electrical sheet and strip [tw.]
taśma elektryczna nakrzemowana silicon-graded electrical strip [el.]

taśma elektryczna niekrzemowana non silcon-graded electrical strip [el.]
taśma geodezyjna tape measure [miern.]
taśma hamulcowa brake band [mot.]
taśma hamulcowa ze wspomaganiem self-activating brake band [mot.]
taśma izolacyjna insulation tape [el.]
taśma klejąca adhesive tape [abc]
taśma klejąca dwustronna twin-sided adhesive tape [abc]
taśma łańcuchowa chain band, chain [masz.]
taśma magnetofonowa audiotape, tape [abc]
taśma metalowa steel tape [masz.]
taśma metalowa zawiasowa nitowana rivetted hinged strap [masz.]
taśma miernicza tape measure [narz.]
taśma miernicza stalowa steel tape [miern.]
taśma mocująca chłodnicy radiator fastening strap [mot.]
taśma montażowa assembly line [masz.]
taśma mostu (*np. przerzutowego*) bridge belt [transp.]
taśma napinająca tightening strap [narz.]
taśma niemetalowa non-metallic strapping [abc]
taśma ocynowana hot-dip tin-coated strip [masz.]
taśma odbojowa (ochronna) rebound strap [mot.]
taśma (opakowaniowa) niemetalowa non-metallic strapping [abc]
taśma opakowaniowa z tworzywa sztucznego non-metallic strapping; plastic strapping [tw.]
taśma opasująca baling hoop [masz.]

taśma paliwowa szeroka wide fuel type range [energ.]

taśma papierowa czysta virgin paper tape [inf.]

taśma płytkowa apron feeder [górn.]

taśma przenośnika belt conveyor system [górn.]

taśma rejestratora iskrowego recording chart [miern.]

taśma rejestrująca recording strip [miern.]

taśma rozdzielcza slit strips [masz.]

taśma rusztu łańcuchowego fuel type range [energ.]

taśma sprężynowa spring bracket [masz.]

taśma stalowa hoop-steel; narrow strip [narz.]; steel band [mot.]; steel strip [masz.]

taśma stalowa ocynowana tin-coated strip [masz.]

taśma stalowa opasująca band iron strap (*band strapping*); strapping band iron strapping [masz.]

taśma stalowa specjalna cold rolled strip in special qualities [masz.]

taśma stalowa sprężynowa spring band steel [masz.]

taśma szeroka walcowana na gorąco hot rolled wide strip [masz.]

taśma szlifierska abrasive belt [narz.]

taśma ścierna abrasive belt [narz.]

taśma uszczelniająca sealing band [masz.]

taśma uziemiająca earthing strap [el.]

taśma walcowana na zimno cold rolled strip [masz.]

taśma walcowana na zimno powlekana cold rolled strip with coated surface [masz.]

taśma wyładowcza discharge belt; discharge conveyor [górn.]

taśma wyładowcza kruszarki crusher discharge belt [górn.]

taśma wysypowa discharge conveyor [transp.]

taśma zapasowa do klucza taśmowego spare-strap for a strap wrench [masz.]

taśma zapisująca recording strip [miern.]

taśma zasilająca feed conveyor [transp.]

taśma zwałowa discharge belt [górn.]

taśmociąg conveyor [górn.]

taśmociąg główny main belt conveyor [górn.]

taśmociąg zwałowarki spreader discharge belt [transp.]

taśmowarka strapping tool [narz.]

taśmowy przenośnik zasilający strap feeder [masz.]

taśmówka jigsaw [narz.]

tawerna tavern [abc]

tąpnięcie bump shock [bud.]

teatr miejski municipal theater [abc]

techniczna ochrona danych technical security [abc]

techniczne warunki dostawy technical specification [ekon.]

techniczne warunki umowy technical contract conditions [abc]

technicznie możliwy do wykonania technically feasible [abc]

technicznie wykonalny technically feasible [abc]

techniczny technical; technological [abc]

technik engineer; technician [abc]

technik dentystyczny denturist [med.]

technika engineering; technics, technology; technique [abc]

technika cienkowarstwowa film technology; thin film technology [el.]

technika filtrowania filter technology [mot.]

T

technika informacyjna information technology [telkom.]

technika interakcji interaction technique [inf.]

technika jądrowa nuclear engineering [fiz.]

technika morska łącznie z odsalaniem marine engineering including desalination [mot.]

technika napędowa drive technology [mot.]

technika okablowania circuitry [el.]

technika oprzewodowania circuitry [el.]

technika podwójnego transceivera double transceiver technique [mot.]

technika pogłębiania dredger technology [mot.]

technika pomiarowa metrology [inf.]

technika pracy koparką excavator engineering [transp.]

technika procesów przetwórczych manufacturing technology [abc]

technika programowania software engineering [inf.]

technika próbkowania jednokrotnego single-probe technique [miern.]

technika ręczna manual method [abc]

technika spawania welding [met.]

technika ściegu prostego string bead technique [met.]

technika użytkowa application engineering [abc]

technika zanurzeniowa immersion technique [masz.]

techniki pogłębiania dredging technology [transp.]

technologia technics, technology [abc]

technologia dopasowana appropriate technology [rys.]

technologia eksploatacji (np. ropy lub gazu) spod dna morskiego offshore technology [mot.]

technologia hybrydowa hybrid technology [el.]

technologia mielenia grinding technology [abc]

technologia obróbki przemysłowej processing and industrial technology [abc]

technologia odlewnicza foundry technology [górn.]

technologia procesów przetwórczych manufacturing technology [abc]

technologia programowania software engineering [inf.]

technologia przetwarzania processing technology [górn.]

technologia specjalna dla lotnictwa i astronautyki special technology for aeronautics at space industry [inf.]

technologia walcowania rur pipe mill engineering [masz.]

technologia warstw cienkich film technology; thin film technology [el.]

technologia warzenia piwa brewing technology [abc]

technologia wprowadzania danych jednorodnych flat data entry technology [inf.]

technologia wytwarzania urządzeń zderzakowych push design technology [mot.]

technologia wzbogacania materials preparation technology [górn.]

technologia zaawansowana (*high tech*) high tech [abc]

technologiczny technical; technological [abc]

technologie produkcji manufacturing technologies [masz.]

teczka binder (*folder*) [abc]

teczka z folii przezroczystej transparent folder [abc]

teflon teflon (*reduces friction*) [tw.]

teina caffeine [chem.]

tekst text [abc]

tekst niezaszyfrowany normal language; normal writing [abc]

tekstura fibre; texture [tw.]

teksturowany grain oriented [masz.]

teksturowy grain oriented [masz.]

tektonika tectonics [geol.]

tektura cardboard [abc]; cardboard [tw.]

tektura celulozowa pulpboard [tw.]

tektura drzewna wood pulp board [tw.]

tektura falista corrugated cardboard [tw.]

tektura szara cardboard; chipboard, grayboard [tw.]

teledacja data transmission [inf.]

telefon telephone [telkom.]

telefon towarzyski party line [telkom.]

telefon zajęty engaged phone [telkom.]

telekomunikacja telecommunication [telkom.]

teleks telex [telkom.]

teleskop telescope [opt.]

teleskop słoneczny solar telescope (*focused at sun*) [el.]

teleskopowy telescoping [abc]

teleskopowy wysięgnik żurawia telescopic crane arm [transp.]

teletekst screen text [inf.]

telewizja television [abc]

telewizja kablowa cable television [abc]

temperatura temperature [abc]

temperatura austenityzacji austenitizing temperature (*non-ferrite*) [masz.]

temperatura Curie Curie point [miern.]

temperatura działania operation temperature [masz.]

temperatura gazów odlotowych exit gas temperature, waste gas temperature [energ.]

temperatura gazów wylotowych waste gas temperature [energ.]

temperatura krzepnięcia melting point [fiz.]; pour point [masz.]

temperatura międzystopniowego przegrzewania pary reheat steam temperature [energ.]

temperatura mięknienia pour point, softening point [masz.]

temperatura na wyjściu z młyna pulverizer outlet temperature [energ.]

temperatura nominalna temperature rating [energ.]

temperatura odniesienia reference temperature [miern.]

temperatura otoczenia ambient temperature [meteo.]

temperatura pary steam temperature [energ.]

temperatura pary międzystopniowej reheat steam temperature [energ.]

temperatura pary mokrej saturated steam temperature [energ.]

temperatura pary nasyconej saturated steam temperature [energ.]

temperatura pary pierwotnej live steam temperature, throttle temperature [energ.]

temperatura pary przegrzanej superheated steam temperature [energ.]

temperatura pokojowa room temperature [abc]

temperatura probiercza test temperature [energ.]

temperatura przegrzania final steam temperature [energ.]

temperatura przemiany conversion temperature [energ.]

temperatura robocza operation temperature [mot.]; service temperature [masz.]

T

temperatura rosy dewpoint [fiz.]
temperatura spalania combustion temperature [energ.]
temperatura spalin flue gas temperature [energ.]
temperatura spalin mierzona przy ujściu oszczędzacza flue gas temperature at economizer outlet; waste gas temperature [energ.]
temperatura spiekania sintering temperature [masz.]
temperatura spływania pour point [masz.]
temperatura ściany rury tube wall temperature [energ.]
temperatura termometru wilgotnego wet-bulb temperature [abc]
temperatura topliwości popiołu deformation point [energ.]
temperatura topnienia fusion point [energ.]; melting point [fiz.]
temperatura topnienia żużla ash fusion temperature; slag melting point [energ.]
temperatura ustalona holding temperature (*in radiator*) [masz.]
temperatura warstw pośrednich interpass temperature [met.]
temperatura wnętrza inside temperature [masz.]
temperatura wody zasilającej feed water temperature [hydr.]
temperatura wrzenia boiling point; boiling temperature [fiz.]
temperatura wyjściowa spalin piecowych furnace gas outlet temperature [energ.]
temperatura występowania korozji niskotemperaturowej acid dew point [meteo.]
temperatura zamarzania freezing point [energ.]
temperatura zapłonu flash point [met.]; ignition temperature [energ.]
temperatura zewnętrzna outside temperature [abc]

temperatury cieczy powrotnej return temperature (*water*) [energ.]
temperówka pencil sharpener [abc]
tendencja tendency [abc]
tender coal car (*behind loco*) [mot.]
tender doczepny railing tender [mot.]
tender niski (*wanienkowy*) tub tender [mot.]
tensometr elektrooporowy strain gage (*checks stress areas*) [masz.]
teoria theory [inf.]
teoria sterowania control theory [inf.]
teoria symulacji simulation theory [inf.]
teownik stalowy T-iron; T-section [masz.]
teowy plac zawracania turning area (*T- or circle shaped*) [mot.]
teren field, site [abc]
teren budowy building site; job site [abc]
teren fabryki shop floor [masz.]
teren kolei railway right-of-way [transp.]
teren mieszkaniowy residential area [bud.]
teren o wzmożonej aktywności tektonicznej earthquake-prone area [geol.]
teren pod budowę building space [energ.]
teren targów exhibition ground; fair ground [abc]
teren wojskowy military area (*no trespassing*) [wojsk.]
teren wystawowy fair ground [abc]
teren, na którym prowadzone są prace working-range [mot.]
tereny rekreacyjne field and track athletic fields; sports grounds [abc]
tereny targowe na wolnym powietrzu open-air exhibition-ground [abc]

tereny wystawowe exhibition ground (*halls, outdoors*) [abc]

tereny zielone parks and gardens [abc]

terkotać rattle (*chatter*) [abc]

termika hot air current [mot.]

termin term [abc]

termin dostawy delivery time [transp.]; time of delivery [ekon.]

termin fachowy technical term [abc]

termin końcowy deadline [abc]

termin ostateczny deadline [abc]

termin ważności extent of validity [abc]

terminal terminal [mot.]; terminal [inf.]

terminal kontenerowy container depot (US); container terminal (GB) [transp.]

terminarz biurkowy desk calendar [abc]

terminarz wykonania robót budowlanych construction schedule; time schedule [bud.]

terminologia terminology [abc]

terminowy terminated [abc]

termistor thermistor [el.]

termit termite [bot.]

termoelement thermocouple, thermocouple element [energ.]

termoelement napawany pad-type thermocouple [miern.]

termoelement z ochroną radiologiczną shielded thermocouple [el.]

termoelement zwykły bare thermocouple (BTC) [miern.]

termograf recording thermometer; temperature recorder [miern.]

termometr thermometer [energ]; temperature gauge [miern.]

termometr cieczowy liquid-in-glass thermometer [abc]

termometr kątowy angle thermometer [miern.]

termometr maksymalno-minimalny maximum/minimum thermometer [miern.]

termometr olejowy oil thermometer [masz.]

termometr oporowy electric resistance thermometer [miern.]

termometr piszący recording thermometer [miern.]

termometr rtęciowy mercury thermometer; mercury-in-glass thermometer [miern.]

termometr wody chłodzącej cooling water thermometer; water temperature gauge [mot.]

termometr wskaźnikowy indicating thermometer [miern.]

termometr wzorcowy dry-bulb thermometer [abc]

termometr zdalny engine temperature gauge; remote-distant-reading thermometer [miern.]

termometr zdalny do pomiaru temperatury oleju oil temperature gauge [mot.]

termoogniwo thermocouple, thermocouple element [energ.]

termoogniwo wysokoprędkościowe z ochroną przed promieniowaniem multiple-shield high velocity thermocouple [energ.]

termopara thermocouple, thermocouple element [energ.]

termoplasty thermoplastic materials (GMT) [tw.]

termos thermo coffee pot [abc]

termostat thermostat [mot.]; water temperature regulator [miern.]

termostat ogrzewania heating thermostat [transp.]

termostat olejowy oil thermostat [masz.]

termostat powietrza chłodzącego cooling air thermostat [mot.]

termostat rozmrażania defrosting thermostat [mot.]

T

termostat spalinowy exhaust-gas thermostat [mot.]

termostat wody chłodzącej cooling water thermostat [mot.]

termostat zapobiegający zamarzaniu anti-frost thermostat [mot.]

termostatyczny thermostatic [abc]

termowyłącznik thermo switch [el.]

test test (*check, examination*) [abc]

test dopuszczeniowy approval test; verification test [abc]

test kotła guarantee test; boiler test [energ.]

test łosia moose test [mot.]

test na inteligencję intelligence test [inf.]

test na wykrywaczu kłamstw polygraph test [abc]

test odbiorczy acceptance test [miern.]

test oprogramowania software testing [inf.]

test przy pierwszym odbiorze first off, first off test [abc]

test weryfikacyjny approval test; verification test [transp.]

tester tester [abc]

testowanie testing [inf.]; examination [energ.]

testowanie funkcji functional testing [inf.]

testowanie prętów okrągłych bar inspection; round bar testing [miern.]

testowanie programu program testing [inf.]

testowanie promieniami rentgenowskimi X-ray testing [met.]

testowanie rezonansowe resonance testing [abc]

testowanie ręczne manual testing [abc]

testowanie strukturalne structured testing [inf.]

testowanie symetryczne back-to-back testing [inf.]

testowanie ultradźwiękowe US-testing [miern.]

testowanie w zanurzeniu immersion testing [masz.]

tępiciel szkodników (*szczurów, robactwa*) pest control operator; exterminator [abc]

tępy thick (*dull*) [masz.]

tętnica artery [med.]

tętnienie ripple [el.]

tętnienie resztkowe ripple voltage [el.]

tężeć (*np. cement*) hydrate [abc]

tkanina cloth; fabric [abc]

tkanina na sita screen cloth [górn.]

tkanina utwardzona żywicą laminated fabric [tw.]; moulded laminates [masz.]

tlen oxygen [chem.]

tlen atmosferyczny atmospheric oxygen [meteo.]

tlen rozpuszczony dissolved oxygen [chem.]

tlenek oxyde [chem.]

tlenek azotu nitrogen oxide [chem.]

tlenek glinowy alumina [chem.]

tlenek węgla carbon monoxide [chem.]

tlenek żelaza rust [chem.]

tło tarczy zegarowej bottom of dial (*of a watch or clock*) [abc]

tłocznia press [masz.]

tłocznica do smaru grease gun; grease pistol [narz.]

tłocznik die [narz.]

tłocznik wielotaktowy progressive die set [narz.]

tłocznik wielozabiegowy compound tool-set [narz.]

tłoczony wstępnie pre-pressed [masz.]

tłoczony z góry punched from above [masz.]

tłoczyć press [met.]; jam; stamp; press [masz.]; prime [mot.]

tłoczysko cylinder rod; piston rod [mot.]

tłok piston [mot.]

tłok cylindra cylinder piston [mot.]

tłok hydraulicznie odciążony balanced piston [mot.]

tłok krzywkowy lobe [mot.]

tłok nastawczy set piston [mot.]

tłok obrotowy wysokociśnieniowy h-p rotor [masz.]

tłok odciążający balance piston [masz.]

tłok pływający zaworu float valve section [mot.]

tłok pompy pump piston; pump plunger [mot.]

tłok pompy wtryskowej injection pump plunger [mot.]

tłok regulatora plunger [mot.]

tłok różnicowy differential piston [mot.]

tłok skrzydełkowy zaworowy podwójny vane [masz.]

tłok stopnia step piston [mot.]

tłok stożkowy conical piston [masz.]

tłok tłoczący delivery plunger [mot.]

tłok wyładowczy unloading piston [trans.]

tłok wyrównawczy balance piston [masz.]

tłok zasilający delivery plunger [mot.]

tłok zowalizowany cam-shaped piston [mot.]

tłumacz interpreter; translator [abc]

tłumacz kabinowy simultaneous interpreter, simultaneous interpreter [abc]

tłumacz konsekutywny consecutive translator [abc]

tłumacz symultaniczny simultaneous interpreter, simultaneous translator [abc]

tłumaczenie interpretation; translation [abc]

tłumaczenie konsekutywne consecutive translating [abc]

tłumaczenie symultaniczne simultaneous translating [abc]

tłumaczyć interpret; translate [abc]

tłumić absorb [abc]; dampen (*attenuate*) [el.]; insulate (*dam up*) [bud.]; suppress [polit.]

tłumienie attenuation [abc]; (*drgań*) damping, absorption; cushioning effect [mot.]

tłumienie absorpcyjne absorption loss [mot.]

tłumienie dźwięku attenuation of sound [akust.]

tłumienie hałasu noise attenuation [mot.] noise abatement; noise reduction [akust.]

tłumienie końcowe final damping [transp.]

tłumienie napięć równoległych common-mode rejection ratio [el.]

tłumienie regulowane elektronicznie electronically adjustable damping [mot.]

tłumienie sygnału signal blanking [abc]

tłumienie ultradźwiękowe through-transmissin attenuation [miern.]

tłumienność attenuation; damping; loss [el.]

tłumienność przenikowa cross talk attenuation [telkom.]

tłumienność przesyłania input/output damping [masz.]; transfer loss [inf.]

tłumienność transmisji transfer loss [inf.]

tłumienność wskutek odbicia reflection loss [opt.]

tłumik attenuator; attenuator pad [el.]; dampener [transp.]; silencer; muffler [masz.]

tłumik cieczowy liquid-type damper; viscous-type damper [mot.]

T

tłumik drgań balancer [masz.]; vibration damper [mot.]

tłumik drgań położenia krańcowego end-of-stroke damper [masz.]

tłumik dźwięków silencer; exhaust silencer; muffler [mot.]

tłumik dźwięków główny main silencer [mot.]

tłumik dźwięków powstających przy zasysaniu intake silencer [mot.]

tłumik dźwięków wraz z instalacją wydechową muffler and exhaust pipes [mot.]

tłumik hałasu noise suppression facility [mot.]

tłumik hydrauliczny liquid-type damper; viscous-type damper [mot.]

tłumik olejowy pneumatic oil suspension [masz.]

tłumik płomienia exhaust flame damper [wojsk.]

tłumik przedni front shock absorbers [mot.]

tłumik szumów hush kit [mot.]

tłumik wydechowy muffler [mot.]

tłumiony ciąg fal damped wave train [fiz.]

tłusty fat [abc]

tłuszczoodporny grease-resistant [abc]

toaleta bathroom; lavatory [abc]

toaletka (*mebel*) dressing table [abc]

tok produkcji continuation of production [met.]

tok szynowy tracks [transp.]

tokarka lathe; turning lathe [masz.]

tokarka do wytaczania tulei cylindra cylinder liner turning machine [masz.]

tokarka do zestawów kołowych wheel lathe [masz.]

tokarka do zestawów kołowych typu bramowego portal-type wheel lathe [masz.]

tokarka do zestawów kołowych z napędem górnym i dolnym above-floor and underfloor wheel lathe [transp.]

tokarka karuzelowa vertical boring mill (*boring machine*), vertical drilling mill [narz.]

tokarka kłowa centre lathe; turning lathe [narz.]

tokarka rewolwerowa turret lathe [met.]

tokarka sterowana numerycznie NC turning lathe; nc tool machine [narz.]

tokarka wykańczająca finishing lathe [narz.]

tokarka-zdzierarka roughing lathe [narz.]

tokarz turner [met.]

toksyna poisonous substance [abc]

tolerancja tolerance [masz.]; deviation of dimension [bud.]

tolerancja błędu fault tolerance [inf.]

tolerancja grubości ścianki tolerance of wall thickness [masz.]

tolerancja montażowa fitting tolerance [masz.]

tolerancja obróbki machining tolerance [masz.]

tolerancja ogólna general tolerance [masz.]

tolerancja osłony housing tolerance [masz.]

tolerancja plusowo-minusowa plus and minus limit [energ.]

tolerancja podziałki graduation tolerance [abc]

tolerancja ruchu obrotowego tolerance of cyclic running [masz.]

tolerancja wału shaft tolerance [masz.]

tolerancja wykonawcza production tolerance [abc]; manufacturing tolerance [mot.]

tolerancja wymiaru odlewu (GTB) casting general tolerance [rys.]

tolerancja zaostrzona close tolerance [rys.]

tom volume (*book*) [abc]

tomasyna basic slag [energ.]

tombak red brass [met.]

tomografia jądrowa mannetic resonance tomography [inf.]

tomografia komputerowa computer tomography [miern.]

tonąć sink [abc]

tonięcie drowning [abc]

tonować tint (*colour*) [abc]

tonowany tint [abc]

topić (*kogoś*) drown; (*metal*) smelt [abc]

topić się drown [abc]

topienie koksiku fly ash slag tapping [energ.]

topik fuse element [el.]

topnieć fuse; melt, smelt [abc]

topnik flux [met.]

topnik do spawania powder (*welding flux*) [met.]

topograficzny topographical [geol.]

topologia komputerowa computer topology [inf.]

topór hatchet [narz.]

topór rzeźniczy chopping knife; cleaver [narz.]

tor autowalk [transp.]; line (*railway l.*); rail; track [mot.]; path [masz.]

tor bocznicowy railroad siding, railway siding [mot.]

tor główny main circuit [el.]

tor kierunkowy sorting siding (*on hump*) [mot.]

tor kolejowy track [mot.]

tor kołowy branch line (*feeder line*) [mot.]

tor manewrowy shunting track (*siding*) [mot.]

tor mijankowy loop (*2nd line, parallel line*); refuge siding [mot.]

tor normalny standard gauge [mot.]

tor odjazdowy departure siding [mot.]

tor opóźniający delay line [transp.]

tor posuwu crowd distance (*crowd distance on level ground*) [transp.]

tor przyjazdowy arrival line, arrival siding [mot.]

tor używany used rail [mot.]

tor wąski field railway system; light railroad track; narrow gauge; narrow gauge track [mot.]

tor węglowy coaling track; fairway [mot.]

tor wyścigowy race [abc]

tor wyścigów konnych horse race course (*turf*) [abc]

torba bag; pouch [abc]

torba na zakupy shopping bag (US) [abc]

torebka bag [abc]

torebka plastykowa shopping bag (*plastic bag*) [abc]

torf peat [gleb.]

torfowisko moor [geol.]

torkret air-placed concrete [bud.]

torowisko track level [transp.]

torpeda torpedo [wojsk.]

torpedo free wheeling hub; torpedo [mot.]

towar merchandise, goods [abc]

towar gatunkowy brand-name product [abc]

towar otrzymany manufacturing receipts (*as a prove*) [masz.]

towar masowy bulk good [masz.]

towarzystwo klasyfikacyjne classification society [abc]

towarzystwo ubezpieczeń wzajemnych mutual society insurance company [praw.]

towot lubricating grease [masz.]

tracić lose [abc]

tracić na wadze lose weight [abc]

tradycyjny conventional [abc]

tragedia tragedy [abc]

tragiczny tragic [abc]

trakcja traction [mot.]

trakcja dwutorowa double-track <railway> track [mot.]

T

trakcja parowa steam operation (*driven by steam*) [mot.]

trakcyjny łuk odciążający traction relief curve [mot.]

traktat treaty [praw.]

traktat pokojowy peace treaty [polit.]

traktor roller; tractor [transp.]

traktować treat (well or badly) [masz.]

traktowanie treatment [tw.]

trałowanie mine clearance (*during, after wars*) [wojsk.]

trałowiec mine sweeper (*finds, removes mines*) [mot.]

tramwaj streetcar (US); tram (GB); tramway [mot.]

tramwaj konny horse railway (*horse tram*) [mot.]

transfer ograniczeń constraint transfer [inf.]

transformacja transformation [mat.]

transformacja programu program transformation [inf.]

transformator transformer (*e.g. 220V into 12V*); RF transformer [el.]

transformator doskonały ideal transformer [el.]

transformator impedancji cathode follower [el.]

transformator mierniczy measuring transformer; transducer [el.]

transformator pokładowy board transformer [transp.]

transformator regulacyjny control transmitter; exciter [el.]

transformator regulacyjny sterowniczy control transformer [el.]

transformator rozruchowy starter transformer [el.]

transformator rury jarzeniowej fluorescent tube transformer [el.]

transformator sieciowy power transformer [el.]

translator języka symbolicznego assembler [inf.]

transmisja transmission [abc]

transmisja danych data communication, DC; data transmission [inf.]

transmitować transmit [abc]; broadcast [telkom.]

transport transport [abc]; delivery; dispatch [transp.]; transfer [mot.]

transport betonu concrete transport [transp.]

transport bliski i przeładunek materiałów materials handling (*technology*) [abc]

transport gruntu transport of soil [transp.]

transport materiału bliski materials handling [górn.]

transport montażowy assembly transport [masz.]

transport morski sea transport [mot.]

transport poprzeczny transverse conveying [mot.]

transport pośredniczący interim transportation [mot.]

transport samochodów carriage of cars [mot.]

transport śródlądowy inland waterway transportation [mot.]

transport taczkami hauling by wheelbarrow [mot.]

transport taśmowy belt conveying [transp.]

transport wodami śródlądowymi inland waterway transportation [mot.]

transport załogi manriding [górn.]

transport ziemi earthmoving [mot.]

transporter opancerzony armoured personnel carrier [wojsk.]

transportować carry; haul [mot.]; transport [górn.]

transportowany carried; transported [mot.]

transportowiec wielozadaniowy multi-purpose carrier [mot.]

transportowiec wojskowy troop transporter [wojsk.]
transzeja trench [wojsk.]
tranzystor transistor [el.]
tranzystor MOS z kanałem n NMOS-transistor [el.]
tranzystor polowy fieldistor; field-effect-transistor [el.]
tranzystor polowy MOS MOS-field-effect-transistor [el.]
tranzystor polowy o kanale wzbogaconym enhancement type field-effect-transistor [el.]
tranzystor polowy typu metal-tlenek-półprzewodnik MOS-field-effect-transistor [el.]
tranzystor polowy z kanałem typu n n-channel field-effect-transistor [el.]
tranzystor polowy z kanałem zubożonym depletion type field-effect-transistor [el.]
tranzystor polowy złączowy junction field-effect-transistor [el.]
tranzystor warstwowy junction transistor [el.]
tranzystor wieloemiterowy multi emitter transistor [el.]
tranzystor wzbogacany enhancement type field-effect-transistor [el.]
tranzystor zespolony compound type transistor [el.]
tranzystor złączowy junction transistor [el.]
trap ship's landing; staircase, stairway [mot.]
trapez trapeze [abc]
trapezowy przekrój poprzeczny trapezoidal cross section; trapezoidal steel sheeting [met.]
trasa right of way; route [mot.]
traser marking device [narz.]
trasować scribe (*mark*) [masz.]
trasowany marked; scribed [abc]
tratwa raft (*floating vessel*) [mot.]

trawa (*na ekranie, zakłócenia*) grass (*background noise*) [el.]
trawa morska water grass [abc]
trawersa centre part (*centre body*); traverse [transp.]; lifting beam; transverse girder [mot.]
trawić etch; pickle (*the boiler*) [met.]
trawienie etching [met.]
trawiony pickled [met.]
trąba trunk (*nose of elephant*) [bot.]
trąba powietrzna tornado (*hurricane, typhoon*) [abc]
trąbić honk [mot.]
trening training [abc]
trenować train [abc]
tresa braid [masz.]
tresa metalowa metal braid [masz.]
treśc content [abc]
treść procedury procedure body [inf.]
triggering (*of rules*) wyzwalanie [abc]
trociny saw dust; wood shavings [abc]
trofeum trophy [abc]
trojaczki triplets [abc]
tropikalizacja tropicalization (*tropicalisation*) [transp.]
tropikalny tropical [meteo.]
trotuar sidewalk (*pavement*) [bud.]
trójbiegowy (*np. przekładnia*) triple thread [masz]
trójkąt triangle [mat.]; (*ekierka*) set-square [rys.]; colour chart [norm.]
trójkąt do obracania taboru rail triangle [mot.]
trójkąt kolorów colour chart [norm.]
trójkąt ostrzegawczy traffic warning sign [mot.]
trójkąt sił power triangle [fiz.]
trójkątny triangular [abc]
trójnik tee connector, tee-piece connector; T-piece [el.]; (*rurowy*) tee connector, tee-piece connector; T-piece [masz.]; wye [mot.]
trójnik mieszalny mixing tee [energ.]

T

trójnik rurowy w kształcie litery Y
breeches pipe; two-way distributor (*breeches pipe*); Y-pipe
[energ.]
trójnóg tripod [masz.]; weighing
tripod [abc]
trójosiowy three-axle [mot.]
trójstopniowy triple thread [masz.]
trucizna poison [abc]
trudno zapalny hardly inflammable
[abc]
trudność difficulty; problem [abc]
trudny difficult; hard [abc]
trudny do manipulacji (*np. przedmiot obrabiany*) bulky (*awkwardly
shaped*) [transp.]
trujący poisonous (*p. substances*)
[abc]
trwać last [abc]
trwale nasmarowany lifetime-
lubricated [masz.]
**trwałe smarowanie smarami sta-
łymi** permanent grease lubrication [masz.]
trwałość endurance; longevity [abc];
durability [bud.]; lifetime (*life*);
operating life [masz.]
trwałość użytkowania operating
life; work life (*working life*) [abc];
working service [transp.]
trwały permanent, solid [abc]; bank
[gleb.]; perennial (*from: pro an-
num*) [bot.]; resistant [tw.]; stable
[polit.]; stout (*well-made, although
old ship*); sturdy [mot.]
trwanie length [abc]
tryb postępowania mode of process
[abc]
tryb przeładunkowy rehandling
operation [transp.]
tryb rozgrzewania warm-up operation [energ.]
trymować ładunek trim (*load on
ship, wagon, truck*) [transp.]
tryskacz (przeciwpożarowy) sprinkler [bud.]

trząść shake [abc]
trząść się slap [abc]
trzcina cattail (*narrow-leaf cattail*);
reed [bot.]
trzcina cukrowa sugar cane (*in subtropical regions*) [bot.]
trzeć rub [masz.]
trzepotać wobble [abc]
trzeszczeć crunch [bud.]
trzeszczenie crackling [el.]
trzęsienie ziemi earthquake [geol.]
trzęsienie ziemi głębinowe deep
earthquake [geol.]
**trzęsienie ziemi głębinowe tekto-
niczne** tectonic earthquake [geol.]
**trzęsienie ziemi średniej głębo-
kości** medium-deep earthquake
[geol]
trzęsienie ziemi zapadliskowe subsidence earthquake [geol.]
trzon bottom; stem [masz.]
trzon korbowodu connecting rod
shank [mot.]
trzon suwaka control spool [mot.]
trzon tłokowy cofa się (*chowa się*)
piston rod retracts [mot.]
trzon tłokowy cylinder rod; piston
rod [mot.]
trzon zrywarki ripper shank [transp.]
trzonek (*np. młotka*) shaft [narz.];
dipstick [transp.]
trzonek łopaty handle (*shovel handle, shovel stick*) [narz.]
trzonek zaworu valve rod, valve
spud [mot.]
trzpień bolt; pin; shaft; tang [masz.];
mandrel, mandril [narz.]
trzpień do zwijania drutów mandril screwing plug [narz.]
trzpień hakowy hook nail [masz.]
trzpień miedziany copper mandrel
(*to remove pins*) [narz.]
trzpień mierniczy selecting pin
[mot.]
trzpień mierniczy obciążeniowy
shear pin load cell [masz.]

trzpień naciskowy forcing bolt; pin pusher; thrust bolt [masz.]; plunger rod [mot.]

trzpień nośny carrying ram [mot.]

trzpień nośny dywanika carpet carrying ram [mot.]

trzpień obrotowy spindle [masz.]

trzpień obrotowy napinający tightening spindle [masz.]

trzpień osadzony luźno floating pin [masz.]

trzpień stożkowy internal cone pin [masz.]

trzpień zamykający łańcucha drabinkowego master pin [masz.]; track master pin [transp.]

trzpień zawiasy door nail (*Dead as a door nail*) [masz.]

trzymać w zapasie keep in reserve [abc]

trzymanie się drogi roadability [mot.]

trzyzwojny (*np. gwint*) triple thread [masz.]

tuba tube [abc]; bell (*often: funnel, hopper*) [transp.]

tubka tube [abc]

tuleja boot; bush; sleeve [masz.]

tuleja cylindra cylinder liner [mot.]

tuleja cylindrowa bush, bushing; cylinder liner; cylinder sleeve [mot.]

tuleja cylindrowa mokra wet cylinder liner, wet liner, wet cylinder sleeve [mot.]

tuleja cylindrowa sucha dry cylinder liner, dry cylinder sleeve [mot.]

tuleja dźwigni dwuramiennej rocker arm bush(-ing) [mot.]

tuleja igiełkowa needle cage; needle sleeve [masz.]

tuleja kołka zabierakowego carrier bolt bushing [transp.]

tuleja kołnierzowa collar bushing; flange housing [transp.]

tuleja kompensacyjna extension sleeve [transp.]

tuleja korbowodu small end bushing [mot.]

tuleja kulkowa ball bushing [masz.]

tuleja kulkowa z gumy ball sleeve, rubber [masz.]

tuleja łożyska axle bush; axle mantle [masz.]

tuleja łożyskowa bearing bush; bearing bushing; bearing sleeve [masz.]

tuleja mechanizmu biegu wstecznego reverse idler gear bushing [mot.]

tuleja nastawcza adjusting sleeve [narz.]

tuleja odległościowa distance bushing; distance piece [tw.]; spacer bush, spacer bushing, spacing bush, spacer sleeve [transp.]

tuleja prowadząca gland housing [transp.]; sleeve [energ.]

tuleja przekładni hamulcowej brake linkage bush [transp.]

tuleja przesuwna shift collar; sliding sleeve [masz.]

tuleja przesuwna sprzęgła clutch collar [mot.]

tuleja przyłączeniowa connection tube [narz.]

tuleja redukcyjna reducer [masz.]

tuleja regulatora governor collar [mot.]

tuleja resoru spring bushing [mot.]

tuleja rozprężna zaciskana locking sleeve [mot.]

tuleja rozstawcza distance bushing; spacer bushing [masz.]

tuleja sprężyny spring bushing [mot.]

tuleja sprężysta spring dowel sleeve [masz.]

tuleja stalowa steel bush (*steel bushing*) [masz.]

tuleja sterownicza control bush [tw.]; guide bush [masz.]

tuleja suwakowa synchronizująca synchronizing slide collar [mot.]

T

tuleja ślizgowa slide bushing [transp.]

tuleja tłoka gudgeon pin bushing [mot.]

tuleja ustalająca retainer sleeve [masz.]

tuleja uszczelniająca oil seal sleeve [masz.]

tuleja włącznika shift collar [masz.]

tuleja wrzecionowa quill sleeve; sleeve [narz.]; spindle sleeve [masz.]

tuleja wydłużająca extension sleeve [transp.]

tuleja z wieńcem bushing with collar; flange bushing; flush bushing; collar bushing [masz.]

tuleja zaciskowa end bush; locking bush [mot.]; clamping sleeve [tw.]

tuleja zaworu ssawnego suction valve bushing [mot.]

tuleja znamionowa name socket [masz.]

tuleja zwijana zgrzewana weld-in bush [met.]

tulejka bush; thimble [masz.]; collar [tw.]

tulejka gwintowana tapped bushing; threaded coupling [masz.]

tulejka piasty hub sleeve [mot.]

tulejka prowadząca guide bush; guide sleeve; guiding bushing [masz.]

tulejka rurki grommet [masz.]

tulejka ustalająca guiding bushing [masz.]

tulejka wyprzęgnika shift collar [masz.]

tulejować rebushing [met.]

tunel tunnel [mot.]; entry [górn.]

tunel kablowy cable passage; cable tunnel [el.]

tunel skrzynki przekładniowej transmission tunnel [masz.]

turas napędowy drive tumbler; sprocket [transp.]

turas pogłębiarki drive tumbler [transp.]

turbina turbine [energ.]

turbina czołowa (parowa) topping turbine [energ.]

turbina dwustrumieniowa double-flow turbine; twin cylinder turbine [energ.]

turbina gazowa gas turbine [energ.]

turbina gazowa o obiegu otwartym open-cycle gas turbine [energ.]

turbina gazowa o obiegu zamkniętym closed-cycle gas turbine [energ.]

turbina kondensacyjna condensing turbine [energ.]

turbina niskociśnieniowa low pressure stage; low pressure turbine [energ.]

turbina przeciwprężna back pressure turbine [energ.]

turbina spalinowa exhaust gas turbine [mot.]

turbina w obudowie podwójnej twin cylinder turbine [energ.]

turboodrzutowy engined [mot.]

turbopompa rotary pump [masz.]

turbosprężarka doładowująca turbo charger, turbocharger [energ.]

turbosprężarka doładowująca napędzana gazami spalinowymi exhaust turbo charger, turbo charger; exhaust turbo-supercharger [mot.]

turbulencja turbulence [abc]

turkusowy turquoise [abc]

turniej tournament [abc]

tusz ink; Indian ink [abc]

twardnieć harden [abc]

twardnienie hardening [bud.]

twardościomierz hardness testing device [miern.]

twardość firmness [mot.]; hardness [masz.]

twardość graniczna limit hardness [masz.]

twardość powierzchniowa surface hardness [masz.]

twardość powłoki malarskiej hardness of the coat [met.]

twardość szczątkowa residual hardness [energ.]

twardość (według) Brinella Brinell hardness [masz.]

twardość według Rockwella Rockwell hardness (Rc) [tw.]

twardość według Shore'a shore hardness [masz.]

twardość ziarna grain hardness [bud.]

twardy firm; hard [abc]; tough [tw.]

twelve-sided dwunastokątny [masz.]

twierdza castle [bud.]; fortress [wojsk.]

twierdzenie allegation [abc]

twierdzić allege; assert (*argue, declare*) [abc]

twornik armature [el.]

twornik zwarty short-circuited rotor [el.]

tworzenie się narostu formation of skulls [tw.]

tworzenie się pasm formation of layers (*flame*) [energ.]

tworzenie się piany formation of foam [tw.]

tworzenie się zgorzeliny scaling [met.]

tworzyć constitute [abc]

tworzyć emulsję emulsify [met.]

tworzyć kopię zapasową back-up [inf.]

tworzyć nowy egzemplarz instance [inf.]

tworzyć nowy obiekt instance [inf.]

tworzywa sztuczne plastic materials (*plastics*) [tw.]

tworzywa sztuczne do wyrobu elementów konstrukcyjnych engineering plastics [tw.]

tworzywa sztuczne wzmacniane węglem carbon-reinforced plastics [tw.]

tworzywa termoplastyczne thermoplastic materials (GMT) [tw.]

tworzywa termoutwardzalne thermeosetting materials (SMC) [tw.]

tworzywo material [tw.]

tworzywo nr material no. [tw.]

tworzywo piankowe foam rubber [tw.]

tworzywo powlekane lamination [tw.]

tworzywo syntetyczne plastic [tw.]

tworzywo sztuczne plastic (*as general term*) [tw.]

tworzywo sztuczne wzmocnione włóknem szklanym glass-fibre reinforced plastics [tw.]

tworzywo wielowarstwowe compound material [tw.]

tworzywo wielowarstwowe dźwiękochłonne sound-absorbing compound material [tw.]

tworzywo wtórne secondary building material [tw.]

twór formation [chem.]

tyczka bambusowa bamboo pole [bot.]

tyczka miernicza hanging rod [masz.]; ranging poles (*rod*) [bud.]; ranging rod [transp.]

tydzień week [abc]

tygiel do topienia melting pot (*crucible*) [masz.]

tygodniowo (*tygodniowy*) weekly [abc]

tylko merely [abc]

tylko do użytku wewnętrznego for internal purposes only [abc]

tylko na przykładach pozytywnych using positive examples only [inf.]

tylna krawędź pochylenia rear tipping line [mot.]

tylne uszczelnienie rusztu rear grate seals [energ.]

tylnokołowiec stern wheeler [mot.]

tylny rear [mot.]
tylny koniec radlicy trailing end of the mouldboard [transp.]
tylny pomost napędowy rear axle casing [mot.]
tył back [abc]
tynk plaster [bud.]
tynk cementowy rendering [bud.]
tynk gipsowy gypsum plaster [bud.]
tynk kamyczkowy rough cast (*plaster*) [bud.]
tynk surowy rough cast [bud.]
tynk zewnętrzny external rendering [bud.]
tynki wewnętrzne building plasters [bud.]
tynkować spoiny grout [bud.]
typ model (*type*) [abc]; type (*model of machine*); version (*configuration, shape*) [masz.]
typ dachu design of the roof [bud.]
typ danych data type [inf.]
typ gwintu type of threading [masz.]
typ konstrukcji rozszerzony extending design [masz.]
typ łożyska bearing type [masz.]
typ organizacji type of organization [ekon.]
typ prawostronny right-hand design [transp.]
typ przyczepy trailer design [mot.]
typ siodłowy semi-trailer design [mot.]
typ specjalny special design [mot.]
typ wagonu type of wagon [mot.]
typ wzbogacania enhancement type [el.]
typ z wahaczem pojedynczym i podwójnym single luffing version and double level [mot.]
typ zubożony depletion type [el.]
typ żurawia model of crane [mot.]
typy koparek makes of excavators [transp.]
tyratron półprzewodnikowy thyristor [el.]

tyrystor thyristor [el.]
tysiąclecie millenium [abc]
tytan titanium [chem.]
tytoń tobacco (*cigars, cigarettes, pipe, chew*) [abc]
tzn. (*to znaczy*) i. e. (*id est = Latin for: that is*) [abc]

U

uaktualniać update [inf.]
ubezpieczać assure [abc]
ubezpieczenie assurance [abc]; insurance [praw.]
ubezpieczenie ekscedencyjne od odpowiedzialności cywilnej excess liability (*insurance*) [praw.]
ubezpieczenie gwarancyjne guarantee insurance, warranty insurance [praw.]
ubezpieczenie montażu erection and assembly insurance [praw.]
ubezpieczenie obowiązkowe od odpowiedzialności cywilnej zakładu pracy general liability insurance [praw.]
ubezpieczenie od następstw nieszczęśliwych wypadków accident insurance [praw.]
ubezpieczenie od obowiązku odpowiedzialności cywilnej za szkody powstałe w związku z wadliwością produktu comprehensive general liability insurance (CGL) [praw.]
ubezpieczenie od obowiązku odpowiedzialności cywilnej za szkody poczynione na akwenach liability policy for damage done to waterways [praw.]
ubezpieczenie od odpowiedzialności cywilnej third-party insurance [praw.]

ubezpieczenie od szkód powstałych wskutek nieprzewidzianego i nagłego uszkodzenia maszyny accidental damage insurance (*general*), comprehensive insurance, engineering insurance, machinery breakage insurance, machinery breakdown insurance [praw.]

ubezpieczenie poprzednie previous insurance (*predecessor*) [praw.]

ubezpieczenie prewencyjne inscription as provision against new hazards [praw.]

ubezpieczenie prewencyjne na wypadek nowego ryzyka insurance as provision against new hazards [praw.]

ubezpieczenie rentowe old-age pension insurance [praw.]

ubezpieczenie robotników od wypadku workmen's compensation [praw.]

ubezpieczenie robót budowlanych erection and assembly insurance [praw.]

ubezpieczenie transportowe cargo insurance, transport insurance [praw.]

ubezpieczenie usług budowlanych erection and assembly insurance [praw.]

ubezpieczenie zdrowotne health fund [med.]

ubezpieczeniowy actuarial (*life expectancy*) [mat.]

ubezpieczony insured; named insured (*name in policy*) [praw.]

ubezpieczony dodatkowo additionally insured [abc]

ubezpieczyciel (*podmiot ubezpieczenia*) insurer [praw.]

ubezpieczyciel podstawowy primary carrier [praw.]

ubezpieczyciel poprzedni previous insurer (*our last insurer*) [prawn.]

ubijać compact [gleb.]; tamp [abc]

ubijak tamper (*for soil*) [bud.]

ubijak ręczny hand tamper [narz.]

ubijak samoczynny ręcznie sterowany rapid blow hammer (*for pile driving*) [narz.]

ubijak wibracyjny vibrating compacter [górn.]

ubijanie tamping [bud.]

ubikacja lavatory [mot.]; powder room (*bathroom*) [abc]

ubity tamped [abc]

ubogi lean [mot.]

ubranie ochronne protecting clothes, safety clothes, safety clothing [abc]

ubytek nieujawniony unaccounted loss, unknown loss [energ.]

ubytek waste [abc]; (*przez wyciekanie*) leakage [masz.]

ucho ear (*part of body*) [med.]; handle [abc]

ucho do podnoszenia lift eye (*short: eye*); lifting eye [transp.]; transport eye [met.]

ucho igielne ear; eye [abc]

ucho kubka cup ring [abc]

ucho nakładki lug of the track pad [transp.]

ucho resoru rolled end of a spring, spring eye [masz.]

ucho sprężyny rolled end of a spring; spring eye [masz.]

ucho zabieraka straight lug link plate [masz.]

uchodźca refugee [polit.]

uchwyt arm (*stick; both words used*), eye, handle bar [abc]; handhole; supporting strap (*hand rail*) [mot.]; bail [górn.]; clamping, clamping fixture [tw.]; fixture [met.]; grip, reclaimer; holder (*holding device, bracket*) [transp.]; handle [inf.]; handle; U-bracket [masz.]

uchwyt amortyzatora shock absorber mounting [mot.]

U

uchwyt bagnetowy bayonet holder [masz.]

uchwyt bezpieczeństwa chwytaka grab safety bar [transp.]

uchwyt bezpiecznikowy fuse holder (*fuse panel*) [el.]

uchwyt do mocowania pretensioning tool [narz.]

uchwyt do próbek z blachy plate testing probe holder [miern.]

uchwyt elektrody rod holder [met.]

uchwyt elektrody prętowej stick electrode handle [met.]

uchwyt filiżanki cup holder [abc]

uchwyt hamulca ręcznego hand brake handle [mot.]

uchwyt kablowy cable clamp [el.]

uchwyt karty informacyjnej label holder (*label clip*) [mot.]

uchwyt kłonicy stanchion support [transp.]

uchwyt korby rozruchowej starting crank handle [mot.]

uchwyt łyżki bucket safety bar [transp.]

uchwyt maski hood catch [mot.]

uchwyt mocujący fixture [bud.]; tensioning device [masz.]

uchwyt nośny carrying handle [masz.]

uchwyt osłony silnika hood fastener [mot.]

uchwyt pilnika file handle [narz.]

uchwyt podtrzymujący koło zapasowe spare wheel carrier [mot.]

uchwyt pokrywy (*bagażnika*) boot lid handle [mot.]

uchwyt poprzeczny T-handle [masz.]

uchwyt probierczy plate testing probe holder [miern.]

uchwyt przy stopniu running board support [mot.]

uchwyt regulowany take-up unit (*handrail*) [transp.]

uchwyt ręczny dla pasażera supporting loop (*assist starp*) [masz.]

uchwyt rolkowy roller cam [transp.]

uchwyt sondy probe holder [met.]

uchwyt stopnia step holder [mot.]

uchwyt widełkowy fork tappet [mot.]

uchwyt wiertarski boring socket [narz.]

uchwyt wierzchołka zęba tooth tip support [masz.]

uchwyt zgłębnika rurowego tube probe holder [miern.]

uchwyt zmiany biegów gear shift lug [mot.]

uchwyt sufitowy ceiling ring [transp.]

uchylać abolish [abc]

uchylak szyby przedniej windscreen opener (*US: windscreen shield opener*) [mot.]

ucieczka z miejsca wypadku hit and run; leaving the site of an accident (US) [mot.]

ucios mitre [masz.]

ucisk oppression [polit.]

uczciwy upright [abc]

uczenie się poprzez analogię learning by analogy [inf.]

uczenie się poprzez przypadki precedensowe learning by precedents [inf.]

uczenie się z przykładów learning from examples [inf.]

uczeń apprentice; learner; student (US) [abc]

uczestnik participant [abc]

uczęszczanie do szkoły schooling [abc]

uczony knowledgeable [abc]

uczucie feeling [abc]

uczyć (*nauczać*) teach [abc] (*uczyć się*) learn, study [abc]

udar impact [masz.]

udar napięciowy surge [el.]

udarność impact strength, resistance to shock or impact [tw.]; notch bar impact value; notch-rupture strength [miern.]

udarowa próba zginania notched bar impact bending test [miern.]

uderzać beat [wojsk.]; make an impact [górn.]

uderzać o siebie clap together [fiz.]

uderzenia ciśnienia (*nagły wzrost*) pressure shock [mot.]

uderzenie back-stop; impact [masz.]; blow [fiz.]; impact, shock [abc]; jerk [mot.]

uderzenie fali ciśnienia pressure blow [masz.]

uderzenie hydrauliczne water hammer [hydr.]

uderzenie płomienia flame impingement (*on tubes, walls*) [energ.]

uderzenie wody water hammer [energ.]

udogodnienia w pracy operatora operator's ease and convenience (US) [mot.]

udokumentowany documented [abc]

udoskonalać improve [abc]

udoskonalanie enhancing, improvement, improving [abc]

udowadniać argue (*prove, name reasons; disagree*); verify [abc]

udział contribution [abc]

udział objętościowy volume fraction [chem.]

udziałowiec shareholder [ekon.]

udział pracodawcy w składkach na ubezpieczenie społeczne contributions and allowances [ekon.]

udział ścieków volume of waste water [hydr.]

udział w produkcji indigenization [abc]

udział wiązki dźwiękowej portion of sound beam [fiz.]

udzielenie zlecenia insertion (*of third parties*) [prawn.]

udzielenie zlecenia podwykonawcom i przewoźnikom (*spedytorom*) insertion of subcontractors and truck lines [prawn.]

udźwig bearing capacity [transp.]; lift capacity (*lifting capacity*) [abc]; lifting capacity; load capacity (*of the axle*); lugging capability [mot.]

udźwig zestawu kół supporting capacity [transp.]

ugięcie (*sprężyny*) suspension; bend (*sag of material*); sagging (*bending*) [masz.]; bending [met.]; bending (*sagging*) [energ.]; bowing under load [transp.]

ugięcie sprężyny spring deflection [masz.]

ugięcie sprężyny jednoskrętne spring deflection of single coil [masz.]

ugniatać knead [abc]

ugniatanie kneading [abc]

ugoda agreement [praw.]; covenant [abc]

ujednolicenie unification [inf.]

ujednoradniać homogenize [abc]

ujednorodnianie homogenization [transp.]

U

ujęcie wody (*do wodociągu*) water feed, water intake [bud.]

ujęty liczbowo numerically recorded [abc]

ujęty w liczbach numerically recorded [abc]

ujście (*rzeki*) estuary [hydr.]; discharge; spout [mot.]; mouth (*of the river*) [abc]

ukąszenie bite [abc]

układ arrangement, system [abc]; treaty [praw.]; layout [rys.]; circuit [el.]; setup [masz.]; configuration [transp.]

układ amortyzujący shock absorber system [mot.]

układ automatycznego hamowania pociągu automatic <train> stopping system [transp.]

układ bezpieczeństwa safety circuit [el.]

układ bramki gate circuit (*gate module*) [el.]

układ bramkowy gate circuit [el.]

układ cyfrowy digital circuit [el.]

układ Darlingtona Darlington circuit [el.]

układ dopasowujący sondy probe adapter [met.]

układ dziesiętny decade code system [mat.]

układ dźwigienek zaworowych clip and pin arrangement [mot.]

układ dźwigni lever-set [mot.]

układ dźwigni hamulcowych brake rigging [transp.]

układ hamulcowy brake system [mot.]; brakegear (*brake-system*) [transp.]

układ hamulcowy dwuprzewodowy two-pipe brake system [masz.]

układ hamulcowy jednoprzewodowy single pipe braking system [mot.]

układ hamulcowy mokry wet brake system [mot.]

układ hamulcowy orurowany piped braking system (GB) [mot.]

układ hamulcowy pneumatyczny air-operated linkage brake [transp.]; pressure air-brake installation [mot.]

układ harfowy torów track harp (*e.g. under hump*) [transp.]

układ hydrauliczny hydraulic system [masz.]

układ hydrauliczny średniociśnieniowy medium-pressure hydraulics [mot.]

układ hydrauliczny zamknięty closed hydraulic system [mot.]

układ impulsowy pulse system [el.]

układ kaskadowy cascade connection [el.]

układ kierowniczy steering mechanism [mot.]

układ kinematyczny kół zębatych gear train (*all gears united*) [mot.]

układ kół wheel arrangement [mot.]

układ krzyżowy criss cross; criss cross arrangement [transp.]

układ kształtowania impulsów pulse shaper (*pulse converter*) [el.]

układ logarytmiczny log circuit [el.]

układ łopatek blading (*of the turbine*) [energ.]

układ mnożący multiplying circuit [el.]

układ mostkowy sondy (*próbnika*) bridge circuit of probe [el.]

układ nadajnika impulsów circuit of pulse transmitter [el.]

układ nawrotny single lever automatic control for both, speed and direction [mot.]

układ niezależny independent circuit [masz.]

układ nożycowy criss cross; criss cross arrangement [transp.]

Układ o Normalizacji STANAG Standardization Agreement STANAG [mot.]

układ o podstawie kolektorowej common-collector-circuit [el.]

układ o wspólnym emiterze common-emitter circuit [el.]

układ odejmujący subtracting circuit [el.]

układ odpowietrzania silnika engine breathing system [mot.]

układ odsprzęgający antiresonant circuit [el.]

układ olejowy lubrication system [masz.]

układ osi axle arrangement, wheel arrangement [mot.]

układ oszczędnościowy energii energy-saving switching [el.]

układ paliwowy fuel system [mot.]

układ palników olejowych arrangement of oil burners [energ.]

układ pierwiastkujący square-root circuit [el.]

układ pneumatyczny pneumatic system [mot.]

układ połączeń arrangement drawing, arrangement plan [rys.]; circuit (*wiring diagram*) [el.]

układ połączeń gwiazda-trójkąt Y-delta connection [el.]

układ połączeń paradoksowy paradox compound circuit [el.]

układ pomp arrangement of pumps [energ.]

układ ponownego przygotowania do działania automatic reconnection circuit [masz.]

układ porównujący comparator [el.]

układ posobny tandem arrangement [masz.]

układ prowadnic łańcucha chain guide system [transp.]

układ przeciwsobny push-pull circuit [el.]

układ przekaźnikowy relay connection [el.]

układ przenoszący linkage [mot.]

układ przenoszący regulatora governor control [mot.]

układ przepustnicy throttle linkage [mot.]

układ przewodów giętkich hose assembly (*hose with 2 fixtures*) [masz.]

układ przewodów rurowych arrangement of tubes [energ.]

układ regulacji regulating circuit [miern.]

układ rozdzielaczy z przepływem otwartym w położeniu neutralnym open centre valve system [mot.]

układ rozrządu zaworowego valve location [mot.]

układ równań różniczkowych system of differential equations [mat.]

układ równoległy arrangement in parallel [rys.]

układ różniczkujący differentiator [el.]

układ rurociągów pipework [masz.]

układ schodkowy stagger [abc]

układ skrzyni biegów gear change arrangement (*shift pattern*) [mot.]

układ smarowania greasing system; lubrication system [masz.]

układ smarowania centralnego central lubrication system [mot.]

układ sprężyn mocujących clip and pin arrangement [mot.]

układ sprężyn wspornika clip and pin arrangement [mot.]

układ spustowy Schmitta Schmitt-Trigger-circuit [el.]

układ stanowiska pracy palacza firing floor level arrangement [energ.]

układ sterowania control system [inf.]

układ sterowania poziomu załadunku load-levelling control system [mot.]

układ sterowania produkcją production control system (PCS) [inf.]

układ sterowania silnika engine timing (*valve operating mechanism*); timing gear [mot.]

układ sterowniczy regulating system [mot.]

układ szyn zbiorczych busbar [el.]

układ tandem tandem arrangement [masz.]

układ taśmujący strapping system [narz.]

układ tranzystorowy o wspólnej bazie common base circuit [el.]

układ uproszczony simplified circuit [el.]

układ wierconych otworów bore pattern [rys.]

układ wtryskowy injection system [mot.]

układ wydechowy exhaust system [mot.]

U

układ wyjść output layout [inf.]

układ wymiany spalin engine breathing system [mot.]

układ wzmacniający amplifier circuit [el.]

układ zawieszenia narzędzi linkage (*fork and gooseneck*) [transp.]

układ z wałem leżącym horizontal shaft arrangement [energ.]

układ z wałem pionowym vertical shaft arrangement [masz.]

układ zastępczy Pi Pi equivalent circuit [el.]

układ zbiorowy pracy wage and salary agreement [ekon.]

układ zintegrowany integrated circuit [el.]

układacz rur pipelayer (*man, machine*) [abc]

układać naprzemiennie stagger [abc]

układanie positioning [bud.]

układanie materiału setting (*the calming down*) [transp.]

układanie rur piping [abc]

układanka (*mozaikowa*) jig-saw puzzle [abc]

układarka ciężka giant stacker (*giant spreader*) [transp.]

układarka regałowa swing forklift (*swing forklift truck*) [transp.]

ukłucie etching [abc]

ukończony finished, completed; ready [abc]

ukop excavated material, excavation material [górn.]; material dug out [transp.]

ukos chamfer [masz.]

ukosować cant, chamfer [masz.]

ukosowanie krawędzi canting [met.]

ukosowany chamfered [abc]

ukośny (*na ukos, skośny*) transverse; askew; inclined; leaning; oblique [abc]

ukryty concealed; hidden [abc]

ukrywać conceal; hide [abc]

ukształtować powierzchnię podłoża base a finished level [mot.]

ulatniać się escape [mot.]; evaporate [abc]

ulatnianie się evaporation [abc]; volatilization [energ.]

ulatnianie się popiołu ash volatilization [energ.]

ulepszać enhance, improve, optimise [abc]; upgrade [inf.]

ulepszanie cieplne heat treatment; tempering (*observe tempering instruction*) [met.]

ulepszanie cieplne na wskroś through quenching and tempering [el.]

ulepszenie enhancing; improvement, improving [abc]

ulepszony enhanced [abc]

ulepszony cieplnie heat treated [met.]

ulepszony cieplnie w cieczy liquid-annealed [masz.]

ulewa squall (*sudden, heavy rain*) [meteo.]

ulica street [mot.]

ulica dojazdowa feeder road [mot.]

ulica podmiejska suburban street [mot.]

uliczka alley (*narrow street*) [mot.]; narrow street (*for garbage collection*) [bud.]

ulokowanie housing [masz.]

ulotka leaflet (*information leaflet*) [abc]

ultradźwiękowy ultrasonic [el.]

ultradźwiękowy zmieniacz fali ultrasonic mode changer [el.]

ultrafioletowy ultraviolet [abc]

ultrasonel ultrasonel [el.]

ulubiony favourite [abc]

ułamek fraction [mat.]

ułatwiać facilitate; make easier [abc]

ułomność disability; impediment [med.]

ułomny disabled [med.]

ułożenie arrangement [abc]
ułożenie krzyżowe criss-cross arrangement (*department stores*) [transp.]
ułożenie nożycowe criss cross arrangement [masz.]
ułożenie radlicy design of the mouldboard [transp.]
ułożenie równoległe parallel laminated [transp.]
ułożenie spiralne spiral arrangement [masz.]
ułożenie warstw stratification [geol.]
ułożony arranged developed (*conceived, thought up*) [abc]
ułożony obrotowo pivotally arranged [masz.]
ułożyskowanie bracket [mot.]
ułożyskowanie dwustronne bilateral bearing [masz.]
ułożyskowanie koła zębatego pośredniczącego idler gear bearing [mot.]
ułożyskowanie lane cast bearing [masz.]
ułożyskowany tocznie anti-friction bearing [masz.]
umacniać solidify [bud.]; tighten (*fasten*) [masz.]
umeblowanie jadalni dining room suite (*corner suite*) [bud.]
umiarkowany moderate [abc]
umiejętność skill [abc]
umiejscawiać localize [transp.]
umierać die [abc]
umieszczać accommodate; place [abc]
umieszczenie accommodation (*housing*) [abc]
umieszczony arranged [abc]
umiędzynarodowienie zakupów international sourcing [abc]
umocnienie revetting, solidification [bud.]
umocnienie brzegu shoring [abc]
umocnienie skarpy revetment [bud.]

umocnienie wstępne preconsolidation [bud.]
umocniony held up; over worked (*stressed*); revetted (*supported by pickets, etc.*) [bud.]
umowa agreement, contract, understanding; settlement (*document*); treaty (*written between nations*) [praw.]
umowa budowlana w oparciu o wykaz robót budowlanych (*umowa o wykonanie robót budowlanych według wykazu*) measured contract [bud.]
umowa dodatkowa endorsement [praw.]
umowa frachtowa contract of affreightment [mot.]
umowa o odpowiedzialności cywilnej general liability policy [praw.]
umowa o pracę employment contract, labour contract [abc]
umowa ubezpieczenia podstawowa primary contract [praw.]
umowa wewnątrzzakładowa shop agreement [ekon.]; single plant bargaining [abc]
umowna granica plastyczności yield strength [masz.]
umożliwianie pracy ciągłej allowing the continuous run-through [masz.]
umysłowo chory mentally unbalanced [med.]
umyślny intentional; on purpose [abc]
umywalka washing basin [abc]
umywalnia locker room [abc]
unicestwiać exterminate [abc]
unieruchamiać lock (*locking brake*) [transp.]; shut down (*the boiler*) [energ.]
unieruchomienie locking (*bolt*) [masz.]
unieruchomiony locked [mot.]
unieważniać abolish [abc]

U

unikać avoid (*Avoid coming back*) [abc]

unikat one off [abc]

uniwersalny all sides; universal [abc]

uniwersalny przewód ciśnieniowy universal pressure hose [mot.]

uniwersytet university (*college*) [abc]

uniwibrator monostable multivibrator [el.]

unosić hoist; lift (*lift up*) [abc]

unosić się float, hover [abc]

upadać decay [bud.]; fall [abc]

upadek dilapidation, drop, ruining, crumbling [bud.]; fall [abc]; pitch (*slope*) [mot.]

upadły run down [abc]

upadomierz dipmeter analysis [el.]

upał heat [abc]

uparty stubborn [abc]

upewniać assure [abc]

upierzony feathered [bot.]

upłynniać (*się*) dilute [abc]

upłynnianie liquefying [abc]

upływ discharge [mot.]; expiration [abc]

upływać expire (*time of expiration*) [praw.]; phase out [abc]

upodabniać balance [abc]

upominek z podróży morskiej maritime souvenirs [mot.]

uporać się withstand (*stand up against, bear*) [abc]

uporządkowanie arrangement [abc]

uporządkowany arranged (*set, staged, rigged*) [abc]

upośledzenie fizyczne physical impediment, physical disability [med.]

upośledzenie słuchu hearing impediment [med.]

upośledzony handicapped (*physically h.; disabled*) [abc]

upoważniony do podpisu authorized to sign (*on behalf of*) [ekon.]

upraszczać facilitate, simplify [abc]

upraszczanie syntaktyczne syntactic sugaring [inf.]

uprawa konturowa contour farming (*on mountain-side*) [roln.]

uprawa zbóż grain farming [roln.]

uprawny arable [roln.]

uproszczenie simplification [abc]

uproszczony simplified [abc]

uprząż harness [abc]

uprzejmość favour [abc]

upust stage-bleeding (*bleeding; withdrawal*) [energ.]

upust pary bleeding, stage-bleed, withdrawal [energ.]

upuszczać bleed (*extract*); vent [abc]; bleed off (*on blast furnace*); burn off (*useless, poisonous gasses*) [energ.]

urabiać (*skały*) quarry (*quarried rock*); mine [górn.]

urabialność workability [bud.]

urabialny minable [górn.]

urabianie winning (*digging*) [górn.]

urażony offended [abc]

urlop vacation [abc]

urobek excavated material, excavation material; material dug out (*excavation*) [transp.]

urobek w hałdach material [górn.]

urobek węglowy run-of-the-mine coal [górn.]

urojony kąt padania imaginary angle of incidence [el.]

urok attraction [abc]

urozmaicać vary [abc]

urozmaicenie diversification [abc]

uruchamiać launch [inf.]; operate [el.]; activate, actuate [abc]; start [mot.]; start up [masz.]; start-up [energ.]

uruchamiać korbą crank [mot.]

uruchamiać ponownie reconnect (*done automatically*) [masz.]

uruchamiać turbinę roll the turbine [energ.]

uruchamianie starting [mot.]

uruchamianie sterowania actuating control [fiz.]

uruchamianie z fotela kierowcy in-seat starting [mot.]

uruchamianie zaworu valve actuating [mot.]

uruchamianie zaworu suwakowego gate valve operating mechanism [energ.]

uruchamiany elektrycznie zawór bezpieczeństwa drążka skrętnego pełnoskokowego electrically-assisted full-lift torsion bar safety valve [el.]

uruchamiany pneumatycznie air actuated [masz.]

uruchamiany ręcznie hand-operated; manually-operated [abc]

uruchomienie actuating [abc]; commissioning [mot.]

uruchomienie klapy damper gear [tw.]; flap actuating [mot.]; lip actuating (*lip of BD shovel*) [transp.]

uruchomienie mechanizmu sterowniczego steering control [mot.]

uruchomienie taśmy produkcyjnej start of production [masz.]

uruchomienie urządzenia time of beginning of operation [masz.]

uruchomiony bez poślizgu positively actuated [transp.]

U-rurka U-shaped tube [masz.]

uryna urine [abc]

urząd government authority [polit.]; office [abc]

urząd emigracyjny emigration authority [polit.]

urząd kontroli jakości quality assurance authority (GB) [norm.]

urząd patentowy patent office [polit.]

urząd pocztowy post office [polit.]

urząd pracy labour exchange (*labor exchange*) [abc]

urząd skarbowy revenue office (*internal revenue office*) [abc]

urząd zatrudnienia labour office [abc]

urządzenia do gięcia bending devices [masz.]

urządzenia do obróbki stali steel processing plants [masz.]

urządzenia do obróbki surówki hot metal processing equipment [met.]

urządzenia do pobierania próbek sampling devices [miern.]

urządzenia i narzędzia transportu bliskiego materials handling plants and systems [górn.]

urządzenia mechaniczne znormalizowane standard machinery [masz.]

urządzenia o zastosowaniu domowym i przemysłowym household and industrial appliances [inf.]

urządzenia pomocnicze auxiliaries [abc]; auxiliary means (*auxiliaries*) [masz.]

urządzenia produkcyjne manufacturing equipment [masz.]

urządzenia przeładunkowe bulk materials handling equipment [transp.]

urządzenia sterowane handling systems [masz.]

urządzenia transportu bliskiego materials handling equipment [górn.]

urządzenia wyciągowe skipowe i koszykowe skip and cage hoisting installations [górn.]

urządzenia wydobywcze ciężkie large equipment [górn.]

urządzenie appliance, machine; facility; implement; jig; plant; setup [abc]; unit, plant, boiler unit [energ.]

urządzenie alarmowe burglar alarm [el.]

urządzenie alarmowe podwyższenia poziomu wody high-low water level alarm [energ.]

U

urządzenie alarmowe wielotonowe multiple-sound alarm device [el.]

urządzenie alarmowe wody zasilającej kocioł feed water alarm instrument [hydr.]

urządzenie automatycznego hamowania pociągu automatic train stopping device [transp.]

urządzenie bliźniacze twin system [masz.]

urządzenie blokowe block system [mot.]; block device [inf.]

urządzenie cechujące szlifierskie grinding marker [masz.]

urządzenie centralne master unit [el.]

urządzenie chłodnicze cooling system [abc]

urządzenie cięgłowe draft gear; draw gear [mot]; hitch; towing device [masz.]

urządzenie cięgłowe dzielone slot type draw gear; slot-pattern design draw gear [mot.]; slotted countersunk head screw [masz.]

urządzenie cięgłowo-zderzakowe draw- and buffer gear [mot.]

urządzenie ciężkie giant equipment [transp.]

urządzenie ciśnieniowo-wyrównawcze poziom oleju oil make-up device [masz.]

urządzenie cofa się machine travels <in> reverse [mot.]

urządzenie częściowo odkryte (poza halą) semi-outdoor plant [masz.]

urządzenie czuwakowe dead man's control; dead man's device [mot.]

urządzenie czyszczące cleaning device [narz.]

urządzenie dekarbonizujące CO_2 degassing plant, decarboniser [hydr.]

urządzenie demontujące dismantling equipment (portable) [masz.]

urządzenie do badania wytrzymałości kęsów billet test installation [miern.]

urządzenie do ciągłego odlewania arc type plant (circular) [górn.]; continuous caster (slab caster) [met.]

urządzenie do deskowania klatki szybu cage decking equipment [górn.]

urządzenie do formowania nasypów piling equipment [górn.]

urządzenie do kontroli szyn rail testing probe [mot.]

urządzenie do kształtowania forming fixture [narz.]

urządzenie do ładowania azotem nitrogen charging apparatus [narz.]

urządzenie do mieszania blending equipment [górn.]

urządzenie do napełniania zbiorników paliwem pod ciśnieniem fast fuelling system [mot.]

urządzenie do nawęglania coal handling plant; coaling plant [energ.]

urządzenie do oczyszczania oleju oil cleaner [masz.]

urządzenie do odbijania rapping gear [masz.]

urządzenie do odczytu obrazu przekroju w obrocie rotational section scan instrument (B-scan) [masz.]

urządzenie do odsalania demineralisation plant [energ.]

urządzenie do opuszczania i podnoszenia kotwicy slipper [transp.]

urządzenie do podnoszenia hoisting gear (hoist gear) [mot.]; lifting gear [transp.]

urządzenie do pomiaru temperatury i siły elektromotorycznej temperature and EMF measuring devices [masz.]

urządzenie do pozapiecowej rafinacji stali secondary steel-making facility [masz.]

urządzenie do przechylania dumping body; tilter, tipping device [mot.]

urządzenie do przetwarzania danych data processing equipment [inf.]

urządzenie do rejestracji recording instrument [miern.]

urządzenie do robót podziemnych underground mining system [górn.]

urządzenie do rozdzielania i usuwania obręczy kół tyre separating and stripping device [masz.]

urządzenie do szybkiej wymiany quick hitch; quick release system (QR) [masz.]; rapid changing device [narz.]

urządzenie do ścinania drzew feller attachment (*press term*) [roln.]

urządzenie do ścinania i okrzesywania drzew feller delimber equipment [roln.]

urządzenie do średniego rozdrabniania secondary crusher [górn.]

urządzenie do transportu poziomego floor conveyors [mot.]

urządzenie do transportu ziemi earth moving machine; earth moving unit; EM (*earth moving machine*) [mot.]

urządzenie do usuwania zgorzeliny decindering plant (*decindering system*) [met.]

urządzenie do uzdatniania chłodziwa water treatment plants (*cooling water*) [masz.]

urządzenie do wyszukiwania błędów fault detecting equipment [abc]

urządzenie do wytrząsania rapping gear; vibrator [energ.]

urządzenie do wywracania dumping body; tilter, tipping device [mot.]

urządzenie do wzbogacania chłodziwa water treatment plant (*cooling water*) [masz.]

urządzenie do zabezpieczanie rur przed pękaniem pipe anti-burst device [masz.]

urządzenie do zmiany szerokości toru gauge changing device [mot.]

urządzenie do zmiękczania wody zasilającej feedwater softening plant [hydr.]

urządzenie do znakowania marking device [narz.]

urządzenie dociskowe (*np. przy spawaniu*) holding fixture, tensioning device [masz.]

urządzenie dozująco-mieszające batching and mixing plant [górn.]

urządzenie dwuczęściowe twin-section design [masz.]

urządzenie elektroniczne electronic equipment [transp.]

urządzenie elektryczne electric appliance [el.]; electrical equipment [transp.]

urządzenie głośnikowe loudspeaker system [abc]

urządzenie główne master unit [el.]

urządzenie gotowe do eksploatacji turn-key plant [masz.]

urządzenie górnicze underground mining system [górn.]

urządzenie gruntujące priming device (*spray gun*) [norm.]

urządzenie hamujące prace wyciągu escalator arresting-device [bud.]

urządzenie klimatyzacyjne air condition system [mot.]

urządzenie klimatyzacyjne aircon, air conditioning [aero.]

urządzenie kołowe do odlewania ciągłego circular arc type plant [masz.]

urządzenie kompletne complete plant [abc]

U

urządzenie kontrolne test installation, test equipment; automatic test installation [miern.]

urządzenie kontrolne i sterownicze mechanical rig and control unit [miern.]

urządzenie kontrolne ruchu schodów step inlet monitor [transp.]

urządzenie kontrolne ruchu stopni step sag monitor [transp.]

urządzenie kotłowe boiler plant [energ.]

urządzenie kotwiczne anchor equipment; ground tackle [transp.]

urządzenie ładujące loader [mot.]

urządzenie ładunkowe cargo gear; ship loader [mot.]

urządzenie ładunkowe do worków i pudełek kartonowych shiploader for bags and cardboard boxes [mot.]

urządzenie magazynowe machine in store [masz.]

urządzenie miernicze measuring device [miern.]

urządzenie mieszające mixing plant [bud.]

urządzenie mocujące clamping device, clamping fixture; tensioning device [masz.]

urządzenie montażowe assembling device; assembling rig; mounting device, mounting fixture [masz.]

urządzenie napędowe drive engine; power pack [mot.]

urządzenie napinające chain tension carriage [transp.]

urządzenie napinające łańcuch chain tension device, chain tensioner [transp.]

urządzenie napowietrzne outdoor installation [abc]

urządzenie nastawcze adjusting device [miern.]

urządzenie nastawcze wolne take-up unit [transp.]

urządzenie nastawcze zębów fork adjusting device [masz.]

urządzenie o napędzie silnikowym power driven construction [masz.]

urządzenie obrotowe ręczne device for handwinding; hand winding device; manual drive device [transp.]

urządzenie ochronne protector [masz.]

urządzenie oczyszczające ruszt grate cleaning device [energ.]

urządzenie odbiorcze receiving installation [el.]

urządzenie odcinające barren [masz.]

urządzenie odczytujące scanner [el.]

urządzenie odgazowujące de-aerating plant (*deaerator*) [energ.]

urządzenie odpowietrzające extractor device [górn.]

urządzenie odsłaniające opening-up device [górn.]

urządzenie odsłaniające do ścian udarowych opening-up device for impact wall [górn.]

urządzenie odtwarzające transcriber (*of a dictating machine*) [el.]

urządzenie odwadniające przewoźne mobile dewatering system [górn.]

urządzenie odżużlające deslagging equipment [energ.]

urządzenie opuszczania podnóżka reset button - step sag switch, step lowering device [transp.]

urządzenie ostrzegawcze warning device [mot.]

urządzenie ostrzegawcze błyskające hazard flasher [mot.]

urządzenie ostrzegawcze jazdy wstecz safety device for reversing [mot.]

urządzenie podawcze handling plant [górn.]

urządzenie podgrzewające płynną stal reheating of liquid steel plant [masz.]

urządzenie podnoszące conveying machinery [transp.]

urządzenie podwójnego przeznaczenia dual-purpose unit [transp.]

urządzenie pomiarowe measuring device, measuring apparatus, metering device [miern.]

urządzenie pomocnicze auxiliary attachment [abc]

urządzenie posuwa się do przodu machine travels forward [mot.]

urządzenie powrotne poręczy handrail return [transp.]

urządzenie prowadzące guiding assembly; guiding mechanism [masz.]

urządzenie przechylne boczne side tilting device [mot.]

urządzenie przechyłowe tilter; tipping device [mot.]

urządzenie przekładkowe folding down device [transp.]

urządzenie przeładunkowe towarów masowych bulk goods rehandling plant [transp.]

urządzenie przesiewowe do usuwania zgorzeliny throughput decindering plant [el.]

urządzenie przestawiające on-task device [transp.]

urządzenie robocze equipment [abc]

urządzenie rozdzielcze connector (*with one inlet port and several outlet ports*); distributor; divider [mot.]

urządzenie rozładowcze discharging device (*d. system*) [mot.]

urządzenie rozruchowe cold start equipment [mot.]; starting apparatus [transp.]; start-up device [energ.]

urządzenie ryglujące interlock device [mot.]

urządzenie sedymentacyjne sewage disposal plant, sewage treatment plant [rec.]

urządzenie smarownicze grease lubrication system [mot.]

urządzenie sprzęgowe draft gear [mot.]

urządzenie ssące suction equipment [masz.]

urządzenie stacjonarne stationary plant [masz.]

urządzenie sterowe controller [transp.]

urządzenie sterownicze control device; steering mechanism [mot.]

urządzenie sterujące control device, control gear; rudder [mot.]; control system; controller [el.]; guiding mechanism, guiding assembly; operating device [masz.]; on-task device [transp.]

urządzenie sterujące karburatora throttle linkage [mot.]

urządzenie sterujące sortowaniem sorting control unit [górn.]

urządzenie suszarnicze drying plant [górn.]

urządzenie suwakowe wielopozycyjne multiple position shifting attachment [mot.]

urządzenie sygnalizacyjne signalssation [transp.]

urządzenie sygnalizacyjne ze światłem migowym (*na przejazdach kolejowych*) level crossing flashing light install [transp.]

urządzenie synchronizujące synchronizer attachment, synchronizer supplement [transp.]

urządzenie szczotkowe carbon brush set [el.]

urządzenie środkujące centre shift [masz.]

urządzenie tankujące fuel-filling device [mot.]

urządzenie transportowe convey-

U

ing rack (*conveyor*) [transp.]; conveyor [górn.]; materials handling equipment [abc]

urządzenie transportu bliskiego handling equipment [górn.]

urządzenie tryskaczowe sprinkler arrangement [bud.]

urządzenie ułatwiające rozruch starting aid [mot.]

urządzenie ułatwiające rozruch na zimno cold starting aid [mot.]

urządzenie uruchamiające actuator (*valve actuator*); operating device [masz.]; control device [transp.]; valve actuator [energ.]

urządzenie użyczone hire purchase (HP) [abc]

urządzenie używane used machine [abc]

urządzenie wciągające conveying machinery [transp.]

urządzenie wdmuchujące blowing-in device [energ.]

urządzenie wewnętrzne internal plant [transp.]

urządzenie wiertnicze drill [masz.]

urządzenie wnętrza interior [mot.]

urządzenie wsadowo-spustowe charging and discharging device (HMFD) [energ.]

urządzenie wspomagające booster [mot.]; supporting device [masz.]

urządzenie wspomagające układ kierowniczy steering booster [mot.]

urządzenie wspomagające zapalnik booster; fuse booster [wojsk.]

urządzenie wtryskowe injection system [mot.]

urządzenie wtykowe plug device [el.]

urządzenie wybierające extraction device [górn.]

urządzenie wychwytujące dla osadów wody kondensacyjnej sediment condensation trap [energ.]

urządzenie wychylne i regulujące slewing and adjusting device [transp.]

urządzenie wyładowcze ship unloader [mot.]

urządzenie wyładowcze czerpaka bucket discharging device [mot.]

urządzenie wyładowcze pełnoobrotowe merry-go-round system, rotary-dump equipment [mot.]

urządzenie wyładowcze przesiewowe transfer tables for mechanical flap control [mot.]

urządzenie wyładowcze zasobnika bunker extractor [energ.]

urządzenie wysięgnikowe pojedyncze mono-boom attachment [transp.]

urządzenie wytwarzania echa pulse echo instrument [el.]

urządzenie z rozdrabnianiem wstępnym plant with primary reduction [masz.]

urządzenie zabezpieczające safety device [transp.]

urządzenie zabezpieczające palce finger protection device [transp.]

urządzenie zabezpieczające palce z wyłącznikiem krańcowym finger protection device with limit switch [transp.]

urządzenie zabezpieczające pękanie łańcucha broken chain device [transp.]

urządzenie zabezpieczające ruch schodów comb protection device; step inlet protection [transp.]

urządzenie zabezpieczeniowe silnika motor protection device [transp.]

urządzenie załadowcze charging device [transp.]; loading unit [masz.]

urządzenie załadowcze barek barge loading implement (*b.l. device*) [mot.]

urządzenie zamykające barren [mot.]; locking device [transp.]; shutoff device [masz.]

urządzenie zamykające dyszy nozzle shut-off device [masz.]

urządzenie zapłonowe rozruchowe lighting-up firing equipment [energ.]

urządzenie zapobiegające zamarzaniu anti-freeze device [mot.]

urządzenie zasilające feed device (*feed chute*) [górn.]

urządzenie zastępcze (*na czas wymiany*) spare machine, replacement [masz.]

urządzenie zasysające i odpylające suctrion and dust removing equipment [masz.]

urządzenie zatrzymujące pracę wyciągu escalator arresting-device [bud.]

urządzenie zawieszane attachment (*auxiliary attachment*) [transp.]

urządzenie zdalnego sterowania remote handling equipment [el.]

urządzenie zderzakowe push design [mot.]

urządzenie zewnętrzne external plant [transp.]; outdoor installation, outdoor plant, outdoor unit [abc]

urządzenie zwrotne poręczy handrail winding device [transp.]

urządzenie-wzorzec master unit [el.]

urzędnik imigracyjny immigration officer [polit.]

urzędnik kolejowy railway official [transp.]

urzędowy official [polit.]

urzędujący acting [polit.]

usatysfakcjonowany satisfied [abc]

uskok dead zone [abc]; drop (*slope*) [geol.]; skip distance [masz.]

uskok tektoniczny tectonic destruction, tectonic disturbance [geol.]

uskoki faults [geol.]

usługa service [abc]

usługa gwarancyjna warranty adjustment, warranty payment (*warranty reimbursements*) [abc]

usługa powszechnie dostępna universal service [abc]

usługi dodatkowe ancillary services [abc]

usługi pocztowe postal services [abc]

usługiwać serve [abc]

uspokajać kill (*kill steel, set*) [masz.]; quiet (*comfort, console*) [abc]

uspokojony killed (*killed steel sheet*) [met.]

usposobienie disposition [abc]

usprawiedliwiać excuse [abc]

usprawniać improve [abc]

ustalacz locking device; retainer [abc]

ustalacz obrotowy slewing lock [transp.]

ustalacz rolkowy roller retainer [transp.]

ustalać truss [bud.]; determine [abc]; establish [energ.]

ustalać pisemnie lay down in writing [abc]

ustalać położenie localize [abc]

ustalanie metodą analityczną analytical ascertainment [chem.]

ustalanie położenia positioning [transp.]

ustalenie bracket [transp.]; determination [abc]; lock [transp.]

ustalenie położenia determination of position [miern.]

ustalenie wielkości ziarna visual designation of grain sizes [bud.]

ustalenie zapotrzebowania requisition, requisitioning [el.]

ustalony detected, released, steady, stipulated, laid down [abc]

ustalony pisemnie laid down in writing [abc]

ustały matured (*well ripened*) [abc]

U

ustanawiać constitute; establish [abc]; standardize [mot.]

ustanowiony established (*well established*) [abc]

Ustawa o Bezpieczeństwie i Higienie Pracy Health and Safety at Work Act [praw.]

Ustawa o Ochronie Czystości Powietrza Clean Air Act (GB) [praw.]

Ustawa o Ochronie Danych Data Protection Act (GB) [praw.]

Ustawa o Ruchu Drogowym Road Traffic Act (GB: RTA) [praw.]

Ustawa o Zabezpieczeniach Maszyn machine protection law [praw.]

ustawiacz układu mechanicznego hamulca slack adjuster (*brake regulator*) [mot.]

ustawiać (*się, w kolejce*) queue; adjust; pre-set; regulate; set (*the alarm clock*); time (*time a machine, a clock*) [abc]; set up [masz.]; top up (*crane*) [trans.]

ustawiać na zero zero (*zero in*) [abc]

ustawiać ogranicznik dymu set the smoke limiter [mot.]

ustawiać w szeregu range [abc]

ustawialny hinged [abc]

ustawianie adjusting, adjustment [abc]; alignment [masz.]

ustawianie czasu jednostkowego cycle timing [abc]

ustawianie kierunku directioning (*proper directioning*) [mot.]

ustawienia domyślne defaults [inf.]

ustawienie setting [mot.]

ustawienie bezstopniowe continuously variable setting [mot.]

ustawienie fabryczne zaworu factory preset (*valve*) [mot.]

ustawienie na pracę ręczną attitude towards manual labour [abc]

ustawienie pochylenia kół wheel lean adjusting [transp.]

ustawienie powierzchniowe surface direction [inf.]

ustawienie punktu pracy biasing [abc]

ustawienie rozruchowe grid (*starting grid in rows*) [mot.]

ustawienie sortownika classifier adjustment [górn.]

ustawienie szerokości toru gauge configuration [mot.]

ustawienie tablic informacyjnych (*lub znaków drogowych*) lettering and marking [abc]

ustawienie tarczy krzywkowej cam angle [mot.]

ustawienie wzmocnienia wyjściowego setting the output amplification [el.]

ustawiony pre-set [mot.]

ustawodawstwo legislation [polit.]

ustawowy legal (*legally*) [praw.]

ustąpienie resignation [abc]

usterka drawback, shortage [abc]

usterka urządzenia deficiency (*defect*) [mot.]

usterzenie poziome tailplane [transp.]

usterzenie wysokości tailplane [transp.]

ustęp underhand stope [górn.]

ustęp warstwy wybierania benching (*underground benching*), step bench (*open pit mining*) [górn.]

ustęp wyrobiska wyprzedzającego step bench (*open pit mining*) [górn.]

ustępować miejsca make way [abc]

ustnik nozzle [mot.]

ustny verbal [abc]

usunąć dismiss [polit.]

usunięcie abend [inf.]; removal [abc]

usunięcie usterki elimination of a deficiency [abc]

usunięty disposed of [rec.]; removed [abc]

usuwać delete, peel (*off*); purge; remove [abc]; strip [górn.]

usuwać odpady dispose of [rec.]

usuwać z terenu budowy evacuate site [bud.]

usuwać zadziory bur (*debur*) [met.]

usuwać zgorzelinę decinder [met.]

usuwalny removable [abc]

usuwanie removal; disposal (*specially secured*) [rec.]; digging [górn.]

usuwanie awarii remedying <of> the fault [abc]

usuwanie gałęzi branch removal, debranching [bud.]

usuwanie krzemionki silica removal [energ.]

usuwanie nadkładu removal, dismantling; stripping [górn.]

usuwanie popiołu ash disposal (*ash removal*); ash removal [energ.]

usuwanie rąbków deburring (*take sharp edge off*) [met.]

usuwanie usterek trouble shooting [masz.]

usuwanie zakłóceń remedying <of> the fault [abc]

usuwanie żużla w stanie ciekłym liquid slag removal [energ.]

usyp pile [górn.]

usypiać stun (*paralyse*) [med.]

usypisko dump [górn.]

usypywanie wału construction of dam [bud.]

usytuowany centralnie dead centre [rys.]

uszczelka gasket [transp.]; packing [mot.]; seal; sealing washer, washer [masz.]

uszczelka filcowa felt packing [masz.]

uszczelka gumowa rubber seal [masz.]

uszczelka kształtowa sealing section [masz.]

uszczelka metalowa metallic gasket, metallic packing [masz.]

uszczelka miedziana copper seal [masz.]

uszczelka miedziano-azbestowa copper asbestos gasket [masz.]

uszczelka mieszkowa bellow-type seal [masz.]

uszczelka obudowy przekładni kierownicy packing for steering gear housing [mot.]

uszczelka olejowa oil seal [mot.]; oil seal plate [masz.]

uszczelka osiowa axial gasket [masz.]

uszczelka pod głowicę cylindra head gasket [mot.]

uszczelka pompy wodnej water pump packing [mot.]

uszczelka półosi axle shaft gasket [masz.]

uszczelka promieniowa wału korbowego w kadłubie crankshaft oil seal [mot.]

uszczelka sprężysta resilient seal [mot.]

uszczelka stożkowa cone packing [masz.]

uszczelka ścierająca wiper ring; wiping seal [masz.]

uszczelka zaciskowa sealing [mot.]; window strip [masz.]

uszczelniać pack; seal; obturate [masz.]

uszczelnienie cast seal; packing; sealing [mot.]; gasket; seal; washer [masz.]

uszczelnienie azbestowe asbestos sealing [masz.]

uszczelnienie dławieniowe sealing gland [masz.]

uszczelnienie głowicy cylindra cylinder head gasket [mot.]

uszczelnienie kształtowe shaped packing [mot.]

uszczelnienie labiryntowe corrugated packing ring; labyrinth seal [energ.]

U

uszczelnienie miękkie soft packing [abc]

uszczelnienie miski olejowej oil pan gasket; oil sump gasket [masz.]

uszczelnienie olejowe oil seal sleeve [masz.]

uszczelnienie olejowe labiryntowe screw-type oil seal [masz.]

uszczelnienie osiowe axial packing; axial pitch [masz.]

uszczelnienie papierowe paper seal [masz.]

uszczelnienie pierścieniem ślizgowym duo-cone seal [masz.]; slide ring packing; slide ring seal [mot.]

uszczelnienie płaskie gasket [masz.]

uszczelnienie pompy wodnej water pump sealing [mot.]

uszczelnienie półosi axle shaft gasket [masz.]

uszczelnienie promieniowe radial packing [masz.]

uszczelnienie rusztu side grate seal [energ.]

uszczelnienie skórzane leather packing and jointing [mot.]

uszczelnienie tłoczyska (*nowego typu*) stepseal [masz.]

uszczelnienie tłoka stepseal [masz.]

uszczelnienie wału korbowego w kadłubie crankshaft oil seal [mot.]

uszczelnienie wału krzywkowego cam shaft seal [mot.]

uszczelnienie wału pompy pump shaft seal [mot.]

uszczelnienie warstwą węglową carbon face seal [mot.]

uszczelnienie wstępne pre-sealing [mot.]

uszczelniony sealed [abc]

uszczelniony zawór nadciśnieniowy chłodnicy sealed pressure overflow of radiator [mot.]

uszczerbek na zdrowiu damage done to health [praw.]

uszkadzać damage (*do harm to*) [mot.]

uszko ear; eye [abc]

uszko igielne bottleneck [abc]

uszkodzenie breakdown; damage, defect, flaw, fault, destruction, injury, harm; disturbance (*mentally disturbed*); failure (*misfortune, small accident*) [abc]

uszkodzenie głowicy headcrash [inf.]

uszkodzenie płyty head crash [inf.]

uszkodzenie powierzchni external flaw; surface flaw [masz.]

uszkodzenie powierzchniowe damage of surface [tw.]

uszkodzenie powstałe wskutek ścierania fretting failure [masz.]

uszkodzenie przewodów underground and overhead property damage [praw.]

uszkodzenie rury tube failure, tube fault [masz.]

uszkodzenie rury po stronie spalinowej gas-side tube fault [energ.]

uszkodzenie strony odwodnej rury water-side tube fault [energ.]

uszkodzenie w systemie hydraulicznym failure in hydraulic system [abc]

uszkodzenie wzdłużne powierzchni external longitudinal flaw [masz.]

uszkodzony damaged [mot.]; defective [tw.]

uszlachetniać upgrade [abc]

uszlachetnianie coating (*of steel surfaces*) [met.]

uszlachetnianie stali steel coating [masz.]

uszlachetnianie stali walcowanej finishing rolled steel [met.]

uszlachetniony powierzchniowo coated (*material on top*); surface coated [masz.]

usztywniacz ciśnieniowy pressure stiffener [masz.]

usztywniać stiffen [abc]

usztywnianie bracing [bud.]

usztywnienie reinforcement [masz.]; stiffening [transp.]

usztywnienie krzyżulcami brace (*bracing*); framework [masz.]

usztywniony stiffened [abc]

utajone ciepło parowania latent heat of vaporisation [energ.]

utajony concealed [abc]

utarg z obrotu turnover exposure [praw.]

utknąć bog down [mot.]; stall [masz.]

utleniacz oxidizer, oxidant [chem.]

utleniać (*się*) oxidize [chem.]

utlenianie oxidation [chem.]

utlenianie anodowe anodic treatment [masz.]

utleniony oxidized (*rusted, burnt*) [chem.]

utrata loss [abc]

utrata elastyczności embrittlement [tw.]

utrata mocy loss of power [masz.]

utrata napięcia voltage drop, voltage loss [el.]

utrata twardości loss of hardness [bud.]

utrata zarobku lost pay [abc]

utrącać knock off [met.]

utrudniony hampered [abc]

utrwalenie powierzchniowe surfacing [masz.]

utrwalony laid down [abc]

utrzymanie maintaining; maintenance [abc]

utrzymanie dróg gruntowych maintenance of dirt and gravel road [transp.]

utrzymanie dróg polnych i leśnych farm and forestry road maintenance [transp.]

utrzymywać maintain; sustain [abc]

utrzymywać stałą wartość maintain steady load [energ.]

utrzymywanie zwiększonego ciś- nienia pressurization (*of the tank*); tensioning [energ.]

utwardzacz hardener [transp.]

utwardzać harden [met.]; mortar-mix; solidify [bud.]

utwardzać powierzchniowo metodą obróbki cieplno-chemicznej carbonize [met.]

utwardzać powierzchniowo metodą obróbki powierzchniowo-chemicznej case-harden [met.]

utwardzanie curing [bud.]

utwardzanie dyfuzyjne case hardening [tw.]

utwardzany powierzchniowo case hardened [tw.]; surface solidified [masz.]

utwardzenie hardening; tempering [met.]; mortar-mix, solidification [bud.]

utwardzenie gruntu soil stabilization [bud.]

utwardzony case hardened [tw.]

utwardzony powierzchniowo metodą obróbki cieplno-chemicznej carbonized [met.]

utwardzony powierzchniowo metodą obróbki powierzchniowo-chemicznej case-hardened [tw.]

utwór track (*recording track*) [abc]

utykać w miejscu hook [energ.]

utylizacja utiliztion [abc]

uwaga comment, remark, note [abc]

uwagi ogólne general remarks [abc]

uwalniać absolve [abc]

uwalniać obieg oleju allow oil flow [transp.]

uwarstwienie bedding [bud.]; ply (*in games*) [inf.]

uwarunkowany wynikami handlowymi tied up in the course of business [abc]

uwodnienie hydration [chem.]

uwolnienie relief [abc]

U

uwydatnienie się emergence (*czegoś*) [bud.]

uwzględniać regard [abc]

uzależniony od ciężaru load depending [abc]

uzbrajać (*np. działkę*) install utilities [bud.]; arm; armament; armor (*GB: armour, protecting covering*) [wojsk.]

uzbrojenie bead (*reinforcement of tire pad*) [masz.]

uzbrojony armed [abc]

uzbrojony pojazd holowniczy armoured recovery vehicle (ARC) [wojsk.]

uzda harness; rein (*bridle*) [abc]

uzębienie toothing, set of teeth [masz.]

uzębienie ewolwentowe involute toothing [masz.]

uzębienie krawędzi edge indentation [bud.]

uzębienie niskie proste straight-short toothing [masz.]

uzębienie promieniowe radial teeth [masz.]

uzębienie proste spur toothing [masz.]

uzębienie skośne helical gearing [masz.]

uzębienie śrubowe helical gearing [masz.]

uzębienie wewnętrzne inner decking; internal gearing; internal toothing; internal toothing [mot.]; internal gear [masz.];

uzębienie zewnętrzne external toothing [masz.]

uzębiony toothed [masz.]

uzębiony skośnie spiral toothed [masz.]

uzębiony śrubowo spiral toothed [masz.]

uzgadniać (*coś*) agree (*agree on a subject*); agree on [abc]

uzgodnienie stron co do właści- wości sądu agreement as to competency of court [praw.]

uzgodnienie wyraźne explicit settlement; expressed agreement [praw.]

uziarnienie coal sizing [energ.]; grain size, grain-sizes [tw.]; grain; graining, size of coal [górn.]; particle size [bud.]

uziarnienie materiału finished material size [met.]

uziemiać protection earth [el.]

uziemianie (*ochronne*) protection earthing (PE) [el.]

uziemienie earth connection; grounding; PE (*protection earthing*) [el.]

uziemienie do ramy transformatora earth to transformer frame [el.]

uziemienie punktu gwiazdowego neutral earthing [el.]

uziemienie szafy rozdzielczej instrument cabinet earthing [el.]

uziemiony earthed [el.]

uznanie międzynarodowe international standing [abc]

uznany recognized [abc]

uznawać acknowledge; approve [abc]

uznawany acknowledged [abc]

uzupełniać complete [abc]; top (*oil, coolant*) [mot.]

uzupełniający complementary, supplementary [abc]

uzupełnienie complement, supplement; completion [abc]; complementing [inf.]

uzupełnienie grubości ścianki wall thickness gauge [bud.]

uzupełnienie zapasów replenishment [wojsk.]

uzwojenie winding [el.]

uzwojenie dwuwarstwowe two layer winding [el.]

uzwojenie jednowarstwowe one layer winding [el.]

uzwojenie pierwotne primary coil [el.]

uzwojenie prądu stałego DC-field coil [el.]

uzwojenie prądu zmiennego AC-field coil [el.]

uzwojenie przekaźnika relay winding [el.]

uzwojenie silnika motor winding [el.]

uzwojenie stojana stator winding [el.]

uzwojenie wzbudzenia magnet coil [el.]

uzysk ciepła heat yield [energ.]

uzyskiwać żywicę resin [bot.]

użebrowanie ribbing [transp.]

użebrowanie rurowe z zaworami cascade [transp.]

użycie application; use [abc]

użycie długoterminowe long-term work [mot.]

użycie koparki shovel application [transp.]

użycie koparki łyżkowej podsiębiernej backhoe application; backhoe work [transp.]

użycie pojazdów i urządzeń employment of vehicles and equipment [mot.]

użycie towaru material usage [abc]

użyteczność practicability; usefulness; utility [abc]

użyteczny useable, useful [abc]

użytkować exploit [abc]

użytkowany utilized [abc]

użytkownik user [inf.]; user [transp.]

użytkowość urządzeń i komunikacji communicate rationality [inf.]

używać use, utilize [abc]

używać wielokrotnie use several times over [abc]

używalność usability [abc]

używalność wielokrotna reusability [inf.]

używanie using [abc]

używany used [abc]

V

V *(wolt)* volt, V [el.]; *(wanad)* vanadium, V [chem.]

VA *(woltamper)* volt-ampere [el.]

verte P.T.O. *(please turn <page> over)* [abc]

W

w akcji in action [wojsk.]

w bliskim zasięgu at close range [abc]

w całym kraju nation-wide [polit.]

w czasie *(od...do...)* during the time *(from ... to ...)* [abc]

w dole below, down [abc]

w dół rzeki downstream [mot.]

w górę up, upwards [transp.]

w imieniu on behalf of; in the name of [abc]

w kierunku wschodnim eastward [abc]

w kraju i za granicą at home and abroad [abc]

w kształcie lejka funnel-shaped [abc]

w kształcie spirali spiral arrangement [masz.]

w linii prostej as the crow flies [abc]

w mieście i na wsi in town and country [abc]

w naturalnym miejscu in situ [bud.]

w obliczu miejscowych warunków in light of local conditions [abc]

W

V

w obrazie odbitym in reflected image; laterally reversed [abc]

w odbiciu lustrzanym mirror-inverted [abc]

w owym czasie at one time [abc]

w pełni dopasowany przemiennik momentu obrotowego full match torque converter [mot.]

w pierwotnym położeniu in situ [bud.]

w pogotowiu standing by [abc]

w połączeniu z in conjunction with [abc]; relevant to [masz.]

w położeniu spoczynkowym in idle position [mot.]

w poprzek cross [tw.]

w porównaniu in comparison with [abc]

w praktyce in the field [abc]

w przybliżeniu approximate, approximately, about [abc]

w ramach in the course of [praw.]

w stanie walcowanym as-rolled (as they are rolled) [masz.]

w stanie walcowanym lub gładkim as rolled or smoother (finish) [masz.]

w ten sposób in this way (in that way) [abc]

w terenie in the field [transp.]

w terminie within a period of [abc]

w tym samym rozmiarze of the same size [abc]

w wiązkach kabli in loops [el.]

w zakładzie ubezpieczonego on the premises of the insured [prawn.]

w załączeniu attached; enclosed [abc]

w zamiarze within view [abc]

w zasięgu ręki within easy reach [abc]

wabik decoy [abc]

wachlarzowaty fan-shaped [górn.]

wada defect (flaw) [tw.]; defect, flaw [met.]; drawback; failure, fault (technical defect), shortage [abc]

wada fabryczna flaw [met.]

wada krytyczna negatywna negative critical defect [met.]

wada obrzeża fringe flaw [met.]

wada powierzchniowa damage of surface [tw.]

wada produkcyjna defect in manufacturing [prawn.]

wada produktu defaults on production [tw.]

wada rdzenia centre line flaw; core flaw (during casting, moulding) [tw.]

wada rdzeniowa centre line flaw; core flaw (during casting, moulding) [tw.]

wada słuchu hearing impediment [med.]

wada spoiny runout of seam (phase out of seam) [met.]

wada stożkowa cone defect (flaw) [tw.]

wada wewnętrzna i zewnętrzna internal and extern <surface> flaws [masz.]

wada wymowy speech impediment [med.]

wada wzdłużna wewnętrzna internal longitudinal flaw [met.]

wada wzorcowa artificial flaw [masz.]; reference flaw (reference defect) [miern.]

wadliwa instalacja faulty installation [met.]

wadliwe spawanie defective welding [met.]

wadliwe zgrzewanie defective welding [met.]

wadliwy defective [tw.]; inherent vice (with inherent vice) [prawn.]; with failures [abc]

wafel wafer [abc]

waga (in lbs, tons, kilos) weight [miern.]; balance (has a pan on each side) [prawn.]; scale [miern.]; weighing equipment [transp.];

weighing machine [energ.]; weighing scale [abc]

waga brutto gross weight [abc]; gvw [mot.]

waga do mierzenia nacisku kół wheel load scales [mot]

waga do węgla coal scale [miern.]

waga opakowania tare weight [abc]

waga operacyjna operational weight [transp.]

waga z tarczą numerową dial balance [miern.]

wagon (*towarowy, osobowy*) wagon; coach; vehicle [mot.]

wagon bagażowo-samochodowy brake van (*specifically fit for the carrying of cars*) [mot.]

wagon bagażowy baggage car; brake (GB); luggage van [mot.]

wagon bez buforów bufferless wagon [mot.]

wagon bufetowy buffet car; dining car [mot.]

wagon-chłodnia refrigerated wagon [mot.]

wagon chłodnia dwuosiowy two-axle refrigerator wagon [mot.]

wagon-cysterna tank car, tank wagon [mot.]

wagon czyszczący rail scrubber car (*tram*) [mot.]

wagon dennozsypny bottom discharge wagon; funnel wagon; bottom centre discharge wagon [mot.]; hopper car (*w. cable reel car*); cable reel and hopper car [transp.]

wagon dennozsypowy samowyładowczy central self-discharging wagon [mot.]

wagon dłużycowy lumber car (US); timber wagon (GB) [mot.]

wagon do przewozu chorych ambulance coach [mot.]

wagon do przewozu nawozów fertilizer wagon [roln.]

wagon do przewożenia pojazdów transport truck (*road/rail*) [mot.]

wagon doczepny railcar trailer [mot.]

wagon dwuosiowy kryty two-axle covered wagon [mot.]

wagon dwupoziomowy double deck wagon [mot.]

wagon dwupoziomowy do przewozu samochodów double deck wagon for the carriage of cars [mot.]

wagon klasy 1 i 2 AB wagon (*1st and 2nd class coach*) [mot.]

wagon kolejki podziemnej underground car [mot.]

wagon kolejowy railway wagon [mot.]

wagon kolejowy bez buforów wagons without buffers (*bufferless*) [mot.]

wagon kolejowy do transportu towarowego railway cars for freight traffic [mot.]

wagon kolejowy wanienkowy trough car [mot.]

wagon kontenerowy conflat (*container flat wagon*); container wagon [mot.]

wagon kontrolny rail test car; railway test car [mot.]

wagon końcowy end wagon [mot.]

wagon kryty boxcar (GB: trunk) [mot.]

wagon kryty czteroosiowy covered bogie wagon [mot.]

wagon kryty oplandeczony covered wagon [mot.]

wagon kublowy three/quarter ton track [mot.]

wagon metra subway car, subway carriage (US); underground car (GB) [mot.]

wagon motorowy power car; railcar [mot.]

wagon motorowy parowy steam railcar [mot.]

W

wagon motorowy pospieszny express railcar; fast railcar [mot.]

wagon na wózkach zwrotnych czteroosiowy four-axle bogie [mot.]

wagon niekryty high-sided open wagon; low-sided open wagon (*open wagon*); sided open wagon (GB) [mot.]

wagon niekryty czteroosiowy bogie high-sided open wagon [mot.]

wagon niekryty dwuosiowy two-axle high-sided open wagon [mot.]

wagon niskoburtowy low-sided open wagon [mot.]

wagon osobowy passenger car [mot.]

wagon osobowy o dużej pojemności open coach; wide-body wagon [mot.]

wagon osobowy z korytarzem bocznym side corridor coach [mot.]

wagon osobowy z pomieszczeniem bagażowym brake-ended passenger coach [mot.]

wagon osobowy z przedziałami coach with side doors [mot.]

wagon osobowy z przejściem środkowym centre gangway coach [mot.]

wagon osobowy złożony composite coach (*1st and 2nd class*) [mot.]

wagon otwarty dome car [mot.]

wagon pasażerski carriage (*coach*) [mot.]

wagon piętrowy double deck coach [mot.]

wagon-platforma do przewozu kontenerów conflat; container wagon [mot.]

wagon platforma na wózkach zwrotnych flat bogie wagon [mot.]

wagon-platforma z podłogą zagłębioną well wagon [mot.]

wagon płaskodenny z wyładowaniem bocznym flat-body side-discharging wagon [mot.]

wagon pociągu pospiesznego express coach (*express train coach*) [mot.]

wagon pociągu pospiesznego lekkiej konstrukcji light weight express coach; light weight express train coach [mot.]

wagon pocztowy mail coach (*mail truck*); railway postal coach [mot.]

wagon pomiarowy railway test car (*yellow wagon*) [mot.]

wagon pomiarowy do badania stanu toru rail test car (*yellow wagon*) [mot.]

wagon prototypowy prototype wagon [mot.]

wagon przegubowy articulated railcar [mot.]

wagon restauracyjny buffet car; diner; restaurant car (*dining car, diner*) [mot.]

wagon roboczy maintenance wagon [mot.]

wagon salonowy saloon coach [mot.]

wagon samowyładowczy dumper; side-discharging wagon, side-discharging wagon with side-tipping buckets; tipper, tipping car, tipping lorry, tipping wagon [mot.]

wagon samowyładowczy bocznozsypny side discharging car [mot.]

wagon samowyładowczy bocznozsypny z zaworem suwakowym obrotowym s-dish hopper wagon with pivoting sector doors; side discharging hopper wagon with pivot sector doors [transp.]

wagon samowyładowczy z dnem siodłowym hopper wagon; saddleback wagon car; side hopper [mot.]

wagon samozsypny dumper; side-discharging wagon with side-tipping buckets; tipper, tipping car, tipping lorry, tipping wagon; hopper wagon [mot.]

wagon sanitarny ambulance coach [mot.]

wagon silnikowy power car (*of a railcar unit*); railcar (*may have bogies, diesel*) [mot.]

wagon silnikowy akumulatorowy battery railcar [mot.]

wagon silnikowy elektryczny electric railcar [mot.]

wagon silnikowy parowy steam railcar [mot.]

wagon silosowy tank wagon for the carriage of goods in powder form [mot.]

wagon służbowy maintenance wagon [mot.]

wagon spalinowy z silnikiem wysokoprężnym diesel railcar [mot.]

wagon specjalny special car (*special wagon*) [mot.]

wagon standardowy standard wagon [mot.]

wagon sterowniczy control trailer (*push-pull operation*) [mot.]

wagon sypialny sleeper, sleeping car [mot.]

wagon świetlica buffet car [mot.]

wagon towarowy (*do przewozu kruszywa*) aggregate wagon; covered wagon; van [mot.]

wagon towarowy czteroosiowy bogie goods wagon [mot.]

wagon towarowy kryty boxcar; covered wagon (UIC) [mot.]

wagon towarowy prywatny privately owned freight wagon (GB) [mot.]

wagon towarowy standardowy normal-type freight car [mot.]

wagon towarowy uniwersalny interchangeable high-sided/flat wagon [mot.]

wagon towarowy o różnym przeznaczeniu interchangeable high-sided/flat wagon [mot.]

wagon towarowy zamknięty goods van (*truck, freight car*) [mot.]

wagon towarowy zwykły normal-type wagon [mot.]

wagon widokowy observation car [mot.]

wagon wielkoprzestrzenny widebody wagon [mot.]

wagon wywrotka tipping car, tipping wagon [mot.]

wagon z kadzią surówkową pig-iron ladle car [mot.]

wagon z kozłami (*do przewożenia szklanych płyt*) wagon for the carriage of plate glass [mot.]

wagon z ławą pokrętną flat wagon with swivel bolster [mot.]

wagon z miejscami do leżenia couchette coach (*unknown in GB*) [mot.]

wagon z przedziałami compartment coach (GB) [mot.]

wagon z przedziałami bez przejść non-gangwayed compartment coach [mot.]

wagon z wyładowaniem bocznym side<discharging> hopper wagon [mot.]

wagon z wywrotnymi kolebami na wózkach zwrotnych tipping wagon on bogies [mot.]

wagon zbiornikowy tank car, tank wagon [mot.]

wagon zbiornikowy dwuosiowy two-axle tank wagon [mot.]

wagon zbiornikowy na wózkach zwrotnych tank wagon on bogie Uacs [mot.]

wagon-platforma flat wagon, flatbed car; warflat [mot.]

wagowy check weighman; weigher [abc]

wahacz gooseneck; rocker, rocker arm [transp.]; lever; tilt control lever [masz.]; seesaw [abc]

wahacz dwuosiowy four-wheel bogie [transp.]

W

wahacz podłużny longitudinal control arm; trailing link (*longitudinal control arm*) [mot.]

wahacz podwójny walking beam [mot.]

wahacz poprzeczny transverse control arm; transverse link (*control arm*) [masz.]

wahacz sprężysty equalizer spring [masz.]

wahacz trójkątny joint triangle (*with rod and cylinders*) [transp.]; triangle with joints; triangular rocker [masz.]

wahać się oscillate [fiz.]; oscillate [masz.]; shuttle [mot.]

wahadło pendulum [abc]

wahania o przebiegu przejściowym transient oscillations [fiz.]

wahania poprzeczne radial oscillation [fiz.]

wahanie fluctuation [abc]; oscillation [mot.]; swinging (*rocking*); vibration [transp.]

wahanie częstotliwości frequency swing [el.]

wahanie grubości ścianki variation of wall thickness [bud.]

wahanie napięcia voltage fluctuation [el.]

wahanie obciążenia load fluctation [energ.]

wahanie prostokątne square wave [transp.]

wakacje vacations [abc]

wakujący vacant (*switch not yet connected*) [el.]

walcarka do rur tube expander [masz.]

walcarka formatowa forming roller unit (*steel works*) [masz.]

walcować roll (*mill; quench after tempering*) [masz.]

walcować gwint thread roll [masz.]

walcować na zimno cold roll [masz.]

walcowanie na zimno cold rolling [masz.]

walcowany rolled [masz.]

walcowany bez szwu seamless rolled [masz.]

walcowany na gorąco hot rolled [masz.]

walcowany na zimno cold rolled [masz.]

walcowany wygładzająco killed [masz.]

walcownia mill [abc]; rolling mill [masz.]

walcownia blachy sheet rolling mill [masz.]

walcownia blachy białej tin plate line [masz.]

walcownia do walcowania na zimno cold rolling plant [masz.]

walcownia duża heavy section mill [masz.]

walcownia gorąca hot-rolling plant [masz.]

walcownia kształtowników section mill [masz.]

walcownia kształtowników ciężkich heavy section mill; special heavy-section mill [masz.]

walcownia rur pipe mill [masz.]

walcownia taśm na gorąco hot strip mill [masz.]

walcownia taśm szerokich line for hot-rolled sheet [masz.]

walcownia wygładzająca skin passing [masz.]

walcownia zimna cold rolling plant [masz.]

walczak dolny lower drum; mud drum [energ.]

walczak górny feeding drum [masz.]; steam take-off drum [energ.]

walczak kotła lokomobilowego long boiler [mot.]

walczak parowy steam take-off drum [energ.]

walczak wodny water drum (*lower drum*) [energ.]

walczyć (*przeciw*) combat (*direct fight against*) [wojsk.]

walec roll [met.]; roll, roller, drum [masz.]; roller (*steam r.*) [bud.]

walec do gięcia (*blachy*) bending roll [met.]

walec do poboczy shoulder roller [transp.]

walec do prostowania straightening roller machine [masz.]

walec drogowy road roller [bud.]

walec drogowy na oponach pneumatycznych rubber-tyred road roller [bud.]

walec kołowy segmentowy segmented wheel roller [masz.]

walec kratowy mesh pattern roller [masz.]

walec nożowy blade cylinder [transp.]

walec parowy steam roller [mot.]

walec spalinowy diesel roller [mot.]

walec stalowy steel roller [masz.]

walec stalowy nawrotny steel brush [mot.]

walec stożkowy tapered roll [masz.]

walec ubijający tamping foot roller [masz.]

walec wibracyjny vibrating roller [masz.]

walec wibracyjny przyczepny towed vibrating roller [mot.]

walec zwrotny stalowy brush, steel [transp.]

walec wierzchołków koła zębatego tilt cylinder (*to the side*); tip cylinder, tipping cylinder (*on bucket*) [masz.]

walić knock down [abc]

walizka suitcase [abc]

walka fight (*struggle, skirmish, battle*) [wojsk.]; struggle (*struggle for survival*) [abc]

walne zgromadzenie annual general meeting [ekon.]

wał bank; dam; bulwark; dike [bud.]; dyke [roln.]; shaft [masz.]; water edge [abc]

wał bębna drum shaft [mot.]

wał boczny side shaft [mot.]

wał boczny w okładzinie gumowej side shift, rubber covered (*bale clamp*) [mot.]

wał Cardana cardan shaft; driveline; transmission shaft; universal drive, universal drive shaft, universal joint shaft, universal shaft [mot.]

wał członowy articulated shaft [masz.]

wał czynny wentylatora fan drive shaft [mot.]

wał drążony hollow shaft [masz.]

wał dwukierunkowy reversing shaft [transp.]

wał dzielony steering sector shaft [mot.]

wał elektryczny synchro system [el.]

wał giętki bending wave [masz.]

wał główny head shaft; main shaft; vertical shaft [mot.]

wał główny z wieloklinem śrubowym main shaft with helical splines [mot.]

wał hamulcowy brake shaft [transp.]

wał kierownicy steering control shaft; steering finger shaft; steering shaft, steering wheel shaft [mot.]

wał koła łańcucha stopni step chain wheel shaft [transp.]

wał koła napędowego drive tumbler shaft [transp.]

wał korbowy crankshaft [mot.]

wał korby rozruchowej starting crankshaft [mot.]

wał krążka kierowniczego steering roller shaft [mot.]

wał krótki stub shaft [masz.]

wał krzywkowy camshaft [mot.]

W

wał krzywkowy rozrządu camshaft timing gear wheel [mot.]

wał krzywkowy wlotu inlet camshaft [mot.]

wał krzywkowy z dźwignią przestawną eccentric shaft and adjusting lever [mot.]

wał łańcuchowy chain shaft [transp.]

wał mechanizmu jezdnego king post [mot.]

wał mechanizmu jezdnego pionowy king post [mot.]

wał mechanizmu różnicującego balancer shaft [mot.]

wał napędowy drive shaft; prop shaft (*US: propulsion shaft*); transmission shaft [mot.]; driving shaft [masz.]; universal joint shaft [transp.]

wał napędowy giętki flexible drive shaft [mot.]; flexible shaft [masz.]

wał napędowy z kołem zębatym transmission shaft with pinion [masz.]

wał napędowy z podwójnymi przegubami napędu przedniego double propeller shaft for front-wheel-drive [mot.]

wał napędzający propeller shaft [mot.]

wał napędzający akcesoria accessory shaft [masz.]

wał nawrotny return chain sprocket shaft [transp.]

wał ochronny bund, protective bund, dam, dike [wojsk.]

wał odbioru mocy power take off (PTO) [mot.]

wał osiowy axle [transp.]; axle shaft [masz.]

wał osiowy przedni front axle shaft [mot.]

wał pędniany line shaft [mot.]

wał pomocniczy auxiliary shaft [mot.]

wał pompy wodnej water pump shaft [mot.]

wał pośredni counter shaft [mot.]

wał przegubowy cardan shaft; driveline; transmission shaft; universal drive, universal drive shaft, universal joint shaft, universal jointed shaft, universal shaft [mot.]; joint shaft [masz.]

wał przekładni zębatej stożkowej bevel gear shaft [masz.]

wał przepustnicy throttle valve shaft [el.]

wał przewiercony hollow shaft [masz.]

wał pusty hollow shaft [masz.]

wał rozpieracza krzywkowego brake cam lever [mot.]

wał rozrządczy camshaft [mot.]

wał rurowy tubular guiding sleeve; tubular shaft [masz.]

wał sprzęgła kłowego dog clutch shaft [masz.]

wał stawidła rocker <arm> shaft [masz.]

wał ślepy blind shaft [mot.]

wał ślimakowy scrole; worm gear shaft, worm shaft [masz.]

wał tachometryczny speedometer cable; speedometer shaft [mot.]

wał transmisyjny line shaft [transp.]

wał ustawczy alignment bar [masz.]

wał wahliwy slewing shaft, swing shaft [mot.]

wał wejściowy input shaft [mot.]

wał wielokątny track-drive shaft [transp.]

wał wieloklinowy main shaft; multi-spline shaft [masz.]

wał wielowypustowy main shaft [transp.]; multi-spline shaft; sliding shaft [masz.]

wał wirnika impeller shaft; rotor shaft [mot.]

wał wyjściowy output shaft [mot.]

wał wykorbiony crankshaft [mot.]

wał wyrównujący działanie hamulców brake-compensating shaft [mot.]

wał zakończony zębnikiem pinion drive shaft; pinion shaft [mot.]

wał zestawu kołowego wheel set shaft [mot.]

wał zębaty gear shaft; gearshaft; toothed shaft [masz.]

wałeczek igiełkowy drawn cup needle roller bearing; needle sleeve [masz.]

wałeczek stożkowy tapered roller [masz.]

wałeczek walcowy cylindrical roller [masz.]

wałek roll [bud.]; shaft [masz.]

wałek dociskowy pressure pulley, pressure roller [transp.]

wałek dolny bottom roller (*top roller*) [masz.]; roller (*GB: bottom roller*) [transp.]

wałek dźwigni widlastej fork lever shaft [mot.]

wałek ewolwentowy involute gearing [masz.]

wałek gumowy rubber roll [mot.]

wałek królewski centre pin; vertical shaft (*centre pin*) [masz.]

wałek napędowy drive roll (*pulley*) [mot.]

wałek napędowy pośredni counter shaft; jackshaft; layshaft; transmission shaft [mot.]

wałek napędu rozrządu centre pin; vertical shaft [mot.]

wałek odbioru mocy output shaft; power take off [mot.]

wałek odbioru mocy z napędem trwałym life power take-off [mot.]

wałek odbioru napędu power take off [mot.]

wałek palca włączania biegów gearshift lever shaft [mot.]; shifter shaft [masz.]

wałek pedałów pedal shaft [mot.]

wałek pociągowy feed rod [masz.]

wałek podnośnika widłowego fork-lift roller [mot.]

wałek podpierający roller carrier; support roller [transp.]

wałek podpierający poręczy hand-rail idler; supporting roller guide [transp.]

wałek pośredni lay shaft [mot.]

wałek przekładni obiegowej pinion shaft [mot.]

wałek rowkowy grooved shaft [mot.]

wałek rozdzielacza zapłonu ignition distributor shaft [mot.]

wałek rozrządczy główny overhead camshaft [mot.]

wałek skrętny torsional wave [masz.]

wałek sprzęgłowy clutch shaft; jackshaft [mot.]

wałek stopniowy step roller [transp.]

wałek wielowypustowy spline shaft, splined shaft [masz.]

wałek wielowypustowy ewolwentowy involute spline [masz.]

wałek wyciskowy drive shaft [mot.]

wałek wyprzęgnika clutch release shaft [mot.]

wałek z gwintem elevating spindle [masz.]

wałek zębaty rozrusznika starter pinion [mot.]

wandalizm vandalism [abc]

wanna bath tub (*tub*) [abc]

wanna betonowa concrete body; concrete trough [bud.]

wanna kąpielowa bath tub [abc]

wanna olejowa oil collector sump [transp.]; oil pan [masz.]

wapień lime rock; limestone [górn.]

wapień koralowy coral limestone [bud.]

wapień muszlowy conchoid [górn.]

wapniak lime rock [górn.]

wapno lime [górn.]

wapno gaszone slaked lime [chem.]

wapno palone burnt lime [bud.]

wapno sproszkowane bagged lime [bud.]

wapnowany whitewashed [bud.]

warga lip [med.]; lip (*cutting edge and teeth*) [transp]

wariacja variation [fiz.]; variation [mat.]

wariacja kąta osi shaft-angle variation [transp.]

wariacja przesunięcia offset variation [transp.]

wariant alternative; variety (*variant*); variation [abc]

wariograf lie detector; polygraph [abc]

wariometr variometer [el.]

warownia castle [bud.]; fortress [wojsk.]

warstewka smaru film of lubricant [mot.]; lubricating film, lubricating oil film [masz.]

warstwa coat (*coat of paint*) [tw.]; course [bud.]; film; shift [abc]; layer [transp.]; strata [masz.]

warstwa betonowa posypana tłuczniem blinding concrete [bud.]

warstwa brzegowa transition region [chem.]

warstwa dźwiękochłonna noise absorbing package [transp.]

warstwa graniczna boundary layer [abc]

warstwa graniowa spoiny root pass (*first weld bead*) [met.]

warstwa gruba high build (*thick layer*) [transp.]

warstwa lakiernicza zewnętrzna paint finish (*last coating*) [mot.]

warstwa lica spoiny top seam [wojsk.]

warstwa materiału layer of material [masz.]

warstwa naskórkowa transition region [el.]

warstwa nośna base (*of road; mixture with bitumen*) [mot.]

warstwa nośna dolna drogi road sub-base (*lowest layer*) [bud.]

warstwa nośna drogi road base (*mixture with bitumen*); road bearer [bud.]

warstwa ochronna protection layer (*membrane*); protective face [masz.]

warstwa odsłonięta debris and washery refuse; overburden [górn.]

warstwa orna gleby top soil, topsoil [gleb.]

warstwa osadowa sediment layer [abc]

warstwa powierzchniowa surface coat; surface coating [abc]

warstwa przyścienna boundary layer [abc]

warstwa sedymentacyjna sediment layer [abc]

warstwa ścieralna surface course [masz.]; top layer (*road*); wearing course (*of road; asphalt*) [mot.]

warstwa ścieralna nawierzchni wearing course (*top layer of road*) [mot.]

warstwa ścieralna nawierzchni drogi road wearing course (*top layer*) [bud.]

warstwa uprawna top soil, topsoil [gleb.]

warstwa wierzchnia wearing course [bud.]

warstwa wybierania bench [górn.]

warstwa żużlowa slag cover [energ.]

warstwami (*warstwowo*) by layers (*laminated, in layers*) [masz.]

warstwomierz thickness measuring device for coats of paint [miern.]

warstwowanie ply (*in games*) [inf.]

warstwownica coal gate [energ.]

warstwownica wsparta na wałkach coal gate supporting rollers [energ.]

warstwowo by layers [masz.]

warstwy osnowy opony ply rating [mot.]

warstwy ścieralne abrasion rods [transp.]

warsztat shop; workshop [abc]; shop floor [masz.]

warsztat kotlarski boiler making plant [energ.]

warsztat mechaniczny machine shop [abc]

warsztat szkoleniowy apprenticeship; training centre [abc]

warsztat ślusarski fitter's shop [met.]

warsztat naprawczy garage; loco shed; railway workshop [mot.]; repair service [masz.]

wartości nastawiane setting data [masz.]

wartości rzeczywiste true values [inf.]

wartości średnie wymiany ciepła means of heat transfer [energ.]

wartości wydajności dla siły roboczej productivity data for operatives [abc]

wartości znamionowe temperatury temperature ratings [energ.]

wartościowość valence [masz.]

wartościowość spoiny valence of weld [met.]

wartość charakterystyczna characteristic value [mat.]

wartość chwilowa actual value [miern.]; instantaneous value [el.]

wartość domniemana default [inf.]

wartość domyślna default [inf.]

wartość działki elementarnej podziałki scale value [miern.]

wartość graniczna critical value; limiting value [abc]

wartość graniczna nośności ultimate bearing capacity [bud.]

wartość graniczna zużycia limit value of use [bud.]

wartość k heat transfer coefficient; K-value [energ.]

wartość maksymalna peak value [el.]

wartość nastawcza setting point [miern.]

wartość netto zużytej dawki paliwa net quantity of fuel supplied [energ.]

wartość nominalna nominal data; rated value [masz.]

wartość nominalna gwintu nominal thread [masz.]

wartość nominalna temperatury temperature rating [energ.]

wartość odniesienia reference value [abc]

wartość opałowa heat value; thermal value; calorific value (*heating value*) [energ.]

wartość opałowa górna gross calorific value, G. C. V.; upper calorific value [energ.]

wartość pH pH-value [chem.]

wartość podziałki pitch length [masz.]

wartość prawdopodobna probable value [mat.]

wartość progowa threshold value [el.]

wartość rzeczywista actual value; true value [miern.]; feedback value; instantaneous value [el.]

wartość rzeczywista mocy instantaneous power [el.]

wartość siły nośnej data of lifting capacity [transp.]

wartość skuteczna root mean square value (RMS) [el.]

wartość standardowa default [inf.]

wartość statyczna stress value [transp.]

wartość szczytowa peak value [el.]

wartość średnia average value, average [mat.]

wartość średnia testów mean value of tests [masz.]

wartość udźwigu data of lifting capacity [transp.]

wartość ujemna minus value [el.]

W

wartość wielkości mierzonej reference dimension [miern.]

wartość własna characteristic value; proper value [mat.]; eigenvalue [el.]

wartość wzorcowa reference value [abc]

wartość zadana pre-set value [abc]; set value [el.]

wartość zadana ciśnienia gazu pre-set gas pressure [energ.]

wartość zadana ciśnienia oleju pre-set oil pressure [masz.]

wartość zakładana estimated data [abc]

wartość zmierzona reference dimension [miern.]

wartość znamionowa rated value [masz.]

wartość znamionowa beta Beta rating [masz.]

wartość znamionowa pojemności nominal heaped/struck capacity [transp.]

wartość zwrotna returned value [inf.]

warty próby worth the trial [abc]

warunek clause [inf.]; condition; requirement [abc]

warunek eksploatacji operating condition; operation condition; working condition [masz.]

warunek kontroli test condition [miern.]

warunek montażu installation condition [masz.]

warunek odcięcia condition of truncation [inf.]

warunek pracy operating condition [masz.]; working condition [abc]

warunek stabilności stability criterion [el.]

warunek sukcesu felicity condition (*in learning*) [inf.]

warunek techniczny constraint [masz.]

warunek wstępny prerequisite condition [inf.]

warunek zasadniczy prerequisite condition [inf.]

warunki atmosferyczne atmospheric conditions [meteo.]

warunki dostawy terms of shipment; details of shipment [abc]

warunki geograficzne geographical conditions [geol.]

warunki glebowe ground condition; soil condition [gleb.]

warunki graniczne boundary conditions [mat.]

warunki lokalne local conditions [abc]

warunki meteorologiczne weather conditions [meteo.]

warunki miejscowe local conditions [abc]

warunki niepodzielności integrity constraint [inf.]

warunki odniesienia reference conditions [miern.]

warunki płatności conditions of payment [ekon.]

warunki pomiarowe test condition [miern.]

warunki ramowe general conditions [abc]

warunki ubezpieczeń provisions [praw.]

warunki umowy conditions of contract [praw.]

warunki wstępne preconditions; prerequisites [abc]

warystor varistor [el.]

warząchew ladle [abc]

warzyć brew [abc]

warzywa vegetables [abc]

wat watt [fiz.]

wata cotton [tw.]

wata szklana glass wool [bud.]

wata żużlowa mineral wool; slag wool [energ.]

wazelina petroleum jelly [abc]

ważenie weighing [abc]
ważki important, weighty, severe, serious, significant [abc]
ważność validity [abc]
ważny important; valid; vital [abc]
wąchać sniff [abc]
wąs kierowniczy track rod arm [transp.]
wąska ulica narrow street [bud.]
wąski constricted [abc]; narrow [bud.]
wąski podział narrow spacing [energ.]
wąskie gardło bottleneck [mot.]
wąskie przejście narrow passage [abc]
wąskotorowy narrow gauge (*narrow-gauge*) [mot.]
wątpliwości skeptics (*in control*) [inf.]
wątpliwy arguable; doubtful; questionable (*doubtful*) [abc]
wąż tube [met.]; snake [bot.]
wąż gumowy rubber hose [tw.]
wąż hamulcowy brake hose [mot.],
wąż łączący connecting hose [mot.]
wąż łączący chłodnicę radiator hose [mot.]
wąż plastikowy plastic hose [abc]
wąż podwójny double hose [masz.]
wąż porowaty porous hose [mot.]
wąż pożarniczy fire hose [polit.]
wąż próżniowo-ciśnieniowy suction and delivery hose [masz.]
wąż skraplaczowy sprinkle tube [masz.]
wąż strażacki fire hose [abc]
wąż średniociśnieniowy medium pressure hose [mot.]
wąż wlotu powietrza air intake hose [mot.]
wąż wysokociśnieniowy high pressure hose; pressure-type hose [mot.]
wąż wysokoprężny pressure-type hose [abc]

wąż z PCW PVC-hose [mot.]
wąż z tworzywa sztucznego plastic hose (tube) [abc]
wąż zbrojony armoured hose (*metallic flexible tube*); braided hose [masz.]
wbijać drive; driving-in [bud.]; penetrate (*sting of a bee*); stamp (*steel stamp numbers, letters*) [masz.]
wbijanie penetration (*of bucket, shovel*) [masz.]
wbijanie pali pile driving [abc]
wbrew naturze against nature [abc]
wbudowany built-in [el.]; embedded, embodied [energ.]; fitted [mot.]
wbudowywać build in [abc]
WC lavatory (*bathroom*) [abc]
wchłaniać absorb (*take up, integrate*) [fiz.]
wchłanianie absorption [fiz.]
wchłanianie cieczy liquid intake [fiz.]
wchodzić enter [abc]
wciagnik przejezdny elektryczny telpher (*cable crane, electric, on rope*) [masz.]
wciągać hoist (*the flag, the pennant*) [mot.]; retract [transp.]
wciąganie drawing in (*trapping, catching*); trapping [transp.]
wciągany retractable [transp.]
wciągarka hoist, winch [masz.]; hoisting winch; jib winch [transp.]; winch [mot.]
wciągarka elektryczna electric hoist [transp.]
wciągarka główna main winch [transp.]
wciągarka kozłowa winder [transp.]
wciągarka linowa ręczna hand cable winch [transp.]
wciągarka magazynowa storage winch [transp.]
wciągarka montażowa assembly pull (*traction*) [transp.]

W

wciągarka pomocnicza auxiliary winch [transp.]

wciągarka zasilająca feed winch [transp.]

wciągnięty retracted [masz., transp.]

wciągnik hydrauliczny jack [masz.]; jib/boom cylinder [mot.]; lift cylinder (*raises attachment*) [transp.]

wciągnik hydrauliczny teleskopowy lift cylinder, telescopic type [mot.]; telescopic-type lift cylinder [masz.]

wciągnik hydrauliczny wielostopniowy multi-stage lift cylinder [mot.]

wciągnik łańcuchowy chain hoist (*type of crane*) [górn.]

wciągnik przejezdny elektryczny cable crane [transp.]

wcieranie frictioning [abc]

wcięcie cutting [transp.]; nick [met.]

wcięcie odkrywkowe opening cut [górn.]

wcięcie rozpoznające złoże opening cut [górn.]

wcios tarasowy terrace cut [górn.]

wcisk zaobserwowany actual interference [rys.]

wciskać press in [met.]

wczasy vacation [abc]

wczep tine, tyne [narz.]; tooth [masz.]

wcześniej formerly [abc]

wcześniejsza emerytura early retirement [abc]

wdarcie się (*np. wody*) flooding [abc]

wdech exhaust in [mot.]

wdmuchiwać blow-in [energ.]

wdmuchiwanie promieniowe radial blowing-in [energ.]

wdrażanie implementation [inf.]

wdrożony acquainted [abc]

według according to [abc]

wegetacja vegetation [bot.]

wegetarianin vegetarian (*eats no meat*) [abc]

wejście entrance [abc]; inlet [energ.]

input (*inlet, entry*) [mot.]; (*na schody ruchome*) entry point [transp.]

wejście dzielone dividing input [el.]

wejście na schody ruchome escalator entrance [transp.]

wejście nastawne adjustable input; regulated input [miern.]

wejście regulowane regulated input [miern.]

wejście rozszerzenia expanding input [mot.]

wejście wewnątrz inside access [mot.]

wejście (wlot) pomostu tylnego entrance of the rear axle [mot.]

wejście wstępne prefix input [el.]

wektor własny eigenvector [el.]

wełna wool [abc]

wełna filtracyjna filter wool [mot.]

wełna stalowa steel wool [masz.]

wełna żużlowa mineral wool; slag wool [energ.]

wentylacja ventilation [aero]

wentylacja dachowa roof hatch [bud.]

wentylator bleeder; blower; cooler; ventilator; fan, fan blade, radiator fan [aero]

wentylator chłodnicy radiator fan [mot.]

wentylator chłodnicy oleju oil cooler blower [transp.]

wentylator chłodzący air-cooling fan; cooling air blower; cooling fan [mot.]

wentylator ciągu sztucznego F. D. fan, forced draught fan [aero]

wentylator krzyżowy shaded pole/cooling fan [mot.]

wentylator łopatkowy z regulowanymi łopatkami pitch fan [mot.]

wentylator młynowy mill fan (*primary air fan*) [aero.]

wentylator nawiewny blower fan [aero.]

wentylator osiowy axial flow fan [aero.]

wentylator podgrzewający fan heater [energ.]

wentylator podmuchu forced draught fan (*F.D. f.*) [energ.]

wentylator powietrza wtórnego secondary air fan [energ.]

wentylator promieniowy radial compressor; radial flow fan [masz.]

wentylator ssący suction fan [masz.]

wentylator śluzowy seal air fan; sealing air fan [energ.]

wentylator tłoczący blower fan [aero.]

wentylator wyciągowy I. D. fan, induced draught fan [energ.]; suction fan [masz.]; vent [mot.]

wentylator zwartobiegunowy shaded pole/cooling fan [mot.]

weranda porch [bud.]

werbować ponownie re-enlist [wojsk.]

wernier vernier [abc]

werniks varnish [abc]

wers line [inf.]

wersaliki capital letters [abc]

wersja type [masz.]; version [transp.]

wersja pełna unabbridged version [abc]

wersja silnika engine version, engine variation [mot.]

wersja skrócona abbridged version [abc]

wertować strony leaf (*in a book*) [abc]

weryfikacja verification [inf.]

weryfikacja programu program verification [inf.]

weryfikacja tożsamości authentication [abc]

weteran veteran [wojsk.]

wewnątrz inside (*on the inside*) [abc]

wewnątrz nieobrobiony inside uncoated [masz.]

wewnętrzna sieć komputerowa local area network [inf.]

wewnętrzna sprężyna zaworowa inner valve spring [mot.]

wewnętrzna strona zakrętu inside of the turn (*curve*) [mot.]

wewnętrzna średnica stojana dia [el.]

wewnętrzna uszczelka wargowa internal lipped ring [mot.]

wewnętrzne położenie zwrotne t.d.c., top dead centre; u.d.c., upper dead centre [masz.]

wewnętrzny internal; intramural; in-house [abc]

wewnętrzny czop stożkowy internal cone pin [masz.]

wewnętrzny element złącza gwintowanego na którym przy pomocy nakrętki mocuje się koło wheel-nut pin (*threaded pin*) [mot.]

wezgłowie abutment (*vertical or inclined dam*); cushion [bud.]

wezwanie sądowe citation (*summoning before a court*) [praw.]; subpoena (US) [polit.]

wędka fishing rod [abc]

wędrować hike (*wander, make an excursion*); traveln [abc]

wędrówka excursion; hike [abc]

wędrówka spoin migration of weld; weld displacement [met.]

wędzisko fishing rod [abc]

węgiel (C) carbon [chem.]; coal [górn.]

węgiel aktywny active carbon [chem.]

węgiel bitumiczny o dużej zawartości części lotnych high volatile bituminous coal [energ.]

węgiel brunatny brown coal, lignite coal [górn.]

węgiel chudy low volatile bitumious coal [energ.]

węgiel do nasycania saturation carbon [chem.]

węgiel drzewny charcoal [abc]

W

węgiel gazowo-płomienny gassing coal [energ.]; open burning coal [górn.]

węgiel kamienny bituminous coal; mineral coal [górn.]

węgiel koksowy średniolotny medium volatile bituminous coal [górn.]

węgiel koksujący caking coal; clinkering coal [energ.]

węgiel kostny animal charcoal [bot.]

węgiel krótkopłomienny short flaming coal [energ.]

węgiel łamany crushed coal [energ.]

węgiel niegazowany non-gaseous coal [energ.]

węgiel niesortowany run-of-the-mine coal [górn.]

węgiel o wysokiej wilgotności coal with high moisture content; high-moisture coal [energ.]

węgiel półpłynny coal slurry [górn.]; mud coal (*slurry*) [energ.]

węgiel spiekający się caking coal; clinkering coal [energ.]

węgiel surowy raw coal [górn.]

węgiel związany F. C., fixed carbon [chem.]

węgiel zwierzęcy animal charcoal [bot.]

węglarka coal car; coal wagon; tender [masz.]

węglowodór carburetted hydrogen; hydrocarbon [chem.]

węglowy carboniferous [chem.]

węzeł knot [mot.]; loop [masz.]; node (*oscillation node*) [fiz.]

węzeł ciesielski timber hitch [mot.]

węzeł cumowniczy carrick bend, double carrick bend [mot.]

węzeł goździkowy clove hitch [mot.]

węzeł (kinematyczny) przesuwny torque tube ball joint [masz.]

węzeł (kinematyczny) ślizgowy torque tube ball joint [masz.]

węzeł komunikacyjny joint connection [met.]; panel point (US) [transp.]; traffic centre [mot.]

węzeł kończący terminal node [inf.]

węzeł na szocie sheet bend (*knot*) [mot.]

węzeł obrotowy swivel joint [masz.]

węzeł odniesienia reference node [el.]

węzeł ósemkowy figure-of-eight knot (*thickens rope*) [mot.]

węzeł ósemkowy podwójny stevedore's knot [mot.]

węzeł podwójny reef knot; square knot [mot.]

węzeł poślizgowy slipknot [mot.]

węzeł rybacki fisherman's knot [mot.]

węzeł słupkowy timber hitch [mot.]

węzeł terminalny terminal node [inf.]

węzeł tkacki thief knot [abc]

węzeł wielkiej częstotliwości high frequency node [el.]

węzłowy knotted [mot.]

węzłówka connecting plate [bud.]; gusset [masz.]

węzły logiczne and nodes (*in goal trees*) [inf.]

węzły otwarte open nodes (*in search trees*) [inf.]

węzły w drzewach nodes in trees [inf.]

węzły w sieciach i drzewach nodes in nets and trees [inf.]

węzły wartościowe value nodes (*in semantic net*) [inf.]

węzły wielkiej częstotliwości H. F. nodes (*high frequency*) [el.]

węzły zamknięte closed nodes (*in search trees*) [inf.]

wężownica continuous loop (*tube coil*) [energ.]

wężownica chłodnicza nest of tubes for cooler [energ.]

wężownica chłodząca tube bank

for cooler [energ.]

węzownica grzejna heating coil [energ.]; heating coil [mot.]

węzownica rurowa tube coil (*continuous loop*) [masz.]

węzownica wisząca pendant continuous loop [energ.]

węzownica wyparna evaporating coil (*on air conditioning*) [mot.]

wgłębienie cavity [geol.]; (*flaw*) cavity [tw.]

wgłębienie na tłoczysko cylinder rod compartment [mot.]

wgniatać dent [mot.]

wgniecenie dent [tw.]; recess [met.]

wiadomość knowledge [abc]; message (*report, information*) [inf.]

wiadomość agencyjna report of a news agency (*agency report*) [abc]

wiadro bowl (*on scraper*) [transp.]; bucket [abc]

wiadukt bridge [abc]; viaduct (*bridge of many short arcs*) [mot.]

wianuszek uszczelniający flange [mot.]

wiatr wind (*storm, hurricane, tornado*) [meteo.]

wiatr nad lądem on-shore wind [meteo.]

wiatr wiejący znad powierzchni wody off-shore wind [meteo.]

wiatraczek vane [abc]

wiatrownica deflector; smoke deflector (*on locomotives*); smoke deflector plate (*on loco*) [mot.]

wiatrowskaz weather vane [meteo.]

wiązać bond (*bonding*) [bud.]; connect [met.]; hydrate (*set*) [abc]; set (*hydrate*) [min.]

wiązadło tie [abc]

wiązanie tie [abc]; bonding (*adhesion, glueing*) [masz.]

wiązanie krzyżowe crossbond (*brickwork*) [energ.]

wiązanie muru bond; brickwork bond [bud.]

wiązanie podwójne double binding [chem.]

wiązanie popiołu ash retention [energ.]

wiązanie popiołu lotnego fly ash retention; grit retention [energ.]

wiązanie weneckie crossbond [energ.]

wiązar band [bud.]

wiązar lokomotywy coupling rod; drawbar [mot.]

wiązka cluster [abc]

wiązka bomb bomb cluster [wojsk.]

wiązka dźwiękowa sound beam [akust.]

wiązka kablowa cable harness; cable loop [el.]

wiązka porów cluster of pores (*pore pocket*); cluster porosity [met.]

wiązka promieni beam concentration [fiz.]

wiązka promieniowania beam (*ray*) [fiz.]

wiązka rakiet rocket pack [mot.]

wiązka rur tube bank [masz.]

wiązka rur konwekcyjnych convection tube bank [energ.]

wiązka światła light beam [transp.]

wiązka zogniskowana focussed beam [el.]

wiązkość tenacity [miern.]

wibracja vibration [abc]

wibrator grubościowy thickness vibrator [el.]

wibrator płytowy pulsating panel (*in coal bunker*) [energ.]

wibrator pogrążalny deep vibration [bud.]

wibrator udarowy hydrauliczny hydraulic impact vibrator [masz.]

wibrator wgłębny deep vibration [bud.]

wibrować vibrate [abc]

widelec fork [transp.]; lift fork; load arm [mot.]

W

widelec do podnoszenia pni poje-dynczy single log tine (*log grapple; loader*) [mot.]

widelec ramy frame fork [mot.]

widelec rozciągany tension fork [masz.]

widelec styczny guide shoe; tangential guide [transp.]

widełki osi przedniej front axle fork [mot.]

widełki prowadnicy guide fork; tangential guide [transp.]

widełki przesuwne pusher fork, pushing fork [mot.]

widełki sprzęgła Cardana universal joint yoke [mot.]

widełki sprzęgowe coupling triangle (*on trailer*) [mot.]

widełki wyłączające sprzęgła clutch fork; clutch release yoke [mot.]

widełki wyorywacza buraków lift fork; lifting fork [mot.]

wideo video [el.]

wideokaseta video cassette [abc]

widły do siana hay-bob [roln.]

widły ładunkowe do papierówki pulp wood fork [transp.]

widły przednie (*podnośnika*) front ripper [transp.]

widły wózka podnośnego lift fork [transp.]

widnokrąg horizon [abc]

widoczność visibility [abc]

widoczny noticeable; seeable; visible [abc]

widok sight; view; prospect [abc]

widok cząstkowy partial view [abc]

widok danych views [inf.]

widok od dołu bottom view [rys.]

widok ogólny general view [rys.]

widok panoramiczny panorama view [mot.]

widok perspektywiczny isometric view, perspective view [rys.]

widok połączeń lutowanych view on soldered points [el.]

widok punktów podłączenia view on connection points [el.]

widok w kierunku A view in A direction (*in drawings*) [rys.]

widok z boku profile [abc]; side view [rys.]

widok z góry top view [rys.]

widok z lotu ptaka top view [rys.]

widokówka picture postcard; postcard [abc]

widowisko show [abc]

widownia audience [abc]

widzialny seeable; visible [abc]

wiecha (*zakończenie budowy*) topping out; topping out ceremony [bud.]

wieczko closing sheet [tw.]; cover lid; end cover [mot.]; cover [transp.]

wieczna zmarzlina permafrost [abc]

wieczny perennial [bot.]

wiedza knowledge [abc]

wiek century [abc]

wieko (*np. trumny*) slab [abc]; lid [masz.]

wieko nasadzane end cap [masz.]

wielkooporowy high impedant; high resistive [el.]

wielkoseryjny large scale [abc]

wielkość design size; dimension [rys.]; magnitude (*of losses, etc.*), [energ.]; quantity; size [abc]

wielkość błędu flaw size [el.]

wielkość fizyczna physical quantity [abc]

wielkość gardzieli feed opening [górn.]

wielkość konsumpcji consumption rate [abc]

wielkość łożyska bearing size [masz.]

wielkość mierzona chropowatości roughness criteria [miern.]

wielkość nastawiana option rating (*of the engine*) [mot.]

wielkość oczka mesh width; width of mesh [energ.]

wielkość osłony protection size [el.]

wielkość przełożenia gear ratio [mot.]; ratio of transmission; transmission gear ratio [masz.]

wielkość prześwitu clearance [rys.]

wielkość skoku throw [mot.]

wielkość standardowa standard size [abc]

wielkość tunelu tunnel size [transp.]

wielkość ustawiona pre-set value [abc]

wielkość wsadu gorącego hot charging rate [abc]

wielkość wyjściowa physical quantity [abc]

wielkość wysyłki scope of shipment [transp.]

wielkość zespolona complex quantity [el.]

wielkość zmierzona measured quantity [abc]

wielkość zużycia consumption rate [abc]

wielkość ziarna coal sizing [energ.]; grain [górn.]; grain size; graining; size of coal [tw.]; particle size [bud.]

wielkowymiarowy large-scale dimensioned [transp.]

wielobarwnie polakierowany multicolour coated [met.]

wielokątne koło prowadzące idler [transp.]; return pulley [mot.]

wieloklin splines [mot.]

wielokrążek pulley (*pulley block, tackle*) [transp.]

wielokrążek różnicowy differential pulley block [transp.]

wieloletni perennial [bot.]

wieloletnie doświadczenie gray experience [abc]

wielomian polynomial [mat.]

wielomian charakterystyczny characteristic polynomial [mat.]

wielomian Fouriera Fourier polynomial [mat.]

wielomian przybliżony approximation polynominal [mat.]

wieloosiowy multi-axle [mot.]

wielopokładowy multi-seam [górn.]

wieloprofilowy multi groove [masz.]

wieloskładnikowy mixing [abc]

wielostopniowy multi-setting; multi-stage [mot.]

wielostronność hydraulicznych urządzeń sterujących flexibility of hydraulic power and control [mot.]

wielowarstwowa płócienna tarcza polerska bob (*polishing mop*) [narz.]

wielowarstwowy laminated [bud.]; multi-ply (*tyres, etc.*) [abc]

wielowrębowy multi groove [masz.]

wielowrotnik n-port [el.]

wielowypust multi-spline profile [masz.]; splines [mot.]

wielowypust ewolwentowy involute spline [masz.]

wieloznaczność ambiguity (*in geometric analogy*) [mat.]

wielożyłowy multi-wire [el.]

wieniec (*koła*) rim (*wheel r., flange keeps track*) [mot.]

wieniec dętki clincher rim [mot.]

wieniec dolny stojaka boiler foundation [energ.]

wieniec kierujący nozzle ring [masz.]

wieniec koła wheel rim [mot.]

wieniec koła górny upper rim [mot.]

wieniec koła łańcuchowego sprocket ring [masz.]

wieniec koła podstawowy base rim [mot.]

wieniec koła ślimakowego worm crown gear [masz.]; worm wheel rim [mot.]

wieniec koła z oponą wheel rim with tire [mot.]

wieniec koła zębatego gear rim, gear ring; toothed wheel rim [mot.]

wieniec koła zębatego czołowego
spur gear rim [mot.]

wieniec koła zębatego stożkowego
bevel gear [masz.]

wieniec łopatek kierowniczych
vane ring [mot.]

wieniec nakładany gear thickness
[mot.]

wieniec nakładany koła zębatego
gear ring thickness (*under teeth*)
[mot.]

wieniec obrotowy (*łożyska wałeczkowego*) slew ring (*short for slewing ring*); ball bearing slewing ring
[masz.]; ball-bearing slew <ing>
ring; roller-bearing slewing ring
[transp.]; slewing ring [mot.]

wieniec obrotnicy ball-bearing
slewing-ring; slewing ring; turn
table (*on grader*) [transp.] (*łożyska kulkowego*) turret; (*łożyska wałeczkowego*) roller-bearing slew
ring [masz.]

wieniec obrotnicy rolkowy roller-
bearing slewing ring [transp.]

wieniec obrotowy łożyska wałeczkowego ball-bearing slewing-ring;
circle bogie (US) [transp.]

wieniec obrotowy radlicy circle
bogie (US) [transp.]

wieniec obrotowy szczęk ślizgowych guide-shoe wear surface
[transp.]

wieniec oporowy wału shaft collar
[mot.]

wieniec wirnikowy blade ring
[transp.]

wieniec zewnętrzny annulus (*piston rod side*) [mot.]

wieniec zębaty gear rim, gear ring
[mot.]; toothed rim, toothed ring,
toothed wheel rim [masz.]

wiercenie drilling (*bore*) [bud.]

wiercenie badawcze exploratory
drilling [górn.]

wiercenie dwugłowicowe double

rotary drive module [transp.]

wiercenie i równoczesne rurowanie (*otworu wiertniczego*) drilling
and moving of casing simultaneously possible [górn.]

wiercenie nakiełków centre bore
[rys.]

wiercenie studzienne well drilling
[bud.]

wiercić bore [met.]; drill [abc]

wiercić trepanem trepan [masz.]

wiersz line (*horizontal*) [inf.]

wiersz polecenia command line
[inf.]

wiertarka drill (*drilling machine*)
[masz.];

wiertarka do głębokich otworów
deep-hole boring machine [masz.]

wiertarka do kamienia rock drilling machine [górn.]

wiertarka korbowa connecting rod
drilling machine [narz.]

wiertarka obrotowa rotary drill; rotary drill rig [transp.]

wiertarka pionowa vertical boring
mill (*boring machine*), vertical
drilling mill [narz.]

wiertarka ręczna hand drill; powered hand drill [transp.]

wiertarka sterowana numerycznie NC drill; NC drilling machine
[narz.]

wiertarko-frezarka boring mill
[narz.]

wiertarko-frezarka sterowana numerycznie NC borer (*numerical
controlled drill*) [narz.]

wiertło drill; hand-auger [narz.]

wiertło rurowe core cutter [narz.]

wiertło trepanacyjne core cutter
[narz.]

wiertło udarowe hammer drive
[narz.]

wiertnica boring machine; drilling
machine [narz.]; drill [masz.]

wierzba willow (*willow tree*) [bot.]

wierzch blachy top face of the plate [masz.]

wierzchni upper [abc]

wierzchnia listwa balustrady (*poręczy*) top of the balustrade [transp.]

wierzchołek top [geogr.]; treetop [bot.]; crest (*of a threading*) [masz.]

wierzchołek macierzysty parent node [inf.]

wierzchołek podstawowy root node (*in trees*) [inf.]

wierzchołek potomny (*drzewa*) child node [inf.]

wierzchołek zęba tooth tip [masz.]

wierzchołki vertexes (*three-faced*) [inf.]

wierzchołki trójkowe three-faced vertexes [inf.]

wierzyć think (*believe*) [abc]

wieszać hang [abc]

wieszak dźwigni kątowej bellcrank [mot.]

wieszak na kapelusze hat stand (*above hall stand*) [abc]

wieszak na ubrania coat stand; hall stand, hall stand hock [abc]

wieszak resoru spring hanger; spring shackle, spring support [mot.]

wieszak resoru na podkładce gumowej rubber-cushioned spring hanger [masz.]

wieszak resoru tylnego rear spring hanger [mot.]

wieszak rurociągu pipe hanger (*pipe clamp*) [masz.]

wieś village [abc]

wietrzeć weather [abc]

wietrzenie bleeding [abc]; decay (*weathering*) [bud.]; disintegration [geol.]; weathering (*decay*) [meteo.]

wietrzyć bleed [mot.]; vent; ventilate [abc]

wiewiórka squirrel (*brown or gray*) [bot.]

wieża tower (*castle, town hall,* *church*); spire [bud.]; tower (*holds slewing ring*) [transp.]

wieża bliźniacza twin tower [bud.]

wieża chłodnicza cooling tower [el.]

wieża dźwigu crane tower [mot.]

wieża kościelna church steeple (*steep*); church tower (*flat*) [bud.]

wieża radiowa broadcasting tower; telecommunication tower [telkom.]

wieża strzelista steeple [bud.]

wieża szybowa head gear (*most frequently used term*); winding tower [górn.]

wieża telekomunikacyjna telecommunication tower [telkom.]

wieża telewizyjna television tower [el.]

wieża wiertnicza drill [masz.]; oil tower [górn.]

wieża wyciągowa winding tower [górn.]

wieża z kości słoniowej ivory tower [abc]

wieża zamkowa castle-tower [bud.]

wieża żurawia crane tower [mot.]

wieże bliźniacze twin turrets [bud.]

wieże katedry spires of the cathedral [bud.]

wieże lin nośnych gallows of <the> catenary wire [mot.]

wieżyczka turret [wojsk.]

wieżyczka podwójna twin tower; twin turret [wojsk.]

więdnąć wither [bot.]

większość majority [polit.]

wilgoć moisture; wetness (*of the road*) [abc]

wilgoć własna inherent moisture [energ.]

wilgotnościomierz hair hygrometer [miern.]

wilgotność wetness; moisture content [abc]; humidity [meteo.]

wilgotność bezwzględna (*powietrza*) absolute humidity [meteo.]

wilgotność gruntu ground moisture [geol.]

wilgotność paliwa moisture in fuel [energ.]

wilgotność powierzchniowa surface moisture [abc]

wilgotność powietrza air humidity [aero.]; atmospheric humidity; humidity [meteo.]

wilgotny damp; humid; moist (*it is all so wet*); wet (*moist, humid, damp*) [abc]; (*jak w wyrobisku*) pit-wet [górn.]

wilk skull [masz.]

wimpel pennant (*also naval flag*) [abc]

wina guilt (*guilty of stealing*) [abc]

winda elevator; lift [bud.]; hoist [masz.]

winda cumownicza mooring winch (*on ship or shore*) [mot.]

winda holownicza towing winch [masz.]

winda kotwiczna anchor windlass drive; capstan [transp.]

winny culpable [praw.]

winogrodnik wine farmer [abc]

wiodąca pozycja (*na rynku*) leading position [abc]

wiodący na rynku market-leading [abc]

wioska small village (*hamlet*) [abc]

wiosło oar [mot.]

wiosłować row [mot.]

wiosna spring [abc]

wioślarz oarsman [mot.]

wióry chaff [rec.]

wir wodny whirlpool [abc]

wirnik impeller; travel wheel [mot.]; rotary oil <and air> distributor [transp.]; rotator (*rotating part*); turbine [masz.]; rotor [el.]

wirnik łopatkowy pompy wodnej water pump impeller [mot.]

wirnik napędzający pogłębiarki ssącej dredge pump impeller [transp.]

wirnik napędzany impeller [mot.]

wirnik pierścieniowy slip ring rotor [el.]

wirnik silnika sprężarki compressor wheel [el.]

wirnik skrzydełkowy impeller [mot.]

wirnik szybkobieżny fast revolving [mot.]

wirnik śmigłowca rotor of helicopter [mot.]

wirnik turbinowy jednotarczowy i wał turbiny turbine wheel and shaft [energ.]

wirnik turbiny travel wheel; turbine rotor, turbine wheel [energ.]

wirnik w silniku Wankla internal motor drive [transp.]

wirnik wentylatora fan wheel [mot.]

wirnik wysokoprężny high pressure rotor [energ.]

wirnik zewnętrzny external rotor type [transp.]

wirnik zwarty short-circuited rotor [transp.]

wirować centrifuge; spin (*around*) [abc]

wirowanie spinning [mot.]; whirl [abc]

wirówka jacuzzi (*whirlpool*) [abc]

wirtualne węzły i łącza virtual nodes and links [inf.]

wisieć hang [abc]

wiza visa [abc]

wiza imigracyjna immigration visa [polit.]

wiza wjazdowa non-immigration visa [polit.]

wizjer view finder (*photography*) [abc]

wizyta visit (*pay a visit*) [abc]

wizytówka business card [abc]

wjazd arrival [mot.]; entrance [transp.]

wjeżdżać arrive (*come in*); drive in [mot.]

wklęsły concave; hollow [abc]

wkład contribution [abc]

wkład amortyzatora teleskopowego cartridge insert for struts [mot.]

wkład filtra (*do jednorazowego użytku*) throw-away filter [abc]; cartridge; filter cartridge, filter element, filter insert [mot.]

wkład filtra do wody water filter [bud.]

wkład reflektora nierozbieralny sealed headlight unit [mot.]

wkładać insert (*insert between*) [abc]; put in [mot.]

wkładka double flange [transp.]; insert [abc]; insert [el.]

wkładka amortyzacyjna cushioning insert; damper plastic insert [transp.]

wkładka bezpiecznikowa cartridge fuse link [wojsk.]

wkładka do cięcia gazowego set of cutting inserts [masz.]

wkładka do filtra air cleaner cartridge [aero.]; filter cartridge [mot.]

wkładka do filtra z tworzywa sztucznego impregnowanego plastic-treated paper filter cartridge [masz.]

wkładka elementu przeszukiwawczego probe insert [el.]

wkładka filtracyjna w formie kosza mesh wire sieve insert [mot.]

wkładka gumowa rubber insert (*between rim and tyre*) [mot.]

wkładka gwiaździsta do filtra hydraulicznego star-shaped filter element for hydraulic filter [mot.]

wkładka gwintowana screwed insert [masz.]

wkładka izolacyjna insulating insert [mot.]

wkładka łożyska skrętowego bogie-bearing cup [mot.]

wkładka łożyskowa bearing insert [masz.]

wkładka miseczkowa z tworzywa sztucznego plastic cup insert [abc]

wkładka mokra wet cylinder liner, wet liner, wet cylinder sleeve [mot.]

wkładka obiciowa rubber door-stop [masz.]

wkładka pleksiglasowa perspex insert [tw.]

wkładka poślizgowa sliding insert [mot.]

wkładka sercowa grommet (*liny*) [bud.]

wkładka sitowa strainer insert [abc]

wkładka stalowa steel insert [mot.]

wkładka sześciokątna hexagonal insert [masz.]

wkładka ślizgowa z tworzywa sztucznego plastic sliding insert [mot.]

wkładka tłumiąca attenuator pad (*resistance pad*) [el.]

wkładka topikowa fuse element, fuse link [el.]

wkładka wału shaft insert [transp.]

wkładka z tworzywa sztucznego plastic insert (*plastic cushion*) [abc]

wkładka zaworu core [tw.]; valve insert [mot.]

wkładka zaworu powietrznego dętki inner tube valve fitting [mot.]

wkładki liners (*of containers*) [górn.]

wkolejać rerailing (*after road travel*) [mot.]

wkolejnica rerailing device [mot.]

wkręt shoulder stud [masz.]; screw (*pointed, often for wood*) [masz.]

wkręt bez łba headless screw (*grub <or stud> screw*); threaded stud [masz.]

wkręt do blach sheet metal screw [masz.]

wkręt do blach z łbem stożkowym płaskim countersunk head tapping screw [masz.]

W

wkręt do blach z łbem sześcio-kątnym hexagon head tapping screw [masz.]

wkręt do blach samogwintujący tapping screw assemblies [masz.]

wkręt do części metalowych machine screw [masz.]

wkręt do drewna wood screw [masz.]

wkręt do drewna z łbem półkulistym z rowkiem slotted round head wood screw [masz.]

wkręt do drewna z łbem stożkowym płaskim z rowkiem slotted countersunk head wood screw [masz.]

wkręt do drewna z łbem sześcio-kątnym hexagon head wood screw [masz.]

wkręt dociskowy grub screw; set screw [masz.]

wkręt dociskowy z łbem walcowym o gnieździe sześciokątnym hexagon socket set screw [masz.]

wkręt dociskowy z rowkiem i koń-cem czopowym slotted set screw with long dog point [masz.]

wkręt dociskowy z rowkiem i koń-cem wgłębionym slotted set screw with cup point [masz.]

wkręt dociskowy ze szczeliną i koń-cem stożkowym slotted set screw with cone point [masz.]

wkręt samogwintujący self-tapping screw; tapping screw [masz.]

wkręt samogwintujący z łbem wal-cowym pan head tapping screw [masz.]

wkręt skrzydełkowy thumbplate; wing bolt; wing screw [masz.]

wkręt szynowy coach screw [transp.]; lag screw (*US: screw spike*); screw spike [mot.]

wkręt z łbem cap screw [masz.]

wkręt z łbem półkulistym round-head screw [masz.]

wkręt z łbem półkulistym z nos-kiem cup head nib bolt, cup nib bolt [tw.]

wkręt z łbem stożkowym płaskim counter-sunk bolt (*in sliding plate*); flat head machine screw [masz.]

wkręt z łbem stożkowym płaskim do drewna z rowkiem slotted raised countersunk head wood screw [masz.]

wkręt z łbem stożkowym płaskim z rowkiem slotted raised counter-sunk head screw [masz.]

wkręt z łbem walcowym soczewko-wym slotted raisedcheese head screw [masz.]

wkręt z łbem walcowym wysokim z rowkiem slotted shoulder screw [masz.]

wkręt z rowkiem cross slot bolt (*cross slot screw*); machine screw; slotted screw (*slotted bolt*) [masz.]

wkręt z rowkiem i zakończeniem stożkowym slotted headless screw with chamfered end [masz.]

wkręt zaciskowy tightening bolt [masz.]

wkręt zderzakowy stop screw [masz.]

wkręt z łbem z gniazdkiem sześcio-kątnym Allen bolt, Allen screw; hexagon socket (*bolt, screw*); hol-low head plug; socket screw [masz.]

wkrętak screw driver (*tool and drink*) [narz.]

wkrętak do śrub z sześciokątnym gniazdkiem Allen-type wrench [narz.]

wkrętak udarowy drive screw (*ham-mer drive screw*) [narz.]

wlatywać enter (*enter our air space*) [wojsk.]

wlec drag [abc]

wlew filler (*filler opening*) [mot.]; tank filler [masz.]

wlewek ingot [masz.]

wlewek ciągły continuous casting [tw.]

wlewek do walcowania bloom [met.]

wlewnica kolankowa elbow ingot [met.]

wlot admission; approach [abc]; delamination [met.]; inlet; intake [mot.]

wlot pary steam entry (*port side*) [mot.]

wlot poręczy handrail inlet [transp.]

wlot powietrza air in [aero.]

wlot regulatora ciśnienia air governor inlet [masz.]

wlot spalin exhaust in [mot.]

władać handle [abc]

władza power (*in power*) [polit.]

władza sądownicza jurisdiction [praw.]

władza wykonawcza executive [polit.]

władze federalne federal authorities [polit.]

władze kolei railway authorities (GB) [mot.]

włamywacz burglar [abc]

własności ścierne abrasiveness [fiz.]

własności tłumiące damping behaviour [fiz.]

własność kolei railway property [mot.]

własny own [abc]

właściciel keeper (*of animals*) [abc]; owner (*of motor vehicle, water-craft*) [prawn.]

właściciel budowy building owner, owner [bud.]

właściciel fabryki factory owner [abc]

właściciel pojazdu vehicle owner [prawn.]

właściciel składowiska złomu junk dealer [rec.]

właściwa filia (*firmy*) authorized branch office [praw.]

właściwa jakość stali mostly required steel quality [masz.]

właściwe roczne zużycie ciepła annual specific heat consumption [energ.]

właściwie (*faktycznie*) actually (*Actually, I don't have it*) [abc]

właściwości characteristics (*features*) [abc]

właściwości chemiczne chemical properties [chem.]

właściwości eksploatacyjne running characteristics [mot.]

właściwości i wady features and flaws [inf.]

właściwości nasycenia saturation characteristics [el.]

właściwości topnienia melting behaviour [energ.]

właściwości materiałowe i wytrzymałość na rozciąganie elementów konstrukcyjnych material properties and tensile strength of structural components [masz.]

właściwość property (*of steel*); feature [abc]

właściwość miejscowa sądu venue [praw.]

właściwość podgrupy subgroup feature [praw.]

właściwość terytorialna exclusive jurisdiction; general jurisdiction [polit.]; venue (*place, not whose law applies*) [praw.]

właściwość terytorialna sądu competency of court [praw.]

właściwość uszczelniająca sealing quality [mot.]

właściwy accurate (*exact, right*); proper (*immaculate*) [abc]

właściwy oddział (*firmy*) authorized office (*a. broker*) [praw.]

właz (*drzwiczki*) access door; access opening [transp.]; hatch; manhole [mot.]; man-way (*access*) [energ.]

właz główny main hatch (*port side of lower deck*) [mot.]

W

włączać (*urządzenie*) plug in [abc]; include; introduce (*into* <*the*> *traffic*) [mot.]; operate [transp.]; put on the line [energ.]; switch; plug; switch in; switch on [el.]

włączać do dokumentacji file [abc]

włączać do sieci putting on the line [energ.]

włączać ponownie reconnect (*after abuse emergency stop*) [transp.]

włączać turbinę roll the turbine [energ.]

włączanie shift [mot.]; switching on (*e.g. of motor, TV*) [el.]

włączanie preselekcyjne (*biegów*) preselection change [mot.]

włączany pod obciążeniem shiftable under load [mot.]

włączenie incorporation [abc]

włącznik ON-OFF switch (*master switch*) [el.]; operating device [masz.]

włącznik czoła stopnia step run-in switch [transp.]

włącznik czuwaka dead man's handle (*dead man's button*) [mot.]

włącznik dzielnika dividing switch [el.]

włącznik instalacji żarowej heater starter switch [mot.]

włącznik kierunkowy directional start switch [transp.]

włącznik liny awaryjnej emergency cord switch [transp.]

włącznik maty kontaktowej contact mat switch [transp.]

włącznik migacza ostrzegawczego hazard switch [mot.]

włącznik nastawczy reset switch [mot.]

włącznik obrotowy stopniowy step return switch [transp.]

włącznik opuszczania podnóżka step sag switch [transp.]

włącznik pływakowy float switch; liquid level switch [mot.]

włącznik podnoszenia palet footplate lift switch [mot.]

włącznik przesuwowy światła light push switch [mot.]

włącznik regulatora governor switch [mot.]

włącznik regulujący regulator and cut-out relay [mot.]

włącznik solenoidowy solenoid switch [mot.]

włącznik świec żarowych heater plug switch [mot.]

włącznik termiczny heat switch [el.]; heater switch [mot.]

włącznik zabezpieczenia nadmiarowo-prądowego overload safety switch [el.]

włącznik zapłonu ignition switch [mot.]

włącznik zbliżeniowy proximity switch [mot.]

włączony embodied [górn.]; on; switched [el.]

włos hair [abc]

włoskowatość capillarity [bud.]

włóczęga tramp (*hobo, drifter*) [abc]

włóknisty sinewy [abc]

włókno fibre [abc]

włókno chemiczne man-made fibre [tw.]

włókno obojętne neutral axis (*of bent sheet metal*) [tw.]

włókno szklane fibreglass [tw.]; glass fibre [bud.]

włókno węglowe carbon fiber (*carbon-fiber element*) [tw.]

włókno żarowe heat wire [el.]

wmontowanie tablicy czołowej (*przedniej*) front-panel mounting [mot.]

wnęka cavity [geol.]

wnęka na szafę wall unit [bud.]

wnęka radiacyjna radiation cavity [energ.]

wnętrze interior [masz.]

wnętrze ziemi interior of earth [min.]

wnikać ingress (*dirt through gaps, seals*) [abc]

wnikanie ingress [abc]

wniosek application [praw.]; conclusion; proposal [abc]

wniosek racjonalizatorski suggestion for improvement [abc]

wnioskowanie inferences [inf.]

wnioskowanie logiczne commonsense reasoning [inf.]

wnioskowanie od faktu do celu forward chaining [inf.]

wnioskowanie probabilistyczne probabilistic reasoning [inf.]

wnioskowanie przestrzenne spatial reasoning [inf.]

wnioskowanie uprzedzające forward chaining [inf.]

wnioskowanie uprzedzające i zstępujące forward and backward chaining [inf.]

wnioskowanie wsteczne backward chaining [inf.]

wnosić lodge [polit.]

wnosić oskarżenie (*przeciw komuś*) file charge (*against a person*) [prawn.]; sue a person [abc]

wnosić skargę file charges [prawn.]; press charges [polit.]

wobec in relation to [abc]

woda water [abc]

woda adhezyjna adherent water [fiz.]

woda bieżąca running water [bud.]

woda błonkowata adherent water [fiz.]

woda browarniana brewing liquor [hydr.]

woda chłodząca coolant [mot.]

woda chłodząca na tulejach cylindrowych coolant around liners [mot.]

woda chłodząca przemysłowa cooling and process water [bud.]

woda gruntowa ground water [hydr.]

woda kondensacyjna condensed water; vapour [energ.]

woda kotłowa boiler feed water [mot.]; drum water [energ.]

woda mineralna mineral water (*soda*) [abc]

woda morska sea water [abc]

woda nieuzdatniona crude water (*raw water*) [hydr.]

woda opadowa deposit-water [hydr.]; precipitation water [meteo.]

woda pitna fresh water (*potable water*) [hydr.]

woda pod ciśnieniem przy głowicy ssącej pressure water activated suctionhead [mot.]

woda przemysłowa process water [hydr.]

woda rozbryzgowa splash water (*outside motor protection*) [transp.]

woda słodka fresh water, sweet water [hydr.]

woda szczelinowa fissure water; pore water [bud.]

woda uzupełniająca make-up water [energ.]

woda zasilająca feed water [hydr.]

woda zasilająca kocioł boiler feed water [energ.]

wodnopłat seaplane (*amphibious plane*) [mot.]

wodnosamolot flying boat; seaplane [mot.]

wodny środek transportowy watercraft [mot.]

wodociąg water line; water pipe [bud.]

wodociąg główny main water supply; water line [bud.]

wodolot hydrofoil [mot.]

wodooddzielacz sediment bowl [energ.]; water separator; water trap [mot.]

wodoodporny water resisting; water-resistant [abc]

wodorosiarczyn bisulphite (*US: bisulfite*) [chem.]

wodospad water fall [abc]

W

wodoszczelny water tight; waterproof (GB) [abc]

wodotrwały water resisting; water-resistant [abc]

wodowanie launching [mot.]

wodowskaz gauge; water gauge; water mark [mot.]; water level indicator; water-level gauge [miern.]

wodowskaz dwubarwny bi-colour water gauge [energ.]

wodowskaz odległościowy remote liquid level indicator [energ.]

wodowskaz zdalny remote liquid level indicator [enrg.]

wodór hydrogen [chem.]

wody waters, waterways (*inland waterways to travel on*) [abc]

wodzidło wahacza connecting rod; fork rod [transp.]

wodzik crosshead (*runs in slide bars*); slipper [mot.]; yoke (*bracket, fixture, bearing*) [masz.]

wodzik widełek zmiany biegów hook stick [mot.]

wojłok felt [abc]

wojna war [wojsk.]

wojna atomowa nuclear war [wojsk.]

wojna papierkowa battle of forms (*bureaucracy*) [ekon.]

wojska troops [wojsk.]

wojsko army; military [wojsk.]

wolna komora powietrzna rusztu free air space in grate [energ.]

wolna powierzchnia rusztu free air space in grate [energ.]

wolne koło free wheel [mot.]

wolne końce thermocouple cold junction [energ.]

wolnobieżny low speed [mot.]

wolność freedom (*of speech*); liberty [abc]

wolny free (*independent*) [abc]; vacant (*switch not yet connected*) [el.]

wolny od kamieni rock-free [geol.]

wolny od karbów free from notches [met.]

wolny od nacięć free from notches [met.]

wolny od pęknięć free from cracks [bud.]

wolny od przemarzania frost-free [abc]

wolt volt [fiz.]

woltomierz electric circuit tester [el.]; tension indicator; volt meter; voltage control; voltmeter [miern.]

worek pouch; sack (*large and firm bag*); bag [abc]

worek na śmieci trash bag [rec.]

worek papierowy paperbag [abc]

worek z plastyku plastic bag [abc]

worek z polietylenu polythene bag [abc]

wotum nieufności impeachment (*disbelief, discredit*) [prawn.]

woźnica coachman [abc]

wór sack (*large and firm bag*) [abc]

wówczas at one time; at that time (*then*) [abc]

wóz van; car; chariot [abc]

wóz bocznozsypny side discharging car [mot.]

wóz ciężarowy (*kryty*) van [wojsk.]

wóz kopalniany tender [mot.]

wóz mieszkalny motor home [mot.]

wóz na siano hay wagon [roln.]

wóz stajenny horse box [mot.]

wóz wiertniczy oilfield truck, oilfield vehicle [mot.]

wóz z wyładowaniem bocznym o dużej pojemności wide-body side-discharging car [mot.]

wóz żużlowy ash bogie (*disposal car*) [energ.]

wózek akumulatorowy battery railcar [mot.]

wózek bagażowy baggage car; trolley (*airport, railroad-station*) [abc]

wózek dennozsypny gąsienicowy hopper car on tracks [transp.]

wózek do kadzi lejniczej ladle car [mot.]

wózek do przewozu bębnów kablowych cable reel car [transp.]

wózek do przewożenia innych pojazdów wagon carriage (*narrow gauge*) [mot.]

wózek do przewożenia pojazdów torami innej szerokości wagon carriage (*narrow gauge*) [mot.]

wózek do transportu pali spud carriage (*for pontoon*) [mot.]

wózek dyszlowy ręczny wysokiego podnoszenia pedestrian controlled high lift stacker [mot.]

wózek dziecięcy baby carriage; kiddy car; pram (*short for: perambulator*) [abc]

wózek inwalidzki wheelchair [med.]

wózek jednoosiowy podpierający naczepę dolly [mot.]

wózek jezdniowy paletowy pallet truck [mot.]

wózek jezdniowy podnośnikowy forklift truck [mot.]

wózek jezdniowy widłowy uniwersalny (*do użytku na każdym terenie*) rough-terrain forklift truck [transp.]

wózek konny horse cart [mot.]

wózek kontrolny inspection trolley [bud.]

wózek na rudę w kęsach coarse-ore wagon (*in copper mine*) [mot.]

wózek natorowy dennozsypny hopper car on rails [mot.]

wózek (natorowy) samozsypny tipping car [mot.]

wózek niskiego podnoszenia elevating transporter; hand forklift truck [mot.]

wózek podnośnikowy lift truck [górn.]

wózek podnośny hand lift [mot.]

wózek podnośny widłowy forklift truck; pallet truck; straddle carriers [mot.]

wózek pośredni przenośnika intermediate conveyor car [transp.]

wózek przenośnika kołowego side tipping wagon; skip [mot.]

wózek przewozowy transport trolley [mot.]

wózek ręczny hand cart (*drawn by person*) [mot.]

wózek samozsypny tipper, tipping lorry [transp.]

wózek skrętny bogie [transp.]

wózek suwnicowy crane crab (*crane trolley*) [tw.]

wózek transportowy akumulatorowy electric truck, storage battery truck [transp.]

wózek wagowy weigh larry; weighing machine [energ.]

wózek wagowy do węgla automatic coal weigher [miern.]

wózek widłowy (*przeznaczony do pracy w terenie*) rough terrain forklift truck [transp.]

wózek wodny water truck (*in mine*) [górn.]

wózek wysokiego podnoszenia high lift stacker [mot.]

wózek wysuwania osi młota hammer axle trolley [masz.]

wózek z koszem do wyciągania rusztu grate basket trolley [górn.]

wózek za lokomotywą locomotive cart [mot.]

wózek zwrotny bogie [transp.]; bogie unit [mot.]

wózek zwrotny stalowego wagonu towarowego krytego bogie covered goods steel wagon (BCGS) [mot.]

wózek zwrotny sześciokołowy six-wheel bogie [transp.]

wózek zwrotny wagonu osobowego bogie for passenger car [mot.]

W

wózek zwrotny wagonu towarowego bogie for goods wagon [mot.]

wózek zwrotny, czteroosiowy wózek zwrotny bogie, 4-axle bogie set [mot.]

wpadać crash into [mot.]

wpasowywać fit, fit in [met.]

wpis entering (*write in a book*) [abc]

wpisywać enter (*make an entry in a book*) [abc]

wpisywać się w łuki negotiate [mot.]

wpłaty na rzecz świadczeń socjalnych benefits for social security; deductions for social security [abc]

wpływ influence [abc]

wprawiać w ruch actuate [abc]

wprawny experienced [abc]

wprowadzać introduce (*something new*); insert (*into something*); acquaint with (*instruct on*); brief [abc]; admit [med.]; key in; put in [inf.]

wprowadzać do akcji call in (*send into action*); deploy (*send into action, fight*) [wojsk.]

wprowadzać do pamięci memorize; store [inf.]

wprowadzanie danych input [inf.]

wprowadzanie danych wspomagane komputerowo computer aided loading (CAL) [inf.]

wprowadzanie zmian do dokumentacji technicznej technical modification service [abc]

wprowadzenie input [inf.]; introduction [abc]

wprowadzenie danych jednorodnych flat data entry [inf.]

wprowadzenie się moving in [abc]

wprowadzenie w życie enforcement [abc]

wprzęgając engaging [masz.]

wprzęgło cable clip [mot.]; rope clip [masz.]

wpust groove (*in valve block*); key

(*like locking device*); spline [masz.] nick (*notch*) [met.]

wpust kabla cable inlet [el.]

wpust pasowany spring key [masz.]

wpust przesuwny sliding key (*spring*) [masz.]

wpust sterowania dokładnego fine control groove for precice work [narz.]

wpust ustalający locking notch [masz.]

wpustować wzdłużnie spline [masz.]

wpuszczać recess [met.]

wpuszczany counterbored [tw.]; countersunk, counter-sunk [met.]

wpuszczony (*np. nit, śruba*) flush (*aligned*); recessed [met.]; snug [masz.]

wrak statku wreck (*hull*) [mot.]

wrażliwość sensibility [abc]

wrażliwość elektryczna electrosensitivity [el.]

wrażliwy sensible [abc]

wrażliwy na kurczenie się sensitive to contraction [transp.]

wrażliwy na obciążenie pulsujące sensitive to bulking [transp.]

wrażliwy na obciążenie tętniące sensitive to bulking [transp.]

wrażliwy na wilgoć moisture sensitive [abc]; sensitive to moisture [masz.]

wrąb nick [met.]; notch [tw.]

wrąb międzyzębny space width (*tooth space*) [masz.]

wrąb tarasowy terrace cut [górn.]

wrębiarka shearer [górn.]

wręczać hand over [abc]

wręg frame (*rib, strengthening ring*) [mot.] rebate [tw.]

wręga frame (*rib of ship*) [mot.]

wręga wzmocniona bulkhead; stiffening plate [mot.]

wręgowany rebated [mot.]

wrogi hostile [abc]

wrona crow (*As the crow flies*) [bot.]

wrota gate [bud.]
wróg adversary [abc]
wróżba preceding sign [abc]
wrysowany marked [abc]
wrzeciądz (*zamka*) hasp [masz.]
wrzeciennik gear case [mot.]
wrzeciennik wiertarski auger head (*on pile-drive*) [narz.]
wrzeciono spindle [masz.]
wrzeciono hamujące screw spindle [mot.]
wrzeciono napinające tensioning spindle; tightening spindle [transp.]
wrzeciono regulacyjne control spindle [mot.]
wrzeciono twornika armature spindle [el.]
wrzeciono zaworu valve spindle [energ.]
wrzeć sizzle (*boil*) [energ.]
wrzenie błonowe film boiling [energ.]
wrzenie pęcherzykowe nucleate boiling [energ.]
wrzenie warstewkowe film boiling [energ.]
wrzód ulcer [med.]
wsad batch [inf.]; charge [górn.]; furnace charge [energ.]; heat [masz.]
wsad kulowy ball charge [górn.]
wsad pompy pump cartridge [mot.]
wsadzać plug in [abc]
wsadzarka charger [górn.]
wschodzić rise [abc]
wschód east [abc]
wsiąkliwość absorptive capacity [hydr.]
wskazanie indication [el.]
wskazanie aktualne actual indication [miern.]
wskazanie barometru barometric pressure [miern.]
wskazanie bezpośrednie direct indication; direct scan [el.]
wskazanie błędne false indication [abc]

wskazanie błędu spurious indication [abc]; flaw indication; flaw signal [miern.]
wskazanie diody świecącej LED-indicator light [mot.]
wskazanie dodatnie plus value [energ.]
wskazanie impulsu pulse indication [el.]
wskazanie impulsu nadawczego initial pulse indication [el.]
wskazanie otwórz zamknij OPEN-SHUT indication [energ.]
wskazanie plusowe plus value [energ.]
wskazanie wadliwe false indication [abc]
wskazanie wyników pomiaru display of data [miern.]
wskazanie wyników pomiaru i instrukcji na monitorze display with data of operations and instructions (*for the rig operator*) [transp.]
wskazanie zdalne (*przyrządu*) remote indication [el.]
wskazany indicated [abc]
wskazówka clue; guidance; hint; indication; recommendation [abc]; indicator [mot.]
wskazówka konsumencka product reference [abc]
wskazówka obciążenia całkowitego full load needle [mot.]
wskazówka świetlna light indicator [el.]
wskazówki notes [abc]
wskazujący kierunek mark-setting [abc]
wskazywać assign [abc]; display; indicate [el.]
wskaźnik display (*on monitor*) [inf.]; marker; pointer; water gauge; water mark; index [abc]; indicator, indicator instrument [el.]

W

wskaźnik alarmowy temperatury temperature alarm [mot.]

wskaźnik błędu poprzecznego transverse flaw signal [masz.]

wskaźnik chłodzenia effectiveness factor [energ.]

wskaźnik ciśnienia pressure indicator [mot.]

wskaźnik ciśnienia oleju oil pressure gauge [mot.]

wskaźnik cyfrowy digital display [miern.]; digital display unit [el.]

wskaźnik hamowania brake indicator (*mandatory in GB*) [transp.]

wskaźnik hamulca ręcznego handbrake indicator [mot.]

wskaźnik ilości paliwa fuel gauge [mot.]

wskaźnik kontrolny poziomu wody liquid level monitor [energ.]

wskaźnik ładowania load indicator; load indicator lamp [abc]

wskaźnik nastawczy setting mark, timing mark, adjusting mark [masz.]

wskaźnik obciążenia load indicator [abc]

wskaźnik obciążenia dopuszczalnego safe load indicator (SLI) [transp.]

wskaźnik rezerwy stand-by factor [energ.]

wskaźnik strat loss factor [energ.]

wskaźnik odstępu izolacyjnego clearance indicator [el.]

wskaźnik podciśnienia underpressure indicator [abc]

wskaźnik pojawienia się sygnału probe index [el.]

wskaźnik położenia kół wheel position indicator [mot.]

wskaźnik porowatości void ratio [bud.]

wskaźnik poziomu level indicator [mot.]

wskaźnik poziomu oleju oil gauge fitting [miern.]; oil level gauge [masz.]; oil level indicator [mot.]

wskaźnik przekroju section modulus (*tensile strength*) [masz.]

wskaźnik przelewowy out-of-range indicator [mot.]

wskaźnik przepływu flow monitor [energ.]

wskaźnik przeszukiwawczy search mark [abc]

wskaźnik przyzewowy annunciator [transp.]

wskaźnik regulacji timing mark [masz.]

wskaźnik skali scale pointer [miern.]

wskaźnik spadku ciśnienia w ogumieniu tyre pressure drop indicator [mot.]

wskaźnik stały indicator [el.]

wskaźnik środka wiązki dźwiękowej beam index [akust.]

wskaźnik świec żarowych heater plug indicator [miern.]

wskaźnik świetlny indicator light [el.]

wskaźnik świetlny na pulpicie sterowniczym indicator light in fault indicator tableau [transp.]

wskaźnik świetlny na tablicy sygnalizującej zakłócenia indicator light in fault indicator tableau [transp.]

wskaźnik temperatury heat indicator; thermometer [abc]

wskaźnik wielkiej częstotliwości high frequency indication [el.]

wskaźnik wodno-cementowy water cement ratio [bud.]

wskaźnik wolnego wydymania (*węgla*) free swelling index [energ.]

wskaźnik wytrzymałości przekroju moment of resistance; R (*moment of resistance of material*) [met.]

wskaźnik zakłóceń report on disturbances [transp.]

wskaźnik zakończenia pracy remaining operating potential [abc]

wskaźnik zużycia paliwa fuel consumption indicator [mot.]

wskaźnikowy przyrząd pomiarowy indicating measuring instrument [miern.]

wspaniałomyślny generous [abc]

wsparcie assistance (*aid*); help [abc]

wsparcie techniczne technical assistance [abc]

wspierać boost; support [abc]; revet [bud.]

wspierając backing [abc]; cantilevering (*as gas-station roof*) [bud.]; outrigging [transp.]

wspieranie support [abc]

wspieranie pracowników na stanowiskach kierowniczych personnel service for managers [abc]

wspinaczka górska hill climbing [abc]

wspinać się climb [abc]

wspomagać facilitate [abc]

wspomaganie rozruchu starting aid [transp.]

wspomagany komputerowo computer aided [inf.]

wspomagany układ kierowniczy servo steering [mot.]

wspornik brace; buck; hold-down bracket; holder; strut; support; truss [masz.]; bracket; cylinder support; holding; mounting; vanity [transp.]; cantilever [bud.]; (*ustalający*) retaining bracket; stabilizer (*outrigger*); support bracket [mot.]; shipping bracket [abc]; support frame [met.]

wspornik amortyzatora shock absorber bracket [mot.]

wspornik balustrady balustrade bracket [transp.]

wspornik błotnika wing stay [mot.]

wspornik chłodnicy radiator mounting [mot.]

wspornik chodnikowy footway bracket [bud.]

wspornik czopa obrotowego hinge bracket [transp.]

wspornik dźwigni dwuramiennej rocker arm bracket [mot.]

wspornik filtru filter bracket [mot.]

wspornik kątowy angle bracket [masz.]

wspornik kolumny kierownicy steering column bracket [mot.]

wspornik łopatek kierowniczych vane support [mot.]

wspornik maski bonnet stay [mot.]

wspornik mocujący fastening part; mounting bracket [masz.]

wspornik podpierający mounting bracket [masz.]

wspornik pokrywy (*bagażnika*) boot lid support [mot.]

wspornik przewodu pipe bracket (*on distributor <valve>*) [mot.]

wspornik resoru przedniego front spring hanger, front spring support [mot.]

wspornik resoru tylnego rear spring bracket; rear spring support [masz.]

wspornik słupowy zewnętrzny outside newel bracket [transp.]

wspornik sprzęgu hamulcowego hose stowage bracket [mot.]

wspornik stabilizatora ładunku load stabilizing jack (*jack*) [mot.]

wspornik ściany przedniej cowl support (*right, left*) [mot.]

wspornik tarczy naprężającej fan belt adjusting pulley bracket [masz.]

wspornik w kształcie litery U U-bracket [transp.]

wspornik wahacza rocker arm support [mot.]

wspornik wahliwy toggle link [transp.]

wspornik wałka prowadzącego carrier roller bracket [transp.]

W

wspornik wentylatora fan bracket [mot.]

wspornik wysięgnika boom gantry [transp.]

wspornik zaworu valve support [mot.]

wspólna linia party line [telkom.]

współczynnik coefficient [fiz.]; factor [abc]

współczynnik mocy power factor [energ.]

współczynnik absorpcji absorption coefficient [fiz.]

współczynnik czasowy time coefficient [el.]

współczynnik drgań damping factor [tw.]

współczynnik dynamiczny selection factor [masz.]

współczynnik kątowy coiling ratio [fiz.]

współczynnik kształtu shape factor [energ.]

współczynnik maksymalny maximum coefficient [górn.]

współczynnik mocy biernej sinus reactive factor [el.]

współczynnik nadmiaru powietrza excess air coefficient [energ.]

współczynnik nasycenia saturation factor [el.]

współczynnik obciążenia capacity factor [energ.]

współczynnik odbicia reflection coefficient; reflection factor [opt.]

współczynnik odchylenia deflection coefficient [fiz.]

współczynnik pochłaniania absorption coefficient [fiz.]

współczynnik pochłaniania dźwięku acoustical absorption coefficient [akust.]

współczynnik promieniowania coefficient of radiation [energ.]

współczynnik przenikalności opacity factor; permeability factor; transmission factor [el.]

współczynnik przenikania ciepła heat transfer coefficient; K-value [energ.]

współczynnik przepływu discharge coefficient [energ.]

współczynnik przepuszczalności transmission coefficient; transmission factor [el.]

współczynnik przesunięcia zarysu zębów addendum modification coefficient [masz.]

współczynnik przewodzenia ciepła coefficient of thermal conductivity [energ.]

współczynnik przylegania adhesive factor [fiz.]

współczynnik rozchodzenia się propagation coefficient [mat.]

współczynnik rozgałęzienia branching factor [inf.]

współczynnik rozproszenia scattering coefficient [el.]

współczynnik rozszerzalności coefficient of expansion [fiz.]

współczynnik skoku żłobka helix angle [abc]

współczynnik skrętu (*kabla*) number of blows [el.]; steel-stamp number [masz.]

współczynnik sprawności efficiency [el.]

współczynnik sprawności mechanicznej mechanical efficiency [abc]

współczynnik sprężystości coefficient of expansion [fiz.]

współczynnik sprężystości poprzecznej shear modulus [masz.]

współczynnik sprężystości postaciowej torsion module [masz.]

współczynnik strat dissipation factor [el.]

współczynnik tarcia coefficient of friction; friction factor [fiz.]; frictional data [masz.]

współczynnik tłumienia attenuation coefficient; damping coefficient [el.]; damping factor [fiz.]; sound damping factor [akust.]

współczynnik tłumienia napięć równoległych rejection factor [transp.]

współczynnik załamania refraction prism [opt.]

współczynnik zanieczyszczenia cleanliness factor [energ.]

współczynnik zawartości harmonicznych total harmonic distortion [el.]

współczynnik zniekształceń nieliniowych harmonic distortion; total harmonic distortion [el.]

współdziałać work together [abc]

współoskarżony co-defendant [praw.]

współpraca collaboration; cooperation [abc]

współpracować mesh [mot.]

współprąd parallel flow [el.]

współzależność correlation [miern.]

współzastępowalność compatibility [inf.]

współzawodnictwo bezpośrednie direct competition [abc]

wstawiać insert [inf.]; interpose [energ.]; park [mot.]

wstecz backwards [abc]; reverse [mot.]

wstęga na rury skelp [masz.]

wstęp admission [abc]

wstępne sterowanie ciśnieniowe auxiliary remote pressure control [masz.]

wstępny preparing; setting the stage [abc]

wstrząs jerk; shock [abc]

wstrząsarka vibrator [masz.]

wstrząsarka zasobni bunker vibrator [energ.]

wstrzymanie discontinuation [abc]

wstrzymanie pracy kotła boiler shut-down [energ.]

wstrzymanie pracy urządzenia maintenance stop; service stop; stop of operation (*end of operation*) [transp.]

wstrzymywać budowę stop building (*stop construction work*) [bud.]

wsunięcie insertion (*soot blower*) [energ.]

wsunięty engaged (*in catch*) [abc]

wsuwać retract [transp.]

wsysanie aspiration [mot.]

wszczynać launch [bud.]

wszechstronny all sides (*tilt angle all sides*); universal (*universally interested*) [abc]

wszechświat Universe (*the Universe*) [abc]

wtedy at one time [abc]

wtłaczać press fit [met.]

wtłoczony pressed on [masz.]

wtop niezupełny limited complete penetration [met.]

wtopienie penetration into the root [met.]

wtórnik emiterowy emitter follower [el.]

wtórnik emiterowy przeciwsobny push-pull emitter follower [el.]

wtórnik katodowy cathode follower [el.]

wtórnik napięciowy voltage follower [el.]

wtrącenia inclusions (*in the rock*) [min.]

wtrącenie żużlowe slag inclusion; slag streak (*seam*) [energ.]

wtrącenie żużlowe gruboziarniste coarse slag inclusion [energ.]

wtryskiwacz injection valve body [mot.]; injector [masz.]

wtryskiwacz otworkowy orifice nozzle [mot.]

wtryskiwacz (paliwa) bezpośredni direct injection, direct injector [mot.]

wtryskiwać inject [mot.]

W

wtyczka plug; socket [el.]

wtyczka do sieci power supplier (mains plug) [el.]

wtyczka probiercza socket for inspection run; test plug [transp.]

wtyczka przyrządowa connector; plug (connector) [el.]

wtyczka redukcyjna plug adapter [el.]

wtyczka sieciowa mains plug (power supplier) [el.]

wtyczka specjalna special plug [el.]

wtyczka trzypalcowa three-pin plug [el.]

wtyczka trzystykowa three-pin plug [el.]

wulkaniczne trzęsienie ziemi volcanic earthquake [geol.]

wulkanizacja vulcanization [mot.]

wulkanizować vulcanize [abc]

wybielać bleach [chem.]

wybierać mine [górn.]; recess [met.]; choose; elect [abc]; dial [telkom.]

wybierać materiał ziemny pod krawężnik draw a curbstone trench [gleb.]

wybierak selector [transp.]

wybierak zaworowy valve selector [mot.]

wybieranie czerparką nadsiębierną high cut [transp.]

wybieranie czerparką podsiębierną deep cut (of the bucket chain excavator) [transp.]

wybieranie (eksploatacja) przy użyciu urządzenia strugowego plow mining [górn.]

wybieranie odkrywkowe open pit mining [górn.]

wybieranie ścianowe long wall mining [górn.]

wybieranie wstępne pre-selection [abc]

wybijać coin [met.]; drive off [energ.]

wybijać takt key (to k. the time <in>) [abc]

wybijak drift (short for: drift punch) [masz.]

wybijak zawleczek cotter pin drive [narz.]

wyblakły pale [abc]

wyboista droga potholed road (deteriorated road) [transp.]

wyboisty bumpy; uneven [transp.]; lumpy [abc]

wyborca electoral [polit.]

wybory election [polit.]

wybój bump; dip [transp.]; pothole [mot.]

wybór choice [abc]

wybór bezpośredni popular vote [polit.]

wybrakować sort out [abc]

wybrzeże coast [abc]

wybrzuszać bend [abc]

wybrzuszać się bulge [met.]

wybrzuszenie boss (eye); bulge [energ.]; bulging; width crowning [abc]

wybrzuszony bent [abc]; fish bellied [mot.]

wybuch eruption (volcano) [abc]; explosion [górn.]

wybuch pyłu węglowego explosion of coal dust (underground) [górn.]

wybuchać blow out, blow up [abc]

wybuchanie blow out [abc]

wybuchowe ładunki pirotechniczne pyrotechnical detonating compositions [wojsk.]

wybudowany zgodnie z wolą klienta custom-built (taylor made) [mot.]

wycena assessment [abc]

wychodnia outcropping (basset, outcrop) [górn.]

wychowanie education [abc]

wychwytywać catch [abc]

wychylać swing [transp.]; tilt [masz.]

wychylać z pionu cock [met.]

wychylak osi łamanej oscillation lock [mot.]

wychylenie dźwigni lever distances (*joystick distances*) [abc],

wychylenie przednich kół podczas jazdy na zakrętach steering lock (*steering block*) [mot.]

wychylny revolving [abc]; slewing-; swingable, slewable [transp.]

wyciąg winch [mot.]; elevator; lift [bud.]; exhaust duct [górn.]; hoist [masz.]; ventilation hood [energ.]

wyciąg budowlany builder's hoist [bud.]

wyciąg kopalniany winder [górn.]

wyciąg kuchenny pionowy dumb waiter (*lift carries food, etc.*) [transp.]

wyciąg pionowy vertical pulling off [el.]

wyciąg statków slip [mot.]

wyciąg szybowy shaft hoisting equipment [górn.]

wyciąg wody well rope (*bucket in well on it*) [bud.]

wyciąg zębatkowy cog railway; rack railway [mot.]

wyciąg z rejestru skazanych record [praw.]

wyciągacz extractor [mot.]; puller [narz.]

wyciągacz gwoździ claw wrench; nail drawer; nail puller [narz.]

wyciągacz kołków pin extractor [narz.]

wyciągacz sworzni pin extractor [narz.]

wyciągać (*do góry*) lift (*lifting; hoisting movement*); pull out [abc]; blank; pull (*-out, take out, remove, dismantle*) [masz.]

wyciągarka towing winch [mot.]

wyciągnąć (*kołowrotem, korbą*) wind (*wind up, winch up*) [abc]

wyciągnięty stretched [masz.]

wycie syren wail of sirens (*also mythological*) [abc]

wycieczka excursion; tour; trip [abc]

wyciek effluent; water drainage [bud.]; leak [energ.]

wyciek wody water leakage; water out (*may read on a sign*) [mot.]

wyciekać flow away [mot.]

wycieńczyć waste [abc]

wycieraczka winshield wiper [mot.]

wycieraczka pionowa vertical wiper [mot.]

wycieraczka szyby windscreen wiper (GB); windshield wiper (US) [mot]

wycieraczka szyby równoległa parallel windscreen wiper, parallel windshield wiper (GB); vertical wiper [mot.]

wycierać (*gumką*) erase (*scratch off*); rub [abc]

wycięcie breakthrough [abc]; cutting [mot.]; notch; sector [masz.]

wycinać carve [met.]

wycinać przecinakiem chip [met.]

wycinak cross-cut chisel; parallel cross-bit chisel [narz.]

wycinak nożowy carving knife [narz.]

wycinanie notch [tw.]

wycinanie lasu logging [abc]

wycinarka młoteczkowa nibbling machine [narz.]

wycinek przy pompie wtryskowej quadrant [masz.]

wycinek zębaty gear segment; sector gear; tooth sector; toothed quadrant [masz.]

wyciskać back out [met.]; press out, squeeze [abc]; stamp [masz.]

wyciskanie extrusion [energ.]

wyciskany na gorąco hot extruded [met.]

wyciszać fade out (*music gets softer, ends*) [el.]

wyciszanie zakłóceń z sygnału interference blanking [mot.]

wyciszony mute [el.]; sound-insulated, sound-suppressed [akust.]

wycofanie withdrawal [abc]

wycofanie się retraction [mot.]

W

wycofywać cancel; withdraw [abc]; move out; retreat [wojsk.]; take out [mot.]

wyczerpać waste [abc]

wyczerpanie sumy na zabezpieczenie exhaustion of the limit [praw.]

wyczerpany exhausted [abc]

wyczerpujący comprehensive [abc]

wyczerpywać exhaust [abc]

wyczuwanie obciążenia load sensing [mot.]

wydajniejszy more efficient [abc]

wydajność rating; tinctorial power; efficiency; productivity [abc]; output [mot.]; capacity; performance [transp.]; steam output [energ.]; abundance [górn.]

wydajność dzienna daily output [transp.]

wydajność dźwigu crane capacity [mot.]

wydajność kotła boiler capacity [energ.]

wydajność maksymalna maximum capacity; maximum efficiency [masz.]

wydajność młyna pulverizer output [abc]

wydajność obrotowa wózka zwrotnego bogie rotational performance [mot.]

wydajność oczyszczania strumieniowego shot-blasting efficiency [met.]

wydajność odpylacza precipitator efficiency [górn.]

wydajność pieca furnace capacity [energ.]

wydajność pompy delivery rating of a pump [mot.]

wydajność produkcyjna productivity [abc]

wydajność przesyłania volume of shipments [abc]

wydajność retencji retention efficiency [energ.]

wydajność robocza operating efficiency [energ.]

wydajność rozładunku unloading capacity [abc]

wydajność spychania dozing capacity [transp.]

wydajność stała continuous rating [mot.]

wydajność studni well capacity [abc]

wydajność testowa testing efficiency [masz.]

wydajność wentylatora fan efficiency [aero]

wydajność wysyłkowa volume of shipments [abc]

wydajność załadunkowa loading performance [mot.]

wydajność zasilania conveying line [energ.]

wydajność znamionowa kotła boiler rating [energ.]

wydajność wytwarzania development productivity [inf.]

wydajny efficient [abc]; powerful [inf.]

wydanie hand-over; issue [abc]

wydanie wydruku output (*result, display of computer*) [inf.]

wydany released [abc]

wydarzać się occur [abc]

wydarzenia negatywne negative events [inf.]

wydatki specjalne extras [abc]

wydawać hand over; publish (*publish books*) [abc]; issue [wojsk.]

wydawanie informacji output [inf.]

wydawca publisher (*runs a publishing house*) [abc]

wydawnictwo publishing house (*publishing company*) [abc]

wydawnictwo podręczne desk top publishing [abc]

wydech exhaust, exhaust out [mot.]; outlet [masz.]

wydłużać extend [abc]; strain (*expand, stretch*); stretch (*spread, straighten*) [masz.]

wydłużalność ductility [masz.]

wydłużanie impulsu pulse stretching [el.]

wydłużenie strain; stretch (*stretching*) [masz.]; elongation [transp.]

wydłużenie chwytaka grab extension [transp.]

wydłużenie łańcucha chain stretching [transp.]

wydłużenie plastyczne residual strain [energ.]

wydłużenie podłużne longitudinal extension [abc]

wydłużenie poprzeczne lateral extension [mot.]

wydłużenie przy zerwaniu (*próbki*) ultimate strength [met.]

wydłużenie termiczne thermal expansion [energ.]

wydłużenie trwałe residual strain [energ.]

wydłużka extension [masz.]

wydłużony stretched [abc]

wydma dune [abc]

wydma wędrująca shifting dune (*in a desert*) [abc]

wydmuchiwać blow out (*superheater*) [energ.]

wydobycie ciągłe continuous mining [górn.]

wydobywać grunt koparką bog removal; dredge, dredge out [transp.]

wydobywanie mining [górn.]

wydobywanie gruntu bulk excavation [bud.]

wydobywanie materiału material trip [górn.]

wydobywanie surowca obtaining raw materials [górn.]

wydrążenie notch [tw.]; recess [met.]

wydrążenie na śruby bolt pocket [masz.]

wydrążony hollow [abc]

wydruk computer print (*print*); hardcopy [inf.]

wydruk buforowany spooling [inf.]

wydruk komputerowy print (*computer print*) [inf.]

wydruk warunkowy conditional form [inf.]

wydruk zawartości pamięci memory output [inf.]

wydrukowany printed[abc]

wydymanie bulging; swelling [bud.]

wydział do spraw imigracji immigration department [polit.]

wydział doświadczalny research and development department [abc]

wydział gruntowania priming shop [norm.]

wydział metalurgiczny metallurgy division [tw.]

wydział montażowy erection department [abc]

wydział zdrowia health department [med.]

wydzielać escape; exude (*His house exudes tranquility*); release [abc]; segregate [masz.]

wydzielać żywicę resin [bot.]

wydzielanie ciepła heat liberation; heat release [energ.]

wydzielanie ciepła w komorze paleniskowej furnace heat liberation [energ.]

wyeliminowany eliminated [abc]

wygaszać extinguish [abc]; fade out [el.]; shut down (*take out of service*), shut off; take out of service (*shut down*) [energ.]

wygaszać kocioł boiler shut-down [energ.]

wygaszanie suppression (*blanking*) [el.]; (*elementów obrazu*) blanking, blank-out [inf.]; (*plamki*) blanking [abc]

wygaszanie plamki blanking control (*on terminal*) [inf.]

wygaszanie promienia beam blanking [transp.]

W

wygaszanie sygnału signal blanking [abc]

wygaszanie zakłóceń zliczania count interference blanking [el.]

wygięcie bow [bud.]; curvature [tw.]; throw (*cranking*) [el.]

wygięty bent [abc]; cranked off, cranked [met.]; curve [mot.]

wyginać bend [met.]

wyginanie bending [met.]

wygląd appearance [abc]

wygładzać file; finish machine (*dress, smoothen*); hone [met.]

wygładzak siedzeniowy otworu szlamnikowego hand-hole seat scraper [energ.]

wygładzanie smoothening [met.]

wygładzanie impulsów pulse lubrication [el.]

wygładzanie powierzchni fine levelling of surface [transp.]

wygładzanie wykładnicze exponential smoothing [mat.]

wygładzony smoothen [met.]; struck [transp.]

wygłaszać przemówienie give a speech; make a speech [abc]

wygoda (*powodowana ergonomicznością*) ease and convenience; comfort [abc]

wygotowywać boil out [energ.]

wyjaśniać explain [abc]

wyjaśnienie explanation [polit.]; information (*clue, hint*) [abc]

wyjazd departure; exit [mot.]

wyjazd służbowy business trip [abc]

wyjątek exception (*exception to the rule*) [abc]

wyjmować pull out [abc]

wyjmowanie wypraski z formy demoulding [bud.]

wyjście exit [abc]; outlet [el.] output [inf.]; spout [masz.]; delamination [met.]; discharge chute, discharge; gate (*Kindly proceed to Gate A*)

[mot.]; egress (*opposite: access*) [bud.]

wyjście ewakuacyjne emergency exit; emergency exit [abc]

wyjście sygnału signal output [el.]

wyjście gwintu thread run-out [masz.]

wyjście znaku sign output [el.]

wykańczać finalize [bud.]; finish [abc]

wykańczać wstępnie semi-finish [met.]

wykańczarka road finisher [bud.]

wykaz list [abc]; schedule [bud.]; spec (*specification, instruction*) [inf.]

wykaz części zamiennych parts list [mot.]

wykaz czynności kontrolnych check list, check sheet [abc]

wykaz firm company references [abc]

wykaz handlowców distributor book [ekon.]

wykaz materiałów BOM, bill of materials [rys.]; shop material list [masz.]

wykaz momentów obrotowych dociągających torque specification [masz.]

wykaz okresów smarowania lubrication chart [abc]

wykaz oryginalnych materiałów original bill of materials [abc]

wykaz robót specification (*from the customer*) [abc]

wykaz (spis) elementów modułowych one-level bill of materials [abc]

wykaz tabelaryczny schedule [abc]

wykaz wolnej pamięci free storage list [inf.]

wykaz wymaganych śrub list of bolts needed [masz.]

wykaz wyrobów product specification [abc]

wykaz części bill of materials (BOM); master bill of materials; master BOM (*master bill of materials*) [abc]

wykazywać verify [abc]
wykazywać rozbieżności diverge [prawn.]
wykład lecture [abc]
wykładać line (*with composition*) [energ.]
wykładanie płytami panelling [bud.]
wykładany boazerią panelled [bud.]
wykładka sub-base [mot.]
wykładnia interpretation [abc]
wykładniczy exponential [mat.]
wykładowca lecturer [abc]
wykładzina wear plate [trans.]; casing (*housing*) [mot.]
wykładzina gumowa rubber [transp.]; rubber strip [masz.]
wykładzina ogniotrwała fire clay lining (*refractory lining*); refractory lining (*fire clay lining*) [energ.]
wykładzina podłogowa floor covering; floor material, floorplate finish (*floorplate top*) [bud.]
wykładzina rur tubulous lining; water tube wall [energ.]
wykładzina tkaninowa underlayer of fabric [mot.]
wykładzina wideł maźnicy wear plate [mot.]
wykładzina z maty matting [abc]
wykolejać się derail (*derail a train; off the road*) [mot.]
wykolejenie derailing [mot.]
wykolejony derailed (*left the tracks*); off the road [mot.]
wykonalny practicable [abc]
wykonanie version; workmanship; enforcement; execution; realization [abc]; performance (*in language*) [inf.]; carrying out [tw.]
wykonanie na specjalne życzenie special type (*single piece job*) [transp.]
wykonanie na zamówienie single piece job [masz.]
wykonanie specjalne special equipment [masz.]

wykonanie wykopu ground breaking (*excavation work*) [energ.]
wykonany na zamówienie tailor-made [masz.]
wykonany (zrobiony, przeprowadzony) fachowo workmanlike (*workman-like*) [abc]
wykonawca robót builder; contractor [bud.]
wykonawca robót podwodnych marine contractor [mot.]
wykonywać achieve; carry out; execute; perform; practise; produce (*create, make, build*); reach [abc]
wykonywać rowek groove (*slot*) [met.]
wykonywać wpusty slot [transp.]
wykończenie completion; finishing [abc]; finish [transp.]
wykończenie lakiernicze finish (*especially: top coat*) [met.]; paint, paint finish [abc]
wykończenie powierzchni surface finish; surface finishing; treatment of the surface [masz.]
wykończony retapped [mot.]
wykończony ostatecznie finish machined [met.]
wykop excavation, excavation work [transp.]; pit [bud.]; cutting [mot.]
wykop budowlany building pit [bud.]
wykop dla rurociągu pipe trench [bud.]
wykop tarasowy terrace cut [górn.]
wykopany excavated [transp.]
wykopywać excavate [transp.]
wykopywanie bulk excavation [bud.]
wykorbienie (*wału korbowego*) throw [masz.]
wykorbiony cranked [met.]; offset [transp.]
wykorzystać utilize (*use, work with it*) [abc]
wykorzystanie use, utilization; application (*applicable*) [abc]

W

wykorzystanie ciśnienia wstecznego back-pressure utilization [masz.]

wykorzystanie odpadków salvage (*salvaging*), wastes utilization [rec.]

wykorzystanie pary odlotowej exhaust steam utilisation [energ.]

wykorzystanie zdolności (mocy) produkcyjnej utiliztion of capacities [abc]

wykorzystywać employ (*tool, weapon*); exploit; tap; use (*consume, use up*) [abc]

wykrawki blankings, pressed or deep-drawn parts [masz.]

wykres diagram; drawing; graph; plot [abc]; chart [rys.]

wykres Bodego Bode plot [el.]

wykres chromatyczności colour chart [norm.]

wykres Fe-C iron-carbon-equilibrium diagram [tw.]

wykres impulsów pulse diagram; pulse plan [el.]

wykres Molliera h-s Mollier diagram [energ.]

wykres pary h-s Mollier diagram [energ.]

wykres przedstawiający przekrój poprzeczny radial cross section diagram [rys.]

wykres przepływu danych data flow diagram (DFD) [inf.]

wykres (składu) spalin combustion chart [energ.]

wykres słupkowy bar chart [mat.]

wykres tarczowy diagram plate [abc]

wykres wzniosu lifting chart [mot.]

wykres zachowania problemowego problem-behaviour graph [inf.]

wykres żelazo-węgiel iron-carbon-equilibrium diagram [tw.]

wykręcać distort; twist; warp; unbolt; unscrew [met.]

wykrojka blank; blank cut; cutting [met.]

wykrojnik cutting device [narz.]

wykrój pattern [abc]

wykrywacz dymu smoke detector [transp.]

wykrywacz kłamstw lie detector; polygraph [abc]

wykrywacz wiórów chip detector [mot.]

wykrywać find out [abc]

wykrywalność błędu flaw detectability [miern.]

wykrywalność wad materiałowych flaw detectability [miern.]

wykrywanie detection [abc]

wykrywanie błędów ultradźwiękami ultrasonic flaw tracing [el.]

wykrywanie i usuwanie błędów w programach komputerowych debug [inf.]

wykrywanie szczelin płynami o dużej przenikliwości liquid penetration test [norm.]

wykrywanie uszkodzeń fault finding [abc]

wykrzyknik exclamation mark [abc]

wykształcenie education

wykształcony educated; intelligent (*learned*); knowledgeable [abc]

wykusz alcove [bud.]

wykuwać penetrate [abc]

wykwalifikowany skilled [abc]

wyląg hatch [abc]

wylot delamination [met.]; discharge chute, discharge; venting [mot.]; outlet; spout [masz.]

wylot chłodnicy końcowej (*do termostatu*) aftercooler out(-let) (*to thermostat*) [energ.]

wylot oddzielacza cyklonowego cyclone throat [energ.]

wylot schodów step outlet [transp.]

wylot spalin exhaust, exhaust out [mot.]; flue gas outlet [energ.]

wylot tunelu tunnel mouth [transp.]

wylotowa nasadka ceramiczna palnika burner throat brick [energ.]

wyładowanie discharge [el.]; discharging [mot.]

wyładowanie elektryczne electric discharge [el.]

wyładowanie samoczynne wywrotki automatic discharge for tipping-wagon [transp.]

wyładowanie wstęgowe streamer [el.]

wyładowarka unloader [mot.]

wyładowarka okrętowa do pracy ciągłej continuous ship unloader [mot.]

wyładowywacz unloader [mot.]

wyładowywać (*empty, discharge*) unload [transp.]; discharge [mot.]

wyładowywać na bok side dump [mot.]

wyładunek do przodu front discharge [mot.]

wyładunek tylny tailswing [transp.]

wyłaz dachowy roof hatch [bud.]

wyłączać discard; switch off [el.]; release [abc]; shut off; take out of service (*shut down*) [mot.]

wyłączać silnik switch off the engine [mot.]

wyłączanie shift [mot.]

wyłączanie w porze nocnej overnight shutdown [el.]

wyłączenie disconnection [el.]; exclusion [praw.]

wyłączenie awaryjne high speed breaking; rapid interruption [el.]

wyłączenie silnika shutdown device; switching off of the engine (*combust*), switching off of the motor (*electric*) [mot.]

wyłączenie wszelkich ustnych postanowień exclusion of verbal agreements [praw.]

wyłączenie zagrożeniowe high speed breaking; rapid interruption [el.]

wyłącznik (*automatyczny*) disconnecting switch (*isolator*); stop button; stop switch [transp.]; (*auto-*

matyczny) isolation switch; switch (*electric, button or lever*); circuit breaker [el.]; (*np. wagi*) arrestor, lock [masz.]; cut-out [energ.]

wyłącznik automatyczny circuit breaker [el.]

wyłącznik automatyczny dejonizacyjny deion circuit-breaker [energ.]

wyłącznik awaryjny emergency stop [abc]; emergency switch, emergency-out; emergency <stop-button> switch [transp.]

wyłącznik bezpieczeństwa emergency stop [abc]; emergency switch; panic switch; safety switch [el.]

wyłącznik bezpieczeństwa poręczy handrail safety switch [transp.]

wyłącznik bezpieczeństwa stopni comb safety switch [transp.]

wyłącznik ciśnieniowy press switch; pressure switch [el.]

wyłącznik ciśnieniowy przeponowy pressure switch [el.]

wyłącznik działający przy złamaniu stopnia broken step switch [transp.]

wyłącznik elektromagnetyczny magnetic switch; solenoid switch; magneto switch [el.]

wyłącznik ETA ETA-automatic cut-off [met.]

wyłącznik główny main breaker; main circuit breaker; operating switch [transp.]; main switch; master control [el.]

wyłącznik główny oświetlenia main switch lighting [transp.]

wyłącznik góra-dół kluczykowy up-down key switch [el.]

wyłącznik hamulca brake switch [mot.]

wyłącznik hamulca osi przedniej front brake limiter switch [mot.]

wyłącznik hydrauliczny olejowy

W

światła stop hydraulic stop light switch [mot.]

wyłącznik kluczykowy key cut-out switch [transp.]; key switch [el.]

wyłącznik kluczykowy górny upper key stop switch [transp.]

wyłącznik krańcowy podnoszenia dźwigni hamulcowej brake wear-limit switch [mot.]

wyłącznik maty kontaktowej contact mat switch [transp.]

wyłącznik niskiego napięcia low-voltage circuit breaker [el.]

wyłącznik obrotowy światła stop stop light rotating switch [mot.]

wyłącznik ochronny protection switch; protective switch [el.]

wyłącznik ochronny płaski flat protective switch [el.]

wyłącznik ochronny prądowy fault current protection switch [el.]

wyłącznik ochronny różnicowy fault current protection switch [el.]

wyłącznik oświetlenia light switch [el.]

wyłącznik oświetlenia poręczy handrail lighting switch [transp.]

wyłącznik oświetleniowy główny main light switch [mot.]

wyłącznik pociągany pull switch [mot.]

wyłącznik pociągany światła stop stop light pull switch [mot.]

wyłącznik pomiarowy meter switch [el.]

wyłącznik powietrzny air blast circuit breaker [masz.]

wyłącznik przeciążeniowy load break switch; overload switch [el.]

wyłącznik przyciskowy push-button switch [el.]

wyłącznik rtęciowy mercury switch [el.]

wyłącznik samoczynny automatic circuit breaker [el.]

wyłącznik samoczynny silnika motor protection switch [mot.]

wyłącznik samoczynny silnikowy motor overload protector [mot.]

wyłącznik samoczynny silnikowy chłodnicy oleju motor protection switch oil cooler [mot.]

wyłącznik samoczynny smarowania silnika motor protection switch lubrication [mot.]

wyłącznik sieci mains circuit breaker [el.]

wyłącznik suchy air blast circuit breaker [el.]

wyłącznik szczotkowy brush switch (*safety device*) [el.]

wyłącznik szybki high speed circuit breaker; high speed switch [el.]

wyłącznik światła stop brakelight switch [mot.]

wyłącznik wysokiego napięcia high voltage circuit breaker [el.]

wyłącznik zabezpieczający protection switch; protective switch [el.]

wyłącznik zwalniaka hamulca brake bleeder switch [mot.]

wyłącznik zwrotny cut-out [mot.]

wyłącznik krańcowy belt off-track limit switch; micro switch [transp.]; limit switch [mot.]; limit switch; over travel switch [el.]

wyłączony eliminated [abc]; off; switched off [el.]

wyłom breakthrough [abc]; opening [transp.]

wyłożenie cladding [transp.]; liner [masz.]

wyłożenie hełmu helmet lining [wojsk.]

wyłożenie metalem białym white metal lining [masz.]

wyłożenie ogniotrwałe fire clay lining; refractory lining [energ.]

wyłożenie robocze lining material; wear -resistant liner [energ.]

wyłożony lined [masz.]
wyługowany leached out [chem.]
wyłuskiwanie peeling work [abc]
wymachiwać slap [abc]
wymagać require; need [abc]
wymagający naprawy (*remontu*) repair-prone [abc]
wymagalność become obligated [abc]
wymagana dokładność biegu required concentricity [mot., masz., transp.]
wymagana powierzchnia oparcia required building space [bud.]
wymagana powierzchnia pod budowę required building space [abc]
wymagania desiderata [inf.]
wymagania jakościowe quality assurance requirements, quality demand, quality requirement [ekon.]; standards [abc]
wymagania smarowania lube requirements [masz.]; lubrication requirements [mot.]
wymagania techniczne specifications [abc]
wymaganie claim [praw.]
wymaganie eksploatacyjne operation requirement [transp.]
wymaganie kontrolne test requirement [miern.]
wymaganie testowe test requirement [miern.]
wymaganie użytkowe functional requirement [transp.]
wymagany necessary, required [abc]
wymarcie extinction [abc]
wymazywać z opóźnieniem delayed erase [el.]
wymiana exchange (*colloquial: swapping*); change (*of staff*); replacement (*replacing*) [abc]; substituting [transp.]
wymiana części parts replacement [masz.]

wymiana gruntu soil substitution [bud.]
wymiana kationowa cation exchange [chem.]
wymiana oleju oil change [mot.]
wymiana oleju filtra powietrza air-cleaner oil change [mot.]
wymiana oleju przekładniowego gear oil change [transp.]
wymiana opony tyre exchange (*wheels exchanged*) [mot.]
wymiana rur tube renewal [bud.]
wymiana personelu restaffing [abc]
wymiana wkładu filtru olejowego oil filter element changing [mot.]
wymiar dimension [rys.]; extent [abc]
wymiar elementu w stanie surowym rough size [rys.]
wymiar główny main dimension [mot.]
wymiar kontrolny test dimension [rys.]
wymiar końcowy finished dimension [rys.]
wymiar nietolerowany odlewu casting untoleranced dimension [norm.]
wymiar orientacyjny reference dimension [masz.]
wymiar ostateczny finished dimension [rys.]
wymiar przekątnej width across corners [masz.]
wymiar składek premium computation [praw.]
wymiar szlifierski grinding diameter [masz.]
wymiar tolerowany tolerance [rys.]
wymiar trasowany marking of dimension [masz.]
wymiar w świetle clear dimension; clearance [rys.]
wymiar zewnętrzny dimension outside boiler [rys.]

W

wymiar znamionowy nominal size [rys.]

wymiarowanie konstrukcji uwzględniające niebezpieczeństwo wystąpienia trzęsienia ziemi seismic design [geol.]

wymiarowany dimensioned [rys.]

wymiary dopasowane adequate dimension [abc]

wymiary gabarytowe overall dimensions [rys.]

wymiary kotła boiler dimension [energ.]

wymiary poręczy handrail dimensions (*sizes*) [transp.]

wymiary powierzchni dimensions of surface [rys.]

wymiary skojarzone dimensions of components adjacent to the bearings [masz.]

wymiary wstępne dimensions prior (*to turning*) [masz.]

wymiary zewnętrzne kotła dimensions outside boiler [energ.]

wymiatać sweep [abc]

wymieniacz jonowy base exchanger [chem.]; ion exchanger [energ.]

wymieniacz jonowy ze złożem mieszanym mixed-bed ion exchanger [energ.]

wymieniać change (*the attachment*) [transp.]; exchange (*interchange*) [energ.]; replace (*exchange*); substitute [abc]

wymieniać filtr oleju obejściowy by-pass oil filter element changing [mot.]

wymienialny convertible [transp.]

wymienna wykładzina wideł maźnicy changeable wear plate [energ.]

wymiennik exchanger [abc]

wymiennik ciepła heat exchanger [transp.]

wymienność compatibility [inf.]; exchangeability [mot.]

wymienny dismantable [met.]; ex-

changeable (*replaceable*); interchangeable (*replaceable*) [masz.] removable; replaceable [abc]

wymijać omit; swerve (*out of the way of other car*) [mot.]

wymijanie passing [mot.]

wymiotować throw up (*vomit*) [abc]

wymowny indicative [abc]

wymówienie pisemne termination in writing; written termination [abc]

wymówka excuse (*flimsy excuse*) [abc]

wymuszać enforce [abc]

wymuszony enforced [abc]

wymyty floated back [bud.]

wymywać rinse [geol.]

wymywanie washout [bud.]

wynagrodzenie wage [abc]

wynagrodzenie za okres urlopu vacational benefit [abc]

wynanajem urządzeń plant hiring [abc]

wynanajmować hire [abc]

wyniesienie elevation [abc]

wynik result [abc]

wynik badań ultradźwiękowych ultrasonic test result [el.]

wynik biegu próbnego trial evaluation [abc]

wynik pomiaru reading [miern.]

wynik pośredni preliminary result (*interim result*) [abc]

wynik testu test results [miern.]

wyniosłość vertical rise [abc]

wyniszczenie annihilation [abc]

wyobrażać sobie conceive (*think up, come up with*) [abc]

wyobrażenie imagination [abc]

wyodrębniać detach [abc]

wyodrębniona część konstrukcji assembly; unit [masz.]

wyokrętować disembark [mot.]

wyokrętowanie disembarkation [mot.]

wyostrzony ground (*to remove material*) [met.]

wypaczony warped [abc]
wypaczyć się warp (*through heat*) [masz.]
wypadek accident; case; incident [abc]
wypadek przy pracy accident an employee suffers from work; accident at work [abc]
wypadek szkodowy case of fault (*warranty claim made*) [praw.]
wypalać burn out [abc]; cinder [tw.]; glow out [met.]
wypalanie burning [energ.]
wypalony burned [abc]; burnt out [bud.]; depleted [energ.]; eroded by heat [meteo.]
wyparka evaporator [energ.]
wyparka wstępna pre-evaporator [energ.]
wyparowywanie boiling [energ.]; evaporation [abc]
wyparty superseded (*by new model*) [abc]
wypełniacz rowów trench filler (*screw*) [transp.]
wypełniać discharge; fill in [abc]; fill in [transp.]; fill, fill up [mot.]
wypełnianie gniazd slot filling [inf.]
wypełnianie materiału filling in of material [transp.]
wypełnianie szczelin slot filling [inf.]
wypełnienie filling [bud.]; topping up [masz.]
wypełnienie betonowe concrete filling [bud.]
wypełnienie czerpaka shovel filling [transp.]
wypełnienie sztuczne artificial fill [gleb.]
wypełniony back gouged [bud.] filled [transp.]; filled-in (*np. szkielet ściany*) [tw.]
wypielęgnowany well groomed [abc]
wypierać supersede [abc]
wypłata końcowa final payment [abc]
wypłata wynagrodzenia wage payment [abc]

wypłukiwać rinse [geol.]
wypływ discharge; water drainage [transp.]; effluent [bud.]; emission [abc]
wypływ oleju wyciekowego na zewnątrz external connection (*for drain*) [mot.]
wypływać flow away (*Oil flows away*) [mot.]
wypoczęty recreated; relaxed [abc]
wypoczynek recreation [abc]
wypoczywać relax [abc]
wypompowywać drain [abc]
wyposażać fit out, supply [wojsk.]; outfit; procure [mot.]; furnish; provide (*with something*) [abc]
wyposażenie appliances; parts (*accessories, extras*) [abc]; attachment [masz.]; fitting; outfit [mot.]; kit [wojsk.]
wyposażenie chwytaka clamshell equipment; grab attachment [transp.]
wyposażenie czołowe front attachment [mot.]
wyposażenie dla gospodarki budowlanej equipment for the construct industry [bud.]
wyposażenie do kopania backhoe attachment [transp.]
wyposażenie do podnoszenia dłużyc log grapple attachment [transp.]
wyposażenie do przeładunku towarów cargo handling equipment [mot.]
wyposażenie do zamiatania ulic road sweeper attachment [mot.]
wyposażenie dodatkowe accessories; additional equipment; attachment [masz.]
wyposażenie elektryczne electrical equipment [el.]
wyposażenie fabryki plant equipment (*plant*) [abc]
wyposażenie koparki podsiębiernej backhoe equipment [transp.]

W

wyposażenie kruszarki breaker attachment [narz.]

wyposażenie lemiesza czołowego front blade attachment [transp.]

wyposażenie ochronne protective kit [abc]

wyposażenie placu składowego stockyard systems [górn.]

wyposażenie podstawowe basic equipment [masz.]

wyposażenie pomocnicze ancillary equipment [ekon.]

wyposażenie robocze attachment [masz.]

wyposażenie saperskie engineer equipment (GB) [wojsk.]

wyposażenie słupa podnośnikowego lift pole attachment [transp.]

wyposażenie specjalne special accessories [masz.]; special equipment [transp.]

wyposażenie standardowe standard equipment [masz.]

wyposażenie statku ship-armature [transp.]

wyposażenie ścianki szczelnej piling accessories [masz.]

wyposażenie tablicy przyrządów instrument panel equipment [mot.]

wyposażenie teleskopowego wysięgnika żurawia telescopic crane arm attachment [transp.]

wyposażenie tunelowe tunnel equipment [transp.]

wyposażenie ultradźwiękowe ultrasonic equipment [el.]

wyposażenie w kubły do masy betonowej concrete skip attachment [transp.]

wyposażenie w materiały wybuchowe detonating agent equipment; equipment containing a detonating agent; explosive equipment [wojsk.]

wyposażenie warsztatu workshop equipment [masz.]

wyposażenie wideł przednich front ripper attachment [transp.]

wyposażenie wiertnicy drilling attachment [górn.]

wyposażenie wnętrza interior [mot.]

wyposażenie wypełniacza rowów trench filler attachment [transp.]

wyposażenie załadowcze front end attachment [górn.]

wyposażony equipped with [abc]

wypowiedzenie declaration (*of war*) [polit.]

wypowiedzenie nadzwyczajne dismissal for exceptional reasons [ekon.]

wypowiedź statement (*comment, reply, answer*) [abc]

wypożyczalnia fraków formal wear [abc]

wypożyczalnia kostiumów formal wear (*shop*) [abc]

wypożyczalnia samochodów car rental company [mot.]

wypór buoyancy [fiz.]

wypór hydrostatyczny displacement [mot.]

wypracowanie composition (*short essay*) [abc]

wypraska pressing [mot.]

wypraska seryjna series pressing [mot.]

wypraski blankings, pressed or deep-drawn parts [masz.]

wyprażanie wstępne precalcination [górn.]

wyprażony fired [met.]

wyprodukowany manufactured [abc]

wyprodukowany specjalnie purpose-made [abc]

wyprodukowany w sposób nienaturalny artifically produced [abc]

wypromieniowanie emission (*discharge*) [energ.]

wyprostowany aligned [masz.]

wyprowadzać derive from [abc]

wyprowadzanie danych output (*result, display of computer*) [inf.]

wyprowadzenie środkowe centre tapping [transp.]

wyprowadzić take off [abc]

wypróbowany proven; tested (*checked*) [abc]

wyprzedzać overtake (GB); pass (US) [mot.]

wyprzedzająca krawędź skrawająca advanced cutting edge [transp.]

wyprzedzanie overtaking (GB) [mot.]

wyprzedzony overtaken (GB); passed (US) [mot.]

wyprzęgać disconnect; disengage [mot.]; release [abc]

wyprzęgnik releasing lever [masz.]

wypukłość bulging [abc]; bulge [energ.]; width crowning [met.]

wypukły convex [rys.]; fish bellied [mot.]; raised [tw.]; raised, projecting [abc]

wypust boss; spline [masz.]

wypuszczać (*np. podwozie samolotu*) bring out [abc]

wypych ejection [transp.]

wypychacz ejector [transp.]; pusher [el.]

wypychać gouge [górn.]

wyrabiać gouge [met.]

wyraz hasłowy password (*clue*) [wojsk.]

wyraźny clear; distinctive; explicit; understandable [abc]

wyrażenie expression (*in logic*) [inf.]

wyrażenie relaksacyjne relaxation formula [inf.]

wyrażenie w logice możliwe do spełnienia satisfiable expression (*in logic*) [inf.]

wyregulowanie alignment [masz.]

wyremontowany restored [mot.]

wyremontowany generalnie rebuilt (*engine*) [masz.]

wyrobisko pit [górn.]

wyrobisko odkrywkowe open cut mining [górn.]

wyrobisko przygotowawcze jig manufacturing [masz.]

wyrobisko wyprzedzające bench [górn.]

wyroby ceramiczne earthenware (*crockery*) [min.]

wyroby długie long products [masz.]

wyroby długie walcowane na ciepło hot rolled long products [masz.]

wyroby gotowe finished goods [met.]

wyroby niegotowe work-in-process [masz.]

wyroby odkształcone na gorąco hot-formed product [masz.]

wyroby ogniotrwałe basic refractories [masz.]

wyroby przetwórstwa i obróbki stali products of steel-relevant treatment [masz.]

wyroby stalowe products of the steel division [masz.]

wyroby stalowe walcowane rolled steel products [masz.]

wyroby stalowe walcowane drugiej klasy rolled steel products of 2nd quality; secondary rolled steel products [masz.]

wyroby walcowane płaskie flats [masz.]

wyroby z tworzyw sztucznych semis made of plastics [masz.]

wyrok judgement [praw.]; sentence (*conviction; court*); verdict (*sentence by a court, jury*) [polit.]

wyrób make; manufacture, manufacturing [abc]

wyrób gotowy finished product [abc]

wyrób kęsisk slab production [masz.]

wyrób końcowy przeróbki stali processed and finished steel product [masz.]

W

wyrób masowy bulk (*bulk cargo*) [bud.]

wyrób tłoczony drawn part (*deep-drawn part*) [masz.]

wyrób walcowany płaski flat product [met.]

wyrównanie alignment [masz.]; compensation; equalization [el.]

wyrównanie ciśnienia pressure adjusting (*differential*) [mot.]

wyrównanie czułości sensitivity compensation [miern.]

wyrównanie działania hamulców (*na poszczególne koła*) brake compensator [mot.]

wyrównanie poziomów level compensation [mot.]

wyrównanie równoległe parallel adjustment (*of block clamp*) [mot.]

wyrównanie składek adjustment of the premium [praw.]

wyrównany aligned [masz.]; flattened [met.]

wyrównawczy equalizer, equalizing- [el.]

wyrównywacz balancer [mot.]; compensator [energ.]; vibration damper [masz.]

wyrównywać adjust [miern.]; align [abc]; equalize [el.]; level [bud.]

wyrównywać i wykańczać level and finish [transp.]

wyrównywać zanurzenie trim [mot.]

wyrównywanie levelling [transp.]

wyrównywanie luzu clearance compensation [mot.]

wyrównywanie pobocza levelling the shoulders [transp.]

wyrównywanie wgłębień terenu przez zasypywanie ich nawiezionym materiałem landfill (*often garbage, soil on top*) [gleb.]

wyrywać tear out [abc]

wyrzucać gouge [masz.]; jettison [wojsk.]

wyrzucanie iskier flying sparks [abc]

wyrzut ejection [mot.]

wyrzutnia captive dispenser [wojsk.]

wyrzutnia rakiet launcher, launching equipment [wojsk.]

wyrzutnik ejector [wojsk.]; extractor [mot.]

wyrzutnik kamieni rock ejector (*between twin tires*) [mot.]

wysadzać w powietrze explode (*blow up, blast*)) [wojsk.]

wysadzanie zrzutowe throw-off blasting [górn.]

wysadzenie w powietrze blast [górn.]

wysadzony bumped; shock blasted [górn.]

wysepka kanalizująca ruch traffic refuge (*nice for splashing*) [mot.]

wysiany sowed; sowing [roln.]

wysiewki siftings (*riddlings*) [górn.]

wysięg (*czerparki*) outreach; reach height, reach (*of the loader's bucket*) [transp.]

wysięg całkowity total outreach, total reach [transp.]

wysięg maksymalny maximum radius [masz.]

wysięgnica crossarm (*cantilever*) [transp.]; outrigger [mot.]

wysięgnik boom; front outrigger; outrigger; upper boom (*opposite: base boom*), upper part of boom [transp.]; derrick; jib [mot.]

wysięgnik dźwigu crane boom [transp.]

wysięgnik masztu kratowego boom [transp.]

wysięgnik mikrofonowy gallows (*the hang mikes, others*) [el.]

wysięgnik obrotowy crane boom (*crane boom, slewing type*) [mot.]

wysięgnik obrotowy (dźwignicy) hydrauliczny crane boom with hydraulic cont. slewing [mot.]

wysięgnik platformy platform outrigger [transp.]

wysięgnik pojedynczy gooseneck (*used in South America*) [transp.]

wysięgnik prosty straight boom [transp.]

wysięgnik taśmowy odbiorczy receiving boom [transp.]

wysięgnik taśmowy wysypowy discharge boom [transp.]

wysięgnik teleskopowy telescopic arm; telescoping boom [transp.]

wysięgnik tylny rear outrigger [transp.]

wysięgnik zrzutowy (*do za-/wyładunku*) discharge boom [transp.]

wysięgnik żurawia crane boom [transp.]; crane jib [mot.]

wysilać się make an effort [abc]

wysiłek effort (*of the operator*) [abc]

wysiłek fizyczny physical stress [med.]

wysiłek kierowcy operator's stress [mot.]

wyskok (celu) radar blip [el.]

wysłannik envoy [polit.]

wysoki high (*high upon the mountain*); high pitched (*voice*) [abc]

wysoki stopień rozdrobnienia high degree of fineness [górn.]

wysokie ciśnienie high pressure (HP) [mot.]

wysokie napięcie h. t. (*high tension; material, stress*); high voltage [el.]

wysokiego stopnia high class [abc]

wysokoelastyczny cushion-type [mot.]

wysokoindukcyjny high-electro [el.]

wysokoobrotowy high speed [mot.]

wysokoprężne parowe ogrzewanie centralne steam heating installation [mot.]

wysokoprocentowy high-alloyed [met.]

wysokosprawnościowy high duty [abc]

wysokosprawny high performance [abc]

wysokostopowy high-alloyed [met.]

wysokościomierz height gauge [miern.]

wysokość altitude; height; (*nad poziomem morza*) elevation; (*ponad punktem zerowym poziomu odniesienia*) altitude (*above sea level*); vertical rise [abc]

wysokość budowlana height of construction [bud.]

wysokość budynku height of construction [bud.]

wysokość całkowita height over all [mot.]

wysokość całkowita konstrukcji overall height [transp.]

wysokość geograficzna geographic level [geol.]

wysokość głowy zęba addendum [masz.]

wysokość haka hook height [mot.]

wysokość kłów height of centres [masz.]

wysokość kondygnacji floor height [transp.]

wysokość krążka linowego sheave height [mot.]

wysokość linii czasu time base shift [el.]

wysokość ładunku transport rise traveling height [mot.]

wysokość łba (*śruby, nitu*) addendum; height of head [masz.]

wysokość minimalna minimum vertical rise [transp.]

wysokość nakrętki thickness of nut [masz.]

wysokość nierówności depth of roughness [tw.]; peak-to-valley height; surface roughness [masz.]

wysokość odniesienia reference height [bud.]

wysokość operacyjna altitude [abc]; operational altitude [mot.]

W

wysokość palety pallet-depth [transp.]

wysokość płytek height of link plates [masz.]

wysokość podłogi finish floor [transp.]

wysokość podnoszenia hoisting height; lift height [mot.]; lift [bud.]; vertical rise [transp.]

wysokość pomostu załadunkowego load deck height [transp.]

wysokość powierzchni nośnej przenośnika wałkowego roller conveyor surface level [transp.]

wysokość progu root face [met.]

wysokość przechyłu dumping clearance [transp.]

wysokość przejazdu clearance height; passage height [mot.]

wysokość przenośnika wałkowego roller conveyor level [masz.]

wysokość ramienia shoulder height [abc]

wysokość robocza operational altitude [mot.]

wysokość sklepienia headway [transp.]; top liberty [bud.]

wysokość skoku throw [mot.]

wysokość skrajni head, head clearance, head room; top liberty (*better: head room*) [transp.]

wysokość spadania height of drop [abc]; velocity head [energ.]

wysokość statyczna static head [energ.]

wysokość stopy zęba dedendum [rys.]

wysokość stosu high of pile [bud.]

wysokość w świetle clearance height [rys.]

wysokość warstwy nasypanej dumping height [mot.]

wysokość warstwy paliwa (*na ruszcie*) fuel bed thickness [energ.]

wysokość wychylenia dumping height [mot.]

wysokość załadowcza discharge height; load height [transp.]

wysokość zasięgu reach height [transp.]

wysokość zęba depth of tooth, tooth depth [rys.]; tooth depth (*depth of tooth*) [masz.]

wysokość zwałowania dumping height (*discharge height*) [transp.]

wysokość zwału discharge height; dump height [transp.]

wysokość prześwitu factual mobility; head (*distance head to ceiling*), head clearance, head room [transp.]; headroom [abc]

wysokoudarowy high-impact proof [abc]; impact proof; impact-notch proof [masz.]

wysokowydajny heavy duty; high duty [abc]

wysortować sort out [abc]

wysprzęgać disengage [el.]

wysprzęganie disengagement [energ.]

wystający in situ [górn.]; outstanding [abc]

wystarczający adequate; ample (*enough*) [abc]

wystartować take off [mot.]

wystawa exhibition; fair (*exhibition, trade fair*) [abc]

wystawać overhang (*tank tracks on flatwagon*) [mot.]; stick out [abc]

wystawca exhibitor (*shows goods at fair*) [abc]

wystawiać exhibit [abc]

wystąpienie (*czegoś*) emergence [bud.]

wystąpienie wody water leakage; water out (*may read on a sign*) [mot.]

wysterowanie modulation [el.]

występ nose; projecting [masz.]

występ dachu roof overhang [bud.]

występować appear (*on stage*); occur [abc]

występowanie (*np. szkody*) occurrence [prawn.]

występujący (*na powierzchni*) in situ [górn.]

wysunięcie (się) elementów balustrady (*pomostu*) derailing of balustrade parts [transp.]

wysuszone koryto rzeki wart; dried out wash [geol.]

wysuszony dried out [abc]

wysuszony na powietrzu air-dried [abc]

wysuwać bring out [abc]; extend [transp.]

wysuwać naprzód crowd [transp.]

wysuwać roszczenia raise a claim [praw.]

wysuwnica poprzeczna outrigger lateral [mot.]

wysuwnica tylna rear outrigger [bud.]

wysuwnica wzdłużna outrigger longitudinal [mot.]

wysycać saturate [chem.]

wysyłać mail (*send*) [polit.]

wysyłka dispatch [mot.]

wysyłka częściowa partial shipment [mot.]

wysyłka towaru shipment (*through carrier*) [mot.]

wysypisko odpadów o charakterze szczególnym toxic waste dump [rec.]

wysypisko śmieci depositing area; dump pit; garbage disposal; garbage pit; landfill [rec.]

wysypywać dump [górn.]

wysypywać na bok side dump [mot.]

wysypywanie barging [rec.]; dumping [transp.]

wysysać draw off [abc]; exhaust [mot.]

wyszczególniać specify; state [abc]

wyszczególniony specified [abc]

wyszlifowany ground; smoothen (*smoothening*) [met.]

wyszukany sophisticated [abc]

wyszukiwać spot (*see, find*) [abc]

wyszukiwanie alfabetyczne alphabeta search [inf.]

wyszukiwanie wg kryterium alfabetycznego alpha-beta search [inf.]

wyściełanie upholstering, upholstery [bud.]

wyściełanie przeciwwstrząsowe położenia krańcowego regulowane adjustable end cushioning [masz.]

wyścig race [abc]

wyścigi konne turf (*horse-race course*) [abc]

wyświechtany tatty, shabby, untidy [abc]

wyświetlacz screen display [transp.]

wyświetlacz ciekłokrystaliczny LCD display [inf.]

wyświetlanie na ekranie screen display [inf.]

wyświetlony indicate [abc]

wytaczać powództwo (*przeciw komuś*) bring suit against a person [prawn.]

wytaczarka boring mill [narz.]

wytaczarka do cylindrów cylinder block drilling machine [met.]

wytaczarka do tulei cylindra cylinder liner boring machine [tw.]

wytaczarka pozioma horizontal boring mill (*boring machine*); horizontal drilling mill; line boring machine [narz.]

wytarty (*wyświechtany, nędzny*) tatty, shabby, untidy [abc]

wytężony arduous [abc]

wytłaczać coin; emboss [met.]; press out, squeeze [abc]

wytłaczanie extrusion [energ.]

wytłaczanie elementów nadwozia car body pressing (*body make, making*) [mot.]

wytłaczany embossed [abc]

wytłaczarka ślimakowa extrusion plant [narz.]

wytłoczka drawn part [masz.]

W

wytłoczki blankings, pressed or deep-drawn parts [masz.]

wytłumienie drgań w położeniu krańcowym end cushioning [mot.]

wytoczenie groove [masz.]

wytrawiać etch [met.]

wytrawianie etching [met.]

wytrącać precipitate [energ.]; separate [górn.]

wytrwałość stamina [abc]

wytrych skeleton key [abc]

wytryskiwać squirt off [transp.]

wytrzymać withstand (*stand up against, bear*) [abc]

wytrzymałość resistance; stability; durability [masz.]; strength [abc]; (*np. na rozciąganie*) fatigue limit [tw.]; (*np. podnóżka*) resistency [transp.]

wytrzymałość izolacji na rozciąganie voltage insulation strength [el.]

wytrzymałość kształtowa structural strength; torsion stiffness [masz.]

wytrzymałość materiałów science of tensile strength [masz.]

wytrzymałość na rozciąganie tensile strength [tw.]

wytrzymałość na rozdzieranie notch-rupture strength [miern.]

wytrzymałość na ściskanie compressive strength [tw.]

wytrzymałość na złamanie ultimate stress [masz.]

wytrzymałość na zmęczenie udarowe impact fatigue limit [tw.]

wytrzymałość opony ply rating [mot.]

wytrzymałość podnóżka step-stability [transp.]

wytrzymałość rdzenia core strength (*in centre of rod*) [tw.]

wytrzymałość trwała creep strength [energ.]

wytrzymałość udarowa resistance to shock or impact [tw.]

wytrzymałość zmęczeniowa endurance limit; fatigue strength, fatigue limit [tw.]

wytrzymałość zmęczeniowa na zginanie bending stress fatigue limit [masz.]

wytrzymałość żeliwa na rozciąganie tensile strength of cast iron [tw.]

wytrzymały durable [abc]; fatigue free (*f. resistant*); tough (*hard to cut, tenacious*); proof; sturdy; unbreakable (*fracture-proof*) [masz.]

wytrzymały na ścieranie abrasion-resistant [masz.]

wytwarzacz pary prędki quick-steaming unit [energ.]

wytwarzać build up; manufacture (*make, produce*); produce [abc]; generate (*generate pressure*) [masz.]

wytwarzanie fabrication; factory floor (*on the factory floor*); production; manufacture [abc] generation [el.]

wytwarzanie beczek na piwo keg production [masz.]

wytwarzanie ciągu method of producing draught [energ.]

wytwarzanie dźwięku noise level [mot.]

wytwarzanie laminatów production of laminates [abc]

wytwarzanie masy celulozowej pulp manufacture [abc]

wytwarzanie mocy power generation [mot.]

wytwarzanie odlewów kokilowych gravity die casting [met.]

wytwarzanie odlewów warstwowych composite casting [met.]

wytwarzanie powierzchni podłoża making of a level [transp.]

wytwarzanie przenośników taśmowych production of conveyor belts [masz.]

wytwarzanie ręczne making by hand [abc]

wytwornica gazu gas generator [mot.]

wytwornica pary steam boiler; steam-raising plant; steam generating plant [energ.]; steam-generation plant [mot.]

wytwornica pary prędka quick-steaming unit [energ.]

wytworzony manufactured (*made, produced*) [abc]

wytworzony sztucznie artificially produced [abc]

wytwór appearance; formation; work [abc]

wytwórca fabricator; manufacturer; producer (*maker*) [abc]

wytwórnia production plant; works [abc]

wytyczać lay out [abc]; stake out [bud.]

wytyczna instruction (*specification*) [abc]

wytyczne guideline (*standard, code*) [abc]

wytyczne produkcji anulowane instructions for manufacture cancelled [abc]

wywarzać boil out [energ.]

wyważać balance; wheel balance [mot]

wyważanie balancing (*counterbalancing*) [mot.]

wyważarka balancer [mot.]

wyważenie balance [miern.]

wyważony balanced (*counterbalanced*); well-balanced [masz.]

wywiercony podczas montażu drilled during assembly [masz.]

wywieszka logo [transp.]; plate; tag [abc]

wywietrznik dachowy ridge ventilator; roof ventilator [bud.]

wywłaszczony expropriated (*things taken away*) [polit.]

wywodzący się od deriving from (*deducing from*) [abc]

wywołanie jednostek remanento- wych calling of the inventory counting sheets [abc]

wywoływacz drobnoziarnisty fine-grain developer [abc]

wywoływać page [abc]

wywoływać pomoc invoke [inf.]

wywoływania calls [inf.]

wywóz śmieci sanitation [rec.]

wywózka removal (*of waste; strip overburden*) [górn.]

wywrotka side-discharging wagon with side-tipping buckets; truck tippler [mot.]; tipper, tipping car, tipping lorry [transp.]

wywrotka boczna side discharging cars; side discharging wagon with side-tipping body; side tilting device [mot.]

wywrotka jednostronna large-body tipping wagon [mot.]

wywrotka kolebkowa front dumper [transp.]

wywrotka kolebowa dump truck, dumper; skip [mot.]

wywrotka samochodowa dump truck, dumper [mot.]

wywrotka samochodowa trójstronna side and rear dump truck; three-way tipper [mot.]

wywrotka trójstronna revolving tipper; tipper [transp.]

wywrotnica car tippler (*mine car tippler*) [górn.]; rotary dumper (*wagon tipper*) [transp.]; tipple, tippler (*empty coal from mine car*) [mot.]

wywrotnica bocznozsypna side discharging wagon with side-tipping body; side tilting device [mot.]

wywrotnica wagonowa tipple, tippler [mot.]; wagon tipper, wagon tippler [górn.]

wywrotnica beczkowa rotary tipper [transp.]

wywrotny tilting (*as in tilting losses*); tipping (*as in tipping device*) [abc]

W

wywrót tipper, tipping lorry [górn.]

wyzdrowienie recovery [med.]

wyzębianie notch [masz.]; disengagement [energ.]

wyziewy fumes [abc]; waste steam [energ.]

wyznaczać assign; determine; specify [abc]; constitute; stake out [bud.]

wyznaczać pisemnie lay down in writing [abc]

wyznaczanie parametrów identification [abc]

wyznaczanie tras route guidance [inf.]

wyznaczanie wartości evaluation [inf.]

wyznaczenie kształtu determination of shape [miern.]

wyznaczenie twardości determination of hardness [miern.]

wyznaczony alloted; released [abc]

wyznaczony pisemnie laid down in writing [abc]

wyznanie denomination [abc]

wyzwalacz buffer; trigger; detent [masz.]

wyzwalacz nadmiarowo-prądowy overcurrent release [el.]

wyzwalacz nadnapięciowy overvoltage release [el.]

wyzwalać detonate [transp.]

wyzwalanie bezzwłoczne instantaneous tripping [el.]

wyzwalanie ciepła heat liberation [energ.]

wyzwalanie natychmiastowe instantaneous tripping [el.]

wyzwalanie opóźnione delayed trigger [transp.]

wyzwalanie sygnału signal delivery; signal triggering [el.]

wyzwalanie wyświetlania screen pattern triggering [el.]

wyzwanie challenge [abc]

wyzyskanie ciepła odlotowego recovering waste heat; waste heat recovering and utilizing [energ.]

wyzyskiwać enslave; exploit [abc]

wyzyskiwany exploited [abc]

wyżarzać anneal; cinder [met.]; temper (*standard tempering*) [masz.]

wyżarzanie annealing [masz.]

wyżarzanie ciągłe continuous annealing line; continuous line (*short for continuous annealing line*) [tw.]

wyżarzanie ciągłe blach cienkich walcowanych na zimno continuous annealing line for cold-rolled sheet [tw.]

wyżarzanie gruboziarniste coarse-grain annealing [met.]

wyżarzanie kołpakowe batch annealing [masz.]

wyżarzanie odprężające stress-relieving [masz.]

wyżarzony annealed; tempered [masz.]

wyżej podany above average [abc]

wyżej wskazany above average [abc]

wyżej wymieniony above; above-listed; above-mentioned [abc]

wyżłobienie labiryntowe labyrinth groove [masz.]

wyżłobienie płaskie furrow [transp.]

wyższa szkoła zawodowa polytechnic [abc]

wyższy improved [masz.]

wzajemne oddziaływanie interaction [masz.]

wzajemne przestawienie mismatch; offset [masz.]

wzajemne przesunięcie mismatch; offset [masz.]

wzajemność reciprocity [mat.]

wzajemny bilateral; mutual; reciprocal [abc]

wzbogacać enrich (*expand, enhance, improve*) [górn.]; expand [energ.]

wzbudnica exciter [mot.]

wzbudzać magnes energize a solenoid [mot.]

wzbudzanie excitation (*of oscillator*) [el.]

wzbudzanie sinusoidalne sinusoidal excitation [el.]

wzbudzenie energization [mot.]

wzbudzenie impulsu pulse excitation [el.]

wzbudzenie niejednorodne non-uniform excitation [el.]

wzbudzony excited (*electricity*) [el.]

wzdęcia (*np. na oponie*) pads [mot.]

wzdłuż krawędzi edgewise [abc]

względny wskaźnik szumów signal-to-noise ratio [el.]

wzgórze hill [geol.]

wziąć (*się do czegoś, za coś*) tackle [abc]

wziąć kogoś ze sobą na przejażdżkę take somebody for a ride [abc]

wziąć na cel fix a target [wojsk.]

wziernik glass sight gauge; sight hole (*peep hole*); inspection port [abc]; inspection glass (*sightglass*) [energ.]; peep hole; sight glass [mot.]

wziernik do odbieraka prądu sight glass for power pickup [el.]

wziernik poziomu oleju oil gauge glass [mot.]

wziernik uchylny window flap [masz.]

wzmacniacz amplifier [el.]

wzmacniacz bramkowy gate amplifier [el.]

wzmacniacz magnetyczny transductor [el.]

wzmacniacz mocy power amplifier [el.]

wzmacniacz napięcia stałego direct current amplifier [el.]

wzmacniacz nieprzemieniający non-inverting amplifier [el.]

wzmacniacz oddzielający buffer amplifier [el.]

wzmacniacz operacyjny operational amplifier [el.]

wzmacniacz operacyjny idealny ideal operational amplifier [el.]

wzmacniacz progowy threshold amplifier [el.]

wzmacniacz przekaźnikowy circuit amplifier [el.]

wzmacniacz przemienny inverting amplifier [el.]

wzmacniacz regulacji variable gain amplifier [el.]

wzmacniacz różnicowy difference amplifier [mot.]; differential amplifier [el.]

wzmacniacz separacyjny buffer amplifier [el.]

wzmacniacz sieci głównej master amplifier [el.]

wzmacniacz siły nośnej increased pressure lift circuit [transp.]

wzmacniacz siły udźwigu increased pressure lift circuit [transp.]

wzmacniacz siły wyciągowej increased pressure lift circuit [transp.]

wzmacniacz sumujący summing amplifier [el.]

wzmacniacz sygnału signal amplifier [el.]

wzmacniacz szerokopasmowy wide-band amplifier [el.]

wzmacniacz tranzystorowy transistor amplifier [el.]

wzmacniacz wizyjny video amplifier [el.]

wzmacniacz wstępny pre-amplifier, preamplifier [el.]

wzmacniacz zapalnika fuse intensifier [wojsk.]

wzmacniacz charakterystyki zginania bent-characteristic amplifier [el.]

wzmacniacz częstotliwości nośnej carrier amplifier [el.]

W

wzmacniać boost; stiffen; reinforce; tighten [abc]

wzmacniak główny master amplifier [el.]

wzmacniak przewodowy master amplifier [el.]

wzmacnianie tkaniną fabric reinforcing [tw.]

wzmagać boost [abc]

wzmocnienie amplification [el.]; main reinforcement [transp.]; reinforcement [masz.]; revetting; solidification [bud.]

wzmocnienie małego sygnału small signal gain [el.]

wzmocnienie mocy power gain [el.]; power increase [mot.]

wzmocnienie napięcia równoległego common-mode gain [el.]

wzmocnienie pętli loop gain [el.]

wzmocnienie powierzchniowe surfacing [masz.]

wzmocnienie przy otwartej pętli sprzężenia zwrotnego open-loop gain [el.]

wzmocnienie siły power increase [mot.]

wzmocnienie wstępne preconsolidation [bud.]

wzmocniony heavy duty; stiffened [abc]; over worked (*stressed*) [bud.]; reinforced [masz.]; strengthened [polit.]

wzmocniony włóknami fibre-reinforced (*plastics*) [tw.]

wzmocniony włóknem szklanym glass-fibre reinforced [bud.]

wzniesienie elevation (*level*) [energ.]; grade [mot.]; gradient (*incline, uphill*); slope; upward inclination [mot.]; vertical rise [abc]

wznios increase (*escalator gets steeper*); upward inclination [transp.]; lift (*lifting, hoisting, raising*); lifting [mot.]

wznios kłów height of centres [masz.]

wznios swobodny free lift [mot.]

wznios zaworu valve lift [mot.]

wznosić się slope up [abc]

wznosząco in the upward direction [abc]

wznoszący inclined, upwards; rising; sloping [abc]

wznoszenie rise [transp.]; upward inclination [mot.]

wzorce światowe w rozumieniu języka world models in language [inf.]

wzorce światowe w rozumieniu obrazu world models in vision [inf.]

wzorcować calibrate [miern.]

wzorcowanie calibration [miern.]

wzornik Passe Partout [mot.]; stencil; template, templet [abc]; welding template [met.]

wzory przedstawień zbiorczych summary patterns [inf.]

wzorzec calibrator [miern.]; pattern; standard; sample [abc]

wzorzec miar calibration block [miern.]

wzorzec różnicy poziomów reference for level difference [bud.]

wzorzec układu spoin standard joint configuration [met.]

wzór example (*pattern, specimen, sample, etc.*); formula; standard form [abc]; pattern; specimen [masz.]

wzór konstrukcyjny design [rys.]

wzór mocy power formula [abc]

wzór przeliczeniowy formula to convert [abc]

wzór przepływu orifice formula [miern.]

wzór taśmy interference fringes [masz.]

wzór w kształcie pawich oczek peacock's- tail design [mot.]

wzrok eye-sight [med.]

wzrost expansion (*enlargement*); increase (*pressure, temperature*); rise [energ.]

wzrost ciśnienia pressure rise [energ.]

wzrost łamliwości embitterment [tw.]

wzrost prędkości acceleration (*speed from loco book*) [mot.]

wzywać subpoena [polit.]

wżarcie metal penetration (*moulds and metal*) [masz.]

wżer crack [tw.]

wżer korozyjny pitting [masz.]

wżery korozyjne corrosion scars [tw.]

Z

z with [abc]

z brakami with failures [abc]

z braku pokrycia for insufficient funds [ekon.]

z braku zabezpieczenia for insufficient funds [bud.]

z brzegu from the shore [mot.]

z całości from a block (*mill*) [abc]

z dostawy of the delivery [abc]

z drewna of wood (*of gold, platinum, etc.*) [abc]

z drugiej ręki second hand [mot.]

z hydraulicznym wyrównywaniem ciśnienia hydraulically balanced [mot.]

z jednej części one-piece [abc]

z lądu from the shore [mot.]

z lewej on the left [abc]

z morza off shore [mot.]

z nowowalcowanego materiału from freshly rolled material [met.]

z okazji on the occasion of [abc]

z powłoką teflonową teflon pad [tw.]

z prawej on the right (*on the right hand side*) [abc]

z prądem downstream [abc]

z premedytacją with deliberation [prawn.]

z przekładnią zębatą with gearing [masz.]

z przodu in front [abc]; up front [mot.]

z tyłu aft [mot.]

z zalewkami not deburred [masz.]

z załogą manned (*manned mission, space shuttle*) [abc]

z zastrzeżeniem (wprowadzenia) zmian technicznych subject to change without prior notice [mot.]

z zewnątrz external [abc]

z żelaza of iron (*of glass, plastic, etc.*) [tw.]

za behind [abc]

za granicą abroad [abc]

za i przeciw pro and con [abc]

za kierownicą behind the wheel [mot.]

za pomocą (*przy pomocy, przy użyciu*) by means of [abc]

za porozumieniem upon agreement, upon notification [abc]

za zawiadomieniem upon agreement, upon notification [abc]

zaawansowany advanced (*higher level knowledge*), matured, progressed [abc]

zaawansowany system zarządzania tekstem advanced text management system (ATMS) [abc]

zabarwić tint [abc]

zabezpieczać ensure, protect, secure [abc]; fuse-protect [el.]; save [inf.]

zabezpieczać bezpiecznikiem protect by fuse [transp.]

zabezpieczać plik protect a file [inf.]

zabezpieczanie eliminating danger [transp.]

zabezpieczenie guard [abc]; locking device [mot.]; fuse, snap ring [transp.]

zabezpieczenie prądowe prądu zmiennego trójbiegunowe three-phase a. c. contactor [el.]

zabezpieczenie antypoślizgowe anti-spin pack [mot.]

zabezpieczenie główne main fuse [transp.]

zabezpieczenie grzybkowe mushroom type retainer [mot.]

zabezpieczenie kolejności faz phase sequence protection [el.]

zabezpieczenie łańcucha (gąsienicy) track guard [transp.]

zabezpieczenie na czas transportu securing device [transp.]

zabezpieczenie nakrętki lock on nut (nut lock) [masz.]

zabezpieczenie o zasięgu światowym worldwide coverage [praw.]

zabezpieczenie obowiązku ponoszenia odpowiedzialności cywilnej coverage general liability (CGI) [praw.]

zabezpieczenie opuszczania podnóżka broken step device, step sag safety switch, step sag switch [transp.]

zabezpieczenie powierzchni surface protection [masz.]

zabezpieczenie przed freedom from [abc]

zabezpieczenie przed dotykiem protection against accidental contact [el.]

zabezpieczenie przed emisją emission protection [abc]

zabezpieczenie przed oderwaniem tear-off protection [masz.]

zabezpieczenie przed pękaniem rur pipe-break protection [transp.]

zabezpieczenie przed poślizgiem anti-skid [masz.]

zabezpieczenie przed przesypaniem roll back limiter [transp.]

zabezpieczenie przed roszczeniami re-insurance accepted [praw.]

zabezpieczenie przed ślizganiem się baggage stop [mot.]

zabezpieczenie przed rozbieganiem overspeed shut-off [mot.]

zabezpieczenie przednie front guard [mot.]

zabezpieczenie sieci mains fuse [el.]

zabezpieczenie socjalne social security [praw.]

zabezpieczenie tylne rear (bring up the rear) [wojsk.]

zabezpieczenie uskoku poręczy handrail drop device [transp.]

zabezpieczenie wlotu poręczy brush switch, handrail inlet device [transp.]

zabezpieczenie zębów tooth securing [masz.]

zabezpieczenie ziemnozwarciowe earth fault protection [el.]

zabezpieczony protected; secured (mounted, fit on, fastened) [abc]

zabezpieczony bezpiecznikiem fuse-protected [el.]

zabezpieczony przed korozją corrosion-protected [tw.]

zabezpieczony przed uderzeniem punktaka prick-punch locked [masz.]

zabieg chirurgiczny surgery [med.]

zabierać się hitch a ride (hitchhike) [mot.]

zabierak tappet [masz.]

zabiór shot distance (detonation) [górn.]

zablokowanie block (keep out) [masz.]; lock [transp.]

zablokowany blocked [abc]; closed, locked [mot.]

zabłocony dirty [abc]

zabrudzenie contamination, defile, impurity, pollution [abc]

zabrudzony impurified (dirty) [abc]

zabudowa mieszana mixed building structures [bud.]

zabudowa zwarta enclosed type [masz.]

zabudowania premises [abc]

zabunkrować bunker [mot.]

zaburzenie uskokowe faulting [geol.]

zaburzony disturbed [bud.]

zachęcający encouraging [abc]

zachęcony encouraged [abc]

zachodni (ku zachodowi) westward [abc]

zachodzić proceed [abc]

zachodzić na siebie overlap (lap) [met.]

zachowanie podczas operacji behaviour during application [masz.]

zachowanie robocze pompy operating behaviour of pumps [mot.]

zachowanie się behaviour [rys.]

zachowanie się pojazdu (podczas jazdy) travelling behaviour [mot.]

zachowanie się przy dużym sygnale large signal behaviour [el.]

zachowanie się schodów ruchomych escalator behaviour [transp.]

zachowanie w czasie działania behaviour in application [masz.]

zachowywać maintain [mot.]; protect [inf.]

zachowywać konkurencyjność maintain the competitive edge [abc]

zachód west [abc]

zachrypnięcie hoarseness [med.]

zachrypnięty hoarse [med.]

zaciągnięty applied [mot.]

zaciek (ze ściekającej farby) paint run [norm.]

zaciemnienie black-out [abc]

zaciemniony darkened [mot.]

zacier mash [abc]

zacierać się scuff [mot.]; seize, seize up [masz.]

zacierak tarczy sterującej fretting of pendulum ball [transp.]

zacieranie się fretting (US) [tw.]; galling, grinding [masz.]; scuffing [mot.]

zacieranie tynku scouring [bud.]

zacisk terminal, grip, clamp, termination [abc]; band-clamp, hose fitting [masz.]; bell [mot.]; grip, clamp, terminal [el.]; bracket [transp.]; clamp, clamping ring, clip, V-band clamp; vice [narz.]

zacisk baterii battery terminal clip, battery terminal [el.]

zacisk biegunowy pole terminal [el.]

zacisk do masy earth terminal (PE terminal) [el.]

zacisk do powierzchni dużych large surface clamp [mot.]

zacisk etykiet label clip [mot.]

zacisk kablowy cable clamp [el.]

zacisk linowy cable clip; lashing cleat [mot.]; rope clip [masz.]

zacisk liny holowniczej draw-cable clamp [mot.]

zacisk maski hood catch [mot.]

zacisk nienawrotny non-reversing device [transp.]

zacisk poręczy handrail clamping device [transp.]

zacisk przewodu (do łączenia z czopem biegunowym akumulatora) cable socket, cable thimble [el.]

zacisk przyłączeniowy connecting clamp, bell housing (transmission in it), terminal [mot.]

zacisk rurowy pipe clamp (pipe hanger) [energ.]

zacisk sprężynowy clip; spring clip [masz.]

zacisk szybko rozłączalny quick release clamp [masz.]

zacisk śrubowy (na śrubę młoteczkową) T-bolt clamp [masz.]

zacisk taśmowy continuous band clamping [tw.]

zacisk uziemiający earth terminal (PE-terminal) [el.]

zacisk uziomowy earth clamp (PE clamp), earth terminal [el.]

zacisk wałka roll clamp [mot.]

Z

zacisk wtykowy pin terminal [el.]

zacisk z gwintem ślimakowym terminal with worm thread [masz.]

zaciskacz do węża hose clamp [masz.]

zaciskać clamp [el.]; jam [mot.]; tighten, torque [met.]

zaciśnięty clamped [tw.]

zaczep (*złączka, przyrząd cięgłowy*) hitch [abc]; (*złączka, przyrząd cięgłowy*) yoke (*bracket, fixture, bearing*), latch, tap [masz.]; catch [tw.]; detent, striker [mot.]; stagebleeding (*bleeding; withdrawal*) [energ.]

zaczep holowniczy draw bar coupling [mot.]

zaczep przedni striker [mot.]

zaczep środkowy centre tapping [transp.]

zaczep trakcyjny traction stop (*rear end of drawhook*) [mot.]

zaczepiać engage (*Latch would not engage*) [mot.]; mesh [masz.]

zaczepiony engaged (*clutch*) [mot.]

zaczynać begin, commence [abc]

zadania do przetworzenia work-in process [inf.]

zadanie job [inf.]; command, mission, order, task, work [abc]

zadanie kontrolne test assignment (*test requirements*) [abc]

zadanie pojedyncze individual task [abc]

zadanie przeszukiwania search problem [inf.]

zadany released [abc]

zadaszenie decking (*closes top of balustrade*) [transp.]

zadaszony covered, roofed (*covered by a roof*), under roof [bud.]

zadowalający satisfactory [abc]

zadowolenie happiness, satisfaction [abc]

zadowolony happy (*with his lot*), satisfied [abc]

zadrapanie scratch [masz.]

zadrukowany printed [abc]

zadusić overload (*the engine*) [mot.]

zaduszenie (*silnika*) overloading (*overloading the engine*) [mot.]

zadymienie fog [abc]

zadzior bur (*seldom: fin, flash*), milling ridge [masz.]

zagadka puzzle (*problem, crossword puzzle*) [abc]

zagajnik tree nursery, wildwood [bot.]

zagęszczać compact [rec.]

zagęszczanie compaction [gleb.]; compression [aero.]

zagęszczanie gruntu compaction of soil [bud.]

zagięcie bow [abc]; fold [met.]; throw [el.]

zagięcie błotnika (*wskutek wypadku samochodowego*) fender bender [mot.]

zagięty bent, out of shape [abc]; cranked off [met.]

zaginać bend [met.]

zaginać krawędź cant (*cant off; sharp, cold folding*) [met.]

zaginiony w akcji missing in action [wojsk.]

zagłębienia pockets [bud.]

zagłębienie dip [bud.]

zagłębiony counterbored [tw.]; countersunk, counter-sunk [met.]

zagłówek head cushion, head rest, head restraint [mot.]

zagłuszanie wzmacniacza jamming of amplifier [el.]

zagospodarowywać develop [bud.]

zagradzać close [mot.]

zagroda chłopska farm [roln.]

zagrożenie menace [polit.]; threat [abc]

zagrożenie bezpieczeństwa security risk [polit.]

zagrożony katastrofą budowlaną tumbledown (*dilapidated*) [transp.]

zagruntowany primed (*not paint-finished*) [met.]

zagrzewać overheat [energ.]

zahaczać hook [energ.]; stall (*material in machine*) [masz.]

zahamowany klockowo block braked [transp.]; clasp braked [mot.]

zahartowany (*ulepszony przez obróbkę cieplną*) quenched and tempered [tw.]

zahipnotyzowany mesmerized [abc]

zaimek pytający interrogative pronoun [abc]

zainstalowanie installation [met.]

zainstalowany installed [met.]

zajazd (*przy autostradzie*) motorway restaurant [mot.]

zajęcia pozaszkolne extracurricular activities [abc]

zajęcie métier, vocation [abc]

zajęty engaged, busy, manned [telkom.]; full [mot.]; occupied (*by enemy forces*) [wojsk.]

zajmować occupy [wojsk.]; seize [polit.]

zajmować i konfiskować enter and seize (*capture a ship*) [mot.]

zajście event; incident [abc]

zakańczanie działania phase out of action [transp.]

zakaz prohibition [transp.]

zakaz wstępu no trespassing [abc]

zakażenie bakteriologiczne bacterial infection [med.]

zakleszczać jam [mot.]

zakleszczenie deadlock [inf.]; fouling (*with other teeth*) [transp.]

zaklinowany tight (*wedged, stratified*) [górn.]; wedged [abc]

zakład factory floor [abc]

zakład doświadczalny pilot plant [energ.]

zakład naprawczy railway workshop [mot.]

zakład odzysku materiałów wtórnych recycling plant (*for nuclear material*) [rec.]

zakład pracujący w systemie jednozmianowym one-shift operation [ekon.]

zakład produkcji gipsu gypsum plant [górn.]

zakład produkcyjny manufacturing plant, mill, production plant, works [abc]

zakład produkcyjny gotowy do przyjęcia turn-key plant [bud.]

zakład rozdrabniania wstępnego crushing plant [górn.]; preparation plant (*crushing plant*) [narz.]

zakład wzbogacania materials preparation plant [górn.]

zakładać constitute, found; presuppose (*It presupposes too much*) [abc]

zakładany anticipated; assumed [abc]

zakładka fold [met.]

zakładnik hostage [polit.]

zakładowe ubezpieczenie od obowiązku odpowiedzialności cywilnej general liability insurance [prawn.]

zakładowe wnioski racjonalizatorskie suggestions for improvements in the company [ekon.]

zakłady hutnicze iron and steel works [masz.]

zakłady metalurgii próżniowej vacuum metallurgical plants [masz.]

zakłady produkcyjne manufacturing plants [masz.]; works (*factories, mills*) [abc]

zakłócanie odbioru wzmacniacza jamming of amplifier [el.]

zakłócenia static [akust.]

zakłócenia odbiornika receiver base noise [el.]

zakłócenia wzmacniacza amplifier noise [el.]

Z

zakłócenie fault [abc]; interference [el.]; random noise; trouble [masz.]; upset [akust.]

zakłócenie działania trouble (*malfunctioning*) [masz.]

zakłócenie kwantowe mottle [el.]

zakłócenie pola rozproszenia leakage field interference [el.]

zakłócenie radiowe radio-interferency [el.]

zakłócenie ruchu obrotowego rotating fault (*must be kept*) [masz.]

zakodowany encoded [el.]

zakończenie awaryjne abnormal end (*abend*), abnormal termination [inf.]

zakończenie przedwczesne abnormal end [inf.]

zakończenie ramy end frame [masz.]

zakończenie rury bushing [masz.]

zakończenie spoiny phase out of seam [met.]

zakończenie toru rail end (*hinged*) [mot.]

zakorkować choke [mot.]

zakotwiczać anchor, drop anchor [mot.]

zakotwienie anchor, anchoring [bud.]

zakres extent, scope range [abc]; mode [inf.]; sector [ekon.]

zakres aktywny progresywny forward-active region [el.]

zakres aktywny zwrotny reverse-active region [el.]

zakres analizy range of analyses (*plural*) [miern.]; scope of analysis [met.]

zakres błędu flaw extension [miern.]

zakres ciśnienia pressure range [mot.]

zakres ciśnienia nastawny adjustable pressure range [fiz.]

zakres częstotliwości frequency range [el.]

zakres częstotliwości słyszalnych range of audibility [akust.]

zakres dostawy scope of supply [rys.]

zakres działania operating range [mot.]

zakres echa nienasyconego range of non-saturated echo [miern.]

zakres kontrolny test range (*section to be scanned*) [abc]

zakres mocy (*mierzonej w koniach mechanicznych*) power range (CUM) [mot.]

zakres montażowy i czynnościowy installation and functional section [abc]

zakres montażu installation section [met.]

zakres nastawczy range of control (*or adjustment*) [miern.]

zakres nasycenia saturation region [el.]

zakres niepewności critical range, dubious range [el.]

zakres obciążenia load range [energ.]

zakres obowiązywania range of validity (*coverage*), scope range of use [abc]

zakres oczekiwania expectancy range [el.]

zakres prędkości speed range [mot.]

zakres produkcji production range, range of production [abc]

zakres przestawiania zapłonu timing range [masz.]

zakres regulacji control range [mot.]; modulation range [el.]

zakres roboczy operating range [mot.]

zakres słyszalności range of audibility [akust.]

zakres stosowalności use (*field of work*) [abc]

zakres wagowy weight range (*range of weights*) [masz.]

zakres wahań variation [bud.]

zakres ważności extent of validity [abc]

zakres wydajności capacity range [mot.]

zakres wysięgu range of outreach [abc]

zakres wysterowania height (*amplitude*) [el.]

zakres zastosowania range of application, scope range of use [abc]; use [transp.]

zakres zastosowań field of application [abc]

zakreskowany stroked [rys.]

zakreskowany linią punktowaną dotted [rys.]

zakręt bend, curve (*curved rails*) [mot.]; bow [bud.]

zakręt doskonały ideal curve [mot.]

zakręt nominalny nominal curve [abc]

zakręt typu S S-curve (*in a road*) [mot.]

zakręt wystający salient curve [mot.]

zakrwawiony bleeding [med.]; bloody [abc]

zakryty covered up, hushed up [abc]

zakrzywiać bend [met.]

zakrzywienie bow [abc]

zakrzywienie rury tubing curvature (*tubing warp*) [masz.]

zakrzywiony curved [mot.]

zaksięgować record (*enter an amount*) [abc]

zakwaterowanie accommodation, housing, lodging [abc]

zalanie floading [bud.]; flooding [abc]

zalany cast [met.]; flooded [bud.]; submerged [gleb.]

zalecana praca recommended practice [abc]

zalecany recommended [abc]

zalecenie recommendation [abc]

zalecony stipulated [abc]

zaległości arrears [ekon.]

zaległości w płaceniu składki ubezpieczeniowej arrears in the payment of the premium [praw.]

zalepiać putty [bud.]

zalepianie cementation, putty [bud.]

zaleta advantage [abc]

zalew flood (*flooding, submerging*) [abc]

zalewa sealing compound [masz.]

zalewać grouting of bases [bud.]; pour [abc]

zalewać zaprawą grout [bud.]

zależność dependence [el.]; variation [mat.]

zależność częstotliwościowa frequency dependence [el.]

zależność częstotliwościowa osłabiania frequency dependency of attenuation [el.]

zależność wzajemna double bind (*mutual dependence*) [abc]

zależny od ciężaru weight-dependent [transp.]

zależny od temperatury temperature dependent [abc]

zaliczka deposit premium (*advance premium*) [prawn.]

zaludniony populated [abc]

załadowca loader, stevedore [mot.]

załadunek loading [transp.]

załamanie throw [el.]

załamanie dźwięku sound refraction [akust.]

załamanie nerwowe nervous breakdown [med.]

załamanie podwójne double refraction [el.]

załamanie się nawierzchni breakdown, floor-rupture [transp.]

załamywać break [met.]

załamywać się collapse (*crush*) [bud.]

załatwiać execute [abc]

załatwiony done with (*That's done with*) [abc]

załącznik attachment, annex, addendum, enclosure; appendix [abc]

Z

załącznik C annex C [abc]
załączony attached, enclosed [abc]
załoga crew [mot.]; manpower (*allocate manpower*); staff [abc]
założenia ogólne general suppositions [prawn.]
założenie foundation [abc]; presupposition [praw.]
założony founded [abc]
zamach assassination [polit.]
zamartwica asphyxia [med.]
zamek castle [bud.] lock [masz.]; shutter [abc]
zamek bezpieczeństwa safety lock [masz.]
zamek bębenkowy cylinder lock [mot.]
zamek błyskawiczny zip, zipper [abc]
zamek dachu odsuwanego sliding roof fastener [mot.]
zamek dachu składanego folding top clamp [mot.]
zamek drzwiowy door lock (*locks, bolts door*) [bud.]
zamek kierownicy steering column lock [mot.]
zamek pokrywy (*bagażnika*) boot lid lock [mot.]
zamek sprężyny zaworowej valve key [mot.]
zamek sworznia tłokowego gudgeon pin retainer [mot.]
zamek w masce bonnet lock [mot.]
zamek warowny castle (*fort, fortification*) [bud.]
zamek wyłącznika latch [masz.]
zamek zapadkowy snap-on cap [mot.]
zamek zapłonu ignition lock [mot.]
zamiar intent (*deliberation*) [prawn.]; purpose [abc]
zamiast in lieu of (*in lieu of a passport*) [polit.]
zamiatacz street sweeper [abc]
zamiatać sweep [abc]

zamiatarka (*szczotka na wale*) brush [transp.]; road sweeper [mot.]
zamiatarka z tworzywa sztucznego i stali plastic-steel brush [mot.]
zamieć śnieżna blizzard; heavy snowfall [abc]
zamieniać exchange [abc]
zamienność interchangeability [energ.]
zamienny exchangeable, interchangeable (*replaceable*) [masz.]
zamierzenie budowlane project [bud.]
zamieszczenie ogłoszenia insertion (*of ad in a paper/journal*) [abc]
zamieszkały inhabited (*populated*) [abc]
zamiłowanie vocation [abc]
zamknięcie closing [transp.]; closure [energ.]; shutter [abc]; lock [masz.]
zamknięcie bagnetowe bayonet cap [rys.]
zamknięcie bezuszczelkowe sealless joint (*of the strapping*) [abc]
zamknięcie biura (*likwidacja*) conclusion of business [ekon.]
zamknięcie dachu odsuwanego sliding roof fastener [mot.]
zamknięcie dachu składanego folding top clamp [mot.]
zamknięcie dźwigniowe swing stopper (*old beer bottle*) [abc]
zamknięcie gwintowe screw cap [mot.]
zamknięcie gwintowe nakrętkowe screw cap [masz.]
zamknięcie gwintowe zaworu wlotowego inlet valve cap [mot.]
zamknięcie hydrauliczne hydraulic locking [transp.]
zamknięcie kubła skipowego skip lock [mot.]
zamknięcie leksykalne lexical closure [inf.]

zamknięcie maski silnika hood fastener [mot.]

zamknięcie nadwozia samowyładowczego skip lock [mot.]

zamknięcie nakładane filler cap [mot.]

zamknięcie nakładane zaskakujące swing stopper (*old beer bottle*) [abc]

zamknięcie nasadzane filler cap [mot.]

zamknięcie nastawcze suwakowe (*zwrotnicy*) clip point locking device (*of switch*) [mot.]

zamknięcie nawierzchni sealing [mot.]

zamknięcie otworu szlamnikowego hand-hole closure, hand-hole fitting [energ.]

zamknięcie schowka glove box fastener [mot.]

zamknięcie siłowe frictional connection [masz.]

zamknięcie tulejowe seal joint [masz.]

zamknięcie wagonu samowyładowczego skip lock [mot.]

zamknięcie wlewu filler cap [mot.]

zamknięcie wlewu oleju oil filler cap [mot.]

zamknięcie z pierścieniem uszczelniającym seal joint (*of the strapping*) [masz.]

zamknięcie zabezpieczające slide bar lock [mot.]

zamknięcie zewnętrzne frictional connection [masz.]

zamknięty closed; enclosed, locked away (*under lock and key*) [abc]; off (*power circuit not on*) [el.]

zamknięty siłowo tensionally locked (*force locked*) [transp.]

zamocować attach [masz.]

zamocowanie anchor, anchoring [bud.]; bracket [transp.]; fastening, harness [masz.]; fixity [met.];

handle type probe holder [abc]; moulding [mot.]

zamocowanie akumulatora battery mounting [el.]

zamocowanie bloku sterowniczego valve block mounting [mot.]

zamocowanie cylindra od strony skrzyni korbowej cylinder mounting [mot.]

zamocowanie filtra air cleaner mounting [masz.]; filter mounting [mot.]

zamocowanie gumowo-stalowe rubber-bonded-to-metal mounting [masz.]

zamocowanie kołnierzowe flange mounting [mot.]

zamocowanie łańcucha chain mounting [tw.]

zamocowanie na podkładkach gumowych rubber mounting (*rubber isolator*) [transp.]

zamocowanie osi axle guide stay, axle mounting, axle support [masz.]

zamocowanie płozy skid mounting [masz.]

zamocowanie ruchome mobile holder (*manipulator, position*) [masz.]

zamocowanie szpuli coil base, coil frame [el.]

zamocowanie szyby rubber moulding buffer on glass [masz.]

zamocowanie tablic rejestracyjnych license plate bracket [mot.]

zamocowanie zabezpieczające securing device [transp.]

zamocowanie zderzaka bumper support [mot.]

zamocowanie zęba tooth lock (*short: lock*) [masz.]

zamocowany mounted [met.]

zamontowany mounted (*mounted on, installed, added*) [met.]

zamontowany w warsztacie shop-assembled (*pre-assembled*) [met.]
zamontowany wstępnie pre-assembled, shop-assembled [met.]
zamontowany z tyłu rear mounted [mot.]
zamówienie „pod klucz" (*na dostarczenie obiektu gotowego do eksploatacji*) turn-key-order [abc]
zamówienie commission [ekon.]
zamówienie wewnętrzne inter-company order [abc]
zamrażać freeze (*cool*) [energ.]
zamroczenie blackout [abc]
zamykać (*na klucz*) lock [abc]; (*wewnątrz*) lock in [polit.]; close [mot.]; shut [masz.]
zamykać kocioł close the boiler [energ.]
zamykanie rury tube closing [masz.]
zamykany (*dający się zamknąć*) lockable [abc]
zaniechać dispense [abc]
zaniechać ograniczania wartości oddolnych unquoting [inf.]
zanieczyszczać contaminate [abc]
zanieczyszczenie contamination [energ.]; fouling [transp.]; impurification [abc]
zanieczyszczenie pary steam impurities [energ.]
zanieczyszczenie powietrza air pollution [aero.]
zanieczyszczony impurified [abc]
zaniedbany run down [abc]
zanikanie fading out [el.]
zaniżanie undercut [abc]
zanotować remark, take down [abc]
zanurzać (*się*) dip [tw.]; bathe, dive, plunge, submerge [abc]; immerse (*dip, steep*) [met.]
zanurzenie draft (*draught*) [mot.]
zanurzony submerged [abc]
zaokrąglać round out (*round off*) [masz.]

zaokrąglenie rounding off [abc]
zaokrąglony curve [mot.]; rounded, rounded off [masz.]
zaokrętować embark [mot.]
zaokrętowanie embarkation, shipment [mot.]
zaopatrywać furnish; procure, provide, supply [abc]
zaopatrywanie w energię current supply, power pack, power supply [el.]
zaopatrzenie (*wojskowe*) ordnance (*part of logistics*) [wojsk.]; procurement [mot.]; provision, supply (*supply with ammunition*) [abc]
zaopatrzenie w energię elektryczną electric supply [el.]
zaopatrzenie w sprzęt gorszej jakości supply of poor equipment [abc]
zaopatrzenie w wodę water feed, water intake, water supply [bud.]
zaopatrzony provided with [abc]; equipped with [wojsk.]
zaopiniować survey [bud.]
zapach fragrance, smell [abc]
zapadać (*np. o zapadce*) engage [abc]
zapadać się decay [bud.]
zapadający engaging [masz.]
zapadka catch (*on door*) [bud.]; detent [mot.]; latch (*catch*), pawl [masz.]; ratchet [narz.]
zapadkowy snap [abc]
zapadlisko drop [energ.]
zapakowany wrapped [abc]
zapalać light up (*the boiler*) [energ.]
zapalanie centralne centre-fire ignition [energ.]
zapalenie opon mózgowych meningitis [med.]
zapalenie samorzutne spontaneous combustion [górn.]
zapalenie ślepej kiszki appendicitis [med.]
zapalniczka cigarette lighter [mot.]

zapalniczka do cygar cigar lighter [mot.]

zapalniczka przenośna portable lighter [energ.]

zapalnik explosive capsule igniter, fuse [wojsk.]; igniter [energ.]

zapalnik bombowy bomb fuse [wojsk.]

zapalnik ładunku miotającego propellant igniter [wojsk.]

zapalnik silnika rakietowego rocket motor igniter [mot.]

zapalnik światła granicznego rim fire ignition [wojsk.]

zapalny ignitable (*ignition-wise*) [energ.]; inflammable [met.]

zapałka match [abc]

zapamiętywać store [abc]; (*in DP*) store [inf.]

zapamiętywanie danych cyfrowych digital data storage [inf.]

zaparcie constipation [med.]

zaparkowany parked [mot.]

zapas inventory, reserve, supply [abc]

zapas ciągu powietrza fan margin [aero]

zapas czasu float (*off-time*) [abc]

zapas stabilności stability reserve [el.]

zapas wody water supply [abc]

zapasowy zbiornik paliwa emergency fuel tank, reserve fuel tank [mot.]

zapatrywać się view [abc]

zapchanie blockage [abc]; clogging, blockage [bud.]

zapchany clogged [abc]; stuffed [mot.]

zapewniać assure, reassure [abc]

zapewnienie jakości quality assurance, quality control [ekon.]

zapewnienie wysokiej jakości oprogramowania software quality assurance [inf.]

zapięty (*na guziki*) buttoned [abc]

zapinka ogniwka złącznego łańcucha spring lock [masz.]

zapis entry [abc]

zapis bieżący continuous recording [energ.]

zapis ciągły continuous recording [energ.]

zapis do protokołu entry in the minutes [abc]

zapis kontrolny test records, testing record [abc]

zapis procesu przetwarzania danych record of processing [inf.]

zapis rejestrowy stanu rezerw warsztatu factory parts record [inf.]

zapis testów szynowych recording of rail tests [miern.]

zapis w formie kratki i strzałki box-and-arrow notation [inf.]

zapisać take down [abc]

zapisek w aktach memorandum [abc]

zapisywać record (*show and register*) [abc]

zapisywać plik protect a file [inf.]

zapisywać w pamięci memorize (*store*), save [inf.]

zapisywanie danych data logging (*data recording*) [inf.]

zaplanować (*szczegółowo*) map out [abc]

zaplanowany scheduled [mot.]

zaplombowanie lead-sealing [mot.]

zapłon ignition [mot.]

zapłon centralny central fire ignition [wojsk.]

zapłon elektryczny electric detonator [el.]

zapłon opóźniony late ignition [mot.]

zapłon przedwczesny pre-ignition [mot.]

zapłon samoczynny self-ignition [energ.]; spontaneous ignition [mot.]

zapłon ze zwłoką retarded ignittion [energ.]

zapłonnik detonating primer [górn.]; igniter (*fuse*) [wojsk.]

zapobiegać prevent (*drive safely*) [mot.]

zapobieganie prevention [mot.]

zapobieganie nieszczęśliwym wypadkom accident prevention [abc]

zapobieganie szkodom damage prevention [prawn.]

zapobieganie wystąpieniu szkody prevention of the damage [praw.]

zapobiegawczy preventive (*preventive measures*) [abc]

zapominać forget [abc]

zapomoga dla bezrobotnych nie ubezpieczonych government support (US) [abc]

zapora dam (*reservoir, artificial lake*) [bud.]; level crossing, railroad crossing [mot.]

zapora świetlna odbiciowa reflection light barrier [bud.]

zapora ultradźwiękowa ultrasonic barrier, ultrasonic beam [el.]; ultrasonic barrier [transp.]

zapotrzebowanie demand, requirement [wojsk.]; need [abc]

zapotrzebowanie dzienne daily consumption [energ.]

zapotrzebowanie energetyczne energy demand [energ.]

zapotrzebowanie energii power requirement [mot.]

zapotrzebowanie materiałowe material requisition [abc]

zapotrzebowanie mocy power requirement [mot.]

zapotrzebowanie na ciepło heat demand [energ.]

zapotrzebowanie odlewni i stalowni foundry auxiliary material [met.]

zapotrzebowanie paliwa fuel demand [energ.]

zapotrzebowanie prądowe flow requirement [mot.]

zaprawa (*murarska*) float, grout, mortar [bud.]

zaprawa do tynków plaster [abc]

zaprawa gliniana mud mortar [bud.]

zaprawa ogniotrwała refractory mortar [energ.]

zaprawa wapienna lime mortar [bud.]

zaprogramowany pre-set [inf.]

zaprogramowany automatycznie preprogrammed [inf.]

zaprogramowany wstępnie preprogrammed [inf.]

zaprojektowany designed [rys.]

zaprzeczać deny [abc]

zaprzeczenie contradiction, deny (*fail to admit*) [abc]

zaprzęgnięty w konie horse-drawn [mot.]

zapuszczać crank (*start car engine*) [mot.]

zapychać choke [mot.]

zapytanie enquiry, inquiry, query [abc]

zapytanie bazy danych database query [inf.]

zaraźliwy catching (*also illness*) [abc]; infectious (*contagious illness*) [med.]

zardzewiały engaged [mot.]; rusted, rusty [abc]

zarejestrowanie się sign-on [inf.]

zaręczać assure [abc]

zarośla brushes [bot.]

zarozumiały self-opinionated [abc]

zarys contour; draft (*manuscript, suggestion, scheme*) [abc]; ground plan (*plan view*) [bud.]; scheme [masz.]

zarys odniesienia reference profile [rys.]

zarys rowka rib tread [mot.]

zarys rowu ditch profile [transp.]

zarys wielowypustowy multi-spline <involute> profile [masz.]

zarys zęba tooth flank, tooth form, tooth profile, tooth shape, tooth side [masz.]

zarysowanie incipient crack [masz.]

zarysowany outlined [abc]; ticked [masz.]

zarysowywać score [met.]

zarząd board of managers [ekon.]

zarząd kolei railway administration [mot.]

zarząd miejski city corporation (GB); town authorities (US) [polit.]

zarządca administrator [abc]

zarządzać manage [abc]

zarządzanie management [abc]

zarządzanie bazami danych information resource management [inf.]

zarządzanie danymi data administration [inf.]

zarządzanie dokumentami document management [inf.]

zarządzanie jednostkami zapisu głównego administration of master parts records [rys.]

zarządzanie kartoteką główną części administration of master parts records [ekon.]

zarządzanie oknami windows management [inf.]

zarządzanie personelem personnel management [abc]

zarządzanie projektem project management; software management [inf.]

zarządzanie przedsiębiorstwem managing (*business managing*) [abc]

zarządzanie uproszczone simpler management [abc]

zarządzanie wykazami materiałów administration of bills of materials [inf]

zarządzenie government legislation

[praw.]; order (*instruction*) [abc]; provision [polit.]

zasada basic rule (*first principle*); law; principle [abc]; sentence (*in logic*) [inf.]

zasada bezkontekstowa context-free rule [inf.]

zasada eksploatacji operation rule [mot.]

zasada konstrukcji modułowej modular principle [masz.]

zasada konstrukcji zespołowej modular principle [masz.]

zasada najmniejszego zobowiązania principle of least commitment [inf.]

zasada nie dokonywania zmian no-altering principle [inf.]

zasada oceniania assessment principle [miern.]

zasada osi prowadzącej steering axle principle [mot.]

zasada sztywnej osi rigid axle principle [mot.]

zasada tłumienia attenuation law [fiz.]

zasada wnoszenia roszczeń claims-made basis [praw.]

zasada zdarzeń occurrence basis [prawn.]

zasadniczy profound; salient; vital (*needed, necessary*) [abc]

zasady regułopodobne rulelike principles [inf.]

zasadzka trap [abc]

zasiedlać populate [abc]

zasiedlony populated [abc]

zasiew sowing [roln.]

zasięg outreach [transp.]; reach [masz.]; scope [abc]; scope (*of quantifiers*) [inf.]

zasięg głębokości depth range, time base range [transp.]

zasięg kopania digging height [transp.]

zasięg obrotu slewing range, swing

Z

distance, swing range, slew range [transp.]

zasięg roboczy slewing range (*slew range*); working area [transp.]

zasięg transmisji range of transmission [el.]

zasilacz feeder [masz.]; power unit [transp.]

zasilacz sieciowy drive motor [el.]; power pack [mot.]

zasilacz sieciowy dodatkowy supplementary power pack [el.]

zasilacz sieciowy roboczy operating power pack [el.]

zasilacz sieciowy sygnałowy signal power pack [el.]

zasilacz sieciowy wysokonapięciowy high voltage power pack [el.]

zasilacz ślimakowy screw conveyor [masz.]

zasilacz walcowy roll feeder [górn.]

zasilać charge [tw.]; equip, load [abc]; feed (*hydraulic*) [mot.]; feed in [górn.]

zasilać kocioł feed the boiler (*fill the boiler*) [hydr.]

zasilanie admission; material feed [górn.]; feed (*feeding of power*) [mot.]; pass, supply [abc]

zasilanie chłodziwem chłodnicy końcowej aftercooler coolant supply [energ.]

zasilanie ciśnieniowe pressure admission [transp.]; pressurizing [mot.]

zasilanie energią energy supply [mot.]; power supply [el.]

zasilanie energią w porze nocnej over-night load, power supply during the night [el.]

zasilanie olejem oil supply [masz.]

zasilanie paleniska zapłonowo-pyłowe pulverized-fuel start-up firing equipment [energ.]

zasilanie paliwem fuel supply [mot.]

zasilanie paliwem pyłowym pulverized fuel feeding equipment [energ.]

zasilanie parą steam admission [energ.]

zasilanie podgrzewacza powietrza air admission to air heater [energ.]

zasilanie podwójne combined flow [mot.]; double flow [transp.]

zasilanie prądem current supply [energ.]

zasilanie przewodami rurowymi tube feeding (*tube feeder*) [masz.]

zasilanie sieciowe power supply [el.]

zasilanie styczne tangential admission [energ.]

zasilanie talerzowe rotary feeder [transp.]

zasilanie wodą water „in" [mot.]

zasilanie znamionowe nominal power [el.]

zasilany swobodnie naturally aspirated [mot.]

zasilany zewnętrznie exterior admission [mot.]

zasiłek chorobowy sick pay, sickness compensation [ekon.]

zaskakujący surprising [abc]

zasłaniać blank off [met.]; dim [mot.]

zasłona curtain [bud.]

zasłona chłodnicy radiator shutter [mot.]

zasłona przeciwdeszczowa canopy curtain [mot.]

zasobnik reservoir, vessel [abc]; bin, bunker [górn.]; feed hopper; tank and hopper-type container [masz.]; sump [mot.]

zasobnik dobowy paliwa daily service tank [energ.]

zasobnik gorącej wody condenser hot well [energ.]

zasobnik olejowo-azotowy oil nitrogen accumulator [masz.]

zasobnik paliwa hopper [mot.]
zasobnik paliwa pyłowego pulverized fuel bunker [energ.]
zasobnik pośredni pyłu pulverized coal storage bunker [energ.]
zasobnik Ruthsa Ruths steam accumulator [energ.]
zasobnik startowy start container [wojsk.]
zasobnik węglowy nadziemny overhead cool bunker [górn.]
zasoby awaryjne w stosach ze zgarniakiem mostowym circular stockpile with bridge reclaimer [górn.]
zasoby nadkładowe overburden stockpile [górn.]
zasoby naturalne resources [abc]
zasolenie salification [masz.]
zasób reserve [górn.]
zasób znaków character set (*of computer language*) [inf.]
zaspa drift [abc]
zastawiać pułapkę trap [abc]
zastawka zwalniająca release gate [masz.]
zastąpić relieve [wojsk.]
zastąpiony przez replaced by; substituted by [abc]
zastępca assistant; deputy [abc]
zastępca członka deputy member [ekon.]
zastępca kierownika sprzedaży assistant sales manager [ekon.]
zastępca przewodniczącego vice-chairman (*of the board of directors*) [abc]
zastępcze źródło prądu equivalent current source [el.]
zastępcze źródło zasilania energią equivalent current source [el.]
zastępować replace (*old glass by new glass*) [mot.]; substitute (*glass pane by cardboard*) [abc]; (*np. przy sterowaniu ręcznym kasującym ustawienia automatyczne urządze-*

nia) override [transp.]; override (*processor by manual shift*) [inf.]
zastępowanie (*stron pamięci*) paging [inf.]; substituting [abc]
zastosowanie use; utilization [abc]
zastosowane środki zaradcze measures <that were> undertaken [abc]
zastosowanie application, implementation [abc]
zastosowanie koparki łyżkowej podsiębiernej backhoe work [transp.]
zastosowanie maszyn do transportu ziemi earthmoving application [mot.]
zastosowanie materiału material usage [abc]
zastosowanie mikrokomputera micro-computer use [inf.]
zastosowanie przy dużym obciążeniu heavy-duty use [masz.]
zastosowanie sieci network application [inf.]
zastosowanie sztucznej inteligencji AI application [inf.]
zastosowanie techniczne technical domain [abc]
zastój stagnation; traffic congestion, traffic jam [transp.]
zastrzał stay [bud.]; strut [masz.]
zastrzał tylnego mostu rear axle strut [mot.]
zastrzegać (*sobie*) reserve [abc]
zastrzeżenie clause (*paragraph*) [praw.]; reservation [abc]
zastrzeżony proprietary [praw.]
zastrzykiwanie paliwa priming (*prime an engine*) [mot.]
zasuwa bolt [masz.]; buckstay [energ.]; damper; door [transp.]; lock [mot.]
zasuwa awaryjna safety conductor [transp.]
zasuwa boczna potrójna triple side shifting device [transp.]

Z

zasuwa drzwiowa door latch [mot.]

zasuwa iglicowa tongue-shaped regulating damper [energ.]

zasuwa klinowa tapered slide valve [masz.]

zasuwa obejścia by-pass damper [energ.]

zasuwa obejściowa gazów spalinowych flue gas by-pass damper [energ.]

zasuwa płaska hopper gate valve (*with frame*) [energ.]

zasuwa pompy contactor for pump [transp.]

zasuwa regulacyjna regulating damper [miern.]

zasuwa rolkowa roller-sliding gate [masz.]

zasuwa spalinowa flue gas outlet damper [energ.]

zasuwa zamykająca awaryjna emergency stop valve [energ.]

zasuwa zamykająca zasobnik węgla bunker coal gate [energ.]

zasyp ręczny handfiring [energ.]

zasysacz choke [mot.]

zasysać prime (*prepare before start*); suck [mot.]

zasysanie aspiration (*natural or turbo-charger*); suction [mot.]; whirl (*suction*) [abc]

zasysanie naturalne natural aspiration [mot.]

zasysanie powietrza air siphoning [mot.]; air suctioning [transp.]

zasysanie zwrotne withdrawal [energ.]

zasysanie zwrotne gazów spalinowych flue gas recirculation [energ.]

zaślepiać blank off [met.]; blindfold [abc]; dim; plug (*plug tight*) [mot.]

zaślepiony plugged; sealed [mot.]

zaślepka blind plate, cap, flange cover, plug, screw; dummy panel, sealing gland [masz.]

zaślepka odpowietrznika breather cap [mot.]

zaświadczenie work certificate [abc]

zaświadczenie o niezdolności do pracy certificate of disability [abc]

zatankowanie zbiornika fuel-filling [mot.]

zatapiać plunge [masz.]; sink [mot.]; submerge [abc]

zatarcie tłoków piston seizure (*seized piston*); piston squeezing (*squeezed piston*) [mot.]

zatarty pitted [masz.]; seized up [mot.]

zatkanie blockage [abc]; clogging [bud.]

zatkany clogged [abc]

zatoka bay [geogr.]

zatopienie flooding [abc]

zatopiony flooded; sunk, submerged [mot.]; submerged [abc]

zator traffic congestion, traffic jam [mot.]

zator drogowy congestion [mot.]

zatrudniać employ [abc]

zatrudniać ponownie reemploy [abc]

zatrudnienie employ, employment [abc]

zatrudnienie ponowne reemployment [abc]

zatrzask catch [bud.]; latch; lock; locking device [masz.]; snap-on cap [mot.]

zatrzaskiwać snap [abc]

zatrzymanie stoppage [transp.]

zatrzymanie awaryjne emergency stop [transp.]

zatrzymanie kotła boiler shut-down [energ.]

zatrzymanie silnika shutdown device [mot.]

zatrzymany hamulcem klockowym block braked [transp.]; clasp braked [mot.]

zatrzymywacz arrester [masz.]
zatrzymywać detain [polit.]; hold [mot.]; retain [bud.]; shut down [energ.]; stop [masz.]
zatrzymywać się come to a standstill, stale [mot.]
zatrzymywać silnik switch off the engine [mot.]
zatrzymywanie retention [abc]
zatwierdzać approve; certify [abc]
zatwierdzenie life-cycle validation [inf.]
zatwierdzony approved [abc]
zatyczka cork [abc]; end stopper [mot.]; flange cover, plug [transp.]; stopper [masz.]
zatyczka ochronna protective plug [masz.]
zatyczka rygla interlock plug [mot.]
zatykać choke [mot.]; clog [bud.]
zauważać perceive; remark [abc]
zauważalny noticeable [abc]
zawalać się collapse [abc]
zawał caving [górn.]; infarct [med.]
zawartość content [energ.]
zawartość baku tank contents [mot.]
zawartość ciepła enthalpy [energ.]
zawartość grubych ziaren coarse grain content [bud.]
zawartość humusu humus content [gleb.]
zawartość kwasu węglowego CO_2-content [hydr.]
zawartość łyżki bucket contents; bucket capacity [transp.]
zawartość miału fines content [energ.]
zawartość popiołu ash content [energ.]
zawartość pyłu dust content [energ.]
zawartość siarki sulfur content [chem.]
zawartość soli salt content [energ.]
zawartość węgla carbonic content [chem.]

zawartość wilgoci water content [energ.]
zawartość wilgoci własnej inherent moisture [energ.]
zawartość wody water content [bud.]
zawartość ziaren drobnych fines content [energ.]
zawarty implied [abc]; (*np. układ*) concluded [praw.]; embedded [górn.]
zawężenie constraint [inf.]
zawężenie jasności brightness constraint [inf.]
zawężenie oświetlenia illumination constraint [inf.]
zawężenie wyboru znaczeniowego meaning-selection constraint [inf.]
zawiadowca stacji foreman, station master [mot.]
zawiasa hinge [masz.]
zawiasa drzwiowa door hinge [mot.]; hinge hook [bud.]
zawiasa maski bonnet hinge [mot.]
zawiasa pokrywy boot lid hinge [masz.]
zawiasa schowka glove box hinge [mot.]
zawiasa wpuszczana hinge hook [bud.]
zawiązywać tie [abc]
zawierać contain; include [abc]
zawierający kwas acidal [chem.]
zawierający metal metalliferous [met.]
zawierający ołów plumbiferous [chem.]
zawierający węgiel carboniferous [chem.]
zawierający żelazo ferriferous, ferruginous [min.]
zawiesie belkowe spread beam [mot.]
zawiesie naczynia wyciągowego suspension gear [transp.]
zawiesina slurry [górn.]
zawiesina betonitowa betonite suspension [górn.]

Z

zawiesisty viscosity [abc]

zawieszać mount [mot.]; suspend, hang up [abc]

zawieszać się get stuck [mot.]

zawieszenie spring hangers (*spring support*), support, suspension [masz.]; hangers [energ.]

zawieszenie gumowo-stalowe rubber-bonded-to-metal mounting [masz.]

zawieszenie kotła boiler support [energ.]

zawieszenie kół przednich front wheel suspension [mot.]

zawieszenie łańcuchowe chain suspension, chain suspension tackle [transp.]

zawieszenie ogniwa łańcucha chain link support [mot.]

zawieszenie osi axle suspension [mot.]

zawieszenie radlicy mouldboard support [transp.]

zawieszenie rurociągu spring loaded tube hanger [masz.]

zawieszenie rurociągu o równomiernym naprężeniu constant tension tube hanger [energ.]

zawieszenie silnika engine mounting, engine mounting base, engine support bracket, engine suspension [mot.]

zawieszenie sondy probe mount [met.]

zawieszenie sprężynowe spring suspension [masz.]; springs [mot.]

zawieszenie sprężynowe pierwotne primary spring suspension [masz.]

zawieszenie sprężynowe uniwersalne universal spring support [masz.]

zawieszony (*na drucie*) cable-mounted [tw.]; airborne (*particles floating in air*) [aero.]

zawieszony przegubowo universal-mounted [mot.]

zawieszony w sposób niestały flexibly suspended [masz.]

zawieszony wahliwie oscillating suspended [transp.]

zawijać obrzeże bead [met.]

zawijać obwodowo obrzeże blachy bead [met.]

zawijanie obrzeża beading [masz.]

zawijanie obwodowe curling [met.]

zawijany burnished; rolled; rolled fine-finish [masz.]

zawinięcie obrzeża creasing (*bending, beading*) [met.]

zawisanie węgla clogging of coal (*bunker*) [górn.]

zawisanie wsadu bridging; hang-up (*of fuel*) [energ.]

zawisnąć get stuck [mot.]

zawleczka cotter pin [tw.]; coupling pin; wedge pin [mot.]; locking pin; split pin [masz.]

zawodowiec professional [abc]

zawodowy professional (*skilled*); workmanlike [abc]

zawodzić wail [abc]

zawód metier; profession; vocation [abc]

zawór gauge cock [energ.]; tap [abc]; valve [mot.]

zawór antykawitacyjny anti-cavitation valve [masz.]

zawór bezpieczeństwa safety valve; (*do upuszczania pary*) steam-heating safety valve [mot.]; by-pass tube [masz.]

zawór bezpieczeństwa ciężarowy o bezpośrednim obciążeniu dead weight safety valve [energ.]

zawór bezpieczeństwa impulsowy solenoid pilot operated valve [mot.]

zawór bezpieczeństwa przelewowy by-pass tube [masz.]

zawór bezpieczeństwa skrętny (*z drążkiem skrętnym*) torsion bar safety valve [energ.]

zawór chwytaka clamshell valve [transp.]

zawór ciśnieniowy delivery valve; pressure valve [mot.]

zawór ciśnieniowy serwosterowania pilot-operated relief valve [mot.]

zawór czterodrogowy four-way valve [mot.]

zawór dawkujący proportioning valve (*three-way-valve*) [energ.]

zawór dławiący butterfly valve, throttle, throttle relief valve, throttle valve [mot.]

zawór do usuwania pary boiler air valve, vent valve [energ.]

zawór dodatkowy additional valve [masz.]

zawór dozujący proportioning valve [energ.]

zawór dwudrogowy two-way valve [masz.]

zawór dwugniazdowy double-seated valve body [energ.]

zawór dwusiedzeniowy double-seated valve body [energ.]

zawór dzwonowy bell valve [masz.]

zawór elektromagnetyczny solenoid valve [el.]

zawór gazowy gas valve [mot.]

zawór górny overhead valve, valve in the head [masz.]

zawór grzybkowy poppet valve [energ.]

zawór gumowy rubber valve [masz.]

zawór hamulca przyczepy trailer brake valve [mot.]

zawór hamulcowy driver's train-brake valve; treadle valve [mot.]; travel retarder valve [transp.]

zawór hamulcowy bezpieczeństwa emergency relay valve [mot.]

zawór hamulcowy dodatkowy additional brake valve [mot.]

zawór hamulcowy klapowy odchylny slewing brake valve, swing brake valve [transp.]

zawór hamulcowy kubła bowl brake valve [masz.]

zawór hamulcowy lokomotywy locomotive brake valve [mot.]

zawór hamulcowy maszynisty driver's train-brake valve [mot.]

zawór hamulcowy pociągu drogowego tractor-trailer brake valve [transp.]

zawór hamulcowy wózka tractor brake valve [transp.]

zawór iglicowy needle valve [mot.]

zawór impulsowy pilot-operated valve [energ.]

zawór iniektora injector valve [mot.]

zawór jednodrogowy monoway valve [energ.]

zawór jednokierunkowy check valve [tw.]; non-return valve [masz.]

zawór kątowy angle valve [masz.]

zawór klapowy clock valve; damper [tw.]; cover; lip valve (*lip of BD shovel*) [transp.]; flap valve [mot.]

zawór klapowy podgrzewczy preheating valve [mot.]

zawór klapowy podwójny double flap valve [masz.]

zawór klapowy powietrzny air flap [transp.]

zawór klapowy ściany czołowej end plate [mot.]

zawór klapowy wypychacza ejector flap [transp.]

zawór kontrolny ssący pump inlet check valve [mot.]

zawór kontrolny zasilający feed control valve [mot.]

zawór krańcowy podnoszenia hoist limiting valve [mot.]

zawór krzywkowy pilot valve [mot.]

zawór krzywkowy popychacza cam valve (*pilot valve*) [mot.]

zawór kulowy ball valve [mot.]

zawór kulowy przeciwzwrotny ball retaining valve [masz.]

Z

zawór kurkowy cock [bud.]

zawór kurkowy czerpalny water faucet; faucet [hydr.]; tap (*e.g. for beer*) [abc]

zawór kurkowy sprzęgający coupling cock [mot.]

zawór kurkowy wodociągu głównego water mains cock [bud.]

zawór kurkowy z kurkiem kulistym ball handle [masz.]

zawór metalowy metal valve [mot.]

zawór mieszający double butterfly valve; mixing valve [energ.]

zawór modulacji ciśnienia pressure modulating valve [mot.]

zawór motylkowy throttle, throttle valve [energ.]

zawór naciągający tension valve [transp.]

zawór nadciśnieniowy excess pressure valve [mot.]; shock valve [masz.]

zawór nadmiarowy relief valve [masz.]

zawór nadmiarowy bezpieczeństwa safety valve [mot.]

zawór nadmiarowy ciśnieniowy pressure control valve; pressure relief valve [mot.]; pressure relief valve [energ.]; relief valve [masz.]

zawór nadmiarowy dławiący choke valve [mot.]; throttle relief valve (*relief valve*) [masz.]

zawór nadmiarowy wlotowy inlet relief valve [mot.]

zawór nadmiarowy wydechowy pompy pump outlet relief valve [mot.]

zawór nadmiarowy wylotowy pompy pump outlet relief valve [mot.]

zawór napełniania refill tap [masz.]

zawór napinający tension valve [transp.]

zawór napowietrzający air breather, breather [aero.]

zawór naprężający tension valve [transp.]

zawór neutralizujący neutralizer valve [masz.]

zawór niskoprężny low pressure valve [mot.]

zawór obejściowy by-pass tube; crossover valve [mot.]

zawór obejściowy olejowy oil by-pass valve [mot.]

zawór obrotowy (*z zawieradłem obrotowym*) rotary valve, rotary-type table decindering plant [masz.]

zawór ochronny protective valve [mot.]; rubber valve [masz.]

zawór odciążający unloader valve [masz.]

zawór odcinający gate valve [mot.]; lock valve [masz.]; shut-off valve (*stop valve*) [transp.]

zawór odcinający jednodrogowy one-way check valve [masz.]

zawór odcinający (zamykający) dopływ paliwa fuel shut-off [mot.]

zawór odpowietrzający air bleed valve, air discharge valve [masz.]; boiler air valve, vent valve [energ.]

zawór odpowietrzania przegrzewacza superheater air valve, superheater vent valve [energ.]

zawór odpowietrznika air bleeder [masz.]

zawór odprowadzania wody z przegrzewacza superheater drain valve [energ.]

zawór ogrzewania parowego steam-heating valve [energ.]

zawór olejowy nadciśnieniowy oil pressure relief valve [energ.]

zawór olejowy przelewowy oil relief valve [mot.]

zawór opóźniający time delay valve [masz.]

zawór pilotowy cam valve (*pilot valve*) [mot.]; pilot valve [masz.]

zawór pływakowy ball cock and float valve [masz.]; float valve [mot.]

zawór pneumatyczny air operated valve [masz.]; pneumatic valve [mot.]

zawór pneumatyczny impulsowy pilot operated valve [mot.]

zawór pomocniczy additional valve [masz.]

zawór pompy pump valve [mot.]

zawór pompy zasilającej tłokowej feed-water pump valve [mot.]

zawór popychacza pilot valve (*cam valve*) [mot.]

zawór potrójny triple valve [masz.]

zawór powietrzny dętki z pokrywą przeciwpyłową inner tube valve with dust cap [mot.]

zawór powietrzny wygięty coil valve [mot.]

zawór probierczy check valve [energ.]

zawór proporcjonalny counterbalance valve, prop valve, proportional valve [mot.]

zawór przekaźnikowy relay valve [mot.]

zawór przelewowy bypass valve, bypass tube; straight way valve [mot.]; overflow valve [masz.]; straight-through valve; straight-way valve [energ.]

zawór przepływowy straight way valve [mot.]

zawór przyciskowy push button valve [mot.]

zawór redukcyjny balanced piston type relief valve [masz.]; pressure control valve [mot.]; pressure reducing valve [energ.]

zawór redukcyjny ciśnienia powietrza air pressure reducing valve [masz.]

zawór regulacji (natężenia) prze- **pływu** constant feed regulating valve, flow control valve [mot.]

zawór redukcyjny powietrza rozpylacza reducing valve for atomized air [masz.]

zawór regulacji ciśnienia discharge valve, performance valve, pressure control valve [mot.]

zawór regulacyjny control valve, directional control valve, distributing valve; two-stroke-two valve (*2/2 valve*); way valve [mot.]

zawór regulacyjny hamulca bezpieczeństwa emergency brake control valve [mot.]

zawór regulacyjny momentu obrotowego torque control [masz.]

zawór regulacyjny natężenia przepływu constant feed regulating valve [mot.]; flow control valve [transp.]

zawór regulacyjny obciążenia granicznego power limit control valve [mot.]

zawór regulacyjny olejowy oil regulating valve [mot.]

zawór regulacyjny powietrza air register [energ.]

zawór regulujący regulating valve [miern.]; regulator valve [mot.]

zawór rozdzielający sterowany servo-controlled distribution valve [mot.]

zawór rozdzielczy dividing valve; way valve [mot.]; flow divider; two-stroke-two valve [masz.]

zawór rozdzielczy 4/2 four-stroke-two valve (*4/2 valve*) [mot.]

zawór rozdzielczy obciążeniowy variable load-sensing distribution valve [mot.]

zawór rozdzielczy sterowany elektrycznie electrically controlled distrib. valve [mot.]

zawór rozgałęźny dividing valve [mot.]; flow divider [masz.]

Z

zawór rozpraszania check valve [masz.]

zawór rozruchowy start-up valve [energ.]

zawór rozrządczy valve block [mot.]

zawór różnicowy pressure differential valve [mot.]

zawór ruchu jałowego non-pressure valve [mot.]

zawór samoczynny self-locking valve [mot.]

zawór serwosterowania control valve (*outrigger or dozer blade*); performance valve [mot.]

zawór smarowy kulkowy sprężynowy z końcówką stożkową grease nipple [mot.]

zawór smarowy nadciśnieniowy grease relief valve [mot.]

zawór spadochronowy parachute valve (*actuated by ropes*) [mot.]

zawór spustowy discharge valve [mot.]; release valve [masz.]

zawór spustowy kotła boiler drain valve [energ.]

zawór spustowy sprężynowy (*hamulca postojowego*) spring-loaded release valve for parking brake [mot.]

zawór spustowy ściany tylnej rear wall drain valve [energ.]

zawór ssawny anti-cavitation valve; suction valve [masz.]

zawór ssący anti-cavitation valve [masz.]

zawór sterowania siłownika kubła control valve bucket cylinder [mot.]

zawór sterowania siłownika masztu control valve boom cylinder [mot.]

zawór sterowania siłownika ramienia control valve arm cylinder [mot.]

zawór sterowniczy control valve, orbitrol, servo control valve, steering valve [mot.]

zawór sterujący pilot valve [masz.]; selector valve [mot.]

zawór sterujący hydrauliczny hydraulic control valve [masz.]; orbitrol (*steering orbitrol*) [mot.]

zawór sterujący kierunkowy diverter valve (US); two-stroke-two valve; way valve [mot.]

zawór sterujący przyczepy jednokomorowej single chamber trailer control valve [mot.]

zawór sterujący zewnętrzny exterior valve [masz.]

zawór stopowy foot operated valve (*pedal*); foot pedal valve [mot.]

zawór stożkowy conical valve [masz.]

zawór suwakowy rotary valve, slide valve (*sliding member*) [masz.]

zawór suwakowy ręczny hand slide valve [mot.]

zawór szczelny tight valve (*closed valve*) [masz.]

zawór szybkiego odpowietrzania quick exhaust valve, quick ventilation valve [masz.]

zawór szybko działający quick acting valve [masz.]

zawór szybkiego zamykania quick closing valve [masz.]

zawór ściekowy drain valve [energ.]

zawór talerzowy disk valve [mot.]

zawór tłoczkowy cylindrical valve; spool [mot.]

zawór tłoczny delivery valve; drain valve [transp.]

zawór trójdrogowy shuttle valve [mot.]; three-way valve (*proportioning valve*) [masz.]; three-way-valve, proportioning valve [energ.]

zawór trójdrożny three-way valve [masz.]

zawór trzystopniowy three-position valve [masz.]

zawór upustowy bleeder; bleeding valve; pressure relief valve [mot.]

zawór upustowy powietrza air discharge valve, vent valve [masz.]

zawór uzupełniania ciśnienia pressure make-up valve [masz.]

zawór wentylacyjny air discharge valve; vent valve [masz.]

zawór wielodrogowy multi-way valve [energ.]

zawór wielodrogowy dwuciśnieniowy twin pressure sequence valve [masz.]

zawór wielodrogowy samoczynny o ustalonej kolejności działania sequence valve [mot.]

zawór wlotowy inlet valve; intake valve [mot.]

zawór wlotowy oleju lubricating-oil inlet; oil inlet [masz.]

zawór wlotowy pompy pump inlet valve [mot.]

zawór wtryskiwacza injector valve [mot.]

zawór wtryskowy injection valve [mot.]

zawór wtrysku paliwa fuel injection valve; injection valve [mot.]

zawór wydechowy exhaust valve; muffler cut-out [mot.]

zawór wydechowy pompy pump outlet valve [mot.]

zawór wydmuchowy blowdown valve [energ.]; blow-off valve [mot.]

zawór wylotowy exhaust valve [mot.]

zawór wylotowy pompy pump outlet valve [mot.]

zawór wyładowczy unloader valve [mot.]

zawór wypychacza ejector valve [mot.]

zawór wypychacza wielodrogowy samoczynny o ustalonej kolejności działania ejector sequence valve [masz.]

zawór wyrównawczy backlash valve, unloader valve [masz.]; compen-

sating valve, discharge valve [mot.]

zawór wyrównawczy ciśnienia equalizing valve [mot.]

zawór zamykający stop valve [transp.]

zawór zamykający i regulujący stop and regulating valve [masz.]

zawór zaporowy locking valve [masz.]

zawór zaporowy ciśnieniomierza gauge cock [mot.]

zawór zaporowy wysięgnika lock valve of <the> boom [transp.]

zawór zasilający feed valve [hydr.]

zawór zasilania feeding valve [mot.]

zawór zasuwowy damper; (*regulujący dopływ paliwa*) fuel cut-off, fuel gate [energ.]

zawór zasuwowy obrotowy rotary gate valve [transp.]

zawór zasuwowy pogłębiarki ssącej dredging slide valve [transp.]

zawór zasuwowy równoległy parallel-slide valve [energ.]

zawór zasuwowy szybko działający quick-acting gate valve [masz.]

zawór z dźwignią ręczną hand lever valve [mot.]

zawór z dźwignią rolkową valve with roller lever [mot.]

zawór z dźwignią rolkową i jałowym biegiem wstecznym valve with roller lever and idle return [mot.]

zawór hamulcowy brake valve [mot.]

zawór z elastyczną zasuwą klinową flexible-wedge gate valve [energ.]

zawór z gniazdem natapianym stellitem stellite faced valve [mot.]

zawór z grzybkiem stożkowym conical valve [tw.]

zawór zmiany biegów speed change valve [mot.]

Z

zawór zmiany kierunku (*przepływu*) reversing valve [masz.]

zawór zwalniający speed reducing valve [masz.]

zawór zwłoczny deceleration valve [mot.]; time delay valve [masz.]

zawór zwrotny check valve; non-return valve [masz.]

zawór zwrotny kątowy angle check valve [mot.]; right angle check valve [masz.]

zawór zwrotny podwójnie roz-prężny hydraulically operated relief valve [mot.]

zawór zwrotny prosty in-line check valve [mot.]

zawór zwrotny spychaka nastaw-nego angle check valve [transp.]

zawracać reverse (*drive backwards*) [abc]

zawracanie do obiegu recycling [rec.]

zawracanie gazów spalinowych flue gas withdrawal [energ.]

zawracanie żwiru do obiegu cinder return (*coarse particles*) [energ.]

zazębiacz korby rozruchowej start-ing crank dog; starting dog [mot.]

zazębiać mesh [masz.]; (*się*) mesh (*cog*) [mot.]

zazębiać się cog (*mesh*) [mot.]; in-terlock [masz.]

zazębiając się meshing (*cogging*) [mot.]

zazębienie (*kół zębatych*) meshing; gearing; mesh; meshing of the teeth, toothing [masz.]

zazębienie cykloidalne cycloidal toothing [masz.]

zazębienie ewolwentowe involute gearing [mot.]

zazębienie krótkie short toothing [masz.]

zazębienie kształtowe spline, splin-ing [mot.]

zazębienie strzałkowe herringbone gearing [masz.]

zazębienie zewnętrzne external gearing [transp.]

zazębiony engaged; mesh; toothed [masz.]

zazębiony ewolwentowo involute geared (*shaft*) [mot.]; involute gearing [masz.]

zaznaczać mark [masz.]

zaznaczać zgodnie z długością mark true-to-length [abc]

zaznaczony (*krzyżykiem*) marked [abc]; ticked [masz.]

zaznajomiony acquainted [abc]

zażużlenie slag inclusion, slagging [energ.]

zażużlowanie slagging [energ.]

ząb gear (*on slewing machine*) [mot.]; gear tooth; key; tooth [masz.]; tine, tyne [narz.]; tooth (*plural: teeth*) [med.]

ząb czerpaka bucket tooth, shovel tooth [transp.]

ząb grzebienia comb segment (*f. squeezing accidents*) [transp.]

ząb kątowy corner tooth [transp.]

ząb koła zębatego cog [masz.]

ząb narożny end bit [transp.]

ząb nasadzany replaceable tooth tip [transp.]

ząb stalowy ripper tooth [transp.]

ząb stalowy długi deep ripper, deep-ripper tooth; long ripper tooth [transp.]

ząb stalowy łyżki koparki deep ripper, deep-ripper tooth; long ripper tooth [transp.]

ząb stalowy wysunięty advancing ripper tooth (*on bucket*) [transp.]

ząb stały permanent tine [masz.]

ząb śrubowy bolt-on teeth [masz.]

ząb trójkątny pochylony pointed tooth [transp.]

ząb wideł do siana hay-bob tine (*tooth*) [masz.]

ząb wstawiany inserting tooth [transp.]

ząb wtykowy socket type tooth (*teeth*) [transp.]
ząbkowany toothed [masz.]
zbadać view [abc]
zbędny excess (*Remove excess grease*); expendable; superfluous (*too much*); unnecessary [abc]
zbieg refugee [polit.]
zbieg okoliczności coincidence [abc]
zbieracz collector [abc]; downcomer header [energ.]
zbieracz oleju thrower [masz.]
zbieracz prądu collector; current collector [el.]; pantograph [mot.]
zbieracz smaru thrower [masz.]
zbieracz szczotkowy prądu trolley brush [el.]
zbierać collect, compile [bud.]; round up [abc]
zbierać plony bring in [roln.]
zbierak reclaimer; scraper [transp.]
zbierak boczny side reclaimer [transp.]
zbieżność taper, tapering [masz.]
zbieżny tapering [masz.]
zbiornik basin [hydr.]; bin; bunker [górn.]; oil sump [mot.]; reservoir [bud.]; vat; vessel [abc]; tank, hydraulic tank [masz.]
zbiornik asfaltu asphalt tanking [mot.]
zbiornik balastowy ballast tank [mot.]
zbiornik boczny wing tank [mot.]
zbiornik burtowy wing tank [mot.]
zbiornik chłodnicy radiator tank [mot.]
zbiornik cieczy collecting flask [energ.]; fluid container; segregation tank [mot.]
zbiornik ciśnieniowy elevated tank [bud.]; pressure container; pressure vessel; pressurized receiver [mot.]
zbiornik do przechwytywania

szczytu fali powodziowej storage basin [hydr.]
zbiornik do składowania popiołów ash pit [energ.]
zbiornik gazu gas tank [energ.]
zbiornik gazu sprężonego motor fuel gas storage [mot.]
zbiornik główny chłodnicy radiator upper tank [bud.]
zbiornik górny elevated tank [bud.]
zbiornik górny chłodnicy radiator upper tank [mot.]
zbiornik helu helium tank [mot.]
zbiornik hydrauliczny hydraulic tank [masz.]
zbiornik kapsułki guide housing [mot.]
zbiornik kulisty disengaging tank; shot storage tank [energ.]
zbiornik magazynowy benzyny gas dump (US) [mot.]
zbiornik mułu dirt collection box [transp.]
zbiornik na beton concrete tank; concrete trough [masz.]
zbiornik na deszcz raintrap [meteo.]
zbiornik obrotowy rotary hopper [górn.]
zbiornik odmulania kotła boiler blow-down tank [energ.]
zbiornik oleju fuel oil storage tank [energ.]; oil sump [mot.]; oil reservoir; oil tank [masz.]
zbiornik oleju hydraulicznego hydraulic oil tank [mot.]
zbiornik oleju opałowego fuel oil storage tank [energ.]
zbiornik osadowy sedimentation tank; settling basin [górn.]
zbiornik paliwa fuel tank; supply tank [mot.]
zbiornik paliwa i przewód paliwowy fuel tank and fuel line [mot.]
zbiornik paliwowy główny main fuel tank [mot.]

Z

zbiornik pary wodnej steam bloc [energ.]

zbiornik pomocniczy air reservoir [mot.]

zbiornik pompy pump accumulator [mot.]

zbiornik powietrza air receiver; air reservoir [aero.]; air reservoir [mot.]

zbiornik powietrza dodatkowy auxiliary air reservoir [masz.]

zbiornik powietrza sterującego control reservoir [mot.]

zbiornik powietrza zasilającego preliminary air tank [mot.]

zbiornik próżniowy vacuum reservoir [mot.]

zbiornik przepływowy continuous basin [masz.]

zbiornik rezerwowy standby boiler [energ.]

zbiornik ropy oil reservoir, oil tank [masz.]

zbiornik rozdzielczy separation tank [górn.]

zbiornik rozprężny brake-fluid container [mot.]

zbiornik skroplin hot well [energ.]

zbiornik sprężonego powietrza compressed air reservoir [aero.]

zbiornik ściekowy drain cup (water in brake system) [mot.]

zbiornik ściekowy oleju back leakage sump [mot.]

zbiornik środkowy centre tank [mot.]

zbiornik termostatu bulb (of thermostat) [abc]

zbiornik tłoczny elevated tank [bud.]

zbiornik węglowo-olejowy C-oil fuel [energ.]

zbiornik wodny water basin, water tank, water basin [bud.]; radiator tank (top, bottom) [mot.]

zbiornik wody nieuzdatnionej raw water storage tank [energ.]

zbiornik wody zasilającej feed water tank [hydr.]

zbiornik wyrównawczy compensator reservoir [mot.]; expansion tank [masz.]

zbiornik z otworem spustowym bucket with discharge [transp.]

zbiornik z pokrywą drum with removable head [masz.]

zbiornik zasobnikowy storage vessel (storage tank) [abc]

zbiornik zasobnikowy wody uzupełniającej make-up water storage tank [energ.]

zbiornik zasobnikowy wody zasilającej feed water storage tank [hydr.]

zbiornik zbiorczy górny retarder box, shot storage tank [energ.]

zbiornik ze spustem hydraulicznym bucket with hydraulic controlled discharge [transp.]

zbiornik żużla slag tank [energ.]

zbiornikowiec tanker [mot.]

zbiornikowiec kwasu acid tanker [mot.]

zbiór danych data set [inf.]

zbiór reguł postępowania w przypadku roszczeń z tytułu gwarancji rules on warranty policy and procedures [abc]

zbity compact [abc]

zbliżać bring close to (feed in) [abc]

zblocze pulley block [masz.]

zblocze dolne hook bottom block [transp.]

zblocze hakowe hook bottom block [transp.]

zblocze linowe sheave nest [masz.]

zbocze slope (Watch out for that slope) [gleb.]

zbocze hałdy angle of heap [gleb.]

zbocze nadsypywane filled-up road shoulder [transp.]

zboże grain [roln.]

zbrojenie main reinforcement [transp.]

zbrojenie dolne bottom reinforcement [bud.]

zbrojny armed [wojsk.]

zbrojony glass-fibre reinforced [tw.]

zbrojony uzwojeniem spiral reinforced [masz.]

zbrojownia arsenal [wojsk.]

zburzenie destruction [bud.]

zbutwiały decaying (*rotten*) [bud.]

zbyt i technika sales and technology [ekon.]

zbyt niskie ciśnienie w oponie underinflation [mot.]

zbyt wysokie ciśnienie w oponie overinflation [mot.]

zdalne sterowanie remote control; remote operation [el.]

zdalnie sterowany remote operated [energ.]; remote controlled [el.]

zdalny regulator poziomu wody remote liquid level controller [energ.]

zdanie (*punkt widzenia*) view [abc]; philosophy [inf.]

zdanie doskonałe well-formed sentence (*in language*) [abc]

zdany passed [abc]

zdarzać się occur [abc]

zdarzenie event; incident [abc]

zdarzenie powodujące szkodę occurrence [prawn.]

zdarzenie pozytywne positive event [inf.]

zdarzenie przewidziane umową ubezpieczeniową occurrence [praw.]

zdatny skilled, smart, knowledgeable; suitable; useable, useful [abc]

zdatny do eksploatacji (*np. złoże*) minable; recoverable (*coal*) [górn.]; ready for operation; serviceable (*opposite: „stuffed"*) [mot.]

zdatny do użycia usable [abc]

zdawać pass (*pass a test*) [abc]

zdawanie służby relieve [wojsk.]

zdecentralizowany de-centralized [polit.]

zdejmować remove; take down (*e.g. a billboard*); unhook (*disconnect*) [abc]; withdraw [mot.]

zdejmować materiał machine down [met.];

zdejmować z haka take down; unhook [mot.]

zdejmowanie materiału machining operation [met.]

zdejmowany removable [abc]

zdejmowany wieniec koła detachable rim [mot.]

zdenerwowanie excitement [abc]

zdenerwowany excited; nervous (*anxious, all mixed up*) [abc]

zderzak (*ogranicznik ruchu*) end position; beat (*of that measure*) [abc]; bumper (*of car, truck*); fender (*buffer*) [mot.]; cheek casting (*better: back-stop*) [tw.]; end of stroke (*block of piston*); stop; guard [masz.]

zderzak autonomiczny/samodzielny self-contained buffer [mot.]

zderzak bimetalowy flexible mounting [met.]

zderzak hamujący brake buffer [mot.]

zderzak hydrauliczny buffer (*hydraulic buffer*) [mot.]; bufor [inf.]; hydraulic buffer (*buffer*) [transp.]

zderzak okrągły damper [tw.]

zderzak poprzeczny cross stop [tw.]

zderzak przedni front bumper [mot.]

zderzak sprężynowy spring bumper pad [mot.]; spring stop [masz.]

zderzak sprężynowy gumowy rubber spring buffer [masz.]

zderzak sterujący contactor [el.]

zderzak tulejowy socket-type buffer [mot.]

Z

zderzak tulejowy ze sprężyną śrubową stożkową buffer with volutre spring [mot.]

zderzak tylny back stop (*cheek casting*) [transp.]; rear bumper [mot.]

zderzak w zderzak bumper to bumper (*dense traffic*) [mot.]

zderzak zębatkowy rack bumper [mot.]

zderzenie collision (*crash*); (*czołowe*) concertina clash [mot.]; impact [masz.]

zderzenie boczne sideways collision [mot.]

zderzenie pociągów train crash (*collision*) [mot.]

zdjąć take off [abc]

zdjęcie photograph (*image of person, land*) [abc]; shot (*snapshot, picture, photography*) [opt.]

zdjęcie migawkowe snapshot [mot.]

zdjęty removed [abc]

zdmuchiwacz sadzy soot blower; long lance type soot blower, rack type soot blower [energ.]

zdmuchiawcz sadzy ścienny wall deslagger, wall soot blower [energ.]

zdmuchiwacz sadzy o dyszy pojedynczej single-nozzle retractable soot blower, single-nozzle soot blower (SNR) [energ.]

zdmuchiwacz sadzy przesuwny travel soot blower [energ.]

zdmuchiwacz sadzy typu masowego mass type soot blower [energ.]

zdmuchiwacz sadzy ze ścian single-nozzle blower (SNR.); wall deslagger; wall soot blower [energ.]

zdmuchiwacz sadzy ze ścian wciągany single-nozzle retractable soot blower (SNR.) [energ.]

zdmuchiwacz sadzy wielodyszowy multi-jet element type soot-blower, multi-nozzle blower; multi-nozzle soot blower [energ.]

zdobniczy ornamental [abc]

zdolność competency [abc]

zdolność do podjęcia uchwały quorum [abc]

zdolność do przystosowania adaptability [abc]

zdolność jezdna dzięki własnej energii ability to travel under own power [transp.]

zdolność łamiąca refraction [akust.]

zdolność manewrowa maneuverability [mot.]

zdolność pokonywania wzniesień gradability [mot.]

zdolność poruszania się w terenie grząskim floatation [transp.]

zdolność pracy silnika na wysokości altitude capability [mot.]

zdolność produkcyjna capacity (*capacity range*) [abc]

zdolność przemiałowa (*materiału mielonego*) [energ.]

zdolność przepustowa throughput rate [el.]

zdolność przepustowa pompy pump flow [mot.]

zdolność przerobowa throughput (*mill*) [górn.]

zdolność przewozowa poprzeczna transverse conveying capacity [mot.]

zdolność przystosowania się adaptability; flexibility (*of the boiler*) [energ.]

zdolność rozdzielcza resolution power [masz.]

zdolność tłumienia damping capacity [fiz.]

zdolność ustawienia adjusting facility [miern.]

zdolność wiązania (*np. kleju*) cementing capacity [bud.]

zdolność włączania (*wyłączania, przełączania*) switching ability [mot.]

zdolność wsysania absorptive capacity [hydr.]

zdolność wyłączania breaking capacity [el.]

zdolność zbierająca refraction (*of sound lenses*) [akust.]

zdolność zrywowa acceleration capability [fiz.]

zdolny able; gifted; skilled [abc]

zdolny do pokonywania wzniesień gradable [mot.]

zdolny do pokonywania zakrętów able to negotiate curves [transp.]

zdolny do pracy able to function; functioning [abc]

zdolny do przystosowania adaptable [abc]

zdrada stanu treason [abc]

zdrenowany drained [bud.]

zdrowieć recover [med.]

zdrowienie recovering [med.]

zdrowy healthy [med.]

zdwajać laminate [masz.]

zdzierać rip [transp.]; rough machine [met.]; scale [górn.]

zdzierać (się) scuff [mot.]

zdzierak kory slasher [narz.]

zdzieranie rough planing [met.]

zdzierany rough machined [met.]

ze strony zakładu factory-provided [abc]

ze znaczkiem stamped (*postage stamped*) [abc]

zebranie gathering [abc]

zebranie kadry personnel meeting; staff meeting [abc]

zebranie personelu personnel meeting; staff meeting [abc]

zebranie roszczeń odszkodowawczych raising of claims [praw.]

zecer typesetter [abc]

zegar clock [abc]

zegar dworcowy station clock (*also as wristwatch*) [abc]

zegar na peronie platform clock [abc]

zegar programowy clock relay; time switch; timer, timer switch [miern.]

zegar słoneczny sun dial (*shadows shows time*) [abc]

zegar sterujący clock relay; time switch; timer (*e.g. for lubricating intervals*), timer switch [miern.]

zegar ze wskazówką sekundowa centralną watch with sweep second hand [abc]

zegarek kieszonkowy pocket watch [abc]

zegarek naręczny wrist watch [abc]

zepsuć waste [abc]

zepsuty defective [mot.]

zero naught (*useless, evil*) [mat.]; naught; null (*null and void*); zero [abc]

zerować reset (*to zero*) [abc]

zerwanie się łańcucha chain break (*fracture*) [transp.]

zeskrobywanie trimming [masz.]

zespalać combine [abc]

zespawany olejoszczelnie welded oil-tight (*in drawings*) [met.]

zespolone światło tylne i hamowania combined stop and tail lamp [mot.]

zespolony complex (*abundant, many aspects*) [abc]

zespołowy complex (*abundant, many aspects*) [abc]

zespoły wymienne replaceable assemblies [abc]

zespół szczotek węglowych carbon brush set [el.]

zespół cluster; grouping; set; team [abc]

zespół bezpieczników fuse block [el.]

zespół cewek spool set [mot.]

zespół chłodnicy radiator block [mot.]

zespół cylindrów engine block [mot.]

zespół do ładowania akumulatorów battery charger [el.]

zespół dociskowy pressure roller block [masz.]

zespół dwuwałowy twin shaft turbine arrangement, two-shafts-arrangement [energ.]

zespół dźwigni mechanicznych mechanical follow-up [mot.]

zespół dźwigni sprzęgła clutch control [mot.]

zespół dźwigni sterujących gear shift control [mot.]

zespół dźwigni włączających gear shift control [mot.]

zespół dźwigni zasysacza choke control [mot.]

zespół elektrod electrode group [el.]

zespół funkcjonalny module [transp.]

zespół jezdny crawler unit; running gear [transp.]

zespół kierowniczy group of managers [abc]

zespół konstrukcyjny assembly [rys.]; structural component; unit (*an assembled component*) [masz.]

zespół kotłów boiler unit [energ.]

zespół kół nośnych support wheel set [transp.]

zespół kół zębatych czołowych set of spur gears [mot.]

zespół kół zębatych stożkowych (*przekładni*) set of bevel gears [masz.]

zespół kół zębatych współosiowych na wale pośrednim layshaft gear claster [mot.]

zespół krążków biegowych i nośnych support roller and track roller groups [masz.]

zespół krążków gąsienicy track roller group [transp.]

zespół krążków napędowych set of drive rollers [mot.]

zespół maszynowy napędzający prime mover [mot.]

zespół mocujący mounting set [mot.]

zespół mocujący BIKON BIKON locking assembly [mot.]

zespół modyfikacji conversion group [transp.]

zespół montażowy arrangement; unit [masz.]; assembly part [rys.]

zespół napędowy drive unit; escalator machine (*AC motor*) [transp.]; driving unit; power equipment; propulsion system [mot.]

zespół napędowy wieloosiowy multi-axle power unit [mot.]

zespół okładzin hamulcowych lining service group [mot.]

zespół pasów klinowych V-belt set [masz.]

zespół pochłaniania dźwięków noise absorbing package [transp.]

zespół przekładni auxiliary transmission [masz.]; large gear unit [transp.]

zespół przewodów cable set [el.]

zespół przewodów świec żarowych glow plug harness [el.]

zespół roboczy joint venture [abc]

zespół roboczy koncernu committee on group level [abc]

zespół ryglujący locking assembly [masz.]

zespół sprężyn spring assembly [masz.]

zespół sprężyn śrubowych coil spring set [tw.]

zespół tylnej osi rear axle assembly [mot.]

zespół walcarek do blachy sheet rolling mill [masz.]

zespół walcarek pośrednich intermediate train [abc]

zespół walcowniczy wstępny roughing mill [masz.]

zespół wałków odbioru mocy power take-off group [mot.]

zespół wałków odbioru napędu power take-off group [mot.]

zespół wału przegubowego joint

shaft assembly [masz.]

zespół wsuwany plug-in unit [transp.]

zespół wtryskowy fuel injection system [mot.]

zespół wymienny exchange part; return part [masz.]

zespół zaworów bank of valves [transp.]; valve bank; valve bridge (*short: bridge*) [mot.]

zespół zębów tooth group [masz.]

zespół znormalizowany module; unit (*e.g. engine unit*) [masz.]

zespół znormalizowany zamienny module [el.]

zestalać się hydrate [abc]; set [min.]

zestaw set [masz.]

zestaw do obsługi technicznej set for servicing [masz.]

zestaw do przebudowy conversion set [transp.]

zestaw do tłumienia zakłóceń noise suppression assembly [el.]

zestaw dodatkowego wyposażenia expansion kit (*later installation*) [transp.]

zestaw elementów oświetleniowych working-site illumination kit [mot.]

zestaw elementów plastikowych plastic package [tw.]

zestaw kołowy wheel assembly, wheel set [mot.]

zestaw kół zębatych transmission gear [masz.]

zestaw mierniczy measuring kit [miern.]

zestaw montażowy assembly kit, unit [masz.]

zestaw montażowy elementów topikowych fuse link block [el.]

zestaw nadawczo-odbiorczy transceiver [el.]

zestaw naprawczy repair kit, repair set [abc]; first aid service and repair kit [transp.]

zestaw narzędzi tool kit, toolkit [narz.]

zestaw pełny complete package [transp.]

zestaw pogodowy cold-weather kit, cold-weather package [transp.]

zestaw probierczy test tool [el.]

zestaw próbny test tool [el.]

zestaw przyborów kreślarskich lettering and marking kit [abc]

zestaw rysunków set of working drawings [rys.]

zestaw sportowy sports kit [mot.]

zestaw sworzni set of pins (*with eyeplates*) [masz.]

zestaw sygnałowy świetlny zawieszony traffic light [mot.]

zestaw śrub set of bolts [masz.]

zestawiać compose [abc]; fit, fit on [met.]; marshal [mot.]

zestawienie configuration [abc]; general drawing [rys.]

zestawienie błędów flaw combination [miern.]

zestawienie rezerw inventory counting sheet [inf.]

zestawienie wysokości miesięcznych sum potrąceń monthly statement [abc]

zestrojony fine-tuned [el.]

zestyk dociskowy butt contact [masz.]

zestyk hamulca postojowego switch contact for parking brake [mot.]

zestyk napinacza łańcucha chain tension switch [transp.]

zestyk ochronny poręczy handrail inlet switch [transp.]

zestyk ochronny poręczy dolny lower handrail inlet switch [transp.]

zestyk ochronny poręczy górny upper handrail inlet switch [transp.]

zestyk pomocniczy auxiliary circuit [el.]

zestyk roboczy A-contact; closing contact; operating contact [el.]

Z

zestyk rozwierny break contact [el.]

zestyk sygnalizacyjny przeciwpo-żarowy fire alarm contact [transp.]

zestyk wlotowy poręczy handrail safety switch [transp.]

zestyk wtykowy plug [el.]

zestyk zwierny A-contact, closing contact, operating contact [el.]

zeszlifowany grind down [met.]

zeszyt brochure [abc]

ześlizgiwać się skid down; slide back (*track during installation*) [transp.]

zewnętrzna piasta hamulca outer brake hub [mot.]

zewnętrzna strona dachu outer decking [transp.]

zewnętrzna strona zakrętu outside of the turn (*curve*) [mot.]

zewnętrzna warstwa stopiwa top seam [wojsk.]

zewnętrzny external; outside [abc]

zeznanie confess (*admit a crime*) [praw.]

zezwalać (*na coś*) allow [abc]; permit [polit.]

zezwolenie permit (*approval, permission*) [polit.]; qualification [abc]

zezwolenie na budowę building permit (*from authorities*) [bud.]

zezwolenie na wykonywanie zawodu spawacza maszynowego welding operator qualification [met.]

zezwolenie specjalne exception agreement [transp.]

zezwój zwierający closing coil [el.]

zębatka gear rack; rack (*of rack railway*) [mot.]

zębatka obrotowa slewing rack (GB); swing bearing; swing rack [mot.]

zębatka pierścieniowa bevel gear [masz.]; crown wheel [mot.]

zębatka regulacyjna fuel rack [mot.]

zębnik drive gear; pinion [mot.]

zębnik biegu wstecznego reverse pinion [mot.]

zębnik mechanizmu obrotowego pinion [transp.]

zębnik mechanizmu rozruchowego starter pinion [mot.]

zębnik pompy pump pinion [mot.]

zębnik stożkowy bevel gear pinion; bevel pinion [masz.]

zębnik tachometryczny speedometer drive pinion [mot.]

zębnik uchylny slew pinion [transp.]; slewing pinion [mot.]

zęza bilge; bottom; bulge [mot.]

zgadzać się concur with [praw.]

zgaga pyrosis (*indigestion, heartburn*) [med.]

zgarniacz rake [narz.]; reclaimer [transp.]

zgarniacz oleju thrower [el.]

zgarniacz podwodny under-water scraper [narz.]

zgarniacz smaru thrower [el.]

zgarniacz wahliwy swinging ash cut-off gate [masz.]

zgarniacz wody water piper [mot.]

zgarniać grunt cut the base of a road [transp.]

zgarniać szuflą scoop [transp.]

zgarniak dragline; reclaimer [transp.]; scraper [mot.]; raking device (*on scraper*) [narz.]

zgarniak boczny side reclaimer [transp.]

zgarniak łańcuchowy chain scraper; scraper chain conveyor [górn.]

zgarniak mostowy (*pomostowy*) bridge reclaimer [górn.]

zgarniak podwodny submerged ash conveyor; under-water scraper [transp.]

zgarniak półbramowy semi-portal reclaimer [transp.]

zgarniak zwałowarkowy stacker reclaimer (*combination kit*) [transp.]

zgarniarka cleaner bar; stripper [abc]; (*do zaprawy*) mortar board (*carry mortar; school*); curbstone blade, curbstone mouldboard; trench blade [bud.]; dirt skimmer; excavating blade; scraper [transp.]

zgarniarka ciągnikowa doczepna scraper [mot.]

zgarniarka hydrauliczna o działaniu wymuszonym positive action hydraulic scraper [mot.]

zgarniarka łyżkowa oponowa scraper [mot.]

zgarniarka przyczepna scraper trailer [mot.]

zgazowanie paliwa fuel gasification [energ.]

zgięcie bending [met.]; curvature [tw.]

zgięty bent; out of shape [abc]

zginać arch [masz.]; fold [abc]

zginanie bending [met.]; convolution [inf.]

zginąć vanish [abc]

zgłaszać pretensję raise a claim [praw.]

zgłębnik do pobierania próbek paliwa pyłowego pulverized-fuel sampler [energ.]

zgłębnik rurkowy sampling tube [masz.]

zgłębnik rurowy tube testing probe [miern.]

zgłoszenie patentowe patent application [praw.]

zgłoszenie szkody announcement of a claim [praw.]

zgniatać jam [masz.]

zgniatanie crushing [górn.]

zgnieciony bloomed [met.]

zgniły rotten [abc]

zgniot drewna upset [tw.]

zgoda unity [abc]

zgodnie z according to [abc]

zgodnie z instrukcją postępowania according to instructions [rys.]

zgodnie z rysunkiem according to drawing [rys.]

zgodnie z warunkami dostawy according to delivery specifications [abc]

zgodnie z wolą klienta customer-specified [abc]

zgodność (*z prawem*) conformity; congruence, coincidence [abc]

zgodność globalna global consistency [inf.]

zgodny compatible, consistent [abc]

zgodny wtykowo plug compatible [el.]

zgodny z kierunkiem ruchu wskazówek zegara clockwise (cw) [abc]

zgodny z przepisami compatible with codes [mot.]

zgodny z rysunkiem in correspondence with <the> drawing [rys.]

zgodny z wymiarami accurate to dimension [rys.]

zgon death [med.]

zgorzel gazowa gas gangrene [med.]

zgorzelina cinder [tw.]; rust and scale [abc]

zgorzelina niespoista loose scale [masz.]

zgrabiarka korzeni root rake [transp.]

zgromadzenie concentration [bud.]

zgrubienie boss (*eye*) [energ.]; excrescence (*protuberance*) [met.]; nose [masz.]

zgrubny unmachined [masz.]

zgrzany dociskowo pressure welded [met.]

zgrzany olejoszczelnie welded oil-tight (*in drawings*) [met.]

zgrzebło reclaimer, scraper [transp.]

zgrzebło łańcuchowe chain scraper; scraper chain conveyor [górn.]

zgrzeina weld, weld seam, welding seam, welded joint [met.]

zgrzeina przyklejona stuck weld [met.]

zgrzeina punktowa spot weld (*spot-welded seam*) [met.]

zgrzewać weld [met]

zgrzewać doczołowo electric flash-weld [met.]

zgrzewać iskrowo electric flash-weld [met.]

zgrzewać liniowo wheel resistant welding [met.]

zgrzewać punktowo spot weld [met.]

zgrzewalność weldability [met.]

zgrzewalny weldable [met.]

zgrzewanie build-up welding [met.]

zgrzewanie oporowe udarowe percussion welding [met.]

zgrzewanie dielektryczne high-frequency welding [met.]

zgrzewanie dociskowe pressure welding [met.]

zgrzewanie doczołowe butt weld [met.]

zgrzewanie doczołowe lub dociskowe flash or upset weld [met.]

zgrzewanie dyfuzyjne diffusion welding [met.]

zgrzewanie elektrodą rdzeniową flux-cored arc welding [met.]

zgrzewanie elementem grzejnym heated tool welding; thermo-compression welding [met.]

zgrzewanie garbowe projection weld [met.]

zgrzewanie gazowe pressure gas welding [met.]

zgrzewanie gazowe łukiem odkrytym open square pressure gas welding [met.]

zgrzewanie gazowe zamknięte closed square pressure gas welding [met.]

zgrzewanie gorącym klinem heated wedge pressure welding [met.]

zgrzewanie impulsowe magne- tyczne magnetic pulse welding [met.]

zgrzewanie indukcyjne dielektryczne high-frequency induction welding [el.]

zgrzewanie kołkowe stud weld [met.]

zgrzewanie kołkowe łukiem ciągnionym drawn arc stud welding [met.]

zgrzewanie kołkowe łukiem świetlnym arc stud welding [masz.]

zgrzewanie kołkowe łukiem świetlnym zgrzewarką kondensatorową/elektrostatyczną condenser-discharged arc stud welding [met.]

zgrzewanie kołkowe łukiem świetlnym z zapłonem pierścieniowym arc stud welding with initiation by collar [masz.]

zgrzewanie kołkowe wybuchowe explosive stud welding [met.]

zgrzewanie kołkowo-tarciowe friction stud welding [met.]

zgrzewanie kowalskie forge welding [met.]

zgrzewanie kuźnicze forge welding [met.]

zgrzewanie laserowe laser welding [met.]

zgrzewanie liniowe seam weld [met.]

zgrzewanie łukiem świetlnym arc pressure welding [masz.]

zgrzewanie łukiem świetlnym poruszanym magnesem arc pressure welding with magnetic moved arc [masz.]

zgrzewanie matrycowe hot pressure welding [met.]

zgrzewanie na zimno cold pressure welding [met.]

zgrzewanie naprawcze repair welding [met.]

zgrzewanie obwodowe circumferential weld [met.]

zgrzewanie odlewnicze cast welding (*repair casting*); pressure-welding with thermo-chemical energy [met.]

zgrzewanie oporowe resistance fusion welding; resistance welding [met.]

zgrzewanie oporowe doczołowe na zimno cold pressure upset welding [met.]

zgrzewanie oporowe elektryczne electric resistance welding (E.R.W.) [met.]

zgrzewanie otworowe plug weld [met.]

zgrzewanie punktowe point welding; spot welding; track welding [met.]

zgrzewanie szyn welding of rails [met.]

zgrzewanie tarciowe friction welding [met.]

zgrzewanie tarciowe inercyjne inertia welding [met.]

zgrzewanie ultradźwiękowe ultrasonic welding [met.]

zgrzewanie walcowaniem roll welding [met.]

zgrzewanie wiązką lasera laser welding [met.]

zgrzewanie wybuchowe (*metali*) explosive welding, explosion welding [met.]

zgrzewany buttered [met.]

zgrzewany doczołowo electric flash-welded [met.]

zgrzewany iskrowo electric flash-welded [met.]

zgrzewany laserem laser welded (*tubes, pipes*) [met.]

zgrzewarka welding apparatus; welding set [masz.]

zgrzewarka sczepna tack welder, tacker [narz.]

zgrzytać crunch [bud.]

ziarnistość coal sizing [energ.]; grain; graining; size of coal [górn.]; grain size, grain-sizes [tw.]; mottle [el.]; particle size [bud.]

ziarnistość materiału finished material size [met.]

ziarnisty granular [górn.]

ziarno grain [roln.]; pebble (*of cherry, etc.*) [abc]; pellet [chem.]

ziarno drobne fines [met.]

ziarno pojedyncze grain [abc]

ziarno siewne seed [bot.]

zieleń green [norm.]

zieleń butelkowa bottle green [norm.]

zieleń chromowa chrome green [norm.]

zieleń chromowa tlenkowa leaf green [norm.]

zieleń grafitowa grass green [norm.]

zieleń jodłowa fir green [norm.]

zieleń jodły fir green [norm.]

zieleń majowa may green [norm.]

zieleń mchu moss green [norm.]

zieleń mięty mint green [norm.]

zieleń oliwkowa olive green [norm.]

zieleń opalowa opal green [norm.]

zieleń paproci fern green [norm.]

zieleń pastelowa pastel green [norm.]

zieleń patynowa patina green [norm.]

zieleń rezedowa reseda green [norm.]

zieleń sosnowa pine green [norm.]

zieleń szmaragdowa emerald green [norm.]

zieleń świetlista light green [norm.]

zieleń trzciny reed green [norm.]

zieleń turkusowa turquoise green [norm.]

zieleń żółta yellow green [norm.]

ziemia ground, soil dirt; earth [abc.]

zima winter [abc]

zimne końce thermocouple cold junction [energ.]

zimne powietrze cold air [meteo.]

zimno coldness [abc]

zimny cold [abc]

Zincal duplex zincal duplex (*Zincal with an additional zinc-rich primercoat*) [masz.]

zintegrowane przetwarzanie danych integrated data processing [inf.]

zintegrowane systemy komputerowe sterowania produkcją computer-integrated systems for factory automation [inf.]

zintegrowane udoskonalanie oprogramowania integrated software development [inf.]

zintegrowany integrated [abc]

zintegrowany uchwyt zęba integrated tooth shank (*corner bit*) [mot.]

zjawisko Dopplera Doppler effect [fiz.]

zjawisko krawędziowe edge effect [el.]

zjawisko uboczne side effect [inf.]

zjazd exit [mot.]; meeting [abc]; rally [polit.]

zjednoczenie association [abc]

zjednoczony (*ponownie*) reunited [polit.]

zjeżdżać (*do kopalni*) descend, go down, visit, inspect, tour [górn.]

zjeżdżalnia skid [abc]

zlecać (*komuś określone zadanie*) entrust with [abc]

zlecenie commission [ekon.]; order, task, mission, command [abc]

zlecenie dostawy delivery order [wojsk.]

zlecenie wewnętrzne inter-company order (*internal order*) [abc]

zlecenie zewnętrzne external order (*from outside*) [abc]

zleceniodawca employer [ekon.]

zlepieniec conglomerate [górn.]

zlewanie filling (*of beer into kegs, bottles*) [abc.]

zlewnia catchment area [meteo.]; water catchment area [hydr.]

zlewnia powierzchniowa catchment basin [meteo.]

zlewozmywak sink (*kitchen sink*) [mot.]

zliczać estimate (*reckon, assume*) [abc]

zlokalizowany localized [abc]

zluzowanie relieve (*by the barracks gate*) [wojsk.]

złamanie fracture [med.]

złamanie mechaniczne machinery breakage (*destruction*) [masz.]

złamanie odpryskowe spall fracture [med.]

złamanie stopnia broken step, step breakage [transp.]

złamany cracked [mot.]

złącza fastenings [mot.]

złącze connection [abc]; union [masz.]; union, link [mot.]

złącze angielskie English interface [inf.]

złącze doczołowe flanged edge joint [met.]

złącze elektronowo-dziurowe pn junction [el.]

złącze gwintowane threaded connection [masz.]

złącze kablowe cable connection, cable fitting [el.]

złącze kablowe rozłączne cable coupler [el.]

złącze kabłąkowe shackle coupling [mot.]

złącze klinowe keyed joint [masz.]

złącze kołnierzowe flange joint, flanged joint, flange mounting, flange union, flanged connection [transp.]

złącze kompensacyjne expansion joint; flexible offset joint [energ.]; expansion switch, switch expansion joint [mot.]

złącze kompensacyjne mieszkowe flexible bellows joint [energ.]

złącze krzyżowe cross butt joint

(*sheets welded cross butt*) [met.]

złącze kulowe ball and socket joint, ball joint [masz.]

złącze linowe rope clamp [masz.]

złącze lutowane solder points [met.]

złącze luźne loose connection; tottering contact [el.]

złącze narożne corner joint [met.]

złącze rurowe pipe connection (*flanges, fixtures*) [masz.]

złącze rurowe do szybkiego montażu quick-lock coupling (*on fuel tank*) [masz.]

złącze rurowe śrubowe pipe fitting; tube fitting [masz.]

złącze spawane welded joint, welded connection, weld (*short for welding seam*) [met.]

złącze standardowe interface (*data processing*) [inf.]

złącze stykowe szyn track connection [mot.]

złącze szynowe track connection [mot.]

złącze śrubowe bolted connection [masz.]

złącze śrubowe kątowe angled screw coupling [masz.]

złącze śrubowe obrotowe elbow fitting [masz.]

złącze śrubowe proste straight fitting [transp.]

złącze śrubowe przegubowe swing fixture; screw connection [masz.]; swinging screw connection [mot.]

złącze śrubowe typu ermeto ermeto coupling [masz.]

złącze teowe T-joint [met.]

złącze węża hose connector; hose fixture [masz.]

złącze wtykowe plug and socket connection [el.]

złącze wyjściowe output connection (*thread*) [mot.]

złącze zakładkowe lap joint [met.]

złączenie contact; union [el.]

złączka adapter [el.]; fitting; connector, coupling, terminal [transp.]; joint [mot.]; shear connector [masz.]

złączka bębnowa drum stub [energ.]

złączka dopasowana tight fit [masz.]

złączka gwintowana nakrętna screw socket [masz.]

złączka linowa rope clamp [masz.]

złączka nakrętna coupling; tapped bushing; threaded coupling [tw.]

złączka nakrętno-wkrętna elevating spindle guide bushing; tapped bushing; threaded coupling [masz.]

złączka nasuwana (*rury*) sealing joint [masz.]

złączka odgałęźna branch joint [el.]

złączka redukcyjna sleeve [mot.]

złączka redukcyjna stożkowa reducer connector [mot.]

złączka rurowa adapter pipe, tube coupling [masz.]; pipe nipple [mot.]

złączka rurowa nakrętna terminal; tube coupling, coupling [transp.]

złączka rurowa redukcyjna reducing nipple [masz.]

złączka rurowa z gwintem wewnętrznym female union [masz.]

złączka rurowa z gwintem zewnętrznym male union [masz.]

złączka (rury) straight connector [mot.]

złączka spawana welded nipple, welded-in stub, welded-stub connection [met.]

złączka sprzęgająca engagement nut [masz.]

złączka wkrętna nipple; tapped bushing, threaded coupling [masz.]

złączka wkrętna podwójna double nibble [mot.]

złączka wtykana socket joint (*of pipe*) [masz.]

złączka wtykowa connector; plug [el.]

złe powietrze waste steam [energ.]

złodziej samochodów car thief [mot.]

złom cutting scrap; offcuts [met.]; scrap [masz.]

złom dla stalowni i odlewni steel scrap and pig iron for steel works and foundries [masz.]

złom metalowy (*elementy regularne*) slug scrap [masz.]

złom metalowy i metale nieprzetapiane metal scrap and virgin metals [tw.]

złom nieżelazny non-ferrous scrap metal [tw.]

złom odlewniczy cast iron scrap [met.]

złom stopowy alloyed scrap [masz.]

złom w bryłach solid scrap (*directly to furnace*) [tw.]

złomować salvage (*salvaging*) [mot.]; scrap [masz.]

złomowanie salvaging [mot.]

złomowanie samochodów junk yard [rec.]

złoto gold [tw.]

złoże deposit (*of coal, copper, gold*) [gleb.]

złoże diamentonośne diamond soil deposit [górn.]

złoże luźne unconsolidated deposit [bud.]

złoże mieszane circular blending bed [górn.]

złoże rudy ore body [górn.]

złoże węgla coal reserves (*in the ground*) [górn.]

złoże wzdłużne longitudinal blending bed [górn.]

złożenie sprawozdania report [abc]

złożony assembled [masz.]; submitted (*deposited*) [abc]

złożony typ danych compound data type [inf.]

złuszczony peeled, peeled off (*came off*) (*lawn, potatoes, sunburn*) [transp.]

zły bad (*miserable, faulty*) [abc]

zmaksymalizowany limit [prawn.]

zmarszczka crease; furrow [abc]

zmarszczki wrinkles (*crow's feet*) [med.]

zmartwiony worried [abc]

zmęczenie fatigue, fatigueing; (*materiału*) exhaustion [tw.]

zmęczenie kierowcy stress for the operator [mot.]

zmęczony exhausted (*tired out, fatigued*) [abc]

zmęczyć tire [abc]

zmiana change (*modification*) [mot.]; conversion (*change*) [transp.]; (*czas pracy*) shift; variation [abc]; alteration [praw.]; relieve [wojsk.]

zmiana biegu gear change, gear changing, gear shifting [mot.]

zmiana biegu przekładni pełzającej precision gear shifting [mot.]

zmiana biegu sprzęgłem przeciążeniowym override clutch gear change [mot.]

zmiana biegu w skrzyni przekładniowej travel gear shift [transp.]

zmiana częstotliwości cycle changeover [el.]

zmiana dzienna day shift [abc]

zmiana kierunku cięcia cutting change [tw.]

zmiana kierunku obciążenia przy zginaniu reserved bending strength [masz.]

zmiana kierunku skrawania cutting change [tw.]

zmiana kierunku wirowania reversal of rotation [transp.]

zmiana konstrukcyjna changing construction [rys.]

zmiana minimalna minimum displacement setting [mot.]

zmiana nocna night shift, nightwork [abc]

zmiana obciążenia load cycle [masz.]

---

zmiana odcienia barwy fading of colour [met.]

zmiana pasa ruchu lane drifting, lane straddling [mot.]

zmiana popołudniowa swing shift (US) [abc]

zmiana powierzchniowa surface changes [masz.]

zmiana pracowników change of shifts [abc]

zmiana przekroju change in section [rys.]

zmiana przekroju stopniowa gradual change in section [energ.]

zmiana stanowisk w obrębie przedsiębiorstwa job rotation [abc]

zmiana w natężeniu change in gain [el.]

zmiana wolnego koła free wheel change (*shift*) [mot.]

zmiana wysokości głowy zęba (*koła zębatego*) change of addendum [tw.]

zmiana wysokości składek alteration of the premium, premium has to be quoted due to changing [praw.]

zmiana zasadniczej umowy ubezpieczenia modification of primary insurance, modification of underlying insurance [praw.]

zmieniać alternate; change [abc]; convert; modify (*alter, change*) [abc]; relieve [wojsk.]; vary (*fluctuate*) [transp.]

zmieniać bieg na wyższy shift (*to the <next> higher gear*); upshift [mot.]

zmienna variable [inf.]; variable [mat.]

zmienna logiczna logic variable [el.]

zmienna sytuacyjna situation variable [inf.]

zmienna wiązana bound variable (*in logic*) [mat.]

zmienna wolna free variable (*in logic*) [inf.]

zmienna zależna dependant variable [mat.]

zmienne natężenie przepływu variable displacement [mot.]

zmiennik indukcyjności variometer [el.]

zmiennobiegunowy pole changing; pole-changeable [el.]

zmienność variability; variation [abc]

zmienny (*dający się zmienić*) changeable; changing; variable [abc]

zmierzch dawn [abc]; dusk [meteo.]

zmiękczacz softener [masz.]

zmiękczać soften [masz.]

zmiękczanie wody zasilającej feed-water softening [hydr.]

zmiotka hand-brush [abc]

zmniejszać back off [met.]; decrease; diminish; minimize; reduce [abc]; lower (*the pressure*) [mot.]; shorten [masz.]

zmniejszenie contraction (*reduction*) [energ.]; decrease, decrement [abc]; reduction [praw.]; restriction [mot.]

zmniejszanie zapylenia aerosols and dust removal [aero.]

zmniejszony reduced [abc]

zmontowany assembled (*fit on, mounted*) [masz.]

zmotoryzowany wheels [mot.]

zmrok dawn (*from dawn to dusk; all day long*) [abc]; dusk [meteo.]

zmydlać saponing (US) [chem.]

zmywać do the dishes [abc]

zmywalnia galley [abc]

znaczek brand; token [abc]

znaczek firmowy logo [mot.]

znaczek pocztowy postage stamp, stamp (*postage stamp*) [polit.]

znaczenie meaning; significance [abc]

znacznik marker [abc]; punch [masz.]; token [inf.]

znacznik celu target mark (*in bill of matrials*) [el.]

znacznik czasu screen marker [inf.]

znacznik skali scale marker [miern.]

znacznik złącza junction label [inf.]

znaczniki linii line labels [inf.]

znaczny (*znacznie*) to a great extent; noticeable [abc]

znaczyć denote [bud.]; mean [abc]

znajdujący się located (*at*) [abc]

znajdujący się na liście zabytków scheduled under ancient monuments [bud.]

znajdywanie maksimum funkcji hill climbing search [mat.]

znajomość knowledge [abc]

znak characteristic; mark; feature; preceding sign; (*zanurzenia*) level; character [abc]; sign; (*drogowy*) sign (*signal, traffic sign*) [mot.]

znak algebraiczny algebraic sign [mat.]

znak biegunowości polarity sign [fiz.]

znak cytowania inverted commas/ quotation marks [abc]

znak do odjazdu departure sign [mot.]

znak drogowy traffic sign (*e.g. dead-end road*) [mot.]

znak firmowy label; logo plate; name badge, name plate; trade mark, trademark [abc]

znak gładkości surface marking [rys.]; surface peak-to-valley height; surface symbol [masz.]

znak informacyjny indicating label [abc]

znak kilometrowy milestone [mot.]

znak liczby digit sign [mat.]

znak nakazu interdiction plate [transp.]

znak odjazdu starting signal [mot.]

znak ostrzegawczy warning sign, warning signal [transp.]

znak producenta manufacturer's marking [abc]

znak przynależności państwowej nationality plate; nalepka ze znakiem przynależności państwowej [mot.]

znak towarowy trade mark, trademark [abc]

znak ustawczy aligning mark; timing mark [miern.]

znak wykrzyknienia exclamation mark [abc]

znak zanurzenia water gauge; water mark [mot.]

znak zapytania query, question mark [abc]

znakować mark [abc]

znakowanie identification, marking [abc]

znakowanie ukośne slanted mark [abc]

znamienny peculiar; unique [abc]

znamię characteristic; feature [abc]

znamionowa moc wyjściowa nominal output [el.]

znane cechy known features [abc]

znany known [abc]

znieczulać stun (*paralyse*) [med.]

zniekształcenie distortion [el.]; distortion [tw.]; (*unbalance*) distortion [energ.]

zniekształcenie amplitudowe amplitude distortion [el.]

zniekształcenie beczkowate barrel-shaped distortions [abc]

zniekształcenie impulsu pulse distortion [el.]

zniekształcenie nieliniowe nonlinear distortion [el.]

zniekształcenie obrazu image defect [el.]

zniesiony abolished [abc]

znikać vanish [abc]

znikanie cancellation [el.]

zniszczenie annihilation [abc]; destruction; dilapidation, ruining, crumbling [bud.]; havoc [mot.]

zniszczony dilapidated (*ruined*); tatty, shabby, untidy [abc]

zniszczony tektonicznie tectonically destroyed [geol.]

zniszczyć waste [abc]

znormalizowana skrzynka biegów standard gear box [mot.]

znormalizowany standard; standardized [norm.]; suitable for and during work; utilizable [abc]

znos drift off; leeway [mot.]

znosić sweep [abc]

znoszenie tape skew [masz.]

znoszenie krótkotrwałe short-time drift [transp.]

zobowiązania accounts payable [ekon.]

zobowiązany do świadczeń under the obligation to fulfill [praw.]

zobrazowanie display; picture [inf.]

zorza poranna morning glow [abc]

zostać zdegradowanym get demoted; get slick-sleeved [wojsk.]

ZPO u.d.c. (*upper dead centre*) [masz.]

zraszający wetting [abc]

zredukowana odległość błędu reduced flaw distance [masz.]

zredukowana wielkość błędu reduced flaw distance, reduced flaw size [masz.]

zredukowany reduced [abc]

zregulowanie zakłóceń modulation [el.]

zrobiony na zamówienie tailor-made [masz.]

zrozumiały clear; comprehensible; distinctive; understandable [abc]

zrównanie składek adjustment of the premium [praw.]

zrównoważenie ciężaru load balancing [abc]

zróżnicowanie diversification [abc]

zrujnowany dilapidated, ruined, run down [abc]

zrywać rip [transp.]; skid [bot.]; stall (*stall point*) [mot.]

zrywać pobocze peel off a shoulder [transp.]

zrywak ripper tooth; stump harvester; wrecker tooth [transp.]

zrywarka backhoe with ripper tooth; excavator with ripper tooth; ripper; scarifier (*makes scars only*); shovel with ripper tooth [transp.]

zrywarka tylna rear ripper, rear scarifier [mot.]

zrywarka tylna do płytkich robót scarifier [mot.]

zrywarka wielozębowa multi-shank ripper [transp.]

zrzec się dispense [abc]

zrzeszenie incorporation [abc]

zrzucać dump (*excerpt from a memory*) [inf.]

zrzucać ciężar throw off the load (*shed load*) [energ.]

zrzucać ładunek shed load (*throw off the load*) [energ.]

zrzut jałowy free swing [transp.]

zrzutnia pochyła inclined ramp [bud.]

zrzyny cutting scrap [tw.]

zstępująca powierzchnia boczna falling flank (*on edges*) [masz.]

zsunięty slid back (*track during installation*) [transp.]

zsuwać trap (US) [górn.]

zsuwać się slide down; slide off [abc]

zsuwak (*urządzenie hydrauliczne do zsuwania nosiwa z taśmy*) pushing device [mot.]

zsuwnia chute [górn.]

zsuwnia wahliwa traversing chute [energ.]

zsuwnia węgla coal chute [energ.]

zszywacz biurowy stapler [abc]

zszywać baste; stitch (*sew*) [abc]

zszywarka tack-welding machine [narz.]

Z

zupełnie all the way; wholly [abc]

zużycie consumption, exhaustion [mot.]; waste [abc]; wear, wear and tear [masz.]

zużycie benzyny consumption of petrol (*US: gas*) [mot.]

zużycie energii current consumption [transp.]; energy consumption [mot.]

zużycie energii przez urządzenia pomocnicze consumption of auxiliaries [energ.]

zużycie materiałów material usage (US) [abc]

zużycie na własne potrzeby station requirements [el.]

zużycie paliwa fuel consumption, fuel consumption rate [mot.]

zużycie pary właściwe specific steam consumption [energ.]

zużycie własne proper consumption [energ.]

zużytkować utilize (*use, work with it*) [abc]

zużyty torn, used (*used up, consumed, worn out*) [abc]; worn (*used up, abrased, fatigued*) [masz.]

zużywać consume; consume, use, use up [abc]

zużywać się abrase (*abrasive bearing*) [transp.]; run [abc]; wear, abrase [masz.]

zużywający mało paliwa fuel efficient [mot.]

zużywanie wearing off [energ.]

zwalcowany bloomed [met.]

zwalczać combat [wojsk.]

zwalniacz detent, detention device; release; trigger [masz.]; retarder [mot.]

zwalniać (*unbolt, open, open up*) unlock; release (*unload, let go*); unclamp [masz.]; decelerate; slow down [mot.]; discharge (*lay off*) [wojsk.]; laid off, lay off (*discharge*); let go (*off a lever*); retard [abc]

zwalniak hamulca brake bleeder [transp.]

zwalniak hamulca stopniowy gradual brake release [mot.]

zwalniak ręczny (*hamulca*) manual brake release handle [transp.]

zwalnianie disengagement [mot.]

zwalnianie hamulca brake release [mot.]

zwał (*węgla*) stack; dump; pile [górn.]; heap [transp.]

zwał węgla coal dump [rec.]

zwał zewnętrzny nadkładu outside dump [górn.]

zwałka barging [rec.]; dump [górn.]; dumping [transp.]; ocean-dumping [abc]

zwałowanie krzyżowe cross pit dumping [transp.]

zwałowarka stacker; stockpiling plant [górn.]; tripper, tripper car [transp.]

zwałowarka ciężka giant spreader (*giant stacker*) [transp.]

zwałowarka kombinowana combined stacker reclaimer [górn.]

zwałowarka konsolowa girder-type spreader [transp.]

zwałowarka krzyżowa cross pit conveyor [transp.]

zwałowarka mostowa bridge spreader [transp.]

zwałowarka taśmowa belt stacker [transp.]

zwałowarka wspornikowa girder-type spreader [transp.]

zwałowarka z dwiema taśmami (*dwutaśmowa*) tripper car with two belts [transp.]

zwałowarka z jedną taśmą (*jednotaśmowa*) tripper car with one belt [transp.]

zwałowisko dumping ground [transp.]

zwałownica stacker (*more often: spreader*) [transp.]

zwarcie infight [abc]; short circuit [el.]

zwarcie doziemne earth fault (*earth leakage*) [el.]

zwarcie wirtualne virtual short circuit [el.]

zwarcie z masą ground (US) [transp.]

zwarciowy współczynnik wzmocnienia prądowego current gain [el.]

zwartość compactness [górn.]; density, tightness [bud.]; solidity (*stability*) [transp.]

zwarty compact; tight [abc]; dense [tw.]; solid (*compact, e.g. solid rock*) [geol.]

zweryfikować verify [abc]

zwęglać carbonize [chem.]

zwężać contract [mot.]

zwężać się taper [masz.]

zwężenie contraction, reduction [energ.]; orifice; restriction (*oil flow*) [mot.]

zwężka pomiarowa metering orifice; orifice disk [miern.]

zwężka rurowa reducer [masz.]

zwężony constricted [abc]

zwiad reconnaissance [abc]

związek association, incorporation; linkage [abc]; union (*the unions*) [polit.]

związek przyczynowy cause relation [inf.]

związek tlenku żelaza ferrous oxide connection [chem.]

związek zawodowy trade union [polit.]

związek żelaza ferrous compound [tw.]

związkowiec union man [polit.]

związywać tie [abc]

zwichnąć dislodge [med.]

zwichrowanie distortion, twist, warping [tw.]

zwichrzenie distortion, twist, warping [tw.]

zwiedzać (*kopalnię*) visit (*inspect, tour*) [górn.]

zwiedzający visitor [abc]

zwieracz shorting device [el.]

zwierać short [el.]

zwierciadło mirror [abc]

zwierciadło cylindryczne cylindrical mirror [mot.]

zwierciadło paraboliczne parabolic mirror (*horn parabolic mirror*) [telkom.]

zwierciadło skupiające concentrating mirror [fiz.]

zwierciadło tubowo-praboliczne horn parabolic mirror [telkom.]

zwierciadło wklęsłe concave mirror, concentrating mirror [fiz.]

zwierciadło wody water level [bud.]

zwierciadło wody gruntowej ground water table [hydr.]

zwierciny rock cutting [bud.]

zwierzęcy animal [bot.]

zwietrzały aged [bud.]; corroded [tw.]; weathered [masz.]

zwietrzelina waste [geo.]

zwiędły withered [bot.]

zwiększać boost, extend, improve [abc]

zwiększać liczbę obrotów run up [masz.]

zwiększać średnicę increase diameter (*expand; tubes*) [energ.]

zwiększanie increase (*diameter*) [energ.]

zwiększanie ciśnienia development of pressure, pressurization [mot.]; tensioning (*cold pull up*) [energ.]

zwiększanie mocy increased-power rated [mot.]

zwiększanie momentu pędu torque rise [masz.]

zwiększanie siły nośnej increased pressure lift [transp.]

zwiększanie siły udźwigu increased lifting forces [mot.]

Z

zwiększona siła nośna increased pressure lift [mot.]

zwiększone koszty płac increased wages [abc]

zwiększone obciążenie increased demand [transp.]

zwijać burnish [met.]; roll (*threads after quench and temper*); roll [masz.]

zwijak coiler [tw.]

zwijarka coiler [tw.]

zwijarka podpodłogowa downcoiling unit [met.]

zwijarka ręczna hand winder (*hasp, reel*) [narz.]

zwilżać moisten; wet [abc]

zwilżający wetting [abc]

zwilżanie wstępne pre-wetting [masz.]

zwinąć wind [abc]

zwinny nimble [abc]

zwis deflection; slack; slackening [transp.]

zwis łańcucha chain slack; slack of the chain [transp.]

zwisać overhang [mot.]

zwłoka delay, delaying [transp.]; time lag [el.]

zwłoka w dostawie delay in delivery (*breach of control*) [ekon.]

zwłoka w wypłacie premii arrears in the payment of premiums [praw.]

zwłoki corpse [med.]; dead body, carcass [abc]

zwoje walcowane na gorąco hot rolled coils [masz.]

zwolennik fan [abc]

zwolnienie release [inf.]

zwolnienie sygnału błędu flaw signal release [miern.]

zwolniony freed (*relieved, released*) [abc]

zwoływać call (*call <or summon> a meeting*) [abc]

zwornica śrubowa screw clamp [transp.]

zwornik armature, rotor [el.]; keystone; centre key [bud.]

zwozić (*zboże*) harvest (*bring the crops in*) [roln.]

zwój coil [tw.]

zwój taśmy stalowej steel strip coil [tw.]

zwracać uwagę na indicate [abc]

zwrot return shipment [abc]

zwrotne potwierdzenie odbioru advice of delivery [abc]

zwrotnica gear shift rail; points, switch [mot.]

zwrotnica o ruchomych opornicach stub switch (*of railway, others*) [mot.]

zwrotnica osi przedniej front wheel stub axle, stub axle [mot.]

zwrotnica przesyłowa turnout [mot.]

zwrotnica z iglicami sprężystymi long-blade switch (*long blade points*) [masz.]

zwrotniczy pointsman (GB); switchman (US) [mot.]

zwrotność maneuverability [mot.]

zwrotny maneuverable [mot.]

zwrócić pokrycie replace coverage [praw.]

zwycięstwo victory [abc]

zwyczaj custom; usage [abc]

zwyczaje pogrzebowe obsequies [abc]

zwyczajny customary [abc]

zwykły common; plain [abc.]

zygzakowaty serpentine (*zigzagshaped*) [mot.]

zżółkły yellowed [abc]

źle poinformowany ill adviced [abc]

źle słyszący hard of hearing [abc]

źródło source; well, fountain, spring [abc]

źródło doskonałe ideal source [el.]

źródło dźwięku sound source [akust.]

źródło napięcia voltage source [el.]

źródło niezależne autonomous source [abc]

źródło paliwa source of fuel [energ.]

źródło prądu current source [el.]

źródło prądu zwierciadlanego current mirror [el.]

źródło promieniowania source of radiation [opt.]; emitter [el.]

źródło regulowane controlled source [el.]

Ż

żabka clip plate [mot.]

żagiel sail [mot.]

żagielek kopuły knuckle [masz.]

żagiew torch [abc]

żaglowiec sailing ship [mot.]

żaglowiec szkolny training ship [mot.]

żaglówka sail boat [mot.]

żakiet jacket [abc]

żalić się wail [abc]

żaluzja shutter [bud.]

żaluzja chłodnicy radiator shutter [mot.]

żandarmeria wojskowa military police (MP) [wojsk.]

żargon (*język środowiskowy*) jargon [abc]

żaroodporny heat resistant [abc]

żarowytrzymałość high temperature tensile strength [masz.]

żarowytrzymały creep-resistant [tw.]

żarówka bulb [el.]

żarówka dwuwłóknowa double filament bulb [mot.]

żarówka festonowa festoon bulb [bud.]

żarówka jednowłóknowa single filament bulb [mot.]

żarówka reflektora bulb [mot.]

żarówka rurkowa bulb, strip-light [el.]

żarzyć glow (*various results*) [met.]

żarzyć wstępnie pre-glow, pre-heat, pre-ignite [met.]

żąć mow [bot.]

żądać claim [praw.]; interrogate [inf.]; demand request [abc]

żądanie requirement [abc]

żądanie odszkodowania claims to compensation [praw.]

żądło sting [bot.]

żebro rib; groin (*abdomen joins thighs*) [med.]; rib (*in steel girder*) [transp.]; strip (*runner, rail*) [masz.]

żebro chłodzące fin (*of radiator*) [mot.]

żebro poprzeczne longitudinal girder [mot.]

żebro ukośne side bar [masz.]

żebro usztywniające obwodowe circumferential rib [transp.]

żebro wzmacniające load carrier [mot.]

żeglować sail [mot.]

żegluga navigation [mot.]

żelazisty ferriferous, ferruginous [min.]

żelazna reguła rule of the thumb [abc]

żelazny iron (*made of iron*) [masz.]

żelazo ferrite [tw.]; iron [masz.]

żelazo drobnoziarniste fine-grained iron, close-grained iron [tw.]

żelazo magnetycznie miękkie soft magnetic iron [masz.]

żelazo teowe T-iron, T-section [mot.]

Ż

Ź

żelazo użytkowe re-usable iron [tw.]

żelazo zgrzewne wrought iron [masz.]

żelazobeton reinforced concrete [masz.]

żeliwo cast iron (*austenitic, corrosion-resistant, heat-resistant*); (*tubbings*) tubingi [tw.]

żeliwo austenityczne austenitic cast iron [masz.]

żeliwo ciągliwe białe malleable cast iron, white [tw.]

żeliwo ciągliwe malleable cast iron [tw.]

żeliwo ciągliwe czarne malleable cast iron, black [tw.]

żeliwo kowalne malleable iron, malleable cast iron (*w/o Fe-carbide*) [tw.]

żeliwo odporne na korozję corrosion-resistant cast iron [tw.]

żeliwo odporne na ścieranie wear-resistant cast iron [masz.]

żeliwo sferoidalne spheroidal cast iron, spheroidal iron casting, ductile cast iron, nodular cast iron [tw.]

żeliwo sferoidalne grafityzowane SG iron (*spheroidal globular iron*), nodular spheroid. graphite cast iron [tw.]

żeliwo stopowe alloy casting [masz.]

żeliwo szare gray cast, foliated (*laminated*); cast iron (*varying qualities*) [tw.]

żeliwo utwardzone chill casting, chilled cast iron [tw.]

żeliwo z grafitem płatkowym flake-graphite cast iron [tw.]

żeliwo z grafitem sferoidalnym spheroidal graphite cast iron, ductile cast iron, nodular cast iron [tw.]

żeliwo z grafitem wermikulitowym cast iron with vermicular graphite [tw.]

żeliwo zabielone chill casting, chilled cast iron [tw.]

żeliwo żaroodporne heat-resistant cast iron [tw.]

żerdź ćwiartkowa quarterpole (*on big top tent*) [abc]

żerdź płotu fence pole [abc]

żerdź pompowa pump rod, pump piston lever [mot.]

żerdź pompy paliwowej fuel pump control [mot.]

żerdź wiertnicza drill-rods [masz.]

żeton token, brand [abc]

żłobek beading [masz.]; flute, groove; nick [met.]; slit, slot [abc]

żłobić gouge [met.]

żłobienie łukowe arc-air gouging [masz.]

żłobkować crimp (*bead*) [met.]

żłobkowanie corrugation (*fluting, ribbing*) [tw.]

żmija snake [bot.]

żniwa harvest season, harvesting time [roln.]

żołądek stomach [med.]

żółcień chromowa chrome yellow [norm.]

żółcień curry curry [norm.]

żółcień cynkowa zinc yellow, lemon yellow [norm.]

żółcień cytrynowa lemon yellow [norm.]

żółcień fluoryzujący luminous yellow [norm.]

żółcień janowcowa broom yellow [norm.]

żółcień kadmowa cadmium yellow [norm.]

żółcień kukurydziana maize yellow [norm.]

żółcień melonowa melon yellow [norm.]

żółcień ochrowa ochre yellow [norm.]

żółcień oliwkowa olive yellow [norm.]

żółcień siarkowa sulfur yellow [norm.]

żółcień szafranowy saffron yellow [norm.]

żółcień złota golden yellow [norm.]

żółty yellow [norm.]

żuraw crane [mot.]; hoist [masz.]

żuraw bramowy portal crane, loading bridge, gantry [mot.]

żuraw bramowy podwójny twin deck crane (*type Gemini*), twin Gemini deck crane [mot.]

żuraw bramowy stoczniowy shipyard gantry (*shipyard portal crane*) [mot.]

żuraw budowlany construction crane [bud.]

żuraw dwupokładowy twin deck crane, Gemini crane [mot.]

żuraw halowy assembly-hall crane [transp.]

żuraw hydrauliczny hydraulic crane [transp.]

żuraw jednopokładowy single deck crane [mot.]

żuraw jezdny tyre crane [transp.]

żuraw kopalniany recovery crane (*may sit on truck*) [górn.]

żuraw masztowy erecting crane, stiff-leg derrick [energ.]

żuraw montażowy assembly crane [transp.]; erecting crane, stiff-leg derrick [met.]

żuraw obrotowy o dużym udźwigu heavy duty crane [mot.]

żuraw obrotowy specjalny special swivel crane [masz.]

żuraw obrotowy stoczniowy shipyard swivel crane [mot.]

żuraw pływający floating crane [mot.]

żuraw pływający z napędem własnym self-propelled floating crane [mot.]

żuraw pokładowy przegubowy double-joint deck crane [mot.]

żuraw portalowy stoczniowy shipyard portal crane (*gantry*) [mot.]

żuraw portowy dockside crane, port crane [mot.]

żuraw przegubowy double joint deck crane [mot.]

żuraw przybrzeżny offshore crane [mot.]

żuraw samochodowy truck crane [mot.]

żuraw samojezdny tyre crane [transp.]

żuraw stoczniowy shipyard crane [mot.]

żuraw wychylno-obrotowy luffing and slewing crane [mot.]

żuraw wypadowy luffing crane (*auxiliary crane*) [transp.]

żuraw załadunkowo-wyładowczy truck loader crane [transp.]

żuraw z wysięgnikiem outrigger crane [mot.]

żurawie nabrzeżne i pokładowe quay-mounted and deck cranes [mot.]

żużel slag, cinder; clinker [energ.]

żużel ciekły liquid slag [energ.]

żużel granulowany chilled slag (*granulated slag*) [energ.]

żużel olejowy oil slag [masz.]

żużel Thomasa basic slag [energ.]

żużel w stanie ciekłym liquid slag [energ.]

żużel wielkopiecowy blast-furnace slag [masz.]

żużel ziarnisty granulated slag (*chilled slag*) [energ.]

żużlotwórczy slag forming [energ.]

żwawy alert (*wide awake, smart, useful*) [abc]

żwir gravel (*as it comes from the quarry*); chippings [bud.]

żwir bitumiczny bituminous aggregates (*b. gravel*) [bud.]

żwir gliniasty loamy gravel [min.]

żwir gruby shine [gleb.]

Ż

żwirek fine gravel [min.]; chippings [bud.]; grits [energ.]
żwirownia gravel pit [górn.]
życie life [abc]
życiorys curriculum vitae (*course of life*) [abc]
życzenie wish (*wishful thinking*) [abc]
życzenie specjalne special request [abc]
życzliwość favour [abc]
żylasty sinewy [abc]
żyletka razor blade [abc]
żyła vein [med.]; (*np. kabla*) wire [el.]
żyła przewodu ochronnego protective conducting wire [el.]
żyła rudy ore body [górn.]

żyrator gyrator [el.]
żyrokompas gyro compass (*gyrostat, gyroscope*) [mot.]
żyto rye (*type of grain*) [bot.]
żywica resin [bot.]
żywica acetalowa acetal resin [chem.]
żywica alkidowa alkydal [chem.]
żywica syntetyczna artificial resin [chem.]
żywica sztuczna artificial resin [chem.]
żywicować resin [bot.]
żywność foods [abc]
żywopłot hedge [bot.]
żywotność operating life [mot.]; can-time (*of paint in open can*) [tw.]